Reina

2010

LA SANTA BIBLIA
ANTIGUO Y NUEVO TESTAMENTO

- Antigua Versión De Casiodoro De Reina (1569)
- Revisada por Cipriano De Valera (1602)
- Revisión de La Antigua Reina Valera (1909)
- Revisada por Dr. Humberto Gómez Caballero (2010)

Todas y cada una de las palabras han sido revisadas minuciosamente tomando como base el texto hebreo y arameo "Texto Masorético" para el Antiguo Testamento, y el texto griego "Textus Receptus" llamado en castellano, "Texto Recibido" para el Nuevo Testamento. Cotejada con todas las Versiones "Reina Valera" y con la Biblia "King James".

Agradecemos la valiosa colaboración de cientos de hombres de Dios de Argentina, Belice, Brasil, Chile, Colombia, Costa Rica, Ecuador, España, Guatemala, Honduras, México, Nicaragua, Paraguay, Perú, Puerto Rico y USA.

Derechos Reservados:
Copyright © 2004 y 2010 por Dr. Humberto Gómez Caballero.

Impreso en los Estados Unidos de América.

ISBN: 978-07589-0756-1 - Rústica

ISBN: 978-07589-0803-2 - Tapa Dura

Publicada por **CHICK PUBLICATIONS**
P.O. Box 3500, Ontario, Calif. 91761-1019 EUA
Tel. (909) 987-0771 • Fax: (909) 941-8128
Web: www.chick.com/es • Email: es@chick.com

TABLA DE LOS LIBROS DE LA BIBLIA
ANTIGUO TESTAMENTO

Génesis	Gn	....	1	Eclesiastés	Ec	....	617
Éxodo	Ex	....	54	Cantares	Cnt	....	625
Levítico	Lv	....	98	Isaías	Is	....	629
Números	Nm	....	131	Jeremías	Jer	....	680
Deuteronomio	Dt	....	176	Lamentaciones	Lm	....	738
Josué	Jos	....	213	Ezequiel	Ez	....	743
Jueces	Jue	....	239	Daniel	Dn	....	795
Ruth	Rt	....	266	Oseas	Os	....	811
1 Samuel	1 Sm	....	269	Joel	Jl	....	819
2 Samuel	2 Sm	....	303	Amós	Am	....	822
1 Reyes	1 Re	....	331	Abdías	Abd	....	828
2 Reyes	2 Re	....	365	Jonás	Jon	....	829
1 Crónicas	1 Cr	....	393	Miqueas	Mi	....	831
2 Crónicas	2 Cr	....	426	Nahúm	Nah	....	835
Esdras	Esd	....	462	Habacuc	Hab	....	837
Nehemías	Neh	....	473	Sofonías	Sof	....	839
Esther	Est	....	489	Hageo	Hag	....	842
Job	Job	....	497	Zacarías	Zac	....	843
Salmos	Sal	....	525	Malaquías	Mal	....	852
Proverbios	Pr	....	593				

NUEVO TESTAMENTO

Mateo	Mt	....	857	1 Timoteo	1 Tim	....	1074
Marcos	Mr	....	891	2 Timoteo	2 Tim	....	1078
Lucas	Lc	....	913	Tito	Tit	....	1080
Juan	Jn	....	949	Filemón	Flm	....	1082
Hechos	Hch	....	977	Hebreos	Heb	....	1083
Romanos	Rm	....	1013	Santiago	Stg	....	1094
1 Corintios	1 Co	....	1028	1 Pedro	1 Pe	....	1098
2 Corintios	2 Co	....	1042	2 Pedro	2 Pe	....	1102
Gálatas	Ga	....	1052	1 Juan	1 Jn	....	1105
Efesios	Ef	....	1057	2 Juan	2 Jn	....	1109
Filipenses	Fil	....	1062	3 Juan	3 Jn	....	1109
Colosenses	Col	....	1065	Judas	Jud	....	1110
1 Tesalonicenses	1 Ts	....	1069	Apocalipsis	Ap	....	1111
2 Tesalonicenses	2 Ts	....	1072				

CONCORDANCIA TEMÁTICA

Libro Primero De Moisés
GÉNESIS

CAPÍTULO 1

En el principio creó Dios el cielo y la tierra.

2 Y la tierra *estaba* desordenada y vacía, y las tinieblas *estaban* sobre la faz del abismo, y el Espíritu de Dios se movía sobre la faz de las aguas.

3 Y dijo Dios: Sea la luz; y fue la luz.

4 Y vio Dios que la luz *era* buena; y separó Dios la luz de las tinieblas.

5 Y llamó Dios a la luz Día, y a las tinieblas llamó Noche. Y fue la tarde y la mañana el primer día.

6 Y dijo Dios: Haya un firmamento en medio de las aguas, y separe las aguas de las aguas.

7 E hizo Dios el firmamento, y apartó las aguas que *estaban* debajo del firmamento, de las aguas que *estaban* sobre el firmamento. Y fue así.

8 Y llamó Dios al firmamento Cielos. Y fue la tarde y la mañana el segundo día.

9 Y dijo Dios: Júntense las aguas que *están* debajo de los cielos en un lugar, y descúbrase lo seco. Y fue así.

10 Y llamó Dios a lo seco Tierra, y a la reunión de las aguas llamó Mares. Y vio Dios que *era* bueno.

11 Y dijo Dios: Produzca la tierra hierba verde, hierba que dé semilla; árbol de fruto que dé fruto según su género, que su semilla *esté* en él, sobre la tierra. Y fue así.

12 Y produjo la tierra hierba verde, hierba que da semilla según su naturaleza, y árbol que da fruto, cuya semilla *está* en él, según su género. Y vio Dios que *era* bueno.

13 Y fue la tarde y la mañana el tercer día.

14 Y dijo Dios: Haya lumbreras en el firmamento de los cielos para separar el día de la noche; y sean por señales, y para las estaciones, y para días y años;

15 y sean por lumbreras en el firmamento de los cielos para alumbrar sobre la tierra. Y fue así.

16 E hizo Dios las dos grandes lumbreras; la lumbrera mayor para que señorease en el día, y la lumbrera menor para que señorease en la noche; *hizo* también las estrellas.

17 Y las puso Dios en el firmamento de los cielos, para alumbrar sobre la tierra,

18 y para señorear en el día y en la noche, y para apartar la luz y las tinieblas. Y vio Dios que *era* bueno.

19 Y fue la tarde y la mañana el cuarto día.

20 Y dijo Dios: Produzcan las aguas criaturas que se mueven y tienen vida, y aves que vuelen sobre la tierra, en el firmamento abierto de los cielos.

21 Y creó Dios las grandes ballenas, y toda criatura que se mueve, que las aguas produjeron según su género, y toda ave alada según su género. Y vio Dios que *era* bueno.

22 Y Dios los bendijo, diciendo: Fructificad y multiplicaos, y llenad las aguas en los mares, y las aves se multipliquen en la tierra.

23 Y fue la tarde y la mañana el quinto día.

24 Y dijo Dios: Produzca la tierra seres vivientes según su género, bestias y reptiles y animales de la tierra según su género. Y fue así.

25 E hizo Dios animales de la tierra según su género, y ganado según su género, y todo animal que se arrastra sobre la tierra según su género. Y vio Dios que *era* bueno.

26 Y dijo Dios: Hagamos al hombre a nuestra imagen, conforme a nuestra semejanza; y señoree sobre los peces del mar, sobre las aves de los cielos, sobre las bestias, sobre toda la tierra, y sobre todo reptil que se arrastra sobre la tierra.

27 Y creó Dios al hombre a su imagen, a imagen de Dios lo creó; varón y hembra los creó.

28 Y los bendijo Dios; y les dijo Dios: Fructificad y multiplicaos; llenad la tierra y sojuzgadla, y señoread sobre los peces del mar, y sobre las aves de los cielos, y sobre todas las bestias que se mueven sobre la tierra.

29 Y dijo Dios: He aquí que os he dado toda planta que da semilla, que *está* sobre la faz de toda la tierra; y todo árbol en que *hay* fruto de árbol que da semilla, os será para comer.

30 Y *os he dado* a toda bestia de la tierra, y a todas las aves de los cielos, y a todo lo que se mueve sobre la tierra en *que hay* vida; y toda planta verde les será para comer. Y fue así.

31 Y vio Dios todo lo que había hecho, y he aquí que *era* bueno en gran manera. Y fue la tarde y la mañana el sexto día.

CAPÍTULO 2

Y fueron acabados los cielos y la tierra, y todo el ejército de ellos.

2 Y acabó Dios en el séptimo día su obra que había hecho, y reposó en el séptimo día de toda su obra que había hecho.

3 Y bendijo Dios al día séptimo, y lo santificó, porque en él reposó de toda su obra que Dios había creado y hecho.

4 Éstos son los orígenes de los cielos y de la tierra cuando fueron creados, el día que Jehová Dios hizo la tierra y los cielos,

5 y toda planta del campo antes que fuese en la tierra, y toda hierba del campo antes que naciese; porque aún no había Jehová Dios hecho llover sobre la tierra, ni *había* hombre para que labrase la tierra,

6 sino que subía de la tierra un vapor, que regaba toda la faz de la tierra.

7 Formó, pues, Jehová Dios al hombre *del* polvo de la tierra, y sopló en su nariz aliento de vida; y fue el hombre un alma viviente.

8 Y Jehová Dios plantó un huerto en Edén, al oriente, y puso allí al hombre que había formado.

9 Y Jehová Dios hizo nacer de la tierra todo árbol delicioso a la vista, y bueno para comer; también el árbol

Dios hizo al hombre y a la mujer

de la vida en medio del huerto, y el árbol del conocimiento del bien y el mal.

10 Y salía de Edén un río para regar el huerto, y de allí se repartía en cuatro ramales.

11 El nombre del uno *era* Pisón; éste *es* el que rodea toda la tierra de Havila, donde *hay* oro;

12 y el oro de aquella tierra *es* bueno; *hay* allí también bedelio y piedra ónice.

13 El nombre del segundo río *es* Gihón; éste *es* el que rodea toda la tierra de Etiopía.

14 Y el nombre del tercer río *es* Hidekel; éste *es* el que va delante de Asiria. Y el cuarto río *es* el Éufrates.

15 Tomó, pues, Jehová Dios al hombre, y le puso en el huerto de Edén, para que lo labrara y lo guardase.

16 Y mandó Jehová Dios al hombre, diciendo: De todo árbol del huerto libremente podrás comer;

17 pero del árbol del conocimiento del bien y el mal no comerás; porque el día que de él comieres, ciertamente morirás.

18 Y dijo Jehová Dios: No *es* bueno que el hombre esté solo; le haré ayuda idónea para él.

19 Formó, pues, Jehová Dios de la tierra toda bestia del campo, y toda ave de los cielos, y las trajo a Adán, para que viese cómo les había de llamar; y de la manera que Adán llamó a los animales vivientes, ése *es* su nombre.

20 Y puso nombres a toda bestia y ave de los cielos y a todo animal del campo: mas para Adán no se halló ayuda idónea para él.

21 Y Jehová Dios hizo caer sueño profundo sobre Adán, y se quedó dormido; entonces tomó una de sus costillas, y cerró la carne en su lugar;

22 Y de la costilla que Jehová Dios tomó del hombre, hizo una mujer, y la trajo al hombre.

23 Y dijo Adán: Ésta es ahora hueso de mis huesos, y carne de mi carne; ella será llamada Varona, porque del varón fue tomada.

24 Por tanto, dejará el hombre a su padre y a su madre, y se unirá a su esposa, y serán una sola carne.

25 Y estaban ambos desnudos, Adán y su esposa, y no se avergonzaban.

CAPÍTULO 3

Pero la serpiente era astuta, más que todos los animales del campo que Jehová Dios había hecho; la cual dijo a la mujer: ¿Conque Dios os ha dicho: No comáis de todo árbol del huerto?

2 Y la mujer respondió a la serpiente: Del fruto de los árboles del huerto podemos comer;

3 pero del fruto del árbol que *está* en medio del huerto dijo Dios: No comeréis de él, ni le tocaréis, para que no muráis.

4 Entonces la serpiente dijo a la mujer: No moriréis;

5 mas sabe Dios que el día que comiereis de él, serán abiertos vuestros ojos, y seréis como dioses sabiendo el bien y el mal.

6 Y vio la mujer que el árbol *era* bueno para comer, y que *era* agradable a los ojos, y árbol codiciable para alcanzar la sabiduría; y tomó de su fruto, y comió; y dio también a su marido y él comió con ella.

7 Y fueron abiertos los ojos de ambos, y conocieron que *estaban* desnudos; entonces cosieron hojas de higuera, y se hicieron delantales.

8 Y oyeron la voz de Jehová Dios que se paseaba en el huerto al aire del día; y Adán y su esposa se escondieron de la presencia de Jehová Dios entre los árboles del huerto.

9 Y llamó Jehová Dios a Adán, y le dijo: ¿Dónde *estás* tú?

10 Y él respondió: Oí tu voz en el huerto, y tuve miedo, porque *estaba* desnudo; y me escondí.

11 Y le dijo *Dios*: ¿Quién te enseñó que *estabas* desnudo? ¿Has comido del árbol de que yo te mandé no comieses?

12 Y el hombre respondió: La mujer que me diste por compañera me dio del árbol, y yo comí.

13 Entonces Jehová Dios dijo a la mujer: ¿Qué *es* lo *que* has hecho? Y dijo la mujer: La serpiente me engañó, y comí.

14 Y Jehová Dios dijo a la serpiente: Por cuanto esto hiciste, maldita serás entre todas las bestias y entre todos los animales del campo; sobre tu pecho andarás, y polvo comerás todos los días de tu vida;

15 Y pondré enemistad entre ti y la mujer, y entre tu simiente y su simiente; Él te herirá en la cabeza, y tú le herirás en el calcañar.

16 A la mujer dijo: Multiplicaré en gran manera tus dolores y tus preñeces; con dolor darás a luz los hijos; y tu deseo será para tu marido, y él señoreará sobre ti.

17 Y al hombre dijo: Por cuanto obedeciste a la voz de tu esposa, y comiste del árbol de que te mandé, diciendo: No comerás de él; maldita *será* la tierra por tu causa; con dolor comerás de ella todos los días de tu vida;

18 espinos y cardos te producirá, y comerás plantas del campo.

19 Con el sudor de tu frente comerás el pan hasta que vuelvas a la tierra, porque de ella fuiste tomado; pues polvo eres, y al polvo volverás.

20 Y llamó Adán el nombre de su esposa, Eva; por cuanto ella era madre de todos los vivientes.

21 Y Jehová Dios hizo al hombre y a su esposa túnicas de pieles, y los vistió.

22 Y dijo Jehová Dios: He aquí el hombre es como uno de Nosotros, sabiendo el bien y el mal; ahora, pues, que no alargue su mano, y tome también del árbol de la vida, y coma, y viva para siempre:

23 Y lo sacó Jehová Dios del huerto de Edén, para que labrase la tierra de que fue tomado.

24 Echó, pues, fuera al hombre, y puso al oriente del huerto de Edén querubines, y una espada encendida que se revolvía por todos lados para guardar el camino del árbol de la vida.

CAPÍTULO 4

Y conoció Adán a su esposa Eva, la cual concibió y dio a luz a Caín, y dijo: He adquirido varón de parte de Jehová.

2 Y después dio a luz a su hermano Abel. Y Abel fue pastor de ovejas, y Caín fue labrador de la tierra.

3 Y aconteció en el transcurrir del tiempo, que Caín trajo del fruto de la tierra una ofrenda a Jehová.

4 Y Abel trajo también de los primogénitos de sus ovejas, y de su grosura. Y miró Jehová con agrado a Abel y a su ofrenda;

5 mas no miró con agrado a Caín y a su ofrenda. Y se ensañó Caín en gran manera, y decayó su semblante.

6 Entonces Jehová dijo a Caín: ¿Por qué te has ensañado, y por qué ha decaído tu rostro?

7 Si bien hicieres, ¿no serás exaltado? Y si no hicieres bien, el pecado está a la puerta; con todo esto, a ti *será* su deseo, y tú señorearás sobre él.

8 Y habló Caín con su hermano Abel. Y aconteció que estando ellos en el campo, Caín se levantó contra su hermano Abel, y le mató.

9 Y Jehová dijo a Caín: ¿Dónde *está* Abel tu hermano? Y él respondió: No sé. ¿Acaso *soy* yo guarda de mi hermano?

10 Y Él le dijo: ¿Qué has hecho? La voz de la sangre de tu hermano clama a mí desde la tierra.

11 Ahora pues, maldito *seas* tú de la tierra que abrió su boca para recibir de tu mano la sangre de tu hermano:

12 Cuando labrares la tierra, no te volverá a dar su fuerza: errante y extranjero serás en la tierra.

13 Y dijo Caín a Jehová: Mi castigo *es* más grande de lo que puedo soportar.

14 He aquí me echas hoy de la faz de la tierra, y de tu presencia me esconderé; y seré fugitivo y vagabundo en la tierra; y sucederá que cualquiera que me hallare, me matará.

15 Y le respondió Jehová: Ciertamente que cualquiera que matare a Caín, siete veces será castigado. Entonces Jehová puso señal en Caín, para que no lo matase cualquiera que le hallara.

16 Y Caín se fue de la presencia de Jehová, y habitó en tierra de Nod, al oriente de Edén.

17 Y conoció Caín a su esposa, la cual concibió y dio a luz a Enoc: y edificó una ciudad, y llamó el nombre de la ciudad del nombre de su hijo, Enoc.

18 Y a Enoc nació Irad, e Irad engendró a Mehujael, y Mehujael engendró a Matusael, y Matusael engendró a Lamec.

19 Y tomó para sí Lamec dos esposas; el nombre de la una *fue* Ada, y el nombre de la otra Zila.

20 Y Ada dio a luz a Jabal, el cual fue padre de los que habitan en tiendas y *crían* ganado.

21 Y el nombre de su hermano *fue* Jubal, el cual fue padre de todos los que tocan arpa y órgano.

22 Y Zila también dio a luz a Tubal-caín, artífice de toda obra de bronce y de hierro; y la hermana de Tubal-caín *fue* Naama.

23 Y dijo Lamec a sus esposas: Ada y Zila, oíd mi voz; esposas de Lamec, escuchad mi dicho: Que a un varón maté por mi herida, y a un joven por mi golpe:

24 Si siete veces será vengado Caín, Lamec en verdad setenta veces siete *lo será*.

25 Y conoció de nuevo Adán a su esposa, la cual dio a luz un hijo, y llamó su nombre Set: Porque Dios (*dijo ella*) me ha sustituido otro hijo en lugar de Abel, a quien mató Caín.

26 Y a Set también le nació un hijo, y llamó su nombre Enós. Entonces los hombres comenzaron a invocar el nombre de Jehová.

CAPÍTULO 5

Éste *es* el libro de las generaciones de Adán. El día en que creó Dios al hombre, a la semejanza de Dios lo hizo;

2 Varón y hembra los creó; y los bendijo, y llamó el nombre de ellos Adán, el día en que fueron creados.

3 Y vivió Adán ciento treinta años, y engendró *un hijo* a su semejanza, conforme a su imagen, y llamó su nombre Set.

4 Y fueron los días de Adán, después que engendró a Set, ochocientos años, y engendró hijos e hijas.

5 Y fueron todos los días que vivió Adán novecientos treinta años, y murió.

6 Y vivió Set ciento cinco años, y engendró a Enós.

7 Y vivió Set, después que engendró a Enós, ochocientos siete años, y engendró hijos e hijas.

8 Y fueron todos los días de Set novecientos doce años; y murió.

9 Y vivió Enós noventa años, y engendró a Cainán.

10 Y vivió Enós después que engendró a Cainán, ochocientos quince años, y engendró hijos e hijas.

11 Y fueron todos los días de Enós novecientos cinco años; y murió.

12 Y vivió Cainán setenta años, y engendró a Mahalaleel.

13 Y vivió Cainán, después que engendró a Mahalaleel, ochocientos cuarenta años, y engendró hijos e hijas.

14 Y fueron todos los días de Cainán novecientos diez años; y murió.

15 Y vivió Mahalaleel sesenta y cinco años, y engendró a Jared.

16 Y vivió Mahalaleel, después que engendró a Jared, ochocientos treinta años, y engendró hijos e hijas.

17 Y fueron todos los días de Mahalaleel ochocientos noventa y cinco años; y murió.

18 Y vivió Jared ciento sesenta y dos años, y engendró a Enoc.

19 Y vivió Jared, después que engendró a Enoc, ochocientos años, y engendró hijos e hijas.

20 Y fueron todos los días de Jared novecientos sesenta y dos años; y murió.

21 Y vivió Enoc sesenta y cinco años, y engendró a Matusalén.

22 Y caminó Enoc con Dios, después que engendró a Matusalén, trescientos años, y engendró hijos e hijas.

23 Y fueron todos los días de Enoc trescientos sesenta y cinco años.

24 Caminó, pues, Enoc con Dios, y desapareció, porque le llevó Dios.

25 Y vivió Matusalén ciento ochenta y siete años, y engendró a Lamec.

26 Y vivió Matusalén, después que engendró a Lamec, setecientos ochenta y dos años, y engendró hijos e hijas.

27 Fueron, pues, todos los días de Matusalén, novecientos sesenta y nueve años; y murió.

28 Y vivió Lamec ciento ochenta y dos años, y engendró un hijo:

29 Y llamó su nombre Noé, diciendo: Éste nos aliviará de nuestras obras, y del trabajo de nuestras manos, a causa de la tierra que Jehová maldijo.

30 Y vivió Lamec, después que engendró a Noé, quinientos noventa y cinco años: y engendró hijos e hijas.

31 Y fueron todos los días de Lamec setecientos setenta y siete años; y murió.

32 Y siendo Noé de quinientos años, engendró a Sem, Cam, y a Jafet.

CAPÍTULO 6

Y aconteció que cuando comenzaron los hombres a multiplicarse sobre la faz de la tierra, y les nacieron hijas,

2 viendo los hijos de Dios que las hijas de los hombres *eran* hermosas, se tomaron mujeres, escogiendo entre todas.

3 Y dijo Jehová: No contenderá mi Espíritu con el hombre para siempre, porque ciertamente él *es* carne; mas serán sus días ciento veinte años.

4 Había gigantes en la tierra en aquellos días, y también después que entraron los hijos de Dios a las hijas de los hombres, y les engendraron *hijos*: Éstos fueron los valientes que desde la antigüedad fueron varones de renombre.

5 Y vio Jehová que la maldad de los hombres *era* mucha en la tierra, y *que* todo designio de los pensamientos del corazón de ellos *era* de continuo solamente el mal.

6 Y se arrepintió Jehová de haber hecho hombre en la tierra, y le pesó en su corazón.

7 Y dijo Jehová: Raeré de sobre la faz de la tierra, a los hombres que he creado, desde el hombre hasta la bestia, y hasta el reptil y las aves del cielo; porque me arrepiento de haberlos hecho.

8 Pero Noé halló gracia en los ojos de Jehová.

9 Éstas *son* las generaciones de Noé: Noé, varón justo, perfecto fue en sus generaciones; con Dios caminó Noé.

10 Y engendró Noé tres hijos: a Sem, a Cam y a Jafet.

11 Y se corrompió la tierra delante de Dios, y estaba la tierra llena de violencia.

12 Y miró Dios la tierra, y he aquí que estaba corrompida; porque toda

carne había corrompido su camino sobre la tierra.

13 Y dijo Dios a Noé: El fin de toda carne ha venido delante de mí; porque la tierra está llena de violencia a causa de ellos; y he aquí que yo los destruiré con la tierra.

14 Hazte un arca de madera de gofer; harás compartimentos en el arca y la calafatearás con brea por dentro y por fuera.

15 Y de esta *manera* la harás: De trescientos codos la longitud del arca, de cincuenta codos su anchura, y de treinta codos su altura.

16 Una ventana harás al arca, y la acabarás a un codo *de elevación* por la parte de arriba: y pondrás la puerta del arca a su lado; y le harás *piso* bajo, segundo y tercero.

17 Y he aquí que yo traigo un diluvio de aguas sobre la tierra, para destruir toda carne en que haya espíritu de vida debajo del cielo; todo lo que hay en la tierra morirá.

18 Mas estableceré mi pacto contigo, y entrarás en el arca tú, tus hijos, tu esposa, y las esposas de tus hijos contigo.

19 Y de todo lo que vive, de toda carne, dos de cada *especie* meterás en el arca, para preservarles la vida contigo; macho y hembra serán.

20 De las aves según su especie, y de las bestias según su especie, de todo reptil de la tierra según su especie, dos de cada especie entrarán contigo para preservarles la vida.

21 Y toma contigo de todo alimento que se come, y almacénalo para ti; y servirá de alimento para ti y para ellos.

22 Y lo hizo así Noé; hizo conforme a todo lo que Dios le mandó.

CAPÍTULO 7

Y Jehová dijo a Noé: Entra tú y toda tu casa en el arca porque a ti he visto justo delante de mí en esta generación.

2 De todo animal limpio tomarás de siete en siete, macho y su hembra; mas de los animales que no son limpios, una pareja, el macho y su hembra.

3 También de las aves de los cielos, siete parejas, macho y hembra; para guardar viva la simiente sobre la faz de toda la tierra.

4 Porque *pasados* aún siete días, yo haré llover sobre la tierra cuarenta días y cuarenta noches; y raeré de sobre la faz de la tierra a todo ser viviente que hice.

5 E hizo Noé conforme a todo lo que le mandó Jehová.

6 Y era Noé de seiscientos años cuando el diluvio de las aguas vino sobre la tierra.

7 Y Noé entró en el arca, con sus hijos, su esposa, y las esposas de sus hijos, por causa de las aguas del diluvio.

8 De los animales limpios, y de los animales que no eran limpios, y de las aves, y de todo lo que se arrastra sobre la tierra,

9 de dos en dos entraron con Noé en el arca; macho y hembra, como mandó Dios a Noé.

10 Y sucedió después de siete días que las aguas del diluvio vinieron sobre la tierra.

11 El año seiscientos de la vida de Noé, en el mes segundo, a los diecisiete días del mes, aquel día fueron rotas todas las fuentes del grande abismo, y las cataratas de los cielos fueron abiertas;

12 y hubo lluvia sobre la tierra cuarenta días y cuarenta noches.

13 En este mismo día entró Noé en el arca, y con él Sem, Cam y Jafet, hijos de Noé, la esposa de Noé, y las tres esposas de sus hijos.

14 Ellos, y todos los animales *silvestres* según su especie, y todos los animales mansos según su especie, y todo reptil que se arrastra sobre la tierra según su especie, y toda ave según su especie, y todo pájaro, de toda especie.

15 Y entraron con Noé al arca, de dos en dos de toda carne en que había espíritu de vida.

16 Y los que entraron, macho y hembra de toda carne entraron, como le había mandado Dios. Y Jehová le cerró *la puerta*.

17 Y fue el diluvio cuarenta días sobre la tierra; y las aguas crecieron, y alzaron el arca, y se elevó sobre la tierra.

18 Y prevalecieron las aguas, y

crecieron en gran manera sobre la tierra; y flotaba el arca sobre la faz de las aguas.

19 Y las aguas prevalecieron mucho en extremo sobre la tierra; y todas las altas montañas que había debajo de todos los cielos, fueron cubiertas.

20 Quince codos más alto subieron las aguas; y fueron cubiertas las montañas.

21 Y murió toda carne que se mueve sobre la tierra, así de aves como de ganado, y de bestias, y de todo reptil que se arrastra sobre la tierra, y todo hombre:

22 Todo lo que tenía aliento de espíritu de vida en sus narices, de todo lo que *había* en la tierra, murió.

23 Así fue destruido todo ser viviente de sobre la faz de la tierra, desde el hombre hasta la bestia, y los reptiles, y las aves del cielo; y fueron raídos de la tierra; y quedó solamente Noé, y los que con él *estaban* en el arca.

24 Y prevalecieron las aguas sobre la tierra ciento cincuenta días.

CAPÍTULO 8

Y se acordó Dios de Noé, y de todos los animales, y de todas las bestias que estaban con él en el arca; e hizo pasar Dios un viento sobre la tierra, y disminuyeron las aguas.

2 Y se cerraron las fuentes del abismo, y las cataratas de los cielos; y la lluvia de los cielos fue detenida.

3 Y las aguas retornaron gradualmente de sobre la tierra; y al cabo de ciento cincuenta días, las aguas decrecieron.

4 Y reposó el arca en el mes séptimo, a los diecisiete días del mes, sobre los montes de Ararat.

5 Y las aguas fueron decreciendo hasta el mes décimo; en el décimo, al primer *día* del mes, se descubrieron las cimas de los montes.

6 Y sucedió que al cabo de cuarenta días abrió Noé la ventana del arca que había hecho,

7 y envió un cuervo, el cual salió, y estuvo yendo y volviendo hasta que se secaron las aguas de sobre la tierra.

8 Envió también de sí una paloma, para ver si las aguas se habían retirado de sobre la faz de la tierra;

9 Y no halló la paloma donde sentar la planta de su pie, y se volvió a él al arca, porque las aguas *estaban aún* sobre la faz de toda la tierra; entonces él extendió su mano y tomándola, la hizo entrar consigo en el arca.

10 Y esperó aún otros siete días, y volvió a enviar la paloma fuera del arca.

11 Y la paloma volvió a él a la hora de la tarde: y he aquí *que traía* una hoja de olivo tomada en su pico; y entendió Noé que las aguas se habían retirado de sobre la tierra.

12 Y esperó aún otros siete días, y envió la paloma, la cual no volvió ya más a él.

13 Y sucedió que en el año seiscientos uno *de Noé*, en el mes primero, al primer *día* del mes, se secaron las aguas de sobre la tierra. Y quitó Noé la cubierta del arca, y miró, y he aquí que la faz de la tierra estaba seca.

14 Y en el mes segundo, a los veintisiete días del mes, se secó la tierra.

15 Y habló Dios a Noé, diciendo:

16 Sal del arca tú, y tu esposa, y tus hijos, y las esposas de tus hijos contigo.

17 Todos los animales que están contigo de toda carne, de aves y de bestias y de todo reptil que se arrastra sobre la tierra, sacarás contigo; y vayan por la tierra, y fructifiquen, y multiplíquense sobre la tierra.

18 Entonces salió Noé, y sus hijos, y su esposa, y las esposas de sus hijos con él.

19 Todos los animales, y todo reptil y toda ave, todo lo que se mueve sobre la tierra según sus especies, salieron del arca.

20 Y edificó Noé un altar a Jehová y tomó de todo animal limpio y de toda ave limpia, y ofreció holocausto en el altar.

21 Y percibió Jehová perfume grato; y dijo Jehová en su corazón: Nunca más volveré a maldecir la tierra por causa del hombre; porque el intento del corazón del hombre es malo desde su juventud; ni volveré más a destruir todo viviente, como he hecho.

22 Mientras la tierra permanezca, no cesarán la sementera y la siega, el frío

y el calor, el verano y el invierno, y el día y la noche.

CAPÍTULO 9

Y bendijo Dios a Noé y a sus hijos, y les dijo: Fructificad y multiplicaos, y llenad la tierra.

2 Y el temor y el pavor de vosotros estarán sobre todo animal de la tierra, y sobre toda ave de los cielos, en todo lo que se mueva *sobre* la tierra, y en todos los peces del mar. En vuestra mano son entregados.

3 Todo lo que se mueve y vive, os será para mantenimiento; así como las legumbres y plantas verdes; os lo he dado todo.

4 Pero carne con su vida, *que es su* sangre, no comeréis.

5 Porque ciertamente demandaré la sangre de vuestras vidas; de mano de todo animal la demandaré, y de mano del hombre; de mano del varón su hermano demandaré la vida del hombre.

6 El que derramare sangre del hombre, por el hombre su sangre será derramada; porque a imagen de Dios es hecho el hombre.

7 Mas vosotros fructificad, y multiplicaos; procread abundantemente en la tierra, y multiplicaos en ella.

8 Y habló Dios a Noé y a sus hijos con él, diciendo:

9 He aquí que yo establezco mi pacto con vosotros, y con vuestra simiente después de vosotros;

10 Y con toda alma viviente que está con vosotros, de aves, de animales, y de toda bestia de la tierra que está con vosotros; desde todos los que salieron del arca hasta todo animal de la tierra.

11 Y estableceré mi pacto con vosotros, y no será exterminada ya más toda carne con aguas de diluvio; ni habrá más diluvio para destruir la tierra.

12 Y dijo Dios: Ésta *es* la señal del pacto que yo establezco con vosotros y con todo ser viviente que *está* con vosotros, por perpetuas generaciones.

13 Mi arco pondré en las nubes, el cual será por señal del pacto entre mí y la tierra.

14 Y será que cuando haré venir nubes sobre la tierra, se dejará ver entonces mi arco en las nubes.

15 Y me acordaré de mi pacto, que *hay* entre mí y vosotros y todo ser viviente de toda carne; y no serán más las aguas por diluvio para destruir toda carne.

16 Y estará el arco en las nubes, y lo veré, y me acordaré del pacto eterno entre Dios y todo ser viviente de toda carne que *hay* sobre la tierra.

17 Y dijo Dios a Noé: Ésta es la señal del pacto que he establecido entre mí y toda carne que *está* sobre la tierra.

18 Y los hijos de Noé que salieron del arca fueron Sem, Cam y Jafet: y Cam *es* el padre de Canaán.

19 Estos tres *son* los hijos de Noé; y de ellos fue llena toda la tierra.

20 Y comenzó Noé a labrar la tierra, y plantó una viña;

21 y bebió del vino, y se embriagó, y estaba descubierto en medio de su tienda.

22 Y Cam, padre de Canaán, vio la desnudez de su padre, y lo dijo a sus dos hermanos que estaban afuera.

23 Entonces Sem y Jafet tomaron la ropa, y *la* pusieron sobre sus propios hombros, y andando hacia atrás, cubrieron la desnudez de su padre teniendo vueltos sus rostros, y así no vieron la desnudez de su padre.

24 Y despertó Noé de su vino, y supo lo que había hecho con él su hijo el más joven;

25 Y dijo: Maldito *sea* Canaán; Siervo de siervos será a sus hermanos.

26 Dijo más: Bendito *sea* Jehová el Dios de Sem, y sea Canaán su siervo.

27 Engrandezca Dios a Jafet, y habite en las tiendas de Sem, y sea Canaán su siervo.

28 Y vivió Noé después del diluvio trescientos cincuenta años.

29 Y fueron todos los días de Noé novecientos cincuenta años; y murió.

CAPÍTULO 10

Estas *son* las generaciones de los hijos de Noé: Sem, Cam y Jafet, a quienes les nacieron hijos después del diluvio.

2 Los hijos de Jafet: Gomer, Magog, Madai, Javán, Tubal, Mesec y Tiras.

3 Y los hijos de Gomer: Askenaz, Rifat y Togarma.

4 Y los hijos de Javán: Elisa, Tarsis, Quitim y Dodanim.

5 Por éstos fueron repartidas las islas de los gentiles en sus tierras, cada cual según su lengua, conforme a sus familias en sus naciones.

6 Los hijos de Cam: Cus, Mizraim, Fut y Canaán.

7 Y los hijos de Cus: Seba, Havila, Sabta, Raama y Sabteca. Y los hijos de Raama: Seba y Dedán.

8 Y Cus engendró a Nimrod, éste comenzó a ser poderoso en la tierra.

9 Éste fue vigoroso cazador delante de Jehová; por lo cual se dice: Así como Nimrod, vigoroso cazador delante de Jehová.

10 Y fue la cabecera de su reino Babel, Erec, Acad y Calne, en la tierra de Sinar.

11 De esta tierra salió Asur, y edificó a Nínive, y la ciudad de Rehobot, y a Cala,

12 y Resén entre Nínive y Cala; la cual *es* ciudad grande.

13 Y Mizraim engendró a Ludim, a Anamim, a Lehabim, a Naftuhim,

14 a Patrusim y a Casluhim (de donde salieron los filisteos), y a Caftorim.

15 Y Canaán engendró a Sidón, su primogénito, a Het,

16 al jebuseo, al amorreo, al gergeseo,

17 al heveo, al araceo, al sineo,

18 al arvadeo, al samareo y al hamateo; y después se dispersaron las familias de los cananeos.

19 Y fue el término de los cananeos desde Sidón, viniendo a Gerar hasta Gaza, hasta entrar en Sodoma y Gomorra, Adma y Zeboim hasta Lasa.

20 Éstos *son* los hijos de Cam por sus familias, por sus lenguas, en sus tierras, en sus naciones.

21 También le nacieron hijos a Sem, padre de todos los hijos de Heber, el hermano de Jafet el mayor.

22 Y los hijos de Sem: Elam, Asur, Arfaxad, Lud y Aram.

23 Y los hijos de Aram: Uz, Hul, Geter y Mas.

24 Y Arfaxad engendró a Sala, y Sala engendró a Heber.

25 Y a Heber nacieron dos hijos: el nombre de uno *fue* Peleg, porque en sus días fue repartida la tierra; y el nombre de su hermano, Joctán.

26 Y Joctán engendró a Almodad, a Selef, a Hazarmavet, a Jera,

27 a Hadoram, a Uzal, a Dicla,

28 a Obal, a Abimael, a Seba,

29 a Ofir, a Havila y a Jobad; todos éstos *fueron* hijos de Joctán.

30 Y fue su habitación desde Mesa viniendo de Sefar, región montañosa del oriente.

31 Éstos *fueron* los hijos de Sem por sus familias, por sus lenguas, en sus tierras, en sus naciones.

32 Éstas *son* las familias de los hijos de Noé por sus descendencias en sus naciones; y por éstos fueron divididas las naciones en la tierra después del diluvio.

CAPÍTULO 11

Tenía entonces toda la tierra un solo lenguaje y unas mismas palabras.

2 Y aconteció que, cuando partieron de oriente, hallaron una llanura en la tierra de Sinar, y asentaron allí.

3 Y se dijeron unos a otros: Vamos, hagamos ladrillo y cozámoslo con fuego. Y les fue el ladrillo en lugar de piedra, y el betún en lugar de mezcla.

4 Y dijeron: Vamos, edifiquémonos una ciudad y una torre, cuya cúspide *llegue* al cielo; y hagámonos un nombre, por si fuéremos esparcidos sobre la faz de toda la tierra.

5 Y descendió Jehová para ver la ciudad y la torre que edificaban los hijos de los hombres.

6 Y dijo Jehová: He aquí el pueblo *es* uno, y todos estos tienen un solo lenguaje; y han comenzado a obrar, y nada les retraerá ahora de lo que han pensado hacer.

7 Ahora, pues, descendamos, y confundamos allí su lengua, para que ninguno entienda el habla de su compañero.

8 Así los esparció Jehová desde allí sobre la faz de toda la tierra, y dejaron de edificar la ciudad.

9 Por esto fue llamado el nombre de ella Babel, porque allí confundió Jehová el lenguaje de toda la tierra, y

desde allí los esparció sobre la faz de toda la tierra.

10 Éstas son las generaciones de Sem: Sem, de edad de cien años, engendró a Arfaxad, dos años después del diluvio.

11 Y vivió Sem, después que engendró a Arfaxad quinientos años, y engendró hijos e hijas.

12 Y Arfaxad vivió treinta y cinco años, y engendró a Sala.

13 Y vivió Arfaxad, después que engendró a Sala, cuatrocientos tres años, y engendró hijos e hijas.

14 Y vivió Sala treinta años, y engendró a Heber.

15 Y vivió Sala, después que engendró a Heber, cuatrocientos tres años, y engendró hijos e hijas.

16 Y vivió Heber treinta y cuatro años, y engendró a Peleg.

17 Y vivió Heber, después que engendró a Peleg, cuatrocientos treinta años, y engendró hijos e hijas.

18 Y vivió Peleg, treinta años, y engendró a Reu.

19 Y vivió Peleg, después que engendró a Reu, doscientos nueve años, y engendró hijos e hijas.

20 Y Reu vivió treinta y dos años, y engendró a Serug.

21 Y vivió Reu, después que engendró a Serug, doscientos siete años, y engendró hijos e hijas.

22 Y vivió Serug treinta años, y engendró a Nacor.

23 Y vivió Serug, después que engendró a Nacor, doscientos años, y engendró hijos e hijas.

24 Y vivió Nacor veintinueve años, y engendró a Taré.

25 Y vivió Nacor, después que engendró a Taré, ciento diecinueve años, y engendró hijos e hijas.

26 Y vivió Taré setenta años, y engendró a Abram, a Nacor y a Harán.

27 Éstas son las generaciones de Taré: Taré engendró a Abram, a Nacor y a Harán; y Harán engendró a Lot.

28 Y murió Harán antes que su padre Taré en la tierra de su nacimiento, en Ur de los caldeos.

29 Y Abram y Nacor tomaron esposas para sí; el nombre de la esposa de Abram era Sarai, y el nombre de la esposa de Nacor, Milca, hija de Harán, padre de Milca y de Isca.

30 Mas Sarai era estéril, y no tenía hijo.

31 Y tomó Taré a Abram su hijo, y a Lot hijo de Harán, hijo de su hijo, y a Sarai su nuera, esposa de Abram su hijo; y salió con ellos de Ur de los caldeos, para ir a la tierra de Canaán; y vinieron hasta Harán, y asentaron allí.

32 Y fueron los días de Taré doscientos cinco años; y murió Taré en Harán.

CAPÍTULO 12

Pero Jehová había dicho a Abram: Vete de tu tierra y de tu parentela, y de la casa de tu padre, a la tierra que yo te mostraré;

2 y haré de ti una nación grande, y te bendeciré, y engrandeceré tu nombre, y serás bendición.

3 Y bendeciré a los que te bendijeren, y a los que te maldijeren maldeciré: y serán benditas en ti todas las familias de la tierra.

4 Y se fue Abram, como Jehová le dijo; y fue con él Lot; y era Abram de edad de setenta y cinco años cuando salió de Harán.

5 Y tomó Abram a Sarai su esposa, y a Lot hijo de su hermano, y todos sus bienes que habían ganado, y las personas que habían adquirido en Harán, y salieron para ir a tierra de Canaán; y a tierra de Canaán llegaron.

6 Y pasó Abram por aquella tierra hasta el lugar de Siquem, hasta el valle de Moreh: y el cananeo estaba entonces en la tierra.

7 Y apareció Jehová a Abram, y le dijo: A tu simiente daré esta tierra. Y edificó allí un altar a Jehová, que le había aparecido.

8 Y se pasó de allí a un monte al oriente de Betel, y tendió su tienda, teniendo a Betel al occidente y Hai al oriente; y edificó allí un altar a Jehová e invocó el nombre de Jehová.

9 Y partió Abram de allí, caminando y yendo aún hacia el sur.

10 Y hubo hambre en la tierra, y descendió Abram a Egipto para peregrinar allá; porque era grande el hambre en la tierra.

11 Y aconteció que cuando estaba para entrar en Egipto, dijo a Sarai su esposa: He aquí, ahora conozco que eres mujer de hermoso parecer;

12 Y será que cuando te vean los egipcios, dirán: Su esposa es; y me matarán a mí, y a ti te reservarán la vida.

13 Ahora, pues, di que eres mi hermana, para que me vaya bien por causa tuya, y viva mi alma por amor de ti.

14 Y aconteció que, cuando entró Abram en Egipto, los egipcios vieron que la mujer era muy hermosa.

15 La vieron también los príncipes de Faraón, y la alabaron delante de Faraón; y fue llevada la mujer a casa de Faraón.

16 E hizo bien a Abram por causa de ella; y él tuvo ovejas, vacas, asnos, siervos, criadas, asnas y camellos.

17 Mas Jehová hirió a Faraón y a su casa con grandes plagas, por causa de Sarai esposa de Abram.

18 Entonces Faraón llamó a Abram y le dijo: ¿Qué *es* esto *que* has hecho conmigo? ¿Por qué no me declaraste que era tu esposa?

19 ¿Por qué dijiste: Es mi hermana, poniéndome en ocasión de tomarla para mí por esposa? Ahora pues, he aquí tu esposa, tómala y vete.

20 Entonces Faraón dio orden a *sus* hombres acerca de Abram; y le acompañaron, y a su esposa con todo lo que tenía.

CAPÍTULO 13

Subió, pues, Abram de Egipto hacia el sur, él y su esposa, con todo lo que tenía, y con él Lot.

2 Y Abram era riquísimo en ganado, en plata y oro.

3 Y volvió por sus jornadas de la parte del sur hacia Betel, hasta el lugar donde había estado antes su tienda entre Betel y Hai;

4 al lugar del altar que había hecho allí antes; e invocó allí Abram el nombre de Jehová.

5 Y también Lot, que andaba con Abram, tenía ovejas, y vacas, y tiendas.

6 Y la tierra no podía darles para que habitasen juntos: porque sus posesiones eran muchas, y no podían morar en un mismo lugar.

7 Y hubo contienda entre los pastores del ganado de Abram y los pastores del ganado de Lot; y el cananeo y el ferezeo habitaban entonces en la tierra.

8 Entonces Abram dijo a Lot: No haya ahora altercado entre nosotros, entre mis pastores y los tuyos, porque somos hermanos.

9 ¿No está toda la tierra delante de ti? Yo te ruego que te apartes de mí. Si *vas* a la mano izquierda, yo iré a la derecha; y si tú *vas* a la mano derecha, yo iré a la izquierda.

10 Y alzó Lot sus ojos, y vio toda la llanura del Jordán, que toda ella *era* de riego, como el huerto de Jehová, como la tierra de Egipto entrando en Zoar, antes que destruyese Jehová a Sodoma y a Gomorra.

11 Entonces Lot escogió para sí toda la llanura del Jordán: y se fue Lot hacia el oriente, y se apartaron el uno del otro.

12 Abram asentó en la tierra de Canaán, y Lot asentó en las ciudades de la llanura, y fue poniendo *sus* tiendas hasta Sodoma.

13 Mas los hombres de Sodoma *eran* malos y pecadores contra Jehová en gran manera.

14 Y Jehová dijo a Abram, después que Lot se apartó de él: Alza ahora tus ojos, y mira desde el lugar donde estás hacia el norte, y el sur, al oriente y al occidente;

15 porque toda la tierra que ves, la daré a ti y a tu simiente para siempre.

16 Y haré tu simiente como el polvo de la tierra: que si alguno podrá contar el polvo de la tierra, también tu simiente será contada.

17 Levántate, ve por la tierra a lo largo de ella y a su ancho; porque a ti la daré.

18 Abram, pues, removiendo su tienda, vino y moró en el valle de Mamre, que *está* en Hebrón, y edificó allí altar a Jehová.

CAPÍTULO 14

Y aconteció en los días de Amrafel, rey de Sinar, Arioc, rey de Elasar, Quedorlaomer, rey de Elam, y Tidal, rey de naciones,

2 *que éstos* hicieron guerra contra Bera, rey de Sodoma, y contra Birsa, rey de Gomorra, y contra Sinab, rey de Adma, y contra Semeber, rey de Zeboim, y contra el rey de Bela, la cual *es* Zoar.

3 Todos éstos se juntaron en el valle de Sidim, que es el Mar Salado.

4 Doce años habían servido a Quedorlaomer, y al año decimotercero se rebelaron.

5 Y en el año decimocuarto vino Quedorlaomer, y los reyes que *estaban* de su parte, y derrotaron a los refaítas en Asterot Karnaim, a los zuzitas en Ham, y a los emitas en Save Quiriataim,

6 y a los horeos en el monte de Seir, hasta la llanura de Parán, que *está* junto al desierto.

7 Y volvieron y vinieron a Emispat, que *es* Cades, y devastaron todas las haciendas de los amalecitas, y también al amorreo, que habitaba en Hazezón-tamar.

8 Y salieron el rey de Sodoma, y el rey de Gomorra, y el rey de Adma, y el rey de Zeboim, y el rey de Bela, que es Zoar, y ordenaron contra ellos batalla en el valle de Sidim;

9 *es decir*, contra Quedorlaomer, rey de Elam, y Tidal, rey de naciones, y Amrafel, rey de Sinar, y Arioc, rey de Elasar; cuatro reyes contra cinco.

10 Y el valle de Sidim *estaba lleno* de pozos de betún; y huyeron el rey de Sodoma y el de Gomorra, y cayeron allí; y los demás huyeron al monte.

11 Y tomaron toda la riqueza de Sodoma y de Gomorra, y todas sus provisiones, y se fueron.

12 Tomaron también a Lot, hijo del hermano de Abram, que moraba en Sodoma, y sus bienes, y se fueron.

13 Y vino uno de los que escaparon, y lo dijo a Abram el hebreo, que habitaba en el valle de Mamre amorreo, hermano de Escol y hermano de Aner, los cuales estaban confederados con Abram.

14 Y oyó Abram que su hermano estaba prisionero, y armó sus criados, los criados de su casa, trescientos dieciocho, y *los* siguió hasta Dan.

15 Y se esparció contra ellos de noche, él y sus siervos, y los hirió, y los fue siguiendo hasta Hobah, que *está* a la izquierda de Damasco.

16 Y recobró todos los bienes, y también a Lot su hermano y sus bienes, y también a las mujeres y a la gente.

17 Y cuando volvía de derrotar a Quedorlaomer y a los reyes que con él *estaban*, salió el rey de Sodoma a recibirlo al valle de Save, que *es* el valle del Rey.

18 Entonces Melquisedec, Rey de Salem, el cual *era* sacerdote del Dios Altísimo, sacó pan y vino,

19 y le bendijo, y dijo: Bendito *sea* Abram del Dios Altísimo, poseedor de los cielos y de la tierra;

20 y bendito sea el Dios Altísimo, que entregó tus enemigos en tu mano. Y le dio *Abram* los diezmos de todo.

21 Entonces el rey de Sodoma dijo a Abram: Dame las personas, y toma para ti los bienes.

22 Y respondió Abram al rey de Sodoma: He alzado mi mano a Jehová Dios Altísimo, poseedor de los cielos y de la tierra,

23 que desde un hilo hasta la correa de un calzado, nada tomaré de todo lo que es tuyo, para que no digas: Yo enriquecí a Abram;

24 excepto solamente lo que comieron los jóvenes, y la porción de los varones que fueron conmigo, Aner, Escol, y Mamre; los cuales tomarán su porción.

CAPÍTULO 15

Después de estas cosas vino la palabra de Jehová a Abram en visión, diciendo: No temas, Abram; yo *soy* tu escudo, y *soy* tu galardón sobremanera grande.

2 Y respondió Abram: Señor Jehová ¿qué me has de dar, siendo así que ando sin hijos, y el mayordomo de mi casa es ese damasceno Eliezer?

3 Dijo más Abram: Mira que no me has dado hijos, y he aquí que *es* mi heredero uno nacido en mi casa.

4 Y luego *vino* a él la palabra de Jehová, diciendo: No te heredará éste, sino el que saldrá de tus entrañas será el que te herede.

5 Y le llevó fuera, y dijo: Mira ahora a los cielos, y cuenta las estrellas, si

las puedes contar. Y le dijo: Así será tu simiente.

6 Y creyó a Jehová, y Él se lo contó por justicia.

7 Y le dijo: Yo soy Jehová, que te saqué de Ur de los caldeos, para darte a heredar esta tierra.

8 Y él respondió: Señor Jehová ¿en qué conoceré que la he de heredar?

9 Y le dijo: Apártame una becerra de tres años, y una cabra de tres años, y un carnero de tres años, una tórtola también, y un palomino.

10 Y tomó él todas estas cosas, y las partió por la mitad, y puso cada mitad una enfrente de otra; mas no partió las aves.

11 Y descendían aves sobre los cuerpos muertos, y Abram las ahuyentaba.

12 Mas a la caída del sol sobrecogió el sueño a Abram, y he aquí que el pavor de una grande oscuridad cayó sobre él.

13 Entonces dijo a Abram: Ten por cierto que tu simiente será peregrina en tierra no suya, y servirá a los de allí y será afligida por cuatrocientos años.

14 Mas también a la nación a quien servirán, juzgaré yo; y después de esto saldrán con grande riqueza.

15 Y tú vendrás a tus padres en paz, y serás sepultado en buena vejez.

16 Y en la cuarta generación volverán acá; porque la maldad del amorreo aún no ha llegado a su colmo.

17 Y sucedió que puesto el sol, y ya oscurecido, se dejó ver un horno humeando, y una antorcha de fuego que pasó por entre los animales divididos.

18 En aquel día hizo Jehová un pacto con Abram diciendo: A tu simiente daré esta tierra desde el río de Egipto hasta el río grande, el río Éufrates;

19 Los cineos, los cenezeos, los cadmoneos,

20 los heteos, los ferezeos, los refaítas,

21 los amorreos, los cananeos, los gergeseos y los jebuseos.

CAPÍTULO 16

Y Sarai, esposa de Abram no le daba hijos; y ella tenía una sierva egipcia, que se llamaba Agar.

2 Dijo, pues, Sarai a Abram: Ya ves que Jehová me ha hecho estéril; te ruego que entres a mi sierva; quizá tendré hijos de ella. Y atendió Abram al dicho de Sarai.

3 Y Sarai, esposa de Abram, tomó a Agar su sierva egipcia, al cabo de diez años que había habitado Abram en la tierra de Canaán, y la dio a Abram su marido por esposa.

4 Y él cohabitó con Agar, la cual concibió; y cuando vio que había concebido, miraba con desprecio a su señora.

5 Entonces Sarai dijo a Abram: Mi afrenta sea sobre ti: yo puse mi sierva en tu seno, y viéndose embarazada, me mira con desprecio; juzgue Jehová entre tú y yo.

6 Y respondió Abram a Sarai: He ahí tu sierva en tu mano, haz con ella lo que bien te pareciere. Y como Sarai la afligía, ella huyó de su presencia.

7 Y la halló el Ángel de Jehová junto a una fuente de agua en el desierto, junto a la fuente que está en el camino de Shur.

8 Y le dijo: Agar, sierva de Sarai, ¿de dónde vienes tú, y a dónde vas? Y ella respondió: Huyo de delante de Sarai mi señora.

9 Y le dijo el Ángel de Jehová: Vuélvete a tu señora, y ponte sumisa bajo de su mano.

10 Le dijo también el Ángel de Jehová: Multiplicaré tanto tu descendencia, que no será contada a causa de la multitud.

11 Le dijo también el Ángel de Jehová: He aquí que has concebido, y darás a luz un hijo, y llamarás su nombre Ismael, porque Jehová ha oído tu aflicción.

12 Y él será hombre fiero; su mano será contra todos, y las manos de todos contra él, y delante de todos sus hermanos habitará.

13 Entonces llamó el nombre de Jehová que con ella hablaba: Tú Dios me ves; porque dijo: ¿No he visto también aquí al que me ve?

14 Por lo cual llamó al pozo, Pozo del Viviente que me ve. He aquí está entre Cades y Bered.

15 Y Agar dio a luz un hijo a Abram, y llamó Abram el nombre de su hijo que le dio Agar, Ismael.

16 Y *era* Abram de edad de ochenta y seis años, cuando Agar dio a luz a Ismael.

CAPÍTULO 17

Y siendo Abram de edad de noventa y nueve años, le apareció Jehová, y le dijo: Yo *soy* el Dios Todopoderoso; anda delante de mí, y sé perfecto.

2 Y yo estableceré mi pacto contigo, y te multiplicaré en gran manera.

3 Entonces Abram cayó sobre su rostro, y Dios habló con él diciendo:

4 He aquí mi pacto *es* contigo: Serás padre de muchas naciones:

5 Y no se llamará más tu nombre Abram, sino que será tu nombre Abraham, porque te he puesto por padre de muchedumbre de gentes.

6 Y te multiplicaré mucho en gran manera, y de ti haré naciones, y reyes saldrán de ti.

7 Y estableceré mi pacto contigo, y *con* tu simiente después de ti en sus generaciones, por pacto perpetuo, para ser Dios tuyo y de tu simiente después de ti.

8 Y te daré a ti, y a tu simiente después de ti, la tierra de tus peregrinaciones, toda la tierra de Canaán en heredad perpetua; y seré el Dios de ellos.

9 Y dijo Dios a Abraham: Tú guardarás mi pacto, tú y tu simiente después de ti en sus generaciones.

10 Éste *es* mi pacto, que guardaréis entre mí y vosotros y tu simiente después de ti: Será circuncidado todo varón de entre vosotros.

11 Circuncidaréis, pues, la carne de vuestro prepucio, y será por señal del pacto entre mí y vosotros.

12 Y de edad de ocho días será circuncidado todo varón entre vosotros en vuestras generaciones; el nacido en casa, y el comprado por dinero de cualquier extranjero, que no *fuere* de tu simiente.

13 Debe ser circuncidado el nacido en tu casa, y el comprado por tu dinero; y estará mi pacto en vuestra carne por pacto perpetuo.

14 Y el varón incircunciso que no hubiere circuncidado la carne de su prepucio, aquella persona será borrada de su pueblo; ha violado mi pacto.

15 Dijo también Dios a Abraham: En cuanto a tu esposa Sarai, no la llamarás Sarai, mas Sara *será* su nombre.

16 Y la bendeciré, y también te daré de ella hijo; sí, la bendeciré, y vendrá a ser *madre* de naciones; reyes de pueblos serán de ella.

17 Entonces Abraham cayó sobre su rostro, y se rió, y dijo en su corazón: ¿A hombre de cien años ha de nacer *hijo*? ¿Y Sara, ya de noventa años, ha de dar a luz?

18 Y dijo Abraham a Dios: Te ruego que Ismael viva delante de ti.

19 Y respondió Dios: Ciertamente Sara tu esposa te dará a luz un hijo, y llamarás su nombre Isaac; y confirmaré mi pacto con él, y con su simiente después de él por pacto perpetuo.

20 Y en cuanto a Ismael, también te he oído; he aquí que le bendeciré, y le haré fructificar y le multiplicaré mucho en gran manera; doce príncipes engendrará, y haré de él una nación grande.

21 Mas yo estableceré mi pacto con Isaac, el cual Sara te dará a luz por este tiempo el año siguiente.

22 Y acabó de hablar con él, y subió Dios de estar con Abraham.

23 Entonces tomó Abraham a Ismael su hijo, y a todos los siervos nacidos en su casa, y a todos los comprados por su dinero, a todo varón entre los domésticos de la casa de Abraham, y circuncidó la carne del prepucio de ellos en aquel mismo día, como Dios le había dicho.

24 *Era* Abraham de edad de noventa y nueve años cuando circuncidó la carne de su prepucio.

25 E Ismael su hijo *era* de trece años cuando fue circuncidada la carne de su prepucio.

26 En el mismo día fue circuncidado Abraham e Ismael su hijo.

27 Y todos los varones de su casa, el siervo nacido en casa, y el comprado por dinero del extranjero, fueron circuncidados con él.

CAPÍTULO 18

Y le apareció Jehová en el valle de Mamre, estando él sentado a la puerta de su tienda en el calor del día.

2 Y alzó sus ojos y miró, y he aquí tres varones que estaban junto a él; y cuando *los* vio, salió corriendo de la puerta de su tienda a recibirlos, y se inclinó hacia la tierra,

3 y dijo: Mi Señor, si ahora he hallado gracia en tus ojos, te ruego que no pases de tu siervo.

4 Que se traiga ahora un poco de agua, y lavad vuestros pies; y recostaos debajo de un árbol,

5 y traeré un bocado de pan, y sustentad vuestro corazón; después pasaréis; porque por eso habéis pasado cerca de vuestro siervo. Y ellos dijeron: Haz así como has dicho.

6 Entonces Abraham fue de prisa a la tienda a Sara, y le dijo: Toma presto tres medidas de flor de harina, amasa y haz panes cocidos debajo del rescoldo.

7 Y corrió Abraham a las vacas, y tomó un becerro tierno y bueno, y lo dio al criado, y éste se dio prisa a aderezarlo.

8 Y tomó mantequilla y leche, y el becerro que había aderezado, y lo puso delante de ellos; y él estaba junto a ellos debajo del árbol; y comieron.

9 Y le dijeron: ¿Dónde *está* Sara tu esposa? Y él respondió: Aquí en la tienda.

10 Entonces dijo: De cierto volveré a ti según el tiempo de la vida, y he aquí, tendrá un hijo tu esposa Sara. Y Sara escuchaba a la puerta de la tienda, que *estaba* detrás de él.

11 Y Abraham y Sara *eran* viejos, entrados en días; y a Sara le había cesado ya la costumbre de las mujeres.

12 Se rió, pues, Sara entre sí, diciendo: ¿Después que he envejecido tendré deleite, siendo también mi señor ya viejo?

13 Entonces Jehová dijo a Abraham: ¿Por qué se ha reído Sara diciendo: Será cierto que he de dar a luz siendo ya vieja?

14 ¿Hay para Dios alguna cosa difícil? Al tiempo señalado volveré a ti, según el tiempo de la vida, y Sara tendrá un hijo.

15 Entonces Sara negó diciendo: No me reí; porque tuvo miedo. Y él dijo: No es así, sino que te has reído.

16 Y los varones se levantaron de allí, y miraron hacia Sodoma: y Abraham iba con ellos acompañándolos.

17 Y Jehová dijo: ¿Encubriré yo a Abraham lo que voy a hacer,

18 habiendo de ser Abraham una nación grande y fuerte, y habiendo de ser benditas en él todas las naciones de la tierra?

19 Porque yo lo conozco, *sé* que mandará a sus hijos y a su casa después de sí, que guarden el camino de Jehová, haciendo justicia y juicio, para que haga venir Jehová sobre Abraham lo que ha hablado acerca de él.

20 Entonces Jehová le dijo: Por cuanto el clamor de Sodoma y Gomorra se aumenta más y más, y el pecado de ellos se ha agravado en extremo,

21 descenderé ahora, y veré si han consumado su obra según el clamor que ha venido hasta mí; y si no, lo sabré.

22 Y se apartaron de allí los varones, y fueron hacia Sodoma; mas Abraham estaba aún delante de Jehová.

23 Y se acercó Abraham y dijo: ¿Destruirás también al justo con el impío?

24 Quizá haya cincuenta justos dentro de la ciudad: ¿destruirás también y no perdonarás al lugar por amor a los cincuenta justos que estén dentro de él?

25 Lejos de ti el hacer tal cosa, que hagas morir al justo con el impío y que sea el justo tratado como el impío; nunca tal hagas. El Juez de toda la tierra, ¿no ha de hacer lo que es justo?

26 Entonces respondió Jehová: Si hallare en Sodoma cincuenta justos dentro de la ciudad, perdonaré a todo este lugar por amor de ellos.

27 Y Abraham replicó y dijo: He aquí ahora que he comenzado a hablar a mi Señor, aunque soy polvo y ceniza:

28 Quizá faltarán de cincuenta justos cinco: ¿destruirás por aquellos cinco toda la ciudad? Y dijo: No la destruiré, si *hallare* allí cuarenta y cinco.

29 Y volvió a hablarle, y dijo: Quizá se hallarán allí cuarenta. Y respondió: No lo haré por amor de los cuarenta.

30 Y dijo: No se enoje ahora mi Señor, si hablare; quizá se hallarán allí treinta. Y respondió: No lo haré si hallare allí treinta.

31 Y dijo: He aquí ahora que he emprendido el hablar a mi Señor: quizá se hallarán allí veinte. No la destruiré, respondió, por amor de los veinte.

32 Y volvió a decir: No se enoje ahora mi Señor, si hablare solamente una vez: quizá se hallarán allí diez. No la destruiré, respondió, por amor de los diez.

33 Y Jehová se fue, luego que acabó de hablar a Abraham; y Abraham se volvió a su lugar.

CAPÍTULO 19

Llegaron, pues, los dos ángeles a Sodoma a la caída de la tarde; y Lot estaba sentado a la puerta de Sodoma. Y viéndolos Lot, se levantó a recibirlos, y se inclinó hacia el suelo;

2 y dijo: Señores míos, he aquí os ruego que vengáis a casa de vuestro siervo y paséis en ella la noche, y lavaréis vuestros pies; y por la mañana os levantaréis y seguiréis vuestro camino. Y ellos respondieron: No, sino que en la plaza pasaremos la noche.

3 Mas él porfió con ellos mucho, y se vinieron con él, y entraron en su casa; y les hizo banquete, y coció panes sin levadura y comieron.

4 Pero antes que se acostasen, rodearon la casa los hombres de la ciudad, los varones de Sodoma, todo el pueblo junto, desde el más joven hasta el más viejo.

5 Y llamaron a Lot, y le dijeron: ¿Dónde están los varones que vinieron a ti esta noche? Sácalos, para que los conozcamos.

6 Entonces Lot salió a ellos a la puerta, y cerró las puertas tras sí,

7 y dijo: Os ruego, hermanos míos, que no hagáis tal maldad.

8 He aquí ahora yo tengo dos hijas que no han conocido varón; os las sacaré fuera, y haced de ellas como bien os pareciere: solamente a estos varones no hagáis nada, pues que vinieron a la sombra de mi tejado.

9 Y ellos respondieron: Quita allá; y añadieron: Vino éste aquí para habitar como un extraño, ¿y habrá de erigirse en juez? Ahora te haremos más mal que a ellos. Y hacían gran violencia al varón, a Lot, y se acercaron para romper la puerta.

10 Entonces los varones alargaron la mano, y metieron a Lot en casa con ellos, y cerraron la puerta.

11 Y a los hombres que estaban a la puerta de la casa desde el menor hasta el mayor, hirieron con ceguera; de modo que ellos se fatigaban buscando la puerta.

12 Y dijeron los varones a Lot: ¿Tienes aquí alguno más? Yernos, y tus hijos y tus hijas, y todo lo que tienes en la ciudad, sácalo de este lugar:

13 Porque vamos a destruir este lugar, por cuanto el clamor de ellos ha subido de punto delante de Jehová; por tanto, Jehová nos ha enviado para destruirlo.

14 Entonces salió Lot, y habló a sus yernos, los que habían de tomar sus hijas, y les dijo: Levantaos, salid de este lugar; porque Jehová va a destruir esta ciudad. Mas pareció a sus yernos como que se burlaba.

15 Y al rayar el alba, los ángeles daban prisa a Lot, diciendo: Levántate, toma tu esposa, y tus dos hijas que se hallan aquí, para que no perezcas en el castigo de la ciudad.

16 Y deteniéndose él, los varones asieron de su mano, y de la mano de su esposa, y de las manos de sus dos hijas según la misericordia de Jehová para con él; y le sacaron, y le pusieron fuera de la ciudad.

17 Y fue que cuando los hubo llevado fuera, dijo: Escapa por tu vida; no mires tras ti, ni pares en toda esta llanura; escapa al monte, no sea que perezcas.

18 Pero Lot les dijo: No, yo te ruego, mi Señor.

19 He aquí ahora ha hallado tu siervo gracia en tus ojos, y has engrandecido tu misericordia que has hecho conmigo dándome la vida; mas yo no podré escapar al monte, no sea que me alcance el mal y muera.

20 He aquí ahora esta ciudad está cerca para huir allá, la cual es pequeña;

escaparé ahora allá (¿no es ella pequeña?), y vivirá mi alma.

21 Y le respondió: He aquí he recibido también tu súplica sobre esto, y no destruiré la ciudad de que has hablado.

22 Date prisa, escápate allá; porque nada podré hacer hasta que hayas llegado allí. Por esto fue llamado el nombre de la ciudad, Zoar.

23 El sol salía sobre la tierra, cuando Lot llegó a Zoar.

24 Entonces Jehová hizo llover sobre Sodoma y sobre Gomorra azufre y fuego de parte de Jehová desde los cielos;

25 y destruyó las ciudades, y toda aquella llanura, con todos los moradores de aquellas ciudades, y el fruto de la tierra.

26 Entonces la esposa de Lot miró atrás, a espaldas de él, y se volvió estatua de sal.

27 Y subió Abraham por la mañana al lugar donde había estado delante de Jehová:

28 Y miró hacia Sodoma y Gomorra, y hacia toda la tierra de aquella llanura miró; y he aquí que el humo subía de la tierra como el humo de un horno.

29 Así fue que, cuando destruyó Dios las ciudades de la llanura, se acordó Dios de Abraham, y envió fuera a Lot de en medio de la destrucción, al asolar las ciudades donde Lot estaba.

30 Pero Lot subió de Zoar, y asentó en el monte, y sus dos hijas con él; porque tuvo miedo de quedar en Zoar, y habitó en una cueva él y sus dos hijas.

31 Entonces la mayor dijo a la menor: Nuestro padre es viejo, y no queda varón en la tierra que entre a nosotras conforme a la costumbre de toda la tierra:

32 Ven, demos a beber vino a nuestro padre, y acostémonos con él, y conservaremos de nuestro padre descendencia.

33 Y dieron a beber vino a su padre aquella noche; y entró la mayor, y se acostó con su padre; mas él no sintió cuando se acostó ella, ni cuando se levantó.

34 Y aconteció que al día siguiente dijo la mayor a la menor: He aquí que anoche yo me acosté con mi padre; démosle a beber vino también esta noche, y entra y acuéstate con él, para que conservemos de nuestro padre descendencia.

35 Y dieron a beber vino a su padre también aquella noche; y se levantó la menor, y se acostó con él; y él no se dio cuenta cuando se acostó ella, ni cuando se levantó.

36 Y concibieron las dos hijas de Lot, de su padre.

37 Y la mayor dio a luz un hijo, y llamó su nombre Moab, el cual es padre de los moabitas hasta hoy.

38 La menor también dio a luz un hijo, y llamó su nombre Ben-amí, el cual es padre de los amonitas hasta hoy.

CAPÍTULO 20

De allí partió Abraham a la tierra del sur, y asentó entre Cades y Shur, y habitó como forastero en Gerar.

2 Y dijo Abraham de Sara su esposa: Mi hermana es. Y Abimelec, rey de Gerar, envió y tomó a Sara.

3 Pero Dios vino a Abimelec en sueños de noche, y le dijo: He aquí muerto *eres* a causa de la mujer que has tomado, la cual *es* casada con marido.

4 Mas Abimelec no se había llegado a ella, y dijo: Señor, ¿matarás también la gente justa?

5 ¿No me dijo él: Mi hermana *es*; y ella también dijo: *Es* mi hermano? Con sencillez de mi corazón, y con limpieza de mis manos he hecho esto.

6 Y le dijo Dios en sueños: Yo también sé que con integridad de tu corazón has hecho esto; y yo también te detuve de pecar contra mí, y así no te permití que la tocases.

7 Ahora, pues, devuélvele *su* esposa a este hombre; porque él es profeta, y orará por ti, y vivirás. Y si tú no la devolvieres, sabe que de cierto morirás, con todo lo que *fuere* tuyo.

8 Entonces Abimelec se levantó de mañana, y llamó a todos sus siervos, y dijo todas estas palabras en los oídos de ellos; y temieron los hombres en gran manera.

9 Después llamó Abimelec a Abraham y le dijo: ¿Qué nos has hecho? ¿En qué pequé yo contra ti, que has atraído sobre mí y sobre mi reino tan gran pecado? Lo que no debiste hacer has hecho conmigo.

10 Y dijo más Abimelec a Abraham: ¿Qué viste para que hicieses esto?

11 Y Abraham respondió: Porque dije para mí: Cierto no hay temor de Dios en este lugar, y me matarán por causa de mi esposa.

12 Y a la verdad también *es* mi hermana, hija de mi padre, mas no hija de mi madre, y la tomé por esposa.

13 Y fue que, cuando Dios me hizo salir errante de la casa de mi padre, yo le dije: Ésta *es* la merced que tú me harás, que en todos los lugares adonde lleguemos, digas de mí: Mi hermano *es*.

14 Entonces Abimelec tomó ovejas y vacas, y siervos y siervas, y lo dio a Abraham, y le devolvió a Sara su esposa.

15 Y dijo Abimelec: He aquí mi tierra *está* delante de ti, habita donde bien te pareciere.

16 Y a Sara dijo: He aquí he dado mil *piezas* de plata a tu hermano; mira que él te es como velo de ojos para todos los que *están* contigo, y para con todos: así fue reprendida.

17 Entonces Abraham oró a Dios; y Dios sanó a Abimelec y a su esposa, y a sus siervas, y tuvieron *hijos*.

18 Porque Jehová había cerrado completamente toda matriz de la casa de Abimelec, a causa de Sara esposa de Abraham.

CAPÍTULO 21

Y visitó Jehová a Sara, como había dicho, e hizo Jehová con Sara como había hablado.

2 Y Sara concibió y dio a luz un hijo a Abraham en su vejez, en el tiempo que Dios le había dicho.

3 Y llamó Abraham el nombre de su hijo que le nació, que le dio a luz Sara, Isaac.

4 Y circuncidó Abraham a su hijo Isaac de ocho días, como Dios le había mandado.

5 Y era Abraham de cien años, cuando le nació Isaac su hijo.

6 Entonces dijo Sara: Dios me ha hecho reír, y cualquiera que lo oyere, se reirá conmigo.

7 Y añadió: ¿Quién dijera a Abraham que Sara había de dar de mamar a hijos? Pues que le he dado un hijo en su vejez.

8 Y creció el niño, y fue destetado; e hizo Abraham gran banquete el día que fue destetado Isaac.

9 Y vio Sara al hijo de Agar la egipcia, el cual ésta le había dado a luz a Abraham, que se burlaba.

10 Por tanto dijo a Abraham: Echa a esta sierva y a su hijo; pues el hijo de esta sierva no ha de heredar con mi hijo, con Isaac.

11 Este dicho pareció grave en gran manera a Abraham a causa de su hijo.

12 Entonces dijo Dios a Abraham: No te parezca grave a causa del muchacho y de tu sierva; en todo lo que te dijere Sara, oye su voz, porque en Isaac te será llamada descendencia.

13 Y también del hijo de la sierva haré una nación, porque *es* tu simiente.

14 Entonces Abraham se levantó muy de mañana, y tomó pan, y un odre de agua, y *lo* dio a Agar, poniéndolo sobre su hombro, y le entregó el muchacho, y la despidió. Y ella partió, y andaba errante por el desierto de Beerseba.

15 Y faltó el agua del odre, y echó al muchacho debajo de un árbol;

16 y se fue y se sentó enfrente, alejándose como a un tiro de arco; porque decía: No veré cuando el muchacho morirá: y se sentó enfrente, y alzó su voz y lloró.

17 Y oyó Dios la voz del muchacho; y el Ángel de Dios llamó a Agar desde el cielo, y le dijo: ¿Qué tienes, Agar? No temas; porque Dios ha oído la voz del muchacho en donde está.

18 Levántate, alza al muchacho, y tómalo en tus manos, porque haré de él una gran nación.

19 Entonces abrió Dios sus ojos, y vio una fuente de agua; y fue, y llenó el odre de agua, y dio de beber al muchacho.

20 Y Dios fue con el muchacho; y creció, y habitó en el desierto, y fue tirador de arco.

21 Y habitó en el desierto de Parán; y su madre le tomó esposa de la tierra de Egipto.

22 Y aconteció en aquel mismo tiempo que habló Abimelec, y Ficol, príncipe de su ejército, a Abraham diciendo: Dios es contigo en todo cuanto haces.

23 Ahora pues, júrame aquí por Dios, que no faltarás a mí, ni a mi hijo, ni a mi nieto; sino que conforme a la bondad que yo hice contigo, harás tú conmigo y con la tierra donde has peregrinado.

24 Y respondió Abraham: Yo juraré.

25 Y Abraham reconvino a Abimelec a causa de un pozo de agua, que los siervos de Abimelec le habían quitado.

26 Y respondió Abimelec: No sé quién haya hecho esto, ni tampoco tú me lo hiciste saber, ni yo lo he oído hasta hoy.

27 Y tomó Abraham ovejas y vacas, y dio a Abimelec; e hicieron ambos alianza.

28 Y puso Abraham siete corderas del rebaño aparte.

29 Y dijo Abimelec a Abraham: ¿Qué significan esas siete corderas que has puesto aparte?

30 Y él respondió: Que *estas* siete corderas tomarás de mi mano, para que me sean en testimonio de que yo cavé este pozo.

31 Por esto llamó a aquel lugar Beerseba; porque allí juraron ambos.

32 Así hicieron alianza en Beerseba: y se levantó Abimelec y Ficol, príncipe de su ejército, y se volvieron a tierra de los filisteos.

33 Y plantó *Abraham* un bosque en Beerseba, e invocó allí el nombre de Jehová, el Dios eterno.

34 Y moró Abraham en tierra de los filisteos muchos días.

CAPÍTULO 22

Y aconteció después de estas cosas, que probó Dios a Abraham, y le dijo: Abraham. Y él respondió: Heme aquí.

2 Y dijo: Toma ahora tu hijo, tu único, Isaac, a quien amas, y vete a tierra de Moriah, y ofrécelo allí en holocausto sobre uno de los montes que yo te diré.

3 Y Abraham se levantó muy de mañana, y enalbardó su asno, y tomó consigo dos mozos suyos, y a Isaac su hijo: y cortó leña para el holocausto, y se levantó, y fue al lugar que Dios le dijo.

4 Al tercer día alzó Abraham sus ojos, y vio el lugar de lejos.

5 Entonces dijo Abraham a sus siervos: Esperaos aquí con el asno, y yo y el muchacho iremos hasta allí, y adoraremos, y volveremos a vosotros.

6 Y tomó Abraham la leña del holocausto, y la puso sobre Isaac su hijo: y él tomó en su mano el fuego y el cuchillo; y fueron ambos juntos.

7 Entonces habló Isaac a Abraham su padre, y dijo: Padre mío. Y él respondió: Heme aquí, mi hijo. Y él dijo: He aquí el fuego y la leña; mas ¿dónde *está* el cordero para el holocausto?

8 Y respondió Abraham: Dios se proveerá el cordero para el holocausto, hijo mío. E iban juntos.

9 Y cuando llegaron al lugar que Dios le había dicho, edificó allí Abraham un altar, y compuso la leña, y ató a Isaac su hijo, y le puso en el altar sobre la leña.

10 Y extendió Abraham su mano, y tomó el cuchillo, para degollar a su hijo.

11 Entonces el Ángel de Jehová le dio voces desde el cielo, y dijo: Abraham, Abraham. Y él respondió: Heme aquí.

12 Y dijo: No extiendas tu mano sobre el muchacho, ni le hagas nada; que ya conozco que temes a Dios, pues que no me rehusaste tu hijo, tu único;

13 Entonces alzó Abraham sus ojos, y miró, y he aquí un carnero a sus espaldas trabado en un zarzal por sus cuernos; y fue Abraham, y tomó el carnero, y le ofreció en holocausto en lugar de su hijo.

14 Y llamó Abraham el nombre de aquel lugar, Jehová proveerá. Por tanto se dice hoy: En el monte de Jehová será provisto.

15 Y el Ángel de Jehová llamó a Abraham por segunda vez desde el cielo,

16 y dijo: Por mí mismo he jurado, dice Jehová, que por cuanto has

hecho esto, y no me has rehusado tu hijo, tu único;

17 bendiciendo te bendeciré, y multiplicando multiplicaré tu simiente como las estrellas del cielo, y como la arena que está a la orilla del mar; y tu simiente poseerá las puertas de sus enemigos:

18 En tu simiente serán benditas todas las naciones de la tierra, por cuanto obedeciste a mi voz.

19 Y volvió Abraham a sus siervos, y se levantaron y se fueron juntos a Beerseba; y habitó Abraham en Beerseba.

20 Y aconteció después de estas cosas, que fue dada nueva a Abraham, diciendo: He aquí que también Milca ha dado a luz hijos a Nacor tu hermano:

21 A Uz su primogénito, y a Buz su hermano, y a Quemuel padre de Aram.

22 Y a Quesed, y a Hazo, y a Pildas, y a Jidlaf, y a Betuel.

23 Y Betuel engendró a Rebeca. Estos ocho hijos dio a luz Milca a Nacor, hermano de Abraham.

24 Y su concubina, que se llamaba Reúma, dio a luz también a Teba, a Gaham, a Tahas y a Maaca.

CAPÍTULO 23

Y fue la vida de Sara ciento veintisiete años; *tantos fueron* los años de la vida de Sara.

2 Y murió Sara en Quiriat-arba, que *es* Hebrón, en la tierra de Canaán: y vino Abraham a hacer duelo a Sara y a llorarla.

3 Y se levantó Abraham de delante de su muerta, y habló a los hijos de Het, diciendo:

4 Peregrino y advenedizo soy entre vosotros; dadme heredad de sepultura con vosotros, y sepultaré mi muerta de delante de mí.

5 Y respondieron los hijos de Het a Abraham, y le dijeron:

6 Escúchanos, señor mío, eres un príncipe de Dios entre nosotros; en lo mejor de nuestras sepulturas sepulta a tu muerta; ninguno de nosotros te impedirá su sepultura, para que entierres tu muerta.

7 Y Abraham se levantó, y se inclinó al pueblo de aquella tierra, a los hijos de Het;

8 Y habló con ellos, diciendo: Si tenéis voluntad que yo sepulte mi muerta de delante de mí, oídme, e interceded por mí con Efrón, hijo de Zoar,

9 para que me dé la cueva de Macpela, que tiene al cabo de su heredad; que por su justo precio me la dé, para posesión de sepultura en medio de vosotros.

10 Este Efrón se hallaba entre los hijos de Het: y respondió Efrón heteo a Abraham, en oídos de los hijos de Het, de todos los que entraban por la puerta de su ciudad, diciendo:

11 No, señor mío, óyeme: te doy la heredad, y te doy también la cueva que *está* en ella; delante de los hijos de mi pueblo te la doy; sepulta tu muerta.

12 Y Abraham se inclinó delante del pueblo de la tierra.

13 Y respondió a Efrón en oídos del pueblo de la tierra, diciendo: Antes, si te place, te ruego que me oigas; yo daré el precio de la heredad, tómalo de mí, y sepultaré en ella mi muerta.

14 Y respondió Efrón a Abraham, diciéndole:

15 Señor mío, escúchame: la tierra *vale* cuatrocientos siclos de plata; ¿qué es esto entre tú y yo? Entierra, pues, tu muerta.

16 Entonces Abraham se convino con Efrón, y pesó Abraham a Efrón el dinero que dijo, oyéndolo los hijos de Het, cuatrocientos siclos de plata, de buena ley entre mercaderes.

17 Y la heredad de Efrón que *estaba* en Macpela enfrente de Mamre, la heredad y la cueva que estaban en ella, y todos los árboles que había en la heredad, y en todo su término al derredor, quedaron asegurados

18 a Abraham en posesión, a vista de los hijos de Het, y de todos los que entraban por la puerta de la ciudad.

19 Y después de esto sepultó Abraham a Sara su esposa en la cueva de la heredad de Macpela enfrente de Mamre, que es Hebrón en la tierra de Canaán.

20 Así Abraham adquirió de los hijos de Het el campo y la cueva que había en él, como una propiedad para sepultura.

CAPÍTULO 24

Y Abraham era viejo y bien entrado en días; y Jehová había bendecido a Abraham en todo.

2 Y dijo Abraham a un criado suyo, el más viejo de su casa, que era el que gobernaba en todo lo que tenía: Pon ahora tu mano debajo de mi muslo, 3 y te haré jurar por Jehová, Dios de los cielos y Dios de la tierra, que no has de tomar esposa para mi hijo de las hijas de los cananeos, entre los cuales yo habito;

4 sino que irás a mi tierra y a mi parentela, y tomarás esposa para mi hijo Isaac.

5 Y el criado le respondió: Quizá la mujer no querrá venir en pos de mí a esta tierra: ¿volveré, pues, tu hijo a la tierra de donde saliste?

6 Y Abraham le dijo: Guárdate que no vuelvas a mi hijo allá.

7 Jehová, Dios de los cielos, que me tomó de la casa de mi padre y de la tierra de mi parentela, y me habló y me juró, diciendo: A tu simiente daré esta tierra; Él enviará su ángel delante de ti, y tú tomarás de allá esposa para mi hijo.

8 Y si la mujer no quisiere venir en pos de ti, serás libre de este mi juramento; solamente que no vuelvas allá a mi hijo.

9 Entonces el criado puso su mano debajo del muslo de Abraham su señor, y le juró sobre este asunto.

10 Y el criado tomó diez camellos de los camellos de su señor, y se fue, pues tenía a su disposición todos los bienes de su señor: y puesto en camino, llegó a Mesopotamia, a la ciudad de Nacor.

11 E hizo arrodillar los camellos fuera de la ciudad, junto a un pozo de agua, a la hora de la tarde, a la hora en que salen las doncellas por agua.

12 Y dijo: Oh Jehová, Dios de mi señor Abraham, dame, te ruego, el tener hoy buen encuentro, y haz misericordia con mi señor Abraham.

13 He aquí yo estoy junto a la fuente de agua, y las hijas de los varones de esta ciudad salen por agua:

14 Sea, pues, que la doncella a quien yo dijere: Baja tu cántaro, te ruego, para que yo beba; y ella respondiere:

Bebe, y también daré de beber a tus camellos; que sea ésta la que tú has destinado para tu siervo Isaac; y en esto conoceré que habrás hecho misericordia con mi señor.

15 Y aconteció que antes que él acabase de hablar, he aquí Rebeca, que había nacido a Betuel, hijo de Milca, esposa de Nacor hermano de Abraham, la cual salía con su cántaro sobre su hombro.

16 Y la doncella era de muy hermoso aspecto, virgen, a la que varón no había conocido; la cual descendió a la fuente, y llenó su cántaro, y se volvía.

17 Entonces el criado corrió hacia ella, y dijo: Te ruego que me des a beber un poco de agua de tu cántaro.

18 Y ella respondió: Bebe, señor mío; y se dio prisa a bajar su cántaro sobre su mano, y le dio a beber.

19 Y cuando acabó de darle a beber, dijo: También para tus camellos sacaré agua, hasta que acaben de beber.

20 Y se dio prisa, y vació su cántaro en la pila, y corrió otra vez al pozo para sacar *agua*, y sacó para todos sus camellos.

21 Y el hombre estaba maravillado de ella, callando, para saber si Jehová había prosperado o no su viaje.

22 Y sucedió que cuando los camellos acabaron de beber, el hombre le presentó un pendiente de oro que pesaba medio siclo, y dos brazaletes para sus manos que pesaban diez *siclos* de oro,

23 y dijo: ¿De quién *eres* hija? Te ruego me digas, ¿hay lugar en casa de tu padre donde posemos?

24 Y ella respondió: Soy hija de Betuel, hijo de Milca, el cual ella dio a luz a Nacor.

25 Y añadió: También hay en nuestra casa paja y mucho forraje, y lugar para posar.

26 El hombre entonces se inclinó, y adoró a Jehová.

27 Y dijo: Bendito *sea* Jehová, Dios de mi amo Abraham, que no apartó su misericordia y su verdad de mi amo, guiándome Jehová en el camino a casa de los hermanos de mi amo.

28 Y la doncella corrió, e hizo saber en casa de su madre estas cosas.

29 Y Rebeca tenía un hermano que se llamaba Labán, el cual corrió afuera al hombre, a la fuente.

30 Y sucedió que cuando él vio el pendiente y los brazaletes en las manos de su hermana, y cuando oyó las palabras de su hermana Rebeca, que decía: Así me habló aquel hombre, vino a él; y he aquí que él estaba con los camellos junto a la fuente.

31 Y le dijo: Ven, bendito de Jehová; ¿por qué estás fuera? Yo he limpiado la casa, y el lugar para los camellos.

32 Entonces el hombre vino a casa, y Labán desató los camellos; y les dio paja y forraje, y agua para lavar los pies de él, y los pies de los hombres que con él venían.

33 Y le pusieron delante qué comer; mas él dijo: No comeré hasta que haya dicho mi mensaje. Y él le dijo: Habla.

34 Entonces dijo: Yo soy criado de Abraham;

35 y Jehová ha bendecido mucho a mi amo, y él se ha engrandecido: y le ha dado ovejas y vacas, plata y oro, siervos y siervas, camellos y asnos.

36 Y Sara, la esposa de mi amo, en su vejez dio a luz un hijo a mi señor, a quien le ha dado todo cuanto tiene.

37 Y mi amo me hizo jurar, diciendo: No tomarás esposa para mi hijo de las hijas de los cananeos, en cuya tierra habito;

38 sino que irás a la casa de mi padre, y a mi parentela, y tomarás esposa para mi hijo.

39 Y yo dije a mi señor: Quizás la mujer no querrá seguirme.

40 Entonces él me respondió: Jehová, en cuya presencia he andado, enviará su ángel contigo, y prosperará tu camino; y tomarás esposa para mi hijo de mi linaje y de la casa de mi padre.

41 Entonces serás libre de mi juramento, cuando hubieres llegado a mi linaje; y si no te la dieren, serás libre de mi juramento.

42 Llegué, pues, hoy a la fuente, y dije: Jehová, Dios de mi señor Abraham, si tú prosperas ahora mi camino por el cual ando;

43 he aquí yo estoy junto a la fuente de agua; sea, pues, que la doncella que saliere a sacar *agua*, a la cual dijere: Dame a beber, te ruego, un poco de agua de tu cántaro;

44 y ella me respondiere: Bebe tú, y también para tus camellos sacaré agua; sea ésta la mujer que destinó Jehová para el hijo de mi señor.

45 Y antes que acabase de hablar en mi corazón, he aquí Rebeca, que salía con su cántaro sobre su hombro; y descendió a la fuente, y sacó *agua*; y le dije: Te ruego que me des a beber.

46 Y prestamente bajó su cántaro de sobre su *hombro*, y dijo: Bebe, y también a tus camellos daré a beber. Y bebí; y también dio de beber a mis camellos.

47 Entonces le pregunté, y dije: ¿De quién *eres* hija? Y ella respondió: Hija de Betuel, hijo de Nacor, que le dio a luz Milca. Entonces le puse un pendiente sobre su nariz, y brazaletes sobre sus manos:

48 Y me incliné, y adoré a Jehová, y bendije a Jehová, Dios de mi señor Abraham, que me había guiado por camino de verdad para tomar la hija del hermano de mi señor para su hijo.

49 Ahora, pues, si vosotros hacéis misericordia y verdad con mi señor, declarádmelo; y si no, declarádmelo; y me iré a la derecha o a la izquierda.

50 Entonces Labán y Betuel respondieron y dijeron: De Jehová ha salido esto; no podemos hablarte malo ni bueno.

51 He ahí Rebeca delante de ti; tómala y vete, y sea esposa del hijo de tu señor, como lo ha dicho Jehová.

52 Y aconteció que cuando el criado de Abraham oyó sus palabras, *se inclinó* a tierra, y adoró a Jehová.

53 Y sacó el criado vasos de plata y vasos de oro y vestidos, y dio a Rebeca; también dio cosas preciosas a su hermano y a su madre.

54 Y comieron y bebieron él y los varones que *venían* con él, y durmieron; y levantándose de mañana, dijo: Enviadme a mi señor.

55 Entonces respondió su hermano y su madre: Espere la doncella con nosotros a lo menos diez días, y después irá.

56 Y él les dijo: No me detengáis, pues que Jehová ha prosperado mi

camino; despachadme para que me vaya a mi señor.

57 Ellos respondieron entonces: Llamemos a la doncella y preguntémosle.

58 Y llamaron a Rebeca, y le dijeron: ¿Irás tú con este varón? Y ella respondió: Sí, iré.

59 Entonces dejaron ir a Rebeca su hermana, y a su nodriza, y al criado de Abraham y a sus hombres.

60 Y bendijeron a Rebeca, y le dijeron: Nuestra hermana *eres*; sé *madre* de millares de millares, y tu generación posea la puerta de sus enemigos.

61 Se levantó entonces Rebeca y sus mozas, y subieron sobre los camellos, y siguieron al hombre; y el criado tomó a Rebeca, y se fue.

62 Y venía Isaac del Pozo del Viviente que me ve; porque él habitaba en la tierra del sur.

63 Y había salido Isaac a orar al campo, a la hora de la tarde; y alzando sus ojos miró, y he aquí los camellos que venían.

64 Rebeca también alzó sus ojos, y vio a Isaac, y descendió del camello;

65 porque había preguntado al criado: ¿Quién es este varón que viene por el campo hacia nosotros? Y el siervo había respondido: Éste es mi señor. Ella entonces tomó el velo, y se cubrió.

66 Entonces el criado contó a Isaac todo lo que había hecho.

67 Y la introdujo Isaac a la tienda de su madre Sara, y tomó a Rebeca por esposa; y la amó. Y se consoló Isaac después *de la muerte* de su madre.

CAPÍTULO 25

Y Abraham tomó otra esposa, cuyo nombre *era* Cetura;

2 la cual le dio a luz a Zimram, a Jocsán, a Medán, a Madián, a Isbac y a Súa.

3 Y Jocsán engendró a Seba y a Dedán: y los hijos de Dedán fueron Asurim, Letusim y Leumim.

4 Y los hijos de Madián: Efa, Efer, Hanoc, Abida y Eldaa. Todos éstos *fueron* hijos de Cetura.

5 Y Abraham dio todo cuanto tenía a Isaac.

6 Y a los hijos de sus concubinas dio Abraham dones, y los envió lejos de Isaac su hijo, cuando aún él vivía, hacia el oriente, a la tierra oriental.

7 Y éstos *fueron* los días de vida que vivió Abraham; ciento setenta y cinco años.

8 Y exhaló el espíritu, y murió Abraham en buena vejez, anciano y lleno de días y fue unido a su pueblo.

9 Y lo sepultaron Isaac e Ismael sus hijos en la cueva de Macpela, en la heredad de Efrón, hijo de Zoar heteo, que *está* enfrente de Mamre;

10 Heredad que compró Abraham de los hijos de Het; allí fue Abraham sepultado, y Sara su esposa.

11 Y sucedió, después de muerto Abraham, que Dios bendijo a Isaac su hijo: y habitó Isaac junto al Pozo del Viviente que me ve.

12 Y éstas *son* las generaciones de Ismael, hijo de Abraham, que le dio a luz Agar egipcia, sierva de Sara:

13 Éstos, pues, *son* los nombres de los hijos de Ismael, por sus nombres, por sus linajes: El primogénito de Ismael, Nebaiot, Cedar, Abdeel, Mibsam,

14 Misma, Duma, Massa,

15 Hadar, Tema, Jetur, Nafis y Cedema.

16 Éstos *son* los hijos de Ismael, y éstos sus nombres por sus villas y por sus campamentos; doce príncipes por sus familias.

17 Y éstos *fueron* los años de la vida de Ismael, ciento treinta y siete años; y exhaló el espíritu Ismael, y murió; y fue unido a su pueblo.

18 Y habitaron desde Havila hasta Shur, que está enfrente de Egipto viniendo a Asiria; y murió en presencia de todos sus hermanos.

19 Y éstas *son* las generaciones de Isaac, hijo de Abraham. Abraham engendró a Isaac.

20 Y era Isaac de cuarenta años cuando tomó por esposa a Rebeca, hija de Betuel arameo de Padan-aram, hermana de Labán arameo.

21 Y oró Isaac a Jehová por su esposa, que *era* estéril; y lo aceptó Jehová, y concibió Rebeca su esposa.

22 Y los hijos se combatían dentro de ella; y dijo: Si es así ¿para qué vivo yo? Y fue a consultar a Jehová.

23 Y le respondió Jehová: Dos naciones *hay* en tu seno, y dos pueblos serán divididos desde tus entrañas: Y *el un* pueblo será más fuerte que *el otro* pueblo, y el mayor servirá al menor.

24 Y cuando se cumplieron sus días para dar a luz, he aquí *había* mellizos en su vientre.

25 Y salió el primero rubio, y todo él velludo como una pelliza; y llamaron su nombre Esaú.

26 Y después salió su hermano, trabada su mano al calcañar de Esaú: y fue llamado su nombre Jacob. Y era Isaac de edad de sesenta años cuando ella los dio a luz.

27 Y crecieron los niños, y Esaú fue diestro en la caza, hombre del campo; pero Jacob era varón quieto, que habitaba en tiendas.

28 Y amó Isaac a Esaú, porque comía de su caza; pero Rebeca amaba a Jacob.

29 Y guisó Jacob un potaje; y volviendo Esaú del campo, cansado, 30 dijo a Jacob: Te ruego que me des a comer de ese *potaje* rojo, pues *estoy* muy cansado. Por tanto, fue llamado su nombre Edom.

31 Y Jacob respondió: Véndeme en este día tu primogenitura.

32 Entonces dijo Esaú: He aquí yo me voy a morir; ¿para qué, pues, me servirá la primogenitura?

33 Y dijo Jacob: Júramelo en este día. Y él le juró, y vendió a Jacob su primogenitura.

34 Entonces Jacob dio a Esaú pan y del guisado de las lentejas; y él comió y bebió, y se levantó y se fue. Así menospreció Esaú *su* primogenitura.

CAPÍTULO 26

Y hubo hambre en la tierra, además de la primera hambre que hubo en los días de Abraham; y se fue Isaac a Abimelec rey de los filisteos, en Gerar.

2 Y se le apareció Jehová, y le dijo: No desciendas a Egipto; habita en la tierra que yo te diré.

3 Habita en esta tierra, y seré contigo, y te bendeciré; porque a ti y a tu simiente daré todas estas tierras, y confirmaré el juramento que hice a Abraham tu padre.

4 Y multiplicaré tu simiente como las estrellas del cielo, y a tu simiente daré todas estas tierras; y en tu simiente serán benditas todas las naciones de la tierra;

5 por cuanto oyó Abraham mi voz, y guardó mi precepto, mis mandamientos, mis estatutos y mis leyes.

6 Habitó, pues, Isaac en Gerar.

7 Y los hombres de aquel lugar le preguntaron acerca de su esposa; y él respondió: Es mi hermana; porque tuvo miedo de decir: Es mi esposa; pues *se dijo*: Los hombres del lugar me matarán por causa de Rebeca; pues ella *era* de hermoso aspecto.

8 Y sucedió que después que él estuvo allí muchos días, Abimelec, rey de los filisteos, mirando por una ventana, vio a Isaac que jugueteaba con su esposa Rebeca.

9 Y llamó Abimelec a Isaac, y dijo: He aquí ella es de cierto tu esposa; ¿cómo, pues, dijiste: Es mi hermana? E Isaac le respondió: Porque dije: Quizá moriré por causa de ella.

10 Y Abimelec dijo: ¿Por qué nos has hecho esto? Por poco hubiera dormido alguno del pueblo con tu esposa, y hubieras traído sobre nosotros el pecado.

11 Entonces Abimelec mandó a todo el pueblo, diciendo: El que tocare a este hombre o a su esposa, de cierto morirá.

12 Y sembró Isaac en aquella tierra, y cosechó aquel año ciento por uno; y le bendijo Jehová.

13 Y el varón se enriqueció, y fue prosperado, y creció hasta hacerse muy poderoso.

14 Y tuvo hato de ovejas, hato de vacas y mucha servidumbre; y los filisteos le tuvieron envidia.

15 Y todos los pozos que habían abierto los siervos de Abraham su padre en sus días, los filisteos los habían cegado y llenado de tierra.

16 Y dijo Abimelec a Isaac: Apártate de nosotros, porque mucho más poderoso que nosotros te has hecho.

17 E Isaac se fue de allí; y asentó sus tiendas en el valle de Gerar, y habitó allí.

18 Y volvió a abrir Isaac los pozos de agua que habían abierto en los días de Abraham su padre, y que los filisteos habían cegado después de la muerte de Abraham; y los llamó por los nombres que su padre los había llamado.

19 Y los siervos de Isaac cavaron en el valle, y hallaron allí un pozo de aguas vivas.

20 Y los pastores de Gerar riñeron con los pastores de Isaac, diciendo: El agua *es* nuestra. Por eso llamó el nombre del pozo Esek, porque habían altercado con él.

21 Y abrieron otro pozo, y también riñeron sobre él; y llamó su nombre Sitna.

22 Y se apartó de allí, y abrió otro pozo, y no riñeron sobre él; y llamó su nombre Rehobot, y dijo: Porque ahora nos ha hecho ensanchar Jehová y fructificaremos en la tierra.

23 Y de allí subió a Beerseba.

24 Y se le apareció Jehová aquella noche, y *le* dijo: Yo soy el Dios de Abraham tu padre; no temas, porque yo estoy contigo, y te bendeciré, y multiplicaré tu simiente por amor de Abraham mi siervo.

25 Y edificó allí un altar, e invocó el nombre de Jehová, y tendió allí su tienda; y abrieron allí los siervos de Isaac un pozo.

26 Y Abimelec vino a él desde Gerar, y Ahuzat, amigo suyo, y Ficol, capitán de su ejército.

27 Y les dijo Isaac: ¿Por qué venís a mí, pues que me habéis aborrecido, y me echasteis de entre vosotros?

28 Y ellos respondieron: Hemos visto que Jehová ha estado contigo; y dijimos: Haya ahora juramento entre nosotros; entre tú y nosotros, y haremos un pacto contigo,

29 de que no nos harás mal, como nosotros no te hemos tocado, y como solamente te hemos hecho bien, y te enviamos en paz. Tú *eres* ahora bendito de Jehová.

30 Entonces él les hizo banquete, y comieron y bebieron.

31 Y se levantaron de madrugada, y juraron el uno al otro; e Isaac los despidió, y ellos partieron de él en paz.

32 Y en aquel día sucedió que vinieron los criados de Isaac, y le dieron las nuevas acerca del pozo que habían abierto, y le dijeron: Hemos hallado agua.

33 Y lo llamó Seba; por cuya causa el nombre de aquella ciudad *es* Beerseba hasta este día.

34 Y cuando Esaú fue de cuarenta años, tomó por esposa a Judit hija de Beeri heteo, y a Basemat hija de Elón heteo:

35 Y fueron amargura de espíritu a Isaac y a Rebeca.

CAPÍTULO 27

Y aconteció que cuando Isaac envejeció, y sus ojos se oscurecieron quedando sin vista, llamó a Esaú, su hijo el mayor, y le dijo: Mi hijo. Y él respondió: Heme aquí.

2 Y él dijo: He aquí ya soy viejo, no sé el día de mi muerte.

3 Toma, pues, ahora tus armas, tu aljaba y tu arco, y sal al campo, y tráeme caza;

4 y hazme un guisado, como a mí me gusta, y tráemelo, y comeré, para que mi alma te bendiga antes que yo muera.

5 Y Rebeca estaba oyendo, cuando hablaba Isaac a Esaú su hijo; y se fue Esaú al campo para cazar lo que había de traer.

6 Entonces Rebeca habló a Jacob su hijo, diciendo: He aquí yo he oído a tu padre que hablaba con Esaú tu hermano, diciendo:

7 Tráeme caza y hazme un guisado, para que coma, y te bendiga delante de Jehová antes que yo muera.

8 Ahora, pues, hijo mío, obedece a mi voz en lo que te mando.

9 Ve ahora al rebaño, y tráeme de allí dos buenos cabritos de las cabras, y haré de ellos un guisado para tu padre, como a él le gusta;

10 y tú lo llevarás a tu padre, y comerá, para que te bendiga antes de su muerte.

11 Y Jacob dijo a Rebeca su madre: He aquí Esaú mi hermano es hombre velloso, y yo lampiño.

12 Quizá me palpará mi padre, y me tendrá por engañador, y traeré sobre mí maldición y no bendición.

13 Y su madre respondió: Hijo mío, *sea* sobre mí tu maldición; solamente obedece a mi voz, y ve y tráemelos.

14 Entonces él fue, y tomó, y los trajo a su madre; y su madre hizo un guisado, como le gustaba a su padre.

15 Y tomó Rebeca la ropa preciosa de Esaú, su hijo mayor, que ella *tenía* en casa, y vistió a Jacob su hijo menor:

16 Y le hizo vestir sobre sus manos y sobre la cerviz donde no tenía vello, las pieles de los cabritos de las cabras;

17 Y entregó el guisado y el pan que había aderezado, en mano de Jacob su hijo.

18 Y él fue a su padre, y dijo: Padre mío. Y él respondió: Heme aquí, ¿quién eres, hijo mío?

19 Y Jacob dijo a su padre: Yo *soy* Esaú tu primogénito; he hecho como me dijiste: levántate ahora, y siéntate, y come de mi caza, para que me bendiga tu alma.

20 Entonces Isaac dijo a su hijo: ¿Cómo es que *la* hallaste tan pronto, hijo mío? Y él respondió: Porque Jehová tu Dios hizo que se encontrase delante de mí.

21 E Isaac dijo a Jacob: Acércate ahora, y te palparé, hijo mío, por si *eres* mi hijo Esaú o no.

22 Y se acercó Jacob a su padre Isaac; y él le palpó, y dijo: La voz *es* la voz de Jacob, mas las manos, *son* las manos de Esaú.

23 Y no le conoció, porque sus manos eran vellosas como las manos de Esaú; y le bendijo.

24 Y dijo: ¿Eres tú mi hijo Esaú? Y él respondió: Yo soy.

25 Y dijo: Acércamela, y comeré de la caza de mi hijo, para que te bendiga mi alma; y él se la acercó, y comió; le trajo también vino, y bebió.

26 Y le dijo Isaac su padre: Acércate ahora, y bésame, hijo mío.

27 Y él se acercó, y le besó; y olió Isaac el olor de sus vestiduras, y le bendijo, y dijo: Mira, el olor de mi hijo como el olor del campo que Jehová ha bendecido:

28 Dios, pues, te dé del rocío del cielo, y de las grosuras de la tierra, y abundancia de trigo y de mosto.

29 Pueblos te sirvan, y naciones se inclinen a ti: Sé señor de tus hermanos, e inclínense a ti los hijos de tu madre: Malditos los que te maldijeren, y benditos los que te bendijeren.

30 Y aconteció, luego que hubo Isaac acabado de bendecir a Jacob, y apenas había salido Jacob de delante de Isaac su padre, que Esaú su hermano vino de su caza.

31 Y él también hizo un guisado, y lo trajo a su padre, y le dijo: Levántese mi padre, y coma de la caza de su hijo, para que me bendiga su alma.

32 Entonces Isaac su padre le dijo: ¿Quién *eres* tú? Y él dijo: Yo *soy* tu hijo, tu primogénito, Esaú.

33 Y se estremeció Isaac en extremo, y dijo: ¿Quién *es* el que vino aquí, que tomó caza, y me trajo, y comí de todo antes que vinieses? Yo le bendije, y será bendito.

34 Cuando Esaú oyó las palabras de su padre clamó con una muy grande y muy amarga exclamación, y le dijo: Bendíceme también a mí, padre mío.

35 Y él dijo: Vino tu hermano con engaño, y tomó tu bendición.

36 Y él respondió: Bien llamaron su nombre Jacob, que ya me ha suplantado dos veces; se apoderó de mi primogenitura, y he aquí ahora ha tomado mi bendición. Y dijo: ¿No has guardado bendición para mí?

37 Isaac respondió y dijo a Esaú: He aquí yo le he puesto por señor tuyo, y le he dado por siervos a todos sus hermanos; de trigo y de vino le he provisto; ¿qué, pues, te haré a ti ahora, hijo mío?

38 Y Esaú respondió a su padre: ¿No tienes más que una sola bendición, padre mío? Bendíceme también a mí, padre mío. Y alzó Esaú su voz, y lloró.

39 Entonces Isaac su padre habló y le dijo: He aquí será tu habitación en grosuras de la tierra, y del rocío de los cielos de arriba;

40 Y por tu espada vivirás, y a tu hermano servirás: Y sucederá cuando te enseñorees, que descargarás su yugo de tu cerviz.

41 Y Esaú aborreció a Jacob a causa de la bendición con que le había bendecido su padre, y dijo en su corazón: Llegarán los días del luto de mi padre, y entonces yo mataré a mi hermano Jacob.

42 Y fueron dichas a Rebeca las palabras de Esaú su hijo mayor: y ella envió y llamó a Jacob su hijo menor, y le dijo: He aquí, Esaú tu hermano se consuela acerca de ti *con la idea* de matarte.

43 Ahora pues, hijo mío, obedece a mi voz; levántate, y huye a *casa de* Labán mi hermano, a Harán.

44 Y mora con él algunos días, hasta que el enojo de tu hermano se mitigue;

45 hasta que se aplaque la ira de tu hermano contra ti, y se olvide de lo que le has hecho: yo enviaré entonces, y te traeré de allá: ¿por qué seré privada de vosotros ambos en un día?

46 Y dijo Rebeca a Isaac: Fastidio tengo de mi vida a causa de las hijas de Het. Si Jacob toma esposa de las hijas de Het, como éstas, de las hijas de esta tierra, ¿para qué quiero la vida?

CAPÍTULO 28

Entonces Isaac llamó a Jacob, y le bendijo, y le mandó diciendo: No tomes esposa de las hijas de Canaán.

2 Levántate, ve a Padan-aram, a casa de Betuel, padre de tu madre, y toma allí esposa de las hijas de Labán, hermano de tu madre.

3 Y el Dios omnipotente te bendiga y te haga fructificar, y te multiplique, hasta venir a ser multitud de pueblos;

4 Y te dé la bendición de Abraham, y a tu simiente contigo, para que heredes la tierra de tus peregrinaciones, que Dios dio a Abraham.

5 Así envió Isaac a Jacob, el cual fue a Padan-aram, a Labán, hijo de Betuel arameo, hermano de Rebeca, madre de Jacob y de Esaú.

6 Y vio Esaú cómo Isaac había bendecido a Jacob, y le había enviado a Padan-aram, para tomar para sí esposa de allí; y que cuando le bendijo, le había mandado, diciendo: No tomarás esposa de las hijas de Canaán;

7 y que Jacob había obedecido a su padre y a su madre, y se había ido a Padan-aram.

8 Vio asimismo Esaú que las hijas de Canaán parecían mal a Isaac su padre;

9 Y se fue Esaú a Ismael, y tomó para sí por esposa a Mahalat, hija de Ismael, hijo de Abraham, hermana de Nebaiot, además de sus otras esposas.

10 Y salió Jacob de Beerseba, y fue a Harán;

11 y encontró con un lugar, y durmió allí porque ya el sol se había puesto; y tomó una de las piedras de aquel paraje y la puso de cabecera, y se acostó en aquel lugar.

12 Y soñó, y he aquí una escalera que estaba apoyada en tierra, y su extremo tocaba en el cielo: y he aquí ángeles de Dios que subían y descendían por ella.

13 Y he aquí, Jehová estaba en lo alto de ella, el cual dijo: Yo soy Jehová, el Dios de Abraham tu padre, y el Dios de Isaac: la tierra en que estás acostado te la daré a ti y a tu simiente.

14 Y será tu simiente como el polvo de la tierra, y te extenderás al occidente, y al oriente, y al norte, y al sur; y todas las familias de la tierra serán benditas en ti y en tu simiente.

15 Y he aquí, yo estoy contigo, y te guardaré por dondequiera que vayas, y te volveré a esta tierra; porque no te dejaré hasta tanto que haya hecho lo que te he dicho.

16 Y despertó Jacob de su sueño y dijo: Ciertamente Jehová está en este lugar, y yo no lo sabía.

17 Y tuvo miedo, y dijo: ¡Cuán terrible *es* este lugar! Esto no *es* otra cosa sino casa de Dios y puerta del cielo.

18 Y se levantó Jacob de mañana, y tomó la piedra que había puesto de cabecera, y la alzó por columna, y derramó aceite sobre ella.

19 Y llamó el nombre de aquel lugar Betel, bien que Luz *era* el nombre de la ciudad primero.

20 E hizo Jacob voto, diciendo: Si Dios va conmigo, y me guarda en este viaje que voy, y me da pan para comer y vestidura para vestir,

21 y si vuelvo en paz a casa de mi padre, Jehová será mi Dios,

22 y esta piedra que he puesto *por* columna será casa de Dios; y de todo lo que me des, el diezmo apartaré para ti.

CAPÍTULO 29

Y siguió Jacob su camino, y fue a la tierra de los orientales.

2 Y miró, y vio un pozo en el campo: y he aquí tres rebaños de ovejas que yacían cerca de él; porque de aquel pozo abrevaban los ganados: y había una gran piedra sobre la boca del pozo.

3 Y se juntaban allí todos los rebaños; y revolvían la piedra de sobre la boca del pozo, y abrevaban las ovejas; y volvían la piedra sobre la boca del pozo a su lugar.

4 Y les dijo Jacob: Hermanos míos, ¿de dónde sois? Y ellos respondieron: De Harán somos.

5 Y él les dijo: ¿Conocéis a Labán, hijo de Nacor? Y ellos dijeron: Sí, le conocemos.

6 Y él les dijo: ¿Tiene paz? Y ellos dijeron: Paz; y he aquí Raquel su hija viene con el ganado.

7 Y él dijo: He aquí el día es aún grande; no es tiempo todavía de recoger el ganado; abrevad las ovejas, e id a apacentarlas.

8 Y ellos respondieron: No podemos, hasta que se junten todos los ganados, y remuevan la piedra de sobre la boca del pozo, para que abrevemos las ovejas.

9 Y mientras él aún hablaba con ellos Raquel vino con el ganado de su padre, porque ella era la pastora.

10 Y sucedió que cuando Jacob vio a Raquel, hija de Labán hermano de su madre, y a las ovejas de Labán, el hermano de su madre, se acercó Jacob, y removió la piedra de sobre la boca del pozo, y abrevó el ganado de Labán hermano de su madre.

11 Y Jacob besó a Raquel, y alzó su voz, y lloró.

12 Y Jacob dijo a Raquel que él era hermano de su padre, y que era hijo de Rebeca: y ella corrió, y dio las nuevas a su padre.

13 Y sucedió que cuando Labán oyó las nuevas de Jacob, hijo de su hermana, corrió a recibirlo, y lo abrazó, y lo besó, y le trajo a su casa; y él contó a Labán todas estas cosas.

14 Y Labán le dijo: Ciertamente hueso mío y carne mía eres. Y estuvo con él el tiempo de un mes.

15 Entonces dijo Labán a Jacob: ¿Por ser tú mi hermano, me has de servir de balde? Declárame qué será tu salario.

16 Y Labán tenía dos hijas: el nombre de la mayor era Lea, y el nombre de la menor, Raquel.

17 Y los ojos de Lea eran tiernos, pero Raquel era de lindo semblante y de hermoso parecer.

18 Y Jacob amó a Raquel, y dijo: Yo te serviré siete años por Raquel tu hija menor.

19 Y Labán respondió: Mejor es que te la dé a ti, y no que la dé a otro hombre; quédate conmigo.

20 Así sirvió Jacob por Raquel siete años; y le parecieron como pocos días porque la amaba.

21 Y dijo Jacob a Labán: Dame mi esposa, porque mi tiempo es cumplido para que cohabite con ella.

22 Entonces Labán juntó a todos los varones de aquel lugar, e hizo banquete.

23 Y sucedió que a la noche tomó a Lea su hija, y se la trajo; y él entró a ella.

24 Y dio Labán su sierva Zilpa a su hija Lea por criada.

25 Y venida la mañana, he aquí que era Lea: y él dijo a Labán: ¿Qué es esto que me has hecho? ¿No te he servido por Raquel? ¿Por qué, pues, me has engañado?

26 Y Labán respondió: No se hace así en nuestro lugar, que se dé la menor antes de la mayor.

27 Cumple la semana de ésta, y se te dará también la otra, por el servicio que hicieres conmigo otros siete años.

28 E hizo Jacob así, y cumplió la semana de aquélla; y él le dio a Raquel su hija por esposa.

29 Y dio Labán a Raquel su hija por criada a su sierva Bilha.

30 Y entró también a Raquel; y la amó también más que a Lea: y sirvió con él aún otros siete años.

31 Y vio Jehová que Lea era aborrecida, y abrió su matriz; pero Raquel era estéril.

32 Y concibió Lea, y dio a luz un hijo, y llamó su nombre Rubén, porque dijo: Ya que Jehová ha mirado mi aflicción; de cierto ahora me amará mi marido.

33 Y concibió otra vez, y dio a luz un hijo, y dijo: Por cuanto oyó Jehová que yo era aborrecida, me ha dado también éste. Y llamó su nombre Simeón.

34 Y concibió otra vez, y dio a luz un hijo, y dijo: Ahora esta vez se unirá mi marido conmigo, porque le he dado a luz tres hijos: por tanto, llamó su nombre Leví.

35 Y concibió otra vez, y dio a luz un hijo, y dijo: Esta vez alabaré a Jehová; por esto llamó su nombre Judá: y dejó de dar a luz.

CAPÍTULO 30

Y viendo Raquel que no daba hijos a Jacob, tuvo envidia de su hermana, y decía a Jacob: Dame hijos, o si no, me muero.

2 Y Jacob se enojaba contra Raquel, y decía: ¿Soy yo en lugar de Dios, que te impidió el fruto de tu vientre?

3 Y ella dijo: He aquí mi sierva Bilha; entra a ella, y dará a luz sobre mis rodillas, y yo también tendré hijos de ella.

4 Así le dio a Bilha su sierva por esposa; y Jacob entró a ella.

5 Y concibió Bilha, y dio a luz un hijo a Jacob.

6 Y dijo Raquel: Me juzgó Dios, y también oyó mi voz, y me dio un hijo. Por tanto llamó su nombre Dan.

7 Y concibió otra vez Bilha, la sierva de Raquel, y dio a luz el hijo segundo a Jacob.

8 Y dijo Raquel: Con grandes luchas he contendido con mi hermana, y he vencido. Y llamó su nombre Neftalí.

9 Y viendo Lea que había dejado de dar a luz, tomó a Zilpa su sierva, y la dio a Jacob por esposa.

10 Y Zilpa, sierva de Lea, dio a luz a Jacob un hijo.

11 Y dijo Lea: Vino la ventura. Y llamó su nombre Gad.

12 Y Zilpa, la sierva de Lea, dio a luz otro hijo a Jacob.

13 Y dijo Lea: ¡Qué dicha la mía! porque las mujeres me dirán bienaventurada; y llamó su nombre Aser.

14 Y fue Rubén en tiempo de la siega de los trigos, y halló mandrágoras en el campo, y las trajo a Lea su madre: y dijo Raquel a Lea: Te ruego que me des de las mandrágoras de tu hijo.

15 Y ella respondió: ¿Es poco que hayas tomado mi marido, sino que también te has de llevar las mandrágoras de mi hijo? Y dijo Raquel: Pues dormirá contigo esta noche por las mandrágoras de tu hijo.

16 Y cuando Jacob volvía del campo a la tarde, salió Lea a él, y le dijo: A mí has de entrar, porque a la verdad te he alquilado por las mandrágoras de mi hijo. Y se acostó con ella aquella noche.

17 Y oyó Dios a Lea: y concibió, y dio a luz a Jacob el quinto hijo.

18 Y dijo Lea: Dios me ha dado mi recompensa, por cuanto di mi sierva a mi marido; por eso llamó su nombre Isacar.

19 Y concibió Lea otra vez, y dio a luz el sexto hijo a Jacob.

20 Y dijo Lea: Dios me ha dado una buena dote; ahora morará conmigo mi marido, porque le he dado a luz seis hijos: y llamó su nombre Zabulón.

21 Y después dio a luz una hija, y llamó su nombre Dina.

22 Y se acordó Dios de Raquel, y la oyó Dios, y abrió su matriz.

23 Y concibió, y dio a luz un hijo: y dijo: Dios ha quitado mi afrenta:

24 Y llamó su nombre José, diciendo: Añádame Jehová otro hijo.

25 Y aconteció, cuando Raquel hubo dado a luz a José, que Jacob dijo a Labán: Envíame, e iré a mi lugar, y a mi tierra.

26 Dame mis esposas y mis hijos, por las cuales he servido contigo, y déjame ir; pues tú sabes los servicios que te he hecho.

27 Y Labán le respondió: Halle yo ahora gracia en tus ojos, y *quédate*; *pues* he experimentado que Jehová me ha bendecido por tu causa.

28 Y dijo: Señálame tu salario, que yo lo daré.

29 Y él respondió: Tú sabes cómo te he servido, y cómo ha estado tu ganado conmigo;

30 Porque poco tenías antes de mi *venida*, y ha crecido en gran número, y Jehová te ha bendecido con mi llegada: y ahora ¿cuándo he de trabajar yo también por mi propia casa?

31 Y él dijo: ¿Qué te daré? Y respondió Jacob: No me des nada; si hicieres por mí esto, volveré a apacentar tus ovejas.

32 Yo pasaré hoy por todo tu rebaño, poniendo aparte todas las ovejas manchadas y pintadas, y todas las ovejas de color oscuro entre las manadas, y las manchadas y las pintadas entre las cabras; y esto será mi salario.

33 Así responderá por mí mi justicia mañana cuando me viniere mi salario delante de ti; toda la que no fuere pintada ni manchada en las cabras y de color oscuro en las ovejas mías, se me ha de contar como de hurto.

34 Y dijo Labán: Mira, que sea como tú dices.

35 Y apartó aquel día los machos cabríos rayados y manchados; y todas las cabras manchadas y pintadas, y toda aquella que tenía en sí algo de blanco, y todas las de color oscuro entre las ovejas, y las puso en manos de sus hijos;

36 Y puso tres días de camino entre sí y Jacob: y Jacob apacentaba las otras ovejas de Labán.

37 Y se tomó Jacob varas de álamo verdes y de avellano, y de castaño, y descortezó en ellas mondaduras blancas, descubriendo así lo blanco de las varas.

38 Y puso las varas que había mondado delante de los rebaños, en los canales de los abrevaderos del agua donde venían a beber las ovejas, las cuales concebían cuando venían a beber.

39 Y concebían las ovejas delante de las varas, y parían borregos listados, pintados y salpicados de diversos colores.

40 Y apartaba Jacob los corderos, y ponía con su rebaño los listados, y todo lo que era oscuro en el hato de Labán. Y ponía su hato aparte, y no lo ponía con las ovejas de Labán.

41 Y sucedía que cuando las ovejas más fuertes entraban en celo, Jacob ponía las varas delante de las ovejas en los abrevaderos, para que concibieran a la vista de las varas.

42 Y cuando las ovejas eran débiles, no ponía las varas; así las débiles eran para Labán, y las fuertes para Jacob.

43 Y se engrandeció el varón muchísimo, y tuvo muchas ovejas, y siervas y siervos, y camellos y asnos.

CAPÍTULO 31

Y oía él las palabras de los hijos de Labán que decían: Jacob ha tomado todo lo que era de nuestro padre, y de lo que era de nuestro padre ha adquirido toda esta grandeza.

2 Miraba también Jacob el semblante de Labán, y veía que no era para con él como había sido antes.

3 También Jehová dijo a Jacob: Vuélvete a la tierra de tus padres, y a tu parentela, y yo estaré contigo.

4 Y envió Jacob, y llamó a Raquel y a Lea al campo, donde estaba su rebaño,

5 y les dijo: Veo que el semblante de vuestro padre no es para conmigo como antes; pero el Dios de mi padre ha estado conmigo.

6 Y vosotras sabéis que con todas mis fuerzas he servido a vuestro padre;

7 Y vuestro padre me ha engañado, y me ha cambiado el salario diez veces; pero Dios no le ha permitido hacerme daño.

8 Si él decía así: Los pintados serán tu salario; entonces todas las ovejas parían pintados: y si decía así: Los listados serán tu salario; entonces todas las ovejas parían listados.

9 Así quitó Dios el ganado de vuestro padre, y me lo dio a mí.

10 Y sucedió que al tiempo que las ovejas se apareaban, alcé yo mis ojos y miré en sueños, y he aquí los machos que cubrían a las hembras eran listados, pintados y abigarrados.

11 Y el Ángel de Dios me habló en un sueño, diciendo: Jacob. Y yo dije: Heme aquí.

12 Y Él dijo: Alza ahora tus ojos, y mira; todos los machos que cubren a las ovejas son listados, pintados y abigarrados; porque yo he visto todo lo que Labán te ha hecho.

13 Yo soy el Dios de Betel, donde tú ungiste la columna, y donde me hiciste un voto. Levántate ahora, y sal de esta tierra, y vuélvete a la tierra de tus padres.

14 Y respondió Raquel y Lea, y le

dijeron: ¿Acaso tenemos todavía parte o heredad en la casa de nuestro padre?

15 ¿No nos tiene ya como por extrañas, pues que nos vendió, y aun se ha comido del todo nuestro precio?

16 Porque toda la riqueza que Dios ha quitado a nuestro padre, nuestra *es* y de nuestros hijos; ahora pues, haz todo lo que Dios te ha dicho.

17 Entonces se levantó Jacob, y subió a sus hijos y a sus esposas sobre los camellos.

18 Y puso en camino todo su ganado, y todos sus bienes que había adquirido, el ganado de su ganancia que había obtenido en Padan-aram, para volverse a Isaac su padre en la tierra de Canaán.

19 Y Labán había ido a trasquilar sus ovejas: y Raquel hurtó los ídolos de su padre.

20 Y Jacob engañó a Labán el arameo, al no decirle que se huía.

21 Huyó, pues, con todo lo que tenía; y se levantó, y pasó el río, y puso su rostro *hacia* el monte de Galaad.

22 Y al tercer día fue dicho a Labán que Jacob había huido.

23 Entonces tomó a sus hermanos consigo, y fue tras él camino de siete días, y le alcanzó en el monte de Galaad.

24 Y vino Dios a Labán arameo en sueños aquella noche, y le dijo: Guárdate que no hables a Jacob descomedidamente.

25 Alcanzó, pues, Labán a Jacob. Y Jacob había fijado su tienda en el monte, y Labán acampó con sus hermanos en el monte de Galaad.

26 Y dijo Labán a Jacob: ¿Qué has hecho, que me has engañado, y has traído a mis hijas como cautivas a espada?

27 ¿Por qué te escondiste para huir, y me hurtaste; y no me lo hiciste saber para que yo te enviara con alegría y con cantares, con tamborín y arpa?

28 Y ni siquiera me dejaste besar a mis hijos y a mis hijas. Ahora locamente has hecho.

29 Poder hay en mi mano para haceros mal; mas el Dios de vuestro padre me habló anoche diciendo:

Guárdate que no hables a Jacob descomedidamente.

30 Y ya que te ibas, porque tenías deseo de la casa de tu padre, ¿por qué me hurtaste mis dioses?

31 Y Jacob respondió, y dijo a Labán: Porque tuve miedo; pues dije, que quizás me quitarías por fuerza tus hijas.

32 En quien hallares tus dioses, no viva; delante de nuestros hermanos reconoce lo que yo tuviere tuyo, y llévatelo. Jacob no sabía que Raquel los había hurtado.

33 Y entró Labán en la tienda de Jacob, y en la tienda de Lea, y en la tienda de las dos siervas, y no los halló, y salió de la tienda de Lea, y vino a la tienda de Raquel.

34 Y tomó Raquel los ídolos, y los puso en una albarda de un camello, y se sentó sobre ellos; y buscó Labán por toda la tienda pero no *los* halló.

35 Y ella dijo a su padre: No se enoje mi señor, porque no me puedo levantar delante de ti; pues estoy con la costumbre de las mujeres. Y él buscó, pero no halló los ídolos.

36 Entonces Jacob se enojó, y discutió con Labán; y respondió Jacob y dijo a Labán: ¿Cuál es mi transgresión? ¿Cuál es mi pecado, para que con tanto ardor hayas venido en mi persecución?

37 Pues que has buscado en todas mis cosas, ¿qué has hallado de todas las alhajas de tu casa? Ponlo aquí delante de mis hermanos y de tus hermanos, y juzguen entre nosotros.

38 Estos veinte años *he estado* contigo: tus ovejas y tus cabras nunca abortaron, ni yo comí carnero de tus ovejas.

39 Nunca te traje lo arrebatado por *las fieras*; yo pagaba el daño; lo hurtado así de día como de noche, de mi mano lo requerías.

40 De día me consumía el calor, y de noche la helada, y el sueño huía de mis ojos.

41 Así he estado veinte años en tu casa: catorce años te serví por tus dos hijas, y seis años por tu ganado; y has mudado mi salario diez veces.

42 Si el Dios de mi padre, el Dios de Abraham, y el temor de Isaac, no fuera conmigo, de cierto me enviarías

ahora vacío; *pero* Dios vio mi aflicción y el trabajo de mis manos, y te reprendió anoche.

43 Y respondió Labán, y dijo a Jacob: Las hijas son hijas mías, y los hijos, hijos míos son, y las ovejas son mis ovejas, y todo lo que tú ves es mío: ¿y qué puedo yo hacer hoy a estas mis hijas, o a sus hijos que ellas han dado a luz?

44 Ven, pues, ahora, hagamos alianza tú y yo; y sea en testimonio entre nosotros dos.

45 Entonces Jacob tomó una piedra, y la levantó por columna.

46 Y dijo Jacob a sus hermanos: Recoged piedras. Y tomaron piedras e hicieron un majano; y comieron allí sobre aquel majano.

47 Y lo llamó Labán Jegar Sahaduta; y lo llamó Jacob Galaad.

48 Porque Labán dijo: Este majano *es* testigo hoy entre tú y yo; por eso fue llamado su nombre Galaad.

49 Y Mizpa, por cuanto dijo: Atalaye Jehová entre tú y yo, cuando nos hayamos apartado el uno del otro.

50 Si afligieres a mis hijas, o si tomares *otras* esposas además de mis hijas, nadie está con nosotros; mira, Dios es testigo entre tú y yo.

51 Dijo más Labán a Jacob: He aquí este majano, y he aquí esta columna, que he erigido entre tú y yo.

52 Testigo *sea* este majano, y testigo *sea* esta columna, que ni yo pasaré contra ti este majano, ni tú pasarás contra mí este majano ni esta columna, para mal.

53 El Dios de Abraham, y el Dios de Nacor juzgue entre nosotros, el Dios de sus padres. Y Jacob juró por el temor de Isaac su padre.

54 Entonces Jacob ofreció un sacrificio en el monte y llamó a sus hermanos a comer pan; y comieron pan, y pasaron aquella noche en el monte.

55 Y levantándose muy de mañana, Labán besó a sus hijos y a sus hijas, y los bendijo. Luego partió Labán y regresó a su lugar.

CAPÍTULO 32

Y Jacob siguió su camino, y le salieron al encuentro ángeles de Dios.

2 Y dijo Jacob cuando los vio: El campamento de Dios *es* éste; y llamó el nombre de aquel lugar Mahanaim.

3 Y envió Jacob mensajeros delante de sí a Esaú su hermano, a la tierra de Seir, campo de Edom.

4 Y les mandó diciendo: Así diréis a mi señor Esaú: Así dice tu siervo Jacob: Con Labán he morado, y he estado allí hasta ahora;

5 Y tengo vacas, y asnos, y ovejas, y siervos y siervas; y envío a decirlo a mi señor, por hallar gracia en tus ojos.

6 Y los mensajeros volvieron a Jacob, diciendo: Vinimos a tu hermano Esaú, y él también vino a recibirte, y cuatrocientos hombres con él.

7 Entonces Jacob tuvo gran temor, y se angustió; y dividió el pueblo que *tenía* consigo en dos campamentos, y las ovejas y las vacas y los camellos;

8 y dijo: Si viniere Esaú contra un campamento y lo hiriere, el otro campamento escapará.

9 Y dijo Jacob: Dios de mi padre Abraham, y Dios de mi padre Isaac, Jehová, que me dijiste: Vuélvete a tu tierra y a tu parentela, y yo te haré bien.

10 No soy digno de la más pequeña de todas las misericordias, y de toda la verdad que has usado para con tu siervo; que con mi bordón pasé este Jordán, y ahora estoy sobre dos campamentos.

11 Líbrame ahora de la mano de mi hermano, de la mano de Esaú, porque le temo; no venga quizá, y me hiera a mí, y a la madre con los hijos.

12 Y tú has dicho: Ciertamente yo te haré bien, y pondré tu simiente como la arena del mar, que no se puede contar por la multitud.

13 Y durmió allí aquella noche, y tomó de lo que le vino a la mano un presente para su hermano Esaú.

14 Doscientas cabras y veinte machos cabríos, doscientas ovejas y veinte carneros,

15 treinta camellas paridas, con sus crías, cuarenta vacas y diez novillos, veinte asnas y diez borricos.

16 Y *lo* entregó en mano de sus siervos, cada manada de por sí; y dijo a sus siervos: Pasad delante de mí, y poned espacio entre manada y manada.

17 Y mandó al primero, diciendo: Si Esaú mi hermano te encontrare, y te preguntare, diciendo: ¿De quién *eres?* ¿Y adónde vas? ¿Y para quién *es* esto que llevas delante de ti?

18 Entonces dirás: Presente es de tu siervo Jacob, que envía a mi señor Esaú; y he aquí también él viene tras nosotros.

19 Y mandó también al segundo, y al tercero, y a todos los que iban tras aquellas manadas, diciendo: Conforme a esto hablaréis a Esaú, cuando le hallareis.

20 Y diréis también: He aquí tu siervo Jacob viene tras nosotros. Porque dijo: Apaciguaré su ira con el presente que va delante de mí, y después veré su rostro; quizá le seré acepto.

21 Y pasó el presente delante de él; y él durmió aquella noche en el campamento.

22 Y se levantó aquella noche, y tomó sus dos esposas, y sus dos siervas, y sus once hijos, y pasó el vado de Jaboc.

23 Los tomó, pues, y los hizo pasar el arroyo, e hizo pasar lo que tenía.

24 Y Jacob se quedó solo; y luchó con él un varón hasta que rayaba el alba.

25 Y cuando vio que no podía con él, tocó en el sitio del encaje de su muslo, y se descoyuntó el muslo de Jacob mientras con él luchaba.

26 Y dijo: Déjame, que raya el alba. Y él dijo: No te dejaré, si no me bendices.

27 Y Él le dijo: ¿Cuál *es* tu nombre? Y él respondió: Jacob.

28 Y Él dijo: No se dirá más tu nombre Jacob, sino Israel; porque como príncipe has luchado con Dios y con los hombres, y has vencido.

29 Entonces Jacob *le* preguntó, y dijo: Declárame ahora tu nombre. Y Él respondió: ¿Por qué preguntas por mi nombre? Y lo bendijo allí.

30 Y llamó Jacob el nombre de aquel lugar Peniel; porque *dijo:* Vi a Dios cara a cara, y fue librada mi alma.

31 Y le salió el sol pasado que hubo a Peniel; y cojeaba de su cadera.

32 Por esto no comen los hijos de Israel, hasta hoy día, del tendón que se contrajo, el cual está en el encaje del muslo; porque tocó a Jacob este sitio de su muslo en el tendón que se contrajo.

CAPÍTULO 33

Y alzando Jacob sus ojos miró, y he aquí venía Esaú, y los cuatrocientos hombres con él; entonces repartió él los niños entre Lea y Raquel y las dos siervas.

2 Y puso las siervas y sus niños delante; luego a Lea y a sus niños; y a Raquel y a José los postreros.

3 Y él pasó delante de ellos, y se inclinó a tierra siete veces, hasta que llegó a su hermano.

4 Y Esaú corrió a su encuentro, y le abrazó, y se echó sobre su cuello, y le besó; y lloraron.

5 Y alzó sus ojos, y vio las mujeres y los niños, y dijo: ¿Quiénes son éstos? Y él respondió: Son los niños que Dios ha dado a tu siervo.

6 Y luego se acercaron las siervas, ellas y sus niños, y se inclinaron.

7 Y Lea también se acercó con sus niños, y se inclinaron; y después llegó José y Raquel, y *también* se inclinaron.

8 Y él dijo: ¿Qué te propones con todas estas cuadrillas que he encontrado? Y él respondió: El hallar gracia en los ojos de mi señor.

9 Y dijo Esaú: Suficiente tengo yo, hermano mío; sea para ti lo que *es* tuyo.

10 Y dijo Jacob: No, yo te ruego, si he hallado ahora gracia en tus ojos, toma mi presente de mi mano, pues que he visto tu rostro, como si hubiera visto el rostro de Dios; y te has contentado conmigo.

11 Acepta, te ruego, mi bendición que te es traída; porque Dios me ha favorecido, y porque tengo lo suficiente. Y porfió con él, y la tomó.

12 Y dijo: Anda, y vamos; y yo iré delante de ti.

13 Y él le dijo: Mi señor sabe que los niños son tiernos, y que tengo ovejas y vacas paridas; y si las fatigan, en un día morirán todas las ovejas.

14 Pase ahora mi señor delante de su siervo, y yo me iré poco a poco al paso del ganado que va delante de mí, y al paso de los niños, hasta que llegue a mi señor a Seir.

15 Y Esaú dijo: Permíteme ahora dejar contigo algunos de los que vienen conmigo. Y él dijo: ¿Para qué esto? halle yo gracia en los ojos de mi señor.

16 Así volvió Esaú aquel día por su camino a Seir.

17 Y Jacob se fue a Sucot, y edificó allí casa para sí, e hizo cabañas para su ganado; por tanto, llamó el nombre de aquel lugar Sucot.

18 Y Jacob vino a la ciudad de Siquem, que está en la tierra de Canaán, cuando venía de Padanaram; y acampó delante de la ciudad.

19 Y compró una parte del campo, donde tendió su tienda, de mano de los hijos de Hamor, padre de Siquem, por cien monedas.

20 Y erigió allí un altar, y le llamó: El Poderoso Dios de Israel.

CAPÍTULO 34

Y salió Dina la hija de Lea, la cual ésta había dado a luz a Jacob, a ver las hijas del país.

2 Y cuando la vio Siquem, hijo de Hamor heveo, príncipe de aquella tierra, la tomó, y se acostó con ella, y la deshonró.

3 Y su alma se apegó a Dina la hija de Lea, y se enamoró de la doncella, y habló al corazón de la doncella.

4 Y habló Siquem a Hamor su padre, diciendo: Tómame por esposa a esta doncella.

5 Y oyó Jacob que Siquem había amancillado a Dina su hija: y estando sus hijos con su ganando en el campo, calló Jacob hasta que ellos viniesen.

6 Y se dirigió Hamor padre de Siquem a Jacob, para hablar con él.

7 Y los hijos de Jacob vinieron del campo cuando lo supieron; y se entristecieron los varones, y se llenaron de ira, porque hizo vileza en Israel acostándose con la hija de Jacob, lo que no se debía haber hecho.

8 Y Hamor habló con ellos, diciendo: El alma de mi hijo Siquem se ha apegado a vuestra hija; os ruego que se la deis por esposa.

9 Y emparentad con nosotros; dadnos vuestras hijas, y tomad vosotros las nuestras.

10 Y habitad con nosotros; porque la tierra estará delante de vosotros; morad y negociad en ella, y tomad en ella posesión.

11 Siquem también dijo al padre y a los hermanos de ella: Halle yo gracia en vuestros ojos, y daré lo que me dijereis.

12 Aumentad a cargo mío mucha dote y dones, que yo daré cuanto me dijereis, y dadme a la doncella por esposa.

13 Y respondieron los hijos de Jacob a Siquem y a Hamor su padre con palabras engañosas, por cuanto él había amancillado a Dina su hermana.

14 Y les dijeron: No podemos hacer esto de dar nuestra hermana a hombre incircunciso; porque entre nosotros es una afrenta.

15 Mas con esta *condición* consentiremos con vosotros: Si habéis de ser como nosotros, que se circuncide todo varón de entre vosotros.

16 Entonces os daremos nuestras hijas, y tomaremos nosotros las vuestras; y habitaremos con vosotros, y seremos un solo pueblo.

17 Pero si no nos prestáis oído para circuncidaros, entonces tomaremos a nuestra hija y nos iremos.

18 Y parecieron bien sus palabras a Hamor y a Siquem, hijo de Hamor.

19 Y no tardó el joven en hacer aquello, porque la hija de Jacob le había agradado: y él era el más honorable de toda la casa de su padre.

20 Entonces Hamor y Siquem su hijo vinieron a la puerta de su ciudad, y hablaron a los varones de su ciudad, diciendo:

21 Estos varones *son* pacíficos con nosotros, y habitarán en el país, y negociarán en él; pues he aquí la tierra *es* bastante ancha para ellos; nosotros tomaremos sus hijas por esposas, y les daremos las nuestras.

22 Mas con una condición consentirán estos hombres en habitar con nosotros, para que seamos un pueblo; si se circuncida en nosotros todo varón, así como ellos *son* circuncidados.

23 Sus ganados, sus bienes y todas sus bestias *serán* nuestros; solamente

convengamos con ellos, y habitarán con nosotros.

24 Y obedecieron a Hamor y a Siquem su hijo todos los que salían por la puerta de la ciudad, y circuncidaron a todo varón, a cuantos salían por la puerta de su ciudad.

25 Y sucedió que al tercer día, cuando sentían ellos el mayor dolor, los dos hijos de Jacob, Simeón y Leví, hermanos de Dina, tomaron cada uno su espada, y vinieron contra la ciudad osadamente, y mataron a todo varón.

26 Y a Hamor y a Siquem su hijo los mataron a filo de espada; y tomaron a Dina de casa de Siquem, y salieron.

27 Y los hijos de Jacob vinieron a los muertos y saquearon la ciudad; por cuanto habían amancillado a su hermana.

28 Tomaron sus ovejas y vacas y sus asnos, y lo que *había* en la ciudad y en el campo,

29 y todos sus bienes; se llevaron cautivos a todos sus niños y sus esposas, y saquearon todo lo que *había* en casa.

30 Entonces dijo Jacob a Simeón y a Leví: Me habéis turbado con hacerme abominable a los moradores de esta tierra, el cananeo y el ferezeo; y *teniendo* yo pocos hombres, se juntarán contra mí, y me herirán, y seré destruido yo y mi casa.

31 Y ellos respondieron ¿Había él de tratar a nuestra hermana como a una ramera?

CAPÍTULO 35

Y dijo Dios a Jacob: Levántate, sube a Betel, y quédate allí; y haz allí un altar a Dios, que te apareció cuando huías de tu hermano Esaú.

2 Entonces Jacob dijo a su familia y a todos los que con él *estaban*: Quitad los dioses ajenos que hay entre vosotros, y limpiaos, y mudad vuestras vestiduras.

3 Y levantémonos, y subamos a Betel; y haré allí altar al Dios que me respondió en el día de mi angustia, y ha sido conmigo en el camino que he andado.

4 Así dieron a Jacob todos los dioses ajenos que *había* en poder de ellos, y los zarcillos que estaban en sus orejas; y Jacob los escondió debajo de una encina, que *estaba* junto a Siquem.

5 Y partieron, y el terror de Dios fue sobre las ciudades que había en sus alrededores, y no siguieron tras los hijos de Jacob.

6 Y llegó Jacob a Luz, que *está* en tierra de Canaán (ésta *es* Betel), él y todo el pueblo que con él *estaba*.

7 Y edificó allí un altar, y llamó al lugar El-Betel, porque allí le había aparecido Dios, cuando huía de su hermano.

8 Entonces murió Débora, ama de Rebeca, y fue sepultada a las raíces de Betel, debajo de una encina; y se llamó su nombre Alon-Bacut.

9 Y se apareció otra vez Dios a Jacob, cuando se había vuelto de Padan-aram, y le bendijo.

10 Y le dijo Dios: Tu nombre *es* Jacob; no se llamará más tu nombre Jacob, sino Israel será tu nombre: y llamó su nombre Israel.

11 Y le dijo Dios: Yo soy Dios Omnipotente; crece y multiplícate; una nación y conjunto de naciones procederán de ti, y reyes saldrán de tus lomos.

12 Y la tierra que yo he dado a Abraham y a Isaac, la daré a ti; y a tu simiente después de ti daré la tierra.

13 Y se fue de él Dios, del lugar donde con él había hablado.

14 Y Jacob erigió una columna en el lugar donde había hablado con él, una columna de piedra, y derramó sobre ella libación, y echó sobre ella aceite.

15 Y llamó Jacob el nombre de aquel lugar donde Dios había hablado con él, Betel.

16 Y partieron de Betel, y había aún como media legua de tierra para llegar a Efrata, cuando dio a luz Raquel, y hubo trabajo en su parto.

17 Y aconteció, que como había trabajo en su parto, le dijo la partera: No temas, que también tendrás este hijo.

18 Y aconteció que al salírsele el alma (pues murió), llamó su nombre Benoni; mas su padre lo llamó Benjamín.

19 Así murió Raquel, y fue sepultada en el camino del Efrata, la cual es Belén.

20 Y puso Jacob una columna sobre su sepultura; ésta *es* la columna de la sepultura de Raquel hasta hoy.

21 Y partió Israel, y tendió su tienda al otro lado de Migdaleder.

22 Y aconteció, morando Israel en aquella tierra, que fue Rubén y durmió con Bilha la concubina de su padre; lo cual escuchó Israel. Ahora bien, los hijos de Israel fueron doce:

23 Los hijos de Lea: Rubén el primogénito de Jacob, y Simeón, Leví, Judá, Isacar y Zabulón.

24 Los hijos de Raquel: José y Benjamín.

25 Y los hijos de Bilha, sierva de Raquel: Dan y Neftalí.

26 Y los hijos de Zilpa, sierva de Lea: Gad y Aser. Éstos *fueron* los hijos de Jacob, que le nacieron en Padan-aram.

27 Y vino Jacob a Isaac su padre a Mamre, a la ciudad de Arba, que *es* Hebrón, donde habitaron Abraham e Isaac.

28 Y fueron los días de Isaac ciento ochenta años.

29 Y exhaló Isaac el espíritu, y murió, y fue reunido a su pueblo, viejo y lleno de días; y sus hijos Esaú y Jacob lo sepultaron.

CAPÍTULO 36

Y éstas *son* las generaciones de Esaú, el cual es Edom.

2 Esaú tomó sus esposas de las hijas de Canaán: a Ada, hija de Elón heteo, y a Aholibama, hija de Ana, hija de Zibeón el heveo;

3 y a Basemat, hija de Ismael, hermana de Nebaiot.

4 Y de Esaú Ada dio a luz a Elifaz; y Basemat dio a luz a Reuel.

5 Y Aholibama dio a luz a Jeús, y a Jaalam, y a Coré; éstos *son* los hijos de Esaú, que le nacieron en la tierra de Canaán.

6 Y Esaú tomó sus esposas, sus hijos y sus hijas, y todas las personas de su casa, y sus ganados, y todas sus bestias, y todos sus bienes que había adquirido en la tierra de Canaán, y se fue a *otra* tierra, lejos de su hermano Jacob.

7 Porque los bienes de ellos eran tantos que no podían habitar juntos, y la tierra de su peregrinación no los podía sostener a causa de sus ganados.

8 Y Esaú habitó en el monte de Seir; Esaú es Edom.

9 Éstos *son* los linajes de Esaú, padre de Edom, en el monte de Seir.

10 Éstos *son* los nombres de los hijos de Esaú: Elifaz, hijo de Ada, esposa de Esaú; Reuel, hijo de Basemat, esposa de Esaú.

11 Y los hijos de Elifaz fueron Temán, Omar, Zefo, Gatam, y Cenaz.

12 Y Timna fue concubina de Elifaz, hijo de Esaú, la cual le dio a luz a Amalec; éstos *son* los hijos de Ada, esposa de Esaú.

13 Y los hijos de Reuel fueron Nahat, Zera, Sama, y Miza; éstos son los hijos de Basemat, esposa de Esaú.

14 Éstos fueron los hijos de Aholibama, esposa de Esaú, hija de Ana, que fue hija de Zibeón; ella dio a luz de Esaú, a Jeús, Jaalam y Coré.

15 Éstos *son* los duques de los hijos de Esaú. Hijos de Elifaz, primogénito de Esaú: el duque Temán, el duque Omar, el duque Zefo, el duque Cenaz,

16 el duque Coré, el duque Gatam, y el duque Amalec; éstos *son* los duques de Elifaz en la tierra de Edom; éstos *fueron* los hijos de Ada.

17 Y éstos *son* los hijos de Reuel, hijo de Esaú; el duque Nahat, el duque Zera, el duque Sama, y el duque Miza; éstos *son* los duques de la línea de Reuel en la tierra de Edom; estos hijos vienen de Basemat, esposa de Esaú.

18 Y éstos *son* los hijos de Aholibama, esposa de Esaú; el duque Jeús, el duque Jaalam, y el duque Coré; éstos fueron los duques que salieron de Aholibama, esposa de Esaú, hija de Ana.

19 Éstos, pues, *son* los hijos de Esaú, y sus duques; él es Edom.

20 Y éstos *son* los hijos de Seir horeo, moradores de aquella tierra: Lotán, Sobal, Zibeón, Ana,

21 Disón, Ezer, y Disán; éstos *son* los duques de los horeos, hijos de Seir en la tierra de Edom.

22 Los hijos de Lotán fueron Hori y Hemán; y Timna *fue* hermana de Lotán.

23 Y los hijos de Sobal *fueron* Alván, Manahat, Ebal, Sefo, y Onam.

24 Y los hijos de Zibeón fueron Aja, y Ana. Este Ana es el que descubrió los mulos en el desierto, cuando apacentaba los asnos de Zibeón su padre.

25 Los hijos de Ana *fueron* Disón, y Aholibama, hija de Ana.

26 Y éstos fueron los hijos de Disón: Hemdán, Esbán, Itrán, y Querán.

27 Y éstos *fueron* los hijos de Ezer: Bilhán, Zaaván, y Acán.

28 Éstos *fueron* los hijos de Disán: Uz, y Arán.

29 Y éstos *fueron* los duques de los horeos; el duque Lotán, el duque Sobal, el duque Zibeón, el duque Ana.

30 El duque Disón, el duque Ezer, el duque Disán; éstos fueron los duques de los horeos; por sus ducados en la tierra de Seir.

31 Y los reyes que reinaron en la tierra de Edom, antes que reinase rey sobre los hijos de Israel, fueron éstos:

32 Bela, hijo de Beor, reinó en Edom; y el nombre de su ciudad *fue* Dinaba.

33 Y murió Bela, y reinó en su lugar Jobab, hijo de Zera, de Bosra.

34 Y murió Jobab, y en su lugar reinó Husam, de tierra de Temán.

35 Y murió Husam, y reinó en su lugar Hadad, hijo de Bedad, el que hirió a Madián en el campo de Moab: y el nombre de su ciudad *fue* Avit.

36 Y murió Hadad, y en su lugar reinó Samla, de Masreca.

37 Y murió Samla, y reinó en su lugar Saúl, de Rehobot, *junto al* río.

38 Y murió Saúl, y en lugar suyo reinó Baal-hanán, hijo de Acbor.

39 Y murió Baal-hanán, hijo de Acbor, y reinó Hadar en lugar suyo: y el nombre de su ciudad fue Pau; y el nombre de su esposa, Mehetabel, hija de Matred, hija de Mezaab.

40 Éstos, pues, *son* los nombres de los duques de Esaú por sus linajes, por sus lugares, y sus nombres; el duque Timna, el duque Alva, el duque Jetet,

41 el duque Aholibama, el duque Ela, el duque Pinón,

42 el duque Cenaz, el duque Temán, el duque Mibzar,

43 el duque Magdiel, y el duque Iram. Éstos *fueron* los duques de Edom por sus habitaciones en la tierra de su posesión. Edom es el mismo Esaú, padre de los edomitas.

CAPÍTULO 37

Y habitó Jacob en la tierra donde peregrinó su padre, en la tierra de Canaán.

2 Éstas *fueron* las generaciones de Jacob. José, siendo de edad de diecisiete años apacentaba las ovejas con sus hermanos; y el joven *estaba* con los hijos de Bilha, y con los hijos de Zilpa, esposas de su padre; y José informaba a su padre la mala fama de ellos.

3 Y amaba Israel a José más que a todos sus hijos, porque le había tenido en su vejez; y le hizo una túnica de *muchos* colores.

4 Y viendo sus hermanos que su padre lo amaba más que a todos sus hermanos, le aborrecían, y no le podían hablar pacíficamente.

5 Y soñó José un sueño y lo contó a sus hermanos; y ellos vinieron a aborrecerle más todavía.

6 Y él les dijo: Oíd ahora este sueño que he soñado:

7 He aquí que atábamos manojos en medio del campo, y he aquí que mi manojo se levantaba, y estaba derecho, y que vuestros manojos estaban alrededor, y se inclinaban al mío.

8 Y le respondieron sus hermanos: ¿Has de reinar tú sobre nosotros, o te has de enseñorear sobre nosotros? Y le aborrecieron aún más a causa de sus sueños y de sus palabras.

9 Y soñó aún otro sueño, y lo contó a sus hermanos, diciendo: He aquí que he soñado otro sueño, y he aquí que el sol y la luna y once estrellas se inclinaban a mí.

10 Y lo contó a su padre y a sus hermanos: y su padre le reprendió, y le dijo: ¿Qué sueño es éste que soñaste? ¿Hemos de venir yo y tu madre, y tus hermanos, a inclinarnos a ti a tierra?

11 Y sus hermanos le tenían envidia, mas su padre guardaba aquellas palabras.

12 Y fueron sus hermanos a apacentar las ovejas de su padre en Siquem.

13 Y dijo Israel a José: ¿No están tus hermanos apacentando *las ovejas* en Siquem? Ven, y te enviaré a ellos. Y él respondió: Heme aquí.

14 Y él le dijo: Ve ahora, mira cómo están tus hermanos y cómo están las ovejas, y tráeme la respuesta. Y lo envió del valle de Hebrón, y llegó a Siquem.

15 Y lo halló un hombre, andando él extraviado por el campo, y le preguntó aquel hombre, diciendo: ¿Qué buscas?

16 Y él respondió: Busco a mis hermanos; te ruego que me muestres dónde apacientan *sus ovejas*.

17 Y aquel hombre respondió: Ya se han ido de aquí; yo les oí decir: Vamos a Dotán. Entonces José fue tras de sus hermanos, y los halló en Dotán.

18 Y cuando ellos lo vieron de lejos, antes que llegara cerca de ellos, conspiraron contra él para matarle.

19 Y dijeron el uno al otro: He aquí viene el soñador;

20 Venid, pues, ahora; matémosle y echémosle en un pozo, y diremos: Alguna mala bestia le devoró; y veremos qué será de sus sueños.

21 Y cuando Rubén oyó esto, lo libró de sus manos y dijo: No lo matemos.

22 Y les dijo Rubén: No derraméis sangre; echadlo en este pozo que está en el desierto, y no pongáis mano en él; por librarlo así de sus manos, para hacerlo volver a su padre.

23 Y sucedió que, cuando llegó José a sus hermanos, ellos hicieron desnudar a José su ropa, la ropa de colores que *tenía* sobre sí;

24 y le tomaron y le echaron en el pozo; pero el pozo *estaba* vacío, no *había* agua en él.

25 Y se sentaron a comer pan; y alzando los ojos miraron, y he aquí una compañía de ismaelitas que venía de Galaad, y sus camellos traían aromas y bálsamo y mirra, e iban para llevarlo a Egipto.

26 Entonces Judá dijo a sus hermanos: ¿Qué provecho *hay* en que matemos a nuestro hermano y encubramos su muerte?

27 Venid, y vendámosle a los ismaelitas, y no sea nuestra mano sobre él; que nuestro hermano es nuestra carne. Y sus hermanos acordaron con él.

28 Y cuando pasaron los mercaderes madianitas, sacaron ellos a José del pozo y le trajeron arriba, y le vendieron a los ismaelitas por veinte *piezas* de plata. Y llevaron a José a Egipto.

29 Y Rubén volvió al pozo, y he aquí, José no estaba en el pozo, y rasgó sus vestiduras.

30 Y volvió a sus hermanos, y dijo: El joven no aparece; y yo, ¿adónde iré yo?

31 Entonces tomaron ellos la túnica de José, y degollaron un cabrito de las cabras, y tiñeron la túnica con la sangre;

32 y enviaron la túnica de colores y la trajeron a su padre, y dijeron: Esto hemos hallado, reconoce ahora si *es* o no la túnica de tu hijo.

33 Y él la reconoció, y dijo: La túnica de mi hijo *es*; alguna mala bestia le devoró; José ha sido despedazado.

34 Entonces Jacob rasgó sus vestiduras, y puso cilicio sobre sus lomos, y se enlutó por su hijo muchos días.

35 Y se levantaron todos sus hijos y todas sus hijas para consolarlo; pero él no quiso recibir consuelo, y dijo: Porque yo descenderé enlutado a mi hijo hasta la sepultura. Y lo lloró su padre.

36 Y los madianitas lo vendieron en Egipto a Potifar, oficial de Faraón, capitán de la guardia.

CAPÍTULO 38

Y aconteció en aquel tiempo, que Judá descendió de donde estaban sus hermanos, y se fue a un varón adulamita, que se llamaba Hira.

2 Y Judá vio allí a la hija de un hombre cananeo, el cual se llamaba Súa; y la tomó, y entró a ella.

3 La cual concibió, y dio a luz un hijo; y llamó su nombre Er.

4 Y concibió otra vez, y dio a luz un hijo, y llamó su nombre Onán.

5 Y volvió a concebir, y dio a luz un hijo, y llamó su nombre Sela. Y estaba en Quezib cuando lo dio a luz.

6 Y Judá tomó esposa para su primogénito Er, la cual se llamaba Tamar.

7 Y Er, el primogénito de Judá, fue malo ante los ojos de Jehová, y Jehová le quitó la vida.

8 Entonces Judá dijo a Onán: Entra a la esposa de tu hermano, y despósate con ella, y levanta simiente a tu hermano.

9 Y sabiendo Onán que la simiente no había de ser suya, sucedía que cuando entraba a la esposa de su hermano vertía en tierra, por no dar simiente a su hermano.

10 Y desagradó en ojos de Jehová lo que hacía, y a él también le quitó la vida.

11 Y Judá dijo a Tamar su nuera: Quédate viuda en casa de tu padre, hasta que crezca Sela mi hijo; porque dijo: No sea que como sus hermanos también él muera. Y se fue Tamar, y moró en la casa de su padre.

12 Y pasaron muchos días, y murió la hija de Súa, esposa de Judá; y Judá se consoló, y subía a los trasquiladores de sus ovejas a Timnat, él y su amigo Hira el adulamita.

13 Y fue dado aviso a Tamar, diciendo: He aquí tu suegro sube a Timnat a trasquilar sus ovejas.

14 Entonces ella se quitó los vestidos de su viudez, y se cubrió con un velo, y se arrebozó, y se puso a la puerta de las Aguas que *está* junto al camino de Timnat; porque veía que había crecido Sela, y ella no era dada a él por esposa.

15 Y cuando la vio Judá, pensó que *era* una ramera, porque ella había cubierto su rostro.

16 Y se apartó del camino hacia ella, y le dijo: Vamos, déjame ahora allegarme a ti; pues no sabía que *era* su nuera; y ella dijo: ¿Qué me darás si te allegares a mí?

17 Él respondió: Yo te enviaré del ganado un cabrito de las cabras. Y ella dijo: ¿Me darás prenda hasta que *lo* envíes?

18 Entonces él dijo: ¿Qué prenda te daré? Ella respondió: Tu anillo, tu cordón y el bordón que tienes en tu mano. Y él se los dio y entró a ella, la cual concibió de él.

19 Entonces ella se levantó, y se fue; y se quitó el velo de sobre sí, y se vistió las ropas de su viudez.

20 Y Judá envió el cabrito de las cabras por mano de su amigo el adulamita, para que tomase la prenda de mano de la mujer; mas no la halló.

21 Y preguntó a los hombres de aquel lugar, diciendo: ¿Dónde *está* la ramera de las aguas junto al camino? Y ellos le dijeron: Aquí no ha estado ninguna ramera.

22 Entonces él se volvió a Judá, y dijo: No la he hallado; y también los hombres del lugar dijeron: Ninguna ramera ha estado aquí.

23 Y Judá dijo: Tómeselo para sí, para que no seamos menospreciados; he aquí yo he enviado este cabrito, y tú no la hallaste.

24 Y aconteció que al cabo de unos tres meses fue dado aviso a Judá, diciendo: Tamar tu nuera ha fornicado, y he aquí que está encinta de las fornicaciones. Y Judá dijo: Sacadla, y sea quemada.

25 Y cuando la sacaban, ella envió a decir a su suegro: Del varón cuyas *son* estas cosas, estoy encinta. También dijo: Mira ahora de quién son estas cosas, el anillo, el cordón y el bordón.

26 Entonces Judá los reconoció, y dijo: Más justa es que yo, por cuanto no la he dado a Sela mi hijo. Y nunca más la conoció.

27 Y aconteció que al tiempo de dar a luz, he aquí había dos en su vientre.

28 Y sucedió que cuando daba a luz, uno *de ellos* sacó la mano, y la partera tomó y ató a su mano un hilo de grana, diciendo: Éste salió primero.

29 Y aconteció que tornando él a meter la mano, he aquí salió su hermano; y ella dijo: ¿Por qué has hecho sobre ti rotura? Y llamó su nombre Fares.

30 Y después salió su hermano, el que tenía en su mano el hilo de grana, y llamó su nombre Zara.

CAPÍTULO 39

Y José fue llevado a Egipto; y Potifar, oficial de Faraón, capitán de la guardia, varón egipcio, lo compró de mano de los ismaelitas que lo habían llevado allá.

2 Pero Jehová estaba con José, y fue un varón próspero; y estaba en la casa de su señor el egipcio.

3 Y vio su señor que Jehová *estaba* con él, y que todo lo que él hacía, Jehová lo hacía prosperar en su mano.

4 Así halló José gracia en sus ojos, y le servía; y él le hizo mayordomo de su casa, y entregó en su poder todo lo *que* tenía.

5 Y aconteció que, desde cuando le dio el encargo de su casa, y de todo lo que tenía, Jehová bendijo la casa del egipcio a causa de José; y la bendición de Jehová estaba sobre todo lo que tenía, así en casa como en el campo.

6 Y dejó todo lo que tenía en mano de José; y él no se preocupaba de nada sino del pan que comía. Y era José de hermoso semblante y bella presencia.

7 Y aconteció después de esto, que la esposa de su señor puso sus ojos en José, y dijo: Acuéstate conmigo.

8 Y él no quiso, y dijo a la esposa de su señor: He aquí que mi señor no sabe conmigo lo que hay en casa, y ha puesto en mi mano todo lo que tiene:

9 No *hay* otro mayor que yo en esta casa, y ninguna cosa me ha reservado sino a ti, por cuanto tú *eres* su esposa; ¿cómo, pues, haría yo este grande mal y pecaría contra Dios?

10 Y fue que, hablando ella a José cada día, que él no la escuchó para acostarse al lado de ella, o para estar con ella.

11 Y sucedió que entró él un día en casa para hacer su oficio, y no *había* nadie de los de casa allí.

12 Y ella lo asió por su ropa, diciendo: Acuéstate conmigo. Entonces él dejó su ropa en las manos de ella, y huyó y salió.

13 Y aconteció que cuando vio ella que le había dejado su ropa en sus manos, y había huido fuera,

14 llamó a los de casa, y les habló, diciendo: Mirad, nos ha traído un hebreo para que hiciese burla de nosotros. Vino él a mí para acostarse conmigo, y yo di grandes voces;

15 y viendo que yo alzaba la voz y gritaba, dejó junto a mí su ropa, y salió huyendo afuera.

16 Y ella puso junto a sí la ropa de él, hasta que vino su señor a su casa.

17 Entonces le habló ella semejantes palabras, diciendo: El siervo hebreo que nos trajiste, vino a mí para deshonrarme;

18 Y como yo alcé mi voz y grité, él dejó su ropa junto a mí, y huyó fuera.

19 Y sucedió que como oyó su señor las palabras que su esposa le hablaba, diciendo: Así me ha tratado tu siervo; se encendió su furor.

20 Y tomó su señor a José, y le puso en la cárcel, donde estaban los presos del rey, y estuvo allí en la cárcel.

21 Pero Jehová estaba con José, y extendió a él su misericordia, y le dio gracia ante los ojos del jefe de la cárcel.

22 Y el jefe de la cárcel entregó en mano de José todos los presos que había en aquella prisión; todo lo que hacían allí, él lo dirigía.

23 No veía el jefe de la cárcel cosa alguna que en su mano *estaba*; porque Jehová estaba con él, y lo que él hacía, Jehová lo prosperaba.

CAPÍTULO 40

Y aconteció después de estas cosas, que el copero del rey de Egipto y el panadero delinquieron contra su señor el rey de Egipto.

2 Y Faraón se enojó contra sus dos oficiales, contra el jefe de los coperos, y contra el jefe de los panaderos,

3 y los puso en prisión en la casa del capitán de la guardia, en la cárcel donde José estaba preso.

4 Y el capitán de la guardia dio cargo de ellos a José, y él les servía: y estuvieron días en la prisión.

5 Y ambos, el copero y el panadero del rey de Egipto, que estaban arrestados en la prisión, tuvieron un sueño, cada uno su propio sueño en una misma noche, cada uno conforme a la interpretación de su sueño.

6 Y por la mañana José vino a ellos, y los miró, y he aquí que *estaban* tristes.

7 Y él preguntó a aquellos oficiales de Faraón, que estaban con él en la prisión de la casa de su señor, diciendo: ¿Por qué parecen hoy mal vuestros semblantes?

8 Y ellos le dijeron: Hemos tenido un sueño, y no *hay* quien lo interprete. Entonces les dijo José:

¿No *son* de Dios las interpretaciones? Contádmelo ahora.

9 Entonces el jefe de los coperos contó su sueño a José, y le dijo: Yo soñaba que veía una vid delante de mí,

10 y en la vid tres sarmientos; y ella como que brotaba, y arrojaba su flor, viniendo a madurar sus racimos de uvas:

11 Y que la copa de Faraón *estaba* en mi mano, y tomaba yo las uvas, y las exprimía en la copa de Faraón, y daba yo la copa en mano de Faraón.

12 Y le dijo José: Ésta es su interpretación: Los tres sarmientos *son* tres días:

13 Al cabo de tres días Faraón te hará levantar cabeza, y te restituirá a tu puesto: y darás la copa a Faraón en su mano, como solías cuando eras su copero.

14 Acuérdate, pues, de mí cuando tuvieres ese bien, y te ruego que uses conmigo de misericordia, y hagas mención de mí a Faraón, y me saques de esta casa:

15 Porque fui hurtado de la tierra de los hebreos; y tampoco he hecho aquí por qué me hubiesen de poner en la cárcel.

16 Y viendo el jefe de los panaderos que había interpretado para bien, dijo a José: También yo soñaba que veía tres canastillos blancos sobre mi cabeza;

17 Y en el canastillo más alto *había* de toda clase de pastelería para Faraón; y las aves las comían del canastillo de sobre mi cabeza.

18 Entonces respondió José, y dijo: Ésta *es* la interpretación: Los tres canastillos tres días son.

19 Al cabo de tres días quitará Faraón tu cabeza de sobre ti, y te hará colgar en la horca, y las aves comerán tu carne de sobre ti.

20 Y aconteció el tercer día, *que era* el día del cumpleaños de Faraón, que hizo banquete a todos sus sirvientes: y alzó la cabeza del jefe de los coperos, y la cabeza del jefe de los panaderos, entre sus servidores.

21 E hizo volver a su oficio al jefe de los coperos; y dio éste la copa en mano de Faraón.

22 Mas hizo ahorcar al jefe de los panaderos, como le había interpretado José.

23 Y el jefe de los coperos no se acordó de José, sino que le olvidó.

CAPÍTULO 41

Y aconteció que pasados dos años tuvo Faraón un sueño: Le parecía que estaba junto al río;

2 y que del río subían siete vacas, hermosas a la vista, y muy gordas, y pacían en el prado;

3 y que otras siete vacas subían tras ellas del río, de feo aspecto, y enjutas de carne, y se pararon cerca de las vacas hermosas a la orilla del río;

4 y que las vacas de feo aspecto y enjutas de carne devoraban a las siete vacas hermosas y muy gordas. Y despertó Faraón.

5 Se durmió de nuevo, y soñó la segunda vez: Que siete espigas llenas y hermosas subían de una sola caña:

6 Y que otras siete espigas delgadas y abatidas del viento solano, salían después de ellas:

7 Y las siete espigas delgadas devoraban a las siete espigas gruesas y llenas. Y despertó Faraón, y he aquí que era sueño.

8 Y aconteció que a la mañana estaba agitado su espíritu; y envió e hizo llamar a todos los magos de Egipto, y a todos sus sabios: y les contó Faraón sus sueños, pero no *había* quien los declarase a Faraón.

9 Entonces el principal de los coperos habló a Faraón, diciendo: Me acuerdo hoy de mis faltas:

10 Faraón se enojó contra sus siervos, y a mí me echó a la prisión de la casa del capitán de la guardia, a mí y al principal de los panaderos.

11 Y él y yo vimos un sueño una misma noche; cada uno soñó conforme a la interpretación de su sueño.

12 Y *estaba* allí con nosotros un joven hebreo, sirviente del capitán de la guardia; y se lo contamos, y él nos interpretó nuestros sueños, a cada uno conforme a su sueño, él interpretó.

13 Y aconteció que como él nos lo interpretó, así sucedió: a mí me hizo volver a mi puesto, e hizo colgar al otro.

14 Entonces Faraón envió y llamó a José, y le sacaron aprisa de la cárcel; y *se* cortó el pelo y cambió su vestidura, y vino a Faraón.

15 Y dijo Faraón a José: Yo he tenido un sueño, y no *hay* quien lo interprete; mas he oído decir de ti, que oyes sueños para interpretarlos.

16 Y respondió José a Faraón, diciendo: No *está* en mí; Dios será el que responda paz a Faraón.

17 Entonces Faraón dijo a José: En mi sueño me parecía que estaba a la orilla del río;

18 y que del río subían siete vacas de gruesas carnes y hermosa apariencia, que pacían en el prado;

19 Y que otras siete vacas subían después de ellas, flacas y de muy fea traza; tan extenuadas, que no he visto otras semejantes en toda la tierra de Egipto en fealdad;

20 Y las vacas flacas y feas devoraban a las siete primeras vacas gruesas;

21 Y entraban en sus entrañas, mas no se conocía que hubiese entrado en ellas, porque su parecer era aún malo, como de primero. Y yo desperté.

22 Y vi también en mi sueño que siete espigas crecían en una misma caña, llenas y hermosas;

23 y que otras siete espigas delgadas, marchitas, abatidas del viento solano, subían después de ellas;

24 Y las espigas delgadas devoraban a las siete espigas hermosas; y lo he contado a los magos, mas no *hay* quien me lo interprete.

25 Entonces respondió José a Faraón: El sueño de Faraón es uno mismo: Dios ha mostrado a Faraón lo que va a hacer.

26 Las siete vacas hermosas siete años *son*; y las espigas hermosas *son* siete años: el sueño *es* uno mismo.

27 También las siete vacas flacas y feas que subían tras ellas, *son* siete años; y las siete espigas delgadas y marchitas del viento solano, siete años serán de hambre.

28 Esto *es* lo que respondo a Faraón. Lo que Dios va a hacer, lo ha mostrado a Faraón.

29 He aquí vienen siete años de gran abundancia en toda la tierra de Egipto:

30 Y se levantarán tras ellos siete años de hambre; y toda la abundancia será olvidada en la tierra de Egipto; y el hambre consumirá la tierra.

31 Y aquella abundancia no se echará de ver a causa del hambre siguiente, la cual *será* gravísima.

32 Y el suceder el sueño a Faraón dos veces, significa que la cosa *es* firme de parte de Dios, y que Dios se apresura a hacerla.

33 Por tanto, provéase ahora Faraón de un varón prudente y sabio, y póngalo sobre la tierra de Egipto.

34 Haga esto Faraón, y ponga gobernadores sobre el país, y recaude la quinta parte de la tierra de Egipto en los siete años de la abundancia.

35 Y junten toda la provisión de estos buenos años que vienen, y alleguen el trigo bajo la mano de Faraón para mantenimiento de las ciudades; y guárdenlo.

36 Y esté aquella provisión en depósito para el país, para los siete años del hambre que serán en la tierra de Egipto; y el país no perecerá de hambre.

37 Y la idea pareció bien a Faraón, y a sus siervos.

38 Y dijo Faraón a sus siervos: ¿Hemos de hallar otro hombre como éste, en quien *esté* el Espíritu de Dios?

39 Y dijo Faraón a José: Pues que Dios te ha hecho saber todo esto, no *hay* entendido ni sabio como tú.

40 Tú serás sobre mi casa, y por tu palabra se gobernará todo mi pueblo: solamente en el trono seré yo mayor que tú.

41 Dijo más Faraón a José: He aquí yo te he puesto sobre toda la tierra de Egipto.

42 Entonces Faraón quitó el anillo de su mano, y lo puso en la mano de José, y le hizo vestir de ropas de lino finísimo, y puso un collar de oro en su cuello.

43 Y lo hizo subir en su segundo carro, y pregonaron delante de él: Doblad la rodilla; y le puso sobre toda la tierra de Egipto.

44 Y dijo Faraón a José: Yo Faraón; y sin ti ninguno alzará su mano ni su pie en toda la tierra de Egipto.

45 Y llamó Faraón el nombre de José, Zafnat-paanea; y le dio por esposa a Asenat, hija de Potifera, sacerdote de On. Y salió José por toda la tierra de Egipto.

46 Y era José de edad de treinta años cuando fue presentado delante de Faraón, rey de Egipto: y salió José de delante de Faraón, y transitó por toda la tierra de Egipto.

47 Y en aquellos siete años de abundancia, la tierra produjo a montones.

48 Y él reunió todo el alimento de los siete años que fueron en la tierra de Egipto, y guardó el alimento en las ciudades, poniendo en cada ciudad el alimento del campo de sus alrededores.

49 Y acopió José trigo como arena del mar, mucho en extremo, hasta que dejó de contar, porque no tenía número.

50 Y nacieron a José dos hijos antes que viniese el primer año del hambre, los cuales le dio a luz Asenat, hija de Potifera, sacerdote de On.

51 Y llamó José el nombre del primogénito Manasés; porque Dios (*dijo él*) me hizo olvidar todo mi trabajo, y toda la casa de mi padre.

52 Y el nombre del segundo lo llamó Efraín; porque Dios (*dijo él*) me hizo fértil en la tierra de mi aflicción.

53 Y se cumplieron los siete años de la abundancia, que hubo en la tierra de Egipto.

54 Y comenzaron a venir los siete años del hambre, como José había dicho: y hubo hambre en todos los países, mas en toda la tierra de Egipto había pan.

55 Y cuando se sintió el hambre en toda la tierra de Egipto, el pueblo clamó a Faraón por pan. Y dijo Faraón a todos los egipcios: Id a José, y haced lo que él os dijere.

56 Y el hambre estaba por toda la extensión del país. Entonces abrió José todo granero donde había, y vendía a los egipcios; porque había crecido el hambre en la tierra de Egipto.

57 Y toda la tierra venía a Egipto para comprar de José, porque por toda la tierra había crecido el hambre.

CAPÍTULO 42

Y viendo Jacob que en Egipto había alimentos, Jacob dijo a sus hijos: ¿Por qué os estáis mirando?

2 Y dijo: He aquí, yo he oído que hay víveres en Egipto; descended allá, y comprad de allí para nosotros, para que vivamos y no muramos.

3 Y descendieron los diez hermanos de José a comprar trigo a Egipto.

4 Mas Jacob no envió a Benjamín hermano de José con sus hermanos; porque dijo: No sea acaso que le acontezca algún desastre.

5 Y vinieron los hijos de Israel a comprar entre los que venían: porque había hambre en la tierra de Canaán.

6 Y José *era* el señor de la tierra; él era quien le vendía a todo el pueblo de la tierra. Y llegaron los hermanos de José y se inclinaron a él rostro a tierra.

7 Y José como vio a sus hermanos, los reconoció; mas hizo como que no los conocía, y les habló ásperamente, y les dijo: ¿De dónde habéis venido? Ellos respondieron: De la tierra de Canaán a comprar alimentos.

8 José, pues, reconoció a sus hermanos; pero ellos no le reconocieron.

9 Entonces se acordó José de los sueños que había tenido de ellos, y les dijo: Espías *sois*; por ver lo descubierto del país habéis venido.

10 Y ellos le respondieron: No, señor mío: mas tus siervos han venido a comprar alimentos.

11 Todos nosotros somos hijos de un varón: somos *hombres* de verdad: tus siervos nunca fueron espías.

12 Y él les dijo: No; sino que para ver lo descubierto del país habéis venido.

13 Y ellos respondieron: Tus siervos *somos* doce hermanos, hijos de un varón en la tierra de Canaán; y he aquí el menor *está* hoy con nuestro padre, y otro no parece.

14 Y José les dijo: Eso *es lo* que os he dicho, afirmando que sois espías:

15 En esto seréis probados: Vive Faraón que no saldréis de aquí, al menos que vuestro hermano menor venga aquí.

16 Enviad uno de vosotros, y traiga a vuestro hermano; y vosotros quedad

presos, y vuestras palabras serán probadas, si *hay* verdad en vosotros; y si no, vive Faraón, que sois espías.

17 Y los puso juntos en la cárcel por tres días.

18 Y al tercer día les dijo José: Haced esto, y vivid: Yo temo a Dios:

19 Si *sois hombres* de verdad, quede preso en la casa de vuestra cárcel uno de vuestros hermanos; y vosotros id, llevad el alimento para el hambre de vuestras casas:

20 Pero habéis de traerme a vuestro hermano menor, y serán verificadas vuestras palabras, y no moriréis. Y ellos lo hicieron así.

21 Y decían el uno al otro: Verdaderamente hemos pecado contra nuestro hermano, que vimos la angustia de su alma cuando nos rogaba, y no le oímos: por eso ha venido sobre nosotros esta angustia.

22 Entonces Rubén les respondió, diciendo: ¿No os hablé yo y dije: No pequéis contra el joven; y no escuchasteis? He aquí también su sangre es requerida.

23 Y ellos no sabían que los entendía José, porque había intérprete entre ellos.

24 Y *José* se apartó de ellos, y lloró: después volvió a ellos, y les habló, y tomó de entre ellos a Simeón, y lo aprisionó a vista de ellos.

25 Y mandó José que llenaran sus sacos de trigo, y devolviesen el dinero de cada uno de ellos, poniéndolo en su saco, y les diesen comida para el camino: y así se hizo con ellos.

26 Y ellos pusieron su trigo sobre sus asnos, y se fueron de allí.

27 Y abriendo uno de ellos su saco para dar de comer a su asno en el mesón, vio su dinero que *estaba* en la boca de su costal.

28 Y dijo a sus hermanos: Mi dinero se me ha devuelto, y helo aquí en mi saco. Entonces se les sobresaltó el corazón, y espantados dijeron el uno al otro: ¿Qué *es* esto que nos ha hecho Dios?

29 Y vinieron a Jacob su padre en tierra de Canaán, y le contaron todo lo que les había acontecido, diciendo:

30 Aquel varón, señor de la tierra, nos habló ásperamente, y nos trató como a espías de la tierra:

31 Y nosotros le dijimos: Somos *hombres* de verdad, no somos espías:

32 *Somos* doce hermanos, hijos de nuestro padre; uno no parece, y el menor está hoy con nuestro padre en la tierra de Canaán.

33 Y aquel varón, señor de la tierra, nos dijo: En esto conoceré que sois *hombres* de verdad; dejad conmigo uno de vuestros hermanos, y tomad *grano* para el hambre de vuestras casas, y andad,

34 y traedme a vuestro hermano el menor, para que yo sepa que no *sois* espías, sino hombres de verdad: así os daré a vuestro hermano, y negociaréis en la tierra.

35 Y aconteció que vaciando ellos sus sacos, he aquí que en el saco de cada uno estaba el atado de su dinero, y viendo ellos y su padre los atados de su dinero, tuvieron temor.

36 Entonces su padre Jacob les dijo: Me habéis privado de mis hijos; José no parece, Simeón tampoco, y a Benjamín le llevaréis: contra mí son todas estas cosas.

37 Y Rubén habló a su padre, diciendo: Harás morir a mis dos hijos, si no te lo volviere; entrégalo en mi mano, que yo lo volveré a ti.

38 Y él dijo: No descenderá mi hijo con vosotros; pues su hermano es muerto, y él solo ha quedado: y si le aconteciere algún desastre en el camino por donde vais, haréis descender mis canas con dolor a la sepultura.

CAPÍTULO 43

Y el hambre *era* grande en la tierra. 2 Y aconteció que cuando acabaron de comer el trigo que trajeron de Egipto, les dijo su padre: Volved, y comprad para nosotros un poco de alimento.

3 Y respondió Judá, diciendo: Aquel varón nos protestó con ánimo resuelto, diciendo: No veréis mi rostro al menos que vuestro hermano *venga* con vosotros.

4 Si enviares a nuestro hermano con nosotros, descenderemos y te compraremos alimento:

5 Pero si no le enviares, no descenderemos: porque aquel varón

nos dijo: No veréis mi rostro si no *traéis a* vuestro hermano con vosotros.

6 Y dijo Israel: ¿Por qué me hicisteis tanto mal, diciendo al varón que teníais otro hermano?

7 Y ellos respondieron: Aquel varón nos preguntó expresamente por nosotros, y por nuestra parentela, diciendo: ¿Vive aún vuestro padre? ¿Tenéis *otro* hermano? Y le respondimos conforme a estas palabras. ¿Cómo podíamos saber que él había de decir: Haced venir a vuestro hermano?

8 Entonces Judá dijo a Israel su padre: Envía al joven conmigo, y nos levantaremos e iremos, a fin que vivamos y no muramos nosotros, y tú, y nuestros niños.

9 Yo seré fiador; a mí me pedirás cuenta de él: si yo no te lo volviere y lo pusiere delante de ti, seré para ti el culpable todos los días:

10 Que si no nos hubiéramos detenido, ciertamente hubiéramos ya vuelto dos veces.

11 Entonces Israel su padre les respondió: Pues que así es, hacedlo; tomad de lo mejor de la tierra en vuestros sacos, y llevad a aquel varón un presente, un poco de bálsamo, y un poco de miel, aromas y mirra, nueces y almendras.

12 Y tomad en vuestras manos el doble de dinero, y llevad en vuestra mano el dinero vuelto en las bocas de vuestros costales; quizá fue equivocación.

13 Tomad también a vuestro hermano, y levantaos, y volved a aquel varón.

14 Y el Dios Omnipotente os dé misericordia delante de aquel varón, y os suelte al otro vuestro hermano, y a este Benjamín. Y si he de ser privado *de mis hijos,* séalo.

15 Entonces tomaron aquellos varones el presente, y tomaron en su mano doblado dinero, y a Benjamín; y se levantaron, y descendieron a Egipto, y se presentaron delante de José.

16 Y vio José a Benjamín con ellos, y dijo al mayordomo de su casa: Mete en casa a esos hombres, y degüella víctima, y aderézala; porque estos hombres comerán conmigo al mediodía.

17 E hizo el hombre como José dijo; y metió aquel hombre a los hombres en casa de José.

18 Y aquellos hombres tuvieron temor, cuando fueron metidos en casa de José, y decían: Por el dinero que fue vuelto en nuestros costales la primera vez nos han metido aquí, para revolver contra nosotros, y dar sobre nosotros, y tomarnos por siervos a nosotros, y a nuestros asnos.

19 Y se acercaron al mayordomo de la casa de José, y le hablaron a la entrada de la casa.

20 Y dijeron: Ay, señor mío, nosotros en realidad de verdad descendimos al principio a comprar alimentos:

21 Y aconteció que cuando vinimos al mesón y abrimos nuestros costales, he aquí el dinero de cada uno estaba en la boca de su costal, nuestro dinero en su justo peso; y lo hemos vuelto a traer en nuestras manos.

22 Hemos también traído en nuestras manos otro dinero para comprar alimentos: nosotros no sabemos quién haya puesto nuestro dinero en nuestros costales.

23 Y él respondió: Paz a vosotros, no temáis; vuestro Dios y el Dios de vuestro padre os dio el tesoro en vuestros costales: yo recibí vuestro dinero. Y sacó a Simeón a ellos.

24 Y aquel varón trajo a los hombres a casa de José: y les dio agua, y lavaron sus pies: y dio de comer a sus asnos.

25 Y ellos prepararon el presente entretanto que venía José al mediodía, porque habían oído que allí habían de comer pan.

26 Y vino José a casa, y ellos le trajeron el presente que tenían en su mano dentro de casa, y se inclinaron ante él hasta tierra.

27 Entonces *José les* preguntó cómo estaban, y dijo: ¿Vuestro padre, el anciano que dijisteis, *está* bien? ¿Vive todavía?

28 Y ellos respondieron: Bien va a tu siervo nuestro padre; aún vive. Y se inclinaron, e hicieron reverencia.

29 Y alzando *José* sus ojos vio a Benjamín su hermano, hijo de su madre, y dijo: ¿Es éste vuestro

hermano menor, de quien me hablasteis? Y dijo: Dios tenga misericordia de ti, hijo mío.

30 Entonces José se apresuró, porque se conmovieron sus entrañas a causa de su hermano, y procuró *dónde* llorar: y entró en su cámara, y lloró allí.

31 Y lavó su rostro, y salió fuera, y se contuvo, y dijo: Poned pan.

32 Y pusieron para él aparte, y separadamente para ellos, y aparte para los egipcios que con él comían: porque los egipcios no pueden comer pan con los hebreos, lo cual es abominación a los egipcios.

33 Y se sentaron delante de él, el mayor conforme a su mayoría, y el menor conforme a su menoría; y estaban aquellos hombres atónitos mirándose el uno al otro.

34 Y él tomó viandas de delante de sí para ellos; mas la porción de Benjamín era cinco veces mayor que cualquiera de las de ellos. Y bebieron y se alegraron con él.

CAPÍTULO 44

Y mandó José al mayordomo de su casa, diciendo: Llena de alimento los costales de estos varones, cuanto pudieren llevar, y pon el dinero de cada uno en la boca de su costal:

2 Y pondrás mi copa, la copa de plata, en la boca del costal del menor, con el dinero de su trigo. Y él hizo como dijo José.

3 Venida la mañana, los hombres fueron despedidos con sus asnos.

4 Habiendo ellos salido de la ciudad, de la que aún no se habían alejado, dijo José a su mayordomo: Levántate, y sigue a esos hombres; y cuando los alcanzares, diles: ¿Por qué habéis vuelto mal por bien?

5 ¿No es ésta *la copa* en la que bebe mi señor, y por la que suele adivinar? habéis hecho mal en lo que hicisteis.

6 Y cuando él los alcanzó, les dijo estas palabras.

7 Y ellos le respondieron: ¿Por qué dice mi señor tales cosas? Nunca tal hagan tus siervos.

8 He aquí, el dinero que hallamos en la boca de nuestros costales, te lo volvimos a traer desde la tierra de Canaán; ¿cómo, pues, habíamos de hurtar de casa de tu señor plata ni oro?

9 Aquel de tus siervos en quien fuere hallada *la copa*, que muera, y aun nosotros seremos siervos de mi señor.

10 Y él dijo: También ahora sea conforme a vuestras palabras; aquél en quien se hallare, será mi siervo, y vosotros seréis sin culpa.

11 Ellos entonces se dieron prisa, y derribando cada uno su costal en tierra, abrió cada cual el costal suyo.

12 Y buscó; desde el mayor comenzó, y acabó en el menor; y la copa fue hallada en el costal de Benjamín.

13 Entonces ellos rasgaron sus vestiduras, y cargó cada uno su asno, y volvieron a la ciudad.

14 Y llegó Judá con sus hermanos a casa de José, que aún estaba allí, y se postraron delante de él en tierra.

15 Y José les dijo: ¿Qué obra es ésta que habéis hecho? ¿No sabéis que un hombre como yo sabe adivinar?

16 Entonces dijo Judá: ¿Qué diremos a mi señor? ¿Qué hablaremos? ¿O con qué nos justificaremos? Dios ha hallado la maldad de tus siervos: he aquí, nosotros somos siervos de mi señor, nosotros, y también aquél en cuyo poder fue hallada la copa.

17 Y él respondió: Nunca yo tal haga: el varón en cuyo poder fue hallada la copa, él será mi siervo; vosotros id en paz a vuestro padre.

18 Entonces Judá se acercó a él, y dijo: Ay señor mío, te ruego que hable tu siervo una palabra en oídos de mi señor, y no se encienda tu enojo contra tu siervo, pues que tú eres como Faraón.

19 Mi señor preguntó a sus siervos, diciendo: ¿Tenéis padre o hermano?

20 Y nosotros respondimos a mi señor: Tenemos un padre anciano, y un joven que le nació en su vejez, pequeño aún; y un hermano suyo murió, y solo él ha quedado de su madre, y su padre lo ama.

21 Y tú dijiste a tus siervos: Traédmelo, y pondré mis ojos sobre él.

22 Y nosotros dijimos a mi señor: El joven no puede dejar a su padre, porque si le dejare, su padre morirá.

23 Y dijiste a tus siervos: Si vuestro hermano menor no descendiere con vosotros, no veréis más mi rostro.

24 Aconteció, pues, que cuando llegamos a mi padre, tu siervo, le contamos las palabras de mi señor.

25 Y dijo nuestro padre: Volved a comprarnos un poco de alimento.

26 Y nosotros respondimos: No podemos ir: si nuestro hermano va con nosotros, iremos; porque no podemos ver el rostro del varón, al menos que nuestro hermano el menor esté con nosotros.

27 Entonces tu siervo mi padre nos dijo: Vosotros sabéis que mi esposa me dio a luz dos *hijos*;

28 Y el uno salió de conmigo, y pienso de cierto que fue despedazado, y hasta ahora no le he visto;

29 Y si tomareis también éste de delante de mí, y le aconteciere algún desastre, haréis descender mis canas con dolor a la sepultura.

30 Ahora, pues, cuando llegare yo a tu siervo mi padre, y el joven no fuere conmigo, como su alma está ligada al alma de él,

31 sucederá que cuando no vea al joven, morirá; y tus siervos harán descender las canas de tu siervo nuestro padre con dolor a la sepultura.

32 Como tu siervo salió por fiador del joven con mi padre, diciendo: Si no te lo volviere, entonces yo seré culpable ante mi padre todos los días.

33 Te ruego, por tanto, que quede ahora tu siervo en lugar del joven por siervo de mi señor, y que el joven vaya con sus hermanos.

34 Porque ¿cómo iré yo a mi padre sin el joven? No podré, por no ver el mal que sobrevendrá a mi padre.

CAPÍTULO 45

No podía ya José contenerse delante de todos los que estaban al lado suyo, y clamó: Haced salir de conmigo a todos. Y no quedó nadie con él, al darse a conocer José a sus hermanos.

2 Entonces se dio a llorar a gritos; y oyeron los egipcios, y oyó también la casa de Faraón.

3 Y dijo José a sus hermanos: Yo soy José: ¿Vive aún mi padre? Y sus hermanos no pudieron responderle, porque estaban turbados delante de él.

4 Entonces dijo José a sus hermanos: Acercaos ahora a mí. Y ellos se acercaron. Y él dijo: Yo soy José vuestro hermano el que vendisteis para Egipto.

5 Ahora pues, no os entristezcáis, ni os pese de haberme vendido acá; que para preservación de vida me envió Dios delante de vosotros:

6 Que ya ha habido dos años de hambre en medio de la tierra, y aún quedan cinco años en que ni habrá arada ni siega.

7 Y Dios me envió delante de vosotros, para preservaros posteridad sobre la tierra, y para daros vida por medio de gran liberación.

8 Así pues, no me enviasteis vosotros acá, sino Dios, que me ha puesto por padre de Faraón, y por señor de toda su casa, y por gobernador en toda la tierra de Egipto.

9 Daos prisa, id a mi padre y decidle: Así dice tu hijo José: Dios me ha puesto por señor de todo Egipto; ven a mí, no te detengas:

10 Y habitarás en la tierra de Gosén, y estarás cerca de mí, tú y tus hijos, y los hijos de tus hijos, tus ganados y tus vacas, y todo lo que tienes.

11 Y allí te alimentaré, pues aún quedan cinco años de hambre, para que no perezcas de pobreza tú y tu casa, y todo lo que tienes:

12 Y he aquí, vuestros ojos ven, y los ojos de mi hermano Benjamín, que mi boca os habla.

13 Haréis, pues, saber a mi padre toda mi gloria en Egipto, y todo lo que habéis visto; y daos prisa, y traed acá a mi padre.

14 Y se echó sobre el cuello de Benjamín su hermano, y lloró; y también Benjamín lloró sobre su cuello.

15 Y besó a todos sus hermanos, y lloró sobre ellos: y después sus hermanos hablaron con él.

16 Y se oyó la noticia en la casa de Faraón, diciendo: Los hermanos de José han venido. Y esto agradó a Faraón, y a sus siervos.

17 Y dijo Faraón a José: Di a tus hermanos: Haced esto: Cargad vuestras bestias, e id, volved a la tierra de Canaán;

18 y tomad a vuestro padre y vuestras familias, y venid a mí, que yo os daré lo bueno de la tierra de Egipto y comeréis la grosura de la tierra.

19 Y tú manda: Haced esto: tomaos de la tierra de Egipto carros para vuestros niños y vuestras mujeres; y tomad a vuestro padre, y venid.

20 Y no os preocupéis por vuestros bienes, porque el bien de la tierra de Egipto será vuestro.

21 Y lo hicieron así los hijos de Israel: y les dio José carros conforme a la orden de Faraón, y les suministró víveres para el camino.

22 A cada uno de todos ellos dio mudas de vestiduras, y a Benjamín dio trescientas piezas de plata, y cinco mudas de vestiduras.

23 Y a su padre envió esto: diez asnos cargados de lo mejor de Egipto, y diez asnas cargadas de trigo, y pan y comida, para su padre en el camino.

24 Y despidió a sus hermanos, y ellos se fueron. Y él les dijo: No riñáis por el camino.

25 Y subieron de Egipto, y llegaron a la tierra de Canaán a Jacob su padre.

26 Y le dieron las nuevas, diciendo: José vive aún; y él es señor en toda la tierra de Egipto. Y su corazón se desmayó; pues no los creía.

27 Y ellos le contaron todas las palabras de José, que él les había hablado; y viendo él los carros que José enviaba para llevarlo, el espíritu de Jacob su padre revivió.

28 Entonces dijo Israel: Basta; José mi hijo vive todavía: iré y le veré antes que yo muera.

CAPÍTULO 46

Y salió Israel con todo lo que tenía, y vino a Beerseba, y ofreció sacrificios al Dios de su padre Isaac.

2 Y habló Dios a Israel en visiones de noche, y dijo: Jacob, Jacob. Y él respondió: Heme aquí.

3 Y dijo: Yo soy Dios, el Dios de tu padre; no temas de descender a Egipto, porque yo haré de ti una gran nación.

4 Yo descenderé contigo a Egipto, y yo también te haré volver: y José pondrá su mano sobre tus ojos.

5 Y se levantó Jacob de Beerseba; y tomaron los hijos de Israel a su padre Jacob, y a sus niños, y a sus mujeres, en los carros que Faraón había enviado para llevarlo.

6 Y tomaron sus ganados, y sus bienes que había adquirido en la tierra de Canaán, y se vinieron a Egipto, Jacob, y toda su simiente consigo;

7 Sus hijos, y los hijos de sus hijos consigo; sus hijas, y las hijas de sus hijos, y a toda su simiente trajo consigo a Egipto.

8 Y éstos son los nombres de los hijos de Israel, que entraron en Egipto, Jacob y sus hijos: Rubén, el primogénito de Jacob.

9 Y los hijos de Rubén: Enoc, Falú, Hezrón y Carmi.

10 Y los hijos de Simeón: Jemuel, Jamín, Ohad, Jaquín, Zohar y Saúl, hijo de la cananea.

11 Y los hijos de Leví: Gersón, Coat y Merari.

12 Y los hijos de Judá: Er, Onán, Sela, Fares y Zara: mas Er y Onán, murieron en la tierra de Canaán. Y los hijos de Fares fueron Hezrón y Hamul.

13 Y los hijos de Isacar: Tola, Fúa, Job y Simrón.

14 Y los hijos de Zabulón: Sered, Elón y Jahleel.

15 Éstos fueron los hijos de Lea, los que dio a luz a Jacob en Padan-aram, y además su hija Dina; treinta y tres *era* el total de almas de sus hijos e hijas.

16 Y los hijos de Gad: Zifión, Hagui, Suni, Ezbón, Eri, Arodi y Areli.

17 Y los hijos de Aser: Imna, Isúa, Isúi, Bería y Sera, hermana de ellos. Los hijos de Bería: Heber y Malquiel.

18 Éstos fueron los hijos de Zilpa, la que Labán dio a su hija Lea, y dio a luz éstos a Jacob; *en total*, dieciséis almas.

19 Y los hijos de Raquel, esposa de Jacob: José y Benjamín.

20 Y nacieron a José en la tierra de Egipto Manasés y Efraín, los que le dio a luz Asenat, hija de Potifera, sacerdote de On.

21 Y los hijos de Benjamín fueron Bela, Bequer, Asbel, Gera, Naamán, Ehi, Ros, Mupim, Hupim y Ard.

22 Éstos fueron los hijos de Raquel, que nacieron a Jacob; en total, catorce almas.

23 Y los hijos de Dan: Husim.

24 Y los hijos de Neftalí: Jahzeel, Guni, Jezer y Silem.

25 Éstos fueron los hijos de Bilha, la que dio Labán a Raquel su hija, y dio a luz a éstos de Jacob; en total, siete almas.

26 Todas las almas que vinieron con Jacob a Egipto, procedentes de sus lomos, no incluyendo las esposas de los hijos de Jacob, *eran* en total sesenta y seis almas.

27 Y los hijos de José, que le nacieron en Egipto, dos almas. Todas las almas de la casa de Jacob, que entraron en Egipto *eran* setenta.

28 Y envió a Judá delante de sí a José, para que le viniese a ver a Gosén; y llegaron a la tierra de Gosén.

29 Y José unció su carro y vino a recibir a Israel su padre a Gosén; y se manifestó a él, y se echó sobre su cuello, y lloró mucho tiempo sobre su cuello.

30 Entonces Israel dijo a José: Muera yo ahora, ya que he visto tu rostro, pues aún vives.

31 Y José dijo a sus hermanos, y a la casa de su padre: Subiré y haré saber a Faraón, y le diré: Mis hermanos y la casa de mi padre, que estaban en la tierra de Canaán, han venido a mí;

32 Y los hombres son pastores de ovejas, porque son hombres ganaderos; y han traído sus ovejas y sus vacas, y todo lo que tenían.

33 Y sucederá que cuando Faraón os llamare y dijere: ¿Cuál es vuestro oficio?

34 Entonces diréis: Hombres de ganadería han sido tus siervos desde nuestra juventud hasta ahora, nosotros y nuestros padres; a fin de que moréis en la tierra de Gosén, porque para los egipcios todo pastor de ovejas *es* una abominación.

CAPÍTULO 47

Y José vino, e hizo saber a Faraón, y dijo: Mi padre y mis hermanos, y sus ovejas y sus vacas, con todo lo que tienen, han venido de la tierra de Canaán, y he aquí, están en la tierra de Gosén.

2 Y de los postreros de sus hermanos tomó cinco varones, y los presentó delante de Faraón.

3 Y Faraón dijo a sus hermanos: ¿Cuál es vuestro oficio? Y ellos respondieron a Faraón: Pastores de ovejas son tus siervos, así nosotros como nuestros padres.

4 Dijeron además a Faraón: Para morar en esta tierra hemos venido; porque no hay pasto para las ovejas de tus siervos, pues el hambre es grave en la tierra de Canaán: por tanto, te rogamos ahora que habiten tus siervos en la tierra de Gosén.

5 Entonces Faraón habló a José, diciendo: Tu padre y tus hermanos han venido a ti.

6 La tierra de Egipto delante de ti está; en lo mejor de la tierra haz habitar a tu padre y a tus hermanos; habiten en la tierra de Gosén; y si entiendes que hay entre ellos hombres eficaces, ponlos por mayorales del ganado mío.

7 Y José introdujo a su padre, y lo presentó delante de Faraón; y Jacob bendijo a Faraón.

8 Y dijo Faraón a Jacob: ¿Cuántos son los días de los años de tu vida?

9 Y Jacob respondió a Faraón: Los días de los años de mi peregrinación son ciento treinta años; pocos y malos han sido los días de los años de mi vida, y no han llegado a los días de los años de la vida de mis padres en los días de su peregrinación.

10 Y Jacob bendijo a Faraón, y salió de delante de Faraón.

11 Así José hizo habitar a su padre y a sus hermanos, y les dio posesión en la tierra de Egipto, en lo mejor de la tierra, en la tierra de Ramesés como mandó Faraón.

12 Y alimentaba José a su padre y a sus hermanos, y a toda la casa de su padre, de pan, según *el número* de la familia.

13 Y no había pan en toda la tierra, y el hambre era muy grave; por lo que desfalleció de hambre la tierra de Egipto y la tierra de Canaán.

14 Y recogió José todo el dinero que

se halló en la tierra de Egipto y en la tierra de Canaán, por los alimentos que de él compraban; y metió José el dinero en casa de Faraón.

15 Y acabado el dinero de la tierra de Egipto y de la tierra de Canaán, vino todo Egipto a José diciendo: Danos pan: ¿por qué moriremos delante de ti, por haberse acabado el dinero?

16 Y José dijo: Dad vuestros ganados, y yo os daré por vuestros ganados, si se ha acabado el dinero.

17 Y ellos trajeron sus ganados a José; y José les dio alimentos por caballos, y por el ganado de las ovejas, y por el ganado de las vacas, y por asnos: y los sustentó de pan por todos sus ganados aquel año.

18 Y acabado aquel año, vinieron a él el segundo año, y le dijeron: No encubriremos a nuestro señor que el dinero ciertamente se ha acabado; también el ganado es ya de nuestro señor; nada ha quedado delante de nuestro señor sino nuestros cuerpos y nuestra tierra.

19 ¿Por qué moriremos delante de tus ojos, así nosotros como nuestra tierra? Cómpranos a nosotros y a nuestra tierra por pan, y seremos nosotros y nuestra tierra siervos de Faraón; y danos semilla para que vivamos y no muramos, y no sea asolada la tierra.

20 Entonces compró José toda la tierra de Egipto para Faraón; pues los egipcios vendieron cada uno sus tierras, porque se agravó el hambre sobre ellos: y la tierra vino a ser de Faraón.

21 Y en cuanto al pueblo, lo hizo pasar a las ciudades desde un extremo hasta el otro extremo de los términos de Egipto.

22 Solamente la tierra de los sacerdotes no compró, por cuanto los sacerdotes tenían ración de Faraón, y ellos comían su ración que Faraón les daba; por eso no vendieron su tierra.

23 Y José dijo al pueblo: He aquí hoy os he comprado y a vuestra tierra para Faraón: *he aquí* semilla para vosotros, sembrad la tierra.

24 Y será que de los frutos daréis la quinta *parte* a Faraón, y las cuatro partes serán vuestras para sembrar las tierras, y para vuestro mantenimiento, y de los que están en vuestras casas, y para que coman vuestros niños.

25 Y ellos respondieron: La vida nos has dado: hallemos gracia en ojos de mi señor, y seamos siervos de Faraón.

26 Entonces José lo puso por ley hasta hoy sobre la tierra de Egipto, señalando para Faraón la quinta *parte*; excepto sólo la tierra de los sacerdotes, que no fue de Faraón.

27 Así habitó Israel en la tierra de Egipto, en la tierra de Gosén; y tuvieron posesiones en ella, y crecieron y se multiplicaron en gran manera.

28 Y vivió Jacob en la tierra de Egipto diecisiete años: y fueron los días de Jacob, los años de su vida, ciento cuarenta y siete años.

29 Y llegaron los días de Israel para morir, y llamó a José su hijo, y le dijo: Si he hallado ahora gracia en tus ojos, te ruego que pongas tu mano debajo de mi muslo, y harás conmigo misericordia y verdad; te ruego que no me entierres en Egipto.

30 Mas cuando duerma con mis padres, me llevarás de Egipto y me sepultarás en el sepulcro de ellos. Y él respondió: Yo haré como tú dices.

31 Y él dijo: Júramelo. Y él le juró. Entonces Israel se inclinó sobre la cabecera de la cama.

CAPÍTULO 48

Y sucedió que después de estas cosas, le dijeron a José: He aquí tu padre está enfermo. Y él tomó consigo a sus dos hijos, Manasés y Efraín.

2 Y se le hizo saber a Jacob, diciendo: He aquí tu hijo José viene a ti. Entonces se esforzó Israel, y se sentó sobre la cama;

3 y Jacob dijo a José: El Dios Omnipotente me apareció en Luz en la tierra de Canaán, y me bendijo,

4 y me dijo: He aquí, yo te haré crecer, y te multiplicaré, y te pondré por estirpe de naciones; y daré esta tierra a tu simiente después de ti por heredad perpetua.

5 Y ahora tus dos hijos Efraín y Manasés, que te nacieron en la tierra

de Egipto, antes que viniese a ti a la tierra de Egipto, míos son; como Rubén y Simeón, serán míos.

6 Y los que después de ellos has engendrado, serán tuyos; por el nombre de sus hermanos serán llamados en sus heredades.

7 Porque cuando yo venía de Padan-aram, se me murió Raquel en la tierra de Canaán, en el camino, como media legua de tierra viniendo a Efrata; y la sepulté allí en el camino de Efrata, que es Belén.

8 Y vio Israel los hijos de José, y dijo: ¿Quiénes son éstos?

9 Y respondió José a su padre: Son mis hijos, que Dios me ha dado aquí. Y él dijo: Acércalos ahora a mí, y los bendeciré.

10 Y los ojos de Israel estaban tan agravados de la vejez, que no podía ver. Les hizo, pues, acercarse a él, y él los besó y abrazó.

11 Y dijo Israel a José: No pensaba yo ver tu rostro, y he aquí Dios me ha hecho ver también tu simiente.

12 Entonces José los sacó de entre sus rodillas, y se inclinó a tierra.

13 Y los tomó José a ambos, Efraín a su derecha, a la izquierda de Israel; y a Manasés a su izquierda, a la derecha de Israel; y les acercó a él.

14 Entonces Israel extendió su diestra, y la puso sobre la cabeza de Efraín, que era el menor, y su izquierda sobre la cabeza de Manasés, colocando así sus manos adrede, aunque Manasés era el primogénito.

15 Y bendijo a José, y dijo: El Dios en cuya presencia anduvieron mis padres Abraham e Isaac, el Dios que me mantiene desde que yo soy hasta este día,

16 el Ángel que me liberta de todo mal, bendiga a estos muchachos; y mi nombre sea nombrado en ellos, y el nombre de mis padres Abraham e Isaac, y multiplíquense en gran manera en medio de la tierra.

17 Pero al ver José que su padre ponía la mano derecha sobre la cabeza de Efraín, le causó esto disgusto; y asió la mano de su padre, para mudarla de sobre la cabeza de Efraín a la cabeza de Manasés.

18 Y dijo José a su padre: No así, padre mío, porque éste es el primogénito; pon tu diestra sobre su cabeza.

19 Mas su padre no quiso, y dijo: Lo sé, hijo mío, lo sé: también él vendrá a ser un pueblo, y será también engrandecido; pero su hermano menor será más grande que él, y su simiente será multitud de naciones.

20 Y los bendijo aquel día, diciendo: En ti bendecirá Israel, diciendo: Dios te haga como a Efraín y como a Manasés. Y puso a Efraín delante de Manasés.

21 Y dijo Israel a José: He aquí, yo muero, pero Dios estará con vosotros y os hará volver a la tierra de vuestros padres.

22 Y yo te he dado a ti una parte sobre tus hermanos, la cual tomé yo de mano del amorreo con mi espada y con mi arco.

CAPÍTULO 49

Y llamó Jacob a sus hijos, y dijo: Juntaos, y os declararé lo que os ha de acontecer en los postreros días.

2 Juntaos y oíd, hijos de Jacob; y escuchad a vuestro padre Israel.

3 Rubén, tú *eres* mi primogénito, mi fortaleza, y el principio de mi vigor; principal en dignidad, principal en poder.

4 Inestable como las aguas, no serás el principal; por cuanto subiste al lecho de tu padre; entonces te envileciste, subiendo a mi estrado.

5 Simeón y Leví son hermanos: Instrumentos de crueldad hay en sus habitaciones.

6 En su secreto no entre mi alma, ni mi honra se junte en su compañía; que en su furor mataron varón, y en su voluntad arrancaron muro.

7 Maldito su furor, que *fue* fiero; y su ira, que fue dura: Yo los apartaré en Jacob, y los esparciré en Israel.

8 Judá, te alabarán tus hermanos: Tu mano en la cerviz de tus enemigos: Los hijos de tu padre se inclinarán a ti.

9 Cachorro de león *es* Judá: De la presa subiste, hijo mío: Se encorvó, se echó como león, así como león viejo; ¿quién lo despertará?

10 No será quitado el cetro de Judá, ni el legislador de entre sus pies,

hasta que venga Silo; y a él se congregarán los pueblos.

11 Atando a la vid su pollino, y a la cepa el hijo de su asna, lavó en el vino su vestidura, y en la sangre de uvas su manto:

12 Sus ojos rojos del vino, y los dientes blancos de la leche.

13 Zabulón en puertos de mar habitará, y *será* para puerto de navíos; y su término hasta Sidón.

14 Isacar, asno fuerte echado entre dos tercios:

15 Y vio que el descanso era bueno, y que la tierra era deleitosa; y bajó su hombro para llevar, y sirvió en tributo.

16 Dan juzgará a su pueblo, como una de las tribus de Israel.

17 Será Dan serpiente junto al camino, víbora junto a la senda, que muerde los talones de los caballos, y hace caer hacia atrás al cabalgador de ellos.

18 Tu salvación esperé, oh Jehová.

19 Gad, ejército lo vencerá; mas él vencerá al fin.

20 El pan de Aser será grueso, y él dará deleites al rey.

21 Neftalí, cierva liberada, que dará dichos hermosos.

22 Rama fructífera *es* José, rama fructífera junto a fuente, cuyos vástagos se extienden sobre el muro.

23 Y le causaron amargura, y le asaetearon, y le aborrecieron los arqueros.

24 Mas su arco permaneció fuerte, y los brazos de sus manos fueron fortalecidos por las manos del poderoso *Dios* de Jacob (De allí *es* el Pastor, la Roca de Israel),

25 por el Dios de tu padre, el cual te ayudará, y por el Omnipotente, el cual te bendecirá con bendiciones de los cielos de arriba, con bendiciones del abismo que está abajo, con bendiciones de los pechos y de la matriz.

26 Las bendiciones de tu padre prevalecieron más que las bendiciones de mis progenitores; hasta el término de los collados eternos serán sobre la cabeza de José y sobre la coronilla del que fue apartado de entre sus hermanos.

27 Benjamín, lobo arrebatador; a la mañana comerá la presa, y a la tarde repartirá el despojo.

28 Todos éstos fueron las doce tribus de Israel; y esto fue lo que su padre les dijo, y los bendijo; a cada uno por su bendición los bendijo.

29 Les mandó luego, y les dijo: Yo voy a ser reunido con mi pueblo: sepultadme con mis padres en la cueva que está en el campo de Efrón el heteo;

30 En la cueva que está en el campo de Macpela, que está delante de Mamre en la tierra de Canaán, la cual compró Abraham con el mismo campo de Efrón el heteo, para heredad de sepultura.

31 Allí sepultaron a Abraham y a Sara su esposa; allí sepultaron a Isaac y a Rebeca su esposa; allí también sepulté yo a Lea.

32 La compra del campo y de la cueva que *está* en él, *fue* de los hijos de Het.

33 Y cuando Jacob acabó de dar órdenes a sus hijos, encogió sus pies en la cama, y entregó el espíritu; y fue reunido con su pueblo.

CAPÍTULO 50

Entonces se echó José sobre el rostro de su padre, y lloró sobre él, y lo besó.

2 Y mandó José a sus siervos los médicos que embalsamasen a su padre; y los médicos embalsamaron a Israel.

3 Y le cumplieron cuarenta días, porque así cumplían los días de los embalsamados, y lo lloraron los egipcios setenta días.

4 Y pasados los días de su luto, habló José a los de la casa de Faraón, diciendo: Si he hallado ahora gracia en vuestros ojos, os ruego que habléis en oídos de Faraón, diciendo:

5 Mi padre me hizo jurar diciendo: He aquí yo muero; en mi sepulcro que yo cavé para mí en la tierra de Canaán, allí me sepultarás; ruego, pues, que vaya yo ahora y sepulte a mi padre, y volveré.

6 Y Faraón dijo: Ve, y sepulta a tu padre, como él te hizo jurar.

7 Entonces José subió a sepultar a su padre; y subieron con él todos los siervos de Faraón, los ancianos de su

casa, y todos los ancianos de la tierra de Egipto.

8 Y toda la casa de José, y sus hermanos, y la casa de su padre: solamente dejaron en la tierra de Gosén sus niños, y sus ovejas y sus vacas.

9 Y subieron también con él carros y gente de a caballo, y se hizo un escuadrón muy grande.

10 Y llegaron hasta la era de Atad, que está al otro lado del Jordán, y endecharon allí con grande y muy triste lamentación; y José hizo duelo a su padre por siete días.

11 Y viendo los moradores de la tierra, los cananeos, el llanto en la era de Atad, dijeron: Llanto grande es éste de los egipcios; por eso fue llamado su nombre Abelmizraim, que está al otro lado del Jordán.

12 Hicieron, pues, sus hijos con él, según les había mandado:

13 Pues lo llevaron sus hijos a la tierra de Canaán, y le sepultaron en la cueva del campo de Macpela, la que había comprado Abraham con el mismo campo, para heredad de sepultura, de Efrón el heteo, delante de Mamre.

14 Y volvió José a Egipto, él y sus hermanos, y todos los que subieron con él a sepultar a su padre, después que le hubo sepultado.

15 Y viendo los hermanos de José que su padre era muerto, dijeron: Quizá nos aborrecerá José, y nos dará el pago de todo el mal que le hicimos.

16 Y enviaron a decir a José: Tu padre mandó antes de su muerte, diciendo:

17 Así diréis a José: Te ruego que perdones ahora la maldad de tus hermanos y su pecado, porque mal te trataron; por tanto, ahora te rogamos que perdones la maldad de los siervos del Dios de tu padre. Y José lloró mientras hablaban.

18 Y vinieron también sus hermanos, y se postraron delante de él, y dijeron: Henos aquí por tus siervos.

19 Y les respondió José: No temáis: ¿acaso *estoy* yo en lugar de Dios?

20 Vosotros pensasteis mal contra mí, pero Dios lo encaminó a bien, para hacer lo que vemos hoy, para mantener en vida a mucho pueblo.

21 Ahora, pues, no tengáis miedo; yo os sustentaré a vosotros y a vuestros hijos. Así los consoló, y les habló al corazón.

22 Y habitó José en Egipto, él y la casa de su padre: y vivió José ciento diez años.

23 Y vio José los hijos de Efraín hasta la tercera *generación*: también los hijos de Maquir, hijo de Manasés, fueron criados sobre las rodillas de José.

24 Y José dijo a sus hermanos: Yo moriré; mas Dios ciertamente os visitará, y os hará subir de esta tierra a la tierra que juró a Abraham, a Isaac, y a Jacob.

25 Y José tomó juramento de los hijos de Israel, diciendo: Dios ciertamente os visitará, y haréis llevar de aquí mis huesos.

26 Y murió José de edad de ciento diez años; y lo embalsamaron, y fue puesto en un ataúd en Egipto.

Libro Segundo De Moisés
ÉXODO

CAPÍTULO 1

Éstos *son* los nombres de los hijos de Israel, que entraron en Egipto con Jacob; cada uno entró con su familia.

2 Rubén, Simeón, Leví y Judá;

3 Isacar, Zabulón y Benjamín;

4 Dan y Neftalí, Gad y Aser.

5 Y todas las almas de los que salieron de los lomos de Jacob, fueron setenta. Y José estaba en Egipto.

6 Y murió José, y todos sus hermanos, y toda aquella generación.

7 Y los hijos de Israel fructificaron, y crecieron y se multiplicaron, y fueron aumentados y fortalecidos en extremo; y la tierra se llenó de ellos.

8 Entretanto, se levantó un nuevo rey sobre Egipto, que no conocía a José,

9 y dijo a su pueblo: He aquí, el pueblo de los hijos de Israel es más grande y más fuerte que nosotros;

10 Ahora, pues, seamos sabios para con él, no sea que se multiplique, y acontezca que viniendo guerra, él también se una con nuestros enemigos, y pelee contra nosotros, y se vaya de la tierra.

11 Entonces pusieron sobre ellos comisarios de tributos para que los oprimieran con sus cargas; y edificaron para Faraón las ciudades de abastecimiento, Pitón y Ramesés.

12 Pero cuanto más los oprimían, tanto más se multiplicaban y crecían; así que ellos estaban fastidiados de los hijos de Israel.

13 Y los egipcios hicieron servir a los hijos de Israel con dureza;

14 y amargaron su vida con dura servidumbre, en hacer barro y ladrillo, y en toda labor del campo, y en todo su servicio, al cual los obligaban con rigor.

15 Y habló el rey de Egipto a las parteras de las hebreas, una de las cuales se llamaba Sifra, y otra Fúa, y les dijo:

16 Cuando asistáis a las hebreas en sus partos, y las mirareis sobre sus asientos, si fuere hijo, matadlo; y si fuere hija, entonces viva.

17 Mas las parteras temieron a Dios, y no hicieron como les mandó el rey de Egipto, sino que preservaban la vida a los niños.

18 Y el rey de Egipto hizo llamar a las parteras y les dijo: ¿Por qué habéis hecho esto, que habéis preservado la vida a los niños?

19 Y las parteras respondieron a Faraón: Porque las mujeres hebreas no *son* como las egipcias; porque *son* robustas, y dan a luz antes que la partera venga a ellas.

20 Y Dios hizo bien a las parteras: y el pueblo se multiplicó y se fortaleció en gran manera.

21 Y sucedió que por haber las parteras temido a Dios, Él les hizo casas.

22 Entonces Faraón mandó a todo su pueblo, diciendo: Echad en el río a todo hijo que naciere, y a toda hija preservad la vida.

CAPÍTULO 2

Un varón de la familia de Leví fue, y tomó *por esposa* a una hija de Leví;

2 la cual concibió, y dio a luz un hijo: y viéndole que era hermoso, le tuvo escondido tres meses.

3 Pero no pudiendo ocultarle más tiempo, tomó una arquilla de juncos, y la calafateó con asfalto y betún, y colocó en ella al niño, y lo puso en un carrizal a la orilla del río.

4 Y una hermana suya se paró a lo lejos, para ver lo que le acontecería.

5 Y la hija de Faraón descendió a lavarse al río, y paseándose sus doncellas por la ribera del río, vio ella la arquilla en el carrizal, y envió una criada suya a que la tomase.

6 Y cuando la abrió, vio al niño; y he aquí que el niño lloraba. Y teniendo

compasión de él, dijo: De los niños de los hebreos es éste.

7 Entonces su hermana dijo a la hija de Faraón: ¿Iré a llamarte a una nodriza de las hebreas, para que te críe este niño?

8 Y la hija de Faraón respondió: Ve. Entonces fue la doncella, y llamó a la madre del niño;

9 a la cual dijo la hija de Faraón: Lleva este niño, y críamelo, y yo te lo pagaré. Y la mujer tomó al niño, y lo crió.

10 Y cuando creció el niño, ella lo trajo a la hija de Faraón, la cual lo prohijó, y le puso por nombre Moisés, diciendo: Porque de las aguas lo saqué.

11 Y en aquellos días aconteció que, crecido ya Moisés, salió a sus hermanos, y vio sus cargas: y vio a un egipcio que hería a uno de los hebreos, sus hermanos.

12 Y miró a todas partes, y viendo que no parecía nadie, mató al egipcio, y lo escondió en la arena.

13 Y salió al día siguiente, y viendo a dos hebreos que reñían, dijo al que hacía la injuria: ¿Por qué hieres a tu prójimo?

14 Y él respondió: ¿Quién te ha puesto a ti por príncipe y juez sobre nosotros? ¿Piensas matarme como mataste al egipcio? Entonces Moisés tuvo miedo, y dijo: Ciertamente esta cosa es descubierta.

15 Y cuando Faraón escuchó esto, procuró matar a Moisés; pero Moisés huyó de delante de Faraón, y habitó en la tierra de Madián; y se sentó junto a un pozo.

16 Tenía el sacerdote de Madián siete hijas, las cuales vinieron a sacar *agua*, para llenar las pilas y dar de beber a las ovejas de su padre.

17 Mas los pastores vinieron, y las echaron: Entonces Moisés se levantó y las defendió, y abrevó sus ovejas.

18 Y volviendo ellas a Reuel su padre, les dijo él: ¿Por qué habéis venido hoy tan pronto?

19 Y ellas respondieron: Un varón egipcio nos defendió de mano de los pastores, y también nos sacó *el agua*, y abrevó las ovejas.

20 Y dijo a sus hijas: ¿Y dónde está? ¿Por qué habéis dejado ese hombre? llamadle para que coma pan.

21 Y Moisés acordó en morar con aquel varón; y él dio a Moisés a su hija Séfora.

22 Y ella le dio a luz un hijo, y él le puso por nombre Gersón, porque dijo: Peregrino soy en tierra ajena.

23 Y aconteció que después de muchos días murió el rey de Egipto, y los hijos de Israel gemían a causa de la servidumbre, y clamaron; y subió a Dios el clamor de ellos con motivo de su servidumbre.

24 Y oyó Dios el gemido de ellos, y se acordó de su pacto con Abraham, Isaac y Jacob.

25 Y miró Dios a los hijos de Israel, y los reconoció Dios.

CAPÍTULO 3

Y apacentando Moisés las ovejas de Jetro su suegro, sacerdote de Madián, llevó las ovejas detrás del desierto, y vino a Horeb, monte de Dios.

2 Y le apareció el Ángel de Jehová en una llama de fuego en medio de una zarza: y él miró, y vio que la zarza ardía en fuego, y la zarza no se consumía.

3 Y Moisés dijo: Iré yo ahora, y veré esta grande visión, por qué causa la zarza no se quema.

4 Y viendo Jehová que iba a ver, lo llamó Dios de en medio de la zarza, y dijo: ¡Moisés, Moisés! Y él respondió: Heme aquí.

5 Y dijo: No te acerques; quita las sandalias de tus pies, porque el lugar donde estás, tierra santa es.

6 Y dijo: Yo soy el Dios de tu padre, Dios de Abraham, Dios de Isaac, Dios de Jacob. Entonces Moisés cubrió su rostro, porque tuvo miedo de mirar a Dios.

7 Y dijo Jehová: Bien he visto la aflicción de mi pueblo que está en Egipto, y he oído su clamor a causa de sus exactores; pues conozco sus angustias;

8 y he descendido para librarlos de mano de los egipcios, y sacarlos de aquella tierra a una tierra buena y ancha, a tierra que fluye leche y miel, a los lugares del cananeo, del heteo, del amorreo, del ferezeo, del heveo, y del jebuseo.

9 El clamor, pues, de los hijos de Israel ha venido delante de mí, y también he visto la opresión con que los egipcios los oprimen.

10 Ven, por tanto, ahora, y te enviaré a Faraón, para que saques de Egipto a mi pueblo, los hijos de Israel.

11 Entonces Moisés respondió a Dios: ¿Quién soy yo, para que vaya a Faraón, y saque de Egipto a los hijos de Israel?

12 Y Él le respondió: Ve, porque yo seré contigo; y esto te será por señal de que yo te he enviado: luego que hubieres sacado este pueblo de Egipto, serviréis a Dios sobre este monte.

13 Y dijo Moisés a Dios: He aquí cuando yo llegue a los hijos de Israel, y les diga: El Dios de vuestros padres me ha enviado a vosotros; si ellos me preguntaren: ¿Cuál es su nombre? ¿Qué les responderé?

14 Y respondió Dios a Moisés: YO SOY EL QUE SOY. Y dijo: Así dirás a los hijos de Israel: YO SOY me ha enviado a vosotros.

15 Y además dijo Dios a Moisés: Así dirás a los hijos de Israel: Jehová, el Dios de vuestros padres, el Dios de Abraham, Dios de Isaac y Dios de Jacob, me ha enviado a vosotros. Éste es mi nombre para siempre, éste es mi memorial por todas las generaciones.

16 Ve, y reúne a los ancianos de Israel, y diles: Jehová, el Dios de vuestros padres, el Dios de Abraham, de Isaac, y de Jacob, me apareció, diciendo: De cierto os he visitado, y visto lo que se os hace en Egipto;

17 y he dicho: Yo os sacaré de la aflicción de Egipto a la tierra del cananeo, y del heteo, y del amorreo, y del ferezeo, y del heveo, y del jebuseo, a una tierra que fluye leche y miel.

18 Y oirán tu voz; e irás tú, y los ancianos de Israel, al rey de Egipto, y le diréis: Jehová, el Dios de los hebreos, nos ha encontrado; por tanto, nosotros iremos ahora camino de tres días por el desierto, para que ofrezcamos sacrificios a Jehová nuestro Dios.

19 Y yo sé que el rey de Egipto no os dejará ir sino por mano fuerte.

20 Pero yo extenderé mi mano, y heriré a Egipto con todas mis maravillas que haré en él, y entonces os dejará ir.

21 Y yo daré a este pueblo gracia en los ojos de los egipcios, y sucederá que cuando saliereis, no saldréis con las manos vacías;

22 sino que demandará cada mujer a su vecina y su huéspeda joyas de plata, joyas de oro, y vestiduras, las cuales pondréis sobre vuestros hijos y vuestras hijas, y despojaréis a Egipto.

CAPÍTULO 4

Entonces Moisés respondió y dijo: He aquí que ellos no me creerán, ni oirán mi voz; porque dirán: No te ha aparecido Jehová.

2 Y Jehová dijo: ¿Qué es eso que tienes en tu mano? Y él respondió: Una vara.

3 Y Él le dijo: Échala en tierra. Y él la echó en tierra, y se convirtió en una serpiente; y Moisés huía de ella.

4 Entonces dijo Jehová a Moisés: Extiende tu mano, y tómala por la cola. Y él extendió su mano, y la tomó, y se convirtió en vara en su mano.

5 Por esto creerán que se te ha aparecido Jehová, el Dios de tus padres, el Dios de Abraham, Dios de Isaac, y Dios de Jacob.

6 Y le dijo además Jehová: Mete ahora tu mano en tu seno. Y él metió la mano en su seno; y cuando la sacó, he aquí que su mano estaba leprosa como la nieve.

7 Y dijo: Vuelve a meter tu mano en tu seno; y él volvió a meter su mano en su seno; y volviéndola a sacar del seno, he aquí que se había vuelto como la *otra* carne.

8 Si aconteciere, que no te creyeren, ni obedecieren a la voz de la primera señal, creerán a la voz de la postrera.

9 Y si aún no creyeren a estas dos señales, ni oyeren tu voz, tomarás de las aguas del río, y las derramarás sobre la *tierra* seca; y las aguas que tomarás del río, se volverán sangre sobre la *tierra* seca.

10 Entonces dijo Moisés a Jehová: ¡Ay Señor! yo no soy de palabras

elocuentes, ni de antes, ni aun desde que tú hablas a tu siervo; porque soy tardo en el habla y torpe de lengua.

11 Y Jehová le respondió: ¿Quién dio la boca al hombre? ¿O quién hizo al mudo y al sordo, al que ve y al ciego? ¿No soy yo, Jehová?

12 Ahora pues, ve, que yo seré con tu boca, y te enseñaré lo que has de decir.

13 Y él dijo: ¡Ay Señor! envía por mano del que has de enviar.

14 Entonces Jehová se enojó contra Moisés, y dijo: ¿No es Aarón, el levita, tu hermano? Yo sé que él habla bien. Y además, he aquí que él saldrá a recibirte, y al verte, se alegrará en su corazón.

15 Tú hablarás a él, y pondrás en su boca las palabras, y yo seré con tu boca y con la suya, y os enseñaré lo que habéis de hacer.

16 Y él hablará por ti al pueblo; y él te será a ti en lugar de boca, y tú serás para él en lugar de Dios.

17 Y tomarás esta vara en tu mano, con la cual harás las señales.

18 Así se fue Moisés, y volviendo a su suegro Jetro, le dijo: Iré ahora, y volveré a mis hermanos que *están* en Egipto, para ver si aún viven. Y Jetro dijo a Moisés: Ve en paz.

19 Dijo también Jehová a Moisés en Madián: Ve, y vuélvete a Egipto, porque han muerto todos los que procuraban tu muerte.

20 Entonces Moisés tomó su esposa y sus hijos, y los puso sobre un asno, y se volvió a tierra de Egipto. Tomó también Moisés la vara de Dios en su mano.

21 Y dijo Jehová a Moisés: Cuando hubiereis vuelto a Egipto, mira que hagas delante de Faraón todas las maravillas que he puesto en tu mano: pero yo endureceré su corazón, de modo que no dejará ir al pueblo.

22 Y dirás a Faraón: Así dice Jehová: Israel *es* mi hijo, mi primogénito.

23 Ya te he dicho que dejes ir a mi hijo, para que me sirva, mas no has querido dejarlo ir: he aquí yo voy a matar a tu hijo, tu primogénito.

24 Y aconteció en el camino, que en una posada le salió al encuentro Jehová, y quiso matarlo.

25 Entonces Séfora tomó un afilado pedernal, y cortó el prepucio de su hijo, y lo echó a sus pies, diciendo: A la verdad tú me eres un esposo de sangre.

26 Así le dejó luego ir. Y ella dijo: *Eres* esposo de sangre, a causa de la circuncisión.

27 Y Jehová dijo a Aarón: Ve a recibir a Moisés al desierto. Y él fue, y lo encontró en el monte de Dios, y le besó.

28 Entonces contó Moisés a Aarón todas las palabras de Jehová que le enviaba, y todas las señales que le había dado.

29 Y fueron Moisés y Aarón, y reunieron todos los ancianos de los hijos de Israel:

30 Y habló Aarón todas las palabras que Jehová había dicho a Moisés, e hizo las señales delante de los ojos del pueblo.

31 Y el pueblo creyó: y oyendo que Jehová había visitado los hijos de Israel, y que había visto su aflicción, se inclinaron y adoraron.

CAPÍTULO 5

Después entraron Moisés y Aarón ante Faraón, y le dijeron: Jehová, el Dios de Israel, dice así: Deja ir a mi pueblo a celebrarme fiesta en el desierto.

2 Y Faraón respondió: ¿Quién es Jehová, para que yo oiga su voz y deje ir a Israel? Yo no conozco a Jehová, ni tampoco dejaré ir a Israel.

3 Y ellos dijeron: El Dios de los hebreos nos ha encontrado; iremos, pues, ahora camino de tres días por el desierto, y ofreceremos sacrificios a Jehová nuestro Dios; para que no venga sobre nosotros con pestilencia o con espada.

4 Entonces el rey de Egipto les dijo: Moisés y Aarón, ¿por qué hacéis cesar al pueblo de su obra? Váyanse a vuestros cargos.

5 Dijo también Faraón: He aquí el pueblo de la tierra es ahora mucho, y vosotros les hacéis cesar de sus cargos.

6 Y mandó Faraón aquel mismo día a los cuadrilleros del pueblo que le tenían a su cargo, y a sus gobernadores, diciendo:

7 De aquí en adelante no daréis paja al pueblo para hacer ladrillo, como hasta ahora; vayan ellos y recojan por sí mismos la paja:

8 Y habéis de ponerles la tarea del ladrillo que hacían antes, y no les disminuiréis nada; porque están ociosos, y por eso levantan la voz diciendo: Vamos y ofrezcamos sacrificios a nuestro Dios.

9 Agrávese la servidumbre sobre ellos, para que se ocupen en ella, y no atiendan a palabras de mentira.

10 Y saliendo los cuadrilleros del pueblo y sus gobernadores, hablaron al pueblo, diciendo: Así ha dicho Faraón: Yo no os doy paja.

11 Id vosotros, y recoged paja donde la hallaréis; que nada se disminuirá de vuestra tarea.

12 Entonces el pueblo se esparció por toda la tierra de Egipto para recoger rastrojo en lugar de paja.

13 Y los cuadrilleros los apremiaban, diciendo: Acabad vuestra obra, la tarea del día en su día, como cuando se os daba paja.

14 Y azotaban a los capataces de los hijos de Israel, que los cuadrilleros de Faraón habían puesto sobre ellos, diciendo: ¿Por qué no habéis cumplido vuestra tarea de ladrillo ni ayer ni hoy, como antes?

15 Y los capataces de los hijos de Israel vinieron a Faraón, y se quejaron a él, diciendo: ¿Por qué lo haces así con tus siervos?

16 No se da paja a tus siervos, y con todo nos dicen: Haced el ladrillo. Y he aquí tus siervos son azotados, pero la culpa la tiene tu pueblo.

17 Y él respondió: Estáis ociosos, sí, ociosos, y por eso decís: Vamos y ofrezcamos sacrificios a Jehová.

18 Id, pues, ahora, y trabajad. No se os dará paja, y habéis de entregar la tarea del ladrillo.

19 Entonces los capataces de los hijos de Israel se vieron en aflicción, habiéndoseles dicho: No se disminuirá nada de vuestro ladrillo, de la tarea de cada día.

20 Y encontrando a Moisés y a Aarón, que estaban a la vista de ellos cuando salían de Faraón,

21 les dijeron: Mire Jehová sobre vosotros, y juzgue; pues habéis hecho heder nuestro olor delante de Faraón y de sus siervos, dándoles la espada en las manos para que nos maten.

22 Entonces Moisés se volvió a Jehová, y dijo: Señor, ¿por qué afliges a este pueblo? ¿Para qué me enviaste?

23 Porque desde que yo vine a Faraón para hablarle en tu nombre, ha afligido a este pueblo; y tú tampoco has librado a tu pueblo.

CAPÍTULO 6

Entonces Jehová respondió a Moisés: Ahora verás lo que yo haré a Faraón; porque con mano fuerte los ha de dejar ir; y con mano fuerte los ha de echar de su tierra.

2 Habló todavía Dios a Moisés, y le dijo: Yo soy JEHOVÁ;

3 y aparecí a Abraham, a Isaac y a Jacob por *el nombre de* Dios Omnipotente, pero por mi nombre JEHOVÁ yo no era conocido de ellos.

4 Y también establecí mi pacto con ellos, de darles la tierra de Canaán, la tierra en que fueron extranjeros, y en la cual peregrinaron.

5 Y asimismo yo he oído el gemido de los hijos de Israel, a quienes hacen servir los egipcios, y me he acordado de mi pacto.

6 Por tanto dirás a los hijos de Israel: YO JEHOVÁ; y yo os sacaré de debajo de las cargas de Egipto, y os libraré de su servidumbre, y os redimiré con brazo extendido, y con juicios grandes:

7 Y os tomaré por mi pueblo y seré vuestro Dios: y vosotros sabréis que yo soy Jehová vuestro Dios, que os saco de debajo de las cargas de Egipto:

8 Y os meteré en la tierra, por la cual alcé mi mano que la daría a Abraham, a Isaac y a Jacob: y yo os la daré por heredad. YO JEHOVÁ.

9 De esta manera habló Moisés a los hijos de Israel: mas ellos no escuchaban a Moisés a causa de la congoja de espíritu, y de la dura servidumbre.

10 Y habló Jehová a Moisés, diciendo:

11 Entra, y habla a Faraón rey de Egipto, que deje ir de su tierra a los hijos de Israel.

12 Y respondió Moisés delante de Jehová, diciendo: He aquí, los hijos de Israel no me escuchan: ¿cómo, pues, me escuchará Faraón, siendo yo de labios incircuncisos?

13 Entonces Jehová habló a Moisés y a Aarón, y les dio mandamiento para los hijos de Israel, y para Faraón rey de Egipto, para que sacasen a los hijos de Israel de la tierra de Egipto.

14 Éstas *son* las cabezas de las familias de sus padres. Los hijos de Rubén, el primogénito de Israel: Enoc y Falú, Hezrón y Carmi; éstas *son* las familias de Rubén.

15 Los hijos de Simeón: Jemuel, y Jamín, y Ohad, y Jaquín, y Zohar, y Saúl, hijo de una cananea; éstas *son* las familias de Simeón.

16 Y éstos *son* los nombres de los hijos de Leví por sus linajes: Gersón, y Coat, y Merari: Y los años de la vida de Leví fueron ciento treinta y siete años.

17 Y los hijos de Gersón: Libni, y Simeí, por sus familias.

18 Y los hijos de Coat: Amram, e Izhar, y Hebrón, y Uziel. Y los años de la vida de Coat fueron ciento treinta y tres años.

19 Y los hijos de Merari: Mahali, y Musi; éstas *son* las familias de Leví por sus linajes.

20 Y Amram tomó por esposa a Jocabed su tía, la cual le dio a luz a Aarón y a Moisés. Y los años de la vida de Amram *fueron* ciento treinta y siete años.

21 Y los hijos de Izhar: Coré, y Nefeg y Zicri.

22 Y los hijos de Uziel: Misael, y Elizafán y Zitri.

23 Y tomó Aarón por esposa a Elisabet, hija de Aminadab, hermana de Naasón; la cual le dio a luz a Nadab, Abiú, Eleazar e Itamar.

24 Y los hijos de Coré: Asir, Elcana y Abiasaf; éstas *son* las familias de los coreítas.

25 Y Eleazar, hijo de Aarón, tomó para sí esposa de las hijas de Futiel, la cual le dio a luz a Finees: Y éstas son las cabezas de los padres de los levitas por sus familias.

26 Éste *es* aquel Aarón y aquel Moisés, a los cuales Jehová dijo:

Sacad a los hijos de Israel de la tierra de Egipto por sus escuadrones.

27 Estos *son* los que hablaron a Faraón rey de Egipto, para sacar de Egipto a los hijos de Israel. Moisés y Aarón fueron éstos.

28 Y sucedió en el día *cuando* Jehová habló a Moisés en la tierra de Egipto,

29 que Jehová habló a Moisés, diciendo: Yo soy JEHOVÁ; di a Faraón rey de Egipto todas las cosas que yo te digo a ti.

30 Y Moisés respondió delante de Jehová: He aquí, yo soy de labios incircuncisos, ¿cómo, pues, me ha de oír Faraón?

CAPÍTULO 7

Y Jehová dijo a Moisés: Mira, yo te he constituido dios para Faraón, y tu hermano Aarón será tu profeta.

2 Tú dirás todas las cosas que yo te mande, y Aarón tu hermano hablará a Faraón, para que deje ir de su tierra a los hijos de Israel.

3 Y yo endureceré el corazón de Faraón, y multiplicaré en la tierra de Egipto mis señales y mis maravillas.

4 Y Faraón no os oirá; mas yo pondré mi mano sobre Egipto, y sacaré a mis ejércitos, mi pueblo, los hijos de Israel, de la tierra de Egipto, con grandes juicios.

5 Y sabrán los egipcios que yo soy Jehová, cuando extienda mi mano sobre Egipto, y saque los hijos de Israel de en medio de ellos.

6 E hizo Moisés y Aarón como Jehová les mandó; así lo hicieron.

7 Y era Moisés de edad de ochenta años, y Aarón de edad de ochenta y tres, cuando hablaron a Faraón.

8 Y habló Jehová a Moisés y a Aarón, diciendo:

9 Si Faraón os respondiere diciendo: Mostrad milagro; dirás a Aarón: Toma tu vara, y échala delante de Faraón, para que se torne serpiente.

10 Vinieron, pues, Moisés y Aarón a Faraón, e hicieron como Jehová lo había mandado: y echó Aarón su vara delante de Faraón y de sus siervos, y se convirtió en serpiente.

11 Entonces llamó también Faraón sabios y encantadores; e hicieron también lo mismo los encantadores de Egipto con sus encantamientos;

12 pues echó cada uno su vara, las cuales se volvieron serpientes: mas la vara de Aarón devoró las varas de ellos.

13 Y el corazón de Faraón se endureció, y no los escuchó; como Jehová lo había dicho.

14 Entonces Jehová dijo a Moisés: El corazón de Faraón está endurecido, y no quiere dejar ir al pueblo.

15 Ve por la mañana a Faraón, he aquí que él sale a las aguas; y tú ponte a la orilla del río delante de él, y toma en tu mano la vara que se volvió serpiente;

16 y dile: Jehová el Dios de los hebreos me ha enviado a ti, diciendo: Deja ir a mi pueblo, para que me sirva en el desierto; y he aquí que hasta ahora no has querido oír.

17 Así dice Jehová: En esto conocerás que yo soy Jehová: he aquí, yo golpearé con la vara que tengo en mi mano el agua que está en el río, y se convertirá en sangre.

18 Y los peces que hay en el río morirán, y hederá el río, y los egipcios tendrán asco de beber el agua del río.

19 Y Jehová dijo a Moisés: Di a Aarón: Toma tu vara, y extiende tu mano sobre las aguas de Egipto, sobre sus ríos, sobre sus arroyos y sobre sus estanques, y sobre todos sus depósitos de aguas, para que se conviertan en sangre, y haya sangre por toda la región de Egipto, así en los *vasos* de madera como en los de piedra.

20 Y Moisés y Aarón hicieron como Jehová lo mandó; y alzando la vara golpeó las aguas que había en el río, en presencia de Faraón y de sus siervos; y todas las aguas que *había* en el río se convirtieron en sangre.

21 Asimismo los peces que había en el río murieron; y el río se corrompió, y los egipcios no podían beber de él; y hubo sangre por toda la tierra de Egipto.

22 Y los encantadores de Egipto hicieron lo mismo con sus encantamientos: y el corazón de Faraón se endureció, y no los escuchó; como Jehová lo había dicho.

23 Y tornando Faraón se volvió a su casa, y no puso su corazón tampoco en esto.

24 Y en todo Egipto cavaron pozos alrededor del río *en busca* de agua para beber, porque no podían beber de las aguas del río.

25 Y se cumplieron siete días después que Jehová hirió el río.

CAPÍTULO 8

Entonces Jehová dijo a Moisés: Entra ante Faraón, y dile: Así dice Jehová: Deja ir a mi pueblo para que me sirva.

2 Y si rehúsas dejarlo ir, he aquí yo heriré con ranas todos tus términos.

3 Y el río criará ranas, las cuales subirán, y entrarán en tu casa, y en la cámara de tu cama, y sobre tu cama, y en las casas de tus siervos, y en tu pueblo, y en tus hornos, y en tus artesas:

4 Y las ranas subirán sobre ti, y sobre tu pueblo, y sobre todos tus siervos.

5 Y Jehová dijo a Moisés: Di a Aarón: Extiende tu mano con tu vara sobre los ríos, arroyos, y estanques, para que haga venir ranas sobre la tierra de Egipto.

6 Entonces Aarón extendió su mano sobre las aguas de Egipto, y subieron ranas que cubrieron la tierra de Egipto.

7 Y los encantadores hicieron lo mismo con sus encantamientos, e hicieron venir ranas sobre la tierra de Egipto.

8 Entonces Faraón llamó a Moisés y a Aarón, y les dijo: Orad a Jehová que quite las ranas de mí y de mi pueblo; y dejaré ir al pueblo, para que ofrezcan sacrificios a Jehová.

9 Y dijo Moisés a Faraón: Gloríate sobre mí: ¿cuándo debo orar por ti, y por tus siervos, y por tu pueblo, para que las ranas sean quitadas de ti, y de tus casas, y que solamente se queden en el río?

10 Y él dijo: Mañana. Y Moisés respondió: Se hará conforme a tu palabra, para que conozcas que no hay como Jehová nuestro Dios:

11 Y las ranas se irán de ti, y de tus casas, y de tus siervos, y de tu pueblo, y solamente se quedarán en el río.

12 Entonces salieron Moisés y Aarón de delante del Faraón. Y Moisés clamó a Jehová sobre el asunto de las ranas que había mandado a Faraón.

13 E hizo Jehová conforme a la palabra de Moisés, y murieron las ranas de las casas, de los cortijos y de los campos.

14 Y las juntaron en montones, y apestaban la tierra.

15 Pero viendo Faraón que le habían dado reposo, endureció su corazón, y no los escuchó, como Jehová lo había dicho.

16 Entonces Jehová dijo a Moisés: Di a Aarón: Extiende tu vara, y golpea el polvo de la tierra, para que se vuelva piojos por todo el país de Egipto.

17 Y ellos lo hicieron así; y Aarón extendió su mano con su vara, y golpeó el polvo de la tierra, el cual se volvió piojos, así en los hombres como en las bestias; todo el polvo de la tierra se volvió piojos en todo el país de Egipto.

18 Y los encantadores hicieron así también, para sacar piojos con sus encantamientos; mas no pudieron. Y había piojos así en los hombres como en las bestias.

19 Entonces los encantadores dijeron a Faraón: Dedo de Dios *es* éste. Mas el corazón de Faraón se endureció, y no los escuchó; como Jehová lo había dicho.

20 Y Jehová dijo a Moisés: Levántate de mañana y ponte delante de Faraón, he aquí él sale a las aguas; y dile: Así dice Jehová: Deja ir a mi pueblo, para que me sirva.

21 Porque si no dejares ir a mi pueblo, he aquí yo enviaré sobre ti, y sobre tus siervos, y sobre tu pueblo, y sobre tus casas toda clase de moscas; y las casas de los egipcios se llenarán de toda clase de moscas, y asimismo la tierra donde ellos estuvieren.

22 Y aquel día yo apartaré la tierra de Gosén, en la cual mi pueblo habita, para que ninguna clase de moscas haya en ella; a fin de que sepas que yo soy Jehová en medio de la tierra.

23 Y yo pondré división entre mi pueblo y el tuyo. Mañana será esta señal.

24 Y Jehová lo hizo así; y vino toda clase de moscas molestísimas sobre la casa de Faraón, y sobre las casas de sus siervos y sobre todo el país de Egipto; y la tierra fue corrompida a causa de ellas.

25 Entonces Faraón llamó a Moisés y a Aarón, y les dijo: Andad, ofreced sacrificio a vuestro Dios en la tierra.

26 Y Moisés respondió: No conviene que hagamos así, porque ofreceríamos a Jehová nuestro Dios la abominación de los egipcios. Si sacrificáramos la abominación de los egipcios delante de sus ojos, ¿no nos apedrearían?

27 Camino de tres días iremos por el desierto, y ofreceremos sacrificios a Jehová nuestro Dios, como Él nos dirá.

28 Y dijo Faraón: Yo os dejaré ir para que ofrezcáis sacrificios a Jehová vuestro Dios en el desierto, con tal que no vayáis más lejos: orad por mí.

29 Y respondió Moisés: He aquí, que yo salgo de tu presencia, y rogaré a Jehová que las diversas clases de moscas se vayan mañana de Faraón, de sus siervos y de su pueblo; con tal que Faraón no vuelva a obrar con engaño, no dejando ir al pueblo a ofrecer sacrificio a Jehová.

30 Entonces Moisés salió de delante de Faraón, y oró a Jehová.

31 Y Jehová hizo conforme a la palabra de Moisés; y quitó todas aquellas moscas de Faraón, de sus siervos y de su pueblo, sin que quedara una.

32 Pero Faraón endureció su corazón también esta vez, y no dejó ir al pueblo.

CAPÍTULO 9

Entonces Jehová dijo a Moisés: Entra ante Faraón, y dile: Jehová, el Dios de los hebreos, dice así: Deja ir a mi pueblo, para que me sirvan.

2 Porque si no lo quieres dejar ir, y los detuvieres aún,

3 he aquí la mano de Jehová será sobre tus ganados que *están* en el campo, caballos, asnos, camellos, vacas y ovejas, con pestilencia gravísima:

4 Y Jehová hará separación entre los ganados de Israel y los de Egipto, de modo que nada muera de todo lo de los hijos de Israel.

El sarpullido y la plaga del granizo

5 Y Jehová señaló tiempo, diciendo: Mañana hará Jehová esta cosa en la tierra.

6 Y el día siguiente Jehová hizo aquello, y murió todo el ganado de Egipto; mas del ganado de los hijos de Israel no murió uno.

7 Entonces Faraón envió, y he aquí que del ganado de los hijos de Israel no había muerto uno. Mas el corazón de Faraón se endureció, y no dejó ir al pueblo.

8 Y Jehová dijo a Moisés y a Aarón: Tomad puñados de ceniza de un horno, y la esparcirá Moisés hacia el cielo delante de Faraón;

9 y vendrá a ser polvo sobre toda la tierra de Egipto, el cual originará sarpullido que cause úlceras en los hombres y en las bestias, por todo el país de Egipto.

10 Y tomaron la ceniza del horno, y se pusieron delante de Faraón, y la esparció Moisés hacia el cielo; y vino un sarpullido que causaba úlceras así en los hombres como en las bestias.

11 Y los encantadores no podían estar delante de Moisés a causa del sarpullido, porque hubo sarpullido en los encantadores y en todos los egipcios.

12 Y Jehová endureció el corazón de Faraón, y no los oyó; como Jehová lo había dicho a Moisés.

13 Entonces Jehová dijo a Moisés: Levántate de mañana, y ponte delante de Faraón, y dile: Jehová, el Dios de los hebreos, dice así: Deja ir a mi pueblo, para que me sirva.

14 Porque yo enviaré esta vez todas mis plagas a tu corazón, sobre tus siervos, y sobre tu pueblo, para que entiendas que no hay otro como yo en toda la tierra.

15 Porque ahora yo extenderé mi mano para herirte a ti y a tu pueblo de pestilencia, y serás quitado de la tierra.

16 Y a la verdad yo te he puesto para mostrar en ti mi poder, y para que mi nombre sea contado en toda la tierra.

17 ¿Todavía te ensalzas tú contra mi pueblo, para no dejarlos ir?

18 He aquí que mañana a estas horas yo haré llover granizo muy grave, cual nunca fue en Egipto, desde el día que se fundó hasta ahora.

19 Envía, pues, a recoger tu ganado, y todo lo que tienes en el campo; porque todo hombre o animal que se hallare en el campo, y no fuere recogido a casa, el granizo descenderá sobre él, y morirá.

20 De los siervos de Faraón el que temió la palabra de Jehová, hizo huir sus criados y su ganado a casa:

21 Mas el que no puso en su corazón la palabra de Jehová, dejó sus criados y sus ganados en el campo.

22 Y Jehová dijo a Moisés: Extiende tu mano hacia el cielo, para que venga granizo en toda la tierra de Egipto sobre los hombres, y sobre las bestias, y sobre toda la hierba del campo en el país de Egipto.

23 Y Moisés extendió su vara hacia el cielo, y Jehová hizo tronar y granizar, y el fuego se desparramó por la tierra; y llovió Jehová granizo sobre la tierra de Egipto.

24 Hubo, pues, granizo, y fuego mezclado con el granizo, tan grande, cual nunca hubo en toda la tierra de Egipto desde que fue habitada.

25 Y aquel granizo hirió en toda la tierra de Egipto todo lo que *estaba* en el campo, así hombres como bestias; asimismo hirió el granizo toda la hierba del campo, y desgajó todos los árboles del país.

26 Solamente en la tierra de Gosén, donde los hijos de Israel estaban, no hubo granizo.

27 Entonces Faraón envió a llamar a Moisés y a Aarón, y les dijo: He pecado esta vez: Jehová es justo, y yo y mi pueblo impíos.

28 Orad a Jehová (porque ya basta) para que cesen los grandes truenos y el granizo; y yo os dejaré ir, y no os detendréis más.

29 Y le respondió Moisés: Al salir yo de la ciudad extenderé mis manos a Jehová, y los truenos cesarán, y no habrá más granizo; para que sepas que de Jehová es la tierra.

30 Pero en cuanto a ti y tus siervos, yo sé que todavía no temeréis a Jehová Dios.

31 El lino, pues, y la cebada fueron heridos; porque la cebada estaba ya espigada, y el lino en caña.

32 Mas el trigo y el centeno no fueron heridos; porque eran tardíos.

33 Y Moisés salió de la ciudad, de delante de Faraón, y extendió sus manos a Jehová, y cesaron los truenos y el granizo; y la lluvia no cayó más sobre la tierra.

34 Y viendo Faraón que la lluvia había cesado y el granizo y los truenos, perseveró en pecar, y endureció su corazón, él y sus siervos.

35 Y el corazón de Faraón se endureció, y no dejó ir a los hijos de Israel; como Jehová lo había dicho por medio de Moisés.

CAPÍTULO 10

Y Jehová dijo a Moisés: Entra ante Faraón; porque yo he endurecido su corazón, y el corazón de sus siervos, para dar entre ellos estas mis señales;

2 y para que cuentes a tus hijos y a tus nietos las cosas que yo hice en Egipto, y mis señales que hice entre ellos; y para que sepáis que yo soy Jehová.

3 Entonces Moisés y Aarón vinieron a Faraón, y le dijeron: Jehová, el Dios de los hebreos dice así: ¿Hasta cuándo no querrás humillarte delante de mí? Deja ir a mi pueblo para que me sirvan.

4 Y si aún rehúsas dejarlo ir, he aquí que yo traeré mañana langosta en tus términos,

5 la cual cubrirá la faz de la tierra, de modo que no pueda verse la tierra; y ella comerá lo que quedó salvo, lo que os ha quedado del granizo; comerá asimismo todo árbol que os produce fruto en el campo:

6 Y llenarán tus casas, y las casas de todos tus siervos, y las casas de todos los egipcios, cual nunca vieron tus padres ni tus abuelos, desde que ellos fueron sobre la tierra hasta hoy. Y se volvió, y salió de delante de Faraón.

7 Entonces los siervos de Faraón le dijeron: ¿Hasta cuándo nos ha de ser éste por lazo? Deja ir a estos hombres, para que sirvan a Jehová su Dios; ¿acaso no sabes aún que Egipto está destruido?

8 Y Moisés y Aarón volvieron a ser llamados a Faraón, el cual les dijo: Andad, servid a Jehová vuestro Dios. ¿Quiénes son los que han de ir?

9 Y Moisés respondió: Hemos de ir con nuestros niños y con nuestros viejos, con nuestros hijos y con nuestras hijas: con nuestras ovejas y con nuestras vacas hemos de ir; porque tenemos que celebrar fiesta a Jehová.

10 Y él les dijo: Así sea Jehová con vosotros; ¿cómo yo os dejaré ir a vosotros y a vuestros niños? Mirad cómo la maldad está delante de vuestro rostro.

11 No será así: id ahora vosotros los varones, y servid a Jehová: pues esto es lo que vosotros demandasteis. Y los echaron de delante de Faraón.

12 Entonces Jehová dijo a Moisés: Extiende tu mano sobre la tierra de Egipto para traer langosta, a fin de que suba sobre el país de Egipto, y consuma todo lo que el granizo dejó.

13 Y extendió Moisés su vara sobre la tierra de Egipto, y Jehová trajo un viento oriental sobre el país todo aquel día y toda aquella noche; y a la mañana el viento oriental trajo la langosta.

14 Y subió la langosta sobre toda la tierra de Egipto, y se asentó en todos los términos de Egipto, en gran manera grave; antes de ella no hubo langosta semejante, ni después de ella vendrá otra tal;

15 y cubrió la faz de todo el país, y se oscureció la tierra; y consumió toda la hierba de la tierra, y todo el fruto de los árboles que había dejado el granizo; y no quedó cosa verde en árboles ni en hierba del campo, por toda la tierra de Egipto.

16 Entonces Faraón hizo llamar aprisa a Moisés y a Aarón, y dijo: He pecado contra Jehová vuestro Dios, y contra vosotros.

17 Mas ruego ahora que perdones mi pecado solamente esta vez, y que oréis a Jehová vuestro Dios que quite de mí solamente esta mortandad.

18 Y salió de delante de Faraón, y oró a Jehová.

19 Y Jehová volvió un viento occidental fortísimo, y quitó la langosta, y la arrojó en el Mar Rojo; ni una langosta quedó en todo el término de Egipto.

20 Mas Jehová endureció el corazón de Faraón, y éste no dejó ir a los hijos de Israel.

21 Y Jehová dijo a Moisés: Extiende tu mano hacia el cielo, para que haya tinieblas sobre la tierra de Egipto, tales que cualquiera las palpe.

22 Y extendió Moisés su mano hacia el cielo, y hubo densas tinieblas tres días por toda la tierra de Egipto.

23 Ninguno vio a su prójimo, ni nadie se levantó de su lugar en tres días; mas todos los hijos de Israel tenían luz en sus habitaciones.

24 Entonces Faraón hizo llamar a Moisés, y dijo: Id, servid a Jehová; solamente queden vuestras ovejas y vuestras vacas; vayan también vuestros niños con vosotros.

25 Y Moisés respondió: Tú también nos entregarás sacrificios y holocaustos para que sacrifiquemos para Jehová nuestro Dios.

26 Nuestros ganados irán también con nosotros; no quedará ni una pezuña; porque de ellos hemos de tomar para servir a Jehová nuestro Dios; y no sabemos con qué hemos de servir a Jehová, hasta que lleguemos allá.

27 Mas Jehová endureció el corazón de Faraón, y no quiso dejarlos ir.

28 Y le dijo Faraón: Retírate de mí; guárdate que no veas más mi rostro, porque en cualquier día que vieres mi rostro, morirás.

29 Y Moisés respondió: Bien has dicho; no veré más tu rostro.

CAPÍTULO 11

Y Jehová dijo a Moisés: Una plaga traeré aún sobre Faraón, y sobre Egipto; después de la cual él os dejará ir de aquí; y seguramente os echará de aquí del todo.

2 Habla ahora al pueblo, y que cada uno demande a su vecino, y cada una a su vecina, joyas de plata y de oro.

3 Y Jehová dio gracia al pueblo en los ojos de los egipcios. También Moisés era un gran varón a los ojos de los siervos de Faraón, y a los ojos del pueblo, en la tierra de Egipto.

4 Y dijo Moisés: Así dice Jehová: A la media noche yo saldré por medio de Egipto,

5 y morirá todo primogénito en tierra de Egipto, desde el primogénito de Faraón que se sienta en su trono, hasta el primogénito de la sierva que está tras el molino; y todo primogénito de las bestias.

6 Y habrá gran clamor por toda la tierra de Egipto, cual nunca hubo, ni jamás habrá.

7 Mas entre todos los hijos de Israel, desde el hombre hasta la bestia, ni un perro moverá su lengua: para que sepáis que Jehová hará diferencia entre los egipcios y los israelitas.

8 Y descenderán a mí todos estos tus siervos, e inclinados delante de mí dirán: Sal tú, y todo el pueblo que está bajo de ti; y después de esto yo saldré. Y salió muy enojado de delante de Faraón.

9 Y Jehová dijo a Moisés: Faraón no os oirá, para que mis maravillas se multipliquen en la tierra de Egipto.

10 Y Moisés y Aarón hicieron todos estos prodigios delante de Faraón: mas Jehová había endurecido el corazón de Faraón, y no envió a los hijos de Israel fuera de su país.

CAPÍTULO 12

Y Jehová habló a Moisés y a Aarón en la tierra de Egipto, diciendo:

2 Este mes os será principio de los meses; será para vosotros el primero en los meses del año.

3 Hablad a toda la congregación de Israel, diciendo: En el diez de este mes tómese cada uno un cordero por las familias de sus padres, un cordero por familia.

4 Y si la familia fuere tan pequeña que no baste para comer el cordero, entonces tomará a su vecino inmediato a su casa, y según el número de las personas, cada uno conforme a su comer, echaréis la cuenta sobre el cordero.

5 Vuestro cordero será sin defecto, macho de un año; lo tomaréis de las ovejas o de las cabras.

6 Y habéis de guardarlo hasta el día catorce de este mes; y lo inmolará toda la congregación del pueblo de Israel entre las dos tardes.

7 Y tomarán de la sangre, y pondrán en los dos postes y en el dintel de las casas en que lo han de comer.

8 Y aquella noche comerán la carne asada al fuego, y panes sin levadura: con hierbas amargas lo comerán.

9 Ninguna cosa comeréis de él cruda, ni cocida en agua, sino asada al fuego; su cabeza con sus pies y sus intestinos.

10 Ninguna cosa dejaréis de él hasta la mañana; y lo que habrá quedado hasta la mañana, habéis de quemarlo en el fuego.

11 Y así habéis de comerlo: ceñidos vuestros lomos, vuestro calzado en vuestros pies, y vuestro bordón en vuestra mano; y lo comeréis apresuradamente; es la Pascua de Jehová.

12 Pues yo pasaré aquella noche por la tierra de Egipto, y heriré a todo primogénito en la tierra de Egipto, así en los hombres como en las bestias: y haré juicios en todos los dioses de Egipto. YO JEHOVÁ.

13 Y la sangre os será por señal en las casas donde vosotros *estéis*; y veré la sangre, y pasaré de vosotros, y no habrá en vosotros plaga de mortandad, cuando hiera la tierra de Egipto.

14 Y este día os será en memoria, y habéis de celebrarlo como solemne a Jehová durante vuestras generaciones: por estatuto perpetuo lo celebraréis.

15 Siete días comeréis panes sin levadura; y así el primer día haréis que no haya levadura en vuestras casas: porque cualquiera que comiere leudado desde el primer día hasta el séptimo, aquella alma será cortada de Israel.

16 El primer día *habrá* santa convocación, y asimismo en el séptimo día tendréis una santa convocación: ninguna obra se hará en ellos, excepto solamente que aderecéis lo que cada cual hubiere de comer.

17 Y guardaréis *la fiesta* de los panes sin levadura, porque en este mismo día saqué vuestros ejércitos de la tierra de Egipto: por tanto guardaréis este día en vuestras generaciones por costumbre perpetua.

18 En el *mes* primero, el día catorce del mes por la tarde, comeréis los panes sin levadura, hasta el veintiuno del mes por la tarde.

19 Por siete días no se hallará levadura en vuestras casas, porque cualquiera que comiere leudado, así extranjero como natural del país, aquella alma será cortada de la congregación de Israel.

20 Ninguna cosa leudada comeréis; en todas vuestras habitaciones comeréis panes sin levadura.

21 Y Moisés convocó a todos los ancianos de Israel, y les dijo: Sacad, y tomaos corderos por vuestras familias, y sacrificad la pascua.

22 Y tomad un manojo de hisopo, y mojadle en la sangre que estará en una jofaina, y untad el dintel y los dos postes con la sangre que estará en la jofaina; y ninguno de vosotros salga de las puertas de su casa hasta la mañana.

23 Porque Jehová pasará hiriendo a los egipcios; y cuando vea la sangre en el dintel y en los dos postes, Jehová pasará de largo aquella puerta, y no dejará entrar al heridor en vuestras casas para herir.

24 Y guardaréis esto por estatuto para vosotros y para vuestros hijos para siempre.

25 Y sucederá que cuando hubiereis entrado en la tierra que Jehová os dará, como Él prometió, guardaréis este rito.

26 Y sucederá que cuando os dijeren vuestros hijos: ¿Qué significa este rito vuestro?

27 Vosotros responderéis: Es el sacrificio de la Pascua de Jehová, el cual pasó de largo las casas de los hijos de Israel en Egipto, cuando hirió a los egipcios, y libró nuestras casas. Entonces el pueblo se inclinó y adoró.

28 Y los hijos de Israel se fueron, e hicieron puntualmente así; como Jehová había mandado a Moisés y a Aarón.

29 Y aconteció que a la medianoche Jehová hirió a todo primogénito en la tierra de Egipto, desde el primogénito de Faraón que se sentaba sobre su trono, hasta el primogénito del cautivo que estaba en la cárcel, y todo primogénito de los animales.

30 Y se levantó aquella noche Faraón, él y todos sus siervos y todos los egipcios; y había un gran clamor en Egipto, porque no había casa donde no hubiese muerto.

31 E hizo llamar a Moisés y a Aarón de noche, y les dijo: Salid de en medio de mi pueblo vosotros, y los hijos de Israel; e id, servid a Jehová, como habéis dicho.

32 Tomad también vuestras ovejas y vuestras vacas, como habéis dicho, e idos; y bendecidme también a mí.

33 Y los egipcios apremiaban al pueblo, dándose prisa a echarlos de la tierra; porque decían: Todos somos muertos.

34 Y llevó el pueblo su masa antes que se leudase, sus masas envueltas en sus sábanas sobre sus hombros.

35 E hicieron los hijos de Israel conforme al mandamiento de Moisés, demandando a los egipcios joyas de plata, y joyas de oro, y vestiduras.

36 Y Jehová dio gracia al pueblo delante de los egipcios, y les prestaron; y ellos despojaron a los egipcios.

37 Y partieron los hijos de Israel de Ramesés a Sucot, como seiscientos mil hombres de a pie, sin contar los niños.

38 Y también subió con ellos grande multitud de diversa clase de gentes, ovejas, vacas y muchísimo ganado.

39 Y cocieron tortas sin levadura de la masa que habían sacado de Egipto; porque no había leudado, por cuanto fueron echados de Egipto, y no habían podido detenerse, ni aun prepararse comida.

40 El tiempo que los hijos de Israel habitaron en Egipto, fue cuatrocientos treinta años.

41 Y sucedió que al cabo de los cuatrocientos treinta años, en aquel mismo día, todos los ejércitos de Jehová salieron de la tierra de Egipto.

42 Es noche de guardar para Jehová por haberlos sacado de la tierra de Egipto. Esta noche deben guardarla para Jehová todos los hijos de Israel en sus generaciones.

43 Y Jehová dijo a Moisés y a Aarón: Ésta es la ordenanza de la Pascua: Ningún extraño comerá de ella:

44 Mas todo siervo humano comprado por dinero, comerá de ella después que lo hubieres circuncidado.

45 El extranjero y el asalariado no comerán de ella.

46 En una casa se comerá, y no llevarás de aquella carne fuera de casa, ni quebraréis hueso suyo.

47 Toda la congregación de Israel la guardará.

48 Mas si algún extranjero peregrinare contigo, y quisiere hacer la pascua a Jehová, séale circuncidado todo varón, y entonces se llegará a hacerla, y será como el natural de la tierra; pero ningún incircunciso comerá de ella.

49 La misma ley será para el natural, y para el extranjero que peregrinare entre vosotros.

50 Así lo hicieron todos los hijos de Israel; como Jehová mandó a Moisés y a Aarón, así lo hicieron.

51 Y sucedió que en aquel mismo día sacó Jehová a los hijos de Israel de la tierra de Egipto por sus ejércitos.

CAPÍTULO 13

Y Jehová habló a Moisés, diciendo: 2 Santifícame todo primogénito, cualquiera que abre la matriz entre los hijos de Israel, así de los hombres como de los animales; mío es.

3 Y Moisés dijo al pueblo: Tened memoria de este día, en el cual habéis salido de Egipto, de la casa de servidumbre; pues Jehová os ha sacado de aquí con mano fuerte; por tanto, no comeréis leudado.

4 Vosotros salís hoy en el mes de Abib.

5 Y cuando Jehová te hubiere metido en la tierra del cananeo, y del heteo, y del amorreo, y del heveo, y del jebuseo, la cual juró a tus padres que te daría, tierra que destila leche y miel, harás este servicio en este mes.

6 Siete días comerás pan sin leudar, y el séptimo día será fiesta a Jehová.

7 Por los siete días se comerán los panes sin levadura, y no se verá contigo leudado, ni levadura en todo tu término.

8 Y contarás en aquel día a tu hijo, diciendo: Se hace esto con motivo de

lo que Jehová hizo conmigo cuando me sacó de Egipto.

9 Y te será como una señal sobre tu mano, y como una memoria delante de tus ojos, para que la ley de Jehová esté en tu boca; por cuanto con mano fuerte te sacó Jehová de Egipto.

10 Por tanto, tú guardarás este rito en su tiempo de año en año.

11 Y cuando Jehová te hubiere metido en la tierra del cananeo, como te ha jurado a ti y a tus padres, y cuando te la hubiere dado,

12 apartarás para Jehová todo lo que abriere la matriz y todo primogénito de tus animales; los machos *serán* de Jehová.

13 Mas todo primogénito de asno redimirás con un cordero; y si no lo redimieres, entonces le quebrarás su cerviz. Asimismo redimirás todo humano primogénito de tus hijos.

14 Y cuando mañana te preguntare tu hijo, diciendo: ¿Qué es esto?, le dirás: Jehová nos sacó con mano fuerte de Egipto, de casa de servidumbre;

15 y endureciéndose Faraón en no dejarnos ir, Jehová mató en la tierra de Egipto a todo primogénito, desde el primogénito humano hasta el primogénito de la bestia: y por esta causa yo sacrifico para Jehová todo primogénito macho, y redimo todo primogénito de mis hijos.

16 Y te será como una señal sobre tu mano, y por un memorial delante de tus ojos; ya que Jehová nos sacó de Egipto con mano fuerte.

17 Y sucedió que cuando Faraón dejó ir al pueblo, Dios no los llevó por el camino de la tierra de los filisteos, que estaba cerca; porque dijo Dios: No sea que cuando el pueblo viere la guerra, se arrepienta y se vuelva a Egipto;

18 Mas hizo Dios que el pueblo rodease por el camino del desierto del Mar Rojo. Y subieron los hijos de Israel de Egipto armados.

19 Tomó también consigo Moisés los huesos de José, el cual había hecho jurar a los hijos de Israel, diciendo: Dios ciertamente os visitará, y haréis subir mis huesos de aquí con vosotros.

20 Y salieron de Sucot y acamparon en Etam, a la entrada del desierto.

21 Y Jehová iba delante de ellos de día en una columna de nube, para guiarlos por el camino; y de noche en una columna de fuego para alumbrarles; a fin de que anduviesen de día y de noche.

22 Él nunca quitó de delante del pueblo la columna de nube de día, ni de noche la columna de fuego.

CAPÍTULO 14

Y Jehová habló a Moisés, diciendo: 2 Habla a los hijos de Israel que den la vuelta, y acampen delante de Pihahirot, entre Migdol y el mar hacia Baal-zefón; delante de él acamparéis, junto al mar.

3 Porque Faraón dirá de los hijos de Israel: Encerrados están en la tierra, el desierto los ha encerrado.

4 Y yo endureceré el corazón de Faraón para que los siga; y seré glorificado en Faraón y en todo su ejército; y sabrán los egipcios que yo soy Jehová. Y ellos lo hicieron así.

5 Y fue dado aviso al rey de Egipto que el pueblo huía: y el corazón de Faraón y de sus siervos se volvió contra el pueblo, y dijeron: ¿Cómo hemos hecho esto de haber dejado ir a Israel, para que no nos sirva?

6 Y unció su carro, y tomó consigo a su pueblo.

7 Y tomó seiscientos carros escogidos, y todos los carros de Egipto, y los capitanes sobre ellos.

8 Y Jehová endureció el corazón de Faraón rey de Egipto, y éste siguió a los hijos de Israel; pero los hijos de Israel habían salido con mano poderosa.

9 Siguiéndolos, pues, los egipcios, con toda la caballería y carros de Faraón, su gente de a caballo, y todo su ejército, los alcanzaron acampando junto al mar, al lado de Pihahirot, delante de Baal-zefón.

10 Y cuando Faraón se hubo acercado, los hijos de Israel alzaron sus ojos, y he aquí los egipcios que venían tras ellos; por lo que los hijos de Israel temieron en gran manera, y clamaron a Jehová.

11 Y dijeron a Moisés: ¿No había sepulcros en Egipto, que nos has

sacado para que muramos en el desierto? ¿Por qué has hecho así con nosotros, que nos has sacado de Egipto?

12 ¿No es esto lo que te hablamos en Egipto, diciendo: Déjanos servir a los egipcios? Que mejor nos fuera servir a los egipcios, que morir en el desierto.

13 Y Moisés dijo al pueblo: No temáis; quedaos quietos, y ved la salvación de Jehová, que Él hará hoy con vosotros; porque a los egipcios que hoy habéis visto, ya nunca más los veréis.

14 Jehová peleará por vosotros, y vosotros estaréis quietos.

15 Entonces Jehová dijo a Moisés: ¿Por qué clamas a mí? Di a los hijos de Israel que marchen.

16 Y tú alza tu vara, y extiende tu mano sobre el mar, y divídelo; y entren los hijos de Israel por medio del mar en seco.

17 Y yo, he aquí yo endureceré el corazón de los egipcios, para que los sigan; y yo me glorificaré en Faraón, y en todo su ejército, y en sus carros, y en su caballería.

18 Y sabrán los egipcios que yo soy Jehová, cuando me glorifique en Faraón, en sus carros, y en su gente de a caballo.

19 Y el Ángel de Dios que iba delante del campamento de Israel, se apartó, e iba en pos de ellos; y asimismo la columna de nube que iba delante de ellos, se apartó, y se puso a sus espaldas,

20 e iba entre el campamento de los egipcios y el campamento de Israel; y era nube y tinieblas para aquéllos, y alumbraba a Israel de noche; y en toda aquella noche no se acercaron los unos a los otros.

21 Y extendió Moisés su mano sobre el mar, e hizo Jehová que el mar se retirase por un recio viento oriental toda aquella noche; y cambió el mar en *tierra* seca, y las aguas quedaron divididas.

22 Entonces los hijos de Israel entraron por medio del mar en seco, teniendo las aguas como muro a su derecha y a su izquierda:

23 Y siguiéndolos los egipcios, entraron tras ellos hasta el medio del mar, toda la caballería de Faraón, sus carros, y su gente de a caballo.

24 Y aconteció a la vela de la mañana, que Jehová miró el campamento de los egipcios desde la columna de fuego y nube, y perturbó el campamento de los egipcios.

25 Y les quitó las ruedas de sus carros, y los trastornó gravemente. Entonces los egipcios dijeron: Huyamos de delante de Israel, porque Jehová pelea por ellos contra los egipcios.

26 Y Jehová dijo a Moisés: Extiende tu mano sobre el mar, para que las aguas vuelvan sobre los egipcios, sobre sus carros, y sobre su caballería.

27 Y Moisés extendió su mano sobre el mar, y cuando amanecía, el mar se volvió en su fuerza, y los egipcios dieron contra él; y Jehová derribó a los egipcios en medio del mar.

28 Y volvieron las aguas, y cubrieron los carros y la caballería, y todo el ejército de Faraón que había entrado tras ellos en el mar; no quedó de ellos ni uno.

29 Y los hijos de Israel caminaron por medio del mar en seco, teniendo las aguas por muro a su derecha y a su izquierda.

30 Así salvó Jehová aquel día a Israel de mano de los egipcios; e Israel vio a los egipcios muertos a la orilla del mar.

31 Y vio Israel aquel grande hecho que Jehová ejecutó contra los egipcios; y el pueblo temió a Jehová, y creyeron a Jehová y a Moisés su siervo.

CAPÍTULO 15

Entonces cantó Moisés con los hijos de Israel este cántico a Jehová, diciendo: Cantaré yo a Jehová, porque se ha magnificado grandemente, echando en el mar al caballo y al jinete.

2 Jehová es mi fortaleza, y mi canción, y Él ha sido mi salvación: Éste es mi Dios, y le prepararé morada; Dios de mi padre, le exaltaré.

3 Jehová, varón de guerra; Jehová es su nombre.

4 Echó en el mar los carros de Faraón y su ejército; y sus príncipes

escogidos fueron hundidos en el Mar Rojo.

5 Los abismos los cubrieron; como piedra descendieron a los profundos.

6 Tu diestra, oh Jehová, ha sido magnificada en fortaleza; tu diestra, oh Jehová, ha quebrantado al enemigo.

7 Y con la grandeza de tu poder has derribado a los que se levantaron contra ti: Enviaste tu furor; los consumió como a hojarasca.

8 Al soplo de tu aliento se amontonaron las aguas; se juntaron las corrientes como en un montón; los abismos se cuajaron en medio del mar.

9 El enemigo dijo: Perseguiré, prenderé, repartiré despojos; mi alma se saciará de ellos; sacaré mi espada, los destruirá mi mano.

10 Soplaste con tu viento, los cubrió el mar; se hundieron como plomo en las impetuosas aguas.

11 ¿Quién como tú, Jehová, entre los dioses? ¿Quién como tú, magnífico en santidad, terrible en loores, hacedor de maravillas?

12 Extendiste tu diestra; la tierra los tragó.

13 Condujiste en tu misericordia a este pueblo, al cual salvaste; lo llevaste con tu fortaleza a la habitación de tu santuario.

14 Lo oirán los pueblos, y temblarán; se apoderará dolor de los moradores de Filistea.

15 Entonces los príncipes de Edom se turbarán; temor sobrecogerá a los valientes de Moab: Se abatirán todos los moradores de Canaán.

16 Caiga sobre ellos temblor y espanto; a la grandeza de tu brazo enmudezcan como una piedra; hasta que haya pasado tu pueblo, oh Jehová, hasta que haya pasado este pueblo que tú rescataste.

17 Tú los introducirás y los plantarás en el monte de tu heredad, en el lugar de tu morada, que tú has preparado, oh Jehová; en el santuario del Señor, que han afirmado tus manos.

18 Jehová reinará eternamente y para siempre.

19 Porque Faraón entró cabalgando con sus carros y su gente de a caballo en el mar, y Jehová hizo volver las aguas del mar sobre ellos; mas los hijos de Israel pasaron en seco por medio del mar.

20 Y Miriam la profetisa, hermana de Aarón, tomó un pandero en su mano, y todas las mujeres salieron en pos de ella con panderos y danzas.

21 Y Miriam les respondía: Cantad a Jehová; porque en extremo se ha engrandecido, echando en el mar al caballo, y al que en él subía.

22 E hizo Moisés que partiese Israel del Mar Rojo, y salieron al desierto de Shur; y anduvieron tres días por el desierto sin hallar agua.

23 Y llegaron a Mara, y no pudieron beber las aguas de Mara, porque *eran* amargas; por eso le pusieron el nombre de Mara.

24 Entonces el pueblo murmuró contra Moisés, y dijo: ¿Qué hemos de beber?

25 Y Moisés clamó a Jehová; y Jehová le mostró un árbol, el cual cuando lo metió dentro de las aguas, las aguas se endulzaron. Allí les dio estatutos y ordenanzas, y allí los probó;

26 y dijo: Si oyeres atentamente la voz de Jehová tu Dios, e hicieres lo recto delante de sus ojos, y dieres oído a sus mandamientos, y guardares todos sus estatutos, ninguna enfermedad de las que envié a los egipcios te enviaré a ti; porque yo soy Jehová tu Sanador.

27 Y llegaron a Elim, donde había doce fuentes de aguas, y setenta palmas; y acamparon allí junto a las aguas.

CAPÍTULO 16

Y partiendo de Elim toda la congregación de los hijos de Israel, vino al desierto de Sin, que está entre Elim y Sinaí, a los quince días del mes segundo después que salieron de la tierra de Egipto.

2 Y toda la congregación de los hijos de Israel murmuró contra Moisés y Aarón en el desierto.

3 Y les decían los hijos de Israel: Mejor hubiéramos muerto por mano de Jehová en la tierra de Egipto, cuando nos sentábamos a las ollas de las carnes, cuando comíamos pan hasta saciarnos; pues nos habéis

sacado a este desierto, para matar de hambre a toda esta multitud.

4 Y Jehová dijo a Moisés: He aquí yo os haré llover pan del cielo; y el pueblo saldrá, y recogerá una porción para cada día, para que yo lo pruebe si anda en mi ley, o no.

5 Y sucederá que en el sexto día prepararán lo que han de recoger, que será el doble de lo que solían recoger cada día.

6 Entonces dijo Moisés y Aarón a todos los hijos de Israel: A la tarde sabréis que Jehová os ha sacado de la tierra de Egipto:

7 Y a la mañana veréis la gloria de Jehová; porque Él ha oído vuestras murmuraciones contra Jehová; porque nosotros, ¿qué somos, para que vosotros murmuréis contra nosotros?

8 Y dijo Moisés: Jehová os dará a la tarde carne para comer, y a la mañana pan en abundancia; por cuanto Jehová ha oído vuestras murmuraciones con que habéis murmurado contra Él; y, ¿qué somos nosotros? Vuestras murmuraciones no son contra nosotros, sino contra Jehová.

9 Y dijo Moisés a Aarón: Di a toda la congregación de los hijos de Israel: Acercaos a la presencia de Jehová; que Él ha oído vuestras murmuraciones.

10 Y hablando Aarón a toda la congregación de los hijos de Israel, miraron hacia el desierto, y he aquí la gloria de Jehová, que apareció en la nube.

11 Y Jehová habló a Moisés, diciendo:

12 Yo he oído las murmuraciones de los hijos de Israel; háblales, diciendo: Entre las dos tardes comeréis carne, y por la mañana os saciaréis de pan, y sabréis que yo soy Jehová vuestro Dios.

13 Y venida la tarde subieron codornices que cubrieron el campamento; y a la mañana descendió rocío en derredor del campamento.

14 Y cuando el rocío cesó de descender, he aquí, *había* sobre la faz del desierto una cosa menuda, redonda, menuda como una escarcha sobre la tierra.

15 Y viéndolo los hijos de Israel, se dijeron unos a otros: ¿Qué *es* esto? porque no sabían qué *era*. Entonces Moisés les dijo: Es el pan que Jehová os da para comer.

16 Esto es lo que Jehová ha mandado: Recogeréis de él cada uno según pudiere comer; un gomer por cabeza, *conforme al* número de vuestras personas, tomaréis cada uno para los que *están* en su tienda.

17 Y los hijos de Israel lo hicieron así: y recogieron unos más, otros menos:

18 Y lo medían por gomer, y no sobraba al que había recogido mucho, ni faltaba al que había recogido poco: cada uno recogió conforme a lo que había de comer.

19 Y les dijo Moisés: Ninguno deje nada de ello para mañana.

20 Mas ellos no obedecieron a Moisés, sino que algunos dejaron de ello para otro día, y crió gusanos, y se pudrió; y se enojó contra ellos Moisés.

21 Y lo recogían cada mañana, cada uno según lo que había de comer: y luego que el sol calentaba, se derretía.

22 En el sexto día recogieron doble porción de comida, dos gomeres para cada uno; y todos los príncipes de la congregación vinieron a Moisés, y se lo hicieron saber.

23 Y él les dijo: Esto es lo que ha dicho Jehová: Mañana es el santo sábado, el reposo de Jehová: lo que hubiereis de cocer, cocedlo hoy, y lo que hubiereis de cocinar, cocinadlo; y todo lo que os sobrare, guardadlo para mañana.

24 Y ellos lo guardaron hasta la mañana, según Moisés había mandado, y no se pudrió, ni hubo en él gusano.

25 Y dijo Moisés: Comedlo hoy, porque hoy es sábado de Jehová: hoy no hallaréis en el campo.

26 En los seis días lo recogeréis; mas el séptimo día es sábado, en el cual no se hallará.

27 Y aconteció que algunos del pueblo salieron en el séptimo día a recoger, y no hallaron.

28 Y Jehová dijo a Moisés: ¿Hasta cuándo no querréis guardar mis mandamientos y mis leyes?

29 Mirad que Jehová os dio el sábado, y por eso os da en el sexto día pan para dos días. Quédese cada uno en su lugar; y que nadie salga de su lugar en el séptimo día.

30 Así el pueblo reposó el séptimo día.

31 Y la casa de Israel lo llamó Maná; y era como semilla de cilantro, blanco, y su sabor como de hojuelas con miel.

32 Y dijo Moisés: Esto es lo que Jehová ha mandado: Llenarás un gomer de él para que se guarde para vuestros descendientes, a fin de que vean el pan que yo os di a comer en el desierto, cuando yo os saqué de la tierra de Egipto.

33 Y dijo Moisés a Aarón: Toma un vaso y pon en él un gomer lleno de maná, y ponlo delante de Jehová, para que sea guardado para vuestros descendientes.

34 Y Aarón lo puso delante del Testimonio para guardarlo, como Jehová lo mandó a Moisés.

35 Así comieron los hijos de Israel maná cuarenta años, hasta que entraron en la tierra habitada; maná comieron hasta que llegaron al término de la tierra de Canaán.

36 Y un gomer *es* la décima *parte* del efa.

CAPÍTULO 17

Y toda la congregación de los hijos de Israel partió del desierto de Sin, por sus jornadas, al mandamiento de Jehová, y acamparon en Refidim; y no había agua para que el pueblo bebiese.

2 Y altercó el pueblo con Moisés, y dijeron: Danos agua que bebamos. Y Moisés les dijo: ¿Por qué altercáis conmigo? ¿Por qué tentáis a Jehová?

3 Así que el pueblo tuvo allí sed de agua, y murmuró contra Moisés, y dijo: ¿Por qué nos hiciste subir de Egipto para matarnos de sed a nosotros, y a nuestros hijos y a nuestros ganados?

4 Entonces clamó Moisés a Jehová, diciendo: ¿Qué haré con este pueblo? De aquí a un poco me apedrearán.

5 Y Jehová dijo a Moisés: Pasa delante del pueblo, y toma contigo de los ancianos de Israel; y toma también en tu mano tu vara, con que golpeaste el río, y ve.

6 He aquí que yo estoy delante de ti allí sobre la peña en Horeb; y herirás la peña, y saldrán de ella aguas, y beberá el pueblo. Y Moisés lo hizo así en presencia de los ancianos de Israel.

7 Y llamó el nombre de aquel lugar Masah y Meriba, por la rencilla de los hijos de Israel, y porque tentaron a Jehová, diciendo: ¿Está, pues, Jehová entre nosotros, o no?

8 Y vino Amalec y peleó con Israel en Refidim.

9 Y dijo Moisés a Josué: Escógenos varones, y sal, pelea con Amalec; mañana yo estaré sobre la cumbre del collado, y la vara de Dios en mi mano.

10 E hizo Josué como le dijo Moisés, peleando con Amalec; y Moisés y Aarón y Hur subieron a la cumbre del collado.

11 Y sucedía que cuando alzaba Moisés su mano, Israel prevalecía; mas cuando él bajaba su mano, prevalecía Amalec.

12 Y las manos de Moisés estaban pesadas; por lo que tomaron una piedra, y la pusieron debajo de él, y se sentó sobre ella; y Aarón y Hur sostenían sus manos, uno de un lado y el otro del otro lado; así hubo firmeza en sus manos hasta que se puso el sol.

13 Y Josué deshizo a Amalec y a su pueblo a filo de espada.

14 Y Jehová dijo a Moisés: Escribe esto para memoria en un libro, y di a Josué que del todo tengo de raer la memoria de Amalec de debajo del cielo.

15 Y Moisés edificó un altar, y llamó su nombre Jehová-nisi;

16 y dijo: Por cuanto Jehová lo ha jurado: Jehová tendrá guerra contra Amalec de generación en generación.

CAPÍTULO 18

Y oyó Jetro, sacerdote de Madián, suegro de Moisés, todas las cosas que Dios había hecho con Moisés, y con Israel su pueblo, y cómo Jehová había sacado a Israel de Egipto:

2 Y tomó Jetro, suegro de Moisés a Séfora la esposa de Moisés, después que él la envió,

3 y a sus dos hijos; el uno se llamaba Gersón, porque dijo: Peregrino he sido en tierra ajena;

4 y el otro se llamaba Eliezer, porque *dijo*: El Dios de mi padre me ayudó, y me libró de la espada de Faraón.

5 Y vino Jetro, suegro de Moisés, con los hijos y la esposa de Moisés al desierto, donde *éste* estaba acampado junto al monte de Dios;

6 y dijo a Moisés: Yo tu suegro Jetro vengo a ti, con tu esposa, y sus dos hijos con ella.

7 Y Moisés salió a recibir a su suegro, y se inclinó, y lo besó; y se preguntaron el uno al otro cómo estaban, y vinieron a la tienda.

8 Y Moisés contó a su suegro todas las cosas que Jehová había hecho a Faraón y a los egipcios por amor de Israel, y todos los trabajos que habían pasado en el camino, y cómo los había librado Jehová.

9 Y se alegró Jetro de todo el bien que Jehová había hecho a Israel, que lo había librado de mano de los egipcios.

10 Y Jetro dijo: Bendito sea Jehová, que os libró de mano de los egipcios, y de la mano de Faraón, y que libró al pueblo de la mano de los egipcios.

11 Ahora conozco que Jehová *es más* grande que todos los dioses; pues *aun* en lo que se ensoberbecieron, Él fue sobre ellos.

12 Y tomó Jetro, suegro de Moisés, holocaustos y sacrificios para Dios: y vino Aarón y todos los ancianos de Israel a comer pan con el suegro de Moisés delante de Dios.

13 Y aconteció que otro día se sentó Moisés a juzgar al pueblo; y el pueblo estuvo delante de Moisés desde la mañana hasta la tarde.

14 Y viendo el suegro de Moisés todo lo que él hacía con el pueblo, dijo: ¿Qué es esto que haces tú con el pueblo? ¿Por qué te sientas tú solo, y todo el pueblo está delante de ti desde la mañana hasta la tarde?

15 Y Moisés respondió a su suegro: Porque el pueblo viene a mí para consultar a Dios:

16 Cuando tienen negocios, vienen a mí; y yo juzgo entre el uno y el otro, y declaro las ordenanzas de Dios y sus leyes.

17 Entonces el suegro de Moisés le dijo: No está bien lo que haces.

18 Desfallecerás del todo, tú, y también este pueblo que está contigo; porque el asunto es demasiado pesado para ti; no podrás hacerlo tú solo.

19 Oye ahora mi voz; yo te aconsejaré, y Dios estará contigo. Está tú por el pueblo delante de Dios, y somete tú los asuntos a Dios.

20 Y enseña a ellos las ordenanzas y las leyes, y muéstrales el camino por donde anden, y lo que han de hacer.

21 Además escoge tú de entre todo el pueblo varones de virtud, temerosos de Dios, varones de verdad, que aborrezcan la avaricia; y constituirás a éstos sobre ellos caporales sobre mil, sobre ciento, sobre cincuenta y sobre diez.

22 Los cuales juzgarán al pueblo en todo tiempo; y será que todo asunto grave lo traerán a ti, y ellos juzgarán todo asunto pequeño. Así te será ligera la carga, y ellos la llevarán contigo.

23 Si esto hicieres, y Dios te lo mandare, tú podrás persistir, y todo este pueblo se irá también en paz a su lugar.

24 Y oyó Moisés la voz de su suegro, e hizo todo lo que dijo.

25 Y escogió Moisés varones de virtud de todo Israel, y los puso por cabezas sobre el pueblo, caporales sobre mil, sobre ciento, sobre cincuenta, y sobre diez.

26 Y juzgaban al pueblo en todo tiempo: el asunto difícil lo traían a Moisés, y ellos juzgaban todo asunto pequeño.

27 Y despidió Moisés a su suegro, y éste se fue a su tierra.

CAPÍTULO 19

En el mes tercero de la salida de los hijos de Israel de la tierra de Egipto, en ese mismo día llegaron al desierto de Sinaí.

2 Porque partieron de Refidim, y llegaron al desierto de Sinaí, y acamparon en el desierto; y acampó allí Israel delante del monte.

3 Y Moisés subió a Dios; y Jehová lo llamó desde el monte, diciendo: Así

dirás a la casa de Jacob, y anunciarás a los hijos de Israel:

4 Vosotros visteis lo que hice a los egipcios, y cómo os tomé sobre alas de águilas, y os he traído a mí.

5 Ahora pues, si obedeciereis mi voz, y guardareis mi pacto, vosotros seréis mi especial tesoro sobre todos los pueblos; porque mía es toda la tierra.

6 Y vosotros me seréis un reino de sacerdotes, y nación santa. Éstas *son* las palabras que dirás a los hijos de Israel.

7 Entonces vino Moisés, y llamó a los ancianos del pueblo, y propuso en presencia de ellos todas estas palabras que Jehová le había mandado.

8 Y todo el pueblo respondió a una, y dijeron: Todo lo que Jehová ha dicho haremos. Y Moisés refirió las palabras del pueblo a Jehová.

9 Y Jehová dijo a Moisés: He aquí, yo vengo a ti en una nube espesa, para que el pueblo oiga mientras yo hablo contigo, y también para que te crean para siempre. Y Moisés refirió las palabras del pueblo a Jehová.

10 Y Jehová dijo a Moisés: Ve al pueblo, y santifícalos hoy y mañana, y laven sus vestiduras;

11 y que estén apercibidos para el día tercero, porque al tercer día Jehová descenderá, a ojos de todo el pueblo, sobre el monte de Sinaí.

12 Y señalarás término al pueblo en derredor, diciendo: Guardaos, no subáis al monte, ni toquéis a su término: cualquiera que tocare el monte, de seguro morirá:

13 No le tocará mano, mas será apedreado o asaeteado; sea animal o sea hombre, no vivirá. Cuando suene largamente la trompeta, ellos subirán al monte.

14 Y descendió Moisés del monte al pueblo, y santificó al pueblo; y lavaron sus vestiduras.

15 Y dijo al pueblo: Estad apercibidos para el tercer día; no entréis a *vuestras* esposas.

16 Y aconteció al tercer día cuando vino la mañana, que vinieron truenos y relámpagos, y espesa nube sobre el monte, y sonido de trompeta muy fuerte; y se estremeció todo el pueblo que *estaba* en el campamento.

17 Y Moisés sacó del campamento al pueblo para ir a encontrarse con Dios; y se pusieron al pie del monte.

18 Y todo el monte de Sinaí humeaba, porque Jehová había descendido sobre él en fuego: y el humo de él subía como el humo de un horno, y todo el monte se estremeció en gran manera.

19 Y el sonido de la trompeta iba aumentándose en extremo: Moisés hablaba, y Dios le respondía en voz.

20 Y descendió Jehová sobre el monte de Sinaí, sobre la cumbre del monte: y llamó Jehová a Moisés a la cumbre del monte, y Moisés subió.

21 Y Jehová dijo a Moisés: Desciende, ordena al pueblo que no traspasen el término para ver a Jehová, porque caerá multitud de ellos.

22 Y también los sacerdotes que se acercan a Jehová, se santifiquen, para que Jehová no haga en ellos estrago.

23 Y Moisés dijo a Jehová: El pueblo no podrá subir al monte de Sinaí, porque tú nos has mandado diciendo: Señala términos al monte, y santifícalo.

24 Y Jehová le dijo: Ve, desciende, y subirás tú, y Aarón contigo: mas los sacerdotes y el pueblo no traspasen el término para subir a Jehová, para que no haga en ellos estrago.

25 Entonces Moisés descendió al pueblo y habló con ellos.

CAPÍTULO 20

Y habló Dios todas estas palabras, diciendo:

2 Yo soy JEHOVÁ tu Dios, que te saqué de la tierra de Egipto, de casa de siervos.

3 No tendrás dioses ajenos delante de mí.

4 No te harás imagen, ni ninguna semejanza de cosa que esté arriba en el cielo, ni abajo en la tierra, ni en las aguas debajo de la tierra.

5 No te inclinarás a ellas, ni las honrarás; porque yo, Jehová tu Dios, soy Dios celoso, que visito la maldad de los padres sobre los hijos hasta la tercera y cuarta *generación* de los que me aborrecen,

6 y que hago misericordia a millares de los que me aman y guardan mis mandamientos.

7 No tomarás el nombre de Jehová tu Dios en vano; porque no dará por inocente Jehová al que tomare su nombre en vano.

8 Te acordarás del día sábado, para santificarlo.

9 Seis días trabajarás, y harás toda tu obra;

10 pero el séptimo día *es* el sábado de Jehová tu Dios: no harás *en él* obra alguna, tú, ni tu hijo, ni tu hija, ni tu siervo, ni tu sierva, ni tu ganado, ni tu extranjero que está dentro de tus puertas.

11 Porque *en* seis días hizo Jehová el cielo y la tierra, el mar y todas las cosas que en ellos *hay*, y reposó en el séptimo día; por tanto, Jehová bendijo el día sábado y lo santificó.

12 Honra a tu padre y a tu madre, para que tus días se alarguen en la tierra que Jehová tu Dios te da.

13 No matarás.

14 No cometerás adulterio.

15 No hurtarás.

16 No hablarás falso testimonio contra tu prójimo.

17 No codiciarás la casa de tu prójimo, no codiciarás la esposa de tu prójimo, ni su siervo, ni su criada, ni su buey, ni su asno, ni cosa alguna de tu prójimo.

18 Todo el pueblo percibía los truenos y los relámpagos, y el sonido de la trompeta, y el monte que humeaba. Y viéndolo el pueblo, temblaron, y se pusieron de lejos.

19 Y dijeron a Moisés: Habla tú con nosotros, que nosotros oiremos; mas no hable Dios con nosotros, para que no muramos.

20 Y Moisés respondió al pueblo: No temáis; que para probaros vino Dios, y para que su temor esté en vuestra presencia y no pequéis.

21 Entonces el pueblo se puso de lejos, y Moisés se acercó a la oscuridad en la cual *estaba* Dios.

22 Y Jehová dijo a Moisés: Así dirás a los hijos de Israel: Vosotros habéis visto que he hablado desde el cielo con vosotros.

23 No hagáis dioses de plata junto a mí, ni dioses de oro os haréis.

24 Altar de tierra harás para mí, y sacrificarás sobre él tus holocaustos y tus ofrendas de paz, tus ovejas y tus vacas: en cualquier lugar donde yo hiciere que esté la memoria de mi nombre, vendré a ti, y te bendeciré.

25 Y si me haces un altar de piedras, no las labres de cantería; porque si alzas tu herramienta sobre él, lo profanarás.

26 Y no subirás por gradas a mi altar, para que tu desnudez no se descubra sobre él.

CAPÍTULO 21

Y éstos *son* los decretos que les propondrás.

2 Si comprares siervo hebreo, seis años servirá; mas al séptimo saldrá libre de balde.

3 Si entró solo, solo saldrá; si estaba casado, entonces su esposa saldrá con él.

4 Si su amo le hubiere dado esposa, y ella le hubiere dado a luz hijos o hijas, la esposa y sus hijos serán de su amo, y él saldrá solo.

5 Y si el siervo dijere: Yo amo a mi señor, a mi esposa y a mis hijos, no saldré libre:

6 Entonces su amo lo traerá ante los jueces; y lo traerá a la puerta o al poste; y su amo le horadará la oreja con lezna, y será su siervo para siempre.

7 Y cuando alguno vendiere su hija por sierva, no saldrá ella como suelen salir los siervos.

8 Si no agradare a su señor, por lo cual no la tomó por esposa, le permitirá que sea redimida, y no la podrá vender a pueblo extraño cuando la desechare.

9 Mas si la hubiere desposado con su hijo, hará con ella según la costumbre de las hijas.

10 Si le tomare otra, no disminuirá su alimento, ni su vestido, ni el deber conyugal.

11 Y si ninguna de estas tres cosas hiciere, ella saldrá de gracia sin dinero.

12 El que hiriere a alguno, haciéndole así morir, él morirá.

13 Mas el que no armó asechanzas, sino que Dios lo puso en sus manos, entonces yo te señalaré lugar al cual ha de huir.

14 Además, si alguno se ensoberbeciere contra su prójimo y lo matare

con alevosía, de mi altar lo quitarás para que muera.

15 Y el que hiriere a su padre o a su madre, morirá.

16 Asimismo el que robare una persona, y la vendiere, o se hallare en sus manos, morirá.

17 Igualmente el que maldijere a su padre o a su madre, morirá.

18 Además, si algunos riñeren, y alguno hiriere a su prójimo con piedra o con el puño, y no muriere, pero cayere en cama;

19 si se levantare y anduviere fuera sobre su báculo, entonces el que le hirió será absuelto; solamente le compensará por el tiempo perdido, y hará que le curen.

20 Y si alguno hiriere a su siervo o a su sierva con palo, y muriere bajo de su mano, será castigado;

21 Mas si durare por un día o dos, no será castigado, porque su dinero es.

22 Si algunos riñeren, e hiriesen a mujer embarazada, y ésta abortare, pero sin haber otro daño, será penado conforme a lo que le impusiere el marido de la mujer, y pagará según *determinen* los jueces.

23 Mas si hubiere *algún* otro daño, entonces pagarás vida por vida,

24 ojo por ojo, diente por diente, mano por mano, pie por pie,

25 quemadura por quemadura, herida por herida, golpe por golpe.

26 Y si alguno hiriere el ojo de su siervo, o el ojo de su sierva, y lo dañare, le dará libertad por razón de su ojo.

27 Y si sacare el diente de su siervo, o el diente de su sierva, por su diente le dejará ir libre.

28 Si un buey acorneare hombre o mujer, y a causa de ello muriere, el buey será apedreado, y no se comerá su carne; mas el dueño del buey será absuelto.

29 Pero si el buey ya había acorneado en el pasado, y a su dueño se le había amonestado y no lo había guardado, y matare hombre o mujer, el buey será apedreado, y también su dueño morirá.

30 Si le fuere impuesto rescate, entonces dará por el rescate de su persona cuanto le fuere impuesto.

31 Haya acorneado hijo, o haya acorneado hija, conforme a este juicio se hará con él.

32 Si el buey acorneare siervo o sierva, pagará treinta siclos de plata su señor, y el buey será apedreado.

33 Y si alguno abriere hoyo, o cavare cisterna, y no la cubriere, y cayere allí buey o asno,

34 el dueño de la cisterna pagará el dinero, resarciendo a su dueño, y lo que fue muerto será suyo.

35 Y si el buey de alguno hiriere al buey de su prójimo, y éste muriere, entonces venderán el buey vivo, y partirán el dinero de él, y también partirán el muerto.

36 Mas si era notorio que el buey era acorneador en tiempo pasado, y su dueño no lo había guardado, pagará buey por buey, y el muerto será suyo.

CAPÍTULO 22

Cuando alguno hurtare buey u oveja, y le degollare o vendiere, por aquel buey pagará cinco bueyes, y por aquella oveja, cuatro ovejas.

2 Si el ladrón fuere hallado forzando una casa, y fuere herido y muriere, el que le hirió no será culpado de su muerte.

3 Y si el sol ya había salido sobre él; el matador será reo de homicidio. El ladrón hará completa restitución; si no tuviere con qué, será vendido por su hurto.

4 Si fuere hallado con el hurto en la mano, sea buey o asno u oveja vivos, pagará el doble.

5 Si alguno hiciere pacer campo o viña, y metiere su bestia, y comiere la tierra de otro, de lo mejor de su tierra y de lo mejor de su viña, pagará restitución.

6 Cuando un fuego se extendiere y tomare espinas, y quemare gavillas amontonadas, o en pie, o campo, el que encendió el fuego pagará lo quemado.

7 Cuando alguno diere a su prójimo plata o alhajas a guardar, y fuere hurtado de la casa de aquel hombre, si el ladrón se hallare, pagará el doble.

8 Si el ladrón no se hallare, entonces el dueño de la casa será presentado a los jueces, para ver si ha metido su mano en los bienes de su prójimo.

9 Sobre todo asunto de fraude, sobre buey, sobre asno, sobre oveja, sobre vestido o sobre cualquier cosa perdida, cuando uno dijere: Esto es mío, la causa de ambos será traída ante los jueces; y aquel a quien los jueces condenaren, pagará el doble a su prójimo.

10 Si alguno hubiere dado a su prójimo asno, o buey, u oveja, o cualquier otro animal a guardar, y se muriere o se perniquebrare, o fuere llevado sin verlo nadie;

11 Juramento de Jehová tendrá lugar entre ambos de que no echó su mano a los bienes de su prójimo; y su dueño lo aceptará, y el otro no pagará.

12 Mas si le hubiere sido hurtado, resarcirá a su dueño.

13 Y si le hubiere sido arrebatado por fiera, le traerá testimonio, y no pagará lo arrebatado.

14 Pero si alguno hubiere tomado prestada bestia de su prójimo, y fuere estropeada o muerta, ausente su dueño, deberá pagarla.

15 Si el dueño estaba presente, no la pagará. Si era alquilada, él vendrá por su alquiler.

16 Y si alguno engañare a alguna doncella que no fuere desposada, y se acostare con ella, deberá dotarla y tomarla por esposa.

17 Si su padre no quisiere dársela, él le pesará plata conforme a la dote de las vírgenes.

18 A la hechicera no dejarás que viva.

19 Cualquiera que tuviere ayuntamiento con bestia, morirá.

20 El que sacrificare a dioses, excepto a sólo Jehová, será muerto.

21 Y al extranjero no engañarás, ni angustiarás, porque extranjeros fuisteis vosotros en la tierra de Egipto.

22 A ninguna viuda ni huérfano afligiréis.

23 Que si tú llegas a afligirles, y ellos clamaren a mí, ciertamente oiré yo su clamor;

24 Y mi furor se encenderá y os mataré a espada, y vuestras esposas quedarán viudas, y huérfanos vuestros hijos.

25 Si prestares dinero a algún pobre de los de mi pueblo que está contigo, no serás usurero para con él; no le impondrás usura.

26 Si tomares en prenda la vestidura de tu prójimo, a la puesta del sol se la devolverás:

27 Porque sólo aquella es su cubierta, es la vestidura para cubrir su piel. ¿En qué dormirá? Y será que cuando él a mí clamare, yo entonces le oiré, porque soy misericordioso.

28 A los jueces no injuriarás, ni maldecirás al príncipe de tu pueblo.

29 No demorarás *en dar* la primicia de tu cosecha, ni de tu lagar. Me darás el primogénito de tus hijos.

30 Así harás con el de tu buey y de tu oveja; siete días estará con su madre, y al octavo día me lo darás.

31 Y habéis de serme varones santos: y no comeréis carne arrebatada de las fieras en el campo; a los perros la echaréis.

CAPÍTULO 23

No admitirás falso rumor. No te concertarás con el impío para ser testigo falso.

2 No seguirás a los muchos para mal hacer; ni responderás en litigio inclinándote a los más para hacer agravios;

3 ni al pobre distinguirás en su causa.

4 Si encontrares el buey de tu enemigo o su asno extraviado, vuelve a llevárselo.

5 Si vieres el asno del que te aborrece caído debajo de su carga, ¿le dejarás entonces desamparado? Sin falta le ayudarás a levantarlo.

6 No pervertirás el derecho de tu mendigo en su pleito.

7 De palabra de mentira te alejarás, y no matarás al inocente y justo; porque yo no justificaré al impío.

8 No recibirás presente; porque el presente ciega a los que ven, y pervierte las palabras del justo.

9 Y no angustiarás al extranjero: pues vosotros sabéis cómo se halla el alma del extranjero, ya que extranjeros fuisteis en la tierra de Egipto.

10 Seis años sembrarás tu tierra, y recogerás su cosecha:

11 Mas el séptimo la dejarás en reposo y libre, para que coman los pobres de tu pueblo; y de lo que quedare comerán las bestias del campo. Lo mismo harás con tu viña y con tu olivar.

12 Seis días harás tus trabajos, y al séptimo día reposarás, a fin que descanse tu buey y tu asno, y tome refrigerio el hijo de tu sierva, y el extranjero.

13 Y en todo lo que os he dicho seréis circunspectos. Y el nombre de otros dioses no mencionaréis, ni se oirá de vuestra boca.

14 Tres veces en el año me celebraréis fiesta.

15 La fiesta de los panes sin levadura guardarás: Siete días comerás los panes sin levadura, como yo te mandé, en el tiempo del mes de Abib; porque en él saliste de Egipto: y ninguno se presentará delante de mí con las manos vacías.

16 También la fiesta de la siega, los primeros frutos de tus labores que hubieres sembrado en el campo; y la fiesta de la cosecha a la salida del año, cuando hayas recogido tus labores del campo.

17 Tres veces en el año se presentarán todos tus varones delante del Señor Jehová.

18 No ofrecerás con pan leudo la sangre de mi sacrificio, ni la grosura de mi sacrificio quedará de la noche hasta la mañana.

19 Las primicias de los primeros frutos de tu tierra traerás a la casa de Jehová tu Dios. No guisarás el cabrito con la leche de su madre.

20 He aquí yo envío el Ángel delante de ti para que te guarde en el camino, y te introduzca en el lugar que yo he preparado.

21 Guárdate delante de Él, y oye su voz; no le seas rebelde; porque Él no perdonará vuestra rebelión; porque mi nombre está en Él.

22 Pero si en verdad oyeres su voz, e hicieres todo lo que yo te dijere, seré enemigo a tus enemigos, y afligiré a los que te afligieren.

23 Porque mi Ángel irá delante de ti, y te introducirá al amorreo, y al heteo, y al ferezeo, y al cananeo, y al heveo, y al jebuseo, a los cuales yo destruiré.

24 No te inclinarás a sus dioses, ni los servirás, ni harás como ellos hacen; antes los destruirás del todo, y quebrarás enteramente sus estatuas.

25 Mas a Jehová vuestro Dios serviréis, y Él bendecirá tu pan y tus aguas; y yo quitaré toda enfermedad de en medio de ti.

26 No habrá mujer que aborte, ni estéril en tu tierra; y yo cumpliré el número de tus días.

27 Yo enviaré mi terror delante de ti, y consternaré a todo pueblo donde tú entrares, y te daré la cerviz de todos tus enemigos.

28 Yo enviaré la avispa delante de ti, que eche fuera al heveo, y al cananeo, y al heteo, de delante de ti:

29 No los echaré de delante de ti en un año, para que no quede la tierra desierta, y se aumenten contra ti las bestias del campo.

30 Poco a poco los echaré de delante de ti, hasta que te multipliques y tomes la tierra por heredad.

31 Y yo fijaré tu término desde el Mar Rojo hasta el mar de los filisteos, y desde el desierto hasta el río: porque pondré en vuestras manos los moradores de la tierra, y tú los echarás de delante de ti.

32 No harás alianza con ellos, ni con sus dioses.

33 En tu tierra no habitarán, no sea que te hagan pecar contra mí sirviendo a sus dioses: porque te será de tropiezo.

CAPÍTULO 24

Y dijo a Moisés: Sube ante Jehová, tú, y Aarón, Nadab, y Abiú, y setenta de los ancianos de Israel; y os inclinaréis desde lejos.

2 Mas Moisés solo se acercará a Jehová; y ellos no se acerquen, ni suba con él el pueblo.

3 Y Moisés vino y contó al pueblo todas las palabras de Jehová, y todos los derechos: y todo el pueblo respondió a una voz, y dijeron: Ejecutaremos todas las palabras que Jehová ha dicho.

4 Y Moisés escribió todas las palabras de Jehová, y levantándose de mañana edificó un altar al pie del monte, y doce columnas, según las doce tribus de Israel.

5 Y envió a unos jóvenes de los hijos de Israel, los cuales ofrecieron holocaustos y becerros como sacrificios de paz a Jehová.

6 Y Moisés tomó la mitad de la sangre, y la puso en tazones, y esparció la otra mitad de la sangre sobre el altar.

7 Y tomó el libro de la alianza, y leyó a oídos del pueblo, el cual dijo: Haremos todas las cosas que Jehová ha dicho, y obedeceremos.

8 Entonces Moisés tomó la sangre, y roció sobre el pueblo, y dijo: He aquí la sangre del pacto que Jehová ha hecho con vosotros sobre todas estas cosas.

9 Y subieron Moisés y Aarón, Nadab y Abiú, y setenta de los ancianos de Israel;

10 Y vieron al Dios de Israel; y había debajo de sus pies como un embaldosado de zafiro, semejante al cielo cuando está sereno.

11 Mas no extendió su mano sobre los príncipes de los hijos de Israel: y vieron a Dios, y comieron y bebieron.

12 Entonces Jehová dijo a Moisés: Sube a mí al monte, y espera allá, y te daré tablas de piedra, y la ley, y mandamientos que he escrito para enseñarlos.

13 Y se levantó Moisés, y Josué su ministro; y Moisés subió al monte de Dios.

14 Y dijo a los ancianos: Esperadnos aquí hasta que volvamos a vosotros: y he aquí Aarón y Hur están con vosotros: el que tuviere asuntos, venga a ellos.

15 Entonces Moisés subió al monte, y una nube cubrió el monte.

16 Y la gloria de Jehová reposó sobre el monte Sinaí, y la nube lo cubrió por seis días: y al séptimo día llamó a Moisés de en medio de la nube.

17 Y el parecer de la gloria de Jehová *era* como un fuego abrasador en la cumbre del monte, a los ojos de los hijos de Israel.

18 Y entró Moisés en medio de la nube, y subió al monte: y estuvo Moisés en el monte cuarenta días y cuarenta noches.

CAPÍTULO 25

Y Jehová habló a Moisés, diciendo: 2 Di a los hijos de Israel que tomen para mí ofrenda: de todo varón que la diere de su voluntad, de corazón, tomaréis mi ofrenda.

3 Y ésta *es* la ofrenda que tomaréis de ellos: Oro, plata, bronce,

4 azul, púrpura, carmesí, lino fino, *pelo* de cabras,

5 pieles de carneros teñidos de rojo, pieles de tejones y madera de acacia;

6 aceite para la luminaria, especias para el aceite de la unción, y para el incienso aromático;

7 piedras de ónice, y piedras de engastes para el efod y para el pectoral.

8 Y que me hagan un santuario, para que yo habite entre ellos.

9 Conforme a todo lo que yo te muestre, el diseño del tabernáculo, y el diseño de todos sus utensilios, así lo haréis.

10 Harán también un arca de madera de acacia, cuya longitud *será* de dos codos y medio, y su anchura de codo y medio, y su altura de codo y medio.

11 Y la cubrirás de oro puro; por dentro y por fuera la cubrirás; y harás sobre ella una cornisa de oro alrededor.

12 Y fundirás para ella cuatro anillos de oro, que pondrás a sus cuatro esquinas; dos anillos a un lado de ella, y dos anillos al otro lado.

13 Y harás unas varas de madera de acacia, las cuales cubrirás de oro.

14 Y meterás las varas por los anillos a los lados del arca, para llevar el arca con ellas.

15 Las varas se estarán en los anillos del arca: no se quitarán de ella.

16 Y pondrás en el arca el testimonio que yo te daré.

17 Y harás un propiciatorio de oro fino, cuya longitud *será* de dos codos y medio, y su anchura de codo y medio.

18 Harás también dos querubines de oro, labrados a martillo los harás, en los dos extremos del propiciatorio.

19 Harás, pues, un querubín en un extremo, y un querubín en el otro extremo; de una pieza con el propiciatorio harás los querubines en sus dos extremos.

20 Y los querubines extenderán por encima las alas, cubriendo con sus alas el propiciatorio: sus rostros uno enfrente del otro, mirando al propiciatorio los rostros de los querubines.

21 Y pondrás el propiciatorio sobre del arca, y en el arca pondrás el testimonio que yo te daré.

22 Y de allí me encontraré contigo, y hablaré contigo de sobre el propiciatorio, de entre los dos querubines que están sobre el arca del testimonio, todo lo que yo te mandare para los hijos de Israel.

23 Harás también una mesa de madera de acacia: su longitud *será* de dos codos, y de un codo su anchura, y su altura de codo y medio.

24 Y la cubrirás de oro puro, y le harás una cornisa de oro alrededor.

25 Le harás también una moldura alrededor, de un palmo de ancho, y harás a la moldura una cornisa de oro alrededor.

26 Y le harás cuatro anillos de oro, los cuales pondrás a las cuatro esquinas que corresponden a sus cuatro patas.

27 Los anillos estarán junto a la moldura, para lugares de las varas, para llevar la mesa.

28 Y harás las varas de madera de acacia, y las cubrirás de oro, y con ellas será llevada la mesa.

29 Harás también sus platos, y sus cucharas, y sus cubiertas, y sus tazones, con que se libará: de oro fino los harás.

30 Y pondrás sobre la mesa el pan de la proposición delante de mí continuamente.

31 Harás además un candelero de oro puro; labrado a martillo se hará el candelero: su pie, y su caña, sus copas, sus manzanas, y sus flores, serán de lo mismo:

32 Y saldrán seis brazos de sus lados: tres brazos del candelero a un lado, y tres brazos del candelero al otro lado:

33 Tres copas en forma de flor de almendro en un brazo, una manzana y una flor; y tres copas, figura de flor de almendro en otro brazo, una manzana y una flor: así pues, en los seis brazos que salen del candelero:

34 Y en el candelero cuatro copas en forma de flor de almendro, sus manzanas y sus flores.

35 Habrá una manzana debajo de los dos brazos del mismo, otra manzana debajo de los otros dos brazos del mismo, y otra manzana debajo de los otros dos brazos del mismo, en conformidad a los seis brazos que salen del candelero.

36 Sus manzanas y sus brazos serán del mismo, todo ello una pieza labrada a martillo, de oro puro.

37 Y les harás siete candilejas, las cuales encenderás para que alumbren a la parte de su delantera:

38 También sus despabiladeras y sus platillos, de oro puro.

39 De un talento de oro fino lo harás, con todos estos vasos.

40 Y mira, y hazlos conforme a su modelo, que te ha sido mostrado en el monte.

CAPÍTULO 26

Y harás el tabernáculo de diez cortinas de lino torcido, azul, púrpura, y carmesí: y harás querubines de obra de arte.

2 La longitud de una cortina *será* de veintiocho codos, y la anchura de la misma cortina de cuatro codos: todas las cortinas tendrán una medida.

3 Cinco cortinas estarán juntas la una con la otra, y cinco cortinas unidas la una con la otra.

4 Y harás lazadas de azul en la orilla de la una cortina, en el borde, en la unión: y así harás en la orilla de la postrera cortina en la segunda unión.

5 Cincuenta lazadas harás en una cortina, y cincuenta lazadas harás en el borde de la cortina que está en la segunda unión: las lazadas estarán contrapuestas la una a la otra.

6 Harás también cincuenta corchetes de oro, con los cuales juntarás las cortinas la una con la otra, y se formará un tabernáculo.

7 Y harás cortinas *de pelo* de cabras para una cubierta sobre el tabernáculo; once cortinas harás.

8 La longitud de una cortina *será* de treinta codos, y la anchura de la misma cortina de cuatro codos: una medida tendrán las once cortinas.

9 Y juntarás cinco cortinas aparte y seis cortinas aparte; y doblarás la sexta cortina en el frente del tabernáculo.

10 Y harás cincuenta lazadas en la orilla de una cortina, al borde de la

unión, y cincuenta lazadas en la orilla de la segunda cortina en la otra juntura.

11 Y harás cincuenta corchetes de bronce, los cuales meterás por las lazadas; y juntarás la tienda, para que se haga una sola cubierta.

12 Y el sobrante que resulta en las cortinas de la tienda, la mitad de la cortina que sobra, colgará a las espaldas del tabernáculo.

13 Y un codo de un lado, y otro codo del otro lado, que sobran en la longitud de las cortinas de la tienda, colgará sobre los lados del tabernáculo a un lado y al otro lado, para cubrirlo.

14 Y harás a la tienda una cubierta de pieles de carneros, teñidos de rojo, y una cubierta de pieles de tejones encima.

15 Y harás para el tabernáculo tablas de madera de acacia, que estén derechas.

16 La longitud de cada tabla *será* de diez codos, y de codo y medio la anchura de cada tabla.

17 Dos espigas tendrá cada tabla, para unirlas una con otra; así harás todas las tablas del tabernáculo.

18 Harás, pues, las tablas del tabernáculo: veinte tablas al lado del mediodía, al sur.

19 Y harás cuarenta bases de plata debajo de las veinte tablas; dos bases debajo de una tabla para sus dos espigas, y dos bases debajo de la otra tabla para sus dos espigas.

20 Y al otro lado del tabernáculo, al lado del norte, veinte tablas;

21 y sus cuarenta bases de plata: dos bases debajo de una tabla, y dos bases debajo de la otra tabla.

22 Y para el lado del tabernáculo, al occidente, harás seis tablas.

23 Y harás dos tablas para las esquinas del tabernáculo en los dos ángulos posteriores;

24 las cuales se unirán por abajo, y asimismo se juntarán por su alto a un gozne: así será de las otras dos que estarán a las dos esquinas.

25 De manera que serán ocho tablas, con sus bases de plata, dieciséis bases; dos bases debajo de una tabla, y dos bases debajo de la otra tabla.

26 Harás también cinco vigas de madera de acacia, para las tablas de un lado del tabernáculo,

27 y cinco vigas para las tablas del otro lado del tabernáculo, y cinco vigas para las tablas del otro lado del tabernáculo, que está al occidente.

28 Y la viga del medio pasará por medio de las tablas, de un extremo al otro.

29 Y cubrirás las tablas de oro, y harás sus anillos de oro para meter por ellos las vigas: también cubrirás las vigas de oro.

30 Y levantarás el tabernáculo conforme al modelo que te fue mostrado en el monte.

31 Y harás también un velo de azul, y púrpura, y carmesí, y de lino torcido: será hecho de obra de arte, con querubines:

32 Y has de ponerlo sobre cuatro columnas de madera de acacia cubiertas de oro; sus capiteles de oro, sobre bases de plata.

33 Y pondrás el velo debajo de los corchetes, y meterás allí, del velo adentro, el arca del testimonio; y aquel velo os hará separación entre el lugar santo y el *lugar* santísimo.

34 Y pondrás el propiciatorio sobre el arca del testimonio en el *lugar* santísimo.

35 Y pondrás la mesa fuera del velo, y el candelero enfrente de la mesa al lado sur del tabernáculo; y pondrás la mesa al lado del norte.

36 Y harás a la puerta del tabernáculo una cortina de azul, y púrpura, y carmesí, y lino torcido, obra de bordador.

37 Y harás para la cortina cinco columnas *de madera* de acacia, las cuales cubrirás de oro, con sus capiteles de oro: y les harás cinco bases de bronce fundido.

CAPÍTULO 27

Harás también un altar de madera de acacia de cinco codos de longitud, y de cinco codos de anchura: será cuadrado el altar, y su altura de tres codos.

2 Y harás sus cuernos a sus cuatro esquinas; los cuernos serán de lo mismo; y lo cubrirás de bronce.

3 Harás también sus calderas para

echar su ceniza; y sus paletas, y sus tazones, y sus garfios, y sus braseros: harás todos sus vasos de bronce.

4 Y le harás un enrejado de bronce de obra de malla; y sobre el enrejado harás cuatro anillos de bronce a sus cuatro esquinas.

5 Y lo has de poner dentro del cerco del altar abajo; y llegará el enrejado hasta el medio del altar.

6 Harás también varas para el altar, varas de madera de acacia, las cuales cubrirás de bronce.

7 Y sus varas se meterán por los anillos: y estarán aquellas varas a ambos lados del altar, para ser llevado.

8 De tablas lo harás, hueco: de la manera que se fue mostrado en el monte, así lo harás.

9 Y harás el atrio del tabernáculo; para el lado del mediodía, hacia el sur; tendrá el atrio cortinas de lino torcido, de cien codos de longitud para un lado;

10 y sus veinte columnas, y sus veinte bases *serán* de bronce; los capiteles de las columnas y sus molduras, de plata.

11 Y de la misma manera al lado del norte habrá a lo largo cortinas de cien codos de longitud, y sus veinte columnas, con sus veinte bases de bronce; los capiteles de sus columnas y sus molduras, de plata.

12 Y el ancho del atrio del lado occidental tendrá cortinas de cincuenta codos; sus columnas diez, con sus diez bases.

13 Y en el ancho del atrio por el lado del oriente, al este, habrá cincuenta codos.

14 Y las cortinas de un lado *de la entrada serán* de quince codos; sus columnas tres, con sus tres bases.

15 Al otro lado quince codos de cortinas; sus columnas tres, con sus tres bases.

16 Y a la puerta del atrio habrá una cortina de veinte codos, de azul, púrpura y carmesí, y lino torcido, de obra de bordador; cuatro *serán* sus columnas y cuatro sus bases.

17 Todas las columnas del atrio en derredor serán ceñidas de plata; sus capiteles de plata, y sus bases de bronce.

18 La longitud del atrio será de cien codos, y la anchura cincuenta por un lado y cincuenta por el otro, y la altura de cinco codos: sus cortinas de lino torcido, y sus bases de bronce.

19 Todos los vasos del tabernáculo en todo su servicio, y todos sus clavos, y todos los clavos del atrio, *serán* de bronce.

20 Y tú mandarás a los hijos de Israel que te traigan aceite puro de olivas machacadas para el alumbrado, para hacer arder las lámparas continuamente.

21 En el tabernáculo de la congregación, afuera del velo que está delante del testimonio, las pondrá en orden Aarón y sus hijos, delante de Jehová desde la tarde hasta la mañana, como estatuto perpetuo de los hijos de Israel por sus generaciones.

CAPÍTULO 28

Y tú haz llegar a ti a Aarón tu hermano, y a sus hijos consigo, de entre los hijos de Israel, para que sean mis sacerdotes; a Aarón, Nadab y Abiú, Eleazar e Itamar, hijos de Aarón.

2 Y harás vestiduras sagradas a Aarón tu hermano, para gloria y hermosura.

3 Y tú hablarás a todos los sabios de corazón, a quienes yo he llenado con el espíritu de sabiduría; a fin que hagan las vestiduras de Aarón, para consagrarle a que me sirva de sacerdote.

4 Las vestiduras que harán *son* estas: el pectoral, y el efod, y el manto, y la túnica labrada, la mitra, y el cinturón. Hagan, pues, las vestiduras sagradas a Aarón tu hermano, y a sus hijos, para que sean mis sacerdotes.

5 Tomarán oro, y azul, y púrpura, y carmesí, y lino torcido.

6 Y harán el efod de oro y azul, y púrpura, y carmesí, y lino torcido de obra de arte.

7 Tendrá dos hombreras que se junten a sus dos lados, y se juntará.

8 Y el artificio de su cinto que está sobre él, será de su misma obra, de lo mismo; de oro, azul, y púrpura, y carmesí, y lino torcido.

9 Y tomarás dos piedras de ónice, y grabarás en ellas los nombres de los hijos de Israel;

10 seis de sus nombres en una piedra, y *los otros* seis nombres en la otra piedra, conforme al nacimiento de ellos.

11 De obra de escultor en piedra a modo de grabaduras de sello, harás grabar aquellas dos piedras con los nombres de los hijos de Israel; les harás alrededor engastes de oro.

12 Y pondrás aquellas dos piedras sobre los hombros del efod, para piedras de memoria a los hijos de Israel; y Aarón llevará los nombres de ellos delante de Jehová en sus dos hombros por memoria.

13 Harás pues, engastes de oro,

14 Y dos cadenillas de oro fino; las cuales harás de hechura de trenza; y fijarás las cadenas de hechura de trenza en los engastes.

15 Y harás el pectoral del juicio de obra de arte; lo harás conforme a la obra del efod; lo harás de oro, azul, púrpura, carmesí y lino fino torcido.

16 Será cuadrado y doble, de un palmo de largo y un palmo de ancho;

17 y lo llenarás de pedrería con cuatro hileras de piedras. *La primera* hilera de una piedra sárdica, un topacio y un carbunclo; *esta será* la primera hilera.

18 La segunda hilera, una esmeralda, un zafiro y un diamante.

19 La tercera hilera, un jacinto, un ágata y una amatista.

20 Y la cuarta hilera, un berilo, un ónice y un jaspe. Estarán montadas en engastes de oro.

21 Y las piedras serán con los nombres de los hijos de Israel, doce según sus nombres; como grabaduras de sello cada una con su nombre, serán según las doce tribus.

22 Y harás sobre el pectoral cadenillas de hechura de trenzas de oro puro.

23 Y harás en el pectoral dos anillos de oro, y pondrás los dos anillos a los dos extremos del pectoral.

24 Y pondrás las dos trenzas de oro en los dos anillos a los dos extremos del pectoral:

25 Y pondrás los dos extremos de las dos trenzas sobre los dos engastes, y los colocarás a los lados del efod en la parte delantera.

26 Harás también dos anillos de oro, los cuales pondrás a los dos extremos del pectoral, en el borde que está al lado del efod hacia adentro.

27 Harás asimismo dos anillos de oro, los cuales pondrás a los dos lados del efod abajo en la parte delantera, delante de su juntura sobre el cinto del efod.

28 Y juntarán el pectoral por sus anillos a los anillos del efod con un cordón de jacinto, para que esté sobre el cinto del efod, y no se aparte el pectoral del efod.

29 Y llevará Aarón los nombres de los hijos de Israel en el pectoral del juicio sobre su corazón, cuando entrare en el santuario, para memoria delante de Jehová continuamente.

30 Y pondrás en el pectoral del juicio Urim y Tumim, para que estén sobre el corazón de Aarón cuando entrare delante de Jehová; y llevará siempre Aarón el juicio de los hijos de Israel sobre su corazón delante de Jehová.

31 Harás el manto del efod todo de azul,

32 y en medio de él por arriba habrá una abertura, la cual tendrá un borde alrededor de obra de tejedor, como el cuello de un coselete, para que no se rompa.

33 Y *abajo* en sus orillas harás granadas de azul, y púrpura, y carmesí, por sus bordes alrededor; y entre ellas campanillas de oro alrededor.

34 Una campanilla de oro y una granada, campanilla de oro y granada, por las orillas del manto alrededor.

35 Y estará sobre Aarón cuando ministrare; y se oirá su sonido cuando él entrare en el santuario delante de Jehová y cuando saliere, para que no muera.

36 Harás además una plancha de oro fino, y grabarás en ella grabadura de sello, SANTIDAD A JEHOVÁ.

37 Y la pondrás con un cordón de azul, y estará sobre la mitra; por el frente anterior de la mitra estará.

38 Y estará sobre la frente de Aarón: y llevará Aarón el pecado de las cosas santas, que los hijos de Israel hubieren consagrado en todas sus santas ofrendas; y sobre su frente estará continuamente para que hallen gracia delante de Jehová.

39 Y bordarás una túnica de lino fino, y harás una mitra de lino fino; harás también un cinto de obra de bordador.

40 Y para los hijos de Aarón harás túnicas; también les harás cintos, y les formarás tiaras para gloria y hermosura.

41 Y con ellos vestirás a Aarón tu hermano, y a sus hijos con él: y los ungirás, y los consagrarás, y santificarás, para que sean mis sacerdotes.

42 Y les harás calzoncillos de lino para cubrir su desnudez; serán desde los lomos hasta los muslos.

43 Y estarán sobre Aarón y sobre sus hijos cuando entraren en el tabernáculo de la congregación, o cuando se acercaren al altar para servir en el santuario, para que no lleven pecado y mueran. Estatuto perpetuo para él, y para su simiente después de él.

CAPÍTULO 29

Y esto es lo que harás para consagrarlos, para que sean mis sacerdotes: Toma un becerro de la vacada, y dos carneros sin defecto;

2 y panes sin levadura, y tortas sin levadura amasadas con aceite, y hojaldres sin levadura untadas con aceite; y las harás de flor de harina de trigo:

3 Y las pondrás en un canastillo, y en el canastillo las ofrecerás, con el becerro y los dos carneros.

4 Y harás llegar a Aarón y a sus hijos a la puerta del tabernáculo de la congregación, y los lavarás con agua.

5 Y tomarás las vestiduras, y vestirás a Aarón la túnica y el manto del efod, y el efod, y el pectoral, y le ceñirás con el cinto del efod;

6 y pondrás la mitra sobre su cabeza, y sobre la mitra pondrás la corona santa.

7 Y tomarás el aceite de la unción, y derramarás sobre su cabeza, y le ungirás.

8 Y harás acercar a sus hijos, y les vestirás las túnicas.

9 Y les ceñirás el cinto, a Aarón y a sus hijos, y les atarás las tiaras, y tendrán el sacerdocio por fuero perpetuo; y consagrarás a Aarón y a sus hijos.

10 Y harás llegar el becerro delante del tabernáculo de la congregación, y Aarón y sus hijos pondrán sus manos sobre la cabeza del becerro.

11 Y matarás el becerro delante de Jehová a la puerta del tabernáculo de la congregación.

12 Y tomarás de la sangre del becerro, y pondrás sobre los cuernos del altar con tu dedo, y derramarás toda la demás sangre al pie del altar.

13 Tomarás también toda la grosura que cubre los intestinos, la grosura que *está* sobre el hígado, los dos riñones y la grosura que *está* sobre ellos, y lo quemarás sobre el altar.

14 Pero la carne del becerro, y su piel, y su estiércol; los quemarás a fuego fuera del campamento; es ofrenda por el pecado.

15 Asimismo tomarás un carnero, y Aarón y sus hijos pondrán sus manos sobre la cabeza del carnero.

16 Y matarás el carnero, y tomarás su sangre, y rociarás sobre el altar alrededor.

17 Y cortarás el carnero en pedazos, y lavarás sus intestinos y sus piernas, y las pondrás sobre sus trozos y sobre su cabeza.

18 Y quemarás todo el carnero sobre el altar; es holocausto a Jehová, olor grato, es ofrenda quemada a Jehová.

19 Tomarás luego el otro carnero, y Aarón y sus hijos pondrán sus manos sobre la cabeza del carnero.

20 Y matarás el carnero, y tomarás de su sangre, y pondrás sobre la ternilla de la oreja derecha de Aarón, y sobre la ternilla de las orejas de sus hijos, y sobre el dedo pulgar de las manos derechas de ellos, y sobre el dedo pulgar de los pies derechos de ellos, y esparcirás la sangre sobre el altar alrededor.

21 Y tomarás de la sangre que hay sobre el altar, y del aceite de la unción, y esparcirás sobre Aarón, y sobre sus vestiduras, y sobre sus hijos, y sobre las vestimentas de éstos; y él será santificado, y sus vestiduras, y sus hijos, y las vestimentas de sus hijos con él.

22 Luego tomarás del carnero la grosura, y la cola, y la grosura que

cubre los intestinos, y la grosura del hígado, y los dos riñones, y la grosura que está sobre ellos, y la espaldilla derecha; porque es carnero de consagraciones.

23 También una torta de pan, y una torta amasada con aceite, y una hojaldre del canastillo de los panes sin levadura presentado a Jehová;

24 Y lo pondrás todo en las manos de Aarón y en las manos de sus hijos; y lo mecerás como ofrenda mecida delante de Jehová.

25 Después lo tomarás de sus manos, y lo harás arder sobre el altar en holocausto, por olor agradable delante de Jehová. Es ofrenda encendida a Jehová.

26 Y tomarás el pecho del carnero de la consagración de Aarón, y lo mecerás por ofrenda agitada delante de Jehová; y será tu porción.

27 Y santificarás el pecho de la ofrenda mecida, y la espaldilla de la ofrenda elevada, lo que fue mecido y lo que fue santificado del carnero de la consagración de Aarón y de sus hijos:

28 Y será para Aarón y para sus hijos por estatuto perpetuo de los hijos de Israel, porque es porción elevada; y será tomada de los hijos de Israel de sus sacrificios pacíficos, porción de ellos elevada en ofrenda a Jehová.

29 Y las vestimentas santas, que son de Aarón, serán de sus hijos después de él, para ser ungidos con ellas, y para ser con ellas consagrados.

30 Por siete días las vestirá el sacerdote de sus hijos, que en su lugar viniere al tabernáculo de la congregación a servir en el santuario.

31 Y tomarás el carnero de las consagraciones, y cocerás su carne en el lugar del santuario.

32 Y Aarón y sus hijos comerán la carne del carnero, y el pan que está en el canastillo, a la puerta del tabernáculo de la congregación.

33 Y comerán aquellas cosas con las cuales se hizo expiación, para consagrarlos y santificarlos; mas el extranjero no comerá de ello, porque es cosa santa.

34 Y si sobrare algo de la carne de las consagraciones y del pan hasta la mañana, quemarás al fuego lo que hubiere sobrado: no se comerá, porque es cosa santa.

35 Así pues harás a Aarón y a sus hijos, conforme a todas las cosas que yo te he mandado, por siete días los consagrarás.

36 Y sacrificarás el becerro de la expiación en cada día para las expiaciones; y limpiarás el altar cuando hayas hecho expiación por él, y lo ungirás para santificarlo.

37 Por siete días expiarás el altar, y lo santificarás, y será un altar santísimo: cualquiera cosa que tocare al altar, será santificada.

38 Y esto es lo que ofrecerás sobre el altar cada día: dos corderos de un año, continuamente.

39 Ofrecerás un cordero a la mañana, y el otro cordero ofrecerás a la caída de la tarde:

40 Y con un cordero una décima parte de un efa de flor de harina amasada con la cuarta parte de un hin de aceite molido; y la libación será la cuarta parte de un hin de vino.

41 Y ofrecerás el otro cordero a la caída de la tarde, haciendo conforme a la ofrenda de la mañana, y conforme a su libación, en olor de suavidad; será ofrenda encendida a Jehová.

42 Esto será holocausto continuo por vuestras generaciones a la puerta del tabernáculo de la congregación delante de Jehová, en el cual me encontraré con vosotros, para hablaros allí.

43 Y allí me encontraré con los hijos de Israel, y el *tabernáculo* será santificado con mi gloria.

44 Y santificaré el tabernáculo de la congregación y el altar: santificaré asimismo a Aarón y a sus hijos, para que me sirvan como sacerdotes.

45 Y habitaré entre los hijos de Israel, y seré su Dios.

46 Y conocerán que yo soy Jehová su Dios, que los saqué de la tierra de Egipto, para habitar en medio de ellos: Yo Jehová su Dios.

CAPÍTULO 30

Harás asimismo un altar para quemar el incienso; de madera de acacia lo harás.

2 Su longitud *será* de un codo, y su anchura de un codo; *será* cuadrado; y su altura de dos codos; y sus cuernos *serán* de lo mismo.

3 Y lo cubrirás de oro puro, su techado, y sus paredes en derredor, y sus cuernos; y le harás en derredor una cornisa de oro.

4 Le harás también dos anillos de oro debajo de su cornisa, a sus dos esquinas en ambos lados suyos, para meter las varas con que será llevado.

5 Y harás las varas de madera de acacia, y las cubrirás de oro.

6 Y lo pondrás delante del velo que *está* junto al arca del testimonio, delante del propiciatorio que está sobre el testimonio, donde yo me encontraré contigo.

7 Y Aarón quemará incienso aromático sobre él; cada mañana cuando aderezare las lámparas lo quemará.

8 Y cuando Aarón encienda las lámparas al anochecer, quemará el incienso sobre él; incienso perpetuo delante de Jehová por vuestras generaciones.

9 No ofreceréis sobre él incienso extraño, ni holocausto, ni presente; ni tampoco derramaréis sobre él libación.

10 Y sobre sus cuernos hará Aarón expiación una vez en el año con la sangre de la ofrenda por el pecado para expiación: una vez en el año hará expiación sobre él por vuestras generaciones; será muy santo a Jehová.

11 Y Jehová habló a Moisés, diciendo:

12 Cuando tomares el número de los hijos de Israel conforme a la cuenta de ellos, cada uno dará a Jehová el rescate de su alma, cuando los contares, para que no haya en ellos mortandad cuando los hayas contado.

13 Esto dará todo el que pasare entre los que serán contados, medio siclo conforme al siclo del santuario. El siclo es de veinte geras; la mitad de un siclo *será* la ofrenda a Jehová.

14 Cualquiera que pasare entre los que serán contados, de veinte años arriba, dará la ofrenda a Jehová.

15 Ni el rico aumentará, ni el pobre disminuirá de medio siclo, cuando dieren la ofrenda a Jehová para hacer expiación por vuestras almas.

16 Y tomarás de los hijos de Israel el dinero de las expiaciones, y lo darás para la obra del tabernáculo de la congregación: y será por memoria a los hijos de Israel delante de Jehová, para expiar vuestras personas.

17 Habló más Jehová a Moisés, diciendo:

18 Harás también una fuente de bronce, con su base de bronce, para lavar; y la pondrás entre el tabernáculo de la congregación y el altar; y pondrás en ella agua.

19 Y de ella se lavarán Aarón y sus hijos sus manos y sus pies:

20 Cuando entraren en el tabernáculo de la congregación, se han de lavar con agua, para que no mueran: y cuando se acerquen al altar para ministrar, para quemar la ofrenda encendida para Jehová,

21 se lavarán las manos y los pies, para que no mueran. Y lo tendrán por estatuto perpetuo él y su simiente por sus generaciones.

22 Habló más Jehová a Moisés, diciendo:

23 Y tú has de tomar de las principales especias; de mirra excelente quinientos *siclos*, y de canela aromática la mitad, *esto es*, doscientos cincuenta, y de cálamo aromático doscientos cincuenta,

24 y de casia quinientos, al peso del santuario, y de aceite de olivas un hin:

25 Y harás de ello el aceite de la santa unción, superior ungüento, según el arte del perfumista, el cual será el aceite de la unción santa.

26 Con él ungirás el tabernáculo de la congregación, y el arca del testimonio,

27 y la mesa, y todos sus vasos, y el candelero, y todos sus vasos, y el altar del incienso.

28 y el altar del holocausto, todos sus vasos, y la fuente y su base.

29 Así los consagrarás, y serán cosas santísimas: todo lo que tocare en ellos, será santificado.

30 Ungirás también a Aarón y a sus hijos, y los consagrarás para que sean mis sacerdotes.

31 Y hablarás a los hijos de Israel, diciendo: Éste será mi aceite de la

santa unción por vuestras generaciones.

32 Sobre carne de hombre no será untado, ni haréis otro semejante, conforme a su composición: santo es; por santo habéis de tenerlo vosotros.

33 Cualquiera que preparare ungüento semejante, y que pusiere de él sobre un extranjero, será cortado de su pueblo.

34 Dijo además Jehová a Moisés: Tómate especias aromáticas, estacte y uña aromática y gálbano aromático e incienso puro; de todo en igual *peso*.

35 Y harás de ello un perfume de confección según el arte del perfumista, bien mezclado, puro y santo.

36 Y molerás parte de él muy fino, y lo pondrás delante del testimonio en el tabernáculo de la congregación, donde yo me encontraré contigo. Os será cosa santísima.

37 Como el perfume que harás, no os haréis otro según su composición; te será cosa santa para Jehová.

38 Cualquiera que hiciere otro como éste para olerlo, será cortado de entre su pueblo.

CAPÍTULO 31

Y Jehová habló a Moisés, diciendo: 2 Mira, yo he llamado por su nombre a Bezaleel, hijo de Uri, hijo de Hur, de la tribu de Judá;

3 Y lo he llenado del Espíritu de Dios, en sabiduría, y en inteligencia, y en ciencia, y en todo artificio,

4 para inventar diseños, para trabajar en oro, y en plata, y en bronce,

5 y en artificio de piedras para engastarlas, y en artificio de madera; para obrar en toda clase de labor.

6 Y he aquí que yo he puesto con él a Aholiab, hijo de Ahisamac, de la tribu de Dan; y he puesto sabiduría en el ánimo de todo sabio de corazón, para que hagan todo lo que yo te he mandado;

7 el tabernáculo de la congregación, y el arca del testimonio, y el propiciatorio que *está* sobre ella, y todos los vasos del tabernáculo;

8 y la mesa y sus vasos, y el candelero puro y todos sus vasos, y el altar del incienso;

9 y el altar del holocausto y todos sus vasos, y la fuente y su base;

10 y las vestiduras del servicio, y las santas vestiduras para Aarón el sacerdote, y las vestiduras de sus hijos, para que ejerzan el sacerdocio;

11 y el aceite de la unción, y el incienso aromático para el santuario; harán conforme a todo lo que te he mandado.

12 Habló además Jehová a Moisés, diciendo:

13 Habla tú a los hijos de Israel, diciendo: Ciertamente vosotros guardaréis mis sábados: porque es señal entre mí y vosotros por vuestras generaciones, para que sepáis que yo soy Jehová que os santifico.

14 Así que guardaréis el sábado, porque santo *es* a vosotros; el que lo profanare, de cierto morirá; porque cualquiera que hiciere obra alguna en él, aquella alma será cortada de en medio de su pueblo.

15 Seis días se hará obra, mas el día séptimo es sábado de reposo consagrado a Jehová; cualquiera que hiciere obra el día del sábado, ciertamente morirá.

16 Guardarán, pues, el sábado los hijos de Israel: celebrándolo por sus generaciones *por* pacto perpetuo:

17 Señal *es* para siempre entre mí y los hijos de Israel; porque *en* seis días hizo Jehová el cielo y la tierra, y en el séptimo día cesó, y reposó.

18 Y dio a Moisés, cuando acabó de hablar con él en el monte de Sinaí, dos tablas del testimonio, tablas de piedra escritas con el dedo de Dios.

CAPÍTULO 32

Mas viendo el pueblo que Moisés tardaba en descender del monte, se acercó entonces a Aarón, y le dijeron: Levántate, haznos dioses que vayan delante de nosotros; porque a este Moisés, el varón que nos sacó de la tierra de Egipto, no sabemos qué le haya acontecido.

2 Y Aarón les dijo: Apartad los zarcillos de oro que están en las orejas de vuestras esposas, y de vuestros hijos y de vuestras hijas, y traédmelos.

3 Entonces todo el pueblo apartó los zarcillos de oro que tenían en sus orejas, y *los* trajeron a Aarón.

4 El cual los tomó de las manos de ellos, y le dio forma con buril, e hizo de ello un becerro de fundición. Entonces dijeron: Israel, éstos son tus dioses, que te sacaron de la tierra de Egipto.

5 Y viendo *esto* Aarón, edificó un altar delante *del becerro*; y pregonó Aarón, y dijo: Mañana será fiesta a Jehová.

6 Y el día siguiente madrugaron, y ofrecieron holocaustos, y presentaron ofrendas de paz: y se sentó el pueblo a comer y a beber, y se levantaron a regocijarse.

7 Entonces Jehová dijo a Moisés: Anda, desciende, porque tu pueblo que sacaste de tierra de Egipto se ha corrompido.

8 Pronto se han apartado del camino que yo les mandé, y se han hecho un becerro de fundición, y lo han adorado, y han sacrificado a él, y han dicho: Israel, estos son tus dioses, que te sacaron de la tierra de Egipto.

9 Dijo más Jehová a Moisés: Yo he visto a este pueblo, que por cierto es pueblo de dura cerviz.

10 Ahora pues, déjame que se encienda mi furor contra ellos, y los consuma: y a ti yo te pondré sobre gran gente.

11 Entonces Moisés oró a la faz de Jehová su Dios, y dijo: Oh Jehová, ¿por qué se encenderá tu furor contra tu pueblo, que tú sacaste de la tierra de Egipto con gran fortaleza, y con mano fuerte?

12 ¿Por qué han de hablar los egipcios, diciendo: Para mal los sacó, para matarlos en los montes, y para raerlos de sobre la faz de la tierra? Vuélvete del furor de tu ira, y arrepiéntete de este mal contra tu pueblo.

13 Acuérdate de Abraham, de Isaac, y de Israel tus siervos, a los cuales has jurado por ti mismo, y les has dicho: Yo multiplicaré vuestra simiente como las estrellas del cielo; y daré a vuestra simiente toda esta tierra que he dicho, y la tomarán por heredad para siempre.

14 Entonces Jehová se arrepintió del mal que dijo que había de hacer a su pueblo.

15 Y se volvió Moisés, y descendió del monte trayendo en su mano las dos tablas del testimonio, las tablas escritas por ambos lados; de uno y otro lado estaban escritas.

16 Y las tablas eran obra de Dios, y la escritura *era* escritura de Dios grabada sobre las tablas.

17 Y oyendo Josué el clamor del pueblo que gritaba, dijo a Moisés: Alarido de pelea *hay* en el campamento.

18 Y él respondió: No *es* voz de grito de vencedores, ni voz de alarido de vencidos. Voz de cantar oigo yo.

19 Y aconteció, que cuando llegó él al campamento, y vio el becerro y las danzas, Moisés se enardeció de ira, y arrojó las tablas de sus manos, y las quebró al pie del monte.

20 Y tomó el becerro que habían hecho, y *lo* quemó en el fuego, y *lo* molió hasta reducirlo a polvo, que esparció sobre las aguas, y *lo* dio a beber a los hijos de Israel.

21 Y dijo Moisés a Aarón: ¿Qué te ha hecho este pueblo, que has traído sobre él tan gran pecado?

22 Y respondió Aarón: No se enoje mi señor; tú conoces al pueblo, que es inclinado al mal.

23 Porque me dijeron: Haznos dioses que vayan delante de nosotros, que a este Moisés, el varón que nos sacó de la tierra de Egipto, no sabemos qué le ha acontecido.

24 Y yo les respondí: ¿Quién tiene oro? Apartadlo. Y me lo dieron, y lo eché en el fuego, y salió este becerro.

25 Y viendo Moisés que el pueblo *estaba* desnudo, porque Aarón lo había desnudado para vergüenza entre sus enemigos,

26 se puso Moisés a la puerta del campamento, y dijo: ¿Quién es de Jehová? Júntese conmigo. Y se juntaron con él todos los hijos de Leví.

27 Y él les dijo: Así dice Jehová, el Dios de Israel: Poned cada uno su espada sobre su muslo: pasad y volved de puerta a puerta por el campamento, y matad cada uno a su hermano, y a su amigo, y a su pariente.

28 Y los hijos de Leví lo hicieron conforme al dicho de Moisés: y cayeron del pueblo en aquel día como tres mil hombres.

29 Entonces Moisés dijo: Hoy os habéis consagrado a Jehová, porque cada uno se ha consagrado en su hijo, y en su hermano, para que Él dé hoy bendición sobre vosotros.

30 Y aconteció que el día siguiente dijo Moisés al pueblo: Vosotros habéis cometido un gran pecado; mas yo subiré ahora a Jehová; quizá le aplacaré acerca de vuestro pecado.

31 Entonces volvió Moisés a Jehová, y dijo: Te ruego, pues este pueblo ha cometido un gran pecado, porque se hicieron dioses de oro,

32 que perdones ahora su pecado, y si no, ráeme ahora de tu libro que has escrito.

33 Y Jehová respondió a Moisés: Al que pecare contra mí, a éste raeré yo de mi libro.

34 Ve pues ahora, lleva a este pueblo donde te he dicho; he aquí mi Ángel irá delante de ti; que en el día de mi visitación yo visitaré en ellos su pecado.

35 Y Jehová hirió al pueblo, porque habían hecho el becerro que formó Aarón.

CAPÍTULO 33

Y Jehová dijo a Moisés: Ve, sube de aquí, tú y el pueblo que sacaste de la tierra de Egipto, a la tierra de la cual juré a Abraham, Isaac, y Jacob, diciendo: A tu simiente la daré:

2 Y yo enviaré delante de ti el Ángel, y echaré fuera al cananeo y al amorreo, y al heteo, y al ferezeo, y al heveo y al jebuseo:

3 (A la tierra que fluye leche y miel); porque yo no subiré en medio de ti, porque eres pueblo de dura cerviz, no sea que te consuma en el camino.

4 Y oyendo el pueblo esta mala noticia, vistieron luto, y ninguno se puso sus atavíos:

5 Pues Jehová dijo a Moisés: Di a los hijos de Israel: Vosotros sois pueblo de dura cerviz: en un momento subiré en medio de ti, y te consumiré; quítate, pues, ahora tus atavíos, para que yo sepa lo que te he de hacer.

6 Entonces los hijos de Israel se despojaron de sus atavíos desde el monte Horeb.

7 Y Moisés tomó el tabernáculo, y lo levantó fuera del campamento, lejos del campamento, y lo llamó el Tabernáculo de la congregación. Y fue, que cualquiera que buscaba a Jehová, salía al tabernáculo de la congregación, que estaba fuera del campamento.

8 Y sucedía que, cuando salía Moisés al tabernáculo, todo el pueblo se levantaba, y estaba cada cual en pie a la puerta de su tienda, y miraban en pos de Moisés, hasta que él entraba en el tabernáculo.

9 Y cuando Moisés entraba en el tabernáculo, la columna de nube descendía, y se ponía a la puerta del tabernáculo, y Jehová hablaba con Moisés.

10 Y todo el pueblo miraba la columna de nube, que estaba a la puerta del tabernáculo, y todo el pueblo se levantaba, cada uno a la puerta de su tienda, y adoraba.

11 Y hablaba Jehová a Moisés cara a cara, como habla cualquiera a su compañero. Y él volvía al campamento; mas el joven Josué, su criado, hijo de Nun, no se apartaba de en medio del tabernáculo.

12 Y dijo Moisés a Jehová: Mira, tú me dices a mí: Saca este pueblo: y tú no me has declarado a quién has de enviar conmigo: sin embargo, tú dices: Yo te he conocido por tu nombre, y has hallado también gracia en mis ojos.

13 Ahora, pues, si he hallado gracia en tus ojos, te ruego que me muestres ahora tu camino, para que te conozca, y que halle gracia en tus ojos; y considera que este pueblo es tu gente.

14 Y Él dijo: Mi presencia irá contigo, y te daré descanso.

15 Y él respondió: Si tu presencia no ha de ir conmigo, no nos saques de aquí.

16 ¿Y en qué se conocerá aquí que he hallado gracia en tus ojos, yo y tu pueblo, sino en andar tú con nosotros, y que yo y tu pueblo seamos apartados de todos los pueblos que están sobre la faz de la tierra?

17 Y Jehová dijo a Moisés: También haré esto que has dicho, por cuanto has hallado gracia en mis ojos, y te he conocido por tu nombre.

18 Él entonces dijo: Te ruego: Muéstrame tu gloria.

19 Y le respondió: Yo haré pasar todo mi bien delante de tu rostro, y proclamaré el nombre de Jehová delante de ti; y tendré misericordia del que tendré misericordia, y seré clemente para con el que seré clemente.

20 Dijo más: No podrás ver mi rostro: porque no me verá hombre, y vivirá.

21 Y dijo aún Jehová: He aquí lugar junto a mí, y tú estarás sobre la peña:

22 Y será que, cuando pasare mi gloria, yo te pondré en una hendidura de la peña, y te cubriré con mi mano hasta que haya pasado:

23 Después apartaré mi mano, y verás mis espaldas; mas no se verá mi rostro.

CAPÍTULO 34

Y Jehová dijo a Moisés: Alísate dos tablas de piedra como las primeras, y escribiré sobre *esas* tablas las palabras que estaban en las tablas primeras que quebraste.

2 Apercíbete, pues, para mañana, y sube por la mañana al monte de Sinaí, y preséntate allí ante mí, sobre la cumbre del monte.

3 Y no suba hombre contigo, ni parezca alguno en todo el monte; ni ovejas ni bueyes pazcan delante del monte.

4 Y Moisés alisó dos tablas de piedra como las primeras; y se levantó por la mañana, y subió al monte de Sinaí, como le mandó Jehová, y llevó en su mano las dos tablas de piedra.

5 Y Jehová descendió en la nube, y estuvo allí con él, proclamando el nombre de Jehová.

6 Y pasando Jehová por delante de él, proclamó: Jehová, Jehová, fuerte, misericordioso, y piadoso; tardo para la ira, y grande en benignidad y verdad;

7 que guarda la misericordia en millares, que perdona la iniquidad, la rebelión, y el pecado, y que de ningún modo dará por inocente al culpable; que visita la iniquidad de los padres sobre los hijos y sobre los hijos de los hijos, hasta la tercera, y cuarta *generación*.

8 Entonces Moisés, apresurándose, bajó la cabeza hacia el suelo y adoró;

9 y dijo: Si ahora, Señor, he hallado gracia en tus ojos, vaya ahora el Señor en medio de nosotros; porque éste *es* pueblo de dura cerviz; y perdona nuestra iniquidad y nuestro pecado, y tómanos por tu heredad.

10 Y Él dijo: He aquí, yo hago pacto delante de todo tu pueblo: haré maravillas que no han sido hechas en toda la tierra, ni en nación alguna; y verá todo el pueblo en medio del cual estás tú, la obra de Jehová; porque *será* cosa terrible la que yo haré contigo.

11 Guarda lo que yo te mando hoy; he aquí que yo echo de delante de tu presencia al amorreo, y al cananeo, y al heteo, y al ferezeo, y al heveo, y al jebuseo.

12 Guárdate que no hagas alianza con los moradores de la tierra donde has de entrar, para que no sean tropezadero en medio de ti:

13 Mas derribaréis sus altares, y quebraréis sus estatuas, y talaréis sus imágenes de Asera.

14 Porque no adorarás a dios ajeno; pues Jehová, cuyo nombre *es* Celoso, Dios celoso *es*.

15 Por tanto no harás alianza con los moradores de aquella tierra; porque fornicarán en pos de sus dioses, y sacrificarán a sus dioses, y te llamarán, y comerás de sus sacrificios;

16 o tomando de sus hijas para tus hijos, y fornicando sus hijas en pos de sus dioses, harán también fornicar a tus hijos en pos de los dioses de ellas.

17 No te harás dioses de fundición.

18 La fiesta de los panes sin levadura guardarás: siete días comerás pan sin levadura, según te he mandado, en el tiempo del mes de Abib; porque en el mes de Abib saliste de Egipto.

19 Todo lo que abre la matriz, mío es; y de tu ganado, todo primogénito de vaca o de oveja que fuere macho.

20 Pero redimirás con cordero el primogénito del asno; y si no lo redimieres, entonces le quebrarás la

cerviz. Redimirás todo primogénito de tus hijos, y ninguno se presentará delante de mí con las manos vacías.

21 Seis días trabajarás, mas en el séptimo día descansarás: Descansarás aun en la arada y en la siega.

22 Y te harás la fiesta de las semanas a los principios de la siega del trigo: y la fiesta de la cosecha a la vuelta del año.

23 Tres veces en el año se presentarán todos tus varones delante de Jehová el Señor, Dios de Israel.

24 Porque yo arrojaré las naciones de tu presencia, y ensancharé tu término: y ninguno codiciará tu tierra, cuando tú subieres para presentarte delante de Jehová tu Dios tres veces en el año.

25 No ofrecerás con leudo la sangre de mi sacrificio; ni quedará de la noche para la mañana el sacrificio de la fiesta de la pascua.

26 La primicia de los primeros frutos de tu tierra meterás en la casa de Jehová tu Dios. No cocerás el cabrito en la leche de su madre.

27 Y Jehová dijo a Moisés: Escribe tú estas palabras; porque conforme a estas palabras he hecho pacto contigo y con Israel.

28 Y él estuvo allí con Jehová cuarenta días y cuarenta noches: no comió pan, ni bebió agua; y escribió en tablas las palabras del pacto, los diez mandamientos.

29 Y aconteció, que descendiendo Moisés del monte Sinaí con las dos tablas del testimonio en su mano, mientras descendía del monte, no sabía él que la tez de su rostro resplandecía, después que hubo con Él hablado.

30 Y miró Aarón y todos los hijos de Israel a Moisés, y he aquí la tez de su rostro era resplandeciente; y tuvieron miedo de acercarse a él.

31 Y los llamó Moisés; y Aarón y todos los príncipes de la congregación volvieron a él, y Moisés les habló.

32 Y después se acercaron todos los hijos de Israel, a los cuales mandó todas las cosas que Jehová le había dicho en el monte de Sinaí.

33 Y cuando hubo acabado Moisés de hablar con ellos, puso un velo sobre su rostro.

34 Y cuando venía Moisés delante de Jehová para hablar con Él, se quitaba el velo hasta que salía; y saliendo, hablaba con los hijos de Israel lo que le era mandado;

35 y veían los hijos de Israel el rostro de Moisés, que la tez de su rostro era resplandeciente; y volvía Moisés a poner el velo sobre su rostro, hasta que entraba a hablar con Él.

CAPÍTULO 35

Y Moisés reunió a toda la congregación de los hijos de Israel, y les dijo: Éstas son las cosas que Jehová ha mandado que hagáis.

2 Seis días se hará obra, mas el día séptimo os será santo, sábado de reposo a Jehová: cualquiera que en él hiciere obra, morirá.

3 No encenderéis fuego en todas vuestras moradas en el día del sábado.

4 Y habló Moisés a toda la congregación de los hijos de Israel, diciendo: Esto es lo que Jehová ha mandado, diciendo:

5 Tomad de entre vosotros ofrenda para Jehová; todo aquel que sea de corazón generoso traerá ofrenda a Jehová: oro, plata, bronce;

6 azul, púrpura, carmesí, lino fino y pelo de cabra;

7 pieles de carneros teñidas de rojo, y pieles de tejones y madera de acacia;

8 aceite para la luminaria, especias aromáticas para el aceite de la unción y para el incienso aromático;

9 piedras de ónice y piedras de engaste para el efod y para el pectoral.

10 Y todo sabio de corazón de entre vosotros, vendrá y hará todas las cosas que Jehová ha mandado;

11 el tabernáculo, su tienda, su cubierta, sus anillos, sus tablas, sus vigas, sus columnas y sus bases;

12 el arca y sus varas, el propiciatorio, el velo de la tienda;

13 la mesa y sus varas, y todos sus vasos, y el pan de la proposición;

14 el candelero de la luminaria y sus vasos, sus candilejas, y el aceite para la luminaria;

15 el altar del incienso y sus varas, el aceite de la unción, el incienso

aromático, la cortina de la puerta para la entrada del tabernáculo;

16 el altar del holocausto, su enrejado de bronce y sus varas, y todos sus vasos, y la fuente con su base;

17 las cortinas del atrio, sus columnas y sus bases, la cortina de la puerta del atrio;

18 las estacas del tabernáculo, y las estacas del atrio y sus cuerdas;

19 las vestiduras del servicio para ministrar en el santuario, las sagradas vestiduras de Aarón el sacerdote, y las vestiduras de sus hijos para servir en el sacerdocio.

20 Y salió toda la congregación de los hijos de Israel de delante de Moisés.

21 Y vino todo varón a quien su corazón estimuló, y todo aquel a quien su espíritu le dio voluntad, y trajeron ofrenda a Jehová para la obra del tabernáculo de la congregación, y para todo su servicio, y para las vestiduras santas.

22 Y vinieron así hombres como mujeres, todo voluntario de corazón, y trajeron cadenas y zarcillos, anillos y brazaletes, y toda joya de oro; y todos ofrecían ofrenda de oro a Jehová.

23 Todo hombre que tenía azul, o púrpura, o carmesí, o lino fino, o *pelo* de cabras, o pieles rojas de carneros, o pieles de tejones, *lo* traía.

24 Todo el que ofrecía ofrenda de plata o de bronce, traía a Jehová la ofrenda: y todo el que tenía madera de acacia, la traía para toda la obra del servicio.

25 Además todas las mujeres sabias de corazón hilaban de sus manos, y traían lo que habían hilado: azul, púrpura, carmesí y lino fino.

26 Y todas las mujeres cuyo corazón las levantó en sabiduría, hilaron *pelo* de cabras.

27 Y los príncipes trajeron piedras de ónice, y las piedras de engaste para el efod y el pectoral;

28 y las especias aromáticas y el aceite para la luminaria, y para el aceite de la unción, y para el incienso aromático.

29 De los hijos de Israel, así hombres como mujeres, todos los que tuvieron corazón voluntario para traer para toda la obra, que Jehová había mandado por medio de Moisés que hiciesen, trajeron ofrenda voluntaria a Jehová.

30 Y dijo Moisés a los hijos de Israel: Mirad, Jehová ha nombrado a Bezaleel hijo de Uri, hijo de Hur, de la tribu de Judá;

31 y lo ha llenado de Espíritu de Dios, en sabiduría, en inteligencia, y en ciencia, y en todo arte,

32 para proyectar diseños, para trabajar en oro, en plata y en bronce,

33 y en el labrado de piedras de engaste, y en el tallado de madera, y para trabajar en toda clase de obra de arte.

34 Y ha puesto en su corazón el que pueda enseñar, así él como Aholiab hijo de Ahisamac, de la tribu de Dan;

35 y los ha llenado de sabiduría de corazón, para que hagan toda obra de arte y de diseño, y de bordado en azul, en púrpura, en carmesí, en lino fino y en telar; para que hagan toda labor, e inventen todo diseño.

CAPÍTULO 36

Bezaleel, Aholiab y todo hombre sabio de corazón a quien Jehová dio sabiduría e inteligencia para saber hacer toda la obra del servicio del santuario, harán todas las cosas que ha mandado Jehová.

2 Y Moisés llamó a Bezaleel y a Aholiab, y a todo varón sabio de corazón, en cuyo corazón había dado Jehová sabiduría, y a todo hombre a quien su corazón le movió a venir a la obra para trabajar en ella.

3 Y recibieron de Moisés toda la ofrenda que los hijos de Israel habían traído para la obra del servicio del santuario, a fin de hacerla. Y ellos seguían trayendo ofrendas voluntarias cada mañana.

4 Vinieron, por tanto, todos los maestros que hacían toda la obra del santuario, cada uno de la obra que hacía.

5 Y hablaron a Moisés, diciendo: El pueblo trae mucho más de lo que se necesita para la obra del servicio que Jehová ha mandado que se haga.

6 Entonces Moisés mandó pregonar por el campamento, diciendo: Ningún hombre ni mujer haga más obra para ofrecer para el santuario. Y así el pueblo fue impedido de ofrendar más;

7 pues tenían material abundante para hacer toda la obra, y sobraba.

8 Y todos los sabios de corazón entre los que hacían la obra, hicieron el tabernáculo de diez cortinas, de lino torcido, y de azul, y de púrpura y carmesí; las cuales hicieron de obra de arte, con querubines.

9 La longitud de una cortina *era* de veintiocho codos, y la anchura de cuatro codos: todas las cortinas tenían una misma medida.

10 Y juntó las cinco cortinas la una con la otra: asimismo unió *las otras* cinco cortinas la una con la otra.

11 E hizo las lazadas de azul en la orilla de una cortina, en el borde, a la juntura; y así hizo en la orilla al borde de la *segunda* cortina, en la juntura.

12 Cincuenta lazadas hizo en una cortina, y otras cincuenta en la segunda cortina, en el borde, en la juntura; las lazadas sostenían a una *cortina* con la otra.

13 Hizo también cincuenta corchetes de oro, con los cuales juntó las cortinas, la una con la otra; y se hizo un tabernáculo.

14 Hizo asimismo cortinas de pelo de cabras para la tienda sobre el tabernáculo, y las hizo en número de once.

15 La longitud de una cortina era de treinta codos, y la anchura de cuatro codos: las once cortinas tenían una misma medida.

16 Y juntó las cinco cortinas de por sí, y las seis cortinas aparte.

17 Hizo además cincuenta lazadas en la orilla de la cortina postrera en la juntura, y otras cincuenta lazadas en la orilla de la otra cortina en la juntura.

18 Hizo también cincuenta corchetes de bronce para juntar la tienda, de modo que fuese una.

19 E hizo una cubierta para la tienda de pieles de carneros teñidas de rojo, y encima una cubierta de pieles de tejones.

20 Además hizo las tablas para el tabernáculo de madera de acacia, para estar derechas.

21 La longitud de cada tabla de diez codos, y de codo y medio la anchura.

22 Cada tabla tenía dos espigas para unirlas una con otra; así hizo todas las tablas del tabernáculo.

23 Hizo, pues, las tablas para el tabernáculo; veinte tablas al lado del mediodía, al sur.

24 Hizo también las cuarenta bases de plata debajo de las veinte tablas; dos bases debajo de una tabla para sus dos espigas, y dos bases debajo de la otra tabla para sus dos espigas.

25 Y para el otro lado del tabernáculo, al lado norte, hizo veinte tablas,

26 con sus cuarenta bases de plata: dos bases debajo de una tabla, y dos bases debajo de la otra tabla.

27 Y para el lado occidental del tabernáculo hizo seis tablas.

28 Para las esquinas del tabernáculo en los dos lados hizo dos tablas,

29 las cuales se juntaban por abajo, y asimismo por arriba a un gozne; y así hizo a la una y a la otra en las dos esquinas.

30 Eran, pues, ocho tablas, y sus bases de plata dieciséis; dos bases debajo de cada tabla.

31 Hizo también las vigas de madera de acacia; cinco para las tablas de un lado del tabernáculo,

32 y cinco vigas para las tablas del otro lado del tabernáculo, y cinco vigas para las tablas del lado del tabernáculo a la parte occidental.

33 E hizo que la viga del medio pasase por medio de las tablas de un extremo al otro.

34 Y cubrió las tablas de oro, e hizo de oro los anillos de ellas por donde pasasen las vigas: cubrió también de oro las vigas.

35 Hizo asimismo el velo de azul, y púrpura, y carmesí, y lino torcido, el cual hizo con querubines de obra de arte.

36 Y para él hizo cuatro columnas de madera de acacia; y las cubrió de oro, los capiteles de las cuales *eran de* oro; e hizo para ellas cuatro bases de plata de fundición.

37 Hizo también el velo para la puerta del tabernáculo, de azul, y púrpura, y carmesí, y lino torcido, obra de recamador;

38 y sus cinco columnas con sus capiteles: y cubrió las cabezas de ellas y sus molduras de oro: pero sus cinco bases las hizo de bronce.

CAPÍTULO 37

Hizo también Bezaleel el arca de madera de acacia; su longitud era de dos codos y medio, y de codo y medio su anchura, y su altura de otro codo y medio:

2 Y la cubrió de oro puro por dentro y por fuera, y le hizo una cornisa de oro en derredor.

3 Le hizo además de fundición cuatro anillos de oro a sus cuatro esquinas; en un lado dos anillos y en el otro lado dos anillos.

4 Hizo también las varas de madera de acacia, y las cubrió de oro.

5 Y metió las varas por los anillos a los lados del arca, para llevar el arca.

6 Hizo asimismo el propiciatorio de oro puro; su longitud de dos codos y medio, y su anchura de codo y medio.

7 Hizo también los dos querubines de oro, los hizo labrados a martillo, a los dos extremos del propiciatorio:

8 Un querubín a un extremo, y el otro querubín al otro extremo; de una pieza con el propiciatorio; hizo los querubines a sus dos extremos.

9 Y los querubines extendían sus alas por encima, cubriendo con sus alas el propiciatorio; y con sus rostros el uno frente al otro, mirando hacia el propiciatorio los rostros de los querubines.

10 Hizo también la mesa de madera de acacia; su longitud de dos codos, y su anchura de un codo, y de codo y medio su altura;

11 Y la cubrió de oro puro, y le hizo una cornisa de oro en derredor.

12 Le hizo también una moldura de un palmo menor de anchura alrededor, e hizo en derredor de la moldura una cornisa de oro.

13 Le hizo asimismo de fundición cuatro anillos de oro, y los puso a las cuatro esquinas que correspondían a las cuatro patas de ella.

14 Delante de la moldura estaban los anillos, por los cuales se metiesen las varas para llevar la mesa.

15 E hizo las varas de madera de acacia para llevar la mesa, y las cubrió de oro.

16 También hizo los vasos que habían de estar sobre la mesa, sus platos, y sus cucharas, y sus cubiertos y sus tazones con que se había de libar, de oro fino.

17 Hizo asimismo el candelero de oro puro, y lo hizo labrado a martillo; su pie y su caña, sus copas, sus manzanas y sus flores eran de lo mismo.

18 De sus lados salían seis brazos; tres brazos de un lado del candelero, y otros tres brazos del otro lado del candelero:

19 En un brazo, tres copas figura de flor de almendro, una manzana y una flor; y en el otro brazo tres copas figura de flor de almendro, una manzana y una flor: y así en los seis brazos que salían del candelero.

20 Y en el candelero había cuatro copas figura de flor de almendro, sus manzanas y sus flores:

21 Y una manzana debajo de los dos brazos de lo mismo, y otra manzana debajo de los otros dos brazos de lo mismo, y otra manzana debajo de los otros dos brazos de lo mismo, conforme a los seis brazos que salían de él.

22 Sus manzanas y sus brazos eran de lo mismo; todo era una pieza labrada a martillo, de oro puro.

23 Hizo asimismo sus siete candilejas, y sus despabiladeras, y sus platillos, de oro puro;

24 De un talento de oro puro lo hizo, con todos sus vasos.

25 Hizo también el altar del incienso de madera de acacia; un codo su longitud, y otro codo su anchura, era cuadrado; y su altura de dos codos; y sus cuernos de la misma pieza.

26 Y lo cubrió de oro puro, su mesa y sus paredes alrededor, y sus cuernos; y le hizo una cornisa de oro alrededor.

27 Le hizo también dos anillos de oro debajo de la cornisa en las dos esquinas a los dos lados, para meter por ellos las varas con que había de ser llevado.

28 E hizo las varas de madera *de* acacia, y las cubrió de oro.

29 Hizo asimismo el aceite santo de la unción, y el incienso puro de especias aromáticas, obra de perfumista.

CAPÍTULO 38

Igualmente hizo el altar del holocausto de madera *de* acacia; su longitud de cinco codos, y su anchura de otros cinco codos, cuadrado, y de tres codos de altura.

2 E hizo los cuernos a sus cuatro esquinas, los cuales eran de la misma pieza, y lo cubrió de bronce.

3 Hizo asimismo todos los vasos del altar: calderas, y tenazas, y tazones, y garfios, y palas; todos sus vasos hizo de bronce.

4 E hizo para el altar el enrejado de bronce, de hechura de red, que puso en su cerco por debajo hasta el medio del altar.

5 Hizo también cuatro anillos de fundición a los cuatro extremos del enrejado de bronce, para meter las varas.

6 E hizo las varas de madera de acacia, y las cubrió de bronce.

7 Y metió las varas por los anillos a los lados del altar, para llevarlo con ellas: hueco lo hizo, de tablas.

8 También hizo la fuente de bronce, con su base de bronce, de los espejos de las *mujeres* que velaban a la puerta del tabernáculo de la congregación.

9 Hizo asimismo el atrio; del lado sur, al mediodía, las cortinas del atrio *eran* de cien codos, de lino torcido:

10 Sus columnas veinte, con sus veinte bases de bronce: los capiteles de las columnas y sus molduras, de plata.

11 Y a la parte del norte cortinas de cien codos; sus columnas, veinte, con sus veinte bases de bronce; los capiteles de las columnas y sus molduras, de plata.

12 A la parte del occidente cortinas de cincuenta codos; sus columnas diez, y sus diez bases; los capiteles de las columnas y sus molduras, de plata.

13 Y a la parte oriental, al este, cortinas de cincuenta codos:

14 Al un lado cortinas de quince codos, sus tres columnas, y sus tres bases;

15 Al otro lado, de uno y otro lado de la puerta del atrio, cortinas de quince codos, sus tres columnas, y sus tres bases.

16 Todas las cortinas del atrio alrededor eran de lino torcido.

17 Y las bases de las columnas eran de bronce; los capiteles de las columnas y sus molduras, de plata; asimismo las cubiertas de las cabezas de ellas, de plata: y todas las columnas del atrio tenían molduras de plata.

18 Y la cortina de la puerta del atrio era de obra de recamador, de azul, púrpura y carmesí, y lino torcido; la longitud de veinte codos, y la altura en el ancho de cinco codos, conforme a las cortinas del atrio.

19 Y sus columnas fueron cuatro con sus cuatro bases de bronce; y sus capiteles de plata; y las cubiertas de los capiteles de ellas y sus molduras, de plata.

20 Y todas las estacas del tabernáculo y del atrio alrededor eran de bronce.

21 Éstas son las cuentas del tabernáculo, del tabernáculo del testimonio, como fue contado, por orden de Moisés por mano de Itamar, hijo de Aarón sacerdote, para el ministerio de los levitas.

22 Y Bezaleel, hijo de Uri, hijo de Hur, de la tribu de Judá, hizo todas las cosas que Jehová mandó a Moisés.

23 Y con él *estaba* Aholiab, hijo de Ahisamac, de la tribu de Dan, artífice, y diseñador, y recamador en azul, y púrpura, y carmesí, y lino fino.

24 Todo el oro empleado en la obra, en toda la obra del santuario, el cual fue oro de ofrenda, fue veintinueve talentos, y setecientos treinta siclos, según el siclo del santuario.

25 Y la plata de los contados de la congregación *fue* cien talentos, y mil setecientos setenta y cinco siclos, según el siclo del santuario:

26 Medio por cabeza, medio siclo, según el siclo del santuario, a todos los que pasaron por cuenta de edad de veinte años y arriba, que fueron

seiscientos tres mil quinientos cincuenta.

27 Hubo además cien talentos de plata para hacer de fundición las bases del santuario y las bases del velo; en cien bases cien talentos, a talento por base.

28 Y de los mil setecientos setenta y cinco siclos hizo los capiteles de las columnas, y cubrió los capiteles de ellas, y las ciñó.

29 Y el bronce ofrendado *fue* setenta talentos, y dos mil cuatrocientos siclos;

30 del cual hizo las bases de la puerta del tabernáculo de la congregación, y el altar de bronce, y su enrejado de bronce, y todos los vasos del altar.

31 Y las bases del atrio alrededor, y las bases de la puerta del atrio, y todas las estacas del tabernáculo, y todas las estacas del atrio alrededor.

CAPÍTULO 39

Y del azul, y púrpura, y carmesí, hicieron las vestimentas del ministerio para ministrar en el santuario, y asimismo hicieron las vestiduras santas para Aarón; como Jehová lo había mandado a Moisés.

2 Hizo también el efod de oro, de azul y púrpura y carmesí, y lino torcido.

3 Y extendieron las planchas de oro, y cortaron hilos para tejerlos entre el azul, y entre la púrpura, y entre el carmesí, y entre el lino, con delicada obra.

4 Le hicieron las hombreras para que se juntasen; y se unían en sus dos lados.

5 Y el cinto del efod que *estaba* sobre él, *era* de lo mismo, conforme a su obra; de oro, azul, y púrpura, y carmesí, y lino torcido; como Jehová lo había mandado a Moisés.

6 Y labraron las piedras de ónice montadas en engastes de oro, grabadas de grabadura de sello con los nombres de los hijos de Israel:

7 Y las puso sobre las hombreras del efod, por piedras de memoria a los hijos de Israel; como Jehová lo había mandado a Moisés.

8 Hizo también el pectoral de obra de arte, como la obra del efod, de oro, azul, y púrpura, y carmesí, y lino torcido.

9 Era cuadrado: doble hicieron el pectoral: su longitud era de un palmo, y de un palmo su anchura, doblado.

10 Y engastaron en él cuatro hileras de piedras. *La primera* hilera *era* un sardio, un topacio, y un carbunclo; ésta era la primera hilera.

11 La segunda hilera, una esmeralda, un zafiro, y un diamante.

12 La tercera hilera, un jacinto, un ágata, y una amatista.

13 Y la cuarta hilera, un berilo, un ónice y un jaspe; montadas y encajadas en sus engastes de oro.

14 Y las piedras eran conforme a los nombres de los hijos de Israel, doce según los nombres de ellos; como grabaduras de sello, cada una con su nombre según las doce tribus.

15 Hicieron también sobre el pectoral las cadenas pequeñas de hechura de trenza, de oro puro.

16 Hicieron asimismo los dos engastes y los dos anillos, de oro; y pusieron los dos anillos de oro en los dos cabos del pectoral.

17 Y pusieron las dos trenzas de oro en aquellos dos anillos a los cabos del pectoral.

18 Y fijaron los dos extremos de las dos trenzas en los dos engastes, que pusieron sobre las hombreras del efod, en la parte delantera de él.

19 E hicieron dos anillos de oro, que pusieron en los dos extremos del pectoral, en su orilla, a la parte baja del efod.

20 Hicieron además dos anillos de oro, los cuales pusieron en las dos hombreras del efod, abajo en la parte delantera, delante de su juntura, sobre el cinto del efod.

21 Y ataron el pectoral de sus anillos a los anillos del efod con un cordón de azul, para que estuviese sobre el cinto del mismo efod, y no se apartase el pectoral del efod; como Jehová lo había mandado a Moisés.

22 Hizo también el manto del efod de obra de tejedor, todo de azul.

23 Con su abertura en medio de él, como el cuello de un coselete, con un borde en derredor de la abertura, para que no se rompiese.

24 E hicieron en las orillas del manto las granadas de azul, y púrpura, y carmesí, y lino torcido.

25 Hicieron también las campanillas de oro puro, y pusieron las campanillas entre las granadas por las orillas del manto alrededor, entre las granadas.

26 Una campanilla y una granada, una campanilla y una granada alrededor, en las orillas del manto, para ministrar; como Jehová lo mandó a Moisés.

27 Igualmente hicieron las túnicas de lino fino de obra de tejedor, para Aarón y para sus hijos;

28 asimismo la mitra de lino fino, y los adornos de las tiaras de lino fino, y los calzoncillos de lino, de lino torcido;

29 también el cinto de lino torcido, y de azul, y púrpura, y carmesí, de obra de recamador; como Jehová lo mandó a Moisés.

30 Hicieron asimismo la plancha de la corona santa de oro puro, y escribieron en ella *como* grabado de sello, SANTIDAD A JEHOVÁ.

31 Y pusieron en ella un cordón de azul, para colocarla en alto sobre la mitra; como Jehová lo había mandado a Moisés.

32 Así fue acabada toda la obra del tabernáculo, del tabernáculo de la congregación; e hicieron los hijos de Israel como Jehová lo había mandado a Moisés: así lo hicieron.

33 Y trajeron el tabernáculo a Moisés, el tabernáculo y todos sus vasos; sus corchetes, sus tablas, sus vigas, y sus columnas, y sus bases;

34 y la cubierta de pieles rojas de carneros, y la cubierta de pieles de tejones, y el velo del pabellón;

35 el arca del testimonio, y sus varas, y el propiciatorio;

36 la mesa, todos sus vasos, y el pan de la proposición;

37 el candelero puro, sus candilejas, las lámparas que debían mantenerse en orden, y todos sus vasos, y el aceite para la luminaria;

38 y el altar de oro, y el aceite de la unción, y el incienso aromático, y la cortina para la puerta del tabernáculo;

39 el altar de bronce, con su enrejado de bronce, sus varas, y todos sus vasos; y la fuente, y su base;

40 las cortinas del atrio, y sus columnas, y sus bases, y la cortina para la puerta del atrio, y sus cuerdas, y sus estacas, y todos los vasos del servicio del tabernáculo, del tabernáculo de la congregación;

41 las vestimentas del servicio para ministrar en el santuario, las santas vestiduras para Aarón el sacerdote, y las vestiduras de sus hijos, para ministrar en el sacerdocio.

42 En conformidad a todas las cosas que Jehová había mandado a Moisés, así hicieron los hijos de Israel toda la obra.

43 Y vio Moisés toda la obra, y he aquí que la habían hecho como Jehová había mandado; y los bendijo.

CAPÍTULO 40

Y Jehová habló a Moisés, diciendo: 2 En el primer día del mes primero harás levantar el tabernáculo, el tabernáculo de la congregación:

3 Y pondrás en él el arca del testimonio, y cubrirás el arca con el velo.

4 Y meterás la mesa, y la pondrás en orden; meterás también el candelero y encenderás sus lámparas;

5 y pondrás el altar de oro para el incienso delante del arca del testimonio, y pondrás la cortina delante de la puerta del tabernáculo.

6 Después pondrás el altar del holocausto delante de la puerta del tabernáculo, del tabernáculo de la congregación.

7 Luego pondrás la fuente entre el tabernáculo de la congregación y el altar; y pondrás agua en ella.

8 Finalmente pondrás el atrio en derredor, y la cortina de la puerta del atrio.

9 Y tomarás el aceite de la unción y ungirás el tabernáculo, y todo lo que está en él; y le santificarás con todos sus vasos, y será santo.

10 Ungirás también el altar del holocausto y todos sus vasos: y santificarás el altar, y será un altar santísimo.

11 Asimismo ungirás la fuente y su base, y la santificarás.

12 Y harás llegar a Aarón y a sus hijos a la puerta del tabernáculo de la congregación, y los lavarás con agua.

13 Y harás vestir a Aarón las vestiduras santas, y lo ungirás, y lo santificarás, para que sea mi sacerdote.

14 Después harás llegar sus hijos, y les vestirás las túnicas:

15 Y los ungirás como ungiste a su padre, y serán mis sacerdotes: y será que su unción les servirá por sacerdocio perpetuo por sus generaciones.

16 Y Moisés hizo conforme a todo lo que Jehová le mandó; así lo hizo.

17 Y así en el día primero del primer mes, en el segundo año, el tabernáculo fue erigido.

18 Y Moisés hizo levantar el tabernáculo, y asentó sus bases, y colocó sus tablas, y puso sus vigas, e hizo alzar sus columnas.

19 Y extendió la tienda sobre el tabernáculo, y puso la sobrecubierta encima del mismo, como Jehová había mandado a Moisés.

20 Y tomó y puso el testimonio dentro del arca; y colocó las varas en el arca y puso el propiciatorio arriba, sobre el arca:

21 Y metió el arca en el tabernáculo; y puso el velo de la tienda y cubrió el arca del testimonio, como Jehová había mandado a Moisés.

22 Y puso la mesa en el tabernáculo de la congregación, al lado norte de la cortina, fuera del velo:

23 y sobre ella puso por orden los panes delante de Jehová, como Jehová había mandado a Moisés.

24 Y puso el candelero en el tabernáculo de la congregación, enfrente de la mesa, al lado sur de la cortina.

25 Y encendió las lámparas delante de Jehová, como Jehová había mandado a Moisés.

26 Puso también el altar de oro en el tabernáculo de la congregación, delante del velo,

27 y encendió sobre él el incienso aromático, como Jehová había mandado a Moisés.

28 Puso asimismo la cortina de la puerta del tabernáculo.

29 Y colocó el altar del holocausto a la puerta del tabernáculo, del tabernáculo de la congregación; y ofreció sobre él holocausto y presente, como Jehová había mandado a Moisés.

30 Y puso la fuente entre el tabernáculo de la congregación y el altar; y puso en ella agua para lavar.

31 Y Moisés y Aarón y sus hijos lavaban en ella sus manos y sus pies.

32 Cuando entraban en el tabernáculo de la congregación, y cuando se acercaban al altar, se lavaban, como Jehová había mandado a Moisés.

33 Finalmente erigió el atrio en derredor del tabernáculo y del altar, y puso la cortina de la puerta del atrio. Y así acabó Moisés la obra.

34 Entonces una nube cubrió el tabernáculo de la congregación, y la gloria de Jehová llenó el tabernáculo.

35 Y no podía Moisés entrar en el tabernáculo de la congregación, porque la nube estaba sobre él, y la gloria de Jehová lo tenía lleno.

36 Y cuando la nube se alzaba del tabernáculo, los hijos de Israel se movían en todas sus jornadas;

37 pero si la nube no se alzaba, no partían hasta el día en que ella se alzaba.

38 Porque la nube de Jehová *estaba* de día sobre el tabernáculo, y el fuego estaba de noche en él, a vista de toda la casa de Israel, en todas sus jornadas.

Libro Tercero De Moisés
LEVÍTICO

CAPÍTULO 1

Y Jehová llamó a Moisés, y habló con él desde el tabernáculo de la congregación, diciendo:

2 Habla a los hijos de Israel, y diles: Cuando alguno de entre vosotros ofreciere ofrenda a Jehová, de ganado vacuno u ovejuno haréis vuestra ofrenda.

3 Si su ofrenda fuere holocausto de vacas, macho sin defecto lo ofrecerá: de su voluntad lo ofrecerá a la puerta del tabernáculo de la congregación delante de Jehová.

4 Y pondrá su mano sobre la cabeza del holocausto; y él lo aceptará para expiarle.

5 Entonces degollará el becerro en la presencia de Jehová; y los sacerdotes, hijos de Aarón, ofrecerán la sangre, y la rociarán alrededor sobre el altar, el cual está a la puerta del tabernáculo de la congregación.

6 Y desollará el holocausto, y lo dividirá en sus piezas.

7 Y los hijos de Aarón sacerdote pondrán fuego sobre el altar, y compondrán la leña sobre el fuego.

8 Luego los sacerdotes, hijos de Aarón, acomodarán las piezas, la cabeza y el redaño, sobre la leña que *está* sobre el fuego, que *habrá* encima del altar:

9 Y lavará con agua sus intestinos y sus piernas; y el sacerdote lo quemará todo sobre el altar; holocausto es, ofrenda encendida de olor grato a Jehová.

10 Y si su ofrenda para holocausto fuere de ovejas, de los corderos, o de las cabras, macho sin defecto lo ofrecerá.

11 Y ha de degollarlo al lado norte del altar delante de Jehová; y los sacerdotes, hijos de Aarón, rociarán su sangre sobre el altar alrededor.

12 Y lo dividirá en sus piezas, con su cabeza y su redaño; y el sacerdote las acomodará sobre la leña que está sobre el fuego, que habrá encima del altar;

13 y lavará sus entrañas y sus piernas con agua; y el sacerdote *lo* ofrecerá todo, y *lo* quemará sobre el altar; holocausto es, ofrenda encendida de olor grato a Jehová.

14 Y si el holocausto se hubiere de ofrecer a Jehová de aves, presentará su ofrenda de tórtolas, o de palominos.

15 Y el sacerdote *la* ofrecerá sobre el altar, y le quitará la cabeza y la quemará sobre el altar; y su sangre será exprimida sobre la pared del altar.

16 Y le quitará el buche y las plumas, lo cual echará junto al altar, hacia el oriente, en el lugar de las cenizas.

17 Y la henderá por sus alas, *pero no* la dividirá en dos; y el sacerdote la quemará sobre el altar, sobre la leña que estará en el fuego; holocausto es, ofrenda encendida de olor grato a Jehová.

CAPÍTULO 2

Y cuando alguna persona ofreciere oblación de presente a Jehová, su ofrenda será flor de harina, sobre la cual echará aceite, y pondrá sobre ella incienso:

2 Y la traerá a los sacerdotes, hijos de Aarón; y de ello tomará el sacerdote su puño lleno de su flor de harina y de su aceite, con todo su incienso, y lo quemará como memorial sobre el altar; es ofrenda encendida de olor grato a Jehová.

3 Y el resto de la ofrenda *será* de Aarón y de sus hijos; *es* cosa santísima de las ofrendas que se queman a Jehová.

4 Y cuando ofrecieres ofrenda de presente cocida en horno, *será* de tortas de flor de harina sin levadura, amasadas con aceite, y hojaldres sin levadura untadas con aceite.

5 Mas si tu presente *fuere* ofrenda de sartén, será de flor de harina sin levadura, amasada con aceite,

6 la cual partirás en piezas, y echarás sobre ella aceite; es ofrenda.

7 Y si tu presente *fuere* ofrenda *cocida* en cazuela, se hará de flor de harina con aceite.

8 Y traerás a Jehová la ofrenda que se hará de estas cosas, y la presentarás al sacerdote, el cual la llegará al altar.

9 Y el sacerdote tomará de aquella ofrenda, como memorial, y la quemará sobre el altar; ofrenda encendida, de olor grato a Jehová.

10 Y el resto de la ofrenda *será* de Aarón y de sus hijos; *es* cosa santísima de las ofrendas que se queman a Jehová.

11 Ninguna ofrenda que ofreciereis a Jehová, será con levadura; porque de ninguna cosa leuda, ni de ninguna miel, se ha de quemar ofrenda a Jehová.

12 En la ofrenda de las primicias las ofreceréis a Jehová; mas no se quemarán en el altar en olor grato.

13 Y sazonarás con sal toda ofrenda de tu presente; y no harás que falte jamás de tu presente la sal del pacto de tu Dios: en toda ofrenda tuya ofrecerás sal.

14 Y si ofrecieres a Jehová presente de primicias, tostarás al fuego las espigas verdes, y el grano desmenuzado ofrecerás por ofrenda de tus primicias.

15 Y pondrás sobre ella aceite, y pondrás sobre ella incienso; *es* ofrenda.

16 Y el sacerdote quemará el memorial de él, *parte* de su grano desmenuzado, y de su aceite con todo su incienso; es ofrenda encendida a Jehová.

CAPÍTULO 3

Y si su ofrenda fuere sacrificio de paz, si hubiere de ofrecerlo de ganado vacuno, *sea* macho o hembra, sin defecto lo ofrecerá delante de Jehová:

2 Y pondrá su mano sobre la cabeza de su ofrenda, y la degollará a la puerta del tabernáculo de la congregación; y los sacerdotes, hijos de Aarón, rociarán su sangre sobre el altar en derredor.

3 Luego ofrecerá del sacrificio de paz, por ofrenda encendida a Jehová, la grosura que cubre los intestinos, y toda la grosura que está sobre las entrañas,

4 y los dos riñones, y la grosura que *está* sobre ellos, y sobre los ijares, y con los riñones quitará el redaño que está sobre el hígado.

5 Y los hijos de Aarón harán arder esto en el altar, sobre el holocausto que estará sobre la leña que *habrá* encima del fuego; *es* ofrenda de olor grato a Jehová.

6 Mas si de ovejas fuere su ofrenda para sacrificio de paz a Jehová, sea macho o hembra, la ofrecerá sin defecto.

7 Si ofreciere cordero por su ofrenda, ha de ofrecerlo delante de Jehová:

8 Y pondrá su mano sobre la cabeza de su ofrenda, y después la degollará delante del tabernáculo de la congregación; y los hijos de Aarón rociarán su sangre sobre el altar en derredor.

9 Y del sacrificio de paz ofrecerá por ofrenda encendida a Jehová, su grosura, la cola entera, la cual quitará a raíz del espinazo, la grosura que cubre los intestinos, y toda la grosura que está sobre las entrañas,

10 Asimismo los dos riñones, y la grosura que *está* sobre ellos, y la que está sobre los ijares, y con los riñones quitará el redaño de sobre el hígado.

11 Y el sacerdote quemará esto sobre el altar; *es* vianda de ofrenda encendida a Jehová.

12 Y si fuere cabra su ofrenda la ofrecerá delante de Jehová:

13 Y pondrá su mano sobre la cabeza de ella, y la degollará delante del tabernáculo de la congregación; y los hijos de Aarón rociarán su sangre sobre el altar en derredor.

14 Después ofrecerá de ella su ofrenda encendida a Jehová; la grosura que cubre los intestinos, y toda la grosura que está sobre las entrañas,

15 y los dos riñones, y la grosura que está sobre ellos, y la que está sobre los ijares, y con los riñones quitará el redaño de sobre el hígado.

16 Y el sacerdote quemará esto sobre el altar; *es* vianda de ofrenda que se quema en olor de suavidad a Jehová; toda la grosura *es* de Jehová.

17 Estatuto perpetuo *será* por vuestras generaciones; en todas vuestras moradas, ninguna grosura ni ninguna sangre comeréis.

CAPÍTULO 4

Y Jehová habló a Moisés, diciendo: 2 Habla a los hijos de Israel, diciendo: Cuando alguna persona pecare por yerro en alguno de los mandamientos de Jehová sobre cosas que no se han de hacer, y obrare contra alguno de ellos;

3 si un sacerdote ungido pecare según el pecado del pueblo, ofrecerá a Jehová, por su pecado que habrá cometido, un becerro sin defecto como ofrenda por el pecado.

4 Y traerá el becerro a la puerta del tabernáculo de la congregación delante de Jehová, y pondrá su mano sobre la cabeza del becerro, y lo degollará delante de Jehová.

5 Y el sacerdote ungido tomará de la sangre del becerro, y la traerá al tabernáculo de la congregación;

6 y mojará el sacerdote su dedo en la sangre, y rociará de aquella sangre siete veces delante de Jehová, hacia el velo del santuario.

7 Y el sacerdote pondrá de esa sangre sobre los cuernos del altar del incienso aromático, que está en el tabernáculo de la congregación delante de Jehová; y echará toda la sangre del becerro al pie del altar del holocausto, que está a la puerta del tabernáculo de la congregación.

8 Y tomará del becerro para la expiación toda la grosura, la grosura que cubre los intestinos, y toda la grosura que está sobre las entrañas,

9 y los dos riñones, y la grosura que está sobre ellos, y la que está sobre los ijares, y con los riñones quitará el redaño de sobre el hígado,

10 de la manera que fue quitado del buey del sacrificio de paz; y el sacerdote lo quemará sobre el altar del holocausto.

11 Y la piel del becerro, y toda su carne, con su cabeza, y sus piernas, y sus intestinos, y su estiércol,

12 En fin, todo el becerro sacará fuera del campamento, a un lugar limpio, donde se echan las cenizas, y lo quemará al fuego sobre la leña: en donde se echan las cenizas será quemado.

13 Y si toda la congregación de Israel hubiere errado, y el asunto estuviere oculto a los ojos del pueblo, y hubieren hecho algo contra alguno de los mandamientos de Jehová en cosas que no se han de hacer, y fueren culpables;

14 luego que fuere entendido el pecado sobre que delinquieron, la congregación ofrecerá un becerro por expiación, y lo traerán delante del tabernáculo de la congregación.

15 Y los ancianos de la congregación pondrán sus manos sobre la cabeza del becerro delante de Jehová; y en presencia de Jehová degollarán aquel becerro.

16 Y el sacerdote ungido meterá de la sangre del becerro en el tabernáculo de la congregación.

17 Y mojará el sacerdote su dedo en la misma sangre, y *la* rociará siete veces delante de Jehová hacia el velo.

18 Y de aquella sangre pondrá sobre los cuernos del altar que está delante de Jehová en el tabernáculo de la congregación, y derramará toda la sangre al pie del altar del holocausto, que está a la puerta del tabernáculo de la congregación.

19 Y le quitará toda la grosura, y la quemará sobre el altar.

20 Y hará de aquel becerro como hizo con el becerro de la expiación; lo mismo hará de él. Así hará el sacerdote expiación por ellos, y obtendrán perdón.

21 Y sacará el becerro fuera del campamento, y lo quemará como quemó el primer becerro; es expiación por la congregación.

22 Y cuando un príncipe pecare, e hiciere por yerro algo contra alguno de todos los mandamientos de Jehová su Dios, sobre cosas que no se han de hacer, y es culpable;

23 luego que le sea conocido su pecado en que ha delinquido, presentará como su ofrenda un macho cabrío sin defecto.

24 Y pondrá su mano sobre la cabeza del macho cabrío, y lo degollará en el lugar donde se degüella el

holocausto delante de Jehová; es expiación.

25 Y tomará el sacerdote con su dedo de la sangre de la expiación, y pondrá sobre los cuernos del altar del holocausto, y derramará la sangre al pie del altar del holocausto:

26 Y quemará toda su grosura sobre el altar, como la grosura del sacrificio de paz; así hará el sacerdote por él la expiación de su pecado, y tendrá perdón.

27 Y si alguno del pueblo común pecare por yerro, haciendo algo contra alguno de los mandamientos de Jehová en cosas que no se han de hacer, y es culpable;

28 luego que le sea conocido su pecado que cometió, traerá como su ofrenda una cabra, una cabra sin defecto, por su pecado que habrá cometido.

29 Y pondrá su mano sobre la cabeza de la expiación, y la degollará en el lugar del holocausto.

30 Y el sacerdote tomará con su dedo de la sangre, y pondrá sobre los cuernos del altar del holocausto, y derramará toda la sangre al pie del altar.

31 Y le quitará toda su grosura, de la manera que fue quitada la grosura del sacrificio de paz; y el sacerdote la quemará sobre el altar en olor de suavidad a Jehová; así hará el sacerdote expiación por él, y será perdonado.

32 Y si trajere oveja para su ofrenda por el pecado, hembra sin defecto traerá.

33 Y pondrá su mano sobre la cabeza de la expiación, y la degollará por expiación en el lugar donde se degüella el holocausto.

34 Después tomará el sacerdote con su dedo de la sangre de la expiación, y pondrá sobre los cuernos del altar del holocausto; y derramará toda la sangre al pie del altar.

35 Y le quitará toda la grosura, como le es quitada la grosura al cordero del sacrificio de paz, y el sacerdote la quemará en el altar sobre la ofrenda encendida a Jehová; y le hará el sacerdote expiación de su pecado que hubiere cometido, y le será perdonado.

CAPÍTULO 5

Y si alguna persona pecare, que hubiere oído la voz del que juró, y él *fuere* testigo que vio, o supo, si no *lo* denunciare, él llevará su pecado.

2 Asimismo la persona que hubiere tocado en cualquiera cosa inmunda, sea cuerpo muerto de bestia inmunda, o cuerpo muerto de animal inmundo, o cuerpo muerto de reptil inmundo, bien que no lo supiere, será inmunda y habrá delinquido:

3 O si tocare a hombre inmundo en cualquiera inmundicia suya de que es inmundo, y no lo echare de ver; si después llega a saberlo, será culpable.

4 También la persona que jurare, pronunciando con *sus* labios hacer mal o bien, en cualquiera cosa que el hombre profiere con juramento, y él no lo conociere; si después lo entiende, será culpable de una de estas cosas.

5 Y será que cuando llegare a ser culpable de alguna de estas cosas, confesará aquello en que pecó;

6 y para su expiación presentará a Jehová, por su pecado que ha cometido, una hembra de los rebaños, una cordera o una cabra como ofrenda de expiación; y el sacerdote hará expiación por él de su pecado.

7 Y si no le alcanzare para un cordero, traerá en expiación por su pecado que cometió, dos tórtolas o dos palominos a Jehová; uno para expiación, y el otro para holocausto.

8 Y ha de traerlos al sacerdote, el cual ofrecerá primero el que es para expiación, y desunirá su cabeza de su cuello, mas no la apartará del todo.

9 Y rociará de la sangre de la expiación sobre la pared del altar; y lo que sobrare de la sangre lo exprimirá al pie del altar; es expiación.

10 Y ofrecerá el segundo *por* holocausto conforme al rito; y el sacerdote hará expiación por él, por el pecado que cometió, y le será perdonado.

11 Mas si su posibilidad no alcanzare para dos tórtolas, o dos palominos, el que pecó traerá por su ofrenda la décima parte de un efa de flor de

harina por expiación. No pondrá sobre ella aceite, ni sobre ella pondrá incienso, porque es expiación.

12 La traerá, pues, al sacerdote, y el sacerdote tomará de ella su puño lleno, en memoria suya, y la quemará en el altar sobre las ofrendas encendidas a Jehová: es expiación.

13 Y hará el sacerdote expiación por él de su pecado que cometió en alguna de estas cosas, y será perdonado; y el sobrante será del sacerdote, como el presente de vianda.

14 Habló más Jehová a Moisés, diciendo:

15 Cuando alguna persona cometiere falta, y pecare por yerro en las cosas santificadas a Jehová, traerá su expiación a Jehová, un carnero sin defecto de los rebaños, conforme a tu estimación, en siclos de plata del siclo del santuario, en ofrenda por el pecado:

16 Y pagará aquello de las cosas santas en que hubiere pecado, y añadirá a ello la quinta parte, y lo dará al sacerdote: y el sacerdote hará expiación por él con el carnero del sacrificio por el pecado, y será perdonado.

17 Finalmente, si una persona pecare, o hiciere alguna de todas aquellas cosas que por mandamiento de Jehová no se han de hacer, aun sin hacerlo a sabiendas, es culpable, y llevará su pecado.

18 Traerá, pues, al sacerdote por expiación, según tú lo estimes, un carnero sin defecto de los rebaños: y el sacerdote hará expiación por él de su yerro que cometió por ignorancia, y será perdonado.

19 Es transgresión, y ciertamente delinquió contra Jehová.

CAPÍTULO 6

Y Jehová habló a Moisés, diciendo: 2 Cuando una persona pecare e hiciere prevaricación contra Jehová, y negare a su prójimo lo encomendado o dejado en su mano, o robare, o engañare a su prójimo;

3 o que habiendo hallado lo que estaba perdido mintiere acerca de ello, y jurare en falso, en alguna de todas aquellas cosas en que suele pecar el hombre:

4 Entonces será, porque habrá pecado y es culpable, que restituirá aquello que robó, o lo que obtuvo por engaño, o el depósito que se le encomendó, o lo perdido que halló,

5 o todo aquello sobre lo que hubiere jurado falsamente; lo restituirá, pues, por entero, y añadirá a ello la quinta parte, que ha de pagar a aquel a quien pertenece, en el día de su expiación.

6 Y por su expiación traerá a Jehová un carnero sin defecto de los rebaños, conforme a tu estimación, al sacerdote para la expiación.

7 Y el sacerdote hará expiación por él delante de Jehová, y obtendrá perdón de cualquiera de todas las cosas en que suele ofender.

8 Habló aún Jehová a Moisés, diciendo:

9 Manda a Aarón y a sus hijos diciendo: Ésta es la ley del holocausto: Es holocausto, porque se quemará sobre el altar toda la noche hasta la mañana, y el fuego del altar permanecerá encendido en él.

10 El sacerdote se pondrá su vestimenta de lino, y se vestirá calzoncillos de lino sobre su carne; y cuando el fuego hubiere consumido el holocausto, él apartará las cenizas de sobre el altar, y las pondrá junto al altar.

11 Después se desnudará de sus vestimentas, y se pondrá otras vestiduras, y sacará las cenizas fuera del campamento a un lugar limpio.

12 Y el fuego encendido sobre el altar no ha de apagarse, sino que el sacerdote pondrá en él leña cada mañana, y acomodará sobre él el holocausto, y quemará sobre él la grosura de los sacrificios de paz.

13 El fuego ha de arder continuamente en el altar; no se apagará.

14 Y ésta *es* la ley de la ofrenda: Han de ofrecerla los hijos de Aarón delante de Jehová, delante del altar.

15 Y tomará de ella un puñado de la flor de harina del presente, y de su aceite, y todo el incienso que está sobre la ofrenda, y lo quemará sobre el altar por memorial, en olor grato a Jehová.

16 Y el sobrante de ella lo comerán Aarón y sus hijos: sin levadura se comerá en el lugar santo; en el atrio del tabernáculo de la congregación lo comerán.

17 No se cocerá con levadura: la he dado a ellos por su porción de mis ofrendas encendidas; es cosa santísima, como la expiación por el pecado, y como la expiación por la culpa.

18 Todos los varones de los hijos de Aarón comerán de ella. Estatuto perpetuo *será* para vuestras generaciones tocante a las ofrendas encendidas de Jehová: toda cosa que tocare en ellas será santificada.

19 Y habló Jehová a Moisés, diciendo:

20 Ésta es la ofrenda de Aarón y de sus hijos, que ofrecerán a Jehová el día que serán ungidos: la décima parte de un efa de flor de harina, ofrenda perpetua, la mitad a la mañana y la mitad a la tarde.

21 En sartén se aderezará con aceite; frita la traerás, y los pedazos cocidos de la ofrenda ofrecerás en olor grato a Jehová.

22 Y el sacerdote que en lugar de Aarón fuere ungido de entre sus hijos, hará la ofrenda; estatuto perpetuo de Jehová: toda ella será quemada.

23 Y toda ofrenda de sacerdote será enteramente quemada; no se comerá.

24 Y habló Jehová a Moisés, diciendo:

25 Habla a Aarón y a sus hijos, diciendo: Ésta es la ley de la expiación: en el lugar donde será degollado el holocausto, será degollada la expiación por el pecado delante de Jehová: es cosa santísima.

26 El sacerdote que la ofreciere por expiación, la comerá: en el lugar santo será comida, en el atrio del tabernáculo de la congregación.

27 Todo lo que en su carne tocare, será santificado; y si salpicare de su sangre sobre alguna vestidura, lavarás aquello sobre que cayere, en el lugar santo.

28 Y la vasija de barro en que fuere cocida, será quebrada: y si fuere cocida en vasija de bronce, será fregada y lavada con agua.

29 Todo varón de entre los sacerdotes la comerá: es cosa santísima.

30 Mas no se comerá de expiación alguna, de cuya sangre se metiere en el tabernáculo de la congregación para reconciliar en el santuario: al fuego será quemada.

CAPÍTULO 7

Asimismo ésta *es* la ley de la expiación de la culpa; *es* cosa muy santa.

2 En el lugar donde degollaren el holocausto, degollarán la víctima por la culpa; y rociará su sangre en derredor sobre el altar.

3 Y de ella ofrecerá todo su grosura, la cola, y la grosura que cubre los intestinos.

4 Y los dos riñones, y la grosura que está sobre ellos, y la que *está* sobre los ijares; y con los riñones quitará la grosura de sobre el hígado.

5 Y el sacerdote lo quemará sobre el altar *como* ofrenda encendida a Jehová; es expiación de la culpa.

6 Todo varón de entre los sacerdotes la comerá; será comida en el lugar santo; es cosa muy santa.

7 Como la expiación por el pecado, así es la expiación de la culpa: una misma ley tendrán; será del sacerdote que habrá hecho la reconciliación con ella.

8 Y el sacerdote que ofreciere holocausto de alguno, la piel del holocausto que ofreciere, será para él.

9 Asimismo toda ofrenda que se cociere en horno, y todo lo que fuere aderezado en sartén, o en cazuela, será del sacerdote que lo ofreciere.

10 Y toda ofrenda amasada con aceite, y seca, será de todos los hijos de Aarón, tanto al uno como al otro.

11 Y ésta es la ley del sacrificio de paz, que se ofrecerá a Jehová:

12 Si se ofreciere en acción de gracias, ofrecerá por sacrificio de acción de gracias tortas sin levadura amasadas con aceite, y hojaldres sin levadura untadas con aceite, y flor de harina frita en tortas amasadas con aceite.

13 Con tortas de pan leudo ofrecerá su ofrenda en el sacrificio de acción de gracias de sus ofrendas de paz.

14 Y de toda la ofrenda presentará una parte por ofrenda elevada a Jehová, y será del sacerdote que rociare la sangre de los sacrificios de paz.

15 Y la carne del sacrificio de paz en acción de gracias, se comerá en el día que fuere ofrecida; no dejarán de ella nada para otro día.

16 Mas si el sacrificio de su ofrenda *fuere* voto, o voluntario, el día que ofreciere su sacrificio será comido; y lo que de él quedare, se ha de comer el día siguiente:

17 Y lo que quedare para el tercer día de la carne del sacrificio, será quemado en el fuego.

18 Y si se comiere de la carne del sacrificio de paz al tercer día, el que lo ofreciere no será acepto, ni le será contado; abominación será, y la persona que de él comiere llevará su pecado.

19 Y la carne que tocare a alguna cosa inmunda, no se comerá; al fuego será quemada; y en cuanto a la carne, todo limpio comerá de ella.

20 Y la persona que comiere la carne del sacrificio de paz, el cual es de Jehová, estando inmunda, aquella persona será cortada de entre su pueblo.

21 Además, la persona que tocare alguna cosa inmunda, en inmundicia de hombre, o en animal inmundo, o en cualquiera abominación inmunda, y comiere la carne del sacrificio de paz, el cual *es* de Jehová, aquella persona será cortada de su pueblo.

22 Habló aún Jehová a Moisés, diciendo:

23 Habla a los hijos de Israel, diciendo: Ninguna grosura de buey, ni de cordero, ni de cabra, comeréis.

24 La grosura de animal muerto, y la grosura del que fue despedazado por fieras podrá servir para cualquier otro uso, pero no lo comeréis.

25 Porque cualquiera que comiere grosura de animal, del cual se ofrece a Jehová ofrenda encendida, la persona que lo comiere, será cortada de entre su pueblo.

26 Además, ninguna sangre comeréis en todas vuestras habitaciones, así de aves como de bestias.

27 Cualquier persona que comiere alguna sangre, la tal persona será cortada de su pueblo.

28 Habló más Jehová a Moisés, diciendo:

29 Habla a los hijos de Israel, diciendo: El que ofreciere sacrificio de paz a Jehová, traerá su ofrenda del sacrificio de paz a Jehová;

30 Sus manos traerán las ofrendas que se han de quemar a Jehová: traerá la grosura con el pecho; el pecho para que éste sea agitado, como sacrificio agitado delante de Jehová.

31 Y la grosura la quemará el sacerdote sobre el altar, mas el pecho será de Aarón y de sus hijos.

32 Y daréis al sacerdote para ser elevada en ofrenda, la espaldilla derecha de los sacrificios de vuestros sacrificios de paz.

33 El que de los hijos de Aarón ofreciere la sangre de los sacrificios de paz, y la grosura, tomará la espaldilla derecha como *su* porción.

34 Porque he tomado de los hijos de Israel, de los sacrificios de paz, el pecho que se agita, y la espaldilla elevada en ofrenda, y lo he dado a Aarón el sacerdote y a sus hijos, por estatuto perpetuo de los hijos de Israel.

35 Ésta *es la porción* de la unción de Aarón y la unción de sus hijos, la porción de ellos en las ofrendas encendidas a Jehová, desde el día que él los presentó para ser sacerdotes de Jehová:

36 Lo cual mandó Jehová que les diesen, desde el día que Él los ungió de entre los hijos de Israel, por estatuto perpetuo por sus generaciones.

37 Ésta es la ley del holocausto, de la ofrenda, de la expiación por el pecado, y de la culpa, y de las consagraciones, y del sacrificio de paz;

38 la cual Jehová mandó a Moisés, en el monte de Sinaí, el día que mandó a los hijos de Israel que ofreciesen sus ofrendas a Jehová en el desierto de Sinaí.

CAPÍTULO 8

Y Jehová habló a Moisés, diciendo:
2 Toma a Aarón y a sus hijos con

él, y las vestimentas, y el aceite de la unción, y el becerro de la expiación, y los dos carneros, y el canastillo de los panes sin levadura;

3 Y reúne toda la congregación a la puerta del tabernáculo de la congregación.

4 Hizo, pues, Moisés como Jehová le mandó, y se juntó la congregación a la puerta del tabernáculo de la congregación.

5 Y dijo Moisés a la congregación: Esto es lo que Jehová ha mandado hacer.

6 Entonces Moisés hizo llegar a Aarón y a sus hijos, y los lavó con agua.

7 Y puso sobre él la túnica, y lo ciñó con el cinto; le vistió después el manto, y puso sobre él el efod, y lo ciñó con el cinto del efod, y *lo* ajustó con él.

8 Y luego puso sobre él el pectoral, y dentro del pectoral puso el Urim y el Tumim.

9 Después puso la mitra sobre su cabeza; y sobre la mitra en su frente, puso la lámina de oro, la corona santa; como Jehová había mandado a Moisés.

10 Y tomó Moisés el aceite de la unción, y ungió el tabernáculo, y todas las cosas que *estaban* en él, y las santificó.

11 Y roció de él sobre el altar siete veces, y ungió el altar y todos sus vasos, y la fuente y su base, para santificarlos.

12 Y derramó del aceite de la unción sobre la cabeza de Aarón, y lo ungió para santificarlo.

13 Después Moisés hizo llegar los hijos de Aarón, y les vistió las túnicas, y los ciñó con cintos, y les ajustó las tiaras, como Jehová lo había mandado a Moisés.

14 Hizo luego llegar el becerro de la expiación, y Aarón y sus hijos pusieron sus manos sobre la cabeza del becerro de la expiación.

15 Y *lo* degolló; y Moisés tomó la sangre, y puso con su dedo sobre los cuernos del altar alrededor, y purificó el altar; y echó la demás sangre al pie del altar, y lo santificó para reconciliar sobre él.

16 Después tomó toda la grosura que *estaba* sobre los intestinos, y el redaño del hígado, y los dos riñones, y la grosura de ellos, y Moisés lo hizo arder sobre el altar.

17 Mas el becerro, y su cuero, y su carne, y su estiércol, lo quemó al fuego fuera del campamento; como Jehová lo había mandado a Moisés.

18 Después hizo llegar el carnero del holocausto, y Aarón y sus hijos pusieron sus manos sobre la cabeza del carnero:

19 Y *lo* degolló; y roció Moisés la sangre sobre el altar en derredor.

20 Y cortó el carnero en trozos; y Moisés hizo arder la cabeza, y los trozos, y la grosura.

21 Lavó luego con agua los intestinos y piernas, y quemó Moisés todo el carnero sobre el altar: holocausto en olor grato, ofrenda encendida a Jehová; como Jehová lo había mandado a Moisés.

22 Después hizo llegar el otro carnero, el carnero de las consagraciones, y Aarón y sus hijos pusieron sus manos sobre la cabeza del carnero:

23 Y *lo* degolló; y tomó Moisés de su sangre, y puso sobre la ternilla de la oreja derecha de Aarón, y sobre el dedo pulgar de su mano derecha, y sobre el dedo pulgar de su pie derecho.

24 Hizo llegar luego los hijos de Aarón, y puso Moisés de la sangre sobre la ternilla de sus orejas derechas, y sobre los pulgares de sus manos derechas, y sobre los pulgares de sus pies derechos: y roció Moisés la sangre sobre el altar en derredor;

25 y después tomó la grosura, y la cola, y toda la grosura que estaba sobre los intestinos, y el redaño del hígado, y los dos riñones, y la grosura de ellos, y la espaldilla derecha;

26 y del canastillo de los panes sin levadura, que *estaba* delante de Jehová, tomó una torta sin levadura, y una torta de pan de aceite, y una lasaña, y las puso con la grosura y con la espaldilla derecha;

27 y lo puso todo en las manos de Aarón, y en las manos de sus hijos, y lo hizo mecer; ofrenda agitada delante de Jehová.

28 Después tomó aquellas cosas Moisés de las manos de ellos, y las

hizo arder en el altar sobre el holocausto; las consagraciones en olor grato, ofrenda encendida a Jehová.

29 Y tomó Moisés el pecho, y lo meció, ofrenda agitada delante de Jehová; del carnero de las consagraciones aquella fue la porción de Moisés; como Jehová lo había mandado a Moisés.

30 Luego tomó Moisés del aceite de la unción, y de la sangre que *estaba* sobre el altar, y roció sobre Aarón, y sobre sus vestiduras, sobre sus hijos, y sobre las vestiduras de sus hijos con él; y santificó a Aarón, y sus vestiduras, y a sus hijos, y las vestiduras de sus hijos con él.

31 Y dijo Moisés a Aarón y a sus hijos: Coced la carne a la puerta del tabernáculo de la congregación; y comedla allí con el pan que está en el canastillo de las consagraciones, según yo he mandado, diciendo: Aarón y sus hijos la comerán.

32 Y lo que sobrare de la carne y del pan, habéis de quemarlo al fuego.

33 De la puerta del tabernáculo de la congregación no saldréis en siete días, hasta el día que se cumplieren los días de vuestras consagraciones: porque por siete días seréis consagrados.

34 De la manera que hoy se ha hecho, mandó hacer Jehová para hacer expiación por vosotros.

35 A la puerta, pues, del tabernáculo de la congregación estaréis día y noche por siete días, y guardaréis la ordenanza delante de Jehová, para que no muráis; porque así me ha sido mandado.

36 Y Aarón y sus hijos hicieron todas las cosas que mandó Jehová por medio de Moisés.

CAPÍTULO 9

Y fue en el día octavo, que Moisés llamó a Aarón y a sus hijos, y a los ancianos de Israel;

2 y dijo a Aarón: Toma de la vacada un becerro para expiación, y un carnero para holocausto, sin defecto, y ofréceos delante de Jehová.

3 Y a los hijos de Israel hablarás, diciendo: Tomad un macho cabrío para expiación, y un becerro y un cordero de un año, sin defecto, para holocausto;

4 Asimismo un buey y un carnero para sacrificio de paz, que inmoléis delante de Jehová; y un presente amasado con aceite: porque Jehová se aparecerá hoy a vosotros.

5 Y llevaron lo que mandó Moisés delante del tabernáculo de la congregación, y se llegó toda la congregación, y se pusieron delante de Jehová.

6 Entonces Moisés dijo: Esto *es* lo que mandó Jehová; hacedlo, y la gloria de Jehová se os aparecerá.

7 Y dijo Moisés a Aarón: Acércate al altar, y haz tu expiación, y tu holocausto, y haz la reconciliación por ti y por el pueblo; haz también la ofrenda del pueblo, y haz la reconciliación por ellos; como ha mandado Jehová.

8 Entonces se acercó Aarón al altar y degolló el becerro de la expiación que *era* por él.

9 Y los hijos de Aarón le trajeron la sangre; y él mojó su dedo en la sangre, y puso sobre los cuernos del altar, y derramó la demás sangre al pie del altar;

10 E hizo arder sobre el altar la grosura y los riñones y el redaño del hígado de la expiación, como Jehová lo había mandado a Moisés.

11 Mas la carne y la piel las quemó al fuego fuera del campamento.

12 Degolló asimismo el holocausto, y los hijos de Aarón le presentaron la sangre, la cual él roció alrededor sobre el altar.

13 Y le presentaron después el holocausto en trozos, y la cabeza; y lo hizo quemar sobre el altar.

14 Luego lavó los intestinos y las piernas, y los quemó sobre el holocausto en el altar.

15 Ofreció también la ofrenda del pueblo, y tomó el macho cabrío que era para la expiación del pueblo, y lo degolló, y lo ofreció por el pecado como el primero.

16 Y ofreció el holocausto, e hizo según el rito.

17 Ofreció asimismo la ofrenda, y llenó de ella su mano, y la quemó sobre el altar, además del holocausto de la mañana.

18 Degolló también el buey y el carnero en sacrificio de paz, que era por el pueblo: y los hijos de Aarón le presentaron la sangre (la cual roció él sobre el altar alrededor),

19 y las grosuras del buey y del carnero, la cola, lo que cubre las entrañas, los riñones y el redaño del hígado;

20 y pusieron las grosuras sobre los pechos, y él quemó las grosuras sobre el altar.

21 Pero los pechos, con la espaldilla derecha, los meció Aarón como ofrenda agitada delante de Jehová, tal como Moisés lo había mandado.

22 Después alzó Aarón sus manos hacia el pueblo y los bendijo; y descendió de hacer la expiación, y el holocausto, y el sacrificio de paz.

23 Y entraron Moisés y Aarón en el tabernáculo de la congregación; y salieron, y bendijeron al pueblo: y la gloria de Jehová se apareció a todo el pueblo.

24 Y salió fuego de delante de Jehová, y consumió el holocausto y las grosuras sobre el altar; y viéndolo todo el pueblo, alabaron, y cayeron sobre sus rostros.

CAPÍTULO 10

Y los hijos de Aarón, Nadab y Abiú, tomaron cada uno su incensario, y pusieron fuego en ellos, sobre el cual pusieron incienso, y ofrecieron delante de Jehová fuego extraño, que Él nunca les mandó.

2 Y salió fuego de delante de Jehová que los quemó, y murieron delante de Jehová.

3 Entonces dijo Moisés a Aarón: Esto es lo que habló Jehová, diciendo: En los que a mí se acercan me santificaré, y en presencia de todo el pueblo seré glorificado. Y Aarón calló.

4 Y llamó Moisés a Misael, y a Elizafán, hijos de Uziel, tío de Aarón, y les dijo: Acercaos y sacad a vuestros hermanos de delante del santuario fuera del campamento.

5 Y ellos se acercaron, y los sacaron con sus túnicas fuera del campamento, como dijo Moisés.

6 Entonces Moisés dijo a Aarón, y a Eleazar y a Itamar, sus hijos: No descubráis vuestras cabezas, ni rasguéis vuestras vestiduras, para que no muráis, ni se levante la ira sobre toda la congregación: pero dejad que vuestros hermanos, toda la casa de Israel, lamente el incendio que Jehová ha hecho.

7 Ni saldréis de la puerta del tabernáculo de la congregación, porque moriréis; por cuanto el aceite de la unción de Jehová está sobre vosotros. Y ellos hicieron conforme al dicho de Moisés.

8 Y Jehová habló a Aarón, diciendo:

9 Tú, y tus hijos contigo, no beberéis vino ni sidra, cuando hubiereis de entrar en el tabernáculo de la congregación, para que no muráis; estatuto perpetuo será por vuestras generaciones;

10 y para poder discernir entre lo santo y lo profano, y entre lo inmundo y lo limpio;

11 y para enseñar a los hijos de Israel todos los estatutos que Jehová les ha dicho por medio de Moisés.

12 Y Moisés dijo a Aarón, y a Eleazar y a Itamar, sus hijos que habían quedado: Tomad la ofrenda que queda de las ofrendas encendidas a Jehová, y comedlo sin levadura junto al altar, porque es cosa muy santa.

13 Habéis, pues, de comerlo en el lugar santo; porque ésta es tu porción, y la porción de tus hijos, de las ofrendas encendidas a Jehová, pues que así me ha sido mandado.

14 Comeréis asimismo en lugar limpio, tú y tus hijos y tus hijas contigo, el pecho de la mecida, y la espaldilla elevada, porque son tu porción, y la porción de tus hijos, son dados de los sacrificios de paz de los hijos de Israel.

15 Con las ofrendas de las grosuras que se han de encender, traerán la espaldilla que se ha de elevar, y el pecho que será mecido, para que lo mezas por ofrenda agitada delante de Jehová; y será tuyo, y de tus hijos contigo, por estatuto perpetuo, como Jehová lo ha mandado.

16 Y Moisés demandó el macho cabrío de la expiación, y se halló que era quemado; y se enojó contra Eleazar e Itamar, los hijos de Aarón que habían quedado, diciendo:

17 ¿Por qué no comisteis la expiación en el lugar santo, viendo que *es* muy santa, y *Dios* la dio a vosotros para llevar la iniquidad de la congregación, para hacer remisión por ellos delante de Jehová?

18 Veis que su sangre no fue metida dentro del santuario: habíais de comerla en el lugar santo, como yo mandé.

19 Y respondió Aarón a Moisés: He aquí hoy han ofrecido su expiación y su holocausto delante de Jehová: pero me han acontecido estas cosas: pues si comiera yo hoy de la expiación, ¿hubiera sido acepto a Jehová?

20 Y cuando Moisés oyó esto, se dio por satisfecho.

CAPÍTULO 11

Y Jehová habló a Moisés y a Aarón, diciéndoles:

2 Hablad a los hijos de Israel, diciendo: Éstos *son* los animales que comeréis de todos los animales que *están* sobre la tierra.

3 De entre los animales, todo el de pezuña, y que tiene las pezuñas hendidas, y que rumia, éste comeréis.

4 Pero no comeréis de los que rumian y de los que tienen pezuña; el camello, porque rumia pero no tiene pezuña hendida, habéis de tenerlo por inmundo.

5 También el conejo, porque rumia, pero no tiene pezuña hendida, lo tendréis por inmundo.

6 Asimismo la liebre, porque rumia, pero no tiene pezuña hendida, la tendréis por inmunda.

7 También el puerco, aunque tiene pezuñas, y es de pezuñas hendidas, pero no rumia, lo tendréis por inmundo.

8 De la carne de ellos no comeréis, ni tocaréis su cuerpo muerto; los tendréis por inmundos.

9 Esto comeréis de todas las cosas que *están* en las aguas: todas las cosas que tienen aletas y escamas en las aguas del mar, y en los ríos, aquellas comeréis.

10 Mas todas las cosas que no tienen aletas ni escamas en el mar y en los ríos, así de todo reptil de agua como de toda cosa viviente que está en las aguas, las tendréis en abominación.

11 Os serán, pues, en abominación: de su carne no comeréis, y abominaréis sus cuerpos muertos.

12 Todo lo que no tuviere aletas y escamas en las aguas, lo tendréis en abominación.

13 Y de las aves, éstas tendréis en abominación; no se comerán, *serán* abominación: El águila, el quebrantahuesos, el esmerejón,

14 el milano, y el buitre según su especie;

15 todo cuervo según su especie.

16 El búho, el halcón nocturno, la gaviota, el gavilán según su especie;

17 la lechuza, el somormujo, el búho real,

18 el calamón, el pelícano, el gallinazo,

19 la cigüeña, la garza según su especie, la abubilla y el murciélago.

20 Todo insecto alado que anduviere sobre cuatro patas, tendréis en abominación.

21 Pero podréis comer de todo insecto alado que anda sobre cuatro patas, que tiene piernas además de sus patas para saltar con ellas sobre la tierra.

22 De éstos podéis comer; la langosta según su especie, y el langostín según su especie, y el argol según su especie, y el hagab según su especie.

23 Todo insecto alado que tenga cuatro patas, tendréis en abominación.

24 Y por estas cosas seréis inmundos: cualquiera que tocare a sus cuerpos muertos, será inmundo hasta la tarde:

25 Y cualquiera que llevare *algo* de sus cuerpos muertos, lavará sus vestiduras, y será inmundo hasta la tarde.

26 Todo animal de pezuña, pero que no tiene pezuña hendida, ni rumia, tendréis por inmundo: cualquiera que los tocare será inmundo.

27 Y de todos los animales que andan en cuatro patas, tendréis por inmundo cualquiera que ande sobre sus garras: cualquiera que tocare sus cuerpos muertos, será inmundo hasta la tarde.

28 Y el que llevare sus cuerpos muertos, lavará sus vestiduras, y será inmundo hasta la tarde: habéis de tenerlos por inmundos.

29 Y éstos tendréis por inmundos de los animales que van arrastrando sobre la tierra: la comadreja, y el ratón, y la rana según su especie,

30 y el erizo, y el camaleón, y la iguana, y el caracol y el topo.

31 Éstos tendréis por inmundos de entre todos los animales; cualquiera que los tocare cuando estuvieren muertos, será inmundo hasta la tarde.

32 Y todo aquello sobre que cayere alguno de ellos después de muertos, será inmundo; así vaso de madera, como vestido, o piel, o saco, cualquier instrumento con que se hace obra, será metido en agua, y será inmundo hasta la tarde, y así será limpio.

33 Y toda vasija de barro dentro de la cual cayere alguno de ellos, todo lo que *estuviere* en ella será inmundo, y quebraréis la vasija:

34 Toda vianda que se come, sobre la cual viniere el agua de tales vasijas, será inmunda: y toda bebida que se bebiere, será en todas esas vasijas inmunda:

35 Y todo aquello sobre que cayere algo del cuerpo muerto de ellos, será inmundo; el horno u hornillos se derribarán; son inmundos, y por inmundos los tendréis.

36 Con todo, la fuente y la cisterna donde se recogen aguas, serán limpias: mas lo que hubiere tocado en sus cuerpos muertos será inmundo.

37 Y si *parte* de sus cuerpos muertos cayere sobre alguna semilla que se haya de sembrar, *será* limpia.

38 Mas si se hubiere puesto agua en la semilla, y *parte* de sus cuerpos muertos cayere sobre ella, la tendréis por inmunda.

39 Y si algún animal que tuviereis para comer se muriere, el que tocare su cuerpo muerto *será* inmundo hasta la tarde:

40 Y el que comiere de su cuerpo muerto, lavará sus vestiduras, y será inmundo hasta la tarde; asimismo el que sacare su cuerpo muerto, lavará sus vestiduras, y será inmundo hasta la tarde.

41 Y todo animal que se arrastra sobre la tierra, *es* abominación; no se comerá.

42 Todo lo que anda sobre el pecho, y todo lo que anda sobre cuatro o más patas, de todo animal que se arrastra sobre la tierra, no lo comeréis, porque *es* abominación.

43 No os hagáis abominables con ningún animal que se arrastra, ni os contaminéis con ellos, ni seáis inmundos por ellos.

44 Porque yo *soy* Jehová vuestro Dios, vosotros por tanto os santificaréis, y seréis santos, porque yo *soy* santo; así que no os contaminéis con ningún animal que se arrastra sobre la tierra.

45 Porque yo soy Jehová, que os hago subir de la tierra de Egipto para ser vuestro Dios; seréis, pues, santos, porque yo soy santo.

46 Ésta *es* la ley de los animales y de las aves, y de todo ser viviente que se mueve en las aguas, y de todo animal que anda arrastrando sobre la tierra;

47 Para hacer diferencia entre inmundo y limpio, y entre los animales que se pueden comer y los animales que no se pueden comer.

CAPÍTULO 12

Y Jehová habló a Moisés, diciendo:
2 Habla a los hijos de Israel, diciendo: La mujer cuando concibiere y diere a luz a varón, será inmunda siete días; conforme a los días que está separada por su menstruación será inmunda.

3 Y al octavo día se circuncidará la carne del prepucio *del niño.*

4 Mas ella permanecerá treinta y tres días en la purificación de su sangre: ninguna cosa santa tocará, ni vendrá al santuario, hasta que sean cumplidos los días de su purificación.

5 Y si diere a luz una hija, será inmunda dos semanas, conforme a su separación, y sesenta y seis días estará purificándose de su sangre.

6 Y cuando los días de su purificación fueren cumplidos, por hijo o por hija, traerá un cordero de un año para holocausto, y un palomino o una tórtola para

expiación, a la puerta del tabernáculo de la congregación, al sacerdote:

7 Y él ofrecerá delante de Jehová, y hará expiación por ella, y será limpia del flujo de su sangre. Ésta *es* la ley de la que diere a luz hijo o hija.

8 Y si no alcanzare su mano lo suficiente para un cordero, tomará entonces dos tórtolas o dos palominos, uno para holocausto, y otro para expiación: y el sacerdote hará expiación por ella, y será limpia.

CAPÍTULO 13

Y Jehová habló a Moisés y a Aarón, diciendo:

2 Cuando el hombre tuviere en la piel de su carne hinchazón, o erupción, o mancha blanca, y hubiere en la piel de su carne *como* llaga de lepra, será traído a Aarón el sacerdote, o a uno de sus hijos los sacerdotes:

3 Y el sacerdote mirará la llaga en la piel de la carne: si el pelo en la llaga se ha vuelto blanco, y la llaga pareciere más profunda que la piel de su carne, es llaga de lepra; y el sacerdote lo reconocerá, y lo declarará inmundo.

4 Y si en la piel de su carne hubiere mancha blanca, pero no pareciere más profunda que la piel, ni su pelo se hubiere vuelto blanco, entonces el sacerdote encerrará *al* llagado por siete días.

5 Y al séptimo día el sacerdote lo mirará; y si la llaga a su parecer se hubiere estancado, no habiéndose extendido en la piel, entonces el sacerdote lo volverá a encerrar por otros siete días.

6 Y al séptimo día el sacerdote lo examinará de nuevo; y he aquí, si la llaga parece haberse oscurecido, y no se ha extendido en la piel, entonces el sacerdote lo declarará limpio; era postilla; y lavará sus vestiduras y será limpio.

7 Mas si hubiere ido creciendo la postilla en la piel, después que fue mostrado al sacerdote para ser limpio, será visto otra vez por el sacerdote.

8 Y si reconociéndolo el sacerdote, ve que la postilla ha crecido en la piel,

el sacerdote lo declarará inmundo: es lepra.

9 Cuando hubiere llaga de lepra en el hombre, será traído al sacerdote;

10 y el sacerdote lo mirará, y si pareciere tumor blanco en la piel, el cual haya mudado el color del pelo, y se descubre asimismo la carne viva,

11 es lepra envejecida en la piel de su carne; y le declarará inmundo el sacerdote, y no le encerrará, porque es inmundo.

12 Mas si brotare la lepra extendiéndose por la piel, y ella cubriere toda la piel del llagado, desde su cabeza hasta sus pies, hasta donde el sacerdote pueda ver;

13 entonces el sacerdote le reconocerá; y si la lepra hubiere cubierto toda su carne, declarará limpio *al* llagado; toda ella se ha vuelto blanca; y él *es* limpio.

14 Mas el día que apareciere en él la carne viva, será inmundo.

15 Y el sacerdote mirará la carne viva, y lo declarará inmundo. Es inmunda la carne viva; *es* lepra.

16 Mas cuando la carne viva se mudare y volviere blanca, entonces vendrá al sacerdote;

17 y lo mirará el sacerdote, y si la llaga se hubiere vuelto blanca, el sacerdote declarará limpio al que tenía la llaga, y será limpio.

18 Y cuando en la carne, en su piel, hubiere apostema, y se sanare,

19 y si en el lugar de la apostema apareciere una hinchazón blanca, o una mancha blanca rojiza, será mostrado al sacerdote:

20 Y el sacerdote mirará; y si pareciere estar más baja que su piel, y su pelo se hubiere vuelto blanco, el sacerdote lo declarará inmundo: es llaga de lepra que se originó en la apostema.

21 Pero si el sacerdote la examinare, y he aquí, no hubiere en ella pelo blanco, ni estuviere más baja que la piel, sino oscura, entonces el sacerdote lo encerrará por siete días;

22 Y si se fuere extendiendo por la piel, entonces el sacerdote lo declarará inmundo: es llaga.

23 Pero si la mancha blanca permaneciere en su lugar, y no se ha extendido, es la costra de la

apostema; y el sacerdote lo declarará limpio.

24 Asimismo cuando la carne tuviere en su piel quemadura de fuego, y hubiere en lo sanado del fuego mancha blanquecina, rojiza o blanca,

25 el sacerdote la mirará; y si el pelo se hubiere vuelto blanco en la mancha, y *la mancha* pareciere estar más profunda que la piel, es lepra que salió en la quemadura; y el sacerdote lo declarará inmundo, *por ser* llaga de lepra.

26 Pero si el sacerdote la examinare, y no apareciere en la mancha pelo blanco, ni estuviere más profunda que la piel, sino que está oscura, entonces el sacerdote lo encerrará por siete días;

27 y al séptimo día el sacerdote la reconocerá: si se hubiere ido extendiendo por la piel, el sacerdote lo declarará inmundo: es llaga de lepra.

28 Pero si la mancha se estuviere en su lugar, y no se hubiere extendido en la piel, sino que está oscura, hinchazón es de la quemadura: el sacerdote lo declarará limpio; que señal de la quemadura es.

29 Y al hombre o mujer que le saliere llaga en la cabeza, o en la barba,

30 el sacerdote mirará la llaga; y si pareciere estar más profunda que la piel, y hubiere en ella pelo amarillento y delgado, entonces el sacerdote lo declarará inmundo: es tiña, es lepra de la cabeza o de la barba.

31 Y si el sacerdote hubiere mirado la llaga de la tiña, y no pareciere estar más profunda que la piel, ni hubiere en ella pelo negro, el sacerdote encerrará al llagado de la tiña por siete días:

32 Y al séptimo día el sacerdote mirará la llaga; y si la tiña no pareciere haberse extendido, ni hubiere en ella pelo amarillento, ni la tiña pareciere estar más profunda que la piel,

33 entonces lo trasquilarán, mas no trasquilarán el lugar de la tiña: y encerrará el sacerdote al que tiene la tiña por otros siete días.

34 Y al séptimo día el sacerdote mirará la tiña; y si la tiña no se hubiere extendido en la piel, ni

pareciere estar más profunda que la piel, el sacerdote lo declarará limpio; y lavará sus vestiduras y será limpio.

35 Pero si la tiña se hubiere ido extendiendo en la piel después de su purificación,

36 entonces el sacerdote la mirará; y si la tiña se hubiere extendido en la piel, no busque el sacerdote el pelo amarillento, es inmundo.

37 Mas si le pareciere que la tiña está detenida, y que ha salido en ella el pelo negro, la tiña está sanada; él está limpio, y el sacerdote lo declarará limpio.

38 Asimismo el hombre o mujer, cuando en la piel de su carne tuviere manchas, manchas blancas,

39 el sacerdote mirará: y si en la piel de su carne parecieren manchas blancas algo oscurecidas, es empeine que brotó en la piel, está limpia la persona.

40 Y el hombre, cuando se le pelare la cabeza, es calvo, mas limpio.

41 Y si a la parte de su rostro se le pelare la cabeza, es calvo por delante, pero limpio.

42 Mas cuando en la calva o en la antecalva hubiere llaga blanca rojiza, lepra es que brota en su calva o en su antecalva.

43 Entonces el sacerdote la mirará, y si pareciere la hinchazón de la llaga blanca rojiza en su calva o en su antecalva, como el parecer de la lepra de la piel de la carne,

44 leproso es, es inmundo; el sacerdote luego lo declarará inmundo; en su cabeza tiene su llaga.

45 Y el leproso en quien hubiere llaga, sus vestiduras serán rasgadas y su cabeza descubierta, y embozado pregonará: ¡Inmundo! ¡Inmundo!

46 Todo el tiempo que la llaga estuviere en él, será inmundo; estará impuro: habitará solo; fuera del campamento será su morada.

47 Y cuando en el vestido hubiere plaga de lepra, en vestido de lana, o en vestido de lino;

48 o en estambre o en trama, de lino o de lana, o en piel, o en cualquiera obra de piel;

49 y que la plaga sea verde, o rojiza, en vestido o en piel, o en estambre, o en trama, o en cualquiera obra de

piel; plaga es de lepra, y se ha de mostrar al sacerdote.

50 Y el sacerdote mirará la plaga, y encerrará la cosa plagada por siete días.

51 Y al séptimo día mirará la plaga: y si se hubiere extendido la plaga en el vestido, o estambre, o en la trama, o en piel, o en cualquiera obra que se hace de pieles, la plaga es lepra maligna; inmunda será.

52 Será quemado el vestido, o estambre o trama, de lana o de lino, o cualquiera obra de pieles en que hubiere tal plaga, porque es lepra maligna; en el fuego será quemada.

53 Y si el sacerdote mirare, y no pareciere que la plaga se haya extendido en el vestido, o estambre, o en la trama, o en cualquiera obra de pieles;

54 entonces el sacerdote mandará que laven donde está la plaga, y lo encerrará otra vez por siete días.

55 Y el sacerdote mirará la plaga después que haya sido lavada; y he aquí, aunque la plaga no haya cambiado su aspecto, y la plaga no se haya extendido, inmunda es; la quemarás en el fuego; es corrosión penetrante, esté lo raído por dentro o por fuera de aquella cosa.

56 Mas si el sacerdote la viere, y pareciere que la plaga se ha oscurecido después que fue lavada, la cortará del vestido, o de la piel, o del estambre, o de la trama.

57 Y si apareciere más en el vestido, o estambre, o trama, o en cualquiera cosa de pieles, extendiéndose en ella, quemarás en el fuego aquello donde estuviere la plaga.

58 Pero el vestido, o estambre, o trama, o cualquiera cosa de piel que lavares, y que se le quitare la plaga, se lavará por segunda vez, y entonces será limpia.

59 Ésta *es* la ley de la plaga de la lepra del vestido de lana o de lino, o del estambre, o de la trama, o de cualquiera cosa de piel, para que sea dada por limpia o por inmunda.

CAPÍTULO 14

Y Jehová habló a Moisés, diciendo:
2 Ésta será la ley del leproso el día de su purificación: Será traído al sacerdote,

3 y el sacerdote saldrá fuera del campamento, y lo examinará el sacerdote; y si ve que la plaga de la lepra ha sido sanada en el leproso,

4 entonces el sacerdote mandará que se tomen para el que ha de ser purificado dos avecillas vivas, limpias, y palo de cedro, grana e hisopo.

5 Y mandará el sacerdote matar una avecilla en un vaso de barro sobre aguas corrientes.

6 *En cuanto a* la avecilla viva, la tomará con el palo de cedro, la grana y el hisopo, y los mojará con la avecilla viva en la sangre de la avecilla muerta sobre las aguas corrientes;

7 y rociará siete veces sobre el que ha de ser purificado de la lepra, y le declarará limpio; y soltará la avecilla viva sobre la faz del campo.

8 Y el que ha de ser purificado lavará sus vestiduras, y raerá todo su pelo, y se ha de lavar con agua, y será limpio; y después entrará en el campamento, y morará fuera de su tienda siete días.

9 Y será, que al séptimo día raerá todo el pelo de su cabeza, de su barba, y de sus cejas y raerá todo su pelo, y lavará sus vestiduras, y lavará su carne en aguas, y será limpio.

10 Y el día octavo tomará dos corderos sin defecto, y una cordera de un año sin defecto; y tres décimas de flor de harina *para* ofrenda amasada con aceite, y un log de aceite.

11 Y el sacerdote que le purifica presentará delante de Jehová al que se ha de limpiar, con aquellas cosas, a la puerta del tabernáculo de la congregación;

12 y tomará el sacerdote un cordero, y lo ofrecerá por la culpa, con el log de aceite, y lo mecerá *como* ofrenda agitada delante de Jehová:

13 Y degollará el cordero en el lugar donde degüellan la víctima por el pecado y el holocausto, en el lugar del santuario: porque como la víctima por el pecado, así también la víctima por la culpa *es* del sacerdote; *es* cosa muy santa.

14 Y tomará el sacerdote de la sangre de la víctima por la culpa, y pondrá

el sacerdote sobre la ternilla de la oreja derecha del que ha de ser purificado, y sobre el pulgar de su mano derecha, y sobre el pulgar de su pie derecho.

15 Asimismo tomará el sacerdote del log de aceite, y echará sobre la palma de su mano izquierda:

16 Y mojará su dedo derecho en el aceite que *tiene* en su mano izquierda, y esparcirá del aceite con su dedo siete veces delante de Jehová:

17 Y de lo que quedare del aceite que tiene en su mano, pondrá el sacerdote sobre la ternilla de la oreja derecha del que ha de ser purificado, y sobre el pulgar de su mano derecha, y sobre el pulgar de su pie derecho, sobre la sangre de la expiación por la culpa:

18 Y lo que quedare del aceite que *tiene* en su mano, pondrá sobre la cabeza del que ha de ser purificado; y hará el sacerdote expiación por él delante de Jehová.

19 Ofrecerá luego el sacerdote el sacrificio por el pecado, y hará expiación por el que se ha de purificar de su inmundicia, y después degollará el holocausto:

20 Y hará subir el sacerdote el holocausto y el presente sobre el altar. Así hará el sacerdote expiación por él, y será limpio.

21 Mas si *fuere* pobre, que no alcanzare su mano a tanto, entonces tomará un cordero para ser ofrecido *como* ofrenda agitada por la culpa, para reconciliarse, y una décima de flor de harina amasada con aceite para ofrenda, y un log de aceite;

22 y dos tórtolas, o dos palominos, lo que alcanzare su mano; uno será para expiación por el pecado, y el otro para holocausto;

23 al octavo día traerá estas cosas al sacerdote por su purificación, a la puerta del tabernáculo de la congregación, delante de Jehová.

24 Y el sacerdote tomará el cordero de la expiación por la culpa, y el log de aceite, y lo mecerá el sacerdote *como* ofrenda agitada delante de Jehová.

25 Luego degollará el cordero de la culpa, y el sacerdote tomará de la sangre de la culpa, y *la* pondrá sobre

la ternilla de la oreja derecha del que ha de ser purificado, y sobre el pulgar de su mano derecha, y sobre el pulgar de su pie derecho.

26 Y el sacerdote echará del aceite sobre la palma de su mano izquierda;

27 y con su dedo derecho el sacerdote rociará del aceite que tiene en su mano izquierda, siete veces delante de Jehová.

28 Y el sacerdote pondrá del aceite que *tiene* en su mano sobre la ternilla de la oreja derecha del que ha de ser purificado, y sobre el pulgar de su mano derecha, y sobre el pulgar de su pie derecho, en el lugar de la sangre de la ofrenda por la culpa.

29 Y lo que sobrare del aceite que el sacerdote *tiene* en su mano, lo pondrá sobre la cabeza del que ha de ser purificado, para reconciliarlo delante de Jehová.

30 Asimismo ofrecerá una de las tórtolas, o de los palominos, lo que alcanzare su mano:

31 Uno de lo que alcanzare su mano, en expiación por el pecado, y el otro en holocausto, además de la ofrenda; y hará el sacerdote expiación por el que se ha de purificar, delante de Jehová.

32 Ésta *es* la ley del que *hubiere tenido* plaga de lepra, cuya mano no alcanzare lo prescrito para su purificación.

33 Y habló Jehová a Moisés y a Aarón, diciendo:

34 Cuando hubieres entrado en la tierra de Canaán, la cual yo os doy en posesión, y pusiere yo plaga de lepra en alguna casa de la tierra de vuestra posesión,

35 vendrá el dueño de aquella casa, y dará aviso al sacerdote, diciendo: Como plaga ha aparecido en mi casa.

36 Entonces el sacerdote mandará desocupar la casa, antes que el sacerdote entre a mirar la plaga, para que no sea contaminado todo lo que estuviere en la casa: y después el sacerdote entrará a reconocer la casa:

37 Y mirará la plaga; *y si* la plaga *estuviere* en las paredes de la casa con cavidades verdosas o rojizas, las cuales parecieren más hundidas que la pared,

38 el sacerdote saldrá de la casa a la puerta de ella, y cerrará la casa por siete días.

39 Y al séptimo día volverá el sacerdote, y mirará; y *si* la plaga hubiere crecido en las paredes de la casa,

40 entonces el sacerdote mandará que sean quitadas las piedras en que *estuviere* la plaga, y las echarán fuera de la ciudad, en un lugar inmundo.

41 Y hará raspar la casa por dentro alrededor, y derramarán fuera de la ciudad, en lugar inmundo, el polvo que rasparen:

42 Y tomarán otras piedras, y las pondrán en lugar de las piedras quitadas; y tomarán otro barro, y recubrirán la casa.

43 Y si la plaga volviere a brotar en aquella casa, después que hizo quitar las piedras, y raspar la casa, y después que fue recubierta,

44 entonces el sacerdote entrará y mirará; y *si* pareciere haberse extendido la plaga en la casa, lepra maligna está en la casa; inmunda *es*.

45 Derribará, por tanto, la casa, sus piedras, y sus maderos, y toda la mezcla de la casa; y lo sacará fuera de la ciudad a lugar inmundo.

46 Y cualquiera que entrare en aquella casa todos los días que la mandó cerrar, será inmundo hasta la tarde.

47 Y el que durmiere en aquella casa, lavará sus ropas; también el que comiere en la casa, lavará sus ropas.

48 Mas si entrare el sacerdote y mirare, y viere que la plaga no se ha extendido en la casa después que fue recubierta, el sacerdote declarará limpia la casa, porque la plaga sanó.

49 Entonces tomará para limpiar la casa dos avecillas, y palo de cedro, y grana, e hisopo;

50 y degollará la una avecilla en una vasija de barro sobre aguas corrientes.

51 Y tomará el palo de cedro, y el hisopo, y la grana, y la avecilla viva, y lo mojará en la sangre de la avecilla muerta y en las aguas corrientes, y rociará la casa siete veces.

52 Y purificará la casa con la sangre de la avecilla, y con las aguas corrientes, y con la avecilla viva, y el palo de cedro, y el hisopo y la grana.

53 Luego soltará la avecilla viva fuera de la ciudad sobre la faz del campo: Así hará expiación por la casa, y será limpia.

54 Ésta *es* la ley acerca de toda plaga de lepra, y de tiña;

55 y de la lepra del vestido, y de la casa;

56 y acerca de la hinchazón, y de la postilla, y de la mancha blanca;

57 para enseñar cuándo *es* inmundo, y cuándo *es* limpio. Ésta *es* la ley tocante a la lepra.

CAPÍTULO 15

Y Jehová habló a Moisés y a Aarón, diciendo:

2 Hablad a los hijos de Israel, y decidles: Cualquier varón, cuando su simiente manare de su carne, será inmundo.

3 Y ésta será su inmundicia en su flujo; sea que su carne destiló por causa de su flujo, o que deje de destilar a causa de su flujo, él *será* inmundo.

4 Toda cama en que se acostare el que tuviere flujo, será inmunda; y toda cosa sobre que se sentare, inmunda será.

5 Y cualquiera que tocare a su cama, lavará sus ropas; se lavará también a sí mismo con agua, y será inmundo hasta la tarde.

6 Y el que se sentare sobre aquello en que se hubiere sentado el que tiene flujo, lavará sus ropas, se lavará también a sí mismo con agua, y será inmundo hasta la tarde.

7 Asimismo el que tocare la carne del que tiene flujo, lavará sus ropas, y a sí mismo se lavará con agua, y será inmundo hasta la tarde.

8 Y si el que tiene flujo escupiere sobre el limpio, éste lavará sus ropas, y después de haberse lavado con agua, será inmundo hasta la tarde.

9 Y toda montura sobre la que cabalgare el que tuviere flujo, será inmunda.

10 Y cualquiera que tocare cualquiera cosa que haya estado debajo de él, será inmundo hasta la tarde; y el que la llevare, lavará sus ropas, y después de lavarse con agua, será inmundo hasta la tarde.

11 Y todo aquel a quien tocare el que tiene flujo, y no lavare con agua sus manos, lavará sus ropas, y a sí mismo se lavará con agua, y será inmundo hasta la tarde.

12 Y la vasija de barro en que tocare el que tiene flujo, será quebrada; y toda vasija de madera será lavada con agua.

13 Y cuando se hubiere limpiado de su flujo el que tiene flujo, se ha de contar siete días desde su purificación, y lavará sus ropas, y lavará su carne en aguas corrientes, y será limpio.

14 Y el octavo día tomará dos tórtolas, o dos palominos, y vendrá delante de Jehová a la puerta del tabernáculo de la congregación, y los dará al sacerdote:

15 Y el sacerdote los ofrecerá, uno *en* ofrenda por el pecado, y el otro *por* holocausto; y el sacerdote hará expiación por él delante de Jehová, a causa de su flujo.

16 Y el hombre, cuando de él saliere derramamiento de semen, lavará en aguas toda su carne, y será inmundo hasta la tarde.

17 Y toda vestimenta, o toda piel sobre la cual cayere el semen, se lavará con agua, y será inmunda hasta la tarde.

18 Y la mujer con quien el varón tuviera ayuntamiento de semen, ambos se lavarán con agua, y serán inmundos hasta la tarde.

19 Y cuando la mujer tuviere flujo de sangre, y su flujo fuere en su carne, siete días estará apartada; y cualquiera que la tocare, será inmundo hasta la tarde.

20 Y todo aquello sobre lo que ella se acostare durante su separación, será inmundo: también todo aquello sobre lo que ella se sentare, será inmundo.

21 Y cualquiera que tocare a su cama, lavará sus vestiduras, y después de lavarse con agua, será inmundo hasta la tarde.

22 También cualquiera que tocare cualquier mueble sobre el que ella se hubiere sentado, lavará sus vestiduras; se lavará luego a sí mismo con agua, y será inmundo hasta la tarde.

23 Y si *estuviere* sobre la cama, o sobre la silla en que ella se hubiere sentado, el que tocare en ella será inmundo hasta la tarde.

24 Y si alguno durmiere con ella, y su menstruo fuere sobre él, será inmundo por siete días; y toda cama sobre la que durmiere, será inmunda.

25 Y la mujer, cuando siguiere el flujo de su sangre por muchos días fuera del tiempo de su costumbre, o cuando tuviere flujo de sangre más de su costumbre; todo el tiempo del flujo de su inmundicia, será inmunda como en los días de su costumbre.

26 Toda cama en la que durmiere todo el tiempo de su flujo, le será como la cama de su costumbre; y todo mueble sobre el que se sentare, será inmundo, como la inmundicia de su costumbre.

27 Cualquiera que tocare en esas cosas será inmundo; y lavará sus vestiduras, y a sí mismo se lavará con agua, y será inmundo hasta la tarde.

28 Y cuando fuere libre de su flujo, se ha de contar siete días, y después será limpia.

29 Y el octavo día tomará consigo dos tórtolas, o dos palominos, y los traerá al sacerdote, a la puerta del tabernáculo de la congregación:

30 Y el sacerdote ofrecerá el uno *en* ofrenda por el pecado, y el otro *por* holocausto; y el sacerdote hará expiación por ella delante de Jehová, por el flujo de su inmundicia.

31 Así apartaréis a los hijos de Israel de sus inmundicias, a fin de que no mueran por sus inmundicias, ensuciando mi tabernáculo que está entre ellos.

32 Ésta *es* la ley del que tiene flujo, y del que sale derramamiento de semen, viniendo a ser inmundo a causa de ello;

33 y de la que padece su costumbre, y acerca del que tuviere flujo, sea hombre o mujer, y del hombre que durmiere con mujer inmunda.

CAPÍTULO 16

Y Jehová habló a Moisés, después que murieron los dos hijos de Aarón, cuando se acercaron delante de Jehová, y murieron.

2 Y Jehová dijo a Moisés: Di a Aarón tu hermano, que no en todo tiempo entre en el santuario detrás del velo, delante del propiciatorio que está sobre el arca, para que no muera; porque yo apareceré en la nube sobre el propiciatorio.

3 Con esto entrará Aarón en el santuario: con un becerro para expiación, y un carnero para holocausto.

4 Se vestirá la túnica santa de lino, y sobre su carne tendrá calzoncillos de lino, y se ceñirá el cinto de lino; y con la mitra de lino se cubrirá; son las santas vestiduras; lavará, pues, su carne con agua y *luego* se vestirá con ellas.

5 Y de la congregación de los hijos de Israel tomará dos machos cabríos para expiación, y un carnero para holocausto.

6 Y Aarón ofrecerá el becerro de la expiación, que es suyo, y hará la reconciliación por sí y por su casa.

7 Después tomará los dos machos cabríos, y los presentará delante de Jehová a la puerta del tabernáculo de la congregación.

8 Y echará suertes Aarón sobre los dos machos cabríos; una suerte por Jehová, y la otra suerte por el macho cabrío de escapatoria.

9 Y Aarón hará traer el macho cabrío sobre el cual cayere la suerte por Jehová, y lo ofrecerá en expiación.

10 Mas el macho cabrío, sobre el cual cayere la suerte por el macho cabrío de escapatoria, lo presentará vivo delante de Jehová, para hacer la reconciliación sobre él, para enviarlo como macho cabrío de escapatoria al desierto.

11 Y hará llegar Aarón el becerro que era suyo para expiación, y hará la reconciliación por sí y por su casa, y degollará en expiación el becerro que es suyo.

12 Después tomará el incensario lleno de brasas de fuego del altar de delante de Jehová, y sus puños llenos del incienso aromático molido, y lo meterá del velo adentro.

13 Y pondrá el incienso sobre el fuego delante de Jehová, y la nube del incienso cubrirá el propiciatorio que *está* sobre el testimonio, para que no muera.

14 Tomará luego de la sangre del becerro, y *la* rociará con su dedo hacia el propiciatorio al lado oriental; hacia el propiciatorio esparcirá siete veces de aquella sangre con su dedo.

15 Después degollará en expiación el macho cabrío expiatorio, que *era* por el pueblo, y meterá la sangre de él del velo adentro; y hará de su sangre como hizo de la sangre del becerro, y *la* esparcirá sobre el propiciatorio y delante del propiciatorio.

16 Y hará expiación por el santuario, por las inmundicias de los hijos de Israel, y por sus rebeliones, y por todos sus pecados: de la misma manera hará también al tabernáculo de la congregación, el cual reside entre ellos en medio de sus inmundicias.

17 Y ningún hombre estará en el tabernáculo de la congregación cuando él entrare a hacer la reconciliación en el santuario, hasta que él salga, y haya hecho la reconciliación por sí, y por su casa, y por toda la congregación de Israel.

18 Y saldrá al altar que *está* delante de Jehová, y lo expiará; y tomará de la sangre del becerro, y de la sangre del macho cabrío expiatorio, y *la* pondrá sobre los cuernos del altar alrededor.

19 Y esparcirá sobre él de la sangre con su dedo siete veces, y lo limpiará, y lo santificará de las inmundicias de los hijos de Israel.

20 Y cuando hubiere acabado de expiar el santuario, y el tabernáculo de la congregación y el altar, hará llegar el macho cabrío vivo:

21 Y pondrá Aarón sus dos manos sobre la cabeza del macho cabrío vivo, y confesará sobre él todas las iniquidades de los hijos de Israel, y todas sus rebeliones, y todos sus pecados, poniéndolos así sobre la cabeza del macho cabrío, y *lo* enviará al desierto por mano de un hombre destinado para esto.

22 Y aquel macho cabrío llevará sobre sí todas las iniquidades de ellos a tierra inhabitada: y dejará ir el macho cabrío por el desierto.

23 Después vendrá Aarón al tabernáculo de la congregación, y se desnudará las vestimentas de lino,

que había vestido para entrar en el santuario, y las pondrá allí.

24 Lavará luego su carne con agua en el lugar del santuario, y después de ponerse sus vestiduras saldrá, y hará su holocausto, y el holocausto del pueblo, y hará la reconciliación por sí y por el pueblo.

25 Y quemará la grosura de la expiación sobre el altar.

26 Y el que hubiere soltado el macho cabrío como cabrío de escapatoria, lavará sus vestiduras, lavará también con agua su carne, y después entrará en el campamento.

27 Y sacará fuera del campamento el becerro *para* la ofrenda del pecado, y el macho cabrío para la ofrenda del pecado, la sangre de los cuales fue metida para hacer la expiación en el santuario; y quemarán en el fuego sus pieles, y sus carnes, y su estiércol.

28 Y el que los quemare, lavará sus vestiduras, lavará también su carne con agua, y después entrará en el campamento.

29 Y esto *tendréis* por estatuto perpetuo: En el mes séptimo, el *día* diez del mes, afligiréis vuestras almas, y ninguna obra haréis, ni el natural ni el extranjero que peregrina entre vosotros;

30 porque en este día se os reconciliará para limpiaros; y seréis limpios de todos vuestros pecados delante de Jehová.

31 Sábado de reposo *será* para vosotros, y afligiréis vuestras almas, por estatuto perpetuo.

32 Y hará la reconciliación el sacerdote que fuere ungido, y cuya mano hubiere sido consagrada para ser sacerdote en lugar de su padre; y se vestirá las vestimentas de lino, las vestiduras santas:

33 Y hará expiación por el santuario santo; también hará expiación por el tabernáculo de la congregación y por el altar; además hará expiación por los sacerdotes y por todo el pueblo de la congregación.

34 Y esto tendréis por estatuto perpetuo, para hacer expiación por los hijos de Israel por todos sus pecados, una vez al año. Y Moisés lo hizo como Jehová le mandó.

CAPÍTULO 17

Y Jehová habló a Moisés, diciendo: 2 Habla a Aarón y a sus hijos, y a todos los hijos de Israel, y diles: Esto *es* lo que ha mandado Jehová, diciendo:

3 Cualquier varón de la casa de Israel que degollare buey, o cordero, o cabra, en el campamento, o fuera del campamento,

4 y no lo trajere a la puerta del tabernáculo de la congregación, para ofrecer ofrenda a Jehová delante del tabernáculo de Jehová, sangre será imputada al tal varón: sangre derramó; cortado será el tal varón de entre su pueblo;

5 a fin de que traigan los hijos de Israel sus sacrificios, los que sacrifican sobre la faz del campo, para que los traigan a Jehová a la puerta del tabernáculo de la congregación al sacerdote, y sacrifiquen ellos sacrificios de paz a Jehová.

6 Y el sacerdote esparcirá la sangre sobre el altar de Jehová, a la puerta del tabernáculo de la congregación, y quemará la grosura en olor grato a Jehová.

7 Y nunca más sacrificarán sus sacrificios a los demonios, tras de los cuales han fornicado: tendrán esto por estatuto perpetuo por sus generaciones.

8 Les dirás también: Cualquier varón de la casa de Israel, o de los extranjeros que peregrinan entre vosotros, que ofreciere holocausto o sacrificio,

9 y no lo trajere a la puerta del tabernáculo de la congregación, para ofrecerlo a Jehová, el tal varón será igualmente cortado de su pueblo.

10 Y cualquier varón de la casa de Israel, o de los extranjeros que peregrinan entre ellos, que comiere alguna sangre, yo pondré mi rostro contra la persona que comiere sangre, y le cortaré de entre su pueblo.

11 Porque la vida de la carne en la sangre *está*; y yo os la he dado para expiar vuestras almas sobre el altar: porque *es* la sangre lo que hace expiación por el alma.

12 Por tanto, he dicho a los hijos de Israel: Ninguna persona de vosotros comerá sangre, ni el extranjero que peregrina entre vosotros comerá sangre.

13 Y cualquier varón de los hijos de Israel, o de los extranjeros que peregrinan entre ellos, que capturare caza de animal o de ave que sea de comer, derramará su sangre y la cubrirá con tierra:

14 Porque el alma de toda carne, su vida, está en su sangre: por tanto he dicho a los hijos de Israel: No comeréis la sangre de ninguna carne, porque la vida de toda carne *es* su sangre; cualquiera que la comiere será cortado.

15 Y cualquiera persona que comiere cosa mortecina o despedazada *por fiera*, así de los naturales como de los extranjeros, lavará sus vestiduras y a sí mismo se lavará con agua, y será inmundo hasta la tarde; y se limpiará.

16 Y si no *los* lavare, ni lavare su carne, llevará su iniquidad.

CAPÍTULO 18

Y Jehová habló a Moisés, diciendo: 2 Habla a los hijos de Israel, y diles: Yo soy Jehová vuestro Dios.

3 No haréis como hacen en la tierra de Egipto, en la cual morasteis; ni haréis como hacen en la tierra de Canaán, a la cual yo os conduzco; ni andaréis en sus estatutos.

4 Mis derechos pondréis por obra, y mis estatutos guardaréis, andando en ellos: Yo Jehová vuestro Dios.

5 Por tanto mis estatutos y mis derechos guardaréis, los cuales haciendo el hombre, vivirá en ellos: Yo Jehová.

6 Ningún varón se allegue a ninguna parienta cercana, para descubrir *su* desnudez: Yo Jehová.

7 La desnudez de tu padre, o la desnudez de tu madre, no descubrirás: tu madre *es*, no descubrirás su desnudez.

8 La desnudez de la esposa de tu padre no descubrirás; *es* la desnudez de tu padre.

9 La desnudez de tu hermana, hija de tu padre, o hija de tu madre, nacida en casa o nacida fuera, su desnudez no descubrirás.

10 La desnudez de la hija de tu hijo, o de la hija de tu hija, su desnudez no descubrirás, porque *es* la desnudez tuya.

11 La desnudez de la hija de la esposa de tu padre, engendrada de tu padre, tu hermana *es*, su desnudez no descubrirás.

12 La desnudez de la hermana de tu padre no descubrirás; *es* parienta de tu padre.

13 La desnudez de la hermana de tu madre no descubrirás; porque parienta de tu madre *es*.

14 La desnudez del hermano de tu padre no descubrirás; no llegarás a su esposa; *es* esposa del hermano de tu padre.

15 La desnudez de tu nuera no descubrirás; esposa *es* de tu hijo, no descubrirás su desnudez.

16 La desnudez de la esposa de tu hermano no descubrirás; *es* la desnudez de tu hermano.

17 La desnudez de la mujer y de su hija no descubrirás; no tomarás la hija de su hijo, ni la hija de su hija, para descubrir su desnudez; *son* parientas, *es* maldad.

18 No tomarás mujer juntamente con su hermana, para hacerla su rival, descubriendo su desnudez delante de ella en su vida.

19 Y no llegarás a la mujer para descubrir su desnudez durante su impureza menstrual.

20 Además, no tendrás acto carnal con la esposa de tu prójimo, contaminándote con ella.

21 Y no des de tu simiente para hacerla pasar por *el fuego* a Moloc; no contamines el nombre de tu Dios: Yo Jehová.

22 No te echarás con varón como con mujer; *es* abominación.

23 Ni con ningún animal tendrás ayuntamiento amancillándote con él; ni mujer alguna se pondrá delante de animal para ayuntarse con él; *es* depravación.

24 En ninguna de estas cosas os amancillaréis; porque en todas estas cosas se han ensuciado las naciones que yo echo de delante de vosotros,

25 y la tierra fue contaminada; y yo

visité su maldad sobre ella, y la tierra vomitó sus moradores.

26 Vosotros, pues, guardad mis estatutos y mis decretos, y no hagáis ninguna de todas estas abominaciones; ni el natural ni el extranjero que peregrina entre vosotros.

27 (Porque todas estas abominaciones hicieron los hombres de la tierra, que *fueron* antes de vosotros, y la tierra fue contaminada);

28 para que la tierra no os vomite, por haberla contaminado, como vomitó a las naciones que *fueron* antes de vosotros.

29 Porque cualquiera que hiciere alguna de todas estas abominaciones, las personas que las hicieren, serán cortadas de entre su pueblo.

30 Guardad, pues, mi ordenanza, no haciendo de las prácticas abominables que tuvieron lugar antes de vosotros, y no os ensuciéis en ellas: Yo Jehová vuestro Dios.

CAPÍTULO 19

Y Jehová habló a Moisés, diciendo: 2 Habla a toda la congregación de los hijos de Israel, y diles: Santos seréis, porque yo Jehová vuestro Dios *soy* santo.

3 Cada uno temerá a su madre y a su padre, y mis sábados guardaréis: Yo Jehová vuestro Dios.

4 No os volveréis a los ídolos, ni haréis para vosotros dioses de fundición: Yo Jehová vuestro Dios.

5 Y cuando ofreciereis sacrificio de paz a Jehová, de vuestra propia voluntad lo sacrificaréis.

6 Será comido el día que lo sacrificareis, y el siguiente día; y lo que quedare para el tercer día, será quemado en el fuego.

7 Y si se comiere el día tercero, *será* abominación; no será acepto.

8 Y el que lo comiere, llevará su delito, por cuanto profanó lo santo de Jehová; y la tal persona será cortada de su pueblo.

9 Cuando segareis la mies de vuestra tierra, no segarás hasta el último rincón de tu campo, ni espigarás tu tierra segada.

10 Y no rebuscarás tu viña, ni recogerás los granos caídos de tu viña; para el pobre y para el extranjero los dejarás: Yo Jehová vuestro Dios.

11 No hurtaréis, y no engañaréis, ni mentiréis ninguno a su prójimo.

12 Y no juraréis en mi nombre con mentira, ni profanarás el nombre de tu Dios: Yo Jehová.

13 No oprimirás a tu prójimo, ni *le* robarás. No retendrás el salario del jornalero en tu casa hasta la mañana.

14 Al sordo no maldecirás, y delante del ciego no pondrás tropiezo, sino que tendrás temor de tu Dios: Yo Jehová.

15 No harás agravio en el juicio; no absolverás al pobre, ni favorecerás al poderoso; con justicia juzgarás a tu prójimo.

16 No andarás chismeando entre tu pueblo. No te pondrás contra la sangre de tu prójimo: Yo Jehová.

17 No aborrecerás a tu hermano en tu corazón; ciertamente amonestarás a tu prójimo, y no consentirás sobre su pecado.

18 No te vengarás, ni guardarás rencor a los hijos de tu pueblo; mas amarás a tu prójimo como a ti mismo: Yo Jehová.

19 Mis estatutos guardaréis. No permitirás que tu ganado se aparee con animales de otra especie; tu campo no sembrarás con mezcla de semillas, y no te pondrás vestiduras con mezcla de diversos hilos.

20 Y cuando un hombre tuviere cópula con mujer, y ella fuere sierva desposada con alguno, y no estuviere rescatada, ni le hubiere sido dada libertad, ambos serán azotados: no morirán, por cuanto ella no es libre.

21 Y él traerá a Jehová su ofrenda por la culpa a la puerta del tabernáculo de la congregación, un carnero en expiación por su culpa.

22 Y con el carnero de la expiación lo reconciliará el sacerdote delante de Jehová, por su pecado que cometió: y se le perdonará su pecado que ha cometido.

23 Y cuando hubiereis entrado en la tierra, y plantareis toda clase de árboles frutales, contaréis como incircunciso lo primero de su fruto; tres años os será incircunciso; su fruto no se comerá.

24 Y el cuarto año todo su fruto será santidad de alabanzas a Jehová.

25 Mas al quinto año comeréis el fruto de él, para que os haga crecer su fruto: Yo Jehová vuestro Dios.

26 No comeréis cosa alguna con sangre. No seréis agoreros, ni adivinaréis.

27 No cortaréis en redondo las extremidades de vuestras cabezas, ni dañarás la punta de tu barba.

28 Y no haréis rasguños en vuestro cuerpo por un muerto, ni imprimiréis en vosotros tatuaje alguno: Yo Jehová.

29 No contaminarás a tu hija haciéndola fornicar; para que no se prostituya la tierra, y se llene de maldad.

30 Mis sábados guardaréis, y mi santuario tendréis en reverencia: Yo Jehová.

31 No os volváis a los encantadores ni a los adivinos; no los consultéis ensuciándoos con ellos: Yo Jehová vuestro Dios.

32 Delante de las canas te levantarás, y honrarás el rostro del anciano, y de tu Dios tendrás temor: Yo Jehová.

33 Y cuando el extranjero morare contigo en vuestra tierra, no le oprimiréis.

34 Como a un natural de vosotros tendréis al extranjero que peregrinare entre vosotros; y lo amarás como a ti mismo; porque peregrinos fuisteis en la tierra de Egipto: Yo Jehová vuestro Dios.

35 No hagáis injusticia en juicio, en medida de tierra, en peso ni en otra medida.

36 Balanzas justas, pesas justas, efa justo, e hin justo tendréis: Yo Jehová vuestro Dios, que os saqué de la tierra de Egipto.

37 Guardad, pues, todos mis estatutos, y todas mis ordenanzas, y ponedlos por obra: Yo Jehová.

CAPÍTULO 20

Y Jehová habló a Moisés, diciendo:
2 Dirás asimismo a los hijos de Israel: Cualquier varón de los hijos de Israel, o de los extranjeros que peregrinan en Israel, que diere de su simiente a Moloc, de seguro morirá: el pueblo de la tierra lo apedreará con piedras.

3 Y yo pondré mi rostro contra el tal varón, y lo cortaré de entre su pueblo; por cuanto dio de su simiente a Moloc, contaminando mi santuario, y amancillando mi santo nombre.

4 Que si escondiere el pueblo de la tierra sus ojos de aquel varón que hubiere dado de su simiente a Moloc, para no matarle,

5 entonces yo pondré mi rostro contra aquel varón, y contra su familia, y le cortaré de entre su pueblo, con todos los que fornicaron en pos de él, prostituyéndose con Moloc.

6 Y la persona que atendiere a encantadores o adivinos, para prostituirse tras de ellos, yo pondré mi rostro contra la tal persona, y la cortaré de entre su pueblo.

7 Santificaos, pues, y sed santos, porque yo Jehová soy vuestro Dios.

8 Y guardad mis estatutos, y ponedlos por obra: Yo Jehová que os santifico.

9 Porque cualquiera que maldijere a su padre o a su madre, de cierto morirá; a su padre o a su madre maldijo; su sangre será sobre él.

10 El hombre que cometiere adulterio con la esposa de *otro* hombre, el que cometiere adulterio con la esposa de su prójimo, el adúltero y la adúltera indefectiblemente han de ser muertos.

11 Y cualquiera que se acostare con la esposa de su padre, la desnudez de su padre descubrió; ambos han de ser muertos; su sangre *será* sobre ellos.

12 Y cualquiera que se acostare con su nuera, ambos han de morir; cometieron depravación; su sangre *será* sobre ellos.

13 Y cualquiera que se acostare con un hombre como si se acostare con una mujer, ambos han cometido abominación; indefectiblemente han de ser muertos; su sangre *será* sobre ellos.

14 Y el que tomare esposa y a la madre de ella, comete vileza; quemarán en fuego a él y a ellas, para que no haya vileza entre vosotros.

15 Y cualquiera que tuviere cópula con bestia, ha de ser muerto; y mataréis a la bestia.

16 Y si una mujer se allegare a algún animal, para ayuntarse con él, a la mujer y al animal matarás; morirán indefectiblemente; su sangre será sobre ellos.

17 Y cualquiera que tomare a su hermana, hija de su padre o hija de su madre, y viere su desnudez, y ella viere la suya, cosa detestable es; por tanto serán muertos a ojos de los hijos de su pueblo; descubrió la desnudez de su hermana; su pecado llevará.

18 Y cualquiera que se acostare con mujer menstruosa, y descubriere su desnudez, su fuente descubrió, y ella descubrió la fuente de su sangre: ambos serán cortados de entre su pueblo.

19 La desnudez de la hermana de tu madre, o de la hermana de tu padre, no descubrirás: por cuanto descubrió su parienta, su iniquidad llevarán.

20 Y cualquiera que se acostare con la esposa del hermano de su padre, la desnudez del hermano de su padre descubrió; su pecado llevarán; morirán sin hijos.

21 Y el que tomare la esposa de su hermano, comete inmundicia; la desnudez de su hermano descubrió; sin hijos serán.

22 Guardad, pues, todos mis estatutos y todas mis ordenanzas, y ponedlos por obra; a fin de que no os vomite la tierra, en la cual yo os introduzco para que habitéis en ella.

23 Y no andéis en las prácticas de las naciones que yo echaré de delante de vosotros; porque ellos hicieron todas estas cosas, y los tuve en abominación.

24 Pero a vosotros os he dicho: Vosotros poseeréis la tierra de ellos, y yo os la daré para que la poseáis por heredad, tierra que fluye leche y miel: Yo Jehová vuestro Dios, que os he apartado de los pueblos.

25 Por tanto, vosotros haréis diferencia entre animal limpio e inmundo, y entre ave inmunda y limpia; y no contaminéis vuestras personas en los animales, ni en las aves, ni en ninguna cosa que va arrastrando por la tierra, las cuales os he apartado por inmundas.

26 Habéis, pues, de serme santos, porque yo Jehová soy santo, y os he apartado de los pueblos, para que seáis míos.

27 Y el hombre o la mujer en quienes hubiere espíritu de pitonisa o de adivinación, han de ser muertos; los apedrearán con piedras; su sangre será sobre ellos.

CAPÍTULO 21

Y Jehová dijo a Moisés: Habla a los sacerdotes hijos de Aarón, y diles que no se contaminen por un muerto entre su pueblo.

2 Mas por su pariente cercano, por su madre, o por su padre, o por su hijo, o por su hija, o por su hermano,

3 o por su hermana virgen, a él cercana, la cual no haya tenido marido, por ella se contaminará.

4 No se contaminará, para profanarse, porque es príncipe en su pueblo.

5 No harán calva en su cabeza, ni raerán la punta de su barba, ni en su carne harán rasguños.

6 Santos serán a su Dios, y no profanarán el nombre de su Dios; porque las ofrendas encendidas para Jehová y el pan de su Dios ofrecen; por tanto, serán santos.

7 No tomará por esposa a mujer ramera o infame; ni tomará mujer repudiada de su marido; porque él es santo a su Dios.

8 Lo santificarás por tanto, pues el pan de tu Dios ofrece; santo será para ti, porque santo soy yo Jehová que os santifico.

9 Y la hija del varón sacerdote, si comenzare a fornicar, a su padre amancilla, quemada será al fuego.

10 Y el sumo sacerdote entre sus hermanos, sobre cuya cabeza fue derramado el aceite de la unción, y que fue consagrado para llevar las vestimentas, no descubrirá su cabeza, ni romperá sus vestiduras:

11 Ni entrará donde haya alguna persona muerta, ni por su padre, o por su madre se contaminará.

12 Ni saldrá del santuario, ni contaminará el santuario de su Dios; porque la corona del aceite de la unción de su Dios *está* sobre él: Yo Jehová.

13 Y tomará por esposa a mujer virgen.

14 *Mujer* viuda, o divorciada, o infame, o ramera, no tomará; sino tomará de su pueblo virgen por esposa.

15 Y no amancillará su simiente en su pueblo; porque yo Jehová soy el que los santifico.

16 Y Jehová habló a Moisés, diciendo:

17 Habla a Aarón, y dile: Ninguno de tu simiente, por sus generaciones, que tenga *algún* defecto, se acercará para ofrecer el pan de su Dios.

18 Porque ningún varón en el cual hubiere defecto se acercará; varón ciego, o cojo, o falto, o sobrado,

19 o varón en el cual hubiere quebradura de pie o rotura de mano,

20 o jorobado, o enano, o que tuviere nube en el ojo, o que tenga sarna, o empeine, o que tenga testículo dañado.

21 Ningún varón de la simiente de Aarón sacerdote, en el cual hubiere defecto se acercará para ofrecer las ofrendas encendidas de Jehová. Hay defecto en él; no se acercará a ofrecer el pan de su Dios.

22 El pan de su Dios, de lo muy santo y las cosas santificadas, comerá;

23 pero no entrará tras el velo, ni se acercará al altar, por cuanto hay defecto en él; para que no profane mi santuario, porque yo Jehová soy el que los santifico.

24 Y Moisés habló *esto* a Aarón, y a sus hijos, y a todos los hijos de Israel.

CAPÍTULO 22

Y habló Jehová a Moisés, diciendo: 2 Di a Aarón y a sus hijos, que se abstengan de las cosas santas de los hijos de Israel, y que no profanen mi santo nombre *en lo que* ellos me santifican: Yo Jehová.

3 Diles: Todo varón de toda vuestra simiente en vuestras generaciones que se acercare a las cosas santas que los hijos de Israel consagran a Jehová, teniendo inmundicia sobre sí, de delante de mí será cortada su alma: Yo Jehová.

4 Cualquier varón de la simiente de Aarón que fuere leproso, o padeciere flujo, no comerá de las cosas santas hasta que esté limpio; y el que tocare cualquiera cosa inmunda por contacto de cadáver, o el varón que hubiere tenido derramamiento de semen;

5 o el varón que hubiere tocado cualquier animal por el cual será inmundo, u hombre por el cual venga a ser inmundo, conforme a cualquiera inmundicia suya;

6 la persona que lo tocare, será inmunda hasta la tarde, y no comerá de las cosas santas antes que haya lavado su carne con agua.

7 Y cuando el sol se pusiere, será limpio; y después comerá las cosas santas, porque su pan *es*.

8 Mortecino ni despedazado *por fiera* no comerá, contaminándose en ello: Yo Jehová.

9 Guarden, pues, mi ordenanza, y no lleven pecado por ello, no sea que así mueran cuando la profanaren: Yo Jehová que los santifico.

10 Ningún extraño comerá cosa santa; el huésped del sacerdote, ni el jornalero, no comerá cosa santa.

11 Mas si el sacerdote comprare persona con su dinero, ésta comerá de ella, y el nacido en su casa; éstos comerán de su alimento.

12 Si la hija del sacerdote también se *casare* con varón extraño, ella no comerá de la ofrenda de las cosas santas.

13 Pero si la hija del sacerdote fuere viuda, o repudiada, y no tuviere hijos, y se hubiere vuelto a la casa de su padre, como en su juventud, podrá comer del pan de su padre; pero ningún extraño comerá de él.

14 Y el que por yerro comiere cosa santa, añadirá a ella una quinta *parte*, y *la* dará al sacerdote con la cosa santa.

15 No profanarán, pues, las cosas santas de los hijos de Israel, las cuales apartan para Jehová:

16 Y no les harán llevar la iniquidad del pecado, comiendo las cosas santas de ellos; porque yo Jehová soy el que los santifico.

17 Y habló Jehová a Moisés, diciendo:

18 Habla a Aarón y a sus hijos, y a todos los hijos de Israel, y diles: Cualquier varón de la casa de Israel, o de los extranjeros en Israel, que ofreciere su ofrenda por todos sus votos, y por todas sus ofrendas voluntarias que ofrecieren a Jehová en holocausto;

19 De vuestra voluntad *ofreceréis* macho sin defecto de entre las vacas, de entre los corderos, o de entre las cabras.

20 Ninguna cosa en que haya falta ofreceréis, porque no será acepto por vosotros.

21 Y cualquiera que ofreciere sacrificio de paz a Jehová para cumplir *su* voto, u ofrenda voluntaria, sea de vacas o de ovejas, sin defecto será acepto; no ha de haber en él falta.

22 Ciego, o perniquebrado, o mutilado, o verrugoso, o sarnoso o roñoso, no ofreceréis éstos a Jehová, ni de ellos pondréis ofrenda encendida sobre el altar de Jehová.

23 Buey o carnero que tenga de más o de menos, podrás ofrecer *por* ofrenda voluntaria; mas por voto no será acepto.

24 No ofreceréis a Jehová aquello que esté herido, dañado, desgarrado o cortado, ni en vuestra tierra lo haréis.

25 Y de mano de hijo de extranjero no ofreceréis el pan de vuestro Dios de todas estas cosas; porque su corrupción está en ellas: hay en ellas falta, no se os aceptarán.

26 Y habló Jehová a Moisés, diciendo:

27 El buey, o el cordero, o la cabra, cuando naciere, siete días estará mamando de su madre: mas desde el octavo día en adelante será acepto para ofrenda de sacrificio encendido a Jehová.

28 Y *sea* vaca u oveja, no degollaréis a ella y su cría en un mismo día.

29 Y cuando ofreciereis sacrificio de acción de gracias a Jehová, voluntariamente lo sacrificaréis.

30 En el mismo día se comerá; no dejaréis de él para otro día: Yo Jehová.

31 Guardad, pues, mis mandamientos, y ponedlos por obra: Yo Jehová.

32 Y no amancilléis mi santo nombre, y yo me santificaré en medio de los hijos de Israel: Yo Jehová que os santifico;

33 que os saqué de la tierra de Egipto, para ser vuestro Dios: Yo Jehová.

CAPÍTULO 23

Y Jehová habló a Moisés, diciendo: 2 Habla a los hijos de Israel, y diles: Las fiestas solemnes de Jehová, las cuales proclamaréis santas convocaciones, éstas *son* mis fiestas.

3 Seis días se trabajará, y el séptimo día sábado de reposo será, convocación santa: ninguna obra haréis; sábado es de Jehová en dondequiera que habitéis.

4 Éstas *son* las fiestas solemnes de Jehová, las convocaciones santas, a las cuales convocaréis en sus tiempos.

5 En el mes primero, el *día* catorce del mes, entre las dos tardes, pascua *es* de Jehová.

6 Y a los quince días de este mes es la fiesta solemne de los panes sin levadura a Jehová; siete días comeréis panes sin levadura.

7 El primer día tendréis santa convocación; ninguna obra de siervo haréis.

8 Y ofreceréis a Jehová siete días ofrenda encendida: el séptimo día *será* santa convocación; ninguna obra de siervo haréis.

9 Y habló Jehová a Moisés, diciendo:

10 Habla a los hijos de Israel, y diles: Cuando hubiereis entrado en la tierra que yo os doy, y segareis su mies, traeréis al sacerdote un manojo de los primeros frutos de vuestra siega;

11 y el *sacerdote* mecerá el manojo delante de Jehová, para que seáis aceptos; el día siguiente del sábado lo mecerá el sacerdote.

12 Y el día que ofrezcáis el manojo, ofreceréis un cordero de un año, sin defecto, en holocausto a Jehová.

13 Y la ofrenda *será* dos décimas de flor de harina amasada con aceite, ofrenda encendida a Jehová *en* olor gratísimo; y su libación de vino, la cuarta parte de un hin.

14 Y no comeréis pan, ni grano tostado, ni espiga fresca, hasta este mismo día, hasta que hayáis ofrecido

la ofrenda de vuestro Dios; estatuto perpetuo *será* por vuestras generaciones en dondequiera que habitéis.

15 Y os habéis de contar desde el siguiente día del sábado, desde el día en que ofrecisteis el manojo de la ofrenda mecida; siete semanas cumplidas serán:

16 Hasta el siguiente día del sábado séptimo contaréis cincuenta días; entonces ofreceréis grano nuevo a Jehová.

17 De vuestras habitaciones traeréis dos panes para ofrenda mecida, que serán de dos décimas de flor de harina, cocidos con levadura, por primicias a Jehová.

18 Y ofreceréis con el pan siete corderos de un año, sin defecto, y un becerro de la vacada y dos carneros; serán holocausto a Jehová, con su ofrenda y sus libaciones; ofrenda encendida de olor grato a Jehová.

19 Ofreceréis además un macho cabrío por expiación; y dos corderos de un año en sacrificio de paz.

20 Y el sacerdote los mecerá *en* ofrenda agitada delante de Jehová, con el pan de las primicias, y los dos corderos; serán cosa santa de Jehová para el sacerdote.

21 Y proclamaréis en este mismo día *que* os será santa convocación; ninguna obra de siervo haréis; *os será* por estatuto perpetuo en dondequiera que habitéis por vuestras generaciones.

22 Y cuando segareis la mies de vuestra tierra, no segaréis hasta el último rincón de tu campo, ni espigarás tu siega; para el pobre, y para el extranjero la dejarás: Yo Jehová vuestro Dios.

23 Y Jehová habló a Moisés, diciendo:

24 Habla a los hijos de Israel, y diles: En el mes séptimo, al primer *día* del mes tendréis sábado, una conmemoración al son de trompetas, y una santa convocación.

25 Ninguna obra de siervo haréis; y ofreceréis ofrenda encendida a Jehová.

26 Y habló Jehová a Moisés, diciendo:

27 También el décimo *día* de este mes séptimo será el día de la expiación: tendréis santa convocación, y afligiréis vuestras almas, y ofreceréis ofrenda encendida a Jehová.

28 Ninguna obra haréis en este mismo día; porque *es* el día de la expiación, para reconciliaros delante de Jehová vuestro Dios.

29 Porque toda persona que no se afligiere en este mismo día, será cortada de entre su pueblo.

30 Y cualquier persona que hiciere obra alguna en este mismo día, yo destruiré la tal persona de entre su pueblo.

31 Ninguna obra haréis; os *será* por estatuto perpetuo por vuestras generaciones en dondequiera que habitéis.

32 Sábado de reposo *será* a vosotros, y afligiréis vuestras almas, comenzando a los nueve *días* del mes en la tarde; de tarde a tarde celebraréis vuestro sábado.

33 Y habló Jehová a Moisés, diciendo:

34 Habla a los hijos de Israel, y diles: A los quince días de este mes séptimo *será* la fiesta solemne de los tabernáculos a Jehová *por* siete días.

35 El primer día habrá santa convocación; ninguna obra de siervo haréis.

36 Siete días ofreceréis ofrenda encendida a Jehová: el octavo día tendréis santa convocación, y ofreceréis ofrenda encendida a Jehová; *es* fiesta, ninguna obra de siervo haréis.

37 Éstas *son* las fiestas solemnes de Jehová, a las que convocaréis santas reuniones, para ofrecer ofrenda encendida a Jehová, holocausto y ofrenda, sacrificio y libaciones, cada cosa en su tiempo:

38 Además de los sábados de Jehová, además de vuestros dones, además de todos vuestros votos, y además de todas vuestras ofrendas voluntarias que dais a Jehová.

39 También a los quince días del mes séptimo, cuando hubiereis almacenado el fruto de la tierra, haréis fiesta a Jehová por siete días; el primer día *será* sábado; sábado *será* también el octavo día.

40 Y tomaréis el primer día gajos con

fruto de árbol hermoso, ramas de palmas, y ramas de árboles frondosos, y sauces de los arroyos; y os regocijaréis delante de Jehová vuestro Dios por siete días.

41 Y le haréis fiesta a Jehová por siete días cada un año; *será* estatuto perpetuo por vuestras generaciones; en el mes séptimo la haréis.

42 En tabernáculos habitaréis siete días: todo natural de Israel habitará en tabernáculos;

43 Para que sepan vuestros descendientes que en tabernáculos hice yo habitar a los hijos de Israel, cuando los saqué de la tierra de Egipto: Yo Jehová vuestro Dios.

44 Así habló Moisés a los hijos de Israel sobre las fiestas solemnes de Jehová.

CAPÍTULO 24

Y Jehová habló a Moisés, diciendo: 2 Manda a los hijos de Israel que te traigan aceite puro de olivas machacadas para el alumbrado, para hacer arder las lámparas continuamente.

3 Fuera del velo del testimonio, en el tabernáculo del testimonio, las aderezará Aarón desde la tarde hasta la mañana delante de Jehová, continuamente; *será* estatuto perpetuo por vuestras generaciones.

4 Sobre el candelero limpio pondrá siempre en orden las lámparas delante de Jehová.

5 Y tomarás flor de harina, y cocerás de ella doce tortas; cada torta será de dos décimas.

6 Y las pondrás en dos hileras, seis en cada hilera, sobre la mesa limpia delante de Jehová.

7 Pondrás también sobre *cada* hilera incienso puro, y será para el pan por memorial, ofrenda encendida a Jehová.

8 Cada día de sábado lo pondrá continuamente en orden delante de Jehová, *de parte* de los hijos de Israel por pacto sempiterno.

9 Y será de Aarón y de sus hijos, los cuales lo comerán en el lugar santo; porque es cosa muy santa para él, de las ofrendas encendidas a Jehová, por estatuto perpetuo.

10 Y el hijo de una mujer israelita, cuyo padre *era* un egipcio, salió entre los hijos de Israel; y el hijo de la israelita y un hombre de Israel riñeron en el campamento.

11 Y el hijo de la mujer israelita blasfemó el nombre *de Jehová*, y maldijo; entonces le llevaron a Moisés. Y su madre se llamaba Selomit, hija de Dibri, de la tribu de Dan.

12 Y lo pusieron en la cárcel, hasta que les fuese declarado por palabra de Jehová.

13 Y Jehová habló a Moisés, diciendo:

14 Saca al blasfemo fuera del campamento, y todos los que le oyeron pongan sus manos sobre la cabeza de él, y apedréelo toda la congregación.

15 Y hablarás a los hijos de Israel, diciendo: Cualquiera que maldijere a su Dios, llevará su iniquidad.

16 Y el que blasfemare el nombre de Jehová, ha de ser muerto; toda la congregación lo apedreará; así el extranjero como el natural, si blasfemare el nombre *de Jehová*, que muera.

17 Asimismo el hombre que hiera de muerte a cualquier persona, que sufra la muerte.

18 Y el que hiere a algún animal ha de restituirlo; animal por animal.

19 Y el que causare lesión en su prójimo, según hizo, así le sea hecho:

20 Rotura por rotura, ojo por ojo, diente por diente; según la lesión que haya hecho a otro, tal se hará a él.

21 El que hiere algún animal, ha de restituirlo; pero el que hiere de muerte a un hombre, que muera.

22 Un mismo derecho tendréis; como el extranjero, así será el natural; porque yo soy Jehová vuestro Dios.

23 Y habló Moisés a los hijos de Israel, y ellos sacaron al blasfemo fuera del campamento, y lo apedrearon. Y los hijos de Israel hicieron según Jehová había mandado a Moisés.

CAPÍTULO 25

Y Jehová habló a Moisés en el monte de Sinaí, diciendo:

2 Habla a los hijos de Israel, y diles: Cuando hubiereis entrado en la tierra que yo os doy, la tierra guardará sábado a Jehová.

3 Seis años sembrarás tu tierra, y seis años podarás tu viña, y recogerás sus frutos;

4 Y el séptimo año la tierra tendrá sábado de reposo, sábado a Jehová; no sembrarás tu tierra, ni podarás tu viña.

5 Lo que de suyo naciere en tu tierra segada, no lo segarás; y las uvas de tu viñedo no vendimiarás; año de reposo será a la tierra.

6 Mas el sábado de la tierra os será para comer; para ti, y para tu siervo, y para tu sierva, y para tu criado, y para tu extranjero que morare contigo:

7 Y para tu animal, y para la bestia que *hubiere* en tu tierra, todo el fruto de ella será para comer.

8 Y te has de contar siete semanas de años, siete veces siete años; de modo que los días de las siete semanas de años vendrán a serte cuarenta y nueve años.

9 Entonces harás resonar la trompeta del jubileo en el mes séptimo a los diez *días* del mes; el día de la expiación haréis resonar la trompeta por toda vuestra tierra.

10 Y santificaréis el año cincuenta, y pregonaréis libertad en la tierra a todos sus moradores: éste os será jubileo; y volveréis cada uno a su posesión, y cada cual volverá a su familia.

11 El año de los cincuenta años os será jubileo: no sembraréis, ni segaréis lo que naciere de suyo en la tierra, ni vendimiaréis sus viñedos:

12 Porque *es* jubileo; santo será a vosotros; el producto de la tierra comeréis.

13 En este año de jubileo volveréis cada uno a su posesión.

14 Y cuando vendiereis algo a vuestro prójimo, o compraréis de mano de vuestro prójimo, no engañe ninguno a su hermano:

15 Conforme al número de los años después del jubileo comprarás de tu prójimo; conforme al número de los años de los frutos te venderá él a ti.

16 Conforme a la multitud de los años aumentarás el precio, y *conforme* a la disminución *de los años* disminuirás el precio; porque según el número de los rendimientos te ha de vender él.

17 Y no engañe ninguno a su prójimo; mas tendrás temor de tu Dios: porque yo soy Jehová vuestro Dios.

18 Ejecutad, pues, mis estatutos, y guardad mis derechos, y ponedlos por obra, y habitaréis en la tierra seguros.

19 Y la tierra dará su fruto, y comeréis hasta saciaros, y habitaréis en ella con seguridad.

20 Y si dijereis: ¿Qué comeremos el séptimo año? He aquí no hemos de sembrar, ni hemos de recoger nuestros frutos:

21 Entonces yo os enviaré mi bendición el sexto año, y dará fruto por tres años.

22 Y sembraréis el año octavo, y comeréis del fruto añejo; hasta el año noveno, hasta que venga su fruto comeréis del añejo.

23 Y la tierra no se venderá para siempre, porque la tierra es mía; pues vosotros peregrinos y extranjeros sois para conmigo.

24 Por tanto, en toda la tierra de vuestra posesión, otorgaréis redención a la tierra.

25 Si tu hermano empobreciere, y vendiere algo de su posesión, su pariente más cercano vendrá y redimirá lo que su hermano hubiere vendido.

26 Y cuando el hombre no tuviere redentor, pero consiguiere lo suficiente para su redención;

27 entonces contará los años de su venta, y pagará lo que quedare al varón a quien vendió, y volverá a su posesión.

28 Pero si no consiguiere lo suficiente para recobrarlo para sí, entonces lo que vendió quedará en poder del que lo compró hasta el año del jubileo; y en el jubileo saldrá, y él volverá a su posesión.

29 Y el varón que vendiere casa de habitación en una ciudad amurallada, tendrá facultad de redimirla hasta acabarse el año de su venta; un año será el término en que podrá redimirla.

30 Y si no fuere redimida dentro de un año entero, la casa que estuviere en la ciudad amurallada quedará para siempre para aquel que la compró, y para sus descendientes; no saldrá en el jubileo.

31 Mas las casas de las aldeas que no tienen muro alrededor, serán estimadas como tierras del campo; tendrán redención, y saldrán en el jubileo.

32 En cuanto a las ciudades de los levitas, siempre podrán los levitas redimir las casas de las ciudades que poseyeren.

33 Y el que comprare de los levitas, saldrá de la casa vendida, o de la ciudad de su posesión, en el jubileo; por cuanto las casas de las ciudades de los levitas es la posesión de ellos entre los hijos de Israel.

34 Mas la tierra del ejido de sus ciudades no se venderá, porque es perpetua posesión de ellos.

35 Y cuando tu hermano empobreciere, y se asilare a ti, tú lo ampararás; *como* peregrino y extranjero vivirá contigo.

36 No tomarás usura de él, ni ganancia; sino tendrás temor de tu Dios, para que tu hermano viva contigo.

37 No le darás tu dinero a usura, ni tus víveres a ganancia.

38 Yo Jehová vuestro Dios, que os saqué de la tierra de Egipto, para daros la tierra de Canaán y para ser vuestro Dios.

39 Y cuando tu hermano empobreciere, estando contigo, y se vendiere a ti, no le harás servir como esclavo.

40 Como siervo, como extranjero estará contigo; hasta el año del jubileo te servirá.

41 Entonces saldrá de contigo, él y sus hijos consigo, y volverá a su familia, y a la posesión de sus padres se restituirá.

42 Porque *son* mis siervos, los cuales saqué yo de la tierra de Egipto: no serán vendidos a manera de esclavos.

43 No te enseñorearás de él con dureza, mas tendrás temor de tu Dios.

44 Así tu siervo como tu sierva que tuvieres, *serán* de las naciones que están en vuestro alrededor: de ellos compraréis siervos y siervas.

45 También compraréis de los hijos de los forasteros que viven entre vosotros, y de los que del linaje de ellos son nacidos en vuestra tierra, que *están* con vosotros; los cuales tendréis por posesión:

46 Y los poseeréis como herencia para vuestros hijos después de vosotros, como posesión hereditaria; para siempre os serviréis de ellos; pero en cuanto a vuestros hermanos los hijos de Israel, no os enseñorearéis uno sobre otro con dureza.

47 Y si el peregrino o extranjero que está contigo se enriqueciere, y tu hermano que está con él empobreciere, y se vendiere al peregrino o extranjero que está contigo, o a alguno de la familia del extranjero;

48 después que se hubiere vendido, podrá ser redimido; uno de sus hermanos podrá redimirlo;

49 o su tío, o el hijo de su tío podrán redimirlo, o un pariente cercano de su familia podrá redimirlo; o si sus medios alcanzaren, él mismo podrá redimirse.

50 Y hará cuentas con el que lo compró, desde el año en que se vendió a él, hasta el año del jubileo; y el precio de su venta será conforme al número de los años, y se hará con él conforme al tiempo de un siervo asalariado.

51 Si aún le quedaren muchos años, conforme a ellos devolverá por su redención, del dinero por el cual se vendió.

52 Y si quedare poco tiempo hasta el año del jubileo, entonces hará cuentas con él, y conforme a sus años devolverá el precio de su redención.

53 Como con el tomado a salario anualmente hará con él; no se enseñoreará sobre él con rigor delante de tus ojos.

54 Y si no se redimiere en esos *años*, en el año del jubileo saldrá, él, y sus hijos con él.

55 Porque los hijos de Israel *son* mis siervos; *son* siervos míos a los cuales yo saqué de la tierra de Egipto: Yo Jehová vuestro Dios.

CAPÍTULO 26

No haréis para vosotros ídolos, ni escultura, ni os levantaréis estatua, ni pondréis en vuestra tierra imagen de piedra para inclinaros a ella; porque yo soy Jehová vuestro Dios.

2 Guardad mis sábados, y tened en reverencia mi santuario: Yo Jehová.

3 Si anduviereis en mis decretos, y guardareis mis mandamientos, y los pusiereis por obra;

4 Yo daré vuestra lluvia en su tiempo, y la tierra dará su producto, y el árbol del campo dará su fruto;

5 Vuestra trilla alcanzará a la vendimia, y la vendimia alcanzará a la sementera, y comeréis vuestro pan hasta saciaros y habitaréis seguros en vuestra tierra.

6 Y yo daré paz en la tierra, y dormiréis, y no habrá quien os espante; y quitaré de vuestra tierra las malas bestias, y la espada no pasará por vuestro país.

7 Y perseguiréis a vuestros enemigos, y caerán a espada delante de vosotros:

8 Y cinco de vosotros perseguirán a cien, y cien de vosotros perseguirán a diez mil, y vuestros enemigos caerán a espada delante de vosotros.

9 Porque yo me volveré a vosotros, y os haré crecer, y os multiplicaré, y afirmaré mi pacto con vosotros:

10 Y comeréis lo añejo de mucho tiempo, y sacaréis fuera lo añejo a causa de lo nuevo:

11 Y pondré mi morada en medio de vosotros, y mi alma no os abominará:

12 Y andaré entre vosotros, y yo seré vuestro Dios, y vosotros seréis mi pueblo.

13 Yo Jehová vuestro Dios, que os saqué de la tierra de Egipto, para que no fueseis sus siervos; y rompí las coyundas de vuestro yugo, y os he hecho andar con el rostro erguido.

14 Pero si no me oyereis, ni hiciereis todos estos mis mandamientos,

15 y si abominareis mis decretos, y vuestra alma menospreciare mis derechos, no ejecutando todos mis mandamientos, e invalidando mi pacto;

16 yo también haré con vosotros esto: Enviaré sobre vosotros terror, extenuación y calentura, que consuman los ojos y atormenten el alma: y sembraréis en balde vuestra semilla, porque vuestros enemigos la comerán;

17 y pondré mi ira sobre vosotros, y seréis heridos delante de vuestros enemigos; y los que os aborrecen se enseñorearán de vosotros, y huiréis sin que haya quien os persiga.

18 Y si aun con estas cosas no me oyereis, yo tornaré a castigaros siete veces más por vuestros pecados.

19 Y quebrantaré la soberbia de vuestra fortaleza, y tornaré vuestro cielo como hierro, y vuestra tierra como bronce.

20 Y vuestra fuerza se consumirá en vano; porque vuestra tierra no dará su producto, y los árboles de la tierra no darán su fruto.

21 Y si anduviereis conmigo en oposición, y no me quisiereis oír, yo aumentaré las plagas sobre vosotros siete veces más, de acuerdo a vuestros pecados.

22 Enviaré también contra vosotros bestias fieras que os arrebaten los hijos, y destruyan vuestros animales, y os reduzcan en número, y vuestros caminos sean desolados.

23 Y si con estas cosas no fuereis corregidos, sino que anduviereis conmigo en oposición,

24 yo también procederé contra vosotros en oposición, y os heriré aún siete veces por vuestros pecados:

25 Y traeré sobre vosotros espada vengadora, en vindicación del pacto; y os recogeréis a vuestras ciudades; mas yo enviaré pestilencia entre vosotros, y seréis entregados en mano del enemigo.

26 Cuando yo os quebrantare el sustento del pan, diez mujeres cocerán vuestro pan en un horno, y os devolverán vuestro pan por peso; y comeréis, y no os saciaréis.

27 Y si con esto no me oyereis, mas procediereis conmigo en oposición,

28 yo procederé contra vosotros, y *lo haré* con ira, y os castigaré aún siete veces por vuestros pecados.

29 Y comeréis las carnes de vuestros hijos, y comeréis las carnes de vuestras hijas:

30 Y destruiré vuestros lugares altos,

y talaré vuestras imágenes, y pondré vuestros cuerpos muertos sobre los cuerpos muertos de vuestros ídolos, y mi alma os abominará;

31 y tornaré vuestras ciudades en ruinas, y asolaré vuestros santuarios, y no oleré la fragancia de vuestro suave perfume.

32 Yo asolaré también la tierra, y se pasmarán de ella vuestros enemigos que en ella moran;

33 y a vosotros os esparciré entre las naciones, y desenvainaré espada en pos de vosotros; y vuestra tierra estará asolada, y yermas vuestras ciudades.

34 Entonces la tierra descansará sus sábados todos los días que estuviere asolada y que vosotros *estéis* en la tierra de vuestros enemigos; la tierra descansará entonces y gozará sus sábados.

35 Todo el tiempo que esté asolada reposará, por cuanto no reposó en vuestros sábados mientras habitabais en ella.

36 Y a los que quedaren de vosotros infundiré en sus corazones tal cobardía, en la tierra de sus enemigos, que el sonido de una hoja que se mueve los perseguirá, y huirán como de la espada, y caerán sin que nadie los persiga.

37 Y tropezarán los unos en los otros, como si huyeran delante de la espada, aunque nadie los persiga; y no podréis resistir delante de vuestros enemigos.

38 Y pereceréis entre las naciones, y la tierra de vuestros enemigos os consumirá.

39 Y los que quedaren de vosotros decaerán en las tierras de vuestros enemigos por su iniquidad; y por la iniquidad de sus padres decaerán con ellos.

40 Y confesarán su iniquidad, y la iniquidad de sus padres, por su prevaricación con que prevaricaron contra mí; y también porque anduvieron conmigo en oposición,

41 yo también habré andado en contra de ellos, y los habré metido en la tierra de sus enemigos; y entonces se humillará su corazón incircunciso, y reconocerán su pecado;

42 entonces yo me acordaré de mi pacto con Jacob, y asimismo de mi pacto con Isaac, y también de mi pacto con Abraham me acordaré; y haré memoria de la tierra.

43 Y la tierra será abandonada por ellos, y disfrutará sus sábados, estando desolada a causa de ellos; entonces se someterán al castigo de sus iniquidades; por cuanto menospreciaron mis decretos, y el alma de ellos tuvo fastidio de mis estatutos.

44 Y aun con todo esto, estando ellos en tierra de sus enemigos, yo no los desecharé, ni los abominaré para consumirlos, invalidando mi pacto con ellos: porque yo Jehová soy su Dios;

45 Antes me acordaré de ellos por el pacto antiguo, cuando los saqué de la tierra de Egipto a los ojos de las naciones, para ser su Dios: Yo Jehová.

46 Éstos *son* los decretos, derechos y leyes que estableció Jehová entre sí y los hijos de Israel en el monte de Sinaí por mano de Moisés.

CAPÍTULO 27

Y Jehová habló a Moisés, diciendo: 2 Habla a los hijos de Israel, y diles: Cuando alguno hiciere voto especial a Jehová, según la estimación de las personas que se hayan de redimir, así será tu estimación.

3 En cuanto al varón de veinte años hasta sesenta, tu estimación será cincuenta siclos de plata, según el siclo del santuario.

4 Y si *fuere* mujer, la estimación será treinta siclos.

5 Y si *fuere* de cinco años hasta veinte, tu estimación será, por el varón veinte siclos, y por la mujer diez siclos.

6 Y si *fuere* de un mes hasta cinco años, tu estimación será, por el varón, cinco siclos de plata; y por la mujer *será* tu estimación tres siclos de plata.

7 Mas si *fuere* de sesenta años arriba, por el varón tu estimación *será* quince siclos, y por la mujer diez siclos.

8 Pero si fuere más pobre que tu estimación, entonces comparecerá

ante el sacerdote, y el sacerdote le fijará tasa; conforme a la posibilidad del que hizo el voto le fijará tasa el sacerdote.

9 Y si *fuere* animal de los que se ofrece ofrenda a Jehová, todo lo que de él se diere a Jehová será santo.

10 No será mudado ni cambiado, bueno por malo, ni malo por bueno; y si se permutare un animal por otro, él y el dado por él en cambio serán santos.

11 Y si *fuere* algún animal inmundo, de que no se ofrece ofrenda a Jehová, entonces el animal será puesto delante del sacerdote:

12 Y el sacerdote lo apreciará, sea bueno o sea malo; conforme a la estimación del sacerdote, así será.

13 Y si lo hubieren de redimir, añadirán la quinta *parte* sobre tu valuación.

14 Y cuando alguno santificare su casa consagrándola a Jehová, la apreciará el sacerdote, sea buena o sea mala: según la apreciare el sacerdote, así quedará.

15 Mas si el santificante redimiere su casa, añadirá a tu valuación la quinta parte del dinero de ella, y será suya.

16 Y si alguno santificare de la tierra de su posesión a Jehová, tu estimación será conforme a su siembra; un homer de siembra de cebada *se apreciará* en cincuenta siclos de plata.

17 Y si santificare su tierra desde el año del jubileo, conforme a tu estimación quedará.

18 Mas si después del jubileo santificare su tierra, entonces el sacerdote hará la cuenta del dinero conforme a los años que quedaren hasta el año del jubileo, y se rebajará de tu estimación.

19 Y si el que santificó la tierra quisiere redimirla, añadirá a tu estimación la quinta *parte* del dinero de ella, y se le quedará para él.

20 Mas si él no redimiere la tierra, y la tierra se vendiere a otro, no la redimirá más;

21 sino que cuando saliere en el jubileo, la tierra será santa a Jehová, como tierra consagrada: la posesión de ella será del sacerdote.

22 Y si santificare alguno a Jehová la tierra que él compró, que no era de la tierra de su herencia,

23 entonces el sacerdote calculará con él la suma de tu estimación hasta el año del jubileo, y aquel día dará tu estimación como cosa consagrada a Jehová.

24 En el año del jubileo, volverá la tierra a aquél de quien él la compró, cuya es la herencia de la tierra.

25 Y todo lo que apreciares será conforme al siclo del santuario: el siclo tiene veinte geras.

26 Pero el primogénito de los animales, que por la primogenitura es de Jehová, nadie lo santificará; sea buey u oveja, de Jehová es.

27 Mas si *fuere* de los animales inmundos, lo redimirán conforme a tu estimación, y añadirán sobre ella la quinta *parte*; y si no lo redimieren, se venderá conforme a tu estimación.

28 Pero ninguna cosa consagrada, que alguno hubiere santificado a Jehová de todo lo que tuviere, de hombres y animales, y de las tierras de su posesión, no se venderá, ni se redimirá: todo lo consagrado será cosa santísima a Jehová.

29 Ningún anatema consagrado de hombres podrá ser redimido; indefectiblemente ha de ser muerto.

30 Y todos los diezmos de la tierra, así de la semilla de la tierra como del fruto de los árboles, de Jehová son; es cosa consagrada a Jehová.

31 Y si alguno quisiere redimir algo de sus diezmos, añadirá una quinta parte a ello.

32 Y todo diezmo de vacas o de ovejas, de todo lo que pasa bajo la vara, el diezmo será consagrado a Jehová.

33 No mirará si es bueno o malo, ni lo cambiará; y si lo cambiare, ello y su cambio serán cosas santas; no se redimirá.

34 Éstos *son* los mandamientos que ordenó Jehová a Moisés, para los hijos de Israel, en el monte de Sinaí.

Libro Cuarto De Moisés
NÚMEROS

CAPÍTULO 1

Y Jehová habló a Moisés en el desierto de Sinaí, en el tabernáculo de la congregación, en el primer *día* del mes segundo, en el segundo año de su salida de la tierra de Egipto, diciendo:

2 Tomad el censo de toda la congregación de los hijos de Israel por sus familias, por las casas de sus padres, con la cuenta de los nombres, todos los varones por sus cabezas:

3 De veinte años para arriba, todos los que pueden salir a la guerra en Israel, los contaréis tú y Aarón por sus escuadrones.

4 Y estará con vosotros un varón de cada tribu, cada uno cabeza de la casa de sus padres.

5 Y éstos son los nombres de los varones que estarán con vosotros: De la tribu de Rubén, Elisur hijo de Sedeur.

6 De Simeón, Selumiel hijo de Zurisadai.

7 De Judá, Naasón hijo de Aminadab.

8 De Isacar, Natanael hijo de Zuar.

9 De Zabulón, Eliab hijo de Helón.

10 De los hijos de José: de Efraín, Elisama hijo de Amiud; de Manasés, Gamaliel hijo de Pedasur.

11 De Benjamín, Abidán hijo de Gedeón.

12 De Dan, Ahiezer hijo de Amisadai.

13 De Aser, Pagiel hijo de Ocrán.

14 De Gad, Eliasaf hijo de Dehuel.

15 De Neftalí, Ahira hijo de Enán.

16 Éstos eran los de renombre entre la congregación, príncipes de las tribus de sus padres, capitanes de los millares de Israel.

17 Tomaron, pues, Moisés y Aarón a estos varones que fueron declarados por sus nombres,

18 y reunieron a toda la congregación en el primero del mes segundo, y fueron reunidos sus linajes, por las casas de sus padres, según la cuenta de los nombres, de veinte años para arriba, por sus cabezas;

19 como Jehová lo había mandado a Moisés; y los contó en el desierto de Sinaí.

20 Y los hijos de Rubén, primogénito de Israel, por sus generaciones, por sus familias, por las casas de sus padres, conforme a la cuenta de los nombres por sus cabezas, todos los varones de veinte para arriba, todos los que podían salir a la guerra;

21 los contados de ellos, de la tribu de Rubén, *fueron* cuarenta y seis mil quinientos.

22 De los hijos de Simeón, por sus generaciones, por sus familias, por las casas de sus padres, los contados de ellos conforme a la cuenta de los nombres por sus cabezas, todos los varones de veinte años para arriba, todos los que podían salir a la guerra;

23 los contados de ellos, de la tribu de Simeón, cincuenta y nueve mil trescientos.

24 De los hijos de Gad, por sus generaciones, por sus familias, por las casas de sus padres, conforme a la cuenta de los nombres, de veinte años para arriba, todos los que podían salir a la guerra;

25 los contados de ellos, de la tribu de Gad, cuarenta y cinco mil seiscientos cincuenta.

26 De los hijos de Judá, por sus generaciones, por sus familias, por las casas de sus padres, conforme a la cuenta de los nombres, de veinte años para arriba, todos los que podían salir a la guerra;

27 los contados de ellos, de la tribu de Judá, setenta y cuatro mil seiscientos.

28 De los hijos de Isacar, por sus generaciones, por sus familias, por las casas de sus padres, conforme a la cuenta de los nombres, de veinte años para arriba, todos los que podían salir a la guerra;

29 los contados de ellos, de la tribu de Isacar, cincuenta y cuatro mil cuatrocientos.

30 De los hijos de Zabulón, por sus generaciones, por sus familias, por las casas de sus padres, conforme a la cuenta de sus nombres, de veinte años para arriba, todos los que podían salir a la guerra;

31 los contados de ellos, de la tribu de Zabulón, cincuenta y siete mil cuatrocientos.

32 De los hijos de José: de los hijos de Efraín, por sus generaciones, por sus familias, por las casas de sus padres, conforme a la cuenta de los nombres, de veinte años para arriba, todos los que podían salir a la guerra;

33 los contados de ellos, de la tribu de Efraín, cuarenta mil quinientos.

34 De los hijos de Manasés, por sus generaciones, por sus familias, por las casas de sus padres, conforme a la cuenta de los nombres, de veinte años para arriba, todos los que podían salir a la guerra;

35 los contados de ellos, de la tribu de Manasés, treinta y dos mil doscientos.

36 De los hijos de Benjamín, por sus generaciones, por sus familias, por las casas de sus padres, conforme a la cuenta de los nombres, de veinte años para arriba, todos los que podían salir a la guerra;

37 los contados de ellos, de la tribu de Benjamín, treinta y cinco mil cuatrocientos.

38 De los hijos de Dan, por sus generaciones, por sus familias, por las casas de sus padres, conforme a la cuenta de los nombres, de veinte años para arriba, todos los que podían salir a la guerra;

39 los contados de ellos, de la tribu de Dan, sesenta y dos mil setecientos.

40 De los hijos de Aser, por sus generaciones, por sus familias, por las casas de sus padres, conforme a la cuenta de los nombres, de veinte años para arriba, todos los que podían salir a la guerra;

41 los contados de ellos, de la tribu de Aser, cuarenta y un mil quinientos.

42 De los hijos de Neftalí, por sus generaciones, por sus familias, por las casas de sus padres, conforme a la cuenta de los nombres, de veinte años para arriba, todos los que podían salir a la guerra;

43 los contados de ellos, de la tribu de Neftalí, cincuenta y tres mil cuatrocientos.

44 Éstos fueron los contados, los cuales contaron Moisés y Aarón, con los príncipes de Israel, que eran doce, uno por cada casa de sus padres.

45 Y fueron todos los contados de los hijos de Israel por las casas de sus padres, de veinte años para arriba, todos los que podían salir a la guerra en Israel;

46 fueron todos los contados seiscientos tres mil quinientos cincuenta.

47 Pero los levitas no fueron contados entre ellos según la tribu de sus padres.

48 Porque Jehová habló a Moisés, diciendo:

49 Solamente no contarás la tribu de Leví, ni tomarás la cuenta de ellos entre los hijos de Israel:

50 Mas tú pondrás a los levitas en el tabernáculo de la congregación, y sobre todos sus vasos, y sobre todas las cosas que le *pertenecen*; ellos llevarán el tabernáculo y todos sus vasos, y ellos servirán en él, y asentarán sus tiendas alrededor del tabernáculo.

51 Y cuando el tabernáculo partiere, los levitas lo desarmarán; y cuando el tabernáculo parare, los levitas lo armarán: y el extraño que se llegare, morirá.

52 Y los hijos de Israel asentarán sus tiendas cada uno en su escuadrón, y cada uno junto a su bandera, por sus escuadrones.

53 Mas los levitas asentarán las suyas alrededor del tabernáculo de la congregación, y no habrá ira sobre la congregación de los hijos de Israel: y los levitas tendrán la guarda del tabernáculo de la congregación.

54 E hicieron los hijos de Israel conforme a todas las cosas que Jehová mandó a Moisés; así lo hicieron.

CAPÍTULO 2

Y Jehová habló a Moisés y a Aarón, diciendo:

2 Los hijos de Israel acamparán cada uno junto a su bandera, con la enseña de la casa de sus padres; alrededor

del tabernáculo de la congregación acamparán.

3 Y al lado oriente, hacia donde sale el sol; acamparán los de la bandera del ejército de Judá, por sus escuadrones; y el jefe de los hijos de Judá, Naasón hijo de Aminadab:

4 Su ejército, con los contados de ellos, setenta y cuatro mil seiscientos.

5 Junto a él acamparán los de la tribu de Isacar; y el jefe de los hijos de Isacar, Natanael hijo de Zuar;

6 y su ejército, con sus contados, cincuenta y cuatro mil cuatrocientos.

7 Y la tribu de Zabulón; y el jefe de los hijos de Zabulón, Eliab hijo de Helón;

8 y su ejército, con sus contados, cincuenta y siete mil cuatrocientos.

9 Todos los contados en el ejército de Judá, ciento ochenta y seis mil cuatrocientos, por sus escuadrones, irán delante.

10 La bandera del ejército de Rubén al sur, por sus escuadrones; y el jefe de los hijos de Rubén, Elisur hijo de Sedeur;

11 y su ejército, sus contados, cuarenta y seis mil quinientos.

12 Y acamparán junto a él los de la tribu de Simeón; y el jefe de los hijos de Simeón, Selumiel hijo de Zurisadai.

13 Y su ejército, con los contados de ellos, cincuenta y nueve mil trescientos.

14 Y la tribu de Gad; y el jefe de los hijos de Gad, Eliasaf hijo de Reuel;

15 y su ejército, con los contados de ellos, cuarenta y cinco mil seiscientos cincuenta.

16 Todos los contados en el ejército de Rubén, ciento cincuenta y un mil cuatrocientos cincuenta, por sus escuadrones, irán los segundos.

17 Luego irá el tabernáculo de la congregación con el campamento de los levitas, en medio del campamento; de la manera que acampan, así caminarán, cada uno en su lugar, junto a sus banderas.

18 La bandera del ejército de Efraín por sus escuadrones, al occidente; y el jefe de los hijos de Efraín, Elisama hijo de Amiud;

19 y su ejército, con los contados de ellos, cuarenta mil quinientos.

20 Junto a él estará la tribu de Manasés; y el jefe de los hijos de Manasés, Gamaliel hijo de Pedasur;

21 y su ejército, con los contados de ellos, treinta y dos mil doscientos.

22 Y la tribu de Benjamín; y el jefe de los hijos de Benjamín, Abidán hijo de Gedeón;

23 y su ejército, con los contados de ellos, treinta y cinco mil cuatrocientos.

24 Todos los contados en el ejército de Efraín, ciento ocho mil cien, por sus escuadrones, irán los terceros.

25 La bandera del ejército de Dan estará al norte, por sus escuadrones; y el jefe de los hijos de Dan, Ahiezer hijo de Amisadai;

26 y su ejército, con los contados de ellos, sesenta y dos mil setecientos.

27 Junto a él acamparán los de la tribu de Aser: y el jefe de los hijos de Aser, Pagiel hijo de Ocrán;

28 y su ejército, con los contados de ellos, cuarenta y un mil quinientos.

29 Y la tribu de Neftalí; y el jefe de los hijos de Neftalí, Ahira hijo de Enán;

30 y su ejército, con los contados de ellos, cincuenta y tres mil cuatrocientos.

31 Todos los contados en el ejército de Dan, ciento cincuenta y siete mil seiscientos; irán los postreros tras sus banderas.

32 Éstos son los contados de los hijos de Israel, por las casas de sus padres: todos los contados por ejércitos, por sus escuadrones, seiscientos tres mil quinientos cincuenta.

33 Mas los levitas no fueron contados entre los hijos de Israel; como Jehová lo mandó a Moisés.

34 Y los hijos de Israel hicieron conforme a todas las cosas que Jehová mandó a Moisés; así acamparon por sus banderas, y así marcharon cada uno por sus familias, según las casas de sus padres.

CAPÍTULO 3

Y éstas *son* las generaciones de Aarón y de Moisés, desde que Jehová habló a Moisés en el monte de Sinaí.

2 Y éstos *son* los nombres de los hijos de Aarón: Nadab el primogénito, y Abiú, Eleazar, e Itamar.

3 Éstos *son* los nombres de los hijos de Aarón, sacerdotes ungidos; cuyas manos él consagró para administrar el sacerdocio.

4 Mas Nadab y Abiú murieron delante de Jehová, cuando ofrecieron fuego extraño delante de Jehová, en el desierto de Sinaí: y no tuvieron hijos: y Eleazar e Itamar ejercieron el sacerdocio delante de Aarón su padre.

5 Y Jehová habló a Moisés, diciendo:

6 Haz llegar a la tribu de Leví, y hazla estar delante del sacerdote Aarón, para que le ministren;

7 y desempeñen su cargo, y el cargo de toda la congregación delante del tabernáculo de la congregación, para servir en el ministerio del tabernáculo;

8 y guarden todos los utensilios del tabernáculo de la congregación, y lo encargado a ellos de los hijos de Israel, y ministren en el servicio del tabernáculo.

9 Y darás los levitas a Aarón y a sus hijos; le *son* enteramente dados de entre los hijos de Israel.

10 Y constituirás a Aarón y a sus hijos, para que ejerzan su sacerdocio: y el extraño que se llegare, morirá.

11 Y Jehová habló a Moisés, diciendo:

12 Y he aquí yo he tomado a los levitas de entre los hijos de Israel en lugar de todos los primogénitos que abren la matriz entre los hijos de Israel; serán, pues, míos los levitas.

13 Porque mío es todo primogénito; desde el día que yo maté todos los primogénitos en la tierra de Egipto, yo santifiqué a mí todos los primogénitos en Israel, así de hombres como de animales; míos serán: Yo Jehová.

14 Y Jehová habló a Moisés en el desierto de Sinaí, diciendo:

15 Cuenta los hijos de Leví por las casas de sus padres, por sus familias: contarás a todos los varones de un mes para arriba.

16 Y Moisés los contó conforme a la palabra de Jehová, como le fue mandado.

17 Y los hijos de Leví *fueron* estos por sus nombres: Gersón, y Coat, y Merari.

18 Y los nombres de los hijos de Gersón, por sus familias, estos: Libni, y Simeí.

19 Y los hijos de Coat, por sus familias: Amram, e Izhar, y Hebrón, y Uziel.

20 Y los hijos de Merari, por sus familias: Mahali, y Musi. Éstas, las familias de Leví, por las casas de sus padres.

21 De Gersón, la familia de Libni y la de Simeí; éstas *son* las familias de Gersón.

22 Los contados de ellos conforme a la cuenta de todos los varones de un mes para arriba, los contados de ellos, siete mil quinientos.

23 Las familias de Gersón asentarán sus tiendas a espaldas del tabernáculo, al occidente;

24 y el jefe de la casa del padre de los gersonitas, Eliasaf hijo de Lael.

25 A cargo de los hijos de Gersón, en el tabernáculo de la congregación, *estará* el tabernáculo, y la tienda, y su cubierta, y la cortina de la puerta del tabernáculo de la congregación,

26 y las cortinas del atrio, y la cortina de la puerta del atrio, que *está* junto al tabernáculo y junto al altar alrededor; asimismo sus cuerdas para todo su servicio.

27 Y de Coat, la familia de los amramitas, y la familia de los izharitas, y la familia de los hebronitas, y la familia de los uzielitas; éstas *son* las familias coatitas.

28 Por la cuenta de todos los varones de un mes para arriba, eran ocho mil seiscientos, que tenían la guarda del santuario.

29 Las familias de los hijos de Coat acamparán al lado del tabernáculo, hacia el sur;

30 Y el jefe de la casa del padre de las familias de Coat, Elizafán hijo de Uziel.

31 Y a cargo de ellos estará el arca, y la mesa, y el candelero, y los altares, y los vasos del santuario con que ministran, y el velo, con todo su servicio.

32 Y el principal de los jefes de los levitas *será* Eleazar, hijo de Aarón el sacerdote, encargado de los que tienen la guarda del santuario.

33 De Merari, la familia de los mahalitas y la familia de los musitas; éstas *son* las familias de Merari.

34 Y los contados de ellos conforme a la cuenta de todos los varones de un mes para arriba, *fueron* seis mil doscientos.

35 Y el jefe de la casa del padre de las familias de Merari, Suriel hijo de Abihail: acamparán al lado del tabernáculo, al norte.

36 Y a cargo de los hijos de Merari *estará* la custodia de las tablas del tabernáculo, y sus vigas, y sus columnas, y sus bases, y todos sus enseres, con todo su servicio;

37 y las columnas en derredor del atrio, y sus bases, y sus estacas, y sus cuerdas.

38 Y los que acamparán delante del tabernáculo al oriente, delante del tabernáculo de la congregación al este, *serán* Moisés, Aarón y sus hijos, teniendo la guarda del santuario en lugar de los hijos de Israel; y el extraño que se acercare, morirá.

39 Todos los contados de los levitas, que Moisés y Aarón conforme a la palabra de Jehová contaron por sus familias, todos los varones de un mes para arriba, *fueron* veintidós mil.

40 Y Jehová dijo a Moisés: Cuenta todos los primogénitos varones de los hijos de Israel de un mes arriba, y toma la cuenta de los nombres de ellos.

41 Y tomarás los levitas para mí, yo Jehová, en lugar de todos los primogénitos de los hijos de Israel: y los animales de los levitas en lugar de todos los primogénitos de los animales de los hijos de Israel.

42 Y contó Moisés, como Jehová le mandó, todos los primogénitos de los hijos de Israel.

43 Y todos los primogénitos varones, conforme a la cuenta de los nombres, de un mes arriba, los contados de ellos fueron veintidós mil doscientos setenta y tres.

44 Y habló Jehová a Moisés, diciendo:

45 Toma los levitas en lugar de todos los primogénitos de los hijos de Israel, y los animales de los levitas en lugar de sus animales; y los levitas serán míos: Yo Jehová.

46 Y para el rescate de los doscientos setenta y tres de los primogénitos de los hijos de Israel, que exceden a los levitas:

47 Tomarás cinco siclos por cabeza; conforme al siclo del santuario tomarás; el siclo tiene veinte geras;

48 y darás a Aarón y a sus hijos el dinero del rescate de los que exceden.

49 Tomó, pues, Moisés el dinero del rescate de los que excedían *el número* de los redimidos por los levitas:

50 Y recibió de los primogénitos de los hijos de Israel en dinero, mil trescientos sesenta y cinco *siclos*, conforme al siclo del santuario.

51 Y Moisés dio el dinero del rescate a Aarón y a sus hijos, conforme a la palabra de Jehová, tal como Jehová había mandado a Moisés.

CAPÍTULO 4

Y Jehová habló a Moisés y a Aarón, diciendo:

2 Toma la cuenta de los hijos de Coat de entre los hijos de Leví, por sus familias, por las casas de sus padres,

3 de edad de treinta años arriba hasta cincuenta años, todos los que entran en compañía, para hacer servicio en el tabernáculo de la congregación.

4 Éste *será* el ministerio de los hijos de Coat en el tabernáculo de la congregación, en el lugar santísimo:

5 Cuando se hubiere de mudar el campamento, vendrán Aarón y sus hijos, y desarmarán el velo de la tienda, y cubrirán con él el arca del testimonio:

6 Y pondrán sobre ella la cubierta de pieles de tejones, y extenderán encima el paño todo de azul, y le pondrán sus varas.

7 Y sobre la mesa de la proposición extenderán el paño azul, y pondrán sobre ella las escudillas, y las cucharas, y las copas, y los tazones para libar; y el pan continuo estará sobre ella.

8 Y extenderán sobre ellos un paño carmesí, y los cubrirán con la cubierta de pieles de tejones; y le pondrán sus varas.

9 Y tomarán un paño azul, y cubrirán el candelero de la luminaria; y sus candilejas, y sus despabiladeras, y sus

platillos, y todos sus vasos del aceite con que se sirve;

10 y lo pondrán con todos sus vasos en una cubierta de pieles de tejones, y lo colocarán sobre unas parihuelas.

11 Y sobre el altar de oro extenderán un paño azul, y lo cubrirán con la cubierta de pieles de tejones, y le pondrán sus varas.

12 Y tomarán todos los vasos del servicio, de que hacen uso en el santuario, y los pondrán en un paño azul, y los cubrirán con una cubierta de pieles de tejones, y los colocarán sobre unas parihuelas.

13 Y quitarán la ceniza del altar, y extenderán sobre él un paño de púrpura;

14 y pondrán sobre él todos sus instrumentos con que se sirve; las paletas, los garfios, los braseros, y los tazones, todos los vasos del altar; y extenderán sobre él la cubierta de pieles de tejones, y le pondrán además las varas.

15 Y cuando Aarón y sus hijos acaben de cubrir el santuario y todos los vasos del santuario, cuando el campamento haya de mudarse, vendrán después de ello los hijos de Coat para transportarlos; mas no tocarán cosa santa, no sea que mueran. Éstas *serán* las cargas de los hijos de Coat en el tabernáculo de la congregación.

16 Pero a cargo de Eleazar, hijo de Aarón el sacerdote, *estará* el aceite de la luminaria, y el incienso aromático, y el presente continuo, y el aceite de la unción; el cargo de todo el tabernáculo, y de todo lo que *está* en él, en el santuario, y en sus vasos.

17 Y Jehová habló a Moisés y a Aarón, diciendo:

18 No cortaréis la tribu de las familias de Coat de entre los levitas;

19 Mas esto haréis con ellos, para que vivan, y no mueran cuando llegaren al lugar santísimo: Aarón y sus hijos vendrán y los pondrán a cada uno en su oficio, y en su cargo.

20 No entrarán para ver cuando cubrieren las cosas santas; no sea que mueran.

21 Y Jehová habló a Moisés diciendo:

22 Toma también la cuenta de los hijos de Gersón por las casas de sus padres, por sus familias.

23 De edad de treinta años para arriba hasta cincuenta años los contarás; todos los que entran en compañía, para servir en el tabernáculo de la congregación.

24 Éste *será* el oficio de las familias de Gersón, para ministrar y para llevar:

25 Llevarán las cortinas del tabernáculo, y el tabernáculo de la congregación, su cubierta, y la cubierta de pieles de tejones que *está* arriba, sobre él, y la cortina de la puerta del tabernáculo de la congregación,

26 y las cortinas del atrio, y la cortina de la puerta del atrio, que *está* cerca del tabernáculo y cerca del altar alrededor, y sus cuerdas, y todos los instrumentos de su servicio, y todo lo que será hecho para ellos; así servirán.

27 Según la orden de Aarón y de sus hijos será todo el ministerio de los hijos de Gersón en todos sus cargos, y en todo su servicio: y les encomendaréis en guarda todos sus cargos.

28 Éste *es* el servicio de las familias de los hijos de Gersón en el tabernáculo de la congregación; y el cargo de ellos *estará* bajo la mano de Itamar, hijo de Aarón el sacerdote.

29 Contarás los hijos de Merari por sus familias, por las casas de sus padres.

30 Desde el de edad de treinta años para arriba hasta el de cincuenta años, los contarás; todos los que entran en compañía, para servir en el tabernáculo de la congregación.

31 Y éste *será* el deber de su cargo para todo su servicio en el tabernáculo de la congregación: las tablas del tabernáculo, y sus vigas, y sus columnas, y sus bases,

32 y las columnas del atrio alrededor, y sus bases, y sus estacas, y sus cuerdas con todos sus instrumentos, y todo su servicio; y contaréis por sus nombres todos los vasos de la guarda de su cargo.

33 Éste *será* el servicio de las familias de los hijos de Merari para todo su ministerio en el tabernáculo de la congregación, bajo la mano de Itamar, hijo de Aarón el sacerdote.

34 Moisés, pues, y Aarón, y los jefes de la congregación, contaron los hijos de Coat por sus familias, y por las casas de sus padres,

35 desde el de edad de treinta años para arriba hasta el de edad de cincuenta años; todos los que entran en compañía, para ministrar en el tabernáculo de la congregación.

36 Y fueron los contados de ellos por sus familias, dos mil setecientos cincuenta.

37 Éstos *fueron* los contados de las familias de Coat, todos los que ministran en el tabernáculo de la congregación, los cuales contaron Moisés y Aarón, como lo mandó Jehová por mano de Moisés.

38 Y los contados de los hijos de Gersón, por sus familias, y por las casas de sus padres,

39 desde el de edad de treinta años para arriba hasta el de edad de cincuenta años, todos los que entran en compañía, para ministrar en el tabernáculo de la congregación;

40 los contados de ellos por sus familias, por las casas de sus padres, fueron dos mil seiscientos treinta.

41 Éstos *son* los contados de las familias de los hijos de Gersón, todos los que ministran en el tabernáculo de la congregación, los cuales contaron Moisés y Aarón por mandato de Jehová.

42 Y los contados de las familias de los hijos de Merari, por sus familias, por las casas de sus padres,

43 desde el de edad de treinta años para arriba hasta el de edad de cincuenta años, todos los que entran en compañía, para ministrar en el tabernáculo de la congregación;

44 los contados de ellos, por sus familias, fueron tres mil doscientos.

45 Éstos *fueron* los contados de las familias de los hijos de Merari, los cuales contaron Moisés y Aarón, según lo mandó Jehová por mano de Moisés.

46 Todos los contados de los levitas, que Moisés y Aarón y los jefes de Israel contaron por sus familias, y por las casas de sus padres,

47 desde el de edad de treinta años para arriba hasta el de edad de cincuenta años, todos los que entraban para ministrar en el servicio, y tener cargo de obra en el tabernáculo de la congregación;

48 los contados de ellos fueron ocho mil quinientos ochenta.

49 fueron contados conforme al mandamiento de Jehová por mano de Moisés, cada uno según su oficio y según su cargo; los cuales contó él, tal como Jehová mandó a Moisés.

CAPÍTULO 5

Y Jehová habló a Moisés, diciendo: 2 Manda a los hijos de Israel que echen del campamento a todo leproso, y a todos los que padecen flujo de semen, y a todo contaminado sobre muerto:

3 Así hombres como mujeres echaréis, fuera del campamento los echaréis; para que no contaminen el campamento de aquellos entre los cuales yo habito.

4 Y lo hicieron así los hijos de Israel, que los echaron fuera del campamento; como Jehová dijo a Moisés, así lo hicieron los hijos de Israel.

5 Además habló Jehová a Moisés, diciendo:

6 Habla a los hijos de Israel: El hombre o la mujer que cometiere alguno de todos los pecados de los hombres, haciendo prevaricación contra Jehová, y delinquiere aquella persona;

7 confesarán su pecado que cometieron, y compensarán su ofensa enteramente, y añadirán la quinta *parte* sobre ello, y lo darán a aquél contra quien pecaron.

8 Y si aquel hombre no tuviere pariente al cual sea resarcida la ofensa, se dará la indemnización del agravio a Jehová, al sacerdote, a más del carnero de las expiaciones, con el cual hará expiación por él.

9 Y toda ofrenda de todas las cosas santas que los hijos de Israel presentaren al sacerdote, suya será.

10 Y lo santificado de cualquiera será suyo; asimismo lo que cualquiera diere al sacerdote, suyo será.

11 Y Jehová habló a Moisés, diciendo: 12 Habla a los hijos de Israel, y diles: Si la esposa de alguno se descarriare, e hiciere traición contra él,

13 y alguno hubiere tenido relación carnal con ella, y su marido no lo hubiese visto por haberse ella amancillado ocultamente, y no hubiere testigo contra ella, ni ella hubiere sido tomada *en el acto*;

14 si el espíritu de celos viniere sobre él, y tuviere celos de su esposa, habiéndose ella amancillado; o si el espíritu de celo viniere sobre él, y tuviere celos de su esposa, no habiéndose ella amancillado;

15 entonces el marido traerá su esposa al sacerdote, y traerá su ofrenda con ella, la décima de un efa de harina de cebada; no echará sobre ella aceite, ni pondrá sobre ella incienso; porque *es* presente de celos, presente de recordación, que trae a la memoria el pecado.

16 Y el sacerdote la hará acercar, y la hará poner delante de Jehová.

17 Luego el sacerdote tomará del agua santa en un vaso de barro; tomará también el sacerdote del polvo que hubiere en el suelo del tabernáculo, y lo echará en el agua.

18 Y hará el sacerdote estar en pie a la mujer delante de Jehová, y descubrirá la cabeza de la mujer, y pondrá sobre sus manos el presente de la recordación, que *es* el presente de celos; y el sacerdote tendrá en la mano las aguas amargas que acarrean maldición.

19 Y el sacerdote la conjurará, y le dirá: Si ningún hombre se ha acostado contigo, y si no te has apartado de tu marido a inmundicia, libre seas de estas aguas amargas que traen maldición;

20 mas si te has descarriado de tu marido, y te has amancillado, y algún hombre se ha acostado contigo, fuera de tu marido

21 (El sacerdote conjurará a la mujer con juramento de maldición, y dirá a la mujer): Jehová te haga maldición y conjura en medio de tu pueblo, haciendo Jehová que tu muslo caiga, y que tu vientre se hinche;

22 y estas aguas que dan maldición entren en tus entrañas, y hagan hinchar *tu* vientre y caer *tu* muslo. Y la mujer dirá: Amén, amén.

23 Y el sacerdote escribirá estas maldiciones en un libro, y las borrará con las aguas amargas;

24 y dará a beber a la mujer las aguas amargas que traen maldición; y las aguas que obran maldición entrarán en ella por amargas.

25 Después tomará el sacerdote de la mano de la mujer el presente de los celos, y lo mecerá delante de Jehová, y lo ofrecerá delante del altar.

26 Y tomará el sacerdote un puñado del presente, en memoria de ella, y lo quemará sobre el altar, y después dará a beber las aguas a la mujer.

27 Le dará, pues, a beber las aguas; y será, que si fuere inmunda y hubiere hecho traición contra su marido, las aguas que obran maldición entrarán en ella en amargura, y su vientre se hinchará, y caerá su muslo; y la mujer será maldición en medio de su pueblo.

28 Mas si la mujer no fuere inmunda, sino que estuviere limpia, ella será libre, y será fecunda.

29 Ésta es la ley de los celos, cuando la esposa hiciere traición a su marido, y se amancillare;

30 o del marido, sobre el cual pasare espíritu de celos, y tuviere celos de su esposa ; la presentará entonces delante de Jehová, y el sacerdote ejecutará en ella toda esta ley.

31 Y aquel varón será libre de iniquidad, y la mujer llevará su pecado.

CAPÍTULO 6

Y Jehová habló a Moisés, diciendo: 2 Habla a los hijos de Israel, y diles: El hombre, o la mujer, cuando se apartare haciendo voto de nazareo, para dedicarse a Jehová;

3 se abstendrá de vino y de sidra; no beberá vinagre de vino, ni vinagre de sidra, ni beberá algún licor de uvas, ni tampoco comerá uvas frescas ni secas.

4 Todos los días de su nazareato, de todo lo que se hace de vid de vino, desde los granillos hasta el hollejo, no comerá.

5 Todos los días del voto de su nazareato no pasará navaja sobre su cabeza, hasta que sean cumplidos los días de su consagración a Jehová; santo será; dejará crecer las guedejas del cabello de su cabeza.

6 Todos los días que se consagrare a Jehová, no entrará a persona muerta.

7 Ni por su padre, ni por su madre, ni por su hermano, ni por su hermana, no se contaminará con ellos cuando murieren; porque consagración de su Dios tiene sobre su cabeza.

8 Todos los días de su nazareato, *será* santo a Jehová.

9 Y si alguno muriere muy de repente junto a él, contaminará la cabeza de su nazareato; por tanto el día de su purificación raerá su cabeza; al séptimo día la raerá.

10 Y el día octavo traerá dos tórtolas o dos palominos al sacerdote, a la puerta del tabernáculo de la congregación;

11 Y el sacerdote ofrecerá el uno en expiación, y el otro en holocausto; y hará expiación de lo que pecó a causa del muerto, y santificará su cabeza en aquel día.

12 Y consagrará a Jehová los días de su nazareato, y traerá un cordero de un año en expiación por la culpa; y los días primeros serán anulados, por cuanto fue contaminado su nazareato.

13 Ésta *es* la ley del nazareo cuando se hubieren cumplido los días de su nazareato: Vendrá a la puerta del tabernáculo de la congregación,

14 y ofrecerá su ofrenda a Jehová, un cordero de un año sin defecto en holocausto, y una cordera de un año sin defecto en expiación, y un carnero sin defecto por ofrenda de paz.

15 Además un canastillo de panes sin levadura, tortas de flor de harina amasadas con aceite, y hojaldres de panes sin levadura untadas con aceite, y su presente, y sus libaciones.

16 Y el sacerdote lo ofrecerá delante de Jehová, y hará su expiación y su holocausto;

17 Y ofrecerá el carnero *como* sacrificio de paz a Jehová, con el canastillo de los panes sin levadura; ofrecerá asimismo el sacerdote su presente, y sus libaciones.

18 Entonces el nazareo raerá a la puerta del tabernáculo de la congregación la cabeza de su nazareato, y tomará los cabellos de la cabeza de su nazareato, y los pondrá sobre el fuego que *está* debajo de la ofrenda de paz.

19 Después tomará el sacerdote la espaldilla cocida del carnero, y una torta sin levadura del canastillo, y una hojaldre sin levadura, y las pondrá sobre las manos del nazareo, después que *el cabello de* su consagración fuere raído;

20 y el sacerdote mecerá aquello, ofrenda agitada delante de Jehová; lo cual *será* cosa santa del sacerdote, junto con el pecho mecido y la espaldilla separada; y después podrá beber vino el nazareo.

21 Ésta *es* la ley del nazareo que hiciere voto de su ofrenda a Jehová por su nazareato, además de lo que su mano alcanzare; según el voto que hiciere, así hará, conforme a la ley de su nazareato.

22 Y Jehová habló a Moisés, diciendo:

23 Habla a Aarón y a sus hijos, y diles: Así bendeciréis a los hijos de Israel, diciéndoles:

24 Jehová te bendiga, y te guarde:

25 Haga resplandecer Jehová su rostro sobre ti, y tenga de ti misericordia:

26 Jehová alce sobre ti su rostro, y ponga en ti paz.

27 Y pondrán mi nombre sobre los hijos de Israel, y yo los bendeciré.

CAPÍTULO 7

Y aconteció, que cuando Moisés hubo acabado de levantar el tabernáculo, y de ungirlo y santificarlo, con todos sus vasos; y asimismo ungido y santificado el altar, con todos sus vasos;

2 entonces los príncipes de Israel, las cabezas de las casas de sus padres, los cuales *eran* los príncipes de las tribus, que estaban sobre los contados, ofrecieron;

3 y trajeron sus ofrendas delante de Jehová, seis carros cubiertos, y doce bueyes; por cada dos príncipes un carro, y cada uno un buey; lo cual ofrecieron delante del tabernáculo.

4 Y Jehová habló a Moisés, diciendo:

5 Tómalo de ellos, y será para el servicio del tabernáculo de la congregación: y lo darás a los levitas, a cada uno conforme a su ministerio.

6 Entonces Moisés recibió los carros y los bueyes, y los dio a los levitas.

7 Dos carros y cuatro bueyes, dio a los hijos de Gersón, conforme a su ministerio;

8 Y a los hijos de Merari dio los cuatro carros y ocho bueyes, conforme a su ministerio, bajo la mano de Itamar, hijo de Aarón el sacerdote.

9 Y a los hijos de Coat no dio; porque llevaban sobre sí en los hombros el servicio del santuario.

10 Y los príncipes ofrendaron para la dedicación del altar el día que fue ungido, aun los príncipes ofrecieron su ofrenda delante del altar.

11 Y Jehová dijo a Moisés: Ofrecerán su ofrenda, un príncipe un día, y otro príncipe otro día, para la dedicación del altar.

12 Y el que ofreció su ofrenda el primer día fue Naasón hijo de Aminadab, de la tribu de Judá.

13 Y su ofrenda *fue* un plato de plata de peso de ciento treinta siclos, y un jarro de plata de setenta siclos, al siclo del santuario; ambos llenos de flor de harina amasada con aceite para presente;

14 una cuchara de oro de diez *siclos*, llena de incienso;

15 un becerro, un carnero, un cordero de un año para holocausto;

16 un macho cabrío para expiación;

17 y para ofrenda de paz, dos bueyes, cinco carneros, cinco machos cabríos, cinco corderos de un año. Ésta *fue* la ofrenda de Naasón, hijo de Aminadab.

18 El segundo día ofreció Natanael hijo de Zuar, príncipe de Isacar.

19 Ofreció por su ofrenda un plato de plata de ciento treinta *siclos* de peso, un jarro de plata de setenta siclos, al siclo del santuario; ambos llenos de flor de harina amasada con aceite para presente;

20 una cuchara de oro de diez *siclos*, llena de incienso;

21 un becerro, un carnero, un cordero de un año para holocausto;

22 un macho cabrío para expiación;

23 y para sacrificio de paz, dos bueyes, cinco carneros, cinco machos cabríos y cinco corderos de un año. Ésta *fue* la ofrenda de Natanael, hijo de Zuar.

24 El tercer día, Eliab hijo de Helón, príncipe de los hijos de Zabulón.

25 Y su ofrenda *fue* un plato de plata de ciento treinta siclos de peso, un jarro de plata de setenta siclos, al siclo del santuario; ambos llenos de flor de harina amasada con aceite para presente;

26 una cuchara de oro de diez *siclos*, llena de incienso;

27 un becerro, un carnero, un cordero de un año para holocausto;

28 un macho cabrío para expiación;

29 y para sacrificio de paz, dos bueyes, cinco carneros, cinco machos cabríos y cinco corderos de un año. Ésta *fue* la ofrenda de Eliab, hijo de Helón.

30 El cuarto día, Elisur hijo de Sedeur, príncipe de los hijos de Rubén.

31 Y su ofrenda *fue* un plato de plata de ciento treinta *siclos* de peso, un jarro de plata de setenta siclos, al siclo del santuario; ambos llenos de flor de harina amasada con aceite para presente;

32 una cuchara de oro de diez *siclos*, llena de incienso;

33 un becerro, un carnero, un cordero de un año para holocausto;

34 un macho cabrío para expiación;

35 y para ofrenda de paz, dos bueyes, cinco carneros, cinco machos cabríos y cinco corderos de un año. Ésta *fue* la ofrenda de Elisur, hijo de Sedeur.

36 El quinto día, Selumiel hijo de Zurisadai, príncipe de los hijos de Simeón.

37 Y su ofrenda *fue* un plato de plata de ciento treinta *siclos* de peso, un jarro de plata de setenta siclos, al siclo del santuario; ambos llenos de flor de harina amasada con aceite para presente;

38 una cuchara de oro de diez *siclos* llena de incienso;

39 un becerro, un carnero, un cordero de un año para holocausto;

40 un macho cabrío para expiación;

41 y para ofrenda de paz, dos bueyes, cinco carneros, cinco machos cabríos y cinco corderos de un año. Ésta *fue* la ofrenda de Selumiel, hijo de Zurisadai.

42 El sexto día, Eliasaf hijo de Dehuel, príncipe de los hijos de Gad.

43 Y su ofrenda *fue* un plato de plata de ciento treinta *siclos* de peso, un jarro de plata de setenta siclos, al siclo del santuario; ambos llenos de flor de harina amasada con aceite para presente;

44 una cuchara de oro de diez *siclos*, llena de incienso;

45 un becerro, un carnero, un cordero de un año para holocausto;

46 un macho cabrío para expiación;

47 y para sacrificio de paz, dos bueyes, cinco carneros, cinco machos cabríos y cinco corderos de un año. Ésta *fue* la ofrenda de Eliasaf, hijo de Dehuel.

48 El séptimo día, el príncipe de los hijos de Efraín, Elisama hijo de Amiud.

49 Y su ofrenda *fue* un plato de plata de ciento treinta *siclos* de peso, un jarro de plata de setenta siclos, al siclo del santuario; ambos llenos de flor de harina amasada con aceite para presente;

50 una cuchara de oro de diez *siclos*, llena de incienso;

51 un becerro, un carnero, un cordero de un año para holocausto;

52 un macho cabrío para expiación;

53 y para sacrificio de paz, dos bueyes, cinco carneros, cinco machos cabríos y cinco corderos de un año. Ésta *fue* la ofrenda de Elisama, hijo de Amiud.

54 El octavo día, el príncipe de los hijos de Manasés, Gamaliel hijo de Pedasur.

55 Y su ofrenda *fue* un plato de plata de ciento treinta *siclos* de peso, un jarro de plata de setenta siclos, al siclo del santuario; ambos llenos de flor de harina amasada con aceite para presente;

56 una cuchara de oro de diez *siclos*, llena de incienso;

57 un becerro, un carnero, un cordero de un año para holocausto;

58 un macho cabrío para expiación;

59 y para sacrificio de paz, dos bueyes, cinco carneros, cinco machos cabríos y cinco corderos de un año. Ésta *fue* la ofrenda de Gamaliel, hijo de Pedasur.

60 El noveno día, el príncipe de los hijos de Benjamín, Abidán hijo de Gedeón.

61 Y su ofrenda *fue* un plato de plata de ciento treinta *siclos* de peso, un jarro de plata de setenta siclos, al siclo del santuario; ambos llenos de flor de harina amasada con aceite para presente;

62 una cuchara de oro de diez *siclos*, llena de incienso;

63 un becerro, un carnero, un cordero de un año para holocausto;

64 un macho cabrío para expiación;

65 y para sacrificio de paz, dos bueyes, cinco carneros, cinco machos cabríos y cinco corderos de un año. Ésta *fue* la ofrenda de Abidán, hijo de Gedeón.

66 El décimo día, el príncipe de los hijos de Dan, Ahiezer hijo de Amisadai.

67 Y su ofrenda *fue* un plato de plata de ciento treinta *siclos* de peso, un jarro de plata de setenta siclos, al siclo del santuario; ambos llenos de flor de harina amasada con aceite para presente;

68 una cuchara de oro de diez *siclos*, llena de incienso;

69 un becerro, un carnero, un cordero de un año para holocausto;

70 un macho cabrío para expiación;

71 y para sacrificio de paz, dos bueyes, cinco carneros, cinco machos cabríos y cinco corderos de un año. Ésta *fue* la ofrenda de Ahiezer, hijo de Amisadai.

72 El undécimo día, el príncipe de los hijos de Aser, Pagiel hijo de Ocrán.

73 Y su ofrenda *fue* un plato de plata de ciento y treinta *siclos* de peso, un jarro de plata de setenta siclos, al siclo del santuario; ambos llenos de flor de harina amasada con aceite para presente;

74 una cuchara de oro de diez *siclos*, llena de incienso;

75 un becerro, un carnero, un cordero de un año para holocausto;

76 un macho cabrío para expiación;

77 y para sacrificio de paz, dos bueyes, cinco carneros, cinco machos cabríos y cinco corderos de un año. Ésta *fue* la ofrenda de Pagiel, hijo de Ocrán.

78 El duodécimo día, el príncipe de los hijos de Neftalí, Ahira hijo de Enán.

79 Y su ofrenda *fue* un plato de plata de ciento treinta *siclos* de peso, un jarro de plata de setenta siclos, al siclo del santuario; ambos llenos de flor de harina amasada con aceite para presente;

80 una cuchara de oro de diez *siclos*, llena de incienso;

81 un becerro, un carnero, un cordero de un año para holocausto;

82 un macho cabrío para expiación;

83 y para sacrificio de paz, dos bueyes, cinco carneros, cinco machos cabríos y cinco corderos de un año. Ésta *fue* la ofrenda de Ahira, hijo de Enán.

84 Ésta *fue* la dedicación del altar, el día que fue ungido, por los príncipes de Israel; doce platos de plata, doce jarros de plata, doce cucharas de oro.

85 Cada plato de ciento treinta *siclos*, cada jarro de setenta; toda la plata de los vasos, dos mil cuatrocientos siclos, al siclo del santuario.

86 Las doce cucharas de oro llenas de incienso, de diez *siclos* cada cuchara, al siclo del santuario; todo el oro de las cucharas, ciento veinte *siclos*.

87 Todos los bueyes para holocausto, doce becerros; doce los carneros, doce los corderos de un año, con su presente: y doce los machos cabríos, para expiación.

88 Y todos los bueyes del sacrificio de paz fueron veinticuatro novillos, sesenta los carneros, sesenta los machos cabríos y sesenta los corderos de un año. Ésta *fue* la dedicación del altar, después que fue ungido.

89 Y cuando entraba Moisés en el tabernáculo de la congregación, para hablar con Él, oía la voz que le hablaba de encima del propiciatorio que estaba sobre el arca del testimonio, de entre los dos querubines; y hablaba con Él.

CAPÍTULO 8

Y Jehová habló a Moisés, diciendo: 2 Habla a Aarón, y dile: Cuando encendieres las lámparas, las siete lámparas alumbrarán hacia el frente del candelero.

3 Y Aarón lo hizo así; que encendió enfrente del candelero sus lámparas, como Jehová lo mandó a Moisés.

4 Y ésta *era* la hechura del candelero; de oro labrado a martillo; desde su pie hasta sus flores era labrado a martillo; conforme al modelo que Jehová mostró a Moisés, así hizo el candelero.

5 Y Jehová habló a Moisés, diciendo:

6 Toma a los levitas de entre los hijos de Israel, y expíalos.

7 Y así les harás para expiarlos: Rocía sobre ellos el agua de la expiación, y haz pasar la navaja sobre toda su carne, y lavarán sus vestiduras, y serán expiados.

8 Luego tomarán un novillo, con su presente de flor de harina amasada con aceite; y tomarás otro novillo para expiación.

9 Y harás llegar los levitas delante del tabernáculo de la congregación, y juntarás toda la congregación de los hijos de Israel;

10 y cuando hayas hecho llegar a los levitas delante de Jehová, pondrán los hijos de Israel sus manos sobre los levitas;

11 y ofrecerá Aarón los levitas delante de Jehová *en* ofrenda de los hijos de Israel, y servirán en el ministerio de Jehová.

12 Y los levitas pondrán sus manos sobre las cabezas de los novillos: y ofrecerás el uno *por* expiación, y el otro en holocausto a Jehová, para hacer expiación por los levitas.

13 Y harás presentar los levitas delante de Aarón, y delante de sus hijos, y los ofrecerás *en* ofrenda a Jehová.

14 Así apartarás los levitas de entre los hijos de Israel; y serán míos los levitas.

15 Y después de eso vendrán los levitas a ministrar en el tabernáculo de la congregación: los expiarás, pues, y los ofrecerás *en* ofrenda.

16 Porque enteramente me *son* dados a mí los levitas de entre los hijos de Israel, en lugar de todo aquel que abre matriz; los he tomado para mí *en lugar de* los primogénitos de todos los hijos de Israel.

17 Porque mío *es* todo primogénito en los hijos de Israel, así de hombres

como de animales; desde el día que yo herí todo primogénito en la tierra de Egipto, los santifiqué para mí.

18 Y he tomado los levitas en lugar de todos los primogénitos de los hijos de Israel.

19 Y yo he dado en don los levitas a Aarón y a sus hijos de entre los hijos de Israel, para que sirvan el ministerio de los hijos de Israel en el tabernáculo de la congregación, y reconcilien a los hijos de Israel; para que no haya plaga en los hijos de Israel, llegando los hijos de Israel al santuario.

20 Y Moisés, y Aarón, y toda la congregación de los hijos de Israel, hicieron con los levitas conforme a todas las cosas que mandó Jehová á Moisés acerca de los levitas; así hicieron de ellos los hijos de Israel.

21 Y los levitas se purificaron, y lavaron sus vestiduras; y Aarón los ofreció en ofrenda delante de Jehová, y Aarón hizo expiación por ellos para purificarlos.

22 Y así vinieron después los levitas para servir en su ministerio en el tabernáculo de la congregación, delante de Aarón y delante de sus hijos: de la manera que mandó Jehová a Moisés acerca de los levitas, así hicieron con ellos.

23 Y Jehová habló a Moisés, diciendo:

24 Esto *es lo concerniente* a los levitas: De veinticinco años para arriba entrarán a hacer su oficio en el servicio del tabernáculo de la congregación.

25 Mas desde los cincuenta años volverán del oficio de su ministerio, y nunca más servirán.

26 Pero servirán con sus hermanos en el tabernáculo de la congregación, para hacer la guarda, bien que no servirán en el ministerio. Así harás de los levitas en cuanto a su ministerio.

CAPÍTULO 9

Y Jehová habló a Moisés en el desierto de Sinaí, en el segundo año de su salida de la tierra de Egipto, en el mes primero, diciendo:

2 Los hijos de Israel harán la pascua a su tiempo.

3 El decimocuarto día de este mes, entre las dos tardes, la haréis a su tiempo; conforme a todos sus ritos, y conforme a todas sus leyes la haréis.

4 Y habló Moisés a los hijos de Israel, para que hiciesen la pascua.

5 E hicieron la pascua en el mes primero, a los catorce días del mes, entre las dos tardes, en el desierto de Sinaí; conforme a todas las cosas que mandó Jehová a Moisés, así hicieron los hijos de Israel.

6 Y hubo algunos que estaban inmundos a causa de muerto, y no pudieron hacer la pascua aquel día; y llegaron delante de Moisés y delante de Aarón aquel día,

7 y le dijeron aquellos hombres: Nosotros *estamos* inmundos por causa de muerto; ¿por qué seremos impedidos de ofrecer ofrenda a Jehová a su tiempo entre los hijos de Israel?

8 Y Moisés les respondió: Esperad, y oiré qué mandará Jehová acerca de vosotros.

9 Y Jehová habló a Moisés, diciendo:

10 Habla a los hijos de Israel, diciendo: Cualquiera de vosotros o de vuestras generaciones, que fuere inmundo por causa de muerto o estuviere de viaje lejos, hará pascua a Jehová.

11 En el mes segundo, a los catorce días del mes, entre las dos tardes, la harán; con panes sin levadura y *hierbas* amargas la comerán.

12 No dejarán de él para la mañana, ni quebrarán hueso en él; conforme a todos los ritos de la pascua la harán.

13 Mas el que *estuviere* limpio, y no estuviere de viaje, si dejare de celebrar la pascua, la tal persona será cortada de entre su pueblo; por cuanto no ofreció a su tiempo la ofrenda de Jehová, el tal hombre llevará su pecado.

14 Y si un extranjero morare con vosotros, y celebrare la pascua a Jehová, conforme al rito de la pascua y conforme a sus leyes así la celebrará; un mismo rito tendréis, así el extranjero como el natural de la tierra.

15 Y el día que el tabernáculo fue levantado, la nube cubrió el tabernáculo sobre la tienda del

testimonio; y a la tarde había sobre el tabernáculo como una apariencia de fuego, hasta la mañana.

16 Así era continuamente; la nube lo cubría *de día*, y de noche la apariencia de fuego.

17 Y cuando la nube se alzaba de sobre el tabernáculo, los hijos de Israel partían; y en el lugar donde la nube se detenía, allí acampaban los hijos de Israel.

18 Al mandato de Jehová los hijos de Israel avanzaban; y al mandato de Jehová acampaban; todos los días que la nube estaba sobre el tabernáculo, ellos permanecían acampados.

19 Y cuando la nube se detenía sobre el tabernáculo muchos días, entonces los hijos de Israel guardaban la ordenanza de Jehová y no partían.

20 Y cuando sucedía que la nube estaba sobre el tabernáculo pocos días, al mandato de Jehová acampaban, y al mandato de Jehová partían.

21 Y sucedía que cuando la nube se detenía desde la tarde hasta la mañana, y que la nube era levantada en la mañana, entonces partían; y cuando la nube se levantaba, *ya fuese* de día o de noche, ellos partían.

22 O si dos días, o un mes, o un año, mientras la nube permanecía sobre el tabernáculo deteniéndose sobre él, los hijos de Israel quedaban acampados y no se movían; mas cuando ella se alzaba, ellos se movían.

23 Al mandato de Jehová acampaban, y al mandato de Jehová partían, guardando la ordenanza de Jehová, así como Jehová lo había dicho por medio de Moisés.

CAPÍTULO 10

Y Jehová habló a Moisés, diciendo: 2 Hazte dos trompetas de plata; de obra de martillo las harás, las cuales te servirán para convocar a la congregación, y para poner en marcha los campamentos.

3 Y cuando las tocaren, toda la congregación se reunirá ante ti a la puerta del tabernáculo de la congregación.

4 Mas cuando tocareis sólo una, entonces se reunirán ante ti los príncipes, las cabezas de los millares de Israel.

5 Y cuando tocareis alarma, entonces marcharán los que están acampados al oriente.

6 Y cuando tocareis alarma la segunda vez, entonces marcharán los que están acampados al sur; alarma tocarán para sus partidas.

7 Pero cuando hubiereis de reunir la congregación, tocaréis, mas no con toque de alarma.

8 Y los hijos de Aarón, los sacerdotes, tocarán las trompetas; y las tendréis por estatuto perpetuo por vuestras generaciones.

9 Y cuando saliereis a la guerra en vuestra tierra contra el enemigo que os atacare, tocaréis alarma con las trompetas; y seréis recordados delante de Jehová vuestro Dios, y seréis salvos de vuestros enemigos.

10 Y en el día de vuestra alegría, y en vuestras solemnidades, y en los principios de vuestros meses, tocaréis las trompetas sobre vuestros holocaustos y sobre los sacrificios de vuestras ofrendas de paz, y os serán por memorial delante de vuestro Dios: Yo Jehová vuestro Dios.

11 Y sucedió que en el año segundo, en el mes segundo, a los veinte *días* del mes, la nube se alzó del tabernáculo de la congregación.

12 Y partieron los hijos de Israel del desierto de Sinaí según el orden de marcha; y la nube se detuvo en el desierto de Parán.

13 Y partieron la primera vez de acuerdo al mandato de Jehová por mano de Moisés.

14 Y la bandera del campamento de los hijos de Judá comenzó a marchar primero, por sus escuadrones; y Naasón, hijo de Aminadab, *estaba* sobre su ejército.

15 Y sobre el ejército de la tribu de los hijos de Isacar, Natanael hijo de Zuar.

16 Y sobre el ejército de la tribu de los hijos de Zabulón, Eliab hijo de Helón.

17 Y el tabernáculo fue desarmado; y los hijos de Gersón y los hijos de Merari, partieron llevando el tabernáculo.

18 Luego comenzó a marchar la bandera del campamento de Rubén por sus escuadrones; y Elisur, hijo de Sedeur, *estaba* sobre su ejército.

19 Y sobre el ejército de la tribu de los hijos de Simeón, Selumiel hijo de Zurisadai.

20 Y sobre el ejército de la tribu de los hijos de Gad, Eliasaf hijo de Dehuel.

21 Luego comenzaron a marchar los coatitas llevando el santuario; y entre tanto que ellos llegaban, los otros acondicionaron el tabernáculo.

22 Después comenzó a marchar la bandera del campamento de los hijos de Efraín por sus escuadrones: y Elisama, hijo de Amiud, era sobre su ejército.

23 Y sobre el ejército de la tribu de los hijos de Manasés, Gamaliel hijo de Pedasur.

24 Y sobre el ejército de la tribu de los hijos de Benjamín, Abidán hijo de Gedeón.

25 Luego comenzó a marchar la bandera del campamento de los hijos de Dan por sus escuadrones, recogiendo todos los campamentos: y Ahiezer, hijo de Amisadai, *estaba* sobre su ejército.

26 Y sobre el ejército de la tribu de los hijos de Aser, Pagiel hijo de Ocrán.

27 Y sobre el ejército de la tribu de los hijos de Neftalí, Ahira hijo de Enán.

28 Éste era el orden de marcha de los hijos de Israel por sus ejércitos, cuando partían.

29 Entonces dijo Moisés a Hobab, hijo de Reuel madianita, su suegro: Nosotros vamos hacia el lugar del cual Jehová ha dicho: Yo os lo daré. Ven con nosotros, y te haremos bien; porque Jehová ha hablado bien respecto a Israel.

30 Y él le respondió: Yo no iré, sino que me marcharé a mi tierra y a mi parentela.

31 Y él le dijo: Te ruego que no nos dejes; porque tú sabes dónde debemos acampar en el desierto, y nos serás en lugar de ojos.

32 Y será, que si vinieres con nosotros, cuando tuviéremos el bien que Jehová nos ha de hacer, nosotros te haremos bien.

33 Así partieron del monte de Jehová, camino de tres días; y el arca del pacto de Jehová fue delante de ellos camino de tres días, buscándoles lugar de descanso.

34 Y la nube de Jehová *iba* sobre ellos de día, desde que partieron del campamento.

35 Y fue, que al moverse el arca, Moisés decía: Levántate, Jehová, y sean disipados tus enemigos, y huyan de tu presencia los que te aborrecen.

36 Y cuando ella asentaba, decía: Vuelve, Jehová, a los millares de millares de Israel.

CAPÍTULO 11

Y aconteció que el pueblo se quejó a oídos de Jehová; y lo oyó Jehová, y se enardeció su furor, y se encendió en ellos fuego de Jehová y consumió *a los que estaban* en un extremo del campamento.

2 Entonces el pueblo dio voces a Moisés, y Moisés oró a Jehová, y el fuego se extinguió.

3 Y llamó a aquel lugar Tabera; porque el fuego de Jehová se encendió en ellos.

4 Y la multitud de raza mixta que *había* entre ellos tuvo un vivo deseo, y los hijos de Israel también volvieron a llorar y dijeron: ¡Quién nos diera a comer carne!

5 Nos acordamos del pescado que comíamos de balde en Egipto, de los pepinos, y de los melones, y de las verduras, y de las cebollas, y de los ajos.

6 Y ahora nuestra alma se seca; que nada sino maná *ven* nuestros ojos.

7 Y *era* el maná como semilla de cilantro, y su color como color de bedelio.

8 *Y* el pueblo se esparcía y *lo* recogía, y *lo* molía en molinos o *lo* majaba en morteros, y *lo* cocía en caldera, o hacía de él tortas; y su sabor era como sabor de aceite nuevo.

9 Y cuando descendía el rocío sobre el campamento de noche, el maná descendía sobre él.

10 Y oyó Moisés al pueblo, que lloraba por sus familias, cada una a la puerta de su tienda: y el furor de Jehová se encendió en gran manera; también pareció mal a Moisés.

11 Y dijo Moisés a Jehová: ¿Por qué has hecho mal a tu siervo? ¿Y por qué no he hallado gracia en tus ojos, que has puesto la carga de todo este pueblo sobre mí?

12 ¿Concebí yo a todo este pueblo? ¿Lo engendré yo, para que me digas: Llévalo en tu seno, como lleva la que cría al que mama, a la tierra de la cual juraste a sus padres?

13 ¿De dónde tomaría yo carne para dar a todo este pueblo? Porque lloran a mí, diciendo: Danos carne que comamos.

14 No puedo yo solo soportar a todo este pueblo, pues *es* demasiado pesado para mí.

15 Y si así lo haces tú conmigo, yo te ruego que me des muerte, si he hallado gracia en tus ojos; y que yo no vea mi mal.

16 Entonces Jehová dijo a Moisés: Júntame setenta varones de los ancianos de Israel, que tu sabes que son ancianos del pueblo y sus principales; y tráelos a la puerta del tabernáculo de la congregación, y esperen allí contigo.

17 Y yo descenderé y hablaré allí contigo; y tomaré del espíritu que *está* en ti, y lo pondré en ellos; y llevarán contigo la carga del pueblo, y no la llevarás tú solo.

18 Pero dirás al pueblo: Santificaos para mañana, y comeréis carne: pues que habéis llorado en oídos de Jehová, diciendo: ¡Quién nos diera a comer carne! ¡Cierto mejor nos iba en Egipto! Jehová, pues, os dará carne, y comeréis.

19 No comeréis un día, ni dos días, ni cinco días, ni diez días, ni veinte días;

20 *sino* hasta un mes de tiempo, hasta que os salga por las narices, y os sea en aborrecimiento: por cuanto menospreciasteis a Jehová que *está* en medio de vosotros, y llorasteis delante de Él, diciendo: ¿Para qué salimos acá de Egipto?

21 Entonces dijo Moisés: Seiscientos mil de a pie *es* el pueblo en medio del cual yo *estoy*; y tú dices: Les daré carne, y comerán el tiempo de un mes.

22 ¿Se han de degollar para ellos ovejas y bueyes que les basten? ¿O se juntarán para ellos todos los peces del mar para que tengan abasto?

23 Entonces Jehová respondió a Moisés: ¿Acaso se ha acortado la mano de Jehová? Ahora verás si se cumple para ti mi palabra, o no.

24 Y salió Moisés, y dijo al pueblo las palabras de Jehová. Y juntó los setenta varones de los ancianos del pueblo, y los hizo estar alrededor del tabernáculo.

25 Entonces Jehová descendió en la nube, y le habló; y tomó del espíritu que *estaba* en él, y *lo* puso en los setenta varones ancianos; y fue que, cuando posó sobre ellos el espíritu, profetizaron, y no cesaron.

26 Y habían quedado en el campamento dos varones, uno llamado Eldad y el otro Medad, sobre los cuales también reposó el espíritu; estaban éstos entre los escritos, mas no habían salido al tabernáculo; y profetizaron en el campamento.

27 Entonces corrió un joven, y dio aviso a Moisés, y dijo: Eldad y Medad profetizan en el campamento.

28 Entonces respondió Josué hijo de Nun, ministro de Moisés, uno de sus jóvenes, y dijo: Señor mío, Moisés, impídelos.

29 Y Moisés le respondió: ¿Tienes tú celos por mí? ¡Quisiera Dios que todo el pueblo de Jehová fuesen profetas, que Jehová pusiera su Espíritu sobre ellos!

30 Y Moisés se volvió al campamento, él y los ancianos de Israel.

31 Y salió un viento de Jehová, y trajo codornices del mar, y las dejó sobre el campamento, un día de camino a un lado, y un día de camino al otro lado, en derredor del campamento, y casi dos codos sobre la faz de la tierra.

32 Entonces el pueblo estuvo levantado todo aquel día, y toda la noche, y todo el día siguiente, y se recogieron codornices; el que menos, recogió diez montones; y las tendieron para sí a lo largo en derredor del campamento.

33 Y cuando la carne *estaba* aún entre los dientes de ellos, antes que fuese masticada, el furor de Jehová se encendió contra el pueblo, e hirió

Jehová al pueblo con una plaga muy grande.

34 Y llamó el nombre de aquel lugar Kibrot-hataava, por cuanto allí sepultaron al pueblo codicioso.

35 Y de Kibrot-hataava partió el pueblo a Haserot, y se quedó en Haserot.

CAPÍTULO 12

Y Miriam y Aarón hablaron contra Moisés a causa de la mujer etíope que había tomado; porque él había tomado mujer etíope.

2 Y dijeron: ¿Solamente por Moisés ha hablado Jehová? ¿No ha hablado también por nosotros? Y lo oyó Jehová.

3 Y aquel varón Moisés *era* muy manso, más que todos los hombres que *había* sobre la tierra.

4 Y luego dijo Jehová a Moisés, y a Aarón, y a Miriam: Salid vosotros tres al tabernáculo de la congregación. Y salieron ellos tres.

5 Entonces Jehová descendió en la columna de la nube, y se puso a la puerta del tabernáculo, y llamó a Aarón y a Miriam; y salieron ambos.

6 Y Él les dijo: Oíd ahora mis palabras: Si entre vosotros hubiere profeta de Jehová, yo le apareceré en visión, en sueños hablaré con él.

7 No así a mi siervo Moisés, que es fiel en toda mi casa.

8 Boca a boca hablaré con él, y claramente, y no por figuras; y verá la apariencia de Jehová: ¿por qué, pues, no tuvisteis temor de hablar contra mi siervo Moisés?

9 Entonces el furor de Jehová se encendió contra ellos; y se fue.

10 Y la nube se apartó del tabernáculo; y he aquí que Miriam *quedó* leprosa, *blanca* como la nieve; y miró Aarón a Miriam, y he aquí que *estaba* leprosa.

11 Y dijo Aarón a Moisés: ¡Ah! señor mío, no pongas ahora sobre nosotros pecado; porque locamente lo hemos hecho, y hemos pecado.

12 No sea ella ahora como el que sale muerto del vientre de su madre, consumida la mitad de su carne.

13 Entonces Moisés clamó a Jehová, diciendo: Te ruego, oh Dios, que la sanes ahora.

14 Y Jehová respondió a Moisés: Si su padre hubiera escupido en su cara, ¿no se avergonzaría por siete días? Sea echada fuera del campamento por siete días, y después que sea recibida *de nuevo*.

15 Así Miriam fue echada del campamento siete días; y el pueblo no pasó adelante hasta que se le reunió Miriam.

16 Y después el pueblo partió de Haserot, y acamparon en el desierto de Parán.

CAPÍTULO 13

Y Jehová habló a Moisés, diciendo:
2 Envía tú hombres que reconozcan la tierra de Canaán, la cual yo doy a los hijos de Israel: de cada tribu de sus padres enviaréis un varón, cada uno príncipe entre ellos.

3 Y Moisés los envió desde el desierto de Parán, conforme a la palabra de Jehová; y todos aquellos varones *eran* príncipes de los hijos de Israel.

4 Los nombres de los cuales *son* éstos: De la tribu de Rubén, Samúa hijo de Zacur.

5 De la tribu de Simeón, Safat hijo de Hori.

6 De la tribu de Judá, Caleb hijo de Jefone.

7 De la tribu de Isacar, Igal hijo de José.

8 De la tribu de Efraín, Oseas hijo de Nun.

9 De la tribu de Benjamín, Palti hijo de Rafu.

10 De la tribu de Zabulón, Gadiel hijo de Sodi.

11 De la tribu de José, de la tribu de Manasés, Gadi hijo de Susi.

12 De la tribu de Dan, Amiel hijo de Gemali.

13 De la tribu de Aser, Setur hijo de Micael.

14 De la tribu de Neftalí, Nahbí hijo de Vapsi.

15 De la tribu de Gad, Gehuel hijo de Maqui.

16 Éstos *son* los nombres de los varones que Moisés envió a reconocer la tierra. Y a Oseas hijo de Nun, Moisés le puso el nombre de Josué.

17 Los envió, pues, Moisés a reconocer la tierra de Canaán,

diciéndoles: Subid de aquí hacia el sur, y subid al monte,

18 y observad la tierra qué tal *es*; y el pueblo que la habita, si *es* fuerte o débil, si poco o numeroso;

19 y cómo es la tierra habitada, si es buena o mala; y cómo son las ciudades habitadas, si son de tiendas o de fortalezas;

20 y cómo *es* el terreno, si *es* fértil o árido, si en él hay o no árboles: y esforzaos, y tomad del fruto del país. Y el tiempo *era* el tiempo de las primeras uvas.

21 Y ellos subieron, y reconocieron la tierra desde el desierto de Zin hasta Rehob, entrando en Hamat.

22 Y subieron por el sur, y vinieron hasta Hebrón: y allí estaban Ahimán, y Sesai, y Talmai, hijos de Anac. Hebrón fue edificada siete años antes de Zoán, la de Egipto.

23 Y llegaron hasta el valle de Escol, y de allí cortaron un sarmiento con un racimo de uvas, el cual trajeron dos en un palo, y de las granadas y de los higos.

24 Y se llamó aquel lugar el valle de Escol por el racimo que cortaron de allí los hijos de Israel.

25 Y volvieron de reconocer la tierra al cabo de cuarenta días.

26 Y anduvieron y vinieron a Moisés y a Aarón, y a toda la congregación de los hijos de Israel, en el desierto de Parán, en Cades, y les dieron la respuesta, y a toda la congregación, y les mostraron el fruto de la tierra.

27 Y le contaron, y dijeron: Nosotros llegamos a la tierra a la cual nos enviaste, la que ciertamente fluye leche y miel; y éste es el fruto de ella.

28 Pero el pueblo que habita aquella tierra *es* fuerte, y las ciudades, fortificadas y muy grandes; y también vimos allí a los hijos de Anac.

29 Amalec habita en la tierra del sur; y el heteo, y el jebuseo, y el amorreo, habitan en las montañas; y el cananeo habita junto al mar, y a la ribera del Jordán.

30 Entonces Caleb hizo callar al pueblo delante de Moisés, y dijo: Subamos luego, y poseámosla; que más podremos que ella.

31 Mas los varones que subieron con él, dijeron: No podremos subir contra aquel pueblo; porque *es* más fuerte que nosotros.

32 y vituperaron entre los hijos de Israel la tierra que habían reconocido, diciendo: La tierra por donde pasamos para reconocerla, *es* tierra que traga a sus moradores; y todo el pueblo que vimos en medio de ella, *son* hombres de gran estatura.

33 También vimos allí gigantes, hijos de Anac, raza de los gigantes; y éramos nosotros, a nuestro parecer, como langostas; y así les parecíamos a ellos.

CAPÍTULO 14

Entonces toda la congregación gritó y dio voces; y el pueblo lloró aquella noche.

2 Y se quejaron contra Moisés y contra Aarón todos los hijos de Israel; y toda la congregación les dijo: ¡Mejor hubiésemos muerto en la tierra de Egipto; mejor hubiésemos muerto en este desierto!

3 ¿Y por qué nos trae Jehová a esta tierra para caer a espada y que nuestras esposas y nuestros chiquitos sean por presa? ¿No nos sería mejor volvernos a Egipto?

4 Y decían el uno al otro: Hagamos un capitán, y volvámonos a Egipto.

5 Entonces Moisés y Aarón cayeron sobre sus rostros delante de toda la multitud de la congregación de los hijos de Israel.

6 Y Josué hijo de Nun, y Caleb hijo de Jefone, *que eran* de los que habían reconocido la tierra, rompieron sus vestiduras;

7 y hablaron a toda la congregación de los hijos de Israel, diciendo: La tierra por donde pasamos para reconocerla, *es* tierra en gran manera buena.

8 Si Jehová se agradare de nosotros, Él nos meterá en esta tierra, y nos la entregará; tierra que fluye leche y miel.

9 Por tanto, no seáis rebeldes contra Jehová, ni temáis al pueblo de esta tierra, porque nuestro pan *son*; su amparo se ha apartado de ellos, y con nosotros *está* Jehová; no los temáis.

10 Entonces toda la multitud habló de apedrearlos con piedras. Mas la gloria de Jehová se mostró en el tabernáculo de la congregación a todos los hijos de Israel.

11 Y Jehová dijo a Moisés: ¿Hasta cuándo me ha de irritar este pueblo? ¿Hasta cuándo no me ha de creer con todas las señales que he hecho en medio de ellos?

12 Yo le heriré de mortandad, y lo destruiré, y a ti te pondré sobre una nación más grande y más fuerte que ellos.

13 Y Moisés respondió a Jehová: Lo oirán luego los egipcios, porque de en medio de ellos sacaste a este pueblo con tu fortaleza:

14 Y lo dirán a los moradores de esta tierra; los cuales han oído que tú, oh Jehová, *estabas* en medio de este pueblo, que ojo a ojo aparecías tú, oh Jehová, y *que* tu nube estaba sobre ellos, y *que* de día ibas delante de ellos en columna de nube, y de noche en columna de fuego;

15 y que has hecho morir a este pueblo como a un hombre; y las naciones que hubieren oído tu fama hablarán, diciendo:

16 Porque no pudo Jehová meter este pueblo en la tierra de la cual les había jurado, los mató en el desierto.

17 Ahora, pues, yo te ruego que sea magnificada la fortaleza del Señor, como lo hablaste, diciendo:

18 Jehová, lento para la ira y grande en misericordia, que perdona la iniquidad y la rebelión, y en ninguna manera tendrá por inocente al culpable; que visita la maldad de los padres sobre los hijos hasta la tercera y cuarta *generación.*

19 Perdona ahora la iniquidad de este pueblo según la grandeza de tu misericordia, y como has perdonado a este pueblo desde Egipto hasta aquí.

20 Entonces Jehová dijo: Yo lo he perdonado conforme a tu palabra.

21 Mas tan cierto *como* vivo yo, que toda la tierra será llena de la gloria de Jehová,

22 porque todos los que vieron mi gloria y mis señales que he hecho en Egipto y en el desierto, y me han tentado ya diez veces, y no han oído mi voz,

23 no verán la tierra de la cual juré a sus padres: no, ninguno de los que me han irritado la verá.

24 Salvo mi siervo Caleb, por cuanto hubo en él otro espíritu, y cumplió de ir en pos de mí, yo le meteré en la tierra donde entró y su simiente la recibirá en heredad.

25 Ahora bien, el amalecita y el cananeo habitan en el valle; volveos mañana, y salid al desierto, camino del Mar Rojo.

26 Y Jehová habló a Moisés y a Aarón, diciendo:

27 ¿Hasta cuándo oiré esta depravada multitud que murmura contra mí, las querellas de los hijos de Israel, que de mí se quejan?

28 Diles: Vivo yo, dice Jehová, que según habéis hablado a mis oídos, así haré yo con vosotros.

29 En este desierto caerán vuestros cuerpos; todos vuestros contados según toda vuestra cuenta, de veinte años para arriba, los cuales han murmurado contra mí;

30 Vosotros a la verdad no entraréis en la tierra, por la cual juré que os haría habitar en ella; excepto Caleb, hijo de Jefone, y Josué, hijo de Nun.

31 Pero a vuestros chiquitos, de los cuales dijisteis que serían por presa, yo los introduciré, y ellos conocerán la tierra que vosotros despreciasteis.

32 Y *en cuanto a* vosotros, vuestros cuerpos caerán en este desierto.

33 Y vuestros hijos andarán pastoreando en el desierto cuarenta años, y ellos llevarán vuestras fornicaciones, hasta que vuestros cuerpos sean consumidos en el desierto.

34 Conforme al número de los días, de los cuarenta días en que reconocisteis la tierra, llevaréis vuestras iniquidades cuarenta años, un año por cada día; y conoceréis mi castigo.

35 Yo Jehová he hablado; así haré a toda esta multitud perversa que se ha juntado contra mí; en este desierto serán consumidos, y ahí morirán.

36 Y los varones que Moisés envió a reconocer la tierra, que volvieron e hicieron murmurar contra él a toda la congregación, desacreditando aquel país,

37 aquellos varones que habían hablado mal de la tierra, murieron de plaga delante de Jehová.

38 Mas Josué hijo de Nun, y Caleb hijo de Jefone, quedaron con vida de entre aquellos hombres que habían ido a reconocer la tierra.

39 Y Moisés dijo estas cosas a todos los hijos de Israel, y el pueblo se enlutó mucho.

40 Y se levantaron por la mañana, y subieron a la cumbre del monte, diciendo: Henos aquí para subir al lugar del cual ha hablado Jehová; porque hemos pecado.

41 Y dijo Moisés: ¿Por qué quebrantáis el mandamiento de Jehová? Esto tampoco os sucederá bien.

42 No subáis, porque Jehová no *está* en medio de vosotros, no seáis heridos delante de vuestros enemigos.

43 Porque el amalecita y el cananeo *están* allí delante de vosotros, y caeréis a espada; porque habéis dejado de seguir a Jehová, por eso Jehová no será con vosotros.

44 Sin embargo, se obstinaron en subir a la cima del monte: mas el arca del pacto de Jehová, y Moisés, no se apartaron de en medio del campamento.

45 Y descendieron el amalecita y el cananeo, que habitaban en aquel monte, y los hirieron y los derrotaron, persiguiéndolos hasta Horma.

CAPÍTULO 15

Y Jehová habló a Moisés, diciendo: 2 Habla a los hijos de Israel, y diles: Cuando hubiereis entrado en la tierra de vuestras habitaciones, que yo os doy,

3 e hiciereis ofrenda encendida a Jehová, holocausto, o sacrificio, por especial voto, o de vuestra voluntad, o para hacer en vuestras solemnidades olor grato a Jehová, de vacas o de ovejas;

4 entonces el que ofreciere su ofrenda a Jehová, traerá por presente una décima de un efa de flor de harina, amasada con la cuarta *parte* de un hin de aceite;

5 y de vino para la libación ofrecerás la cuarta *parte* de un hin, además del holocausto o del sacrificio, por cada cordero.

6 Y por cada carnero harás presente de dos décimas de flor de harina, amasada con la tercera *parte* de un hin de aceite;

7 y de vino para la libación ofrecerás la tercera *parte* de un hin, en olor grato a Jehová.

8 Y cuando preparéis novillo *para* holocausto o sacrificio, *por* especial voto, o sacrificio de paz a Jehová,

9 ofrecerás con el novillo un presente de tres décimas de flor de harina, amasada con la mitad de un hin de aceite:

10 Y de vino para la libación ofrecerás la mitad de un hin, en ofrenda encendida de olor grato a Jehová.

11 Así se hará con cada un buey, o carnero, o cordero, lo mismo de ovejas que de cabras.

12 Conforme al número así haréis con cada uno según el número de ellos.

13 Todo natural hará estas cosas así, para ofrecer ofrenda encendida de olor grato a Jehová.

14 Y cuando habitare con vosotros extranjero, o cualquiera que estuviere entre vosotros por vuestras generaciones, si hiciere ofrenda encendida de olor grato a Jehová, como vosotros hiciereis, así hará él.

15 Un mismo estatuto tendréis, para vosotros de la congregación y para el extranjero que mora *con vosotros;* estatuto que será perpetuo por vuestras generaciones; como vosotros, así será el extranjero delante de Jehová.

16 Una misma ley y un mismo derecho tendréis, vosotros y el extranjero que con vosotros mora.

17 Y habló Jehová a Moisés, diciendo:

18 Habla a los hijos de Israel, y diles: Cuando hubiereis entrado en la tierra a la cual yo os llevo,

19 será que cuando comenzareis a comer el pan de la tierra, ofreceréis ofrenda a Jehová.

20 De lo primero que amasareis, ofreceréis una torta *en* ofrenda; como la ofrenda de la era, así la ofreceréis.

21 De las primicias de vuestras masas

daréis a Jehová ofrenda por vuestras generaciones.

22 Y cuando errareis, y no hiciereis todos estos mandamientos que Jehová ha dicho a Moisés,

23 todas las cosas que Jehová os ha mandado por la mano de Moisés, desde el día que Jehová lo mandó, y en adelante por vuestras edades,

24 será que, si *el pecado* fue hecho por yerro con ignorancia de la congregación, toda la congregación ofrecerá un novillo por holocausto, en olor grato a Jehová, con su presente y su libación, conforme a la ley; y un macho cabrío en expiación.

25 Y el sacerdote hará expiación por toda la congregación de los hijos de Israel; y les será perdonado, porque yerro es; y ellos traerán sus ofrendas, ofrenda encendida a Jehová, y sus expiaciones delante de Jehová, por sus yerros:

26 Y será perdonado a toda la congregación de los hijos de Israel, y al extranjero que peregrina entre ellos, por cuanto *es* yerro de todo el pueblo.

27 Y si una persona pecare por yerro, ofrecerá una cabra de un año por expiación.

28 Y el sacerdote hará expiación por la persona que habrá pecado por yerro, cuando pecare por yerro delante de Jehová, la reconciliará, y le será perdonado.

29 El natural entre los hijos de Israel, y el extranjero que habitare entre ellos, una misma ley tendréis para el que hiciere algo por yerro.

30 Mas la persona que hiciere algo con altivez, así el natural como el extranjero, a Jehová injurió; y tal persona será cortada de en medio de su pueblo.

31 Por cuanto tuvo en poco la palabra de Jehová, y dio por nulo su mandamiento, enteramente será cortada la tal persona; su iniquidad *será* sobre ella.

32 Y estando los hijos de Israel en el desierto, hallaron un hombre que recogía leña en día de sábado.

33 Y los que le hallaron recogiendo leña le trajeron a Moisés y a Aarón, y a toda la congregación:

34 Y lo pusieron en la cárcel, por que no estaba declarado qué le habían de hacer.

35 Y Jehová dijo a Moisés: Irremisiblemente muera aquel hombre; apedréelo con piedras toda la congregación fuera del campamento.

36 Entonces lo sacó la congregación fuera del campo, y lo apedrearon con piedras, y murió; como Jehová mandó a Moisés.

37 Y Jehová habló a Moisés, diciendo:

38 Habla a los hijos de Israel, y diles que se hagan franjas en los bordes de sus vestiduras, por sus generaciones; y pongan en cada franja de los bordes un cordón de azul:

39 Y os servirá de franja, para que cuando lo viereis, os acordéis de todos los mandamientos de Jehová, para ponerlos por obra; y no miréis en pos de vuestro corazón y de vuestros ojos, en pos de los cuales fornicáis.

40 Para que os acordéis, y hagáis todos mis mandamientos, y seáis santos a vuestro Dios.

41 Yo Jehová vuestro Dios, que os saqué de la tierra de Egipto, para ser vuestro Dios: Yo Jehová vuestro Dios.

CAPÍTULO 16

Y Coré, hijo de Izhar, hijo de Coat, hijo de Leví; y Datán y Abiram, hijos de Eliab; y Hon, hijo de Pelet, de los hijos de Rubén, tomaron gente,

2 y se levantaron contra Moisés con doscientos cincuenta varones de los hijos de Israel, príncipes de la congregación, de los del consejo, varones de nombre;

3 y se juntaron contra Moisés y Aarón, y les dijeron: ¡Basta ya de vosotros! Porque toda la congregación, todos ellos son santos, y en medio de ellos está Jehová: ¿por qué, pues, os levantáis vosotros sobre la congregación de Jehová?

4 Y cuando lo oyó Moisés, se postró sobre su rostro;

5 y habló a Coré y a todo su séquito, diciendo: Mañana mostrará Jehová quién es suyo, y *quién* es santo, y hará que se acerque a Él; y al que Él escogiere, Él lo acercará a sí.

6 Haced esto: tomad incensarios, Coré y todo su séquito;

7 y poned fuego en ellos, y poned en ellos incienso delante de Jehová mañana; y será que el varón a quien Jehová escogiere, aquél *será* santo: ¡Basta ya de vosotros, oh hijos de Leví!

8 Dijo más Moisés a Coré: Oíd ahora, hijos de Leví:

9 ¿*Os parece* poca cosa que el Dios de Israel os haya apartado de la congregación de Israel, para acercaros a sí para que ministraseis en el servicio del tabernáculo de Jehová, y estuvieseis delante de la congregación para ministrarles,

10 e hizo que te acercaras *a Él*, y a todos tus hermanos los hijos de Leví contigo? ¿Y procuráis también el sacerdocio?

11 Por lo cual, tú y todo tu séquito os juntáis contra Jehová, pues Aarón ¿qué es, para que contra él murmuréis?

12 Y envió Moisés a llamar a Datán y Abiram, hijos de Eliab; mas ellos respondieron: No iremos allá.

13 ¿Se te hace poco que nos hayas hecho venir de una tierra que destila leche y miel, para hacernos morir en el desierto, sino que también te enseñoreas de nosotros imperiosamente?

14 Ni tampoco nos has metido tú en tierra que fluya leche y miel, ni nos has dado heredades de tierras y viñas. ¿Has de arrancar los ojos de estos hombres? ¡No subiremos!

15 Entonces Moisés se enojó en gran manera, y dijo a Jehová: No mires a su presente; ni aun un asno he tomado de ellos, ni a ninguno de ellos he hecho mal.

16 Después dijo Moisés a Coré: Tú y todo tu séquito, poneos mañana delante de Jehová; tú, y ellos, y Aarón.

17 Y tomad cada uno su incensario, y poned incienso en ellos, y acercaos delante de Jehová cada uno con su incensario; doscientos cincuenta incensarios; tú también, y Aarón, cada uno con su incensario.

18 Y tomaron cada uno su incensario, y pusieron en ellos fuego, y echaron en ellos incienso, y se pusieron a la puerta del tabernáculo de la congregación con Moisés y Aarón.

19 Ya Coré había reunido contra ellos a toda la congregación a la puerta del tabernáculo de la congregación; entonces la gloria de Jehová apareció a toda la congregación.

20 Y Jehová habló a Moisés y a Aarón, diciendo:

21 Apartaos de entre esta congregación, y yo los consumiré en un momento.

22 Y ellos se postraron sobre sus rostros, y dijeron: Dios, Dios de los espíritus de toda carne, ¿no es un solo hombre el que pecó? ¿Por qué has de airarte contra toda la congregación?

23 Entonces Jehová habló a Moisés, diciendo:

24 Habla a la congregación, diciendo: Apartaos de en derredor de la tienda de Coré, Datán, y Abiram.

25 Y Moisés se levantó, y fue a Datán y Abiram; y los ancianos de Israel fueron en pos de él.

26 Y él habló a la congregación, diciendo: Apartaos ahora de las tiendas de estos hombres impíos, y no toquéis ninguna cosa suya, para que no perezcáis en todos sus pecados.

27 Y se apartaron de las tiendas de Coré, de Datán, y de Abiram en derredor; y Datán y Abiram salieron y se pusieron a las puertas de sus tiendas, con sus esposas, y sus hijos, y sus chiquitos.

28 Y dijo Moisés: En esto conoceréis que Jehová me ha enviado para que hiciese todas estas obras; pues no *las hice* de mi propio corazón.

29 Si como mueren todos los hombres murieren éstos, o si fueren ellos visitados a la manera de todos los hombres, Jehová no me envió.

30 Mas si Jehová hiciere una nueva cosa, y la tierra abriere su boca y los tragare con todas sus cosas, y descendieren vivos al abismo, entonces conoceréis que estos hombres irritaron a Jehová.

31 Y aconteció, que acabando él de hablar todas estas palabras, se abrió la tierra que *estaba* debajo de ellos.

32 Y la tierra abrió su boca, y los tragó a ellos, y a sus casas, y a todos los hombres de Coré, y a toda *su* hacienda.

33 Y ellos, con todo lo que tenían, descendieron vivos al abismo, y los cubrió la tierra, y perecieron de en medio de la congregación.

34 Y todo Israel, los que estaban en derredor de ellos, huyeron al grito de ellos; porque decían: No nos trague también la tierra.

35 Y salió fuego de Jehová, y consumió a los doscientos cincuenta hombres que ofrecían el incienso.

36 Entonces Jehová habló a Moisés, diciendo:

37 Di a Eleazar, hijo de Aarón sacerdote, que tome los incensarios de en medio del incendio, y derrame más allá el fuego; porque son santificados.

38 Los incensarios de estos que pecaron contra sus almas; y harán de ellos planchas extendidas para cubrir el altar; por cuanto ofrecieron con ellos delante de Jehová, son santificados; y serán por señal a los hijos de Israel.

39 Y el sacerdote Eleazar tomó los incensarios de bronce con que los quemados habían ofrecido; y los extendieron para cubrir el altar,

40 en recuerdo a los hijos de Israel que ningún extranjero que no sea de la simiente de Aarón, se acerque a ofrecer incienso delante de Jehová, para que no sea como Coré y como su séquito; según se lo dijo Jehová por mano de Moisés.

41 El día siguiente toda la congregación de los hijos de Israel murmuró contra Moisés y Aarón, diciendo: Vosotros habéis dado muerte al pueblo de Jehová.

42 Y aconteció que, cuando se juntó la congregación contra Moisés y Aarón, miraron hacia el tabernáculo de la congregación, y he aquí la nube lo había cubierto, y apareció la gloria de Jehová.

43 Y vinieron Moisés y Aarón delante del tabernáculo de la congregación.

44 Y Jehová habló a Moisés, diciendo:

45 Apartaos de en medio de esta congregación, y los consumiré en un momento. Y ellos se postraron sobre sus rostros.

46 Y dijo Moisés a Aarón: Toma el incensario, y pon en él fuego del altar, y sobre él pon incienso, y ve presto a la congregación, y haz expiación por ellos; porque el furor ha salido de delante de la faz de Jehová: la mortandad ha comenzado.

47 Entonces tomó Aarón el incensario, como Moisés dijo, y corrió en medio de la congregación: y he aquí que la mortandad había comenzado en el pueblo: y él puso incienso, e hizo expiación por el pueblo.

48 Y se puso entre los muertos y los vivos, y cesó la mortandad.

49 Y los que murieron en aquella mortandad fueron catorce mil setecientos, además de los muertos por el asunto de Coré.

50 Después se volvió Aarón a Moisés a la puerta del tabernáculo de la congregación, cuando la mortandad había cesado.

CAPÍTULO 17

Y Jehová habló a Moisés, diciendo:
2 Habla a los hijos de Israel, y toma de ellos una vara por cada casa de los padres, de todos los príncipes de ellos, doce varas conforme a las casas de sus padres; y escribirás el nombre de cada uno sobre su vara.

3 Y escribirás el nombre de Aarón sobre la vara de Leví; porque cada cabeza de familia de sus padres *tendrá* una vara.

4 Y las pondrás en el tabernáculo de la congregación delante del testimonio, donde yo me encontraré con vosotros.

5 Y será, *que* el varón que yo escogiere, su vara florecerá; y haré cesar de sobre mí las quejas de los hijos de Israel, con que murmuran contra vosotros.

6 Y Moisés habló a los hijos de Israel, y todos los príncipes de ellos le dieron varas; cada príncipe por las casas de sus padres una vara, en todas doce varas; y la vara de Aarón *estaba* entre las varas de ellos.

7 Y Moisés puso las varas delante de Jehová en el tabernáculo de la congregación.

8 Y aconteció que el día siguiente vino Moisés al tabernáculo de la congregación; y he aquí que la vara de Aarón de la casa de Leví había

reverdecido, y echado flores, y arrojado renuevos, y producido almendras.

9 Entonces sacó Moisés todas las varas de delante de Jehová a todos los hijos de Israel; y ellos lo vieron, y tomaron cada uno su vara.

10 Y Jehová dijo a Moisés: Vuelve la vara de Aarón delante del testimonio, para que se guarde por señal a los hijos rebeldes; y harás cesar sus quejas de sobre mí, para que no mueran.

11 Y lo hizo Moisés; como le mandó Jehová, así hizo.

12 Entonces los hijos de Israel hablaron a Moisés, diciendo: He aquí nosotros somos muertos, perdidos somos, todos nosotros somos perdidos.

13 Cualquiera que se llegare, el que se acercare al tabernáculo de Jehová morirá; ¿Acabaremos por perecer todos?

CAPÍTULO 18

Y Jehová dijo a Aarón: Tú y tus hijos, y la casa de tu padre contigo, llevaréis el pecado del santuario: y tú y tus hijos contigo llevaréis el pecado de vuestro sacerdocio.

2 Y a tus hermanos también, la tribu de Leví, la tribu de tu padre, hazlos venir a ti, para que se unan contigo, y te servirán; y tú y tus hijos contigo *serviréis* delante del tabernáculo de la congregación.

3 Y guardarán lo que tú ordenares, y el cargo de todo el tabernáculo: mas no llegarán a los vasos santos ni al altar, no sea que mueran ellos y vosotros.

4 Se juntarán, pues, contigo, y tendrán el cargo del tabernáculo de la congregación en todo el servicio del tabernáculo; ningún extranjero se ha de llegar a vosotros.

5 Y tendréis la guarda del santuario, y la guarda del altar, para que no haya más ira sobre los hijos de Israel.

6 Porque he aquí yo he tomado a vuestros hermanos los levitas de entre los hijos de Israel, dados *a vosotros* en don de Jehová, para que sirvan en el ministerio del tabernáculo de la congregación.

7 Mas tú y tus hijos contigo guardaréis vuestro sacerdocio en todo lo concerniente al altar, y del velo adentro, y ministraréis. Yo os he dado en don el servicio de vuestro sacerdocio; y el extraño que se acercare, morirá.

8 Dijo más Jehová a Aarón: He aquí yo te he dado también la guarda de mis ofrendas: todas las cosas consagradas de los hijos de Israel te he dado por razón de la unción, y a tus hijos, por estatuto perpetuo.

9 Esto será tuyo de la ofrenda de las cosas santas, *reservadas* del fuego; toda ofrenda de ellos, todo presente suyo, y toda expiación *por el pecado* de ellos, y toda expiación por la culpa de ellos, que me han de presentar, *será* cosa muy santa para ti y para tus hijos.

10 En el santuario la comerás; todo varón comerá de ella: cosa santa será para ti.

11 Esto también será tuyo: la ofrenda elevada de sus dones, y todas las ofrendas mecidas de los hijos de Israel, he dado a ti, y a tus hijos, y a tus hijas contigo, por estatuto perpetuo: todo limpio en tu casa comerá de ellas.

12 De aceite, y de mosto, y de trigo, todo lo más escogido, las primicias de ello, que presentarán a Jehová, a ti las he dado.

13 Las primicias de todas las cosas de la tierra de ellos, las cuales traerán a Jehová, serán tuyas: todo limpio en tu casa comerá de ellas.

14 Todo lo consagrado por voto en Israel será tuyo.

15 Todo lo que abriere matriz en toda carne que ofrecerán a Jehová, así de hombres como de animales, será tuyo: mas has de hacer redimir el primogénito del hombre: también harás redimir el primogénito de animal inmundo.

16 Y de un mes harás efectuar el rescate de ellos, conforme a tu estimación, por precio de cinco siclos, al siclo del santuario, que es de veinte geras.

17 Mas el primogénito de vaca, y el primogénito de oveja, y el primogénito de cabra, no redimirás; santificados son: la sangre de ellos

rociarás sobre el altar, y quemarás la grosura de ellos *como* ofrenda encendida en olor grato a Jehová.

18 Y la carne de ellos será tuya; tanto el pecho de la ofrenda mecida como la espaldilla derecha serán tuyas.

19 Todas las ofrendas elevadas de las cosas santas, que los hijos de Israel ofrecieren a Jehová, las he dado para ti, y para tus hijos y para tus hijas contigo, por estatuto perpetuo: pacto de sal perpetuo es delante de Jehová para ti y para tu simiente contigo.

20 Y Jehová dijo a Aarón: De la tierra de ellos no tendrás heredad, ni entre ellos tendrás parte: Yo *soy* tu porción y tu heredad en medio de los hijos de Israel.

21 Y he aquí yo he dado a los hijos de Leví todos los diezmos en Israel por heredad, por su ministerio, por cuanto ellos sirven en el ministerio del tabernáculo de la congregación.

22 Y no llegarán más los hijos de Israel al tabernáculo de la congregación, para que no lleven pecado, por el cual mueran.

23 Mas los levitas harán el servicio del tabernáculo de la congregación, y ellos llevarán su iniquidad; *será* estatuto perpetuo por vuestras generaciones; y no poseerán heredad entre los hijos de Israel.

24 Porque a los levitas he dado por heredad los diezmos de los hijos de Israel, que ofrecerán a Jehová en ofrenda: por lo cual les he dicho: Entre los hijos de Israel no poseerán heredad.

25 Y habló Jehová a Moisés, diciendo:

26 Así hablarás a los levitas, y les dirás: Cuando tomareis de los hijos de Israel los diezmos que os he dado de ellos por vuestra heredad, vosotros presentaréis de ellos en ofrenda mecida a Jehová el diezmo de los diezmos.

27 Y se os contará vuestra ofrenda como grano de la era, y como acopio del lagar.

28 Así ofreceréis también vosotros ofrenda a Jehová de todos vuestros diezmos que hubiereis recibido de los hijos de Israel; y daréis de ellos la ofrenda de Jehová a Aarón el sacerdote.

29 De todos vuestros dones ofreceréis toda ofrenda a Jehová; de todo lo mejor de ellos ofreceréis la porción que ha de ser consagrada.

30 Y les dirás: Cuando ofreciereis lo mejor de ellos, será contado a los levitas por fruto de la era, y como fruto del lagar.

31 Y lo comeréis en cualquier lugar, vosotros y vuestra familia; pues es vuestra remuneración por vuestro ministerio en el tabernáculo de la congregación.

32 Y cuando vosotros hubiereis ofrecido de ello lo mejor suyo, no llevaréis por ello pecado: y no habéis de contaminar las cosas santas de los hijos de Israel, y no moriréis.

CAPÍTULO 19

Y Jehová habló a Moisés y a Aarón, diciendo:

2 Ésta *es* la ordenanza de la ley que Jehová ha prescrito, diciendo: Di a los hijos de Israel que te traigan una vaca alazana, perfecta, en la cual no *haya* falta, sobre la cual no se haya puesto yugo:

3 Y la daréis a Eleazar el sacerdote, y él la sacará fuera del campamento, y la hará degollar en su presencia.

4 Y tomará Eleazar el sacerdote de su sangre con su dedo, y rociará hacia la delantera del tabernáculo de la congregación con la sangre de ella siete veces;

5 Y hará quemar la vaca ante sus ojos: su cuero y su carne y su sangre, con su estiércol, hará quemar.

6 Luego tomará el sacerdote madera de cedro, e hisopo, y escarlata, y lo echará en medio del fuego en que arde la vaca.

7 Entonces el sacerdote lavará sus vestiduras, lavará también su carne con agua, y después entrará en el campamento; y será inmundo el sacerdote hasta la tarde.

8 Asimismo el que la quemó, lavará sus vestiduras en agua, también lavará en agua su carne, y será inmundo hasta la tarde.

9 Y un hombre limpio recogerá las cenizas de la vaca, y las pondrá fuera del campamento en lugar limpio, y las guardará la congregación de los

hijos de Israel para el agua de separación: es una expiación.

10 Y el que recogió las cenizas de la vaca, lavará sus vestiduras, y será inmundo hasta la tarde: y será para los hijos de Israel, y para el extranjero que peregrina entre ellos, por estatuto perpetuo.

11 El que tocare el cadáver de cualquiera persona, siete días será inmundo:

12 Éste se purificará al tercer día con esta agua, y al séptimo día será limpio; y si al tercer día no se purificare, no será limpio al séptimo día.

13 Cualquiera que tocare un cadáver, de cualquier persona que estuviere muerta, y no se purificare, el tabernáculo de Jehová contaminó; y aquella persona será cortada de Israel: por cuanto el agua de la separación no fue rociada sobre él, inmundo será; y su inmundicia será sobre él.

14 Ésta *es* la ley para cuando alguno muriere en la tienda: cualquiera que entrare en la tienda y todo lo que estuviere en ella, será inmundo siete días.

15 Y todo vaso abierto, sobre el cual no hubiere tapadera bien ajustada, *será* inmundo.

16 Y cualquiera que en campo abierto tocare a alguno que ha sido muerto a espada, o un cuerpo muerto, o hueso humano, o sepulcro, siete días será inmundo.

17 Y para el inmundo tomarán de la ceniza de la vaca quemada de la expiación, y echarán sobre ella agua viva en un vaso:

18 Y un hombre limpio tomará hisopo, y *lo* mojará en el agua, y rociará sobre la tienda, y sobre todos los muebles, y sobre las personas que allí estuvieren, y sobre aquel que hubiere tocado el hueso, o el asesinado, o el muerto, o el sepulcro:

19 Y el limpio rociará sobre el inmundo al tercero y al séptimo día. Y en el séptimo día él se purificará a sí mismo, y lavará sus vestiduras, y se lavará a sí mismo con agua, y será limpio a la tarde.

20 Y el que fuere inmundo, y no se purificare, la tal persona será cortada de entre la congregación, por cuanto contaminó el tabernáculo de Jehová: no fue rociada sobre él el agua de separación, *es* inmundo.

21 Y les será por estatuto perpetuo. También el que rociare el agua de la separación lavará sus vestiduras; y el que tocare el agua de la separación, será inmundo hasta la tarde.

22 Y todo lo que el inmundo tocare, será inmundo: y la persona que lo tocare, será inmunda hasta la tarde.

CAPÍTULO 20

Y llegaron los hijos de Israel, toda la congregación, al desierto de Zin, en el mes primero, y asentó el pueblo en Cades; y allí murió Miriam, y allí fue sepultada.

2 Y como no hubiese agua para la congregación, se juntaron contra Moisés y Aarón.

3 Y altercó el pueblo con Moisés, y hablaron diciendo: ¡Fuera bueno que nosotros hubiéramos muerto cuando perecieron nuestros hermanos delante de Jehová!

4 Y ¿por qué hiciste venir la congregación de Jehová a este desierto, para que muramos aquí nosotros y nuestras bestias?

5 ¿Y por qué nos has hecho subir de Egipto, para traernos a este mal lugar? No *es* lugar de sementera, de higueras, de viñas, ni granadas; ni siquiera de agua para beber.

6 Y se fueron Moisés y Aarón de delante de la congregación a la puerta del tabernáculo de la congregación, y se postraron sobre sus rostros; y la gloria de Jehová apareció sobre ellos.

7 Y Jehová habló a Moisés, diciendo:

8 Toma la vara y reúne la congregación, tú y Aarón tu hermano, y hablad a la roca en ojos de ellos; y ella dará su agua, y les sacarás aguas de la roca, y darás de beber a la congregación, y a sus bestias.

9 Entonces Moisés tomó la vara de delante de Jehová, como Él le mandó.

10 Y Moisés y Aarón reunieron a la congregación delante de la roca, y les dijo: ¡Oíd ahora, rebeldes! ¿Os hemos de sacar aguas de esta roca?

11 Entonces alzó Moisés su mano, e hirió la roca con su vara dos veces: y

salieron muchas aguas, y bebió la congregación, y sus bestias.

12 Y Jehová dijo a Moisés y a Aarón: Por cuanto no me creísteis, para santificarme en ojos de los hijos de Israel, por tanto, no meteréis esta congregación en la tierra que les he dado.

13 Éstas *son* las aguas de la rencilla, por las cuales contendieron los hijos de Israel con Jehová, y Él se santificó en ellos.

14 Y Moisés envió embajadores al rey de Edom desde Cades, *diciendo*: Así dice Israel tu hermano: Tú has sabido todo el trabajo que nos ha venido:

15 Cómo nuestros padres descendieron a Egipto, y estuvimos en Egipto largo tiempo, y los egipcios nos maltrataron, y a nuestros padres;

16 y clamamos a Jehová, el cual oyó nuestra voz, y envió el Ángel, y nos sacó de Egipto; y he aquí *estamos* en Cades, ciudad al extremo de tus confines.

17 Te rogamos que pasemos por tu tierra; no pasaremos por labranza, ni por viña, ni beberemos agua de pozos; por el camino real iremos, sin apartarnos a la derecha ni a la izquierda, hasta que hayamos pasado tu término.

18 Y Edom le respondió: No pasarás por mi país, de otra manera saldré contra ti armado.

19 Y los hijos de Israel dijeron: Por el camino real iremos; y si bebiéremos tus aguas yo y mis ganados, daré el precio de ellas; y sin *hacer otra* cosa, pasaremos a pie.

20 Y él respondió: No pasarás. Y salió Edom contra él con mucho pueblo, y mano fuerte.

21 No quiso, pues, Edom dejar pasar a Israel por su término, y se apartó Israel de él.

22 Y los hijos de Israel, toda la congregación, partieron de Cades, y vinieron al monte de Hor.

23 Y Jehová habló a Moisés y Aarón en el monte de Hor, en los confines de la tierra de Edom, diciendo:

24 Aarón será reunido a su pueblo; pues no entrará en la tierra que yo di a los hijos de Israel, por cuanto fuisteis rebeldes a mi mandamiento en las aguas de la rencilla.

25 Toma a Aarón y a Eleazar su hijo, y hazlos subir al monte de Hor;

26 Y haz desnudar a Aarón sus vestiduras, y viste de ellas a Eleazar su hijo; porque Aarón será reunido *con su pueblo*, y allí morirá.

27 Y Moisés hizo como Jehová le mandó: y subieron al monte de Hor a ojos de toda la congregación.

28 Y Moisés hizo desnudar a Aarón de sus vestiduras y se las vistió a Eleazar su hijo: y Aarón murió allí en la cumbre del monte: y Moisés y Eleazar descendieron del monte.

29 Y cuando toda la congregación vio que Aarón había muerto, le hicieron duelo por treinta días todas las familias de Israel.

CAPÍTULO 21

Y oyendo el rey Arad, el cananeo, el cual habitaba en el Neguev, que Israel venía por el camino de los centinelas, peleó con Israel, y tomó de él prisioneros.

2 Entonces Israel hizo voto a Jehová, y dijo: Si en efecto entregares a este pueblo en mi mano, yo destruiré sus ciudades.

3 Y Jehová escuchó la voz de Israel, y entregó al cananeo, y los destruyó a ellos y a sus ciudades; y llamó el nombre de aquel lugar Horma.

4 Y partieron del monte de Hor, camino del Mar Rojo, para rodear la tierra de Edom; y se abatió el ánimo del pueblo por el camino.

5 Y habló el pueblo contra Dios y Moisés: ¿Por qué nos hiciste subir de Egipto para que muramos en este desierto? Pues no *hay* pan, ni agua, y nuestra alma tiene fastidio de este pan tan liviano.

6 Y Jehová envió entre el pueblo serpientes ardientes, que mordían al pueblo: y murió mucho pueblo de Israel.

7 Entonces el pueblo vino a Moisés, y dijeron: Hemos pecado por haber hablado contra Jehová, y contra ti: ruega a Jehová que quite de nosotros estas serpientes. Y Moisés oró por el pueblo.

8 Y Jehová dijo a Moisés: Hazte una serpiente ardiente, y ponla sobre un asta; y será que cualquiera que fuere mordido y mirare a ella, vivirá.

9 Y Moisés hizo una serpiente de bronce y la puso sobre un asta; y sucedía que cuando una serpiente mordía a alguno, si éste miraba a la serpiente de bronce, vivía.

10 Y partieron los hijos de Israel, y acamparon en Obot.

11 Y habiendo partido de Obot acamparon en Ije-abarim, en el desierto que *está* delante de Moab, al nacimiento del sol.

12 Partiendo de allí, acamparon en el valle de Zered.

13 De allí se movieron, y acamparon al otro lado de Arnón, que *está* en el desierto, y que sale del término del amorreo; porque Arnón *es* frontera de Moab, entre Moab y el amorreo.

14 Por tanto se dice en el libro de las batallas de Jehová: Lo que hizo en el Mar Rojo, y en los arroyos de Arnón;

15 y a la corriente de los arroyos que va a parar en Ar, y descansa en el término de Moab.

16 Y de allí vinieron a Beer; éste *es* el pozo del cual Jehová dijo a Moisés: Reúne al pueblo, y les daré agua.

17 Entonces cantó Israel esta canción: Sube, oh pozo; a él cantad:

18 Pozo, el cual cavaron los señores; lo cavaron los príncipes del pueblo, y el legislador, con sus báculos. Y del desierto *se fueron* a Mataná,

19 y de Mataná a Nahaliel; y de Nahaliel a Bamot;

20 y de Bamot al valle que *está* en los campos de Moab, y a la cumbre de Pisga, que mira a Jesimón.

21 Y envió Israel embajadores a Sehón, rey de los amorreos, diciendo:

22 Pasaré por tu tierra: no nos apartaremos por los labrados, ni por las viñas; no beberemos las aguas de los pozos: por el camino real iremos, hasta que pasemos tu término.

23 Mas Sehón no dejó pasar a Israel por su término: antes juntó Sehón todo su pueblo, y salió contra Israel en el desierto; y vino a Jahaza, y peleó contra Israel.

24 Y lo hirió Israel a filo de espada, y tomó su tierra desde Arnón hasta Jaboc, hasta los hijos de Amón: porque el término de los hijos de Amón era fuerte.

25 Y tomó Israel todas estas ciudades, y habitó Israel en todas las ciudades de los amorreos, en Hesbón y en todas sus aldeas.

26 Porque Hesbón era la ciudad de Sehón, rey de los amorreos; el cual había tenido guerra antes con el rey de Moab, y tomado de su poder toda su tierra hasta Arnón.

27 Por tanto, dicen los proverbistas: Venid a Hesbón, edifíquese y repárese la ciudad de Sehón:

28 Que fuego salió de Hesbón, y llama de la ciudad de Sehón, y consumió a Ar de Moab, a los señores de los lugares altos de Arnón.

29 ¡Ay de ti, Moab! Has perecido, pueblo de Quemos: A sus hijos que escaparon, y sus hijas, dio a cautividad, a Sehón rey de los amorreos.

30 Mas devastamos el reino de ellos; pereció Hesbón hasta Dibón, y destruimos hasta Nofa y Medeba.

31 Así habitó Israel en la tierra del amorreo.

32 Y envió Moisés a reconocer a Jazer; y tomaron sus aldeas, y echaron al amorreo que *estaba* allí.

33 Y volvieron, y subieron camino de Basán, y salió contra ellos Og rey de Basán, él y todo su pueblo, para pelear en Edrei.

34 Entonces Jehová dijo a Moisés: No le tengas miedo, que en tu mano lo he dado, a él y a todo su pueblo, y a su tierra; y harás de él como hiciste de Sehón, rey de los amorreos, que habitaba en Hesbón.

35 E hirieron a él, y a sus hijos, y a toda su gente, sin que le quedara uno, y poseyeron su tierra.

CAPÍTULO 22

Y partieron los hijos de Israel, y acamparon en la llanura de Moab, de este lado del Jordán, *frente* a Jericó.

2 Y vio Balac, hijo de Zipor, todo lo que Israel había hecho al amorreo.

3 Y Moab temió mucho a causa del pueblo que *era* mucho; y se angustió Moab a causa de los hijos de Israel.

4 Y dijo Moab a los ancianos de Madián: Ahora lamerá esta gente todos nuestros contornos, como lame el buey la grama del campo. Y Balac, hijo de Zipor, *era* entonces rey de Moab.

5 Por tanto envió mensajeros a Balaam hijo de Beor, a Petor, que *está* junto al río en la tierra de los hijos de su pueblo, para que lo llamasen, diciendo: Un pueblo ha salido de Egipto, y he aquí cubre la faz de la tierra, y habita delante de mí:

6 Ven pues ahora, te ruego, maldíceme este pueblo, porque es más fuerte que yo; quizá podré yo herirlo, y echarlo de la tierra. Porque yo sé que el que tú bendijeres, será bendito, y el que tú maldijeres, será maldito.

7 Y fueron los ancianos de Moab, y los ancianos de Madián, con las dádivas de adivinación en su mano, y llegaron a Balaam, y le dijeron las palabras de Balac.

8 Y él les dijo: Reposad aquí esta noche, y yo os traeré palabra, según Jehová me hablare. Así los príncipes de Moab se quedaron con Balaam.

9 Y vino Dios a Balaam, y le dijo: ¿Qué varones *son* estos *que están* contigo?

10 Y Balaam respondió a Dios: Balac hijo de Zipor, rey de Moab, ha enviado a mí *diciendo*:

11 He aquí este pueblo que ha salido de Egipto, cubre la faz de la tierra: ven pues ahora, y maldícemelo; quizá podré pelear con él, y echarlo.

12 Entonces dijo Dios a Balaam: No vayas con ellos, ni maldigas al pueblo; porque *es* bendito.

13 Así Balaam se levantó por la mañana, y dijo a los príncipes de Balac: Volveos a vuestra tierra, porque Jehová no me quiere dejar ir con vosotros.

14 Y los príncipes de Moab se levantaron, y vinieron a Balac, y dijeron: Balaam no quiso venir con nosotros.

15 Y Balac envió aun otra vez más príncipes, y más honorables que los otros.

16 Los cuales vinieron a Balaam, y le dijeron: Así dice Balac, hijo de Zipor: Te ruego que no dejes de venir a mí;

17 porque sin duda te honraré mucho, y haré todo lo que me digas. Ven, pues, te ruego, maldíceme a este pueblo.

18 Y Balaam respondió, y dijo a los siervos de Balac: Aunque Balac me diese su casa llena de plata y de oro, no puedo traspasar la palabra de Jehová mi Dios, para hacer cosa chica ni grande.

19 Os ruego por tanto ahora, que reposéis aquí esta noche, para que yo sepa qué me vuelve a decir Jehová.

20 Y vino Dios a Balaam de noche, y le dijo: Si los hombres han venido a llamarte, levántate y ve con ellos; pero hablarás sólo las palabras que yo te diga.

21 Así Balaam se levantó por la mañana, y cinchó su asna, y fue con los príncipes de Moab.

22 Y el furor de Dios se encendió porque él iba; y el Ángel de Jehová se puso en el camino por adversario suyo. Iba, pues, él montado sobre su asna, y con él dos mozos suyos.

23 Y el asna vio al Ángel de Jehová, que estaba en el camino con su espada desnuda en su mano; y se apartó el asna del camino, e iba por el campo. Y Balaam azotó al asna para hacerla volver al camino.

24 Mas el Ángel de Jehová se puso en una senda de viñas *que tenía* pared de un lado y pared del otro.

25 Y viendo el asna al Ángel de Jehová, se pegó a la pared, y apretó contra la pared el pie de Balaam: y él volvió a azotarla.

26 Y el Ángel de Jehová pasó más allá, y se puso en una angostura, donde no *había* camino para apartarse ni a derecha ni a izquierda.

27 Y viendo el asna al Ángel de Jehová, se echó debajo de Balaam; y se enojó Balaam, y golpeó al asna con un palo.

28 Entonces Jehová abrió la boca al asna, la cual dijo a Balaam: ¿Qué te he hecho, que me has herido estas tres veces?

29 Y Balaam respondió al asna: Porque te has burlado de mí: ¡Bueno fuera que tuviera espada en mi mano, ahora mismo te mataría!

30 Y el asna dijo a Balaam: ¿No soy yo tu asna? Sobre mí has cabalgado desde que tú me tienes hasta este día; ¿he acostumbrado a hacerlo así contigo? Y él respondió: No.

31 Entonces Jehová abrió los ojos a Balaam, y vio al Ángel de Jehová que estaba en el camino, y tenía su espada

desnuda en su mano. Y Balaam hizo reverencia, y se inclinó sobre su rostro.

32 Y el Ángel de Jehová le dijo: ¿Por qué has herido tu asna estas tres veces? He aquí yo he salido para contrarrestarte, porque tu camino es perverso delante de mí.

33 El asna me ha visto, y se ha apartado luego de delante de mí estas tres veces; y si de mí no se hubiera apartado, yo también ahora te mataría a ti, y a ella dejaría viva.

34 Entonces Balaam dijo al Ángel de Jehová: He pecado, pues no sabía que tú te ponías delante de mí en el camino; mas ahora, si te parece mal, yo me volveré.

35 Y el Ángel de Jehová dijo a Balaam: Ve con esos hombres; pero hablarás sólo las palabras que yo te diga. Así Balaam se fue con los príncipes de Balac.

36 Y oyendo Balac que Balaam venía, salió a recibirlo a la ciudad de Moab, que está junto a la frontera de Arnón, que es el límite de su territorio.

37 Y Balac dijo a Balaam: ¿No envié yo a ti a llamarte? ¿Por qué no has venido a mí? ¿No puedo yo honrarte?

38 Y Balaam respondió a Balac: He aquí yo he venido a ti: mas ¿podré ahora hablar alguna cosa? La palabra que Dios pusiere en mi boca, esa hablaré.

39 Y fue Balaam con Balac, y vinieron a la ciudad de Husot.

40 Y Balac hizo matar bueyes y ovejas, y envió a Balaam, y a los príncipes que estaban con él.

41 Y el día siguiente Balac tomó a Balaam, y lo hizo subir a los lugares altos de Baal, y desde allí vio un extremo del pueblo.

CAPÍTULO 23

Y Balaam dijo a Balac: Edifícame aquí siete altares, y prepárame aquí siete becerros y siete carneros.

2 Y Balac hizo como le dijo Balaam: y ofrecieron Balac y Balaam un becerro y un carnero en cada altar.

3 Y Balaam dijo a Balac: Ponte junto a tu holocausto, y yo iré; quizá Jehová vendrá a encontrarme, y cualquier cosa que él me muestre, te la haré saber. Y se fue a un monte.

4 Y vino Dios al encuentro de Balaam, y éste le dijo: Siete altares he ordenado, y en cada altar he ofrecido un becerro y un carnero.

5 Y Jehová puso palabra en la boca de Balaam, y le dijo: Vuelve a Balac, y has de hablar así.

6 Y volvió a él, y he aquí estaba él junto a su holocausto, él y todos los príncipes de Moab.

7 Y él tomó su parábola, y dijo: De Aram me trajo Balac, rey de Moab, de los montes del oriente: Ven, maldíceme a Jacob; y ven, execra a Israel.

8 ¿Por qué maldeciré yo al que Dios no maldijo? ¿Y por qué he de execrar al que Jehová no ha execrado?

9 Porque de la cumbre de las peñas lo veré, y desde los collados lo miraré: He aquí un pueblo que habitará apartado, y no será contado entre las naciones.

10 ¿Quién contará el polvo de Jacob, o el número de la cuarta parte de Israel? Muera mi persona de la muerte de los rectos, y mi postrimería sea como la suya.

11 Entonces Balac dijo a Balaam: ¿Qué me has hecho? Te tomé para que maldigas a mis enemigos, y he aquí has proferido bendiciones.

12 Y él respondió, y dijo: ¿No observaré yo lo que Jehová pusiere en mi boca para decirlo?

13 Y dijo Balac: Te ruego que vengas conmigo a otro lugar desde el cual los veas; solamente verás un extremo de ellos, y no los verás todos; y desde allí me lo maldecirás.

14 Y lo llevó al campo de Sofim, a la cumbre de Pisga, y edificó siete altares, y ofreció un becerro y un carnero en cada altar.

15 Entonces él dijo a Balac: Ponte aquí junto a tu holocausto, y yo iré a encontrar a Dios allí.

16 Y Jehová salió al encuentro de Balaam, y puso palabra en su boca, y le dijo: Vuelve a Balac, y así has de decir.

17 Y vino a él, y he aquí que él estaba junto a su holocausto, y con él los príncipes de Moab: y le dijo Balac: ¿Qué ha dicho Jehová?

18 Entonces él tomó su parábola, y dijo: Balac, levántate y oye; Escucha mis palabras, hijo de Zipor:

19 Dios no es hombre, para que mienta; ni hijo de hombre para que se arrepienta: Él dijo, ¿y no hará? Habló, ¿y no lo ejecutará?

20 He aquí, yo he recibido *orden* de bendecir; Él bendijo, y no podré revocarlo.

21 No ha notado iniquidad en Jacob, ni ha visto perversidad en Israel: Jehová su Dios *está* con él, y júbilo de rey hay en ellos.

22 Dios los ha sacado de Egipto; tiene fuerzas como de unicornio.

23 Porque en Jacob no *hay* agüero, ni adivinación en Israel: Como ahora, será dicho de Jacob y de Israel: ¡Lo que ha hecho Dios!

24 He aquí el pueblo, que como león se levantará, y como león se erguirá: No se echará hasta que coma la presa, y beba la sangre de los muertos.

25 Entonces Balac dijo a Balaam: Ya que no lo maldices, tampoco lo bendigas.

26 Y Balaam respondió, y dijo a Balac: ¿No te he dicho que todo lo que Jehová me diga, eso tengo que hacer?

27 Y dijo Balac a Balaam: Te ruego que vengas, te llevaré a otro lugar; por ventura parecerá bien a Dios que desde allí me lo maldigas.

28 Y Balac llevó a Balaam a la cumbre de Peor, que mira hacia Jesimón.

29 Entonces Balaam dijo a Balac: Edifícame aquí siete altares, y prepárame aquí siete becerros y siete carneros.

30 Y Balac hizo como Balaam le dijo; y ofreció un becerro y un carnero en *cada* altar.

CAPÍTULO 24

Y cuando vio Balaam que agradó a Jehová el bendecir a Israel, no fue, como la primera y segunda vez, en busca de agüero, sino que puso su rostro hacia el desierto.

2 Y alzando Balaam sus ojos, vio a Israel acampado por sus tribus; y el Espíritu de Dios vino sobre él.

3 Entonces tomó su parábola, y dijo: Dijo Balaam hijo de Beor, y dijo el varón de ojos abiertos:

4 Dijo el que oyó las palabras de Dios, el que vio la visión del Omnipotente, cayendo *en éxtasis*, pero con sus ojos abiertos:

5 ¡Cuán hermosas son tus tiendas, oh Jacob, tus habitaciones, oh Israel!

6 Como arroyos están extendidas, como huertos junto al río, como áloes plantados por Jehová, como cedros junto a las aguas.

7 De sus manos destilarán aguas, y su simiente *será* en muchas aguas; y se enaltecerá su rey más que Agag, y su reino será engrandecido.

8 Dios lo sacó de Egipto; tiene fuerzas como de unicornio; comerá a las naciones sus enemigas, y desmenuzará sus huesos, y asaeteará con sus saetas.

9 Se encorvará para echarse como león, y como leona; ¿quién lo despertará? Benditos los que te bendijeren, y malditos los que te maldijeren.

10 Entonces se encendió la ira de Balac contra Balaam, y batiendo sus palmas le dijo: Para maldecir a mis enemigos te he llamado, y he aquí *los* has resueltamente bendecido ya tres veces.

11 Por tanto huye ahora a tu lugar; yo dije que te honraría, mas he aquí que Jehová te ha privado de honra.

12 Y Balaam le respondió: ¿No lo declaré yo también a tus mensajeros que me enviaste, diciendo:

13 Si Balac me diese su casa llena de plata y oro, yo no podré traspasar el mandamiento de Jehová para hacer cosa buena ni mala de mi arbitrio; *mas* lo que Jehová hablare, eso diré yo?

14 He aquí yo me voy ahora a mi pueblo; por tanto, ven, te indicaré lo que este pueblo ha de hacer a tu pueblo en los postreros días.

15 Y tomó su parábola, y dijo: Dijo Balaam hijo de Beor, dijo el varón de ojos abiertos;

16 dijo el que oyó las palabras de Dios y entendió el conocimiento del Altísimo; el que vio la visión del Omnipotente, cayendo *en éxtasis*, pero con sus ojos abiertos:

17 Lo veré, mas no ahora: Lo miraré, mas no de cerca: Saldrá Estrella de Jacob, y se levantará Cetro de Israel,

y herirá los cantones de Moab, y destruirá a todos los hijos de Set.

18 Y será tomada Edom, también Seir será tomada por sus enemigos, e Israel se portará varonilmente.

19 Y de Jacob vendrá el que dominará, y destruirá de la ciudad al que quedare.

20 Y viendo a Amalec, tomó su parábola, y dijo: Amalec, cabeza de naciones; mas su postrimería perecerá para siempre.

21 Y viendo al cineo, tomó su parábola, y dijo: Fuerte es tu habitación, pon en la roca tu nido;

22 porque el cineo será echado, cuando Asiria te llevará cautivo.

23 Todavía tomó su parábola, y dijo: ¡Ay! ¿Quién vivirá cuando hiciere Dios estas cosas?

24 Y *vendrán* navíos de la costa de Quitim, y afligirán a Asiria, afligirán también a Heber; mas él también perecerá para siempre.

25 Entonces se levantó Balaam, y se fue, y se volvió a su lugar; y también Balac se fue por su camino.

CAPÍTULO 25

Y habitó Israel en Sitim, y el pueblo comenzó a fornicar con las hijas de Moab;

2 las cuales llamaron al pueblo a los sacrificios de sus dioses; y el pueblo comió, y se inclinó a sus dioses.

3 Y se acercó el pueblo a Baal-peor; y el furor de Jehová se encendió contra Israel.

4 Y Jehová dijo a Moisés: Toma todos los príncipes del pueblo, y ahórcalos a Jehová delante del sol; y la ira del furor de Jehová se apartará de Israel.

5 Entonces Moisés dijo a los jueces de Israel: Matad cada uno a aquellos de los suyos que se han juntado a Baal-peor.

6 Y he aquí un varón de los hijos de Israel vino y trajo una madianita a sus hermanos, a ojos de Moisés y de toda la congregación de los hijos de Israel, que *estaban* llorando a la puerta del tabernáculo de la congregación.

7 Y lo vio Finees, hijo de Eleazar, hijo de Aarón el sacerdote, y se levantó de en medio de la congregación, y tomó una lanza en su mano:

8 Y fue tras el varón de Israel a la tienda, y los alanceó a ambos, al varón de Israel, y a la mujer por su vientre. Y cesó la mortandad de los hijos de Israel.

9 Y murieron de aquella mortandad veinticuatro mil.

10 Entonces Jehová habló a Moisés, diciendo:

11 Finees, hijo de Eleazar, hijo de Aarón el sacerdote, ha hecho tornar mi furor de los hijos de Israel, llevado de celo entre ellos: por lo cual yo no he consumido en mi celo a los hijos de Israel.

12 Por tanto diles: He aquí yo establezco mi pacto de paz con él;

13 Y tendrá él, y su simiente después de él, el pacto del sacerdocio perpetuo; por cuanto tuvo celo por su Dios, e hizo expiación por los hijos de Israel.

14 Y el nombre del varón muerto, que fue muerto con la madianita, era Zimri hijo de Salu, jefe de una familia de la tribu de Simeón.

15 Y el nombre de la mujer madianita muerta, *era* Cozbi, hija de Zur, príncipe de pueblos, padre de familia en Madián.

16 Y Jehová habló a Moisés, diciendo:

17 Hostilizaréis a los madianitas, y los heriréis:

18 Por cuanto ellos os afligieron a vosotros con sus ardides, con que os han engañado en el asunto de Peor, y en el asunto de Cozbi, hija del príncipe de Madián, su hermana, la cual fue muerta el día de la mortandad por causa de Peor.

CAPÍTULO 26

Y aconteció después de la mortandad, que Jehová habló a Moisés y a Eleazar, hijo del sacerdote Aarón, diciendo:

2 Tomad el censo de toda la congregación de los hijos de Israel, de veinte años para arriba, por las casas de sus padres, todos los que puedan salir a la guerra en Israel.

3 Y Moisés y Eleazar el sacerdote hablaron con ellos en los campos de Moab, junto al Jordán *frente a* Jericó, diciendo:

4 *Contaréis el pueblo* de veinte años para arriba, como mandó Jehová a

Moisés y a los hijos de Israel, que habían salido de tierra de Egipto.

5 Rubén primogénito de Israel: los hijos de Rubén: Enoc, *del cual era* la familia de los enoquitas; de Falú, la familia de los faluitas;

6 De Hezrón, la familia de los hezronitas; de Carmi, la familia de los carmitas.

7 Éstas son las familias de los rubenitas; y sus contados fueron cuarenta y tres mil setecientos treinta.

8 Y los hijos de Falú: Eliab.

9 Y los hijos de Eliab: Nemuel, y Datán, y Abiram. Éstos *son aquel* Datán y Abiram, *que eran* famosos en la congregación, que se rebelaron contra Moisés y Aarón con el grupo de Coré, cuando se rebelaron contra Jehová,

10 y la tierra abrió su boca y los tragó a ellos y a Coré, cuando aquel grupo murió, cuando consumió el fuego a doscientos cincuenta varones, los cuales fueron por señal.

11 Mas los hijos de Coré no murieron.

12 Los hijos de Simeón por sus familias: de Nemuel, la familia de los nemuelitas; de Jamín, la familia de los jaminitas; de Jaquín, la familia de los jaquinitas;

13 De Zera, la familia de los zeraítas; de Saul, la familia de los saulitas.

14 Éstas *son* las familias de los simeonitas, veintidós mil doscientos.

15 Los hijos de Gad por sus familias: de Zefón, la familia de los zefonitas; de Hagui, la familia de los haguitas; de Suni, la familia de los sunitas;

16 De Ozni, la familia de los oznitas; de Eri, la familia de los eritas;

17 de Arod, la familia de los aroditas; de Areli, la familia de los arelitas.

18 Éstas *son* las familias de Gad, por sus contados, cuarenta mil quinientos.

19 Los hijos de Judá: Er y Onán; y Er y Onán murieron en la tierra de Canaán.

20 Y fueron los hijos de Judá por sus familias; de Sela, la familia de los selaítas; de Fares, la familia de los faresitas; de Zera, la familia de los zeraítas.

21 Y fueron los hijos de Fares: de Hezrón, la familia de los hezronitas; de Hamul, la familia de los hamulitas.

22 Éstas *son* las familias de Judá, por sus contados, setenta y seis mil quinientos.

23 Los hijos de Isacar por sus familias: de Tola, la familia de los tolaítas; de Fúa la familia de los funitas;

24 de Jasub, la familia de los jasubitas; de Simrón, la familia de los simronitas.

25 Éstas *son* las familias de Isacar, por sus contados, sesenta y cuatro mil trescientos.

26 Los hijos de Zabulón por sus familias: de Sered, la familia de los sereditas; de Elón, la familia de los elonitas; de Jahleel, la familia de los jahleelitas.

27 Éstas *son* las familias de los zabulonitas, por sus contados, sesenta mil quinientos.

28 Los hijos de José por sus familias: Manasés y Efraín.

29 Los hijos de Manasés: de Maquir, la familia de los maquiritas; y Maquir engendró a Galaad; de Galaad, la familia de los galaaditas.

30 Éstos *son* los hijos de Galaad; de Jezer, la familia de los jezeritas; de Helec, la familia de los helequitas;

31 De Asriel, la familia de los asrielitas: de Siquem, la familia de los siquemitas.

32 De Semida, la familia de los semidaítas; de Hefer, la familia de los heferitas.

33 Y Zelofehad, hijo de Hefer, no tuvo hijos sino hijas; y los nombres de las hijas de Zelofehad fueron Maala, Noa, Hogla, Milca y Tirsa.

34 Éstas *son* las familias de Manasés; y sus contados, cincuenta y dos mil setecientos.

35 Éstos *son* los hijos de Efraín por sus familias; de Sutela, la familia de los sutelaítas; de Bequer, la familia de los bequeritas; de Tahán, la familia de los tahanitas.

36 Y éstos *son* los hijos de Sutela; de Herán, la familia de los heranitas.

37 Éstas *son* las familias de los hijos de Efraín, por sus contados, treinta y dos mil quinientos. Éstos son los hijos de José por sus familias.

38 Los hijos de Benjamín por sus familias: de Bela, la familia de los belaítas; de Asbel, la familia de los

asbelitas; de Ahiram, la familia de los ahiramitas;

39 De Sufam, la familia de los sufamitas; de Hufam, la familia de los hufamitas.

40 Y los hijos de Bela fueron Ard y Naamán: de Ard, la familia de los arditas; de Naamán, la familia de los naamanitas.

41 Éstos *son* los hijos de Benjamín por sus familias; y sus contados, cuarenta y cinco mil seiscientos.

42 Éstos *son* los hijos de Dan por sus familias: de Suham, la familia de los suhamitas. Éstas *son* las familias de Dan por sus familias.

43 Todas las familias de los suhamitas, por sus contados, sesenta y cuatro mil cuatrocientos.

44 Los hijos de Aser por sus familias: de Imna, la familia de los imnaítas; de Isúi, la familia de los isuitas; de Bería, la familia de los beriaítas.

45 Los hijos de Bería; de Heber, la familia de los heberitas; de Malquiel, la familia de los malquielitas.

46 Y el nombre de la hija de Aser *fue* Sera.

47 Éstas *son* las familias de los hijos de Aser, por sus contados, cincuenta y tres mil cuatrocientos.

48 Los hijos de Neftalí por sus familias; de Jahzeel, la familia de los jahzeelitas; de Guni, la familia de los gunitas;

49 de Jezer, la familia de los jezeritas; de Silem, la familia de los silemitas.

50 Éstas *son* las familias de Neftalí por sus familias; y sus contados, cuarenta y cinco mil cuatrocientos.

51 Éstos *son* los contados de los hijos de Israel, seiscientos un mil setecientos treinta.

52 Y habló Jehová a Moisés, diciendo:

53 A éstos se repartirá la tierra en heredad, por la cuenta de los nombres.

54 A los más darás mayor heredad, y a los menos darás menor heredad; a cada uno se le dará su heredad conforme a sus contados.

55 Pero la tierra será repartida por suerte; y por los nombres de las tribus de sus padres heredarán.

56 Conforme a la suerte será repartida su heredad entre el grande y el pequeño.

57 Y los contados de los levitas por sus familias *son* estos; de Gersón, la familia de los gersonitas; de Coat, la familia de los coatitas; de Merari, la familia de los meraritas.

58 Éstas *son* las familias de los levitas: la familia de los libnitas, la familia de los hebronitas, la familia de los mahalitas, la familia de los musitas, la familia de los coreítas. Y Coat engendró a Amram.

59 Y la esposa de Amram se llamó Jocabed, hija de Leví, la cual nació a Leví en Egipto; ésta dio a luz de Amram a Aarón y a Moisés, y a Miriam su hermana.

60 Y a Aarón nacieron Nadab y Abiú, Eleazar e Itamar.

61 Mas Nadab y Abiú murieron, cuando ofrecieron fuego extraño delante de Jehová.

62 Y los contados de los levitas fueron veintitrés mil, todos varones de un mes para arriba; porque no fueron contados entre los hijos de Israel, por cuanto no les había de ser dada heredad entre los hijos de Israel.

63 Éstos *son* los contados por Moisés y Eleazar el sacerdote, los cuales contaron los hijos de Israel en los campos de Moab, junto al Jordán *frente a* Jericó.

64 Y entre éstos ninguno hubo de los contados por Moisés y Aarón el sacerdote, los cuales contaron a los hijos de Israel en el desierto de Sinaí.

65 Porque Jehová les dijo: Han de morir en el desierto; y no quedó varón de ellos, sino Caleb hijo de Jefone, y Josué hijo de Nun.

CAPÍTULO 27

Y las hijas de Zelofehad, hijo de Hefer, hijo de Galaad, hijo de Maquir, hijo de Manasés, de las familias de Manasés, hijo de José, los nombres de las cuales *eran* Maala, y Noa, y Hogla, y Milca, y Tirsa, llegaron;

2 Y se presentaron delante de Moisés, y delante del sacerdote Eleazar, y delante de los príncipes, y de toda la congregación, a la puerta del tabernáculo de la congregación, y dijeron:

3 Nuestro padre murió en el desierto, el cual no estuvo en la junta que se reunió contra Jehová en la compañía de Coré: sino que en su pecado murió, y no tuvo hijos.

4 ¿Por qué será quitado el nombre de nuestro padre de entre su familia, por no haber tenido hijo? Danos heredad entre los hermanos de nuestro padre.

5 Y Moisés llevó su causa delante de Jehová.

6 Y Jehová respondió a Moisés, diciendo:

7 Bien dicen las hijas de Zelofehad. Ciertamente les darás posesión de una heredad entre los hermanos de su padre, y traspasarás la heredad de su padre a ellas.

8 Y a los hijos de Israel hablarás, diciendo: Cuando alguno muriere sin hijos, traspasaréis su herencia a su hija;

9 y si no tuviere hija, daréis su herencia a sus hermanos;

10 y si no tuviere hermanos, daréis su herencia a los hermanos de su padre.

11 Y si su padre no tuviere hermanos, daréis su herencia a su pariente más cercano de su linaje, el cual la poseerá: y será a los hijos de Israel por estatuto de derecho, como Jehová mandó a Moisés.

12 Y Jehová dijo a Moisés: Sube a este monte Abarim, y verás la tierra que he dado a los hijos de Israel.

13 Y después que la hayas visto, tú también serás reunido a tu pueblo, como fue reunido Aarón tu hermano.

14 Pues fuisteis rebeldes a mi mandato en el desierto de Zin, en la rencilla de la congregación, para santificarme en las aguas a ojos de ellos. Éstas son las aguas de la rencilla de Cades en el desierto de Zin.

15 Entonces respondió Moisés a Jehová, diciendo:

16 Ponga Jehová, Dios de los espíritus de toda carne, varón sobre la congregación,

17 que salga delante de ellos, y que entre delante de ellos, que los saque y los introduzca; para que la congregación de Jehová no sea como ovejas sin pastor.

18 Y Jehová dijo a Moisés: Toma a Josué hijo de Nun, varón en el cual *está* el Espíritu, y pondrás tu mano sobre él;

19 Y lo pondrás delante de Eleazar el sacerdote, y delante de toda la congregación; y le darás órdenes en presencia de ellos.

20 Y pondrás de tu dignidad sobre él, para que toda la congregación de los hijos de Israel le obedezcan.

21 Y él estará delante de Eleazar el sacerdote, y a él preguntará por el juicio del Urim delante de Jehová; a su palabra saldrán, y a su palabra entrarán, él, y todos los hijos de Israel con él, y toda la congregación.

22 Y Moisés hizo como Jehová le había mandado; pues tomó a Josué, y lo puso delante de Eleazar el sacerdote, y de toda la congregación;

23 y puso sobre él sus manos, y le dio órdenes, como Jehová había mandado por mano de Moisés.

CAPÍTULO 28

Y Jehová habló a Moisés, diciendo:
2 Manda a los hijos de Israel, y diles: Mi ofrenda, mi pan con mis ofrendas encendidas en olor a mí agradable, guardaréis, ofreciéndomelo a su tiempo.

3 Y les dirás: Ésta *es* la ofrenda encendida que ofreceréis a Jehová; dos corderos sin tacha de un año, cada día, *por* holocausto continuo.

4 Un cordero ofrecerás por la mañana, y el otro cordero ofrecerás entre las dos tardes:

5 Y la décima *parte* de un efa de flor de harina, amasada con la cuarta *parte* de un hin de aceite molido, en presente.

6 Es holocausto continuo, que fue hecho en el monte de Sinaí en olor grato, ofrenda encendida a Jehová.

7 Y su libación, la cuarta *parte* de un hin con cada cordero; derramarás libación de vino superior a Jehová en el santuario.

8 Y ofrecerás el segundo cordero entre las dos tardes: conforme a la ofrenda de la mañana, y conforme a su libación ofrecerás, ofrenda encendida en olor grato a Jehová.

9 Mas el día del sábado dos corderos de un año sin defecto, y dos décimas

de flor de harina amasada con aceite, por presente, con su libación:

10 *Es* el holocausto del sábado en cada sábado, además del holocausto continuo y su libación.

11 Y en los principios de vuestros meses ofreceréis en holocausto a Jehová dos becerros de la vacada, y un carnero, y siete corderos de un año sin defecto;

12 Y tres décimas de flor de harina amasada con aceite, *por* presente con cada becerro; y dos décimas de flor de harina amasada con aceite, por presente con cada carnero;

13 Y una décima de flor de harina amasada con aceite, *en* ofrenda por presente con cada cordero; holocausto de olor grato, ofrenda encendida a Jehová.

14 Y sus libaciones de vino, medio hin con cada becerro, y la tercera *parte* de un hin con cada carnero, y la cuarta *parte* de un hin con cada cordero. Éste *es* el holocausto de cada mes por todos los meses del año.

15 Y un macho cabrío en expiación se ofrecerá a Jehová, además del holocausto continuo con su libación.

16 Mas en el mes primero, a los catorce del mes *será* la pascua de Jehová.

17 Y a los quince días de este mes, la solemnidad: por siete días se comerán los panes sin levadura.

18 El primer día *será* santa convocación; ninguna obra servil haréis.

19 Y ofreceréis por ofrenda encendida en holocausto a Jehová dos becerros de la vacada, y un carnero, y siete corderos de un año: sin defecto los tomaréis:

20 Y su presente de harina amasada con aceite: tres décimas con cada becerro, y dos décimas con cada carnero ofreceréis;

21 con cada uno de los siete corderos ofreceréis una décima;

22 y un macho cabrío por expiación, para reconciliaros:

23 Esto ofreceréis además del holocausto de la mañana, que *es* el holocausto continuo.

24 Conforme a esto ofreceréis cada uno de los siete días, vianda y ofrenda encendida en olor grato a Jehová; se ofrecerá además del holocausto continuo, con su libación.

25 Y el séptimo día tendréis santa convocación: ninguna obra servil haréis.

26 Además el día de las primicias, cuando ofreciereis presente nuevo a Jehová en vuestras semanas, tendréis santa convocación: ninguna obra servil haréis.

27 Y ofreceréis en holocausto, en olor de suavidad a Jehová, dos becerros de la vacada, un carnero, siete corderos de un año:

28 Y el presente de ellos, flor de harina amasada con aceite, tres décimas con cada becerro, dos décimas con cada carnero,

29 con cada uno de los siete corderos una décima;

30 un macho cabrío, para hacer expiación por vosotros.

31 Los ofreceréis, además del holocausto continuo con sus presentes, y sus libaciones: sin defecto los tomaréis.

CAPÍTULO 29

Y el séptimo mes, al primer día del mes tendréis santa convocación: ninguna obra servil haréis; os será día de sonar las trompetas.

2 Y ofreceréis holocausto en olor grato a Jehová, un becerro de la vacada, un carnero, siete corderos de un año sin defecto;

3 Y el presente de ellos, de flor de harina amasada con aceite, tres décimas con cada becerro, dos décimas con cada carnero,

4 y con cada uno de los siete corderos, una décima;

5 Y un macho cabrío *por* expiación, para reconciliaros:

6 Además del holocausto del mes, y su presente, y el holocausto continuo y su presente, y sus libaciones, conforme a su ley, por ofrenda encendida a Jehová en olor grato.

7 Y en el *día* diez de este mes séptimo tendréis santa convocación, y afligiréis vuestras almas; ninguna obra haréis;

8 y ofreceréis en holocausto a Jehová en olor grato, un becerro de la vacada, un carnero, siete corderos de un año sin defecto los tomaréis.

9 Y sus presentes, flor de harina

amasada con aceite, tres décimas con cada becerro, dos décimas con cada carnero,

10 y con cada uno de los siete corderos, una décima;

11 un macho cabrío *por* expiación; además de la ofrenda de las expiaciones por el pecado, y del holocausto continuo, y de sus presentes, y de sus libaciones.

12 También a los quince días del mes séptimo tendréis santa convocación; ninguna obra servil haréis, y celebraréis solemnidad a Jehová por siete días;

13 y ofreceréis en holocausto, en ofrenda encendida a Jehová en olor grato, trece becerros de la vacada, dos carneros, catorce corderos de un año: han de ser sin defecto;

14 y los presentes de ellos, de flor de harina amasada con aceite, tres décimas con cada uno de los trece becerros, dos décimas con cada uno de los dos carneros,

15 y con cada uno de los catorce corderos, una décima;

16 y un macho cabrío *por* expiación; además del holocausto continuo, su presente y su libación.

17 Y el segundo día, doce becerros de la vacada, dos carneros, catorce corderos de un año sin defecto;

18 Y sus presentes y sus libaciones con los becerros, con los carneros, y con los corderos, según el número de ellos, conforme a la ley;

19 y un macho cabrío *por* expiación; además del holocausto continuo, y su presente y su libación.

20 Y el día tercero, once becerros, dos carneros, catorce corderos de un año sin defecto;

21 y sus presentes y sus libaciones con los becerros, con los carneros, y con los corderos, según el número de ellos, conforme a la ley;

22 y un macho cabrío *por* expiación; además del holocausto continuo, y su presente y su libación.

23 Y el cuarto día, diez becerros, dos carneros, catorce corderos de un año sin defecto;

24 sus presentes y sus libaciones con los becerros, con los carneros, y con los corderos, según el número de ellos, conforme a la ley;

25 y un macho cabrío *por* expiación; además del holocausto continuo, su presente y su libación.

26 Y el quinto día, nueve becerros, dos carneros, catorce corderos de un año sin defecto;

27 y sus presentes y sus libaciones con los becerros, con los carneros, y con los corderos, según el número de ellos, conforme a la ley;

28 y un macho cabrío *por* expiación; además del holocausto continuo, su presente y su libación.

29 Y el sexto día, ocho becerros, dos carneros, catorce corderos de un año sin defecto;

30 Y sus presentes y sus libaciones con los becerros, con los carneros, y con los corderos, según el número de ellos, conforme a la ley;

31 Y un macho cabrío *por* expiación; además del holocausto continuo, su presente y sus libaciones.

32 Y el séptimo día, siete becerros, dos carneros, catorce corderos de un año sin defecto;

33 Y sus presentes y sus libaciones con los becerros, con los carneros, y con los corderos, según el número de ellos, conforme a la ley;

34 Y un macho cabrío *por* expiación; además del holocausto continuo, con su presente y su libación.

35 El octavo día tendréis solemnidad: ninguna obra servil haréis:

36 Y ofreceréis en holocausto, en ofrenda encendida de olor grato a Jehová, un novillo, un carnero, siete corderos de un año sin defecto;

37 Sus presentes y sus libaciones con el novillo, con el carnero, y con los corderos, según el número de ellos, conforme a la ley;

38 Y un macho cabrío *por* expiación; además del holocausto continuo, con su presente y su libación.

39 Estas cosas ofreceréis a Jehová en vuestras solemnidades, además de vuestros votos, y de vuestras ofrendas libres, para vuestros holocaustos, y para vuestros presentes, y para vuestras libaciones y para vuestras ofrendas de paz.

40 Y Moisés dijo a los hijos de Israel, conforme a todo lo que Jehová le había mandado.

Y habló Moisés a los príncipes de las tribus de los hijos de Israel, diciendo: Esto *es* lo que Jehová ha mandado.

2 Cuando alguno hiciere voto a Jehová, o hiciere juramento ligando su alma con obligación, no violará su palabra: hará conforme a todo lo que salió de su boca.

3 Mas la mujer, cuando hiciere voto a Jehová, y se ligare con obligación en casa de su padre, en su juventud;

4 si su padre oyere su voto, y la obligación con que ligó su alma, y su padre callare a ello, todos los votos de ella serán firmes, y toda obligación con que hubiere ligado su alma, firme será.

5 Mas si su padre le vedare el día que oyere todos sus votos y sus obligaciones, con que ella hubiere ligado su alma, no serán firmes; y Jehová la perdonará, por cuanto su padre le vedó.

6 Pero si fuere casada, e hiciere votos, o pronunciare de sus labios cosa con que obligue su alma;

7 Si su marido *lo* oyere, y cuando *lo* oyere callare a ello, los votos de ella serán firmes, y la obligación con que ligó su alma, firme será.

8 Pero si cuando su marido *lo* oyó, le vedó, entonces el voto que ella hizo, y lo que pronunció de sus labios con que ligó su alma, será nulo; y Jehová la perdonará.

9 Mas todo voto de viuda, o repudiada, con que ligare su alma, será firme.

10 Y si hubiere hecho voto en casa de su marido, y hubiere ligado su alma con obligación de juramento,

11 si su marido oyó, y calló a ello, y no le vedó; entonces todos sus votos serán firmes, y toda obligación con que hubiere ligado su alma, firme será.

12 Mas si su marido los anuló el día que *los* oyó; todo lo que salió de sus labios cuanto a sus votos, y cuanto a la obligación de su alma, será nulo; su marido los anuló, y Jehová la perdonará.

13 Todo voto, o todo juramento obligándose a afligir el alma, su marido lo confirmará, o su marido lo anulará.

14 Pero si su marido callare a ello de día en día, entonces confirmó todos sus votos, y todas las obligaciones que están sobre ella: las confirmó, por cuanto calló a ello el día que *lo* oyó.

15 Mas si los anulare después de haberlos oído, entonces él llevará el pecado de ella.

16 Éstas *son* las ordenanzas que Jehová mandó a Moisés entre el varón y su esposa, entre el padre y su hija, durante su juventud en casa de su padre.

CAPÍTULO 31

Y Jehová habló a Moisés, diciendo:
2 Haz la venganza de los hijos de Israel contra los madianitas; después serás recogido a tu pueblo.

3 Entonces Moisés habló al pueblo, diciendo: Armaos algunos de vosotros para la guerra, y vayan contra Madián y hagan la venganza de Jehová en Madián.

4 Mil de cada tribu de todas las tribus de los hijos de Israel, enviaréis a la guerra.

5 Así fueron dados de los millares de Israel, mil de *cada* tribu, doce mil armados para la guerra.

6 Y Moisés los envió a la guerra: mil por *cada* tribu envió: y Finees, hijo de Eleazar sacerdote, fue a la guerra con los santos instrumentos, con las trompetas en su mano para tocar.

7 Y pelearon contra Madián, como Jehová lo mandó a Moisés, y mataron a todo varón.

8 Mataron también, entre los muertos de ellos, a los reyes de Madián: Evi, Requem, Zur, Hur y Reba, cinco reyes de Madián; a Balaam también, hijo de Beor, mataron a espada.

9 Y llevaron cautivas los hijos de Israel las mujeres de los madianitas, y sus chiquitos y todas sus bestias, y todos sus ganados; y arrebataron toda su hacienda.

10 Y abrasaron con fuego todas sus ciudades, aldeas y castillos.

11 Y tomaron todo el despojo, y toda la presa, así de hombres como de bestias.

12 Y trajeron a Moisés, y a Eleazar el sacerdote, y a la congregación de los hijos de Israel, los cautivos y la presa y los despojos, al campamento en los llanos de Moab, que *están* junto al Jordán, *frente a* Jericó.

13 Y salieron Moisés y Eleazar el sacerdote, y todos los príncipes de la congregación, a recibirlos fuera del campamento.

14 Y se enojó Moisés contra los capitanes del ejército, contra los tribunos y centuriones que volvían de la guerra,

15 y les dijo Moisés: ¿Todas las mujeres habéis reservado?

16 He aquí ellas fueron a los hijos de Israel, por consejo de Balaam, para causar prevaricación contra Jehová en el asunto de Peor; por lo que hubo mortandad en la congregación de Jehová.

17 Matad, pues, ahora todos los varones entre los niños; matad también toda mujer que haya conocido varón carnalmente.

18 Y todas las niñas entre las mujeres, que no hayan conocido ayuntamiento de varón, os reservaréis vivas.

19 Y vosotros quedaos fuera del campamento siete días: y todos los que hubieren matado persona, y cualquiera que hubiere tocado muerto, os purificaréis al tercero y al séptimo día, vosotros y vuestros cautivos.

20 Asimismo purificaréis todo vestido, y toda prenda de pieles, y toda obra de *pelo* de cabra, y todo vaso de madera.

21 Y Eleazar el sacerdote dijo a los hombres de guerra que venían de la guerra: Ésta *es* la ordenanza de la ley que Jehová ha mandado a Moisés:

22 Ciertamente el oro, y la plata, bronce, hierro, estaño, y plomo,

23 todo lo que resiste el fuego, por fuego *lo* haréis pasar, y será limpio, bien que en las aguas de purificación habrá de purificarse: mas haréis pasar por agua todo lo que no aguanta el fuego.

24 Además lavaréis vuestras vestiduras el séptimo día, y así seréis limpios; y después entraréis en el campamento.

25 Y Jehová habló a Moisés, diciendo:

26 Toma la cuenta de la presa que se ha hecho, así de las personas como de las bestias, tú y el sacerdote Eleazar, y las cabezas de los padres de la congregación:

27 Y partirás por mitad la presa entre los que pelearon, los que salieron a la guerra, y toda la congregación.

28 Y apartarás para Jehová el tributo de los hombres de guerra, que salieron a la batalla; uno de cada quinientos, así de las personas como de los bueyes, de los asnos, y de las ovejas:

29 De la mitad de ellos lo tomarás; y darás a Eleazar el sacerdote la ofrenda de Jehová.

30 Y de la mitad perteneciente a los hijos de Israel tomarás uno de cincuenta, de las personas, de los bueyes, de los asnos, y de las ovejas, de todo animal; y los darás a los levitas, que tienen la guarda del tabernáculo de Jehová.

31 E hicieron Moisés y Eleazar el sacerdote como Jehová mandó a Moisés.

32 Y fue la presa, el resto de la presa que tomaron los hombres de guerra, seiscientas y setenta y cinco mil ovejas,

33 y setenta y dos mil bueyes,

34 y sesenta y un mil asnos.

35 Y en cuanto a personas, de mujeres que no habían conocido ayuntamiento de varón, en todas treinta y dos mil.

36 Y la mitad, la parte de los que habían salido a la guerra, fue el número de trescientas treinta y siete mil quinientas ovejas.

37 Y el tributo para Jehová de las ovejas, fue seiscientas setenta y cinco.

38 Y de los bueyes, treinta y seis mil: y de ellos el tributo para Jehová, setenta y dos.

39 Y de los asnos, treinta mil quinientos; y de ellos el tributo para Jehová, sesenta y uno.

40 Y de las personas, dieciséis mil; y de ellas el tributo para Jehová, treinta y dos personas.

41 Y dio Moisés el tributo, por elevada ofrenda a Jehová, a Eleazar el sacerdote, como Jehová lo mandó a Moisés.

42 Y de la mitad para los hijos de Israel, que apartó Moisés de los hombres que habían ido a la guerra

43 (La mitad *para* la congregación fue: de las ovejas, trescientas treinta y siete mil quinientas;

44 y de los bueyes, treinta y seis mil;

45 y de los asnos, treinta mil quinientos;

46 y de las personas, dieciséis mil);

47 de la mitad, pues, para los hijos de Israel tomó Moisés uno de cada cincuenta, así de las personas como de los animales, y los dio a los levitas, que tenían la guarda del tabernáculo de Jehová; como Jehová lo había mandado a Moisés.

48 Y llegaron a Moisés los jefes de los millares de aquel ejército, los tribunos y centuriones;

49 y dijeron a Moisés: Tus siervos han tomado razón de los hombres de guerra que *están* en nuestro poder, y ninguno ha faltado de nosotros.

50 Por lo cual hemos traído ofrenda a Jehová, cada uno de lo que ha hallado, vasos de oro, brazaletes, manillas, anillos, zarcillos y cadenas, para hacer expiación por nuestras almas delante de Jehová.

51 Y Moisés y el sacerdote Eleazar recibieron el oro de ellos, alhajas, todas elaboradas.

52 Y todo el oro de la ofrenda que ofrecieron a Jehová de los tribunos y centuriones, fue dieciséis mil setecientos cincuenta siclos.

53 Los hombres del ejército habían tomado despojo, cada uno para sí.

54 Recibieron, pues, Moisés y el sacerdote Eleazar, el oro de los tribunos y centuriones, y lo trajeron al tabernáculo de la congregación, por memoria de los hijos de Israel delante de Jehová.

CAPÍTULO 32

Y los hijos de Rubén y los hijos de Gad tenían una muy grande muchedumbre de ganado; los cuales viendo la tierra de Jazer y de Galaad, *les pareció* el país lugar de ganado.

2 Y vinieron los hijos de Gad y los hijos de Rubén, y hablaron a Moisés, y a Eleazar el sacerdote, y a los príncipes de la congregación, diciendo:

3 Atarot, y Dibón, y Jazer, y Nimra, y Hesbón, y Eleale, y Sabán, y Nebo, y Beón,

4 la tierra que Jehová hirió delante de la congregación de Israel, *es* tierra de ganado, y tus siervos tienen ganado.

5 Por tanto, dijeron, si hemos hallado gracia en tus ojos, que se dé esta tierra a tus siervos en heredad, y no nos hagas pasar el Jordán.

6 Y respondió Moisés a los hijos de Gad y a los hijos de Rubén: ¿Irán vuestros hermanos a la guerra, y vosotros os quedaréis sentados aquí?

7 ¿Y por qué desanimáis el corazón de los hijos de Israel, para que no pasen a la tierra que les ha dado Jehová?

8 Así hicieron vuestros padres, cuando los envié desde Cades-barnea para que viesen la tierra.

9 Que subieron hasta el valle de Escol, y después que vieron la tierra, desanimaron el corazón de los hijos de Israel, para que no viniesen a la tierra que Jehová les había dado.

10 Y la ira de Jehová se encendió entonces, y juró diciendo:

11 Ninguno de los varones que subieron de Egipto de veinte años para arriba, verá la tierra por la cual juré a Abraham, Isaac, y Jacob, por cuanto no fueron perfectos en pos de mí;

12 excepto Caleb, hijo de Jefone cenezeo, y Josué hijo de Nun, que fueron perfectos en pos de Jehová.

13 Y el furor de Jehová se encendió en Israel, y los hizo andar errantes cuarenta años por el desierto, hasta que fue acabada toda aquella generación, que había hecho mal delante de Jehová.

14 Y he aquí vosotros habéis sucedido en lugar de vuestros padres, prole de hombres pecadores, para añadir aún a la ira de Jehová contra Israel.

15 Si os volviereis de en pos de Él, Él volverá otra vez a dejaros en el desierto, y destruiréis a todo este pueblo.

16 Entonces ellos se acercaron a él y dijeron: Edificaremos aquí majadas para nuestro ganado, y ciudades para nuestros niños;

17 Y nosotros nos armaremos, e iremos con diligencia delante de los hijos de Israel, hasta que los metamos en su lugar; y nuestros niños se quedarán en las ciudades fortificadas a causa de los moradores del país.

18 No volveremos a nuestras casas hasta que los hijos de Israel posean cada uno su heredad.

19 Porque no tomaremos heredad con ellos al otro lado del Jordán ni adelante, por cuanto tendremos ya nuestra heredad a este lado del Jordán al oriente.

20 Entonces les respondió Moisés: Si lo hiciereis así, si os apercibiereis para ir delante de Jehová a la guerra,

21 y todos vosotros pasáis armados el Jordán delante de Jehová, hasta que haya echado a sus enemigos de delante de sí,

22 y sea el país sojuzgado delante de Jehová; luego volveréis, y seréis libres de culpa para con Jehová, y para con Israel; y esta tierra será vuestra en heredad delante de Jehová.

23 Mas si así no lo hiciereis, he aquí habréis pecado contra Jehová; y sabed que os alcanzará vuestro pecado.

24 Edificaos ciudades para vuestros niños, y majadas para vuestras ovejas, y haced lo que ha salido de vuestra boca.

25 Y hablaron los hijos de Gad y los hijos de Rubén a Moisés, diciendo: Tus siervos harán como mi señor ha mandado.

26 Nuestros niños, nuestras esposas, nuestros ganados, y todas nuestras bestias, estarán ahí en las ciudades de Galaad;

27 pero tus siervos, armados todos para la guerra, pasarán delante de Jehová a la guerra, de la manera que mi señor dice.

28 Entonces los encomendó Moisés a Eleazar el sacerdote, y a Josué hijo de Nun, y a los príncipes de los padres de las tribus de los hijos de Israel.

29 Y les dijo Moisés: Si los hijos de Gad y los hijos de Rubén, pasaren con vosotros el Jordán, armados todos de guerra delante de Jehová, luego que el país fuere sojuzgado delante de vosotros, les daréis la tierra de Galaad en posesión:

30 Pero si no pasaren armados con vosotros, entonces tendrán posesión entre vosotros en la tierra de Canaán.

31 Y los hijos de Gad y los hijos de Rubén respondieron, diciendo: Haremos lo que Jehová ha dicho a tus siervos.

32 Nosotros pasaremos armados delante de Jehová a la tierra de Canaán, y la posesión de nuestra heredad será a este lado del Jordán.

33 Así les dio Moisés a los hijos de Gad y a los hijos de Rubén, y a la media tribu de Manasés hijo de José, el reino de Sehón rey amorreo, y el reino de Og rey de Basán, la tierra con sus ciudades y términos, las ciudades del país alrededor.

34 Y los hijos de Gad edificaron a Dibón, Atarot, Aroer,

35 Atrot-sofán, Jazer, Jogbeha,

36 Bet-nimra y a Bet-arán; ciudades fortificadas, y también majadas para ovejas.

37 Y los hijos de Rubén edificaron a Hesbón, Eleale, Quiriataim,

38 Nebo, Baal-meón (cambiados los nombres) y a Sibma; y pusieron nombres a las ciudades que edificaron.

39 Y los hijos de Maquir hijo de Manasés fueron a Galaad, y la tomaron, y echaron al amorreo que *estaba* en ella.

40 Y Moisés dio Galaad a Maquir hijo de Manasés, el cual habitó en ella.

41 También Jair hijo de Manasés fue y tomó sus aldeas, y les puso por nombre Havot-jair.

42 Asimismo Noba fue y tomó a Kenat y sus aldeas, y le llamó Noba, conforme a su nombre.

CAPÍTULO 33

Éstas *son* las jornadas de los hijos de Israel, los cuales salieron de la tierra de Egipto por sus escuadrones, bajo la mano de Moisés y Aarón.

2 Y Moisés escribió sus salidas conforme a sus jornadas por mandato de Jehová. Éstas, pues, son sus jornadas conforme a sus partidas.

3 De Ramesés partieron en el mes primero, a los quince días del mes primero: el segundo día de la pascua

salieron los hijos de Israel con mano levantada, a ojos de todos los egipcios.

4 Pues los egipcios estaban enterrando a todos los primogénitos que Jehová había dado muerte de entre ellos. También sobre sus dioses Jehová ejecutó juicios.

5 Partieron, pues, los hijos de Israel de Ramesés, y acamparon en Sucot.

6 Y partiendo de Sucot, acamparon en Etam, que está a la orilla del desierto.

7 Y partiendo de Etam, volvieron sobre Pi-hahirot, que *está* delante de Baal-zefón, y asentaron delante de Migdol.

8 Y partiendo de Pi-hahirot, pasaron por medio del mar al desierto, y anduvieron camino de tres días por el desierto de Etam, y asentaron en Mara.

9 Y partieron de Mara y vinieron a Elim, donde *había* doce fuentes de aguas, y setenta palmeras; y acamparon allí.

10 Y partieron de Elim y acamparon junto al Mar Rojo.

11 Y partieron del Mar Rojo y acamparon en el desierto de Sin.

12 Y partieron del desierto de Sin y acamparon en Dofca.

13 Y partieron de Dofca y acamparon en Alús.

14 Y partieron de Alús y acamparon en Refidim, donde el pueblo no tuvo aguas para beber.

15 Y partieron de Refidim acamparon en el desierto de Sinaí.

16 Y partieron del desierto de Sinaí y acamparon en Kibrot-hataava.

17 Y partieron de Kibrot-hataava acamparon en Haserot.

18 Y partieron de Haserot y acamparon en Ritma.

19 Y partieron de Ritma y acamparon en Rimón-peres.

20 Y partieron de Rimón-peres acamparon en Libna.

21 Y partieron de Libna y acamparon en Rissa.

22 Y partieron de Rissa, y acamparon en Celata.

23 Y partieron de Celata y acamparon en el monte de Sefer.

24 Y partieron del monte de Sefer y acamparon en Harada.

25 Y partieron de Harada y acamparon en Macelot.

26 Y partieron de Macelot y acamparon en Tahat.

27 Y partieron de Tahat y acamparon en Tara.

28 Y partieron de Tara y acamparon en Mitca.

29 Y partieron de Mitca y acamparon en Hasmona.

30 Y partieron de Hasmona y acamparon en Moserot.

31 Y partieron de Moserot y acamparon en Bene-jaacán.

32 Y partieron de Bene-jaacán y acamparon en el monte de Gidgad.

33 Y partieron del monte de Gidgad y acamparon en Jotbata.

34 Y partieron de Jotbata y acamparon en Abrona.

35 Y partieron de Abrona y acamparon en Ezión-geber.

36 Y partieron de Ezión-geber y acamparon en el desierto de Zin, que es Cades.

37 Y partieron de Cades y acamparon en el monte de Hor, en la extremidad del país de Edom.

38 Y subió Aarón el sacerdote al monte de Hor, conforme al mandato de Jehová, y allí murió a los cuarenta años de la salida de los hijos de Israel de la tierra de Egipto, en el mes quinto, en el primer *día* del mes.

39 Y *era* Aarón de edad de ciento veintitrés años, cuando murió en el monte Hor.

40 Y el cananeo, rey de Arad, que habitaba al sur en la tierra de Canaán, oyó que habían venido los hijos de Israel.

41 Y partieron del monte de Hor y acamparon en Salmona.

42 Y partieron de Salmona y acamparon en Funón.

43 Y partieron de Funón y acamparon en Obot.

44 Y partieron de Obot y acamparon en Ije-abarim; en el término de Moab.

45 Y partieron de Ije-abarim y acamparon en Dibón-gad.

46 Y partieron de Dibón-gad y acamparon en Almon-diblataim.

47 Y partieron de Almon-diblataim y acamparon en los montes de Abarim, delante de Nebo.

48 Y partieron de los montes de Abarim y acamparon en los campos de Moab, junto al Jordán *frente a* Jericó.

49 Finalmente asentaron junto al Jordán, desde Bet-jesimot hasta Abel-sitim, en los campos de Moab.

50 Y habló Jehová a Moisés en los campos de Moab junto al Jordán *frente a* Jericó, diciendo:

51 Habla a los hijos de Israel, y diles: Cuando hubiereis pasado el Jordán a la tierra de Canaán,

52 echaréis a todos los moradores del país de delante de vosotros, y destruiréis todas sus pinturas, y todas sus imágenes de fundición, y arruinaréis todos sus altos;

53 y echaréis *a los moradores* de la tierra, y habitaréis en ella; porque yo os la he dado para que la poseáis.

54 Y heredaréis la tierra por suertes por vuestras familias: a los muchos daréis mucho por su heredad, y a los pocos daréis menos por heredad suya: donde le saliere la suerte, allí la tendrá cada uno: por las tribus de vuestros padres heredaréis.

55 Y si no echareis a los moradores de la tierra de delante de vosotros, sucederá que los que dejareis de ellos serán por aguijones en vuestros ojos, y por espinas en vuestros costados, y os afligirán sobre la tierra en que vosotros habitareis.

56 Será además, que haré a vosotros como yo pensé hacerles a ellos.

CAPÍTULO 34

Y Jehová habló a Moisés, diciendo: 2 Manda a los hijos de Israel, y diles: Cuando hubiereis entrado en la tierra de Canaán, esto *es*, la tierra que os ha de caer en heredad, la tierra de Canaán según sus términos:

3 Tendréis el lado del sur desde el desierto de Zin hasta los términos de Edom; y os será el término del sur al extremo del Mar Salado hacia el oriente.

4 Y vuestro término irá rodeando desde el sur hasta la subida de Acrabim, y pasará hasta Zin; y su salida será del sur hacia Cades-barnea; y saldrá a Hasar-adar, y pasará hasta Asmón.

5 Y rodeará este término, desde Asmón hasta el torrente de Egipto, y sus remates serán al occidente.

6 Y el término occidental os será el Mar Grande; este término os será el término occidental.

7 Y éste será el término del norte; desde el Mar Grande os señalaréis el monte de Hor;

8 del monte de Hor señalaréis a la entrada de Hamat, y serán las salidas de aquel término a Sedad;

9 y saldrá este término a Zifón, y serán sus remates en Hasar-enán; éste os será el término del norte.

10 Y por término al oriente os señalaréis desde Hasar-enán hasta Sefam;

11 y bajará este término desde Sefam a Ribla, al oriente de Aín: y descenderá el término, y llegará a la costa del mar de Cineret al oriente.

12 Después descenderá este término al Jordán, y serán sus salidas al Mar Salado. Ésta será vuestra tierra, por sus términos alrededor.

13 Y mandó Moisés a los hijos de Israel, diciendo: Ésta *es* la tierra que heredaréis por suerte, la cual mandó Jehová que diese a las nueve tribus, y a la media tribu:

14 Porque la tribu de los hijos de Rubén según las casas de sus padres, y la tribu de los hijos de Gad según las casas de sus padres, y la media tribu de Manasés, han tomado su herencia:

15 Dos tribus y media tomaron su heredad a este lado del Jordán, *frente a* Jericó, al oriente, hacia el nacimiento del sol.

16 Y habló Jehová a Moisés, diciendo:

17 Éstos *son* los nombres de los varones que les repartirán la tierra: Eleazar el sacerdote, y Josué hijo de Nun.

18 Tomaréis también de cada tribu un príncipe, para dar la posesión de la tierra.

19 Y éstos *son* los nombres de los varones: De la tribu de Judá, Caleb hijo de Jefone.

20 Y de la tribu de los hijos de Simeón, Samuel hijo de Amiud.

21 De la tribu de Benjamín; Elidad hijo de Quislón.

22 Y de la tribu de los hijos de Dan, el príncipe Buqui hijo de Jogli.

23 De los hijos de José: de la tribu de los hijos de Manasés, el príncipe Haniel hijo de Efod.

24 Y de la tribu de los hijos de Efraín, el príncipe Quemuel hijo de Siftán.

25 Y de la tribu de los hijos de Zabulón, el príncipe Elizafán hijo de Farnac.

26 Y de la tribu de los hijos de Isacar, el príncipe Paltiel hijo de Azan.

27 Y de la tribu de los hijos de Aser, el príncipe Ahiud hijo de Selomi.

28 Y de la tribu de los hijos de Neftalí, el príncipe Pedael hijo de Amiud.

29 Éstos *son* a los que mandó Jehová que hiciesen la partición de la herencia a los hijos de Israel en la tierra de Canaán.

CAPÍTULO 35

Y habló Jehová a Moisés en los campos de Moab, junto al Jordán *frente a* Jericó, diciendo:

2 Manda a los hijos de Israel, que den a los levitas de la posesión de su heredad ciudades en que habiten: *También* daréis a los levitas ejidos de esas ciudades alrededor de ellas.

3 Y tendrán ellos las ciudades para habitar, y los ejidos de ellas serán para sus animales, y para sus ganados, y para todas sus bestias.

4 Y los ejidos de las ciudades que daréis a los levitas, serán mil codos alrededor, desde el muro de la ciudad para afuera.

5 Luego mediréis fuera de la ciudad a la parte del oriente dos mil codos, y a la parte del sur dos mil codos, y a la parte del occidente dos mil codos, y a la parte del norte dos mil codos, y la ciudad en medio; esto tendrán por los ejidos de las ciudades.

6 Y de las ciudades que daréis a los levitas, seis ciudades *serán* de refugio, las cuales daréis para que el homicida se refugie allá; y además de éstas daréis cuarenta y dos ciudades.

7 Todas las ciudades que daréis a los levitas *serán* cuarenta y ocho ciudades; ellas con sus ejidos.

8 Y las ciudades que diereis de la heredad de los hijos de Israel, del que mucho tomaréis mucho, y del que poco tomaréis poco; cada uno dará de sus ciudades a los levitas según la posesión que heredará.

9 Y habló Jehová a Moisés, diciendo:

10 Habla a los hijos de Israel, y diles: Cuando hubiereis pasado el Jordán a la tierra de Canaán,

11 os señalaréis ciudades, ciudades de refugio tendréis, donde huya el homicida que hiriere a alguno de muerte por yerro.

12 Y os serán aquellas ciudades por refugio del pariente, y no morirá el homicida hasta que esté a juicio delante de la congregación.

13 De las ciudades, pues, que daréis, tendréis seis ciudades de refugio.

14 Tres ciudades daréis a este lado del Jordán, y tres ciudades daréis en la tierra de Canaán; *las cuales* serán ciudades de refugio.

15 Estas seis ciudades serán para refugio a los hijos de Israel, y al peregrino, y al que morare entre ellos, para que huya allá cualquiera que hiriere de muerte a otro por yerro.

16 Y si con instrumento de hierro lo hiriere y muriere, homicida *es*; el homicida morirá:

17 Y si con piedra de mano, de que pueda morir, lo hiriere, y muriere, homicida *es*; el homicida morirá.

18 Y *si* con instrumento de palo de mano, de que pueda morir, lo hiriere, y muriere, homicida es; el homicida morirá.

19 El pariente del muerto, él matará al homicida: cuando lo encontrare, él le matará.

20 Y si por odio lo empujó, o echó sobre *él alguna* cosa por asechanzas, y muere;

21 o por enemistad lo hirió con su mano, y murió; el heridor morirá; *es* homicida; el pariente del muerto matará al homicida, cuando lo encontrare.

22 Mas si casualmente lo empujó sin enemistades, o echó sobre él cualquier instrumento sin asechanzas,

23 o bien, sin verlo, hizo caer sobre él alguna piedra, de que pudo morir, y muriere, y él no *era* su enemigo, ni procuraba su mal;

24 entonces la congregación juzgará entre el heridor y el pariente del muerto conforme a estas leyes.

25 Y la congregación librará al homicida de mano del pariente del muerto, y la congregación lo hará

volver a su ciudad de refugio, en la cual se había refugiado; y morará en ella hasta que muera el sumo sacerdote, el cual fue ungido con el aceite santo.

26 Y si el homicida saliere fuera del término de su ciudad de refugio, en la cual se refugió,

27 y el pariente del muerto le hallare fuera del término de la ciudad de su refugio, y el pariente del muerto al homicida matare, no se le culpará por ello:

28 Pues en su ciudad de refugio deberá aquél habitar hasta que muera el sumo sacerdote: y después que muriere el sumo sacerdote, el homicida volverá a la tierra de su posesión.

29 Y estas cosas os serán por ordenanza de derecho por vuestras edades, en todas vuestras habitaciones.

30 Cualquiera que hiriere a alguno, por dicho de testigos, morirá el homicida: mas un solo testigo no hará fe contra alguna persona para que muera.

31 Y no tomaréis precio por la vida del homicida; porque *está* condenado a muerte; mas indefectiblemente morirá.

32 Ni tampoco tomaréis precio del que huyó a su ciudad de refugio, para que vuelva a vivir en su tierra, hasta que muera el sacerdote.

33 Y no contaminaréis la tierra donde estuviereis; porque esta sangre amancillará la tierra; y la tierra no será expiada de la sangre que fue derramada en ella, sino por la sangre del que la derramó.

34 No contaminéis, pues, la tierra donde habitáis, en medio de la cual yo habito; porque yo Jehová habito en medio de los hijos de Israel.

CAPÍTULO 36

Y llegaron los príncipes de los padres de la familia de Galaad, hijo de Maquir, hijo de Manasés, de las familias de los hijos de José; y hablaron delante de Moisés, y de los príncipes, cabezas de padres de los hijos de Israel,

2 y dijeron: Jehová mandó a mi señor que por suerte diese la tierra a los hijos de Israel en posesión; también ha mandado Jehová a mi señor, que dé la posesión de Zelofehad nuestro hermano a sus hijas;

3 las cuales, si se casaren con algunos de los hijos de las *otras* tribus de los hijos de Israel, la herencia de ellas será quitada de la herencia de nuestros padres, y será añadida a la herencia de la tribu a que serán unidas; y será quitada de la suerte de nuestra heredad.

4 Y cuando viniere el jubileo de los hijos de Israel, la heredad de ellas será añadida a la heredad de la tribu de sus maridos; y así la heredad de ellas será quitada de la heredad de la tribu de nuestros padres.

5 Entonces Moisés mandó a los hijos de Israel conforme a la palabra de Jehová, diciendo: La tribu de los hijos de José habla rectamente.

6 Esto *es* lo que ha mandado Jehová acerca de las hijas de Zelofehad, diciendo: Cásense como a ellas les plazca, pero en la familia de la tribu de su padre se casarán;

7 Para que la heredad de los hijos de Israel no sea traspasada de tribu en tribu; porque cada uno de los hijos de Israel se unirá a la heredad de la tribu de sus padres.

8 Y cualquiera hija que poseyere heredad de las tribus de los hijos de Israel, con alguno de la familia de la tribu de su padre se casará, para que los hijos de Israel posean cada uno la heredad de sus padres.

9 Y no ande la heredad rodando de una tribu a otra; mas cada una de las tribus de los hijos de Israel se llegue a su heredad.

10 Como Jehová mandó a Moisés, así hicieron las hijas de Zelofehad.

11 Y *así* Maala, y Tirsa, y Hogla, y Milca, y Noa, hijas de Zelofehad, se casaron con hijos de sus tíos:

12 Se casaron con los de la familia de los hijos de Manasés, hijo de José; y la heredad de ellas quedó en la tribu de la familia de su padre.

13 Éstos *son* los mandamientos y los estatutos que mandó Jehová por mano de Moisés a los hijos de Israel en los campos de Moab, junto al Jordán, *frente a* Jericó.

Libro Quinto De Moisés
DEUTERONOMIO

CAPÍTULO 1

Éstas *son* las palabras que habló Moisés a todo Israel a este lado del Jordán en el desierto, en la llanura frente al *Mar* Rojo, entre Parán, y Tofel, y Labán, y Haserot y Dizahab.

2 Once jornadas *hay* desde Horeb, camino del monte de Seir, hasta Cades-barnea.

3 Y aconteció que a los cuarenta años, en el mes undécimo, al primer *día* del mes, Moisés habló a los hijos de Israel conforme a todas las cosas que Jehová le había mandado acerca de ellos;

4 Después que hirió a Sehón rey de los amorreos, que habitaba en Hesbón, y a Og rey de Basán, que habitaba en Astarot en Edrei.

5 De este lado del Jordán, en tierra de Moab, comenzó Moisés a declarar esta ley, diciendo:

6 Jehová nuestro Dios nos habló en Horeb, diciendo: Bastante tiempo habéis estado en este monte.

7 Volveos, e id al monte del amorreo, y a todas sus comarcas, en el llano, en el monte, en los valles, en el sur, en la costa del mar, en la tierra del cananeo y el Líbano, hasta el gran río, el río Éufrates.

8 Mirad, yo he puesto la tierra delante de vosotros; entrad y poseed la tierra que Jehová juró a vuestros padres Abraham, Isaac y Jacob, que les daría a ellos y a su simiente después de ellos.

9 Y yo os hablé entonces, diciendo: Yo solo no puedo llevaros.

10 Jehová vuestro Dios os ha multiplicado, y he aquí hoy vosotros *sois* como las estrellas del cielo en multitud.

11 ¡Jehová el Dios de vuestros padres os haga mil veces más de lo que sois, y os bendiga, como os ha prometido!

12 ¿Cómo llevaré yo solo vuestras molestias, vuestras cargas y vuestros pleitos?

13 Dadme de entre vosotros, de vuestras tribus, varones sabios y entendidos y expertos, para que yo los ponga por vuestros jefes.

14 Y me respondisteis, y dijisteis: Bueno *es* hacer lo que has dicho.

15 Y tomé los principales de vuestras tribus, varones sabios y expertos, y los puse por jefes sobre vosotros, jefes de millares, y jefes de cientos, y jefes de cincuenta, y jefes de diez, y oficiales entre vuestras tribus.

16 Y entonces mandé a vuestros jueces, diciendo: Oíd *las querellas* entre vuestros hermanos, y juzgad justamente entre el hombre y su hermano, y el extranjero que está con él.

17 No hagáis acepción de personas en el juicio; así al pequeño como al grande oiréis: No tendréis temor del hombre, porque el juicio es de Dios. Y el caso que os fuere difícil, lo traeréis a mí, y yo lo oiré.

18 Os mandé, pues, en aquel tiempo todo lo que habíais de hacer.

19 Y habiendo salido de Horeb, anduvimos todo aquel grande y terrible desierto que habéis visto, por el camino del monte del amorreo, como Jehová nuestro Dios nos lo mandó; y llegamos hasta Cades-barnea.

20 Entonces os dije: Habéis llegado al monte del amorreo, el cual Jehová nuestro Dios nos da.

21 Mira, Jehová tu Dios ha puesto la tierra delante de ti; sube y poséela, como Jehová el Dios de tus padres te ha dicho; no temas ni desmayes.

22 Y os acercasteis a mí todos vosotros, y dijisteis: Enviemos varones delante de nosotros, que nos reconozcan la tierra y nos traigan de vuelta razón del camino por donde hemos de subir, y de las ciudades adonde hemos de llegar.

23 Y el dicho me pareció bien; y tomé doce varones de vosotros, un varón por tribu.

24 Y se encaminaron, y subieron al monte, y llegaron hasta el valle de Escol, y reconocieron *la tierra*.

25 Y tomaron en sus manos del fruto del país, y nos lo trajeron, y nos dieron cuenta, y dijeron: Es buena la tierra que Jehová nuestro Dios nos da.

26 Sin embargo, no quisisteis subir, antes fuisteis rebeldes al mandato de Jehová vuestro Dios;

27 y murmurasteis en vuestras tiendas, diciendo: Porque Jehová nos aborrece, nos ha sacado de la tierra de Egipto, para entregarnos en manos del amorreo y destruirnos.

28 ¿A dónde subiremos? Nuestros hermanos han hecho desfallecer nuestro corazón, diciendo: Este pueblo *es* mayor y más alto que nosotros, las ciudades grandes y amuralladas hasta el cielo; y también vimos allí hijos de gigantes.

29 Entonces os dije: No temáis, ni tengáis miedo de ellos.

30 Jehová vuestro Dios, el cual va delante de vosotros, Él peleará por vosotros, conforme a todas las cosas que hizo por vosotros en Egipto delante de vuestros ojos;

31 Y en el desierto has visto que Jehová tu Dios te ha traído, como trae el hombre a su hijo, por todo el camino que habéis andado, hasta llegar a este lugar.

32 Y aun con esto no creísteis a Jehová vuestro Dios,

33 quien iba delante de vosotros por el camino, para buscaros el lugar donde habíais de acampar, con fuego de noche para mostraros el camino por donde debíais andar, y con nube de día.

34 Y oyó Jehová la voz de vuestras palabras, y se enojó, y juró diciendo:

35 Ciertamente ninguno de los hombres, de esta mala generación, verá la buena tierra que juré daría a vuestros padres,

36 excepto Caleb hijo de Jefone; él la verá, y a él le daré la tierra que ha pisado, y a sus hijos; porque él ha seguido fielmente a Jehová.

37 También contra mí se enojó Jehová por causa de vosotros, y me dijo: Tampoco tú entrarás allá.

38 Josué hijo de Nun, que está delante de ti, él entrará allá: anímale; porque él la hará heredar a Israel.

39 Y vuestros chiquitos, de los cuales dijisteis serían por presa, y vuestros hijos que en aquel tiempo no sabían entre el bien y mal, ellos entrarán allá, y a ellos la daré, y ellos la poseerán.

40 Pero vosotros volveos, e id al desierto, camino del Mar Rojo.

41 Entonces respondisteis y me dijisteis: Hemos pecado contra Jehová; nosotros subiremos y pelearemos, conforme a todo lo que Jehová nuestro Dios nos ha mandado. Y os armasteis cada uno de sus armas de guerra, y os apercibisteis para subir al monte.

42 Y Jehová me dijo: Diles: No subáis, ni peleéis, pues no *estoy* entre vosotros; para que no seáis vencidos delante de vuestros enemigos.

43 Y os hablé, y no quisisteis oír; antes fuisteis rebeldes al mandamiento de Jehová, y persistiendo con altivez subisteis al monte.

44 Y los amorreos que habitaban en aquel monte salieron a vuestro encuentro, y os persiguieron como lo hacen las avispas, y os derrotaron en Seir, hasta Horma.

45 Y volvisteis, y llorasteis delante de Jehová; pero Jehová no escuchó vuestra voz, ni os prestó oído.

46 Y estuvisteis en Cades por muchos días, de acuerdo a los días que habéis estado allí.

CAPÍTULO 2

Luego volvimos y nos fuimos al desierto, camino del Mar Rojo, como Jehová me había dicho; y rodeamos el monte de Seir por muchos días.

2 Y Jehová me habló, diciendo:

3 Bastante habéis rodeado este monte; volveos al norte.

4 Y manda al pueblo, diciendo: Pasando vosotros por el territorio de vuestros hermanos, los hijos de Esaú, que habitan en Seir, ellos tendrán miedo de vosotros; mas vosotros guardaos mucho:

5 No os metáis con ellos; que no os daré de su tierra ni aun el ancho de

la planta de un pie; porque yo he dado por heredad a Esaú el monte de Seir.

6 Compraréis de ellos por dinero los alimentos, y comeréis; y también compraréis de ellos por dinero el agua, y beberéis;

7 pues Jehová tu Dios te ha bendecido en toda la obra de tus manos; Él conoce tu caminar por este gran desierto; estos cuarenta años Jehová tu Dios *ha estado* contigo; nada te ha faltado.

8 Y pasamos de nuestros hermanos los hijos de Esaú que habitaban en Seir, por el camino de la llanura de Elat y de Ezión-geber. Y volvimos, y pasamos camino del desierto de Moab.

9 Y Jehová me dijo: No molestes a Moab, ni te empeñes con ellos en guerra, pues no te daré posesión de su tierra; porque yo he dado a Ar *por* heredad a los hijos de Lot.

10 (Allí habitaron antes los emitas, pueblo grande y numeroso, y alto como los anaceos;

11 que también eran contados por gigantes como los anaceos; pero los moabitas los llaman emitas.

12 Y en Seir habitaron antes los horeos, a los cuales echaron los hijos de Esaú; y los destruyeron de delante de sí, y moraron en lugar de ellos; como hizo Israel en la tierra de su posesión que les dio Jehová.)

13 Levantaos ahora, y pasad el arroyo de Zered. Y pasamos el arroyo de Zered.

14 Y el tiempo que anduvimos de Cades-barnea hasta que pasamos el arroyo de Zered, fue de treinta y ocho años; hasta que se acabó toda la generación de los hombres de guerra de en medio del campamento, como Jehová les había jurado.

15 Y también la mano de Jehová fue contra ellos para destruirlos de en medio del campamento, hasta acabarlos.

16 Y aconteció que cuando todos los hombres de guerra se acabaron y perecieron de entre el pueblo,

17 Jehová me habló, diciendo:

18 Tú pasarás hoy el término de Moab, a Ar,

19 y cuando te acerques a los hijos de Amón; no los molestes, ni te

metas con ellos; pues no te daré posesión de la tierra de los hijos de Amón; porque a los hijos de Lot la he dado por heredad.

20 (Por tierra de gigantes fue también ella tenida; habitaron en ella gigantes en otro tiempo, a los cuales los amonitas llamaban zomzomeos;

21 pueblo grande, y numeroso, y alto, como los anaceos; a los cuales Jehová destruyó de delante de los amonitas, quienes les sucedieron, y habitaron en su lugar;

22 como hizo con los hijos de Esaú, que habitaban en Seir, de delante de los cuales destruyó a los horeos; y ellos les sucedieron, y habitaron en su lugar hasta hoy.

23 Y a los aveos que habitaban en Haserin hasta Gaza, los caftoreos que salieron de Caftor los destruyeron, y habitaron en su lugar.)

24 Levantaos, partid, y pasad el arroyo de Arnón; he aquí yo he entregado en tu mano a Sehón amorreo, rey de Hesbón, y a su tierra; comienza a tomar posesión, y contiende con él en guerra.

25 Hoy comenzaré a poner tu miedo y tu espanto sobre los pueblos *que están* debajo de todo el cielo, los cuales oirán tu fama, y temblarán, y se angustiarán delante de ti.

26 Y envié mensajeros desde el desierto de Cademot a Sehón, rey de Hesbón, con palabras de paz, diciendo:

27 Pasaré por tu tierra por el camino: por el camino iré, sin apartarme ni a la derecha ni a la izquierda.

28 La comida me venderás por dinero, y comeré; el agua también me darás por dinero, y beberé; solamente pasaré a pie;

29 como lo hicieron conmigo los hijos de Esaú que habitaban en Seir, y los moabitas que habitaban en Ar; hasta que cruce el Jordán a la tierra que nos da Jehová nuestro Dios.

30 Mas Sehón, rey de Hesbón, no quiso que pasásemos por su territorio; porque Jehová tu Dios había endurecido su espíritu, e hizo obstinado su corazón para entregarlo en tu mano, como *hasta* hoy.

31 Y me dijo Jehová: He aquí yo he

comenzado a dar delante de ti a Sehón y a su tierra; comienza a tomar posesión, para que heredes su tierra.

32 Y nos salió Sehón al encuentro, él y todo su pueblo, para pelear en Jahaza.

33 Mas Jehová nuestro Dios lo entregó delante de nosotros; y lo derrotamos a él y a sus hijos, y a todo su pueblo.

34 Y tomamos entonces todas sus ciudades, y destruimos todas las ciudades, hombres, mujeres y niños; no dejamos ninguno.

35 Solamente tomamos para nosotros el ganado y el despojo de las ciudades que habíamos tomado.

36 Desde Aroer, que está junto a la ribera del arroyo de Arnón, y *desde* la ciudad que *está* junto al arroyo, hasta Galaad, no hubo ciudad que escapase de nosotros; todas las entregó Jehová nuestro Dios en nuestro poder.

37 Solamente a la tierra de los hijos de Amón no llegaste, ni a todo lo que está a la orilla del arroyo de Jaboc ni a las ciudades del monte, ni a lugar alguno que Jehová nuestro Dios había prohibido.

CAPÍTULO 3

Volvimos, pues, y subimos camino de Basán. Y Og, rey de Basán, nos salió al encuentro con todo su pueblo para pelear en Edrei.

2 Y me dijo Jehová: No tengas temor de él, porque en tus manos he entregado a él y a todo su pueblo, y su tierra; y harás con él como hiciste con Sehón, rey de los amorreos, que habitaba en Hesbón.

3 Y Jehová nuestro Dios entregó también en nuestras manos a Og, rey de Basán, y a todo su pueblo, al cual herimos hasta no quedar de él ninguno.

4 Y tomamos entonces todas sus ciudades; no quedó ciudad que no les tomásemos: sesenta ciudades, toda la tierra de Argob, del reino de Og en Basán.

5 Todas éstas *eran* ciudades fortificadas con muros altos, con puertas y cerrojos; además de muchas otras ciudades sin muro.

6 Y las destruimos, como hicimos a Sehón, rey de Hesbón, destruyendo en toda ciudad a hombres, mujeres y niños.

7 Y tomamos para nosotros todo el ganado, y el despojo de las ciudades.

8 También tomamos en aquel tiempo de mano de dos reyes amorreos que *estaban* de este lado del Jordán, la tierra desde el arroyo de Arnón hasta el monte de Hermón.

9 (Los sidonios llaman a Hermón Sirión; y los amorreos lo llaman Senir.)

10 Todas las ciudades de la llanura, y todo Galaad, y todo Basán hasta Salca y Edrei, ciudades del reino de Og en Basán.

11 Porque sólo Og, rey de Basán, había quedado del resto de los gigantes. He aquí su cama, una cama de hierro, ¿no está en Rabá de los hijos de Amón?; la longitud de ella de nueve codos, y su anchura de cuatro codos, al codo de un hombre.

12 Y esta tierra que heredamos en aquel tiempo, desde Aroer, que *está* junto al arroyo de Arnón, y la mitad del monte de Galaad con sus ciudades, la di a los rubenitas y a los gaditas.

13 Y el resto de Galaad y todo Basán, del reino de Og, lo di a la media tribu de Manasés; toda la tierra de Argob, todo Basán, que se llamaba la tierra de los gigantes.

14 Jair hijo de Manasés tomó toda la tierra de Argob hasta el término de Gesur y Maacati; y la llamó de su nombre Basán-havot-jair, hasta hoy.

15 Y Galaad se lo di a Maquir.

16 Y a los rubenitas y a los gaditas les di desde Galaad hasta el arroyo de Arnón, el medio del valle por término; hasta el arroyo de Jaboc, término de los hijos de Amón.

17 También la llanura, con el Jordán como límite, desde Cineret hasta el mar del Arabá, el Mar Salado, hasta las vertientes abajo del Pisga al oriente.

18 Y os mandé en aquel tiempo, diciendo: Jehová vuestro Dios os ha dado esta tierra para que la poseáis; pasaréis armados delante de vuestros hermanos los hijos de Israel todos los valientes.

19 Solamente vuestras esposas, vuestros niños, y vuestros ganados (yo sé que tenéis mucho ganado), quedarán en vuestras ciudades que os he dado,

20 hasta que Jehová dé reposo a vuestros hermanos, así como a vosotros, y hereden también ellos la tierra que Jehová vuestro Dios les ha dado al otro lado del Jordán: entonces os volveréis cada uno a su heredad que yo os he dado.

21 Mandé también a Josué en aquel tiempo, diciendo: Tus ojos vieron todo lo que Jehová vuestro Dios ha hecho a aquellos dos reyes; así hará Jehová a todos los reinos a los cuales pasarás tú.

22 No los temáis; que Jehová vuestro Dios, Él es el que pelea por vosotros.

23 Y oré a Jehová en aquel tiempo, diciendo:

24 Señor Jehová, tú has comenzado a mostrar a tu siervo tu grandeza, y tu mano poderosa; porque ¿qué Dios *hay* en el cielo o en la tierra que haga según tus obras, y conforme a tus proezas?

25 Pase yo, te ruego, y vea aquella tierra buena, que *está* más allá del Jordán, aquel buen monte, y el Líbano.

26 Pero Jehová estaba enojado conmigo por causa de vosotros, por lo cual no me escuchó; y me dijo Jehová: Bástate, no me hables más de este asunto.

27 Sube a la cumbre del Pisga y alza tus ojos al occidente, y al norte, y al sur, y al oriente, y mírala con tus propios ojos; porque tú no cruzarás este Jordán.

28 Y manda a Josué, y anímalo y fortalécelo; porque él pasará delante de este pueblo, y él les hará heredar la tierra que tú verás.

29 Y paramos en el valle delante de Bet-peor.

CAPÍTULO 4

Ahora pues, oh Israel, oye los estatutos y derechos que yo os enseño, para que los ejecutéis y viváis, y entréis y poseáis la tierra que Jehová el Dios de vuestros padres os da.

2 No añadiréis a la palabra que yo os mando, ni disminuiréis de ella, para que guardéis los mandamientos de Jehová vuestro Dios que yo os ordeno.

3 Vuestros ojos vieron lo que hizo Jehová con motivo de Baal-peor; que a todo hombre que fue en pos de Baal-peor destruyó Jehová tu Dios de en medio de ti.

4 Mas vosotros que os aferrasteis a Jehová vuestro Dios, todos *estáis* vivos hoy.

5 Mirad, yo os he enseñado estatutos y derechos tal como Jehová mi Dios me mandó, para que hagáis así en medio de la tierra en la cual entráis para poseerla.

6 Guardadlos, pues, y ponedlos por obra; porque ésta es vuestra sabiduría y vuestra inteligencia ante los ojos de los pueblos, los cuales oirán todos estos estatutos, y dirán: Ciertamente pueblo sabio y entendido, nación grande *es* ésta.

7 Porque ¿qué nación grande *hay* que tenga a Dios *tan* cerca a sí, como lo *está* Jehová nuestro Dios en todo cuanto le pedimos?

8 Y ¿qué nación grande *hay* que tenga estatutos y derechos *tan* justos como toda esta ley que hoy pongo delante de vosotros?

9 Por tanto, guárdate, y guarda tu alma con diligencia, que no te olvides de las cosas que tus ojos han visto, y no se aparten de tu corazón todos los días de tu vida; antes bien, las enseñarás a tus hijos, y a los hijos de tus hijos.

10 El día que estuviste delante de Jehová tu Dios en Horeb, cuando Jehová me dijo: Reúneme el pueblo, para que yo les haga oír mis palabras, las cuales aprenderán, para temerme todos los días que vivieren sobre la tierra: y las enseñarán a sus hijos;

11 y os acercasteis, y os pusisteis al pie del monte; y el monte ardía en fuego hasta en medio de los cielos con tinieblas, nube, y oscuridad.

12 Y Jehová habló con vosotros de en medio del fuego; oísteis la voz de sus palabras, pero a excepción de oír la voz, ninguna figura visteis.

13 Y Él os anunció su pacto, el cual os mandó poner por obra, los diez mandamientos; y los escribió en dos tablas de piedra.

14 A mí también me mandó Jehová en aquel tiempo a enseñaros los estatutos y derechos, para que los pusieseis por obra en la tierra a la cual pasáis para poseerla.

15 Guardad, pues, mucho vuestras almas: pues ninguna figura visteis el día que Jehová habló con vosotros de en medio del fuego;

16 para que no os corrompáis, y hagáis para vosotros escultura, imagen de figura alguna, efigie de varón o hembra,

17 figura de algún animal que sea en la tierra, figura de ave alguna alada que vuele por el aire,

18 figura de ningún *animal* que vaya arrastrando por la tierra, figura de pez alguno que *haya* en el agua debajo de la tierra.

19 No sea que alzando tus ojos al cielo, y viendo el sol y la luna y las estrellas, y todo el ejército del cielo, seas incitado, y te inclines a ellos, y les sirvas; porque Jehová tu Dios los ha concedido a todos los pueblos debajo de todos los cielos.

20 Mas a vosotros Jehová os tomó, y os ha sacado del horno de hierro, de Egipto, para que le seáis por pueblo, *por* heredad, como en este día.

21 Y Jehová se enojó contra mí por causa de vosotros, y juró que yo no pasaría el Jordán, ni entraría en la buena tierra, que Jehová tu Dios te da *por* heredad.

22 Así que yo voy a morir en esta tierra, y no cruzaré el Jordán; pero vosotros pasaréis y poseeréis aquella buena tierra.

23 Guardaos, no sea que olvidéis el pacto de Jehová vuestro Dios, que Él estableció con vosotros, y os hagáis escultura o imagen de cualquier cosa, que Jehová tu Dios te ha prohibido.

24 Porque Jehová tu Dios es fuego consumidor, Dios celoso.

25 Cuando hubiereis engendrado hijos y nietos, y hubiereis envejecido en la tierra, y os corrompiereis, e hiciereis escultura o imagen de cualquier cosa, e hiciereis lo malo ante los ojos de Jehová vuestro Dios, para enojarlo;

26 yo pongo hoy por testigos al cielo y a la tierra, que presto pereceréis totalmente de la tierra hacia la cual pasáis el Jordán para poseerla: no estaréis en ella largos días sin que seáis totalmente destruidos.

27 Y Jehová os esparcirá entre los pueblos, y quedaréis pocos en número entre las naciones a las cuales os llevará Jehová:

28 Y serviréis allí a dioses hechos de manos de hombres, de madera y de piedra, que no ven, ni oyen, ni comen, ni huelen.

29 Mas si desde allí buscares a Jehová tu Dios, lo hallarás, si lo buscares con todo tu corazón y con toda tu alma.

30 Cuando estuviereis en angustia, y te alcanzaren todas estas cosas, si en los postreros días te volvieres a Jehová tu Dios, y oyeres su voz;

31 (porque Jehová tu Dios *es* Dios misericordioso;) Él no te abandonará, ni te destruirá, ni se olvidará del pacto que juró a tus padres.

32 Pues pregunta ahora acerca de los tiempos pasados que fueron antes de ti, desde el día en que Dios creó al hombre sobre la tierra, y desde un extremo del cielo hasta el otro, si se ha hecho cosa tan grande como ésta, o se ha oído algo como esto.

33 ¿Ha oído pueblo *alguno* la voz de Dios, hablando de en medio del fuego, como tú la has oído, y ha sobrevivido?

34 ¿O ha intentado Dios venir a tomar para sí una nación de en medio de *otra* nación, con pruebas, con señales, con milagros y con guerra, y mano fuerte y brazo extendido, y grandes terrores, como todo lo que hizo con vosotros Jehová vuestro Dios en Egipto ante tus ojos?

35 A ti te fue mostrado, para que supieses que Jehová, Él es Dios; no *hay* otro fuera de Él.

36 Desde el cielo te hizo oír su voz, para enseñarte; y sobre la tierra te mostró su gran fuego, y has oído sus palabras de en medio del fuego.

37 Y porque Él amó a tus padres, escogió a su simiente después de ellos, y te sacó delante de sí de Egipto con su gran poder;

38 para echar de delante de ti naciones grandes y más fuertes que tú, y para introducirte, y darte su tierra *por* heredad, como hoy.

39 Reconoce pues, hoy, y reconsidera en tu corazón que Jehová, Él *es* Dios arriba en el cielo, y abajo sobre la tierra; no *hay* otro.

40 Y guarda sus estatutos y sus mandamientos que yo te mando hoy, para que te vaya bien a ti y a tus hijos después de ti, y prolongues *tus* días sobre la tierra que Jehová tu Dios te da para siempre.

41 Entonces apartó Moisés tres ciudades de este lado del Jordán al nacimiento del sol,

42 para que huyese allí el homicida que matase a su prójimo por yerro, sin haber tenido enemistad con él en el pasado; y que huyendo a una de estas ciudades salvase su vida.

43 A Beser en el desierto, en tierra de la llanura, de los rubenitas; y a Ramot en Galaad, de los gaditas; y a Golán en Basán, de los de Manasés.

44 Ésta, pues, *es* la ley que Moisés propuso delante de los hijos de Israel.

45 Éstos *son* los testimonios, y los estatutos, y los derechos, que Moisés notificó a los hijos de Israel, cuando hubieron salido de Egipto;

46 a este lado del Jordán, en el valle delante de Bet-peor, en la tierra de Sehón rey de los amorreos, que habitaba en Hesbón, al cual hirió Moisés con los hijos de Israel, cuando hubieron salido de Egipto:

47 Y poseyeron su tierra, y la tierra de Og rey de Basán; dos reyes de los amorreos que *estaban* de este lado del Jordán, hacia el nacimiento del sol:

48 Desde Aroer, que *está* junto a la ribera del arroyo de Arnón, hasta el monte de Sión, que es Hermón;

49 y toda la llanura de este lado del Jordán, al oriente, hasta el mar del Arabá, hasta las vertientes de las aguas abajo del Pisga.

CAPÍTULO 5

Y Moisés llamó a todo Israel, y les dijo: Oye, Israel, los estatutos y derechos que yo pronuncio hoy en vuestros oídos: y aprendedlos, y guardadlos, para ponerlos por obra.

2 Jehová nuestro Dios hizo pacto con nosotros en Horeb.

3 No con nuestros padres hizo Jehová este pacto, sino con nosotros todos los que estamos aquí hoy vivos.

4 Cara a cara habló Jehová con vosotros en el monte de en medio del fuego

5 (Yo estaba entonces entre Jehová y vosotros, para declararos la palabra de Jehová; porque vosotros tuvisteis temor del fuego, y no subisteis al monte), diciendo:

6 Yo *soy* Jehová tu Dios, que te saqué de la tierra de Egipto, de casa de servidumbre.

7 No tendrás dioses ajenos delante de mí.

8 No harás para ti escultura, ni imagen alguna *de cosa* que *está* arriba en el cielo, o abajo en la tierra, o en las aguas debajo de la tierra:

9 No te inclinarás a ellas ni les servirás: porque yo *soy* Jehová tu Dios, fuerte, celoso, que visito la iniquidad de los padres sobre los hijos hasta la tercera y cuarta *generación* de los que me aborrecen,

10 y que hago misericordia a millares de los que me aman y guardan mis mandamientos.

11 No tomarás en vano el nombre de Jehová tu Dios; porque Jehová no dará por inocente al que tomare en vano su nombre.

12 Guarda el día sábado para santificarlo, como Jehová tu Dios te ha mandado.

13 Seis días trabajarás y harás toda tu obra:

14 Mas el séptimo día *es* el sábado de Jehová tu Dios: no harás en él obra alguna, tú, ni tu hijo, ni tu hija, ni tu siervo, ni tu sierva, ni tu buey, ni tu asno, ni ningún animal tuyo, ni tu extranjero que *está* dentro de tus puertas; para que descanse tu siervo y tu sierva como tú.

15 Y acuérdate que fuiste siervo en tierra de Egipto, y que Jehová tu Dios te sacó de allá con mano fuerte y brazo extendido: por lo cual Jehová tu Dios te ha mandado que guardes el día de reposo.

16 Honra a tu padre y a tu madre, como Jehová tu Dios te ha mandado, para que sean prolongados tus días, y para que te vaya bien sobre la tierra que Jehová tu Dios te da.

17 No matarás.

18 No cometerás adulterio.

19 No hurtarás.

20 No dirás falso testimonio contra tu prójimo.

21 No codiciarás la esposa de tu prójimo, ni desearás la casa de tu prójimo, ni su tierra, ni su siervo, ni su sierva, ni su buey, ni su asno, ni ninguna cosa que *sea* de tu prójimo.

22 Estas palabras habló Jehová a toda vuestra congregación en el monte, de en medio del fuego, de la nube y de la oscuridad, a gran voz: y no añadió más. Y las escribió en dos tablas de piedra, las cuales me dio a mí.

23 Y aconteció que cuando oísteis la voz de en medio de las tinieblas, y visteis al monte que ardía en fuego, os acercasteis a mí, todos los príncipes de vuestras tribus, y vuestros ancianos;

24 y dijisteis: He aquí, Jehová nuestro Dios nos ha mostrado su gloria y su grandeza, y hemos oído su voz de en medio del fuego: hoy hemos visto que Jehová habla al hombre, y éste vive.

25 Ahora pues, ¿por qué moriremos? Porque este gran fuego nos consumirá: si oyéremos otra vez la voz de Jehová nuestro Dios, moriremos.

26 Porque, ¿qué *es* toda carne, para que oiga la voz del Dios viviente que habla de en medio del fuego, como nosotros la oímos, y viva?

27 Acércate tú, y oye todas las cosas que Jehová nuestro Dios diga; y tú nos dirás todo lo que Jehová nuestro Dios te diga, y nosotros lo oiremos y lo haremos.

28 Y oyó Jehová la voz de vuestras palabras, cuando me hablabais; y me dijo Jehová: He oído la voz de las palabras de este pueblo, que ellos te han hablado: bien está todo lo que han dicho.

29 ¡Quién diera que tuviesen tal corazón, que me temiesen, y guardasen todos los días todos mis mandamientos, para que a ellos y a sus hijos les fuese bien para siempre!

30 Ve, diles: Volveos a vuestras tiendas.

31 Y tú quédate aquí conmigo, y te diré todos los mandamientos, y estatutos, y derechos que les has de enseñar, a fin que los pongan ahora por obra en la tierra que yo les doy para poseerla.

32 Mirad, pues, que hagáis como Jehová vuestro Dios os ha mandado: no os apartéis a derecha ni a izquierda;

33 Andad en todo camino que Jehová vuestro Dios os ha mandado, para que viváis, y os vaya bien, y tengáis largos días en la tierra que habéis de poseer.

CAPÍTULO 6

Éstos, pues, *son* los mandamientos, estatutos y decretos que Jehová vuestro Dios mandó que os enseñase, para que *los* pongáis por obra en la tierra a la cual pasáis vosotros para poseerla:

2 Para que temas a Jehová tu Dios, guardando todos sus estatutos y sus mandamientos que yo te mando, tú, y tu hijo, y el hijo de tu hijo, todos los días de tu vida, y que tus días sean prolongados.

3 Oye pues, oh Israel, y cuida de ponerlos por obra, para que te vaya bien, y seáis multiplicados, como te ha prometido Jehová el Dios de tus padres, en la tierra que destila leche y miel.

4 Oye, Israel: Jehová nuestro Dios, Jehová uno *es*:

5 Y amarás a Jehová tu Dios con todo tu corazón, y con toda tu alma, y con todas tus fuerzas.

6 Y estas palabras que yo te mando hoy, estarán sobre tu corazón;

7 y las repetirás a tus hijos, y hablarás de ellas cuando te sientes en tu casa, y cuando andes por el camino, y al acostarte, y cuando te levantes;

8 y las atarás por señal en tu mano, y estarán por frontales entre tus ojos:

9 Y las escribirás en los postes de tu casa, y en tus portadas.

10 Y será, cuando Jehová tu Dios te hubiere introducido en la tierra que juró a tus padres Abraham, Isaac, y Jacob, que te daría; en ciudades grandes y buenas que tú no edificaste,

11 y casas llenas de todo bien, que tú no llenaste, y cisternas cavadas, que tú no cavaste, viñas y olivares que no plantaste; luego que comieres y te saciares,

12 guárdate que no te olvides de Jehová, que te sacó de la tierra de Egipto, de casa de servidumbre.

13 A Jehová tu Dios temerás, y a Él solo servirás, y por su nombre jurarás.

14 No andaréis en pos de dioses ajenos, de los dioses de los pueblos que *están* en vuestros contornos;

15 porque el Dios celoso, Jehová tu Dios, en medio de ti está; no sea que se encienda el furor de Jehová tu Dios contra ti, y te destruya de sobre la faz de la tierra.

16 No tentaréis a Jehová vuestro Dios, como lo tentasteis en Masah.

17 Guardaréis diligentemente los mandamientos de Jehová vuestro Dios, y sus testimonios y sus estatutos que te ha mandado.

18 Y harás *lo* recto y bueno en ojos de Jehová, para que te vaya bien, y entres y poseas la buena tierra que Jehová juró a tus padres;

19 para echar a todos tus enemigos de delante de ti, como Jehová ha dicho.

20 Y cuando mañana te preguntare tu hijo, diciendo: ¿Qué *significan* los testimonios y estatutos y derechos que Jehová nuestro Dios os ha mandado?

21 Entonces dirás a tu hijo: Nosotros éramos siervos de Faraón en Egipto, y Jehová nos sacó de Egipto con mano fuerte;

22 y Jehová mostró señales y milagros grandes y terribles en Egipto, sobre Faraón y sobre toda su casa, delante de nuestros ojos;

23 y nos sacó de allá, para traernos y darnos la tierra que juró a nuestros padres.

24 Y nos mandó Jehová que ejecutásemos todos estos estatutos, y que temiésemos a Jehová nuestro Dios, para que nos vaya bien todos los días, y para preservarnos la vida, como *hasta* hoy.

25 Y tendremos justicia cuando cuidáremos de poner por obra todos estos mandamientos delante de Jehová nuestro Dios, como Él nos ha mandado.

CAPÍTULO 7

Cuando Jehová tu Dios te hubiere introducido en la tierra en la cual tú has de entrar para poseerla, y hubiere echado de delante de ti muchas naciones, al heteo, al gergeseo, y al amorreo, y al cananeo, y al ferezeo, y al heveo, y al jebuseo, siete naciones mayores y más fuertes que tú;

2 y cuando Jehová tu Dios las hubiere entregado delante de ti, las herirás; del todo las destruirás; no harás con ellos alianza, ni les tendrás misericordia.

3 Y no emparentarás con ellos: no darás tu hija a su hijo, ni tomarás a su hija para tu hijo.

4 Porque desviará a tu hijo de en pos de mí, y servirán a dioses ajenos; y el furor de Jehová se encenderá sobre vosotros, y te destruirá presto.

5 Mas así habéis de hacer con ellos: Sus altares destruiréis, y quebraréis sus estatuas, y cortaréis sus imágenes de Asera, y quemaréis sus esculturas en el fuego.

6 Porque tú eres pueblo santo a Jehová tu Dios: Jehová tu Dios te ha escogido para serle un pueblo especial, más que todos los pueblos que están sobre la faz de la tierra.

7 No por ser vosotros más que todos los pueblos os ha querido Jehová, y os ha escogido; porque vosotros *erais* el más pequeño de todos los pueblos;

8 mas porque Jehová os amó, y quiso guardar el juramento que juró a vuestros padres, os ha sacado Jehová con mano fuerte, y os ha rescatado de casa de servidumbre, de la mano de Faraón, rey de Egipto.

9 Conoce, pues, que Jehová tu Dios *es* Dios, Dios fiel, que guarda el pacto y la misericordia a los que le aman y guardan sus mandamientos, hasta las mil generaciones;

10 y que da el pago en su cara al que le aborrece, destruyéndolo; y no lo dilatará al que le odia, en su cara le dará el pago.

11 Guarda por tanto los mandamientos, estatutos y derechos que yo te mando hoy que cumplas.

12 Y será que, si obedeciereis a estos decretos, y los guardares y los pusieres por obra, Jehová tu Dios guardará contigo el pacto y la misericordia que juró a tus padres;

13 y te amará, y te bendecirá, y te multiplicará, y bendecirá el fruto de tu vientre, y el fruto de tu tierra, y tu grano, y tu mosto, y tu aceite, la cría de tus vacas, y los rebaños de tus ovejas, en la tierra que juró a tus padres que te daría.

14 Bendito serás más que todos los pueblos; no habrá en ti varón ni hembra estéril, ni en tus bestias.

15 Y quitará Jehová de ti toda enfermedad; y todas las malas plagas de Egipto, que tú conoces, no las pondrá sobre ti, antes las pondrá sobre todos los que te aborrecieren.

16 Y consumirás a todos los pueblos que te da Jehová tu Dios; no los perdonará el ojo; ni servirás a sus dioses, porque te *será* tropiezo.

17 Cuando dijeres en tu corazón: Estas naciones *son* más *grandes* que yo, ¿cómo las podré desarraigar?

18 No tengas temor de ellos: acuérdate bien de lo que hizo Jehová tu Dios con Faraón y con todo Egipto;

19 de las grandes pruebas que vieron tus ojos, y de las señales y milagros, y de la mano fuerte y brazo extendido con que Jehová tu Dios te sacó: así hará Jehová tu Dios con todos los pueblos de cuya presencia tú temieres.

20 Y también enviará Jehová tu Dios sobre ellos avispas, hasta que perezcan los que quedaren, y los que se hubieren escondido delante de ti.

21 No desmayes delante de ellos, que Jehová tu Dios está en medio de ti, Dios grande y terrible.

22 Y Jehová tu Dios echará a estas naciones de delante de ti poco a poco; no las podrás acabar luego, no sea que las bestias del campo se aumenten contra ti.

23 Mas Jehová tu Dios las entregará delante de ti, y Él las quebrantará con grande destrozo, hasta que sean destruidas.

24 Y Él entregará sus reyes en tu mano, y tú destruirás el nombre de ellos de debajo del cielo; nadie te hará frente hasta que los destruyas.

25 Las esculturas de sus dioses quemarás en el fuego: no codiciarás plata ni oro de sobre ellas para tomarlo para ti, para que no tropieces en ello, pues es abominación a Jehová tu Dios;

26 y no meterás abominación en tu casa, para que no seas anatema como ello; del todo lo aborrecerás y lo abominarás; porque es anatema.

CAPÍTULO 8

Cuidaréis de poner por obra todo mandamiento que yo os ordeno hoy, para que viváis, y seáis multiplicados, y entréis, y poseáis la tierra, de la cual juró Jehová a vuestros padres.

2 Y te acordarás de todo el camino por donde te ha traído Jehová tu Dios estos cuarenta años en el desierto, para afligirte, para probarte, para saber lo que *había* en tu corazón, si habías de guardar o no sus mandamientos.

3 Y te afligió, y te hizo tener hambre, y te sustentó con maná, *comida* que no conocías tú, ni tus padres la habían conocido; para hacerte saber que no sólo de pan vivirá el hombre, sino de toda *palabra* que sale de la boca de Jehová vivirá el hombre.

4 Tu ropa nunca se envejeció sobre ti, ni el pie se te ha hinchado por estos cuarenta años.

5 Reconoce asimismo en tu corazón, que como castiga el hombre a su hijo, así Jehová tu Dios te castiga.

6 Guardarás, pues, los mandamientos de Jehová tu Dios, andando en sus caminos, y temiéndole.

7 Porque Jehová tu Dios te introduce en la buena tierra, tierra de arroyos, de aguas, de fuentes, de abismos que brotan por vegas y montes;

8 tierra de trigo y cebada, y de vides, e higueras, y granados; tierra de olivos, de aceite, y de miel;

9 tierra en la cual no comerás el pan con escasez, no te faltará nada en ella; tierra que sus piedras *son* hierro, y cortarás bronce de sus montes.

10 Y comerás y te saciarás, y bendecirás a Jehová tu Dios por la buena tierra que te habrá dado.

11 Guárdate de que no te olvides de Jehová tu Dios, dejando de observar sus mandamientos, y sus derechos y sus estatutos que yo te ordeno hoy.

12 No sea que comas y te sacies, y edifiques buenas casas en que mores,

13 y se multipliquen tus vacas y tus ovejas, y se te multiplique la plata y el oro, y todo lo que tuvieres se te aumente;

14 y se eleve luego tu corazón, y te olvides de Jehová tu Dios, que te sacó de tierra de Egipto, de casa de siervos;

15 que te hizo caminar por un desierto grande y espantoso, de serpientes ardientes, y de escorpiones, y de sed, donde no *había* agua, y Él te sacó agua de la roca del pedernal;

16 que te sustentó con maná en el desierto, comida que tus padres no habían conocido, afligiéndote y probándote, para a la postre hacerte bien;

17 y digas en tu corazón: Mi poder y la fortaleza de mi mano me han traído esta riqueza.

18 Antes acuérdate de Jehová tu Dios; porque Él te da el poder para hacer las riquezas, a fin de confirmar su pacto que juró a tus padres, como en este día.

19 Mas será que si llegares a olvidarte de Jehová tu Dios, y anduvieres en pos de dioses ajenos, y les sirvieres, y los adorares, yo testifico hoy contra vosotros, que de cierto pereceréis.

20 Como las naciones que Jehová destruirá delante de vosotros, así pereceréis; por cuanto no habréis atendido a la voz de Jehová vuestro Dios.

CAPÍTULO 9

Oye, Israel: tú estás hoy para pasar el Jordán, para entrar a poseer naciones más grandes y más poderosas que tú, ciudades grandes y amuralladas hasta el cielo,

2 un pueblo grande y alto, hijos de los anaceos, de los cuales tienes tú conocimiento, y has oído *decir*: ¿Quién se sostendrá delante de los hijos de Anac?

3 Sabe, pues, hoy que Jehová tu Dios es el que pasa delante de ti, fuego consumidor, que los destruirá y humillará delante de ti: y tú los echarás, y los destruirás luego, como Jehová te ha dicho.

4 No discurras en tu corazón cuando Jehová tu Dios los habrá echado de delante de ti, diciendo: Por mi justicia me ha metido Jehová a poseer esta tierra; pues por la impiedad de estas naciones Jehová las echa de delante de ti.

5 No por tu justicia, ni por la rectitud de tu corazón entras a poseer la tierra de ellos; mas por la impiedad de estas naciones Jehová tu Dios las echa de delante de ti, y para confirmar la palabra que Jehová juró a tus padres Abraham, Isaac, y Jacob.

6 Por tanto, sabe que no por tu justicia Jehová tu Dios te da esta buena tierra para poseerla; que pueblo duro de cerviz eres tú.

7 Acuérdate, no te olvides que has provocado a ira a Jehová tu Dios en el desierto; desde el día que saliste de la tierra de Egipto, hasta que entrasteis en este lugar, habéis sido rebeldes a Jehová.

8 Y en Horeb provocasteis a ira a Jehová, y se enojó Jehová contra vosotros para destruiros.

9 Cuando yo subí al monte para recibir las tablas de piedra, las tablas del pacto que Jehová hizo con vosotros, estuve entonces en el monte cuarenta días y cuarenta noches, sin comer pan ni beber agua;

10 y me dio Jehová las dos tablas de piedra escritas con el dedo de Dios; y en ellas *estaba escrito* conforme a todas las palabras que os habló Jehová en el monte de en medio del fuego, el día de la asamblea.

11 Y fue al cabo de los cuarenta días y cuarenta noches, que Jehová me dio las dos tablas de piedra, las tablas del pacto.

12 Y me dijo Jehová: Levántate, desciende aprisa de aquí; que tu pueblo que sacaste de Egipto se ha corrompido; pronto se han apartado del camino que yo les mandé; se han hecho una imagen de fundición.

13 Y me habló Jehová, diciendo: He visto ese pueblo, y he aquí, que es pueblo duro de cerviz.

14 Déjame que los destruya, y raiga su nombre de debajo del cielo; que yo haré de ti una nación más poderosa y más grande que ellos.

15 Y volví y descendí del monte, el cual ardía en fuego, con las tablas del pacto en mis dos manos.

16 Y miré, y he aquí habíais pecado contra Jehová vuestro Dios; os habíais hecho un becerro de fundición, apartándoos pronto del camino que Jehová os había mandado.

17 Entonces tomé las dos tablas, y las arrojé de mis dos manos, y las quebré delante de vuestros ojos.

18 Y me postré delante de Jehová, como antes, cuarenta días y cuarenta noches; no comí pan ni bebí agua, a causa de todo vuestro pecado que habíais cometido haciendo mal en ojos de Jehová para enojarlo.

19 Porque temí a causa del furor y de la ira con que Jehová estaba enojado contra vosotros para destruiros. Pero Jehová me escuchó también esta vez.

20 Contra Aarón también se enojó Jehová en gran manera para destruirlo; y también oré por Aarón entonces.

21 Y tomé vuestro pecado, el becerro que habíais hecho, y lo quemé en el fuego, y lo desmenucé moliéndolo muy bien, hasta que fue reducido a polvo; y eché el polvo de él en el arroyo que descendía del monte.

22 También en Tabera, y en Masah, y en Kibrot-hataava, enojasteis a Jehová.

23 Y cuando Jehová os envió desde Cades-barnea, diciendo: Subid y poseed la tierra que yo os he dado; también fuisteis rebeldes al mandato de Jehová vuestro Dios, y no le creísteis, ni obedecisteis a su voz.

24 Rebeldes habéis sido a Jehová desde el día que yo os conozco.

25 Me postré, pues, delante de Jehová cuarenta días y cuarenta noches (como me había postrado *antes*) porque Jehová dijo que os había de destruir.

26 Y oré a Jehová, diciendo: Oh Señor Jehová, no destruyas a tu pueblo y a tu heredad que has redimido con tu grandeza, que sacaste de Egipto con mano fuerte.

27 Acuérdate de tus siervos Abraham, Isaac, y Jacob; no mires a la dureza de este pueblo, ni a su impiedad, ni a su pecado;

28 no sea que digan los de la tierra de donde nos sacaste: Por cuanto no pudo Jehová introducirlos en la tierra

que les había dicho, o porque los aborrecía, los sacó para matarlos en el desierto.

29 Y ellos son tu pueblo y tu heredad, que sacaste con tu gran fortaleza y con tu brazo extendido.

CAPÍTULO 10

En aquel tiempo Jehová me dijo: Lábrate dos tablas de piedra como las primeras, y sube a mí al monte, y hazte un arca de madera;

2 y escribiré en aquellas tablas palabras que estaban en las tablas primeras que quebraste; y las pondrás en el arca.

3 E hice un arca de madera *de* acacia, y labré dos tablas de piedra como las primeras, y subí al monte con las dos tablas en mi mano.

4 Y escribió en las tablas conforme a la primera escritura, los diez mandamientos que Jehová os había hablado en el monte de en medio del fuego, el día de la asamblea; y me las dio Jehová.

5 Y volví y descendí del monte, y puse las tablas en el arca que había hecho; y allí están, como Jehová me mandó

6 (Después partieron los hijos de Israel de Beerot-bene-jaacán a Moserá; allí murió Aarón, y allí fue sepultado; y en lugar suyo tuvo el sacerdocio su hijo Eleazar.

7 De allí partieron a Gudgod, y de Gudgod a Jotbata, tierra de arroyos de aguas.

8 En aquel tiempo apartó Jehová la tribu de Leví, para que llevase el arca del pacto de Jehová, para que estuviese delante de Jehová para servirle, y para bendecir en su nombre, hasta hoy.

9 Por lo cual Leví no tuvo parte ni heredad con sus hermanos; Jehová es su heredad, como Jehová tu Dios le dijo.)

10 Y yo estuve en el monte como los primeros días, cuarenta días y cuarenta noches; y Jehová me escuchó también esta vez, y no quiso Jehová destruirte.

11 Y me dijo Jehová: Levántate, anda, para que vayas delante del pueblo, para que entren y posean la tierra que juré a sus padres que les había de dar.

12 Ahora, pues, Israel, ¿qué pide Jehová tu Dios de ti, sino que temas a Jehová tu Dios, que andes en todos sus caminos, y lo ames, y sirvas a Jehová tu Dios con todo tu corazón, y con toda tu alma;

13 que guardes los mandamientos de Jehová y sus estatutos, que yo te prescribo hoy para tu bien?

14 He aquí, de Jehová tu Dios es el cielo, y el cielo de los cielos; la tierra, y todas las cosas que *hay* en ella.

15 Solamente de tus padres se agradó Jehová para amarlos, y escogió su simiente después de ellos, a vosotros, de entre todos los pueblos, como en este día.

16 Circuncidad, pues, el prepucio de vuestro corazón, y no endurezcáis más vuestra cerviz.

17 Porque Jehová vuestro Dios *es* Dios de dioses, y Señor de señores, Dios grande, poderoso, y terrible, que no hace acepción de personas, ni toma cohecho;

18 Que hace justicia al huérfano y a la viuda; que ama también al extranjero dándole pan y vestido.

19 Amaréis, pues, al extranjero; porque extranjeros fuisteis vosotros en tierra de Egipto.

20 A Jehová tu Dios temerás, a Él servirás, a Él seguirás, y por su nombre jurarás.

21 Él *es* tu alabanza, y Él *es* tu Dios, que ha hecho contigo estas grandes y terribles cosas que tus ojos han visto.

22 Con setenta almas descendieron tus padres a Egipto; y ahora Jehová te ha hecho como las estrellas del cielo en multitud.

CAPÍTULO 11

Amarás, pues, a Jehová tu Dios, y guardarás su ordenanza, y sus estatutos y sus derechos y sus mandamientos, todos los días.

2 Y comprended hoy; porque no *hablo* con vuestros hijos que no han sabido ni visto el castigo de Jehová vuestro Dios, su grandeza, su mano fuerte, y su brazo extendido,

3 y sus señales, y sus obras que hizo en medio de Egipto a Faraón, rey de Egipto, y a toda su tierra;

4 y lo que hizo al ejército de Egipto, a sus caballos y a sus carros; cómo hizo que las aguas del Mar Rojo cayeran sobre ellos cuando venían tras vosotros, y Jehová los destruyó hasta hoy;

5 y lo que ha hecho con vosotros en el desierto, hasta que habéis llegado a este lugar;

6 y lo que hizo con Datán y Abiram, hijos de Eliab hijo de Rubén; cómo abrió la tierra su boca, y se tragó a ellos y a sus casas, y sus tiendas, y toda la hacienda que *tenían* en pie en medio de todo Israel.

7 Mas vuestros ojos han visto todos los grandes hechos que Jehová ha ejecutado.

8 Guardad, pues, todos los mandamientos que yo os prescribo hoy, para que seáis fortalecidos, y entréis y poseáis la tierra, a la cual pasáis para poseerla;

9 y para que os sean prolongados los días sobre la tierra, que juró Jehová a vuestros padres, que había de darla a ellos y a su simiente, tierra que fluye leche y miel.

10 Que la tierra a la cual entras para poseerla, no *es* como la tierra de Egipto de donde habéis salido, donde sembrabas tu simiente, y regabas con tu pie, como huerto de hortaliza.

11 La tierra a la cual pasáis para poseerla, *es* tierra de montes y de vegas; que bebe el agua de la lluvia del cielo;

12 tierra de la cual Jehová tu Dios cuida; siempre *están* sobre ella los ojos de Jehová tu Dios, desde el principio del año hasta el fin del año.

13 Y será que, si obedeciereis cuidadosamente mis mandamientos que yo os prescribo hoy, amando a Jehová vuestro Dios, y sirviéndole con todo vuestro corazón, y con toda vuestra alma,

14 yo daré la lluvia de vuestra tierra en su tiempo, la temprana y la tardía; y recogerás tu grano, y tu vino, y tu aceite.

15 Daré también hierba en tu campo para tus bestias; y comerás, y te saciarás.

16 Guardaos, pues, que vuestro corazón no se infatúe, y os apartéis, y sirváis a dioses ajenos, y os inclinéis a ellos;

17 Y así se encienda el furor de Jehová sobre vosotros, y cierre los cielos, y no haya lluvia, ni la tierra dé su fruto, y perezcáis pronto de la buena tierra que os da Jehová.

18 Por tanto, pondréis estas mis palabras en vuestro corazón y en vuestra alma, y las ataréis por señal en vuestra mano, y serán por frontales entre vuestros ojos.

19 Y las enseñaréis a vuestros hijos, hablando de ellas, cuando estés sentado en tu casa, y cuando andes por el camino; cuando te acuestes, y cuando te levantes;

20 y las escribirás en los postes de tu casa, y en tus puertas;

21 para que sean aumentados vuestros días, y los días de vuestros hijos, sobre la tierra que juró Jehová a vuestros padres que les había de dar, como los días de los cielos sobre la tierra.

22 Porque si guardareis cuidadosamente todos estos mandamientos que yo os prescribo, para que los cumpláis; y si amareis a Jehová vuestro Dios andando en todos sus caminos, y siguiéndole a Él,

23 Jehová también echará a todas estas naciones de delante de vosotros y poseeréis naciones grandes y más fuertes que vosotros.

24 Todo lugar que pisare la planta de vuestro pie, será vuestro; desde el desierto y el Líbano, desde el río, el río Éufrates, hasta el mar postrero será vuestro término.

25 Nadie se sostendrá delante de vosotros; miedo y temor de vosotros pondrá Jehová vuestro Dios sobre la faz de toda la tierra que hollareis, como Él os ha dicho.

26 He aquí yo pongo hoy delante de vosotros la bendición y la maldición:

27 La bendición, si obedeciereis los mandamientos de Jehová vuestro Dios, que yo os prescribo hoy;

28 y la maldición, si no obedeciereis los mandamientos de Jehová vuestro Dios, y os apartareis del camino que yo os ordeno hoy, para ir en pos de dioses ajenos que no habéis conocido.

29 Y será que, cuando Jehová tu Dios te introdujere en la tierra a la cual vas para poseerla, pondrás la bendición sobre el monte Gerizim, y la maldición sobre el monte Ebal.

30 ¿No *están* éstos al otro lado del Jordán, hacia donde se pone el sol, en la tierra de los cananeos, que habitan el Arabá, frente a Gilgal, junto a la llanura de Moreh?

31 Porque vosotros pasáis el Jordán, para ir a poseer la tierra que os da Jehová vuestro Dios; y la poseeréis, y habitaréis en ella.

32 Cuidaréis, pues, de poner por obra todos los estatutos y derechos que yo presento hoy delante de vosotros.

CAPÍTULO 12

Éstos *son* los estatutos y derechos que cuidaréis de poner por obra, en la tierra que Jehová el Dios de tus padres te ha dado para que la poseas, todos los días que vosotros viviereis sobre la tierra.

2 Destruiréis enteramente todos los lugares donde las naciones que vosotros heredareis sirvieron a sus dioses, sobre los montes altos, y sobre los collados, y debajo de todo árbol espeso:

3 Y derribaréis sus altares, y quebraréis sus estatuas, y sus imágenes de Asera consumiréis con fuego; y destruiréis las esculturas de sus dioses, y extirparéis el nombre de ellas de aquel lugar.

4 No haréis así a Jehová vuestro Dios.

5 Mas el lugar que Jehová vuestro Dios escogiere de todas vuestras tribus, para poner allí su nombre para su habitación, ése buscaréis, y allá iréis:

6 Y allí llevaréis vuestros holocaustos, y vuestros sacrificios, y vuestros diezmos, y la ofrenda elevada de vuestras manos, y vuestros votos, y vuestras ofrendas voluntarias, y los primogénitos de vuestras vacas y de vuestras ovejas;

7 y comeréis allí delante de Jehová vuestro Dios, y os alegraréis, vosotros y vuestras familias, en toda obra de vuestras manos en que Jehová tu Dios te hubiere bendecido.

8 No haréis como todo lo que hacemos nosotros aquí ahora, cada uno *hace* lo que parece bien a sus propios ojos,

9 porque aún hasta ahora no habéis entrado al reposo y a la heredad que os da Jehová vuestro Dios.

10 Mas pasaréis el Jordán, y habitaréis en la tierra que Jehová vuestro Dios os hace heredar, y Él os dará reposo de todos vuestros enemigos alrededor, y habitaréis seguros.

11 Y al lugar que Jehová vuestro Dios escogiere para hacer habitar en él su nombre, allí llevaréis todas las cosas que yo os mando; vuestros holocaustos, y vuestros sacrificios, vuestros diezmos, y las ofrendas elevadas de vuestras manos, y todo lo escogido de vuestros votos que hubiereis prometido a Jehová;

12 y os alegraréis delante de Jehová vuestro Dios, vosotros, y vuestros hijos, y vuestras hijas, y vuestros siervos, y vuestras siervas, y el levita que *estuviere* en vuestras poblaciones; por cuanto no tiene parte ni heredad con vosotros.

13 Guárdate, que no ofrezcas tus holocaustos en cualquier lugar que vieres;

14 sino en el lugar que Jehová escogiere, en una de tus tribus, allí ofrecerás tus holocaustos, y allí harás todo lo que yo te mando.

15 Con todo, podrás matar y comer carne en todas tus poblaciones conforme al deseo de tu alma, según la bendición de Jehová tu Dios que Él te habrá dado; el inmundo y el limpio la comerá, como la de corzo o de ciervo.

16 Salvo que sangre no comeréis; sobre la tierra la derramaréis como agua.

17 Ni podrás comer en tus poblaciones el diezmo de tu grano, o de tu vino, o de tu aceite, ni de los primogénitos de tus vacas, ni de tus ovejas, ni tus votos que prometieres, ni tus ofrendas voluntarias, ni las ofrendas elevadas de tus manos:

18 Mas delante de Jehová tu Dios las comerás, en el lugar que Jehová tu Dios hubiere escogido, tú, y tu hijo, y tu hija, y tu siervo, y tu sierva, y el levita que *está* en tus poblaciones; y te alegrarás delante de Jehová tu Dios en toda obra de tus manos.

19 Ten cuidado de no desamparar al levita en todos tus días sobre tu tierra.

20 Cuando Jehová tu Dios ensanchare tu término, como Él te ha dicho, y tú dijeres: Comeré carne, porque deseó tu alma comerla, conforme a todo el deseo de tu alma comerás carne.

21 Cuando estuviere lejos de ti el lugar que Jehová tu Dios habrá escogido, para poner allí su nombre, matarás de tus vacas y de tus ovejas, que Jehová te hubiere dado, como te he mandado yo, y comerás en tus puertas según todo lo que deseare tu alma.

22 Lo mismo que se come el corzo y el ciervo, así las comerás; el inmundo y el limpio comerán también de ellas.

23 Sólo asegúrate de no comer sangre; porque la sangre *es* la vida; y no has de comer la vida juntamente con su carne.

24 No la comerás; en tierra la derramarás como agua.

25 No comerás de ella; para que te vaya bien a ti, y a tus hijos después de ti, cuando hicieres lo recto en ojos de Jehová.

26 Pero las cosas que tuvieres consagradas, y tus votos, las tomarás, y vendrás al lugar que Jehová hubiere escogido;

27 y ofrecerás tus holocaustos, la carne y la sangre, sobre el altar de Jehová tu Dios: y la sangre de tus sacrificios será derramada sobre el altar de Jehová tu Dios, y comerás la carne.

28 Guarda y escucha todas estas palabras que yo te mando, para que te vaya bien a ti y a tus hijos después de ti para siempre, cuando hicieres lo bueno y lo recto ante los ojos de Jehová tu Dios.

29 Cuando Jehová tu Dios hubiere destruido delante de ti las naciones a donde tú vas para poseerlas, y las heredares, y habitares en su tierra,

30 guárdate que no tropieces en pos de ellas, después que fueren destruidas delante de ti; no preguntes acerca de sus dioses, diciendo: ¿Cómo servían estas naciones a sus dioses? Así haré yo también.

31 No harás así a Jehová tu Dios; porque todo lo que Jehová aborrece, hicieron ellos a sus dioses; pues aun a sus hijos e hijas quemaban en el fuego a sus dioses.

32 Cuidaréis de hacer todo lo que yo os mando; no añadirás a ello, ni quitarás de ello.

CAPÍTULO 13

Cuando se levantare en medio de ti profeta, o soñador de sueños, y te diere señal o prodigio,

2 y se cumpliere la señal o prodigio que él te dijo, diciendo: Vamos en pos de dioses ajenos, que no conociste, y sirvámosles;

3 no darás oído a las palabras de tal profeta, ni al tal soñador de sueños; porque Jehová vuestro Dios os prueba, para saber si amáis a Jehová vuestro Dios con todo vuestro corazón, y con toda vuestra alma.

4 En pos de Jehová vuestro Dios andaréis, y a Él temeréis, y guardaréis sus mandamientos, y escucharéis su voz, y a Él serviréis, y a Él seguiréis.

5 Y el tal profeta o soñador de sueños, ha de ser muerto; por cuanto habló para alejaros de Jehová vuestro Dios (que te sacó de tierra de Egipto, y te rescató de casa de siervos), y para echarte del camino por el que Jehová tu Dios te mandó que anduvieses. Así quitarás el mal de en medio de ti.

6 Cuando te incitare tu hermano, hijo de tu madre, o tu hijo, o tu hija, o la esposa de tu seno, o tu amigo que sea como tu alma, diciendo en secreto: Vamos y sirvamos a dioses ajenos, que ni tú ni tus padres conocisteis,

7 de los dioses de los pueblos que *están* en vuestros alrededores, cerca de ti o lejos de ti, desde un extremo de la tierra hasta el otro extremo de ella,

8 no consentirás con él, ni le darás oído; ni tu ojo le perdonará, ni tendrás compasión, ni lo encubrirás;

9 antes has de matarlo; tu mano será primero sobre él para matarle, y después la mano de todo el pueblo.

10 Y lo apedrearás hasta que muera; por cuanto procuró apartarte de Jehová tu Dios, que te sacó de tierra de Egipto, de casa de siervos;

11 para que todo Israel oiga, y tema, y no tornen a hacer cosa semejante a esta mala cosa en medio de ti.

12 Cuando oyeres de alguna de tus ciudades que Jehová tu Dios te da para que mores en ellas, que se dice:

13 Hombres, hijos de impiedad, han salido de en medio de ti, que han instigado a los moradores de su ciudad, diciendo: Vamos y sirvamos a dioses ajenos, que vosotros no conocisteis;

14 tú inquirirás, y buscarás, y preguntarás con diligencia; y si pareciere verdad, cosa cierta, que tal abominación se hizo en medio de ti,

15 irremisiblemente herirás a filo de espada a los moradores de aquella ciudad, destruyéndola con todo lo que en ella *hubiere*, y también sus bestias a filo de espada.

16 Y juntarás todo el despojo de ella en medio de su plaza, y consumirás con fuego la ciudad y todo su despojo, todo ello, a Jehová tu Dios; y será un montón para siempre; nunca más se edificará.

17 Y no se pegará algo a tu mano del anatema; para que Jehová se aparte del furor de su ira y te muestre misericordia, y tenga compasión de ti, y te multiplique, como lo juró a tus padres,

18 cuando obedecieres a la voz de Jehová tu Dios, guardando todos sus mandamientos que yo te prescribo hoy, para hacer *lo* recto en ojos de Jehová tu Dios.

CAPÍTULO 14

Hijos *sois* de Jehová vuestro Dios; no os sajaréis, ni pondréis calva sobre vuestros ojos por muerto;

2 porque eres pueblo santo a Jehová tu Dios, y Jehová te ha escogido para que le seas un pueblo singular de entre todos los pueblos que están sobre la faz de la tierra.

3 Nada abominable comerás.

4 Éstos *son* los animales que comeréis: el buey, la oveja, y la cabra,

5 el ciervo, la gacela, el corzo, la cabra montés, el antílope, el carnero montés y el gamo.

6 Y todo animal de pezuñas, que tiene hendidura de dos uñas, y que

rumiare entre los animales, ese comeréis.

7 Pero éstos no comeréis, de los que rumian, o tienen uña hendida; camello, o liebre, y conejo, porque rumian, mas no tienen uña hendida, os serán inmundos;

8 ni puerco; porque tiene uña hendida, mas no rumia, os será inmundo. De la carne de éstos no comeréis, ni tocaréis sus cuerpos muertos.

9 Esto comeréis de todo lo que *está* en el agua; todo lo que tiene aleta y escama comeréis;

10 mas todo lo que no tuviere aleta y escama, no comeréis; inmundo os será.

11 Toda ave limpia comeréis.

12 Y *éstas* son de las que no comeréis; el águila, el quebrantahuesos, el esmerejón,

13 el azor, el halcón y el milano según su especie,

14 y todo cuervo según su especie,

15 El búho, el halcón nocturno, la gaviota, el gavilán según su especie,

16 la lechuza, el búho real, el cisne,

17 el pelícano, el buitre, el calamón,

18 la cigüeña, la garza según su especie, la abubilla y el murciélago.

19 Y todo insecto alado os será inmundo; no se comerá.

20 Toda ave limpia comeréis.

21 Ninguna cosa mortecina comeréis: al extranjero que está en tus poblaciones la darás, y él la comerá: o véndela al extranjero; porque tú eres pueblo santo a Jehová tu Dios. No cocerás el cabrito en la leche de su madre.

22 Sin falta diezmarás todo el producto de tu sementera, que rindiere *tu* campo cada año.

23 Y comerás delante de Jehová tu Dios en el lugar que Él escogiere para hacer habitar allí su nombre, el diezmo de tu grano, de tu vino, y de tu aceite, y los primerizos de tus manadas, y de tus ganados, para que aprendas a temer a Jehová tu Dios todos los días.

24 Y si el camino fuere tan largo que tú no puedas llevarlo por él, por estar lejos de ti el lugar que Jehová tu Dios hubiere escogido para poner en él su nombre, cuando Jehová tu Dios te bendijere,

25 entonces lo venderás, y atarás el dinero en tu mano, y vendrás al lugar que Jehová tu Dios escogiere;

26 y darás el dinero por todo lo que deseare tu alma, por vacas, o por ovejas, o por vino, o por sidra, o por cualquier cosa que tu alma te demandare; y comerás allí delante de Jehová tu Dios, y te alegrarás tú y tu familia.

27 Y no desampararás al levita que *habitare* en tus poblaciones; porque no tiene parte ni heredad contigo.

28 Al cabo de cada tres años sacarás todo el diezmo de tus productos de aquel año, y lo guardarás en tus ciudades.

29 Y vendrá el levita, que no tiene parte ni heredad contigo, y el extranjero, el huérfano y la viuda que *hubiere* en tus poblaciones, y comerán y serán saciados; para que Jehová tu Dios te bendiga en toda obra de tus manos que hicieres.

CAPÍTULO 15

Al final de cada siete años harás remisión.

2 Y ésta *es* la manera de la remisión: perdonará a su deudor todo aquel que hizo empréstito de su mano, con que obligó a su prójimo; no lo demandará más a su prójimo, o a su hermano; porque la remisión de Jehová es pregonada.

3 Del extranjero demandarás el reintegro: mas lo que tu hermano tuviere tuyo, lo perdonará tu mano;

4 Para que así no haya en ti mendigo; porque Jehová te bendecirá con abundancia en la tierra que Jehová tu Dios te da por heredad para que la poseas,

5 si sólo escuchares fielmente la voz de Jehová tu Dios, para guardar y cumplir todos estos mandamientos que yo te intimo hoy.

6 Ya que Jehová tu Dios te habrá bendecido, como te ha dicho, prestarás entonces a muchas naciones, mas tú no tomarás prestado; y señorearás sobre muchas naciones, pero ellas no señorearán sobre ti.

7 Cuando hubiere en ti menesteroso de alguno de tus hermanos en alguna de tus ciudades, en tu tierra que

Jehová tu Dios te da, no endurecerás tu corazón, ni cerrarás tu mano a tu hermano pobre:

8 Mas abrirás a él tu mano liberalmente, y en efecto le prestarás lo que basta, lo que necesite.

9 Guárdate que no haya en tu corazón perverso pensamiento, diciendo: Cerca está el año séptimo, el de la remisión; y tu ojo sea maligno sobre tu hermano menesteroso para no darle: que él podrá clamar contra ti a Jehová, y se te imputará a pecado.

10 Sin falta le darás, y no sea tu corazón maligno cuando le dieres: que por ello te bendecirá Jehová tu Dios en todos tus hechos, y en todo lo que pusieres mano.

11 Porque no faltarán menesterosos de en medio de la tierra; por eso yo te mando, diciendo: Abrirás tu mano a tu hermano, a tu pobre, y a tu menesteroso en tu tierra.

12 Cuando se vendiere a ti tu hermano hebreo o hebrea, y te hubiere servido seis años, al séptimo año le despedirás libre de ti.

13 Y cuando lo despidieres libre de ti, no lo enviarás vacío:

14 Le abastecerás liberalmente de tus ovejas, de tu era, y de tu lagar; le darás de aquello en que Jehová te hubiere bendecido.

15 Y te acordarás que fuiste siervo en la tierra de Egipto, y que Jehová tu Dios te rescató: por tanto yo te mando esto hoy.

16 Y será que, si él te dijere: No saldré de contigo; porque te ama a ti y a tu casa, y porque le va bien contigo;

17 entonces tomarás una lezna, y horadarás su oreja junto a la puerta, y será tu siervo para siempre: así también harás a tu criada.

18 No te parezca duro cuando de ti le enviares libre; que digno de doble salario de jornalero te sirvió seis años: y Jehová tu Dios te bendecirá en todo cuanto hicieres.

19 Santificarás a Jehová tu Dios todo primogénito macho de tus vacas y de tus ovejas: no te servirás del primogénito de tus vacas, ni trasquilarás el primogénito de tus ovejas.

20 Delante de Jehová tu Dios los comerás cada un año, tú y tu familia, en el lugar que Jehová escogiere.

21 Y si hubiere en él tacha, ciego o cojo, o cualquiera mala falta, no lo sacrificarás a Jehová tu Dios.

22 En tus poblaciones lo comerás; el inmundo lo mismo que el limpio *comerán de él*, como de un corzo o de un ciervo.

23 Solamente que no comas su sangre: sobre la tierra la derramarás como agua.

CAPÍTULO 16

Guardarás el mes de Abib, y harás pascua a Jehová tu Dios: porque en el mes de Abib te sacó Jehová tu Dios de Egipto de noche.

2 Y sacrificarás la pascua a Jehová tu Dios, de las ovejas y de las vacas, en el lugar que Jehová escogiere para hacer habitar allí su nombre.

3 No comerás con ella leudo; siete días comerás con ella pan por leudar, pan de aflicción, porque aprisa saliste de tierra de Egipto: para que te acuerdes del día en que saliste de la tierra de Egipto todos los días de tu vida.

4 Y no se dejará ver levadura contigo en todo tu término por siete días; y de la carne que matares a la tarde del primer día, no quedará hasta la mañana.

5 No podrás sacrificar la pascua en ninguna de tus ciudades, que Jehová tu Dios te da;

6 Sino en el lugar que Jehová tu Dios escogiere para hacer habitar allí su nombre, sacrificarás la pascua por la tarde a puesta del sol, al tiempo que saliste de Egipto:

7 Y la asarás y comerás en el lugar que Jehová tu Dios hubiere escogido; y por la mañana te volverás y restituirás a tu morada.

8 Seis días comerás pan sin levadura, y el séptimo día *será* fiesta solemne a Jehová tu Dios; no harás obra en él.

9 Siete semanas te contarás; desde que comiences *a meter* la hoz en la mies comenzarás a contar las siete semanas.

10 Y harás la solemnidad de las semanas a Jehová tu Dios; de la suficiencia voluntaria de tu mano será lo que dieres, según Jehová tu Dios te hubiere bendecido.

11 Y te alegrarás delante de Jehová tu Dios, tú, y tu hijo, y tu hija, y tu siervo, y tu sierva, y el levita que *estuviere* en tus ciudades, y el extranjero, y el huérfano, y la viuda, que *estuvieren* en medio de ti, en el lugar que Jehová tu Dios hubiere escogido para hacer habitar allí su nombre.

12 Y acuérdate que fuiste siervo en Egipto; por tanto guardarás y cumplirás estos estatutos.

13 La solemnidad de las cabañas harás por siete días, cuando hubieres hecho la cosecha de tu era y de tu lagar.

14 Y te alegrarás en tus fiestas solemnes, tú, y tu hijo, y tu hija, y tu siervo, y tu sierva, y el levita, y el extranjero, y el huérfano, y la viuda, que *están* en tus poblaciones.

15 Siete días celebrarás fiestas solemnes a Jehová tu Dios en el lugar que Jehová escogiere; porque te habrá bendecido Jehová tu Dios en todos tus frutos, y en toda obra de tus manos, y estarás ciertamente alegre.

16 Tres veces cada año se presentará todo varón tuyo delante de Jehová tu Dios en el lugar que Él escogiere; en la fiesta de los panes sin levadura, y en la fiesta de las semanas, y en la fiesta de los tabernáculos. Y no te presentarás con las manos vacías delante de Jehová:

17 Cada uno *dará* lo que pueda, conforme a la bendición de Jehová tu Dios, que Él te hubiere dado.

18 Jueces y alcaldes te pondrás en todas tus ciudades que Jehová tu Dios te dará en tus tribus, los cuales juzgarán al pueblo con justo juicio.

19 No tuerzas el derecho; no hagas acepción de personas, ni tomes soborno; porque el soborno ciega los ojos de los sabios, y pervierte las palabras de los justos.

20 La justicia, la justicia seguirás, para que vivas y heredes la tierra que Jehová tu Dios te da.

21 No te plantarás ningún árbol de Asera cerca del altar de Jehová tu Dios, que tú te habrás hecho.

22 Ni te levantarás estatua; lo cual aborrece Jehová tu Dios.

No vendrás con las manos vacías
CAPÍTULO 17

No sacrificarás para Jehová tu Dios, buey, o cordero, en el cual haya falta o alguna cosa mala; porque es abominación a Jehová tu Dios.

2 Cuando se hallare entre ti, en alguna de tus ciudades que Jehová tu Dios te da, hombre, o mujer, que haya hecho mal en ojos de Jehová tu Dios traspasando su pacto,

3 que hubiere ido y servido a dioses ajenos, y se hubiere inclinado a ellos, ya sea al sol, o a la luna, o a todo el ejército del cielo, lo cual yo no he mandado;

4 y te fuere dado aviso, y, después que oyeres y hubieres indagado bien, la cosa parece de verdad cierta, que tal abominación ha sido hecha en Israel;

5 entonces sacarás al hombre o mujer que hubiere hecho esta mala cosa, a tus puertas, hombre o mujer, y los apedrearás con piedras, y así morirán.

6 Por dicho de dos testigos, o de tres testigos, morirá el que hubiere de morir; no morirá por el dicho de un solo testigo.

7 La mano de los testigos será primero sobre él para matarlo, y después la mano de todo el pueblo: así quitarás el mal de en medio de ti.

8 Cuando alguna cosa te fuere oculta en juicio entre sangre y sangre, entre causa y causa, y entre llaga y llaga, en negocios de litigio en tus ciudades; entonces te levantarás y recurrirás al lugar que Jehová tu Dios escogiere;

9 Y vendrás a los sacerdotes levitas, y al juez que fuere en aquellos días, y preguntarás; y te enseñarán la sentencia del juicio.

10 Y harás según la sentencia que te indicaren los del lugar que Jehová escogiere, y cuidarás de hacer según todo lo que te manifestaren.

11 Según la ley que ellos te enseñaren, y según el juicio que te dijeren, harás: no te apartarás ni a derecha ni a izquierda de la sentencia que te mostraren.

12 Y el hombre que procediere con soberbia, no obedeciendo al sacerdote que está para ministrar allí delante de Jehová tu Dios, o al juez,

el tal varón morirá: y quitarás el mal de Israel.

13 Y todo el pueblo oirá, y temerá, y no se ensoberbecerán más.

14 Cuando hubieres entrado en la tierra que Jehová tu Dios te da, y la poseyeres, y habitares en ella, y dijeres: Pondré rey sobre mí, como todas las naciones que *están* en mis alrededores;

15 sin duda pondrás por rey sobre ti al que Jehová tu Dios escogiere; de entre tus hermanos pondrás rey sobre ti: no podrás poner sobre ti hombre extranjero, que no sea tu hermano.

16 Pero que no se aumente caballos, ni haga volver el pueblo a Egipto para acrecentar caballos; porque Jehová os ha dicho: No procuraréis volver más por este camino.

17 Ni aumentará para sí esposas, para que su corazón no se desvíe; ni plata ni oro acumulará para sí en gran cantidad.

18 Y será, cuando se sentare sobre el trono de su reino, que ha de escribir para sí en un libro una copia de esta ley, *la cual está* delante de los sacerdotes levitas.

19 Y la tendrá consigo, y leerá en ella todos los días de su vida, para que aprenda a temer a Jehová su Dios, para guardar todas las palabras de esta ley y estos estatutos, para ponerlos por obra;

20 para que no se eleve su corazón sobre sus hermanos, ni se aparte del mandamiento a derecha ni a izquierda: a fin que prolongue sus días en su reino, él y sus hijos, en medio de Israel.

CAPÍTULO 18

Los sacerdotes levitas, toda la tribu de Leví, no tendrán parte ni heredad con Israel; de las ofrendas encendidas a Jehová, y de la heredad de Él comerán.

2 No tendrán, pues, heredad entre sus hermanos: Jehová es su heredad, como Él les ha dicho.

3 Y éste será el derecho de los sacerdotes de parte del pueblo, de los que ofrecieren en sacrificio buey o cordero; darán al sacerdote la espalda, y las quijadas, y el cuajar.

4 Las primicias de tu grano, de tu vino, y de tu aceite, y las primicias de la lana de tus ovejas le darás;

5 Porque le ha escogido Jehová tu Dios de todas tus tribus, para que esté para ministrar al nombre de Jehová, él y sus hijos para siempre.

6 Y cuando el levita saliere de alguna de tus ciudades de todo Israel, donde hubiere peregrinado, y viniere con todo deseo de su alma al lugar que Jehová escogiere,

7 ministrará al nombre de Jehová su Dios, como todos sus hermanos los levitas que estuvieren allí delante de Jehová.

8 Tendrán porciones iguales para comer, aparte de lo que obtengan por la venta de sus patrimonios.

9 Cuando hubieres entrado en la tierra que Jehová tu Dios te da, no aprenderás a hacer según las abominaciones de aquellas naciones.

10 No sea hallado en ti quien haga pasar a su hijo o a su hija por el fuego, ni quien practique adivinación, ni agorero, ni sortílego, ni hechicero,

11 ni encantador, ni adivino, ni espiritista, ni quien consulte a los muertos.

12 Porque *es* abominación a Jehová cualquiera que hace estas cosas, y por estas abominaciones Jehová tu Dios las echa de delante de ti.

13 Perfecto serás para con Jehová tu Dios.

14 Porque estas naciones que has de heredar, escuchan a agoreros y a adivinos; pero en cuanto a ti, Jehová tu Dios no te ha permitido eso.

15 Profeta de en medio de ti, de tus hermanos, como yo, te levantará Jehová tu Dios; a Él oiréis:

16 Conforme a todo lo que pediste a Jehová tu Dios en Horeb el día de la asamblea, diciendo: No vuelva yo a oír la voz de Jehová mi Dios, ni vea yo más este gran fuego, para que no muera.

17 Y Jehová me dijo: Han *hablado* bien en *lo que* han dicho.

18 Profeta les levantaré de en medio de sus hermanos, como tú; y pondré mis palabras en su boca, y Él les hablará todo lo que yo le mande.

19 Y sucederá que a cualquiera que no escuche mis palabras que Él ha

de hablar en mi nombre, yo lo llamaré a cuentas.

20 Pero el profeta que tenga la presunción de hablar palabra en mi nombre que yo no le haya mandado hablar, o que hable en nombre de dioses ajenos, el tal profeta morirá.

21 Y si dices en tu corazón: ¿Cómo conoceremos la palabra que Jehová no ha hablado?

22 Cuando un profeta hable en el nombre de Jehová, y no acontece tal cosa, ni se cumple, es palabra que Jehová no ha hablado; con presunción la habló el tal profeta; no tengas temor de él.

CAPÍTULO 19

Cuando Jehová tu Dios cortare a las naciones cuya tierra Jehová tu Dios te da a ti, y tú las heredares, y habitares en sus ciudades y en sus casas;

2 Te apartarás tres ciudades en medio de tu tierra que Jehová tu Dios te da para que la poseas.

3 Te arreglarás el camino, y dividirás en tres partes el término de tu tierra, que Jehová tu Dios te dará en heredad, y será para que todo homicida huya allí.

4 Y éste es el caso del homicida que ha de huir allí para salvar su vida; el que hiriere a su prójimo por yerro, al cual no le tenía aversión previamente.

5 Como el que fue con su prójimo al monte a cortar leña, y poniendo fuerza con su mano en el hacha para cortar algún leño, saltó el hierro del cabo, y encontró a su prójimo, y murió; aquél huirá a una de estas ciudades, y vivirá;

6 no sea que el pariente del muerto vaya tras el homicida, cuando se enardeciere su corazón, y le alcance por ser largo el camino, y le hiera de muerte, no debiendo ser condenado a muerte; por cuanto no tenía enemistad con su prójimo previamente.

7 Por tanto yo te mando, diciendo: Tres ciudades te apartarás.

8 Y si Jehová tu Dios ensanchare tu territorio, como lo juró a tus padres, y te diere toda la tierra que prometió dar a tus padres;

9 y guardares todos estos mandamientos, que yo te prescribo hoy, para ponerlos por obra; que ames a Jehová tu Dios y andes en sus caminos todos los días, entonces añadirás tres ciudades a más de estas tres;

10 para que no sea derramada sangre inocente en medio de tu tierra que Jehová tu Dios te da por heredad, y sea sobre ti sangre.

11 Mas cuando hubiere alguno que aborreciere a su prójimo, y lo acechare, y se levantare sobre él, y lo hiriere de muerte, y muriere, y huyere a alguna de estas ciudades;

12 entonces los ancianos de su ciudad enviarán y lo sacarán de allí, y lo entregarán en mano del pariente del muerto, y morirá.

13 No le perdonará tu ojo; y quitarás de Israel la sangre inocente, y te irá bien.

14 No reducirás el término de tu prójimo, el cual señalaron los antiguos en tu heredad, la que poseyeres en la tierra que Jehová tu Dios te da para que la poseas.

15 No valdrá un solo testigo contra ninguno en cualquier delito ni en cualquier pecado, en cualquier pecado que se cometiere. En el testimonio de dos testigos, o en el testimonio de tres testigos consistirá el asunto.

16 Cuando se levantare testigo falso contra alguno, para testificar alguna transgresión contra él,

17 entonces los dos hombres litigantes se presentarán delante de Jehová, delante de los sacerdotes y jueces que fueren en aquellos días.

18 Y los jueces inquirirán bien, y si aquel testigo resultare falso, y que testificó falsamente contra su hermano,

19 entonces haréis a él como él pensó hacer a su hermano; y quitarás el mal de en medio de ti.

20 Y los que quedaren oirán, y temerán, y no volverán más a hacer una mala cosa como ésta, en medio de ti.

21 Y no perdonará tu ojo; vida por vida, ojo por ojo, diente por diente, mano por mano, pie por pie.

CAPÍTULO 20

Cuando salieres a la guerra contra tus enemigos, y vieres caballos y carros, y un pueblo más grande que tú, no tengas temor de ellos, porque Jehová tu Dios es contigo, el cual te sacó de tierra de Egipto.

2 Y será que, cuando os acercareis para combatir, vendrá el sacerdote, y hablará al pueblo,

3 y les dirá: Oye, Israel, vosotros os juntáis hoy en batalla contra vuestros enemigos; no desmaye vuestro corazón, no temáis, no os azoréis, ni tampoco os desalentéis delante de ellos.

4 Porque Jehová vuestro Dios va con vosotros, para pelear por vosotros contra vuestros enemigos, para salvaros.

5 Y los oficiales hablarán al pueblo, diciendo: ¿Quién ha edificado casa nueva, y no la ha estrenado? Vaya, y vuélvase a su casa, no sea que muera en la batalla, y algún otro la estrene.

6 ¿Y quién ha plantado viña, y no ha hecho común uso de ella? Vaya, y vuélvase a su casa, no sea que muera en la batalla, y algún otro la goce.

7 ¿Y quién se ha desposado con mujer, y no la ha tomado? Vaya, y vuélvase a su casa, no sea que muera en la batalla, y algún otro la tome.

8 Y los oficiales hablarán otra vez al pueblo, y dirán: ¿Quién es hombre medroso y apocado de corazón? Vaya, y vuélvase a su casa, y no apoque el corazón de sus hermanos, como el corazón suyo.

9 Y será que, cuando los oficiales acabaren de hablar al pueblo, entonces los capitanes de los ejércitos mandarán delante del pueblo.

10 Cuando te acercares a una ciudad para combatirla, le proclamarás la paz.

11 Y será que, si te diere una respuesta de paz, y te abriere, todo el pueblo que en ella fuere hallado te será tributario, y te servirá.

12 Mas si no hiciere paz contigo, y emprendiere guerra contra ti, entonces la sitiarás.

13 Luego que Jehová tu Dios la entregare en tu mano, herirás a todo varón suyo a filo de espada.

14 pero las mujeres y los niños, y los animales, y todo lo que haya en la ciudad, todo el despojo, tomarás para ti; comerás del despojo de tus enemigos, que Jehová tu Dios te ha entregado.

15 Así harás a todas las ciudades que están muy lejos de ti, que no son de las ciudades de estas naciones.

16 Pero de las ciudades de estos pueblos que Jehová tu Dios te da por heredad, no dejarás con vida nada que respire;

17 sino que del todo los destruirás; al heteo, al amorreo, al cananeo, al ferezeo, al heveo y al jebuseo, como Jehová tu Dios te ha mandado;

18 para que no os enseñen a hacer según todas sus abominaciones, que ellos hacen para sus dioses, y pequéis contra Jehová vuestro Dios.

19 Cuando pusieres cerco a alguna ciudad, peleando contra ella muchos días para tomarla, no destruirás sus árboles metiendo hacha en ellos, porque de ellos podrás comer; y no los talarás para emplearlos en el sitio, porque el árbol del campo es la vida del hombre.

20 Mas el árbol que supieres que no es árbol para comer, lo destruirás y lo talarás, y construye baluarte contra la ciudad que pelea contigo, hasta sojuzgarla.

CAPÍTULO 21

Y si en la tierra que Jehová tu Dios te da para que la poseas, fuere hallado alguien muerto, tendido en el campo, y no se supiere quién lo mató,

2 entonces tus ancianos y tus jueces saldrán y medirán hasta las ciudades que están alrededor del muerto.

3 Y será, que los ancianos de aquella ciudad, de la ciudad más cercana al muerto, tomarán de la vacada una becerra que no haya trabajado, que no haya llevado yugo;

4 y los ancianos de aquella ciudad traerán la becerra a un valle áspero, que nunca haya sido arado ni sembrado, y cortarán el cuello a la becerra allí en el valle.

5 Entonces vendrán los sacerdotes hijos de Leví, porque a ellos escogió

Jehová tu Dios para que le sirvan, y para bendecir en nombre de Jehová; y por la palabra de ellos se resolverá toda controversia y toda ofensa.

6 Y todos los ancianos de aquella ciudad más cercana al muerto lavarán sus manos sobre la becerra degollada en el valle.

7 Y protestarán, y dirán: Nuestras manos no han derramado esta sangre, ni nuestros ojos lo vieron.

8 Sé misericordioso, oh Jehová, para con tu pueblo Israel, al cual tú redimiste; y no imputes la sangre inocente a tu pueblo Israel. Y la sangre les será perdonada.

9 Y tú quitarás *la culpa de* la sangre inocente de en medio de ti, cuando hicieres *lo que es* recto a los ojos de Jehová.

10 Cuando salieres a la guerra contra tus enemigos, y Jehová tu Dios los entregare en tu mano, y tomares de ellos cautivos,

11 y vieres entre los cautivos *alguna* mujer hermosa, y la codiciares, y la tomares para ti por esposa,

12 la meterás en tu casa; y ella rasurará su cabeza, y cortará sus uñas,

13 y se quitará el vestido de su cautiverio, y se quedará en tu casa y llorará a su padre y a su madre por todo un mes; y después entrarás a ella, y tú serás su marido, y ella será tu esposa.

14 Y si ella no te agradare, entonces la dejarás en libertad; no la venderás por dinero, ni mercadearás con ella, por cuanto la humillaste.

15 Y si un hombre tuviere dos esposas, una amada y otra aborrecida, y la amada y la aborrecida le dieren hijos, y el hijo primogénito fuere de la aborrecida;

16 será que, el día que hiciere heredar a sus hijos lo que tuviere, no podrá dar el derecho de primogenitura al hijo de la amada con preferencia al hijo de la aborrecida, *que es* el primogénito;

17 sino que al hijo de la aborrecida reconocerá por primogénito, dándole una porción doble de todo lo que tiene; porque *él es* el principio de su vigor, suyo *es* el derecho de la primogenitura.

18 Cuando alguno tuviere hijo contumaz y rebelde, que no obedeciere a la voz de su padre ni a la voz de su madre, y habiéndolo castigado, no les obedeciere;

19 entonces su padre y su madre lo tomarán, y lo sacarán a los ancianos de su ciudad, y a la puerta de su ciudad;

20 y dirán a los ancianos de la ciudad: Este nuestro hijo es contumaz y rebelde, no obedece a nuestra voz; *es* glotón y borracho.

21 Entonces todos los hombres de su ciudad lo apedrearán hasta que muera; así quitarás el mal de en medio de ti; y todo Israel oirá, y temerá.

22 Y si alguno hubiere cometido algún pecado digno de muerte, y lo hiciereis morir, y lo colgareis de un madero,

23 su cuerpo no ha de permanecer toda la noche en el madero, sino que sin falta lo enterrarás el mismo día, porque maldito por Dios es el colgado; y no contaminarás tu tierra que Jehová tu Dios te da *por* heredad.

CAPÍTULO 22

No verás el buey de tu hermano, o su cordero, perdidos, y te retirarás de ellos; sin falta los volverás a tu hermano.

2 Y si tu hermano no *fuere* tu vecino, o no lo conocieres, los recogerás en tu casa, y estarán contigo hasta que tu hermano los busque, y se los devolverás.

3 Y así harás con su asno, así harás también con su vestido, y lo mismo harás con toda cosa perdida de tu hermano que se le perdiere y tú la hallares; no podrás retraerte de ello.

4 No verás el asno de tu hermano, o su buey, caídos en el camino, y te esconderás de ellos; sin falta le ayudarás a levantarlos.

5 No vestirá la mujer ropa de hombre, ni el hombre se pondrá vestido de mujer; porque abominación *es* a Jehová tu Dios cualquiera que esto hace.

6 Si encontrares en el camino algún nido de ave en cualquier árbol, o sobre la tierra, con pollos o huevos, y estuviere la madre echada sobre los

pollos o sobre los huevos, no tomarás la madre con los hijos;

7 sin falta dejarás ir a la madre, y tomarás los pollos para ti; para que te vaya bien, y prolongues tus días.

8 Cuando edificares casa nueva, harás pretil a tu terrado, para que no pongas sangre en tu casa, si de él cayere alguno.

9 No sembrarás tu viña con varias semillas, para que no se pierda la plenitud de la semilla que sembraste, y el fruto de la viña.

10 No ararás con buey y con asno juntamente.

11 No vestirás ropa con mixtura de lana y lino juntamente.

12 Te harás flecos en las cuatro orillas de tu manto con que te cubrieres.

13 Cuando alguno tomare esposa, y después de haber entrado a ella la aborreciere,

14 y le atribuyere algunas faltas, y esparciere sobre ella mala fama y dijere: Tomé a esta mujer y me llegué a ella, y no la hallé virgen;

15 entonces el padre de la joven y su madre tomarán, y sacarán *las señales* de la virginidad de la doncella a los ancianos de la ciudad, en la puerta.

16 Y dirá el padre de la joven a los ancianos: Yo di mi hija a este hombre por esposa, y él la aborrece;

17 y he aquí, él le pone tachas de algunas cosas, diciendo: No encontré virgen a tu hija. Pero he aquí *las señales* de la virginidad de mi hija. Y extenderán la sábana delante de los ancianos de la ciudad.

18 Entonces los ancianos de la ciudad tomarán al hombre y lo castigarán;

19 Y le multarán con cien *siclos* de plata, los cuales darán al padre de la joven, por cuanto esparció mala fama sobre una virgen de Israel; y ella será su esposa; no podrá despedirla en todos sus días.

20 Mas si esto fuere verdad, que no se hubiere hallado virginidad en la joven,

21 entonces la sacarán a la puerta de la casa de su padre, y la apedrearán con piedras los hombres de su ciudad, y morirá; por cuanto hizo vileza en Israel fornicando en casa de su padre; así quitarás el mal de en medio de ti.

22 Cuando se sorprendiere alguno acostado con mujer casada con marido, *ambos* morirán, el hombre que se acostó con la mujer, y la mujer; así quitarás el mal de Israel.

23 Si hubiere una doncella virgen desposada con marido, y alguno la hallare en la ciudad, y se acostare con ella;

24 entonces los sacaréis a ambos a la puerta de aquella ciudad, y los apedrearán con piedras, y morirán; la doncella porque no dio voces en la ciudad, y el hombre porque humilló a la esposa de su prójimo; así quitarás el mal de en medio de ti.

25 Mas si el hombre hallare en el campo a una doncella desposada, y él la forzare y se acostare con ella, entonces morirá sólo el hombre que se acostó con ella;

26 y a la doncella no harás nada; la doncella no tiene culpa de muerte; porque como cuando alguno se levanta contra su prójimo, y le quita la vida, así *es en* este caso.

27 Porque él la halló en el campo; y la doncella desposada dio voces, pero no *hubo* quien la librase.

28 Cuando alguno hallare doncella virgen, que no fuere desposada, y la tomare y se acostare con ella, y fueren hallados;

29 entonces el hombre que se acostó con ella dará al padre de la doncella cincuenta *siclos* de plata, y ella será su esposa, por cuanto la humilló; no la podrá despedir en todos sus días.

30 No tomará alguno la esposa de su padre, ni descubrirá el regazo de su padre.

CAPÍTULO 23

No entrará en la congregación de Jehová el que fuere quebrado, ni el castrado.

2 No entrará bastardo en la congregación de Jehová; ni aun en la décima generación entrará en la congregación de Jehová.

3 No entrará amonita ni moabita en la congregación de Jehová; ni aun en la décima generación entrará en la congregación de Jehová para siempre,

4 por cuanto no os salieron a recibir con pan y agua al camino, cuando

salisteis de Egipto; y porque alquiló contra ti a Balaam hijo de Beor de Petor, de Mesopotamia, para que te maldijese.

5 Mas Jehová tu Dios no quiso oír a Balaam; y Jehová tu Dios te cambió la maldición en bendición, porque Jehová tu Dios te amaba.

6 No procurarás la paz de ellos ni su bien en todos los días para siempre.

7 No aborrecerás al idumeo, pues es tu hermano; no aborrecerás al egipcio, porque extranjero fuiste en su tierra.

8 Los hijos que nacieren de ellos, a la tercera generación entrarán en la congregación de Jehová.

9 Cuando salieres a campaña contra tus enemigos, guárdate de toda cosa mala.

10 Cuando hubiere en ti alguno que no esté limpio, por causa de alguna impureza que le aconteciere de noche, saldrá del campamento, y no entrará en él.

11 Y será que al declinar de la tarde se lavará con agua, y cuando se haya puesto el sol, *podrá* entrar en el campamento.

12 Y tendrás un lugar fuera del campamento, y saldrás allá fuera.

13 Tendrás también una estaca entre tus armas; y será que, cuando estuvieres allí fuera, cavarás con ella, y luego al volverte cubrirás tu excremento;

14 porque Jehová tu Dios anda en medio de tu campamento, para librarte y entregar a tus enemigos delante de ti; por tanto, será santo tu campamento; para que Él no vea en ti cosa inmunda, y se vuelva de en pos de ti.

15 No entregarás a su señor el siervo que se huyere a ti de su amo.

16 Morará contigo, en medio de ti, en el lugar que escogiere en alguna de tus ciudades, donde bien le pareciere; no lo oprimirás.

17 No habrá ramera de las hijas de Israel, ni habrá sodomita de los hijos de Israel.

18 No traerás precio de ramera, ni precio de perro a la casa de Jehová tu Dios por ningún voto; porque abominación es a Jehová tu Dios así lo uno como lo otro.

19 No le prestarás a tu hermano por interés, interés de dinero, interés de comida, ni interés de cosa alguna que suele prestarse por interés.

20 Podrás cobrar interés a un extranjero, pero a tu hermano no le cobrarás interés, para que te bendiga Jehová tu Dios en toda obra de tus manos sobre la tierra a la cual entras para poseerla.

21 Cuando prometieres voto a Jehová tu Dios, no tardarás en pagarlo; porque ciertamente lo demandará Jehová tu Dios de ti, y sería pecado en ti.

22 Mas si te abstuvieres de prometer, no sería pecado en ti.

23 Aquello que hubiere salido de tus labios, lo guardarás y lo cumplirás; aun la ofrenda voluntaria como lo prometiste a Jehová tu Dios, lo cual prometiste con tu boca.

24 Cuando entrares en la viña de tu prójimo, podrás comer las uvas que desees, hasta saciarte; mas no pondrás ninguna en tu alforja.

25 Cuando entrares en la mies de tu prójimo, podrás cortar espigas con tu mano; mas no aplicarás hoz a la mies de tu prójimo.

CAPÍTULO 24

Cuando alguno tomare mujer y se casare con ella, si no le agradare por haber hallado en ella alguna cosa vergonzosa, le escribirá carta de divorcio, y se la entregará en su mano, y la despedirá de su casa.

2 Y salida de su casa, podrá ir y casarse con otro hombre.

3 Y si la aborreciere este último, y le escribiere carta de divorcio, y se la entregare en su mano, y la despidiere de su casa; o si muriere el postrer hombre que la tomó para sí por esposa,

4 no podrá su primer marido, que la despidió, volverla a tomar para que sea su esposa, después que fue amancillada; porque *es* abominación delante de Jehová, y no has de pervertir la tierra que Jehová tu Dios te da por heredad.

5 Cuando alguno tomare esposa nueva, no saldrá a la guerra, ni en ninguna cosa se le ocupará; libre

estará en su casa por un año, para alegrar a su esposa que tomó.

6 No tomarás en prenda la muela de molino, ni la de abajo ni la de arriba: porque *sería* tomar en prenda la vida *del hombre*.

7 Si fuere hallado alguno que hubiere hurtado a uno de sus hermanos los hijos de Israel, y hubiere mercadeado con él, o le hubiere vendido, el tal ladrón morirá, y quitarás el mal de en medio de ti.

8 Guárdate de llaga de lepra, observando diligentemente, y haciendo según todo lo que os enseñaren los sacerdotes levitas: cuidaréis de hacer como les he mandado.

9 Acuérdate de lo que hizo Jehová tu Dios a Miriam en el camino, después que salisteis de Egipto.

10 Cuando prestares alguna cosa a tu prójimo, no entrarás en su casa para tomarle prenda;

11 fuera estarás, y el hombre a quien prestaste, te sacará afuera la prenda.

12 Y si *fuere* hombre pobre, no duermas con su prenda:

13 Precisamente le devolverás la prenda cuando el sol se ponga, para que duerma en su ropa, y te bendiga: y te será justicia delante de Jehová tu Dios.

14 No oprimirás al jornalero pobre y menesteroso, ya sea de tus hermanos o de tus extranjeros que *están* en tu tierra dentro de tus ciudades:

15 En su día le darás su jornal, y no se pondrá el sol sin dárselo; pues *es* pobre, y con él sustenta su vida; para que no clame contra ti a Jehová, y sea en ti pecado.

16 Los padres no morirán por los hijos, ni los hijos por los padres; cada uno morirá por su pecado.

17 No torcerás el derecho del peregrino y del huérfano; ni tomarás por prenda la ropa de la viuda,

18 sino que te acordarás que fuiste siervo en Egipto, y que de allí te rescató Jehová tu Dios; por tanto, yo te mando que hagas esto.

19 Cuando segares tu mies en tu campo y olvidares alguna gavilla en el campo, no regresarás a tomarla; será para el extranjero, para el huérfano y para la viuda; para que te

bendiga Jehová tu Dios en toda obra de tus manos.

20 Cuando sacudieres tus olivos, no recorrerás las ramas que hayas dejado tras de ti; serán para el extranjero, para el huérfano y para la viuda.

21 Cuando vendimiares tu viña, no rebuscarás tras de ti; será para el extranjero, para el huérfano y para la viuda.

22 Y acuérdate que fuiste siervo en tierra de Egipto; por tanto, yo te mando que hagas esto.

CAPÍTULO 25

Cuando hubiere pleito entre algunos, y vinieren a juicio, y los juzgaren, y absolvieren al justo y condenaren al inicuo,

2 será que, si el delincuente mereciere ser azotado, entonces el juez lo hará echar en tierra, y le hará azotar delante de sí, según su delito, por cuenta,

3 le hará dar cuarenta azotes, no más; no sea que, si lo hiriere con muchos azotes a más de éstos, se envilezca tu hermano delante de tus ojos.

4 No pondrás bozal al buey que trilla.

5 Cuando hermanos habitaren juntos, y muriere alguno de ellos, y no tuviere hijo, la esposa del muerto no se casará fuera con hombre extraño; su cuñado entrará a ella, y la tomará por su esposa, y hará con ella parentesco.

6 Y será que el primogénito que ella diere a luz, se levantará en nombre de su hermano el muerto, para que el nombre de éste no sea raído de Israel.

7 Y si el hombre no quisiere tomar a su cuñada, irá entonces la cuñada suya a la puerta a los ancianos, y dirá: Mi cuñado no quiere suscitar nombre en Israel a su hermano; no quiere emparentar conmigo.

8 Entonces los ancianos de aquella ciudad lo harán venir, y hablarán con él; y si él se levantare, y dijere: No quiero tomarla,

9 se acercará entonces su cuñada a él delante de los ancianos, y le descalzará el zapato de su pie, y le

escupirá en el rostro, y hablará y dirá: Así será hecho al varón que no edificare la casa de su hermano.

10 Y su nombre será llamado en Israel: La casa del descalzado.

11 Cuando algunos riñeren juntos el uno con el otro, y llegare la esposa de uno para librar a su marido de mano del que le hiere, y metiere su mano y le trabare de sus vergüenzas;

12 le cortarás entonces la mano, no la perdonará tu ojo.

13 No tendrás en tu bolsa pesa grande y pesa chica.

14 No tendrás en tu casa efa grande y efa pequeño.

15 Pesas cumplidas y justas tendrás; efa cabal y justo tendrás; para que tus días sean prolongados sobre la tierra que Jehová tu Dios te da.

16 Porque abominación es a Jehová tu Dios cualquiera que hace esto, cualquiera que hace agravio.

17 Acuérdate de lo que te hizo Amalec en el camino, cuando salisteis de Egipto:

18 Que te salió al camino, y te desbarató la retaguardia de todos los débiles que iban detrás de ti, cuando tú estabas cansado y fatigado; y no temió a Dios.

19 Será pues, cuando Jehová tu Dios te hubiere dado reposo de tus enemigos alrededor, en la tierra que Jehová tu Dios te da por heredar para que la poseas, que raerás la memoria de Amalec de debajo del cielo: no te olvides.

CAPÍTULO 26

Y será que, cuando hubieres entrado en la tierra que Jehová tu Dios te da por heredad, y la poseyeres, y habitares en ella;

2 entonces tomarás de las primicias de todos los frutos de la tierra, que sacares de tu tierra que Jehová tu Dios te da, y lo pondrás en un canastillo, e irás al lugar que Jehová tu Dios escogiere para hacer habitar allí su nombre.

3 Y llegarás al sacerdote que fuere en aquellos días, y le dirás: Reconozco hoy a Jehová tu Dios que he entrado en la tierra que juró Jehová a nuestros padres que nos había de dar.

4 Y el sacerdote tomará el canastillo de tu mano, y lo pondrá delante del altar de Jehová tu Dios.

5 Entonces hablarás y dirás delante de Jehová tu Dios: Un arameo a punto de perecer fue mi padre, el cual descendió a Egipto y peregrinó allá con pocos hombres, y allí llegó a ser una nación grande, fuerte y numerosa;

6 y los egipcios nos maltrataron y nos afligieron, y pusieron sobre nosotros dura servidumbre.

7 Y clamamos a Jehová el Dios de nuestros padres; y Jehová oyó nuestra voz, y vio nuestra aflicción, y nuestro trabajo, y nuestra opresión.

8 Y Jehová nos sacó de Egipto con mano fuerte, y con brazo extendido, y con grande espanto, y con señales y con milagros:

9 Y nos trajo a este lugar, y nos dio esta tierra, tierra que fluye leche y miel.

10 Y ahora, he aquí, he traído las primicias del fruto de la tierra que me diste, oh Jehová. Y lo dejarás delante de Jehová tu Dios, y adorarás delante de Jehová tu Dios.

11 Y te alegrarás con todo el bien que Jehová tu Dios te hubiere dado a ti y a tu casa, tú y el levita, y el extranjero que está en medio de ti.

12 Cuando hubieres acabado de diezmar todo el diezmo de tus frutos en el año tercero, el año del diezmo, darás también al levita, al extranjero, al huérfano y a la viuda; y comerán en tus villas, y se saciarán.

13 Y dirás delante de Jehová tu Dios: Yo he sacado lo consagrado de mi casa, y también lo he dado al levita, y al extranjero, y al huérfano, y a la viuda, conforme a todos tus mandamientos que me ordenaste; no he traspasado tus mandamientos ni me he olvidado de ellos.

14 No he comido de ello en mi luto, ni he sacado de ello en inmundicia, ni de ello he ofrecido para los muertos; he obedecido a la voz de Jehová mi Dios, he hecho conforme a todo lo que me has mandado.

15 Mira desde la morada de tu santidad, desde el cielo, y bendice a tu pueblo Israel, y a la tierra que nos has dado, como juraste a nuestros

padres, tierra que fluye leche y miel.

16 Jehová tu Dios te manda hoy que cumplas estos estatutos y derechos; cuida, pues, de ponerlos por obra con todo tu corazón, y con toda tu alma.

17 A Jehová has proclamado hoy para que te sea por Dios, y para andar en sus caminos, y para guardar sus estatutos y sus mandamientos y sus derechos, y para oír su voz:

18 Y Jehová te ha proclamado hoy para que le seas su peculiar pueblo, como Él te lo había prometido; para que guardes todos sus mandamientos,

19 y para exaltarte sobre todas las naciones que Él hizo, para loor, y fama, y gloria; y para que seas pueblo santo a Jehová tu Dios, como Él ha dicho.

CAPÍTULO 27

Y mandó Moisés, con los ancianos de Israel, al pueblo, diciendo: Guardaréis todos los mandamientos que yo prescribo hoy.

2 Y será que, el día que pasareis el Jordán a la tierra que Jehová tu Dios te da, te has de levantar piedras grandes, las cuales revocarás con cal:

3 Y escribirás en ellas todas las palabras de esta ley, cuando hubieres pasado para entrar en la tierra que Jehová tu Dios te da, tierra que fluye leche y miel, como Jehová el Dios de tus padres te ha dicho.

4 Será pues, cuando hubieres pasado el Jordán, que levantaréis estas piedras que yo os mando hoy, en el monte de Ebal, y las revocarás con cal:

5 Y edificarás allí altar a Jehová tu Dios, altar de piedras: no alzarás sobre ellas *instrumento de* hierro.

6 De piedras enteras edificarás el altar de Jehová tu Dios; y ofrecerás sobre él holocausto a Jehová tu Dios;

7 y sacrificarás ofrendas de paz, y comerás allí; y te alegrarás delante de Jehová tu Dios.

8 Y escribirás en las piedras todas las palabras de esta ley muy claramente.

9 Y Moisés, con los sacerdotes levitas, habló a todo Israel, diciendo: Atiende y escucha, Israel; hoy eres hecho pueblo de Jehová tu Dios.

10 Oirás pues la voz de Jehová tu Dios, y cumplirás sus mandamientos y sus estatutos, que yo te ordeno hoy.

11 Y mandó Moisés al pueblo en aquel día, diciendo:

12 Éstos estarán sobre el monte de Gerizim para bendecir al pueblo, cuando hubiereis pasado el Jordán: Simeón, y Leví, y Judá, e Isacar, y José y Benjamín.

13 Y éstos estarán para pronunciar la maldición en el monte Ebal: Rubén, Gad, Aser, Zabulón, Dan y Neftalí.

14 Y hablarán los levitas, y dirán a todo varón de Israel en alta voz:

15 Maldito el hombre que hiciere escultura o imagen de fundición, abominación a Jehová, obra de mano de artífice, y la pusiere en oculto. Y todo el pueblo responderá y dirá: Amén.

16 Maldito el que deshonrare a su padre o a su madre. Y dirá todo el pueblo: Amén.

17 Maldito el que redujere el término de su prójimo. Y dirá todo el pueblo: Amén.

18 Maldito el que hiciere errar al ciego en el camino. Y dirá todo el pueblo: Amén.

19 Maldito el que torciere el derecho del extranjero, del huérfano, y de la viuda. Y dirá todo el pueblo: Amén.

20 Maldito el que se acostare con la esposa de su padre; por cuanto descubrió el regazo de su padre. Y dirá todo el pueblo: Amén.

21 Maldito el que se ayuntare con cualquier clase de bestia. Y dirá todo el pueblo: Amén.

22 Maldito el que se acostare con su hermana, hija de su padre, o hija de su madre. Y dirá todo el pueblo: Amén.

23 Maldito el que se acostare con su suegra. Y dirá todo el pueblo: Amén.

24 Maldito el que hiriere a su prójimo ocultamente. Y dirá todo el pueblo: Amén.

25 Maldito el que recibiere cohecho para quitar la vida al inocente. Y dirá todo el pueblo: Amén.

26 Maldito el que no confirmare las palabras de esta ley para cumplirlas. Y dirá todo el pueblo: Amén.

CAPÍTULO 28

Y será que, si oyeres diligente la voz de Jehová tu Dios, para guardar y poner por obra todos sus mandamientos que yo te prescribo hoy, también Jehová tu Dios te pondrá en alto sobre todas las naciones de la tierra;

2 y vendrán sobre ti todas estas bendiciones, y te alcanzarán, cuando oyeres la voz de Jehová tu Dios.

3 Bendito *serás* tú en la ciudad, y bendito tú en el campo.

4 Bendito el fruto de tu vientre, y el fruto de tu tierra, y el fruto de tu bestia, la cría de tus vacas y los rebaños de tus ovejas.

5 Benditas serán tu canasta y tu artesa.

6 Bendito *serás* en tu entrar, y bendito en tu salir.

7 Jehová hará que los enemigos que se levantan contra ti sean derrotados delante de ti; por un camino saldrán contra ti y por siete caminos huirán de delante de ti.

8 Jehová mandará que la bendición sea contigo en tus graneros y en todo aquello en que pongas tu mano; y te bendecirá en la tierra que Jehová tu Dios te da.

9 Jehová te confirmará como un pueblo santo para sí, como te ha jurado; cuando guardares los mandamientos de Jehová tu Dios, y anduvieres en sus caminos.

10 Y verán todos los pueblos de la tierra que el nombre de Jehová es invocado sobre ti, y te temerán.

11 Y te hará Jehová sobreabundar en bienes, en el fruto de tu vientre, y en el fruto de tu bestia, y en el fruto de tu tierra, en el país que juró Jehová a tus padres que te había de dar.

12 Y Jehová te abrirá su buen depósito, el cielo, para dar lluvia a tu tierra en su tiempo, y para bendecir toda obra de tus manos. Y prestarás a muchas naciones, y tú no tomarás prestado.

13 Y te pondrá Jehová por cabeza, y no por cola: y estarás encima solamente, y no estarás debajo; cuando obedecieres a los mandamientos de Jehová tu Dios, que yo te ordeno hoy, para que los guardes y cumplas.

14 Y no te apartes de todas las palabras que yo os mando hoy, ni a derecha ni a izquierda, para ir tras dioses ajenos para servirles.

15 Y será, si no oyeres la voz de Jehová tu Dios, para cuidar de poner por obra todos sus mandamientos y sus estatutos, que yo te intimo hoy, que vendrán sobre ti todas estas maldiciones, y te alcanzarán.

16 Maldito *serás* tú en la ciudad, y maldito en el campo.

17 Malditas *serán* tu canasta y tu artesa.

18 Maldito el fruto de tu vientre, y el fruto de tu tierra, y la cría de tus vacas, y los rebaños de tus ovejas.

19 Maldito *serás* en tu entrar, y maldito en tu salir.

20 Y Jehová enviará contra ti la maldición, quebranto y asombro en todo cuanto pusieres mano e hicieres, hasta que seas destruido y perezcas pronto a causa de la maldad de tus obras, por las cuales me habrás dejado.

21 Jehová hará que se te pegue mortandad, hasta que te consuma de la tierra a la cual entras para poseerla.

22 Jehová te herirá con tisis y con fiebre, con inflamación y gran ardor, con espada, con calamidad repentina y con añublo; y te perseguirán hasta que perezcas.

23 Y tu cielo que *está* sobre tu cabeza será de bronce, y la tierra que está debajo de ti, de hierro.

24 Dará Jehová por lluvia a tu tierra polvo y ceniza: de los cielos descenderán sobre ti hasta que perezcas.

25 Jehová te entregará herido delante de tus enemigos; por un camino saldrás a ellos, y por siete caminos huirás delante de ellos; y serás removido hacia todos los reinos de la tierra.

26 Y será tu cuerpo muerto por comida a toda ave del cielo, y bestia de la tierra, y no habrá quien *las* espante.

27 Jehová te herirá de la plaga de Egipto, y con almorranas, y con sarna, y con comezón, de que no puedas ser curado.

28 Jehová te herirá con locura y con ceguera, y con angustia de corazón.

29 Y palparás a mediodía, como palpa el ciego en la oscuridad, y no serás prosperado en tus caminos: y sólo serás oprimido y despojado todos los días, y no habrá quien te salve.

30 Te desposarás con mujer, y otro varón se acostará con ella; edificarás casa, y no habitarás en ella; plantarás viña, y no la vendimiarás.

31 Tu buey *será* matado delante de tus ojos, y tú no comerás de él; tu asno *será* arrebatado de delante de ti, y no te será devuelto; tus ovejas serán dadas a tus enemigos, y no tendrás quien te las rescate.

32 Tus hijos y tus hijas *serán* entregados a otro pueblo, y tus ojos lo verán, y desfallecerán por ellos todo el día; y no *habrá* fuerza en tu mano.

33 El fruto de tu tierra y todo tu trabajo comerá pueblo que no conociste; y sólo serás oprimido y quebrantado todos los días.

34 Y enloquecerás a causa de lo que verás con tus ojos.

35 Jehová te herirá con maligna pústula en las rodillas y en las piernas, sin que puedas ser curado; desde la planta de tu pie hasta tu coronilla.

36 Jehová te llevará a ti y a tu rey, al que hubieres puesto sobre ti, a una nación que ni tú ni tus padres habéis conocido; y allá servirás a dioses ajenos, al palo y a la piedra.

37 Y serás *motivo de* asombro, proverbio y burla en todos los pueblos a los cuales te llevará Jehová.

38 Llevarás mucha semilla al campo, pero recogerás poco; porque la langosta lo consumirá.

39 Plantarás viñas y las labrarás, mas no beberás del vino, ni recogerás *las uvas*; porque el gusano se las comerá.

40 Tendrás olivos en todo tu término, mas no te ungirás con el aceite, porque tu aceituna se caerá.

41 Hijos e hijas engendrarás, y no serán para ti, porque irán en cautiverio.

42 Todos tus árboles y el fruto de tu tierra serán consumidos por la langosta.

43 El extranjero que *esté* en medio de ti se elevará sobre ti muy alto, y tú descenderás muy bajo.

44 Él te prestará a ti, y tú no le prestarás a él; él será la cabeza, y tú serás la cola.

45 Y vendrán sobre ti todas estas maldiciones, y te perseguirán, y te alcanzarán hasta que perezcas; por cuanto no habrás atendido a la voz de Jehová tu Dios, para guardar sus mandamientos y sus estatutos, que Él te mandó.

46 Y serán en ti por señal y por maravilla, y en tu simiente para siempre.

47 Por cuanto no serviste a Jehová tu Dios con alegría y con gozo de corazón, por la abundancia de todas las cosas;

48 por tanto, servirás a tus enemigos que Jehová enviará contra ti, con hambre y con sed y con desnudez, y con escasez de todas las cosas; y Él pondrá yugo de hierro sobre tu cuello, hasta destruirte.

49 Jehová traerá contra ti una nación de lejos, desde lo último de la tierra, que vuele como águila, nación cuya lengua no entenderás;

50 gente fiera de rostro, que no tendrá respeto al anciano, ni perdonará al niño;

51 y comerá el fruto de tu ganado y el fruto de tu tierra, hasta que perezcas: y no te dejará grano, ni mosto, ni aceite, ni la cría de tus vacas, ni los rebaños de tus ovejas, hasta destruirte.

52 Y te pondrá sitio en todas tus ciudades, hasta que tus muros altos y fortificados en que tú confías caigan en toda tu tierra; te sitiará, pues, en todas tus ciudades y en toda tu tierra, que Jehová tu Dios te hubiere dado.

53 Y comerás el fruto de tu vientre, la carne de tus hijos y de tus hijas que Jehová tu Dios te dio, en el asedio y en el aprieto con que te angustiará tu enemigo.

54 El hombre que es tierno y muy delicado en medio de ti, su ojo será maligno para con su hermano, y para con la esposa de su seno, y para con el resto de sus hijos que le quedaren;

55 para no dar a alguno de ellos de la carne de sus hijos, que él comerá, porque nada le habrá quedado, en el asedio y en el apuro con que tu

enemigo te oprimirá en todas tus ciudades.

56 La tierna y delicada entre vosotros, que no osaría poner la planta de su pie sobre la tierra por delicadeza y ternura, su ojo será maligno para con el marido de su seno, y para con su hijo, y para con su hija,

57 y para con su chiquita que sale de entre sus pies, y para con sus hijos que dé a luz; pues los comerá a escondidas, a falta de todo, en el asedio y en el apuro con que tu enemigo te oprimirá en tus ciudades.

58 Si no cuidares de poner por obra todas las palabras de esta ley que están escritas en este libro, para que temas este nombre glorioso y temible, JEHOVÁ TU DIOS;

59 entonces Jehová aumentará maravillosamente tus plagas y las plagas de tu simiente, plagas grandes y persistentes, y enfermedades malignas y duraderas;

60 y traerá sobre ti todas las enfermedades de Egipto, de las cuales tenías temor, y se te pegarán.

61 Asimismo toda enfermedad y toda plaga que no *está* escrita en el libro de esta ley, Jehová la traerá sobre ti, hasta que tú seas destruido.

62 Y quedaréis pocos en número, en lugar de haber sido como las estrellas del cielo en multitud; por cuanto no obedeciste a la voz de Jehová tu Dios.

63 Y será que tal como Jehová se gozó sobre vosotros para haceros bien, y para multiplicaros, así se gozará Jehová sobre vosotros para arruinaros, y para destruiros; y seréis arrancados de sobre la tierra, a la cual entráis para poseerla.

64 Y Jehová te esparcirá por todos los pueblos, desde un extremo de la tierra hasta el otro extremo de ella; y allí servirás a dioses ajenos que no conociste tú ni tus padres, al leño y a la piedra.

65 Y entre estas naciones no tendrás tranquilidad, ni la planta de tu pie tendrá reposo; sino que allí Jehová te dará un corazón temeroso, y desfallecimiento de ojos, y tristeza de alma.

66 Y tu vida estará en suspenso delante de ti, y estarás temeroso de noche y de día, y no tendrás seguridad de tu vida.

67 Por la mañana dirás: ¡Quién diera que fuese la tarde! y por la tarde dirás: ¡Quién diera que fuese la mañana! por el miedo de tu corazón con que estarás amedrentado, y por lo que verán tus ojos.

68 Y Jehová te hará volver a Egipto en navíos, por el camino del cual te ha dicho: Nunca más volveréis; y allí seréis vendidos a vuestros enemigos como esclavos y como esclavas, y no habrá quien os compre.

CAPÍTULO 29

Éstas *son* las palabras del pacto que Jehová mandó a Moisés que hiciera con los hijos de Israel en la tierra de Moab, además del pacto que Él hizo con ellos en Horeb.

2 Moisés, pues, llamó a todo Israel, y les dijo: Vosotros habéis visto todo lo que Jehová ha hecho delante de vuestros ojos en la tierra de Egipto a Faraón y a todos sus siervos, y a toda su tierra;

3 las grandes pruebas que vieron tus ojos, las señales y las grandes maravillas.

4 Pero Jehová no os dio corazón para entender, ni ojos para ver, ni oídos para oír, hasta el día de hoy.

5 Y yo os he traído cuarenta años por el desierto; vuestra ropa no se ha envejecido sobre vosotros, ni vuestro calzado se ha envejecido sobre vuestro pie.

6 No habéis comido pan, ni bebisteis vino ni sidra; para que supieseis que yo *soy* Jehová vuestro Dios.

7 Y llegasteis a este lugar, y salió Sehón rey de Hesbón, y Og rey de Basán, delante de nosotros para pelear, y los derrotamos;

8 Y tomamos su tierra, y la dimos por heredad a Rubén y a Gad, y a la media tribu de Manasés.

9 Guardaréis, pues, las palabras de este pacto, y las pondréis por obra, para que prosperéis en todo lo que hiciereis.

10 Vosotros todos estáis hoy delante de Jehová vuestro Dios; vuestros príncipes de vuestras tribus, vuestros

ancianos, y vuestros oficiales, todos los varones de Israel,

11 vuestros niños, vuestras esposas, y los extranjeros que *habitan* en medio de tu campamento, desde el que corta tu leña hasta el que saca tu agua;

12 para que entres en el pacto de Jehová tu Dios, y en su juramento, que Jehová tu Dios hace hoy contigo,

13 para confirmarte hoy por su pueblo, y que Él te sea a ti por Dios, de la manera que Él te ha dicho, y como Él lo juró a tus padres Abraham, Isaac y Jacob.

14 Y no sólo con vosotros hago yo este pacto y este juramento,

15 sino con los que están aquí presentes hoy con nosotros delante de Jehová nuestro Dios, y con los que no están aquí hoy con nosotros.

16 Porque vosotros sabéis cómo habitamos en la tierra de Egipto, y cómo hemos pasado a través de las naciones por las que habéis pasado;

17 Y habéis visto sus abominaciones y sus ídolos, madera y piedra, plata y oro, que *tienen* consigo.

18 No sea que haya entre vosotros varón, o mujer, o familia, o tribu, cuyo corazón se aparte hoy de Jehová nuestro Dios, para ir y servir a los dioses de aquellas naciones; no sea que haya entre vosotros raíz que eche veneno y ajenjo;

19 y suceda que, cuando el tal oyere las palabras de esta maldición, él se bendiga en su corazón, diciendo: Tendré paz, aunque ande en la imaginación de mi corazón, para añadir la embriaguez a la sed.

20 Jehová no querrá perdonarle; sino que entonces humeará el furor de Jehová y su celo sobre el tal hombre, y se asentará sobre él toda maldición escrita en este libro, y Jehová raerá su nombre de debajo del cielo:

21 Y lo apartará Jehová de todas las tribus de Israel para mal, conforme a todas las maldiciones del pacto escrito en este libro de la ley.

22 Y dirá la generación venidera, vuestros hijos que vendrán después de vosotros, y el extranjero que vendrá de lejanas tierras, cuando vieren las plagas de esta tierra, y sus enfermedades de que Jehová la hizo enfermar

23 (Azufre y sal, calcinada está toda su tierra; no será sembrada, ni producirá, ni crecerá en ella hierba alguna, como en la destrucción de Sodoma y de Gomorra, de Adma y de Zeboim, que Jehová destruyó en su furor y en su ira);

24 y todas las naciones dirán: ¿Por qué hizo esto Jehová a esta tierra? ¿Qué *significa* el ardor de este gran furor?

25 Y responderán: Por cuanto dejaron el pacto de Jehová el Dios de sus padres, que Él hizo con ellos cuando los sacó de la tierra de Egipto,

26 y fueron y sirvieron a dioses ajenos, y se inclinaron a ellos, dioses que no conocían, y que ninguna cosa les habían dado.

27 Se encendió por tanto, el furor de Jehová contra esta tierra, para traer sobre ella todas las maldiciones escritas en este libro;

28 y Jehová los desarraigó de su tierra con ira, con furor y con gran indignación, y los echó a otra tierra, como *sucede* hoy.

29 Las cosas secretas *pertenecen* a Jehová nuestro Dios; mas las reveladas *son* para nosotros y para nuestros hijos para siempre, a fin de que cumplamos todas las palabras de esta ley.

CAPÍTULO 30

Y sucederá que cuando te sobrevinieren todas estas cosas, la bendición y la maldición que he puesto delante de ti, y volvieres en sí en medio de todas las naciones a las cuales Jehová tu Dios te hubiere arrojado,

2 y te convirtieres a Jehová tu Dios, y obedecieres a su voz conforme a todo lo que yo te mando hoy, tú y tus hijos, con todo tu corazón y con toda tu alma,

3 Entonces Jehová tu Dios hará volver a tus cautivos, y tendrá misericordia de ti, y volverá a recogerte de entre todos los pueblos a los cuales Jehová tu Dios te hubiere esparcido.

4 Si hubieres sido arrojado hasta el cabo de los cielos, de allí te recogerá Jehová tu Dios, y de allá te tomará;

5 y Jehová tu Dios te hará volver a la tierra que heredaron tus padres, y la poseerás; y Él te hará bien, y te multiplicará más que a tus padres.

6 Y Jehová tu Dios circuncidará tu corazón y el corazón de tu simiente, para que ames a Jehová tu Dios con todo tu corazón y con toda tu alma, a fin de que vivas.

7 Y Jehová tu Dios pondrá todas estas maldiciones sobre tus enemigos, y sobre tus aborrecedores que te persiguieron.

8 Y tú volverás y oirás la voz de Jehová, y pondrás por obra todos sus mandamientos que yo te ordeno hoy.

9 Y Jehová tu Dios te hará abundar en toda obra de tus manos, en el fruto de tu vientre, en el fruto de tu ganado y en el fruto de tu tierra, para bien; porque Jehová volverá a gozarse sobre ti para bien, de la manera que se gozó sobre tus padres;

10 cuando oyeres la voz de Jehová tu Dios, para guardar sus mandamientos y sus estatutos escritos en este libro de la ley; cuando te convirtieres a Jehová tu Dios con todo tu corazón y con toda tu alma.

11 Porque este mandamiento que yo te ordeno hoy, no te *es* encubierto, ni *está* lejos;

12 no *está* en el cielo, para que digas: ¿Quién subirá por nosotros al cielo y nos lo traerá, y nos lo hará oír para que lo cumplamos?

13 Ni *está* al otro lado del mar, para que digas: ¿Quién pasará por nosotros el mar, para que nos lo traiga y nos lo haga oír, a fin de que lo cumplamos?

14 Porque muy cerca de ti *está* la palabra, en tu boca y en tu corazón, para que la cumplas.

15 Mira, yo he puesto delante de ti hoy la vida y el bien, la muerte y el mal;

16 porque yo te mando hoy que ames a Jehová tu Dios, que andes en sus caminos, y guardes sus mandamientos y sus estatutos y sus derechos, para que vivas y seas multiplicado, y Jehová tu Dios te bendiga en la tierra a la cual entras para poseerla.

17 Mas si tu corazón se apartare, y no oyeres, y te dejares desviar, y te inclinares a dioses ajenos y los sirvieres;

18 yo os protesto hoy que de cierto pereceréis; no prolongaréis *vuestros* días sobre la tierra a la cual vais, pasando el Jordán, para poseerla.

19 Al cielo y a la tierra llamo hoy como testigos contra vosotros, de que os he puesto delante la vida y la muerte, la bendición y la maldición. Escoge, pues, la vida, para que vivas tú y tu simiente;

20 y que ames a Jehová tu Dios, y obedezcas su voz, y te acerques a Él; porque Él es tu vida y la largura de tus días; a fin de que habites sobre la tierra que juró Jehová a tus padres Abraham, Isaac y Jacob, que les había de dar.

CAPÍTULO 31

Y Moisés fue y habló estas palabras a todo Israel,

2 y les dijo: De edad de ciento veinte años *soy* hoy día; no puedo más salir ni entrar; además *de esto* Jehová me ha dicho: No pasarás este Jordán.

3 Jehová tu Dios, Él pasa delante de ti; Él destruirá a estas naciones de delante de ti, y las heredarás: Josué será el que pasará delante de ti, como Jehová ha dicho.

4 Y Jehová hará con ellos como hizo con Sehón y con Og, reyes de los amorreos, y con su tierra, a quienes destruyó.

5 Y Jehová los entregará delante de vosotros, y haréis con ellos conforme a todo lo que os he mandado.

6 Esforzaos y sed valientes; no temáis, ni tengáis miedo de ellos; porque Jehová tu Dios es el que va contigo; no te dejará ni te desamparará.

7 Y llamó Moisés a Josué, y le dijo a vista de todo Israel: Esfuérzate y sé valiente; porque tú entrarás con este pueblo a la tierra que juró Jehová a sus padres que les daría, y tú se la harás heredar.

8 Y Jehová *es* el que va delante de ti; Él *estará* contigo, no te dejará, ni te desamparará; no temas, ni desmayes.

9 Y escribió Moisés esta ley, y la dio a los sacerdotes, hijos de Leví, que llevaban el arca del pacto de Jehová, y a todos los ancianos de Israel.

10 Y les mandó Moisés, diciendo: Al fin de *cada* siete años, en el año de la remisión, en la fiesta de los tabernáculos,

11 cuando viniere todo Israel a presentarse delante de Jehová tu Dios en el lugar que Él escogiere, leerás esta ley delante de todo Israel a oídos de ellos.

12 Harás congregar al pueblo, varones y mujeres y niños, y tus extranjeros que *estuvieren* en tus ciudades, para que oigan y aprendan, y teman a Jehová vuestro Dios, y cuiden de poner por obra todas las palabras de esta ley;

13 y para que los hijos de ellos que no supieron, oigan, y aprendan a temer a Jehová vuestro Dios, mientras viváis en la tierra adonde vais, cruzando el Jordán para poseerla.

14 Y Jehová dijo a Moisés: He aquí se ha acercado el día en que has de morir; llama a Josué, y presentaos en el tabernáculo de la congregación para que yo le dé el cargo. Fueron, pues, Moisés y Josué, y se presentaron en el tabernáculo de la congregación.

15 Y Jehová se apareció en el tabernáculo, en la columna de nube; y la columna de nube se puso sobre la puerta del tabernáculo.

16 Y Jehová dijo a Moisés: He aquí tú vas a dormir con tus padres, y este pueblo se levantará y fornicará tras los dioses ajenos de la tierra adonde va para estar en medio de ellos; y me dejará, y quebrantará mi pacto que he concertado con él.

17 Y mi furor se encenderá contra ellos en aquel día; y los abandonaré, y esconderé de ellos mi rostro y serán consumidos; y muchos males y angustias vendrán sobre ellos, y dirán en aquel día: ¿No nos han venido estos males porque no está nuestro Dios en medio de nosotros?

18 Y yo esconderé ciertamente mi rostro en aquel día, por todo el mal que ellos habrán hecho, por haberse vuelto a dioses ajenos.

19 Ahora, pues, escribe este cántico, y enséñalo a los hijos de Israel; ponlo en su boca, para que este cántico me sea por testigo contra los hijos de Israel.

20 Porque cuando yo los introduzca en la tierra que juré a sus padres, la cual fluye leche y miel, comerán, y se saciarán, y engordarán; y luego se volverán a dioses ajenos y les servirán, y me enojarán y quebrantarán mi pacto.

21 Y sucederá que cuando les sobrevinieren muchos males y angustias, entonces este cántico responderá en su cara como testigo, pues no será olvidado de la boca de su linaje; porque yo conozco lo que se proponen, aun hoy, antes que los introduzca en la tierra que juré *darles*.

22 Y Moisés escribió este cántico aquel día, y lo enseñó a los hijos de Israel.

23 Y dio orden a Josué hijo de Nun, y dijo: Esfuérzate y sé valiente, pues tú meterás a los hijos de Israel en la tierra que les juré, y yo estaré contigo.

24 Y cuando Moisés acabó de escribir en un libro las palabras de esta ley, hasta concluirse,

25 mandó Moisés a los levitas que llevaban el arca del pacto de Jehová, diciendo:

26 Tomad este libro de la ley, y ponedlo al lado del arca del pacto de Jehová vuestro Dios, y esté allí por testigo contra ti.

27 Porque yo conozco tu rebelión, y tu dura cerviz; he aquí que aún viviendo yo hoy con vosotros, sois rebeldes a Jehová; ¿cuánto más después de que yo haya muerto?

28 Congregad a mí a todos los ancianos de vuestras tribus, y a vuestros oficiales, y hablaré a sus oídos estas palabras, y llamaré por testigos contra ellos al cielo y a la tierra.

29 Porque yo sé que después de mi muerte, ciertamente os corromperéis y os apartaréis del camino que os he mandado; y que os ha de venir mal en los postreros días, por haber hecho mal ante los ojos de Jehová, enojándole con la obra de vuestras manos.

30 Entonces Moisés habló a oídos de toda la congregación de Israel las palabras de este cántico hasta acabarlo.

Escuchad, oh cielos, y hablaré; Y oiga la tierra los dichos de mi boca.

2 Goteará como la lluvia mi doctrina; destilará como el rocío mi razonamiento; como la llovizna sobre la grama, y como las gotas sobre la hierba:

3 Porque el nombre de Jehová proclamaré: Engrandeced a nuestro Dios.

4 Él es la Roca, cuya obra es perfecta, porque todos sus caminos son rectitud: Dios de verdad, y sin ninguna iniquidad; justo y recto es Él.

5 Ellos se han corrompido a sí mismos; sus manchas no son las manchas de sus hijos, son una generación torcida y perversa.

6 ¿Así pagas a Jehová, oh pueblo loco e ignorante? ¿No es Él tu Padre que te poseyó? Él te hizo y te estableció.

7 Acuérdate de los tiempos antiguos; considera los años de muchas generaciones: Pregunta a tu padre, y él te declarará; a tus ancianos, y ellos te dirán.

8 Cuando el Altísimo dio a las naciones su herencia, cuando hizo dividir los hijos de los hombres, estableció los términos de los pueblos según el número de los hijos de Israel.

9 Porque la porción de Jehová es su pueblo; Jacob la cuerda de su heredad.

10 Lo halló en tierra desierta, en desierto horrible y yermo; lo condujo alrededor, lo instruyó, lo guardó como la niña de su ojo.

11 Como el águila despierta su nidada, revolotea sobre sus polluelos, extiende sus alas, los toma, los lleva sobre sus alas.

12 Jehová solo le guió, y con él no hubo dios ajeno.

13 Lo hizo subir sobre las alturas de la tierra, y comió los frutos del campo, e hizo que chupase miel de la peña, y aceite del duro pedernal;

14 mantequilla de vacas y leche de ovejas, con grosura de corderos, y carneros de Basán; también machos cabríos, con lo mejor del trigo; y bebiste la sangre pura de la uva.

15 Pero engordó Jesurún, y dio coces; engordaste, te cubriste de grasa. Entonces dejó al Dios que lo hizo, y menospreció a la Roca de su salvación.

16 Lo provocaron a celos con dioses ajenos; con abominaciones lo provocaron a ira.

17 Ofrecieron sacrificio a los demonios, no a Dios; a dioses que no habían conocido, a nuevos dioses venidos de cerca, que no habían temido vuestros padres.

18 De la Roca que te creó te olvidaste: Te has olvidado de Dios tu Creador.

19 Y lo vio Jehová, y se encendió en ira, por el menosprecio de sus hijos y de sus hijas.

20 Y dijo: Esconderé de ellos mi rostro, veré cuál será su fin; pues son una generación perversa, hijos sin fe.

21 Ellos me movieron a celos con lo que no es Dios; me provocaron a ira con sus vanidades: Yo también los moveré a celos con un pueblo que no es pueblo, los provocaré a ira con una nación insensata.

22 Porque fuego se ha encendido en mi furor, y arderá hasta lo profundo del infierno; y devorará la tierra y sus frutos, y abrasará los fundamentos de los montes.

23 Yo amontonaré males sobre ellos; Emplearé en ellos mis saetas.

24 Serán consumidos de hambre, y devorados de fiebre ardiente y de destrucción amarga; diente de fieras enviaré también sobre ellos, con veneno de serpientes de la tierra.

25 De fuera desolará la espada, y dentro de las cámaras el espanto; así al joven como a la virgen, al que es amamantado como al hombre cano.

26 Yo dije: Los esparciré lejos, haré cesar de entre los hombres la memoria de ellos,

27 si no temiese la ira del enemigo, no sea que se envanezcan sus adversarios, no sea que digan: Nuestra mano alta ha hecho todo esto, no Jehová.

28 Porque son una nación privada de consejos, y no hay en ellos entendimiento.

29 ¡Oh, que fueran sabios, que comprendieran esto, que entendieran su postrimería!

30 ¿Cómo podría perseguir uno a mil, y dos hacer huir a diez mil, si su Roca no los hubiese vendido, y Jehová no los hubiera entregado?

31 Porque la roca de ellos no es como nuestra Roca: Aun nuestros mismos enemigos son de ello jueces.

32 Porque de la vid de Sodoma es la vid de ellos, y de los campos de Gomorra: Sus uvas son uvas ponzoñosas, sus racimos *son* amargos.

33 Veneno de dragones es su vino, y ponzoña cruel de áspides.

34 ¿No tengo yo esto guardado conmigo, sellado en mis tesoros?

35 Mía *es* la venganza y la paga, a su tiempo su pie vacilará; porque el día de su aflicción está cercano, y lo que les está preparado se apresura.

36 Porque Jehová juzgará a su pueblo, y por amor de sus siervos se arrepentirá, cuando viere que su fuerza se ha ido, y que no *queda* preso o desamparado.

37 Y dirá: ¿Dónde *están* sus dioses, la roca en que se refugiaban;

38 que comían la grosura de sus sacrificios, y bebían el vino de sus libaciones? Levántense, que os ayuden y os defiendan.

39 Ved ahora que yo, yo soy, y no *hay* dioses conmigo; yo hago morir, y yo hago vivir; yo hiero, y yo curo; y no hay quien pueda librar de mi mano.

40 Porque yo alzo a los cielos mi mano, y digo: Vivo yo para siempre.

41 Si afilare mi reluciente espada, y mi mano tomare el juicio, yo tomaré venganza de mis enemigos, y daré el pago a los que me aborrecen.

42 Embriagaré de sangre mis saetas, y mi espada devorará carne: En la sangre de los muertos y de los cautivos, desde sus cabezas; en venganzas sobre el enemigo.

43 Regocijaos, oh naciones, con su pueblo; porque Él vengará la sangre de sus siervos, y tomará venganza de sus enemigos, y será misericordioso a su tierra y a su pueblo.

44 Y vino Moisés y recitó todas las palabras de este cántico a oídos del pueblo, él, y Josué hijo de Nun.

45 Y acabó Moisés de recitar todas estas palabras a todo Israel;

46 y les dijo: Poned vuestro corazón a todas las palabras que yo os testifico hoy, para que las mandéis a vuestros hijos, y cuiden de poner por obra todas las palabras de esta ley.

47 Porque no os es cosa vana, mas es vuestra vida; y por ellas haréis prolongar *vuestros* días sobre la tierra adonde *vais*, pasando el Jordán para poseerla.

48 Y Jehová habló a Moisés aquel mismo día, diciendo:

49 Sube a este monte de Abarim, al monte Nebo, que está en la tierra de Moab, que *está* frente a Jericó, y mira la tierra de Canaán, que yo doy por heredad a los hijos de Israel;

50 y muere en el monte al cual subes, y sé reunido a tu pueblo; así como murió Aarón tu hermano en el monte Hor, y fue reunido a su pueblo;

51 por cuanto prevaricasteis contra mí en medio de los hijos de Israel en las aguas de Meriba de Cades, en el desierto de Zin; porque no me santificasteis en medio de los hijos de Israel.

52 Verás, por tanto, delante de ti la tierra; pero no entrarás allá, a la tierra que doy a los hijos de Israel.

CAPÍTULO 33

Y ésta *es* la bendición con la que Moisés, varón de Dios, bendijo a los hijos de Israel, antes de morir.

2 Y dijo: Jehová vino de Sinaí, y de Seir les esclareció; resplandeció del monte de Parán, y vino con diez mil santos; a su diestra la ley de fuego para ellos.

3 Sí, Él amó al pueblo; todos sus santos *están* en tu mano; y ellos también se sientan a tus pies; *cada uno* recibirá de tus palabras.

4 Una ley nos mandó Moisés, la heredad de la congregación de Jacob.

5 Y fue rey en Jesurún, cuando se congregaron las cabezas del pueblo con las tribus de Israel.

6 Viva Rubén, y no muera; y no sean pocos sus varones.

7 Y esta es la *bendición* para Judá. Dijo así: Oye, oh Jehová, la voz de Judá, y tráelo a su pueblo; sus manos le basten, y sé tú su ayuda contra sus enemigos.

8 Y a Leví dijo: Tu Tumim y tu Urim, *sean* con tu varón santo a quien probaste en Masah, con quien luchaste en las aguas de Meriba;

9 El que dijo a su padre y a su madre: No los he visto; Y no reconoció a sus hermanos, ni conoció a sus propios hijos; pues ellos guardaron tu palabra, y observaron tu pacto.

10 Ellos enseñarán tus juicios a Jacob, y tu ley a Israel; pondrán el incienso delante de ti, y el holocausto sobre tu altar.

11 Bendice, oh Jehová, lo que hicieren, y recibe con agrado la obra de sus manos; hiere los lomos de sus enemigos, y de los que lo aborrecieren; para que nunca se levanten.

12 Y de Benjamín dijo: El amado de Jehová habitará confiado cerca de Él; *Jehová* lo cubrirá siempre, y entre sus hombros morará.

13 Y de José dijo: Bendita de Jehová *sea* su tierra, con lo mejor de los cielos, con el rocío, y con el abismo que está debajo.

14 Con los más preciosos frutos del sol, y con los más preciosos frutos de la luna,

15 con lo mejor de los montes antiguos, y con lo precioso de los collados eternos,

16 y con lo más precioso de la tierra y su plenitud; y la gracia del que habitó en la zarza venga sobre la cabeza de José, y sobre la coronilla del consagrado de sus hermanos.

17 Su gloria *es como* la del primogénito de su toro, y sus cuernos, cuernos de unicornio; con ellos acorneará a los pueblos juntos hasta los fines de la tierra; y éstos *son* los diez millares de Efraín, y éstos los millares de Manasés.

18 Y de Zabulón dijo: Alégrate, Zabulón, cuando salieres; y tú Isacar, en tus tiendas.

19 Llamarán a los pueblos al monte; allí ofrecerán sacrificios de justicia; por lo cual chuparán *de* la abundancia de los mares, y *de* los tesoros escondidos de la arena.

20 Y de Gad dijo: Bendito el que hizo ensanchar a Gad; como león habita, y desgarra brazo y testa.

21 Y él proveyó para sí la primera parte, Porque allí una porción del legislador le fue reservada. Y vino con los jefes del pueblo; Ejecutó la justicia de Jehová, y sus juicios con Israel.

22 Y de Dan dijo: Dan *es* un cachorro de león; Él saltará desde Basán.

23 Y de Neftalí dijo: Neftalí, colmado de favores, y lleno de la bendición de Jehová, posee el occidente y el sur.

24 Y de Aser dijo: Bendecido sea Aser con hijos; sea agradable a sus hermanos, y moje su pie en aceite.

25 Hierro y bronce *será* tu calzado, y como tus días, *así será* tu fortaleza.

26 No *hay* como el Dios de Jesurún, que cabalga sobre los cielos para tu ayuda, y sobre las nubes en su majestad.

27 El eterno Dios *es tu* refugio y acá abajo los brazos eternos; Él echará de delante de ti al enemigo, y dirá: Destruye.

28 E Israel, la fuente de Jacob, habitará confiado solo en tierra de grano y de vino; también sus cielos destilarán rocío.

29 Bienaventurado tú, oh Israel, ¿Quién como tú, pueblo salvo por Jehová, escudo de tu socorro, y espada de tu excelencia? Así que tus enemigos serán humillados, y tú hollarás sobre sus lugares altos.

CAPÍTULO 34

Y subió Moisés de los campos de Moab al monte Nebo, a la cumbre del Pisga, que *está* frente a Jericó. Y le mostró Jehová toda la tierra de Galaad hasta Dan,

2 y a todo Neftalí, y la tierra de Efraín y de Manasés, toda la tierra de Judá hasta el mar occidental;

3 el Neguev, y la llanura del valle de Jericó, ciudad de las palmeras, hasta Zoar.

4 Y le dijo Jehová: Ésta *es* la tierra de que juré a Abraham, a Isaac y a Jacob, diciendo: A tu simiente la daré. Te he permitido que *la* veas con tus ojos, mas no pasarás allá.

5 Y murió allí Moisés siervo de Jehová, en la tierra de Moab, conforme a la palabra de Jehová.

6 Y lo enterró en el valle, en tierra de Moab, enfrente de Bet-peor; pero

ninguno sabe dónde está su sepulcro hasta hoy.

7 Y *era* Moisés de edad de ciento veinte años cuando murió; sus ojos nunca se oscurecieron, ni perdió su vigor.

8 Y los hijos de Israel lloraron a Moisés en los campos de Moab treinta días; y así se cumplieron los días del lloro y del luto por Moisés.

9 Y Josué hijo de Nun fue lleno del espíritu de sabiduría, porque Moisés había puesto sus manos sobre él. Y los hijos de Israel le obedecieron, e

hicieron como Jehová mandó a Moisés.

10 Y nunca más se levantó profeta en Israel como Moisés, a quien haya conocido Jehová cara a cara;

11 En todas las señales y prodigios que Jehová le envió a hacer en tierra de Egipto, a Faraón, y a todos sus siervos y a toda su tierra;

12 y en toda aquella mano poderosa, y en todos los hechos grandiosos y terribles que Moisés hizo a la vista de todo Israel.

Libro De
JOSUÉ

CAPÍTULO 1

Y aconteció después de la muerte de Moisés siervo de Jehová, que Jehová habló a Josué hijo de Nun, ministro de Moisés, diciendo:

2 Mi siervo Moisés ha muerto; levántate, pues, ahora, y pasa este Jordán, tú y todo este pueblo, a la tierra que yo les doy a los hijos de Israel.

3 Yo os he entregado, como lo había dicho a Moisés, todo lugar que pisare la planta de vuestro pie.

4 Desde el desierto y este Líbano hasta el gran río Éufrates, toda la tierra de los heteos hasta el Mar Grande donde se pone el sol, será vuestro término.

5 Nadie te podrá hacer frente en todos los días de tu vida; como estuve con Moisés, estaré contigo; no te dejaré, ni te desampararé.

6 Esfuérzate y sé valiente; porque tú repartirás a este pueblo por heredad la tierra de la cual juré a sus padres que la daría a ellos.

7 Solamente esfuérzate, y sé muy valiente, para cuidar de hacer conforme a toda la ley que mi siervo Moisés te mandó. No te apartes de ella ni a derecha ni a izquierda, para que seas prosperado en todas las cosas que emprendieres.

8 Este libro de la ley nunca se apartará de tu boca; sino que de día y de noche meditarás en él, para que

guardes y hagas conforme a todo lo que en él está escrito; porque entonces harás prosperar tu camino, y todo te saldrá bien.

9 Mira que te mando que te esfuerces y seas valiente; no temas ni desmayes, porque Jehová tu Dios *estará* contigo dondequiera que vayas.

10 Y Josué mandó a los oficiales del pueblo, diciendo:

11 Pasad por medio del campamento, y mandad al pueblo, diciendo: Preparaos provisiones; porque dentro de tres días pasaréis el Jordán, para que entréis a poseer la tierra que Jehová vuestro Dios os da para que la poseáis.

12 También habló Josué a los rubenitas y gaditas, y a la media tribu de Manasés, diciendo:

13 Acordaos de la palabra que Moisés, siervo de Jehová, os mandó diciendo: Jehová vuestro Dios os ha dado reposo, y os ha dado esta tierra.

14 Vuestras esposas, vuestros niños y vuestras bestias quedarán en la tierra que Moisés os ha dado a este lado del Jordán; mas vosotros, todos los valientes y fuertes, pasaréis armados delante de vuestros hermanos, y los ayudaréis;

15 hasta tanto que Jehová haya dado reposo a vuestros hermanos como a vosotros, y que ellos también posean la tierra que Jehová vuestro Dios les da; entonces volveréis a la tierra de

vuestra herencia y la disfrutaréis, la cual Moisés siervo de Jehová os dio, a este lado del Jordán hacia donde nace el sol.

16 Entonces respondieron a Josué, diciendo: Nosotros haremos todas las cosas que nos has mandado, e iremos adondequiera que nos mandes.

17 De la manera que obedecimos a Moisés en todas las cosas, así te obedeceremos a ti; solamente que Jehová tu Dios esté contigo como estuvo con Moisés.

18 Cualquiera que fuere rebelde a tu mandamiento, y no obedeciere a tus palabras en todas las cosas que le mandares, que muera; solamente esfuérzate y sé valiente.

CAPÍTULO 2

Y Josué, hijo de Nun, envió desde Sitim dos espías secretamente, diciéndoles: Andad, reconoced la tierra, y a Jericó. Y ellos fueron, y entraron en casa de una mujer ramera que se llamaba Rahab, y posaron allí.

2 Y fue dado aviso al rey de Jericó, diciendo: He aquí que hombres de los hijos de Israel han venido aquí esta noche a espiar la tierra.

3 Entonces el rey de Jericó, envió a decir a Rahab: Saca fuera los hombres que han venido a ti, y han entrado en tu casa; porque han venido a espiar toda la tierra.

4 Pero la mujer había tomado los dos hombres, y los había escondido; y dijo: Verdad que hombres vinieron a mí, mas no supe de dónde eran.

5 Y a la hora de cerrar la puerta, siendo ya oscuro, esos hombres salieron, y no sé a dónde se han ido; seguidlos aprisa y los alcanzaréis.

6 Mas ella los había hecho subir al terrado, y los había escondido entre manojos de lino que en aquel terrado tenía puestos.

7 Y los hombres fueron tras ellos por el camino del Jordán, hasta los vados; y la puerta fue cerrada después que salieron los que tras ellos iban.

8 Y antes que ellos durmiesen, ella subió a ellos al terrado, y les dijo:

9 Sé que Jehová os ha dado esta tierra; porque el temor de vosotros ha caído sobre nosotros, y todos los moradores del país desmayan por causa de vosotros.

10 Porque hemos oído que Jehová hizo secar las aguas del Mar Rojo delante de vosotros, cuando salisteis de Egipto, y lo que habéis hecho a los dos reyes de los amorreos que estaban al otro lado del Jordán, a Sehón y a Og, a los cuales habéis destruido.

11 Oyendo *esto*, ha desmayado nuestro corazón, y no ha quedado más ánimo en hombre alguno por causa de vosotros; porque Jehová vuestro Dios es Dios arriba en los cielos y abajo en la tierra.

12 Os ruego pues, ahora, que me juréis por Jehová, que como he hecho misericordia con vosotros, así la haréis vosotros con la casa de mi padre, de lo cual me daréis una señal segura;

13 y que salvaréis la vida a mi padre y a mi madre, y a mis hermanos y hermanas, y a todo lo que es suyo; y que libraréis nuestras vidas de la muerte.

14 Y ellos le respondieron: Nuestra alma por vosotros hasta la muerte, si no denunciareis este nuestro asunto; y cuando Jehová nos hubiere dado la tierra, nosotros haremos contigo misericordia y verdad.

15 Entonces ella los hizo descender con una cuerda por la ventana; porque su casa estaba a la pared del muro, y ella vivía en el muro.

16 Y les dijo: Marchaos al monte, para que los que fueron tras vosotros no os encuentren; y permaneced escondidos allí tres días, hasta que los que os siguen hayan vuelto; y después os iréis por vuestro camino.

17 Y ellos le dijeron: Nosotros *quedaremos* libres de este juramento que nos has hecho jurar.

18 He aquí, *cuando* nosotros entremos en la tierra, tú atarás este cordón de grana a la ventana por la cual nos descolgaste; y tú juntarás en tu casa a tu padre y a tu madre, a tus hermanos y a toda la familia de tu padre.

19 Cualquiera que saliere fuera de las puertas de tu casa, su sangre *será* sobre su cabeza, y nosotros *seremos*

sin culpa. Mas cualquiera que se *estuviere* en casa contigo, su sangre *será* sobre nuestra cabeza, si mano le tocare.

20 Y si tú denunciares este nuestro asunto, nosotros seremos libres de este tu juramento con que nos has hecho jurar.

21 Y ella respondió: Sea así como habéis dicho. Luego los despidió, y se fueron; y ella ató el cordón de grana a la ventana.

22 Y caminando ellos, llegaron al monte, y estuvieron allí tres días, hasta que los que los seguían se hubiesen vuelto; y los que los siguieron, buscaron por todo el camino, mas no *los* hallaron.

23 Y volviéndose los dos varones, descendieron del monte, y pasaron, y vinieron a Josué hijo de Nun, y le contaron todas las cosas que les habían acontecido.

24 Y dijeron a Josué: Jehová ha entregado toda la tierra en nuestras manos; y también todos los moradores del país desmayan delante de nosotros.

CAPÍTULO 3

Y Josué se levantó de mañana, y partieron de Sitim, y vinieron hasta el Jordán, él y todos los hijos de Israel, y reposaron allí antes de pasarlo.

2 Y pasados tres días, los oficiales atravesaron por medio del campamento,

3 y mandaron al pueblo, diciendo: Cuando viereis el arca del pacto de Jehová vuestro Dios, y los sacerdotes y levitas que la llevan, vosotros partiréis de vuestro lugar, y marcharéis en pos de ella;

4 pero entre vosotros y ella habrá una distancia como de la medida de dos mil codos, no os acercaréis a ella; para que sepáis el camino por el cuál debéis ir, por cuanto vosotros no habéis pasado antes por este camino.

5 Y Josué dijo al pueblo: Santificaos, porque mañana Jehová hará maravillas entre vosotros.

6 Y habló Josué a los sacerdotes, diciendo: Tomad el arca del pacto, y pasad delante del pueblo. Y ellos tomaron el arca del pacto, y fueron delante del pueblo.

7 Entonces Jehová dijo a Josué: Desde este día comenzaré a engrandecerte delante de los ojos de todo Israel, para que entiendan que como estuve con Moisés, así estaré contigo.

8 Tú, pues, mandarás a los sacerdotes que llevan el arca del pacto, diciendo: Cuando hubiereis entrado hasta el borde del agua del Jordán, pararéis en el Jordán.

9 Y Josué dijo a los hijos de Israel: Llegaos acá, y escuchad las palabras de Jehová vuestro Dios.

10 Y añadió Josué: En esto conoceréis que el Dios viviente está en medio de vosotros, y que Él echará de delante de vosotros al cananeo, y al heteo, y al heveo, y al ferezeo, y al gergeseo, y al amorreo, y al jebuseo.

11 He aquí, el arca del pacto del Señor de toda la tierra pasa el Jordán delante de vosotros.

12 Tomad, pues, ahora doce hombres de las tribus de Israel, de cada tribu uno.

13 Y cuando las plantas de los pies de los sacerdotes que llevan el arca de Jehová Señor de toda la tierra, fueren asentadas sobre las aguas del Jordán, las aguas del Jordán se partirán; porque las aguas que vienen de arriba se detendrán en un montón.

14 Y aconteció que cuando el pueblo partió de sus tiendas para pasar el Jordán con los sacerdotes delante del pueblo llevando el arca del pacto,

15 cuando los que llevaban el arca entraron en el Jordán, así como los pies de los sacerdotes que llevaban el arca se mojaron a la orilla del agua (porque el Jordán suele desbordarse sobre todas sus riberas todo el tiempo de la siega),

16 las aguas que venían de arriba, se pararon como en un montón bien lejos de la ciudad de Adam, que está al lado de Zaretán; y las que descendían al mar del Arabá, el Mar Salado, se acabaron y fueron partidas; y el pueblo pasó frente a Jericó.

17 Mas los sacerdotes que llevaban el arca del pacto de Jehová, estuvieron en seco, firmes en medio

del Jordán, hasta que todo el pueblo hubo acabado de pasar el Jordán; y todo Israel pasó en seco.

CAPÍTULO 4

Y cuando toda la gente hubo acabado de pasar el Jordán, Jehová habló a Josué, diciendo:

2 Tomad del pueblo doce hombres, uno de cada tribu,

3 y mandadles, diciendo: Tomaos de aquí del medio del Jordán, del lugar donde están firmes los pies de los sacerdotes, doce piedras, las cuales pasaréis con vosotros, y las asentaréis en el alojamiento donde habéis de pasar la noche.

4 Entonces Josué llamó a los doce hombres, los cuales él había preparado de entre los hijos de Israel, uno de cada tribu.

5 Y les dijo Josué: Pasad delante del arca de Jehová vuestro Dios al medio del Jordán; y cada uno de vosotros tome una piedra sobre su hombro, conforme al número de las tribus de los hijos de Israel;

6 Para que esto sea señal entre vosotros; y cuando vuestros hijos preguntaren a sus padres mañana, diciendo: ¿Qué significan para vosotros estas piedras?

7 Les responderéis: Que las aguas del Jordán fueron partidas delante del arca del pacto de Jehová; cuando ella pasó el Jordán, las aguas del Jordán se partieron; y estas piedras serán por memorial a los hijos de Israel para siempre.

8 Y los hijos de Israel lo hicieron así como Josué les mandó. Tomaron doce piedras del medio del Jordán, como Jehová lo había dicho a Josué, conforme al número de las tribus de los hijos de Israel, y las pasaron consigo al alojamiento, y las asentaron allí.

9 Josué también levantó doce piedras en medio del Jordán, en el lugar donde estuvieron los pies de los sacerdotes que llevaban el arca del pacto; y han estado allí hasta hoy.

10 Y los sacerdotes que llevaban el arca se pararon en medio del Jordán, hasta tanto que se hizo todo lo que Jehová había mandado a Josué que hablase al pueblo, conforme a todas las cosas que Moisés había mandado a Josué; y el pueblo se dio prisa y pasó.

11 Y sucedió que cuando todo el pueblo acabó de pasar, también pasó el arca de Jehová, y los sacerdotes, en presencia del pueblo.

12 También los hijos de Rubén y los hijos de Gad, y la media tribu de Manasés, pasaron armados delante de los hijos de Israel, según Moisés les había dicho:

13 Como cuarenta mil hombres armados a punto pasaron hacia la llanura de Jericó delante de Jehová a la guerra.

14 En aquel día Jehová engrandeció a Josué en ojos de todo Israel; y le temieron, como habían temido a Moisés, todos los días de su vida.

15 Y Jehová habló a Josué, diciendo:

16 Manda a los sacerdotes que llevan el arca del testimonio, que suban del Jordán.

17 Y Josué mandó a los sacerdotes, diciendo: Subid del Jordán.

18 Y aconteció que cuando los sacerdotes que llevaban el arca del pacto de Jehová, subieron del medio del Jordán, y las plantas de los pies de los sacerdotes estuvieron en lugar seco, las aguas del Jordán se volvieron a su lugar, corriendo como antes sobre todos sus bordes.

19 Y el pueblo subió del Jordán el *día* diez del mes primero, y acamparon en Gilgal, al lado oriental de Jericó.

20 Y Josué erigió en Gilgal las doce piedras que habían traído del Jordán.

21 Y habló a los hijos de Israel, diciendo: Cuando mañana preguntaren vuestros hijos a sus padres, y dijeren: ¿Qué *significan* para vosotros estas piedras?

22 Declararéis a vuestros hijos, diciendo: Israel pasó en seco por este Jordán.

23 Porque Jehová vuestro Dios secó las aguas del Jordán delante de vosotros, hasta que habíais pasado, a la manera que Jehová vuestro Dios lo había hecho en el Mar Rojo, al cual secó delante de nosotros hasta que pasamos;

24 Para que todos los pueblos de la tierra conozcan la mano de Jehová, que *es* poderosa; para que temáis a Jehová vuestro Dios todos los días.

CAPÍTULO 5

Y sucedió que cuando todos los reyes de los amorreos, que *estaban* al otro lado del Jordán al occidente, y todos los reyes de los cananeos, que *estaban* cerca del mar, oyeron cómo Jehová había secado las aguas del Jordán delante de los hijos de Israel hasta que hubieron pasado, desfalleció su corazón, y no hubo más espíritu en ellos delante de los hijos de Israel.

2 En aquel tiempo Jehová dijo a Josué: Hazte cuchillos afilados, y vuelve a circuncidar por segunda vez a los hijos de Israel.

3 Y Josué se hizo cuchillos afilados, y circuncidó a los hijos de Israel en el monte de los prepucios.

4 Ésta *es* la causa por la cual Josué los circuncidó: Todo el pueblo que había salido de Egipto, los varones, todos los hombres de guerra, habían muerto en el desierto por el camino, después que salieron de Egipto.

5 Porque todos los del pueblo que habían salido, estaban circuncidados; mas todos los del pueblo que *había* nacido en el desierto, por el camino, después que salieron de Egipto, no estaban circuncidados.

6 Porque los hijos de Israel anduvieron por el desierto cuarenta años, hasta que toda la gente de los hombres de guerra que habían salido de Egipto, fue consumida, por cuanto no obedecieron a la voz de Jehová; por lo cual Jehová les juró que no les dejaría ver la tierra, de la cual Jehová había jurado a sus padres que nos la daría, tierra que fluye leche y miel.

7 Y a los hijos de ellos, *que* Él había levantado en su lugar, Josué los circuncidó; pues eran incircuncisos, porque no habían sido circuncidados por el camino.

8 Y sucedió que cuando terminaron de circuncidar a toda la gente, se quedaron en su lugar en el campamento, hasta que sanaron.

9 Y Jehová dijo a Josué: Hoy he quitado de vosotros el oprobio de Egipto: por lo cual el nombre de aquel lugar fue llamado Gilgal, hasta hoy.

10 Y los hijos de Israel acamparon en Gilgal, y celebraron la pascua a los catorce días del mes, por la tarde, en los llanos de Jericó.

11 Y al otro día de la pascua comieron del fruto de la tierra los panes sin levadura, y en el mismo día espigas nuevas tostadas.

12 Y el maná cesó el día siguiente, desde que comenzaron a comer del fruto de la tierra; y los hijos de Israel nunca más tuvieron maná, sino que comieron de los frutos de la tierra de Canaán aquel año.

13 Y sucedió que cuando Josué estaba cerca de Jericó, alzó sus ojos, y he aquí, un varón estaba delante de él, con su espada desenvainada en su mano. Y Josué fue hacia Él y le dijo: ¿Eres de los nuestros, o de nuestros enemigos?

14 Y Él respondió: No; sino que he venido ahora *como* Príncipe del ejército de Jehová. Entonces Josué postrándose sobre su rostro en tierra le adoró; y le dijo: ¿Qué dice mi Señor a su siervo?

15 Y el Príncipe del ejército de Jehová respondió a Josué: Quita las sandalias de tus pies; porque el lugar donde estás *es* santo. Y Josué lo hizo así.

CAPÍTULO 6

Pero Jericó estaba cerrada, bien cerrada, a causa de los hijos de Israel: nadie entraba, ni salía.

2 Mas Jehová dijo a Josué: Mira, yo he entregado en tu mano a Jericó y a su rey, con sus varones de guerra.

3 Cercaréis, pues, la ciudad todos los hombres de guerra, yendo alrededor de la ciudad una vez; y esto haréis seis días.

4 Y siete sacerdotes llevarán siete trompetas de cuernos de carneros delante del arca; y al séptimo día daréis siete vueltas a la ciudad, y los sacerdotes tocarán las trompetas.

5 Y cuando tocaren prolongadamente el cuerno de carnero, así que oyereis el sonido de la trompeta, todo el pueblo gritará a gran voz, y el muro de la ciudad se vendrá abajo; entonces el pueblo subirá cada uno en derecho de sí.

6 Y llamando Josué hijo de Nun a los sacerdotes, les dijo: Llevad el arca del

pacto, y que siete sacerdotes lleven trompetas de cuernos de carneros delante del arca de Jehová.

7 Y dijo al pueblo: Pasad, y rodead la ciudad; y los que están armados pasarán delante del arca de Jehová.

8 Y sucedió que cuando Josué hubo hablado al pueblo, los siete sacerdotes, llevando las siete trompetas de cuernos de carneros, pasaron delante del arca de Jehová y tocaron las trompetas; y el arca del pacto de Jehová los seguía.

9 Y los hombres armados iban delante de los sacerdotes que tocaban las trompetas, y la gente reunida iba detrás del arca, andando y tocando las trompetas.

10 Y Josué mandó al pueblo, diciendo: Vosotros no gritaréis, ni se oirá vuestra voz, ni saldrá palabra de vuestra boca, hasta el día que yo os diga: Gritad; entonces gritaréis.

11 Así hizo que el arca de Jehová diera una vuelta alrededor de la ciudad, y volvieron luego al campamento, y en el campamento pasaron la noche.

12 Y Josué se levantó de mañana, y los sacerdotes tomaron el arca de Jehová.

13 Y los siete sacerdotes, llevando las siete trompetas de cuernos de carneros, fueron delante del arca de Jehová, andando siempre y tocando las trompetas; y los hombres armados iban delante de ellos, y la gente reunida iba detrás del arca de Jehová, andando y tocando las trompetas.

14 Así dieron otra vuelta a la ciudad el segundo día, y volvieron al campamento; de esta manera hicieron por seis días.

15 Y sucedió que en el séptimo día se levantaron temprano, al despuntar el alba, y dieron vuelta a la ciudad de la misma manera; solamente ese día dieron vuelta alrededor de la ciudad siete veces.

16 Y aconteció que cuando los sacerdotes tocaron las trompetas la séptima vez, Josué dijo al pueblo: ¡Gritad! Porque Jehová os ha entregado la ciudad.

17 Mas la ciudad será anatema a Jehová, ella con todas las cosas que están en ella; solamente Rahab la ramera vivirá, con todos los que estuvieren en casa con ella, por cuanto escondió los mensajeros que enviamos.

18 Pero guardaos vosotros del anatema, que ni toquéis, ni toméis alguna cosa del anatema, no sea que hagáis anatema el campo de Israel, y lo turbéis.

19 Mas toda la plata y el oro, y los vasos de bronce y de hierro, son consagrados a Jehová. Entrarán al tesoro de Jehová.

20 Entonces el pueblo gritó, y los sacerdotes tocaron las trompetas; y aconteció que cuando el pueblo oyó el sonido de la trompeta, el pueblo gritó con gran vocerío, y el muro cayó a plomo; y el pueblo subió luego a la ciudad, cada uno en derecho de sí, y la tomaron.

21 Y destruyeron a filo de espada todo lo que había en la ciudad; hombres y mujeres, jóvenes y viejos, hasta los bueyes, ovejas y asnos.

22 Mas Josué dijo a los dos hombres que habían reconocido la tierra: Entrad en casa de la mujer ramera, y haced salir de allá a la mujer, y a todo lo que fuere suyo, como lo jurasteis.

23 Y los jóvenes espías entraron, y sacaron a Rahab, a su padre, a su madre, a sus hermanos y todo lo que era suyo; y también sacaron a toda su parentela, y los pusieron fuera del campamento de Israel.

24 Y consumieron con fuego la ciudad, y todo lo que en ella había; solamente pusieron en el tesoro de la casa de Jehová la plata, y el oro, y los vasos de bronce y de hierro.

25 Mas Josué salvó la vida a Rahab la ramera, y a la casa de su padre, y a todo lo que ella tenía: y habitó ella entre los israelitas hasta hoy; por cuanto escondió los mensajeros que Josué envió a reconocer a Jericó.

26 Y en aquel tiempo Josué les juramentó diciendo: Maldito delante de Jehová el hombre que se levantare y reedificare esta ciudad de Jericó. En su primogénito eche sus cimientos, y en su hijo menor asiente sus puertas.

27 Fue, pues, Jehová con Josué, y su nombre se divulgó por toda la tierra.

CAPÍTULO 7

Pero los hijos de Israel cometieron prevaricación en el anatema: porque Acán, hijo de Carmi, hijo de Zabdi, hijo de Zera, de la tribu de Judá, tomó del anatema; y la ira de Jehová se encendió contra los hijos de Israel.

2 Y Josué envió hombres desde Jericó a Hai, que estaba junto a Betaven hacia el oriente de Betel; y les habló diciendo: Subid, y reconoced la tierra. Y ellos subieron, y reconocieron a Hai.

3 Y volviendo a Josué, le dijeron: No suba todo el pueblo, mas suban como dos mil o como tres mil hombres, y tomarán a Hai: no fatigues a todo el pueblo allí, porque son pocos.

4 Y subieron allá del pueblo como tres mil hombres, los cuales huyeron delante de los de Hai.

5 Y los de Hai hirieron de ellos como treinta y seis hombres, y los siguieron desde la puerta hasta Sebarim, y los rompieron en la bajada: por lo que se disolvió el corazón del pueblo, y vino a ser como agua.

6 Entonces Josué rompió sus vestiduras, y se postró en tierra sobre su rostro delante del arca de Jehová hasta la tarde, él y los ancianos de Israel; y echaron polvo sobre sus cabezas.

7 Y Josué dijo: ¡Ah, Señor Jehová! ¿Por qué hiciste pasar a este pueblo el Jordán, para entregarnos en las manos de los amorreos y que nos destruyan? ¡Mejor nos hubiéramos quedado al otro lado del Jordán!

8 ¡Ay Señor! ¿Qué diré, ya que Israel ha vuelto la espalda delante de sus enemigos?

9 Porque los cananeos y todos los moradores de la tierra oirán, y nos cercarán, y raerán nuestro nombre de sobre la tierra: entonces ¿qué harás tú a tu grande nombre?

10 Y Jehová dijo a Josué: Levántate; ¿por qué te postras así sobre tu rostro?

11 Israel ha pecado, y aun han quebrantado mi pacto que yo les había mandado; pues aun han tomado del anatema, y hasta han hurtado, y también han mentido, y aun lo han guardado entre sus enseres.

12 Por esto los hijos de Israel no podrán estar delante de sus enemigos, sino que delante de sus enemigos volverán la espalda; por cuanto han venido a ser anatema. Ya no seré más con vosotros, al menos que destruyáis el anatema de en medio de vosotros.

13 Levántate, santifica al pueblo, y di: Santificaos para mañana, porque Jehová el Dios de Israel dice así: Anatema *hay* en medio de ti, Israel; no podrás estar delante de tus enemigos, hasta tanto que hayáis quitado el anatema de en medio de vosotros.

14 Os acercaréis, pues, mañana por vuestras tribus; y la tribu que Jehová tomare, se acercará por sus familias; y la familia que Jehová tomare, se acercará por sus casas; y la casa que Jehová tomare, se acercará por los varones;

15 Y el que fuere sorprendido en el anatema, será quemado a fuego, él y todo lo que tiene, por cuanto ha quebrantado el pacto de Jehová, y ha cometido maldad en Israel.

16 Josué, pues, levantándose de mañana, hizo venir a Israel por sus tribus; y fue tomada la tribu de Judá.

17 Y trajo a la tribu de Judá, y tomó la familia de los zeraítas; luego trajo a la familia de los zeraítas por los varones, y fue tomado Zabdi.

18 E hizo venir a los varones de su casa, y fue tomado Acán, hijo de Carmi, hijo de Zabdi, hijo de Zera, de la tribu de Judá.

19 Entonces Josué dijo a Acán: Hijo mío, te ruego, da gloria a Jehová, Dios de Israel, y confiesa ante Él; y declárame ahora lo que has hecho, no me lo encubras.

20 Y Acán respondió a Josué, diciendo: Verdaderamente yo he pecado contra Jehová el Dios de Israel, y he hecho así y así:

21 Que vi entre el despojo un manto babilónico muy bueno, y doscientos siclos de plata, y un lingote de oro de peso de cincuenta siclos; lo cual codicié y tomé; y he aquí que *está* escondido debajo de tierra en el

medio de mi tienda, y el dinero debajo de ello.

22 Josué entonces envió mensajeros, los cuales fueron corriendo a la tienda; y he aquí *estaba* escondido en su tienda, y el dinero debajo de ello.

23 Y tomándolo de en medio de la tienda, lo trajeron a Josué y a todos los hijos de Israel, y lo pusieron delante de Jehová.

24 Entonces Josué, y todo Israel con él, tomó a Acán hijo de Zera, y el dinero, y el manto, y el lingote de oro, y sus hijos, y sus hijas, y sus bueyes, y sus asnos, y sus ovejas, y su tienda, y todo cuanto tenía, y lo llevaron todo al valle de Acor.

25 Y dijo Josué: ¿Por qué nos has turbado? Jehová te turbe en este día. Y todos los israelitas los apedrearon, y los quemaron a fuego, después de apedrearlos con piedras.

26 Y levantaron sobre él un gran montón de piedras, hasta hoy. Y Jehová se volvió del furor de su ira. Y por eso fue llamado aquel lugar el Valle de Acor, hasta hoy.

CAPÍTULO 8

Y Jehová dijo a Josué: No temas, ni desmayes; toma contigo toda la gente de guerra, y levántate y sube a Hai. Mira, yo he entregado en tu mano al rey de Hai, y a su pueblo, a su ciudad, y a su tierra.

2 Y harás a Hai y a su rey como hiciste a Jericó y a su rey: sólo que sus despojos y sus bestias tomaréis para vosotros. Pondrás, pues, emboscadas a la ciudad detrás de ella.

3 Y se levantó Josué, y toda la gente de guerra, para subir contra Hai: y escogió Josué treinta mil hombres fuertes, los cuales envió de noche.

4 Y les mandó, diciendo: Mirad, pondréis emboscada a la ciudad detrás de ella; no os alejaréis mucho de la ciudad, y estaréis todos apercibidos.

5 Y yo, y todo el pueblo que está conmigo, nos acercaremos a la ciudad; y cuando saldrán ellos contra nosotros, como hicieron antes, huiremos delante de ellos.

6 Y ellos saldrán tras nosotros, hasta que los arranquemos de la ciudad; porque ellos dirán: Huyen de nosotros como la primera vez. Huiremos, pues, delante de ellos.

7 Entonces vosotros os levantaréis de la emboscada, y os echaréis sobre la ciudad; pues Jehová vuestro Dios la entregará en vuestras manos.

8 Y cuando la hubiereis tomado, le prenderéis fuego. Haréis conforme a la palabra de Jehová. Mirad que os lo he mandado.

9 Entonces Josué los envió; y ellos se fueron a la emboscada, y se pusieron entre Betel y Hai, al occidente de Hai: y Josué se quedó aquella noche en medio del pueblo.

10 Y levantándose Josué muy de mañana, revistó al pueblo, y subió él, con los ancianos de Israel, delante del pueblo contra Hai.

11 Y toda la gente de guerra que estaba con él, subió, y se acercó, y llegaron delante de la ciudad, y acamparon al norte de Hai; y el valle estaba entre él y Hai.

12 Y tomó como cinco mil hombres, y los puso en emboscada entre Betel y Hai, al lado oeste de la ciudad.

13 Y habiendo ordenado al pueblo, todo el campamento que estaba en el norte de la ciudad, y su emboscada al occidente de la ciudad, Josué vino aquella noche hasta el medio del valle.

14 Y sucedió que cuando lo vio el rey de Hai, se levantó prestamente de mañana, y salió con la gente de la ciudad contra Israel, él y todo su pueblo, para combatir por el llano al tiempo señalado, no sabiendo que *le estaba puesta* emboscada a las espaldas de la ciudad.

15 Entonces Josué y todo Israel, fingiéndose vencidos ante ellos, huyeron por el camino del desierto.

16 Y todo el pueblo que *estaba* en Hai se juntó para seguirlos; y siguieron a Josué, siendo así arrancados de la ciudad.

17 Y no quedó hombre en Hai y Betel, que no saliera tras de Israel; y por seguir a Israel dejaron la ciudad abierta.

18 Entonces Jehová dijo a Josué: Levanta la lanza que *tienes* en tu mano hacia Hai, porque yo la

entregaré en tu mano. Y Josué levantó hacia la ciudad la lanza que en su mano tenía.

19 Y levantándose prestamente de su lugar los que estaban en la emboscada, corrieron luego que él alzó su mano, y vinieron a la ciudad, y la tomaron, y se apresuraron a prenderle fuego.

20 Y cuando los de la ciudad miraron atrás, observaron, y he aquí el humo de la ciudad que subía al cielo, y no pudieron huir ni a una parte ni a otra; y el pueblo que iba huyendo hacia el desierto se volvió contra quienes los perseguían.

21 Josué y todo Israel, viendo que los de la emboscada habían tomado la ciudad, y que el humo de la ciudad subía, volvieron, e hirieron a los de Hai.

22 Y los otros salieron de la ciudad a su encuentro: y así fueron encerrados en medio de Israel, los unos de la una parte, y los otros de la otra. Y los hirieron hasta que no quedó ninguno de ellos que escapase.

23 Y tomaron vivo al rey de Hai, y le trajeron a Josué.

24 Y sucedió que cuando Israel acabó de matar a todos los moradores de Hai en el campo y en el desierto, adonde ellos los habían perseguido, y todos habían caído a filo de espada hasta ser consumidos, todos los israelitas volvieron a Hai y la hirieron a filo de espada.

25 Y el número de los que cayeron aquel día, hombres y mujeres, *fue* doce mil, todos los de Hai.

26 Y Josué no retrajo su mano que había extendido con la lanza, hasta que hubo destruido a todos los moradores de Hai.

27 E Israel tomó para sí, sólo las bestias y el despojo de la ciudad, conforme a la palabra de Jehová que Él había mandado a Josué.

28 Y Josué quemó a Hai y la redujo a un montón perpetuo, asolado hasta hoy.

29 Mas al rey de Hai colgó de un madero hasta la tarde; y cuando el sol se puso, mandó Josué que quitasen del madero su cuerpo, y lo echasen a la puerta de la ciudad; y levantaron sobre él un gran montón

de piedras, que *permanece* hasta hoy.

30 Entonces Josué edificó un altar a Jehová Dios de Israel en el monte de Ebal,

31 como Moisés, siervo de Jehová, lo había mandado a los hijos de Israel, como está escrito en el libro de la ley de Moisés, un altar de piedras enteras sobre las cuales nadie alzó hierro; y ofrecieron sobre él holocaustos a Jehová, y sacrificaron ofrendas de paz.

32 También escribió allí en piedras la repetición de la ley de Moisés, la cual él había escrito delante de los hijos de Israel.

33 Y todo Israel, y sus ancianos, oficiales, y jueces, estaban a uno y otro lado del arca, delante de los sacerdotes levitas que llevan el arca del pacto de Jehová; así extranjeros como naturales, la mitad de ellos estaba hacia el monte de Gerizim, y la otra mitad hacia el monte de Ebal; de la manera que Moisés, siervo de Jehová, lo había mandado antes, para que bendijesen primeramente al pueblo de Israel.

34 Después de esto, leyó todas las palabras de la ley, las bendiciones y las maldiciones, conforme a todo lo que está escrito en el libro de la ley.

35 No hubo palabra alguna de todas las cosas que mandó Moisés, que Josué no hiciese leer delante de toda la congregación de Israel, mujeres y niños, y extranjeros que andaban entre ellos.

CAPÍTULO 9

Y acontició que cuando oyeron estas cosas todos los reyes que *estaban* a este lado del Jordán, así en las montañas como en los llanos, y en toda la costa del Mar Grande delante del Líbano, los heteos, amorreos, cananeos, ferezeos, heveos y jebuseos;

2 se juntaron a una, de un acuerdo, para pelear contra Josué e Israel.

3 Y cuando los habitantes de Gabaón oyeron lo que Josué había hecho a Jericó y a Hai,

4 ellos usaron de astucia; pues fueron y se fingieron embajadores, y tomaron sacos viejos sobre sus asnos,

y odres viejos de vino, rotos y remendados,

5 y zapatos viejos y recosidos en sus pies, con vestiduras viejas sobre sí; y todo el pan que traían para el camino, seco y mohoso.

6 Así vinieron a Josué al campo en Gilgal, y le dijeron a él y a los de Israel: Nosotros venimos de tierra muy lejana: haced, pues, ahora alianza con nosotros.

7 Y los de Israel respondieron a los heveos: Quizá vosotros habitáis en medio de nosotros, ¿cómo, pues, podremos nosotros hacer alianza con vosotros?

8 Y ellos respondieron a Josué: Nosotros *somos* tus siervos. Y Josué les dijo: ¿Quiénes *sois* vosotros y de dónde venís?

9 Y ellos respondieron: Tus siervos han venido de muy lejanas tierras, por la fama de Jehová tu Dios; porque hemos oído su fama, y todo lo que Él hizo en Egipto,

10 y todo lo que hizo a los dos reyes de los amorreos que *estaban* al otro lado del Jordán; a Sehón rey de Hesbón, y a Og rey de Basán, que estaba en Astarot.

11 Por lo cual nuestros ancianos y todos los moradores de nuestra tierra nos dijeron: Tomad en vuestras manos provisión para el camino, e id al encuentro de ellos, y decidles: Nosotros somos vuestros siervos, y haced ahora con nosotros alianza.

12 Este nuestro pan lo tomamos caliente de nuestras casas para el camino el día que salimos para venir a vosotros; y helo aquí ahora ya está seco y mohoso.

13 Estos odres de vino también los llenamos nuevos; y helos aquí, ya están rotos; también estas nuestras vestiduras y nuestros zapatos están ya viejos a causa de lo muy largo del camino.

14 Y los hombres de Israel tomaron de su provisión del camino, y no consultaron a la boca de Jehová.

15 Y Josué hizo paz con ellos, y concertó con ellos que les dejaría la vida: también los príncipes de la congregación les juraron.

16 Y sucedió que pasados tres días después que hicieron alianza con ellos, oyeron que *eran* sus vecinos, y que habitaban en medio de ellos.

17 Y partieron los hijos de Israel, y al tercer día llegaron a sus ciudades: y sus ciudades *eran* Gabaón, Cefira, Beerot y Quiriat-jearim.

18 Y no los hirieron los hijos de Israel, por cuanto los príncipes de la congregación les habían jurado por Jehová el Dios de Israel. Y toda la congregación murmuraba contra los príncipes.

19 Mas todos los príncipes respondieron a toda la congregación: Nosotros les hemos jurado por Jehová Dios de Israel; por tanto, ahora no les podemos tocar.

20 Esto haremos con ellos: les dejaremos vivir, para que no venga ira sobre nosotros a causa del juramento que les hemos hecho.

21 Y los príncipes les dijeron: Vivan; mas sean leñadores y aguadores para toda la congregación, como los príncipes les han dicho.

22 Y llamándolos Josué, les habló diciendo: ¿Por qué nos habéis engañado, diciendo: Habitamos muy lejos de vosotros; cuando moráis en medio de nosotros?

23 Ahora, pues, vosotros *sois* malditos, y ninguno de vosotros será exento de ser siervo, y de ser leñador y sacar el agua para la casa de mi Dios.

24 Y ellos respondieron a Josué, y dijeron: Como fue dado a entender a tus siervos, que Jehová tu Dios había mandado a Moisés su siervo que os había de dar toda la tierra, y que había de destruir todos los moradores de la tierra delante de vosotros, por esto temimos en gran manera de vosotros por nuestras vidas, e hicimos esto.

25 Ahora pues, henos aquí en tu mano; lo que te pareciere bueno y recto hacer de nosotros, hazlo.

26 Y él lo hizo así; que los libró de la mano de los hijos de Israel, para que no los matasen.

27 Y los constituyó Josué aquel día por leñadores y aguadores para la congregación y para el altar de Jehová, en el lugar que Él escogiese; lo que son hasta hoy.

CAPÍTULO 10

Y aconteció que cuando Adonisedec, rey de Jerusalén, oyó que Josué había tomado a Hai, y que la habían asolado (como había hecho a Jericó y a su rey, así hizo a Hai y a su rey), y que los moradores de Gabaón habían hecho paz con los israelitas, y que estaban entre ellos;

2 tuvieron gran temor; porque Gabaón *era* una gran ciudad, como una de las ciudades reales, y mayor que Hai, y todos sus hombres *eran* fuertes.

3 Envió pues a decir Adonisedec rey de Jerusalén, a Oham rey de Hebrón, y a Piream rey de Jarmut, y a Jafía rey de Laquis, y a Debir rey de Eglón:

4 Subid a mí, y ayudadme, y combatamos a Gabaón; porque ha hecho paz con Josué y con los hijos de Israel.

5 Y cinco reyes de los amorreos, el rey de Jerusalén, el rey de Hebrón, el rey de Jarmut, el rey de Laquis, el rey de Eglón, se juntaron y subieron, ellos con todos sus ejércitos, y acamparon frente a Gabaón, y pelearon contra ella.

6 Y los moradores de Gabaón enviaron a decir a Josué al campamento en Gilgal: No niegues dar la mano a tus siervos; sube rápidamente a nosotros para defendernos y ayudarnos; porque todos los reyes de los amorreos que habitan en las montañas se han reunido contra nosotros.

7 Y subió Josué de Gilgal, él y toda la gente de guerra con él, y todos los hombres valientes.

8 Y Jehová dijo a Josué: No tengas temor de ellos: porque yo los he entregado en tu mano, y ninguno de ellos parará delante de ti.

9 Y Josué vino a ellos de repente, toda la noche subió desde Gilgal.

10 Y Jehová los turbó delante de Israel, y los hirió con gran mortandad en Gabaón; y los siguió por el camino que sube a Bet-horón, y los hirió hasta Azeca y Maceda.

11 Y cuando iban huyendo de los israelitas, a la bajada de Bet-horón, Jehová arrojó sobre ellos del cielo grandes piedras hasta Azeca, y fueron más los que murieron por las piedras del granizo, que los que los hijos de Israel mataron a espada.

12 Entonces Josué habló a Jehová el día que Jehová entregó al amorreo delante de los hijos de Israel, y dijo en presencia de los israelitas: Sol, detente en Gabaón; y tú, Luna, en el valle de Ajalón.

13 Y el sol se detuvo y la luna se paró, hasta tanto que la gente se hubo vengado de sus enemigos. ¿No *está* esto escrito en el libro de Jaser? Y el sol se paró en medio del cielo, y no se apresuró a ponerse casi un día entero.

14 Y nunca fue tal día antes ni después de aquél, habiendo atendido Jehová a la voz de un hombre: porque Jehová peleaba por Israel.

15 Y Josué, y todo Israel con él, se volvían al campo en Gilgal.

16 Pero los cinco reyes huyeron, y se escondieron en una cueva en Maceda.

17 Y fue dicho a Josué que los cinco reyes habían sido hallados en una cueva en Maceda.

18 Entonces Josué dijo: Rodad grandes piedras a la boca de la cueva, y poned hombres junto a ella que los guarden;

19 Y vosotros no os paréis, sino seguid a vuestros enemigos, y heridles la retaguardia, sin dejarles entrar en sus ciudades; porque Jehová vuestro Dios los ha entregado en vuestra mano.

20 Y aconteció que cuando Josué y los hijos de Israel terminaron de herirlos con gran mortandad, hasta destruirlos, los que quedaron de ellos se metieron en las ciudades fortificadas.

21 Y todo el pueblo volvió en paz al campamento a Josué en Maceda; no hubo quien moviese su lengua contra ninguno de los hijos de Israel.

22 Entonces dijo Josué: Abrid la boca de la cueva, y sacadme de ella a estos cinco reyes.

23 Y lo hicieron así, y le sacaron de la cueva aquellos cinco reyes: al rey de Jerusalén, al rey de Hebrón, al rey de Jarmut, al rey de Laquis, al rey de Eglón.

24 Y cuando hubieron sacado estos reyes a Josué, llamó Josué a todos los varones de Israel, y dijo a los principales de la gente de guerra que habían venido con él: Llegad y poned vuestros pies sobre los cuellos de estos reyes. Y ellos se llegaron, y pusieron sus pies sobre los cuellos de ellos.

25 Y Josué les dijo: No temáis, ni os atemoricéis; sed fuertes y valientes: porque así hará Jehová a todos vuestros enemigos contra los cuales peleáis.

26 Y después de esto Josué los hirió y los mató, y los hizo colgar en cinco maderos; y quedaron colgados en los maderos hasta la tarde.

27 Y cuando el sol se iba a poner, mandó Josué que los quitasen de los maderos, y los echasen en la cueva donde se habían escondido: y pusieron grandes piedras a la boca de la cueva, *que permanecen* hasta hoy.

28 En aquel mismo día tomó Josué a Maceda, y la hirió a filo de espada, y mató a su rey; a ellos y a todas las almas que había en ella, sin quedar nada; e hizo al rey de Maceda como había hecho al rey de Jericó.

29 Y de Maceda pasó Josué, y todo Israel con él, a Libna; y peleó contra Libna:

30 Y Jehová la entregó también a ella y a su rey en manos de Israel; y la hirió a filo de espada, con todas las almas que había en ella, sin quedar nada; e hizo a su rey de la manera que había hecho al rey de Jericó.

31 Y Josué, y todo Israel con él, pasó de Libna a Laquis, y acampó contra ella, y la combatió.

32 Y Jehová entregó a Laquis en mano de Israel, y la tomó al día siguiente, y la hirió a filo de espada, con todas las almas que *había* en ella, como había hecho en Libna.

33 Entonces Horam, rey de Gezer, subió en ayuda de Laquis; mas a él y a su pueblo hirió Josué, hasta no quedar ninguno de ellos.

34 De Laquis pasó Josué, y todo Israel con él, a Eglón; y acamparon contra ella, y la combatieron.

35 Y la tomaron el mismo día, y la metieron a espada; y aquel día mató a todas las almas que *había* en ella, como había hecho en Laquis.

36 Subió luego Josué, y todo Israel con él, de Eglón a Hebrón, y la combatieron;

37 Y tomándola, la hirieron a filo de espada, a su rey y a todas sus ciudades, con todas las almas que *había* en ella, sin quedar nada; como habían hecho a Eglón, así la destruyeron con todo lo que en ella tenía vida.

38 Después volvió Josué, y todo Israel con él, contra Debir, y combatió contra ella;

39 Y la tomó, y a su rey, y a todas sus ciudades; y los hirieron a filo de espada, y destruyeron todas las almas que *había* en ella, sin quedar nada; como había hecho a Hebrón, así hizo a Debir y a su rey; y como había hecho a Libna y a su rey.

40 Hirió, pues, Josué toda la región de las montañas, y del sur, y de la llanura, y de las cuestas, y a todos sus reyes, sin quedar nada; todo lo que tenía vida mató, como Jehová Dios de Israel lo había mandado.

41 Y los hirió Josué desde Cades-barnea hasta Gaza, y toda la tierra de Gosén hasta Gabaón.

42 Todos estos reyes y sus tierras tomó Josué de una vez; porque Jehová el Dios de Israel peleaba por Israel.

43 Y se volvió Josué, y todo Israel con él, al campamento en Gilgal.

CAPÍTULO 11

Oyendo *esto* Jabín rey de Hazor, envió mensaje a Jobab rey de Madón, y al rey de Simrón, y al rey de Acsaf,

2 y a los reyes que *estaban* en el norte de las montañas, y en la llanura del sur de Cineret, y en los llanos, y en las regiones de Dor al occidente;

3 y al cananeo que estaba al oriente y al occidente, y al amorreo, y al heteo, y al ferezeo, y al jebuseo en las montañas, y al heveo debajo de Hermón en tierra de Mizpa.

4 Éstos salieron, y con ellos todos sus ejércitos, mucha gente, como la arena que *está* a la orilla del mar, con muchísimos caballos y carros.

5 Y cuando todos estos reyes se

reunieron, vinieron y acamparon juntos frente a las aguas de Merom, para pelear contra Israel.

6 Mas Jehová dijo a Josué: No tengas temor de ellos, porque mañana a esta hora yo entregaré a todos éstos, muertos delante de Israel; desjarretarás sus caballos y sus carros quemarás a fuego.

7 Y vino Josué, y con él todo el pueblo de guerra, contra ellos, y dio de repente sobre ellos junto a las aguas de Merom.

8 Y los entregó Jehová en manos de Israel, los cuales los hirieron y siguieron hasta Sidón la grande, y hasta Misrefotmaim, y hasta el llano de Mizpa al oriente, hiriéndolos hasta que no les dejaron ninguno.

9 Y Josué hizo con ellos como Jehová le había mandado; desjarretó sus caballos, y sus carros quemó a fuego.

10 Y volviendo Josué, tomó en el mismo tiempo a Hazor, e hirió a espada a su rey; pues Hazor había sido antes cabeza de todos estos reinos.

11 E hirieron a espada a todas las almas que *había* en ella, destruyéndoles por completo; no quedó nada que respirase; y a Hazor pusieron a fuego.

12 Asimismo tomó Josué todas las ciudades de estos reyes, y a todos los reyes de ellas, y los hirió a filo de espada, y los destruyó, tal como Moisés siervo de Jehová lo había mandado.

13 Pero a todas las ciudades que estaban sobre sus colinas, no las quemó Israel, con la única excepción de Hazor, *la cual* quemó Josué.

14 Y los hijos de Israel tomaron para sí todo el despojo y el ganado de estas ciudades; pero a todos los hombres metieron a espada hasta destruirlos, sin dejar nada que respirase.

15 De la manera que Jehová lo había mandado a Moisés su siervo, así Moisés lo mandó a Josué: y así Josué lo hizo, sin quitar palabra de todo lo que Jehová había mandado a Moisés.

16 Tomó, pues, Josué toda aquella tierra, las montañas, y toda la región del sur, y toda la tierra de Gosén, y los bajos y los llanos, y las montañas de Israel y sus valles.

17 Desde el monte de Halac, que sube hasta Seir, hasta Baal-gad en la llanura del Líbano, a la falda del monte Hermón; tomó asimismo todos sus reyes, los cuales hirió y mató.

18 Por mucho tiempo tuvo guerra Josué con estos reyes.

19 No hubo ciudad que hiciese paz con los hijos de Israel, salvo los heveos, que moraban en Gabaón; todo lo tomaron por guerra.

20 Porque esto vino de Jehová, que endurecía el corazón de ellos para que resistiesen con guerra a Israel, para destruirlos, y que no les fuese hecha misericordia, antes fuesen desarraigados, como Jehová lo había mandado a Moisés.

21 También en el mismo tiempo vino Josué y destruyó a los anaceos de los montes, de Hebrón, de Debir, y de Anab, y de todos los montes de Judá, y de todos los montes de Israel: Josué los destruyó a ellos y a sus ciudades.

22 Ninguno de los anaceos quedó en la tierra de los hijos de Israel; solamente quedaron en Gaza, en Gat y en Asdod.

23 Tomó, pues, Josué toda la tierra, conforme a todo lo que Jehová había dicho a Moisés; y la entregó Josué a los israelitas por herencia, conforme a sus repartimientos de sus tribus; y la tierra reposó de la guerra.

CAPÍTULO 12

Éstos *son* los reyes de la tierra que los hijos de Israel hirieron, y cuya tierra poseyeron al otro lado del Jordán hacia donde nace del sol, desde el arroyo de Arnón hasta el monte Hermón, y toda la llanura oriental:

2 Sehón rey de los amorreos, que habitaba en Hesbón, y señoreaba desde Aroer, que *está* a la ribera del arroyo de Arnón, y desde en medio del arroyo, y la mitad de Galaad, hasta el arroyo Jaboc, el término de los hijos de Amón;

3 Y desde el Arabá hasta el mar de Cineret, al oriente; y hasta el mar del Arabá, el Mar Salado, al oriente, por el camino de Bet-jesimot; y desde el sur debajo de las vertientes del Pisga.

4 Y el territorio de Og rey de Basán, que *había* quedado de los refaítas, el cual habitaba en Astarot y en Edrei,

5 y señoreaba en el monte de Hermón, y en Salca, y en todo Basán hasta los términos de los gesuritas y de los maacatitas, y la mitad de Galaad, término de Sehón rey de Hesbón.

6 A éstos hirieron Moisés siervo de Jehová y los hijos de Israel; y Moisés siervo de Jehová dio aquella tierra en posesión a los rubenitas, gaditas, y a la media tribu de Manasés.

7 Y éstos *son* los reyes de la tierra que hirió Josué con los hijos de Israel, de este lado del Jordán al occidente, desde Baal-gad en el valle del Líbano hasta el monte de Halac que sube a Seir; y cuya tierra dio Josué *en* posesión a las tribus de Israel, conforme a sus divisiones;

8 en las montañas y en los valles, en las llanuras y en las vertientes, en el desierto y en el sur; el heteo, el amorreo, el cananeo, el ferezeo, el heveo y el jebuseo.

9 El rey de Jericó, uno; el rey de Hai, que *está* al lado de Betel, otro;

10 el rey de Jerusalén, otro; el rey de Hebrón, otro:

11 el rey de Jarmut, otro; el rey de Laquis, otro;

12 el rey de Eglón, otro; el rey de Gezer, otro;

13 el rey de Debir, otro; el rey de Geder, otro;

14 el rey de Horma, otro; el rey de Arad, otro;

15 el rey de Libna, otro; el rey de Adulam, otro;

16 el rey de Maceda, otro; el rey de Betel, otro;

17 el rey de Tapúa, otro; el rey de Hefer, otro;

18 el rey de Afec, otro; el rey de Sarón, otro;

19 el rey de Madón, otro; el rey de Hazor, otro;

20 el rey de Simrom-meron, otro; el rey de Acsaf, otro;

21 el rey de Taanac, otro; el rey de Meguido, otro;

22 el rey de Cedes, otro; el rey de Jocneam del Carmelo, otro;

23 el rey de Dor, de la provincia de Dor, otro; el rey de las naciones en Gilgal, otro;

24 el rey de Tirsa, otro; treinta y un reyes en total.

CAPÍTULO 13

Y siendo Josué ya viejo, entrado en días, Jehová le dijo: Tú eres ya viejo, de edad avanzada, y queda aún mucha tierra por poseer.

2 Ésta es la tierra que queda; todos los términos de los filisteos y toda Gesuri;

3 desde Sihor, que está delante de Egipto, hasta el término de Ecrón al norte, que se considera de los cananeos; de los cinco príncipes de los filisteos; el gazeo, el asdodeo, ascaloneo, el geteo y el ecroneo; también los aveos;

4 al sur toda la tierra de los cananeos, y Mehara que es de los sidonios, hasta Afec, hasta el término del amorreo;

5 y la tierra de los giblitas, y todo el Líbano hacia donde sale el sol, desde Baal-gad a las raíces del monte Hermón, hasta la entrada de Hamat;

6 a todos los que habitan en las montañas desde el Líbano hasta Misrefotmaim, a todos los sidonios; yo los desarraigaré de delante de los hijos de Israel; solamente reparte tú por suerte la tierra a los israelitas como heredad, tal como te he mandado.

7 Reparte, pues, tú ahora esta tierra en heredad a las nueve tribus, y a la media tribu de Manasés.

8 Porque la otra media recibió su heredad con los rubenitas y gaditas, la cual les dio Moisés al otro lado del Jordán al oriente, tal como se la dio Moisés siervo de Jehová;

9 desde Aroer, que está a la orilla del arroyo de Arnón, y la ciudad que *está* en medio del arroyo, y toda la llanura de Medeba, hasta Dibón;

10 y todas las ciudades de Sehón rey de los amorreos, el cual reinó en Hesbón, hasta los términos de los hijos de Amón;

11 y Galaad, y los términos de los gesuritas y de los maacatitas, y todo el monte de Hermón, y toda la tierra de Basán hasta Salca;

12 todo el reino de Og en Basán, el cual reinó en Astarot y Edrei, el cual

había quedado del resto de los refaítas; pues Moisés los hirió, y los echó.

13 Mas a los gesuritas y maacatitas no echaron los hijos de Israel; sino que los gesuritas y los maacatitas habitaron entre los israelitas hasta hoy.

14 Sólo a la tribu de Leví no dio heredad; los sacrificios encendidos a Jehová Dios de Israel *son* su heredad, como Él les había dicho.

15 Y Moisés dio *heredad* a la tribu de los hijos de Rubén conforme a sus familias.

16 Y fue el territorio de ellos desde Aroer, que *está* a la orilla del arroyo de Arnón, y la ciudad que está en medio del valle, y toda la llanura hasta Medeba;

17 Hesbón, con todas sus ciudades que *están* en la llanura; Dibón, y Bamot-baal, y Bet-baal-meón,

18 y Jahaza, y Cademot, y Mefaat,

19 Y Quiriataim, y Sibma, y Zeretsahar en el monte del valle,

20 y Bet-peor, y Asdot-pisga y Bet-jesimot,

21 y todas las ciudades de la llanura, y todo el reino de Sehón rey de los amorreos, que reinó en Hesbón, al cual hirió Moisés, y a los príncipes de Madián, Hevi, Requem, Zur, Hur y Reba, príncipes de Sehón que habitaban en aquella tierra.

22 También mataron a espada los hijos de Israel a Balaam el adivino, hijo de Beor, con los demás que mataron.

23 Y el Jordán fue el término de los hijos de Rubén con su frontera. Ésta *fue* la heredad de los hijos de Rubén conforme a sus familias, estas ciudades con sus aldeas.

24 Asimismo Moisés dio *heredad* a la tribu de Gad, a los hijos de Gad, conforme a sus familias.

25 Y el término de ellos fue Jazer, y todas las ciudades de Galaad, y la mitad de la tierra de los hijos de Amón hasta Aroer, que *está* delante de Rabá.

26 Y desde Hesbón hasta Ramat-mispe, y Betonim; y desde Mahanaim hasta el término de Debir:

27 Y el valle de Bet-aram, y Bet-nimra, y Sucot, y Safón, resto del reino de Sehón, rey de Hesbón; el Jordán y su término hasta el cabo del mar de Cineret al otro lado del Jordán, al oriente.

28 Ésta *es* la heredad de los hijos de Gad, por sus familias, estas ciudades con sus aldeas.

29 También dio Moisés heredad a la media tribu de Manasés; y fue de la media tribu de los hijos de Manasés, conforme a sus familias.

30 El término de ellos fue desde Mahanaim, todo Basán, todo el reino de Og rey de Basán, y todas las aldeas de Jair que *están* en Basán, sesenta poblaciones.

31 Y la mitad de Galaad, y Astarot, y Edrei, ciudades del reino de Og en Basán, *fueron* para los hijos de Maquir, hijo de Manasés, para la mitad de los hijos de Maquir conforme a sus familias.

32 Éstos *son los territorios* que Moisés repartió en heredad en los llanos de Moab, del otro lado del Jordán de Jericó, al oriente.

33 Mas Moisés no dio heredad a la tribu de Leví; Jehová Dios de Israel *fue* la heredad de ellos como Él les había dicho.

CAPÍTULO 14

Éstos, pues, *son los territorios* que los hijos de Israel tomaron por heredad en la tierra de Canaán, lo cual les repartieron Eleazar sacerdote, y Josué hijo de Nun, y los principales de los padres de las tribus de los hijos de Israel.

2 Por suerte se les dio su heredad, como Jehová lo había mandado por Moisés, que diese a las nueve tribus y a la media tribu.

3 Porque a las dos tribus, y a la media tribu, Moisés les había dado heredad al otro lado del Jordán; mas a los levitas no dio heredad entre ellos.

4 Porque los hijos de José fueron dos tribus, Manasés y Efraín; y no dieron parte a los levitas en la tierra, sino ciudades en que morasen, con sus ejidos para sus ganados y rebaños.

5 De la manera que Jehová lo había mandado a Moisés, así lo hicieron los hijos de Israel en la repartición de la tierra.

6 Y los hijos de Judá vinieron a Josué en Gilgal; y Caleb, hijo de Jefone cenezeo, le dijo: Tú sabes lo que Jehová dijo a Moisés, varón de Dios, en Cades-barnea, tocante a mí y a ti.

7 Yo *tenía* cuarenta años de edad cuando Moisés, siervo de Jehová, me envió de Cades-barnea a reconocer la tierra; y yo le referí el asunto como *lo tenía* en mi corazón.

8 Mas mis hermanos, los que habían subido conmigo, menguaron el corazón del pueblo; pero yo cumplí siguiendo a Jehová mi Dios.

9 Entonces Moisés juró, diciendo: Ciertamente la tierra que holló tu pie será para ti, y para tus hijos en herencia perpetua, por cuanto cumpliste siguiendo a Jehová mi Dios.

10 Ahora bien, Jehová me ha hecho vivir, como Él dijo, estos cuarenta y cinco años, desde el tiempo que Jehová habló estas palabras a Moisés, cuando Israel andaba por el desierto; y ahora, he aquí, hoy día soy de ochenta y cinco años;

11 pero aún hoy *estoy* tan fuerte como el día que Moisés me envió; cual *era* entonces mi fuerza, tal *es* ahora, para la guerra, y para salir y para entrar.

12 Dame, pues, ahora esta montaña, de la cual habló Jehová aquel día; porque tú oíste en aquel día que los anaceos *están* allí, y *que* las ciudades *son* grandes y fortificadas. Quizá Jehová *será* conmigo, y los echaré como Jehová ha dicho.

13 Josué entonces le bendijo, y dio a Caleb hijo de Jefone a Hebrón por heredad.

14 Por tanto, Hebrón fue de Caleb, hijo de Jefone cenezeo, en heredad hasta hoy; porque siguió cumplidamente a Jehová Dios de Israel.

15 Mas Hebrón *fue* antes llamada Quiriat-arba; *fue* Arba un hombre grande entre los anaceos. Y la tierra tuvo reposo de las guerras.

CAPÍTULO 15

Y la parte que tocó en suerte a la tribu de los hijos de Judá, por sus familias, *se extendía* hasta el término de Edom en el desierto de Zin hacia el sur, éste era el extremo sur.

2 Y su frontera sur era desde la costa del Mar Salado, desde la bahía que mira hacia el sur;

3 y salía hacia el sur de la subida de Acrabim, pasando hasta Zin; y subiendo por el sur hasta Cades-barnea, pasaba a Hezrón, y subiendo por Adar daba vuelta a Carca.

4 De allí pasaba a Asmón, y salía al arroyo de Egipto; y sale este término al occidente. Éste, pues, os será el término del sur.

5 El término del oriente *es* el Mar Salado hasta el fin del Jordán. Y el término de la parte del norte, desde la bahía del mar, desde el fin del Jordán:

6 Y sube este término por Bet-hogla, y pasa del norte a Bet-araba, y de aquí sube este término a la piedra de Bohán, hijo de Rubén.

7 Y torna a subir este término a Debir desde el valle de Acor; y al norte mira sobre Gilgal, que *está* delante de la subida de Adumín, la cual está al sur del arroyo; y pasa este término a las aguas de Ensemes, y sale a la fuente de Rogel:

8 Y sube este término por el valle del hijo de Hinom al lado sur del jebuseo; ésta *es* Jerusalén. Luego sube este término por la cumbre del monte que *está* delante del valle de Hinom hacia el occidente, el cual *está* en el extremo del valle de los gigantes hacia el norte.

9 Y rodea este término desde la cumbre del monte hasta la fuente de las aguas de Neftoa, y sale a las ciudades del monte de Efrón, rodeando luego el mismo término a Baala, la cual *es* Quiriat-jearim.

10 Y este límite rodeaba desde Baala hacia el occidente al monte de Seir; y pasa al lado del monte de Jearim hacia el norte, ésta *es* Quesalón, y desciende a Bet-semes, y pasa a Timna.

11 Sale luego este límite al lado de Ecrón hacia el norte; y rodea el mismo término a Sicrón, y pasa por el monte de Baala, y sale a Jabneel; y sale este término al mar.

12 El término del occidente *es* el Mar Grande y su costa. Éste, *es* el término

de los hijos de Judá en derredor, por sus familias.

13 Mas a Caleb, hijo de Jefone, dio parte entre los hijos de Judá, conforme al mandamiento de Jehová a Josué, *esto es*, a Quiriat-arba, del padre de Anac, que *es* Hebrón.

14 Y Caleb echó de allí tres hijos de Anac, a Sesai, Ahimán, y Talmai, hijos de Anac.

15 De aquí subió a los que moraban en Debir; y el nombre de Debir *era* antes Quiriat-sefer.

16 Y dijo Caleb: Al que hiriere a Quiriat-sefer, y la tomare, yo le daré a mi hija Acsa por esposa.

17 Y la tomó Otoniel, hijo de Cenaz, hermano de Caleb; y él le dio por esposa a su hija Acsa.

18 Y aconteció que cuando ella vino *a él*, ella le persuadió para pedir a su padre un campo. Ella entonces se bajó del asno, y Caleb le dijo: ¿Qué quieres?

19 Y ella respondió: Dame una bendición; puesto que me has dado tierra de sequedal, dame también fuentes de aguas. Él entonces le dio las fuentes de arriba, y las fuentes de abajo.

20 Ésta, pues, *es* la heredad de la tribu de los hijos de Judá por sus familias.

21 Y fueron las ciudades del término de la tribu de los hijos de Judá hacia el término de Edom hacia el sur; Cabseel, Eder, Jagur,

22 Cina, Dimona, Adada,

23 Cedes, Hazor, Itnán,

24 Zif, Telem, Bealot,

25 Hazor-hadata, Queriot-hezrón, que es Hazor,

26 Amam, Sema, Molada,

27 Asar-gada, Hesmón, Bet-pelet,

28 Hasar-sual, Beerseba, Bizotia,

29 Baala, Iim, Esem,

30 Eltolad, Cesil, Horma,

31 Siclag, Madmana, Sansana,

32 Lebaot, Silim, Aín y Rimón; en todas veintinueve ciudades con sus aldeas.

33 En las llanuras, Estaol, Zora, Asena,

34 Zanoa, Enganim, Tapúa, Enam,

35 Jarmut, Adulam, Soco, Azeca,

36 Saaraim, Aditaim, Gedera y Gederotaim; catorce ciudades con sus aldeas.

37 Senán, Hadasa, Migdalgad,

38 Dilán, Mizpa, Jocteel,

39 Laquis, Boscat, Eglón,

40 Cabón, Lamas, Quitlis,

41 Gederot, Bet-dagón, Naama y Maceda; dieciséis ciudades con sus aldeas.

42 Libna, Eter, Asán,

43 Jifta, Asena, Nesib,

44 Keila, Aczib y Maresa; nueve ciudades con sus aldeas.

45 Ecrón con sus villas y sus aldeas:

46 Desde Ecrón hasta el mar, todas las que *están* a la costa de Asdod con sus aldeas.

47 Asdod con sus villas y sus aldeas: Gaza con sus villas y sus aldeas hasta el río de Egipto, y el Mar Grande con sus términos.

48 Y en las montañas, Samir, y Jatir, y Soco,

49 Dana, Quiriat-sana, que *es* Debir,

50 Anab, Estemoa, Anim,

51 Gosén, Holón y Gilo; once ciudades con sus aldeas.

52 Arab, Duma, Esán,

53 Janum, Bet-tapúa, Afeca,

54 Humta, Quiriat-arba, que es Hebrón y Sior; nueve ciudades con sus aldeas.

55 Maón, el Carmelo, Zif, Juta,

56 Jezreel, Jocdeam, Zanoa,

57 Caín, Gabaa y Timna; diez ciudades con sus aldeas.

58 Halhul, Bet-zur, Gedor,

59 Maarat, Bet-anot y Eltecón; seis ciudades con sus aldeas.

60 Quiriat-baal, que *es* Quiriat-jearim y Rabá; dos ciudades con sus aldeas.

61 En el desierto, Bet-araba, Midín, Secaca,

62 Nibsan, la ciudad de la sal y Engadi; seis ciudades con sus aldeas.

63 Mas a los jebuseos que habitaban en Jerusalén, los hijos de Judá no los pudieron desarraigar; antes quedó el jebuseo en Jerusalén con los hijos de Judá, hasta hoy.

CAPÍTULO 16

Y la suerte de los hijos de José salió desde el Jordán de Jericó hasta las aguas de Jericó hacia el oriente, al desierto que sube de Jericó al monte de Betel.

2 Y de Betel sale a Luz, y pasa al término de Arqui en Atarot;

3 Y torna a descender hacia el mar al término de Jaflet, hasta el término de Bet-horón la de abajo, y hasta Gezer; y sale al mar.

4 Recibieron pues heredad los hijos de José, Manasés y Efraín.

5 Y fue el término de los hijos de Efraín por sus familias, fue el término de su herencia a la parte oriental, desde Atarot-adar hasta Bet-horón la de arriba.

6 Y sale este término al mar, y a Micmetat al norte, y da vuelta este término hacia el oriente a Tanat-silo, y de aquí pasa al oriente a Janoa.

7 Y de Janoa desciende a Atarot, y a Naara, y toca en Jericó, y sale al Jordán.

8 Y de Tapúa torna este término hacia el mar al arroyo de Cana, y sale al mar. Ésta *es* la heredad de la tribu de los hijos de Efraín por sus familias.

9 *Hubo también* ciudades que se apartaron para los hijos de Efraín en medio de la herencia de los hijos de Manasés, todas ciudades con sus aldeas.

10 Y no echaron al cananeo que habitaba en Gezer; antes quedó el cananeo en medio de Efraín, hasta hoy, y fue tributario.

CAPÍTULO 17

También hubo suerte para la tribu de Manasés, pues él era el primogénito de José; y Maquir el primogénito de Manasés, y padre de Galaad, el cual fue hombre de guerra, tuvo a Galaad y a Basán.

2 Tuvieron también *suerte* los otros hijos de Manasés conforme a sus familias; los hijos de Abiezer, y los hijos de Helec, y los hijos de Asriel, y los hijos de Siquem, y los hijos de Hefer, y los hijos de Semida; éstos fueron los hijos varones de Manasés hijo de José, por sus familias.

3 Pero Zelofehad, hijo de Hefer, hijo de Galaad, hijo de Maquir, hijo de Manasés, no tuvo hijos, sino hijas, los nombres de las cuales *son* estos: Maala, Noa, Hogla, Milca y Tirsa.

4 Éstas vinieron delante de Eleazar sacerdote, y de Josué hijo de Nun, y de los príncipes, y dijeron: Jehová mandó a Moisés que nos diese heredad entre nuestros hermanos. Y él les dio heredad entre los hermanos del padre de ellas, conforme al dicho de Jehová.

5 Y a Manasés le tocaron diez porciones, además de la tierra de Galaad y de Basán, que *está* al otro lado del Jordán,

6 porque las hijas de Manasés tuvieron heredad entre sus hijos, y la tierra de Galaad fue de los otros hijos de Manasés.

7 Y fue el término de Manasés desde Aser hasta Micmetat, la cual *está* delante de Siquem; y va este término a la mano derecha, a los que habitan en Tapúa.

8 Y la tierra de Tapúa fue de Manasés; pero Tapúa, que *está* junto al término de Manasés, es de los hijos de Efraín.

9 Y desciende este término al arroyo de Cana, hacia el lado sur del arroyo. Estas ciudades de Efraín *están* entre las ciudades de Manasés; y el término de Manasés *es* desde el norte del mismo arroyo, y sus salidas son al mar.

10 Efraín al sur, y Manasés al norte, y el mar es su término; y se encuentran con Aser al lado del norte, y con Isacar al oriente.

11 Tuvo también Manasés en Isacar y en Aser a Bet-seán y sus aldeas, e Ibleam y sus aldeas, y los moradores de Dor y sus aldeas, y los moradores de Endor y sus aldeas, y los moradores de Taanac y sus aldeas, y los moradores de Meguido y sus aldeas; tres provincias.

12 Pero los hijos de Manasés no pudieron echar *a los de* aquellas ciudades; antes el cananeo quiso habitar en la tierra.

13 Pero cuando los hijos de Israel se hicieron fuertes, pusieron a tributo al cananeo, mas no lo echaron.

14 Y los hijos de José hablaron a Josué, diciendo: ¿Por qué me has dado por heredad una sola suerte y una sola parte, siendo yo un pueblo tan grande y que Jehová me ha así bendecido hasta ahora?

15 Y Josué les respondió: Si eres pueblo tan grande, sube tú al monte, y corta para ti allí en la tierra del ferezeo y de los gigantes, pues que el monte de Efraín es angosto para ti.

16 Y los hijos de José dijeron: No nos bastará a nosotros este monte; y todos los cananeos que habitan la tierra de la llanura, tienen carros herrados; los que están en Bet-seán y en sus aldeas, y los que están en el valle de Jezreel.

17 Entonces Josué respondió a la casa de José, a Efraín y Manasés, diciendo: Tú eres gran pueblo, y tienes gran fuerza; no tendrás sólo una suerte;

18 sino que aquel monte será tuyo; porque *aunque es* bosque, tú lo desmontarás, y serán tuyos sus términos; porque tú echarás al cananeo, aunque tenga carros herrados, y aunque sea fuerte.

CAPÍTULO 18

Y toda la congregación de los hijos de Israel se juntó en Silo, y asentaron allí el tabernáculo del testimonio, después que la tierra les fue sujeta.

2 Mas habían quedado en los hijos de Israel siete tribus, a las cuales aún no habían repartido su posesión.

3 Y Josué dijo a los hijos de Israel: ¿Hasta cuándo *seréis* negligentes para venir a poseer la tierra que os ha dado Jehová el Dios de vuestros padres?

4 Señalad tres varones de *cada* tribu, para que yo los envíe, y que ellos se levanten, y recorran la tierra, y la describan conforme a sus heredades, y se vuelvan a mí.

5 Y la dividirán en siete partes; y Judá estará en su término al sur, y los de la casa de José estarán en el suyo al norte.

6 Vosotros, pues, delinearéis la tierra en siete partes, y me traeréis *la descripción* aquí, y yo os echaré las suertes aquí delante de Jehová nuestro Dios.

7 Mas los levitas ninguna parte tienen entre vosotros; porque el sacerdocio de Jehová *es* la heredad de ellos; Gad también y Rubén, y la media tribu de Manasés, ya han recibido su heredad al otro lado del Jordán al oriente, la cual les dio Moisés siervo de Jehová.

8 Levantándose, pues, aquellos varones, fueron; y mandó Josué a los que iban para delinear la tierra, diciéndoles: Id, recorred la tierra y delineadla, y volved a mí, para que yo os eche las suertes aquí delante de Jehová en Silo.

9 Fueron pues aquellos varones y pasearon la tierra, delineándola por ciudades en siete partes en un libro, y volvieron a Josué al campamento en Silo.

10 Y Josué les echó las suertes delante de Jehová en Silo; y allí repartió Josué la tierra a los hijos de Israel por sus porciones.

11 Y se sacó la suerte de la tribu de los hijos de Benjamín por sus familias: y salió el término de su suerte entre los hijos de Judá y los hijos de José.

12 Y fue el término de ellos al lado del norte desde el Jordán: y sube aquel término al lado de Jericó al norte; sube después al monte hacia el occidente, y viene a salir al desierto de Betaven;

13 y de allí pasa aquel término a Luz, por el lado de Luz (ésta *es* Betel) hacia el sur. Y desciende este término de Atarot-adar al monte que *está* al sur de Bet-horón la de abajo.

14 Y rodea este término, y da vuelta al lado del mar hacia el sur hasta el monte que *está* delante de Bet-horón hacia el sur; y viene a salir a Quiriat-baal, que *es* Quiriat-jearim, ciudad de los hijos de Judá. Éste es el lado del occidente.

15 Y el lado del sur *es* desde el cabo de Quiriat-jearim, y sale el término al occidente, y sale a la fuente de las aguas de Neftoa:

16 Y desciende este término al cabo del monte que *está* delante del valle del hijo de Hinom, que *está* en el valle de los gigantes hacia el norte; desciende luego al valle de Hinom, al lado del jebuseo al sur, y de allí desciende a la fuente de Rogel;

17 y del norte torna y sale a Ensemes, y de allí sale a Gelilot, que *está* delante de la subida de Adumín, y descendía a la piedra de Bohán, hijo de Rubén,

18 y pasa al lado *que está* enfrente del Arabá, y desciende al Arabá.

19 Y la ribera pasaba por el lado de Bet-hogla hacia el norte, y la salida de la ribera estaba a la bahía norte del Mar Salado, en el extremo sur del Jordán: Ésta *era* la frontera sur.

20 Y el Jordán acaba este término al lado del oriente. Ésta *es* la heredad de los hijos de Benjamín por sus términos alrededor, conforme a sus familias.

21 Las ciudades de la tribu de los hijos de Benjamín, por sus familias, fueron Jericó, Bet-hogla, y el valle de Casis,

22 Bet-araba, Zemaraim, Betel;

23 Avim, Para, Ofra,

24 Cefar-hamonai, Ofni y Geba; doce ciudades con sus aldeas:

25 Gabaón, Ramá, Beerot,

26 Mizpa, Cefira, Moza,

27 Requem, Irpeel, Tarala,

28 Sela, Elef, Jebús, que *es* Jerusalén, Gibeat y Quiriat; catorce ciudades con sus aldeas. Ésta *es* la heredad de los hijos de Benjamín, conforme a sus familias.

CAPÍTULO 19

La segunda suerte salió para Simeón, para la tribu de los hijos de Simeón conforme a sus familias; y su heredad fue entre la heredad de los hijos de Judá.

2 Y tuvieron en su heredad a Beerseba, Seba, Molada,

3 Hasar-sual, Bala, Esem,

4 Eltolad, Betul, Horma,

5 Siclag, Bet-marcabot, Hasar-susa,

6 Bet-lebaot y Saruhén; trece ciudades con sus aldeas;

7 Aín, Rimón, Eter y Asán; cuatro ciudades con sus aldeas;

8 y todas las aldeas que *estaban* alrededor de estas ciudades hasta Baalat-beer, que es Ramat del Neguev. Ésta *es* la heredad de la tribu de los hijos de Simeón, conforme a sus familias.

9 De la porción de los hijos de Judá fue sacada la heredad de los hijos de Simeón; porque la porción de los hijos de Judá era excesiva para ellos; así que los hijos de Simeón tuvieron su heredad en medio de la de ellos.

10 La tercera suerte salió para los hijos de Zabulón conforme a sus familias; y el término de su heredad fue hasta Sarid.

11 Y su término subía hasta el mar, hasta Merala, y llegaba hasta Dabeset, y de allí llegaba hasta el arroyo que *está* enfrente de Jocneam;

12 y doblaba de Sarid hacia el oriente, hacia donde nace el sol, al término de Quisi-lotabor, seguía hasta Daberat y subía a Jafía;

13 Y de allí pasaba hacia el lado oriental hasta Gat-hefer y a Ita-kazin, y salía a Rimón rodeando a Nea.

14 Y por el lado norte el término rodeaba hasta Hanatón, viniendo a salir al valle de Iftael;

15 y *abarcaba* Cata, Naalal, Simrón, Ideala y Belén; doce ciudades con sus aldeas.

16 Ésta *es* la heredad de los hijos de Zabulón por sus familias; estas ciudades con sus aldeas.

17 La cuarta suerte salió para Isacar, para los hijos de Isacar conforme a sus familias.

18 Y fue su término Jezreel, Quesulot, Sunem,

19 Hafaraim, Sihón, Anaarat,

20 Rabit, Quisión, Ebes,

21 Ramet, En-ganim, En-hada y Bet-pases;

22 y llegaba este término hasta Tabor, Sahasim y Bet-semes, y terminaba en el Jordán; dieciséis ciudades con sus aldeas.

23 Ésta *es* la heredad de la tribu de los hijos de Isacar conforme a sus familias; estas ciudades con sus aldeas.

24 Y salió la quinta suerte para la tribu de los hijos de Aser conforme a sus familias.

25 Y su término fue Helcat, Halí, Betén, Acsaf,

26 Alamelec, Amead y Miseal; y llegaba hasta el Carmelo al occidente, y a Sihor-libnat;

27 y doblaba hacia donde nace el sol hasta Bet-dagón, y llegaba a Zabulón, al valle de Iftael hacia el norte, a Bet-emec y Nehiel, y salía a Cabul hacia la izquierda;

28 y *abarcaba* Hebrón, Rehob, Hamón y Cana, hasta la gran Sidón;

29 y doblaba de allí este término

hacia Ramá, hasta la ciudad fortificada de Tiro, y tornaba este término hacia Hosa, y salía al mar desde el territorio de Aczib;

30 *Abarcaba* también Uma, Afec y Rehob; veintidós ciudades con sus aldeas.

31 Ésta *es* la heredad de la tribu de los hijos de Aser por sus familias; estas ciudades con sus aldeas.

32 La sexta suerte salió para los hijos de Neftalí, para los hijos de Neftalí conforme a sus familias.

33 Y su término era desde Helef, Alón-saananim, Adami-neceb y Jabneel, hasta Lacum; y salía al Jordán.

34 Y tornaba de allí este término hacia el occidente a Aznot-tabor, pasando de allí a Hucoc, y llegaba hasta Zabulón por el lado sur, y al occidente colindaba con Aser, y con Judá al Jordán hacia donde nace el sol.

35 Y las ciudades fortificadas *eran* Sidim, Ser, Hamat, Racat, Cineret,

36 Adama, Ramá, Hazor,

37 Cedes, Edrei, En-hazor,

38 Irón, Migdalel, Horem, Bet-anat y Bet-semes; diecinueve ciudades con sus aldeas.

39 Ésta *es* la heredad de la tribu de los hijos de Neftalí conforme a sus familias; estas ciudades con sus aldeas.

40 La séptima suerte salió para la tribu de los hijos de Dan conforme a sus familias.

41 Y fue el término de su heredad, Zora, Estaol, Ir-semes,

42 Saalbim, Ajalón, Jetla,

43 Elón, Timnat, Ecrón,

44 Elteque, Gibetón, Baalat,

45 Jehúd, Bene-berac, Gat-rimón,

46 Mejarcón y Racón, con el término que está delante de Jope.

47 Y les faltó territorio a los hijos de Dan; y subieron los hijos de Dan y combatieron a Lesem, y tomándola la hirieron a filo de espada, y la poseyeron, y habitaron en ella; y llamaron a Lesem, Dan, del nombre de Dan su padre.

48 Ésta *es* la heredad de la tribu de los hijos de Dan conforme a sus familias; estas ciudades con sus aldeas.

49 Y después que acabaron de repartir la tierra en heredad por sus términos, dieron los hijos de Israel heredad a Josué hijo de Nun en medio de ellos:

50 De acuerdo a la palabra de Jehová, le dieron la ciudad que él pidió, Timnat-sera, en el monte de Efraín; y él reedificó la ciudad, y habitó en ella.

51 Éstas *son* las heredades que Eleazar sacerdote, y Josué hijo de Nun, y los principales de los padres, entregaron por suerte en posesión a las tribus de los hijos de Israel en Silo delante de Jehová, a la entrada del tabernáculo de la congregación; y acabaron de repartir la tierra.

CAPÍTULO 20

Y habló Jehová a Josué, diciendo: 2 Habla a los hijos de Israel, diciendo: Señalaos las ciudades de refugio, de las cuales yo os hablé por Moisés;

3 Para que se refugie allí el homicida que matare a alguno por yerro y no a sabiendas; que os sean por refugio del cercano del muerto.

4 Y el que se refugiare a alguna de aquellas ciudades, se presentará a la puerta de la ciudad, y dirá sus causas, oyéndolo los ancianos de aquella ciudad: y ellos le recibirán consigo dentro de la ciudad, y le darán lugar que habite con ellos.

5 Y cuando el cercano del muerto le siguiere, no entregarán en su mano al homicida, por cuanto hirió a su prójimo por accidente, ni tuvo con él antes enemistad.

6 Y quedará en aquella ciudad hasta que comparezca en juicio delante de la congregación, hasta la muerte del sumo sacerdote que fuere en aquel tiempo: entonces el homicida tornará a su ciudad y a su casa y a la ciudad de donde huyó.

7 Entonces señalaron a Cedes en Galilea, en el monte de Neftalí, y a Siquem en el monte de Efraín, y a Quiriat-arba, que es Hebrón, en el monte de Judá.

8 Y al otro lado del Jordán, al oriente de Jericó, señalaron a Beser en el

desierto, en la llanura de la tribu de Rubén, y a Ramot en Galaad de la tribu de Gad, y a Golán en Basán de la tribu de Manasés.

9 Éstas fueron las ciudades señaladas para todos los hijos de Israel, y para el extranjero que habitase entre ellos, para que pudiese huir a ellas cualquiera que hiriese hombre por accidente, y no muriese por mano del vengador de la sangre, hasta que compareciese delante de la congregación.

CAPÍTULO 21

Y los principales de los padres de los levitas vinieron a Eleazar sacerdote, y a Josué hijo de Nun, y a los principales de los padres de las tribus de los hijos de Israel;

2 Y les hablaron en Silo en la tierra de Canaán, diciendo: Jehová mandó por Moisés que nos fuesen dadas villas para habitar, con sus ejidos para nuestras bestias.

3 Entonces los hijos de Israel dieron a los levitas de sus posesiones, conforme a la palabra de Jehová, estas villas con sus ejidos.

4 Y salió la suerte por las familias de los coatitas; y fueron dadas por suerte a los hijos de Aarón sacerdote, *que eran* de los levitas, por la tribu de Judá, por la de Simeón y por la de Benjamín, trece ciudades.

5 Y a los otros hijos de Coat *se dieron* por suerte diez ciudades de las familias de la tribu de Efraín, y de la tribu de Dan, y de la media tribu de Manasés;

6 Y a los hijos de Gersón, por las familias de la tribu de Isacar, y de la tribu de Aser, y de la tribu de Neftalí, y de la media tribu de Manasés en Basán, *fueron dadas* por suerte trece ciudades.

7 A los hijos de Merari por sus familias *se dieron* doce ciudades por la tribu de Rubén, y por la tribu de Gad, y por la tribu de Zabulón.

8 Y así dieron por suerte los hijos de Israel a los levitas estas ciudades con sus ejidos, como Jehová lo había mandado por Moisés.

9 Y de la tribu de los hijos de Judá, y de la tribu de los hijos de Simeón dieron estas ciudades que fueron nombradas.

10 Y la primera suerte fue de los hijos de Aarón, de la familia de Coat, de los hijos de Leví;

11 a los cuales dieron Quiriat-arba, del padre de Anac, la cual es Hebrón, en el monte de Judá, con sus ejidos en sus contornos.

12 Mas el campo de esta ciudad y sus aldeas dieron a Caleb hijo de Jefone, por su posesión.

13 Y a los hijos de Aarón sacerdote dieron la ciudad de refugio para los homicidas, a Hebrón con sus ejidos; y a Libna con sus ejidos,

14 y a Jatir con sus ejidos, y a Estemoa con sus ejidos,

15 a Holón con sus ejidos, y a Debir con sus ejidos,

16 a Aín con sus ejidos, a Juta con sus ejidos, y a Bet-semes con sus ejidos; nueve ciudades de estas dos tribus.

17 Y de la tribu de Benjamín, a Gabaón con sus ejidos, a Geba con sus ejidos,

18 a Anatot con sus ejidos, a Almón con sus ejidos: cuatro ciudades.

19 Todas las ciudades de los sacerdotes, hijos de Aarón, *son* trece con sus ejidos.

20 Mas las familias de los hijos de Coat, levitas, los que quedaban de los hijos de Coat, recibieron por suerte ciudades de la tribu de Efraín.

21 Y les dieron a Siquem, ciudad de refugio para los homicidas, con sus ejidos, en el monte de Efraín; y a Gezer con sus ejidos.

22 Y a Kibsaim con sus ejidos, y a Bet-horón con sus ejidos; cuatro ciudades.

23 Y de la tribu de Dan a Elteque con sus ejidos, a Gibetón con sus ejidos,

24 a Ajalón con sus ejidos y a Gat-rimón con sus ejidos; cuatro ciudades.

25 Y de la media tribu de Manasés, a Taanac con sus ejidos y a Gat-rimón con sus ejidos; dos ciudades.

26 Todas las ciudades para el resto de las familias de los hijos de Coat fueron diez con sus ejidos.

27 A los hijos de Gersón de las familias de los levitas, *dieron* la ciudad de refugio para los homicidas,

de la media tribu de Manasés; a Golán en Basán con sus ejidos, y a Beestera con sus ejidos; dos ciudades.

28 Y de la tribu de Isacar, a Cisón con sus ejidos, a Daberat con sus ejidos,

29 a Jarmut con sus ejidos y a Enganim con sus ejidos; cuatro ciudades.

30 Y de la tribu de Aser, a Miseal con sus ejidos, a Abdón con sus ejidos,

31 a Helcat con sus ejidos y a Rehob con sus ejidos; cuatro ciudades.

32 Y de la tribu de Neftalí, la ciudad de refugio para los homicidas, a Cedes en Galilea con sus ejidos, a Hamot-dor con sus ejidos, y a Cartán con sus ejidos; tres ciudades:

33 Todas las ciudades de los gersonitas por sus familias *fueron* trece ciudades con sus ejidos.

34 Y a las familias de los hijos de Merari, levitas que quedaban, se les dio de la tribu de Zabulón, a Jocneam con sus ejidos, Carta con sus ejidos,

35 Dimna con sus ejidos, Naalal con sus ejidos; cuatro ciudades.

36 Y de la tribu de Rubén, a Beser con sus ejidos, a Jahaza con sus ejidos,

37 a Cademot con sus ejidos, y Mefaat con sus ejidos; cuatro ciudades.

38 De la tribu de Gad, la ciudad de refugio para los homicidas, Ramot en Galaad con sus ejidos, y Mahanaim con sus ejidos,

39 Hesbón con sus ejidos, y Jazer con sus ejidos; cuatro ciudades.

40 Todas las ciudades de los hijos de Merari por sus familias, que restaban de las familias de los levitas, *fueron* por sus suertes doce ciudades.

41 Y todas las ciudades de los levitas en medio de la posesión de los hijos de Israel, *fueron* cuarenta y ocho ciudades con sus ejidos.

42 Y estas ciudades estaban apartadas la una de la otra cada cual con sus ejidos alrededor de ellas, lo cual *fue* en todas estas ciudades.

43 Así dio Jehová a Israel toda la tierra que había jurado dar a sus padres; y la poseyeron, y habitaron en ella.

44 Y Jehová les dio reposo alrededor, conforme a todo lo que había jurado a sus padres: y ninguno de todos los enemigos les paró delante, sino que Jehová entregó en sus manos a todos sus enemigos.

45 No faltó ni una palabra de las buenas promesas que Jehová había dado a la casa de Israel; todas se cumplieron.

CAPÍTULO 22

Entonces Josué llamó a los rubenitas, a los gaditas y a la media tribu de Manasés,

2 y les dijo: Vosotros habéis guardado todo lo que Moisés siervo de Jehová os mandó, y habéis obedecido a mi voz en todo lo que os he mandado.

3 No habéis dejado a vuestros hermanos en estos muchos días hasta hoy, sino que habéis cuidado de guardar los mandamientos de Jehová vuestro Dios.

4 Y ahora, Jehová vuestro Dios ha dado reposo a vuestros hermanos, como se los había prometido; volved, pues, e id a vuestras tiendas, a la tierra de vuestra posesión, que Moisés, siervo de Jehová, os dio al otro lado del Jordán.

5 Solamente que con diligencia cuidéis de poner por obra el mandamiento y la ley, que Moisés siervo de Jehová os intimó: que améis a Jehová vuestro Dios, y andéis en todos sus caminos; que guardéis sus mandamientos, y le sigáis, y le sirváis de todo vuestro corazón y de toda vuestra alma.

6 Y bendiciéndolos Josué, los envió, y ellos se fueron a sus tiendas.

7 También a la media tribu de Manasés había dado Moisés *posesión* en Basán; mas a la otra media *tribu* dio Josué heredad entre sus hermanos de este lado del Jordán al occidente: y también a éstos envió Josué a sus tiendas, después de haberlos bendecido.

8 Y les habló, diciendo: Volveos a vuestras tiendas con grandes riquezas, y con mucho ganado, con plata, y con oro, y bronce, y muchas vestiduras; compartid con vuestros hermanos el despojo de vuestros enemigos.

9 Y los hijos de Rubén y los hijos de Gad, y la media tribu de Manasés, se volvieron, y se apartaron de los hijos de Israel, de Silo, que está en la tierra de Canaán, para ir a la tierra de Galaad, a la tierra de sus posesiones, de la cual eran poseedores, según palabra de Jehová por mano de Moisés.

10 Y llegando a los términos del Jordán, que *está* en la tierra de Canaán, los hijos de Rubén y los hijos de Gad, y la media tribu de Manasés, edificaron allí un altar junto al Jordán, un altar de grande apariencia.

11 Y los hijos de Israel oyeron decir como los hijos de Rubén y los hijos de Gad, y la media tribu de Manasés, habían edificado un altar delante de la tierra de Canaán, en los términos del Jordán, al paso de los hijos de Israel:

12 Y cuando los hijos de Israel oyeron *esto*, se juntó toda la congregación de los hijos de Israel en Silo, para subir a pelear contra ellos.

13 Y enviaron los hijos de Israel a los hijos de Rubén y a los hijos de Gad y a la media tribu de Manasés en la tierra de Galaad, a Finees hijo de Eleazar sacerdote,

14 y a diez príncipes con él; un príncipe de cada casa paterna de todas las tribus de Israel, cada uno de los cuales *era* cabeza de familia de sus padres en la multitud de Israel.

15 Los cuales vinieron a los hijos de Rubén y a los hijos de Gad, y a la media tribu de Manasés, en la tierra de Galaad; y les hablaron, diciendo:

16 Toda la congregación de Jehová dice así: ¿Qué transgresión *es* ésta con que prevaricáis contra el Dios de Israel, volviéndoos hoy de seguir a Jehová, edificándoos altar para ser hoy rebeldes contra Jehová?

17 ¿Nos *ha sido* poco la maldad de Peor, de la que no estamos aún limpios hasta este día, por la cual fue la mortandad en la congregación de Jehová?

18 Y vosotros os volvéis hoy de seguir a Jehová; mas será que vosotros os rebelaréis hoy contra Jehová, y mañana se airará Él contra toda la congregación de Israel.

19 Que si os parece que la tierra de vuestra posesión *es* inmunda, pasaos a la tierra de la posesión de Jehová, en la cual está el tabernáculo de Jehová, y tomad posesión entre nosotros; pero no os rebeléis contra Jehová, ni os rebeléis contra nosotros, edificándoos altar a más del altar de Jehová nuestro Dios.

20 ¿No cometió Acán, hijo de Zera, prevaricación en el anatema, y vino ira sobre toda la congregación de Israel? Y aquel hombre no pereció solo en su iniquidad.

21 Entonces los hijos de Rubén y los hijos de Gad, y la media tribu de Manasés, respondieron y dijeron a los principales de la multitud de Israel:

22 El Dios de los dioses, Jehová, el Dios de los dioses, Jehová, Él sabe, y lo sabrá Israel. *Que si fue* por rebelión o por prevaricación contra Jehová, no nos salves hoy.

23 Que si nos hemos edificado altar para tornarnos de en pos de Jehová, o para sacrificar holocausto o presente, o para hacer sobre él sacrificios de paz, el mismo Jehová *nos lo* demande.

24 Asimismo, si no lo hicimos por temor de esto, diciendo: Mañana vuestros hijos dirán a nuestros hijos: ¿Qué tenéis que ver vosotros con Jehová, el Dios de Israel?

25 Jehová ha puesto por término el Jordán entre nosotros y vosotros, oh hijos de Rubén e hijos de Gad; no tenéis vosotros parte en Jehová: y así vuestros hijos harán que nuestros hijos no teman a Jehová.

26 Por esto dijimos: Hagamos ahora por edificarnos un altar, no para holocausto ni para sacrificio,

27 sino *para que sea* un testimonio entre nosotros y vosotros, y entre los que vendrán después de nosotros, de que podemos hacer el servicio de Jehová delante de Él con nuestros holocaustos, con nuestros sacrificios, y con nuestras ofrendas de paz; y no digan mañana vuestros hijos a los nuestros: Vosotros no tenéis parte en Jehová.

28 Nosotros, pues, dijimos: Si aconteciere que tal digan a nosotros, o a nuestras generaciones en lo por venir, entonces responderemos:

Mirad el símil del altar de Jehová, el cual hicieron nuestros padres, no para holocaustos o sacrificios, sino para que fuese testimonio entre nosotros y vosotros.

29 Nunca tal acontezca que nos rebelemos contra Jehová, o que nos apartemos hoy de seguir a Jehová, edificando altar para holocaustos, para presente, o para sacrificio, a más del altar de Jehová nuestro Dios que está delante de su tabernáculo.

30 Y cuando Finees el sacerdote y los príncipes de la congregación, y las cabezas de la multitud de Israel que con él estaban, oyeron las palabras que hablaron los hijos de Rubén y los hijos de Gad y los hijos de Manasés, les pareció bien.

31 Y dijo Finees hijo del sacerdote Eleazar, a los hijos de Rubén, a los hijos de Gad, y a los hijos de Manasés: Hoy hemos entendido que Jehová *está* entre nosotros, pues que no habéis intentado esta traición contra Jehová. Ahora habéis librado a los hijos de Israel de la mano de Jehová.

32 Y Finees hijo del sacerdote Eleazar, y los príncipes, se volvieron de con los hijos de Rubén, y de con los hijos de Gad, de la tierra de Galaad a la tierra de Canaán, a los hijos de Israel; a los cuales dieron la respuesta.

33 Y el asunto agradó a los hijos de Israel, y bendijeron a Dios los hijos de Israel; y no hablaron más de subir contra ellos en guerra, para destruir la tierra en que habitaban los hijos de Rubén y los hijos de Gad.

34 Y los hijos de Rubén y los hijos de Gad pusieron por nombre al altar Ed; pues *dijeron*: Será un testimonio entre nosotros que Jehová *es* Dios.

CAPÍTULO 23

Y aconteció, muchos días después que Jehová dio reposo a Israel de todos sus enemigos alrededor, que Josué, siendo viejo, y entrado en días, 2 llamó a todo Israel, a sus ancianos, a sus príncipes, a sus jueces y a sus oficiales, y les dijo: Yo ya soy viejo y entrado en días;

3 Y vosotros habéis visto todo lo que Jehová vuestro Dios ha hecho con todas estas naciones en vuestra presencia; porque Jehová vuestro Dios ha peleado por vosotros.

4 He aquí os he repartido por suerte, en herencia para vuestras tribus, estas naciones, así las destruidas como las que quedan, desde el Jordán hasta el Mar Grande hacia donde el sol se pone.

5 Y Jehová vuestro Dios las echará de delante de vosotros, y las lanzará de vuestra presencia: y vosotros poseeréis sus tierras, como Jehová vuestro Dios os ha dicho.

6 Esforzaos pues mucho a guardar y hacer todo lo que está escrito en el libro de la ley de Moisés, sin apartaros de ello ni a derecha ni a izquierda;

7 para que no os mezcléis con estas naciones que han quedado con vosotros, no hagáis mención ni juréis por el nombre de sus dioses, ni los sirváis, ni os inclinéis a ellos:

8 Mas a Jehová vuestro Dios seguiréis, como habéis hecho hasta hoy;

9 pues Jehová ha echado de delante de vosotros a grandes y fuertes naciones, y hasta hoy nadie ha podido permanecer delante de vosotros.

10 Un varón de vosotros perseguirá a mil; porque Jehová vuestro Dios pelea por vosotros, como Él os dijo.

11 Por tanto, cuidad mucho por vuestras almas, que améis a Jehová vuestro Dios.

12 Porque si os apartareis, y os uniereis a lo que resta de estas naciones que han quedado con vosotros, y si concertareis con ellas matrimonios, y entrareis a ellas, y ellas a vosotros;

13 sabed que Jehová vuestro Dios no echará más a estas naciones de delante de vosotros; antes os serán por lazo, y por tropiezo, y por azote para vuestros costados, y por espinas para vuestros ojos, hasta tanto que perezcáis de esta buena tierra que Jehová vuestro Dios os ha dado.

14 Y he aquí que yo estoy para entrar hoy por el camino de toda la tierra; reconoced, pues, con todo vuestro corazón y con toda vuestra alma, que no se ha perdido una palabra de todas las buenas palabras que Jehová vuestro Dios había dicho de vosotros; todas os han venido, no ha faltado ninguna de ellas.

15 Mas será, que como ha venido sobre vosotros toda palabra buena que Jehová vuestro Dios os había dicho, así también traerá Jehová sobre vosotros toda palabra mala, hasta destruiros de sobre la buena tierra que Jehová vuestro Dios os ha dado;

16 si traspasareis el pacto de Jehová vuestro Dios que Él os ha mandado, yendo y honrando dioses ajenos, e inclinándoos a ellos: Entonces el furor de Jehová se inflamará contra vosotros, y pereceréis luego de esta buena tierra que Él os ha dado.

CAPÍTULO 24

Y juntando Josué a todas las tribus de Israel en Siquem, llamó a los ancianos de Israel, a sus príncipes, a sus jueces y a sus oficiales; y se presentaron delante de Dios.

2 Y dijo Josué a todo el pueblo: Así dice Jehová, Dios de Israel: Vuestros padres habitaron antiguamente al otro lado del río, *esto es*, Taré, padre de Abraham y de Nacor; y servían a dioses extraños.

3 Y yo tomé a vuestro padre Abraham del otro lado del río, y lo traje por toda la tierra de Canaán, y aumenté su generación, y le di a Isaac.

4 Y a Isaac di a Jacob y a Esaú: y a Esaú di el monte de Seir, que lo poseyese: mas Jacob y sus hijos descendieron a Egipto.

5 Y yo envié a Moisés y a Aarón, y herí a Egipto, al modo que lo hice en medio de él, y después os saqué.

6 Y saqué a vuestros padres de Egipto: y como llegaron al mar, los egipcios siguieron a vuestros padres hasta el Mar Rojo con carros y caballería.

7 Y cuando ellos clamaron a Jehová, Él puso oscuridad entre vosotros y los egipcios, e hizo venir sobre ellos el mar, el cual los cubrió; y vuestros ojos vieron lo que hice en Egipto. Después estuvisteis muchos días en el desierto.

8 Y os introduje en la tierra de los amorreos, que habitaban al otro lado del Jordán, los cuales pelearon contra vosotros; mas yo los entregué en vuestras manos, y poseísteis su tierra, y los destruí de delante de vosotros.

9 Y se levantó después Balac hijo de Zipor, rey de los moabitas, y peleó contra Israel; y envió a llamar a Balaam hijo de Beor, para que os maldijese.

10 Pero yo no quise escuchar a Balaam y él tuvo que bendeciros; así os libré yo de sus manos.

11 Y pasado el Jordán, vinisteis a Jericó; y los moradores de Jericó pelearon contra vosotros: los amorreos, ferezeos, cananeos, heteos, gergeseos, heveos, y jebuseos: y yo los entregué en vuestras manos.

12 Y envié avispas delante de vosotros, las cuales echaron de delante de vosotros a los dos reyes de los amorreos; *pero* no con tu espada, ni con tu arco.

13 Y os di la tierra por la cual nada trabajasteis, y las ciudades que no edificasteis, en las cuales moráis; y de las viñas y olivares que no plantasteis, coméis.

14 Ahora pues, temed a Jehová, y servidle con integridad y en verdad; y quitad de en medio los dioses a los cuales sirvieron vuestros padres al otro lado del río, y en Egipto; y servid a Jehová.

15 Y si mal os parece servir a Jehová, escogeos hoy a quién sirváis; si a los dioses a quienes sirvieron vuestros padres, cuando estuvieron al otro lado del río, o a los dioses de los amorreos en cuya tierra habitáis; pero yo y mi casa serviremos a Jehová.

16 Entonces el pueblo respondió, y dijo: Nunca tal acontezca, que dejemos a Jehová para servir a otros dioses.

17 Porque Jehová nuestro Dios *es* el que nos sacó a nosotros y a nuestros padres de la tierra de Egipto, de la casa de servidumbre, el cual ha hecho estas grandes señales delante de nuestros ojos, y nos ha guardado por todo el camino por donde hemos andado y en todos los pueblos por entre los cuales pasamos.

18 Y Jehová echó de delante de nosotros a todos los pueblos, y al amorreo que habitaba en la tierra; nosotros, pues, también serviremos a Jehová, porque Él *es* nuestro Dios.

19 Entonces Josué dijo al pueblo: No podréis servir a Jehová, porque Él *es*

Dios santo, y Dios celoso; no sufrirá vuestras rebeliones y vuestros pecados.

20 Si dejareis a Jehová y sirviereis a dioses ajenos, Él se volverá y os hará daño; y os consumirá, después que os ha hecho bien.

21 El pueblo entonces dijo a Josué: No, sino que serviremos a Jehová.

22 Y Josué respondió al pueblo: Vosotros *sois* testigos contra vosotros mismos, de que os habéis elegido a Jehová para servirle. Y ellos respondieron: Testigos *somos*.

23 Quitad, pues, ahora los dioses ajenos que están entre vosotros, e inclinad vuestro corazón a Jehová, Dios de Israel.

24 Y el pueblo respondió a Josué: A Jehová nuestro Dios serviremos, y a su voz obedeceremos.

25 Entonces Josué hizo pacto con el pueblo el mismo día, y le puso ordenanzas y leyes en Siquem.

26 Y escribió Josué estas palabras en el libro de la ley de Dios; y tomando una gran piedra, la levantó allí debajo de un alcornoque que *estaba* junto al santuario de Jehová.

27 Y dijo Josué a todo el pueblo: He aquí esta piedra nos servirá de testigo, porque ella ha oído todas las palabras de Jehová que Él nos ha hablado; será, pues, testigo contra vosotros, para que no mintáis contra vuestro Dios.

28 Y envió Josué al pueblo, cada uno a su heredad.

29 Y después de estas cosas murió Josué, hijo de Nun, siervo de Jehová siendo de ciento diez años.

30 Y lo enterraron en el término de su posesión en Timnat-sera, que está en el monte de Efraín, al norte del monte de Gaas.

31 Y sirvió Israel a Jehová todo el tiempo de Josué, y todo el tiempo de los ancianos que vivieron después de Josué, y que sabían todas las obras de Jehová, que había hecho por Israel.

32 Y enterraron en Siquem los huesos de José que los hijos de Israel habían traído de Egipto, en la parte del campo que Jacob compró de los hijos de Hamor padre de Siquem, por cien piezas de plata; y fue en posesión a los hijos de José.

33 También murió Eleazar, hijo de Aarón; al cual enterraron en el collado de Finees su hijo, que le fue dado en el monte de Efraín.

Libro De
JUECES

CAPÍTULO 1

Y aconteció después de la muerte de Josué, que los hijos de Israel consultaron a Jehová, diciendo: ¿Quién será el primero en subir por nosotros a pelear contra los cananeos?

2 Y Jehová respondió: Judá subirá; he aquí que yo he entregado la tierra en sus manos.

3 Y Judá dijo a Simeón su hermano: Sube conmigo a mi suerte, y peleemos contra el cananeo, y yo también iré contigo a tu suerte. Y Simeón fue con él.

4 Y subió Judá, y Jehová entregó en sus manos al cananeo y al ferezeo; y de ellos hirieron en Bezec diez mil hombres.

5 Y hallaron a Adoni-bezec en Bezec, y pelearon contra él; e hirieron al cananeo y al ferezeo.

6 Mas Adoni-bezec huyó; y le siguieron, y le prendieron, y le cortaron los pulgares de las manos y de los pies.

7 Entonces dijo Adoni-bezec: Setenta reyes, cortados los pulgares de sus manos y de sus pies, recogían *las migajas* debajo de mi mesa; como yo hice, así me ha pagado Dios. Y le metieron en Jerusalén, donde murió.

8 Y habían combatido los hijos de Judá a Jerusalén, y la habían tomado, y herido a filo de espada, y puesto a fuego la ciudad.

9 Después los hijos de Judá descendieron para pelear contra el cananeo que habitaba en las montañas, y en el sur, y en el valle.

10 Y partió Judá contra el cananeo que habitaba en Hebrón, la cual se llamaba antes Quiriat-arba; e hirieron a Sesai, y a Ahimán, y a Talmai.

11 Y de allí fue a los que habitaban en Debir, que antes se llamaba Quiriat-sefer.

12 Y dijo Caleb: El que hiriere a Quiriat-sefer, y la tomare, yo le daré a Acsa mi hija por esposa.

13 Y la tomó Otoniel hijo de Cenaz, hermano menor de Caleb; y él le dio a Acsa su hija por esposa.

14 Y sucedió que cuando ella vino *a él*, ella le persuadió para pedir a su padre un campo. Y ella se bajó del asno, y Caleb le dijo: ¿Qué quieres?

15 Ella entonces le respondió: Dame una bendición; puesto que me has dado tierra de sequedal, dame también fuentes de aguas. Entonces Caleb le dio las fuentes de arriba, y las fuentes de abajo.

16 Y los hijos del cineo, suegro de Moisés, subieron de la ciudad de las palmeras con los hijos de Judá, al desierto de Judá que *está* al sur de Arad; y fueron y habitaron con el pueblo.

17 Y fue Judá a su hermano Simeón, e hirieron al cananeo que habitaba en Sefat, y la asolaron; y pusieron por nombre a la ciudad, Horma.

18 Tomó también Judá a Gaza con su término, y a Ascalón con su término, y a Ecrón con su término.

19 Y Jehová estaba con Judá, y echó a los de las montañas; mas no pudo echar a los que habitaban en los llanos, porque ellos tenían carros herrados.

20 Y dieron Hebrón a Caleb, como Moisés había dicho; y él echó de allí a los tres hijos de Anac.

21 Mas los hijos de Benjamín no echaron al jebuseo que habitaba en Jerusalén, y así el jebuseo habitó con los hijos de Benjamín en Jerusalén hasta hoy.

22 También los de la casa de José subieron a Betel; y Jehová *fue* con ellos.

23 Y los de la casa de José pusieron espías en Betel, la cual ciudad antes se llamaba Luz.

24 Y los que espiaban vieron un hombre que salía de la ciudad, y le dijeron: Muéstranos ahora la entrada de la ciudad, y haremos contigo misericordia.

25 Y él les mostró la entrada a la ciudad, y la hirieron a filo de espada; mas dejaron a aquel hombre con toda su familia.

26 Y se fue el hombre a la tierra de los heteos, y edificó una ciudad, a la cual llamó Luz; y éste *es* su nombre hasta hoy.

27 Tampoco Manasés echó *a los de* Bet-seán, ni a los de sus aldeas, ni a los de Taanac y sus aldeas, ni a los de Dor y sus aldeas, ni a los habitantes de Ibleam y sus aldeas, ni a los que habitaban en Meguido y en sus aldeas; mas los cananeos quisieron habitar en esta tierra.

28 Y sucedió que cuando Israel se hizo fuerte hizo al cananeo tributario, mas no lo echó del todo.

29 Tampoco Efraín echó al cananeo que habitaba en Gezer; antes habitó el cananeo en medio de ellos en Gezer.

30 Tampoco Zabulón echó a los que habitaban en Quitrón ni a los que habitaban en Naalal; mas el cananeo habitó en medio de él, y le fueron tributarios.

31 Tampoco Aser echó a los que habitaban en Aco, ni a los que habitaban en Sidón, ni en Ahlab, ni en Aczib, ni en Helba, ni en Afec, ni en Rehob.

32 Antes moró Aser entre los cananeos que habitaban en la tierra; pues no los echó.

33 Tampoco Neftalí echó a los que habitaban en Bet-semes, ni a los que habitaban en Bet-anat, sino que moró entre los cananeos que habitaban en la tierra; sin embargo los moradores de Bet-semes y los moradores de Bet-anat les fueron tributarios.

34 Y los amorreos presionaron a los hijos de Dan hasta la montaña; y no los dejaron descender a la llanura.

35 Y quiso el amorreo habitar en la montaña de Heres, en Ajalón y en

Saalbim; sin embargo la mano de la casa de José prevaleció, y los hicieron tributarios.

36 Y el término del amorreo *fue* desde la subida de Acrabim, desde la piedra, y arriba.

CAPÍTULO 2

Y el Ángel de Jehová subió de Gilgal a Boquim, y dijo: Yo os saqué de Egipto, y os introduje en la tierra de la cual había jurado a vuestros padres; y dije: No invalidaré jamás mi pacto con vosotros;

2 con tal que vosotros no hagáis alianza con los moradores de esta tierra, cuyos altares habéis de derribar: mas vosotros no habéis obedecido a mi voz: ¿por qué habéis hecho esto?

3 Por tanto yo también dije: No los echaré de delante de vosotros, sino que serán *como espinas* en vuestros costados, y sus dioses os serán por tropiezo.

4 Y aconteció que cuando el Ángel de Jehová habló estas palabras a todos los hijos de Israel, el pueblo lloró en alta voz.

5 Y llamaron por nombre aquel lugar Boquim; y ofrecieron allí sacrificios a Jehová.

6 Porque ya Josué había despedido al pueblo, y los hijos de Israel se habían ido cada uno a su heredad para poseerla.

7 Y el pueblo había servido a Jehová todo el tiempo de Josué, y todo el tiempo de los ancianos que vivieron largos días después de Josué, los cuales habían visto todas las grandes obras de Jehová, que Él había hecho por Israel.

8 Y murió Josué hijo de Nun, siervo de Jehová, *siendo* de ciento diez años.

9 Y lo enterraron en el término de su heredad en Timnat-sera, en el monte de Efraín, al norte del monte de Gaas.

10 Y toda aquella generación fue también recogida con sus padres. Y se levantó después de ellos otra generación, que no conocía a Jehová, ni la obra que Él había hecho por Israel.

11 Y los hijos de Israel hicieron lo malo ante los ojos de Jehová, y sirvieron a los Baales:

12 Y dejaron a Jehová el Dios de sus padres, que los había sacado de la tierra de Egipto, y se fueron tras otros dioses, los dioses de los pueblos que *estaban* en sus alrededores, a los cuales adoraron; y provocaron a ira a Jehová.

13 Y dejaron a Jehová, y adoraron a Baal y a Astarot.

14 Y el furor de Jehová se encendió contra Israel, el cual los entregó en manos de robadores que los saquearon, y los vendió en manos de sus enemigos de alrededor: y ya no pudieron estar de pie delante de sus enemigos.

15 Por dondequiera que salían, la mano de Jehová era contra ellos para mal, como Jehová había dicho, y como Jehová se lo había jurado; así los afligió en gran manera.

16 Mas Jehová levantó jueces que los librasen de mano de los que los saqueaban.

17 Y tampoco oyeron a sus jueces, sino que fornicaron tras dioses ajenos, a los cuales adoraron; se apartaron pronto del camino en que anduvieron sus padres obedeciendo a los mandamientos de Jehová; pero ellos no hicieron así.

18 Y cuando Jehová les levantaba jueces, Jehová era con el juez, y los libraba de mano de los enemigos todo el tiempo de aquel juez; porque Jehová se arrepentía por sus gemidos a causa de los que los oprimían y afligían.

19 Pero acontecía que al morir el juez, ellos volvían atrás y se corrompían *aun* más que sus padres, siguiendo dioses ajenos para servirles, e inclinándose delante de ellos; y no desistían de sus obras, ni de su obstinado camino.

20 Y la ira de Jehová se encendió contra Israel, y dijo: Por cuanto esta gente traspasa mi pacto que ordené a sus padres, y no obedecen mi voz,

21 tampoco yo echaré más de delante de ellos a ninguna de estas naciones que dejó Josué cuando murió;

22 para que por ellas probara yo a Israel, si guardarían o no el camino

de Jehová andando por él, como sus padres lo guardaron.

23 Por esto dejó Jehová aquellas naciones, y no las desarraigó luego, ni las entregó en mano de Josué.

CAPÍTULO 3

Éstas, pues, son las naciones que dejó Jehová para probar con ellas a Israel, a todos aquellos que no habían conocido todas las guerras de Canaán;

2 para que al menos el linaje de los hijos de Israel conociese, para enseñarlos en la guerra, al menos a los que antes no la habían conocido.

3 Cinco príncipes de los filisteos, y todos los cananeos, y los sidonios, y los heveos que habitaban en el monte Líbano; desde el monte de Baal-hermón hasta llegar a Hamat.

4 Éstos, pues, fueron para probar por ellos a Israel, para saber si obedecerían a los mandamientos de Jehová, que Él había prescrito a sus padres por mano de Moisés.

5 Así los hijos de Israel habitaban entre los cananeos, heteos, amorreos, ferezeos, heveos, y jebuseos.

6 Y tomaron de sus hijas por esposas, y dieron sus hijas a los hijos de ellos, y sirvieron a sus dioses.

7 Hicieron, pues, los hijos de Israel lo malo ante los ojos de Jehová: y olvidaron a Jehová su Dios, y sirvieron a los Baales, y a las imágenes de Asera.

8 Y la ira de Jehová se encendió contra Israel, y los vendió en manos de Cusan-risataim rey de Mesopotamia; y sirvieron los hijos de Israel a Cusan-risataim ocho años.

9 Y cuando los hijos de Israel clamaron a Jehová; Jehová levantó un libertador a los hijos de Israel y los libró; esto es, a Otoniel hijo de Cenaz, hermano menor de Caleb.

10 Y el Espíritu de Jehová fue sobre él, y juzgó a Israel, y salió a batalla, y Jehová entregó en su mano a Cusan-risataim, rey de Mesopotamia, y prevaleció su mano contra Cusan-risataim.

11 Y reposó la tierra cuarenta años; y murió Otoniel, hijo de Cenaz.

12 Y los hijos de Israel volvieron a hacer lo malo ante los ojos de Jehová; y Jehová esforzó a Eglón rey de Moab contra Israel, por cuanto habían hecho lo malo ante los ojos de Jehová.

13 Y juntó consigo a los hijos de Amón y de Amalec, y fue, e hirió a Israel, y tomó la ciudad de las palmas.

14 Y los hijos de Israel sirvieron a Eglón rey de los moabitas dieciocho años.

15 Y los hijos de Israel clamaron a Jehová; y Jehová les levantó un libertador, a Aod, hijo de Gera, benjamita, el cual era zurdo. Y los hijos de Israel enviaron con él un presente a Eglón rey de Moab.

16 Y Aod se había hecho un puñal de dos filos, de un codo de largo; y se lo ciñó debajo de sus ropas sobre su muslo derecho.

17 Y trajo el presente a Eglón rey de Moab; y Eglón era un hombre muy obeso.

18 Y luego que hubo entregado el presente, despidió a la gente que lo había traído.

19 Mas él se volvió desde los ídolos que estaban en Gilgal, y dijo: Rey, una palabra secreta tengo que decirte. Él entonces dijo: Calla. Y salieron de delante de él todos los que con él estaban.

20 Y se acercó Aod a él, el cual estaba sentado solo en una sala de verano. Y Aod dijo: Tengo palabra de Dios para ti. Él entonces se levantó de su silla.

21 Mas Aod metió su mano izquierda, y tomó el puñal de su lado derecho, y se lo metió por el vientre;

22 y la empuñadura también entró tras la hoja, y la grosura encerró la hoja, que él no sacó el puñal de su vientre; y salió el estiércol.

23 Y saliendo Aod al patio, cerró tras sí las puertas de la sala y les puso el cerrojo.

24 Y salido él, vinieron sus siervos, los cuales viendo las puertas de la sala cerradas, dijeron: Sin duda él cubre sus pies en la sala de verano.

25 Y habiendo esperado hasta estar confusos, pues que él no abría las puertas de la sala, tomaron la llave y abrieron; y he aquí su señor caído en tierra, muerto.

26 Mas entre tanto que ellos se detuvieron, Aod se escapó, y pasando los ídolos, escapó a Seirat.

27 Y aconteció que cuando hubo entrado, tocó la trompeta en el monte de Efraín, y los hijos de Israel descendieron con él del monte, y él iba delante de ellos.

28 Entonces él les dijo: Seguidme, porque Jehová ha entregado vuestros enemigos los moabitas en vuestras manos. Y descendieron en pos de él, y tomaron los vados del Jordán a Moab, y no dejaron pasar a ninguno.

29 Y en aquel tiempo hirieron de los moabitas como a diez mil hombres, todos valientes y todos hombres de guerra; no escapó hombre.

30 Así quedó Moab sojuzgado aquel día bajo la mano de Israel: y reposó la tierra ochenta años.

31 Después de éste fue Samgar hijo de Anat, el cual hirió seiscientos hombres de los filisteos con una aguijada de bueyes; y él también libró a Israel.

CAPÍTULO 4

Y después de la muerte de Aod, los hijos de Israel volvieron a hacer lo malo ante los ojos de Jehová.

2 Y Jehová los vendió en mano de Jabín rey de Canaán, el cual reinó en Hazor; y el capitán de su ejército se llamaba Sísara, y él habitaba en Haroset de los gentiles.

3 Y los hijos de Israel clamaron a Jehová, porque aquél tenía novecientos carros herrados; y había afligido en gran manera a los hijos de Israel por veinte años.

4 Y gobernaba en aquel tiempo a Israel una mujer, Débora, profetisa, esposa de Lapidot;

5 y ella se sentaba bajo la palmera de Débora, entre Ramá y Betel, en el monte de Efraín; y los hijos de Israel subían a ella a juicio.

6 Y ella envió a llamar a Barac hijo de Abinoam, de Cedes de Neftalí, y le dijo: ¿No te ha mandado Jehová Dios de Israel, *diciendo*: Ve, y retírate hasta el monte de Tabor, y toma contigo diez mil hombres de los hijos de Neftalí, y de los hijos de Zabulón;

7 y yo atraeré a ti al arroyo de Cisón a Sísara, capitán del ejército de Jabín, con sus carros y su ejército, y lo entregaré en tus manos?

8 Y Barac le respondió: Si tú vas conmigo, yo iré; pero si no vas conmigo, no iré.

9 Y ella dijo: Iré contigo; mas no será tu honra en el camino que vas; porque en mano de mujer venderá Jehová a Sísara. Y levantándose Débora fue con Barac a Cedes.

10 Y juntó Barac a Zabulón y a Neftalí en Cedes, y subió con diez mil hombres a su mando, y Débora subió con él.

11 Y Heber cineo, de los hijos de Hobab suegro de Moisés, se había apartado de los cineos, y puesto su tienda hasta el valle de Zaananim, que *está* junto a Cedes.

12 Vinieron pues, las nuevas a Sísara como Barac hijo de Abinoam había subido al monte de Tabor.

13 Y reunió Sísara todos sus carros, novecientos carros herrados, con todo el pueblo que con él *estaba*, desde Haroset de los gentiles hasta el arroyo de Cisón.

14 Entonces Débora dijo a Barac: Levántate; porque éste es el día en que Jehová ha entregado a Sísara en tus manos: ¿No ha salido Jehová delante de ti? Y Barac descendió del monte de Tabor, y diez mil hombres en pos de él.

15 Y Jehová desbarató a Sísara, y a todos *sus* carros y a todo su ejército, a filo de espada delante de Barac; y Sísara descendió del carro, y huyó a pie.

16 Mas Barac siguió los carros y el ejército hasta Haroset de los Gentiles, y todo el ejército de Sísara cayó a filo de espada hasta no quedar ni uno.

17 Y Sísara huyó a pie a la tienda de Jael, esposa de Heber cineo; porque *había* paz entre Jabín, rey de Hazor, y la casa de Heber el cineo.

18 Y saliendo Jael a recibir a Sísara, le dijo: Ven, señor mío, ven a mí, no tengas temor. Y él vino a ella a la tienda, y ella le cubrió con una manta.

19 Y él le dijo: Te ruego me des a beber un poco de agua, pues tengo sed. Y ella abrió un odre de leche y le dio de beber, y le volvió a cubrir.

20 Y él le dijo: Estate a la puerta de la tienda, y si alguien viniere, y te preguntare, diciendo: ¿Hay aquí alguno? Tú responderás que no.

21 Y Jael, esposa de Heber, tomó una estaca de la tienda, y poniendo un mazo en su mano, vino a él calladamente, y le metió la estaca por las sienes, y lo enclavó en la tierra, pues él estaba cargado de sueño y cansado; y así murió.

22 Y siguiendo Barac a Sísara, Jael salió a recibirlo, y le dijo: Ven, y te mostraré al varón que tú buscas. Y él entró con ella, y he aquí Sísara yacía muerto con la estaca en la sien.

23 Así abatió Dios aquel día a Jabín, rey de Canaán, delante de los hijos de Israel.

24 Y la mano de los hijos de Israel prosperó y prevaleció contra Jabín rey de Canaán; hasta que destruyeron a Jabín, rey de Canaán.

CAPÍTULO 5

Y aquel día cantó Débora, con Barac, hijo de Abinoam, diciendo:

2 Porque ha vengado las injurias de Israel, porque el pueblo se ha ofrecido voluntariamente, load a Jehová.

3 Oíd, oh reyes; escuchad, oh príncipes: Yo cantaré a Jehová, cantaré *salmos* a Jehová Dios de Israel.

4 Cuando saliste de Seir, oh Jehová, cuando te apartaste del campo de Edom, la tierra tembló, y los cielos destilaron, y las nubes gotearon aguas.

5 Los montes se derritieron delante de Jehová, *aun* aquel Sinaí, delante de Jehová Dios de Israel.

6 En los días de Samgar hijo de Anat, en los días de Jael, cesaron los caminos, y los que andaban por las sendas se apartaban por senderos torcidos.

7 Los aldeanos cesaron en Israel, decayeron; hasta que yo Débora me levanté, me levanté *como* madre en Israel.

8 Escogieron nuevos dioses, la guerra *estaba* a las puertas: ¿Se veía escudo o lanza entre cuarenta mil en Israel?

9 Mi corazón *es* para los príncipes de Israel, los que se ofrecieron voluntariamente entre el pueblo. ¡Bendecid a Jehová!

10 Vosotros los que cabalgáis en asnas blancas, los que presidís en juicio, y vosotros los que viajáis, hablad.

11 Lejos del ruido de los arqueros, en los abrevaderos, allí repetirán los hechos justos de Jehová, los hechos justos *para con los habitantes* de sus aldeas en Israel; entonces descenderá el pueblo de Jehová a las puertas.

12 Despierta, despierta, Débora; despierta, despierta, profiere un cántico. Levántate, Barac, y lleva tus cautivos, hijo de Abinoam.

13 Entonces ha hecho que el que quedó del pueblo, señoree sobre los nobles: Jehová me hizo señorear sobre los poderosos.

14 De Efraín *salió su* raíz contra Amalec, tras ti, Benjamín, con tus pueblos; de Maquir descendieron príncipes, y de Zabulón los que solían manejar punzón de escribiente.

15 Príncipes también de Isacar *fueron* con Débora; y como Isacar, también Barac fue enviado a pie por el valle. Por las divisiones de Rubén *hubo* grandes impresiones del corazón.

16 ¿Por qué te quedaste entre los apriscos, para oír los balidos de los rebaños? Por las divisiones de Rubén grandes *fueron* las reflexiones del corazón.

17 Galaad se quedó al otro lado del Jordán; y Dan ¿por qué se estuvo junto a los navíos? Se mantuvo Aser a la ribera del mar, y se quedó en sus puertos.

18 El pueblo de Zabulón expuso su vida a la muerte, y Neftalí en las alturas del campo.

19 Vinieron reyes y pelearon; entonces pelearon los reyes de Canaán en Taanac, junto a las aguas de Meguido, mas no llevaron ganancia alguna de dinero.

20 De los cielos pelearon; las estrellas desde sus órbitas pelearon contra Sísara.

21 Los barrió el torrente de Cisón, el antiguo torrente, el torrente de Cisón; hollaste, oh alma mía, con fortaleza.

22 Se rompieron entonces los cascos de los caballos por el galopar, por el galopar de sus valientes.

23 Maldecid a Meroz, dijo el ángel de Jehová: Maldecid severamente a sus moradores, porque no vinieron al socorro de Jehová, al socorro de Jehová contra los fuertes.

24 Bendita *sea* entre las mujeres Jael, esposa de Heber el cineo; sobre las mujeres bendita sea en la tienda.

25 Él pidió agua, y ella *le* dio leche; en tazón de nobles le presentó nata.

26 Con su mano tomó la estaca, y con su diestra el mazo de trabajadores; y golpeó a Sísara, hirió su cabeza, horadó y atravesó sus sienes.

27 Cayó encorvado entre sus pies, quedó tendido; entre sus pies cayó encorvado; donde se encorvó, allí cayó muerto.

28 La madre de Sísara se asoma a la ventana, y por entre las celosías a voces dice: ¿Por qué tarda su carro en venir? ¿Por qué se demoran las ruedas de sus carros?

29 Las más avisadas de sus damas le respondían; y aun ella se respondía a sí misma.

30 ¿Acaso no han hallado despojo, y lo están repartiendo? A cada uno una doncella, o dos; las prendas de colores para Sísara, las prendas bordadas de colores; la ropa de color bordada de ambos lados, para los cuellos de *los que han tomado* el despojo.

31 Así perezcan todos tus enemigos, oh Jehová; mas los que te aman, *sean* como el sol cuando sale en su fuerza. Y la tierra reposó cuarenta años.

CAPÍTULO 6

Y los hijos de Israel hicieron lo malo ante los ojos de Jehová; y Jehová los entregó en las manos de Madián por siete años.

2 Y la mano de Madián prevaleció contra Israel. Y los hijos de Israel, por causa de los madianitas, se hicieron cuevas en los montes, y cavernas, y lugares fortificados.

3 Pues sucedía que cuando Israel había sembrado, subían los madianitas, y los amalecitas, y *aun* los hijos de los orientales subían contra ellos;

4 y acampando contra ellos destruían los frutos de la tierra, hasta llegar a Gaza; y no dejaban qué comer en Israel, ni ovejas, ni bueyes, ni asnos.

5 Porque subían ellos y sus ganados, y venían con sus tiendas en grande multitud como langostas, que no había número en ellos ni en sus camellos: así venían a la tierra para devastarla.

6 E Israel era en gran manera empobrecido por los madianitas. Y los hijos de Israel clamaron a Jehová.

7 Y aconteció que cuando los hijos de Israel clamaron a Jehová, a causa de los madianitas,

8 Jehová envió un varón profeta a los hijos de Israel, el cual les dijo: Así dice Jehová Dios de Israel: Yo os hice salir de Egipto, y os saqué de la casa de servidumbre:

9 Yo os libré de mano de los egipcios, y de mano de todos los que os afligieron, a los cuales eché de delante de vosotros, y os di su tierra;

10 y os dije: Yo soy Jehová vuestro Dios; no temáis a los dioses de los amorreos, en cuya tierra habitáis; mas no habéis obedecido a mi voz.

11 Y vino el Ángel de Jehová, y se sentó debajo del alcornoque que *está* en Ofra, el cual era de Joás abiezerita; y su hijo Gedeón estaba sacudiendo el trigo en el lagar, para esconderlo de los madianitas.

12 Y el Ángel de Jehová se le apareció, y le dijo: Jehová *es* contigo, varón esforzado.

13 Y Gedeón le respondió: Ah, Señor mío, si Jehová es con nosotros, ¿por qué nos ha sobrevenido todo esto? ¿Y dónde *están* todas sus maravillas, que nuestros padres nos han contado, diciendo: ¿No nos sacó Jehová de Egipto? Y ahora Jehová nos ha desamparado, y nos ha entregado en manos de los madianitas.

14 Y mirándole Jehová, le dijo: Ve con esta tu fortaleza, y salvarás a Israel de la mano de los madianitas. ¿No te envío yo?

15 Entonces le respondió: Ah, Señor mío, ¿con qué salvaré yo a Israel? He aquí que mi familia *es* pobre en

Manasés, y yo el menor en la casa de mi padre.

16 Y Jehová le dijo: Ciertamente yo seré contigo, y herirás a los madianitas como a un solo hombre.

17 Y él respondió: Yo te ruego, que si he hallado gracia delante de ti, me des señal de que tú has hablado conmigo.

18 Te ruego que no te vayas de aquí, hasta que a ti vuelva, y saque mi presente, y *lo* ponga delante de ti. Y Él respondió: Yo esperaré hasta que vuelvas.

19 Y entrándose Gedeón aderezó un cabrito, y panes sin levadura de un efa de harina; y puso la carne en un canastillo, y el caldo en una olla, y sacándolo se lo presentó debajo de aquel alcornoque.

20 Y el Ángel de Dios le dijo: Toma la carne, y los panes sin levadura, y ponlo sobre esta roca, y vierte el caldo. Y él lo hizo así.

21 Y extendiendo el Ángel de Jehová el bordón que *tenía* en su mano, tocó con la punta en la carne y en los panes sin levadura; y subió fuego de la roca, el cual consumió la carne y los panes sin levadura. Y el Ángel de Jehová desapareció de delante de él.

22 Y viendo Gedeón que *era* el Ángel de Jehová, dijo: Ah, Señor Jehová, que he visto al Ángel de Jehová cara a cara.

23 Y Jehová le dijo: Paz a ti; no tengas temor, no morirás.

24 Y edificó allí Gedeón un altar a Jehová, al que llamó Jehová-salom: Éste *está* hasta hoy en Ofra de los abiezeritas.

25 Y aconteció que la misma noche le dijo Jehová: Toma un becerro del hato de tu padre, y otro toro de siete años, y derriba el altar de Baal que tu padre tiene, y corta también la imagen de Asera que está junto a él;

26 y edifica altar a Jehová tu Dios en la cumbre de esta roca en el lugar ordenado; y tomando el segundo toro, sacrifícalo en holocausto sobre la leña de la imagen de Asera que habrás cortado.

27 Entonces Gedeón tomó diez hombres de sus siervos, e hizo como Jehová le dijo. Mas temiendo hacerlo de día, por la familia de su padre y por los hombres de la ciudad, lo hizo de noche.

28 Y a la mañana, cuando los de la ciudad se levantaron, he aquí que el altar de Baal estaba derribado, y cortada la imagen de Asera que estaba junto a él, y sacrificado aquel segundo toro en holocausto sobre el altar edificado.

29 Y se decían unos a otros: ¿Quién ha hecho esto? Y buscando e inquiriendo, les dijeron: Gedeón hijo de Joás lo ha hecho.

30 Entonces los hombres de la ciudad dijeron a Joás: Saca fuera tu hijo para que muera, por cuanto ha derribado el altar de Baal y ha cortado la imagen de Asera que *estaba* junto a él.

31 Y Joás respondió a todos los que estaban junto a él: ¿Contenderéis vosotros por Baal? ¿Le salvaréis vosotros? Cualquiera que contendiere por él, que muera mañana. Si es un dios, que contienda por sí mismo con el que derribó su altar.

32 Y aquel día llamó él a Gedeón Jerobaal; porque dijo: Pleitee Baal contra el que derribó su altar.

33 Y todos los madianitas, y amalecitas, y orientales, se juntaron a una, y pasando acamparon en el valle de Jezreel.

34 Pero el Espíritu de Jehová vino sobre Gedeón, y cuando éste tocó la trompeta, Abiezer se reunió con él.

35 Y envió mensajeros por todo Manasés, el cual también se reunió con él; asimismo envió mensajeros a Aser, y a Zabulón, y a Neftalí, los cuales salieron a encontrarles.

36 Y Gedeón dijo a Dios: Si has de salvar a Israel por mi mano, como has dicho,

37 he aquí que yo pondré un vellón de lana en la era; y si el rocío estuviere en el vellón solamente, quedando seca toda la otra tierra, entonces entenderé que has de salvar a Israel por mi mano, como lo has dicho.

38 Y aconteció así: porque como se levantó de mañana, exprimiendo el vellón sacó de él el rocío, un vaso lleno de agua.

39 Mas Gedeón dijo a Dios: No se encienda tu ira contra mí, si aún

hablare esta vez: solamente probaré ahora otra vez con el vellón. Te ruego que sólo el vellón quede seco, y el rocío sobre la tierra.

40 Y aquella noche lo hizo Dios así; sólo el vellón quedó seco, y en toda la tierra hubo rocío.

CAPÍTULO 7

Levantándose, pues, de mañana Jerobaal, el cual es Gedeón, y todo el pueblo que *estaba* con él, acamparon junto a la fuente de Harod; y tenía el campamento de los madianitas al norte, más allá del collado de Moreh, en el valle.

2 Y Jehová dijo a Gedeón: El pueblo que está contigo es mucho para que yo dé a los madianitas en su mano; no sea que se alabe Israel contra mí, diciendo: Mi mano me ha salvado.

3 Ahora, pues, haz pregonar, que lo oiga el pueblo, diciendo: El que teme y se estremece, madrugue y vuélvase desde el monte de Galaad. Y se volvieron de los del pueblo veintidós mil; y quedaron diez mil.

4 Y Jehová dijo a Gedeón: Aún *es* mucho el pueblo; llévalos a las aguas, y allí yo te los probaré; y será que del que yo te dijere: Vaya éste contigo, irá contigo; mas de cualquiera que yo te dijere: Éste no vaya contigo, el tal no irá.

5 Entonces llevó el pueblo a las aguas: y Jehová dijo a Gedeón: Cualquiera que lamiere las aguas con su lengua como lame el perro, aquél pondrás aparte; asimismo cualquiera que se doblare sobre sus rodillas para beber.

6 Y fue el número de los que lamieron las aguas, llevándola con la mano a la boca, trescientos hombres; y todo el resto del pueblo se dobló sobre sus rodillas para beber las aguas.

7 Entonces Jehová dijo a Gedeón: Con estos trescientos hombres que lamieron el agua os salvaré, y entregaré a los madianitas en tus manos; y que se vaya toda la *demás* gente, cada uno a su lugar.

8 Y tomada provisión para el pueblo en sus manos, y sus trompetas, envió a todos los demás israelitas cada uno a su tienda, y retuvo a aquellos trescientos hombres; y tenía el campamento de Madián abajo en el valle.

9 Y aconteció que aquella noche Jehová le dijo: Levántate, y desciende al campamento; porque yo lo he entregado en tus manos.

10 Y si tienes temor de descender, baja tú al campamento con Fura tu criado,

11 y oirás lo que hablan; y entonces tus manos se esforzarán, y descenderás contra el campamento. Y él descendió con Fura su criado a los puestos avanzados de los hombres armados que *estaban* en el campamento.

12 Y Madián, y Amalec, y todos los orientales, estaban tendidos en el valle como langostas en muchedumbre, y sus camellos *eran* innumerables, como la arena que está a la ribera del mar en multitud.

13 Y luego que llegó Gedeón, he aquí que un hombre estaba contando un sueño a su compañero, diciendo: He aquí yo soñé un sueño; y he aquí que vi un pan de cebada que rodó hasta el campamento de Madián, y llegó hasta la tienda y la golpeó de manera que cayó, y la trastornó de arriba abajo, y la tienda quedó tendida.

14 Y su compañero respondió, y dijo: Esto no *es* otra cosa sino la espada de Gedeón hijo de Joás, varón de Israel: Dios ha entregado en sus manos a los madianitas con todo el campamento.

15 Y cuando Gedeón oyó el relato del sueño y su interpretación, adoró; y vuelto al campamento de Israel, dijo: Levantaos, que Jehová ha entregado el campamento de Madián en vuestras manos.

16 Y repartiendo los trescientos hombres en tres escuadrones, puso trompetas en las manos de todos ellos, y cántaros vacíos con teas ardiendo dentro de los cántaros.

17 Y les dijo: Miradme a mí, y haced como yo hiciere; he aquí que cuando yo llegare a las afueras del campamento, como yo hiciere, así haréis vosotros.

18 Y cuando yo tocare la trompeta, y todos los que *estarán* conmigo; entonces vosotros tocaréis las

trompetas alrededor de todo el campamento, y diréis: ¡*La espada de* Jehová y de Gedeón!

19 Llegó pues, Gedeón, y los cien hombres que *llevaba* consigo, a las afueras del campamento, al comienzo de la vigilia de la media *noche*, cuando acababan de renovar las centinelas; y tocaron las trompetas, y quebraron los cántaros que llevaban en sus manos.

20 Y los tres escuadrones tocaron las trompetas, y quebrando los cántaros tomaron en la mano izquierda las teas, y en la mano derecha las trompetas con que tocaban, y gritaron: ¡La espada de Jehová y de Gedeón!

21 Y cada uno permaneció en su lugar en derredor del campamento; y todo el ejército *madianita* echó a correr, y huyeron gritando.

22 Mas los trescientos tocaban las trompetas; y Jehová puso la espada de cada uno contra su compañero en todo el campamento. Y el ejército huyó hasta Bet-sita, hacia Zerera, y hasta el término de Abel-mehola en Tabat.

23 Y juntándose los de Israel, de Neftalí, y de Aser, y de todo Manasés, siguieron a los madianitas.

24 Gedeón también envió mensajeros a todo el monte de Efraín, diciendo: Descended al encuentro de los madianitas, y tomadles las aguas hasta Bet-bara y el Jordán. Y juntos todos los hombres de Efraín, tomaron las aguas de Bet-bara y el Jordán.

25 Y tomaron dos príncipes de los madianitas, Oreb y Zeeb: y mataron a Oreb en la peña de Oreb, y a Zeeb lo mataron en el lagar de Zeeb: y después que siguieron a los madianitas, trajeron las cabezas de Oreb y de Zeeb a Gedeón al otro lado del Jordán.

CAPÍTULO 8

Y los de Efraín le dijeron: ¿Qué *es* esto que has hecho con nosotros, no llamándonos cuando ibas a la guerra contra Madián? Y lo regañaron fuertemente.

2 Y él les respondió: ¿Qué he hecho yo ahora en comparación con

vosotros? ¿No *es* el rebusco de Efraín mejor que la vendimia de Abiezer?

3 Dios ha entregado en vuestras manos a Oreb y a Zeeb, príncipes de Madián: ¿y qué pude hacer yo en comparación con vosotros? Entonces el enojo de ellos contra él se aplacó, luego que él habló esta palabra.

4 Y vino Gedeón al Jordán para pasar, él y los trescientos hombres que traía consigo, cansados, pero todavía persiguiendo.

5 Y dijo a los de Sucot: Yo os ruego que deis a la gente que me sigue algunos bocados de pan; porque *están* cansados, y yo persigo a Zeba y a Zalmuna, reyes de Madián.

6 Y los principales de Sucot respondieron: ¿Está ya la mano de Zeba y Zalmuna en tu mano, para que tengamos que dar pan a tu ejército?

7 Y Gedeón dijo: Pues cuando Jehová hubiere entregado en mi mano a Zeba y a Zalmuna, yo trillaré vuestra carne con espinas y abrojos del desierto.

8 Y de allí subió a Peniel, y les habló las mismas palabras. Y los de Peniel le respondieron como habían respondido los de Sucot.

9 Y él habló también a los de Peniel, diciendo: Cuando yo vuelva en paz, derribaré esta torre.

10 Y Zeba y Zalmuna *estaban* en Carcor, y con ellos su ejército de como quince mil hombres, todos los que habían quedado de todo el campamento de los orientales; y los muertos habían sido ciento veinte mil hombres que sacaban espada.

11 Y subiendo Gedeón hacia los que habitaban en tiendas, a la parte oriental de Noba y de Jogbeha, hirió el campa-mento, porque el ejército estaba seguro.

12 Y huyendo Zeba y Zalmuna, él los siguió; y capturó a los dos reyes de Madián, Zeba y Zalmuna, y atemorizó a todo el ejército.

13 Y Gedeón hijo de Joás volvió de la batalla antes que el sol subiera;

14 y tomó un joven de los de Sucot, y preguntándole, él le dio por escrito los principales de Sucot y sus ancianos, setenta y siete varones.

15 Y entrando a los de Sucot, dijo: He aquí a Zeba y a Zalmuna, sobre

los cuales me injuriasteis, diciendo: ¿*Está* ya la mano de Zeba y de Zalmuna en tu mano, para que demos nosotros pan a tus hombres cansados?

16 Y tomó a los ancianos de la ciudad, y espinas y abrojos del desierto, y castigó con ellos a los de Sucot.

17 Asimismo derribó la torre de Peniel, y mató a los de la ciudad.

18 Luego dijo a Zeba y a Zalmuna: ¿Qué aspecto tenían aquellos hombres que matasteis en Tabor? Y ellos respondieron: Como tú, así *eran* ellos ni más ni menos, cada uno parecía hijo de rey.

19 Y él dijo: Mis hermanos *eran*, hijos de mi madre: ¡Vive Jehová, que si les hubierais guardado la vida, yo no os mataría!

20 Y dijo a Jeter su primogénito: Levántate, y mátalos. Mas el joven no desenvainó su espada, porque tenía temor; pues aún era muchacho.

21 Entonces dijo Zeba y Zalmuna: Levántate tú, y mátanos; porque como *es* el varón, tal *es* su valentía. Y Gedeón se levantó, y mató a Zeba y a Zalmuna; y tomó los adornos de lunetas que sus camellos traían al cuello.

22 Y los israelitas dijeron a Gedeón: Sé nuestro señor, tú, y tu hijo, y tu nieto; pues que nos has librado de mano de Madián.

23 Mas Gedeón respondió: No seré señor sobre vosotros, ni mi hijo os señoreará: Jehová será vuestro Señor.

24 Y les dijo Gedeón: Deseo haceros una petición, que cada uno me dé los zarcillos de su despojo. (Porque traían zarcillos de oro, porque *eran* ismaelitas).

25 Y ellos respondieron: De buena gana los daremos. Y tendiendo una ropa de vestir, echó allí cada uno los zarcillos de su despojo.

26 Y fue el peso de los zarcillos de oro que él pidió, mil setecientos *siclos* de oro; sin las planchas, y joyeles, y vestiduras de púrpura que *portaban* los reyes de Madián, y sin los collares que *traían* sus camellos al cuello.

27 Y Gedeón hizo de ellos un efod, el cual hizo guardar en su ciudad de Ofra; y todo Israel fornicó tras de ese efod en aquel lugar; y fue por tropiezo a Gedeón y a su casa.

28 Así fue humillado Madián delante de los hijos de Israel, y nunca más levantaron su cabeza. Y reposó la tierra cuarenta años en los días de Gedeón.

29 Y Jerobaal hijo de Joás fue, y habitó en su casa.

30 Y tuvo Gedeón setenta hijos que salieron de su muslo, porque tuvo muchas esposas.

31 Y su concubina que *estaba* en Siquem, también le dio a luz un hijo; y le puso por nombre Abimelec.

32 Y murió Gedeón hijo de Joás en buena vejez, y fue sepultado en el sepulcro de su padre Joás, en Ofra de los abiezeritas.

33 Y aconteció que cuando murió Gedeón, los hijos de Israel volvieron a prostituirse en pos de los Baales, e hicieron de Baal-berit su dios.

34 Y no se acordaron los hijos de Israel de Jehová su Dios, que los había librado de todos sus enemigos alrededor;

35 ni correspondieron con bondad a la casa de Jerobaal, *el cual es* Gedeón conforme a todo el bien que él había hecho a Israel.

CAPÍTULO 9

Y se fue Abimelec hijo de Jerobaal a Siquem, a los hermanos de su madre, y habló con ellos, y con toda la familia de la casa del padre de su madre, diciendo:

2 Yo os ruego que habléis a oídos de todos los de Siquem: ¿Qué os parece mejor, que todos los hijos de Jerobaal, setenta hombres, reinen sobre vosotros; o que reine sobre vosotros un solo hombre? Acordaos que yo soy hueso vuestro, y carne vuestra.

3 Y hablaron por él los hermanos de su madre a oídos de todos los de Siquem todas estas palabras; y el corazón de ellos se inclinó en favor de Abimelec, porque decían: Nuestro hermano *es*.

4 Y le dieron setenta *piezas* de plata del templo de Baal-berit, con los cuales Abimelec alquiló hombres ociosos y vagabundos, que le siguieron.

5 Y viniendo a la casa de su padre en Ofra, mató a sus hermanos los hijos de Jerobaal, setenta varones, sobre una piedra; mas quedó Jotam, el hijo menor de Jerobaal, que se escondió.

6 Y reunidos todos los de Siquem con toda la casa de Milo, fueron y eligieron a Abimelec por rey, cerca de la llanura del pilar que estaba en Siquem.

7 Y cuando se lo dijeron a Jotam, fue y se puso en la cumbre del monte de Gerizim, y alzando su voz clamó, y les dijo: Oídme, varones de Siquem; que Dios os oiga.

8 Fueron los árboles a elegir rey sobre sí, y dijeron al olivo: Reina sobre nosotros.

9 Mas el olivo respondió: ¿He de dejar mi aceite, con el cual por mí honran a Dios y a los hombres, para ir a ser grande sobre los árboles?

10 Y dijeron los árboles a la higuera: Anda tú, reina sobre nosotros.

11 Y respondió la higuera: ¿He de dejar mi dulzura y mi buen fruto, para ir a ser grande sobre los árboles?

12 Dijeron luego los árboles a la vid: Pues ven tú, reina sobre nosotros.

13 Y la vid les respondió: ¿He de dejar mi mosto, que alegra a Dios y a los hombres, por ir a ser grande sobre los árboles?

14 Dijeron entonces todos los árboles al escaramujo: Anda tú, reina sobre nosotros.

15 Y el escaramujo respondió a los árboles: Si en verdad me elegís por rey sobre vosotros, venid, y aseguraos debajo de mi sombra; y si no, fuego salga del escaramujo que devore los cedros del Líbano.

16 Ahora pues, si con verdad y con integridad habéis procedido en hacer rey a Abimelec, y si lo habéis hecho bien con Jerobaal y con su casa, y si le habéis pagado conforme a la obra de sus manos

17 (Pues que mi padre peleó por vosotros, y expuso su vida por libraros de mano de Madián;

18 y vosotros os levantasteis hoy contra la casa de mi padre, y matasteis sus hijos, setenta varones, sobre una piedra; y habéis puesto por rey sobre los de Siquem a Abimelec,

hijo de su criada, por cuanto es vuestro hermano);

19 si con verdad y con integridad habéis obrado hoy con Jerobaal y con su casa, entonces gozad de Abimelec, y que él goce de vosotros.

20 Y si no, fuego salga de Abimelec, que consuma a los de Siquem y a la casa de Milo; y fuego salga de los de Siquem y de la casa de Milo, que consuma a Abimelec.

21 Y huyó Jotam, y se fugó, y se fue a Beer, y allí se estuvo por causa de Abimelec su hermano.

22 Y después que Abimelec hubo reinado sobre Israel tres años,

23 envió Dios un espíritu malo entre Abimelec y los hombres de Siquem. Y los de Siquem se levantaron contra Abimelec,

24 para que la crueldad hecha a los setenta hijos de Jerobaal, y la sangre de ellos, viniera a ponerse sobre Abimelec su hermano que los mató, y sobre los hombres de Siquem que lo ayudaron a matar a sus hermanos.

25 Y los de Siquem le pusieron acechadores en las cumbres de los montes, los cuales asaltaban a todos los que pasaban junto a ellos por el camino; de lo que fue dado aviso a Abimelec.

26 Y Gaal hijo de Ebed vino con sus hermanos, y se pasaron a Siquem; y los de Siquem pusieron su confianza en él.

27 Y saliendo al campo, vendimiaron sus viñas y pisaron la uva, e hicieron fiesta; y entrando en el templo de sus dioses, comieron y bebieron, y maldijeron a Abimelec.

28 Y Gaal hijo de Ebed dijo: ¿Quién es Abimelec y qué es Siquem, para que nosotros le sirvamos? ¿No es hijo de Jerobaal? ¿Y no es Zebul su asistente? Servid a los varones de Hamor padre de Siquem; mas ¿por qué habíamos de servirle a él?

29 ¡Quisiera Dios que este pueblo estuviera bajo mi mano! Yo echaría luego a Abimelec. Y decía a Abimelec: Aumenta tus escuadrones, y sal.

30 Y Zebul alcalde de la ciudad, oyendo las palabras de Gaal hijo de Ebed, se encendió en ira;

31 y envió mensajeros secretamente a Abimelec, diciendo: He aquí que

Gaal hijo de Ebed y sus hermanos han venido a Siquem, y he aquí, que están sublevando la ciudad contra ti.

32 Levántate pues, ahora de noche, tú y el pueblo que *está* contigo, y pon emboscadas en el campo.

33 Y será que por la mañana, al salir el sol, te levantarás y acometerás contra la ciudad; y he aquí que *cuando* él y el pueblo que *está* con él salgan contra ti, tú harás con él según se te presente la ocasión.

34 Levantándose pues, de noche Abimelec y todo el pueblo que con él *estaba*, pusieron emboscada contra Siquem con cuatro compañías.

35 Y Gaal hijo de Ebed salió, y se puso a la entrada de la puerta de la ciudad: y Abimelec y todo el pueblo que con él *estaba*, se levantaron de la emboscada.

36 Y cuando Gaal vio al pueblo, dijo a Zebul: He allí pueblo que desciende de las cumbres de las montañas. Y Zebul le respondió: Tú ves la sombra de las montañas como *si fueran* hombres.

37 Mas Gaal volvió a hablar, y dijo: He allí pueblo que desciende por medio de la tierra, y un escuadrón que viene camino del valle de Meonenim.

38 Y Zebul le respondió: ¿Dónde *está* ahora aquel tu hablar, diciendo: Quién es Abimelec para que le sirvamos? ¿No *es* éste el pueblo que tenías en poco? Sal pues, ahora, y pelea contra él.

39 Y Gaal salió delante de los de Siquem, y peleó contra Abimelec.

40 Mas lo persiguió Abimelec, delante del cual él huyó; y cayeron heridos muchos hasta la entrada de la puerta.

41 Y Abimelec se quedó en Aruma; y Zebul echó fuera a Gaal y a sus hermanos, para que no morasen en Siquem.

42 Y aconteció al siguiente día, que el pueblo salió al campo: y fue dado aviso a Abimelec.

43 El cual, tomando gente, la repartió en tres escuadrones, y puso emboscadas en el campo; y cuando miró, he aquí el pueblo que salía de la ciudad; y se levantó contra ellos y los mató.

44 Y Abimelec y el escuadrón que *estaba* con él, acometieron con ímpetu, y pararon a la entrada de la puerta de la ciudad; y los *otros* dos escuadrones acometieron contra todos los que *estaban* en el campo y los mataron.

45 Y Abimelec combatió contra aquella ciudad todo aquel día; y tomó la ciudad, y mató al pueblo que *estaba* en ella, y asoló la ciudad y la sembró de sal.

46 Cuando oyeron *esto* todos los que estaban en la torre de Siquem, entraron en la fortaleza del templo del dios Berit.

47 Y fue dicho a Abimelec que todos los hombres de la torre de Siquem estaban reunidos.

48 Entonces subió Abimelec al monte de Salmón, él y toda la gente que con él estaba; y tomó Abimelec un hacha en su mano, y cortó una rama de los árboles, y levantándola se la puso sobre sus hombros, diciendo al pueblo que estaba con él: Lo que me habéis visto hacer, apresuraos y haced lo mismo.

49 Y así todo el pueblo cortó también cada uno su rama, y siguieron a Abimelec, y las pusieron junto a la fortaleza, y prendieron fuego con ellas a la fortaleza de modo que todos los de la torre de Siquem murieron, como unos mil hombres y mujeres.

50 Después Abimelec se fue a Tebes; y acampó contra Tebes, y la tomó.

51 En medio de aquella ciudad había una torre fuerte, a la cual se retiraron todos los hombres y mujeres, y todos los habitantes de la ciudad; y cerrando tras sí las puertas, se subieron al piso alto de la torre.

52 Y vino Abimelec a la torre, y combatiéndola, se acercó a la puerta de la torre para prenderle fuego.

53 Pero una mujer dejó caer un pedazo de una rueda de molino sobre la cabeza de Abimelec, y le quebró el cráneo.

54 Y luego llamó él a su escudero, y le dijo: Saca tu espada y mátame, para que no se diga de mí: Una mujer lo mató. Y su escudero le atravesó, y murió.

55 Y cuando los hombres de Israel vieron muerto a Abimelec, se fueron cada uno a su casa.

56 Así pagó Dios a Abimelec el mal que hizo contra su padre matando a sus setenta hermanos.

57 Y toda la maldad de los hombres de Siquem la hizo Dios volver sobre sus cabezas; y la maldición de Jotam, hijo de Jerobaal, vino sobre ellos.

CAPÍTULO 10

Y después de Abimelec se levantó para librar a Israel, Tola hijo de Púa, hijo de Dodo, varón de Isacar, el cual habitaba en Samir, en el monte de Efraín.

2 Y juzgó a Israel veintitrés años, y murió, y fue sepultado en Samir.

3 Tras él se levantó Jair, galaadita, el cual juzgó a Israel veintidós años.

4 Éste tuvo treinta hijos que cabalgaban sobre treinta asnos, y tenían treinta villas, que se llamaron las villas de Jair hasta hoy, las cuales *están* en la tierra de Galaad.

5 Y murió Jair, y fue sepultado en Camón.

6 Mas los hijos de Israel volvieron a hacer lo malo ante los ojos de Jehová, y sirvieron a los Baales y a Astarot, y a los dioses de Siria, y a los dioses de Sidón, y a los dioses de Moab, y a los dioses de los hijos de Amón, y a los dioses de los filisteos; y dejaron a Jehová, y no le sirvieron.

7 Y Jehová se airó contra Israel, y los entregó en mano de los filisteos, y en mano de los hijos de Amón:

8 Los cuales oprimieron y quebrantaron a los hijos de Israel en aquel tiempo dieciocho años, a todos los hijos de Israel que *estaban* al otro lado del Jordán en la tierra del amorreo, que *es* en Galaad.

9 Y los hijos de Amón pasaron el Jordán para hacer también guerra contra Judá y contra Benjamín y la casa de Efraín; e Israel fue en gran manera afligido.

10 Y los hijos de Israel clamaron a Jehová, diciendo: Nosotros hemos pecado contra ti; porque hemos dejado a nuestro Dios y servido a los Baales.

11 Y Jehová respondió a los hijos de Israel: ¿No *os libré* yo de los egipcios, de los amorreos, de los hijos de Amón y de los filisteos?

12 También los de Sidón os oprimieron, y los de Amalec, y los de Maón; y clamasteis a mí, y yo os libré de sus manos.

13 Mas vosotros me habéis dejado, y habéis servido a dioses ajenos; por tanto, yo no os libraré más.

14 Andad, y clamad a los dioses que os habéis elegido, que os libren ellos en el tiempo de vuestra aflicción.

15 Y los hijos de Israel respondieron a Jehová: Hemos pecado; haz tú con nosotros como bien te pareciere; solamente que ahora nos libres en este día.

16 Y quitaron de entre sí los dioses ajenos, y sirvieron a Jehová: Y su alma fue angustiada a causa de la aflicción de Israel.

17 Y se juntaron los hijos de Amón, y acamparon en Galaad; y los hijos de Israel también se juntaron, y acamparon en Mizpa.

18 Y los príncipes y el pueblo de Galaad dijeron el uno al otro: ¿Quién *es* el que comenzará la batalla contra los hijos de Amón? Él será cabeza sobre todos los que habitan en Galaad.

CAPÍTULO 11

Y Jefté, el galaadita era un hombre esforzado y valeroso, hijo de una ramera, al cual había engendrado Galaad.

2 Y la esposa de Galaad también le había dado hijos; los cuales cuando fueron grandes, echaron fuera a Jefté, diciéndole: No heredarás en la casa de nuestro padre, porque *eres* hijo de otra mujer.

3 Huyendo, pues, Jefté a causa de sus hermanos, habitó en tierra de Tob; y se juntaron con él hombres ociosos, los cuales con él salían.

4 Y aconteció que después de días los hijos de Amón hicieron guerra contra Israel:

5 Y como los hijos de Amón tenían guerra contra Israel, los ancianos de Galaad fueron para traer a Jefté de tierra de Tob;

6 y dijeron a Jefté: Ven y sé nuestro capitán para que peleemos contra los hijos de Amón.

7 Y Jefté respondió a los ancianos de Galaad: ¿No me habéis aborrecido vosotros, y me echasteis de la casa de mi padre? ¿Por qué, pues, venís ahora a mí cuando estáis en aflicción?

8 Y los ancianos de Galaad respondieron a Jefté: Por esta misma causa volvemos ahora a ti, para que vengas con nosotros, y pelees contra los hijos de Amón, y nos seas cabeza a todos los que moramos en Galaad.

9 Jefté entonces dijo a los ancianos de Galaad: Si me hacéis volver para que pelee contra los hijos de Amón, y Jehová los entrega delante de mí, ¿seré yo vuestra cabeza?

10 Y los ancianos de Galaad respondieron a Jefté: Jehová sea testigo entre nosotros, si no hacemos como tú dices.

11 Entonces Jefté vino con los ancianos de Galaad, y el pueblo lo eligió por su cabeza y príncipe; y Jefté habló todas sus palabras delante de Jehová en Mizpa.

12 Y envió Jefté embajadores al rey de los hijos de Amón, diciendo: ¿Qué tienes tú conmigo que has venido a mí para hacer guerra en mi tierra?

13 Y el rey de los hijos de Amón respondió a los embajadores de Jefté: Por cuanto Israel tomó mi tierra, cuando subió de Egipto, desde Arnón hasta Jaboc y el Jordán; por tanto, devuélvela ahora en paz.

14 Y Jefté volvió a enviar otros embajadores al rey de los hijos de Amón,

15 para decirle: Jefté ha dicho así: Israel no tomó tierra de Moab, ni tierra de los hijos de Amón.

16 Mas subiendo Israel de Egipto, anduvo por el desierto hasta el Mar Rojo, y llegó a Cades.

17 Entonces Israel envió embajadores al rey de Edom, diciendo: Yo te ruego que me dejes pasar por tu tierra. Mas el rey de Edom no los escuchó. Envió también al rey de Moab; el cual tampoco quiso. Israel, por tanto, se quedó en Cades.

18 Después, yendo por el desierto, rodeó la tierra de Edom y la tierra de Moab, y viniendo por el lado oriental de la tierra de Moab, acampó en el otro lado de Arnón, y no entraron por el término de Moab; porque Arnón *era* la frontera de Moab.

19 Y envió Israel embajadores a Sehón rey de los amorreos, rey de Hesbón, y le dijo Israel: Te ruego que me dejes pasar por tu tierra hasta mi lugar.

20 Mas Sehón no se fió de Israel para darle paso por su término; sino que reuniendo Sehón a toda su gente, acampó en Jahaza, y peleó contra Israel.

21 Pero Jehová Dios de Israel entregó a Sehón y a todo su pueblo en mano de Israel, y los venció; y poseyó Israel toda la tierra del amorreo que habitaba en aquel país.

22 Poseyeron también todo el término del amorreo desde Arnón hasta Jaboc, y desde el desierto hasta el Jordán.

23 Así que Jehová Dios de Israel echó a los amorreos de delante de su pueblo Israel; ¿y lo has de poseer tú?

24 ¿No poseerás tú lo que Quemos, tu dios, te dé por posesión? Así poseeremos nosotros a todo aquel que echó Jehová nuestro Dios de delante de nosotros.

25 ¿*Eres* tú ahora mejor en algo que Balac hijo de Zipor, rey de Moab? ¿Tuvo él pleito contra Israel, o hizo guerra contra ellos?

26 Cuando Israel ha estado habitando por trescientos años a Hesbón y sus aldeas, a Aroer y sus aldeas, y todas las ciudades que *están* a los términos de Arnón, ¿por qué no las habéis reclamado en ese tiempo?

27 Así que, yo en nada he pecado contra ti, mas tú me haces mal haciendo guerra contra mí: Jehová, que es el Juez, juzgue hoy entre los hijos de Israel y los hijos de Amón.

28 Mas el rey de los hijos de Amón no atendió a las razones que Jefté le envió.

29 Y el Espíritu de Jehová vino sobre Jefté; y pasó por Galaad y Manasés; y de allí pasó a Mizpa de Galaad; y de Mizpa de Galaad pasó a los hijos de Amón.

30 Y Jefté hizo voto a Jehová, diciendo: Si en verdad entregas a los hijos de Amón en mis manos,

31 sucederá que cualquiera que salga de las puertas de mi casa a recibirme cuando yo vuelva en paz de los hijos de Amón, será de Jehová, y lo ofreceré en holocausto.

32 Y Jefté pasó adonde *estaban* los hijos de Amón para pelear contra ellos; y Jehová los entregó en su mano.

33 Y los hirió de grandísimo estrago desde Aroer hasta llegar a Minit, veinte ciudades; y hasta la vega de las viñas. Así fueron sometidos los hijos de Amón delante de los hijos de Israel.

34 Y cuando Jefté llegó a su casa en Mizpa, he aquí que su hija salió a recibirle con panderos y danzas, y ella *era su* única suya; fuera de ella no tenía hijo ni hija.

35 Y aconteció que cuando él la vio, rasgó sus ropas, diciendo: ¡Ay, hija mía! en verdad me has abatido, y tú eres de los que me afligen; porque he abierto mi boca a Jehová, y no podré retractarme.

36 Ella entonces le respondió: Padre mío, si has abierto tu boca a Jehová, haz de mí como salió de tu boca, pues que Jehová ha hecho venganza en tus enemigos, los hijos de Amón.

37 Y además dijo a su padre: Permite que me sea hecho esto; deja que por dos meses vaya yo y descienda por los montes y llore mi virginidad, yo y mis compañeras.

38 Él entonces dijo: Ve. Y la dejó por dos meses. Y ella fue con sus compañeras, y lloró su virginidad por los montes.

39 Y aconteció que pasados los dos meses ella volvió a su padre, quien hizo con ella *conforme* a su voto que había hecho. Y ella nunca conoció varón.

40 De aquí fue la costumbre en Israel que de año en año iban las doncellas de Israel a endechar a la hija de Jefté galaadita, cuatro días en el año.

CAPÍTULO 12

Y reuniéndose los varones de Efraín, pasaron hacia el norte, y dijeron a Jefté: ¿Por qué fuiste a hacer guerra contra los hijos de Amón, y no nos llamaste para que fuéramos contigo? Nosotros quemaremos a fuego tu casa contigo.

2 Y Jefté les respondió: Yo tuve, y mi pueblo, una gran contienda con los hijos de Amón, y os llamé, y no me defendisteis de sus manos.

3 Viendo, pues, que no *me* defendíais, puse mi vida en la palma de mi mano, y pasé contra los hijos de Amón, y Jehová los entregó en mi mano. ¿Por qué, pues, habéis subido hoy contra mí para pelear conmigo?

4 Y juntando Jefté a todos los varones de Galaad, peleó contra Efraín; y los de Galaad hirieron a Efraín, porque habían dicho: Vosotros *sois* fugitivos de Efraín, vosotros sois galaaditas en medio de Efraín y en medio de Manasés.

5 Y los galaaditas tomaron los vados del Jordán a Efraín; y era que, cuando alguno de los de Efraín que había huido, decía, ¿pasaré? Los de Galaad le preguntaban: ¿*Eres* tú efrateo? Si él respondía: No;

6 entonces le decían: Ahora, pues, di Shibolet. Y él decía Sibolet; porque no podía pronunciarlo correctamente. Entonces le echaban mano, y le degollaban junto a los vados del Jordán. Y murieron entonces de los de Efraín cuarenta y dos mil.

7 Y Jefté juzgó a Israel seis años: luego murió Jefté galaadita, y fue sepultado en *una de* las ciudades de Galaad.

8 Después de él juzgó a Israel Ibzan de Belén;

9 El cual tuvo treinta hijos y treinta hijas, *las cuales* casó fuera, y tomó de fuera treinta hijas para sus hijos; y juzgó a Israel siete años.

10 Y murió Ibzan, y fue sepultado en Belén.

11 Después de él juzgó a Israel Elón, zabulonita, el cual juzgó a Israel diez años.

12 Y murió Elón, zabulonita, y fue sepultado en Ajalón en la tierra de Zabulón.

13 Después de él juzgó a Israel Abdón hijo de Hilel, piratonita.

14 Éste tuvo cuarenta hijos y treinta nietos que cabalgaban sobre setenta asnos: y juzgó a Israel ocho años.

15 Y murió Abdón hijo de Hilel, piratonita, y fue sepultado en Piratón, en la tierra de Efraín, en el monte de Amalec.

CAPÍTULO 13

Y los hijos de Israel volvieron a hacer lo malo ante los ojos de Jehová; y Jehová los entregó en mano de los filisteos por cuarenta años.

2 Y había un hombre de Zora, de la tribu de Dan, el cual se llamaba Manoa; y su esposa *era* estéril, que nunca había dado a luz.

3 Y el Ángel de Jehová apareció a esta mujer, y le dijo: He aquí que tú eres estéril, y no has dado a luz; mas concebirás y darás a luz un hijo.

4 Por tanto ahora, cuida que no bebas vino ni sidra, ni comas cosa inmunda.

5 Porque he aquí que concebirás, y darás a luz un hijo; y no pasará navaja sobre su cabeza, porque aquel niño será nazareo para Dios desde el vientre, y él comenzará a librar a Israel de mano de los filisteos.

6 Y la mujer vino y lo contó a su marido, diciendo: Un varón de Dios vino a mí, cuyo aspecto *era* como el aspecto de un Ángel de Dios, terrible en gran manera; y no le pregunté de dónde era ni quién era, ni tampoco Él me dijo su nombre.

7 Y me dijo: He aquí que tú concebirás, y darás a luz un hijo; por tanto, ahora no bebas vino ni sidra, ni comas cosa inmunda; porque este niño desde el vientre será nazareo para Dios hasta el día de su muerte.

8 Entonces Manoa oró a Jehová, y dijo: Ah, Señor mío, yo te ruego que aquel varón de Dios que tú enviaste venga otra vez a nosotros y nos enseñe lo que debemos hacer con el niño que ha de nacer.

9 Y Dios oyó la voz de Manoa: y el Ángel de Dios volvió otra vez a la mujer, estando ella en el campo; mas su marido Manoa no *estaba* con ella.

10 Y la mujer corrió prontamente, y lo declaró a su marido, diciendo: Mira que se me ha aparecido aquel varón que vino a mí el *otro* día.

11 Y se levantó Manoa, y siguió a su esposa; y así que llegó al varón, le dijo: ¿Eres tú aquel varón que habló a la mujer? Y Él dijo: Yo soy.

12 Entonces Manoa dijo: Cúmplase pues, tu palabra. ¿Qué orden daremos al niño, y qué se ha de hacer con él?

13 Y el Ángel de Jehová respondió a Manoa: La mujer se guardará de todas las cosas que yo le dije:

14 Ella no comerá nada que proceda de vid que da vino; no beberá vino ni sidra, ni comerá cosa inmunda; ha de guardar todo lo que le mandé.

15 Entonces Manoa dijo al Ángel de Jehová: Te ruego que nos permitas detenerte y prepararte un cabrito.

16 Y el Ángel de Jehová respondió a Manoa: Aunque me detengas no comeré de tu pan; mas si quieres hacer holocausto, sacrifícalo a Jehová. Y no sabía Manoa que Aquél *era* el Ángel de Jehová.

17 Entonces dijo Manoa al Ángel de Jehová: ¿Cuál *es* tu nombre, para que cuando se cumpliere tu palabra te honremos?

18 Y el Ángel de Jehová respondió: ¿Por qué preguntas por mi nombre, que *es* secreto?

19 Y Manoa tomó un cabrito de las cabras y un presente, y lo sacrificó sobre una roca a Jehová; y *el Ángel* hizo milagro a vista de Manoa y de su esposa.

20 Pues aconteció que cuando la llama subía del altar hacia el cielo, el Ángel de Jehová subió en la llama del altar a vista de Manoa y de su esposa, los cuales se postraron en tierra sobre sus rostros.

21 Y el Ángel de Jehová no volvió a aparecer a Manoa ni a su esposa. Entonces conoció Manoa que *era* el Ángel de Jehová.

22 Y dijo Manoa a su esposa: Ciertamente moriremos, porque hemos visto a Dios.

23 Y su esposa le respondió: Si Jehová nos quisiera matar, no recibiría de nuestras manos el holocausto y el presente, ni nos hubiera mostrado

todas estas cosas, ni ahora nos habría anunciado esto.

24 Y la mujer dio a luz un hijo, y le puso por nombre Sansón. Y el niño creció, y Jehová lo bendijo.

25 Y el Espíritu de Jehová comenzó a manifestarse en él en los campamentos de Dan, entre Zora y Estaol.

CAPÍTULO 14

Y descendiendo Sansón a Timnat, vio en Timnat a una mujer de las hijas de los filisteos.

2 Y subió, y lo declaró a su padre y a su madre, diciendo: Yo he visto en Timnat a una mujer de las hijas de los filisteos; os ruego que me la toméis por esposa.

3 Y su padre y su madre le dijeron: ¿No hay mujer entre las hijas de tus hermanos, ni en todo mi pueblo, para que vayas tú a tomar esposa de los filisteos incircuncisos? Y Sansón respondió a su padre: Tómala para mí, porque ésta agradó a mis ojos.

4 Mas su padre y su madre no sabían que esto *venía* de Jehová, y que él buscaba ocasión contra los filisteos; porque en aquel tiempo los filisteos dominaban sobre Israel.

5 Y Sansón descendió con su padre y con su madre a Timnat; y cuando llegaron a las viñas de Timnat, he aquí un cachorro de león que venía rugiendo hacia él.

6 Y el Espíritu de Jehová cayó sobre él, y lo despedazó como quien despedaza un cabrito, *sin tener* nada en su mano; pero no contó ni a su padre ni a su madre lo que había hecho.

7 Vino pues, y habló a la mujer que había agradado a Sansón.

8 Y volviendo después de algunos días para tomarla, se apartó *del camino* para ver el cuerpo muerto del león, y he aquí que en el cuerpo del león *había* un enjambre de abejas, y un panal de miel.

9 Y tomándolo en sus manos, se fue comiéndolo por el camino; y llegado que hubo *adonde estaban* su padre y su madre, les dio también a ellos que comiesen; pero no les contó que había tomado aquella miel del cuerpo del león.

10 Vino, pues, su padre a la mujer, y Sansón hizo allí banquete; porque así solían hacer los jóvenes.

11 Y aconteció que cuando ellos le vieron, tomaron treinta compañeros que estuviesen con él;

12 a los cuales Sansón dijo: Yo os propondré ahora un enigma, el cual si en los siete días del banquete vosotros me declarareis y descubriereis, yo os daré treinta sábanas y treinta mudas de ropa.

13 Mas si no me lo supiereis declarar, vosotros me daréis las treinta sábanas y las treinta mudas de ropa. Y ellos respondieron: Exponnos tu enigma, y la oiremos.

14 Entonces les dijo: Del comedor salió comida, y del fuerte salió dulzura. Y ellos no pudieron declararle el enigma en tres días.

15 Y aconteció que en el séptimo día, dijeron a la esposa de Sansón: Induce a tu marido a que nos declare este enigma, para que no te quememos a ti y a la casa de tu padre. ¿Nos habéis llamado aquí para despojarnos? ¿No *es así*?

16 Y la esposa de Sansón lloró delante de él, y dijo: Solamente me aborreces y no me amas, pues que no me declaras el enigma que propusiste a los hijos de mi pueblo. Y él respondió: He aquí que ni a mi padre ni a mi madre lo he declarado; y ¿lo había de declarar a ti?

17 Y ella lloró delante de él los siete días que ellos tuvieron banquete; y sucedió que el séptimo día él se lo declaró, porque ella lo presionaba; y ella declaró el enigma a los hijos de su pueblo.

18 Y al séptimo día, antes que el sol se pusiese, los de la ciudad le dijeron: ¿Qué cosa más dulce que la miel? ¿Y qué cosa más fuerte que el león? Y él les respondió: Si no araseis con mi novilla, nunca hubierais descubierto mi enigma.

19 Y el Espíritu de Jehová cayó sobre él, y descendió a Ascalón, e hirió treinta hombres de ellos; y tomando el despojo, dio las mudas de ropa a los que habían explicado el enigma: y encendido en enojo se fue a casa de su padre.

20 Y la esposa de Sansón fue *dada* a

su compañero, con el cual él antes se acompañaba.

CAPÍTULO 15

Y aconteció después de días, que en el tiempo de la siega del trigo, Sansón visitó a su esposa con un cabrito, diciendo: Entraré a mi esposa en su cámara. Mas el padre de ella no lo dejó entrar.

2 Y dijo el padre de ella: Pensé que la aborrecías del todo, y la di a tu compañero. Mas su hermana menor, ¿no *es* más hermosa que ella? Tómala, pues, en su lugar.

3 Y Sansón les respondió: Yo seré sin culpa esta vez para con los filisteos, si mal les hiciere.

4 Y fue Sansón y atrapó trescientas zorras, y tomando teas, y trabando aquéllas por las colas, puso entre cada dos colas una tea.

5 Después, encendiendo las teas, echó las zorras en los sembrados de los filisteos, y quemó las gavillas amontonadas y en pie, viñas y olivares.

6 Y dijeron los filisteos: ¿Quién hizo esto? Y les fue dicho: Sansón, el yerno del timnateo, porque le quitó a su esposa y la dio a su compañero. Y vinieron los filisteos, y quemaron a fuego a ella y a su padre.

7 Entonces Sansón les dijo: ¿Así lo habíais de hacer? mas yo me vengaré de vosotros, y después cesaré.

8 Y los hirió pierna y muslo con gran mortandad; y descendió, y habitó en la cueva de la peña de Etam.

9 Y los filisteos subieron y acamparon en Judá, y se tendieron por Lehi.

10 Y los varones de Judá les dijeron: ¿Por qué habéis subido contra nosotros? Y ellos respondieron: A prender a Sansón hemos subido, para hacerle como él nos ha hecho.

11 Y vinieron tres mil hombres de Judá a la cueva de la peña de Etam, y dijeron a Sansón: ¿No sabes tú que los filisteos dominan sobre nosotros? ¿Por qué nos has hecho esto? Y él les respondió: Yo les he hecho como ellos me hicieron.

12 Ellos entonces le dijeron: Nosotros hemos venido para prenderte, y entregarte en mano de los filisteos. Y Sansón les respondió: Juradme que vosotros no me mataréis.

13 Y ellos le respondieron, diciendo: No, solamente te prenderemos, y te entregaremos en sus manos; mas no te mataremos. Entonces le ataron con dos cuerdas nuevas, y le hicieron venir de la peña.

14 Y así que vino hasta Lehi, los filisteos salieron gritando a su encuentro, y el Espíritu de Jehová descendió con poder sobre él, y las cuerdas que *estaban* en sus brazos se volvieron como lino quemado con fuego, y las ataduras se cayeron de sus manos.

15 Y hallando una quijada de asno fresca, extendió la mano y la tomó, e hirió con ella a mil hombres.

16 Entonces Sansón dijo: Con la quijada de un asno, un montón, dos montones; Con la quijada de un asno herí mil hombres.

17 Y sucedió que cuando acabó de hablar, arrojó de su mano la quijada, y llamó a aquel lugar Ramat-lehi.

18 Y teniendo gran sed, clamó luego a Jehová, y dijo: Tú has dado esta gran salvación por mano de tu siervo: ¿y moriré yo ahora de sed, y caeré en mano de los incircuncisos?

19 Entonces quebró Dios una muela que *estaba* en la quijada, y salieron de allí aguas, y bebió, y recobró su espíritu, y se reanimó. Por eso llamó el nombre de aquel lugar, En-hacore, el cual *está* en Lehi, hasta hoy.

20 Y juzgó a Israel en días de los filisteos veinte años.

CAPÍTULO 16

Y fue Sansón a Gaza, y vio allí una mujer ramera, y entró a ella.

2 Y fue dicho a los de Gaza: Sansón es venido acá. Y lo rodearon, y le asecharon toda aquella noche a la puerta de la ciudad; y estuvieron callados toda aquella noche, diciendo: Hasta la luz de la mañana; entonces lo mataremos.

3 Mas Sansón durmió hasta la media noche; y a la media noche se levantó, y tomando las puertas de la ciudad con sus dos pilares y su cerrojo, se las

echó al hombro, y se fue, y se subió con ellas a la cumbre del monte que está delante de Hebrón.

4 Después de esto aconteció que se enamoró de una mujer en el valle de Sorec, la cual se llamaba Dalila.

5 Y vinieron a ella los príncipes de los filisteos, y le dijeron: Engáñale y mira en qué consiste su gran fuerza, y cómo lo podríamos vencer, para que lo atemos y lo atormentemos; y cada uno de nosotros te dará mil cien *piezas* de plata.

6 Y Dalila dijo a Sansón: Yo te ruego que me declares en qué *consiste* tu gran fuerza, y cómo podrás ser atado para ser atormentado.

7 Y Sansón le respondió: Si me ataren con siete mimbres verdes que aún no estén secos, entonces me debilitaré, y seré como cualquiera de los hombres.

8 Y los príncipes de los filisteos le trajeron siete mimbres verdes que aún no se habían secado, y ella le ató con ellos.

9 Y ella tenía unos hombres al acecho en una cámara. Entonces ella le dijo: ¡Sansón, los filisteos sobre ti! Y él rompió los mimbres, como se rompe una cuerda de estopa cuando siente el fuego; y no se supo *en qué consistía* su fuerza.

10 Entonces Dalila dijo a Sansón: He aquí tú me has engañado, y me has dicho mentiras; descúbreme pues, ahora, yo te ruego, cómo podrás ser atado.

11 Y él le dijo: Si me ataren fuertemente con cuerdas nuevas, con las cuales ninguna cosa se haya hecho, yo me debilitaré, y seré como cualquiera de los hombres.

12 Y Dalila tomó cuerdas nuevas, y le ató con ellas, y le dijo: ¡Sansón, los filisteos sobre ti! Y los espías *estaban* en una cámara. Mas él las rompió de sus brazos como un hilo.

13 Y Dalila dijo a Sansón: Hasta ahora me engañas, y tratas conmigo con mentiras. Dime, pues, ahora cómo podrás ser atado. Él entonces le dijo: Si tejieres siete guedejas de mi cabeza con la tela.

14 Y ella hincó la estaca, y le dijo: ¡Sansón, los filisteos sobre ti! Mas despertando él de su sueño, arrancó la estaca del telar con la tela.

15 Y ella le dijo: ¿Cómo dices: Yo te amo, cuando tu corazón no está conmigo? Ya me has engañado tres veces, y no me has revelado aún en qué *consiste* tu gran fuerza.

16 Y aconteció que, presionándole ella cada día con sus palabras e importunándole, su alma fue reducida a mortal angustia.

17 Le descubrió, pues, todo su corazón, y le dijo: Nunca a mi cabeza llegó navaja; porque *soy* nazareo para Dios desde el vientre de mi madre. Si fuere rapado, mi fuerza se apartará de mí, y me debilitaré, y seré como todos los hombres.

18 Y viendo Dalila que él le había descubierto todo su corazón, envió a llamar a los príncipes de los filisteos, diciendo: Venid esta vez, porque él me ha descubierto todo su corazón. Y los príncipes de los filisteos vinieron a ella, trayendo en su mano el dinero.

19 Y ella hizo que él se durmiese sobre sus rodillas; y llamado un hombre, le rapó las siete guedejas de su cabeza, y comenzó a afligirlo, pues su fuerza se apartó de él.

20 Y le dijo: ¡Sansón, los filisteos sobre ti! Y luego que despertó él de su sueño, se dijo: Esta vez saldré como las otras, y me escaparé; no sabiendo que Jehová ya se había apartado de él.

21 Mas los filisteos echaron mano de él, y le sacaron los ojos, y le llevaron a Gaza; y le ataron con cadenas de bronce, para que moliese en la cárcel.

22 Y el cabello de su cabeza comenzó a crecer, después que fue rapado.

23 Entonces los príncipes de los filisteos se juntaron para ofrecer sacrificio a Dagón su dios, y para alegrarse; y dijeron: Nuestro dios entregó en nuestras manos a Sansón nuestro enemigo.

24 Y viéndolo el pueblo, loaron a su dios, diciendo: Nuestro dios entregó en nuestras manos a nuestro enemigo, y al destruidor de nuestra tierra, el cual había dado muerte a muchos de nosotros.

25 Y aconteció que, alegrándose el corazón de ellos, dijeron: Llamad a Sansón, para que divierta delante de nosotros. Y llamaron a Sansón de la

cárcel, y servía de juguete delante de ellos; y lo pusieron entre las columnas.

26 Y Sansón dijo al joven que le guiaba de la mano: Acércame, y hazme palpar las columnas sobre las que descansa la casa, para que me apoye sobre ellas.

27 Y la casa estaba llena de hombres y mujeres, y todos los príncipes de los filisteos *estaban* allí; y en el techo *había* como tres mil hombres y mujeres, que estaban mirando el escarnio de Sansón.

28 Entonces Sansón clamó a Jehová, y dijo: Señor Jehová, acuérdate ahora de mí, y fortaléceme, te ruego, solamente esta vez, oh Dios, para que de una vez tome venganza de los filisteos, por mis dos ojos.

29 Asió luego Sansón las dos columnas del medio sobre las cuales descansaba la casa, y estribó en ellas, la una con la mano derecha, y la otra con la izquierda;

30 Y dijo Sansón: Muera yo con los filisteos. Y estribando con *toda su* fuerza, cayó la casa sobre los príncipes, y sobre todo el pueblo que estaba en ella. Y fueron muchos más los que de ellos mató al morir, que los que había matado en su vida.

31 Y descendieron sus hermanos y toda la casa de su padre, y le tomaron, y le llevaron, y le sepultaron entre Zora y Estaol, en el sepulcro de su padre Manoa. Y él juzgó a Israel veinte años.

CAPÍTULO 17

Hubo un hombre del monte de Efraín, que se llamaba Micaía.

2 El cual dijo a su madre: Los mil cien *siclos* de plata que te fueron hurtados, por lo que tú maldecías, y de los cuales me hablaste, he aquí que yo tengo este dinero; yo lo había tomado. Entonces su madre dijo: Bendito *seas* de Jehová, hijo mío.

3 Y luego que él devolvió los mil cien *siclos* de plata a su madre, su madre dijo: Yo ciertamente he dedicado el dinero a Jehová por mi hijo, para hacer una imagen de talla y una de fundición; ahora pues, yo te lo devuelvo.

4 Mas él devolvió el dinero a su madre, y su madre tomó doscientos *siclos* de plata, y los dio al fundidor; y él le hizo de ellos una imagen de talla y una de fundición, la cual fue puesta en casa de Micaía.

5 Y este hombre Micaía tenía una casa de dioses, e hizo un efod y terafim, y consagró a uno de sus hijos para que fuera su sacerdote.

6 En aquellos días no había rey en Israel; cada uno hacía como mejor le parecía.

7 Y había un joven de Belén de Judá, de la tribu de Judá, el cual *era* levita; y peregrinaba allí.

8 Este hombre partió de la ciudad de Belén de Judá, para ir a donde encontrase *lugar;* y llegando al monte de Efraín, vino a casa de Micaía, para de allí hacer su camino.

9 Y Micaía le dijo: ¿De dónde vienes? Y el levita le respondió: Soy de Belén de Judá, y voy a vivir donde encuentre *lugar.*

10 Entonces Micaía le dijo: Quédate en mi casa, y me serás en lugar de padre y sacerdote; y yo te daré diez *siclos* de plata por año, y vestidura, y tu comida. Y el levita se quedó.

11 Acordó pues el levita en morar con aquel hombre, y él lo tenía como a uno de sus hijos.

12 Y Micaía consagró al levita, y aquel joven le servía de sacerdote, y estaba en casa de Micaía.

13 Y Micaía dijo: Ahora sé que Jehová me hará bien, porque tengo un levita por sacerdote.

CAPÍTULO 18

En aquellos días no *había* rey en Israel. Y en aquellos días la tribu de Dan buscaba posesión para sí donde morase, porque hasta entonces no le había caído suerte entre las tribus de Israel por heredad.

2 Y los hijos de Dan enviaron de su tribu cinco hombres de sus términos, hombres valientes, de Zora y Estaol, para que reconociesen y explorasen bien la tierra; y les dijeron: Id y reconoced la tierra. Éstos vinieron al monte de Efraín, hasta la casa de Micaía, y allí posaron.

3 Y cuando *estaban* cerca de la casa de Micaía, reconocieron la voz del joven levita; y llegándose allá, le dijeron: ¿Quién te ha traído por acá? ¿Y qué haces aquí? ¿Y qué tienes tú por aquí?

4 Y él les respondió: De esta y de esta manera ha hecho conmigo Micaía, y me ha tomado para que sea su sacerdote.

5 Y ellos le dijeron: Pregunta pues, ahora a Dios, para que sepamos si este viaje que hacemos será próspero.

6 Y el sacerdote les respondió: Id en paz, que vuestro viaje que hacéis es delante de Jehová.

7 Entonces aquellos cinco hombres partieron, y vinieron a Lais; y vieron que el pueblo que *habitaba* en ella estaba seguro, ocioso y confiado, conforme a la costumbre de los sidonios; sin que nadie en aquella región los humillase en cosa alguna; y estaban lejos de los sidonios, y no tenían negocios con nadie.

8 Volviendo pues, ellos a sus hermanos en Zora y Estaol, sus hermanos les dijeron: ¿Qué hay?

9 Y ellos respondieron: Levantaos, subamos contra ellos; porque nosotros hemos explorado la región, y hemos visto que es muy buena: ¿y vosotros os quedáis quietos? No seáis perezosos en poneros en marcha para ir a poseer la tierra.

10 Cuando allá llegareis, vendréis a una gente confiada, y a una tierra muy espaciosa; pues Dios la ha entregado en vuestras manos; lugar donde no hay falta de cosa alguna que haya en la tierra.

11 Y partiendo los de Dan de allí, de Zora y de Estaol, seiscientos hombres armados con armas de guerra,

12 subieron y acamparon en Quiriat-jearim, en Judá; por lo cual llamaron a aquel lugar el campamento de Dan, hasta hoy: he aquí, *está* detrás de Quiriat-jearim.

13 Y pasando de allí al monte de Efraín, vinieron hasta la casa de Micaía.

14 Entonces aquellos cinco hombres que habían ido a reconocer la tierra de Lais, dijeron a sus hermanos: ¿No sabéis como en estas casas hay efod y terafim, e imagen de talla y de fundición? Mirad pues, lo que habéis de hacer.

15 Y llegándose allá, vinieron a la casa del joven levita en casa de Micaía, y le preguntaron cómo estaba.

16 Y los seiscientos hombres, que *eran* de los hijos de Dan, estaban armados con sus armas de guerra a la entrada de la puerta.

17 Y subiendo los cinco hombres que habían ido a reconocer la tierra, entraron allá, y tomaron la imagen de talla, y el efod, y el terafim, y la imagen de fundición, mientras estaba el sacerdote a la entrada de la puerta con los seiscientos hombres armados con armas de guerra.

18 Entrando pues, aquellos en la casa de Micaía, tomaron la imagen de talla, el efod, y el terafim, y la imagen de fundición. Y el sacerdote les dijo: ¿Qué hacéis vosotros?

19 Y ellos le respondieron: Calla, pon la mano sobre tu boca, y vente con nosotros, para que seas nuestro padre y sacerdote. ¿Es mejor que seas tú sacerdote en casa de un solo hombre, que de una tribu y familia de Israel?

20 Y se alegró el corazón del sacerdote; el cual tomando el efod y el terafim, y la imagen, se vino entre la gente.

21 Y ellos tornaron y se fueron; y pusieron los niños, y el ganado y el bagaje, delante de sí.

22 Y cuando ya se habían alejado de la casa de Micaía, los hombres que *habitaban* en las casas cercanas a la casa de Micaía, se juntaron, y siguieron a los hijos de Dan.

23 Y dando voces a los de Dan, éstos volvieron sus rostros, y dijeron a Micaía: ¿Qué tienes que has juntado gente?

24 Y él respondió: Habéis llevado mis dioses que yo hice, y al sacerdote, y os fuisteis: ¿Qué más me queda? ¿Y a qué propósito me decís: Qué tienes?

25 Y los hijos de Dan le dijeron: No des voces tras nosotros, no sea que los de ánimo colérico os acometan, y pierdas también tu vida, y la vida de los tuyos.

26 Y yéndose los hijos de Dan su camino, y viendo Micaía que *eran* más fuertes que él, se volvió y regresó a su casa.

27 Y ellos llevando las cosas que había hecho Micaía, juntamente con el sacerdote que tenía, llegaron a Lais, al pueblo reposado y seguro; y los hirieron a filo de espada, y prendieron fuego a la ciudad.

28 Y no *hubo* quien los defendiese, porque estaban lejos de Sidón, y no tenían comercio con nadie. Y la ciudad estaba en el valle que hay en Bet-rehob. Luego reedificaron la ciudad, y habitaron en ella.

29 Y llamaron el nombre de aquella ciudad Dan, conforme al nombre de Dan su padre, hijo de Israel, bien que antes se llamaba la ciudad Lais.

30 Y los hijos de Dan levantaron la imagen de talla; y Jonatán, hijo de Gersón, hijo de Manasés, él y sus hijos fueron sacerdotes en la tribu de Dan, hasta el día del cautiverio de la tierra.

31 Y se levantaron la imagen de Micaía, la cual él había hecho, todo el tiempo que la casa de Dios estuvo en Silo.

CAPÍTULO 19

Y aconteció en aquellos días, cuando no *había* rey en Israel, que hubo un levita que moraba como peregrino en los lados del monte de Efraín, el cual había tomado para sí a una concubina de Belén de Judá.

2 Y su concubina cometió adulterio contra él, y se fue de él a casa de su padre, a Belén de Judá, y estuvo allá por tiempo de cuatro meses.

3 Y se levantó su marido, y la siguió, para hablarle amorosamente y hacerla volver, llevando consigo un criado suyo y un par de asnos; y ella le metió en la casa de su padre. Y viéndole el padre de la joven, le salió a recibir gozoso;

4 y le detuvo su suegro, padre de la joven, y quedó en su casa tres días, comiendo y bebiendo, y reposando allí.

5 Y aconteció al cuarto día, cuando se levantaron de mañana, que se levantó también el levita para irse, y el padre de la joven dijo a su yerno: Conforta tu corazón con un bocado de pan, y después os iréis.

6 Y se sentaron ellos dos juntos, y comieron y bebieron. Y el padre de la joven dijo al varón: Te ruego que quieras pasar aquí la noche, y se alegrará tu corazón.

7 Y levantándose el varón para irse, el suegro le constriñó a que tornase y pasase allí la noche.

8 Y al quinto día levantándose de mañana para irse, le dijo el padre de la joven: Te ruego que confortes ahora tu corazón. Y se detuvieron hasta que ya declinaba el día, y comieron ambos juntos.

9 Se levantó luego el varón para irse, él, y su concubina, y su criado. Entonces su suegro, el padre de la joven, le dijo: He aquí el día declina para ponerse el sol, te ruego que pases aquí la noche; he aquí que el día se acaba, duerme aquí, para que se alegre tu corazón; y mañana os levantaréis temprano a vuestro camino, y te irás a tu casa.

10 Mas el hombre no quiso pasar allí la noche, sino que se levantó y partió, y llegó hasta enfrente de Jebús, que *es* Jerusalén, con su par de asnos aparejados, y con su concubina.

11 Y *estando* ya junto a Jebús, el día había declinado mucho; y dijo el criado a su señor: Ven ahora, y vámonos a esta ciudad de los jebuseos, para que pasemos en ella la noche.

12 Y su señor le respondió: No iremos a ninguna ciudad de extranjeros, que no *sea* de los hijos de Israel; antes pasaremos hasta Gabaa. Y dijo a su criado:

13 Ven, lleguemos a uno de esos lugares, para pasar la noche en Gabaa, o en Ramá.

14 Pasando pues, caminaron, y se les puso el sol junto a Gabaa, que *pertenece* a Benjamín.

15 Y se apartaron del camino para entrar a pasar allí la noche en Gabaa; y entrando, se sentaron en la plaza de la ciudad, porque no *hubo* quien los recibiese en casa para pasar la noche.

16 Y he aquí un hombre viejo, que a la tarde venía del campo de trabajar; el cual *era* del monte de Efraín, y moraba como peregrino en Gabaa, pero los moradores de aquel lugar *eran* hijos de Benjamín.

17 Y alzando el viejo los ojos, vio a aquel viajante en la plaza de la

ciudad, y le dijo: ¿A dónde vas, y de dónde vienes?

18 Y él respondió: Pasamos de Belén de Judá a los lados del monte de Efraín, de donde yo soy; y partí hasta Belén de Judá; mas *ahora* voy a la casa de Jehová, y no hay quien me reciba en casa,

19 aunque nosotros tenemos paja y de comer para nuestros asnos, y también tenemos pan y vino para mí y para tu sierva, y para el criado que *está* con tu siervo; no nos hace falta nada.

20 Y el hombre viejo dijo: Paz sea contigo; tu necesidad toda sea solamente a mi cargo, con tal que no pases la noche en la plaza.

21 Y metiéndolos en su casa, dio de comer a sus asnos; y ellos se lavaron los pies, y comieron y bebieron.

22 Y cuando estaban gozosos, he aquí, que los hombres de aquella ciudad, hombres hijos de Belial, rodearon la casa, golpeando las puertas, y diciendo al hombre viejo dueño de la casa: Saca al hombre que ha entrado en tu casa, para que lo conozcamos.

23 Y saliendo a ellos aquel varón, amo de la casa, les dijo: No, hermanos míos, os ruego que no cometáis este mal, pues que este hombre ha entrado en mi casa, no hagáis esta maldad.

24 He aquí mi hija virgen, y la concubina de él; yo os las sacaré ahora; humilladlas, y haced con ellas como os pareciere, y no hagáis a este hombre cosa tan infame.

25 Pero aquellos hombres no le quisieron oír; por lo que aquel hombre tomó a su concubina y la trajo a ellos; y ellos la conocieron, y abusaron de ella toda la noche hasta la mañana, y la dejaron cuando apuntaba el alba.

26 Y cuando ya amanecía, vino la mujer y cayó delante de la puerta de la casa de aquel hombre donde su señor estaba, hasta *que se hizo* de día.

27 Y levantándose de mañana su señor, abrió las puertas de la casa, y salió para seguir su camino, y he aquí, la mujer su concubina estaba tendida delante de la puerta de la casa, con las manos sobre el umbral.

28 Y él le dijo: Levántate, y vámonos. Pero ella no respondió. Entonces la levantó el varón, y echándola sobre su asno, se levantó y se fue a su lugar.

29 Y llegando a su casa, tomó un cuchillo, y echó mano de su concubina, y la partió por sus huesos en doce pedazos, y los envió por todos los términos de Israel.

30 Y todo el que lo veía, decía: Jamás se ha hecho ni visto cosa semejante, desde el tiempo que los hijos de Israel subieron de la tierra de Egipto hasta hoy. Considerad esto, dad consejo, y hablad.

CAPÍTULO 20

Entonces salieron todos los hijos de Israel, y se reunió la congregación como un solo hombre, desde Dan hasta Beerseba y la tierra de Galaad, a Jehová en Mizpa.

2 Y los principales de todo el pueblo, de todas las tribus de Israel, se hallaron presentes en la reunión del pueblo de Dios, cuatrocientos mil hombres de a pie que sacaban espada.

3 Y los hijos de Benjamín oyeron que los hijos de Israel habían subido a Mizpa. Y dijeron los hijos de Israel: Decid cómo fue esta maldad.

4 Entonces el varón levita, marido de la mujer muerta, respondió y dijo: Yo llegué a Gabaa de Benjamín con mi concubina, para pasar allí la noche.

5 Y levantándose contra mí los de Gabaa, rodearon sobre mí la casa por la noche, con idea de matarme, y amancillaron a mi concubina tanto que ella murió.

6 Entonces tomando yo mi concubina, la corté en pedazos, y los envié por todo el término de la posesión de Israel: por cuanto han hecho maldad y crimen en Israel.

7 He aquí todos vosotros *sois* hijos de Israel; dad aquí vuestro parecer y consejo.

8 Entonces todo el pueblo, como un solo hombre, se levantó, y dijeron: Ninguno *de nosotros* irá a su tienda, ni ninguno de nosotros volverá a su casa.

9 Esto es lo que haremos ahora a Gabaa; contra ella *subiremos* por sorteo.

10 Tomaremos diez hombres de cada cien por todas las tribus de Israel, y cien de cada mil, y mil de cada diez mil, que lleven provisiones para el pueblo, para que yendo contra Gabaa de Benjamín, le hagan conforme a toda la abominación que ha cometido en Israel.

11 Y se juntaron todos los hombres de Israel contra la ciudad, ligados como un solo hombre.

12 Y las tribus de Israel enviaron varones por toda la tribu de Benjamín, diciendo: ¿Qué maldad *es* ésta que ha sido hecha entre vosotros?

13 Entregad, pues, ahora aquellos hombres, hijos de Belial, que *están* en Gabaa, para que los matemos, y barramos el mal de Israel. Mas los de Benjamín no quisieron oír la voz de sus hermanos los hijos de Israel.

14 Antes los de Benjamín se juntaron de las ciudades de Gabaa, para salir a pelear contra los hijos de Israel.

15 Y fueron contados en aquel tiempo los hijos de Benjamín de las ciudades, veintiséis mil hombres que sacaban espada, sin los que moraban en Gabaa, que fueron por cuenta setecientos hombres escogidos.

16 De toda aquella gente *había* setecientos hombres escogidos, que eran zurdos, todos los cuales tiraban una piedra con la honda a un cabello, y no erraban.

17 Y fueron contados los varones de Israel, fuera de Benjamín, cuatrocientos mil hombres que sacaban espada, todos estos *eran* hombres de guerra.

18 Se levantaron luego los hijos de Israel, y subieron a la casa de Dios, y consultaron a Dios, diciendo: ¿Quién de nosotros subirá primero a la guerra contra los hijos de Benjamín? Y Jehová respondió: Judá *subirá* primero.

19 Levantándose, pues, de mañana los hijos de Israel, acamparon contra Gabaa.

20 Y salieron los hijos de Israel a combatir contra Benjamín; y los varones de Israel ordenaron la batalla contra ellos junto a Gabaa.

21 Saliendo entonces de Gabaa los hijos de Benjamín, derribaron en tierra aquel día veintidós mil hombres de los hijos de Israel.

22 Mas reanimándose el pueblo, los varones de Israel tornaron a ordenar la batalla en el mismo lugar donde la habían ordenado el primer día.

23 Porque los hijos de Israel subieron, y lloraron delante de Jehová hasta la tarde, y consultaron a Jehová, diciendo: ¿Tornaré a pelear con los hijos de Benjamín mi hermano? Y Jehová les respondió: Subid contra él.

24 Los hijos pues de Israel se acercaron el siguiente día a los hijos de Benjamín.

25 Y aquel segundo día, saliendo Benjamín de Gabaa contra ellos, derribaron por tierra otros dieciocho mil hombres de los hijos de Israel, todos los cuales sacaban espada.

26 Entonces subieron todos los hijos de Israel, y todo el pueblo, y vinieron a la casa de Dios; y lloraron, y se sentaron allí delante de Jehová, y ayunaron aquel día hasta la tarde; y sacrificaron holocaustos y pacíficos delante de Jehová.

27 Y los hijos de Israel preguntaron a Jehová (porque el arca del pacto de Dios *estaba* allí en aquellos días,

28 y Finees, hijo de Eleazar, hijo de Aarón, ministraba delante de ella en aquellos días), y dijeron: ¿Volveré aún a salir en batalla contra los hijos de Benjamín mi hermano, o me quedaré quieto? Y Jehová dijo: Subid, que mañana yo lo entregaré en tu mano.

29 Y puso Israel emboscadas alrededor de Gabaa.

30 Subiendo entonces los hijos de Israel contra los hijos de Benjamín el tercer día, ordenaron la batalla delante de Gabaa, como las otras veces.

31 Y saliendo los hijos de Benjamín contra el pueblo, alejados que fueron de la ciudad, comenzaron a herir a algunos del pueblo, matando como las otras veces por los caminos, uno de los cuales sube a Betel, y el otro a Gabaa en el campo; y mataron unos treinta hombres de Israel.

32 Y los hijos de Benjamín decían: Vencidos *son* delante de nosotros, como antes. Mas los hijos de Israel decían: Huiremos, y los alejaremos de la ciudad hasta los caminos.

33 Entonces, levantándose todos los de Israel de su lugar, se pusieron en orden en Baal-tamar: y también las emboscadas de Israel salieron de su lugar, del prado de Gabaa.

34 Y vinieron contra Gabaa diez mil hombres escogidos de todo Israel, y la batalla comenzó a agravarse; mas ellos no sabían que el mal se acercaba sobre ellos.

35 E hirió Jehová a Benjamín delante de Israel; y mataron los hijos de Israel aquel día veinticinco mil cien hombres de Benjamín, todos los cuales sacaban espada.

36 Y vieron los hijos de Benjamín que eran muertos; pues los hijos de Israel habían dado lugar a Benjamín, porque estaban confiados en las emboscadas que habían puesto detrás de Gabaa.

37 Entonces *los hombres de* las emboscadas acometieron prontamente a Gabaa, y se extendieron, e hirieron a filo de espada a toda la ciudad.

38 Ya los israelitas estaban concertados con las emboscadas, que hiciesen mucho fuego, para que subiese gran humo de la ciudad.

39 Luego, pues, que los de Israel se volvieron en la batalla, los de Benjamín comenzaron a derribar heridos de Israel unos treinta hombres, y ya decían: Ciertamente ellos han caído delante de nosotros, como en la primera batalla.

40 Mas cuando la llama comenzó a subir de la ciudad, una columna de humo, los benjamitas miraron hacia atrás; y he aquí que el fuego de la ciudad subía al cielo.

41 Entonces revolvieron los hombres de Israel, y los de Benjamín se llenaron de temor; porque vieron que el mal había venido sobre ellos.

42 Volvieron, por tanto, la espalda delante de Israel hacia el camino del desierto; mas el escuadrón los alcanzó, y los que salían de las ciudades los destruían en medio de ellos.

43 Así envolvieron a los de Benjamín, y los persiguieron y fácilmente los aplastaron enfrente de Gabaa, hacia donde nace el sol.

44 Y cayeron de Benjamín dieciocho mil hombres, todos ellos hombres de guerra.

45 Volviéndose luego, huyeron hacia el desierto, a la peña de Rimón, y de ellos recogieron cinco mil hombres en los caminos; y fueron persiguiéndolos aun hasta Gidom, y mataron de ellos dos mil hombres.

46 Así todos los que de Benjamín murieron aquel día, fueron veinticinco mil hombres que sacaban espada, todos ellos hombres de guerra.

47 Pero se volvieron y huyeron al desierto a la peña de Rimón seiscientos hombres, los cuales estuvieron en la peña de Rimón cuatro meses:

48 Y los hombres de Israel tornaron a los hijos de Benjamín, y los hirieron a filo de espada, así a los hombres de *cada* ciudad como a las bestias y todo lo que encontraron; también pusieron fuego a todas las ciudades que hallaron.

CAPÍTULO 21

Y los varones de Israel habían jurado en Mizpa, diciendo: Ninguno de nosotros dará su hija a los de Benjamín por esposa.

2 Y vino el pueblo a la casa de Dios, y se estuvieron allí hasta la tarde delante de Dios; y alzando su voz hicieron gran llanto, y dijeron:

3 Oh Jehová Dios de Israel, ¿por qué ha sucedido esto en Israel, que falte hoy de Israel una tribu?

4 Y aconteció que al día siguiente el pueblo se levantó de mañana, y edificaron allí un altar y ofrecieron holocaustos y ofrendas de paz.

5 Y dijeron los hijos de Israel: ¿Quién de todas las tribus de Israel no subió a la reunión cerca de Jehová? Porque se había hecho gran juramento contra el que no subiese a Jehová en Mizpa, diciendo: Sufrirá muerte.

6 Y los hijos de Israel se arrepintieron a causa de Benjamín su hermano, y dijeron: Una tribu es hoy cortada de Israel.

7 ¿Qué haremos en cuanto a esposas para los que han quedado? Nosotros hemos jurado por Jehová que no les hemos de dar nuestras hijas por esposas.

8 Y dijeron: ¿Hay alguno de las tribus de Israel que no haya subido a Jehová en Mizpa? Y hallaron que ninguno de Jabes-galaad había venido al campamento, a la reunión.

9 Porque el pueblo fue contado, y no *hubo allí* varón de los moradores de Jabes-galaad.

10 Entonces la congregación envió allá doce mil hombres de los más valientes, y les mandaron, diciendo: Id y herid a filo de espada a los moradores de Jabes-galaad, con las mujeres y los niños.

11 Mas haréis de esta manera; mataréis a todo varón, y a toda mujer que hubiere conocido ayuntamiento de varón.

12 Y hallaron de los moradores de Jabes-galaad cuatrocientas doncellas que no habían conocido hombre en ayuntamiento de varón, y las trajeron al campamento en Silo, que está en la tierra de Canaán.

13 Toda la congregación envió luego a hablar a los hijos de Benjamín que estaban en la peña de Rimón, y los llamaron en paz.

14 Y volvieron entonces los de Benjamín; y les dieron por esposas las que habían guardado vivas de las mujeres de Jabes-galaad; mas no les bastaron éstas.

15 Y el pueblo tuvo dolor a causa de Benjamín, de que Jehová hubiese hecho mella en las tribus de Israel.

16 Entonces los ancianos de la congregación dijeron: ¿Qué haremos acerca de esposas para los que han quedado? Porque han sido muertas las mujeres de Benjamín.

17 Y dijeron: *Que haya* herencia para los que han escapado de Benjamín, y no sea exterminada una tribu de Israel.

18 Pero nosotros no les podemos dar esposas de nuestras hijas, porque los hijos de Israel han jurado, diciendo: Maldito el que diere esposa a *los de* Benjamín.

19 Y dijeron: He aquí cada año *hay* fiesta de Jehová en Silo, que *está* al norte de Betel, y al lado oriental del camino que sube de Betel a Siquem, y al sur de Lebona.

20 Y mandaron a los hijos de Benjamín, diciendo: Id, y poned emboscada en las viñas,

21 y estad atentos; y he aquí, si las hijas de Silo salieren a bailar en corros, vosotros saldréis de las viñas, y arrebataréis cada uno esposa para sí de las hijas de Silo, y os iréis a tierra de Benjamín.

22 Y será que cuando sus padres o sus hermanos vinieren a quejarse ante nosotros, nosotros les diremos: Tened piedad de ellos por causa de nosotros; pues que nosotros en la guerra no tomamos esposas para todos; que vosotros no se las habéis dado, para que ahora seáis culpables.

23 Y los hijos de Benjamín lo hicieron así; pues tomaron esposas conforme a su número, pillando de las que danzaban; y yéndose luego, se regresaron a su heredad, y reedificaron las ciudades, y habitaron en ellas.

24 Entonces los hijos de Israel se fueron también de allí, cada uno a su tribu y a su familia, saliendo de allí cada uno a su heredad.

25 En estos días no *había* rey en Israel; cada uno hacía lo que le parecía recto ante sus propios ojos.

Libro De
RUTH

CAPÍTULO 1

Y aconteció en los días que gobernaban los jueces, que hubo hambre en la tierra. Y un varón de Belén de Judá, fue a peregrinar en los campos de Moab, él y su esposa, y sus dos hijos.

2 El nombre de aquel varón *era* Elimelec, y el de su esposa Noemí; y los nombres de sus dos hijos eran, Mahalón y Quilión, efrateos de Belén de Judá. Llegaron, pues, a los campos de Moab, y asentaron allí.

3 Y murió Elimelec, marido de Noemí, y quedó ella con sus dos hijos,

4 los cuales tomaron para sí esposas de las mujeres de Moab; el nombre de una *era* Orfa, y el nombre de la otra, Ruth; y habitaron allí unos diez años.

5 Y murieron también los dos, Mahalón y Quilión, quedando así la mujer desamparada de sus dos hijos y de su marido.

6 Entonces se levantó con sus nueras, y regresó de los campos de Moab, porque oyó en el campo de Moab que Jehová había visitado a su pueblo para darles pan.

7 Salió, pues, del lugar donde había estado, y con ella sus dos nueras, y comenzaron a caminar para volverse a la tierra de Judá.

8 Y Noemí dijo a sus dos nueras: Andad, volveos cada una a la casa de su madre: Jehová haga con vosotras misericordia, como la habéis hecho con los muertos y conmigo.

9 Os conceda Jehová que halléis descanso, cada una en casa de su marido; las besó luego, y ellas alzaron su voz y lloraron.

10 Y le dijeron: Ciertamente nosotras volveremos contigo a tu pueblo.

11 Y Noemí respondió: Volveos, hijas mías: ¿Para qué habéis de ir conmigo? ¿Tengo yo más hijos en el vientre, que puedan ser vuestros maridos?

12 Volveos, hijas mías, e idos; que yo ya soy vieja para ser para varón. Y aunque dijese: Esperanza tengo; y esta noche estuviese con marido, y aun diere a luz hijos;

13 ¿habíais vosotras de esperarlos hasta que fuesen grandes? ¿Habíais vosotras de quedaros sin casar por amor de ellos? No, hijas mías; que mayor amargura tengo yo que vosotras, pues la mano de Jehová ha salido contra mí.

14 Mas ellas alzando otra vez su voz, lloraron; y Orfa besó a su suegra, mas Ruth se quedó con ella.

15 Y Noemí dijo: He aquí tu cuñada se ha vuelto a su pueblo y a sus dioses; vuélvete tú tras ella.

16 Y Ruth respondió: No me ruegues que te deje, y que me aparte de ti; porque a dondequiera que tú vayas, iré yo; y dondequiera que vivas, viviré. Tu pueblo *será* mi pueblo, y tu Dios *será* mi Dios.

17 Donde tú mueras, moriré yo, y allí seré sepultada; así me haga Jehová, y aun me añada, que sólo la muerte hará separación entre tú y yo.

18 Y viendo Noemí que estaba tan resuelta a ir con ella, no dijo más.

19 Anduvieron, pues, ellas dos hasta que llegaron a Belén. Y aconteció que entrando en Belén, toda la ciudad se conmovió por causa de ellas, y decían: ¿*No es* ésta Noemí?

20 Y ella les respondía: No me llaméis Noemí, sino llamadme Mara; porque en grande amargura me ha puesto el Todopoderoso.

21 Yo me fui llena, mas vacía me ha vuelto Jehová. ¿Por qué me llamaréis Noemí, ya que Jehová ha dado testimonio contra mí, y el Todopoderoso me ha afligido?

22 Así volvió Noemí, y con ella su nuera Ruth la moabita, la cual venía de los campos de Moab; y llegaron a Belén en el principio de la siega de las cebadas.

CAPÍTULO 2

Y tenía Noemí un pariente de su marido, varón rico y poderoso, de la familia de Elimelec, el cual se llamaba Boaz.

2 Y Ruth la moabita dijo a Noemí: Te ruego que me dejes ir al campo, y recogeré espigas en pos de aquel a cuyos ojos hallare gracia. Y ella le respondió: Ve, hija mía.

3 Fue, pues, y llegando, espigó en el campo en pos de los segadores; y aconteció por ventura, que la parte del campo *era* de Boaz, el cual *era* de la parentela de Elimelec.

4 Y he aquí que Boaz vino de Belén, y dijo a los segadores: Jehová *sea* con vosotros. Y ellos respondieron: Jehová te bendiga.

5 Y Boaz dijo a su siervo el mayordomo de los segadores: ¿De quién *es* esta joven?

6 Y el siervo, mayordomo de los segadores, respondió y dijo: Es la joven de Moab, que volvió con Noemí de los campos de Moab;

7 y ha dicho: Te ruego que me dejes recoger y juntar tras los segadores entre las gavillas: Entró, pues, y está desde por la mañana hasta ahora, menos un poco que se detuvo en casa.

8 Entonces Boaz dijo a Ruth: Oye, hija mía, no vayas a espigar a otro campo, ni pases de aquí; y aquí estarás junto a mis criadas.

9 Mira bien el campo que ellas siegan, y síguelas; porque yo he mandado a los criados que no te toquen. Y si tuvieres sed, ve a los vasos, y bebe *del agua* que sacan los criados.

10 Ella entonces bajando su rostro se inclinó a tierra, y le dijo: ¿Por qué he hallado gracia en tus ojos para que tú me reconozcas, siendo yo extranjera?

11 Y respondiendo Boaz, le dijo: Por cierto se me ha contado todo lo que has hecho con tu suegra después de la muerte de tu marido, y que dejando a tu padre y a tu madre y la tierra donde naciste, has venido a un pueblo que no conociste antes.

12 Jehová recompense tu obra, y tu remuneración sea completa por Jehová Dios de Israel, que has venido a refugiarte bajo sus alas.

13 Y ella dijo: Señor mío, halle yo gracia delante de tus ojos; porque me has consolado, y porque has hablado al corazón de tu sierva, no siendo yo como una de tus criadas.

14 Y Boaz le dijo a la hora de comer: Acércate aquí, y come del pan, y moja tu bocado en el vinagre. Y ella se sentó junto a los segadores, y él le dio del potaje, y comió hasta que se sació y le sobró.

15 Luego se levantó para espigar. Y Boaz mandó a sus criados, diciendo: Que recoja también espigas entre las gavillas, y no la avergoncéis;

16 y dejad caer *algunos* de los manojos, y la dejaréis que *los* recoja, y no la reprendáis.

17 Y espigó en el campo hasta la tarde, y desgranó lo que había recogido, y fue como un efa de cebada.

18 Y lo tomó, y se fue a la ciudad; y su suegra vio lo que había recogido. Sacó también luego lo que le había sobrado después de quedar saciada, y se lo dio.

19 Y le dijo su suegra: ¿Dónde has espigado hoy? ¿Y dónde has trabajado? Bendito sea el que te ha reconocido. Y ella contó a su suegra con quién había trabajado, y dijo: El nombre del varón con quien hoy he trabajado es Boaz.

20 Y dijo Noemí a su nuera: Sea él bendito de Jehová, pues que no ha rehusado a los vivos la benevolencia que tuvo para con los finados. Y Noemí le dijo: Nuestro pariente *es* aquel varón, y uno de nuestros redentores.

21 Y Ruth la moabita dijo: Además de esto me ha dicho: Júntate con mis criadas, hasta que hayan acabado toda mi siega.

22 Y Noemí respondió a Ruth su nuera: Mejor es, hija mía, que salgas con sus criadas, y no que te encuentren en otro campo.

23 Estuvo, pues, junto con las criadas de Boaz espigando, hasta que la siega de las cebadas y la de los trigos fue acabada; y habitó con su suegra.

CAPÍTULO 3

Y su suegra Noemí le dijo: Hija mía, ¿no he de buscarte un hogar, para que estés bien?

2 ¿No *es* Boaz nuestro pariente, con cuyas mozas tú has estado? He aquí que esta noche él avienta la parva de las cebadas.

3 Te lavarás pues, y te ungirás, y te pondrás tu vestido y bajarás a la era; *pero* no te darás a conocer al varón hasta que él haya acabado de comer y de beber.

4 Y cuando él se acostare, observa tú el lugar donde él se acuesta, e irás, y descubrirás sus pies, y te acostarás allí; y él te dirá lo que debes hacer. Y ella le respondió: Haré todo lo que tú me dices.

5 Y ella le respondió: Haré todo lo que tú me dices.

6 Descendió, pues, a la era, e hizo todo lo que su suegra le había mandado.

7 Y cuando Boaz hubo comido y bebido, y su corazón estuvo contento, se retiró a dormir a un lado del montón de grano. Entonces ella vino calladamente, y le descubrió los pies y se acostó.

8 Y aconteció, que a la media noche se estremeció aquel hombre, y palpó; y he aquí, la mujer que estaba acostada a sus pies.

9 Entonces él dijo: ¿Quién eres? Y ella respondió: Yo soy Ruth tu sierva; extiende el borde de tu capa sobre tu sierva, por cuanto *eres* pariente redentor.

10 Y él dijo: Bendita *seas* tú de Jehová, hija mía; pues has hecho mejor tu postrera gracia que la primera, no yendo tras los jóvenes, sean pobres o ricos.

11 Ahora, pues, no temas, hija mía; yo haré contigo lo que me pidas, pues toda la gente de mi pueblo sabe que eres una mujer virtuosa.

12 Y ahora, aunque es cierto que yo *soy tu* pariente redentor, con todo eso hay un pariente redentor más cercano que yo.

13 Quédate esta noche, y cuando sea de día, si él te redimiere, bien, que te redima; mas si él no te quisiere redimir, yo te redimiré, vive Jehová. Descansa, pues, hasta la mañana.

14 Y ella durmió a sus pies hasta la mañana, y se levantó antes que alguno pudiese reconocer al otro. Y él dijo: Que no se sepa que vino mujer a la era.

15 Después le dijo: Dame el lienzo que *traes* sobre ti, y sostenlo. Y sosteniéndolo ella, él midió seis *medidas* de cebada, y *las* puso sobre ella; y ella se fue a la ciudad.

16 Y cuando llegó a *donde estaba* su suegra, ésta le dijo: ¿Qué, pues, hija mía? Y ella le contó todo lo que aquel varón había hecho por ella.

17 Y dijo: Estas seis *medidas* de cebada me dio, diciéndome: Para que no vayas a tu suegra con las manos vacías.

18 Entonces Noemí dijo: Reposa, hija mía, hasta que sepas cómo termina esto; porque aquel hombre no descansará hasta que concluya el asunto hoy.

CAPÍTULO 4

Y Boaz subió a la puerta y se sentó allí; y he aquí pasaba aquel pariente redentor del cual Boaz había hablado, y le dijo: Eh, fulano, ven acá y siéntate. Y él vino, y se sentó.

2 Entonces él tomó diez varones de los ancianos de la ciudad, y dijo: Sentaos aquí. Y ellos se sentaron.

3 Luego dijo al pariente redentor: Noemí, que ha vuelto del campo de Moab, vende una parte de las tierras que *tuvo* nuestro hermano Elimelec;

4 y yo decidí hacértelo saber, y decirte que la tomes delante de los que están aquí sentados, y delante de los ancianos de mi pueblo. Si quieres redimir, redime; y si no quieres redimir, dímelo para que yo lo sepa; porque no *hay* otro que redima sino tú, y yo después de ti. Y él respondió: Yo redimiré.

5 Entonces replicó Boaz: El mismo día que compres las tierras de mano de Noemí, debes tomar también a Ruth la moabita, esposa del difunto, para que restaures el nombre del muerto sobre su heredad.

6 Y respondió el pariente: No puedo redimir para mí, porque dañaría mi heredad; redime tú, usando de mi derecho, porque yo no podré redimir.

7 Y en tiempos pasados había esta *costumbre* en Israel tocante a la redención o contrato, que para confirmar cualquier asunto, uno se quitaba el zapato y lo daba a su

compañero; y éste *era* el testimonio en Israel.

8 Entonces el pariente dijo a Boaz: Tómalo tú. Y se quitó su zapato.

9 Y Boaz dijo a los ancianos y a todo el pueblo: Vosotros *sois* testigos hoy de que tomo todas las cosas que *fueron* de Elimelec, y todo lo que *fue* de Quilión y de Mahalón, de mano de Noemí.

10 Y que también tomo por mi esposa a Ruth la moabita, esposa de Mahalón, para restaurar el nombre del difunto sobre su heredad, para que el nombre del muerto no se borre de entre sus hermanos y de la puerta de su lugar. Vosotros *sois* testigos hoy.

11 Y dijeron todos los del pueblo que *estaban* a la puerta con los ancianos: Testigos *somos*. Jehová haga a la mujer que entra en tu casa como a Raquel y a Lea, las cuales edificaron la casa de Israel; y tú seas ilustre en Efrata, y seas de renombre en Belén;

12 Y de la simiente que Jehová te diere de esta joven, sea tu casa como la casa de Fares, el que Tamar dio a luz a Judá.

13 Boaz, pues, tomó a Ruth, y ella fue su esposa; y luego que entró a ella, Jehová le dio que concibiese y diese a luz un hijo.

14 Y las mujeres decían a Noemí: Bendito *sea* Jehová, que hizo que no te faltase hoy pariente redentor, cuyo nombre será célebre en Israel.

15 Y él será el restaurador de *tu* vida, y sustentará tu vejez; porque tu nuera, que te ama, y es de más valor para ti que siete hijos, lo ha dado a luz.

16 Y Noemí tomó al niño y lo puso en su regazo, y le fue su aya.

17 Y las vecinas le dieron un nombre, diciendo: A Noemí le ha nacido un hijo; y le llamaron Obed. Éste *es* el padre de Isaí, padre de David.

18 Y éstas *son* las generaciones de Fares: Fares engendró a Hezrón;

19 y Hezrón engendró a Ram, y Ram engendró a Aminadab;

20 y Aminadab engendró a Naasón, y Naasón engendró a Salmón;

21 y Salmón engendró a Boaz, y Boaz engendró a Obed;

22 y Obed engendró a Isaí, e Isaí engendró a David.

Libro Primero De
SAMUEL

CAPÍTULO 1

Hubo un varón de Ramataim de Sofim, del monte de Efraín, que se llamaba Elcana, hijo de Jeroham, hijo de Eliú, hijo de Tohu, hijo de Zuf, efrateo.

2 Y tenía él dos esposas; el nombre de una *era* Ana, y el nombre de la otra Penina. Y Penina tenía hijos, mas Ana no los tenía.

3 Y subía aquel varón todos los años de su ciudad, para adorar y ofrecer sacrificios a Jehová de los ejércitos en Silo, donde *estaban* dos hijos de Elí, Ofni y Finees, sacerdotes de Jehová.

4 Y cuando venía el día en que Elcana ofrecía sacrificio, daba porciones a Penina su esposa y a todos sus hijos y a todas sus hijas.

5 Mas a Ana daba una porción escogida; porque amaba a Ana, aunque Jehová había cerrado su matriz.

6 Y su adversaria la irritaba, enojándola y entristeciéndola, porque Jehová había cerrado su matriz.

7 Y *así* hacía cada año; cuando subía a la casa de Jehová, enojaba así a la otra; por lo cual ella lloraba, y no comía.

8 Y Elcana su marido le dijo: Ana, ¿por qué lloras? ¿Y por qué no comes? ¿Y por qué está afligido tu corazón? ¿No te *soy* yo mejor que diez hijos?

9 Y se levantó Ana después que hubo comido y bebido en Silo; y *mientras* el sacerdote Elí estaba sentado en una silla junto a un pilar del templo de Jehová,

10 ella con amargura de alma oró a Jehová, y lloró abundantemente.

11 E hizo voto, diciendo: Jehová de los ejércitos, si te dignares mirar la aflicción de tu sierva, y te acordares de mí, y no te olvidares de tu sierva, mas dieres a tu sierva un hijo varón, yo lo dedicaré a Jehová todos los días de su vida, y no pasará navaja sobre su cabeza.

12 Y sucedió que mientras ella oraba largamente delante de Jehová, Elí estaba observando la boca de ella.

13 Mas Ana hablaba en su corazón, y solamente se movían sus labios, y su voz no se oía; y Elí la tuvo por ebria.

14 Entonces le dijo Elí: ¿Hasta cuándo estarás ebria? Aleja de ti tu vino.

15 Y Ana le respondió, diciendo: No, señor mío; mas yo *soy* una mujer atribulada de espíritu; no he bebido vino ni licor, sino que he derramado mi alma delante de Jehová.

16 No tengas a tu sierva por una hija de Belial; pues por la magnitud de mis congojas y de mi aflicción he hablado hasta ahora.

17 Y Elí respondió, y dijo: Ve en paz, y el Dios de Israel te conceda la petición que le has hecho.

18 Y ella dijo: Halle tu sierva gracia delante de tus ojos. Y la mujer siguió su camino, y comió, y no estuvo más *triste*.

19 Y levantándose de mañana, adoraron delante de Jehová, y se volvieron, y vinieron a su casa en Ramá. Y Elcana conoció a Ana su esposa, y Jehová se acordó de ella.

20 Y aconteció que al cumplirse el tiempo, después de haber concebido Ana, dio a luz un hijo, y le puso por nombre Samuel, *diciendo*: Por cuanto se lo pedí a Jehová.

21 Después subió el varón Elcana con toda su familia a ofrecer sacrificio a Jehová, el sacrificio de cada año, y su voto.

22 Mas Ana no subió, sino dijo a su marido: *Yo no subiré* hasta que el niño sea destetado, y *entonces* lo llevaré para que se presente delante de Jehová, y se quede allá para siempre.

23 Y Elcana su marido le respondió: Haz lo que bien te pareciere; quédate hasta que lo destetes; solamente Jehová afirme su palabra. Y se quedó la mujer, y crió a su hijo hasta que lo destetó.

24 Y después que lo hubo destetado, lo llevó consigo, con tres becerros, un efa de harina y un odre de vino, y lo trajo a la casa de Jehová en Silo; y el niño *era* pequeño.

25 Y matando un becerro, trajeron el niño a Elí.

26 Y ella dijo: ¡Oh, señor mío! Vive tu alma, señor mío, yo *soy* aquella mujer que estuvo aquí junto a ti orando a Jehová.

27 Por este niño oraba, y Jehová me dio lo que le pedí.

28 Por lo cual yo también lo he dedicado a Jehová; todos los días que él viviere, será de Jehová. Y adoró allí a Jehová.

CAPÍTULO 2

Y Ana oró y dijo: Mi corazón se regocija en Jehová, mi cuerno es ensalzado en Jehová; mi boca se ensanchó sobre mis enemigos, por cuanto me alegré en tu salvación.

2 No *hay* santo como Jehová: Porque no *hay* ninguno fuera de ti; y no *hay* Roca como el Dios nuestro.

3 No multipliquéis palabras de grandeza y altanerías; cesen las palabras arrogantes de vuestra boca; porque el Dios de todo saber *es* Jehová, y a Él toca el pesar las acciones.

4 Los arcos de los fuertes fueron quebrados, y los débiles se ciñeron de fortaleza.

5 Los saciados se alquilaron por pan; y los hambrientos dejaron de estarlo: Aun la estéril dio a luz a siete, y la que tenía muchos hijos languidece.

6 Jehová mata, y Él da vida: Él hace descender al sepulcro, y hace subir.

7 Jehová empobrece, y Él enriquece: Abate, y enaltece.

8 Él levanta del polvo al pobre, y del muladar exalta al menesteroso, para hacerle sentar con príncipes, y hacerle heredar un trono de honor. Porque de Jehová *son* las columnas de la tierra, y Él asentó sobre ellas el mundo.

9 Él guarda los pies de sus santos,

mas los impíos perecen en tinieblas; porque nadie prevalecerá por su propia fuerza.

10 Delante de Jehová serán quebrantados sus adversarios, desde el cielo tronará sobre ellos: Jehová juzgará los términos de la tierra, y dará fortaleza a su Rey, y exaltará el cuerno de su Mesías.

11 Y Elcana se volvió a su casa en Ramá; y el niño ministraba a Jehová delante del sacerdote Elí.

12 Mas los hijos de Elí *eran* hijos de Belial, y no conocían a Jehová.

13 Y la costumbre de los sacerdotes con el pueblo *era que*, cuando alguno ofrecía sacrificio, mientras era cocida la carne, venía el criado del sacerdote trayendo en su mano un garfio de tres ganchos;

14 y lo metía en el perol, o en la olla, o en el caldero, o en el pote; y todo lo que sacaba el garfio, el sacerdote lo tomaba para sí. De esta manera hacían a todo israelita que venía a Silo.

15 Asimismo, antes de quemar la grosura, venía el criado del sacerdote, y decía al que sacrificaba: Da carne que ase para el sacerdote; porque no tomará de ti carne cocida, sino cruda.

16 Y *si* le respondía el varón: Quemen la grosura primero, y *después* toma tanto como quieras; él respondía: No, sino dámela ahora mismo; de otra manera yo la tomaré por la fuerza.

17 Era, pues, muy grande delante de Jehová el pecado de los jóvenes; porque los hombres menospreciaban las ofrendas de Jehová.

18 Y el joven Samuel ministraba delante de Jehová, vestido de un efod de lino.

19 Y le hacía su madre una túnica pequeña, y se la traía cada año, cuando subía con su marido a ofrecer el sacrificio acostumbrado.

20 Y Elí bendijo a Elcana y a su esposa, diciendo: Jehová te dé simiente de esta mujer en lugar de este préstamo que es hecho a Jehová. Y se volvieron a su casa.

21 Y visitó Jehová a Ana, y concibió, y dio a luz tres hijos, y dos hijas. Y el joven Samuel crecía delante de Jehová.

22 Y Elí era muy viejo, y oía todo lo que sus hijos hacían a todo Israel, y cómo dormían con las mujeres que velaban a la puerta del tabernáculo de la congregación.

23 Y les dijo: ¿Por qué hacéis cosas semejantes? Porque yo oigo de todo este pueblo vuestro mal proceder.

24 No, hijos míos; porque no *es* buena fama la que yo oigo; pues hacéis pecar al pueblo de Jehová.

25 Si un hombre pecare contra otro, el Juez le juzgará; pero si alguno pecare contra Jehová, ¿quién rogará por él? Pero ellos no oyeron la voz de su padre, porque Jehová había resuelto quitarles la vida.

26 Y el joven Samuel crecía, y tenía gracia delante de Dios y de los hombres.

27 Y vino un varón de Dios a Elí, y le dijo: Así dice Jehová: ¿No me manifesté yo claramente a la casa de tu padre, cuando estaban en Egipto en casa de Faraón?

28 Y yo le escogí por mi sacerdote entre todas las tribus de Israel, para que ofreciese sobre mi altar, y quemase incienso, y trajese efod delante de mí; y di a la casa de tu padre todas las ofrendas de los hijos de Israel.

29 ¿Por qué habéis hollado mis sacrificios y mis presentes, que yo mandé ofrecer *en mi* tabernáculo; y has honrado a tus hijos más que a mí, engordándoos de lo mejor de todas las ofrendas de mi pueblo Israel?

30 Por tanto, Jehová el Dios de Israel dice: Yo había dicho que tu casa y la casa de tu padre andarían delante de mí perpetuamente; mas ahora dice Jehová: Nunca yo tal haga, porque yo honraré a los que me honran, y los que me desprecian serán tenidos en poco.

31 He aquí vienen días, en que cortaré tu brazo, y el brazo de la casa de tu padre, que no haya viejo en tu casa.

32 Y verás a un enemigo *en mi* habitación, en todas *las riquezas* que *Dios* dará a Israel; y nunca habrá anciano en tu casa.

33 Y el varón de los tuyos que yo no corte de mi altar, será para consumir tus ojos y llenar tu alma de dolor; y

toda la cría de tu casa morirá en la edad viril.

34 Y te será por señal esto que acontecerá a tus dos hijos, Ofni y Finees; ambos morirán en un día.

35 Y yo me suscitaré un sacerdote fiel, que haga conforme a mi corazón y a mi alma; y yo le edificaré casa firme, y andará delante de mi ungido todo los días.

36 Y será que el que hubiere quedado en tu casa, vendrá a postrarse ante él por una moneda de plata y un bocado de pan, diciéndole: Te ruego que me pongas en algún ministerio, para que coma un bocado de pan.

CAPÍTULO 3

Y el joven Samuel ministraba a Jehová delante de Elí; y la palabra de Jehová era preciada en aquellos días; pues no *había* visión manifiesta.

2 Y aconteció un día, que *estando* Elí acostado en su aposento, cuando sus ojos comenzaban a oscurecerse, que no podía ver,

3 Samuel *estaba* durmiendo en el templo de Jehová, donde el arca de Dios *estaba*; y antes que la lámpara de Dios fuese apagada,

4 Jehová llamó a Samuel; y él respondió: Heme aquí.

5 Y corriendo luego a Elí, dijo: Heme aquí; ¿para qué me llamaste? Y Elí le dijo: Yo no he llamado; vuelve y acuéstate. Y él se volvió, y se acostó.

6 Y Jehová volvió a llamar otra vez a Samuel. Y levantándose Samuel vino a Elí, y dijo: Heme aquí; ¿para qué me has llamado? Y él dijo: Hijo mío, yo no he llamado; vuelve, y acuéstate.

7 Y Samuel no había conocido aún a Jehová, ni la palabra de Jehová le había sido revelada.

8 Jehová, pues, llamó la tercera vez a Samuel. Y él levantándose vino a Elí, y dijo: Heme aquí; ¿para qué me has llamado? Entonces entendió Elí que Jehová llamaba al joven.

9 Y dijo Elí a Samuel: Ve, y acuéstate: y si Él te llama, dirás: Habla, Jehová, que tu siervo oye. Así se fue Samuel, y se acostó en su lugar.

10 Y vino Jehová, y se paró, y llamó como las otras veces: ¡Samuel, Samuel! Entonces Samuel dijo: Habla, que tu siervo oye.

11 Y Jehová dijo a Samuel: He aquí haré yo una cosa en Israel, que a quien la oyere, le retiñirán ambos oídos.

12 Aquel día yo cumpliré contra Elí, todas las cosas que he dicho sobre su casa. Cuando comience, también terminaré.

13 Y le mostraré que yo juzgaré su casa para siempre, por la iniquidad que él sabe; porque sus hijos se han envilecido, y él no los ha estorbado.

14 Por tanto yo he jurado a la casa de Elí, que la iniquidad de la casa de Elí no será expiada jamás, ni con sacrificios ni con ofrendas.

15 Y Samuel estuvo acostado hasta la mañana, y abrió las puertas de la casa de Jehová. Y Samuel temía descubrir la visión a Elí.

16 Llamando, pues, Elí a Samuel, le dijo: Hijo mío, Samuel. Y él respondió: Heme aquí.

17 Y dijo: ¿Qué es la palabra que te habló Jehová? Te ruego que no me la encubras; así te haga Dios y aun te añada, si me encubrieres palabra de todo lo que habló contigo.

18 Y Samuel se lo manifestó todo, sin encubrirle nada. Entonces él dijo: Jehová es; haga lo que bien le pareciere.

19 Y Samuel creció, y Jehová fue con él, y no dejó caer a tierra ninguna de sus palabras.

20 Y conoció todo Israel desde Dan hasta Beerseba, que Samuel *era* fiel profeta de Jehová.

21 Y Jehová volvió a aparecer en Silo; porque Jehová se manifestó a Samuel en Silo por palabra de Jehová.

CAPÍTULO 4

Y la palabra de Samuel llegaba a todo Israel. Por aquel tiempo salió Israel para enfrentarse en batalla contra los filisteos y acampó junto a Ebenezer, y los filisteos acamparon en Afec.

2 Y los filisteos presentaron batalla a Israel; y trabándose el combate, Israel fue vencido delante de los filisteos, y ellos hirieron en la

batalla en el campo como cuatro mil hombres.

3 Y cuando el pueblo volvió al campamento, los ancianos de Israel dijeron: ¿Por qué nos ha herido hoy Jehová delante de los filisteos? Traigamos a nosotros de Silo el arca del pacto de Jehová, para que viniendo entre nosotros nos salve de la mano de nuestros enemigos.

4 Y envió el pueblo a Silo, y trajeron de allá el arca del pacto de Jehová de los ejércitos, que estaba *entre* los querubines; y los dos hijos de Elí, Ofni y Finees, estaban allí con el arca del pacto de Dios.

5 Y aconteció que, como el arca del pacto de Jehová vino al campamento, todo Israel gritó con tan grande júbilo, que la tierra tembló.

6 Y cuando los filisteos oyeron la voz de júbilo, dijeron: ¿Qué voz de gran júbilo es ésta en el campamento de los hebreos? Y supieron que el arca de Jehová había venido al campamento.

7 Y los filisteos tuvieron miedo, porque decían: Dios ha venido al campamento. Y dijeron: ¡Ay de nosotros! pues antes de ahora no fue así.

8 ¡Ay de nosotros! ¿Quién nos librará de las manos de estos Dioses fuertes? Éstos *son* los Dioses que hirieron a Egipto con toda *clase de* plaga en el desierto.

9 Esforzaos, oh filisteos, y sed hombres, para que no sirváis a los hebreos, como ellos os han servido a vosotros: sed hombres, y pelead.

10 Pelearon, pues, los filisteos, e Israel fue vencido; y huyeron cada cual a su tienda y fue hecha muy grande mortandad, pues cayeron de Israel treinta mil hombres de a pie.

11 Y el arca de Dios fue tomada, y muertos los dos hijos de Elí, Ofni y Finees.

12 Y corriendo de la batalla un hombre de Benjamín, vino aquel día a Silo, rotas sus vestiduras y tierra sobre su cabeza:

13 Y cuando llegó, he aquí Elí que estaba sentado en una silla vigilando junto al camino; porque su corazón estaba temblando por causa del arca de Dios. Llegado, pues, aquel hombre a la ciudad, y dadas las nuevas, toda la ciudad gritó.

14 Y cuando Elí oyó el estruendo de la gritería, dijo: ¿Qué estruendo de alboroto es éste? Y aquel hombre vino aprisa, y dio las nuevas a Elí.

15 Era ya Elí de edad de noventa y ocho años, y sus ojos se habían oscurecido, de modo que no podía ver.

16 Dijo, pues, aquel hombre a Elí: Yo vengo de la batalla, yo he escapado hoy del combate. Y él dijo: ¿Qué ha acontecido, hijo mío?

17 Y el mensajero respondió, y dijo: Israel huyó delante de los filisteos, y también fue hecha gran mortandad en el pueblo; y también tus dos hijos, Ofni y Finees, son muertos, y el arca de Dios fue tomada.

18 Y aconteció que cuando él hizo mención del arca de Dios, Elí cayó hacia atrás de la silla al lado de la puerta, y se le quebró la cerviz y murió; pues era hombre viejo y pesado. Y había juzgado a Israel cuarenta años.

19 Y su nuera, la esposa de Finees, que estaba encinta y cercana a dar a luz, al oír la noticia de que el arca de Dios había sido tomada, y que su suegro y su marido habían muerto, se inclinó y dio a luz; porque le sobrevinieron sus dolores.

20 Y al tiempo que moría, le decían las que estaban junto a ella: No tengas temor, porque has dado a luz un hijo. Mas ella no respondió, ni puso atención.

21 Y llamó al niño Icabod, diciendo: ¡Traspasada es la gloria de Israel! por el arca de Dios que fue tomada, y por la muerte de su suegro y de su marido.

22 Dijo, pues: Traspasada es la gloria de Israel; porque el arca de Dios fue tomada.

CAPÍTULO 5

Y los filisteos, tomada el arca de Dios, la trajeron desde Ebenezer a Asdod.

2 Y tomaron los filisteos el arca de Dios, y la metieron en la casa de Dagón, y la pusieron junto a Dagón.

3 Y cuando al siguiente día los de

Asdod se levantaron de mañana, y he aquí Dagón *estaba* postrado en tierra delante del arca de Jehová; y tomaron a Dagón, y lo volvieron a su lugar.

4 Y tornándose a levantar de mañana el siguiente día, he aquí que Dagón *había* caído postrado en tierra delante del arca de Jehová; y la cabeza de Dagón, y las dos palmas de sus manos estaban cortadas sobre el umbral, habiéndole quedado a Dagón *el tronco* solamente.

5 Por esta causa los sacerdotes de Dagón, y todos los que en el templo de Dagón entran, no pisan el umbral de Dagón en Asdod, hasta hoy.

6 Y se agravó la mano de Jehová sobre los de Asdod, y los destruyó, y los hirió con hemorroides en Asdod y en todos sus términos.

7 Y viendo esto los de Asdod, dijeron: No quede con nosotros el arca del Dios de Israel, porque su mano es dura sobre nosotros, y sobre nuestro dios Dagón.

8 Enviaron, pues, y reunieron a todos los príncipes de los filisteos, y dijeron: ¿Qué haremos con el arca del Dios de Israel? Y ellos respondieron: Pásese el arca del Dios de Israel a Gat. Y pasaron allá el arca del Dios de Israel.

9 Y aconteció que cuando la hubieron pasado, la mano de Jehová fue contra la ciudad con gran quebrantamiento; e hirió a los hombres de aquella ciudad desde el chico hasta el grande, y se llenaron de hemorroides.

10 Entonces enviaron el arca de Dios a Ecrón. Y sucedió que cuando el arca de Dios vino a Ecrón, los ecronitas dieron voces diciendo: Han traído a nosotros el arca del Dios de Israel para matarnos a nosotros y a nuestro pueblo.

11 Y enviaron y reunieron a todos los príncipes de los filisteos, diciendo: Enviad el arca del Dios de Israel, y vuélvase a su lugar, y no nos mate a nosotros y a nuestro pueblo; porque había pánico de muerte en toda la ciudad, y la mano de Dios se había allí agravado.

12 Y los que no morían, eran heridos de hemorroides; y el clamor de la ciudad subía al cielo.

Dos vacas llevan el Arca de Jehová
CAPÍTULO 6

Y estuvo el arca de Jehová en la tierra de los filisteos siete meses.

2 Entonces los filisteos, llamando a los sacerdotes y adivinos, preguntaron: ¿Qué haremos con el arca de Jehová? Declaradnos cómo la hemos de tornar a su lugar.

3 Y ellos dijeron: Si enviáis el arca del Dios de Israel, no la enviéis vacía; mas le pagaréis la expiación: y entonces seréis sanos, y conoceréis por qué no se apartó de vosotros su mano.

4 Y ellos dijeron: ¿Y cuál será la expiación que le pagaremos? Y ellos respondieron: Cinco hemorroides de oro, y cinco ratones de oro, *conforme* al número de los príncipes de los filisteos, porque una misma plaga *estuvo* sobre todos vosotros y sobre vuestros príncipes.

5 Haréis, pues, figuras de vuestras hemorroides, y figuras de vuestros ratones que destruyen la tierra, y daréis gloria al Dios de Israel: quizá aliviará su mano de sobre vosotros, y de sobre vuestros dioses, y de sobre vuestra tierra.

6 Mas ¿por qué endurecéis vuestro corazón, como los egipcios y Faraón endurecieron su corazón? Después que los hubo así tratado, ¿no los dejaron ir, y se fueron?

7 Haced, pues, ahora un carro nuevo, y tomad luego dos vacas que críen, a las cuales no haya sido puesto yugo, y uncid las vacas al carro, y haced volver sus becerros de detrás de ellas a casa.

8 Tomaréis luego el arca de Jehová, y la pondréis sobre el carro; y poned en una caja al lado de ella las joyas de oro que le pagáis en expiación; y la dejaréis que se vaya.

9 Y mirad; si sube por el camino de su término a Bet-semes, Él nos ha hecho este mal tan grande; y si no, sabremos que no fue su mano la que nos hirió, sino que nos ha sucedido por accidente.

10 Y aquellos hombres lo hicieron así; pues tomando dos vacas que criaban, las uncieron al carro, y encerraron en casa sus becerros.

11 Luego pusieron el arca de Jehová

sobre el carro, y la caja con los ratones de oro y con las figuras de sus hemorroides.

12 Y las vacas se encaminaron por el camino de Bet-semes, e iban por un mismo camino andando y bramando, sin apartarse ni a derecha ni a izquierda. Y los príncipes de los filisteos fueron tras ellas hasta el término de Bet-semes.

13 Y *los de* Bet-semes segaban el trigo en el valle; y alzando sus ojos vieron el arca, y se alegraron cuando la vieron.

14 Y el carro vino al campo de Josué betsemita, y paró allí donde *había* una gran piedra; y ellos cortaron la madera del carro, y ofrecieron las vacas en holocausto a Jehová.

15 Y los levitas bajaron el arca de Jehová, y la caja que estaba junto a ella, en la cual *estaban* las joyas de oro, y las pusieron sobre aquella gran piedra; y los hombres de Bet-semes sacrificaron holocaustos y ofrecieron sacrificios a Jehová en aquel día.

16 Lo cual viendo los cinco príncipes de los filisteos, se volvieron a Ecrón el mismo día.

17 Éstas fueron las hemorroides de oro que pagaron los filisteos a Jehová en expiación: por Asdod una, por Gaza una, por Ascalón una, por Gat una, por Ecrón una;

18 Y ratones de oro conforme al número de todas las ciudades de los filisteos pertenecientes a los cinco príncipes, desde las ciudades fortificadas hasta las aldeas sin muro; y hasta la gran *piedra de* Abel sobre la cual pusieron el arca de Jehová, *piedra que está* en el campo de Josué betsemita hasta hoy.

19 Entonces hirió Dios a los de Bet-semes, porque habían mirado en el arca de Jehová; hirió en el pueblo cincuenta mil setenta hombres. Y el pueblo puso luto, porque Jehová le había herido de tan gran plaga.

20 Y dijeron los de Bet-semes: ¿Quién podrá estar delante de Jehová el Dios santo? ¿Y a quién subirá desde nosotros?

21 Y enviaron mensajeros a los de Quiriat-jearim, diciendo: Los filisteos han devuelto el arca de Jehová: descended, pues, y llevadla a vosotros.

CAPÍTULO 7

Y vinieron los de Quiriat-jearim, y llevaron el arca de Jehová, y la metieron en casa de Abinadab, situada en el collado; y santificaron a Eleazar su hijo, para que guardase el arca de Jehová.

2 Y aconteció que desde el día que llegó el arca a Quiriat-jearim pasaron muchos días, veinte años; y toda la casa de Israel lamentaba en pos de Jehová.

3 Y habló Samuel a toda la casa de Israel, diciendo: Si de todo vuestro corazón os volvéis a Jehová, quitad los dioses ajenos y a Astarot de entre vosotros, y preparad vuestro corazón a Jehová, y sólo a Él servid, y Él os librará de mano de los filisteos.

4 Entonces los hijos de Israel quitaron a los Baales y a Astarot, y sirvieron sólo a Jehová.

5 Y Samuel dijo: Reunid a todo Israel en Mizpa, y yo oraré por vosotros a Jehová.

6 Y se reunieron en Mizpa, y sacaron agua, y *la* derramaron delante de Jehová, y ayunaron aquel día, y dijeron allí: Contra Jehová hemos pecado. Y juzgó Samuel a los hijos de Israel en Mizpa.

7 Y oyendo los filisteos que los hijos de Israel estaban reunidos en Mizpa, subieron los príncipes de los filisteos contra Israel; y cuando los hijos de Israel *lo* oyeron, tuvieron temor de los filisteos.

8 Y dijeron los hijos de Israel a Samuel: No ceses de clamar por nosotros a Jehová nuestro Dios, para que nos guarde de mano de los filisteos.

9 Y Samuel tomó un cordero de leche, y *lo* sacrificó entero a Jehová *en* holocausto; y clamó Samuel a Jehová por Israel, y Jehová le oyó.

10 Y aconteció que cuando Samuel sacrificaba el holocausto, los filisteos llegaron para pelear con los hijos de Israel. Mas Jehová tronó aquel día con gran estruendo sobre los filisteos, y los desbarató, y fueron vencidos delante de Israel.

11 Y saliendo los hijos de Israel de Mizpa, siguieron a los filisteos, hiriéndolos hasta abajo de Betcar.

12 Tomó luego Samuel una piedra, y *la* puso entre Mizpa y Sen, y le puso por nombre Ebenezer, diciendo: Hasta aquí nos ayudó Jehová.

13 Fueron pues los filisteos humillados, que no vinieron más al término de Israel; y la mano de Jehová fue contra los filisteos todo el tiempo de Samuel.

14 Y fueron restituidas a los hijos de Israel las ciudades que los filisteos habían tomado a los israelitas, desde Ecrón hasta Gat, con sus términos; e Israel las libró de mano de los filisteos. Y hubo paz entre Israel y el amorreo.

15 Y juzgó Samuel a Israel todo el tiempo que vivió.

16 Y todos los años iba y daba vuelta a Betel, y a Gilgal, y a Mizpa, y juzgaba a Israel en todos estos lugares.

17 Después regresaba a Ramá, porque allí *estaba* su casa, y allí juzgaba a Israel; y edificó allí altar a Jehová.

CAPÍTULO 8

Y aconteció que habiendo Samuel envejecido, puso a sus hijos por jueces sobre Israel.

2 Y el nombre de su hijo primogénito fue Joel, y el nombre del segundo, Abías; *éstos fueron* jueces en Beerseba.

3 Mas sus hijos no anduvieron por sus caminos, antes se desviaron tras la avaricia, recibiendo cohecho y pervirtiendo el derecho.

4 Entonces todos los ancianos de Israel se juntaron, y vinieron a Samuel en Ramá,

5 y le dijeron: He aquí tú has envejecido, y tus hijos no van por tus caminos; por tanto, constitúyenos ahora un rey que nos juzgue, como *tienen* todas las naciones.

6 Pero desagradó a Samuel esta palabra que dijeron: Danos ahora un rey que nos juzgue. Y Samuel oró a Jehová.

7 Y dijo Jehová a Samuel: Oye la voz del pueblo en todo lo que te dijeren: porque no te han desechado a ti, sino a mí me han desechado, para que no reine sobre ellos.

8 Conforme a todas las obras que han hecho desde el día que los saqué de Egipto hasta hoy, que me han dejado y han servido a dioses ajenos, así hacen también contigo.

9 Ahora, pues, oye su voz: mas protesta contra ellos declarándoles el derecho del rey que ha de reinar sobre ellos.

10 Y dijo Samuel todas las palabras de Jehová al pueblo que le había pedido rey.

11 Dijo, pues: Éste será el proceder del rey que hubiere de reinar sobre vosotros: Tomará vuestros hijos, y *los* pondrá en sus carros, y en su gente de a caballo, para que corran delante de sus carros;

12 y elegirá capitanes de mil, y capitanes de cincuenta; y *los pondrá* a que aren sus campos y recojan sus cosechas, y a que forjen sus armas de guerra y los pertrechos de sus carros.

13 Y tomará a vuestras hijas para que *sean* perfumistas, cocineras, y panaderas.

14 Asimismo tomará lo mejor de vuestras tierras, de vuestras viñas y de vuestros olivares, y *los* dará a sus siervos.

15 Diezmará vuestras simientes y vuestras viñas, para dar a sus oficiales y a sus siervos.

16 Tomará vuestros siervos, y vuestras siervas, y vuestros mejores jóvenes, y vuestros asnos, y con ellos hará sus obras.

17 Diezmará también vuestro rebaño, y seréis sus siervos.

18 Y clamaréis aquel día a causa de vuestro rey que os habréis elegido, mas Jehová no os oirá en aquel día.

19 Pero el pueblo no quiso oír la voz de Samuel; antes dijeron: No, sino que habrá rey sobre nosotros:

20 Y nosotros seremos también como todas las naciones, y nuestro rey nos gobernará, y saldrá delante de nosotros, y hará nuestras guerras.

21 Y oyó Samuel todas las palabras del pueblo, y las refirió en oídos de Jehová.

22 Y Jehová dijo a Samuel: Oye su voz, y pon rey sobre ellos. Entonces dijo Samuel a los varones de Israel: Idos cada uno a su ciudad.

CAPÍTULO 9

Y había un varón de Benjamín, hombre valeroso, el cual se llamaba Cis, hijo de Abiel, hijo de Seor, hijo de Becora, hijo de Afia, hijo de un hombre de Benjamín.

2 Y tenía él un hijo que se llamaba Saúl, joven y hermoso, que entre los hijos de Israel no *había* otro más hermoso que él; de hombros arriba sobrepasaba a cualquiera del pueblo.

3 Y se habían perdido las asnas de Cis, padre de Saúl; por lo que dijo Cis a Saúl su hijo: Toma ahora contigo alguno de los criados, y levántate, y ve a buscar las asnas.

4 Y él pasó al monte de Efraín, y de allí a la tierra de Salisa, y no las hallaron. Pasaron luego por la tierra de Saalim, y tampoco. Después pasaron por la tierra de Benjamín, y no las encontraron.

5 Y cuando vinieron a la tierra de Zuf, Saúl dijo a su criado que tenía consigo: Ven, volvámonos; porque quizá mi padre, dejado *el cuidado* de las asnas, estará preocupado por nosotros.

6 Y él le respondió: He aquí ahora *hay* en esta ciudad un hombre de Dios, que *es* varón insigne; todo lo que él dice, sucede sin falta. Vamos, pues, allá; quizá nos enseñará nuestro camino por donde hayamos de ir.

7 Y Saúl respondió a su criado: Vamos ahora: ¿mas qué llevaremos al varón? Porque el pan de nuestras alforjas se ha acabado, y no *tenemos* qué ofrecerle al varón de Dios: ¿Qué tenemos?

8 Entonces el criado volvió a responder a Saúl, diciendo: He aquí se halla en mi mano la cuarta parte de un siclo de plata; esto daré al varón de Dios, para que nos declare nuestro camino.

9 (Antiguamente en Israel cualquiera que iba a consultar a Dios, decía así: Venid y vamos hasta el vidente; porque el que hoy *se llama* profeta, antiguamente era llamado vidente).

10 Dijo entonces Saúl a su criado: Bien dices; anda, vamos. Y fueron a la ciudad donde *estaba* el varón de Dios.

11 Y cuando subían por la cuesta de la ciudad, hallaron unas doncellas que salían por agua, a las cuales dijeron: ¿Está en este lugar el vidente?

12 Y ellas respondiéndoles, dijeron: Sí; helo aquí delante de ti; date prisa, porque hoy ha venido a la ciudad en atención a que el pueblo tiene hoy sacrificio en el lugar alto.

13 Y cuando entrareis en la ciudad, le encontraréis luego, antes que suba al lugar alto a comer; pues el pueblo no comerá hasta que él haya venido, porque él es quien bendice el sacrificio; y después comerán los convidados. Subid, pues, ahora, porque ahora le hallaréis.

14 Ellos entonces subieron a la ciudad; y cuando en medio de la ciudad estuvieron, he aquí Samuel que delante de ellos salía para subir al lugar alto.

15 Y un día antes que Saúl viniese, Jehová había revelado al oído de Samuel, diciendo:

16 Mañana a esta misma hora yo enviaré a ti un varón de la tierra de Benjamín, al cual ungirás por príncipe sobre mi pueblo Israel, y salvará a mi pueblo de mano de los filisteos; pues yo he mirado a mi pueblo, porque su clamor ha llegado hasta mí.

17 Y luego que Samuel vio a Saúl, Jehová le dijo: He aquí éste es el varón del cual te hablé; éste señoreará a mi pueblo.

18 Y llegando Saúl a Samuel en medio de la puerta, le dijo: Te ruego que me enseñes dónde está la casa del vidente.

19 Y Samuel respondió a Saúl, y dijo: Yo *soy* el vidente; sube delante de mí al lugar alto, y comed hoy conmigo, y por la mañana te despacharé, y te descubriré todo lo que *está* en tu corazón.

20 Y de las asnas que se te perdieron hoy hace tres días, pierde cuidado de ellas, porque se han hallado. Mas ¿para quién es todo el deseo de Israel, sino para ti y para toda la casa de tu padre?

21 Y Saúl respondió, y dijo: ¿No soy yo hijo de Benjamín, de la más pequeña de las tribus de Israel? Y mi

familia ¿no es la más pequeña de todas las familias de la tribu de Benjamín? ¿Por qué, pues, me hablas de esta manera?

22 Y trabando Samuel de Saúl y de su criado, los metió en la sala, y les dio lugar a la cabecera de los convidados, que *eran* como unos treinta hombres.

23 Y dijo Samuel al cocinero: Trae acá la porción que te di, la cual te dije que guardases aparte.

24 Entonces alzó el cocinero una espaldilla, con lo que *estaba* sobre ella, y la puso delante de Saúl. Y *Samuel* dijo: He aquí lo que estaba reservado; ponlo delante de ti, y come; porque para esta ocasión se guardó para ti, cuando dije: Yo he convidado al pueblo. Y Saúl comió aquel día con Samuel.

25 Y cuando hubieron descendido del lugar alto a la ciudad, *Samuel* habló con Saúl en el terrado.

26 Y al siguiente día madrugaron; y sucedió que al despuntar el alba, Samuel llamó a Saúl, que estaba en el terrado; y dijo: Levántate, para que te despida. Se levantó luego Saúl, y salieron ambos, él y Samuel.

27 Y descendiendo ellos al límite de la ciudad, dijo Samuel a Saúl: Di al criado que vaya delante (y se adelantó el criado), mas espera tú un poco para que te declare la palabra de Dios.

CAPÍTULO 10

Tomando entonces Samuel un frasco de aceite, lo derramó sobre su cabeza, y lo besó, y le dijo: ¿No te ha ungido Jehová *por* príncipe sobre su heredad?

2 Hoy, después que te hayas apartado de mí, hallarás dos hombres junto al sepulcro de Raquel, en el término de Benjamín, en Selsa, los cuales te dirán: Las asnas que habías ido a buscar, se han hallado; y he aquí que tu padre ha dejado ya el asunto de las asnas, y está angustiado por vosotros, diciendo: ¿Qué haré acerca de mi hijo?

3 Y cuando de allí sigas más adelante, y llegues a la encina de Tabor, te saldrán al encuentro tres hombres que suben a Dios en Betel, uno llevando tres cabritos, otro llevando tres tortas de pan y otro llevando un odre de vino;

4 y ellos te saludarán y te darán las dos *tortas* de pan, las cuales recibirás de sus manos.

5 De allí vendrás al collado de Dios donde *está* la guarnición de los filisteos; y cuando entrares allá en la ciudad encontrarás una compañía de profetas que descienden del lugar alto, y delante de ellos salterio, y pandero, y flauta, y arpa, y ellos profetizando:

6 Y el Espíritu de Jehová vendrá sobre ti, y profetizarás con ellos, y serás mudado en otro hombre.

7 Y cuando te hubieren sobrevenido estas señales, haz lo que te viniere a la mano, porque Dios *es* contigo.

8 Y bajarás delante de mí a Gilgal; y luego descenderé yo a ti para ofrecer holocaustos, y sacrificar ofrendas de paz. Espera siete días, hasta que yo venga a ti, y te enseñe lo que has de hacer.

9 Y sucedió que cuando él volvió la espalda para apartarse de Samuel, le mudó Dios su corazón; y todas estas señales acontecieron en aquel día.

10 Y cuando llegaron allá al collado, he aquí la compañía de los profetas que venía a encontrarse con él, y el Espíritu de Dios vino sobre él, y profetizó entre ellos.

11 Y aconteció que, cuando todos los que le conocían antes, vieron como profetizaba con los profetas, el pueblo decía el uno al otro: ¿Qué ha sucedido al hijo de Cis? ¿También Saúl entre los profetas?

12 Y alguno de allí respondió, y dijo: ¿Y quién *es* el padre de ellos? Por esta causa se volvió en proverbio: ¿También Saúl entre los profetas?

13 Y cesó de profetizar, y llegó al lugar alto.

14 Y un tío de Saúl dijo a él y a su criado: ¿A dónde fuisteis? Y él respondió: A buscar las asnas; y como vimos que no parecían, fuimos a Samuel.

15 Y dijo el tío de Saúl: Yo te ruego me declares qué os dijo Samuel.

16 Y Saúl respondió a su tío: Nos declaró expresamente que las asnas habían sido halladas. Mas del asunto

del reino, de que Samuel le había hablado, no le descubrió nada.

17 Y Samuel convocó el pueblo a Jehová en Mizpa;

18 Y dijo a los hijos de Israel: Así dice Jehová el Dios de Israel: Yo saqué a Israel de Egipto, y os libré de mano de los egipcios, y de mano de todos los reinos que os afligieron:

19 Mas vosotros habéis desechado hoy a vuestro Dios, el cual os libra de todas vuestras adversidades y angustias, y dijisteis: *No*, sino pon rey sobre nosotros. Ahora, pues, presentaos delante de Jehová por vuestras tribus y por vuestros millares.

20 Y cuando Samuel hizo que se acercasen todas las tribus de Israel, fue tomada la tribu de Benjamín.

21 E hizo llegar la tribu de Benjamín por sus linajes, y fue tomada la familia de Matri; y de ella fue tomado Saúl hijo de Cis. Y le buscaron, mas no fue hallado.

22 Preguntaron, pues, otra vez a Jehová, si había aún de venir allí aquel varón. Y respondió Jehová: He aquí que él está escondido entre el bagaje.

23 Entonces corrieron, y lo trajeron de allí, y puesto en medio del pueblo, desde los hombros arriba era más alto que todo el pueblo.

24 Y Samuel dijo a todo el pueblo: ¿Habéis visto al que ha elegido Jehová, que no *hay* semejante a él en todo el pueblo? Entonces el pueblo clamó con alegría, diciendo: ¡Viva el rey!

25 Samuel recitó luego al pueblo las leyes del reino, y *las* escribió en un libro, el cual guardó delante de Jehová. Y envió Samuel a todo el pueblo cada uno a su casa.

26 Y Saúl también se fue a su casa en Gabaa, y fueron con él unos hombres valerosos, cuyo corazón Dios había tocado.

27 Pero los hijos de Belial dijeron: ¿Cómo nos ha de salvar éste? Y le tuvieron en poco, y no le trajeron presente; mas él disimuló.

CAPÍTULO 11

Y subió Nahas amonita, y acampó contra Jabes de Galaad. Y todos los de Jabes dijeron a Nahas: Haz alianza con nosotros, y te serviremos.

2 Y Nahas amonita les respondió: Con esta *condición* haré *alianza* con vosotros, que a todos vosotros os saque yo el ojo derecho, y ponga esta afrenta sobre todo Israel.

3 Entonces los ancianos de Jabes le dijeron: Danos tregua de siete días, para que enviemos mensajeros a todos los términos de Israel; y si no hay quién nos defienda, saldremos a ti.

4 Y llegando los mensajeros a Gabaa de Saúl, dijeron estas palabras en oídos del pueblo; y todo el pueblo lloró a voz en grito.

5 Y he aquí Saúl que venía del campo, tras los bueyes; y dijo Saúl: ¿Qué *tiene* el pueblo, que lloran? Y le contaron las palabras de los hombres de Jabes.

6 Y al oír Saúl estas palabras, el Espíritu de Dios vino sobre él, y se encendió en ira en gran manera.

7 Y tomando un par de bueyes, los cortó en pedazos, y *los* envió por todos los términos de Israel por mano de mensajeros, diciendo: Cualquiera que no saliere en pos de Saúl y en pos de Samuel, así será hecho a sus bueyes. Y cayó temor de Jehová sobre el pueblo, y salieron como un solo hombre.

8 Y les contó en Bezec; y fueron los hijos de Israel trescientos mil, y treinta mil los hombres de Judá.

9 Y respondieron a los mensajeros que habían venido: Así diréis a los de Jabes de Galaad: Mañana al calentar el sol, seréis librados. Y vinieron los mensajeros, y *lo* declararon a los de Jabes, los cuales se alegraron.

10 Y los de Jabes dijeron: Mañana saldremos a vosotros, para que hagáis con nosotros todo lo que bien os pareciere.

11 Y el día siguiente dispuso Saúl al pueblo en tres escuadrones, y entraron en medio del campamento a la vigilia de la mañana, e hirieron a los amonitas hasta que el día calentaba; y los que quedaron fueron dispersos, tal que no quedaron dos de ellos juntos.

12 El pueblo entonces dijo a Samuel: ¿Quiénes *son* los que decían: Reinará Saúl sobre nosotros? Traed a esos hombres para que los matemos.

13 Y Saúl dijo: No morirá hoy ninguno, porque Jehová ha dado hoy salvación en Israel.

14 Mas Samuel dijo al pueblo: Venid, vamos a Gilgal para que renovemos allí el reino.

15 Y fue todo el pueblo a Gilgal, e invistieron allí a Saúl por rey delante de Jehová en Gilgal. Y sacrificaron allí ofrendas de paz delante de Jehová; y se alegraron mucho allí Saúl y todos los de Israel.

CAPÍTULO 12

Y dijo Samuel a todo Israel: He aquí, yo he oído vuestra voz en todas las cosas que me habéis dicho, y os he puesto rey.

2 Ahora, pues, he aquí vuestro rey va delante de vosotros. Yo soy ya viejo y cano; pero mis hijos *están* con vosotros, y yo he andado delante de vosotros desde mi juventud hasta este día.

3 Aquí estoy; atestiguad contra mí delante de Jehová y delante de su ungido, si he tomado el buey de alguno, o si he tomado el asno de alguno, o si he calumniado a alguien, o si he agraviado a alguno, o si de alguien he tomado cohecho por el cual haya cerrado mis ojos: y yo os restituiré.

4 Entonces dijeron: Nunca nos has calumniado, ni agraviado, ni has tomado algo de mano de ningún hombre.

5 Y él les dijo: Jehová *es* testigo contra vosotros, y su ungido también *es* testigo en este día, que no habéis hallado en mi mano cosa ninguna. Y ellos respondieron: *Él es* testigo.

6 Entonces Samuel dijo al pueblo: Jehová *es* quien favoreció a Moisés y a Aarón, y sacó a vuestros padres de la tierra de Egipto.

7 Ahora, pues, aguardad, y yo disputaré con vosotros delante de Jehová de todos los hechos de justicia que Jehová ha hecho con vosotros y con vuestros padres.

8 Después que Jacob hubo entrado en Egipto y vuestros padres clamaron a Jehová, Jehová envió a Moisés y a Aarón, los cuales sacaron a vuestros padres de Egipto, y los hicieron habitar en este lugar.

9 Y cuando se olvidaron de Jehová su Dios, Él los vendió en la mano de Sísara capitán del ejército de Hazor, y en la mano de los filisteos, y en la mano del rey de Moab, los cuales les hicieron guerra.

10 Y ellos clamaron a Jehová, y dijeron: Pecamos, porque hemos dejado a Jehová, y hemos servido a los Baales y a Astarot; líbranos, pues, ahora de mano de nuestros enemigos, y te serviremos.

11 Entonces Jehová envió a Jerobaal, y a Bedán, y a Jefté, y a Samuel, y os libró de mano de vuestros enemigos alrededor, y habitasteis seguros.

12 Y habiendo visto que Nahas rey de lo hijos de Amón venía contra vosotros, me dijisteis: No, sino que rey reinará sobre nosotros; *siendo* vuestro rey Jehová vuestro Dios.

13 Ahora, pues, he aquí el rey que habéis elegido, el cual pedisteis; ya veis que Jehová ha puesto rey sobre vosotros.

14 Si temiereis a Jehová y le sirviereis, y oyereis su voz, y no fuereis rebeldes a la palabra de Jehová, así vosotros como el rey que reina sobre vosotros, andaréis en pos de Jehová vuestro Dios.

15 Mas si no oyereis la voz de Jehová, y si fuereis rebeldes a las palabras de Jehová, la mano de Jehová será contra vosotros como *fue* contra vuestros padres.

16 Esperad aún ahora, y mirad esta gran cosa que Jehová hará delante de vuestros ojos.

17 ¿No *es* ahora la siega del trigo? Yo clamaré a Jehová, y Él dará truenos y aguas; para que conozcáis y veáis que *es* grande vuestra maldad que habéis hecho ante los ojos de Jehová, pidiendo para vosotros rey.

18 Y Samuel clamó a Jehová; y Jehová dio truenos y aguas en aquel día; y todo el pueblo temió en gran manera a Jehová y a Samuel.

19 Entonces dijo todo el pueblo a Samuel: Ruega por tus siervos a Jehová tu Dios, que no muramos: porque a todos nuestros pecados hemos añadido *este* mal de pedir rey para nosotros.

20 Y Samuel respondió al pueblo: No temáis; vosotros habéis cometido

todo este mal; mas con todo eso no os apartéis en pos de Jehová, sino servid a Jehová con todo vuestro corazón:

21 No os apartéis en pos de las vanidades, que no aprovechan ni libran, porque son vanidades.

22 Pues Jehová no desamparará a su pueblo, por su grande nombre; porque Jehová ha querido haceros pueblo suyo.

23 Así que, lejos sea de mí que peque yo contra Jehová cesando de orar por vosotros; antes yo os enseñaré en el camino bueno y recto.

24 Solamente temed a Jehová, y servidle en verdad con todo vuestro corazón, pues considerad cuán grandes cosas ha hecho por vosotros.

25 Mas si perseverareis en hacer mal, vosotros y vuestro rey pereceréis.

CAPÍTULO 13

Y Saúl reinó un año; y cuando hubo reinado dos años sobre Israel,

2 Saúl escogió para sí tres mil hombres de Israel; dos mil estuvieron con Saúl en Micmas y en el monte de Betel, y mil estuvieron con Jonatán en Gabaa de Benjamín; y envió al resto del pueblo, cada uno a sus tiendas.

3 Y Jonatán hirió la guarnición de los filisteos que había en Geba, y lo oyeron los filisteos. Entonces Saúl hizo tocar trompeta por toda la tierra, diciendo: Que oigan los hebreos.

4 Y todo Israel oyó lo que se decía: Saúl ha herido la guarnición de los filisteos; y también que Israel se había hecho odioso a los filisteos. Y se juntó el pueblo en pos de Saúl en Gilgal.

5 Entonces los filisteos se juntaron para pelear contra Israel; treinta mil carros, seis mil hombres de a caballo, y pueblo tan numeroso como la arena que está a la orilla del mar; y subieron y acamparon en Micmas, al oriente de Betaven.

6 Cuando los hombres de Israel vieron que estaban en estrecho (porque el pueblo estaba en aprieto), el pueblo se escondió en cuevas, en fosos, en peñascos, en rocas y en cisternas.

7 Y algunos de los hebreos pasaron el Jordán a la tierra de Gad y de Galaad; pero Saúl estaba aún en Gilgal, y todo el pueblo iba tras él temblando.

8 Y él esperó siete días, conforme al plazo que Samuel había señalado; pero Samuel no venía a Gilgal, y el pueblo se le desertaba.

9 Entonces dijo Saúl: Traedme holocausto y ofrendas de paz. Y ofreció el holocausto.

10 Y aconteció que tan pronto como acabó de hacer el holocausto, he aquí Samuel que venía; y Saúl salió a su encuentro, para saludarle.

11 Entonces Samuel dijo: ¿Qué has hecho? Y Saúl respondió: Porque vi que el pueblo se me iba, y que tú no venías al plazo de los días, y que los filisteos estaban juntos en Micmas,

12 me dije: Los filisteos descenderán ahora contra mí a Gilgal, y yo no he implorado el favor de Jehová. Por tanto me vi forzado, y ofrecí holocausto.

13 Entonces Samuel dijo a Saúl: Locamente has hecho; no guardaste el mandamiento de Jehová tu Dios, que Él te había ordenado; pues ahora Jehová hubiera confirmado tu reino sobre Israel para siempre.

14 Mas ahora tu reino no será duradero: Jehová se ha buscado un varón según su corazón, al cual Jehová ha mandado que sea príncipe sobre su pueblo, por cuanto tú no has guardado lo que Jehová te mandó.

15 Y levantándose Samuel, subió de Gilgal a Gabaa de Benjamín. Y Saúl contó la gente que se hallaba con él, como seiscientos hombres.

16 Saúl pues y Jonatán su hijo, y el pueblo que con ellos se hallaba, se quedaron en Gabaa de Benjamín; mas los filisteos habían acampado en Micmas.

17 Y salieron destructores del campamento de los filisteos en tres escuadrones. Un escuadrón marchó por el camino de Ofra hacia la tierra de Sual,

18 otro escuadrón marchó hacia Bethorón, y el tercer escuadrón marchó hacia la región que mira al valle de Zeboim hacia el desierto.

19 Y en toda la tierra de Israel no se hallaba herrero; porque los filisteos habían dicho: Para que los hebreos no hagan espada o lanza.

20 Y todos los de Israel descendían a los filisteos cada cual a afilar su reja de arado, su azadón, su hacha o su hoz;

21 y tenían un afilador para las rejas de arado, y para los azadones, y para los tridentes, y para las hachas, y para afilar las aguijadas.

22 Así aconteció que el día de la batalla no se halló espada ni lanza en mano de alguno de todo el pueblo que *estaba* con Saúl y con Jonatán, excepto Saúl y Jonatán su hijo, que las tenían.

23 Y la guarnición de los filisteos salió al paso de Micmas.

CAPÍTULO 14

Y un día aconteció, que Jonatán, hijo de Saúl, dijo a su criado que le traía las armas: Ven, y pasemos a la guarnición de los filisteos, que *está* al otro lado. Y no lo hizo saber a su padre.

2 Y Saúl estaba en el término de Gabaa, debajo de un granado que *hay* en Migrón, y el pueblo que *estaba* con él *era* como seiscientos hombres.

3 Y Ahías hijo de Ahitob, hermano de Icabod, hijo de Finees, hijo de Elí, sacerdote de Jehová en Silo, llevaba el efod; y no sabía el pueblo que Jonatán se había ido.

4 Y entre los pasos por donde Jonatán procuraba pasar a la guarnición de los filisteos, *había* un peñasco agudo de un lado, y otro peñasco agudo del otro lado; el uno se llamaba Boses y el otro Sene.

5 Uno de los peñascos *estaba* situado al norte hacia Micmas, y el otro al sur hacia Gabaa.

6 Dijo, pues, Jonatán a su criado que le traía las armas: Ven, pasemos a la guarnición de estos incircuncisos; quizá Jehová haga algo por nosotros; que no es difícil a Jehová salvar con muchos o con pocos.

7 Y su paje de armas le respondió: Haz todo lo que *tienes* en tu corazón; ve, he aquí yo *estoy* contigo a tu voluntad.

8 Y Jonatán dijo: He aquí, nosotros pasaremos a esos hombres, y nos mostraremos a ellos.

9 Si nos dijeren así: Esperad hasta que lleguemos a vosotros; entonces nos estaremos en nuestro lugar, y no subiremos a ellos.

10 Mas si nos dijeren así: Subid a nosotros: entonces subiremos, porque Jehová los ha entregado en nuestras manos; y esto nos *será* por señal.

11 Se mostraron, pues, ambos a la guarnición de los filisteos, y los filisteos dijeron: He aquí los hebreos, que salen de las cavernas en que se habían escondido.

12 Y los hombres de la guarnición respondieron a Jonatán y a su paje de armas, y dijeron: Subid a nosotros, y os haremos saber una cosa. Entonces Jonatán dijo a su paje de armas: Sube tras mí, que Jehová los ha entregado en la mano de Israel.

13 Y subió Jonatán trepando con sus manos y sus pies, y tras él su paje de armas; y los que caían delante de Jonatán, su paje de armas que iba tras él, los mataba.

14 Ésta fue la primera matanza, en la cual Jonatán con su paje de armas, mataron como unos veinte hombres en el espacio de una media yugada de tierra.

15 Y hubo temblor en el campamento y por el campo, y entre toda la gente de la guarnición; y los que habían ido a hacer correrías, también ellos temblaron, y la tierra tembló; hubo, pues, gran consternación.

16 Y los centinelas de Saúl vieron desde Gabaa de Benjamín cómo la multitud estaba turbada, e iba de un lado a otro y era deshecha.

17 Entonces Saúl dijo al pueblo que tenía consigo: Reconoced luego, y mirad quién haya ido de los nuestros. Y cuando hubieron pasado revista, hallaron que faltaban Jonatán y su paje de armas.

18 Y Saúl dijo a Ahías: Trae el arca de Dios. Porque el arca de Dios estaba entonces con los hijos de Israel.

19 Y aconteció que cuando Saúl aún hablaba con el sacerdote, el alboroto que *había* en el campamento de los filisteos se aumentaba, e iba

creciendo en gran manera. Entonces dijo Saúl al sacerdote: Detén tu mano.

20 Y juntando Saúl todo el pueblo que con él *estaba*, vinieron hasta el lugar de la batalla: y he aquí que la espada de cada uno era vuelta contra su compañero, y la mortandad *era* grande.

21 Y los hebreos que habían estado con los filisteos de tiempo antes, y habían venido con ellos de los alrededores al campamento, también éstos se volvieron para unirse a los israelitas que *estaban* con Saúl y con Jonatán.

22 Asimismo todos los israelitas que se habían escondido en el monte de Efraín, oyendo que los filisteos huían, ellos también los persiguieron en aquella batalla.

23 Así salvó Jehová a Israel aquel día. Y llegó el alcance hasta Bet-aven.

24 Pero los hombres de Israel fueron puestos en apuro aquel día; porque Saúl había conjurado al pueblo, diciendo: Cualquiera que comiere pan hasta la tarde, hasta que haya tomado venganza de mis enemigos, *sea* maldito. Y todo el pueblo no había gustado pan.

25 Y todo el pueblo llegó a un bosque donde había miel en la superficie del campo.

26 Entró, pues, el pueblo en el bosque, y he aquí que la miel corría; pero no hubo quien llegase la mano a su boca; porque el pueblo temía el juramento.

27 Pero Jonatán no había oído cuando su padre había juramentado al pueblo, y alargó la punta de una vara que *traía* en su mano, y la mojó en un panal de miel, y llegó su mano a su boca; y sus ojos fueron aclarados.

28 Entonces habló uno del pueblo, diciendo: Tu padre ha hecho jurar expresamente al pueblo, diciendo: Maldito sea el hombre que comiere hoy manjar. Y el pueblo desfallecía.

29 Y respondió Jonatán: Mi padre ha turbado el país. Ved ahora cómo han sido aclarados mis ojos, por haber gustado un poco de esta miel:

30 ¿Cuánto más si el pueblo hubiera hoy comido del despojo de sus enemigos que halló? ¿No se habría hecho ahora mayor estrago en los filisteos?

31 E hirieron aquel día a los filisteos desde Micmas hasta Ajalón; y el pueblo estaba muy cansado.

32 Y el pueblo se lanzó sobre el despojo, y tomaron ovejas y bueyes y becerros, y *los* mataron en tierra, y el pueblo comió con sangre.

33 Y se lo dijeron a Saúl, diciendo: El pueblo peca contra Jehová comiendo con sangre. Y él dijo: Vosotros habéis prevaricado; rodadme ahora acá una piedra grande.

34 Además dijo Saúl: Esparcíos por el pueblo, y decidles que me traigan cada uno su buey, y cada cual su oveja, y degolladlos aquí, y comed; y no pecaréis contra Jehová comiendo con sangre. Y trajo todo el pueblo cada cual su buey aquella noche, y *los* degollaron allí.

35 Y edificó Saúl altar a Jehová. Éste fue el primer altar que él edificó a Jehová.

36 Y dijo Saúl: Descendamos de noche contra los filisteos, y los saquearemos hasta la mañana, y no dejaremos de ellos ninguno. Y ellos dijeron: Haz lo que bien te pareciere. Dijo luego el sacerdote: Acerquémonos aquí a Dios.

37 Y Saúl consultó a Dios: ¿Descenderé tras los filisteos? ¿Los entregarás en mano de Israel? Mas Él no le dio respuesta aquel día.

38 Entonces dijo Saúl: Acercaos acá todos los principales del pueblo; y sabed y mirad por quién ha sido hoy este pecado;

39 porque vive Jehová, que salva a Israel, que si fuere en mi hijo Jonatán, él morirá de cierto. Y no *hubo* en todo el pueblo quien le respondiese.

40 Dijo luego a todo Israel: Vosotros estaréis a un lado, y yo y Jonatán mi hijo estaremos al otro lado. Y el pueblo respondió a Saúl: Haz lo que bien te pareciere.

41 Entonces dijo Saúl a Jehová Dios de Israel: Da *suerte* perfecta. Y fueron tomados Jonatán y Saúl, y el pueblo salió libre.

42 Y Saúl dijo: Echad *suerte* entre mí y Jonatán mi hijo. Y fue tomado Jonatán.

43 Entonces Saúl dijo a Jonatán: Declárame qué has hecho. Y Jonatán se lo declaró, y dijo: Cierto que gusté con la punta de la vara que traía en mi mano, un poco de miel; ¿y he aquí he de morir?

44 Y Saúl respondió: Así me haga Dios y así me añada, que sin duda morirás, Jonatán.

45 Mas el pueblo dijo a Saúl: ¿Ha de morir Jonatán, el que ha hecho esta gran salvación en Israel? No será así. Vive Jehová, que no ha de caer un cabello de su cabeza en tierra, pues que ha obrado hoy con Dios. Así libró el pueblo a Jonatán, para que no muriese.

46 Y Saúl dejó de seguir a los filisteos; y los filisteos se fueron a su lugar.

47 Y ocupando Saúl el reino sobre Israel, hizo guerra a todos sus enemigos alrededor: contra Moab, contra los hijos de Amón, contra Edom, contra los reyes de Soba, y contra los filisteos; y a dondequiera que se volvía era vencedor.

48 Y reunió un ejército, e hirió a Amalec, y libró a Israel de mano de los que lo saqueaban.

49 Y los hijos de Saúl fueron Jonatán, Isúi, y Malquisúa. Y éstos eran los nombres de sus dos hijas; el nombre de la mayor, Merab, y el de la menor, Mical.

50 Y el nombre de la esposa de Saúl era Ahinoam, hija de Ahimaas. Y el nombre del general de su ejército era Abner, hijo de Ner tío de Saúl.

51 Porque Cis padre de Saúl, y Ner padre de Abner, fueron hijos de Abiel.

52 Y la guerra fue fuerte contra los filisteos todo el tiempo de Saúl; y cuando Saúl veía algún hombre valiente o algún hombre esforzado, lo juntaba consigo.

CAPÍTULO 15

Y Samuel dijo a Saúl: Jehová me envió a que te ungiese por rey sobre su pueblo Israel; oye, pues, la voz de las palabras de Jehová.

2 Así dice Jehová de los ejércitos: Me acuerdo de lo que hizo Amalec a Israel; que se le opuso en el camino, cuando subía de Egipto.

3 Ve, pues, y hiere a Amalec, y destruiréis en él todo lo que tuviere: y no te apiades de él; mata hombres y mujeres, niños, y aun los de pecho, bueyes y ovejas, camellos y asnos.

4 Y Saúl convocó al pueblo, y los reconoció en Telaim, doscientos mil de a pie, y diez mil hombres de Judá.

5 Y viniendo Saúl a la ciudad de Amalec, puso emboscada en el valle.

6 Y dijo Saúl al cineo: Idos, apartaos, y salid de entre los de Amalec, para que no te destruya juntamente con él: pues que tú hiciste misericordia con todos los hijos de Israel, cuando subían de Egipto. Y se apartaron, pues, los cineos de entre los amalecitas.

7 Y Saúl hirió a Amalec, desde Havila hasta llegar a Shur, que está a la frontera de Egipto.

8 Y tomó vivo a Agag rey de Amalec, mas a todo el pueblo mató a filo de espada.

9 Y Saúl y el pueblo perdonaron a Agag, y a lo mejor de las ovejas, y al ganado mayor, a los gruesos y a los carneros, y a todo lo bueno, y no lo quisieron destruir; pero todo lo que era vil y flaco destruyeron.

10 Y vino palabra de Jehová a Samuel, diciendo:

11 Me pesa el haber puesto por rey a Saúl, porque se ha vuelto de en pos de mí, y no ha cumplido mis palabras. Y se apesadumbró Samuel, y clamó a Jehová toda aquella noche.

12 Madrugó luego Samuel para ir a encontrar a Saúl por la mañana; y fue dado aviso a Samuel, diciendo: Saúl ha venido al Carmelo, y he aquí él se ha levantado un monumento, y dando la vuelta, pasó y descendió a Gilgal.

13 Vino, pues, Samuel a Saúl, y Saúl le dijo: Bendito seas tú de Jehová; yo he cumplido la palabra de Jehová.

14 Samuel entonces dijo: ¿Pues qué balido de ganados y bramido de bueyes es éste que yo oigo con mis oídos?

15 Y Saúl respondió: De Amalec los han traído; porque el pueblo perdonó a lo mejor de las ovejas y de las vacas, para sacrificarlas a Jehová tu Dios; pero lo demás lo destruimos.

16 Entonces dijo Samuel a Saúl: Déjame declararte lo que Jehová me

ha dicho esta noche. Y él le respondió: Di.

17 Y dijo Samuel: Cuando *eras* pequeño a tus propios ojos ¿no *fuiste* hecho cabeza de las tribus de Israel, y Jehová te ungió por rey sobre Israel?

18 Y Jehová te envió en una jornada, y dijo: Ve, y destruye los pecadores de Amalec, y hazles guerra hasta que los acabes.

19 ¿Por qué, pues, no has obedecido la voz de Jehová, sino que vuelto al despojo, has hecho lo malo ante los ojos de Jehová?

20 Y Saúl respondió a Samuel: Antes bien he obedecido la voz de Jehová, y fui a la jornada que Jehová me envió, y he traído a Agag rey de Amalec, y he destruido a los amalecitas;

21 pero el pueblo tomó del despojo ovejas y vacas, las primicias del anatema, para sacrificarlas a Jehová tu Dios en Gilgal.

22 Y Samuel dijo: ¿Tiene Jehová *tanto* contentamiento con los holocaustos y víctimas, como en obedecer a las palabras de Jehová? Ciertamente el obedecer es mejor que los sacrificios; y el prestar atención, que la grosura de los carneros:

23 Porque la rebeldía *es como* el pecado de adivinación, y *como* iniquidad e idolatría la obstinación. Por cuanto tú desechaste la palabra de Jehová, Él también te ha desechado para que no seas rey.

24 Entonces Saúl dijo a Samuel: Yo he pecado; porque he quebrantado el mandamiento de Jehová y tus palabras, porque temí al pueblo y consentí a la voz de ellos.

25 Te ruego, pues, ahora, perdona mi pecado, y vuelve conmigo para que adore a Jehová.

26 Y Samuel respondió a Saúl: No volveré contigo; porque desechaste la palabra de Jehová, y Jehová te ha desechado para que no seas rey sobre Israel.

27 Y volviéndose Samuel para irse, él asió el borde de su manto, y *éste* se rasgó.

28 Entonces Samuel le dijo: Jehová ha rasgado hoy de ti el reino de Israel, y lo ha dado a un prójimo tuyo *que es* mejor que tú.

29 Y también el Poderoso de Israel no mentirá, ni se arrepentirá: porque Él no *es* hombre para que se arrepienta.

30 Y él dijo: Yo he pecado; mas te ruego que me honres delante de los ancianos de mi pueblo, y delante de Israel; y que vuelvas conmigo para que adore a Jehová tu Dios.

31 Y volvió Samuel tras Saúl, y adoró Saúl a Jehová.

32 Después dijo Samuel: Traedme a Agag rey de Amalec. Y Agag vino a él delicadamente. Y dijo Agag: Ciertamente se pasó la amargura de la muerte.

33 Y Samuel dijo: Como tu espada dejó las mujeres sin hijos, así tu madre será sin hijo entre las mujeres. Entonces Samuel cortó en pedazos a Agag delante de Jehová en Gilgal.

34 Se fue luego Samuel a Ramá, y Saúl subió a su casa en Gabaa de Saúl.

35 Y nunca después vio Samuel a Saúl, hasta el día de su muerte; sin embargo Samuel lloraba por Saúl. Y Jehová se arrepintió de haber puesto a Saúl por rey sobre Israel.

CAPÍTULO 16

Y Jehová dijo a Samuel: ¿Hasta cuándo has tú de llorar por Saúl, habiéndolo yo desechado para que no reine sobre Israel? Llena tu cuerno de aceite, y ven; yo te enviaré a Isaí, de Belén; porque de sus hijos me he provisto de rey.

2 Y dijo Samuel: ¿Cómo iré? Si Saúl lo entendiere, me matará. Jehová respondió: Toma contigo una becerra de la vacada, y di: He venido para ofrecer sacrificio a Jehová.

3 Y llama a Isaí al sacrificio, y yo te enseñaré lo que has de hacer; y me ungirás al que yo te diga.

4 Hizo, pues, Samuel como le dijo Jehová: y luego que él llegó a Belén, los ancianos de la ciudad salieron a recibirle con miedo, y dijeron: ¿Es pacífica tu venida?

5 Y él respondió: Sí, vengo a ofrecer sacrificio a Jehová; santificaos, y venid conmigo al sacrificio. Y santificando él a Isaí y a sus hijos, los llamó al sacrificio.

6 Y aconteció que cuando ellos vinieron, él vio a Eliab, y dijo: De cierto delante de Jehová *está* su ungido.

7 Y Jehová respondió a Samuel: No mires a su parecer, ni a lo grande de su estatura, porque yo lo he rechazado; porque *Jehová* no *mira* lo que mira el hombre; porque el hombre mira lo que está delante de sus ojos, pero Jehová mira el corazón.

8 Entonces llamó Isaí a Abinadab, y le hizo pasar delante de Samuel, el cual dijo: Ni a éste ha elegido Jehová.

9 Hizo luego pasar Isaí a Sama. Y él dijo: Tampoco a éste ha elegido Jehová.

10 E hizo pasar Isaí a siete de sus hijos delante de Samuel; mas Samuel dijo a Isaí: Jehová no ha elegido a éstos.

11 Entonces dijo Samuel a Isaí: ¿Están aquí todos *tus* hijos? Y él respondió: Aún queda el menor, que apacienta las ovejas. Y dijo Samuel a Isaí: Envía por él, porque no nos sentaremos *a la mesa* hasta que él venga aquí.

12 Envió, pues, por él, y lo hizo entrar; el cual *era* rubio, de hermoso parecer y de bello aspecto. Entonces Jehová dijo: Levántate y úngele, porque éste *es*.

13 Y Samuel tomó el cuerno del aceite, y lo ungió de entre sus hermanos; y desde aquel día en adelante el Espíritu de Jehová vino sobre David. Se levantó luego Samuel, y se volvió a Ramá.

14 Y el Espíritu de Jehová se apartó de Saúl, y le atormentaba un espíritu malo de parte de Jehová.

15 Y los criados de Saúl le dijeron: He aquí ahora, que el espíritu malo de parte de Dios te atormenta.

16 Diga ahora nuestro señor a tus siervos que están delante de ti, que busquen un hombre que sepa tocar el arpa; y sucederá que cuando esté sobre ti el espíritu malo de parte de Dios, él tocará con su mano y tendrás alivio.

17 Y Saúl respondió a sus criados: proveedme ahora un hombre que toque bien, y traédmelo.

18 Entonces uno de los criados respondió, diciendo: He aquí yo he visto a un hijo de Isaí de Belén que sabe tocar; es valiente y vigoroso, hombre de guerra, prudente en sus palabras, hermoso, y Jehová está con él.

19 Y Saúl envió mensajeros a Isaí, diciendo: Envíame a David tu hijo, el que está con las ovejas.

20 Y tomó Isaí un asno *cargado* de pan, y un odre de vino y un cabrito, y *los* envió a Saúl por mano de David su hijo.

21 Y viniendo David a Saúl, estuvo delante de él; y él le amó mucho, y fue hecho su escudero.

22 Y Saúl envió a decir a Isaí: Yo te ruego que esté David conmigo; porque ha hallado gracia en mis ojos.

23 Y sucedía que cuando el espíritu *malo* de parte de Dios venía sobre Saúl, David tomaba el arpa, y tocaba con su mano; y Saúl tenía alivio, y estaba mejor, y el espíritu malo se apartaba de él.

CAPÍTULO 17

Y los filisteos reunieron sus ejércitos para la guerra, y se congregaron en Soco, que *pertenece* a Judá, y acamparon entre Soco y Azeca, en Efes-damim.

2 Y también Saúl y los hombres de Israel se juntaron, y acamparon en el valle de Ela, y ordenaron la batalla contra los filisteos.

3 Y los filisteos estaban sobre un monte a un lado, e Israel estaba sobre un monte al otro lado, y había un valle entre ellos:

4 Salió entonces del campamento de los filisteos un adalid, que se llamaba Goliat, de Gat, el cual tenía de altura seis codos y un palmo.

5 Y traía un yelmo de bronce en su cabeza, e iba vestido con una coraza de malla; y el peso de la coraza *era* de cinco mil siclos de bronce.

6 Y sobre sus piernas *traía* grebas de bronce, y un escudo de bronce entre sus hombros.

7 El asta de su lanza *era* como un rodillo de telar, y la punta de su lanza *pesaba* seiscientos siclos de hierro; y su escudero iba delante de él.

8 Y se paró, y dio voces a los escuadrones de Israel, diciéndoles: ¿Para qué salís a dar batalla? ¿No soy yo filisteo, y vosotros los siervos de Saúl? Escoged de entre vosotros un hombre que venga contra mí.

9 Si él pudiere pelear conmigo, y me venciere, nosotros seremos vuestros siervos; y si yo pudiere más que él, y lo venciere, vosotros seréis nuestros siervos y nos serviréis.

10 Y añadió el filisteo: Hoy yo desafío al ejército de Israel; dadme un hombre que pelee conmigo.

11 Y oyendo Saúl y todo Israel estas palabras del filisteo, se turbaron, y tuvieron gran miedo.

12 Y David *era* hijo de aquel hombre efrateo de Belén de Judá, cuyo nombre *era* Isaí, el cual tenía ocho hijos; y en el tiempo de Saúl este hombre *era* viejo y de gran edad entre los hombres.

13 Y los tres hijos mayores de Isaí habían ido para seguir a Saúl a la guerra. Y los nombres de sus tres hijos que habían ido a la guerra, *eran*: Eliab el primogénito, el segundo Abinadab, y el tercero Sama,

14 Y David *era* el menor. Siguieron, pues, los tres mayores a Saúl.

15 Pero David había ido y vuelto de donde estaba Saúl, para apacentar las ovejas de su padre en Belén.

16 Venía, pues, aquel filisteo por la mañana y por la tarde, y se presentó por cuarenta días.

17 Y dijo Isaí a David su hijo: Toma ahora para tus hermanos un efa de este grano tostado, y estos diez panes, y llévalo presto al campamento a tus hermanos.

18 Llevarás asimismo estos diez quesos de leche al capitán de los mil, y cuida de ver si tus hermanos están bien, y toma prendas de ellos.

19 Y Saúl y ellos y todos los de Israel, *estaban* en el valle de Ela, peleando con los filisteos.

20 Se levantó, pues, David de mañana, y dejando las ovejas al cuidado de un guarda, se fue con su carga, como Isaí le había mandado; y llegó a la trinchera al momento que el ejército salía a la batalla dando el grito de guerra.

21 Porque así los israelitas como los filisteos estaban en orden de batalla, escuadrón contra escuadrón.

22 Y David dejó de sobre sí la carga en mano del que guardaba el bagaje, y corrió hacia el escuadrón; y llegado que hubo, preguntó por sus hermanos, si estaban bien.

23 Y mientras él hablaba con ellos, he aquí aquel adalid que se ponía en medio de los dos campamentos, que se llamaba Goliat, el filisteo de Gat, salió de los escuadrones de los filisteos, y habló las mismas palabras; y David *las* oyó.

24 Y todos los varones de Israel que veían aquel hombre, huían de su presencia, y tenían gran temor.

25 Y cada uno de los de Israel decía: ¿No habéis visto a aquel hombre que ha salido? Él se adelanta para provocar a Israel. Al que le venciere, el rey le enriquecerá con grandes riquezas, y le dará su hija, y eximirá de tributos a la casa de su padre en Israel.

26 Entonces habló David a los que junto a él estaban, diciendo: ¿Qué harán al hombre que venciere a este filisteo, y quitare el oprobio de Israel? Porque ¿quién es este filisteo incircunciso, para que provoque a los escuadrones del Dios viviente?

27 Y el pueblo le respondió las mismas palabras, diciendo: Así se hará al hombre que lo venciere.

28 Y oyéndole hablar Eliab su hermano mayor con aquellos hombres, Eliab se encendió en ira contra David, y dijo: ¿Para qué has descendido acá? ¿Y con quién has dejado aquellas pocas ovejas en el desierto? Yo conozco tu soberbia y la malicia de tu corazón, que para ver la batalla has venido.

29 Y David respondió: ¿Qué he hecho yo ahora? ¿Acaso no *hay* una causa?

30 Y apartándose de él hacia otros, preguntó lo mismo; y los del pueblo le respondieron de la misma manera.

31 Y cuando fueron oídas las palabras que David había dicho, ellos las refirieron delante de Saúl, y él lo hizo venir.

32 Y dijo David a Saúl: No desmaye ninguno a causa de él; tu siervo irá y peleará con este filisteo.

33 Y dijo Saúl a David: No podrás tú ir contra aquel filisteo, para pelear con él; porque tú *eres* un joven, y él es un hombre de guerra desde su juventud.

34 Y David respondió a Saúl: Tu siervo era pastor de las ovejas de su

padre, y *cuando* venía un león, o un oso, y tomaba algún cordero del rebaño,

35 yo salía tras él, y lo hería, y le libraba de su boca; y si se levantaba contra mí, yo lo tomaba por la quijada, y lo hería y lo mataba.

36 Tu siervo mató, tanto al león, como al oso; y este filisteo incircunciso será como uno de ellos, porque ha provocado al ejército del Dios viviente.

37 Y añadió David: Jehová, que me ha librado de las garras del león y de las garras del oso, Él también me librará de la mano de este filisteo. Y dijo Saúl a David: Ve, y Jehová sea contigo.

38 Y Saúl vistió a David de sus ropas, y puso sobre su cabeza un casco de bronce, y le armó de coraza.

39 Y ciñó David su espada sobre sus vestiduras, y probó a andar, porque nunca *las* había probado. Y dijo David a Saúl: Yo no puedo andar con esto, porque nunca lo practiqué. Y David echó de sí aquellas cosas.

40 Y tomó su cayado en su mano, y escogió cinco piedras lisas del arroyo, y las puso en el saco pastoril y en el zurrón que traía, y con su honda en su mano, se fue hacia el filisteo.

41 Y el filisteo venía andando y acercándose a David, y su escudero delante de él.

42 Y cuando el filisteo miró y vio a David, le tuvo en poco; porque era joven, y rubio, y de hermoso parecer.

43 Y dijo el filisteo a David: ¿Soy yo perro para que vengas a mí con palos? Y maldijo a David por sus dioses.

44 Dijo luego el filisteo a David: Ven a mí, y daré tu carne a las aves del cielo, y a las bestias del campo.

45 Entonces dijo David al filisteo: Tú vienes a mí con espada, lanza y escudo; mas yo vengo a ti en el nombre de Jehová de los ejércitos, el Dios de los escuadrones de Israel, a quien tú has provocado.

46 Jehová te entregará hoy en mi mano, y yo te venceré, y te cortaré la cabeza; y daré hoy los cuerpos de los filisteos a las aves del cielo y a las bestias de la tierra: y sabrá toda la tierra que hay Dios en Israel.

47 Y sabrá toda esta congregación que Jehová no salva con espada y lanza; porque de Jehová es la batalla, y Él os entregará en nuestras manos.

48 Y aconteció que cuando el filisteo se levantó y venía acercándose al encuentro de David, David se dio prisa y corrió hacia el combate contra el filisteo.

49 Y metiendo David su mano en el saco, tomó de allí una piedra, y se la tiró con la honda, e hirió al filisteo en la frente; y la piedra le quedó clavada en la frente, y cayó sobre su rostro en tierra.

50 Así venció David al filisteo con honda y piedra; e hirió al filisteo y lo mató, sin *tener* David espada en su mano.

51 Entonces corrió David y se puso sobre el filisteo, y tomando la espada de él, sacándola de su vaina, lo mató, y le cortó con ella la cabeza. Y cuando los filisteos vieron muerto a su campeón, huyeron.

52 Y levantándose los de Israel y de Judá, gritaron, y persiguieron a los filisteos hasta llegar al valle, y hasta las puertas de Ecrón. Y cayeron los heridos de los filisteos por el camino de Saaraim, aun hasta Gat y Ecrón.

53 Regresaron luego los hijos de Israel de perseguir a los filisteos, y despojaron su campamento.

54 Y David tomó la cabeza del filisteo, y la trajo a Jerusalén, pero sus armas las puso en su tienda.

55 Y cuando Saúl vio a David que salía a encontrarse con el filisteo, dijo a Abner, general del ejército: Abner, ¿de quién *es* hijo ese joven? Y Abner respondió:

56 Vive tu alma, oh rey, que no lo sé. Y el rey dijo: Pregunta de quién *es* hijo ese joven.

57 Y cuando David volvía de matar al filisteo, Abner lo tomó, y lo llevó delante de Saúl, teniendo la cabeza del filisteo en su mano.

58 Y le dijo Saúl: Joven, ¿de quién *eres* hijo? Y David respondió: Yo *soy* hijo de tu siervo Isaí de Belén.

CAPÍTULO 18

Y así que él hubo acabado de hablar con Saúl, el alma de Jonatán quedó ligada con la de David, y lo amó Jonatán como a su propia alma.

2 Y Saúl le tomó aquel día, y no le dejó volver a casa de su padre.

3 E hicieron alianza Jonatán y David, porque él le amaba como a su propia alma.

4 Y Jonatán se quitó el manto que tenía sobre sí, y lo dio a David, y otras ropas suyas, hasta su espada, y su arco, y su talabarte.

5 Y salía David a dondequiera que Saúl le enviaba, y se portaba prudentemente, por tanto Saúl lo puso al mando de los hombres de guerra, y era acepto a los ojos de todo el pueblo, y a los ojos de los criados de Saúl.

6 Y aconteció que cuando ellos volvían, cuando David volvió de matar al filisteo, salieron las mujeres de todas las ciudades de Israel a recibir al rey Saúl, cantando y danzando, con panderos, con *cánticos de* alegría y con instrumentos de música.

7 Y cantaban las mujeres que danzaban, y decían: Saúl mató a sus miles, y David a sus diez miles.

8 Y se enojó Saúl en gran manera, y le desagradó este dicho, y dijo: A David dieron diez miles, y a mí miles; no le falta más que el reino.

9 Y desde aquel día Saúl miró con malos ojos a David.

10 Otro día aconteció que el espíritu malo de parte de Dios tomó a Saúl, y profetizaba en medio de su casa. Y David tocaba con su mano como los otros días; y *tenía* Saúl una lanza en su mano.

11 Y arrojó Saúl la lanza, diciendo: Enclavaré a David en la pared. Pero David lo evadió dos veces.

12 Mas Saúl temía a David por cuanto Jehová era con él, y se había apartado de Saúl.

13 Lo apartó, pues, Saúl de sí, y le hizo capitán de mil; y salía y entraba delante del pueblo.

14 Y David se conducía prudentemente en todos sus caminos, y Jehová *era* con él.

15 Y viendo Saúl que se portaba tan prudentemente, le tenía temor.

16 Mas todo Israel y Judá amaba a David, porque él salía y entraba delante de ellos.

17 Y dijo Saúl a David: He aquí yo te daré a Merab mi hija mayor por esposa; solamente que me seas hombre valiente, y pelees las batallas de Jehová. Mas Saúl decía: No será mi mano contra él, mas la mano de los filisteos será contra él.

18 Y David respondió a Saúl: ¿Quién *soy* yo, o qué *es* mi vida, o la familia de mi padre en Israel, para ser yerno del rey?

19 Y venido el tiempo en que Merab, hija de Saúl, se había de dar a David, fue dada por esposa a Adriel meholatita.

20 Mas Mical la otra hija de Saúl amaba a David; y fue dicho a Saúl, y le pareció bien a sus ojos.

21 Y Saúl dijo: Yo se la daré, para que le sea por lazo, y para que la mano de los filisteos sea contra él. Dijo, pues, Saúl a David: Hoy serás mi yerno en una de las dos.

22 Y mandó Saúl a sus criados: Hablad en secreto a David, *diciéndole*: He aquí, el rey te ama, y todos sus criados te quieren bien; sé, pues, yerno del rey.

23 Y los criados de Saúl hablaron estas palabras a los oídos de David. Y David dijo: ¿Parece a vosotros que es poco ser yerno del rey, *siendo* yo un hombre pobre y de ninguna estima?

24 Y los criados de Saúl le dieron la respuesta diciendo: Tales palabras ha dicho David.

25 Y Saúl dijo: Decid así a David: El rey no desea dote alguna, sino cien prepucios de los filisteos, para tomar venganza de los enemigos del rey. Pero Saúl pensaba hacer caer a David en manos de los filisteos.

26 Y cuando sus criados declararon a David estas palabras, agradó la cosa a los ojos de David, para ser yerno del rey. Y cuando el plazo aún no se cumplía,

27 se levantó David, y partió con su gente, y mató a doscientos hombres de los filisteos; y trajo David los prepucios de ellos, y los entregaron todos al rey, para que él fuese hecho yerno del rey. Y Saúl le dio a su hija Mical por esposa.

28 Pero Saúl, viendo y considerando que Jehová *estaba* con David, y que su hija Mical lo amaba,

29 tuvo más temor de David; y Saúl fue enemigo de David todos los días.

30 Y salían a campaña los príncipes de los filisteos; y sucedía que cada vez que salían, David se portaba con más sabiduría que todos los siervos de Saúl; así que su nombre era muy ilustre.

CAPÍTULO 19

Y habló Saúl a Jonatán su hijo, y a todos sus criados, para que matasen a David.

2 Pero Jonatán, hijo de Saúl, amaba a David en gran manera. Y Jonatán dio aviso a David, diciendo: Saúl mi padre procura matarte; por tanto, mira ahora por ti hasta la mañana, y quédate en un lugar secreto, y escóndete.

3 Y yo saldré y estaré junto a mi padre en el campo donde estés; y hablaré de ti a mi padre, y lo que yo vea, te lo haré saber.

4 Y Jonatán habló bien de David a Saúl su padre, y le dijo: No peque el rey contra su siervo David, pues que ninguna cosa ha cometido contra ti; antes sus obras te han sido muy buenas;

5 porque él puso su vida en su mano, y mató al filisteo, y Jehová hizo una gran salvación a todo Israel. Tú lo viste, y te alegraste; ¿por qué, pues, pecarás contra sangre inocente, matando a David sin causa?

6 Y oyendo Saúl la voz de Jonatán, juró: Vive Jehová, que no morirá.

7 Llamando entonces Jonatán a David, le declaró todas estas palabras; y él mismo presentó a David a Saúl, y estuvo delante de él como antes.

8 Y volvió a haber guerra; y salió David y peleó contra los filisteos, y los hirió con grande estrago, y huyeron delante de él.

9 Y el espíritu malo de parte de Jehová vino sobre Saúl; y estando sentado en su casa tenía una lanza en la mano, mientras David tocaba con su mano.

10 Y Saúl procuró enclavar a David con la lanza a la pared; mas él se apartó de delante de Saúl, el cual hirió con la lanza a la pared; y David huyó, y se escapó aquella noche.

11 Saúl envió luego mensajeros a casa de David para que lo guardasen, y lo matasen a la mañana. Mas Mical su esposa lo descubrió a David, diciendo: Si no salvas tu vida esta noche, mañana serás muerto.

12 Y descolgó Mical a David por una ventana; y él se fue y huyó, y se escapó.

13 Tomó luego Mical una estatua, y la puso sobre la cama, y le acomodó por cabecera una almohada de pelo de cabra, y la cubrió con ropa.

14 Y cuando Saúl envió mensajeros que tomasen a David, ella respondió: Está enfermo.

15 Volvió Saúl a enviar mensajeros para que viesen a David, diciendo: Traédmelo en la cama para que lo mate.

16 Y como los mensajeros entraron, he aquí la estatua estaba en la cama, con la almohada de pelo de cabra por cabecera.

17 Entonces Saúl dijo a Mical: ¿Por qué me has así engañado, y has dejado escapar a mi enemigo? Y Mical respondió a Saúl: Porque él me dijo: Déjame ir; si no, yo te mataré.

18 Huyó, pues, David, y se escapó, y vino a Samuel en Ramá, y le dijo todo lo que Saúl había hecho con él. Y se fueron él y Samuel, y moraron en Naiot.

19 Y fue dado aviso a Saúl, diciendo: He aquí que David está en Naiot en Ramá.

20 Y envió Saúl mensajeros que trajesen a David, los cuales vieron una compañía de profetas que profetizaban, y a Samuel que estaba allí y los presidía. Y vino el Espíritu de Dios sobre los mensajeros de Saúl, y ellos también profetizaron.

21 Y cuando fue dicho a Saúl, él envió otros mensajeros, los cuales también profetizaron. Y Saúl volvió a enviar mensajeros por tercera vez, y ellos también profetizaron.

22 Entonces él mismo vino a Ramá; y llegando al pozo grande que está en Soco, preguntó diciendo: ¿Dónde están Samuel y David? Y uno respondió: He aquí están en Naiot en Ramá.

23 Y fue allá a Naiot en Ramá; y también vino sobre él el Espíritu de Dios, e iba profetizando, hasta que llegó a Naiot en Ramá.

24 Y él también se despojó de sus vestiduras, y profetizó igualmente delante de Samuel, y se acostó desnudo todo aquel día y toda aquella noche. De aquí se dijo: ¿También Saúl entre los profetas?

CAPÍTULO 20

Y David huyó de Naiot en Ramá, y vino delante de Jonatán, y dijo: ¿Qué he hecho yo? ¿Cuál *es* mi maldad, o cuál *es* mi pecado contra tu padre para que él busque mi vida?

2 Y él le dijo: En ninguna manera; no morirás. He aquí que mi padre ninguna cosa hará, grande ni pequeña, que no me la descubra; ¿por qué me ha de encubrir mi padre este asunto? No *será* así.

3 Y David volvió a jurar, diciendo: Tu padre sabe claramente que yo he hallado gracia delante de tus ojos, y dirá: No sepa esto Jonatán, para que no tenga pesar; y ciertamente, vive Jehová y vive tu alma, que apenas *hay* un paso entre mí y la muerte.

4 Y Jonatán dijo a David: Lo que tu alma deseare, haré por ti.

5 Y David respondió a Jonatán: He aquí que mañana será nueva luna, y yo acostumbro sentarme con el rey a comer; mas tú dejarás que me esconda en el campo hasta la tarde del tercer *día*.

6 Si tu padre hiciere mención de mí, dirás: Me rogó mucho *que lo dejase* ir corriendo a Belén su ciudad, porque todos los de su familia *celebran* allá el sacrificio anual.

7 Si él dijere: Está bien, tu siervo tendrá paz; pero si se enojare, sabe que él está determinado a hacer mal.

8 Harás, pues, misericordia con tu siervo, ya que has hecho entrar a tu siervo a un pacto de Jehová contigo; y si hay maldad en mí mátame tú, pues no hay necesidad de llevarme hasta tu padre.

9 Y Jonatán le dijo: Nunca tal te acontezca; pues si yo supiese que mi padre determinase hacerte mal, ¿no te lo avisaría yo?

10 Dijo entonces David a Jonatán: ¿Quién me dará aviso? o ¿qué si tu padre te respondiere ásperamente?

11 Y Jonatán dijo a David: Ven, salgamos al campo. Y salieron ambos al campo.

12 Entonces dijo Jonatán a David: Oh Jehová Dios de Israel, cuando habré yo preguntado a mi padre mañana a esta hora, o el día tercero, y él apareciere bien para con David, si entonces no enviare a ti, y te lo descubriere,

13 Jehová haga así a Jonatán, y esto añada. Mas si a mi padre pareciere bien hacerte mal, también te lo descubriré, y te enviaré, y te irás en paz: y sea Jehová contigo, como fue con mi padre.

14 Y si yo viviere, harás conmigo misericordia de Jehová; para que yo no muera,

15 y no quitarás tu misericordia de mi casa, para siempre; ni cuando Jehová haya cortado uno por uno los enemigos de David de la tierra.

16 Así hizo Jonatán *un pacto* con la casa de David, *diciendo*: Requiéralo Jehová de la mano de los enemigos de David.

17 Y Jonatán hizo jurar de nuevo a David, porque le amaba; pues le amaba como a su propia alma.

18 Le dijo luego Jonatán: Mañana *es* luna nueva, y tú serás echado de menos, porque tu asiento estará vacío.

19 Estarás, pues, tres días, y luego descenderás, y vendrás al lugar donde estabas escondido el día que esto ocurrió, y esperarás junto a la piedra de Ezel.

20 Y yo tiraré tres saetas hacia aquel lado, como ejercitándome al blanco.

21 Y luego enviaré al criado, *diciéndole*: Ve, busca las saetas. Y si dijere al criado: He allí las saetas más acá de ti, tómalas; tú vendrás, porque paz tienes, y nada hay de mal, vive Jehová.

22 Pero si yo dijere al criado así: He allí las saetas más allá de ti; vete, porque Jehová te ha enviado.

23 Y en cuanto a las palabras que tú y yo hemos hablado, *sea* Jehová entre nosotros para siempre.

24 David, pues, se escondió en el campo, y cuando llegó la luna nueva, se sentó el rey a comer pan.

25 Y el rey se sentó en su silla, como solía, en el asiento junto a la pared, y

Jonatán se levantó, y se sentó Abner al lado de Saúl, y el lugar de David estaba vacío.

26 Mas aquel día Saúl no dijo nada, porque se decía: Le habrá acontecido algo, y no está limpio; no estará purificado.

27 El día siguiente, el segundo día de la luna nueva, aconteció también que el asiento de David estaba vacío. Y Saúl dijo a Jonatán su hijo: ¿Por qué no ha venido a comer el hijo de Isaí hoy ni ayer?

28 Y Jonatán respondió a Saúl: David me pidió encarecidamente que le dejase ir hasta Belén.

29 Y dijo: Te ruego que me dejes ir, porque tenemos sacrificio los de nuestro linaje en la ciudad, y mi hermano mismo me lo ha mandado; por tanto, si he hallado gracia en tus ojos, haré una escapada ahora, y visitaré a mis hermanos. Por esto pues no ha venido a la mesa del rey.

30 Entonces Saúl se enardeció contra Jonatán, y le dijo: Hijo de la perversa y rebelde, ¿no sé yo que tú has elegido al hijo de Isaí para confusión tuya, y para confusión de la vergüenza de tu madre?

31 Porque todo el tiempo que el hijo de Isaí viviere sobre la tierra, ni tú serás firme, ni tu reino. Envía pues, ahora, y tráemelo, porque ha de morir.

32 Y Jonatán respondió a su padre Saúl, y le dijo: ¿Por qué morirá? ¿Qué ha hecho?

33 Entonces Saúl le arrojó una lanza para herirlo; de donde entendió Jonatán que su padre estaba determinado a matar a David.

34 Y se levantó Jonatán de la mesa con exaltada ira, y no comió pan el segundo día de la luna nueva: porque tenía dolor a causa de David, porque su padre le había afrentado.

35 Y aconteció que por la mañana Jonatán salió al campo, al tiempo aplazado con David, y un muchacho pequeño con él.

36 Y dijo al muchacho: Corre y busca las saetas que yo tirare. Y como el muchacho iba corriendo, él tiró la saeta *de modo* que pasara más allá de él.

37 Y llegando el muchacho adonde estaba la saeta que Jonatán había tirado, Jonatán dio voces tras el muchacho, diciendo: ¿No *está* la saeta más allá de ti?

38 Y volvió a gritar Jonatán tras el muchacho: Date prisa, aligera, no te detengas. Y el muchacho de Jonatán tomó las saetas, y vino a su señor.

39 Pero el muchacho ninguna cosa entendió; solamente Jonatán y David entendían el asunto.

40 Luego dio Jonatán sus armas a su muchacho, y le dijo: Vete y llévalas a la ciudad.

41 Y luego que el muchacho se hubo ido, se levantó David del lado del sur, y se inclinó tres veces postrándose hasta la tierra: y besándose el uno al otro, lloraron el uno con el otro, aunque David *lloró* más.

42 Y Jonatán dijo a David: Vete en paz, que ambos hemos jurado por el nombre de Jehová, diciendo: Jehová sea entre tú y yo, entre mi simiente y la simiente tuya, para siempre. Y él se levantó y se fue; y Jonatán entró en la ciudad.

CAPÍTULO 21

Y vino David a Nob, a Ahimelec sacerdote: y se sorprendió Ahimelec de su encuentro, y le dijo: ¿Por qué *vienes* tú solo, y nadie contigo?

2 Y respondió David al sacerdote Ahimelec: El rey me encomendó un asunto, y me dijo: Nadie sepa cosa alguna de este asunto a que yo te envío, y que yo te he mandado; y yo señalé a los criados un cierto lugar.

3 Ahora, pues, ¿qué tienes a mano? Dame cinco panes, o lo que tengas.

4 Y el sacerdote respondió a David, y dijo: No tengo pan común a la mano; solamente tengo pan sagrado; *os lo daré* si los criados se han guardado a lo menos de mujeres.

5 Y David respondió al sacerdote, y le dijo: A la verdad las mujeres nos han sido reservadas estos tres días, desde que salí, y los vasos de los jóvenes son santos, aun cuando el camino es profano; ¡cuánto más hoy serán santificados sus vasos!

6 Así el sacerdote le dio *pan* sagrado, porque allí no había otro pan sino los panes de la proposición, los cuales

habían sido quitados de delante de Jehová, para que se pusiesen panes calientes el día que los otros fueron quitados.

7 Aquel día estaba allí, detenido delante de Jehová, uno de los siervos de Saúl, cuyo nombre era Doeg, idumeo, principal de los pastores de Saúl.

8 Y David dijo a Ahimelec: ¿No tienes aquí a mano lanza o espada? Porque no tomé en mi mano mi espada ni mis armas, por cuanto el mandamiento del rey era apremiante.

9 Y el sacerdote respondió: La espada de Goliat el filisteo, que tú venciste en el valle de Ela, está aquí envuelta en un velo detrás del efod; si tú quieres tomarla, tómala; porque aquí no *hay* otra sino esa. Y dijo David: ¡Ninguna como ella! ¡Dámela!

10 Y levantándose David aquel día, huyó de la presencia de Saúl, y se fue a Aquís rey de Gat.

11 Y los siervos de Aquís le dijeron: ¿No *es* éste David, el rey de la tierra? ¿No *es* éste de quien cantaban con danzas, diciendo: Saúl mató a sus miles, y David a sus diez miles?

12 Y David puso en su corazón estas palabras, y tuvo gran temor de Aquís rey de Gat.

13 Y mudó su proceder delante de ellos, y se fingió loco entre sus manos, y escribía en las portadas de las puertas, y dejaba correr su saliva por su barba.

14 Y dijo Aquís a sus siervos: He aquí estáis viendo un hombre demente; ¿por qué lo habéis traído a mí?

15 ¿Acaso me faltan locos, para que hayáis traído a éste que hiciese de loco delante de mí? ¿Había de entrar éste a mi casa?

CAPÍTULO 22

Yéndose David de allí, se escapó a la cueva de Adulam. Y cuando sus hermanos y toda la casa de su padre *lo* oyeron, vinieron allí a él.

2 Y se juntaron con él todos los afligidos, y todo el que estaba endeudado, y todos los que que se hallaban en amargura de espíritu, y fue hecho capitán de ellos. Y tuvo consigo como cuatrocientos hombres.

3 Y se fue David de allí a Mizpa de Moab, y dijo al rey de Moab: Yo te ruego que mi padre y mi madre estén con vosotros, hasta que sepa lo que Dios hará de mí.

4 Los trajo, pues, a la presencia del rey de Moab, y habitaron con él todo el tiempo que David estuvo en la fortaleza.

5 Y el profeta Gad dijo a David: No te quedes en la fortaleza, vete, y entra en tierra de Judá. Y David se fue, y vino al bosque de Haret.

6 Y oyó Saúl que David había sido descubierto, y los que *estaban* con él. Y Saúl estaba en Gabaa debajo de un árbol en Ramá, y tenía su lanza en su mano, y todos sus criados estaban en derredor de él.

7 Y dijo Saúl a sus criados que estaban en derredor de él: Oíd ahora, hijos de Benjamín: ¿Os dará también a todos vosotros el hijo de Isaí tierras y viñas, y os hará a todos tribunos y centuriones;

8 Para que todos vosotros hayáis conspirado contra mí, y no hay quien me descubra al oído como mi hijo ha hecho alianza con el hijo de Isaí, ni alguno de vosotros que se duela de mí, y me descubra como mi hijo ha levantado a mi siervo contra mí, para que me aceche, según hace hoy día?

9 Entonces Doeg idumeo, que era superior entre los siervos de Saúl, respondió y dijo: Yo vi al hijo de Isaí que vino a Nob, a Ahimelec hijo de Ahitob;

10 el cual consultó por él a Jehová, y le dio provisión, y también le dio la espada de Goliat el filisteo.

11 Y el rey envió por el sacerdote Ahimelec hijo de Ahitob, y por toda la casa de su padre, los sacerdotes que *estaban* en Nob; y todos vinieron al rey.

12 Y Saúl le dijo: Oye ahora, hijo de Ahitob. Y él dijo: Heme aquí, señor mío.

13 Y le dijo Saúl: ¿Por qué habéis conspirado contra mí, tú y el hijo de Isaí, cuando tú le diste pan y espada, y consultaste por él a Dios, para que se levantase contra mí y me acechase, como lo hace hoy día?

14 Entonces Ahimelec respondió al rey, y dijo: ¿Y quién entre todos tus siervos *es tan* fiel como David, yerno además del rey, y que va por mandato tuyo, y es ilustre en tu casa?

15 ¿He comenzado yo desde hoy a consultar por él a Dios? Lejos sea de mí; no impute el rey cosa alguna a su siervo, ni a toda la casa de mi padre; porque tu siervo ninguna cosa sabe de este asunto, grande ni chica.

16 Y el rey dijo: Sin duda morirás, Ahimelec, tú y toda la casa de tu padre.

17 Entonces dijo el rey a la gente de su guardia que estaba alrededor de él: Cercad y matad a los sacerdotes de Jehová; porque también la mano de ellos es con David, pues sabiendo ellos que huía, no me lo descubrieron. Mas los siervos del rey no quisieron extender sus manos para matar a los sacerdotes de Jehová.

18 Entonces dijo el rey a Doeg: Vuelve tú, y arremete contra los sacerdotes. Y volviéndose Doeg idumeo, arremetió contra los sacerdotes, y mató en aquel día ochenta y cinco varones que vestían efod de lino.

19 Y a Nob, ciudad de los sacerdotes, hirió a filo de espada: así a hombres como a mujeres, niños y a niños de pecho, bueyes, asnos y ovejas, *a todos los hirió* a filo de espada.

20 Mas uno de los hijos de Ahimelec hijo de Ahitob, que se llamaba Abiatar, escapó, y huyó tras David.

21 Y Abiatar notificó a David como Saúl había dado muerte a los sacerdotes de Jehová.

22 Y dijo David a Abiatar: Yo sabía que *estando* allí aquel día Doeg el idumeo de seguro se lo haría saber a Saúl. Yo he ocasionado *la muerte* de todas las personas de la casa de tu padre.

23 Quédate conmigo, no temas; quien buscare mi vida, buscará también la tuya; pues conmigo *estarás* seguro.

CAPÍTULO 23

Y dieron aviso a David, diciendo: He aquí que los filisteos combaten a Keila, y roban las eras.

Saúl da muerte a los sacerdotes

2 Y David consultó a Jehová, diciendo: ¿Iré a herir a estos filisteos? Y Jehová respondió a David: Ve, hiere a los filisteos, y libra a Keila.

3 Mas los que estaban con David le dijeron: He aquí que nosotros aquí en Judá estamos con miedo; ¿cuánto más si fuéremos a Keila contra el ejército de los filisteos?

4 Entonces David volvió a consultar a Jehová. Y Jehová le respondió, y dijo: Levántate, desciende a Keila, que yo entregaré en tus manos a los filisteos.

5 Partió, pues, David con sus hombres a Keila, y peleó contra los filisteos, se llevó sus ganados y los hirió con grande estrago: Así libró David a los de Keila.

6 Y aconteció que cuando Abiatar hijo de Ahimelec huyó *siguiendo* a David, a Keila, descendió con el efod en su mano.

7 Y fue dicho a Saúl que David había venido a Keila. Entonces dijo Saúl: Dios lo ha traído a mis manos; pues él se ha encerrado, entrando en ciudad con puertas y cerraduras.

8 Y convocó Saúl a todo el pueblo a la batalla, para descender a Keila, y poner cerco a David y a los suyos.

9 Mas entendiendo David que Saúl ideaba el mal contra él, dijo a Abiatar sacerdote: Trae el efod.

10 Y dijo David: Jehová Dios de Israel, tu siervo tiene entendido que Saúl trata de venir contra Keila, a destruir la ciudad por causa mía.

11 ¿Me entregarán los hombres de Keila en sus manos? ¿Descenderá Saúl, como tu siervo ha oído? Jehová Dios de Israel, te ruego que lo declares a tu siervo. Y Jehová dijo: Sí, descenderá.

12 Dijo luego David: ¿Me entregarán los hombres de Keila a mí y a mis hombres en manos de Saúl? Y Jehová respondió: Te entregarán.

13 David entonces se levantó con sus hombres, *que eran* como seiscientos, y salieron de Keila, y anduvieron de un lugar a otro. Y vino la nueva a Saúl de que David se había escapado de Keila; y desistió de perseguirlo.

14 Y David se quedó en el desierto en lugares fortificados, y habitaba en un monte en el desierto de Zif; y lo

buscaba Saúl todos los días, pero Dios no lo entregó en sus manos.

15 Y viendo David que Saúl había salido en busca de su vida, David *se estaba* en el bosque, en el desierto de Zif.

16 Entonces se levantó Jonatán hijo de Saúl, y vino a David en el bosque, y fortaleció su mano en Dios.

17 Y le dijo: No temas, que no te hallará la mano de Saúl mi padre, y tú reinarás sobre Israel, y yo seré segundo después de ti; y aun Saúl mi padre así lo sabe.

18 Y ambos hicieron pacto delante de Jehová: y David se quedó en el bosque, y Jonatán se volvió a su casa.

19 Entonces subieron los zifeos a Gabaa para decirle a Saúl: ¿No *está* David escondido en nuestra tierra, en las peñas del bosque, en el collado de Haquila que *está* al sur de Jesimón?

20 Por tanto, rey, desciende pronto ahora, según todo el deseo de tu alma, y nosotros lo entregaremos en la mano del rey.

21 Y Saúl dijo: Benditos *seáis* vosotros de Jehová, que habéis tenido compasión de mí.

22 Id, pues, ahora, preparaos aún, considerad y ved su lugar donde tiene el pie, y quién lo haya visto allí; porque se me ha dicho que él es en gran manera astuto.

23 Observad, pues, y ved todos los escondrijos donde se oculta, y volved a mí con la certidumbre, y yo iré con vosotros: y será que si él estuviere en la tierra, yo le buscaré entre todos los millares de Judá.

24 Y ellos se levantaron, y se fueron a Zif delante de Saúl. Mas David y su gente *estaban* en el desierto de Maón, en la llanura al sur de Jesimón.

25 Y partió Saúl con su gente a buscarlo; pero fue dado aviso a David, y descendió a la peña, y se quedó en el desierto de Maón. Y cuando Saúl *lo* oyó, siguió a David al desierto de Maón.

26 Y Saúl iba por un lado del monte, y David con los suyos por el otro lado del monte: y David se daba prisa para ir delante de Saúl; mas Saúl y los suyos habían encerrado a David y a su gente para tomarlos.

27 Entonces vino un mensajero a Saúl, diciendo: Ven luego, porque los filisteos han invadido el país.

28 Volvió, por tanto, Saúl de perseguir a David, y partió contra los filisteos. Por eso llamaron a aquel lugar Sela-hama-lecot.

29 Entonces David subió de allí, y habitó en las fortalezas de Engadi.

CAPÍTULO 24

Y sucedió que cuando Saúl volvió de perseguir a los filisteos, le dieron aviso diciendo: He aquí que David *está* en el desierto de Engadi.

2 Y tomando Saúl tres mil hombres escogidos de todo Israel, fue en busca de David y de los suyos, por las cumbres de los peñascos de las cabras monteses.

3 Y llegó a un redil de ovejas en el camino, donde *había* una cueva, y entró Saúl *en ella* para cubrir sus pies; y David y sus hombres estaban en los rincones de la cueva.

4 Entonces los de David le dijeron: He aquí el día que te ha dicho Jehová: He aquí que entregó tu enemigo en tus manos, y harás con él como te pareciere. Y se levantó David, y calladamente cortó la orilla del manto de Saúl.

5 Sucedió después de esto que el corazón de David le golpeaba, por haber cortado la orilla del manto de Saúl.

6 Y dijo a los suyos: Jehová me guarde de hacer tal cosa contra mi señor, el ungido de Jehová, que yo extienda mi mano contra él; porque *es* el ungido de Jehová.

7 Así reprimió David a sus siervos con estas palabras, y no les permitió que se levantasen contra Saúl. Y Saúl, saliendo de la cueva, se fue su camino.

8 También David se levantó después, y saliendo de la cueva dio voces a las espaldas de Saúl, diciendo: ¡Mi señor el rey! Y como Saúl miró atrás, David inclinó su rostro a tierra, e hizo reverencia.

9 Y dijo David a Saúl: ¿Por qué oyes las palabras de los que dicen: Mira que David procura tu mal?

10 He aquí han visto hoy tus ojos como Jehová te ha puesto hoy en mis

manos en la cueva; y dijeron que te matase, mas te perdoné, porque dije: No extenderé mi mano contra mi señor, porque ungido es de Jehová.

11 Y mira, padre mío, mira el borde de tu manto en mi mano; porque yo corté el borde de tu manto, y no te maté. Conoce, pues, y ve que no *hay* mal ni traición en mi mano, ni he pecado contra ti; con todo, tú andas a caza de mi vida para quitármela.

12 Juzgue Jehová entre tú y yo, y véngueme de ti Jehová; pero mi mano no será contra ti.

13 Como dice el proverbio de los antiguos: De los impíos saldrá la impiedad: así que mi mano no será contra ti.

14 ¿Tras quién ha salido el rey de Israel? ¿A quién persigues? ¿A un perro muerto? ¿A una pulga?

15 Jehová, pues, será Juez, y Él juzgará entre tú y yo. Él vea, y sustente mi causa, y me defienda de tu mano.

16 Y aconteció que, cuando David acabó de decir estas palabras a Saúl, Saúl dijo: ¿No es ésta la voz tuya, hijo mío David? Y alzando Saúl su voz lloró.

17 Y dijo a David: Más justo *eres* tú que yo, pues me has pagado con bien, habiéndote yo pagado con mal.

18 Tú me has mostrado hoy que has hecho conmigo bien; pues no me has dado muerte, habiéndome entregado Jehová en tus manos.

19 Porque ¿quién hallará a su enemigo, y lo dejará ir sano y salvo? Jehová te pague con bien por lo que en este día has hecho conmigo.

20 Y ahora, como yo entiendo que tú has de reinar, y que el reino de Israel ha de ser en tu mano firme y estable;

21 júrame, pues, ahora por Jehová, que no cortarás mi simiente después de mí, ni raerás mi nombre de la casa de mi padre.

22 Entonces David juró a Saúl. Y se fue Saúl a su casa, y David y sus hombres se subieron a la fortaleza.

CAPÍTULO 25

Y murió Samuel, y se reunió todo Israel, y lo lloraron, y lo sepultaron en su casa en Ramá. Y se levantó David, y se fue al desierto de Parán.

2 Y había un hombre en Maón que *tenía* su hacienda en el Carmelo, el cual *era* muy rico, y tenía tres mil ovejas y mil cabras. Y esquilaba sus ovejas en el Carmelo.

3 El nombre de aquel varón *era* Nabal, y el nombre de su esposa, Abigail. Y *era* aquella mujer de buen entendimiento y de hermosa apariencia; mas el hombre *era* duro y de malas obras; y *era* del linaje de Caleb.

4 Y oyó David en el desierto que Nabal esquilaba sus ovejas.

5 Entonces David envió diez jóvenes, y les dijo: Subid al Carmelo, e id a Nabal, y saludadle en mi nombre.

6 Y decid a aquél que vive *en prosperidad*: Paz *sea* a ti, y paz a tu familia, y paz a todo cuanto tienes.

7 He sabido que tienes esquiladores. Ahora, a tus pastores que han estado con nosotros, nunca les hicimos daño, ni les faltó algo en todo el tiempo que han estado en el Carmelo.

8 Pregunta a tus criados, que ellos te lo dirán. Hallen, por tanto, estos jóvenes gracia en tus ojos, pues hemos venido en buen día; te ruego que des lo que tuvieres a mano a tus siervos, y a tu hijo David.

9 Y cuando llegaron los jóvenes de David, dijeron a Nabal todas estas palabras en nombre de David, y callaron.

10 Y Nabal respondió a los jóvenes de David, y dijo: ¿Quién *es* David? ¿Y quién *es* el hijo de Isaí? Muchos siervos hay hoy que huyen de sus señores.

11 ¿He de tomar yo ahora mi pan, mi agua, y mi carne que he matado y preparado para mis esquiladores, y *la* daré a hombres que no sé de dónde *son*?

12 Entonces los jóvenes de David se volvieron por su camino, y regresaron; y vinieron y dijeron a David todas estas palabras.

13 Entonces David dijo a sus hombres: Cíñase cada uno su espada. Y se ciñó cada uno su espada; también David ciñó su

espada; y subieron tras David como cuatrocientos hombres, y dejaron doscientos con el bagaje.

14 Y uno de los criados dio aviso a Abigail, esposa de Nabal, diciendo: He aquí David envió mensajeros desde el desierto que saludasen a nuestro amo, y él los ha zaherido.

15 Mas aquellos hombres *han sido* muy buenos con nosotros, y nunca nos han hecho daño, ni nos ha faltado nada en todo el tiempo que hemos convivido con ellos, cuando hemos estado en los campos.

16 Nos han sido por muro de día y de noche, todos los días que hemos estado con ellos apacentando las ovejas.

17 Ahora, pues, entiende y mira lo que has de hacer, porque el mal está del todo resuelto contra nuestro amo y contra toda su casa; pues él es *tan* hijo de Belial, que no hay quien pueda hablarle.

18 Entonces Abigail tomó luego doscientos panes, y dos odres de vino, y cinco ovejas guisadas, y cinco medidas de grano tostado, y cien tortas de pasas, y doscientos panes de higos secos, y *los* cargó en asnos.

19 Y dijo a sus jóvenes: Id delante de mí, que yo os seguiré luego. Pero nada declaró a su marido Nabal.

20 Y sentándose sobre un asno descendió por una parte secreta del monte, y he aquí David y sus hombres que venían frente a ella, y ella fue a encontrarles.

21 Y David había dicho: Ciertamente en vano he guardado todo lo que éste tiene en el desierto, sin que nada le haya faltado de todo cuanto es suyo; y él me ha vuelto mal por bien.

22 Así haga Dios, y así añada a los enemigos de David, que de aquí al amanecer no he de dejar ni a un meante a la pared, de todos los que le *pertenecen*.

23 Y cuando Abigail vio a David, se bajó del asno apresuradamente, y postrándose sobre su rostro delante de David, se inclinó a tierra.

24 Y se echó a sus pies, y dijo: Señor mío, *sobre* mí *sea* el pecado; mas te ruego que permitas que tu sierva hable a tus oídos, y oye las palabras de tu sierva.

25 No haga caso mi señor de este hombre de Belial, Nabal; porque conforme a su nombre, así *es* él. Se llama Nabal, y la insensatez *está* con él; mas yo tu sierva no vi los criados de mi señor, los cuales tú enviaste.

26 Ahora pues, señor mío, vive Jehová y vive tu alma, que Jehová te ha estorbado que *vinieses* a derramar sangre, y vengarte por tu propia mano. Sean, pues, como Nabal tus enemigos, y todos los que procuran mal contra mi señor.

27 Y ahora esta bendición que tu sierva ha traído a mi señor, se dé a los jóvenes que siguen a mi señor.

28 Y yo te ruego que perdones a tu sierva esta ofensa; pues Jehová de cierto hará casa firme a mi señor, por cuanto mi señor pelea las batallas de Jehová, y mal no se ha hallado en ti en tus días.

29 Bien que alguien se haya levantado a perseguirte y atentar contra tu vida, con todo, el alma de mi señor será ligada en el fajo de los que viven con Jehová tu Dios, y Él arrojará el alma de tus enemigos como de en medio de la palma de una honda.

30 Y acontecerá que cuando Jehová hiciere con mi señor conforme a todo el bien que Él ha hablado acerca de ti, y te establezca por príncipe sobre Israel,

31 entonces, señor mío, no te será esto en tropiezo y turbación de corazón, el que hayas derramado sangre sin causa, o que mi señor se haya vengado por sí mismo. Guárdese, pues, mi señor, y cuando Jehová hiciere bien a mi señor, acuérdate de tu sierva.

32 Y dijo David a Abigail: Bendito *sea* Jehová Dios de Israel, que te envió para que hoy me encontrases.

33 Y bendito *sea* tu razonamiento, y bendita tú, que me has estorbado hoy de ir a derramar sangre, y de vengarme por mi propia mano.

34 Porque, vive Jehová Dios de Israel que me ha detenido de hacerte mal, que si no te hubieras dado prisa en venir a mi encuentro, de aquí al amanecer no le habría quedado a Nabal meante a la pared.

35 Y recibió David de su mano lo que le había traído, y le dijo: Sube en paz

a tu casa, y mira que he oído tu voz, y te he tenido respeto.

36 Y Abigail regresó a Nabal, y he aquí que él tenía banquete en su casa, como banquete de rey; y el corazón de Nabal *estaba* alegre en él, y *estaba* muy borracho; por lo que ella no le declaró poco ni mucho, hasta que vino el día siguiente.

37 Pero sucedió que por la mañana, cuando el vino había salido de Nabal, su esposa le refirió estas cosas; y desfalleció su corazón en él, y se quedó *como* una piedra.

38 Y pasados diez días Jehová hirió a Nabal, y murió.

39 Y cuando David oyó que Nabal había muerto, dijo: Bendito sea Jehová que juzgó la causa de mi afrenta recibida de la mano de Nabal, y ha preservado del mal a su siervo; y Jehová ha tornado la maldad de Nabal sobre su propia cabeza. Después envió David a hablar a Abigail, para tomarla por su esposa.

40 Y los jóvenes de David vinieron a Abigail al Carmelo, y hablaron con ella, diciendo: David nos ha enviado a ti, para tomarte por su esposa.

41 Y ella se levantó, e inclinó su rostro a tierra, diciendo: He aquí tu sierva, para que *sea* sierva que lave los pies de los siervos de mi señor.

42 Y levantándose aprisa Abigail con cinco doncellas que la seguían, se montó en un asno, y siguió a los mensajeros de David, y fue su esposa.

43 También tomó David a Ahinoam de Jezreel, y ambas dos fueron sus esposas.

44 Porque Saúl había dado su hija Mical esposa de David, a Palti hijo de Lais, que *era* de Galim.

CAPÍTULO 26

Y vinieron los zifeos a Saúl en Gabaa, diciendo: ¿No está David escondido en el collado de Haquila, que *está* frente a Jesimón?

2 Saúl entonces se levantó, y descendió al desierto de Zif, llevando consigo tres mil hombres escogidos de Israel, para buscar a David en el desierto de Zif.

3 Y acampó Saúl en el collado de Haquila, que está delante del desierto junto al camino. Y estaba David en el desierto, y entendió que Saúl le seguía en el desierto.

4 David por tanto envió espías, y entendió por cierto que Saúl había venido.

5 Y se levantó David, y vino al sitio donde Saúl había acampado; y miró David el lugar donde dormía Saúl, y Abner hijo de Ner, general de su ejército. Y estaba Saúl durmiendo en la trinchera, y el pueblo estaba acampado en derredor de él.

6 Entonces habló David, y requirió a Ahimelec heteo, y a Abisai, hijo de Sarvia, hermano de Joab, diciendo: ¿Quién descenderá conmigo a Saúl al campamento? Y dijo Abisai: Yo descenderé contigo.

7 David, pues, y Abisai vinieron de noche al pueblo; y he aquí Saúl que estaba tendido durmiendo en la trinchera, y su lanza clavada en tierra a su cabecera; y Abner y el pueblo estaban tendidos alrededor de él.

8 Entonces dijo Abisai a David: Hoy ha entregado Dios a tu enemigo en tu mano; ahora pues, déjame que lo hiera con la lanza, cosiéndole en la tierra de un golpe, y no segundaré.

9 Y David respondió a Abisai: No le mates; porque ¿quién extenderá su mano contra el ungido de Jehová, y será inocente?

10 Dijo además David: Vive Jehová, que si Jehová no lo hiriere, o que su día llegue para que muera, o que descendiendo en batalla perezca;

11 guárdeme Jehová de extender mi mano contra el ungido de Jehová. Pero toma ahora la lanza que *está* a su cabecera, y la botija del agua y vámonos.

12 Se llevó, pues, David la lanza y la botija de agua de la cabecera de Saúl, y se fueron; y no hubo nadie que viese, ni entendiese, ni velase, pues todos dormían; porque un profundo sueño enviado de Jehová había caído sobre ellos.

13 Entonces David pasó al otro lado, y se puso en la cumbre del monte, a lo lejos, *habiendo* gran distancia entre ellos;

14 Y dio voces David al pueblo, y a Abner hijo de Ner, diciendo: ¿No respondes, Abner? Entonces Abner

respondió y dijo: ¿Quién *eres* tú *que* gritas al rey?

15 Y dijo David a Abner: ¿No *eres* tú un hombre *valiente*? ¿Y quién hay como tú en Israel? ¿Por qué, pues, no has guardado al rey tu señor? Porque uno del pueblo ha entrado a matar a tu señor el rey.

16 Esto que has hecho no *está* bien. Vive Jehová, que sois dignos de muerte, que no habéis guardado a vuestro señor, al ungido de Jehová. Mira ahora dónde *está* la lanza del rey, y la botija del agua que *estaba* a su cabecera.

17 Y conociendo Saúl la voz de David, dijo: ¿No *es* ésta tu voz, hijo mío David? Y David respondió: Mi voz *es*, rey señor mío.

18 Y dijo: ¿Por qué persigue así mi señor a su siervo? ¿Qué he hecho? ¿Qué mal hay en mi mano?

19 Ruego, pues, que el rey mi señor oiga ahora las palabras de su siervo. Si Jehová te incita contra mí, acepte Él una ofrenda; mas si *fueren* hijos de hombres, malditos *sean* ellos en presencia de Jehová, porque me han echado hoy para que no tenga parte en la heredad de Jehová, diciendo: Ve, sirve a dioses ajenos.

20 No caiga, pues, ahora mi sangre en tierra delante de Jehová, porque ha salido el rey de Israel a buscar una pulga, así como quien persigue una perdiz por los montes.

21 Entonces dijo Saúl: He pecado: vuélvete, hijo mío David, que ningún mal te haré más, pues que mi vida ha sido estimada hoy en tus ojos. He aquí, yo he hecho neciamente, y he errado en gran manera.

22 Y David respondió, y dijo: He aquí la lanza del rey; pase acá uno de los criados, y tómela.

23 Y Jehová pague a cada uno su justicia y su lealtad; pues Jehová te había entregado hoy en mi mano, mas yo no quise extender mi mano sobre el ungido de Jehová.

24 Y he aquí, como tu vida ha sido estimada hoy en mis ojos, así sea mi vida estimada en los ojos de Jehová, y me libre de toda aflicción.

25 Y Saúl dijo a David: Bendito *eres* tú, hijo mío David; sin duda ejecutarás tú grandes empresas, y prevalecerás. Entonces David se fue su camino, y Saúl se volvió a su lugar.

CAPÍTULO 27

Y dijo David en su corazón: Al fin seré muerto algún día por la mano de Saúl; por tanto, nada me será mejor que fugarme a la tierra de los filisteos, para que Saúl se deje de mí, y no me ande buscando más por todos los términos de Israel, y así me escaparé de sus manos.

2 Se levantó, pues, David, y con los seiscientos hombres que *tenía* consigo se pasó a Aquís hijo de Maoc, rey de Gat.

3 Y moró David con Aquís en Gat, él y sus hombres, cada uno con su familia: David con sus dos esposas, Ahinoam jezreelita, y Abigail, la que fue esposa de Nabal el del Carmelo.

4 Y vino la nueva a Saúl que David se había huido a Gat, y no lo buscó más.

5 Y David dijo a Aquís: Si he hallado ahora gracia en tus ojos, séame dado lugar en algunas de las ciudades de la tierra, donde habite; porque ¿ha de morar tu siervo contigo en la ciudad real?

6 Y Aquís le dio aquel día a Siclag. De aquí fue Siclag de los reyes de Judá hasta hoy.

7 Y fue el número de los días que David habitó en la tierra de los filisteos, un año y cuatro meses.

8 Y subía David con sus hombres, y hacían incursiones contra los gesuritas, y gezritas, y los amalecitas; porque éstos habitaban la tierra desde tiempos antiguos, desde como quien va a Shur hasta la tierra de Egipto.

9 Y hería David el país, y no dejaba con vida hombre ni mujer: y se llevaba las ovejas y las vacas y los asnos y los camellos y las ropas; y venía y regresaba a Aquís.

10 Y decía Aquís: ¿Contra quién habéis invadido hoy? Y David decía: Contra el sur de Judá, y contra el sur de los jerameelitas, y contra el sur de los cineos.

11 Ni hombre ni mujer dejaba David con vida, que viniese a Gat, diciendo: Porque no den aviso de nosotros,

diciendo: Esto hizo David. Y ésta *era* su costumbre todo el tiempo que moró en tierra de los filisteos.

12 Y Aquís creía a David, diciendo así: Él ha hecho que su pueblo de Israel le aborrezca; por tanto será mi siervo para siempre.

CAPÍTULO 28

Y aconteció que en aquellos días los filisteos reunieron sus tropas para pelear contra Israel. Y dijo Aquís a David: Sabe de cierto que has de salir conmigo a campaña, tú y tus hombres.

2 Y David respondió a Aquís: Ciertamente tú sabrás lo que tu siervo puede hacer. Y Aquís dijo a David: Por tanto te haré guarda de mi cabeza para siempre.

3 Ya Samuel había muerto, y todo Israel lo había lamentado, y le habían sepultado en Ramá, en su ciudad. Y Saúl había echado de la tierra los encantadores y adivinos.

4 Y los filisteos se juntaron, y vinieron y acamparon en Sunem: y Saúl juntó a todo Israel, y acamparon en Gilboa.

5 Y cuando Saúl vio el campamento de los filisteos, temió, y se turbó su corazón en gran manera.

6 Y consultó Saúl a Jehová; pero Jehová no le respondió, ni por sueños, ni por Urim, ni por profetas.

7 Entonces Saúl dijo a sus criados: Buscadme una mujer pitonisa, para que yo vaya a ella, y por medio de ella pregunte. Y sus criados le respondieron: He aquí *hay* una mujer en Endor que tiene espíritu de pitonisa.

8 Y Saúl se disfrazó poniéndose otra ropa, y se fue con dos hombres, y vinieron de noche a aquella mujer; y él dijo: Yo te ruego que me adivines por el espíritu de pitón, y me hagas subir a quien yo te dijere.

9 Y la mujer le dijo: He aquí tú sabes lo que Saúl ha hecho, cómo ha quitado de la tierra a los que tienen espíritu de pitonisa y a los adivinos: ¿Por qué, pues, pones tropiezo a mi vida, para hacerme morir?

10 Entonces Saúl le juró por Jehová, diciendo: Vive Jehová, que ningún mal te vendrá por esto.

11 La mujer entonces dijo: ¿A quién te haré venir? Y él respondió: Hazme venir a Samuel.

12 Y viendo la mujer a Samuel, clamó en alta voz, y habló aquella mujer a Saúl, diciendo: ¿Por qué me has engañado? Pues tú eres Saúl.

13 Y el rey le dijo: No temas: ¿Qué has visto? Y la mujer respondió a Saúl: He visto dioses que suben de la tierra.

14 Y él le dijo: ¿Cuál *es* su forma? Y ella respondió: Un hombre anciano viene, cubierto de un manto. Saúl entonces entendió que *era* Samuel, y humillando el rostro a tierra, hizo gran reverencia.

15 Y Samuel dijo a Saúl: ¿Por qué me has inquietado haciéndome venir? Y Saúl respondió: Estoy muy congojado; pues los filisteos pelean contra mí, y Dios se ha apartado de mí, y no me responde más, ni por mano de profetas, ni por sueños: por esto te he llamado, para que me declares qué tengo que hacer.

16 Entonces Samuel dijo: ¿Y para qué me preguntas a mí, habiéndose apartado de ti Jehová, y es tu enemigo?

17 Jehová, pues, ha hecho como habló por medio de mí; pues Jehová ha cortado el reino de tu mano, y lo ha dado a tu compañero David.

18 Como tú no obedeciste a la voz de Jehová, ni cumpliste el furor de su ira sobre Amalec, por eso Jehová te ha hecho esto hoy.

19 Y Jehová entregará a Israel también contigo en manos de los filisteos; y mañana *estaréis* conmigo, tú y tus hijos; y aun el campamento de Israel entregará Jehová en manos de los filisteos.

20 En aquel punto cayó Saúl en tierra cuan grande era, y tuvo gran temor por las palabras de Samuel; y estaba sin fuerzas, porque en todo aquel día y aquella noche no había comido pan.

21 Entonces la mujer vino a Saúl, y viéndole en grande manera turbado, le dijo: He aquí que tu sierva ha obedecido a tu voz, y he puesto mi vida en mi mano, y he oído las palabras que tú me has dicho.

22 Te ruego, pues, que tú también

oigas la voz de tu sierva. Pondré yo delante de ti un bocado de pan para que comas, y cobres fuerzas, y sigas tu camino.

23 Y él lo rehusó, diciendo: No comeré. Mas sus criados juntamente con la mujer le constriñeron, y él los obedeció. Se levantó, pues, del suelo, y se sentó sobre una cama.

24 Y aquella mujer tenía en su casa un ternero grueso, el cual mató luego; y tomó harina y la amasó, y coció de ella panes sin levadura.

25 Y lo trajo delante de Saúl y de sus criados; y luego que hubieron comido, se levantaron, y partieron aquella noche.

CAPÍTULO 29

Y los filisteos reunieron todas sus tropas en Afec; e Israel acampó junto a la fuente que *está* en Jezreel.

2 Y cuando los príncipes de los filisteos pasaban revista a sus compañías de a ciento y de a mil hombres, David y sus hombres iban en la retaguardia con Aquís.

3 Y dijeron los príncipes de los filisteos: ¿Qué *hacen aquí* estos hebreos? Y Aquís respondió a los príncipes de los filisteos: ¿No *es* éste David, el siervo de Saúl rey de Israel, que ha estado conmigo algunos días o algunos años, y no he hallado falta en él desde el día que se pasó a mí hasta hoy?

4 Entonces los príncipes de los filisteos se enojaron contra él, y le dijeron: Envía a este hombre, que se vuelva al lugar que le señalaste, y no venga con nosotros a la batalla, no sea que en la batalla se nos vuelva enemigo; porque ¿con qué cosa volvería mejor a la gracia de su señor que con las cabezas de estos hombres?

5 ¿No *es* éste David de quien cantaban con danzas, diciendo: Saúl mató a sus miles, y David a sus diez miles?

6 Y Aquís llamó a David, y le dijo: Vive Jehová, que tú has sido recto, y que me ha parecido bien tu salida y entrada en el campamento conmigo, y que ninguna cosa mala he hallado en ti desde el día que viniste a mí

hasta hoy; pero en los ojos de los príncipes no agradas.

7 Vuélvete, pues, y vete en paz; y no hagas lo malo en los ojos de los príncipes de los filisteos.

8 Y David respondió a Aquís: ¿Qué he hecho? ¿Qué has hallado en tu siervo desde el día que estoy contigo hasta hoy, para que yo no vaya y pelee contra los enemigos de mi señor el rey?

9 Y Aquís respondió a David, y dijo: Yo sé que tú *eres* bueno ante mis ojos, como un ángel de Dios; mas los príncipes de los filisteos han dicho: No venga con nosotros a la batalla.

10 Levántate, pues, muy de mañana, tú y los siervos de tu señor que han venido contigo; y temprano en la mañana, cuando os levantéis, al amanecer, partid.

11 Y David se levantó muy de mañana, él y los suyos, para irse y regresar a la tierra de los filisteos; y los filisteos subieron a Jezreel.

CAPÍTULO 30

Y cuando David y sus hombres vinieron a Siclag el tercer día, los de Amalec habían invadido el sur, y a Siclag, y habían asolado a Siclag y la habían puesto a fuego.

2 Y se habían llevado cautivas a las mujeres que *estaban* en ella. Pero no mataron a nadie, ni pequeño ni grande, sino se los habían llevado, y siguieron su camino.

3 Vino, pues, David con sus hombres a la ciudad, y he aquí que *estaba* quemada a fuego, y sus esposas y sus hijos e hijas habían sido llevados cautivos.

4 Entonces David y la gente que con él *estaba* alzaron su voz y lloraron, hasta que les faltaron las fuerzas para llorar.

5 Las dos esposas de David, Ahinoam jezreelita y Abigail la que fue esposa de Nabal del Carmelo, también eran cautivas.

6 Y David fue muy angustiado, porque el pueblo hablaba de apedrearlo; porque todo el pueblo estaba con ánimo amargo, cada uno por sus hijos y por sus hijas. Pero David se fortaleció en Jehová su Dios.

7 Y dijo David al sacerdote Abiatar hijo de Ahimelec: Yo te ruego que me acerques el efod. Y Abiatar acercó el efod a David.

8 Y David consultó a Jehová, diciendo: ¿Seguiré esta tropa? ¿La podré alcanzar? Y Él le dijo: Síguela que de cierto la alcanzarás, y sin duda recobrarás *todo*.

9 Partió, pues, David, él y los seiscientos hombres que con él *estaban*, y vinieron hasta el torrente de Besor, donde se quedaron algunos.

10 Y David siguió el alcance con cuatrocientos hombres; porque se quedaron atrás doscientos, que cansados no pudieron pasar el torrente de Besor.

11 Y hallaron en el campo a un hombre egipcio, el cual trajeron a David, y le dieron pan, y comió, y le dieron a beber agua;

12 le dieron también un pedazo de masa de higos secos, y dos tortas de pasas. Y luego que comió, volvió en él su espíritu; porque no había comido pan ni bebido agua en tres días y tres noches.

13 Y le dijo David: ¿De quién *eres* tú? ¿Y de dónde *eres*? Y respondió el joven egipcio: Yo soy siervo de un amalecita; y me abandonó mi amo porque caí enfermo hace tres días.

14 Hicimos una incursión *en* la parte del sur de los cereteos, y en Judá, y en el sur de Caleb; y pusimos fuego a Siclag.

15 Y David le dijo: ¿Me llevarás tú a esa tropa? Y él dijo: Júrame por Dios que no me matarás, ni me entregarás en las manos de mi amo, y yo te llevaré a esa gente.

16 Lo llevó, pues, y he aquí que *estaban* desparramados sobre la faz de toda aquella tierra, comiendo y bebiendo y danzando, por todo aquel gran botín que habían tomado de la tierra de los filisteos y de la tierra de Judá.

17 Y los hirió David desde aquella mañana hasta la tarde del día siguiente; y ninguno de ellos escapó, sino cuatrocientos jóvenes que montaron en camellos y huyeron.

18 Y David recobró todo lo que los amalecitas habían tomado, y también rescató David a sus dos esposas.

19 Y no les faltó cosa chica ni grande, así de hijos como de hijas, del robo, y de todas las cosas que les habían tomado. Todo lo recobró David.

20 Tomó también David todas las ovejas y ganados mayores; y trayéndolo todo delante, decían: Éste es el botín de David.

21 Y vino David a los doscientos hombres que habían quedado cansados y no habían podido seguir a David, a los cuales habían hecho quedar en el torrente de Besor; y ellos salieron a recibir a David, y al pueblo que con él *estaba*. Y cuando David llegó a la gente, les saludó con paz.

22 Entonces todos los hombres perversos, de Belial, de entre los que habían ido con David, respondieron y dijeron: Porque no fueron con nosotros, no les daremos del despojo que hemos quitado, sino a cada uno su esposa y sus hijos; para que se los lleven y se vayan.

23 Y David dijo: No hagáis eso, hermanos míos, de lo que nos ha dado Jehová; el cual nos ha guardado, y ha entregado en nuestras manos la caterva que vino sobre nosotros.

24 ¿Y quién os escuchará en este caso? Porque igual parte ha de ser la del que desciende a la batalla, y la del que queda con el bagaje; que repartan por igual.

25 Y desde aquel día en adelante fue esto puesto por ley y ordenanza en Israel, hasta hoy.

26 Y cuando David llegó a Siclag, envió el despojo a los ancianos de Judá, sus amigos, diciendo: He aquí un presente para vosotros, del despojo de los enemigos de Jehová.

27 *También envió* a los que *estaban* en Betel, y en Ramot al sur, y a los que *estaban* en Jatir;

28 y a los que *estaban* en Aroer, y en Sifmot, y a los que *estaban* en Estemoa;

29 y a los que *estaban* en Racal, y a los que *estaban* en las ciudades de los jerameelitas, y a los que *estaban* en las ciudades del cineo;

30 y a los que *estaban* en Horma, y a los que *estaban* en Corasán, y a los que estaban en Atac;

31 y a los que *estaban* en Hebrón, y en todos los lugares donde David había estado con los suyos.

CAPÍTULO 31

Los filisteos, pues, pelearon contra Israel, y los de Israel huyeron delante de los filisteos, y cayeron muertos en el monte de Gilboa.

2 Y siguiendo los filisteos a Saúl y a sus hijos, mataron a Jonatán, y a Abinadab, y a Malquisúa, hijos de Saúl.

3 Y arreció la batalla contra Saúl, y los arqueros le alcanzaron; y fue gravemente herido por los arqueros.

4 Entonces dijo Saúl a su escudero: Saca tu espada, y traspásame con ella, no sea que vengan estos incircuncisos y me traspasen, y me escarnezcan. Mas su escudero no quería, porque tenía gran temor. Entonces Saúl tomó la espada, y se echó sobre ella.

5 Y viendo su escudero que Saúl estaba muerto, él también se echó sobre su espada, y murió con él.

6 Así murió Saúl en aquel día, juntamente con sus tres hijos, y su escudero, y todos sus varones.

7 Y los de Israel que *estaban* al otro lado del valle, y al otro lado del Jordán, viendo que Israel había huido, y que Saúl y sus hijos estaban muertos, dejaron las ciudades y huyeron; y los filisteos vinieron y habitaron en ellas.

8 Y aconteció el siguiente día, que viniendo los filisteos a despojar a los muertos, hallaron a Saúl y a sus tres hijos tendidos en el monte de Gilboa;

9 Y le cortaron la cabeza, y le despojaron de sus armas; y enviaron *mensajeros* por toda la tierra de los filisteos, para que lo publicaran en el templo de sus ídolos, y en el pueblo.

10 Y pusieron sus armas en el templo de Astarot, y colgaron su cuerpo en el muro de Bet-seán.

11 Mas oyendo los de Jabes de Galaad esto que los filisteos hicieron a Saúl,

12 todos los hombres valientes se levantaron, y anduvieron toda aquella noche, y quitaron el cuerpo de Saúl y los cuerpos de sus hijos del muro de Bet-seán; y viniendo a Jabes, los quemaron allí.

13 Y tomando sus huesos, *los* sepultaron debajo de un árbol en Jabes, y ayunaron siete días.

Libro Segundo De
SAMUEL

CAPÍTULO 1

Y aconteció después de la muerte de Saúl, que vuelto David de derrotar a los amalecitas, estuvo dos días en Siclag,

2 Y al tercer día, aconteció que vino uno del campamento de Saúl, rotas sus vestiduras, y tierra sobre su cabeza; y llegando a David, se postró en tierra, e hizo reverencia.

3 Y le preguntó David: ¿De dónde vienes? Y él respondió: Me he escapado del campamento de Israel.

4 Y David le dijo: ¿Qué ha acontecido? Te ruego que me lo digas. Y él respondió: El pueblo huyó de la batalla, y también muchos del pueblo cayeron y son muertos; también Saúl y Jonatán su hijo murieron.

5 Y dijo David a aquel joven que le daba las nuevas: ¿Cómo sabes que han muerto Saúl y Jonatán su hijo?

6 Y el joven que le daba las nuevas respondió: Casualmente vine al monte de Gilboa, y hallé a Saúl que estaba recostado sobre su lanza, y venían tras él carros y gente de a caballo.

7 Y cuando él miró hacia atrás, me vio y me llamó; y yo dije: Heme aquí.

8 Y él me dijo: ¿Quién *eres* tú? Y yo le respondí: Soy amalecita.

9 Y él me volvió a decir: Yo te ruego que te pongas sobre mí, y me mates, porque se ha apoderado de mí la angustia, y mi vida aún está toda en mí.

10 Yo entonces me puse sobre él, y lo maté, porque sabía que no podía vivir después de su caída; y tomé la corona

que *tenía* en su cabeza, y el brazalete que *traía* en su brazo, y los he traído acá a mi señor.

11 Entonces David trabando de sus vestiduras, las rasgó; y lo mismo hicieron los hombres que *estaban* con él.

12 Y lloraron y lamentaron, y ayunaron hasta la tarde, por Saúl y por Jonatán su hijo, por el pueblo de Jehová y por la casa de Israel, porque habían caído a espada.

13 Y David dijo a aquel joven que le había traído las nuevas: ¿De dónde *eres* tú? Y él respondió: Yo soy hijo de un extranjero, amalecita.

14 Y le dijo David: ¿Cómo no tuviste temor de extender tu mano para matar al ungido de Jehová?

15 Entonces llamó David a uno de los jóvenes, y le dijo: Acércate y mátalo. Y él lo hirió, y murió.

16 Y David le dijo: Tu sangre *sea* sobre tu cabeza, pues que tu boca atestiguó contra ti, diciendo: Yo maté al ungido de Jehová.

17 Y endechó David a Saúl y a Jonatán su hijo con esta endecha.

18 (Dijo también que enseñasen *a usar* el arco a los hijos de Judá. He aquí que *está* escrito en el libro de Jaser).

19 ¡Ha perecido la gloria de Israel sobre tus alturas! ¡Cómo han caído los valientes!

20 No *lo* anunciéis en Gat, no deis las nuevas en las plazas de Ascalón; para que no se alegren las hijas de los filisteos, para que no salten de gozo las hijas de los incircuncisos.

21 Montes de Gilboa, ni rocío ni lluvia *caiga* sobre vosotros, ni seáis tierras de ofrendas; porque allí fue desechado el escudo de los valientes, el escudo de Saúl, *como si no hubiera sido* ungido con aceite.

22 Sin la sangre de los muertos, sin la grosura de valientes, el arco de Jonatán nunca volvió atrás, ni la espada de Saúl volvió vacía.

23 Saúl y Jonatán, amados y queridos en su vida, en su muerte tampoco fueron separados: Más ligeros que águilas, más fuertes que leones.

24 Hijas de Israel, llorad por Saúl, que os vestía de escarlata y delicadeza, que adornaba vuestras ropas con ornamentos de oro.

David es ungido rey sobre Judá

25 ¡Cómo han caído los valientes en medio de la batalla! ¡Jonatán, muerto en tus alturas!

26 Angustia tengo por ti, hermano mío Jonatán, que me fuiste muy dulce: Más maravilloso me fue tu amor, que el amor de las mujeres.

27 ¡Cómo han caído los valientes, y han perecido las armas de guerra!

CAPÍTULO 2

Después de esto aconteció que David consultó a Jehová, diciendo: ¿Subiré a alguna de las ciudades de Judá? Y Jehová le respondió: Sube. Y David volvió a decir: ¿A dónde subiré? Y Él le dijo: A Hebrón.

2 Y David subió allá, y con él sus dos esposas, Ahinoam jezreelita y Abigail, la esposa de Nabal el del Carmelo.

3 Y llevó también David consigo los hombres que con él *habían estado*, cada uno con su familia; los cuales moraron en las ciudades de Hebrón.

4 Y vinieron los varones de Judá, y ungieron allí a David por rey sobre la casa de Judá. Y dieron aviso a David, diciendo: Los de Jabes de Galaad son los que sepultaron a Saúl.

5 Y envió David mensajeros a los de Jabes de Galaad, diciéndoles: Benditos *seáis* vosotros de Jehová, que habéis hecho esta misericordia con vuestro señor Saúl en haberle dado sepultura.

6 Ahora pues, Jehová haga con vosotros misericordia y verdad; y yo también os haré bien por esto que habéis hecho.

7 Esfuércense, pues, ahora vuestras manos, y sed valientes; pues que muerto Saúl vuestro señor, los de la casa de Judá me han ungido por rey sobre ellos.

8 Mas Abner hijo de Ner, general de ejército de Saúl, tomó a Isboset hijo de Saúl, y lo llevó a Mahanaim,

9 y lo hizo rey sobre Galaad, y sobre Aser, y sobre Jezreel, y sobre Efraín, y sobre Benjamín, y sobre todo Israel.

10 De cuarenta años *era* Isboset hijo de Saúl, cuando comenzó a reinar sobre Israel; y reinó dos años. Pero la casa de Judá siguió a David.

11 Y fue el número de los días que David reinó en Hebrón sobre la casa de Judá, siete años y seis meses.

12 Y Abner hijo de Ner salió de Mahanaim a Gabaón con los siervos de Isboset hijo de Saúl.

13 Y Joab hijo de Sarvia, y los siervos de David, salieron y los encontraron junto al estanque de Gabaón: y se sentaron los unos a un lado del estanque, y los otros al otro lado del estanque.

14 Y dijo Abner a Joab: Levántense ahora los jóvenes, y maniobren delante de nosotros. Y Joab respondió: Levántense.

15 Entonces se levantaron, y en número de doce, pasaron de Benjamín de la parte de Isboset hijo de Saúl; y doce de los siervos de David.

16 Y cada uno echó mano de la cabeza de su compañero, y *metió* su espada por el costado de su compañero, cayendo así a una; por lo que fue llamado aquel lugar, Helcat-asurim, el cual *está* en Gabaón.

17 Y hubo aquel día una batalla muy recia, y Abner y los hombres de Israel fueron vencidos por los siervos de David.

18 Y estaban allí los tres hijos de Sarvia: Joab, y Abisai, y Asael. Este Asael *era tan* ligero de pies como una gacela del campo.

19 Y Asael persiguió a Abner, yendo tras de él sin apartarse ni a derecha ni a izquierda de seguir a Abner.

20 Y Abner miró atrás, y dijo: ¿No *eres* tú Asael? Y él respondió: Sí.

21 Entonces Abner le dijo: Apártate a la derecha o a la izquierda, y agárrate alguno de los jóvenes, y toma para ti sus despojos. Pero Asael no quiso apartarse de en pos de él.

22 Y Abner volvió a decir a Asael: Apártate de en pos de mí, porque te heriré derribándote en tierra, y después ¿cómo levantaré mi rostro a tu hermano Joab?

23 Y no queriendo él irse, lo hirió Abner con el regatón de la lanza por la quinta *costilla*, y le salió la lanza por la espalda, y cayó allí, y murió en aquel mismo sitio. Y todos los que pasaban por aquel lugar donde Asael había caído y muerto, se detenían.

24 Mas Joab y Abisai siguieron a Abner; y se puso el sol cuando llegaron al collado de Amma, que *está* delante de Gía, junto al camino del desierto de Gabaón.

25 Y se juntaron los hijos de Benjamín en un escuadrón con Abner, y se pararon en la cumbre del collado.

26 Y Abner dio voces a Joab, diciendo: ¿Consumirá la espada perpetuamente? ¿No sabes tú que al final será amargura? ¿Hasta cuándo no has de decir al pueblo que se vuelvan de seguir a sus hermanos?

27 Y Joab respondió: Vive Dios que si no hubieras hablado, ya desde esta mañana el pueblo hubiera dejado de seguir a sus hermanos.

28 Entonces Joab tocó el cuerno, y todo el pueblo se detuvo, y no siguió más a los de Israel, ni peleó más.

29 Y Abner y sus hombres caminaron por el Arabá toda aquella noche, y pasando el Jordán cruzaron por todo Bitrón, y llegaron a Mahanaim.

30 Joab también volvió de seguir a Abner, y reuniendo a todo el pueblo, faltaron de los siervos de David diecinueve hombres, y Asael.

31 Mas los siervos de David hirieron de los de Benjamín y de los de Abner, a trescientos sesenta hombres, *los cuales* murieron.

32 Tomaron luego a Asael, y lo sepultaron en el sepulcro de su padre que *estaba* en Belén. Y caminaron toda aquella noche Joab y sus hombres, y les amaneció en Hebrón.

CAPÍTULO 3

Y hubo larga guerra entre la casa de Saúl y la casa de David; pero David se iba fortaleciendo, y la casa de Saúl se iba debilitando.

2 Y nacieron hijos a David en Hebrón; su primogénito fue Amnón, de Ahinoam jezreelita;

3 su segundo Quileab, de Abigail la esposa de Nabal, el carmelita; el tercero, Absalón, hijo de Maaca, hija de Talmai rey de Gesur;

4 el cuarto, Adonías hijo de Haguit; el quinto, Sefatías hijo de Abital;

5 el sexto, Itream, de Egla esposa de

David. Éstos nacieron a David en Hebrón.

6 Y como había guerra entre la casa de Saúl y la de David, aconteció que Abner se esforzaba por la casa de Saúl.

7 Y había tenido Saúl una concubina que se llamaba Rispa, hija de Aja. Y dijo Isboset a Abner: ¿Por qué has entrado a la concubina de mi padre?

8 Y se enojó Abner en gran manera por las palabras de Isboset, y dijo: ¿Soy yo cabeza de perro (que respecto a Judá he hecho hoy misericordia a la casa de Saúl tu padre, a sus hermanos, y a sus amigos, y no te he entregado en las manos de David), para que tú hoy me hagas cargo de pecado acerca de esta mujer?

9 Así haga Dios a Abner y aun le añada, si como ha jurado Jehová a David no hiciere yo así con él,

10 trasladando el reino de la casa de Saúl, y confirmando el trono de David sobre Israel y sobre Judá, desde Dan hasta Beerseba.

11 Y él no pudo responder palabra a Abner, porque le temía.

12 Y envió Abner mensajeros a David de su parte, diciendo: ¿De quién es la tierra? Y que le dijesen: Haz alianza conmigo, y he aquí que mi mano será contigo para volver a ti a todo Israel.

13 Y David dijo: Bien; yo haré alianza contigo; pero una cosa requiero de ti, y es: Que no mirarás mi rostro, a menos que primero traigas a Mical, la hija de Saúl, cuando vinieres a verme.

14 Y David envió mensajeros a Isboset hijo de Saúl, diciendo: Restitúyeme a mi esposa Mical, la cual yo desposé conmigo por cien prepucios de filisteos.

15 Entonces Isboset envió, y la quitó a su marido Paltiel, hijo de Lais.

16 Y su marido fue con ella, siguiéndola y llorando tras ella hasta Bahurim. Y le dijo Abner: Anda, vuélvete. Entonces él se volvió.

17 Y habló Abner con los ancianos de Israel, diciendo: Hace tiempo procurabais que David fuese rey sobre vosotros.

18 Ahora, pues, hacedlo; porque Jehová ha hablado a David, diciendo:

Por la mano de mi siervo David libraré a mi pueblo Israel de mano de los filisteos, y de mano de todos sus enemigos.

19 Y habló también Abner a los de Benjamín; y fue también Abner a Hebrón a decir a David todo lo que parecía bien a los de Israel y a toda la casa de Benjamín.

20 Vino pues Abner a David en Hebrón, y con él veinte hombres; y David hizo banquete a Abner y a los que con él habían venido.

21 Y dijo Abner a David: Yo me levantaré e iré, y juntaré a mi señor el rey a todo Israel, para que hagan alianza contigo, y tú reines como deseas. David despidió luego a Abner, y él se fue en paz.

22 Y he aquí los siervos de David y Joab, que venían de perseguir a un ejército, y traían consigo gran botín. Pero Abner no estaba con David en Hebrón, pues éste lo había despedido, y él se había ido en paz.

23 Y luego que llegó Joab y todo el ejército que con él estaba, fue dado aviso a Joab, diciendo: Abner hijo de Ner ha venido al rey, y él le ha despedido, y se fue en paz.

24 Entonces Joab vino al rey, y le dijo: ¿Qué has hecho? He aquí Abner vino a ti; ¿por qué, pues, tú lo despediste, y él ya se ha ido?

25 Tú conoces a Abner hijo de Ner, que vino para engañarte, y para saber tu salida y tu entrada, y para saber todo lo que tú haces.

26 Y saliendo Joab de delante de David, envió mensajeros tras Abner, los cuales le volvieron desde el pozo de Sira, sin que David lo supiera.

27 Y cuando Abner volvió a Hebrón, Joab lo apartó al medio de la puerta, hablando con él apaciblemente, y allí le hirió por la quinta costilla, a causa de la muerte de Asael su hermano, y murió.

28 Cuando David supo después esto, dijo: Inocente soy yo y mi reino, delante de Jehová, para siempre, de la sangre de Abner hijo de Ner.

29 Caiga sobre la cabeza de Joab, y sobre toda la casa de su padre; que nunca falte de la casa de Joab quien padezca flujo, ni leproso, ni quien

ande con báculo, ni quien muera a espada, ni quien tenga falta de pan.

30 Joab, pues, y Abisai su hermano mataron a Abner, porque él había dado muerte a Asael, hermano de ellos, en la batalla de Gabaón.

31 Entonces dijo David a Joab, y a todo el pueblo que con él *estaba*: Rasgad vuestras vestiduras, y ceñíos de cilicio, y haced duelo delante de Abner. Y el rey iba detrás del féretro.

32 Y sepultaron a Abner en Hebrón; y alzando el rey su voz, lloró junto al sepulcro de Abner; y lloró también todo el pueblo.

33 Y endechando el rey al mismo Abner, decía: ¿Había de morir Abner como muere un villano?

34 Tus manos no *estaban* atadas, ni tus pies ligados con grillos: Caíste como los que caen delante de malos hombres, *así* caíste. Y todo el pueblo volvió a llorar sobre él.

35 Y como todo el pueblo viniese a dar de comer pan a David siendo aún de día, David juró, diciendo: Así me haga Dios y así me añada, si antes que se ponga el sol gustare yo pan, u otra cualquier cosa.

36 Y todo el pueblo supo esto, y le agradó; porque todo lo que el rey hacía parecía bien a todo el pueblo.

37 Y todo el pueblo y todo Israel entendió aquel día, que no provenía del rey el matar a Abner, hijo de Ner.

38 Y el rey dijo a sus siervos: ¿No sabéis que un príncipe y grande ha caído hoy en Israel?

39 Y yo soy débil hoy, aunque ungido rey; y estos hombres, los hijos de Sarvia, son muy duros para mí; Jehová dé el pago al que mal hace, conforme a su maldad.

CAPÍTULO 4

Luego que oyó el hijo de Saúl que Abner había sido muerto en Hebrón, sus manos se le debilitaron, y fue atemorizado todo Israel.

2 Y el hijo de Saúl tenía dos varones, los cuales eran capitanes de compañía, el nombre de uno *era* Baana, y el del otro Recab, hijos de Rimón beerotita, de los hijos de Benjamín (porque Beerot era contada con Benjamín;

3 pues los beerotitas habían huido a Gitaim, y han sido peregrinos allí hasta hoy).

4 Y Jonatán, hijo de Saúl, tenía un hijo lisiado de los pies. Tenía cinco años de edad cuando la noticia de la muerte de Saúl y de Jonatán llegó de Jezreel, y su nodriza le tomó y huyó; y sucedió que cuando ella huía apresuradamente, *se le* cayó el niño y quedó cojo. Su nombre *era* Mefiboset.

5 Los hijos, pues, de Rimón beerotita, Recab y Baana, fueron y entraron en el mayor calor del día en casa de Isboset, el cual estaba durmiendo en su cámara a la siesta.

6 Y ellos entraron hasta el medio de la casa, *como que* iban a llevar trigo, y le hirieron en la quinta *costilla*. Y Recab y Baana su hermano escaparon.

7 Porque cuando entraron en la casa, él estaba en su cama en su cámara de dormir, y lo hirieron y mataron, y le cortaron la cabeza, y habiéndola tomado, caminaron toda la noche por el camino del Arabá.

8 Y trajeron la cabeza de Isboset a David en Hebrón, y dijeron al rey: He aquí la cabeza de Isboset hijo de Saúl tu enemigo, que procuraba matarte; y Jehová ha vengado hoy a mi señor el rey, de Saúl y de su simiente.

9 Y David respondió a Recab y a su hermano Baana, hijos de Rimón beerotita, y les dijo: Vive Jehová que ha redimido mi alma de toda angustia,

10 que cuando uno me dio nuevas, diciendo: He aquí Saúl es muerto, pensando que traía buenas nuevas, yo lo prendí, y le maté en Siclag en pago de la nueva.

11 ¿Cuánto más a los malos hombres que mataron a un hombre justo en su casa, y sobre su cama? Ahora pues, ¿no he de demandar yo su sangre de vuestras manos, y quitaros de la tierra?

12 Entonces David dio orden a sus jóvenes, y ellos los mataron, y les cortaron las manos y los pies, y *los* colgaron sobre el estanque, en Hebrón. Pero tomaron la cabeza de Isboset, y la enterraron en el sepulcro de Abner en Hebrón.

CAPÍTULO 5

Entonces vinieron todas las tribus de Israel a David en Hebrón y hablaron, diciendo: He aquí nosotros hueso tuyo y carne tuya somos.

2 Y aun antes de ahora, cuando Saúl reinaba sobre nosotros, tú eras quien sacaba y metía a Israel. Además Jehová te ha dicho: Tú apacentarás a mi pueblo Israel, y tú serás príncipe sobre Israel.

3 Vinieron, pues, todos los ancianos de Israel al rey en Hebrón, y el rey David hizo con ellos alianza en Hebrón delante de Jehová; y ungieron a David por rey sobre Israel.

4 Treinta años *tenía* David cuando comenzó a reinar, y reinó cuarenta años.

5 En Hebrón reinó sobre Judá siete años y seis meses, y en Jerusalén reinó treinta y tres años sobre todo Israel y Judá.

6 Y el rey y sus hombres fueron a Jerusalén a los jebuseos que habitaban en la tierra; los cuales hablaron a David, diciendo: Tú no entrarás acá, al menos que eches a los ciegos y a los cojos (pensando: No entrará acá David).

7 Pero David tomó la fortaleza de Sión, la cual *es* la ciudad de David.

8 Y dijo David aquel día: Cualquiera que vaya hasta los canales, y hiera al jebuseo, y a los cojos y ciegos, a los cuales el alma de David aborrece, *será capitán*. Por esto se dijo: Ni el ciego ni el cojo entrará en la casa.

9 Y David moró en la fortaleza y le puso por nombre la Ciudad de David. Y edificó alrededor, desde Milo hacia adentro.

10 Y David iba avanzando y engrandeciéndose, y Jehová Dios de los ejércitos *era* con él.

11 E Hiram rey de Tiro envió embajadores a David, y madera de cedro, y carpinteros, y canteros para los muros, y edificaron una casa a David.

12 Y entendió David que Jehová le había confirmado por rey sobre Israel, y que había enaltecido su reino por amor de su pueblo Israel.

13 Y tomó David más concubinas y esposas de Jerusalén después que

David es ungido rey sobre Israel

vino de Hebrón, y le nacieron más hijos e hijas.

14 Éstos *son* los nombres de los que le nacieron en Jerusalén: Samúa, Sobab, Natán, Salomón,

15 Ibhar, Elisúa, Nefeg, Jafía,

16 Elisama, Eliada y Elifelet.

17 Y oyendo los filisteos que habían ungido a David por rey sobre Israel, subieron todos los filisteos para buscar a David; y oyéndolo David, descendió a la fortaleza.

18 Y vinieron los filisteos, y se extendieron por el valle de Refaim.

19 Entonces consultó David a Jehová, diciendo: ¿Iré contra los filisteos? ¿Los entregarás en mis manos? Y Jehová respondió a David: Ve, porque ciertamente entregaré los filisteos en tus manos.

20 Y vino David a Baal-perazim, y allí los venció David, y dijo: Irrumpió Jehová contra mis enemigos delante de mí, como rompimiento de aguas. Y por esto llamó el nombre de aquel lugar Baal-perazim.

21 Y dejaron allí sus ídolos, y David y sus hombres los quemaron.

22 Y los filisteos volvieron a subir, y se extendieron en el valle de Refaim.

23 Y consultando David a Jehová, Él le respondió: No subas; sino rodéalos, y vendrás a ellos por delante de los árboles de moras.

24 Y cuando oyeres un estruendo que irá por las copas de los árboles de moras, entonces te moverás; porque Jehová saldrá delante de ti para herir al ejército de los filisteos.

25 Y David lo hizo así, como Jehová se lo había mandado; e hirió a los filisteos desde Gabaa hasta llegar a Gezer.

CAPÍTULO 6

Y David volvió a juntar a todos *los hombres* escogidos de Israel, treinta mil.

2 Y se levantó David, y fue con todo el pueblo que *tenía* consigo, de Baala de Judá, para hacer pasar de allí el arca de Dios, sobre la cual era invocado el nombre de Jehová de los ejércitos, que mora entre los querubines.

3 Y pusieron el arca de Dios sobre un carro nuevo, y la llevaron de la

casa de Abinadab, que *estaba* en Gabaa; y Uza y Ahío, hijos de Abinadab, guiaban el carro nuevo.

4 Y cuando lo llevaban de la casa de Abinadab que *estaba* en Gabaa, con el arca de Dios, Ahío iba delante del arca.

5 Y David y toda la casa de Israel danzaban delante de Jehová con toda clase de *instrumentos de* madera de abeto; con arpas, salterios, panderos, flautas y címbalos.

6 Y cuando llegaron a la era de Nacón, Uza extendió *su mano* al arca de Dios, y la sostuvo; porque los bueyes tropezaron.

7 Y el furor de Jehová se encendió contra Uza, y lo hirió allí Dios por *su* atrevimiento, y cayó allí muerto junto al arca de Dios.

8 Y David se disgustó por haber herido Jehová a Uza, y llamó aquel lugar Pérez-uza, hasta hoy.

9 Y temiendo David a Jehová aquel día, dijo: ¿Cómo ha de venir a mí el arca de Jehová?

10 Así que David no quiso traer a sí el arca de Jehová a la ciudad de David; mas la llevó David a casa de Obed-edom geteo.

11 Y estuvo el arca de Jehová en casa de Obed-edom geteo tres meses; y bendijo Jehová a Obed-edom y a toda su casa.

12 Y fue dado aviso al rey David, diciendo: Jehová ha bendecido la casa de Obed-edom, y todo lo que tiene, a causa del arca de Dios. Entonces David fue, y trajo con alegría el arca de Dios de casa de Obed-edom a la ciudad de David.

13 Y cuando los que llevaban el arca de Dios habían andado seis pasos, él sacrificó un buey y un carnero grueso.

14 Y David danzaba con toda su fuerza delante de Jehová; y David *estaba* vestido con un efod de lino.

15 Así David y toda la casa de Israel traían el arca de Jehová con júbilo y sonido de trompeta.

16 Y cuando el arca de Jehová llegó a la ciudad de David, aconteció que Mical hija de Saúl miró desde una ventana, y vio al rey David saltando y danzando delante de Jehová; y le menospreció en su corazón.

17 Metieron, pues, el arca de Jehová, y la pusieron en su lugar en medio de una tienda que David le había levantado: y sacrificó David holocaustos y ofrendas de paz delante de Jehová.

18 Y cuando David hubo acabado de ofrecer los holocaustos y ofrendas de paz, bendijo al pueblo en el nombre de Jehová de los ejércitos.

19 Y repartió a todo el pueblo, y a toda la multitud de Israel, así a hombres como a mujeres, a cada uno una torta de pan, y un pedazo *de carne*, y un frasco *de vino*. Y se fue todo el pueblo, cada uno a su casa.

20 Volvió luego David para bendecir su casa; y saliendo Mical a recibir a David, dijo: ¡Cuán honrado ha sido hoy el rey de Israel, descubriéndose hoy delante de las criadas de sus siervos, como se descubre un cualquiera!

21 Entonces David respondió a Mical: *Fue* delante de Jehová, quien me eligió en lugar de tu padre y de toda su casa, para constituirme por príncipe sobre el pueblo de Jehová, sobre Israel. Por tanto, danzaré delante de Jehová.

22 Y aun me haré más vil que esta vez, y seré bajo a mis propios ojos; y delante de las criadas que has mencionado, delante de ellas seré honrado.

23 Por tanto Mical hija de Saúl nunca tuvo hijos hasta el día de su muerte.

CAPÍTULO 7

Y aconteció que cuando ya el rey habitaba en su casa, después que Jehová le había dado reposo de todos sus enemigos en derredor,

2 dijo el rey al profeta Natán: Mira ahora, yo moro en edificios de cedro, y el arca de Dios está entre cortinas.

3 Y Natán dijo al rey: Anda, y haz todo lo que *está* en tu corazón, porque Jehová *es* contigo.

4 Y aconteció aquella noche, que vino palabra de Jehová a Natán, diciendo:

5 Ve y di a mi siervo David: Así ha dicho Jehová: ¿Tú me has de edificar casa en que yo more?

6 Ciertamente no he habitado en

casas desde el día que saqué a los hijos de Israel de Egipto hasta hoy, sino que he andado en tienda y en tabernáculo.

7 Y en todo cuanto he andado con todos los hijos de Israel, ¿acaso he hablado palabra con alguna de las tribus de Israel, a quien haya mandado que apaciente mi pueblo de Israel, diciendo: ¿Por qué no me habéis edificado casa de cedro?

8 Ahora, pues, dirás así a mi siervo David: Así dice Jehová de los ejércitos: Yo te tomé del redil, de detrás de las ovejas, para que fueses príncipe sobre mi pueblo, sobre Israel;

9 y he estado contigo por dondequiera que has andado, y he talado de delante de ti a todos tus enemigos, y he engrandecido tu nombre, como el nombre de los grandes que hay en la tierra.

10 Además yo fijaré lugar a mi pueblo Israel, y lo plantaré, para que habite en su lugar y nunca más sea removido, ni los inicuos le aflijan más, como antes,

11 desde el día en que puse jueces sobre mi pueblo Israel. Y a ti te he dado descanso de todos tus enemigos. Asimismo Jehová te hace saber, que Él te hará casa.

12 Y cuando tus días fueren cumplidos, y durmieres con tus padres, yo estableceré tu simiente después de ti, la cual procederá de tus entrañas, y afirmaré su reino.

13 Él edificará casa a mi nombre, y yo afirmaré para siempre el trono de su reino.

14 Yo le seré a él padre, y él me será a mí hijo. Y si él hiciere mal, yo le castigaré con vara de hombres, y con azotes de hijos de hombres.

15 Pero mi misericordia no se apartará de él, como *la* aparté de Saúl, al cual quité de delante de ti.

16 Y será afirmada tu casa y tu reino para siempre delante de tu rostro; y tu trono será estable eternamente.

17 Conforme a todas estas palabras, y conforme a toda esta visión, así habló Natán a David.

18 Y entró el rey David, y se puso delante de Jehová, y dijo: Señor Jehová, ¿Quién soy yo, y qué es mi casa, para que tú me traigas hasta aquí?

19 Y aun te ha parecido poco esto, Señor Jehová, pues que también has hablado de la casa de tu siervo en lo por venir. ¿Es así el proceder del hombre, Señor Jehová?

20 ¿Y qué más puede añadir David hablando contigo? Pues tú conoces a tu siervo, Señor Jehová.

21 Todas estas grandezas has obrado por tu palabra y conforme a tu corazón, haciéndolas saber a tu siervo.

22 Por tanto, tú te has engrandecido, Jehová Dios; por cuanto no *hay* como tú, ni *hay* Dios fuera de ti, conforme a todo lo que hemos oído con nuestros oídos.

23 ¿Y qué nación *hay* en la tierra como tu pueblo Israel, al cual Dios fue y redimió por pueblo para sí, y para darle nombre, y para hacer por vosotros grandes y temibles obras, por tu tierra, por amor de tu pueblo que tú redimiste de Egipto, de las naciones y de sus dioses?

24 Porque tú te has confirmado a tu pueblo Israel por pueblo tuyo para siempre; y tú, oh Jehová, fuiste a ellos por Dios.

25 Ahora pues, Jehová Dios, la palabra que has hablado sobre tu siervo y sobre su casa, confírmala para siempre, y haz conforme a lo que has dicho.

26 Que sea engrandecido tu nombre para siempre, y se diga: Jehová de los ejércitos es Dios sobre Israel; y que la casa de tu siervo David sea firme delante de ti.

27 Porque tú, Jehová de los ejércitos, Dios de Israel, revelaste al oído de tu siervo, diciendo: Yo te edificaré casa. Por esto tu siervo ha hallado en su corazón para hacer delante de ti esta súplica.

28 Ahora pues, Jehová Dios, tú *eres* Dios, y tus palabras serán firmes, ya que has dicho a tu siervo este bien.

29 Y ahora, ten a bien bendecir la casa de tu siervo, para que permanezca para siempre delante de ti; porque tú, Jehová Dios, lo has dicho, y con tu bendición será bendita la casa de tu siervo para siempre.

CAPÍTULO 8

Después de esto, aconteció que David hirió a los filisteos y los sometió; y tomó David a Metegama de mano de los filisteos.

2 Hirió también a los de Moab, y los midió con cordel, haciéndolos echar por tierra; y midió con dos cordeles para muerte, y un cordel entero para vida; y los moabitas vinieron a ser siervos de David, y le traían tributos.

3 Asimismo hirió David a Hadad-ezer hijo de Rehob, rey de Soba, yendo él a recuperar su término hasta el río Éufrates.

4 Y les tomó David mil *carros* y setecientos hombres de a caballo y veinte mil hombres de a pie; y desjarretó David los caballos de todos los carros, excepto los de cien carros que dejó.

5 Y vinieron los sirios de Damasco a dar ayuda a Hadad-ezer rey de Soba; y David hirió de los sirios a veintidós mil hombres.

6 Puso luego David guarnición en Siria de Damasco, y los sirios fueron hechos siervos de David, sujetos a tributo. Y Jehová guardó a David por dondequiera que él fue.

7 Y tomó David los escudos de oro que traían los siervos de Hadad-ezer, y los llevó a Jerusalén.

8 Asimismo de Beta y de Berotai, ciudades de Hadad-ezer, tomó el rey David gran cantidad de bronce.

9 Entonces oyendo Toi, rey de Hamat, que David había herido todo el ejército de Hadad-ezer,

10 envió Toi a Joram su hijo al rey David, a saludarle pacíficamente y a bendecirle, porque había peleado con Hadad-ezer y lo había vencido; porque Toi era enemigo de Hadad-ezer. Y *Joram* trajo en su mano vasos de plata, y vasos de oro, y de bronce;

11 los cuales el rey David dedicó a Jehová, con la plata y el oro que tenía dedicado de todas las naciones que había sometido:

12 De Siria, de Moab, de los hijos de Amón, de los filisteos, de Amalec, y del despojo de Hadad-ezer hijo de Rehob, rey de Soba.

13 Y David ganó fama cuando regresó de herir de los sirios a dieciocho mil *hombres* en el valle de la Sal.

14 Y puso guarnición en Edom, por toda Edom puso guarnición; y todos los edomitas fueron siervos de David. Y Jehová guardó a David por dondequiera que él fue.

15 Y reinó David sobre todo Israel; y David administraba derecho y justicia a todo su pueblo.

16 Y Joab hijo de Sarvia era general de su ejército; y Josafat hijo de Ahilud, el cronista;

17 y Sadoc hijo de Ahitob, y Ahimelec hijo de Abiatar, eran sacerdotes; y Seraías era escriba;

18 y Benaía hijo de Joiada, era sobre los cereteos y peleteos; y los hijos de David eran los príncipes.

CAPÍTULO 9

Y dijo David: ¿Ha quedado alguno de la casa de Saúl, a quien haga yo misericordia por amor de Jonatán?

2 Y *había* un siervo de la casa de Saúl, que se llamaba Siba. Y cuando le llamaron para que viniese a David, el rey le dijo: ¿*Eres* tú Siba? Y él respondió: Tu siervo.

3 Y el rey dijo: ¿No ha quedado nadie de la casa de Saúl, a quien haga yo misericordia de Dios? Y Siba respondió al rey: Aún ha quedado un hijo de Jonatán, lisiado de los pies.

4 Entonces el rey le dijo: ¿Y ése dónde *está*? Y Siba respondió al rey: He aquí, *está* en casa de Maquir hijo de Amiel, en Lodebar.

5 Y envió el rey David, y lo tomó de casa de Maquir hijo de Amiel, de Lodebar.

6 Y Mefiboset, hijo de Jonatán hijo de Saúl, vino a David, y se postró sobre su rostro e hizo reverencia. Y dijo David: Mefiboset. Y él respondió: He aquí tu siervo.

7 Y le dijo David: No tengas temor, porque yo a la verdad haré contigo misericordia por amor de Jonatán tu padre, y te devolveré todas las tierras de Saúl tu padre; y tú comerás pan a mi mesa, siempre.

8 Y él inclinándose, dijo: ¿Quién *es* tu siervo, para que mires a un perro muerto como yo?

9 Entonces el rey llamó a Siba, siervo de Saúl, y le dijo: Todo lo que fue de Saúl y de toda su casa, yo lo he dado al hijo de tu señor.

10 Tú, pues, le labrarás las tierras, tú con tus hijos y tus siervos, y tú almacenarás *los frutos*, para que el hijo de tu señor tenga pan para comer, y Mefiboset el hijo de tu señor comerá siempre pan a mi mesa. Y Siba tenía quince hijos y veinte siervos.

11 Y respondió Siba al rey: Conforme a todo lo que ha mandado mi señor el rey a su siervo, así lo hará tu siervo. Mefiboset, *dijo el rey*, comerá a mi mesa, como uno de los hijos del rey.

12 Y tenía Mefiboset un hijo pequeño, que se llamaba Micaías. Y toda la familia de la casa de Siba *eran* siervos de Mefiboset.

13 Y moraba Mefiboset en Jerusalén, porque comía siempre a la mesa del rey; y era cojo de ambos pies.

CAPÍTULO 10

Después de esto, aconteció que murió el rey de los hijos de Amón, y reinó en lugar suyo Hanún su hijo.

2 Y dijo David: Yo haré misericordia con Hanún hijo de Nahas, como su padre la hizo conmigo. Y envió David a sus siervos para consolarlo por su padre. Mas llegados los siervos de David a la tierra de los hijos de Amón,

3 los príncipes de los hijos de Amón dijeron a Hanún su señor: ¿Te parece que por honrar David a tu padre te ha enviado consoladores? ¿No ha enviado David sus siervos a ti por reconocer e inspeccionar la ciudad, para destruirla?

4 Entonces Hanún tomó los siervos de David, y les rapó la mitad de la barba, y les cortó las vestiduras por la mitad hasta las nalgas, y los despidió.

5 *Lo* cual cuando fue hecho saber a David, envió a encontrarles, porque ellos estaban en extremo avergonzados; y el rey mandó a decirles: Quedaos en Jericó hasta que os vuelva a crecer la barba, y *entonces* regresad.

6 Y viendo los hijos de Amón que se habían hecho odiosos a David,

enviaron los hijos de Amón y tomaron a sueldo a los sirios de la casa de Rehob, y a los sirios de Soba, veinte mil hombres de a pie; y del rey de Maaca mil hombres, y de Istob doce mil hombres.

7 Y cuando *lo* oyó David, envió a Joab con todo el ejército de los valientes.

8 Y saliendo los hijos de Amón, ordenaron sus escuadrones a la entrada de la puerta; pero los sirios de Soba, y de Rehob, y de Istob, y de Maaca, *estaban* aparte en el campo.

9 Viendo, pues, Joab que había escuadrones delante y detrás de él, entresacó de todos los escogidos de Israel, y se puso en orden de batalla contra los sirios.

10 Entregó luego el resto del pueblo en mano de Abisai su hermano, y lo puso en orden para enfrentar a los hijos de Amón.

11 Y dijo: Si los sirios me fueren superiores, tú me ayudarás; y si los hijos de Amón pudieren más que tú, yo te daré ayuda.

12 Esfuérzate y mostremos hombría, por nuestro pueblo y por las ciudades de nuestro Dios; y que haga Jehová lo que bien le pareciere.

13 Y se acercó Joab, y el pueblo que con él *estaba*, para pelear con los sirios; mas ellos huyeron delante de él.

14 Entonces los hijos de Amón, viendo que los sirios habían huido, huyeron también ellos delante de Abisai, y entraron en la ciudad. Y volvió Joab de los hijos de Amón, y vino a Jerusalén.

15 Mas viendo los sirios que habían caído delante de Israel, se volvieron a reunir.

16 Y envió Hadad-ezer, y sacó a los sirios que *estaban* al otro lado del río, los cuales vinieron a Helam, llevando por jefe a Sobac general del ejército de Hadad-ezer.

17 Y cuando fue dado aviso a David, reunió a todo Israel, y pasando el Jordán vino a Helam. Y los sirios se pusieron en orden de batalla contra David, y pelearon contra él.

18 Mas los sirios huyeron delante de Israel; e hirió David de los sirios la gente de setecientos carros, y cuarenta mil hombres de a caballo;

hirió también a Sobac general del ejército, y murió allí.

19 Viendo, pues, todos los reyes que asistían a Hadad-ezer que habían sido derrotados delante de Israel, hicieron paz con Israel y le sirvieron; y de allí en adelante temieron los sirios de socorrer a los hijos de Amón.

CAPÍTULO 11

Y aconteció a la vuelta del año, en el tiempo que salen los reyes *a la batalla*, que David envió a Joab, y a sus siervos con él, y a todo Israel; y destruyeron a los hijos de Amón, y pusieron sitio a Rabá. Pero David se quedó en Jerusalén.

2 Y sucedió que levantándose David de su cama a la hora de la tarde, se paseaba por el terrado de la casa real, cuando vio desde el terrado a una mujer que se estaba lavando, la cual *era* muy hermosa.

3 Y envió David a preguntar por aquella mujer, y le dijeron: Aquélla *es* Betsabé hija de Eliam, esposa de Urías heteo.

4 Y envió David mensajeros, y la tomó; y así que hubo entrado a él, él se acostó con ella; pues ella estaba purificada de su inmundicia. Y ella regresó a su casa.

5 Y concibió la mujer, y envió a hacerlo saber a David, diciendo: Yo *estoy* encinta.

6 Entonces David envió *a decir* a Joab: Envíame a Urías heteo. Y lo envió Joab a David.

7 Y cuando Urías vino a él, le preguntó David por la salud de Joab, y por la salud del pueblo, y asimismo de la guerra.

8 Después dijo David a Urías: Desciende a tu casa, y lava tus pies. Y saliendo Urías de casa del rey, vino tras de él comida real.

9 Pero Urías durmió a la puerta de la casa del rey con todos los siervos de su señor, y no descendió a su casa.

10 E hicieron saber esto a David, diciendo: Urías no ha descendido a su casa. Y dijo David a Urías: ¿No has venido de camino? ¿Por qué, pues, no descendiste a tu casa?

11 Y Urías respondió a David: El arca, e Israel y Judá, están debajo de tiendas; y mi señor Joab, y los siervos de mi señor, en el campo; ¿y había yo de entrar en mi casa para comer y beber, y a dormir con mi esposa? Por vida tuya, y por vida de tu alma, que yo no haré tal cosa.

12 Y David dijo a Urías: Quédate aquí aún hoy, y mañana te despacharé. Y se quedó Urías en Jerusalén aquel día y el siguiente.

13 Y David lo convidó, y le hizo comer y beber delante de sí, hasta embriagarlo. Y él salió a la tarde a dormir en su cama con los siervos de su señor; mas no descendió a su casa.

14 Venida la mañana, escribió David a Joab una carta, *la* cual envió por mano de Urías.

15 Y escribió en la carta, diciendo: Poned a Urías al frente, en lo más duro de la batalla, y retiraos de él, para que sea herido y muera.

16 Y aconteció que cuando Joab sitió la ciudad, puso a Urías en el lugar donde sabía que *estaban* los hombres más valientes.

17 Y saliendo luego los de la ciudad, pelearon contra Joab, y cayeron algunos del pueblo de los siervos de David; y murió también Urías heteo.

18 Entonces envió Joab, e hizo saber a David todo lo concerniente a la guerra.

19 Y mandó al mensajero, diciendo: Cuando acabares de contar al rey todos los asuntos de la guerra,

20 si el rey comenzare a enojarse, y te dijere: ¿Por qué os acercasteis tanto a la ciudad cuando peleabais? ¿No sabíais lo que suelen arrojar desde el muro?

21 ¿Quién hirió a Abimelec hijo de Jerobaal? ¿No echó una mujer desde el muro un pedazo de una rueda de molino, y murió en Tebes? ¿Por qué os acercasteis tanto al muro? Entonces tú le dirás: También tu siervo Urías heteo ha muerto.

22 Y fue el mensajero, y llegando, contó a David todas las cosas a que Joab le había enviado.

23 Y dijo el mensajero a David: Prevalecieron contra nosotros los hombres, que salieron contra nosotros al campo, bien que nosotros les hicimos retroceder hasta la entrada de la puerta;

24 pero los arqueros tiraron contra tus siervos desde el muro, y murieron *algunos* de los siervos del rey; y murió también tu siervo Urías heteo.

25 Y David dijo al mensajero: Así dirás a Joab: No tengas pesar de esto, porque la espada consume, tanto a uno, como a otro: Refuerza tu ataque contra la ciudad, hasta que la rindas. Y tú aliéntale.

26 Y oyendo la esposa de Urías que su marido Urías había muerto, hizo duelo por su marido.

27 Y pasado el luto, envió David y la trajo a su casa; y ella vino a ser su esposa, y le dio a luz un hijo. Mas esto que David había hecho, fue desagradable ante los ojos de Jehová.

CAPÍTULO 12

Y Jehová envió a Natán a David, el cual viniendo a él, le dijo: Había dos hombres en una ciudad, el uno rico, y el otro pobre.

2 El rico tenía numerosas ovejas y vacas;

3 pero el pobre no tenía más que una sola corderita, que él había comprado y criado, y que había crecido con él y con sus hijos juntamente, comiendo de su bocado y bebiendo de su vaso, y durmiendo en su seno; y la tenía como a una hija.

4 Y vino uno de camino al hombre rico; y él no quiso tomar de sus ovejas y de sus vacas, para guisar para el caminante que había venido a él, sino que tomó la corderita de aquel hombre pobre, y la aderezó para aquél que había venido a él.

5 Entonces se encendió el furor de David en gran manera contra aquel hombre, y dijo a Natán: Vive Jehová, que el que tal hizo es digno de muerte.

6 Y debe pagar la cordera con cuatro tantos, porque hizo esta tal cosa, y no tuvo misericordia.

7 Entonces dijo Natán a David: Tú *eres* ese hombre. Así dice Jehová, Dios de Israel: Yo te ungí por rey sobre Israel, y te libré de la mano de Saúl,

8 y te di la casa de tu señor, y las esposas de tu señor en tu seno; además te di la casa de Israel y de Judá; y si *esto fuera* poco, yo te habría añadido tales y tales cosas.

9 ¿Por qué, pues, tuviste en poco la palabra de Jehová, haciendo lo malo delante de sus ojos? A Urías heteo heriste a espada, y tomaste por tu esposa a su esposa, y a él mataste con la espada de los hijos de Amón.

10 Por lo cual ahora la espada jamás se apartará de tu casa; por cuanto me menospreciaste, y tomaste la esposa de Urías heteo para que fuese tu esposa.

11 Así dice Jehová: He aquí yo levantaré sobre ti el mal de tu misma casa, y tomaré tus esposas delante de tus ojos, y *las* daré a tu prójimo, el cual se acostará con tus esposas a la vista de este sol.

12 Porque tú lo hiciste en secreto; pero yo haré esto delante de todo Israel y a pleno sol.

13 Entonces dijo David a Natán: Pequé contra Jehová. Y Natán dijo a David: También Jehová ha remitido tu pecado; no morirás.

14 Mas por cuanto con este asunto hiciste blasfemar a los enemigos de Jehová, el hijo que te *ha* nacido morirá ciertamente.

15 Y Natán se volvió a su casa. Y Jehová hirió al niño que la esposa de Urías había dado a luz de David, y enfermó gravemente.

16 Entonces David rogó a Dios por el niño; y ayunó David, y entró, y pasó toda la noche acostado en tierra.

17 Y levantándose los ancianos de su casa fueron a él para hacerlo levantar de tierra; mas él no quiso, ni comió con ellos pan.

18 Y aconteció que al séptimo día murió el niño. Y los siervos de David temían hacerle saber que el niño había muerto, y decían entre sí: Cuando el niño aún vivía, le hablábamos, y no quería oír nuestra voz; ¿cuánto más se afligirá si le decimos que el niño ha muerto?

19 Mas David viendo a sus siervos hablar entre sí, entendió que el niño había muerto; por lo que dijo David a sus siervos: ¿Ha muerto el niño? Y ellos respondieron: Ha muerto.

20 Entonces David se levantó de tierra, y se lavó y se ungió, y cambió sus ropas, y entró a la casa de Jehová,

y adoró. Y después vino a su casa, y pidió, y le pusieron pan, y comió.

21 Y le dijeron sus siervos: ¿Qué es esto que has hecho? Viviendo aún el niño, ayunabas y llorabas por él; y muerto el niño, te levantaste y comiste pan.

22 Y él respondió: Viviendo aún el niño, yo ayunaba y lloraba, diciendo: ¿Quién sabe si Dios tendrá compasión de mí, para que viva el niño?

23 Mas ahora que ya ha muerto, ¿para qué he de ayunar? ¿Podré yo hacerle volver? Yo iré a él, mas él no volverá a mí.

24 Y consoló David a su esposa Betsabé, y entrando a ella, durmió con ella; y dio a luz un hijo, y llamó su nombre Salomón, al cual amó Jehová.

25 Y envió un mensajero por mano de Natán profeta, y llamó su nombre Jedidia, a causa de Jehová.

26 Y Joab peleaba contra Rabá de los hijos de Amón, y tomó la ciudad real.

27 Entonces envió Joab mensajeros a David, diciendo: Yo he peleado contra Rabá, y he tomado la ciudad de las aguas.

28 Reúne, pues, ahora el pueblo que queda, y acampa contra la ciudad, y tómala tú; no sea que tomando la ciudad yo, sea llamada de mi nombre.

29 Y David reuniendo a todo el pueblo, fue contra Rabá, y combatió contra ella, y la tomó.

30 Y quitó la corona de la cabeza de su rey, la cual pesaba un talento de oro, y tenía piedras preciosas; y fue puesta sobre la cabeza de David. Y sacó muy grande botín de la ciudad.

31 Sacó además el pueblo que estaba en ella, y lo puso debajo de sierras, y de trillos de hierro, y de hachas de hierro; y los hizo pasar por hornos de ladrillos; y lo mismo hizo a todas las ciudades de los hijos de Amón. Se volvió luego David con todo el pueblo a Jerusalén.

CAPÍTULO 13

Aconteció después de esto, que teniendo Absalón hijo de David una hermana hermosa que se llamaba Tamar, Amnón hijo de David se enamoró de ella.

2 Y estaba Amnón angustiado hasta enfermarse, por Tamar su hermana; porque por ser ella virgen, le parecía a Amnón difícil hacerle alguna cosa.

3 Y Amnón tenía un amigo que se llamaba Jonadab, hijo de Simea, hermano de David; y era Jonadab hombre muy astuto.

4 Y éste le dijo: Hijo del rey, ¿por qué de día en día vas enflaqueciendo así? ¿No me lo descubrirás a mí? Y Amnón le respondió: Yo amo a Tamar la hermana de Absalón mi hermano.

5 Y Jonadab le dijo: Acuéstate en tu cama, y finge que estás enfermo; y cuando tu padre viniere a visitarte, dile: Te ruego que venga mi hermana Tamar, para que me dé de comer, y prepare delante de mí alguna vianda, para que al verla yo la coma de su mano.

6 Se acostó, pues, Amnón, y fingió que estaba enfermo; y vino el rey a visitarle. Y dijo Amnón al rey: Yo te ruego que venga mi hermana Tamar, y haga delante de mí dos hojuelas, para que coma yo de su mano.

7 Y David envió a Tamar a su casa, diciendo: Ve ahora a casa de Amnón tu hermano, y hazle de comer.

8 Y fue Tamar a casa de su hermano Amnón, el cual estaba acostado; y tomó harina, y amasó e hizo hojuelas delante de él, y las coció.

9 Tomó luego la sartén, y las sacó delante de él; mas él no quiso comer. Y dijo Amnón: Echad fuera de aquí a todos. Y todos salieron de allí.

10 Entonces Amnón dijo a Tamar: Trae la comida a la alcoba, para que yo coma de tu mano. Y tomando Tamar las hojuelas que había preparado, las llevó a su hermano Amnón a la alcoba.

11 Y cuando ella se las puso delante para que comiese, él asió de ella, diciéndole: Ven, hermana mía, acuéstate conmigo.

12 Ella entonces le respondió: No, hermano mío, no me fuerces; porque no se debe hacer esto en Israel. No hagas tal vileza.

13 Porque, ¿adónde iría yo con mi deshonra? Y aun tú serías estimado como uno de los perversos en Israel. Te ruego, pues, ahora que hables al rey, que no me negará a ti.

14 Mas él no la quiso oír, sino que pudiendo más que ella la forzó, y se acostó con ella.

15 Luego la aborreció Amnón con tan gran aborrecimiento, que el odio con que la aborreció *fue* mayor que el amor con que la había amado. Y le dijo Amnón: Levántate y vete.

16 Y ella le respondió: No hay razón; mayor mal *es* éste de echarme fuera, que el que me has hecho. Mas él no la quiso oír.

17 Entonces llamando a su criado que le servía, le dijo: Échame a ésta fuera de aquí, y cierra la puerta tras ella.

18 Y *llevaba ella* sobre sí un vestido de diversos colores, traje que vestían las hijas vírgenes de los reyes. Entonces su criado la echó fuera, y puso el cerrojo a la puerta tras ella.

19 Entonces Tamar tomó ceniza, y la esparció sobre su cabeza, y rasgó su vestido de colores que llevaba puesto, y puesta su mano sobre su cabeza, se fue gritando.

20 Y le dijo su hermano Absalón: ¿Ha estado contigo tu hermano Amnón? Pues calla ahora, hermana mía; tu hermano *es*; no te angusties por esto. Y se quedó Tamar desconsolada en casa de Absalón su hermano.

21 Y luego que el rey David oyó todo esto, se enojó mucho.

22 Mas Absalón no habló con Amnón ni malo ni bueno, bien que Absalón aborrecía a Amnón, porque había forzado a Tamar su hermana.

23 Y aconteció pasados dos años, que Absalón tenía esquiladores en Baal-hazor, que *está* junto a Efraín; y convidó Absalón a todos los hijos del rey.

24 Y vino Absalón al rey, y le dijo: He aquí, tu siervo tiene ahora esquiladores; yo ruego que venga el rey y sus siervos con tu siervo.

25 Y respondió el rey a Absalón: No, hijo mío, no vamos todos, para que no te seamos carga. Y aunque porfió con él, no quiso ir, mas lo bendijo.

26 Entonces dijo Absalón: Si no, te ruego que venga con nosotros Amnón mi hermano. Y el rey le respondió: ¿Para qué ha de ir contigo?

27 Pero como Absalón le importunaba, dejó ir con él a Amnón y a todos los hijos del rey.

28 Y Absalón había dado orden a sus criados, diciendo: Mirad; cuando el corazón de Amnón esté alegre por el vino, y cuando yo os diga: Herid a Amnón, entonces matadle, no temáis; ¿No os lo he mandado yo? Esforzaos, pues, y sed valientes.

29 Y los criados de Absalón hicieron con Amnón como Absalón había mandado. Luego se levantaron todos los hijos del rey, y subieron cada uno en su mulo, y huyeron.

30 Y aconteció que estando ellos aún en camino, llegó a David el rumor que decía: Absalón ha dado muerte a todos los hijos del rey, y ninguno de ellos ha quedado.

31 Entonces levantándose David, rasgó sus vestiduras, y se echó en tierra, y todos sus criados estaban a su lado con sus vestiduras rasgadas.

32 Y Jonadab, hijo de Simea hermano de David, habló y dijo: No piense mi señor que han dado muerte a todos los jóvenes hijos del rey, que sólo Amnón ha sido muerto; porque por mandato de Absalón esto había sido determinado desde el día que Amnón forzó a Tamar su hermana.

33 Por tanto, ahora no ponga mi señor el rey en su corazón esa voz que dice: Todos los hijos del rey han sido muertos; porque sólo Amnón ha sido muerto.

34 Pero Absalón huyó. Entre tanto, alzando sus ojos el joven que estaba de atalaya, miró, y he aquí mucho pueblo que venía por el camino a sus espaldas, del lado de la montaña.

35 Y dijo Jonadab al rey: He allí los hijos del rey que vienen; es así como tu siervo ha dicho.

36 Y aconteció que cuando él acabó de hablar, he aquí los hijos del rey que vinieron, y alzando su voz lloraron. Y también el mismo rey y todos sus siervos lloraron con muy grandes lamentos.

37 Mas Absalón huyó, y se fue a Talmai hijo de Amiud, rey de Gesur. Y *David* lloraba por su hijo todos los días.

38 Y después que Absalón huyó y se fue a Gesur, estuvo allá tres años.

39 Y el rey David deseaba ver a Absalón: porque ya estaba consolado acerca de Amnón que había muerto.

CAPÍTULO 14

Y conociendo Joab hijo de Sarvia, que el corazón del rey *se inclinaba* por Absalón,

2 envió Joab a Tecoa, y tomó de allá una mujer astuta, y le dijo: Yo te ruego que finjas tener duelo, y te vistas de ropas de luto, y no te unjas con óleo, antes sé como una mujer que por mucho tiempo ha estado de duelo por algún muerto;

3 y entra al rey, y habla con él de esta manera. Y puso Joab las palabras en su boca.

4 Entró, pues, aquella mujer de Tecoa al rey, y postrándose en tierra sobre su rostro hizo reverencia, y dijo: Oh rey, salva.

5 Y el rey dijo: ¿Qué tienes? Y ella respondió: Yo a la verdad soy una mujer viuda y mi marido ha muerto.

6 Y tu sierva tenía dos hijos y los dos riñeron en el campo; y no *habiendo* quien los separase, hirió el uno al otro, y lo mató.

7 Y he aquí toda la familia se ha levantado contra tu sierva, diciendo: Entrega al que mató a su hermano, para que le hagamos morir por la vida de su hermano a quien él mató, y quitemos también el heredero. Así apagarán el ascua que me ha quedado, no dejando a mi marido nombre ni remanente sobre la tierra.

8 Entonces el rey dijo a la mujer: Vete a tu casa, y yo daré orden acerca de ti.

9 Y la mujer de Tecoa dijo al rey: Rey señor mío, la maldad sea sobre mí y sobre la casa de mi padre; mas el rey y su trono sean sin culpa.

10 Y el rey dijo: Al que hablare contra ti, tráelo a mí, que no te tocará más.

11 Dijo ella entonces: Te ruego, oh rey, que te acuerdes de Jehová tu Dios, que no dejes a los cercanos de la sangre aumentar el daño con destruir a mi hijo. Y él respondió: Vive Jehová, que no caerá ni un cabello de la cabeza de tu hijo en tierra.

12 Y la mujer dijo: Te ruego que hable tu sierva una palabra a mi señor el rey. Y él dijo: Habla.

13 Entonces la mujer dijo: ¿Por qué, pues, has pensado tú cosa semejante contra el pueblo de Dios? Porque al hablar el rey esta palabra se hace culpable él mismo, ya que el rey no hace volver a su fugitivo.

14 Porque de cierto morimos, y *somos* como aguas derramadas en la tierra, que no pueden volver a recogerse; y Dios no hace acepción de personas, sino que provee los medios para que su desterrado no quede alejado de Él.

15 Y el que yo haya venido ahora para decir esto al rey mi señor, se debe a que el pueblo me atemorizó. Mas tu sierva dijo: Hablaré ahora al rey; quizá él hará lo que su sierva diga.

16 Pues el rey oirá, para librar a su sierva de la mano del hombre que me quiere destruir a mí, y a mi hijo juntamente, de la heredad de Dios.

17 Tu sierva, pues, dice: Que la palabra de mi señor el rey sea para consuelo; pues que mi señor el rey *es* como un ángel de Dios para escuchar lo bueno y lo malo. Así Jehová tu Dios sea contigo.

18 Entonces él respondió, y dijo a la mujer: Yo te ruego que no me encubras nada de lo que yo te preguntare. Y la mujer dijo: Hable mi señor el rey.

19 Y el rey dijo: ¿No *está* contigo la mano de Joab en todas estas cosas? Y la mujer respondió y dijo: Vive tu alma, rey señor mío, que no hay que apartarse a derecha ni a izquierda de todo lo que mi señor el rey ha hablado; porque tu siervo Joab, él me mandó, y él puso en boca de tu sierva todas estas palabras.

20 Para mudar el aspecto de las cosas, Joab tu siervo ha hecho esto; mas mi señor *es* sabio, conforme a la sabiduría de un ángel de Dios, para conocer todo lo que hay en la tierra.

21 Entonces el rey dijo a Joab: He aquí yo hago esto: ve, y haz volver al joven Absalón.

22 Y Joab se postró en tierra sobre su rostro, e hizo reverencia, y después que bendijo al rey, dijo: Hoy ha entendido tu siervo que he hallado

gracia en tus ojos, rey señor mío; pues que ha hecho el rey lo que su siervo ha dicho.

23 Se levantó luego Joab, y fue a Gesur, y volvió a Absalón a Jerusalén.

24 Mas el rey dijo: Váyase a su casa, y no vea mi rostro. Y se volvió Absalón a su casa, y no vio el rostro del rey.

25 Y no había en todo Israel ninguno tan alabado por su hermosura como Absalón; desde la planta de su pie hasta la coronilla no había en él defecto.

26 Y cuando se cortaba el cabello (lo cual hacía al fin de cada año, pues le causaba molestia, y por eso se lo cortaba), pesaba el cabello de su cabeza doscientos siclos de peso real.

27 Y le nacieron a Absalón tres hijos, y una hija que se llamó Tamar. Ella era una mujer de hermoso semblante.

28 Y estuvo Absalón por espacio de dos años en Jerusalén, y no vio la cara del rey.

29 Y mandó Absalón por Joab, para enviarlo al rey; mas no quiso venir a él; y envió aun por segunda vez, y no quiso venir.

30 Entonces dijo a sus siervos: Mirad, el campo de Joab está junto al mío, y tiene allí cebada; id, y prendedle fuego; y los siervos de Absalón prendieron fuego al campo.

31 Se levantó por tanto Joab, y vino a casa de Absalón, y le dijo: ¿Por qué han prendido fuego tus siervos a mi campo?

32 Y Absalón respondió a Joab: He aquí, yo he enviado por ti, diciendo que vinieses acá, a fin de enviarte yo al rey a que le dijeses: ¿Para qué vine de Gesur? Mejor me fuera estar aún allá. Vea yo ahora el rostro del rey; y si hay en mí pecado, máteme.

33 Vino, pues, Joab al rey, y se lo hizo saber. Entonces llamó a Absalón, el cual vino al rey, e inclinó su rostro a tierra delante del rey; y el rey besó a Absalón.

CAPÍTULO 15

Aconteció después de esto, que Absalón se hizo de carros y caballos, y cincuenta que corriesen delante de él.

2 Y se levantaba Absalón de mañana, y se ponía a un lado del camino de la puerta; y a cualquiera que tenía pleito y venía al rey a juicio, Absalón le llamaba a sí, y le decía: ¿De qué ciudad *eres*? Y él respondía: Tu siervo *es* de una de las tribus de Israel.

3 Entonces Absalón le decía: Mira, tus palabras son buenas y justas; mas no tienes quien te oiga de parte del rey.

4 Y decía Absalón: ¡Quién me pusiera por juez en la tierra, para que viniesen a mí todos los que tienen pleito o negocio, que yo les haría justicia!

5 Y acontecía que, cuando alguno se acercaba para inclinarse a él, él extendía su mano, y lo tomaba, y lo besaba.

6 Y de esta manera hacía con todo Israel que venía al rey para juicio; y así robaba Absalón el corazón de los hombres de Israel.

7 Y al cabo de cuarenta años aconteció que Absalón dijo al rey: Yo te ruego me permitas que vaya a Hebrón, a pagar mi voto que he prometido a Jehová:

8 Porque tu siervo hizo voto cuando estaba en Gesur en Siria, diciendo: Si Jehová me volviere a Jerusalén, yo serviré a Jehová.

9 Y el rey dijo: Ve en paz. Y él se levantó, y se fue a Hebrón.

10 Pero Absalón envió espías por todas las tribus de Israel, diciendo: Cuando oyereis el sonido de la trompeta, diréis: Absalón reina en Hebrón.

11 Y fueron con Absalón doscientos hombres de Jerusalén por él convidados, los cuales iban inocentemente, sin saber nada.

12 Y Absalón envió por Ahitofel gilonita, consejero de David, a Gilo su ciudad, mientras ofrecía sus sacrificios. Y la conspiración vino a ser grande, pues se iba aumentando el pueblo que seguía a Absalón.

13 Y vino el aviso a David, diciendo: El corazón de todo Israel va tras Absalón.

14 Entonces David dijo a todos sus siervos que *estaban* con él en Jerusalén: Levantaos, y huyamos, porque no podremos escapar delante de Absalón; daos prisa a partir, no sea que apresurándose él nos alcance, y

arroje el mal sobre nosotros, y hiera la ciudad a filo de espada.

15 Y los siervos del rey dijeron al rey: He aquí, tus siervos están listos para hacer todo lo que nuestro señor el rey requiera.

16 El rey entonces salió, con toda su familia en pos de él. Y dejó el rey diez mujeres concubinas para que guardasen la casa.

17 Salió, pues, el rey con todo el pueblo que le seguía, y se pararon en un lugar distante.

18 Y todos sus siervos pasaban a su lado, con todos los cereteos y peleteos; y todos los geteos, seiscientos hombres que habían venido a pie desde Gat, iban delante del rey.

19 Y dijo el rey a Itai geteo: ¿Para qué vienes tú también con nosotros? Vuélvete y quédate con el rey; porque tú *eres* extranjero, y desterrado también de tu lugar.

20 ¿*Apenas* viniste ayer, y he de hacer hoy que andes de un lugar a otro con nosotros? Yo voy sin rumbo; tú vuélvete, y haz volver a tus hermanos; que la misericordia y la verdad *sean* contigo.

21 Y respondió Itai al rey, diciendo: Vive Dios, y vive mi señor el rey, que, o para muerte o para vida, donde mi señor el rey estuviere, allí estará también tu siervo.

22 Entonces David dijo a Itai: Ven, pues, y pasa. Y pasó Itai geteo, y todos sus hombres, y todos los pequeños que *estaban* con él.

23 Y todo el país lloró en alta voz; pasó luego toda la gente el torrente de Cedrón; asimismo pasó el rey, y todo el pueblo pasó, al camino que va al desierto.

24 Y he aquí, también iba Sadoc, y con él todos los levitas que llevaban el arca del pacto de Dios; y asentaron el arca del pacto de Dios. Y subió Abiatar después que hubo acabado de salir de la ciudad todo el pueblo.

25 Y el rey dijo a Sadoc: Vuelve el arca de Dios a la ciudad; que si yo hallare gracia en los ojos de Jehová, Él me volverá, y me dejará verla y a su tabernáculo.

26 Pero si Él dijere: No me agradas; aquí estoy, que haga de mí lo que bien le pareciere.

27 Dijo además el rey al sacerdote Sadoc: ¿*No* eres tú el vidente? Vuelve en paz a la ciudad; y con vosotros vuestros dos hijos, tu hijo Ahimaas, y Jonatán hijo de Abiatar.

28 Mirad, yo me detendré en las llanuras del desierto, hasta que venga respuesta de vosotros que me dé aviso.

29 Entonces Sadoc y Abiatar volvieron el arca de Dios a Jerusalén; y se quedaron allí.

30 Y David subió la cuesta del *monte de los* Olivos; y la subió llorando, llevando la cabeza cubierta, y los pies descalzos. También todo el pueblo que *iba* con él cubrió cada uno su cabeza y subieron, llorando mientras subían.

31 Y dieron aviso a David, diciendo: Ahitofel está entre los que conspiraron con Absalón. Entonces dijo David: Entontece ahora, oh Jehová, el consejo de Ahitofel.

32 Y aconteció que cuando David llegó a la cumbre *del monte* para adorar allí a Dios, he aquí Husai arquita que le salió al encuentro, trayendo rota su ropa, y tierra sobre su cabeza.

33 Y le dijo David: Si te pasas conmigo, me serás carga;

34 pero si regresas a la ciudad y dices a Absalón: Rey, yo seré tu siervo: como hasta aquí he sido siervo de tu padre, así seré ahora tu siervo, entonces tú frustrarás por mí el consejo de Ahitofel.

35 ¿No estarán allí contigo los sacerdotes Sadoc y Abiatar? Por tanto, todo lo que oyeres en la casa del rey, darás aviso de ello a los sacerdotes Sadoc y a Abiatar.

36 Y he aquí que están con ellos sus dos hijos, Ahimaas el de Sadoc, y Jonatán el de Abiatar; por mano de ellos me enviaréis aviso de todo lo que oyereis.

37 Así se vino Husai amigo de David a la ciudad; y Absalón entró en Jerusalén.

CAPÍTULO 16

Y cuando David pasó un poco más allá de la cumbre *del monte*, he aquí Siba, el criado de Mefiboset, que salía a recibirle con un par de asnos enalbardados, y sobre ellos doscientos panes, y cien racimos de pasas, y cien panes de higos secos y un odre de vino.

2 Y dijo el rey a Siba: ¿Qué *es* esto? Y Siba respondió: Los asnos *son* para que monte la familia del rey; los panes y las pasas para que coman los criados; y el vino para que beban los que se cansen en el desierto.

3 Y dijo el rey: ¿Dónde *está* el hijo de tu señor? Y Siba respondió al rey: He aquí él se ha quedado en Jerusalén, porque ha dicho: Hoy me devolverá la casa de Israel el reino de mi padre.

4 Entonces el rey dijo a Siba: He aquí, *sea* tuyo todo lo que tiene Mefiboset. Y Siba inclinándose, respondió: Rey señor mío, halle yo gracia delante de ti.

5 Y vino el rey David hasta Bahurim; y he aquí salía uno de la familia de la casa de Saúl, el cual se llamaba Simeí, hijo de Gera; y salía maldiciendo,

6 y arrojando piedras contra David, y contra todos los siervos del rey David; y todo el pueblo, y todos los hombres valientes *estaban* a su derecha y a su izquierda.

7 Y decía Simeí, maldiciéndole: ¡Fuera, fuera, varón sanguinario, hombre de Belial!

8 Jehová te ha dado el pago de toda la sangre de la casa de Saúl, en lugar del cual tú has reinado; pero Jehová ha entregado el reino en mano de tu hijo Absalón; y he aquí, *has sido tomado* en tu maldad, porque *eres* hombre sanguinario.

9 Entonces Abisai hijo de Sarvia, dijo al rey: ¿Por qué maldice este perro muerto a mi señor el rey? Yo te ruego que me dejes pasar, y le quitaré la cabeza.

10 Y el rey respondió: ¿Qué tengo yo con vosotros, hijos de Sarvia? Si él así maldice, es porque Jehová le ha dicho que maldiga a David; ¿quién, pues, le dirá: Por qué lo haces así?

11 Y dijo David a Abisai y a todos sus siervos: He aquí, mi hijo que ha salido de mis entrañas, acecha a mi vida: ¿cuánto más ahora un hijo de Benjamín? Dejadle que maldiga, que Jehová se lo ha dicho.

12 Quizá mirará Jehová a mi aflicción, y me dará Jehová bien por sus maldiciones de hoy.

13 Y como David y los suyos iban por el camino, Simeí iba por el lado del monte delante de él, andando y maldiciendo, y arrojando piedras delante de él, y esparciendo polvo.

14 Y el rey y todo el pueblo que con él *estaba*, llegaron fatigados, y descansaron allí.

15 Y Absalón y todo el pueblo, los varones de Israel, entraron en Jerusalén, y con él Ahitofel.

16 Y sucedió que cuando Husai arquita, amigo de David, llegó a donde estaba Absalón, le dijo Husai: Viva el rey, viva el rey.

17 Y Absalón dijo a Husai: ¿Éste *es* tu agradecimiento para con tu amigo? ¿Por qué no fuiste con tu amigo?

18 Y Husai respondió a Absalón: No; antes al que eligiere Jehová y este pueblo y todos los varones de Israel, de aquél seré yo, y con aquél quedaré.

19 ¿Y a quién había yo de servir? ¿No *es* a su hijo? Como he servido delante de tu padre, así seré delante de ti.

20 Entonces dijo Absalón a Ahitofel: Consultad qué debemos hacer.

21 Y Ahitofel dijo a Absalón: Entra a las concubinas de tu padre, que él dejó para guardar la casa; y todo el pueblo de Israel oirá que te has hecho aborrecible a tu padre, y así se esforzarán las manos de todos los que *están* contigo.

22 Entonces pusieron una tienda a Absalón sobre el terrado, y entró Absalón a las concubinas de su padre, en ojos de todo Israel.

23 Y el consejo que daba Ahitofel en aquellos días, *era* como si consultaran la palabra de Dios. Tal *era* el consejo de Ahitofel, tanto con David como con Absalón.

CAPÍTULO 17

Entonces Ahitofel dijo a Absalón: Déjame escoger ahora doce mil hombres, y me levantaré, y seguiré a David esta noche;

2 y daré sobre él mientras él *está* cansado y débil de manos; lo atemorizaré, y todo el pueblo que *está* con él huirá, y mataré al rey solo.

3 Así haré volver a todo el pueblo a ti; y cuando ellos hubieren vuelto (pues aquel hombre es el que tú quieres), todo el pueblo estará en paz.

4 Este dicho pareció bien a Absalón y a todos los ancianos de Israel.

5 Y dijo Absalón: Llama también ahora a Husai arquita, para que asimismo oigamos lo que él dirá.

6 Y cuando Husai vino a Absalón, le habló Absalón, diciendo: Así ha dicho Ahitofel; ¿seguiremos su consejo, o no? Di tú.

7 Entonces Husai dijo a Absalón: El consejo que ha dado esta vez Ahitofel no es bueno.

8 Y añadió Husai: Tú sabes que tu padre y los suyos son hombres valientes, y que están con amargura de ánimo, como la osa en el campo cuando le han quitado sus cachorros. Además, tu padre es hombre de guerra, y no pasará la noche con el pueblo.

9 He aquí él estará ahora escondido en alguna cueva, o en algún otro lugar; y si al principio cayeren algunos de los tuyos, cualquiera que lo oyere dirá: El pueblo que sigue a Absalón ha sido derrotado.

10 Y aun el hombre valiente, cuyo corazón es como corazón de león, sin duda desmayará; porque todo Israel sabe que tu padre es hombre valiente, y que los que están con él son hombres valientes.

11 Aconsejo, pues, que todo Israel se junte a ti, desde Dan hasta Beerseba, en multitud como la arena que está a la orilla del mar, y que tú en persona vayas a la batalla.

12 Entonces le acometeremos en cualquier lugar que pudiere hallarse, y daremos sobre él como cuando el rocío cae sobre la tierra, y ni uno dejaremos de él, y de todos los que con él están.

13 Y si se refugiare en alguna ciudad, todos los de Israel traerán sogas a aquella ciudad, y la arrastraremos hasta el arroyo, hasta que no se halle piedra en ella.

14 Entonces Absalón y todos los de Israel dijeron: El consejo de Husai arquita es mejor que el consejo de Ahitofel. Porque Jehová había ordenado que el acertado consejo de Ahitofel se frustrara, para que Jehová hiciese venir el mal sobre Absalón.

15 Dijo luego Husai a Sadoc y a Abiatar sacerdotes: Así y así aconsejó Ahitofel a Absalón y a los ancianos de Israel: y de esta manera aconsejé yo.

16 Por tanto enviad inmediatamente, y dad aviso a David, diciendo: No quedes esta noche en los campos del desierto, sino pasa luego el Jordán, para que no sea destruido el rey, y todo el pueblo que con él está.

17 Y Jonatán y Ahimaas estaban junto a la fuente de Rogel, porque no podían ellos mostrarse viniendo a la ciudad; fue por tanto una criada, y les dio el aviso; y ellos fueron, y lo hicieron saber al rey David.

18 Pero fueron vistos por un joven, el cual lo hizo saber a Absalón; sin embargo, los dos se dieron prisa a caminar, y llegaron a casa de un hombre en Bahurim, que tenía un pozo en su patio, dentro del cual se metieron.

19 Y tomando la mujer de la casa una manta, la extendió sobre la boca del pozo, y tendió sobre ella el grano trillado; y nada se supo del asunto.

20 Llegando luego los criados de Absalón a la casa a la mujer, le dijeron: ¿Dónde están Ahimaas y Jonatán? Y la mujer les respondió: Ya han pasado el vado de las aguas. Y como ellos los buscaron y no los hallaron se volvieron a Jerusalén.

21 Y sucedió que después que ellos se marcharon, aquéllos salieron del pozo y fueron y dieron aviso al rey David, y le dijeron: Levantaos y daos prisa a pasar las aguas, porque Ahitofel ha dado tal consejo contra vosotros.

22 Entonces David se levantó, y todo el pueblo que con él estaba, y pasaron el Jordán antes que amaneciese; ni siquiera faltó uno que no pasase el Jordán.

23 Y Ahitofel, viendo que no se había puesto por obra su consejo, enalbardó su asno, y se levantó, y se fue a su casa en su ciudad; y después de disponer acerca de su casa, se ahorcó y murió, y fue sepultado en el sepulcro de su padre.

24 Y David llegó a Mahanaim, y

Absalón pasó el Jordán con toda la gente de Israel.

25 Y Absalón constituyó a Amasa, sobre el ejército en lugar de Joab. Amasa *era* hijo de un varón de Israel llamado Itra, el cual había entrado a Abigail hija de Nahas, hermana de Sarvia, madre de Joab.

26 Y acampó Israel con Absalón en tierra de Galaad.

27 Y sucedió que cuando David llegó a Mahanaim, Sobi hijo de Nahas de Rabá de los hijos de Amón, y Maquir hijo de Amiel de Lodebar, y Barzilai galaadita de Rogelim,

28 trajeron a David y al pueblo que estaba con él, camas, y tazas, y vasijas de barro, y trigo, y cebada, y harina, y *grano* tostado, habas, lentejas, y *garbanzos* tostados,

29 miel, manteca, ovejas y quesos de vaca, para que comiera David y el pueblo que *estaba* con él; pues dijeron: El pueblo está hambriento, cansado y sediento en el desierto.

CAPÍTULO 18

Y David pasó revista al pueblo que *tenía* consigo, y puso sobre ellos tribunos y centuriones.

2 Y David envió la tercera parte del pueblo al mando de Joab, y otra tercera al mando de Abisai, hijo de Sarvia, hermano de Joab, y la otra tercera parte al mando de Itai geteo. Y dijo el rey al pueblo: Yo también saldré con vosotros.

3 Mas el pueblo dijo: No saldrás; porque si nosotros huyéremos, no harán caso de nosotros; y aunque la mitad de nosotros muera, no harán caso de nosotros; pero tú ahora vales tanto como diez mil de nosotros. *Será*, pues, mejor que tú nos des ayuda desde la ciudad.

4 Entonces el rey les dijo: Yo haré lo que bien os pareciere. Y se puso el rey a la entrada de la puerta, mientras salía todo el pueblo de ciento en ciento y de mil en mil.

5 Y el rey mandó a Joab y a Abisai y a Itai, diciendo: *Tratad* benignamente por amor de mí al joven Absalón. Y todo el pueblo oyó cuando el rey dio orden acerca de Absalón a todos los capitanes.

6 Salió, pues, el pueblo al campo contra Israel, y se dio la batalla en el bosque de Efraín;

7 Y allí cayó el pueblo de Israel delante de los siervos de David, y se hizo una gran matanza de veinte mil hombres.

8 Y la batalla se extendió por todo el país; y fueron más los que consumió el bosque aquel día, que los que consumió la espada.

9 Y se encontró Absalón con los siervos de David: e iba Absalón sobre un mulo, y el mulo se entró debajo de un espeso y grande alcornoque, y se le enredó la cabeza en el alcornoque, y quedó entre el cielo y la tierra; y el mulo en que iba siguió adelante.

10 Y viéndolo uno, avisó a Joab, diciendo: He aquí que he visto a Absalón colgado de un alcornoque.

11 Y Joab respondió al hombre que le daba la nueva: Y viéndolo tú, ¿por qué no le heriste luego allí echándole a tierra? Yo te hubiera dado diez *siclos* de plata, y un talabarte.

12 Y el hombre dijo a Joab: Aunque yo recibiera en mis manos mil *siclos* de plata, no extendería mi mano contra el hijo del rey; porque nosotros oímos cuando el rey mandó a ti y a Abisai y a Itai, diciendo: Mirad que ninguno toque al joven Absalón.

13 Por otra parte, habría yo hecho traición contra mi vida (pues que al rey nada se le esconde), y tú mismo estarías en contra.

14 Y respondió Joab: No perderé el tiempo contigo. Y tomando tres dardos en su mano, los clavó en el corazón de Absalón, que aún *estaba* vivo en medio del alcornoque.

15 Y diez jóvenes escuderos de Joab, rodearon e hirieron a Absalón y lo remataron.

16 Entonces Joab tocó la trompeta, y el pueblo se volvió de seguir a Israel, porque Joab detuvo al pueblo.

17 Tomando después a Absalón, le echaron en un gran hoyo en el bosque, y levantaron sobre él un muy grande montón de piedras; y todo Israel huyó, cada uno a su tienda.

18 Y en vida, Absalón había tomado y levantado para sí una columna, la

cual *está* en el valle del rey; porque había dicho: Yo no tengo hijo que conserve la memoria de mi nombre. Y llamó aquella columna de su nombre; y así se ha llamado Columna de Absalón, hasta hoy.

19 Entonces Ahimaas hijo de Sadoc dijo: ¿Correré ahora, y daré las nuevas al rey de cómo Jehová ha defendido su causa de la mano de sus enemigos?

20 Y respondió Joab: Hoy no llevarás las nuevas; las llevarás otro día; no darás hoy la nueva, porque el hijo del rey ha muerto.

21 Y Joab dijo al etíope: Ve tú, y di al rey lo que has visto. Y el etíope hizo reverencia a Joab, y corrió.

22 Entonces Ahimaas hijo de Sadoc volvió a decir a Joab: Sea lo que fuere, yo correré ahora tras el etíope. Y Joab dijo: Hijo mío, ¿para qué has tú de correr, si no recibirás premio por las nuevas?

23 Mas él respondió: Sea como fuere, yo correré. Entonces le dijo: Corre. Corrió, pues, Ahimaas por el camino de la llanura, y pasó delante del etíope.

24 Estaba David a la sazón sentado entre las dos puertas; y el atalaya había ido al terrado de sobre la puerta en el muro, y alzando sus ojos, miró, y vio a uno que corría solo.

25 El atalaya dio luego voces, y lo hizo saber al rey. Y el rey dijo: Si viene solo, buenas nuevas trae. En tanto que él venía acercándose,

26 el atalaya vio a otro que corría; y dio voces el atalaya al portero, diciendo: He aquí *otro* hombre que corre solo. Y el rey dijo: Éste también es mensajero.

27 Y el atalaya volvió a decir: Me parece el correr del primero como el correr de Ahimaas, hijo de Sadoc. Y respondió el rey: Ése *es* hombre de bien, y viene con buena nueva.

28 Entonces Ahimaas dijo en alta voz al rey: Paz. Y se inclinó a tierra delante del rey, y dijo: Bendito *sea* Jehová Dios tuyo, que ha entregado a los hombres que habían levantado sus manos contra mi señor el rey.

29 Y el rey dijo: ¿El joven Absalón tiene paz? Y Ahimaas respondió: Vi yo un grande alboroto cuando envió Joab al siervo del rey y a mí tu siervo; mas no sé qué *era*.

30 Y el rey dijo: Pasa, y ponte allí. Y él pasó, y se paró.

31 Y luego vino el etíope, y el etíope dijo: Reciba nueva mi señor el rey, que hoy Jehová ha defendido tu causa de la mano de todos los que se habían levantado contra ti.

32 El rey entonces dijo al etíope: ¿El joven Absalón tiene paz? Y el etíope respondió: Como aquel joven sean los enemigos de mi señor el rey, y todos los que se levantan contra ti para mal.

33 Entonces el rey se estremeció, y subió a la sala de la puerta, y lloró; y yendo, decía así: ¡Hijo mío Absalón, hijo mío, hijo mío Absalón! ¡Quién me diera que muriera yo en lugar de ti, Absalón, hijo mío, hijo mío!

CAPÍTULO 19

Y dieron aviso a Joab: He aquí el rey llora, y hace duelo por Absalón.

2 Y aquel día la victoria se volvió en luto para todo el pueblo; porque aquel día el pueblo oyó decir que el rey tenía dolor por su hijo.

3 Y entró el pueblo aquel día en la ciudad escondidamente, como suele entrar a escondidas el pueblo avergonzado que ha huido de la batalla.

4 Mas el rey, cubierto el rostro, clamaba en alta voz: ¡Hijo mío Absalón, Absalón, hijo mío, hijo mío!

5 Y entrando Joab en casa al rey, le dijo: Hoy has avergonzado el rostro de todos tus siervos, que hoy han librado tu vida, y la vida de tus hijos y de tus hijas, y la vida de tus esposas, y la vida de tus concubinas,

6 amando a los que te aborrecen, y aborreciendo a los que te aman: porque hoy has declarado que nada te importan tus príncipes y siervos; pues hoy echo de ver que si Absalón viviera, bien que nosotros todos estuviéramos hoy muertos, entonces estarías contento.

7 Levántate pues, ahora, y sal, y habla bondadosamente a tus siervos; porque juro por Jehová, que si no sales, no quedará ni uno contigo esta noche; y esto te será peor que todos los males que te han sobrevenido desde tu juventud hasta ahora.

8 Entonces se levantó el rey, y se sentó a la puerta; y fue declarado a todo el pueblo, diciendo: He aquí el rey está sentado a la puerta. Y vino todo el pueblo delante del rey; mas Israel había huido, cada uno a su tienda.

9 Y todo el pueblo contendía por todas las tribus de Israel, diciendo: El rey nos ha librado de mano de nuestros enemigos, y él nos ha salvado de mano de los filisteos; pero ahora ha huido de la tierra por causa de Absalón.

10 Y Absalón, a quien habíamos ungido sobre nosotros, ha muerto en la batalla. ¿Por qué, pues, estáis callados con respecto a hacer volver al rey?

11 Y el rey David envió a Sadoc y a Abiatar sacerdotes, diciendo: Hablad a los ancianos de Judá y decidles: ¿Por qué seréis vosotros los postreros en hacer volver al rey a su casa, ya que la palabra de todo Israel ha venido al rey, a su casa?

12 Vosotros *sois* mis hermanos; mis huesos y mi carne sois: ¿por qué, pues, seréis vosotros los postreros en hacer volver al rey?

13 Asimismo diréis a Amasa: ¿No *eres* tú también hueso mío y carne mía? Así me haga Dios, y así me añada, si no has de ser general del ejército delante de mí para siempre, en lugar de Joab.

14 Así inclinó el corazón de todos los varones de Judá, como el de un solo hombre, para que enviasen *a decir* al rey: Vuelve tú, y todos tus siervos.

15 Volvió, pues, el rey, y vino hasta el Jordán. Y Judá vino a Gilgal, a recibir al rey y pasarlo el Jordán.

16 Y Simeí hijo de Gera, hijo de Benjamín, que *era* de Bahurim, se dio prisa a venir con los hombres de Judá para recibir al rey David;

17 y con él *venían* mil hombres de Benjamín; asimismo Siba criado de la casa de Saúl, con sus quince hijos y sus veinte siervos, los cuales pasaron el Jordán delante del rey.

18 Y cruzaron el vado para pasar la familia del rey, y para hacer lo que a él le pareciera. Entonces Simeí hijo de Gera se postró delante del rey cuando él había pasado el Jordán.

19 Y dijo al rey: No me impute iniquidad mi señor, ni tengas memoria de los males que tu siervo hizo el día que mi señor el rey salió de Jerusalén, para guardarlos el rey en su corazón;

20 porque yo tu siervo reconozco haber pecado, y he venido hoy el primero de toda la casa de José, para descender a recibir a mi señor el rey.

21 Pero Abisai hijo de Sarvia, respondió y dijo: ¿No ha de morir por esto Simeí, que maldijo al ungido de Jehová?

22 David entonces dijo: ¿Qué tengo yo con vosotros, hijos de Sarvia, para que hoy me seáis adversarios? ¿Ha de morir hoy alguno en Israel? ¿No conozco yo que hoy soy rey sobre Israel?

23 Y dijo el rey a Simeí: No morirás. Y el rey se lo juró.

24 También Mefiboset hijo de Saúl descendió a recibir al rey; no había lavado sus pies, ni había cortado su barba, ni tampoco había lavado sus vestiduras, desde el día que el rey salió hasta el día que vino en paz.

25 Y sucedió que cuando vino a Jerusalén a recibir al rey, el rey le dijo: Mefiboset, ¿por qué no fuiste conmigo?

26 Y él dijo: Rey señor mío, mi siervo me ha engañado; pues tu siervo había dicho: Enalbardaré un asno, y subiré en él, e iré al rey; porque tu siervo *es* cojo.

27 Pero él ha calumniado a tu siervo delante de mi señor el rey; mas mi señor el rey es como un ángel de Dios; haz, pues, lo que bien te pareciere.

28 Porque toda la casa de mi padre era digna de muerte delante de mi señor el rey, y tú pusiste a tu siervo entre los convidados a tu mesa. ¿Qué derecho, pues, tengo aún para clamar más al rey?

29 Y el rey le dijo: ¿Para qué hablas más palabras? Yo he determinado que tú y Siba os repartáis las tierras.

30 Y Mefiboset dijo al rey: Deja que él las tome todas, pues que mi señor el rey ha vuelto en paz a su casa.

31 También Barzilai galaadita descendió de Rogelim, y pasó el Jordán con el rey, para acompañarle al otro lado del Jordán.

32 Y era Barzilai muy viejo, de ochenta años, el cual había dado provisión al rey cuando estaba en Mahanaim, porque *era* hombre muy rico.

33 Y el rey dijo a Barzilai: Pasa conmigo, y yo te sustentaré conmigo en Jerusalén.

34 Mas Barzilai dijo al rey: ¿Cuántos son los días del tiempo de mi vida, para que yo suba con el rey a Jerusalén?

35 Yo soy hoy día de edad de ochenta años, ¿podré distinguir entre lo bueno y lo malo? ¿Tomará gusto ahora tu siervo en lo que coma o beba? ¿Oiré más la voz de los cantores y de las cantoras? ¿Para qué, pues, sería aún tu siervo molesto a mi señor el rey?

36 Pasará tu siervo un poco más allá del Jordán con el rey; ¿por qué me ha de dar el rey tan grande recompensa?

37 Yo te ruego que dejes volver a tu siervo, y que muera en mi ciudad, junto al sepulcro de mi padre y de mi madre. He aquí tu siervo Quimam; que pase él con mi señor el rey, y haz a él lo que bien te pareciere.

38 Y el rey dijo: Pues pase conmigo Quimam, y yo haré con él como bien te parezca; y todo lo que me pidas, yo lo haré por ti.

39 Y todo el pueblo pasó el Jordán; y luego que el rey hubo también pasado, el rey besó a Barzilai, y lo bendijo; y él se volvió a su casa.

40 El rey entonces pasó a Gilgal, y con él pasó Quimam; y todo el pueblo de Judá, con la mitad del pueblo de Israel, pasaron al rey.

41 Y he aquí todos los varones de Israel vinieron al rey, y le dijeron: ¿Por qué los hombres de Judá, nuestros hermanos, te han llevado, y han hecho pasar el Jordán al rey y a su familia, y a todos los varones de David con él?

42 Y todos los varones de Judá respondieron a todos los de Israel: Porque el rey es nuestro pariente. Mas ¿por qué os enojáis vosotros de eso? ¿Acaso hemos comido algo *a costa* del rey? ¿Hemos recibido de él algún don?

43 Entonces respondieron los varones de Israel, y dijeron a los de Judá: Nosotros tenemos en el rey diez partes, y en el mismo David más que vosotros; ¿por qué, pues, nos habéis tenido en poco? ¿No hablamos nosotros primero en volver a nuestro rey? Y el razonamiento de los varones de Judá fue más fuerte que el de los varones de Israel.

CAPÍTULO 20

Y aconteció que se hallaba allí un hombre de Belial que se llamaba Seba, hijo de Bicri, hombre de Benjamín, el cual tocó la trompeta, y dijo: No tenemos nosotros parte en David, ni heredad en el hijo de Isaí: ¡Cada uno a su tienda, oh Israel!

2 Así se fueron de en pos de David todos los hombres de Israel, y seguían a Seba hijo de Bicri; mas los de Judá fueron adheridos a su rey, desde el Jordán hasta Jerusalén.

3 Y luego que llegó David a su casa en Jerusalén, tomó el rey las diez mujeres concubinas que había dejado para guardar la casa, y las puso en una casa en guarda, y les dio de comer; pero nunca más entró a ellas, sino que quedaron encerradas hasta que murieron en viudez de por vida.

4 Después dijo el rey a Amasa: Júntame los varones de Judá para dentro de tres días, y hállate tú aquí presente.

5 Fue, pues, Amasa a convocar a *los hombres de* Judá; pero se detuvo más del tiempo que le había sido señalado.

6 Y dijo David a Abisai: Seba hijo de Bicri nos hará ahora más mal que Absalón; toma tú a los siervos de tu señor, y ve tras él, no sea que halle para sí ciudades fortificadas y se nos escape.

7 Entonces salieron en pos de él los hombres de Joab, y los cereteos y peleteos, y todos los valientes; y salieron de Jerusalén para ir tras Seba hijo de Bicri.

8 Y *estando* ellos cerca de la piedra grande que está en Gabaón, les salió Amasa al encuentro. Y la vestidura que Joab tenía sobrepuesta se le estaba ceñida, y sobre ella tenía pegado en sus lomos el cinto con una daga en su vaina, la cual se le cayó cuando él avanzó.

9 Entonces Joab dijo a Amasa: ¿Tienes paz, hermano mío? Y tomó Joab con la diestra la barba de Amasa, para besarlo.

10 Y como Amasa no se cuidó de la daga que Joab *tenía* en la mano, éste le hirió con ella en la quinta *costilla*, y derramó sus entrañas por tierra, y cayó muerto sin darle segundo golpe. Después Joab y su hermano Abisai fueron en persecución de Seba hijo de Bicri.

11 Y uno de los hombres de Joab se paró junto a él, y dijo: Cualquiera que ame a Joab y a David vaya en pos de Joab.

12 Y Amasa yacía revolcado en su sangre en mitad del camino; y viendo aquel hombre que todo el pueblo se detenía, apartó a Amasa del camino al campo, y echó sobre él una vestidura, porque veía que todos los que venían se detenían junto a él.

13 Luego que fue apartado del camino, pasaron todos los que seguían a Joab, para ir tras Seba hijo de Bicri.

14 Y él pasó por todas las tribus de Israel hasta Abel, y Bet-maaca y todos los de Barim; y se juntaron, y lo siguieron también.

15 Y vinieron y lo sitiaron en Abel de Bet-maaca, y pusieron baluarte contra la ciudad; y se apoyaba en el muro, y todo el pueblo que *estaba* con Joab golpeaba la muralla, para derribarla.

16 Entonces una mujer sabia dio voces en la ciudad, diciendo: Oíd, oíd; os ruego que digáis a Joab que venga acá, para que yo hable con él.

17 Y cuando él se acercó a ella, dijo la mujer: ¿Eres tú Joab? Y él respondió: Yo soy. Y ella le dijo: Oye las palabras de tu sierva. Y él respondió: Oigo.

18 Entonces ella volvió a hablar, diciendo: Antiguamente solían hablar, diciendo: Quien preguntare, pregunte en Abel; y así concluían *todo asunto*.

19 Yo soy de las pacíficas y fieles de Israel; y tú procuras destruir una ciudad que es madre en Israel: ¿Por qué destruyes la heredad de Jehová?

20 Y Joab respondió, diciendo: Nunca tal, nunca tal me acontezca, que yo destruya ni deshaga.

21 La cosa no es así; mas un hombre del monte de Efraín, que se llama Seba hijo de Bicri, ha levantado su mano contra el rey David: entregad a ése solamente, y me iré de la ciudad. Y la mujer dijo a Joab: He aquí su cabeza te será arrojada desde el muro.

22 La mujer fue luego a todo el pueblo con su sabiduría; y ellos cortaron la cabeza a Seba hijo de Bicri, y la arrojaron a Joab. Y él tocó la trompeta, y se retiraron de la ciudad, cada uno a su tienda. Y Joab se volvió al rey a Jerusalén.

23 Así *quedó* Joab sobre todo el ejército de Israel; y Benaía hijo de Joiada sobre los cereteos y peleteos;

24 y Adoram sobre los tributos; y Josafat hijo de Ahilud, el cronista;

25 y Seba *era* el escriba; y Sadoc y Abiatar, *eran* los sacerdotes;

26 e Ira jaireo era un principal de David.

CAPÍTULO 21

Y hubo hambre en los días de David por tres años consecutivos. Y David consultó a Jehová, y Jehová le dijo: Es por Saúl, y por aquella casa de sangre; porque mató a los gabaonitas.

2 Entonces el rey llamó a los gabaonitas, y les habló. (Los gabaonitas no *eran* de los hijos de Israel, sino del resto de los amorreos, a los cuales los hijos de Israel habían hecho juramento; pero Saúl había procurado matarlos debido a su celo por los hijos de Israel y de Judá.)

3 Dijo, pues, David a los gabaonitas: ¿Qué haré por vosotros, y con qué haré compensación, para que bendigáis a la heredad de Jehová?

4 Y los gabaonitas le respondieron: No tenemos nosotros querella sobre plata ni sobre oro con Saúl y con su casa; ni queremos que muera hombre de Israel. Y él les dijo: Haré por vosotros lo que digáis.

5 Y ellos respondieron al rey: De aquel hombre que nos destruyó, y que maquinó contra nosotros, para extirparnos sin dejar nada de nosotros en todo el término de Israel;

6 dénsenos siete varones de sus hijos, para que los ahorquemos delante de Jehová en Gabaa de Saúl, el escogido de Jehová. Y el rey dijo: Yo *los* daré.

7 Y perdonó el rey a Mefiboset, hijo de Jonatán, hijo de Saúl, por el juramento de Jehová que *había* entre ellos, entre David y Jonatán hijo de Saúl.

8 Mas el rey tomó a los dos hijos de Rispa hija de Aja, los cuales ella había dado a luz a Saúl, a Armoni y a Mefiboset; y a los cinco hijos de Mical hija de Saúl, los cuales ella había dado a luz a Adriel, hijo de Barzilai meholatita,

9 y los entregó en manos de los gabaonitas, y ellos los ahorcaron en el monte delante de Jehová; y murieron juntos aquellos siete, los cuales fueron muertos en el tiempo de la siega, en los primeros *días,* en el principio de la siega de las cebadas.

10 Y Rispa hija de Aja tomó una tela de cilicio, y la tendió sobre una roca, desde el principio de la siega hasta que llovió sobre ellos agua del cielo; y no dejó que ninguna ave del cielo se posase sobre ellos de día, ni fieras del campo de noche.

11 Y fue dicho a David lo que hacía Rispa hija de Aja, concubina de Saúl.

12 Entonces David fue, y tomó los huesos de Saúl y los huesos de Jonatán su hijo, de los hombres de Jabes de Galaad, que los habían hurtado de la plaza de Bet-seán, donde los habían colgado los filisteos, cuando deshicieron los filisteos a Saúl en Gilboa.

13 E hizo llevar de allí los huesos de Saúl y los huesos de Jonatán su hijo; y recogieron *también* los huesos de los ahorcados.

14 Y sepultaron los huesos de Saúl y los de su hijo Jonatán en tierra de Benjamín, en Sela, en el sepulcro de Cis su padre; e hicieron todo lo que el rey había mandado. Y Dios fue benévolo con la tierra después de esto.

15 Y como los filisteos volvieron a hacer guerra contra Israel, descendió David y sus siervos con él, y pelearon con los filisteos, y David se cansó.

16 E Isbibenob, que *era* de los hijos del gigante, y cuya lanza pesaba trescientos *siclos* de bronce, y que estaba ceñido de una *espada* nueva, trató de matar a David;

17 pero Abisai hijo de Sarvia le socorrió, e hirió al filisteo y lo mató. Entonces los hombres de David le juraron, diciendo: Nunca más de aquí en adelante saldrás con nosotros a la batalla, no sea que apagues la lámpara de Israel.

18 Y sucedió después de esto que hubo otra vez guerra en Gob contra los filisteos; entonces Sibecai husatita mató a Saf, que *era* de los hijos del gigante.

19 Y hubo guerra otra vez en Gob contra los filisteos, en la cual Elhanán, hijo de Jaare-oregim de Belén, mató *al hermano de* Goliat geteo, el asta de cuya lanza *era* como un rodillo de telar.

20 Después hubo otra guerra en Gat, donde hubo un hombre de *gran* estatura, el cual tenía doce dedos en las manos, y otros doce en los pies, veinticuatro por todos; y también era de los hijos del gigante.

21 Éste desafió a Israel, y lo mató Jonatán, hijo de Sima hermano de David.

22 Estos cuatro le habían nacido al gigante en Gat, los cuales cayeron por la mano de David, y por la mano de sus siervos.

CAPÍTULO 22

Y habló David a Jehová las palabras de este cántico, el día que Jehová le había librado de la mano de todos sus enemigos, y de la mano de Saúl.

2 Y dijo: Jehová *es* mi Roca, mi fortaleza y mi Libertador;

3 Dios *es* mi Roca, en Él confiaré; mi escudo, y el cuerno de mi salvación, mi fortaleza alta y mi refugio; mi Salvador, tú me libras de violencia.

4 Invocaré a Jehová, *quien es* digno de ser alabado; y seré salvo de mis enemigos.

5 Cuando me cercaron las ondas de la muerte, y los torrentes de hombres inicuos me atemorizaron,

6 me rodearon los dolores del infierno, y los lazos de la muerte, delante de mí estuvieron.

7 En mi angustia, invoqué a Jehová, y clamé a mi Dios; y Él oyó mi voz desde su templo; y llegó mi clamor a sus oídos.

8 La tierra se estremeció y tembló; los fundamentos del cielo fueron conmovidos, se estremecieron, porque se indignó Él.

9 Humo subió de su nariz, y de su boca fuego consumidor, por el cual se encendieron carbones.

10 Inclinó también los cielos, y descendió; y había oscuridad debajo de sus pies.

11 Subió sobre el querubín, y voló; se apareció sobre las alas del viento.

12 Puso pabellones de tinieblas alrededor de sí; oscuridad de aguas y densas nubes.

13 Por el resplandor de su presencia se encendieron carbones ardientes.

14 Jehová tronó desde el cielo, y el Altísimo dio su voz;

15 Envió saetas, y los dispersó; *lanzó* relámpagos, y los consumió.

16 Entonces aparecieron los cauces del mar, y los fundamentos del mundo fueron descubiertos, a la reprensión de Jehová, al resoplido del aliento de su nariz.

17 Extendió su mano de lo alto, y me arrebató, y me sacó de copiosas aguas.

18 Me libró de mi poderoso enemigo, y de aquellos que me aborrecían, pues eran más fuertes que yo.

19 Me asaltaron en el día de mi calamidad; mas Jehová fue mi sostén.

20 Me sacó a anchura; me libró, porque se agradó de mí.

21 Jehová me recompensó conforme a mi justicia; y conforme a la limpieza de mis manos, me remuneró.

22 Porque yo guardé los caminos de Jehová, y no me aparté impíamente de mi Dios.

23 Porque delante de mí *han estado* todos sus juicios; y no me he apartado de sus estatutos.

24 Y fui íntegro para con Él, y me guardé de mi iniquidad.

25 Por lo cual Jehová me ha recompensado conforme a mi justicia, y conforme a mi limpieza delante de sus ojos.

26 Con el misericordioso te mostrarás misericordioso, y con el íntegro te mostrarás íntegro.

27 Limpio te mostrarás para con el limpio, mas con el perverso te mostrarás rígido.

28 Y tú salvas al pueblo afligido; mas tus ojos *están* sobre los altivos, para abatirlos.

29 Porque tú *eres* mi lámpara, oh Jehová: Jehová da luz a mis tinieblas.

30 Pues por ti he desbaratado ejércitos, por mi Dios he saltado sobre muros.

31 En cuanto a Dios, perfecto *es* su camino: Purificada *es* la palabra de Jehová; Escudo *es* a todos los que en Él esperan.

32 Porque ¿quién *es* Dios, sino Jehová? ¿O quién *es* la Roca, sino nuestro Dios?

33 Dios *es* mi fortaleza y mi poder; y Él hace perfecto mi camino;

34 Él hace mis pies como de ciervas, y me hace estar firme sobre mis alturas;

35 Él adiestra mis manos para la batalla, de manera que se doble el arco de acero con mis brazos.

36 Tú me diste asimismo el escudo de tu salvación, y tu benignidad me ha engrandecido.

37 Tú ensanchaste mis pasos debajo de mí, para que mis pies no resbalasen.

38 Perseguí a mis enemigos, y los quebranté; y no me volví hasta que los acabé.

39 Los consumí, y los herí, y no se levantarán; han caído debajo de mis pies.

40 Pues tú me ceñiste de fuerzas para la batalla, y subyugaste debajo de mí a los que contra mí se levantaron.

41 Tú me diste la cerviz de mis enemigos, a los que me aborrecen, para que yo los destruyese.

42 Miraron, y no *hubo* quien los librase; *aun* a Jehová, mas no les respondió.

43 Yo los desmenucé como polvo de la tierra; los hollé como a lodo de las calles y los disipé.

44 Tú me has librado de las contiendas de mi pueblo: Tú me has guardado para que *sea* cabeza de naciones: Pueblo que yo no conocía me servirá.

45 Los extraños se someterán a mí; al oír, me obedecerán.

46 Los extraños desfallecerán, y temblando saldrán de sus escondrijos.

47 ¡Vive Jehová! y bendita *sea* mi roca; sea enaltecido el Dios de la roca de mi salvación:

48 *Es* Dios quien por mí hace venganza, y quien sujeta los pueblos debajo de mí;

49 y que me saca de entre mis enemigos: Tú me levantaste en alto sobre los que se levantaron contra mí; me libraste del varón de iniquidades.

50 Por tanto, yo te daré gracias entre las naciones, oh Jehová, y cantaré a tu nombre.

51 *Él es* la torre de salvación para su rey, y hace misericordia a su ungido, a David, y a su simiente, para siempre.

CAPÍTULO 23

Éstas *son* las palabras postreras de David. Dijo David hijo de Isaí, dijo aquel varón que fue levantado en alto, el ungido del Dios de Jacob, el dulce salmista de Israel, dice:

2 El Espíritu de Jehová ha hablado por mí, y su palabra *ha sido* en mi lengua.

3 El Dios de Israel ha dicho, me habló la Roca de Israel: El que gobierna a los hombres será justo, gobernando en el temor de Dios.

4 Y *será* como la luz de la mañana *cuando* sale el sol, la mañana sin nubes; como el resplandor tras la lluvia que *hace brotar* la hierba de la tierra.

5 Aunque mi casa no es así para con Dios; sin embargo Él ha hecho conmigo un pacto eterno, ordenado en todas las cosas y seguro; pues *ésta es* toda mi salvación y todo mi deseo, aunque todavía no lo haga Él florecer.

6 Pero *los hijos* de Belial serán todos ellos arrancados como espinos, los cuales nadie toma con la mano;

7 sino que el que quiere tocarlos, se arma de hierro y de asta de lanza, y son del todo quemados en *su* lugar.

8 Éstos *son* los nombres de los valientes que David tuvo: El tacmonita, que se sentaba en cátedra, principal de los capitanes; éste *era*

Adino el eznita, que *blandiendo su lanza* mató a ochocientos hombres en una ocasión.

9 Después de éste, Eleazar, hijo de Dodo el ahohíta, uno de los tres valientes que *estaban* con David cuando desafiaron a los filisteos que se habían juntado allí a la batalla, y se habían retirado los hombres de Israel.

10 Éste, levantándose, hirió a los filisteos hasta que su mano se cansó y se le quedó pegada a la espada. Aquel día Jehová dio gran victoria; y se volvió el pueblo en pos de él solamente a tomar el despojo.

11 Después de éste *fue* Sama, hijo de Age ararita; que habiéndose juntado los filisteos en una aldea, había allí un pequeño terreno lleno de lentejas, y el pueblo había huido delante de los filisteos.

12 Pero él se paró en medio de aquel terreno, y lo defendió, e hirió a los filisteos; y Jehová dio una gran victoria.

13 Y tres de los treinta principales descendieron y vinieron en tiempo de la siega a David a la cueva de Adulam; y el campo de los filisteos estaba en el valle de Refaim.

14 David entonces *estaba* en la fortaleza, y la guarnición de los filisteos *estaba en* Belén.

15 Y David tuvo deseo, y dijo: ¡Quién me diera a beber del agua del pozo de Belén, que *está* junto a la puerta!

16 Entonces los tres valientes irrumpieron por el campo de los filisteos, y sacaron agua del pozo de Belén, que *estaba* junto a la puerta; y tomaron, y la trajeron a David; mas él no la quiso beber, sino que la derramó a Jehová, diciendo:

17 Lejos sea de mí, oh Jehová, que yo haga esto. ¿He de beber yo la sangre de los varones que fueron con peligro de su vida? Y no quiso beberla. Los tres valientes hicieron esto.

18 Y Abisai hermano de Joab, hijo de Sarvia, fue el principal de los tres. Y éste alzó su lanza contra trescientos y los mató, y tuvo renombre entre los tres.

19 Él era el más distinguido de los tres, y llegó a ser su jefe; pero no igualó a los tres *primeros*.

20 Después, Benaía hijo de Joiada, hijo de un varón esforzado, grande en proezas, de Cabseel. Éste mató a dos moabitas, fieros como leones; y él mismo descendió, y mató a un león en medio de un foso en tiempo de la nieve.

21 Y mató a un egipcio, hombre de grande estatura; y tenía el egipcio una lanza en su mano; mas descendió a él con un palo, y arrebató la lanza de la mano del egipcio y lo mató con su propia lanza.

22 Esto hizo Benaía hijo de Joiada, y tuvo nombre entre los tres valientes.

23 De los treinta fue el más distinguido; pero no igualó a los tres *primeros*. Y David lo puso como jefe de su guardia personal.

24 Asael hermano de Joab *fue* de los treinta; Elhanán hijo de Dodo de Belén;

25 Sama harodita, Elica harodita;

26 Heles paltita, Ira, hijo de Iques, tecoíta;

27 Abiezer anatotita, Mebunai husatita;

28 Salmón ahohíta, Maharai netofatita;

29 Helec hijo de Baana netofatita, Itai hijo de Ribai de Gabaa de los hijos de Benjamín;

30 Benaía piratonita, Hidai de los arroyos de Gaas;

31 Abi-albon arbatita, Azmavet barhumita;

32 Elihaba saalbonita, Jonatán de los hijos de Jasén;

33 Sama ararita, Ahiam hijo de Sarar ararita.

34 Elifelet hijo de Asbai hijo de un maacatita; Eliam hijo de Ahitofel gilonita;

35 Hezrai carmelita, Parai arbita;

36 Igal hijo de Natán de Soba, Bani gadita;

37 Selec amonita, Naharai beerotita, escudero de Joab hijo de Sarvia;

38 Ira itrita, Gareb itrita;

39 Urías heteo. Treinta y siete por todos.

CAPÍTULO 24

Y volvió a encenderse el furor de Jehová contra Israel, e incitó a David contra ellos a que dijese: Ve, cuenta a Israel y a Judá.

2 Y dijo el rey a Joab, general del ejército que *estaba* con él: Recorre ahora todas las tribus de Israel, desde Dan hasta Beerseba, y cuenta al pueblo, para que yo sepa el número de la gente.

3 Y Joab respondió al rey: Añada Jehová tu Dios al pueblo cien veces tanto de lo que son, y que lo vea mi señor el rey; mas ¿para qué quiere esto mi señor el rey?

4 Pero la palabra del rey pudo más que Joab, y que los capitanes del ejército. Salió, pues, Joab, con los capitanes del ejército, de delante del rey, para contar el pueblo de Israel.

5 Y pasando el Jordán asentaron en Aroer, a la mano derecha de la ciudad que *está* en medio del valle de Gad y junto a Jazer.

6 Después vinieron a Galaad, y a la tierra baja de Absi; y de allí vinieron a Danjaán y alrededor de Sidón.

7 Y vinieron luego a la fortaleza de Tiro, y a todas las ciudades de los heveos y de los cananeos; y salieron al sur de Judá, hasta Beerseba.

8 Y después que hubieron recorrido toda la tierra, volvieron a Jerusalén al cabo de nueve meses y veinte días.

9 Y Joab dio la suma del número del pueblo al rey; y los de Israel *fueron* ochocientos mil hombres valientes que sacaban espada; y de los de Judá *fueron* quinientos mil hombres.

10 Y después que David hubo contado al pueblo, le pesó en su corazón; y dijo David a Jehová: Yo he pecado gravemente por haber hecho esto; mas ahora, oh Jehová, te ruego que quites el pecado de tu siervo, porque yo he hecho muy neciamente.

11 Y por la mañana, cuando David se hubo levantado, vino palabra de Jehová a Gad profeta, vidente de David, diciendo:

12 Ve, y di a David: Así dice Jehová: Tres *cosas* te propongo; tú escogerás una de ellas, para que yo te la haga.

13 Vino, pues, Gad a David, y se lo hizo saber, y le dijo: ¿Quieres que te vengan siete años de hambre en tu tierra? ¿O que huyas tres meses delante de tus enemigos, y que ellos te persigan? ¿O que tres días haya pestilencia en tu tierra? Piensa ahora,

y mira qué responderé al que me ha enviado.

14 Entonces David dijo a Gad: En grande angustia estoy; caigamos ahora en mano de Jehová, porque grandes son sus misericordias, y no caiga yo en manos de hombres.

15 Y Jehová envió pestilencia a Israel desde la mañana hasta el tiempo señalado; y murieron del pueblo, desde Dan hasta Beerseba, setenta mil hombres.

16 Y cuando el ángel extendió su mano sobre Jerusalén para destruirla, Jehová se arrepintió de aquel mal, y dijo al ángel que destruía el pueblo: Basta ahora; detén tu mano. Entonces el ángel de Jehová estaba junto a la era de Arauna jebuseo.

17 Y David dijo a Jehová, cuando vio al ángel que hería al pueblo: Yo pequé, yo hice la maldad; ¿qué hicieron estas ovejas? Te ruego que tu mano se torne contra mí, y contra la casa de mi padre.

18 Y Gad vino a David aquel día, y le dijo: Sube, y haz un altar a Jehová en la era de Arauna jebuseo.

19 Y subió David, conforme al dicho de Gad, que Jehová le había mandado.

20 Y mirando Arauna, vio al rey y a sus siervos que pasaban a él. Saliendo entonces Arauna, se inclinó delante del rey rostro a tierra.

21 Y Arauna dijo: ¿Por qué viene mi señor el rey a su siervo? Y David respondió: Para comprar de ti la era, para edificar altar a Jehová, para que cese la mortandad del pueblo.

22 Y Arauna dijo a David: Tome y ofrezca mi señor el rey lo que bien *le pareciere*; he aquí bueyes para el holocausto, y los trillos y otros pertrechos de los bueyes para leña.

23 Todo esto hizo Arauna, como un rey da al rey. Luego dijo Arauna al rey: Jehová tu Dios te sea propicio.

24 Y el rey dijo a Arauna: No, sino por precio te *lo* compraré; porque no ofreceré a Jehová mi Dios holocaustos que no me cuesten nada. Entonces David compró la era y los bueyes por cincuenta siclos de plata.

25 Y edificó allí David un altar a Jehová, y sacrificó holocaustos y ofrendas de paz; y Jehová escuchó la intercesión por la tierra, y cesó la plaga en Israel.

Libro Primero De
REYES

CAPÍTULO 1

Cuando el rey David era viejo, y entrado en días, le cubrían de ropas, mas no se calentaba.

2 Le dijeron por tanto sus siervos: Busquen a mi señor el rey una joven virgen, para que esté delante del rey, y lo abrigue, y duerma a su lado para que dé calor a mi señor el rey.

3 Y buscaron una joven hermosa por todo el término de Israel, y hallaron a Abisag sunamita, y la trajeron al rey.

4 Y la joven *era* hermosa; y ella abrigaba al rey, y le servía; pero el rey nunca la conoció.

5 Entonces Adonías hijo de Haguit se enalteció, diciendo: Yo seré rey. Y se hizo de carros y de gente de a caballo, y cincuenta hombres que corriesen delante de él.

6 Y su padre nunca lo entristeció en todos sus días con decirle: ¿Por qué haces así? Y además éste era de hermoso parecer; y *su madre* lo había engendrado después de Absalón.

7 Y tenía tratos con Joab hijo de Sarvia, y con Abiatar sacerdote, los cuales ayudaban a Adonías.

8 Mas el sacerdote Sadoc, y Benaía hijo de Joiada, y el profeta Natán, y Simeí, y Reihi, y todos los valientes de David, no seguían a Adonías.

9 Y matando Adonías ovejas y vacas y animales engordados junto a la peña de Zohelet, que está cerca de la fuente de Rogel, convidó a todos sus hermanos los hijos del rey, y a todos los varones de Judá, siervos del rey:

10 Mas no convidó a Natán profeta, ni a Benaía, ni a los grandes, ni a Salomón su hermano.

11 Y habló Natán a Betsabé madre de Salomón, diciendo: ¿No has oído que reina Adonías hijo de Haguit, sin saberlo David nuestro señor?

12 Ven pues, ahora, y toma mi consejo, para que salves tu vida, y la vida de tu hijo Salomón.

13 Ve, y entra al rey David, y dile: Rey señor mío, ¿no has jurado tú a tu sierva, diciendo: Salomón tu hijo reinará después de mí, y él se sentará en mi trono? ¿Por qué, pues, reina Adonías?

14 Y mientras tú estés aún hablando con el rey, yo entraré tras ti, y confirmaré tus palabras.

15 Entonces Betsabé entró al rey a la cámara; y el rey era muy viejo; y Abisag sunamita servía al rey.

16 Y Betsabé se inclinó, e hizo reverencia al rey. Y el rey dijo: ¿Qué quieres?

17 Y ella le respondió: Señor mío, tú juraste a tu sierva por Jehová tu Dios, *diciendo*: Salomón tu hijo reinará después de mí, y él se sentará en mi trono;

18 y he aquí ahora Adonías reina; y tú, mi señor el rey, no lo sabes.

19 Ha matado bueyes, y animales engordados, y muchas ovejas, y ha convidado a todos los hijos del rey, y a Abiatar sacerdote, y a Joab general del ejército; mas a Salomón tu siervo no ha convidado.

20 Entre tanto, rey señor mío, los ojos de todo Israel *están* sobre ti, para que les declares quién se ha de sentar en el trono de mi señor el rey después de él.

21 De otra manera acontecerá que cuando mi señor el rey durmiere con sus padres, que yo y mi hijo Salomón seremos tenidos por culpables.

22 Y he aquí que mientras ella aún hablaba con el rey, vino también Natán el profeta.

23 Y dieron aviso al rey, diciendo: He aquí el profeta Natán; el cual cuando entró al rey, se postró delante del rey inclinando su rostro a tierra.

24 Y dijo Natán: Rey señor mío, ¿has dicho tú: Adonías reinará después de mí, y él se sentará en mi trono?

25 Porque hoy ha descendido, y ha matado bueyes, y animales engordados, y muchas ovejas, y ha convidado a todos los hijos del rey, y a los capitanes del ejército, y también a Abiatar sacerdote; y he aquí, están comiendo y bebiendo delante de él, y han dicho: ¡Viva el rey Adonías!

26 Pero ni a mí tu siervo, ni al sacerdote Sadoc, ni a Benaía hijo de Joiada, ni a Salomón tu siervo, ha convidado.

27 ¿Ha sido hecho esto por mi señor el rey, sin haber declarado a tu siervo quién había de sentarse en el trono de mi señor el rey después de él?

28 Entonces el rey David respondió, y dijo: Llamadme a Betsabé. Y ella entró a la presencia del rey, y se puso delante del rey.

29 Y el rey juró, diciendo: Vive Jehová, que ha redimido mi alma de toda angustia,

30 que como yo te he jurado por Jehová Dios de Israel, diciendo: Tu hijo Salomón reinará después de mí, y él se sentará en mi trono en lugar mío; que así lo haré hoy.

31 Entonces Betsabé se inclinó ante el rey, con *su* rostro a tierra, y haciendo reverencia al rey, dijo: Viva mi señor el rey David para siempre.

32 Y el rey David dijo: Llamadme al sacerdote Sadoc, y al profeta Natán, y a Benaía hijo de Joiada. Y ellos entraron a la presencia del rey.

33 Y el rey les dijo: Tomad con vosotros los siervos de vuestro señor, y haced subir a Salomón mi hijo en mi mula, y llevadlo a Gihón:

34 Y allí lo ungirán el sacerdote Sadoc y el profeta Natán por rey sobre Israel; y tocaréis trompeta, diciendo: ¡Viva el rey Salomón!

35 Después iréis vosotros detrás de él, y vendrá y se sentará en mi trono, y él reinará en mi lugar; porque a él he elegido para que sea príncipe sobre Israel y sobre Judá.

36 Entonces Benaía hijo de Joiada respondió al rey, y dijo: Amén. Así lo diga Jehová, Dios de mi señor el rey.

37 De la manera que Jehová ha sido con mi señor el rey, así sea con Salomón; y Él haga engrandecer su trono más que el trono de mi señor el rey David.

38 Y descendió Sadoc sacerdote, y Natán profeta, y Benaía hijo de Joiada, y los cereteos y los peleteos, e hicieron subir a Salomón en la mula del rey David, y lo llevaron a Gihón.

39 Y tomando Sadoc sacerdote el cuerno del aceite del tabernáculo, ungió a Salomón: y tocaron trompeta, y dijo todo el pueblo: ¡Viva el rey Salomón!

40 Después subió todo el pueblo en pos de él, y cantaba la gente con flautas, y hacían grandes alegrías, que parecía que la tierra se hundía con el estruendo de ellos.

41 Y lo oyó Adonías, y todos los convidados que con él *estaban*, cuando ya habían acabado de comer. Y oyendo Joab el sonido de la trompeta, dijo: ¿Por qué se alborota la ciudad con estruendo?

42 Y mientras él aún hablaba, he aquí vino Jonatán hijo del sacerdote Abiatar, al cual dijo Adonías: Entra, porque tú *eres* hombre valiente, y traerás buenas nuevas.

43 Y Jonatán respondió, y dijo a Adonías: Ciertamente nuestro señor el rey David ha hecho rey a Salomón:

44 Y el rey ha enviado con él al sacerdote Sadoc, al profeta Natán, y a Benaía hijo de Joiada, y también a los cereteos y a los peleteos, los cuales le hicieron subir en la mula del rey;

45 y el sacerdote Sadoc y el profeta Natán lo han ungido por rey en Gihón; y de allá han subido con alegrías, y la ciudad está llena de estruendo. Éste *es* el alboroto que habéis oído.

46 Y también Salomón se ha sentado en el trono del reino.

47 Y aun los siervos del rey han venido a bendecir a nuestro señor el rey David, diciendo: Dios haga bueno el nombre de Salomón más que tu nombre, y haga mayor su trono que el tuyo. Y el rey adoró en la cama.

48 Y también el rey habló así: Bendito *sea* Jehová Dios de Israel, que ha dado hoy quien se siente en mi trono, viéndolo mis ojos.

49 Ellos entonces se estremecieron, y se levantaron todos los convidados que *estaban* con Adonías, y se fue cada uno por su camino.

50 Mas Adonías, temiendo de la presencia de Salomón, se levantó y se fue, y se asió de los cuernos del altar.

51 Y fue hecho saber a Salomón, diciendo: He aquí que Adonías tiene miedo del rey Salomón; pues se ha asido de los cuernos del altar, diciendo: Júreme hoy el rey Salomón que no matará a espada a su siervo.

52 Y Salomón dijo: Si demuestra ser un hombre de bien, ni uno de sus cabellos caerá en tierra;·mas si se hallare maldad en él, morirá.

53 Y envió el rey Salomón, y lo trajeron del altar; y él vino, y se inclinó ante el rey Salomón. Y Salomón le dijo: Vete a tu casa.

CAPÍTULO 2

Y cuando llegaron los días en que David había de morir, mandó a Salomón su hijo, diciendo:

2 Yo sigo el camino de toda la tierra; esfuérzate, y sé hombre.

3 Guarda las ordenanzas de Jehová tu Dios, andando en sus caminos, y observando sus estatutos y mandamientos, sus decretos y sus testimonios, de la manera que está escrito en la ley de Moisés, para que seas prosperado en todo lo que hicieres, y en todo lo que emprendieres;

4 para que confirme Jehová la palabra que me habló, diciendo: Si tus hijos guardaren su camino, andando delante de mí con verdad, de todo su corazón, y de toda su alma, jamás, dice, faltará a ti varón sobre el trono de Israel.

5 Y ya sabes tú lo que me ha hecho Joab hijo de Sarvia, lo que hizo a dos generales del ejército de Israel, a Abner hijo de Ner, y a Amasa hijo de Jeter, los cuales él mató, derramando en *tiempo de* paz la sangre de guerra, y poniendo la sangre de guerra en su talabarte que *tenía* sobre sus lomos, y en los zapatos que *tenía* en sus pies.

6 Tú, pues, harás conforme a tu sabiduría; no dejarás que sus canas desciendan en paz a la sepultura.

7 Mas a los hijos de Barzilai galaadita harás misericordia, que sean de los convidados a tu mesa; porque ellos

vinieron así a mí, cuando yo iba huyendo de Absalón tu hermano.

8 También *tienes* contigo a Simeí hijo de Gera, hijo de Benjamín, de Bahurim, el cual me maldijo con una maldición fuerte el día que yo iba a Mahanaim. Mas él mismo descendió a recibirme al Jordán, y yo le juré por Jehová, diciendo: Yo no te mataré a espada.

9 Pero ahora no lo absolverás; porque hombre sabio *eres*, y sabes lo que has de hacer con él; y harás descender sus canas con sangre a la sepultura.

10 Y David durmió con sus padres, y fue sepultado en la ciudad de David.

11 Los días que reinó David sobre Israel *fueron* cuarenta años; siete años reinó en Hebrón, y treinta y tres años reinó en Jerusalén.

12 Y se sentó Salomón en el trono de David su padre, y fue su reino firme en gran manera.

13 Entonces Adonías hijo de Haguit vino a Betsabé madre de Salomón; y ella dijo: ¿Es tu venida de paz? Y él respondió: Sí, de paz.

14 Y luego dijo: Una palabra tengo que decirte. Y ella dijo: Di.

15 Y él dijo: Tú sabes que el reino era mío, y que todo Israel había puesto en mí su rostro, para que yo reinara; mas el reino fue traspasado, y vino a ser de mi hermano; porque por Jehová era suyo.

16 Y ahora yo te hago una petición; no me la niegues. Y ella le dijo: Habla.

17 Él entonces dijo: Yo te ruego que hables al rey Salomón (porque él no te lo negará), para que me dé a Abisag la sunamita por esposa.

18 Y Betsabé dijo: Bien; yo hablaré por ti al rey.

19 Y vino Betsabé al rey Salomón para hablarle por Adonías. Y el rey se levantó a recibirla, y se inclinó a ella, y volvió a sentarse en su trono, e hizo poner una silla a su madre del rey, la cual se sentó a su diestra.

20 Y ella dijo: Tengo una pequeña petición para ti; no me la niegues. Y el rey le dijo: Pide, madre mía, que yo no te la negaré.

21 Y ella dijo: Que Abisag la sunamita sea dada por esposa a tu hermano Adonías.

22 Y el rey Salomón respondió, y dijo a su madre: ¿Por qué pides a Abisag sunamita para Adonías? Demanda también para él el reino, porque él *es* mi hermano mayor; y tiene también a Abiatar sacerdote, y a Joab hijo de Sarvia.

23 Y el rey Salomón juró por Jehová, diciendo: Así me haga Dios y así me añada, que contra su vida ha hablado Adonías esta palabra.

24 Ahora, pues, vive Jehová, que me ha confirmado y me ha puesto sobre el trono de David mi padre, y quien me ha hecho casa, como me había prometido, que Adonías morirá hoy.

25 Entonces el rey Salomón envió por mano de Benaía hijo de Joiada, el cual arremetió contra él, y murió.

26 Y el rey dijo al sacerdote Abiatar: Vete a Anatot a tus heredades, pues tú eres digno de muerte; mas no te mataré hoy, por cuanto has llevado el arca del Señor Jehová delante de David mi padre, y además has sido afligido en todas las cosas en que fue afligido mi padre.

27 Así echó Salomón a Abiatar del sacerdocio de Jehová, para que se cumpliese la palabra de Jehová que había dicho sobre la casa de Elí en Silo.

28 Y vino la noticia hasta Joab; porque también Joab se había adherido a Adonías, si bien no se había adherido a Absalón. Y huyó Joab al tabernáculo de Jehová, y se asió de los cuernos del altar.

29 Y fue hecho saber a Salomón que Joab había huido al tabernáculo de Jehová, y que *estaba* junto al altar. Entonces envió Salomón a Benaía hijo de Joiada, diciendo: Ve, y arremete contra él.

30 Y entró Benaía al tabernáculo de Jehová, y le dijo: El rey ha dicho que salgas. Y él dijo: No, sino que aquí moriré. Y Benaía volvió con esta respuesta al rey, diciendo: Así habló Joab, y así me respondió.

31 Y el rey le dijo: Haz como él ha dicho; mátale y entiérralo, y quita de mí y de la casa de mi padre la sangre que Joab ha derramado injustamente.

32 Y Jehová hará tornar su sangre sobre su cabeza; porque él arremetió

y dio muerte a espada a dos varones más justos y mejores que él, sin que mi padre David lo supiese; a Abner hijo de Ner, general del ejército de Israel, y a Amasa hijo de Jeter, general del ejército de Judá.

33 La sangre, pues, de ellos recaerá sobre la cabeza de Joab, y sobre la cabeza de su simiente para siempre; mas sobre David y sobre su simiente, y sobre su casa y sobre su trono, habrá perpetuamente paz de parte de Jehová.

34 Entonces Benaía hijo de Joiada subió, y dio sobre él, y lo mató; y fue sepultado en su casa en el desierto.

35 Y el rey puso en su lugar a Benaía hijo de Joiada sobre el ejército; y a Sadoc puso el rey por sacerdote en lugar de Abiatar.

36 Después envió el rey, e hizo venir a Simei, y le dijo: Edifícate una casa en Jerusalén, y mora ahí, y no salgas de ahí a ninguna parte;

37 porque sabe de cierto que el día que salieres, y pasares el torrente de Cedrón, sin duda morirás, y tu sangre será sobre tu cabeza.

38 Y Simei dijo al rey: La palabra es buena; como el rey mi señor ha dicho, así lo hará tu siervo. Y habitó Simei en Jerusalén muchos días.

39 Pero pasados tres años, aconteció que dos siervos de Simei huyeron a Aquís, hijo de Maaca, rey de Gat. Y dieron aviso a Simei, diciendo: He aquí que tus siervos *están* en Gat.

40 Se levantó entonces Simei, y enalbardó su asno, y fue a Gat, a Aquís, a procurar sus siervos. Fue, pues, Simei, y volvió sus siervos de Gat.

41 Luego fue dicho a Salomón que Simei había ido de Jerusalén hasta Gat, y que había vuelto.

42 Entonces el rey envió, e hizo venir a Simei, y le dijo: ¿No te hice jurar yo por Jehová, y te protesté, diciendo: El día que salieres, y fueres a alguna parte, sabe de cierto que has de morir? Y tú me dijiste: La palabra *es* buena, yo la obedezco.

43 ¿Por qué, pues, no guardaste el juramento de Jehová, y el mandamiento que yo te impuse?

44 Dijo además el rey a Simei: Tú sabes todo el mal, el cual tu corazón bien sabe, que cometiste contra mi padre David; Jehová, pues, ha tornado el mal sobre tu cabeza.

45 Y el rey Salomón *será* bendito, y el trono de David será firme perpetuamente delante de Jehová.

46 Entonces el rey mandó a Benaía hijo de Joiada, el cual salió y le hirió, y murió. Y el reino fue confirmado en la mano de Salomón.

CAPÍTULO 3

Y Salomón hizo parentesco con Faraón rey de Egipto, porque tomó la hija de Faraón, y la trajo a la ciudad de David, entre tanto que acababa de edificar su casa, y la casa de Jehová, y los muros de Jerusalén alrededor.

2 Hasta entonces el pueblo sacrificaba en los lugares altos; porque no había casa edificada al nombre de Jehová hasta aquellos tiempos.

3 Mas Salomón amó a Jehová, andando en los estatutos de su padre David; solamente sacrificaba y quemaba incienso en los lugares altos.

4 E iba el rey a Gabaón, porque aquél *era* el lugar alto principal, y sacrificaba allí, mil holocaustos sacrificaba Salomón sobre aquel altar.

5 Y se apareció Jehová a Salomón en Gabaón una noche en sueños, y le dijo Dios: Pide lo que quieras que yo te dé.

6 Y Salomón dijo: Tú hiciste gran misericordia a tu siervo David mi padre, según que él anduvo delante de ti en verdad, en justicia, y con rectitud de corazón para contigo; y tú le has conservado esta tu grande misericordia, que le diste hijo que se sentase en su trono, como *sucede en* este día.

7 Ahora pues, Jehová Dios mío, tú has puesto a mí tu siervo por rey en lugar de David mi padre; y yo no soy sino un joven, y no sé *cómo* entrar ni salir.

8 Y tu siervo *está* en medio de tu pueblo al cual tú escogiste; un pueblo grande, que no se puede contar ni numerar por *su* multitud.

9 Da, pues, a tu siervo corazón entendido para juzgar a tu pueblo, para discernir entre lo bueno y lo malo; porque ¿quién podrá gobernar este tu pueblo tan grande?

10 Y agradó delante del Señor que Salomón pidiese esto.

11 Y le dijo Dios: Porque has demandado esto, y no pediste para ti muchos días, ni pediste para ti riquezas, ni pediste la vida de tus enemigos, sino que demandaste para ti inteligencia para oír juicio;

12 he aquí he hecho conforme a tus palabras; he aquí que te he dado corazón sabio y entendido, tanto que no haya habido antes de ti otro como tú, ni después de ti se levantará otro como tú.

13 Y aun también te he dado las cosas que no pediste, riquezas y gloria, de tal manera que entre los reyes ninguno haya como tú en todos tus días.

14 Y si anduvieres en mis caminos, guardando mis estatutos y mis mandamientos, como anduvo David tu padre, yo alargaré tus días.

15 Y cuando Salomón despertó, vio que era sueño. Y vino a Jerusalén, y se presentó delante del arca del pacto de Jehová, y sacrificó holocaustos, e hizo ofrendas de paz; hizo también banquete a todos sus siervos.

16 En aquel tiempo vinieron al rey dos mujeres *que eran* rameras, y se presentaron delante de él.

17 Y una de las mujeres, dijo: ¡Ah, señor mío! Yo y esta mujer morábamos en una misma casa, y yo di a luz estando con ella en la casa.

18 Y aconteció al tercer día después que yo di a luz, que ésta también dio a luz, y *morábamos* nosotras juntas; ninguno de fuera *estaba* en casa, sino nosotras dos en la casa.

19 Y una noche el hijo de esta mujer murió, porque ella se acostó sobre él.

20 Y ella se levantó a media noche, y tomó a mi hijo de junto a mí, estando yo tu sierva durmiendo, y lo puso a su lado, y puso a mi lado su hijo muerto.

21 Y cuando yo me levanté por la mañana para dar el pecho a mi hijo, he aquí que estaba muerto; mas le observé por la mañana, y vi que no era mi hijo, el que yo había dado a luz.

22 Entonces la otra mujer dijo: No; mi hijo *es* el que vive, y tu hijo *es* el muerto. Y la otra volvió a decir: No; tu hijo *es* el muerto, y mi hijo *es* el que vive. Así hablaban delante del rey.

23 El rey entonces dijo: Ésta dice: Mi hijo *es* el que vive, y tu hijo *es* el muerto; y la otra dice: No, mas el tuyo *es* el muerto, y mi hijo *es* el que vive.

24 Y dijo el rey: Traedme una espada. Y trajeron al rey una espada.

25 En seguida el rey dijo: Partid por medio al niño vivo, y dad la mitad a la una, y la otra mitad a la otra.

26 Entonces la mujer de quien *era* el hijo vivo, habló al rey (porque sus entrañas se le conmovieron por su hijo), y dijo: ¡Ah, señor mío! dad a ésta el niño vivo, y no lo matéis. Mas la otra dijo: Ni a mí ni a ti; partidlo.

27 Entonces el rey respondió y dijo: Dad a ésta el niño vivo, y no lo matéis; ella *es* su madre.

28 Y todo Israel oyó aquel juicio que había dado el rey; y temieron al rey, porque vieron que *había* en él sabiduría de Dios para juzgar.

CAPÍTULO 4

Reinó, pues, el rey Salomón sobre todo Israel.

2 Y éstos *fueron* los príncipes que tuvo: Azarías hijo del sacerdote Sadoc;

3 Elioref y Ahías, hijos de Sisa, escribas; Josafat hijo de Ahilud el cronista;

4 Benaía hijo de Joiada *era* sobre el ejército; y Sadoc y Abiatar *eran* los sacerdotes;

5 Azarías hijo de Natán *era* sobre los gobernadores; Zabud hijo de Natán *era* el oficial principal y amigo del rey;

6 Y Ahisar *era* mayordomo; y Adoniram hijo de Abda *era* sobre el tributo.

7 Y tenía Salomón doce gobernadores sobre todo Israel, los cuales mantenían al rey y a su casa. Cada uno de ellos le abastecía por un mes en el año.

8 Y éstos *son* los nombres de ellos: El hijo de Hur en el monte de Efraín;

9 el hijo de Decar, en Macas, y en Saalbim, y en Bet-semes, y en Elón, y en Bet-hanan;

10 el hijo de Hesed, en Arubot; éste *tenía* también a Soco y toda la tierra de Hefer;

11 el hijo de Abinadab, en todos los términos de Dor; éste tenía por esposa a Tafat hija de Salomón;

12 Baana hijo de Ahilud, en Taanac y Meguido, y en toda Bet-seán, que *está* cerca de Zaretán, abajo de Jezreel, desde Bet-seán hasta Abel-mehola, y hasta el otro lado de Jocmeam;

13 el hijo de Geber, en Ramot de Galaad; éste tenía también las ciudades de Jair hijo de Manasés, las cuales estaban en Galaad; tenía también la provincia de Argob, que *estaba* en Basán, sesenta grandes ciudades con muro y cerraduras de bronce;

14 Ahinadab hijo de Iddo, en Mahanaim;

15 Ahimaas en Neftalí; éste tomó también por esposa a Basemat hija de Salomón.

16 Baana hijo de Husai, en Aser y en Alot;

17 Josafat hijo de Parúa, en Isacar;

18 Simeí hijo de Ela, en Benjamín;

19 Geber hijo de Uri, en la tierra de Galaad, la tierra de Sehón rey de los amorreos, y de Og rey de Basán; éste *era* el único gobernador en aquella tierra.

20 Judá e Israel *eran* muchos, como la arena que *está* junto al mar en multitud, comiendo, bebiendo y alegrándose.

21 Y Salomón señoreaba sobre todos los reinos desde el río hasta la tierra de los filisteos y hasta el término de Egipto; y traían presentes, y sirvieron a Salomón todos los días de su vida.

22 Y la provisión de Salomón era cada día treinta coros de flor de harina, y sesenta coros de harina,

23 diez bueyes engordados, y veinte bueyes de pasto, y cien ovejas; sin los ciervos, gacelas, corzos, y aves engordadas.

24 Porque él señoreaba en toda *la región* que estaba de este lado del río,

desde Tifsa hasta Gaza, sobre todos los reyes de este lado del río; y tuvo paz por todos lados en derredor suyo.

25 Y Judá e Israel vivían seguros, cada uno debajo de su parra y debajo de su higuera, desde Dan hasta Beerseba, todos los días de Salomón.

26 Tenía además de esto Salomón cuarenta mil caballos en sus caballerizas para sus carros, y doce mil jinetes.

27 Y estos gobernadores mantenían al rey Salomón, y a todos los que a la mesa del rey Salomón venían, cada uno un mes; nada les hacía falta.

28 Traían también cebada y paja para los caballos y para los dromedarios, al lugar donde estaban *los oficiales*, cada uno conforme al cargo que tenía.

29 Y Dios dio a Salomón sabiduría, y prudencia muy grande, y anchura de corazón como la arena que *está* a la orilla del mar.

30 Y la sabiduría de Salomón sobrepasaba a la de todos los orientales, y a toda la sabiduría de Egipto.

31 Y aun fue más sabio que todos los hombres; más que Etán ezraíta, y que Hemán, Calcol y Darda, hijos de Mahol; y se extendió su fama por todas las naciones de alrededor.

32 Y compuso tres mil proverbios; y sus cantos fueron mil cinco.

33 También disertó sobre los árboles, desde el cedro del Líbano hasta el hisopo que nace en la pared. Asimismo disertó sobre los animales, las aves, los reptiles, y los peces.

34 Y venían de todos los pueblos a oír la sabiduría de Salomón, y de todos los reyes de la tierra, donde había llegado la fama de su sabiduría.

CAPÍTULO 5

Hiram rey de Tiro envió también sus siervos a Salomón, luego que oyó que lo habían ungido por rey en lugar de su padre; porque Hiram siempre había amado a David.

2 Entonces Salomón envió *a decir* a Hiram:

3 Tú sabes como mi padre David no pudo edificar casa al nombre de Jehová su Dios, por las guerras que

le rodearon, hasta que Jehová puso sus enemigos bajo las plantas de sus pies.

4 Ahora Jehová mi Dios me ha dado reposo por todas partes; *de modo que* ni hay adversarios ni mal que nos azote.

5 Yo por tanto he determinado ahora edificar casa al nombre de Jehová mi Dios, como Jehová lo habló a David mi padre, diciendo: Tu hijo, que yo pondré en lugar tuyo en tu trono, él edificará casa a mi nombre.

6 Manda, pues, ahora que me corten cedros del Líbano; y mis siervos estarán con los tuyos, y yo te daré por tus siervos el salario que tú dijeres; porque tú sabes bien que ninguno *hay* entre nosotros que sepa labrar la madera como los sidonios.

7 Y aconteció que cuando Hiram oyó las palabras de Salomón, se gozó en gran manera, y dijo: Bendito *sea* hoy Jehová, que dio hijo sabio a David sobre este pueblo tan grande.

8 Y envió Hiram a decir a Salomón: He oído lo que me mandaste a decir; yo haré todo lo que tú desees acerca de la madera de cedro, y la madera de abeto.

9 Mis siervos la llevarán desde el Líbano al mar; y yo la pondré en balsas por el mar hasta el lugar que tú me señales, y allí se desatará, y tú la tomarás; y tú cumplirás mi deseo al dar de comer a mi familia.

10 Dio, pues, Hiram a Salomón madera de cedro y madera de abeto, toda la que quiso.

11 Y Salomón daba a Hiram veinte mil coros de trigo para el sustento de su familia, y veinte coros de aceite puro; esto daba Salomón a Hiram año tras año.

12 Y Jehová dio sabiduría a Salomón, como le había prometido; y hubo paz entre Hiram y Salomón, e hicieron alianza entre ambos.

13 Y el rey Salomón impuso leva a todo Israel, y la leva fue de treinta mil hombres:

14 Los cuales enviaba al Líbano de diez mil en diez mil, cada mes por su turno, viniendo así a estar un mes en el Líbano, y dos meses en sus casas; y Adoniram *estaba* a cargo de aquella leva.

15 Tenía también Salomón setenta mil que llevaban las cargas, y ochenta mil cortadores en el monte;

16 sin los principales oficiales de Salomón que *estaban* sobre la obra, tres mil trescientos, los cuales tenían cargo del pueblo que hacía la obra.

17 Y mandó el rey que trajesen grandes piedras, piedras costosas, para los cimientos de la casa, y piedras labradas.

18 Y los albañiles de Salomón y los albañiles de Hiram, y los giblitas, cortaron y aparejaron la madera y la cantería para labrar la casa.

CAPÍTULO 6

Y aconteció en el año cuatrocientos ochenta después que los hijos de Israel salieron de Egipto, en el cuarto año del principio del reino de Salomón sobre Israel, en el mes de Zif, que *es* el mes segundo, que él comenzó a edificar la casa de Jehová.

2 La casa que el rey Salomón edificó a Jehová, *tuvo* sesenta codos de largo y veinte de ancho, y treinta codos de alto.

3 Y el pórtico delante del templo de la casa, de veinte codos de largo, según la anchura de la casa, y su ancho era de diez codos delante de la casa.

4 E hizo a la casa ventanas anchas por dentro, y estrechas por fuera.

5 Edificó también junto al muro de la casa aposentos alrededor, *contra* las paredes de la casa en derredor del templo y del oráculo; e hizo cámaras alrededor.

6 El aposento de abajo *era* de cinco codos de ancho, y el de en medio de seis codos de ancho, y el tercero de siete codos de ancho; porque por fuera había hecho ranuras a la casa en derredor, para no trabar las vigas de las paredes de la casa.

7 Y la casa cuando se edificó, la fabricaron de piedras que traían ya acabadas; de tal manera que cuando la edificaban, ni martillos ni hachas se oyeron en la casa, ni ningún otro instrumento de hierro.

8 La puerta del aposento de en medio *estaba* al lado derecho de la casa; y se subía por una escalera de

caracol al de en medio, y *del aposento* de en medio al tercero.

9 Edificó, pues, la casa, y la terminó; y cubrió la casa con artesonados de cedro.

10 Y edificó asimismo el aposento en derredor de toda la casa, de altura de cinco codos, el cual se apoyaba en la casa con maderas de cedro.

11 Y vino palabra de Jehová a Salomón, diciendo:

12 *En cuanto a* esta casa que tú edificas; si anduvieres en mis estatutos, e hicieres mis decretos, y guardares todos mis mandamientos andando en ellos, yo cumpliré contigo mi palabra que hablé a David tu padre;

13 y habitaré en medio de los hijos de Israel, y no abandonaré a mi pueblo Israel.

14 Así pues, Salomón edificó la casa, y la terminó.

15 Y cubrió las paredes de la casa con tablas de cedro, revistiéndola de madera por dentro, desde el suelo de la casa hasta las vigas de la techumbre; cubrió también el piso con madera de abeto.

16 Asimismo hizo al final de la casa un edificio de veinte codos, de tablas de cedro, desde el suelo hasta lo más alto; y edificó en la casa un oráculo, que es el lugar santísimo.

17 Y la casa, esto *es*, el templo de adelante, tenía cuarenta codos *de largo*.

18 Y la casa *estaba* cubierta de cedro por dentro, y tenía entalladuras de calabazas silvestres y de botones de flores. Todo *era* cedro; ninguna piedra se veía.

19 Y adornó el lugar santísimo por dentro en medio de la casa, para poner allí el arca del pacto de Jehová.

20 Y el lugar santísimo estaba en la parte de adentro, el cual *tenía* veinte codos de largo, y otros veinte de ancho, y otros veinte de altura; y lo cubrió de oro purísimo; asimismo cubrió *de oro* el altar de cedro.

21 Luego Salomón cubrió de oro puro la casa por dentro, y cerró la entrada del santuario interior con cadenas de oro, y lo cubrió de oro.

22 Y cubrió de oro toda la casa, hasta que toda la casa fue terminada; y asimismo cubrió de oro todo el altar que estaba frente al lugar santísimo.

23 Hizo también en el lugar santísimo dos querubines de madera de olivo, cada uno de diez codos de altura.

24 Una ala del querubín *tenía* cinco codos, y la otra ala del querubín otros cinco codos; así que *había* diez codos desde la punta de una ala hasta la punta de la otra.

25 Asimismo el otro querubín *tenía* diez codos; porque ambos querubines *eran* de un mismo tamaño y de una misma hechura.

26 La altura de un querubín era de diez codos, y asimismo la del otro.

27 Y puso estos querubines en la casa de adentro; y los querubines tenían las alas extendidas, de modo que el ala de uno tocaba *una* pared, y el ala del otro querubín tocaba a la otra pared, y las otras dos alas se tocaban la una a la otra en la mitad de la casa.

28 Y cubrió de oro los querubines.

29 Y esculpió todas las paredes de la casa alrededor de diversas figuras, de querubines, de palmeras, y de botones de flores, por dentro y por fuera.

30 Y cubrió de oro el piso de la casa, por dentro y por fuera.

31 Y a la entrada del oráculo hizo puertas de madera de olivo; y el umbral y los postes *tenían* cinco esquinas.

32 Las dos puertas *eran* de madera de olivo; y entalló en ellas figuras de querubines y de palmeras y de botones de flores, y las cubrió de oro; cubrió también de oro los querubines y las palmeras.

33 Igualmente hizo a la puerta del templo postes cuadrados de madera de olivo.

34 Y las dos puertas *eran* de madera de abeto. Las dos hojas de una puerta *eran* giratorias, y las dos hojas de la otra puerta también *eran* giratorias.

35 Y entalló *en ellas* querubines y palmeras y botones de flores, y las cubrió de oro ajustado a las entalladuras.

36 Y edificó el atrio interior de tres hileras de piedras labradas, y de una hilera de vigas de cedro.

37 En el cuarto año, en el mes de Zif, se echaron los cimientos de la casa de Jehová:

38 Y en el año undécimo, en el mes de Bul, que es el mes octavo, fue acabada la casa en todas sus partes y conforme a todo su diseño. La edificó, pues, en siete años.

CAPÍTULO 7

Después edificó Salomón su propia casa en trece años, y terminó toda su casa.

2 Asimismo edificó la casa del bosque del Líbano, la cual *tenía* cien codos de longitud, y cincuenta codos de anchura, y treinta codos de altura, sobre cuatro hileras de columnas de cedro, con vigas de cedro sobre las columnas.

3 Y *estaba* cubierta de tablas de cedro arriba sobre las vigas, que se apoyaban en cuarenta y cinco columnas; cada hilera tenía quince *columnas.*

4 Y *había* tres hileras de ventanas, una ventana contra la otra en tres hileras.

5 Y todas las puertas y postes *eran* cuadrados; y unas ventanas *estaban* frente a las otras en tres hileras.

6 También hizo un pórtico de columnas, que *tenía* cincuenta codos de largo, y treinta codos de ancho; y este pórtico *estaba* delante de aquellas otras, con sus columnas y maderos correspondientes.

7 Hizo asimismo el pórtico del trono en que había de juzgar, el pórtico del juicio, y lo vistió de cedro desde el suelo hasta el techo.

8 Y en la casa en que él moraba, *había* otro atrio dentro del pórtico, de obra semejante a ésta. Edificó también Salomón una casa semejante a aquel pórtico, para la hija de Faraón, la cual había tomado por esposa.

9 Todas aquellas obras *fueron* de piedras costosas, cortadas y aserradas con sierras según las medidas, así por dentro como por fuera, desde el cimiento hasta los remates, y asimismo por fuera hasta el gran atrio.

10 El cimiento *era* de piedras costosas, de piedras grandes, de piedras de diez codos, y de piedras de ocho codos.

11 De allí hacia arriba *era* también de piedras preciosas, labradas conforme a sus medidas, y madera de cedro.

12 Y en el gran atrio alrededor *había* tres hileras de piedras labradas, y una hilera de vigas de cedro; y así el atrio interior de la casa de Jehová, y el atrio de la casa.

13 Y envió el rey Salomón, e hizo venir de Tiro a Hiram,

14 hijo de una viuda de la tribu de Neftalí, y su padre *era* de Tiro, y trabajaba en bronce, lleno de sabiduría y de inteligencia y saber en toda obra de bronce. Éste, pues, vino al rey Salomón, e hizo toda su obra.

15 Y vació dos columnas de bronce, la altura de cada una era de dieciocho codos; y rodeaba a una y a otra columna un cordón de doce codos.

16 Hizo también dos capiteles de bronce fundido, para que fuesen puestos sobre las cabezas de las columnas; la altura de un capitel *era* de cinco codos, y la del otro capitel de cinco codos.

17 Había trenzas a manera de red, y unos cordones a manera de cadenas, para los capiteles que *estaban* sobre las cabezas de las columnas; siete para cada capitel.

18 Y cuando hubo hecho las columnas hizo también dos hileras de granadas alrededor de la red, para cubrir los capiteles que *estaban* sobre las cabezas *de las columnas* con las granadas; y de la misma forma hizo en el otro capitel.

19 Los capiteles que *estaban* sobre las columnas en el pórtico, tenían forma de lirios, y *eran* de cuatro codos.

20 *Tenían* también los capiteles de sobre las dos columnas, doscientas *granadas* en dos hileras alrededor en cada capitel, encima de la parte abultada del capitel, el cual estaba rodeado por la red.

21 Estas columnas erigió en el pórtico del templo; y levantó la columna de la mano derecha, y le puso por nombre Jaquín; y levantó la columna de la mano izquierda, y llamó su nombre Boaz.

22 Y *puso* en las cabezas de las columnas tallado en forma de lirios; y así se acabó la obra de las columnas.

23 Hizo asimismo un mar de fundición, de diez codos de un lado al otro, perfectamente redondo; su altura *era* de cinco codos, y lo ceñía alrededor un cordón de treinta codos.

24 Y rodeaban aquel mar por debajo de su borde en derredor unas bolas como calabazas, diez en cada codo, que ceñían el mar alrededor en dos hileras, las cuales habían sido fundidas cuando el *mar* fue fundido.

25 Y estaba asentado sobre doce bueyes; tres miraban al norte, y tres miraban al poniente, y tres miraban al sur, y tres miraban al oriente; sobre éstos *se apoyaba* el mar, y las traseras de ellos *estaban* hacia la parte de adentro.

26 El grueso del mar *era* de un palmo menor, y su borde era labrado como el borde de un cáliz, o de flor de lirio; y contenía dos mil batos.

27 Hizo también diez bases de bronce, *siendo* la longitud de cada base de cuatro codos, y la anchura de cuatro codos, y de tres codos la altura.

28 La obra de las bases *era* de esta *manera*: tenían unos tableros, los cuales *estaban* entre molduras;

29 y sobre aquellos tableros que *estaban* entre molduras, *había* figuras de leones, de bueyes y de querubines; y sobre las molduras de la base, así encima como debajo de los leones y de los bueyes, *había* unas añadiduras de bajo relieve.

30 Cada base tenía cuatro ruedas de bronce con ejes de bronce, y en sus cuatro esquinas tenían soportes de fundición, soportes que *quedaban* debajo de la fuente, al lado de cada una de las añadiduras.

31 Y la boca de la fuente entraba un codo en el remate que salía para arriba de la base; y era su boca redonda, de la hechura del mismo remate, y éste *era* de codo y medio. Había también sobre la boca entalladuras con sus tableros, los cuales *eran* cuadrados, no redondos.

32 Las cuatro ruedas *estaban* debajo de los tableros, y los ejes de las ruedas nacían en la misma base. La altura de cada rueda *era* de un codo y medio.

33 Y la hechura de las ruedas *era* como la hechura de las ruedas de un carro; sus ejes, sus rayos, y sus cubos, y sus cinchos, todo *era* de fundición.

34 Asimismo los cuatro soportes a las cuatro esquinas de cada base; y los soportes *eran* de la misma base.

35 Y en lo alto de la base *había* medio codo de altura redondo por todas partes; y encima de la base sus molduras y tableros, los cuales salían de ella misma.

36 E hizo en las tablas de las molduras, y en los tableros, entalladuras de querubines, y de leones, y de palmeras, con proporción en el espacio de cada una, y alrededor otros adornos.

37 De esta *forma* hizo diez bases fundidas de una misma manera, de una misma medida, y de una misma entalladura.

38 Hizo también diez fuentes de bronce; cada fuente contenía cuarenta batos, y cada una era de cuatro codos; y asentó una fuente sobre cada una de las diez bases.

39 Y puso las cinco bases a la mano derecha de la casa, y las otras cinco a la mano izquierda; y asentó el mar al lado derecho de la casa, al oriente, hacia el sur.

40 Asimismo hizo Hiram fuentes, y tenazas, y cuencos. Así terminó Hiram toda la obra que hizo a Salomón para la casa de Jehová:

41 Las dos columnas, y los *dos* tazones redondos de los capiteles que estaban en lo alto de las dos columnas; y dos redes que cubrían los dos tazones redondos de los capiteles que *estaban* sobre la cabeza de las columnas;

42 y cuatrocientas granadas para las dos redes, dos hileras de granadas en cada red, para cubrir los dos tazones redondos que estaban sobre las cabezas de las columnas;

43 y las diez bases, y las diez fuentes sobre las bases;

44 y un mar, y doce bueyes debajo del mar;

45 y calderos, paletas, cuencos, y todos los vasos que Hiram hizo al rey Salomón para la casa de Jehová *eran* de bronce bruñido.

46 Todo lo hizo fundir el rey en la llanura del Jordán, en tierra arcillosa, entre Sucot y Zaretán.

47 Y Salomón no inquirió el peso del bronce de todos los utensilios, por la grande cantidad de ellos.

48 E hizo Salomón todos los utensilios que *pertenecían* a la casa de Jehová; un altar de oro, y una mesa sobre la cual *estaban* los panes de la proposición, también de oro;

49 y cinco candeleros de oro purísimo a la mano derecha, y otros cinco a la izquierda, delante del oráculo; con las flores, las lámparas y las tenazas de oro.

50 Asimismo los cántaros, despabiladeras, tazas, cucharillas, e incensarios, de oro purísimo; también de oro los quiciales de las puertas de la casa de adentro, del lugar santísimo, y los de las puertas del templo.

51 Así fue terminada toda la obra que dispuso hacer el rey Salomón para la casa de Jehová. Y metió Salomón lo que David su padre había dedicado, plata, oro y vasos, y lo puso todo en las tesorerías de la casa de Jehová.

CAPÍTULO 8

Entonces Salomón reunió a los ancianos de Israel, y a todas las cabezas de las tribus, y a los príncipes de las familias de los hijos de Israel ante el rey Salomón en Jerusalén, para traer el arca del pacto de Jehová de la ciudad de David, que *es* Sión.

2 Y se congregaron ante el rey Salomón todos los varones de Israel en el mes de Etanim, que es el mes séptimo, en el día de la fiesta solemne.

3 Y vinieron todos los ancianos de Israel, y los sacerdotes tomaron el arca.

4 Y llevaron el arca de Jehová, y el tabernáculo del testimonio, y todos los vasos sagrados que *estaban* en el tabernáculo; los cuales llevaban los sacerdotes y levitas.

5 Y el rey Salomón, y toda la congregación de Israel que se había reunido con él, *estaban* con él delante del arca, sacrificando ovejas y bueyes, que por la multitud no se podían contar ni numerar.

6 Y los sacerdotes metieron el arca del pacto de Jehová en su lugar, en el oráculo de la casa, en el lugar santísimo, debajo de las alas de los querubines.

7 Porque los querubines tenían extendidas las alas sobre el lugar del arca, y así cubrían los querubines el arca y sus varas por encima.

8 E hicieron salir las varas; de modo que las cabezas de las varas se dejaban ver desde el lugar santo delante del oráculo, mas no se veían desde afuera; y así se quedaron hasta hoy.

9 Ninguna cosa *había* en el arca, salvo las dos tablas de piedra que allí había puesto Moisés en Horeb, donde Jehová hizo *pacto* con los hijos de Israel, cuando salieron de la tierra de Egipto.

10 Y aconteció que cuando los sacerdotes salieron del santuario, la nube llenó la casa de Jehová.

11 Y los sacerdotes no pudieron permanecer para ministrar por causa de la nube; porque la gloria de Jehová había llenado la casa de Jehová.

12 Entonces dijo Salomón: Jehová ha dicho que Él habitaría en la densa oscuridad.

13 Yo he edificado casa por morada para ti, morada en que tú habites para siempre.

14 Y volviendo el rey su rostro, bendijo a toda la congregación de Israel; y toda la congregación de Israel estaba en pie.

15 Y dijo: Bendito *sea* Jehová Dios de Israel, que con su boca habló a David mi padre, y con su mano *lo* ha cumplido, diciendo:

16 Desde el día que saqué mi pueblo Israel de Egipto, no he escogido ciudad de todas las tribus de Israel para edificar casa en la cual estuviese mi nombre, aunque escogí a David para que presidiese en mi pueblo Israel.

17 Y David mi padre tuvo en su corazón edificar casa al nombre de Jehová Dios de Israel.

18 Mas Jehová dijo a David mi padre: En cuanto al haber tenido en tu corazón edificar casa a mi nombre, bien has hecho en tener esto en tu corazón.

19 Pero tú no edificarás la casa, sino tu hijo que saldrá de tus lomos, él edificará casa a mi nombre.

20 Y Jehová ha cumplido su palabra que había dicho; porque yo me he levantado en lugar de David mi padre, y me he sentado en el trono de Israel, como Jehová había dicho, y he edificado la casa al nombre de Jehová Dios de Israel.

21 Y he puesto en ella lugar para el arca, en la cual está el pacto de Jehová, que Él hizo con nuestros padres cuando los sacó de la tierra de Egipto.

22 Se puso luego Salomón delante del altar de Jehová, en presencia de toda la congregación de Israel, y extendiendo sus manos al cielo,

23 dijo: Jehová Dios de Israel, no hay Dios como tú, ni arriba en el cielo ni abajo en la tierra, que guardas el pacto y la misericordia a tus siervos, los que andan delante de ti de todo su corazón;

24 que has cumplido a tu siervo David mi padre lo que le dijiste; lo dijiste con tu boca, y con tu mano lo has cumplido, como sucede este día.

25 Ahora pues, Jehová Dios de Israel, cumple a tu siervo David mi padre lo que le prometiste, diciendo: No faltará varón de ti delante de mí, que se siente en el trono de Israel, con tal que tus hijos guarden su camino, que anden delante de mí como tú delante de mí has andado.

26 Ahora pues, oh Dios de Israel, cúmplase tu palabra que dijiste a tu siervo David mi padre.

27 Pero ¿es verdad que Dios ha de morar sobre la tierra? He aquí que el cielo, y el cielo de los cielos, no te pueden contener; ¿cuánto menos esta casa que yo he edificado?

28 Con todo, tú atiende a la oración de tu siervo, y a su plegaria, oh Jehová Dios mío, oye el clamor y la oración que tu siervo hace hoy delante de ti:

29 Que estén tus ojos abiertos de noche y de día sobre esta casa, sobre este lugar del cual has dicho: Mi nombre estará allí; y que oigas la oración que tu siervo haga hacia este lugar.

30 Escucha, pues, la oración de tu siervo, y de tu pueblo Israel; cuando oren hacia este lugar, escucha tú desde el cielo, lugar de tu habitación; escucha tú y perdona.

31 Si alguno pecare contra su prójimo, y le tomaren juramento haciéndole jurar, y viniere el juramento delante de tu altar en esta casa;

32 escucha tú desde el cielo y actúa; y juzga a tus siervos, condenando al impío, tornando su proceder sobre su cabeza, y justificando al justo para darle conforme a su justicia.

33 Si tu pueblo Israel fuere derrotado delante de sus enemigos, por haber pecado contra ti, y a ti se volvieren, y confesaren tu nombre, y oraren, y te rogaren y suplicaren en esta casa;

34 escucha tú en el cielo, y perdona el pecado de tu pueblo Israel, y hazles volver a la tierra que diste a sus padres.

35 Cuando el cielo se cerrare, y no lloviere, por haber ellos pecado contra ti, si oraren hacia este lugar, y confesaren tu nombre, y se volvieren del pecado, cuando los hubieres afligido;

36 escucha tú en el cielo, y perdona el pecado de tus siervos y de tu pueblo Israel, enseñándoles el buen camino en que deben andar; y da lluvias sobre tu tierra, la cual diste a tu pueblo por heredad.

37 Si en la tierra hubiere hambre, pestilencia, tizoncillo, añublo, langosta, o pulgón; si sus enemigos los tuvieren sitiados en la tierra de sus ciudades; cualquier plaga o enfermedad que sea;

38 toda oración y toda súplica que hiciere cualquier hombre, o todo tu pueblo Israel, cuando cualquiera sintiere la plaga de su corazón, y extendiere sus manos hacia esta casa;

39 escucha tú en el cielo, en la habitación de tu morada, y perdona, y actúa, y da a cada uno conforme a sus caminos, cuyo corazón tú conoces; (porque sólo tú conoces el corazón de todos los hijos de los hombres);

40 para que te teman todos los días que vivieren sobre la faz de la tierra que tú diste a nuestros padres.

41 Asimismo el extranjero, que no es de tu pueblo Israel, que viniere de lejanas tierras a causa de tu nombre

42 (porque oirán de tu grande nombre, y de tu mano fuerte, y de tu brazo extendido), y viniere a orar a esta casa;

43 escucha tú en el cielo, en la habitación de tu morada, y haz conforme a todo aquello por lo cual el extranjero clamare a ti; para que todos los pueblos de la tierra conozcan tu nombre, y te teman, como tu pueblo Israel, y entiendan que tu nombre es invocado sobre esta casa que yo edifiqué.

44 Si tu pueblo saliere en batalla contra sus enemigos por el camino que tú los enviares, y oraren a Jehová hacia la ciudad que tú elegiste, y *hacia* la casa que yo edifiqué a tu nombre,

45 escucha tú en el cielo su oración y su súplica, y ampara su causa.

46 Si hubieren pecado contra ti (porque no *hay* hombre que no peque), y tú estuvieres airado contra ellos, y los entregares delante del enemigo, para que los cautiven y lleven a tierra enemiga, sea lejos o cerca,

47 y ellos volvieren en sí en la tierra donde fueren cautivos; si se convirtieren, y oraren a ti en la tierra de los que los cautivaron, y dijeren: Pecamos, hemos hecho lo malo, hemos cometido impiedad;

48 y si se convirtieren a ti de todo su corazón y de toda su alma, en la tierra de sus enemigos que los hubieren llevado cautivos, y oraren a ti hacia su tierra, que tú diste a sus padres, hacia la ciudad que tú elegiste y la casa que yo he edificado a tu nombre;

49 escucha tú en el cielo, en el lugar de tu morada, su oración y su súplica, y ampara su causa.

50 Y perdona a tu pueblo que ha pecado contra ti, y todas sus transgresiones que han cometido contra ti; y haz que tengan de ellos misericordia los que los hubieren llevado cautivos;

51 porque ellos *son* tu pueblo y tu heredad, que tú sacaste de Egipto, de en medio del horno de hierro.

52 Estén abiertos tus ojos a la oración de tu siervo, y a la plegaria de tu pueblo Israel, para oírlos en todo aquello por lo que te invocaren;

53 porque tú los apartaste para ti por tu heredad de todos los pueblos de la tierra, como lo dijiste por mano de Moisés tu siervo, cuando sacaste a nuestros padres de Egipto, oh Señor Jehová.

54 Y fue que cuando Salomón acabó de hacer toda esta oración y súplica a Jehová, se levantó de estar de rodillas delante del altar de Jehová con sus manos extendidas al cielo;

55 y puesto en pie, bendijo a toda la congregación de Israel, diciendo en voz alta:

56 Bendito *sea* Jehová, que ha dado reposo a su pueblo Israel, conforme a todo lo que Él había dicho; ninguna palabra de todas sus promesas que expresó por Moisés su siervo, ha faltado.

57 Jehová nuestro Dios, sea con nosotros como lo fue con nuestros padres; y no nos desampare ni nos deje;

58 y que incline nuestro corazón hacia Él, para que andemos en todos sus caminos, y guardemos sus mandamientos y sus estatutos y sus derechos, los cuales mandó a nuestros padres.

59 Y que estas mis palabras con que he orado delante de Jehová estén cerca de Jehová nuestro Dios de día y de noche, para que Él proteja la causa de su siervo, y de su pueblo Israel, cada cosa en su tiempo;

60 para que todos los pueblos de la tierra sepan que Jehová *es* Dios, y que no *hay* otro.

61 Sea, pues, perfecto vuestro corazón para con Jehová nuestro Dios, andando en sus estatutos, y guardando sus mandamientos, como el día de hoy.

62 Entonces el rey, y todo Israel con él, ofrecieron sacrificios delante de Jehová.

63 Y ofreció Salomón sacrificios de paz, los cuales ofreció a Jehová; veintidós mil bueyes, y ciento veinte mil ovejas. Así dedicaron el rey y todos los hijos de Israel la casa de Jehová.

64 Aquel mismo día santificó el rey el medio del atrio que *estaba* delante de la casa de Jehová: porque ofreció allí los holocaustos, y los presentes,

y las grosuras de las ofrendas de paz; por cuanto el altar de bronce que *estaba* delante de Jehová *era* demasiado pequeño, y no cabían en él los holocaustos, las ofrendas y las grosuras de los sacrificios de paz.

65 En aquel tiempo Salomón hizo fiesta, y con él todo Israel, una grande congregación, desde donde entran en Hamat hasta el río de Egipto, delante de Jehová nuestro Dios, por siete días y otros siete días, esto es, por catorce días.

66 Y el octavo día despidió al pueblo; y ellos bendiciendo al rey, se fueron a sus tiendas alegres y gozosos de corazón por todos los beneficios que Jehová había hecho a David su siervo, y a su pueblo Israel.

CAPÍTULO 9

Y sucedió que cuando Salomón hubo acabado la obra de la casa de Jehová, y la casa real, y todo lo que Salomón quiso hacer,

2 Jehová apareció a Salomón la segunda vez, como le había aparecido en Gabaón.

3 Y le dijo Jehová: Yo he oído tu oración y tu ruego, que has hecho en mi presencia. Yo he santificado esta casa que tú has edificado, para poner mi nombre en ella para siempre; y en ella estarán mis ojos y mi corazón todos los días.

4 Y si tú anduvieres delante de mí, como anduvo David tu padre, en integridad de corazón y en equidad, haciendo todas las cosas que yo te he mandado, y guardando mis estatutos y mis decretos,

5 yo afirmaré el trono de tu reino sobre Israel para siempre, como hablé a David tu padre, diciendo: No faltará de ti varón en el trono de Israel.

6 Mas si obstinadamente os apartareis de mí vosotros y vuestros hijos, y no guardareis mis mandamientos y mis estatutos que yo he puesto delante de vosotros, sino que fuereis y sirviereis a dioses ajenos, y los adorareis;

7 yo cortaré a Israel de sobre la faz de la tierra que les he entregado; y esta casa que he santificado a mi nombre, yo la echaré de delante de mí, e Israel será por proverbio y refrán a todos los pueblos;

8 Y esta casa, que está en estima, cualquiera que pasare por ella se asombrará, y silbará, y dirá: ¿Por qué ha hecho así Jehová a esta tierra, y a esta casa?

9 Y dirán: Por cuanto dejaron a Jehová su Dios, que había sacado a sus padres de tierra de Egipto, y echaron mano a dioses ajenos, y los adoraron, y los sirvieron; por eso ha traído Jehová sobre ellos todo este mal.

10 Y aconteció al cabo de veinte años, cuando Salomón había edificado las dos casas, la casa de Jehová y la casa real

11 (Para las cuales Hiram rey de Tiro, había traído a Salomón madera de cedro y de abeto, y cuanto oro él quiso), que el rey Salomón dio a Hiram veinte ciudades en tierra de Galilea.

12 Y salió Hiram de Tiro para ver las ciudades que Salomón le había dado, y no le agradaron.

13 Y dijo: ¿Qué ciudades *son* estas que me has dado, hermano? Y les puso por nombre, la tierra de Cabul, hasta hoy.

14 Y había Hiram enviado al rey ciento veinte talentos de oro.

15 Y ésta *es* la razón de la leva que el rey Salomón impuso para edificar la casa de Jehová, y su casa, y a Milo, y el muro de Jerusalén, y a Hazor, y Meguido, y Gezer.

16 Faraón el rey de Egipto había subido y tomado a Gezer, y la quemó, y dio muerte a los cananeos que habitaban la ciudad, y la dio *en* don a su hija, la esposa de Salomón.

17 Restauró, pues, Salomón a Gezer, y a la baja Bet-horón,

18 y a Baalat, y a Tadmor en tierra del desierto.

19 Asimismo todas las ciudades donde Salomón tenía municiones, y las ciudades de los carros, y las ciudades de la gente de a caballo, y todo lo que Salomón deseó edificar en Jerusalén, en el Líbano, y en toda la tierra de su señorío.

20 A todos los pueblos que *quedaron* de los amorreos, heteos, ferezeos,

heveos, jebuseos, que no fueron de los hijos de Israel;

21 a sus hijos que quedaron en la tierra después de ellos, que los hijos de Israel no pudieron exterminar, hizo Salomón que sirviesen con tributo hasta hoy.

22 Mas a ninguno de los hijos de Israel impuso Salomón servicio, sino que *eran* hombres de guerra, o sus criados, o sus príncipes, o sus capitanes, o comandantes de sus carros, o su gente de a caballo.

23 Éstos *eran* los jefes de los oficiales que *estaban* al frente de la obra de Salomón, quinientos cincuenta, los cuales supervisaban al pueblo que trabajaba en aquella obra.

24 Y subió la hija de Faraón de la ciudad de David a su casa que *Salomón* le había edificado; entonces edificó él a Milo.

25 Y ofrecía Salomón tres veces cada año holocaustos y sacrificios de paz sobre el altar que él edificó a Jehová, y quemaba incienso sobre el altar que *estaba* delante de Jehová. Así terminó la casa.

26 Hizo también el rey Salomón navíos en Ezión-geber, que *está* junto a Elot en la ribera del Mar Rojo, en la tierra de Edom.

27 Y envió Hiram en ellos a sus siervos, marineros y diestros en el mar, con los siervos de Salomón;

28 los cuales fueron a Ofir, y tomaron de allí oro, cuatrocientos veinte talentos, y lo trajeron al rey Salomón.

CAPÍTULO 10

Y cuando la reina de Seba oyó la fama de Salomón, debido al nombre de Jehová, vino a probarle con preguntas difíciles.

2 Y vino a Jerusalén con un séquito muy grande, con camellos cargados de especias, y oro en gran abundancia, y piedras preciosas; y cuando vino a Salomón, ella le comunicó todo lo que había en su corazón.

3 Y Salomón respondió a todas sus preguntas; ninguna cosa se le escondió al rey, que no le pudiese responder.

4 Y cuando la reina de Seba vio toda la sabiduría de Salomón, y la casa que había edificado,

5 asimismo la comida de su mesa, el asiento de sus siervos, el estado y la vestimenta de los que le servían, sus maestresalas, y sus holocaustos que sacrificaba en la casa de Jehová, se quedó sin aliento.

6 Y dijo al rey: Verdad es lo que oí en mi tierra de tus hechos y de tu sabiduría;

7 mas yo no lo creía, hasta que he venido, y mis ojos han visto, y he aquí, que ni la mitad me había sido dicha; es mayor tu sabiduría y bien que la fama que yo había oído.

8 Bienaventurados tus varones, dichosos estos tus siervos, que están continuamente delante de ti, y oyen tu sabiduría.

9 Jehová tu Dios sea bendito, que se agradó de ti para ponerte en el trono de Israel; porque Jehová ha amado siempre a Israel, y te ha puesto por rey, para que hagas derecho y justicia.

10 Y dio ella al rey ciento veinte talentos de oro, y gran cantidad de especiería, y piedras preciosas; nunca vino tan gran cantidad de especias, como la reina de Seba dio al rey Salomón.

11 La flota de Hiram que había traído el oro de Ofir, traía también de Ofir mucha madera de sándalo, y piedras preciosas.

12 Y de la madera de sándalo hizo el rey balaustres para la casa de Jehová, y para las casas reales, arpas también y salterios para los cantores; nunca vino semejante madera de sándalo, ni se ha visto hasta hoy.

13 Y el rey Salomón dio a la reina de Seba todo lo que ella quiso, y todo lo que pidió, además de lo que Salomón le dio como de mano del rey. Y ella se volvió, y se fue a su tierra con sus criados.

14 El peso del oro que Salomón recibía en un año, era seiscientos sesenta y seis talentos de oro;

15 además de lo de los mercaderes, y lo de la contratación de especias, y lo de todos los reyes de Arabia y de los principales de la tierra.

16 Hizo también el rey Salomón doscientos escudos de oro extendido;

seiscientos *siclos* de oro gastó en cada escudo.

17 Asimismo trescientos escudos de oro extendido, en cada uno de los cuales gastó tres libras de oro; y el rey los puso en la casa del bosque del Líbano.

18 Hizo también el rey un gran trono de marfil, el cual cubrió de oro purísimo.

19 Seis gradas tenía el trono, y lo alto de él era redondo por el respaldo; y *tenía* apoyos en ambos lados cerca del asiento, junto a los cuales estaban colocados dos leones.

20 Estaban también doce leones puestos allí sobre las seis gradas, de un lado y de otro; en ningún otro reino se había hecho trono semejante.

21 Y todos los vasos de beber del rey Salomón eran de oro, y asimismo toda la vajilla de la casa del bosque del Líbano *era* de oro puro; ninguno *era* de plata; en tiempo de Salomón *la plata* no era de estima.

22 Porque el rey tenía en el mar la flota de Tarsis, con la flota de Hiram. Una vez en cada tres años venía la flota de Tarsis, y traía oro, plata, marfil, simios y pavos reales.

23 Así excedía el rey Salomón a todos los reyes de la tierra en riquezas y en sabiduría.

24 Toda la tierra procuraba ver el rostro de Salomón, para oír su sabiduría, la cual Dios había puesto en su corazón.

25 Y todos le llevaban cada año sus presentes; vasos de oro, vasos de plata, vestiduras, armas, aromas, caballos y mulos.

26 Y juntó Salomón carros y gente de a caballo; y tenía mil cuatrocientos carros, y doce mil jinetes, los cuales puso en las ciudades de los carros, y con el rey en Jerusalén.

27 E hizo el rey que en Jerusalén la plata *llegara a ser* como las piedras, y los cedros como los sicómoros que se dan en abundancia en los valles.

28 Y traían de Egipto caballos y lienzos a Salomón; porque la compañía de los mercaderes del rey compraba caballos y lienzos.

29 Y venía y salía de Egipto, el carro por seiscientos *siclos* de plata, y el caballo por ciento cincuenta; y así los sacaban por mano de ellos, todos los reyes de los heteos, y de Siria.

CAPÍTULO 11

Pero el rey Salomón amó, además de la hija de Faraón, a muchas mujeres extranjeras; a las moabitas, amonitas, edomitas, sidonias y heteas;

2 naciones de las cuales Jehová había dicho a los hijos de Israel: No entraréis a ellas, ni ellas entrarán a vosotros; porque ciertamente harán inclinar vuestros corazones tras sus dioses. A éstas se juntó Salomón con amor.

3 Y tuvo setecientas esposas reinas, y trescientas concubinas; y sus esposas torcieron su corazón.

4 Y aconteció que cuando Salomón era viejo, sus esposas inclinaron su corazón tras dioses ajenos; y su corazón no *era* perfecto para con Jehová su Dios, como *lo fue* el corazón de su padre David.

5 Porque Salomón siguió a Astarot, diosa de los sidonios, y a Milcom, ídolo abominable de los amonitas.

6 E hizo Salomón lo malo en los ojos de Jehová, y no siguió cumplidamente a Jehová como David su padre.

7 Entonces edificó Salomón un lugar alto a Quemos, ídolo abominable de Moab, en el monte que *está* enfrente de Jerusalén; y a Moloc, ídolo abominable de los hijos de Amón.

8 Y así hizo para todas sus esposas extranjeras, las cuales quemaban incienso y ofrecían sacrificios a sus dioses.

9 Y se enojó Jehová contra Salomón, por cuanto su corazón se había desviado de Jehová Dios de Israel, que le había aparecido dos veces,

10 y le había mandado acerca de esto, que no siguiese dioses ajenos; mas él no guardó lo que le mandó Jehová.

11 Y dijo Jehová a Salomón: Por cuanto ha habido esto en ti, y no has guardado mi pacto y mis estatutos que yo te mandé, romperé el reino de ti, y lo entregaré a tu siervo.

12 Sin embargo no lo haré en tus días, por amor de David tu padre; lo romperé de la mano de tu hijo.

13 Sin embargo no romperé todo el reino, *sino que* daré una tribu a tu hijo, por amor de David mi siervo, y por amor de Jerusalén la cual yo he elegido.

14 Y Jehová levantó un adversario a Salomón, a Hadad, edomita, de la sangre real, el cual estaba en Edom.

15 Y sucedió que cuando David estaba en Edom, y Joab, el general del ejército, subió a enterrar a los muertos y mató a todos los varones de Edom

16 (Porque seis meses habitó allí Joab, y todo Israel, hasta que hubo acabado a todo el sexo masculino en Edom),

17 Hadad huyó, y con él algunos varones edomitas de los siervos de su padre, y se fue a Egipto, *siendo* Hadad aún un muchacho.

18 Y se levantaron de Madián, y vinieron a Parán; y tomando consigo hombres de Parán, se vinieron a Egipto, a Faraón rey de Egipto, el cual le dio casa, y le señaló alimentos, y aun le dio tierra.

19 Y halló Hadad grande favor delante de Faraón, el cual le dio por esposa a la hermana de su esposa, a la hermana de la reina Tahpenes.

20 Y la hermana de Tahpenes le dio a luz a su hijo Genubat, al cual destetó Tahpenes dentro de la casa de Faraón; y estaba Genubat en casa de Faraón entre los hijos de Faraón.

21 Y oyendo Hadad en Egipto que David había dormido con sus padres, y que era muerto Joab general del ejército, Hadad dijo a Faraón: Déjame ir a mi tierra.

22 Y le respondió Faraón: ¿Por qué? ¿Qué te falta conmigo, que procuras irte a tu tierra? Y él respondió: Nada; con todo, te ruego que me dejes ir.

23 Y Dios le levantó *otro* adversario, Rezón, hijo de Eliada, el cual había huido de su amo Hadad-ezer, rey de Soba.

24 Y había juntado gente contra él, y se había hecho capitán de una compañía, cuando David deshizo a los *de Soba.* Después se fueron a Damasco, y habitaron allí y le hicieron rey en Damasco.

25 Y fue adversario a Israel todos los días de Salomón; y fue otro mal con el de Hadad, porque aborreció a Israel, y reinó sobre Siria.

26 Asimismo Jeroboam hijo de Nabat, efrateo de Zeredat, siervo de Salomón, cuya madre se llamaba Zerúa, mujer viuda, alzó *su* mano contra el rey.

27 Y la causa por la cual éste alzó *su* mano contra el rey, *fue* ésta: Salomón edificando a Milo, cerró el portillo de la ciudad de David su padre.

28 Y el varón Jeroboam *era* valiente y esforzado; y viendo Salomón al joven que era hombre activo, le encomendó todo el cargo de la casa de José.

29 Aconteció, pues, en aquel tiempo, que saliendo Jeroboam de Jerusalén, le encontró en el camino el profeta Ahías silonita; y éste estaba cubierto con una capa nueva; y *estaban* ellos dos solos en el campo.

30 Y trabando Ahías de la capa nueva que *tenía* sobre sí, *la* rompió en doce pedazos,

31 y dijo a Jeroboam: Toma para ti diez pedazos; porque así dijo Jehová Dios de Israel: He aquí que yo romperé el reino de la mano de Salomón, y a ti te daré diez tribus

32 (pero él tendrá una tribu, por amor de David mi siervo, y por amor de Jerusalén, ciudad que yo he elegido de todas las tribus de Israel);

33 por cuanto me han dejado, y han adorado a Astarot diosa de los sidonios, y a Quemos dios de Moab, y a Moloc dios de los hijos de Amón; y no han andado en mis caminos, para hacer lo recto delante de mis ojos, y *guardar* mis estatutos, y mis derechos, como hizo David su padre.

34 Pero no quitaré todo el reino de sus manos, sino que lo retendré por príncipe todos los días de su vida, por amor de David mi siervo, al cual yo elegí, y él guardó mis mandamientos y mis estatutos;

35 Pero quitaré el reino de la mano de su hijo, y lo daré a ti, las diez tribus.

36 Y a su hijo daré una tribu, para que mi siervo David tenga lámpara todos los días delante de mí en Jerusalén, ciudad que yo me elegí para poner en ella mi nombre.

37 Yo, pues, te tomaré a ti, y tú reinarás en todas las cosas que deseare tu alma, y serás rey sobre Israel.

38 Y será que, si prestares oído a todas las cosas que te mandare, y anduvieres en mis caminos, e hicieres lo recto delante de mis ojos, guardando mis estatutos y mis mandamientos, como hizo David mi siervo, yo seré contigo, y te edificaré casa firme, como la edifiqué a David, y yo te entregaré a Israel.

39 Y yo afligiré la simiente de David a causa de esto, mas no para siempre.

40 Procuró por tanto Salomón matar a Jeroboam, pero levantándose Jeroboam, huyó a Egipto, a Sisac rey de Egipto, y estuvo en Egipto hasta la muerte de Salomón.

41 Lo demás de los hechos de Salomón, y todas las cosas que hizo, y su sabiduría, ¿no *están* escritas en el libro de los hechos de Salomón?

42 Y los días que Salomón reinó en Jerusalén sobre todo Israel, *fueron* cuarenta años.

43 Y durmió Salomón con sus padres, y fue sepultado en la ciudad de su padre David: y reinó en su lugar Roboam su hijo.

CAPÍTULO 12

Y Roboam fue a Siquem; porque todo Israel había venido a Siquem para hacerlo rey.

2 Y aconteció que cuando lo oyó Jeroboam hijo de Nabat, que estaba en Egipto, porque había huido de delante del rey Salomón, y habitaba en Egipto;

3 enviaron y le llamaron. Vino, pues, Jeroboam y toda la congregación de Israel, y hablaron a Roboam, diciendo:

4 Tu padre agravó nuestro yugo, mas ahora tú disminuye algo de la dura servidumbre de tu padre, y del yugo pesado que puso sobre nosotros, y te serviremos.

5 Y él les dijo: Idos, y de aquí a tres días volved a mí. Y el pueblo se fue.

6 Entonces el rey Roboam tomó consejo con los ancianos que habían estado delante de Salomón su padre cuando vivía, y dijo: ¿Cómo aconsejáis vosotros que responda a este pueblo?

7 Y ellos le hablaron, diciendo: Si tú fueres hoy siervo de este pueblo, y lo sirvieres, y si les respondieres, y les hablares buenas palabras, ellos te servirán para siempre.

8 Pero él dejó el consejo que los ancianos le habían dado, y pidió consejo de los jóvenes que se habían criado con él, y estaban delante de él.

9 Y les dijo: ¿Cómo aconsejáis vosotros que respondamos a este pueblo, que me ha hablado, diciendo: Disminuye algo del yugo que tu padre puso sobre nosotros?

10 Entonces los jóvenes que se habían criado con él, le respondieron, diciendo: Así hablarás a este pueblo que te ha dicho estas palabras: Tu padre agravó nuestro yugo; mas tú disminúyenos algo; así les hablarás: Mi dedo meñique es más grueso que los lomos de mi padre.

11 Ahora, pues, mi padre os cargó de pesado yugo, mas yo añadiré a vuestro yugo; mi padre os castigó con azotes, mas yo os castigaré con escorpiones.

12 Y al tercer día vino Jeroboam con todo el pueblo a Roboam; según el rey lo había mandado, diciendo: Volved a mí al tercer día.

13 Y el rey respondió al pueblo duramente, dejando el consejo que los ancianos le habían dado;

14 y les habló conforme al consejo de los jóvenes, diciendo: Mi padre agravó vuestro yugo, pero yo añadiré a vuestro yugo; mi padre os castigó con azotes, mas yo os castigaré con escorpiones.

15 Y no oyó el rey al pueblo; porque esto venía de parte de Jehová, para confirmar la palabra que Jehová había hablado por medio de Ahías silonita a Jeroboam hijo de Nabat.

16 Y cuando todo el pueblo vio que el rey no les había oído, le respondió estas palabras, diciendo: ¿Qué parte tenemos nosotros con David? No *tenemos* heredad en el hijo de Isaí. ¡Israel, a tus tiendas! ¡Provee ahora en tu casa, David! Entonces Israel se fue a sus tiendas.

17 Mas reinó Roboam sobre los hijos de Israel que moraban en las ciudades de Judá.

18 Y el rey Roboam envió a Adoram, que *estaba* sobre los tributos; pero le apedreó todo Israel, y murió. Entonces el rey Roboam se apresuró para subir en su carro y huir a Jerusalén.

19 Así se apartó Israel de la casa de David hasta hoy.

20 Y aconteció, que oyendo todo Israel que Jeroboam había vuelto, enviaron a llamarle a la congregación, y le hicieron rey sobre todo Israel, sin quedar tribu alguna que siguiese la casa de David, sino sólo la tribu de Judá.

21 Y cuando Roboam vino a Jerusalén, juntó toda la casa de Judá y la tribu de Benjamín, ciento ochenta mil hombres guerreros escogidos, para hacer guerra a la casa de Israel, y devolver el reino a Roboam hijo de Salomón.

22 Pero vino palabra de Jehová a Semaías varón de Dios, diciendo:

23 Habla a Roboam hijo de Salomón, rey de Judá, y a toda la casa de Judá y de Benjamín, y a los demás del pueblo, diciendo:

24 Así dice Jehová: No vayáis, ni peleéis contra vuestros hermanos los hijos de Israel; volveos cada uno a su casa; porque esto lo he hecho yo. Y ellos oyeron la palabra de Dios, y se volvieron, y se fueron, conforme a la palabra de Jehová.

25 Y reedificó Jeroboam a Siquem en el monte de Efraín, y habitó en ella; y saliendo de allí, reedificó a Peniel.

26 Y dijo Jeroboam en su corazón: Ahora se volverá el reino a la casa de David,

27 si este pueblo subiere a ofrecer sacrificios en la casa de Jehová en Jerusalén; porque el corazón de este pueblo se volverá a su señor Roboam rey de Judá, y me matarán a mí, y se volverán a Roboam rey de Judá.

28 Y habiendo tomado consejo, hizo el rey dos becerros de oro, y dijo al pueblo: Bastante habéis subido a Jerusalén; he aquí tus dioses, oh Israel, que te hicieron subir de la tierra de Egipto.

29 Y el uno lo puso en Betel, y el otro lo puso en Dan.

30 Y esto fue ocasión de pecado; porque el pueblo iba *a adorar* delante de uno, *aun* hasta Dan.

31 Hizo también la casa de los lugares altos, e hizo sacerdotes de la clase baja del pueblo, que no eran de los hijos de Leví.

32 Entonces instituyó Jeroboam fiesta solemne en el mes octavo, a los quince del mes, conforme a la fiesta solemne que se celebraba en Judá; y sacrificó sobre el altar. Así hizo en Betel, ofreciendo sacrificio a los becerros que había hecho. Y estableció en Betel a los sacerdotes de los lugares altos que él había edificado.

33 Sacrificó, pues, sobre el altar que él había hecho en Betel, a los quince del mes octavo, el mes que él había inventado de su propio corazón; e hizo fiesta a los hijos de Israel, y subió al altar para quemar incienso.

CAPÍTULO 13

Y he aquí que un varón de Dios por palabra de Jehová vino de Judá a Betel; y estando Jeroboam junto al altar para quemar incienso,

2 clamó contra el altar por palabra de Jehová, y dijo: Altar, altar, así dice Jehová: He aquí que a la casa de David nacerá un hijo, llamado Josías, el cual sacrificará sobre ti a los sacerdotes de los lugares altos que queman sobre ti incienso; y sobre ti quemarán huesos de hombres.

3 Y aquel mismo día dio una señal, diciendo: Ésta *es* la señal de que Jehová ha hablado; he aquí que el altar se quebrará, y la ceniza que *está* sobre él se derramará.

4 Y sucedió que cuando el rey Jeroboam oyó la palabra del varón de Dios, que había clamado contra el altar de Betel, extendiendo su mano desde el altar, dijo: ¡Prendedle! Mas la mano que había extendido contra él, se le secó, de manera que no pudo volverla hacia sí.

5 Y el altar se rompió, y se derramó la ceniza del altar, conforme a la señal que el varón de Dios había dado por palabra de Jehová.

6 Entonces respondiendo el rey, dijo al varón de Dios: Te pido que ruegues a la faz de Jehová tu Dios, y ores por mí, que mi mano me sea restaurada. Y el varón de Dios oró a la faz de Jehová, y la mano del rey se le restauró, y volvió a ser como antes.

7 Y el rey dijo al varón de Dios: Ven conmigo a casa, y comerás, y yo te daré un presente.

8 Pero el varón de Dios dijo al rey: Aunque me dieses la mitad de tu casa, no iría contigo, ni comería pan ni bebería agua en este lugar;

9 porque así me está ordenado por palabra de Jehová, diciendo: No comas pan, ni bebas agua, ni vuelvas por el mismo camino que viniste.

10 Se fue, pues, por otro camino, y no volvió por el camino por donde había venido a Betel.

11 Moraba entonces en Betel un viejo profeta, al cual vinieron sus hijos, y le contaron todo lo que el varón de Dios había hecho aquel día en Betel; le contaron también a su padre las palabras que había hablado al rey.

12 Y su padre les dijo: ¿Por cuál camino se fue? Pues sus hijos habían visto por cuál camino se había ido el varón de Dios, que había venido de Judá.

13 Y él dijo a sus hijos: Enalbardadme el asno. Y ellos le enalbardaron el asno, y subió en él.

14 Y fue tras el varón de Dios, y le halló sentado debajo de un alcornoque; y le dijo: ¿Eres tú el varón de Dios que vino de Judá? Y él dijo: Yo soy.

15 Le dijo entonces: Ven conmigo a casa, y come pan.

16 Mas él respondió: No podré volver contigo, ni iré contigo; ni tampoco comeré pan ni beberé agua contigo en este lugar;

17 porque por palabra de Dios me ha sido dicho: No comas pan ni bebas agua allí, ni vuelvas por el camino que viniste.

18 Y el otro le dijo: Yo también soy profeta como tú, y un ángel me ha hablado por palabra de Jehová, diciendo: Vuélvele contigo a tu casa, para que coma pan y beba agua. Pero le mintió.

19 Entonces volvió con él, y comió del pan en su casa, y bebió del agua.

20 Y aconteció que, estando ellos a la mesa, vino palabra de Jehová al profeta que le había hecho volver.

21 Y clamó al varón de Dios que había venido de Judá, diciendo: Así dijo Jehová: Por cuanto has sido rebelde al dicho de Jehová, y no guardaste el mandamiento que Jehová tu Dios te había prescrito,

22 sino que volviste, y comiste del pan y bebiste del agua en el lugar donde Jehová te había dicho que no comieses pan ni bebieses agua, no entrará tu cuerpo en el sepulcro de tus padres.

23 Y sucedió que cuando hubo comido pan y bebido, el profeta que le había hecho volver le enalbardó un asno.

24 Y yéndose, le topó un león en el camino, y le mató; y su cuerpo estaba echado en el camino, y el asno estaba junto a él, y el león también estaba junto al cuerpo.

25 Y he aquí unos que pasaban, y vieron el cuerpo que estaba echado en el camino, y el león que estaba junto al cuerpo; y vinieron, y lo dijeron en la ciudad donde el viejo profeta habitaba.

26 Y oyéndolo el profeta que le había hecho volver del camino, dijo: El varón de Dios es, que fue rebelde a la palabra de Jehová; por tanto Jehová le ha entregado al león, que le ha destrozado y matado, conforme a la palabra que Jehová le había dicho.

27 Y habló a sus hijos, y les dijo: Enalbardadme un asno. Y ellos se lo enalbardaron.

28 Y él fue, y halló su cuerpo tendido en el camino, y el asno y el león estaban junto al cuerpo; el león no había comido el cuerpo, ni dañado al asno.

29 Y tomando el profeta el cuerpo del varón de Dios, lo puso sobre el asno, y se lo llevó. Y el profeta viejo vino a la ciudad, para endecharle y enterrarle.

30 Y puso su cuerpo en su propio sepulcro; e hicieron luto por él, diciendo: ¡Ay, hermano mío!

31 Y sucedió que después de haberlo enterrado, habló a sus hijos, diciendo: Cuando yo muera,

enterradme en el sepulcro en que *está* sepultado el varón de Dios; poned mis huesos junto a los suyos.

32 Porque sin duda vendrá lo que él dijo a voces por palabra de Jehová contra el altar que *está* en Betel, y contra todas las casas de los lugares altos que están en las ciudades de Samaria.

33 *Aun* después de esto, Jeroboam no se volvió de su mal camino; sino que volvió a hacer sacerdotes de los lugares altos de entre la clase baja del pueblo, y a quien quería lo consagraba para que fuese de los sacerdotes de los lugares altos.

34 Y esto fue causa de pecado a la casa de Jeroboam; por lo cual fue cortada y raída de sobre la faz de la tierra.

CAPÍTULO 14

En aquel tiempo Abías hijo de Jeroboam cayó enfermo,

2 y dijo Jeroboam a su esposa: Levántate ahora, disfrázate, para que no te conozcan que eres la esposa de Jeroboam, y ve a Silo; que allá está Ahías profeta, el que me dijo que yo *había de ser* rey sobre este pueblo.

3 Y toma en tu mano diez panes, y turrones, y una botija de miel, y ve a él; que te declare lo que ha de ser de este niño.

4 Y la esposa de Jeroboam lo hizo así; y se levantó, y fue a Silo, y vino a casa de Ahías. Y Ahías ya no podía ver, porque sus ojos se habían oscurecido a causa de su vejez.

5 Mas Jehová había dicho a Ahías: He aquí que la esposa de Jeroboam vendrá a consultarte por su hijo, que *está* enfermo; así y así le has de responder; pues será que cuando ella viniere, vendrá disfrazada.

6 Y sucedió que cuando Ahías oyó el sonido de sus pies, al entrar ella por la puerta, dijo: Entra, esposa de Jeroboam; ¿por qué te finges otra? Pues yo soy enviado a ti con revelación dura.

7 Ve, y di a Jeroboam: Así dijo Jehová Dios de Israel: Por cuanto yo te levanté de en medio del pueblo, y te hice príncipe sobre mi pueblo Israel,

La esposa de Jeroboam se disfraza

8 y rompí el reino de la casa de David, y te lo entregué a ti; y tú no has sido como David mi siervo, que guardó mis mandamientos y anduvo en pos de mí con todo su corazón, haciendo solamente lo recto delante de mis ojos;

9 sino que has hecho lo malo sobre todos los que han sido antes de ti, porque fuiste y te hiciste dioses ajenos e imágenes de fundición para enojarme, y a mí me echaste tras tus espaldas:

10 Por tanto, he aquí que yo traigo mal sobre la casa de Jeroboam, y yo talaré de Jeroboam todo meante a la pared, así el guardado como el desamparado en Israel; y barreré la posteridad de la casa de Jeroboam, como es barrido el estiércol, hasta que sea acabada.

11 El que muriere de los de Jeroboam en la ciudad, le comerán los perros; y el que muriere en el campo, lo comerán las aves del cielo; porque Jehová lo ha dicho.

12 Y tú levántate, y vete a tu casa; y al poner tu pie en la ciudad, morirá el niño.

13 Y todo Israel lo endechará, y le enterrarán; porque sólo él de los de Jeroboam entrará en sepultura; porque *algo* bueno se ha hallado en él delante de Jehová Dios de Israel, en la casa de Jeroboam.

14 Y Jehová se levantará un rey sobre Israel, el cual talará la casa de Jeroboam en este día; ¿y qué, si ahora mismo?

15 Y Jehová sacudirá a Israel, al modo que la caña se agita en las aguas; y Él arrancará a Israel de esta buena tierra que había dado a sus padres, y los esparcirá hacia el otro lado del río, por cuanto han hecho sus imágenes de Asera, enojando a Jehová.

16 Y Él entregará a Israel por los pecados de Jeroboam, el cual pecó, y ha hecho pecar a Israel.

17 Entonces la esposa de Jeroboam se levantó, y se fue, y vino a Tirsa: y entrando ella por el umbral de la casa, el niño murió.

18 Y lo enterraron, y lo endechó todo Israel, conforme a la palabra de Jehová, que Él había hablado por mano de su siervo Ahías profeta.

19 Los otros hechos de Jeroboam, las guerras que hizo, y cómo reinó, todo *está* escrito en el libro de las historias de los reyes de Israel.

20 El tiempo que reinó Jeroboam *fue* veintidós años; y habiendo dormido con sus padres, reinó en su lugar Nadab su hijo.

21 Y Roboam hijo de Salomón reinó en Judá. Cuarenta y un años *tenía* Roboam cuando comenzó a reinar, y diecisiete años reinó en Jerusalén, ciudad que Jehová eligió de todas las tribus de Israel para poner allí su nombre. El nombre de su madre *fue* Naama, amonita.

22 Y Judá hizo lo malo ante los ojos de Jehová, y le enojaron más que todo lo que sus padres habían hecho en sus pecados que cometieron.

23 Porque ellos también se edificaron lugares altos, estatuas, e imágenes de Asera, en todo collado alto, y debajo de todo árbol frondoso;

24 Hubo también sodomitas en la tierra, e hicieron conforme a todas las abominaciones de las naciones que Jehová había echado delante de los hijos de Israel.

25 Al quinto año del rey Roboam subió Sisac rey de Egipto contra Jerusalén.

26 Y tomó los tesoros de la casa de Jehová, y los tesoros de la casa real, y lo saqueó todo: se llevó también todos los escudos de oro que Salomón había hecho.

27 Y en lugar de ellos hizo el rey Roboam escudos de bronce, y los dio en manos de los capitanes de los de la guardia, quienes custodiaban la puerta de la casa real.

28 Y cuando el rey entraba en la casa de Jehová, los de la guardia los llevaban; y los ponían después en la cámara de los de la guardia.

29 Los demás hechos de Roboam, y todo lo que hizo, ¿no *está* escrito en las crónicas de los reyes de Judá?

30 Y hubo guerra entre Roboam y Jeroboam todos los días.

31 Y durmió Roboam con sus padres, y fue sepultado con sus padres en la ciudad de David. El nombre de su madre *fue* Naama, amonita. Y reinó en su lugar Abiam su hijo.

CAPÍTULO 15

En el año dieciocho del rey Jeroboam hijo de Nabat, Abiam comenzó a reinar sobre Judá.

2 Reinó tres años en Jerusalén. El nombre de su madre *fue* Maaca, hija de Abisalom.

3 Y anduvo en todos los pecados de su padre, que éste había hecho antes de él; y su corazón no fue perfecto para con Jehová su Dios, como el corazón de David su padre.

4 Mas por amor de David, le dio Jehová su Dios lámpara en Jerusalén, levantándole a su hijo después de él, y sosteniendo a Jerusalén:

5 Por cuanto David había hecho *lo* recto ante los ojos de Jehová, y de ninguna cosa que le mandase se había apartado en todos los días de su vida, salvo en el asunto de Urías heteo.

6 Y hubo guerra entre Roboam y Jeroboam todos los días de su vida.

7 Lo demás de los hechos de Abiam, y todo lo que hizo, ¿no *está* escrito en el libro de las crónicas de los reyes de Judá? Y hubo guerra entre Abiam y Jeroboam.

8 Y durmió Abiam con sus padres, y lo sepultaron en la ciudad de David; y reinó Asa su hijo en su lugar.

9 En el año veinte de Jeroboam rey de Israel, Asa comenzó a reinar sobre Judá.

10 Y reinó cuarenta y un años en Jerusalén; el nombre de su madre *fue* Maaca, hija de Abisalom.

11 Y Asa hizo *lo* recto ante los ojos de Jehová, como David su padre.

12 Porque quitó del país a los sodomitas, y quitó todos los ídolos que sus padres habían hecho.

13 Y también privó a su madre Maaca *de ser* reina, porque había hecho un ídolo de Asera. Además deshizo Asa el ídolo de su madre, y *lo* quemó junto al torrente de Cedrón.

14 Pero los lugares altos no fueron quitados; con todo, el corazón de Asa fue perfecto para con Jehová toda su vida.

15 También metió en la casa de Jehová lo que su padre había dedicado, y lo que él dedicó; oro, y plata, y vasos.

16 Y hubo guerra entre Asa y Baasa rey de Israel, todo el tiempo de ambos.

17 Y subió Baasa rey de Israel contra Judá, y edificó a Ramá, para no dejar salir ni entrar a ninguno de Asa, rey de Judá.

18 Entonces tomando Asa toda la plata y oro que había quedado en los tesoros de la casa de Jehová, y los tesoros de la casa real, los entregó en las manos de sus siervos, y los envió el rey Asa a Benadad, hijo de Tabrimón, hijo de Hezión, rey de Siria, el cual residía en Damasco, diciendo:

19 *Haya* alianza entre tú y yo, y entre mi padre y el tuyo. He aquí yo te envío un presente de plata y oro: ve, y rompe tu alianza con Baasa rey de Israel, para que se aparte de mí.

20 Y Benadad consintió con el rey Asa, y envió los príncipes de los ejércitos que tenía contra las ciudades de Israel, e hirió a Ahión, y a Dan, y a Abel-bet-maaca, y a toda Cineret, con toda la tierra de Neftalí.

21 Y oyendo esto Baasa, dejó de edificar a Ramá, y se estuvo en Tirsa.

22 Entonces el rey Asa convocó a todo Judá, sin exceptuar ninguno; y quitaron de Ramá la piedra y la madera con que Baasa edificaba, y edificó el rey Asa con ello a Gabaa de Benjamín, y a Mizpa.

23 Lo demás de todos los hechos de Asa, y todo su poderío, y todo lo que hizo, y las ciudades que edificó, ¿no *está* todo escrito en el libro de las crónicas de los reyes de Judá? Mas en el tiempo de su vejez enfermó de sus pies.

24 Y durmió Asa con sus padres, y fue sepultado con sus padres en la ciudad de David su padre: y reinó en su lugar Josafat su hijo.

25 Y Nadab, hijo de Jeroboam, comenzó a reinar sobre Israel en el segundo año de Asa rey de Judá; y reinó sobre Israel dos años.

26 E hizo lo malo ante los ojos de Jehová, andando en el camino de su padre, y en sus pecados con que hizo pecar a Israel.

27 Y Baasa hijo de Ahías, el cual era de la casa de Isacar, conspiró contra él; y lo hirió Baasa en Gibetón, que *era* de los filisteos; porque Nadab y todo Israel tenían sitiado a Gibetón.

28 Lo mató, pues, Baasa en el tercer año de Asa rey de Judá, y reinó en lugar suyo.

29 Y sucedió que cuando él vino al reino, hirió a toda la casa de Jeroboam, sin dejar alma viviente de los de Jeroboam, hasta raerlo, conforme a la palabra de Jehová que Él habló por su siervo Ahías silonita;

30 por los pecados de Jeroboam que él había cometido, y con los cuales hizo pecar a Israel; y por su provocación con que provocó a enojo a Jehová Dios de Israel.

31 Lo demás de los hechos de Nadab, y todo lo que hizo, ¿no *está* todo escrito en el libro de las crónicas de los reyes de Israel?

32 Y hubo guerra entre Asa y Baasa rey de Israel, todo el tiempo de ambos.

33 En el tercer año de Asa rey de Judá, comenzó a reinar Baasa hijo de Ahías sobre todo Israel en Tirsa; y reinó veinticuatro años.

34 E hizo lo malo a los ojos de Jehová, y anduvo en el camino de Jeroboam, y en su pecado con que hizo pecar a Israel.

CAPÍTULO 16

Y vino palabra de Jehová a Jehú hijo de Hanani contra Baasa, diciendo:

2 Por cuanto yo te levanté del polvo, y te puse por príncipe sobre mi pueblo Israel, y tú has andado en el camino de Jeroboam, y has hecho pecar a mi pueblo Israel, provocándome a ira con sus pecados;

3 he aquí yo barreré la posteridad de Baasa, y la posteridad de su casa; y pondré su casa como la casa de Jeroboam hijo de Nabat.

4 El que de Baasa fuere muerto en la ciudad, le comerán los perros; y el que de él fuere muerto en el campo, lo comerán las aves del cielo.

5 Lo demás de los hechos de Baasa, y las cosas que hizo, y su poderío, ¿no *está* todo escrito en el libro de las crónicas de los reyes de Israel?

6 Y durmió Baasa con sus padres, y fue sepultado en Tirsa; y reinó en su lugar Ela su hijo.

7 Pero también vino la palabra de Jehová por mano del profeta Jehú, hijo de Hanani, contra Baasa, y contra su casa, por toda la maldad que hizo ante los ojos de Jehová, provocándole a ira con las obras de sus manos, y por haber sido como la casa de Jeroboam, y por haberla destruido.

8 En el año veintiséis de Asa rey de Judá, comenzó a reinar Ela hijo de Baasa sobre Israel en Tirsa; y reinó dos años.

9 Y conspiró contra él su siervo Zimri, comandante de la mitad de los carros. Y estando él en Tirsa, bebiendo y embriagado en casa de Arsa su mayordomo en Tirsa,

10 vino Zimri, y lo hirió y lo mató, en el año veintisiete de Asa rey de Judá; y reinó en lugar suyo.

11 Y sucedió que cuando comenzó a reinar y estuvo sentado en su trono, mató toda la casa de Baasa, sin dejar en ella meante a la pared, ni de sus parientes ni de sus amigos.

12 Así destruyó Zimri toda la casa de Baasa, conforme a la palabra de Jehová, que había proferido contra Baasa por medio del profeta Jehú,

13 por todos los pecados de Baasa, y los pecados de Ela su hijo, con los cuales ellos pecaron e hicieron pecar a Israel, provocando a enojo con sus vanidades a Jehová Dios de Israel.

14 Los demás hechos de Ela, y todo lo que hizo, ¿no está todo escrito en el libro de las crónicas de los reyes de Israel?

15 En el año veintisiete de Asa rey de Judá, comenzó a reinar Zimri, y reinó siete días en Tirsa; y el pueblo estaba acampado contra Gibetón, ciudad de los filisteos.

16 Y el pueblo que estaba acampado oyó decir: Zimri ha conspirado, y ha dado muerte al rey. Entonces aquel mismo día en el campamento, todo Israel puso a Omri, general del ejército, por rey sobre Israel.

17 Y subió Omri de Gibetón, y con él todo Israel, y sitiaron a Tirsa.

18 Y sucedió que cuando Zimri vio que la ciudad era tomada, se metió en el palacio de la casa real, y prendió fuego a la casa sobre sí; y así murió.

19 Por causa de sus pecados que él había cometido, haciendo lo malo ante los ojos de Jehová, y andando en los caminos de Jeroboam, y en su pecado que cometió, haciendo pecar a Israel.

20 Los demás hechos de Zimri, y la conspiración que hizo, ¿no está todo escrito en el libro de las crónicas de los reyes de Israel?

21 Entonces el pueblo de Israel fue dividido en dos partes. La mitad del pueblo seguía a Tibni hijo de Ginat, para hacerlo rey; y la otra mitad seguía a Omri.

22 Mas el pueblo que seguía a Omri, pudo más que el que seguía a Tibni hijo de Ginat; y Tibni murió, y Omri fue rey.

23 En el año treinta y uno de Asa rey de Judá, comenzó a reinar Omri sobre Israel, y reinó doce años; en Tirsa reinó seis años.

24 Y compró él de Semer el monte de Samaria por dos talentos de plata, y edificó en el monte: y llamó el nombre de la ciudad que edificó, Samaria, del nombre de Semer, que fue dueño de aquel monte.

25 Y Omri hizo lo malo ante los ojos de Jehová, e hizo peor que todos los que habían sido antes de él;

26 pues anduvo en todos los caminos de Jeroboam hijo de Nabat, y en su pecado con que hizo pecar a Israel, provocando a ira a Jehová Dios de Israel con sus ídolos.

27 Lo demás de los hechos de Omri, y todas las cosas que hizo, y sus valentías que ejecutó, ¿no está todo escrito en el libro de las crónicas de los reyes de Israel?

28 Y Omri durmió con sus padres, y fue sepultado en Samaria; y reinó en lugar suyo Acab, su hijo.

29 Y comenzó a reinar Acab hijo de Omri sobre Israel el año treinta y ocho de Asa rey de Judá. Y reinó Acab hijo de Omri sobre Israel en Samaria veintidós años.

30 Y Acab hijo de Omri hizo lo malo ante los ojos de Jehová, más que todos los que fueron antes que él.

31 Y sucedió que como si fuera ligera cosa el andar en los pecados de Jeroboam hijo de Nabat, fue y tomó por esposa a Jezabel, hija de Etbaal,

rey de los sidonios, y fue y sirvió a Baal, y lo adoró.

32 E hizo altar a Baal, en el templo de Baal que él edificó en Samaria.

33 Hizo también Acab una imagen de Asera; y Acab hizo provocar a ira a Jehová Dios de Israel, más que todos los reyes de Israel que antes de él habían sido.

34 En su tiempo Hiel de Betel reedificó a Jericó. A costa de Abiram su primogénito echó el cimiento, y *a costa* de Segub su *hijo* menor puso sus puertas; conforme a la palabra de Jehová que había hablado por Josué hijo de Nun.

CAPÍTULO 17

Entonces Elías tisbita, *que era* de los moradores de Galaad, dijo a Acab: Vive Jehová Dios de Israel, delante del cual estoy, que no habrá lluvia ni rocío en estos años, sino por mi palabra.

2 Y vino a él palabra de Jehová, diciendo:

3 Apártate de aquí, y vuélvete al oriente, y escóndete en el arroyo de Querit, que *está* delante del Jordán;

4 Y beberás del arroyo; y yo he mandado a los cuervos que te den allí de comer.

5 Y él fue, e hizo conforme a la palabra de Jehová; pues se fue y asentó junto al arroyo de Querit, que *está* antes del Jordán.

6 Y los cuervos le traían pan y carne por la mañana, y pan y carne a la tarde; y bebía del arroyo.

7 Y sucedió que después de algunos días, se secó el arroyo; porque no había llovido sobre la tierra.

8 Y vino a él palabra de Jehová, diciendo:

9 Levántate, vete a Sarepta de Sidón, y allí morarás: he aquí yo he mandado allí a una mujer viuda que te sustente.

10 Entonces él se levantó, y se fue a Sarepta. Y como llegó a la puerta de la ciudad, he aquí una mujer viuda que *estaba* allí recogiendo leña; y él la llamó, y le dijo: Te ruego que me traigas un poco de agua en un vaso, para que beba.

11 Y yendo ella para traérsela, él la volvió a llamar, y le dijo: Te ruego que me traigas también un bocado de pan en tu mano.

12 Y ella respondió: Vive Jehová Dios tuyo, que no tengo pan cocido; que solamente un puñado de harina tengo en la tinaja, y un poco de aceite en una botija: y ahora recogía dos leños, para entrar y aderezarlo para mí y para mi hijo, para que lo comamos, y muramos.

13 Y Elías le dijo: No tengas temor; ve, haz como has dicho; pero hazme a mí primero de ello una pequeña torta cocida debajo de la ceniza, y tráemela; y después harás para ti y para tu hijo.

14 Porque Jehová Dios de Israel ha dicho así: La tinaja de la harina no escaseará, ni se disminuirá la botija del aceite, hasta aquel día que Jehová dará lluvia sobre la faz de la tierra.

15 Entonces ella fue, e hizo como le dijo Elías; y comió él, y ella y su casa, *muchos* días.

16 Y la tinaja de la harina no escaseó, ni menguó la botija del aceite, conforme a la palabra de Jehová que había dicho por Elías.

17 Después de estas cosas aconteció que cayó enfermo el hijo del ama de la casa, y la enfermedad fue tan grave, que no quedó en él aliento.

18 Y ella dijo a Elías: ¿Qué tengo yo contigo, varón de Dios? ¿Has venido a mí para traer en memoria mis iniquidades, y para hacer morir a mi hijo?

19 Y él le dijo: Dame acá tu hijo. Entonces él lo tomó de su regazo, y lo llevó a la cámara donde él estaba, y le puso sobre su cama.

20 Y clamando a Jehová, dijo: Jehová Dios mío, ¿aun a la viuda en cuya casa yo estoy hospedado has afligido, haciéndole morir su hijo?

21 Y se tendió sobre el niño tres veces, y clamó a Jehová, y dijo: Jehová Dios mío, te ruego que el alma de este niño vuelva a él.

22 Y Jehová oyó la voz de Elías, y el alma del niño volvió a él, y revivió.

23 Tomando luego Elías al niño, lo trajo de la cámara a la casa, y lo dio a su madre, y le dijo Elías: Mira, tu hijo vive.

24 Entonces la mujer dijo a Elías: Ahora conozco que tú *eres* varón de Dios, y que la palabra de Jehová *es* verdad en tu boca.

CAPÍTULO 18

Y sucedió que después de muchos días, vino palabra de Jehová a Elías en el tercer año, diciendo: Ve, muéstrate a Acab, y yo daré lluvia sobre la faz de la tierra.

2 Fue, pues, Elías a mostrarse a Acab. Y *había* gran hambre en Samaria.

3 Y Acab llamó a Abdías que *era* el mayordomo de *su* casa. Y Abdías era en gran manera temeroso de Jehová.

4 Porque cuando Jezabel destruía a los profetas de Jehová, Abdías tomó cien profetas, los cuales escondió de cincuenta en cincuenta en una cueva, y los sustentó con pan y agua.

5 Y Acab dijo a Abdías: Ve por el país a todas las fuentes de aguas, y a todos los arroyos; para ver si acaso hallaremos hierba con que conservemos la vida a los caballos y a las mulas, para que no nos quedemos sin bestias.

6 Y dividieron entre sí el país para recorrerlo: Acab fue de por sí por un camino, y Abdías fue separadamente por otro.

7 Y yendo Abdías por el camino, se topó con Elías; y como le conoció, se postró sobre su rostro, y dijo: ¿No *eres* tú mi señor Elías?

8 Y él respondió: Yo soy; ve, di a tu amo: He aquí Elías.

9 Pero él dijo: ¿En qué he pecado, para que tú entregues a tu siervo en mano de Acab para que me mate?

10 Vive Jehová tu Dios, que no ha habido nación ni reino adonde mi señor no haya enviado a buscarte; y respondiendo ellos: No está aquí; él ha hecho jurar al reino o nación que no te han hallado.

11 ¿Y ahora tú dices: Ve, di a tu amo: Aquí *está* Elías?

12 Y acontecerá que, luego que yo me haya ido de ti, el Espíritu de Jehová te llevará adonde yo no sepa; y cuando yo venga y dé las nuevas a Acab, y él no te halle, me matará; y tu siervo teme a Jehová desde su juventud.

13 ¿No ha sido dicho a mi señor lo que hice, cuando Jezabel mataba a los profetas de Jehová; de cómo escondí en una cueva a cien varones de los profetas de Jehová: de cincuenta en cincuenta, y los sustenté con pan y agua?

14 ¿Y ahora dices tú: Ve, di a tu amo: Aquí *está* Elías; para que él me mate?

15 Y Elías le dijo: Vive Jehová de los ejércitos, delante del cual estoy, que hoy me mostraré a él.

16 Entonces Abdías fue a encontrarse con Acab, y le dio el aviso; y Acab vino a encontrarse con Elías.

17 Y aconteció que cuando Acab vio a Elías, le dijo Acab: ¿*Eres* tú el que has turbado a Israel?

18 Y él respondió: Yo no he turbado a Israel, sino tú y la casa de tu padre, dejando los mandamientos de Jehová, y siguiendo a los Baales.

19 Envía, pues, ahora y reúneme a todo Israel en el monte Carmelo, y los cuatrocientos cincuenta profetas de Baal, y los cuatrocientos profetas de Asera, que comen de la mesa de Jezabel.

20 Entonces Acab envió a todos los hijos de Israel, y reunió a los profetas en el monte Carmelo.

21 Y acercándose Elías a todo el pueblo, dijo: ¿Hasta cuándo claudicaréis vosotros entre dos pensamientos? Si Jehová es Dios, seguidle; y si Baal, id en pos de él. Y el pueblo no respondió palabra.

22 Entonces Elías volvió a decir al pueblo: Sólo yo he quedado profeta de Jehová; mas de los profetas de Baal *hay* cuatrocientos cincuenta hombres.

23 Dénsenos, pues, dos bueyes, y escójanse ellos uno, y córtenlo en pedazos, y pónganlo sobre leña, pero no pongan fuego *debajo*; y yo aprestaré el otro buey, y lo pondré sobre leña, y ningún fuego pondré *debajo*.

24 Invocad luego vosotros el nombre de vuestros dioses, y yo invocaré el nombre de Jehová: y el Dios que respondiere por fuego, ése sea Dios. Y todo el pueblo respondió, diciendo: Bien dicho.

25 Entonces Elías dijo a los profetas de Baal: Escogeos un buey, y preparad

primero, pues que vosotros *sois* los más; e invocad el nombre de vuestros dioses, mas no pongáis fuego *debajo*.

26 Y ellos tomaron el buey que les fue dado, y lo aprestaron, e invocaron el nombre de Baal desde la mañana hasta el mediodía, diciendo: ¡Baal, respóndenos! Mas no *había* voz, ni quien respondiese; entre tanto, ellos andaban saltando cerca del altar que habían hecho.

27 Y aconteció al mediodía, que Elías se burlaba de ellos, diciendo: Gritad en alta voz, que dios *es*; quizá está meditando, o está ocupado, o va de camino; quizá duerme y hay que despertarle.

28 Y ellos clamaban a grandes voces, y se sajaban con cuchillos y con lancetas conforme a su costumbre, hasta chorrear la sangre sobre ellos.

29 Y sucedió que pasado el mediodía, y profetizando ellos hasta la hora de ofrecerse el sacrificio *de la tarde*, que no había voz, ni quien respondiese ni escuchase.

30 Entonces dijo Elías a todo el pueblo: Acercaos a mí. Y todo el pueblo se acercó a él; y él reparó el altar de Jehová *que estaba* arruinado.

31 Y tomando Elías doce piedras, conforme al número de las tribus de los hijos de Jacob, al cual había venido palabra de Jehová, diciendo: Israel será tu nombre;

32 edificó con las piedras un altar en el nombre de Jehová: después hizo una zanja alrededor del altar, donde cupieran dos medidas de semilla.

33 Compuso luego la leña, y cortó el buey en pedazos, y lo puso sobre la leña. Y dijo: Llenad cuatro cántaros de agua, y derramadla sobre el holocausto y sobre la leña.

34 Y dijo: Hacedlo otra vez; y otra vez lo hicieron. Dijo aún: Hacedla la tercera vez; y lo hicieron la tercera vez.

35 De manera que las aguas corrían alrededor del altar; y había también llenado de agua la zanja.

36 Y sucedió que cuando llegó la hora de ofrecerse el holocausto, se acercó el profeta Elías y dijo: Jehová Dios de Abraham, de Isaac y de Israel, sea hoy manifiesto que tú *eres* Dios

en Israel, y que yo soy tu siervo, y que por mandato tuyo he hecho todas estas cosas.

37 Respóndeme, Jehová, respóndeme; para que este pueblo sepa que tú, oh Jehová, *eres* Dios, y que tú vuelves a ti el corazón de ellos.

38 Entonces cayó fuego de Jehová, el cual consumió el holocausto, y la leña, y las piedras, y el polvo, y aun lamió las aguas que *estaban* en la zanja.

39 Y viéndolo todo el pueblo, cayeron sobre sus rostros, y dijeron: ¡Jehová es el Dios! ¡Jehová es el Dios!

40 Entonces Elías les dijo: Prended a los profetas de Baal, que no escape ninguno. Y ellos los prendieron; y los llevó Elías al arroyo de Cisón, y allí los degolló.

41 Entonces Elías dijo a Acab: Sube, come y bebe; porque se oye el ruido de una grande lluvia.

42 Y Acab subió a comer y a beber. Y Elías subió a la cumbre del Carmelo; y postrándose en tierra, puso su rostro entre las rodillas.

43 Y dijo a su criado: Sube ahora, y mira hacia el mar. Y él subió, y miró, y dijo: No *hay* nada. Y él le volvió a decir: Vuelve siete veces.

44 Y sucedió que a la séptima vez, él dijo: Yo veo una pequeña nube como la palma de la mano de un hombre, que sube del mar. Y él dijo: Ve, y di a Acab: Unce tu *carro* y desciende, para que la lluvia no te detenga.

45 Y aconteció, estando en esto, que los cielos se oscurecieron con nubes y viento; y hubo una gran lluvia. Y subiendo Acab, vino a Jezreel.

46 Y la mano de Jehová fue sobre Elías, el cual ciñó sus lomos, y vino corriendo delante de Acab hasta llegar a Jezreel.

CAPÍTULO 19

Y Acab dio la nueva a Jezabel de todo lo que Elías había hecho, de cómo había matado a espada a todos los profetas.

2 Entonces Jezabel envió un mensajero a Elías, diciendo: Así me hagan los dioses, y así me añadan, si mañana a estas horas yo no he puesto tu persona como la de uno de ellos.

3 Viendo pues el peligro, se levantó y se fue para salvar su vida, y vino a Beerseba, que es en Judá, y dejó allí su criado.

4 Y él se fue por el desierto un día de camino, y vino y se sentó debajo de un enebro; y deseando morirse, dijo: Baste ya, oh Jehová, quítame la vida; pues no *soy* yo mejor que mis padres.

5 Y echándose debajo del enebro, se quedó dormido. Y he aquí luego un ángel le tocó, y le dijo: Levántate, come.

6 Entonces él miró, y he aquí a su cabecera una torta cocida sobre las ascuas, y un vaso de agua: y comió y bebió y se volvió a dormir.

7 Y volviendo el ángel de Jehová la segunda vez, le tocó y le dijo: Levántate y come, porque la jornada es muy grande para ti.

8 Se levantó, pues, y comió y bebió; y con la fortaleza de aquella comida caminó cuarenta días y cuarenta noches, hasta el monte de Dios, Horeb.

9 Y allí se metió en una cueva, donde pasó la noche. Y he aquí *vino* a él palabra de Jehová, el cual le dijo: ¿Qué haces aquí, Elías?

10 Y él respondió: He sentido un vivo celo por Jehová Dios de los ejércitos; porque los hijos de Israel han dejado tu pacto, han derribado tus altares, y han matado a espada a tus profetas: y sólo yo he quedado, y me buscan para quitarme la vida.

11 Y él le dijo: Sal fuera, y ponte en el monte delante de Jehová. Y he aquí Jehová que pasaba, y un grande y poderoso viento que rompía los montes, y quebraba las peñas delante de Jehová; *pero* Jehová no *estaba* en el viento. Y tras el viento un terremoto; *pero* Jehová no *estaba* en el terremoto.

12 Y tras el terremoto un fuego; *pero* Jehová no *estaba* en el fuego. Y tras el fuego una voz suave y delicada.

13 Y al oírla Elías, cubrió su rostro con su manto, y salió, y se paró a la puerta de la cueva. Y he aquí *vino* una voz a él, diciendo: ¿Qué haces aquí, Elías?

14 Y él respondió: He sentido un vivo celo por Jehová Dios de los ejércitos; porque los hijos de Israel han dejado tu pacto, han derribado tus altares, y han matado a espada a tus profetas; y sólo yo he quedado, y me buscan para quitarme la vida.

15 Y le dijo Jehová: Ve, vuelve por tu camino, por el desierto de Damasco: y llegarás, y ungirás a Hazael por rey de Siria;

16 Y a Jehú hijo de Nimsi, ungirás por rey sobre Israel; y a Eliseo hijo de Safat, de Abel-mehola, ungirás *para que sea* profeta en tu lugar.

17 Y será, que el que escapare de la espada de Hazael, Jehú lo matará; y el que escapare de la espada de Jehú, Eliseo lo matará.

18 Pero yo he hecho que queden en Israel siete mil, cuyas rodillas no se doblaron ante Baal, y cuyas bocas no lo besaron.

19 Y partiendo él de allí, halló a Eliseo hijo de Safat, que araba con doce yuntas *de bueyes* delante de sí; y él *tenía* la última. Y pasando Elías por delante de él, echó sobre él su manto.

20 Entonces dejando él los bueyes, vino corriendo en pos de Elías, y dijo: Te ruego que me dejes besar a mi padre y a mi madre, y luego te seguiré. Y él le dijo: Ve, vuelve; ¿qué te he hecho yo?

21 Y se volvió de en pos de él, y tomó un par de bueyes, y los mató, y con el arado de los bueyes coció la carne de éstos, y la dio al pueblo y ellos comieron. Después se levantó y fue tras Elías, y le servía.

CAPÍTULO 20

Entonces Benadad rey de Siria juntó a todo su ejército, y con él a treinta y dos reyes, con caballos y carros; y subió y sitió a Samaria, y la combatió.

2 Y envió mensajeros a la ciudad a Acab rey de Israel, diciendo: Así dice Benadad:

3 Tu plata y tu oro *son* míos, y tus esposas y tus hijos hermosos *son* míos.

4 Y el rey de Israel respondió, y dijo: Como tú dices, rey señor mío, yo soy tuyo, y todo lo que tengo.

5 Y volviendo los mensajeros otra vez, dijeron: Así dijo Benadad: Yo te envié a decir: Tu plata y tu oro, y tus esposas y tus hijos me darás.

6 Además mañana a estas horas enviaré yo a ti mis siervos, los cuales inspeccionarán tu casa, y las casas de tus siervos; y sucederá que todo lo precioso que tienes ellos lo tomarán con sus manos y se lo llevarán.

7 Entonces el rey de Israel llamó a todos los ancianos de la tierra, y les dijo: Entended, y ved ahora cómo éste no busca sino mal; pues ha enviado a mí por mis esposas y mis hijos, y por mi plata y por mi oro; y yo no se lo he negado.

8 Y todos los ancianos y todo el pueblo le respondieron: No le obedezcas, ni hagas lo que te pide.

9 Entonces él respondió a los embajadores de Benadad: Decid al rey mi señor: Haré todo lo que mandaste a tu siervo al principio; pero esto no lo puedo hacer. Y los embajadores fueron, y le dieron la respuesta.

10 Y Benadad envió a decirle: Así me hagan los dioses, y aun me añadan, que el polvo de Samaria no bastará a los puños de todo el pueblo que me sigue.

11 Y el rey de Israel respondió, y dijo: Decidle, que no se alabe el que se ciñe *las armas*, como el que las desciñe.

12 Y cuando *Benadad* oyó esta palabra, estando bebiendo con los reyes en las tiendas, dijo a sus siervos: Tomad posiciones. Y ellos tomaron posiciones contra la ciudad.

13 Y he aquí un profeta se llegó a Acab rey de Israel; y le dijo: Así dice Jehová: ¿Has visto esta grande multitud? He aquí yo te la entregaré hoy en tu mano, para que conozcas que yo soy Jehová.

14 Y respondió Acab: ¿Por mano de quién? Y él dijo: Así dice Jehová: Por mano de los jóvenes de los príncipes de las provincias. Y dijo Acab: ¿Quién comenzará la batalla? Y él respondió: Tú.

15 Entonces él pasó revista a los jóvenes de los príncipes de las provincias, los cuales fueron doscientos treinta y dos. Luego pasó revista a todo el pueblo, a todos los hijos de Israel, *que fueron* siete mil.

16 Y salieron al mediodía. Pero Benadad estaba bebiendo, emborrachándose en las tiendas, él

y los reyes, los treinta y dos reyes que habían venido en su ayuda.

17 Y los jóvenes de los príncipes de las provincias salieron primero. Y había Benadad enviado quien le dio aviso, diciendo: Han salido hombres de Samaria.

18 Él entonces dijo: Si han salido por paz, tomadlos vivos; y si han salido para pelear, tomadlos vivos.

19 Salieron, pues, de la ciudad los jóvenes de los príncipes de las provincias, y en pos de ellos el ejército.

20 Y mató cada uno al que venía contra él; y huyeron los sirios, siguiéndolos los de Israel. Y el rey de Siria, Benadad, se escapó en un caballo con alguna gente de caballería.

21 Y salió el rey de Israel, e hirió la gente de a caballo, y los carros; y deshizo a los sirios con grande estrago.

22 Vino luego el profeta al rey de Israel y le dijo: Ve, fortalécete, y considera y mira lo que has de hacer; porque pasado el año, el rey de Siria *vendrá* contra ti.

23 Y los siervos del rey de Siria le dijeron: Sus dioses *son* dioses de las montañas, por eso nos han vencido; mas si peleáremos con ellos en el valle, se verá si no los vencemos.

24 Haz, pues, así: Saca a los reyes cada uno de su puesto, y pon capitanes en lugar de ellos.

25 Y tú, fórmate otro ejército como el ejército que perdiste, caballos por caballos, y carros por carros; luego pelearemos con ellos en el valle, y veremos si no los vencemos. Y él les dio oído, y lo hizo así.

26 Pasado el año, Benadad pasó revista a los sirios, y vino a Afec a pelear contra Israel.

27 Y los hijos de Israel fueron también inspeccionados, y tomando provisiones vinieron a encontrarles; y acamparon los hijos de Israel delante de ellos, como dos rebañuelos de cabras; y los sirios llenaban la tierra.

28 Acercándose entonces el varón de Dios al rey de Israel, le habló diciendo: Así dice Jehová: Por cuanto los sirios han dicho, Jehová es Dios

de las montañas, y no Dios de los valles, yo entregaré toda esta gran multitud en tu mano, y sabrás que yo soy Jehová.

29 Siete días estuvieron acampados los unos delante de los otros, y al séptimo día se dio la batalla; y los hijos de Israel mataron de los sirios en un solo día a cien mil hombres de a pie.

30 Los demás huyeron a Afec, a la ciudad; y el muro cayó sobre veintisiete mil hombres *que habían* quedado. También Benadad vino huyendo a la ciudad, y se escondía de cámara en cámara.

31 Entonces sus siervos le dijeron: He aquí, hemos oído que los reyes de la casa de Israel son reyes misericordiosos; pongamos, pues, ahora cilicio en nuestros lomos, y cuerdas sobre nuestras cabezas, y salgamos al rey de Israel; quizá por ventura te salve la vida.

32 Ciñeron, pues, sus lomos de cilicio y pusieron cuerdas sobre sus cabezas, y vinieron al rey de Israel y le dijeron: Tu siervo Benadad dice: Te ruego que viva mi alma. Y él respondió: Si él vive aún, mi hermano *es*.

33 Esto tomaron aquellos hombres por buen augurio, y presto tomaron esta palabra de su boca, y dijeron: ¡Tu hermano Benadad *vive*! Y él dijo: Id, y traedle. Benadad entonces se presentó a Acab, y él le hizo subir en un carro.

34 Y le dijo *Benadad*: Las ciudades que mi padre tomó al tuyo, yo las restituiré; y haz plazas en Damasco para ti, como mi padre las hizo en Samaria. Y yo, *dijo Acab*, te dejaré partir con este pacto. Hizo, pues, pacto con él, y le dejó ir.

35 Entonces un varón de los hijos de los profetas dijo a su compañero por palabra de Dios: Hiéreme ahora. Mas el otro varón no quiso herirle.

36 Y él le dijo: Por cuanto no has obedecido a la palabra de Jehová, he aquí que cuando te apartes de mí, te herirá un león. Y como se apartó de él, le topó un león, y le mató.

37 Luego se encontró con otro hombre, y le dijo: Hiéreme, te ruego.

Y el hombre le dio un golpe, y le hizo una herida.

38 Y el profeta se fue, y se puso delante del rey en el camino, y se disfrazó poniendo ceniza sobre su rostro.

39 Y como el rey pasaba, él dio voces al rey, y dijo: Tu siervo salió entre la tropa; y he aquí apartándose uno, me trajo a un hombre, diciendo: Guarda a este hombre, y si por alguna razón llegare a faltar, tu vida será por la suya, o pagarás un talento de plata.

40 Y como tu siervo estaba ocupado a una parte y a otra, él desapareció. Entonces el rey de Israel le dijo: Ésa *será* tu sentencia; tú la has pronunciado.

41 Pero él se quitó pronto la ceniza de sobre su rostro, y el rey de Israel conoció que *era* de los profetas.

42 Y él le dijo: Así dice Jehová: Por cuanto soltaste de la mano el hombre de mi anatema, tu vida será por la suya, y tu pueblo por el suyo.

43 Y el rey de Israel se fue a su casa, triste y enojado, y llegó a Samaria.

CAPÍTULO 21

Pasadas estas cosas, aconteció que Nabot de Jezreel tenía en Jezreel una viña junto al palacio de Acab rey de Samaria.

2 Y Acab habló a Nabot, diciendo: Dame tu viña para un huerto de legumbres, porque *está* cercana a mi casa, y yo te daré por ella otra viña mejor que ésta; o si mejor te pareciere, te pagaré su valor en dinero.

3 Y Nabot respondió a Acab: Guárdeme Jehová de que yo te dé a ti la heredad de mis padres.

4 Y vino Acab a su casa, triste y enojado por la palabra que Nabot de Jezreel le había respondido, diciendo: No te daré la heredad de mis padres. Y se acostó en su cama, y volvió su rostro, y no comió pan.

5 Y vino a él su esposa Jezabel, y le dijo: ¿Por qué está tan triste tu espíritu, y no comes pan?

6 Y él respondió: Porque hablé con Nabot de Jezreel, y le dije que me diera su viña por dinero, o que, si más quería, le daría *otra* viña por ella; y él respondió: Yo no te daré mi viña.

7 Y su esposa Jezabel le dijo: ¿Reinas tú ahora sobre Israel? Levántate, y come pan, y alégrate; yo te daré la viña de Nabot de Jezreel.

8 Entonces ella escribió cartas en nombre de Acab, y las selló con su anillo y las envió a los ancianos y a los principales que *moraban* en su ciudad con Nabot.

9 Y las cartas que escribió decían así: Proclamad ayuno, y poned a Nabot a la cabecera del pueblo;

10 y poned a dos hombres hijos de Belial delante de él, que atestigüen contra él, y digan: Tú has blasfemado a Dios y al rey. Y entonces sacadlo, y apedreadlo para que muera.

11 Y los de su ciudad, los ancianos y los principales que moraban en su ciudad, hicieron como Jezabel les mandó, conforme a lo escrito en las cartas que ella les había enviado.

12 Y promulgaron ayuno, y asentaron a Nabot a la cabecera del pueblo.

13 Vinieron entonces dos hombres, hijos de Belial, y se sentaron delante de él; y aquellos hombres de Belial atestiguaron contra Nabot delante del pueblo, diciendo: Nabot ha blasfemado a Dios y al rey. Y lo sacaron fuera de la ciudad, y lo apedrearon con piedras, y murió.

14 Después enviaron a decir a Jezabel: Nabot ha sido apedreado y ha muerto.

15 Y como Jezabel oyó que Nabot había sido apedreado y muerto, dijo a Acab: Levántate y posee la viña de Nabot de Jezreel, que no te la quiso dar por dinero; porque Nabot no vive, sino que ha muerto.

16 Y sucedió que cuando oyó Acab que Nabot había muerto, se levantó para descender a la viña de Nabot de Jezreel, para tomar posesión de ella.

17 Entonces vino palabra de Jehová a Elías tisbita, diciendo:

18 Levántate, desciende a encontrarte con Acab rey de Israel, que *está* en Samaria; he aquí él *está* en la viña de Nabot, a la cual ha descendido para tomar posesión de ella.

19 Y le hablarás diciendo: Así dice Jehová: ¿No mataste, y también has despojado? Y volverás a hablarle, diciendo: Así dice Jehová: En el lugar donde los perros lamieron la sangre de Nabot, los perros lamerán también tu sangre, tu misma *sangre*.

20 Y Acab dijo a Elías: ¿Me has hallado, enemigo mío? Y él respondió: Te he encontrado, porque te has vendido a hacer lo malo ante los ojos de Jehová.

21 He aquí yo traigo mal sobre ti, y barreré tu posteridad, y talaré de Acab todo meante a la pared, al guardado y al desamparado en Israel.

22 Y yo pondré tu casa como la casa de Jeroboam hijo de Nabat, y como la casa de Baasa hijo de Ahías; por la provocación con que *me* provocaste a ira, y con que has hecho pecar a Israel.

23 De Jezabel también ha hablado Jehová, diciendo: Los perros comerán a Jezabel en el muro de Jezreel.

24 El que de Acab fuere muerto en la ciudad, perros le comerán: y el que fuere muerto en el campo, lo comerán las aves del cielo.

25 Pero ninguno fue como Acab, quien se vendió a hacer lo malo ante los ojos de Jehová, porque Jezabel su esposa lo incitaba.

26 Él fue en gran manera abominable, caminando en pos de los ídolos, conforme a todo lo que hicieron los amorreos, a los cuales lanzó Jehová de delante de los hijos de Israel.

27 Y aconteció que cuando Acab oyó estas palabras, rasgó sus vestiduras, y puso cilicio sobre su carne, y ayunó, y durmió en cilicio, y anduvo humillado.

28 Entonces vino palabra de Jehová a Elías tisbita, diciendo:

29 ¿No has visto como Acab se ha humillado delante de mí? Pues por cuanto se ha humillado delante de mí, no traeré el mal en sus días; en los días de su hijo traeré el mal sobre su casa.

CAPÍTULO 22

Tres años pasaron sin guerra entre los sirios e Israel.

2 Y aconteció al tercer año, que Josafat rey de Judá descendió al rey de Israel.

3 Y el rey de Israel dijo a sus siervos: ¿No sabéis que Ramot de Galaad *es* nuestra, y nosotros no hemos hecho nada para tomarla de mano del rey de Siria?

4 Y dijo a Josafat: ¿Quieres venir conmigo a pelear contra Ramot de Galaad? Y Josafat respondió al rey de Israel: Yo soy como tú, y mi pueblo como tu pueblo, y mis caballos como tus caballos.

5 Y dijo luego Josafat al rey de Israel: Yo te ruego que consultes hoy la palabra de Jehová.

6 Entonces el rey de Israel reunió a los profetas, como cuatrocientos hombres, a los cuales dijo: ¿Iré a la guerra contra Ramot de Galaad, o la dejaré? Y ellos dijeron: Sube; porque el Señor *la* entregará en mano del rey.

7 Y dijo Josafat: ¿Hay aún aquí *algún* profeta de Jehová, por el cual consultemos?

8 Y el rey de Israel respondió a Josafat: Aún *hay* un varón por el cual podríamos consultar a Jehová, Micaías, hijo de Imla; mas yo le aborrezco, porque nunca me profetiza bien, sino solamente mal. Y Josafat dijo: No hable el rey así.

9 Entonces el rey de Israel llamó a un oficial, y le dijo: Trae pronto a Micaías hijo de Imla.

10 Y el rey de Israel y Josafat rey de Judá estaban sentados cada uno en su trono, vestidos de sus ropas reales, en la plaza junto a la entrada de la puerta de Samaria; y todos los profetas profetizaban delante de ellos.

11 Y Sedequías hijo de Quenaana se había hecho unos cuernos de hierro, y dijo: Así dice Jehová: Con éstos acornearás a los sirios hasta acabarlos.

12 Y todos los profetas profetizaban de la misma manera, diciendo: Sube a Ramot de Galaad, y serás prosperado; que Jehová *la* dará en mano del rey.

13 Y el mensajero que había ido a llamar a Micaías, le habló, diciendo: He aquí las palabras de los profetas a una boca anuncian al rey el bien; sea ahora tu palabra conforme a la palabra de alguno de ellos, y anuncia el bien.

14 Y Micaías respondió: Vive Jehová, que lo que Jehová me hablare, eso diré.

15 Vino, pues, al rey, y el rey le dijo: Micaías, ¿iremos a pelear contra Ramot de Galaad, o la dejaremos? Y él respondió: Sube, que serás prosperado, y Jehová la entregará en mano del rey.

16 Y el rey le dijo: ¿Hasta cuántas veces he de hacerte jurar que no me digas sino la verdad en el nombre de Jehová?

17 Entonces él dijo: Yo vi a todo Israel esparcido por los montes, como ovejas que no tienen pastor; y Jehová dijo: Éstos no tienen señor; vuélvase cada uno a su casa en paz.

18 Y el rey de Israel dijo a Josafat: ¿No te lo había yo dicho? Ninguna cosa buena profetizará él acerca de mí, sino solamente mal.

19 Entonces él dijo: Oye, pues, palabra de Jehová: Yo vi a Jehová sentado en su trono, y todo el ejército del cielo estaba junto a Él, a su derecha y a su izquierda.

20 Y Jehová dijo: ¿Quién inducirá a Acab, para que suba y caiga en Ramot de Galaad? Y uno decía de una manera; y otro decía de otra.

21 Y salió un espíritu, y se puso delante de Jehová, y dijo: Yo le induciré.

22 Y Jehová le dijo: ¿De qué manera? Y él dijo: Yo saldré, y seré espíritu de mentira en boca de todos sus profetas. Y Él dijo: Tú *le* inducirás, y prevalecerás; ve, pues, y hazlo así.

23 Y ahora, he aquí Jehová ha puesto espíritu de mentira en la boca de todos estos tus profetas, y Jehová ha decretado el mal acerca de ti.

24 Pero Sedequías hijo de Quenaana, se acercó, e hirió a Micaías en la mejilla, diciendo: ¿Por dónde se fue de mí el Espíritu de Jehová para hablarte a ti?

25 Y Micaías respondió: He aquí tú lo verás en aquel día, cuando te irás metiendo de cámara en cámara para esconderte.

26 Entonces el rey de Israel dijo: Toma a Micaías, y vuélvelo a Amón gobernador de la ciudad, y a Joás hijo del rey;

27 y dirás: Así ha dicho el rey: Echad a éste en la cárcel, y mantenedle con pan de angustia y con agua de aflicción, hasta que yo vuelva en paz.

28 Y dijo Micaías: Si llegares a volver en paz, Jehová no ha hablado por mí. En seguida dijo: Oíd, pueblos todos.

29 Subió, pues, el rey de Israel con Josafat rey de Judá a Ramot de Galaad.

30 Y el rey de Israel dijo a Josafat: Yo me disfrazaré, y entraré en la batalla; y tú ponte tus vestiduras. Y el rey de Israel se disfrazó, y entró en la batalla.

31 Mas el rey de Siria había mandado a sus treinta y dos capitanes de los carros, diciendo: No peleéis ni con grande ni con chico, sino sólo contra el rey de Israel.

32 Y sucedió que cuando los capitanes de los carros vieron a Josafat, dijeron: Ciertamente éste es el rey de Israel, y se desviaron para pelear contra él; pero el rey Josafat dio voces.

33 Viendo entonces los capitanes de los carros que no *era* el rey de Israel, se apartaron de él.

34 Y un hombre disparando su arco a la ventura, hirió al rey de Israel por entre las junturas de la armadura; por lo que dijo él a su carretero: Da la vuelta y sácame del campo, pues estoy herido.

35 Mas la batalla había arreciado aquel día, y el rey estuvo en su carro delante de los sirios, y a la tarde murió; y la sangre de la herida corrió hasta el fondo del carro.

36 Y a la puesta del sol salió un pregón por el campamento que decía: ¡Cada uno a su ciudad, y cada cual a su tierra!

37 Murió, pues, el rey, y fue traído a Samaria; y sepultaron al rey en Samaria.

38 Y lavaron el carro en el estanque de Samaria; lavaron también sus armas; y los perros lamieron su sangre, conforme a la palabra de Jehová que había hablado.

39 Los demás hechos de Acab, y todas las cosas que hizo, y la casa de marfil que construyó, y todas las ciudades que edificó, ¿no *están* escritos en el libro de las crónicas de los reyes de Israel?

40 Y durmió Acab con sus padres, y reinó en su lugar Ocozías su hijo.

41 Y Josafat hijo de Asa comenzó a reinar sobre Judá en el cuarto año de Acab rey de Israel.

42 Y *era* Josafat de treinta y cinco años cuando comenzó a reinar, y reinó veinticinco años en Jerusalén. El nombre de su madre *fue* Azuba hija de Silhi.

43 Y anduvo en todo el camino de Asa su padre, sin declinar de él, haciendo lo recto en los ojos de Jehová. Con todo eso, los lugares altos no fueron quitados; *pues* el pueblo aún sacrificaba y quemaba incienso en los lugares altos.

44 Y Josafat hizo paz con el rey de Israel.

45 Los demás de los hechos de Josafat, y sus hazañas, y las guerras que hizo, ¿no *están* escritos en el libro de las crónicas de los reyes de Judá?

46 Barrió también de la tierra el resto de los sodomitas que habían quedado en el tiempo de su padre Asa.

47 No *había* entonces rey en Edom; había gobernador *en lugar* de rey.

48 Había Josafat hecho navíos en Tarsis, los cuales habían de ir a Ofir por oro; mas no fueron, porque se rompieron en Ezión-geber.

49 Entonces Ocozías hijo de Acab dijo a Josafat: Vayan mis siervos con los tuyos en los navíos. Mas Josafat no quiso.

50 Y durmió Josafat con sus padres, y fue sepultado con sus padres en la ciudad de David su padre; y en su lugar reinó Joram su hijo.

51 Y Ocozías hijo de Acab comenzó a reinar sobre Israel en Samaria, el año diecisiete de Josafat rey de Judá; y reinó dos años sobre Israel.

52 E hizo lo malo ante los ojos de Jehová, y anduvo en el camino de su padre, y en el camino de su madre, y en el camino de Jeroboam hijo de Nabat, que hizo pecar a Israel:

53 Porque sirvió a Baal, y lo adoró, y provocó a ira a Jehová Dios de Israel, conforme a todas las cosas que su padre había hecho.

Libro Segundo De
REYES

CAPÍTULO 1

Después de la muerte de Acab, se rebeló Moab contra Israel.

2 Y Ocozías cayó por las celosías de una sala de la casa que *tenía* en Samaria; y estando enfermo envió mensajeros, y les dijo: Id, y consultad a Baal-zebub dios de Ecrón, si he de sanar de esta mi enfermedad.

3 Entonces el ángel de Jehová habló a Elías tisbita, diciendo: Levántate, y sube a encontrarte con los mensajeros del rey de Samaria, y diles: ¿Acaso no *hay* Dios en Israel, para que vayáis a consultar a Baal-zebub dios de Ecrón?

4 Por tanto, así dice Jehová: Del lecho en que subiste no descenderás, antes morirás ciertamente. Y Elías se fue.

5 Y cuando los mensajeros se volvieron al rey, él les dijo: ¿Por qué os habéis vuelto?

6 Y ellos le respondieron: Encontramos un varón que nos dijo: Id, y volveos al rey que os envió, y decidle: Así dice Jehová: ¿Acaso no *hay* Dios en Israel, que tú envías a consultar a Baal-zebub dios de Ecrón? Por tanto, del lecho en que subiste no descenderás, sino que de cierto morirás.

7 Entonces él les dijo: ¿Cómo *era* aquel varón que encontrasteis, y os dijo tales palabras?

8 Y ellos le respondieron: Un varón velludo, y ceñía sus lomos con un cinto de cuero. Entonces él dijo: *Es* Elías tisbita.

9 Entonces *el rey* envió a él un capitán de cincuenta con sus cincuenta, el cual subió a él; y he aquí que él estaba sentado en la cumbre del monte. Y él le dijo: Varón de Dios, el rey dice que desciendas.

10 Y Elías respondió, y dijo al capitán de cincuenta: Si yo *soy* varón de Dios, descienda fuego del cielo, y te consuma con tus cincuenta. Y descendió fuego del cielo, que lo consumió a él y a sus cincuenta.

11 Volvió el rey a enviar a él otro capitán de cincuenta con sus cincuenta; y le habló, y dijo: Varón de Dios, el rey ha dicho así: Desciende pronto.

12 Y les respondió Elías, y dijo: Si yo *soy* varón de Dios, descienda fuego del cielo, y te consuma con tus cincuenta. Y el fuego de Dios descendió del cielo y lo consumió a él y a sus cincuenta.

13 Y volvió a enviar el tercer capitán de cincuenta con sus cincuenta: y subiendo aquel tercer capitán de cincuenta, se hincó de rodillas delante de Elías, y le rogó, diciendo: Varón de Dios, te ruego que sea de valor delante de tus ojos mi vida, y la vida de estos tus cincuenta siervos.

14 He aquí ha descendido fuego del cielo, y ha consumido a los dos primeros capitanes de cincuenta con sus cincuenta; sea ahora mi vida de valor delante de tus ojos.

15 Entonces el ángel de Jehová dijo a Elías: Desciende con él; no tengas miedo de él. Y él se levantó, y descendió con él al rey.

16 Y le dijo: Así dice Jehová: Por cuanto enviaste mensajeros a consultar a Baal-zebub dios de Ecrón, ¿acaso no *hay* Dios en Israel para consultar en su palabra? Por tanto, no descenderás del lecho en que subiste, sino que de cierto morirás.

17 Y murió conforme a la palabra de Jehová que había hablado Elías; y reinó en su lugar Joram, en el segundo año de Joram, hijo de Josafat rey de Judá; porque Ocozías no tenía hijo.

18 Y los demás hechos de Ocozías, ¿no *están* escritos en el libro de las crónicas de los reyes de Israel?

CAPÍTULO 2

Y aconteció que cuando quiso Jehová alzar a Elías en un torbellino al cielo, Elías venía con Eliseo de Gilgal.

2 Y dijo Elías a Eliseo: Quédate ahora aquí, porque Jehová me ha enviado a Betel. Y Eliseo dijo: Vive Jehová, y vive tu alma, que no te dejaré. Descendieron, pues, a Betel.

3 Y saliendo a Eliseo los hijos de los profetas que *estaban* en Betel, le dijeron: ¿Sabes que Jehová quitará hoy a tu señor de sobre tu cabeza? Y él dijo: Sí, yo lo sé; callad.

4 Y Elías le volvió a decir: Eliseo, quédate aquí ahora, porque Jehová me ha enviado a Jericó. Y él dijo: Vive Jehová, y vive tu alma, que no te dejaré. Vinieron, pues, a Jericó.

5 Y los hijos de los profetas que *estaban* en Jericó vinieron a Eliseo, y le dijeron: ¿Sabes que Jehová quitará hoy a tu señor de sobre tu cabeza? Y él respondió: Sí, yo *lo* sé; callad.

6 Y Elías le dijo: Te ruego que te quedes aquí, porque Jehová me ha enviado al Jordán. Y él dijo: Vive Jehová, y vive tu alma, que no te dejaré. Fueron, pues, los dos.

7 Y vinieron cincuenta varones de los hijos de los profetas, y se pararon enfrente a lo lejos; y ellos dos se pararon junto al Jordán.

8 Tomando entonces Elías su manto, lo dobló, y golpeó las aguas, las cuales se apartaron a uno y a otro lado, y pasaron ambos en seco.

9 Y sucedió que cuando habían pasado, Elías dijo a Eliseo: Pide lo que quieres que haga por ti, antes que sea quitado de tu lado. Y dijo Eliseo: Te ruego que una doble porción de tu espíritu sea sobre mí.

10 Y él le dijo: Cosa difícil has pedido. Si me vieres *cuando* fuere quitado de ti, te será así hecho; mas si no, no.

11 Y aconteció que yendo ellos y hablando, he aquí, *apareció* un carro de fuego con caballos de fuego que apartó a los dos; y Elías subió al cielo en un torbellino.

12 Y viéndolo Eliseo, clamaba: ¡Padre mío, padre mío, carro de Israel y su gente de a caballo! Y nunca más le vio, y trabando de sus vestiduras, las rompió en dos partes.

13 Alzó luego el manto de Elías que se le había caído, y volvió, y se paró a la orilla del Jordán.

14 Y tomando el manto de Elías que se le había caído, golpeó las aguas, y

dijo: ¿Dónde *está* Jehová, el Dios de Elías? Y así que hubo del mismo modo golpeado las aguas, se apartaron a uno y a otro lado, y pasó Eliseo.

15 Y viéndole los hijos de los profetas que *estaban* en Jericó al otro lado, dijeron: El espíritu de Elías reposa sobre Eliseo. Y vinieron a recibirle, y se inclinaron a tierra delante de él.

16 Y le dijeron: He aquí hay con tus siervos cincuenta varones fuertes; vayan ahora y busquen a tu señor; quizá lo ha levantado el Espíritu de Jehová, y lo ha echado en algún monte o en algún valle. Y él les dijo: No enviéis.

17 Mas ellos le importunaron, hasta que avergonzándose, dijo: Enviad. Entonces ellos enviaron cincuenta hombres, los cuales lo buscaron tres días, mas no lo hallaron.

18 Y cuando volvieron a él (pues él se había quedado en Jericó), él les dijo: ¿No os dije yo que no fueseis?

19 Y los hombres de la ciudad dijeron a Eliseo: He aquí el lugar donde está situada la ciudad *es* bueno, como mi señor ve; mas las aguas *son* malas, y la tierra *es* estéril.

20 Entonces él dijo: Traedme una vasija nueva, y poned sal en ella. Y se *la* trajeron.

21 Y saliendo él a los manantiales de las aguas, echó dentro la sal, y dijo: Así dice Jehová: Yo sané estas aguas, y no habrá más en ellas muerte ni esterilidad.

22 Y fueron sanas las aguas hasta hoy, conforme a la palabra que habló Eliseo.

23 Después subió de allí a Betel; y subiendo por el camino, salieron los muchachos de la ciudad, y se burlaban de él, diciendo: ¡Calvo, sube! ¡calvo, sube!

24 Y mirando él atrás, los vio, y los maldijo en el nombre de Jehová. Y salieron dos osas del monte, y despedazaron de ellos a cuarenta y dos muchachos.

25 De allí fue al monte Carmelo, y de allí volvió a Samaria.

CAPÍTULO 3

Y Joram hijo de Acab comenzó a reinar en Samaria sobre Israel el año dieciocho de Josafat rey de Judá; y reinó doce años.

2 E hizo lo malo ante los ojos de Jehová, aunque no como su padre y su madre; porque quitó las estatuas de Baal que su padre había hecho.

3 Mas se entregó a los pecados de Jeroboam, hijo de Nabat, que hizo pecar a Israel; y no se apartó de ellos.

4 Entonces Mesa rey de Moab era propietario de ganados, y pagaba al rey de Israel cien mil corderos, cien mil carneros, más la lana.

5 Pero aconteció que cuando Acab murió, el rey de Moab se rebeló contra el rey de Israel.

6 Y salió entonces de Samaria el rey Joram, y pasó revista a todo Israel.

7 Y fue y envió a decir a Josafat rey de Judá: El rey de Moab se ha rebelado contra mí: ¿irás tú conmigo a la guerra contra Moab? Y él respondió: Iré, porque yo *soy* como tú *eres*; mi pueblo como tu pueblo; y mis caballos, como tus caballos.

8 Y dijo: ¿Por qué camino iremos? Y él respondió: Por el camino del desierto de Idumea.

9 Partieron, pues, el rey de Israel, y el rey de Judá, y el rey de Idumea; y como anduvieron rodeando por el desierto siete días de camino, les faltó el agua para el ejército, y para las bestias que los seguían.

10 Entonces el rey de Israel dijo: ¡Ah! que ha llamado Jehová estos tres reyes para entregarlos en manos de los moabitas.

11 Mas Josafat dijo: ¿No *hay* aquí profeta de Jehová, para que consultemos a Jehová por él? Y uno de los siervos del rey de Israel respondió y dijo: Aquí *está* Eliseo hijo de Safat, que daba agua en las manos de Elías.

12 Y Josafat dijo: Éste tendrá palabra de Jehová. Y descendieron a él el rey de Israel, y Josafat, y el rey de Idumea.

13 Entonces Eliseo dijo al rey de Israel: ¿Qué tengo yo contigo? Ve a los profetas de tu padre, y a los profetas de tu madre. Y el rey de Israel le respondió: No; porque ha juntado Jehová estos tres reyes para entregarlos en manos de los moabitas.

14 Y Eliseo dijo: Vive Jehová de los ejércitos, en cuya presencia estoy, que si no tuviese respeto al rostro de Josafat rey de Judá, no mirara a ti, ni te viera.

15 Mas ahora traedme un tañedor. Y sucedió que mientras el tañedor tocaba, la mano de Jehová vino sobre Eliseo.

16 Y dijo: Así dice Jehová: Haced en este valle muchas acequias.

17 Porque así dice Jehová: No veréis viento, ni veréis lluvia, y este valle será lleno de agua, y beberéis vosotros, y vuestras bestias, y vuestros ganados.

18 Y esto es cosa ligera en los ojos de Jehová; dará también a los moabitas en vuestras manos.

19 Y vosotros destruiréis toda ciudad fortificada y a toda villa hermosa, y talaréis todo buen árbol, y cegaréis todas las fuentes de aguas, y destruiréis con piedras toda tierra fértil.

20 Y aconteció que por la mañana, cuando se ofrece el sacrificio, he aquí vinieron aguas por el camino de Idumea, y la tierra fue llena de aguas.

21 Y todos los de Moab, como oyeron que los reyes subían a pelear contra ellos, se juntaron todos desde los que apenas podían ceñirse la armadura en delante, y se pusieron en la frontera.

22 Y cuando se levantaron temprano por la mañana, y brilló el sol sobre las aguas, vieron los moabitas desde lejos las aguas rojas como sangre;

23 y dijeron: ¡Esto *es* sangre *de* espada! Los reyes se han vuelto uno contra el otro y cada uno ha dado muerte a su compañero. Ahora, pues, ¡Moab, al despojo!

24 Mas cuando llegaron al campamento de Israel, se levantaron los israelitas e hirieron a los de Moab, los cuales huyeron delante de ellos; pero ellos los persiguieron aun hasta *su* país, matando a los moabitas.

25 Y asolaron las ciudades, y en todas las heredades fértiles echó cada uno su piedra, y las llenaron; cegaron también todas las fuentes de las aguas, y derribaron todos los buenos árboles; hasta que en Kir-hareset solamente dejaron sus piedras; porque los honderos *la* rodearon, y la hirieron.

26 Y cuando el rey de Moab vio que la batalla lo vencía, tomó consigo setecientos hombres que sacaban espada, para abrir brecha contra el rey de Idumea; mas no pudieron.

27 Entonces arrebató a su primogénito que había de reinar en su lugar, y le sacrificó *en* holocausto sobre el muro. Y hubo grande enojo contra Israel; y se retiraron de él, y se volvieron a *su* tierra.

CAPÍTULO 4

Una mujer, de las esposas de los hijos de los profetas, clamó a Eliseo, diciendo: Tu siervo mi marido ha muerto; y tú sabes que tu siervo era temeroso de Jehová; y ha venido el acreedor para tomarse dos hijos míos por siervos.

2 Y Eliseo le dijo: ¿Qué puedo hacer por ti? Declárame qué tienes en casa. Y ella dijo: Tu sierva ninguna cosa tiene en casa, sino una vasija de aceite.

3 Y él le dijo: Ve, y pide para ti vasijas prestadas de todos tus vecinos, vasijas vacías, no pocas.

4 Entra luego, y cierra la puerta tras ti y tras tus hijos; y echa en todas las vasijas, y estando una llena, ponla aparte.

5 Y la mujer se fue de él, y cerró la puerta tras sí y tras sus hijos; y ellos le traían *las vasijas,* y ella echaba el aceite.

6 Y sucedió que cuando las vasijas fueron llenas, dijo a un hijo suyo: Tráeme aún otra vasija. Y él dijo: No *hay* más vasijas. Entonces cesó el aceite.

7 Vino ella luego, y lo contó al varón de Dios, el cual dijo: Ve, y vende el aceite, y paga tu deuda; y tú y tus hijos vivid de lo que quede.

8 Y aconteció también que un día pasaba Eliseo por Sunem; y *había* allí una gran mujer, la cual le constriñó a que comiese del pan; y cuando por allí pasaba, se venía a su casa a comer del pan.

9 Y ella dijo a su marido: He aquí ahora, yo percibo que éste que siempre pasa por nuestra *casa, es* varón santo de Dios.

10 Yo te ruego que hagamos una pequeña cámara de paredes, y pongamos en ella cama, y mesa, y silla, y candelero, para que cuando viniere a nosotros, se recoja en ella.

11 Y aconteció que un día vino él por allí, y se recogió en aquella cámara, y durmió en ella.

12 Entonces dijo a Giezi su criado: Llama a esta sunamita. Y cuando la llamó, ella se presentó delante de él.

13 Y él dijo a *Giezi:* Dile: He aquí tú has estado solícita por nosotros con todo este esmero: ¿qué quieres que haga por ti? ¿Necesitas que hable por ti al rey, o al general del ejército? Y ella respondió: Yo habito en medio de mi pueblo.

14 Y él dijo: ¿Qué, pues, haremos por ella? Y Giezi respondió: He aquí ella no tiene hijo, y su marido es viejo.

15 Dijo entonces: Llámala. Y él la llamó, y ella se paró a la puerta.

16 Y él le dijo: A este tiempo según el tiempo de la vida, abrazarás un hijo. Y ella dijo: No, señor mío, varón de Dios, no hagas burla de tu sierva.

17 Mas la mujer concibió, y dio a luz un hijo en aquel tiempo que Eliseo le había dicho, según el tiempo de la vida.

18 Y cuando el niño creció, aconteció que un día salió a su padre, a los segadores.

19 Y dijo a su padre: ¡Ay, mi cabeza, mi cabeza! Y *su padre* dijo a un criado: Llévalo a su madre.

20 Y habiéndole él tomado, y traído a su madre, estuvo sentado sobre sus rodillas hasta el mediodía, y murió.

21 Ella entonces subió, y lo puso sobre la cama del varón de Dios, y cerrando la puerta tras él, salió.

22 Llamando luego a su marido, le dijo: Te ruego que envíes conmigo a alguno de los criados y una de las asnas, para que yo vaya corriendo al varón de Dios, y vuelva.

23 Y él dijo: ¿Para qué has de ir a él hoy? No *es* nueva luna, ni sábado. Y ella respondió: Paz.

24 Después hizo enalbardar una asna, y dijo al criado: Guía y anda; no detengas por mí *tu* cabalgar, a menos que yo te lo diga.

25 Partió, pues, y vino al varón de Dios al monte Carmelo. Y sucedió que cuando el varón de Dios la vio

de lejos, dijo a su criado Giezi: He aquí la sunamita.

26 Te ruego que vayas ahora corriendo a recibirla, y dile: ¿Te va bien a ti? ¿Le va bien a tu marido, y a tu hijo? Y ella respondió: Bien.

27 Y luego que llegó al varón de Dios en el monte, asió de sus pies. Y se acercó Giezi para quitarla; mas el varón de Dios le dijo: Déjala, porque su alma *está* en amargura, y Jehová me ha encubierto el motivo, y no me *lo* ha revelado.

28 Y ella dijo: ¿Pedí yo hijo a mi señor? ¿No dije yo: No me engañes?

29 Entonces dijo él a Giezi: Ciñe tus lomos, y toma mi bordón en tu mano, y ve; y si alguno te encontrare, no lo saludes; y si alguno te saludare, no le respondas; y pondrás mi bordón sobre el rostro del niño.

30 Y dijo la madre del niño: Vive Jehová, y vive tu alma, que no te dejaré. Él entonces se levantó, y la siguió.

31 Y Giezi había ido delante de ellos, y había puesto el bordón sobre el rostro del niño, pero no *tenía* voz ni sentido; y así se había vuelto para encontrar a Eliseo; y se lo declaró, diciendo: El niño no despierta.

32 Y cuando Eliseo entró en la casa, he aquí que el niño estaba muerto, tendido sobre su cama.

33 Entrando él entonces, cerró la puerta sobre ambos, y oró a Jehová.

34 Después subió, y se echó sobre el niño, poniendo su boca sobre la boca de él, y sus ojos sobre sus ojos, y sus manos sobre las manos suyas; así se tendió sobre él, y el cuerpo del niño entró en calor.

35 Volviéndose luego, se paseó por la casa a una parte y a otra, y después subió, y se tendió sobre él; y el niño estornudó siete veces, y abrió sus ojos.

36 Entonces llamó él a Giezi, y le dijo: Llama a esta sunamita. Y él la llamó. Y entrando ella, él le dijo: Toma tu hijo.

37 Y así que ella entró, se echó a sus pies, y se inclinó a tierra; después tomó su hijo, y salió.

38 Y Eliseo se volvió a Gilgal. *Había* entonces una grande hambre en la tierra. Y los hijos de los profetas estaban con él, por lo que dijo a su criado: Pon la olla grande, y haz potaje para los hijos de los profetas.

39 Y salió uno al campo a recoger hierbas, y halló una como parra montés, y tomó de ella su manto lleno de calabazas silvestres; y volvió, y las cortó en la olla del potaje, pues no sabía *lo que era.*

40 Y lo sirvieron para que comieran los hombres; pero sucedió que comiendo ellos de aquel guisado, dieron voces, diciendo: ¡Varón de Dios, *hay* muerte en la olla! Y no lo pudieron comer.

41 Él entonces dijo: Traed harina. Y *la* esparció en la olla, y dijo: Da de comer a la gente. Y no hubo más mal en la olla.

42 Vino entonces un hombre de Baal-salisa, el cual trajo al varón de Dios panes de primicias, veinte panes de cebada, y trigo nuevo en su espiga. Y él dijo: Da a la gente para que coman.

43 Y respondió su sirviente: ¿Cómo he de poner esto delante de cien hombres? Pero él volvió a decir: Da a la gente para que coman, porque así dice Jehová: Comerán, y sobrará.

44 Entonces él *lo* puso delante de ellos, y comieron, y les sobró, conforme a la palabra de Jehová.

CAPÍTULO 5

Naamán, general del ejército del rey de Siria, era un gran varón delante de su señor, y le tenía en alta estima, porque por medio de él había dado Jehová salvamento a Siria. Era este hombre valeroso en extremo, *pero* leproso.

2 Y de Siria habían salido cuadrillas, y habían llevado cautiva de la tierra de Israel una muchacha; la cual sirviendo a la esposa de Naamán,

3 dijo a su señora: Si rogase mi señor al profeta que *está* en Samaria, él lo sanaría de su lepra.

4 Y entrando Naamán a su señor, se lo declaró, diciendo: Así y así ha dicho una muchacha que es de la tierra de Israel.

5 Y le dijo el rey de Siria: Anda, ve, y yo enviaré una carta al rey de Israel. Partió, pues, él, llevando consigo diez

talentos de plata, y seis mil *piezas* de oro, y diez mudas de vestiduras.

6 Tomó también la carta para el rey de Israel, que decía así: Ahora, cuando esta carta llegue a ti, sabe *por ella* que yo te envío a mi siervo Naamán, para que lo sanes de su lepra.

7 Y sucedió que cuando el rey de Israel leyó la carta, rasgó sus vestiduras, y dijo: ¿*Soy* yo Dios, que mate y dé vida, para que éste envíe a mí a que sane a un hombre de su lepra? Considerad ahora, y ved cómo busca ocasión contra mí.

8 Y como Eliseo, varón de Dios oyó que el rey de Israel había rasgado sus vestiduras, envió a decir al rey: ¿Por qué has rasgado tus vestiduras? Venga ahora a mí, y sabrá que hay profeta en Israel.

9 Y vino Naamán con sus caballos y con su carro, y se paró a las puertas de la casa de Eliseo.

10 Entonces Eliseo le envió un mensajero, diciendo: Ve, y lávate siete veces en el Jordán, y tu carne se te restaurará, y serás limpio.

11 Y Naamán se fue enojado, diciendo: He aquí yo decía para mí: Saldrá él luego, y estando en pie invocará el nombre de Jehová su Dios, y alzará su mano, y tocará el lugar, y sanará la lepra.

12 Abana y Farfar, ríos de Damasco, ¿no *son* mejores que todas las aguas de Israel? Si me lavare en ellos, ¿no seré también limpio? Y se volvió, y se fue enojado.

13 Mas sus criados se acercaron a él, y le hablaron, diciendo: Padre mío, *si* el profeta te mandara alguna gran cosa, ¿no *la* harías? ¿Cuánto más, diciéndote: Lávate, y serás limpio?

14 Él entonces descendió, y se zambulló siete veces en el Jordán, conforme a la palabra del varón de Dios; y su carne se volvió como la carne de un niño, y fue limpio.

15 Y volvió al varón de Dios, él y toda su compañía, y se puso delante de él, y dijo: He aquí ahora conozco que no *hay* Dios en toda la tierra, sino en Israel. Te ruego que recibas algún presente de tu siervo.

16 Mas él dijo: Vive Jehová, delante del cual estoy, que no lo tomaré. E

importunándole que tomase, él nunca quiso.

17 Entonces Naamán dijo: Te ruego, pues, ¿no se dará a tu siervo una carga de un par de mulas de esta tierra? Porque de aquí en adelante tu siervo no sacrificará holocausto ni sacrificio a otros dioses, sino a Jehová.

18 En esto perdone Jehová a tu siervo; *que* cuando mi señor entrare en el templo de Rimón, y para adorar en él se apoyare sobre mi mano, si yo también me inclinare en el templo de Rimón, si en el templo de Rimón me inclino, Jehová perdone en esto a tu siervo.

19 Y él le dijo: Vete en paz. Se fue, pues, de él, y caminó cierta distancia.

20 Entonces Giezi, criado de Eliseo el varón de Dios, dijo entre sí: He aquí mi señor estorbó a este sirio Naamán, no tomando de su mano las cosas que había traído. Vive Jehová, que correré yo tras él, y tomaré de él alguna cosa.

21 Y siguió Giezi a Naamán; y cuando Naamán lo vio que venía corriendo tras él, se bajó del carro para recibirle, y dijo: ¿Está todo bien?

22 Y él dijo: Todo está Bien. Mi señor me envía a decir: He aquí, vinieron a mí en esta hora del monte de Efraín dos jóvenes de los hijos de los profetas, te ruego que les des un talento de plata y dos mudas de ropa.

23 Y Naamán dijo: Te ruego que tomes dos talentos. Y él le constriñó, y ató dos talentos de plata en dos sacos, con dos mudas de ropa, y los puso sobre dos de sus criados para que los llevaran delante de él.

24 Y cuando llegó a la fortaleza, él los tomó de mano de ellos y los guardó en la casa; luego despidió a los hombres y ellos se fueron.

25 Y él entró, y se puso delante de su señor. Y Eliseo le dijo: ¿De dónde *vienes*, Giezi? Y él dijo: Tu siervo no ha ido a ninguna parte.

26 Él entonces le dijo: ¿No fue *contigo* mi corazón, cuando el hombre volvió de su carro a recibirte? ¿Acaso *es* tiempo de tomar plata, de tomar ropa, olivares, viñas, ovejas, bueyes, siervos y siervas?

27 Por tanto, la lepra de Naamán se te pegará a ti y a tu simiente para

siempre. Y salió de delante de él leproso, *blanco* como la nieve.

CAPÍTULO 6

Los hijos de los profetas dijeron a Eliseo: He aquí, el lugar en que moramos contigo nos es estrecho.

2 Vamos ahora al Jordán, y tomemos de allí cada uno una viga, y hagámonos allí lugar en que habitemos. Y él dijo: Andad.

3 Y dijo uno: Te rogamos que quieras venir con tus siervos. Y él respondió: Yo iré.

4 Fue, pues, con ellos; y cuando llegaron al Jordán, cortaron la madera.

5 Y aconteció que derribando uno un árbol, se le cayó el hacha en el agua; y dio voces, diciendo: ¡Ah, señor mío, que era prestada!

6 Y el varón de Dios dijo: ¿Dónde cayó? Y él le mostró el lugar. Entonces cortó él un palo, y *lo* echó allí; e hizo nadar el hierro.

7 Y dijo: Tómalo. Y él tendió la mano, y lo tomó.

8 Tenía el rey de Siria guerra contra Israel, y consultando con sus siervos, dijo: En tal y tal lugar *estará* mi campamento.

9 Y el varón de Dios envió a decir al rey de Israel: Mira que no pases por tal lugar, porque los sirios van allí.

10 Entonces el rey de Israel envió a aquel lugar del cual el varón de Dios le había dicho y amonestado; y se guardó de allí, no una vez ni dos.

11 Y el corazón del rey de Siria fue turbado de esto; y llamando a sus siervos, les dijo: ¿No me declararéis vosotros quién de los nuestros *es* del rey de Israel?

12 Entonces uno de los siervos dijo: No, rey, señor mío; sino que el profeta Eliseo *está* en Israel, el cual declara al rey de Israel las palabras que tú hablas en tu cámara más secreta.

13 Y él dijo: Id, y mirad dónde está, para que yo envíe a tomarlo. Y le fue dicho: He aquí él *está* en Dotán.

14 Entonces envió el rey allá gente de a caballo, y carros, y un grande ejército, los cuales vinieron de noche, y cercaron la ciudad.

15 Y levantándose de mañana el que servía al varón de Dios, para salir, he aquí el ejército que tenía cercada la ciudad, con gente de a caballo y carros. Entonces su criado le dijo: ¡Ah, señor mío! ¿Qué haremos?

16 Y él le dijo: No tengas miedo; porque más son los que *están* con nosotros que los que *están* con ellos.

17 Y oró Eliseo, y dijo: Te ruego, oh Jehová, que abras sus ojos para que vea. Entonces Jehová abrió los ojos del criado, y miró: y he aquí que el monte *estaba* lleno de gente de a caballo, y de carros de fuego alrededor de Eliseo.

18 Y luego que los sirios descendieron a él, oró Eliseo a Jehová, y dijo: Te ruego que hieras con ceguera a esta gente. Y los hirió con ceguera, conforme a la palabra de Eliseo.

19 Después les dijo Eliseo: Éste no *es* el camino, ni *es* ésta la ciudad; seguidme, que yo os guiaré al hombre que buscáis. Y los guió a Samaria.

20 Y sucedió que cuando llegaron a Samaria, dijo Eliseo: Jehová, abre los ojos de éstos, para que vean. Y Jehová abrió sus ojos, y miraron, y *se hallaban* en medio de Samaria.

21 Y cuando los vio el rey de Israel, dijo a Eliseo: ¿Los mataré, padre mío?

22 Y él le respondió: No los mates; ¿matarías tú a los que tomaste cautivos con tu espada y con tu arco? Pon delante de ellos pan y agua, para que coman y beban, y se vuelvan a su señor.

23 Entonces él les preparó una gran comida; y cuando hubieron comido y bebido, los envió, y ellos se volvieron a su señor. Y nunca más vinieron cuadrillas de Siria a la tierra de Israel.

24 Después de esto aconteció que Benadad rey de Siria juntó todo su ejército, y subió y sitió a Samaria.

25 Y hubo gran hambre en Samaria; y la sitiaron, hasta que la cabeza de un asno era *vendida* por ochenta *piezas* de plata, y la cuarta de un cabo de estiércol de palomas por cinco *piezas* de plata.

26 Y pasando el rey de Israel por el muro, una mujer le dio voces, y dijo: Salva, rey señor mío.

27 Y él dijo: Si no te salva Jehová, ¿de dónde te he de salvar yo? ¿del alfolí, o del lagar?

28 Y le dijo el rey: ¿Qué tienes? Y ella respondió: Esta mujer me dijo: Da acá tu hijo, y comámoslo hoy, y mañana comeremos el mío.

29 Así que cocimos a mi hijo, y lo comimos; y al día siguiente yo le dije a ella: Da acá tu hijo, y comámoslo; pero ella ha escondido a su hijo.

30 Y sucedió que cuando el rey oyó las palabras de aquella mujer, rasgó sus vestiduras, y pasó así por el muro; y el pueblo llegó a ver el cilicio *que* traía interiormente sobre su carne.

31 Y él dijo: Así me haga Dios, y así me añada, si la cabeza de Eliseo hijo de Safat quedare sobre él hoy.

32 Y Eliseo estaba sentado en su casa, y los ancianos estaban sentados con él; y *el rey* envió a él un hombre. Pero antes que el mensajero viniese a él, dijo él a los ancianos: ¿No habéis visto como este hijo de homicida envía a quitarme la cabeza? Mirad pues, y cuando viniere el mensajero, cerrad la puerta, e impedidle la entrada: ¿No *se oye* tras él el ruido de los pies de su amo?

33 Y aún estaba él hablando con ellos, y he aquí el mensajero que descendía a él; y dijo: Ciertamente este mal de Jehová *viene.* ¿Para qué he de esperar más a Jehová?

CAPÍTULO 7

Dijo entonces Eliseo: Oíd palabra de Jehová: Así dice Jehová: Mañana a estas horas *valdrá* una medida de flor de harina un siclo, y dos medidas de cebada un siclo, a la puerta de Samaria.

2 Y un príncipe sobre cuya mano el rey se apoyaba, respondió al varón de Dios, y dijo: Mira, *si* Jehová hiciese ahora ventanas en el cielo, ¿sería esto así? Y él dijo: He aquí tú *lo* verás con tus ojos, mas no comerás de ello.

3 Y había cuatro hombres leprosos a la entrada de la puerta, los cuales dijeron el uno al otro: ¿Para qué nos estamos aquí hasta que muramos?

4 Si tratáremos de entrar en la ciudad, por el hambre que hay en la ciudad moriremos en ella; y si nos quedamos aquí, también moriremos. Vamos pues ahora, y pasémonos al ejército de los sirios; si ellos nos dieren la vida, viviremos; y si nos dieren la muerte, moriremos.

5 Se levantaron, pues, en el principio de la noche, para irse al campamento de los sirios; y al llegar a la entrada del campamento de los sirios, no *había* allí hombre.

6 Porque el Señor había hecho que en el campamento de los sirios se oyese estruendo de carros, ruido de caballos y estrépito de grande ejército; y se dijeron unos a otros: He aquí el rey de Israel ha pagado contra nosotros a los reyes de los heteos, y a los reyes de los egipcios, para que vengan contra nosotros.

7 Y así se levantaron y huyeron al anochecer, dejando sus tiendas, sus caballos, sus asnos, y el campamento *como* estaba; y huyeron para salvar sus vidas.

8 Y cuando los leprosos llegaron a la entrada del campamento, entraron en una tienda y comieron y bebieron, y tomaron de allí plata y oro y vestiduras, y fueron y lo escondieron; y volvieron y entraron en otra tienda, y de allí *también* tomaron, y fueron y *lo* escondieron.

9 Y se dijeron el uno al otro: No hacemos bien; hoy *es* día de buena nueva, y nosotros callamos; y si esperamos hasta la luz de la mañana, nos alcanzará la maldad. Vamos pues, ahora, entremos y demos la nueva en casa del rey.

10 Y vinieron, y dieron voces a los guardas de la puerta de la ciudad, y les declararon, diciendo: Nosotros fuimos al campo de los sirios, y he aquí que no *había* allí hombre, ni voz de hombre, sino caballos atados, asnos también atados, y el campo como *estaba.*

11 Y los porteros dieron voces, y *lo* declararon dentro, en el palacio del rey.

12 Y se levantó el rey de noche, y dijo a sus siervos: Yo os declararé lo que nos han hecho los sirios. Ellos saben que *tenemos* hambre, y han salido de las tiendas y se han escondido en el campo, diciendo: Cuando salgan de la ciudad, los tomaremos vivos, y entraremos en la ciudad.

13 Entonces respondió uno de sus siervos, y dijo: Tomen ahora cinco de

los caballos que han quedado en la ciudad, (he aquí, ellos *son* como toda la multitud de Israel que ha quedado en ella; he aquí, *os digo* que ellos *son* como toda la multitud de Israel que ha perecido); enviemos, y veamos *qué hay*.

14 Tomaron, pues, dos caballos de un carro, y envió el rey al campamento de los sirios, diciendo: Id, y ved.

15 Y ellos fueron, y los siguieron hasta el Jordán; y he aquí, todo el camino estaba lleno de vestiduras y enseres que los sirios habían arrojado con la premura. Y volvieron los mensajeros, y lo hicieron saber al rey.

16 Entonces el pueblo salió, y saquearon el campamento de los sirios. Y fue *vendida* una medida de flor de harina por un siclo, y dos medidas de cebada por un siclo, conforme a la palabra de Jehová.

17 Y el rey puso a la puerta a aquel príncipe sobre cuya mano él se apoyaba: y le atropelló el pueblo a la entrada, y murió, conforme a lo que había dicho el varón de Dios, lo que habló cuando el rey descendió a él.

18 Aconteció, pues, de la manera que el varón de Dios había hablado al rey, diciendo: Dos medidas de cebada por un siclo, y una medida de flor de harina será vendido por un siclo mañana a estas horas, a la puerta de Samaria.

19 A lo cual aquel príncipe había respondido al varón de Dios, diciendo: Mira, *si* Jehová hiciese ventanas en el cielo, ¿pudiera suceder tal cosa? Y él dijo: He aquí tú lo verás con tus ojos, mas no comerás de ello.

20 Y le sucedió así; porque el pueblo le atropelló a la entrada, y murió.

CAPÍTULO 8

Y habló Eliseo a aquella mujer a cuyo hijo había hecho vivir, diciendo: Levántate, vete tú y toda tu casa a vivir donde pudieres; porque Jehová ha llamado el hambre, la cual vendrá también sobre la tierra siete años.

2 Entonces la mujer se levantó, e hizo como el varón de Dios le dijo: y se fue ella con su familia, y vivió en tierra de los filisteos siete años.

3 Y aconteció que cuando habían pasado los siete años, la mujer volvió de la tierra de los filisteos y fue a clamar al rey por su casa y por sus tierras.

4 Y el rey estaba hablando con Giezi, criado del varón de Dios, diciéndole: Te ruego que me cuentes todas las maravillas que ha hecho Eliseo.

5 Y sucedió que mientras él contaba al rey cómo había hecho vivir a un muerto, he aquí la mujer, a cuyo hijo había hecho vivir, que clamaba al rey por su casa y por sus tierras. Entonces dijo Giezi: Rey señor mío, ésta *es* la mujer, y éste *es* su hijo, al cual Eliseo hizo vivir.

6 Y preguntando el rey a la mujer, ella se lo contó. Entonces el rey le asignó un oficial, diciéndole: Haz que le devuelvan todas las cosas que *eran* suyas, y todo el fruto de su tierra desde el día que dejó el país hasta ahora.

7 Eliseo se fue luego a Damasco, y Benadad rey de Siria estaba enfermo, al cual dieron aviso, diciendo: El varón de Dios ha venido aquí.

8 Y el rey dijo a Hazael: Toma en tu mano un presente, y ve a recibir al varón de Dios, y consulta por él a Jehová, diciendo: ¿He de sanar de esta enfermedad?

9 Tomó pues Hazael en su mano un presente de todos los bienes de Damasco, cuarenta camellos cargados, y lo salió a recibir: y llegó, y se puso delante de él, y dijo: Tu hijo Benadad, rey de Siria, me ha enviado a ti, diciendo: ¿He de sanar de esta enfermedad?

10 Y Eliseo le dijo: Ve, dile: Seguramente vivirás. Sin embargo Jehová me ha mostrado que él ciertamente ha de morir.

11 Y el varón de Dios le miró fijamente, hasta avergonzarlo; y lloró el varón de Dios.

12 Entonces le dijo Hazael: ¿Por qué llora mi señor? Y él respondió: Porque sé el mal que has de hacer a los hijos de Israel: a sus fortalezas prenderás fuego, y a sus jóvenes matarás a espada, y estrellarás a sus niños, y abrirás el vientre a sus mujeres encinta.

13 Y Hazael dijo: ¿Acaso es tu siervo, un perro, para que haga tan enorme cosa? Y respondió Eliseo: Jehová me ha mostrado que tú *serás* rey de Siria.

14 Y él se fue de Eliseo, y vino a su señor, el cual le dijo: ¿Qué te ha dicho Eliseo? Y él respondió: Me dijo *que* seguramente sanarás.

15 Y sucedió que al día siguiente tomó un paño grueso y *lo* metió en agua, y *lo* puso sobre el rostro de Benadad, y murió. Y reinó Hazael en su lugar.

16 En el quinto año de Joram hijo de Acab rey de Israel, y *siendo* Josafat rey de Judá, comenzó a reinar Joram hijo de Josafat rey de Judá.

17 De treinta y dos años era cuando comenzó a reinar, y ocho años reinó en Jerusalén.

18 Y anduvo en el camino de los reyes de Israel, como hizo la casa de Acab, porque una hija de Acab fue su esposa; e hizo lo malo en ojos de Jehová.

19 Con todo eso, Jehová no quiso cortar a Judá, por amor de David su siervo, como le había prometido darle lámpara a él y a sus hijos perpetuamente.

20 En su tiempo se rebeló Edom de debajo de la mano de Judá, y pusieron rey sobre sí.

21 Joram por tanto pasó a Seir, y todos sus carros con él: y levantándose de noche hirió a los edomitas, los cuales le habían cercado, y a los capitanes de los carros: y el pueblo huyó a sus tiendas.

22 No obstante, Edom se rebeló de la mano de Judá, hasta hoy. Libna también se rebeló en el mismo tiempo.

23 Lo demás de los hechos de Joram, y todas las cosas que hizo, ¿no *está* escrito en el libro de las crónicas de los reyes de Judá?

24 Y durmió Joram con sus padres, y fue sepultado con sus padres en la ciudad de David; y su hijo Ocozías reinó en su lugar.

25 En el año doce de Joram hijo de Acab rey de Israel, comenzó a reinar Ocozías hijo de Joram rey de Judá.

26 Veintidós años *tenía* Ocozías cuando comenzó a reinar, y reinó un año en Jerusalén. El nombre de su madre *fue* Atalía hija de Omri rey de Israel.

27 Y anduvo en el camino de la casa de Acab, e hizo lo malo en ojos de Jehová, como la casa de Acab; porque *era* yerno de la casa de Acab.

28 Y fue a la guerra con Joram hijo de Acab a Ramot de Galaad, contra Hazael rey de Siria; y los sirios hirieron a Joram.

29 Y el rey Joram se volvió a Jezreel, para curarse de las heridas que los sirios le hicieron en Ramá, cuando peleó contra Hazael rey de Siria. Y descendió Ocozías hijo de Joram rey de Judá, a visitar a Joram hijo de Acab en Jezreel, porque estaba enfermo.

CAPÍTULO 9

Entonces el profeta Eliseo llamó a uno de los hijos de los profetas, y le dijo: Ciñe tus lomos, y toma este frasco de aceite en tu mano, y ve a Ramot de Galaad.

2 Y cuando llegares allá, verás allí a Jehú hijo de Josafat hijo de Nimsi; y entrando, haz que se levante de entre sus hermanos, y métclo en la recámara.

3 Toma luego el frasco de aceite, y derrámalo sobre su cabeza, y di: Así dijo Jehová: Yo te he ungido por rey sobre Israel. Y abriendo la puerta, echa a huir, y no esperes.

4 Fue, pues, el siervo, el siervo del profeta, a Ramot de Galaad.

5 Y como él entró, he aquí los príncipes del ejército que estaban sentados. Y él dijo: Príncipe, una palabra tengo que decirte. Y Jehú dijo: ¿A cuál de todos nosotros? Y él dijo: A ti, príncipe.

6 Y él se levantó, y entró en casa; y el otro derramó el aceite sobre su cabeza, y le dijo: Así dijo Jehová Dios de Israel: Yo te he ungido por rey sobre el pueblo de Jehová, sobre Israel.

7 Y herirás la casa de Acab tu señor, para que yo vengue la sangre de mis siervos los profetas, y la sangre de todos los siervos de Jehová, de la mano de Jezabel.

8 Y perecerá toda la casa de Acab, y talaré de Acab todo meante a la pared, así al siervo como al libre en Israel.

9 Y yo pondré la casa de Acab como la casa de Jeroboam hijo de Nabat, y como la casa de Baasa hijo de Ahías.

10 Y a Jezabel la comerán los perros en el campo de Jezreel, y no habrá quien la sepulte. En seguida abrió la puerta, y huyó.

11 Después salió Jehú a los siervos de su señor, y le dijeron: ¿Todo *está* bien? ¿Para qué entró a ti aquel loco? Y él les dijo: Vosotros conocéis al hombre y sus palabras.

12 Y ellos dijeron: Mentira; decláranoslo ahora. Y él dijo: Así y así me habló, diciendo: Así dice Jehová: Yo te he ungido por rey sobre Israel.

13 Entonces se apresuraron y cada uno tomó su ropa, y *la* puso debajo de él, sobre las gradas, y tocaron trompeta, y dijeron: Jehú es rey.

14 Así conjuró Jehú hijo de Josafat hijo de Nimsi, contra Joram. (Estaba Joram guardando a Ramot de Galaad con todo Israel, por causa de Hazael rey de Siria.

15 Pero se había vuelto el rey Joram a Jezreel, para curarse de las heridas que los sirios le habían hecho, peleando contra Hazael rey de Siria.) Y Jehú dijo: Si es vuestra voluntad, ninguno escape de la ciudad, para ir a dar las nuevas en Jezreel.

16 Entonces Jehú cabalgó, y se fue a Jezreel, porque Joram estaba allí enfermo. También Ocozías rey de Judá había descendido a visitar a Joram.

17 Y el atalaya que estaba en la torre de Jezreel, vio la cuadrilla de Jehú, que venía, y dijo: Yo veo una cuadrilla. Y Joram dijo: Toma uno de a caballo, y envía a reconocerlos, y que les diga: ¿*Hay* paz?

18 Fue, pues, el de a caballo a reconocerlos, y dijo: El rey dice así: ¿*Hay* paz? Y Jehú le dijo: ¿Qué tienes tú que ver con la paz? Vuélvete tras mí. El atalaya dio luego aviso, diciendo: El mensajero llegó hasta ellos, y no vuelve.

19 Entonces envió otro de a caballo, el cual llegando a ellos, dijo: El rey dice así: ¿*Hay* paz? Y Jehú respondió: ¿Qué tienes tú que ver con la paz? Vuélvete tras mí.

20 El atalaya volvió a decir: También éste llegó a ellos y no vuelve: mas el marchar del que viene *es* como el marchar de Jehú hijo de Nimsi, porque viene impetuosamente.

21 Entonces Joram dijo: Unce. Y uncido que fue su carro, salió Joram rey de Israel, y Ocozías rey de Judá, cada uno en su carro, y salieron a encontrar a Jehú, al cual hallaron en la heredad de Nabot de Jezreel.

22 Y sucedió que cuando Joram vio a Jehú, dijo: ¿Hay paz, Jehú? Y él respondió: ¿Qué paz, con las fornicaciones de Jezabel tu madre, y sus muchas hechicerías?

23 Entonces Joram volviendo la mano huyó, y dijo a Ocozías: ¡Traición, Ocozías!

24 Mas Jehú flechó su arco, e hirió a Joram entre las espaldas, y la saeta salió por su corazón, y cayó en su carro.

25 Dijo luego *Jehú* a Bidcar su capitán: Tómalo y échalo a un cabo de la heredad de Nabot de Jezreel. Acuérdate que cuando tú y yo íbamos juntos con la gente de Acab su padre, Jehová pronunció esta sentencia sobre él, diciendo:

26 Ciertamente yo vi ayer la sangre de Nabot, y la sangre de sus hijos, dijo Jehová; y tengo que darte la paga en esta heredad, dijo Jehová. Tómale, pues, ahora, y échalo en la heredad, conforme a la palabra de Jehová.

27 Y viendo *esto* Ocozías rey de Judá, huyó por el camino de la casa del huerto. Y lo siguió Jehú, diciendo: Herid también a éste en el carro. *Y le hirieron* a la subida de Gur, junto a Ibleam. Y él huyó a Meguido, y murió allí.

28 Y sus siervos le llevaron en un carro a Jerusalén, y allá le sepultaron con sus padres, en su sepulcro en la ciudad de David.

29 En el undécimo año de Joram hijo de Acab, comenzó a reinar Ocozías sobre Judá.

30 Vino después Jehú a Jezreel: y como Jezabel *lo* oyó, adornó sus ojos con alcohol, y atavió su cabeza, y se asomó a una ventana.

31 Y como entraba Jehú por la puerta, ella dijo: ¿Sucedió bien a Zimri, que mató a su señor?

32 Alzando él entonces su rostro hacia la ventana, dijo: ¿Quién está conmigo? ¿Quién? Y miraron hacia él dos o tres eunucos.

33 Y él les dijo: Echadla abajo. Y ellos la echaron: y parte de su sangre fue salpicada en la pared, y en los caballos; y él la atropelló.

34 Entró luego, y después que comió y bebió, dijo: Id ahora a ver aquella maldita, y sepultadla; que es hija de rey.

35 Y cuando fueron para sepultarla, no hallaron de ella más que la calavera, y los pies, y las palmas de las manos.

36 Y volvieron, y se lo dijeron. Y él dijo: Ésta es la palabra de Jehová, la cual Él habló por medio de su siervo Elías tisbita, diciendo: En la heredad de Jezreel comerán los perros las carnes de Jezabel.

37 Y el cuerpo de Jezabel fue cual estiércol sobre la faz de la tierra en la heredad de Jezreel; de manera que nadie pueda decir: Ésta es Jezabel.

CAPÍTULO 10

Y tenía Acab en Samaria setenta hijos; y escribió cartas Jehú, y las envió a Samaria a los principales de Jezreel, a los ancianos y a los ayos de los hijos de Acab, diciendo:

2 Presto que lleguen estas cartas a vosotros, siendo que tenéis los hijos de vuestro señor, y que tenéis carros y gente de a caballo, la ciudad fortificada, y las armas,

3 mirad cuál es el mejor y el más recto de los hijos de vuestro señor, y ponedlo en el trono de su padre, y pelead por la casa de vuestro señor.

4 Mas ellos tuvieron gran temor, y dijeron: He aquí dos reyes no pudieron resistirle, ¿cómo le resistiremos nosotros?

5 Y el mayordomo, y el presidente de la ciudad, y los ancianos, y los ayos de los hijos, enviaron a decir a Jehú: Siervos tuyos somos, y haremos todo lo que nos mandares; no elegiremos por rey a ninguno; tú harás lo que bien te pareciere.

6 Él entonces les escribió la segunda vez diciendo: Si sois míos, y queréis obedecerme, tomad las cabezas de los varones hijos de vuestro señor, y venid mañana a estas horas a mí a Jezreel. Y los hijos del rey, setenta varones, estaban con los principales de la ciudad, que los criaban.

7 Y sucedió que cuando la carta llegó a ellos, tomaron a los hijos del rey, y degollaron a los setenta varones, y pusieron sus cabezas en canastas, y se las enviaron a Jezreel.

8 Y vino un mensajero que le dio las nuevas, diciendo: Han traído las cabezas de los hijos del rey. Y él le dijo: Ponedlas en dos montones a la entrada de la puerta hasta la mañana.

9 Y sucedió que venida la mañana, salió él, y estando en pie dijo a todo el pueblo: Vosotros sois justos; he aquí yo he conspirado contra mi señor, y lo maté, ¿pero quién mató a todos éstos?

10 Sabed ahora que de la palabra que Jehová habló sobre la casa de Acab, nada caerá en tierra; y que Jehová ha hecho lo que dijo por su siervo Elías.

11 Mató entonces Jehú a todos los que habían quedado de la casa de Acab en Jezreel, y a todos sus príncipes, y a todos sus familiares, y a sus sacerdotes, que no le quedó ninguno.

12 Y se levantó de allí, y vino a Samaria; y llegando él en el camino a una casa de esquileo de pastores,

13 halló allí a los hermanos de Ocozías rey de Judá, y les dijo: ¿Quién sois vosotros? Y ellos dijeron: Somos hermanos de Ocozías, y hemos venido a saludar a los hijos del rey, y a los hijos de la reina.

14 Entonces él dijo: Prendedlos vivos. Y después que los tomaron vivos, los degollaron junto al pozo de la casa de esquileo, cuarenta y dos varones, sin dejar ninguno de ellos.

15 Yéndose luego de allí se encontró con Jonadab hijo de Recab; que venía a su encuentro, y después de saludarle, le dijo: ¿Es recto tu corazón, como el mío es recto con el tuyo? Y Jonadab dijo: Lo es. Pues que lo es, dame la mano. Y él le dio su mano. Luego lo hizo subir consigo en el carro.

16 Y le dijo: Ven conmigo, y verás mi celo por Jehová. Lo pusieron, pues, en su carro.

17 Y luego que hubo Jehú llegado a

Samaria, mató a todos los que habían quedado de Acab en Samaria, hasta extirparlos, conforme a la palabra de Jehová, que había hablado por Elías.

18 Y juntó Jehú todo el pueblo, y les dijo: Acab sirvió poco a Baal; *mas* Jehú lo servirá mucho.

19 Llamadme, pues, luego, a todos los profetas de Baal, a todos sus siervos, y a todos sus sacerdotes; que no falte uno, porque tengo un gran sacrificio para Baal; cualquiera que faltare, no vivirá. Esto hacía Jehú con astucia, para destruir a los que honraban a Baal.

20 Y dijo Jehú: Santificad un día solemne a Baal. Y ellos convocaron.

21 Y envió Jehú por todo Israel, y vinieron todos los siervos de Baal, que no faltó ninguno que no viniese. Y entraron en el templo de Baal, y el templo de Baal se llenó de cabo a cabo.

22 Entonces dijo al que *tenía* el cargo de las vestiduras: Saca vestiduras para todos los siervos de Baal. Y él les sacó vestiduras.

23 Y entró Jehú con Jonadab hijo de Recab en el templo de Baal, y dijo a los siervos de Baal: Mirad y ved que por dicha no haya aquí entre vosotros alguno de los siervos de Jehová, sino sólo los siervos de Baal.

24 Y cuando ellos entraron para hacer sacrificios y holocaustos, Jehú puso fuera ochenta hombres, y les dijo: Cualquiera que dejare vivo alguno de aquellos hombres que yo he puesto en vuestras manos, su vida será por la del otro.

25 Y aconteció que cuando acabó de hacer el holocausto, Jehú dijo a los de su guardia y a los capitanes: Entrad, y matadlos; que no escape ninguno. Y los hirieron a espada; y los dejaron tendidos los de la guardia y los capitanes, y fueron hasta la ciudad del templo de Baal.

26 Y sacaron las estatuas del templo de Baal, y las quemaron.

27 Y quebraron la estatua de Baal, y derribaron el templo de Baal, y lo tornaron en letrina, hasta hoy.

28 Así extinguió Jehú a Baal de Israel.

29 Con todo eso Jehú no se apartó de los pecados de Jeroboam hijo de Nabat, que hizo pecar a Israel; *es*

decir, de ir en pos de los becerros de oro que *estaban* en Betel y en Dan.

30 Y Jehová dijo a Jehú: Por cuanto has hecho bien ejecutando *lo* recto delante de mis ojos, e hiciste a la casa de Acab conforme a todo lo que *estaba* en mi corazón, tus hijos se sentarán en el trono de Israel hasta la cuarta *generación.*

31 Mas Jehú no cuidó de andar en la ley de Jehová Dios de Israel con todo su corazón, ni se apartó de los pecados de Jeroboam, el que había hecho pecar a Israel.

32 En aquellos días comenzó Jehová a talar en Israel: y los hirió Hazael en todos los términos de Israel,

33 desde el Jordán al nacimiento del sol, toda la tierra de Galaad, de Gad, de Rubén, y de Manasés, desde Aroer que *está* junto al arroyo de Arnón, a Galaad y a Basán.

34 Lo demás de los hechos de Jehú, y todas las cosas que hizo, y toda su valentía, ¿no está escrito en el libro de las crónicas de los reyes de Israel?

35 Y durmió Jehú con sus padres, y lo sepultaron en Samaria: y reinó en su lugar Joacaz su hijo.

36 El tiempo que reinó Jehú sobre Israel en Samaria, *fue* veintiocho años.

CAPÍTULO 11

Y Atalía madre de Ocozías, viendo que su hijo era muerto, se levantó, y destruyó toda la simiente real.

2 Pero tomando Josaba hija del rey Joram, hermana de Ocozías, a Joás hijo de Ocozías, lo sacó a escondidas de entre los hijos del rey, *a quienes estaban* dando muerte, y lo ocultó de delante de Atalía, a él y a su ama, en la cámara de las camas, y así no lo mataron.

3 Y estuvo con ella escondido en la casa de Jehová seis años: y Atalía fue reina sobre el país.

4 Mas al séptimo año envió Joiada, y tomó centuriones, capitanes, y gente de la guardia, y los metió consigo en la casa de Jehová: e hizo con ellos pacto, y les hizo tomar juramento en la casa de Jehová; y les mostró al hijo del rey.

5 Y les mandó, diciendo: Esto *es* lo que habéis de hacer: la tercera parte de vosotros, los que entrarán el

sábado, tendrán la guardia de la casa del rey;

6 Y la otra tercera parte *estará* a la puerta de Sur, y la otra tercera parte a la puerta del postigo de la guardia; así guardaréis la casa, para que no sea allanada.

7 Y las dos partes de todos vosotros los que salen en el sábado, tendréis la guardia de la casa de Jehová junto al rey.

8 Y estaréis alrededor del rey de todas partes, teniendo cada uno sus armas en las manos, y cualquiera que entrare dentro de estos órdenes, sea muerto. Y habéis de estar con el rey cuando saliere, y cuando entrare.

9 Los centuriones pues, hicieron todo como el sacerdote Joiada les mandó; y cada uno de ellos tomó sus hombres, *esto es*, los que habían de entrar el sábado y los que habían de salir el sábado, y vinieron a Joiada el sacerdote.

10 Y el sacerdote dio a los centuriones las lanzas y los escudos que habían sido del rey David, que *estaban* en la casa de Jehová.

11 Y los de la guardia se pusieron en orden, teniendo cada uno sus armas en sus manos, desde el lado derecho de la casa hasta el lado izquierdo, junto al altar y el templo, en derredor del rey.

12 Sacando luego Joiada al hijo del rey, le puso la corona y el testimonio, y le hicieron rey ungiéndole; y batiendo las manos dijeron: ¡Viva el rey!

13 Y oyendo Atalía el estruendo del pueblo que corría, entró al pueblo en el templo de Jehová.

14 Y cuando miró, he aquí que el rey estaba junto a la columna, conforme *era* la costumbre, y los príncipes y los trompeteros junto al rey; y todo el pueblo del país se regocijaba, y tocaban las trompetas. Entonces Atalía, rasgando sus vestidos, gritó: ¡Traición, traición!

15 Mas el sacerdote Joiada mandó a los centuriones que gobernaban el ejército, y les dijo: Sacadla fuera del recinto del templo, y al que la siguiere, matadle a espada. (Porque el sacerdote dijo que no la matasen en el templo de Jehová.)

16 Entonces le echaron mano, cuando iba en el camino por donde entran los de a caballo a la casa del rey, allí la mataron.

17 Entonces Joiada hizo alianza entre Jehová y el rey y el pueblo, que serían pueblo de Jehová: y asimismo entre el rey y el pueblo:

18 Y todo el pueblo de la tierra entró en el templo de Baal, y lo derribaron: asimismo despedazaron enteramente sus altares y sus imágenes, y mataron a Matán sacerdote de Baal delante de los altares. Y el sacerdote puso guarnición sobre la casa de Jehová.

19 Después tomó los centuriones, los capitanes, la guardia y a todo el pueblo de la tierra, e hicieron descender al rey de la casa de Jehová, y vinieron por el camino de la puerta de la guardia a la casa del rey; y se sentó el rey sobre el trono de los reyes.

20 Y todo el pueblo de la tierra hizo alegrías, y la ciudad estuvo en reposo, habiendo sido Atalía muerta a espada *junto* a la casa del rey.

21 Siete años tenía Joás cuando comenzó a reinar.

CAPÍTULO 12

En el séptimo año de Jehú comenzó a reinar Joás, y reinó cuarenta años en Jerusalén. El nombre de su madre *fue* Sibia, de Beerseba.

2 Y Joás hizo *lo* recto en ojos de Jehová todo el tiempo que le instruyó el sacerdote Joiada.

3 Con todo eso los lugares altos no se quitaron; pues el pueblo aún sacrificaba y quemaba incienso en los lugares altos.

4 Y Joás dijo a los sacerdotes: Todo el dinero de las santificaciones que se suele traer a la casa de Jehová, el dinero de los que pasan *en cuenta*, el dinero por las personas, cada cual según su tasa, y todo el dinero que cada uno de su propia voluntad mete en la casa de Jehová,

5 recíbanlo los sacerdotes, cada uno de sus familiares, y reparen las grietas del templo dondequiera que éstas se hallen.

6 Pero en el año veintitrés del rey Joás, los sacerdotes aún no habían reparado las grietas del templo.

7 Llamando entonces el rey Joás al sacerdote Joiada y a los *demás* sacerdotes, les dijo: ¿Por qué no reparáis las grietas del templo? Ahora, pues, no toméis más dinero de vuestros familiares, sino dadlo para reparar las grietas del templo.

8 Y los sacerdotes consintieron en no tomar *más* dinero del pueblo, ni tener cargo de reparar las grietas del templo.

9 Mas el sacerdote Joiada tomó un arca, y le hizo en la tapa un agujero, y la puso junto al altar, a la mano derecha conforme se entra en el templo de Jehová; y los sacerdotes que guardaban la puerta, ponían allí todo el dinero *que se* traía a la casa de Jehová.

10 Y cuando veían que *había* mucho dinero en el arca, venía el escriba del rey y el sumo sacerdote, y contaban el dinero que hallaban en el templo de Jehová, y lo guardaban.

11 Y daban del dinero suficiente en mano de los que hacían la obra, y de los que tenían el cargo de la casa de Jehová; y ellos lo gastaban en pagar a los carpinteros y maestros que reparaban la casa de Jehová,

12 y a los albañiles y canteros; y en comprar la madera y piedra de cantería para reparar las aberturas de la casa de Jehová; y en todo lo que se gastaba en la casa para repararla.

13 Mas de aquel dinero que se traía a la casa de Jehová, no se hacían tazas de plata, ni despabiladeras, ni jofainas, ni trompetas; ni ningún otro vaso de oro ni de plata se hacía para el templo de Jehová;

14 porque lo daban a los que hacían la obra, y con él reparaban la casa de Jehová.

15 Y no se pedían cuentas a los hombres en cuyas manos el dinero era entregado, para que ellos lo diesen a los que hacían la obra; porque ellos procedían con fidelidad.

16 El dinero por el delito, y el dinero por los pecados, no se metía en la casa de Jehová; porque era de los sacerdotes.

17 Entonces subió Hazael rey de Siria, y peleó contra Gat, y la tomó: y puso Hazael su rostro para subir contra Jerusalén;

18 Por lo que tomó Joás rey de Judá todas las ofrendas que había dedicado Josafat, y Joram y Ocozías sus padres, reyes de Judá, y las que él había dedicado, y todo el oro *que se* halló en los tesoros de la casa de Jehová, y en la casa del rey, y lo envió a Hazael rey de Siria; y él se retiró de Jerusalén.

19 Lo demás de los hechos de Joás, y todas las cosas que hizo, ¿no *está* escrito en el libro de las crónicas de los reyes de Judá?

20 Y se levantaron sus siervos, y conspiraron, y mataron a Joás en la casa de Milo, descendiendo él a Sila;

21 Pues Josacar hijo de Simeat, y Jozabad hijo de Somer, sus siervos, le hirieron, y murió. Y le sepultaron con sus padres en la ciudad de David, y reinó en su lugar Amasías su hijo.

CAPÍTULO 13

En el año veintitrés de Joás hijo de Ocozías, rey de Judá, comenzó a reinar Joacaz hijo de Jehú sobre Israel en Samaria; *y reinó* diecisiete años.

2 E hizo *lo* malo en ojos de Jehová, y siguió los pecados de Jeroboam hijo de Nabat, el que hizo pecar a Israel; y no se apartó de ellos.

3 Y se encendió el furor de Jehová contra Israel, y los entregó en mano de Hazael rey de Siria, y en mano de Benadad hijo de Hazael, por largo tiempo.

4 Mas Joacaz oró a la faz de Jehová, y Jehová lo oyó: porque miró la aflicción de Israel, pues el rey de Siria los afligía.

5 (Y dio Jehová salvador a Israel, y salieron de bajo la mano de los sirios; y habitaron los hijos de Israel en sus tiendas, como antes.

6 Con todo eso no se apartaron de los pecados de la casa de Jeroboam, el que hizo pecar a Israel; en ellos anduvieron; y también la imagen de Asera permaneció en Samaria.)

7 Porque no le había quedado gente a Joacaz, sino cincuenta hombres de a caballo, y diez carros, y diez mil hombres de a pie; pues el rey de Siria los había destruido, y los había puesto como polvo para hollar.

8 Lo demás de los hechos de Joacaz, y todo lo que hizo, y sus valentías, ¿no *está* escrito en el libro de las crónicas de los reyes de Israel?

9 Y durmió Joacaz con sus padres, y lo sepultaron en Samaria; y reinó en su lugar Joás su hijo.

10 El año treinta y siete de Joás rey de Judá, comenzó a reinar Joás hijo de Joacaz sobre Israel en Samaria; y *reinó* dieciséis años.

11 E hizo *lo* malo ante los ojos de Jehová; no se apartó de todos los pecados de Jeroboam hijo de Nabat, el cual hizo pecar a Israel, *sino que* anduvo en ellos.

12 Lo demás de los hechos de Joás, y todas las cosas que hizo, y su esfuerzo con que guerreó contra Amasías rey de Judá, ¿no *está* escrito en el libro de las crónicas de los reyes de Israel?

13 Y durmió Joás con sus padres, y Jeroboam se sentó en su trono: Y Joás fue sepultado en Samaria con los reyes de Israel.

14 Y Eliseo estaba enfermo de aquella su enfermedad de que murió. Y descendió a él Joás rey de Israel, y llorando delante de él, dijo: ¡Padre mío, padre mío, carro de Israel y su gente de a caballo!

15 Y le dijo Eliseo: Toma un arco y unas saetas. Tomó él entonces un arco y unas saetas.

16 Y dijo Eliseo al rey de Israel: Pon tu mano sobre el arco. Y puso él su mano *sobre el arco*. Entonces puso Eliseo sus manos sobre las manos del rey,

17 y dijo: Abre la ventana de hacia el oriente. Y como él la abrió dijo Eliseo: Tira. Y tirando él, dijo Eliseo: Saeta de salvación de Jehová, saeta de salvación contra Siria; porque herirás a los sirios en Afec, hasta consumirlos.

18 Y le dijo: Toma las saetas. Y luego que el rey de Israel las hubo tomado, le dijo: Hiere la tierra. Y él hirió tres veces, y se detuvo.

19 Entonces el varón de Dios, enojado contra él, le dijo: Al herir cinco o seis veces, habrías herido a Siria, hasta no quedar ninguno: Pero ahora herirás a Siria *sólo* tres veces.

20 Y murió Eliseo, y lo sepultaron. Entrado el año vinieron partidas de moabitas a la tierra.

Joás y las saetas: Muerte de Eliseo

21 Y aconteció que cuando estaban sepultando a un hombre, súbitamente vieron una banda *de hombres*, y arrojaron al hombre en el sepulcro de Eliseo: y cuando llegó a tocar el muerto los huesos de Eliseo, revivió, y se levantó sobre sus pies.

22 Pero Hazael, rey de Siria, afligió a Israel todo el tiempo de Joacaz.

23 Mas Jehová tuvo misericordia de ellos, y tuvo compasión de ellos, y los miró, por amor de su pacto con Abraham, Isaac y Jacob; y no quiso destruirlos ni echarlos de delante de sí hasta ahora.

24 Y murió Hazael rey de Siria, y reinó en su lugar Benadad su hijo.

25 Y volvió Joás hijo de Joacaz, y tomó de mano de Benadad hijo de Hazael, las ciudades que él había tomado de mano de Joacaz su padre en guerra. Tres veces lo derrotó Joás, y recobró las ciudades de Israel.

CAPÍTULO 14

En el año segundo de Joás hijo de Joacaz rey de Israel, comenzó a reinar Amasías hijo de Joás rey de Judá.

2 Veinticinco años tenía cuando comenzó a reinar, y veintinueve años reinó en Jerusalén; el nombre de su madre *fue* Joadan, de Jerusalén.

3 Y él hizo *lo* recto ante los ojos de Jehová, aunque no como David su padre; hizo conforme a todas las cosas que había hecho Joás su padre.

4 Con todo eso los lugares altos no fueron quitados; pues el pueblo aún sacrificaba y quemaba incienso en los lugares altos.

5 Y aconteció que luego que el reino fue confirmado en su mano, mató a sus siervos, los que habían dado muerte al rey su padre.

6 Mas no mató a los hijos de los que le mataron, conforme a lo que está escrito en el libro de la ley de Moisés, donde Jehová mandó, diciendo: No matarán a los padres por los hijos, ni a los hijos por los padres; sino que cada uno morirá por su pecado.

7 Éste mató asimismo a diez mil edomitas en el valle de la Sal, y tomó a Sela en batalla, y la llamó Jocteel, hasta hoy.

8 Entonces Amasías envió embajadores a Joás, hijo de Joacaz hijo de Jehú, rey de Israel, diciendo: Ven, y veámonos de rostro.

9 Y Joás rey de Israel envió a Amasías rey de Judá esta respuesta: El cardo que *estaba* en el Líbano envió a decir al cedro que *estaba* en el Líbano: Da tu hija por esposa a mi hijo. Y pasaron las fieras que *están* en el Líbano, y hollaron el cardo.

10 Ciertamente has derrotado a Edom, y tu corazón se ha envanecido; gloríate, pues, mas quédate en tu casa. ¿Para qué te metes en un mal, para que caigas tú, y Judá contigo?

11 Pero Amasías no quiso oír; por lo que subió Joás rey de Israel, y se vieron las caras él y Amasías rey de Judá, en Bet-semes, que *es* de Judá.

12 Y Judá cayó delante de Israel, y huyeron cada uno a su tienda.

13 Además Joás rey de Israel tomó a Amasías rey de Judá, hijo de Joás hijo de Ocozías, en Bet-semes: y vino a Jerusalén, y rompió el muro de Jerusalén desde la puerta de Efraín hasta la puerta del Ángulo, cuatrocientos codos.

14 Y tomó todo el oro y la plata, y todos los vasos que fueron hallados en la casa de Jehová, y en los tesoros de la casa del rey, y los hijos en rehenes, y se volvió a Samaria.

15 Lo demás de los hechos de Joás que ejecutó, y sus hazañas, y cómo peleó contra Amasías rey de Judá, ¿no *está* escrito en el libro de las crónicas de los reyes de Israel?

16 Y durmió Joás con sus padres, y fue sepultado en Samaria con los reyes de Israel; y reinó en su lugar Jeroboam su hijo.

17 Y Amasías hijo de Joás rey de Judá, vivió después de la muerte de Joás hijo de Joacaz rey de Israel, quince años.

18 Lo demás de los hechos de Amasías, ¿no *está* escrito en el libro de las crónicas de los reyes de Judá?

19 E hicieron conspiración contra él en Jerusalén, y él huyó a Laquis; mas enviaron tras él a Laquis, y allá lo mataron.

20 Lo trajeron luego sobre caballos, y lo sepultaron en Jerusalén con sus padres, en la ciudad de David.

21 Entonces todo el pueblo de Judá tomó a Azarías, que *tenía* dieciséis años, y lo hicieron rey en lugar de Amasías su padre.

22 Edificó él a Elat, y la restituyó a Judá, después que el rey durmió con sus padres.

23 El año quince de Amasías hijo de Joás rey de Judá, comenzó a reinar Jeroboam hijo de Joás sobre Israel en Samaria; *y reinó* cuarenta y un años.

24 E hizo *lo* malo ante los ojos de Jehová, y no se apartó de todos los pecados de Jeroboam hijo de Nabat, el que hizo pecar a Israel.

25 Él restituyó los términos de Israel desde la entrada de Hamat hasta el mar de la llanura, conforme a la palabra de Jehová Dios de Israel, la cual había Él hablado por su siervo Jonás hijo de Amitai, profeta que *era* de Gat-hefer.

26 Por cuanto Jehová miró la muy amarga aflicción de Israel; que no *había* preso ni libre, ni quien diese ayuda a Israel;

27 Y Jehová no había determinado raer el nombre de Israel de debajo del cielo: por tanto, los salvó por mano de Jeroboam hijo de Joás.

28 Y lo demás de los hechos de Jeroboam, y todas las cosas que hizo, y su valentía, y todas las guerras que hizo, y cómo recobró para Israel a Damasco y a Hamat, *que habían pertenecido* a Judá, ¿no *está* escrito en el libro de las crónicas de los reyes de Israel?

29 Y durmió Jeroboam con sus padres, los reyes de Israel, y reinó en su lugar Zacarías su hijo.

CAPÍTULO 15

En el año veintisiete de Jeroboam, rey de Israel, comenzó a reinar Azarías hijo de Amasías rey de Judá.

2 Dieciséis años *tenía* cuando comenzó a reinar, y cincuenta y dos años reinó en Jerusalén; el nombre de su madre fue Jecolía, de Jerusalén.

3 E hizo *lo* recto ante los ojos de Jehová, conforme a todas las cosas que su padre Amasías había hecho.

4 Con todo, los lugares altos no fueron quitados; pues el pueblo todavía sacrificaba y quemaba incienso en los lugares altos.

5 Mas Jehová hirió al rey con lepra, y fue leproso hasta el día de su muerte, y habitó en casa separada, y Jotam hijo del rey *tenía* el cargo del palacio, gobernando al pueblo de la tierra.

6 Lo demás de los hechos de Azarías, y todas las cosas que hizo, ¿no *está* escrito en el libro de las crónicas de los reyes de Judá?

7 Y durmió Azarías con sus padres, y lo sepultaron con sus padres en la ciudad de David: y reinó en su lugar Jotam su hijo.

8 En el año treinta y ocho de Azarías rey de Judá, reinó Zacarías hijo de Jeroboam sobre Israel seis meses.

9 E hizo *lo* malo ante los ojos de Jehová, como habían hecho sus padres: no se apartó de los pecados de Jeroboam hijo de Nabat, el que hizo pecar a Israel.

10 Contra él conspiró Salum hijo de Jabes, y lo hirió en presencia de su pueblo, y lo mató, y reinó en su lugar.

11 Los demás hechos de Zacarías, he aquí *están* escritos en el libro de las crónicas de los reyes de Israel.

12 Y ésta *fue* la palabra de Jehová que había hablado a Jehú, diciendo: Tus hijos hasta la cuarta *generación* se sentarán en el trono de Israel. Y fue así.

13 Salum hijo de Jabes comenzó a reinar en el año treinta y nueve de Uzías rey de Judá, y reinó el tiempo de un mes en Samaria;

14 Pues subió Manahem hijo de Gadi, de Tirsa, y vino a Samaria, e hirió a Salum hijo de Jabes en Samaria, y lo mató, y reinó en su lugar.

15 Los demás hechos de Salum, y la conspiración que hizo, he aquí *están* escritos en el libro de las crónicas de los reyes de Israel.

16 Entonces hirió Manahem a Tifsa, y a todos los que *estaban* en ella, y también sus términos desde Tirsa; y la hirió porque no le habían abierto *las puertas*; y abrió *el vientre* a todas las mujeres que estaban encinta.

17 En el año treinta y nueve de Azarías rey de Judá, Manahem hijo de Gadi comenzó a reinar sobre Israel; y *reinó* diez años en Samaria.

18 E hizo *lo* malo ante los ojos de Jehová; no se apartó en todo su tiempo de los pecados de Jeroboam

hijo de Nabat, el que hizo pecar a Israel.

19 Y vino Pul rey de Asiria a la tierra; y dio Manahem a Pul mil talentos de plata para que le ayudara a confirmarse en el reino.

20 E impuso Manahem este dinero sobre Israel, sobre todos los poderosos y opulentos: de cada uno cincuenta siclos de plata, para dar al rey de Asiria, y el rey de Asiria se volvió, y no se detuvo allí en la tierra.

21 Los demás hechos de Manahem, y todas las cosas que hizo, ¿no *están* escritos en el libro de las crónicas de los reyes de Israel?

22 Y durmió Manahem con sus padres, y reinó en su lugar Pekaía su hijo.

23 En el año cincuenta de Azarías rey de Judá, Pekaía hijo de Manahem comenzó a reinar sobre Israel en Samaria, y *reinó* dos años.

24 E hizo *lo* malo ante los ojos de Jehová; no se apartó de los pecados de Jeroboam hijo de Nabat, el que hizo pecar a Israel.

25 Y conspiró contra él Peka hijo de Remalías, capitán suyo, y lo hirió en Samaria, en el palacio de la casa real, en compañía de Argob y de Arif, y con cincuenta hombres de los hijos de los galaaditas; y lo mató, y reinó en su lugar.

26 Los demás hechos de Pekaía, y todas las cosas que hizo, he aquí *están* escritos en el libro de las crónicas de los reyes de Israel.

27 En el año cincuenta y dos de Azarías rey de Judá, Peka hijo de Remalías comenzó a reinar sobre Israel en Samaria; y *reinó* veinte años.

28 E hizo *lo* malo ante los ojos de Jehová; no se apartó de los pecados de Jeroboam hijo de Nabat, el que hizo pecar a Israel.

29 En los días de Peka rey de Israel, vino Tiglat-pileser rey de los asirios, y tomó a Ahión, Abel-bet-maaca, y Janoa, y Cedes, y Hazor, y Galaad, y Galilea, y toda la tierra de Neftalí; y los llevó cautivos a Asiria.

30 Y Oseas hijo de Ela hizo una conspiración contra Peka hijo de Remalías, y lo hirió, y lo mató, y reinó en su lugar, a los veinte años de Jotam hijo de Uzías.

31 Los demás hechos de Peka, y todo lo que hizo, he aquí *están* escritos en el libro de las crónicas de los reyes de Israel.

32 En el segundo año de Peka hijo de Remalías rey de Israel, comenzó a reinar Jotam hijo de Uzías rey de Judá.

33 Cuando comenzó a reinar era de veinticinco años, y reinó dieciséis años en Jerusalén. El nombre de su madre *fue* Jerusa hija de Sadoc.

34 Y él hizo *lo* recto en ojos de Jehová; hizo conforme a todas las cosas que había hecho su padre Uzías.

35 Con todo eso los lugares altos no fueron quitados; que el pueblo sacrificaba aún, y quemaba incienso en los lugares altos. Edificó él la puerta más alta de la casa de Jehová.

36 Los demás hechos de Jotam, y todas las cosas que hizo, ¿no *están* escritos en el libro de las crónicas de los reyes de Judá?

37 En aquel tiempo comenzó Jehová a enviar contra Judá a Rezín rey de Siria, y a Peka hijo de Remalías.

38 Y durmió Jotam con sus padres, y fue sepultado con sus padres en la ciudad de David su padre; y reinó en su lugar Acaz su hijo.

CAPÍTULO 16

En el año diecisiete de Peka hijo de Remalías, comenzó a reinar Acaz hijo de Jotam rey de Judá.

2 Veinte años *tenía* Acaz cuando comenzó a reinar, y reinó en Jerusalén dieciséis años; pero no hizo *lo* recto ante los ojos de Jehová su Dios, como David su padre;

3 Antes anduvo en el camino de los reyes de Israel, y aun hizo pasar por el fuego a su hijo, según las abominaciones de las gentes que Jehová echó de delante de los hijos de Israel.

4 Asimismo sacrificó, y quemó incienso en los lugares altos, y sobre los collados, y debajo de todo árbol frondoso.

5 Entonces Rezín rey de Siria, y Peka hijo de Remalías rey de Israel, subieron a Jerusalén para *hacer* guerra, y cercar a Acaz; mas no pudieron tomarla.

6 En aquel tiempo Rezín rey de Siria restituyó Elat a Siria, y echó a los judíos de Elat; y los sirios vinieron a Elat, y habitaron allí hasta hoy.

7 Entonces Acaz envió embajadores a Tiglat-pileser rey de Asiria, diciendo: Yo *soy* tu siervo y tu hijo: sube, y defiéndeme de mano del rey de Siria, y de mano del rey de Israel, que se han levantado contra mí.

8 Y tomando Acaz la plata y el oro que se halló en la casa de Jehová, y en los tesoros de la casa real, envió al rey de Asiria un presente.

9 Y le atendió el rey de Asiria; pues el rey de Asiria subió contra Damasco y la tomó, y llevó cautivos a sus moradores a Kir, y mató a Rezín.

10 Y el rey Acaz fue a Damasco a encontrar a Tiglat-pileser, rey de Asiria; y cuando vio el rey Acaz el altar que *estaba* en Damasco; envió al sacerdote Urías el diseño y la descripción del altar, conforme a toda su hechura.

11 Y Urías el sacerdote edificó el altar; conforme a todo lo que el rey Acaz había enviado de Damasco, así lo hizo el sacerdote Urías, entre tanto que el rey Acaz venía de Damasco.

12 Y cuando el rey volvió de Damasco, el rey vio el altar, y se acercó el rey al altar, y ofreció holocausto en él;

13 Y encendió su holocausto, y su ofrenda, y derramó sus libaciones, y esparció la sangre de sus sacrificios de paz sobre el altar.

14 Y quitó el altar de bronce que *estaba* delante de Jehová, de delante de la casa, entre el altar y el templo de Jehová, y lo puso al lado del altar hacia el norte.

15 Y mandó el rey Acaz al sacerdote Urías, diciendo: En el gran altar encenderás el holocausto de la mañana y la ofrenda de la tarde, y el holocausto del rey y su ofrenda, y asimismo el holocausto de todo el pueblo de la tierra y su presente y sus libaciones: y esparcirás sobre él toda la sangre del holocausto, y toda la sangre del sacrificio: y el altar de bronce será mío para consultar en él.

16 E hizo el sacerdote Urías conforme a todas las cosas que el rey Acaz le mandó.

17 Y cortó el rey Acaz las cintas de las bases, y les quitó las fuentes; quitó también el mar de sobre los bueyes de bronce que *estaban* debajo de él, y lo puso sobre el enlosado.

18 Asimismo la tienda del sábado que habían edificado en la casa, y el pasadizo de afuera del rey, los quitó del templo de Jehová, por causa del rey de Asiria.

19 Los demás hechos de Acaz que puso por obra, ¿no *están* escritos en el libro de las crónicas de los reyes de Judá?

20 Y durmió el rey Acaz con sus padres y fue sepultado con sus padres en la ciudad de David: y reinó en su lugar Ezequías su hijo.

CAPÍTULO 17

En el año duodécimo de Acaz rey de Judá, comenzó a reinar Oseas hijo de Ela en Samaria sobre Israel; y reinó nueve años.

2 E hizo *lo* malo ante los ojos de Jehová, aunque no como los reyes de Israel que antes de él habían sido.

3 Contra éste subió Salmanasar rey de Asiria; y Oseas fue hecho su siervo, y le pagaba tributo.

4 Mas el rey de Asiria halló que Oseas conspiraba; porque había enviado embajadores a So, rey de Egipto, y no había pagado tributo al rey de Asiria, como lo hacía cada año; por lo que el rey de Asiria le detuvo, y le aprisionó en la casa de la cárcel.

5 Y el rey de Asiria invadió todo el país, y subió contra Samaria y la sitió durante tres años.

6 En el año nueve de Oseas tomó el rey de Asiria a Samaria, y llevó a Israel cautivo a Asiria, y los puso en Halah y en Habor, *junto* al río de Gozán, y en las ciudades de los medos.

7 Esto aconteció porque los hijos de Israel pecaron contra Jehová su Dios, que los sacó de tierra de Egipto de bajo la mano de Faraón rey de Egipto, y temieron a dioses ajenos,

8 y anduvieron en los estatutos de las gentes que Jehová había lanzado de delante de los hijos de Israel, y en los que establecieron los reyes de Israel.

Los de Israel se hacen imágenes

9 Y los hijos de Israel hicieron secretamente cosas no rectas contra Jehová su Dios, edificándose lugares altos en todas sus ciudades, desde las torres de las atalayas hasta las ciudades fortificadas,

10 y se erigieron estatuas e imágenes de Asera en todo collado alto, y debajo de todo árbol frondoso,

11 y quemaron allí incienso en todos los lugares altos, a la manera de las naciones que Jehová había desterrado de delante de ellos, e hicieron cosas muy malas para provocar a ira a Jehová.

12 Y servían a los ídolos, de los cuales Jehová les había dicho: Vosotros no habéis de hacer esto;

13 Y Jehová amonestaba a Israel y a Judá por medio de todos los profetas y *de* todos los videntes, diciendo: Volveos de vuestros malos caminos, y guardad mis mandamientos y mis ordenanzas, conforme a todas las leyes que yo prescribí a vuestros padres, y que os envié por medio de mis siervos los profetas.

14 Pero ellos no obedecieron, antes endurecieron su cerviz, como la cerviz de sus padres, los cuales no creyeron en Jehová su Dios.

15 Y desecharon sus estatutos, y su pacto que Él había hecho con sus padres, y sus testimonios que Él había prescrito a ellos; y siguieron la vanidad, y se hicieron vanos, y fueron en pos de las gentes que *estaban* alrededor de ellos, de las cuales les había Jehová mandado que no hiciesen a la manera de ellas:

16 Y dejaron todos los mandamientos de Jehová su Dios, y se hicieron dos becerros de fundición, también imágenes de Asera, y adoraron a todo el ejército del cielo, y sirvieron a Baal:

17 E hicieron pasar a sus hijos y a sus hijas por fuego; y se dieron a adivinaciones y agüeros, y se entregaron a hacer lo malo ante los ojos de Jehová, provocándole a ira.

18 Jehová, por tanto, se airó en gran manera contra Israel, y los quitó de delante de su rostro; que no quedó sino sólo la tribu de Judá.

19 Mas ni aun Judá guardó los mandamientos de Jehová su Dios;

antes anduvieron en los estatutos de Israel, los cuales habían ellos hecho.

20 Y desechó Jehová toda la simiente de Israel, y los afligió, y los entregó en manos de saqueadores, hasta echarlos de su presencia.

21 Porque separó a Israel de la casa de David, y ellos hicieron rey a Jeroboam hijo de Nabat; y Jeroboam apartó a Israel de en pos de Jehová, y les hizo cometer gran pecado.

22 Y los hijos de Israel anduvieron en todos los pecados de Jeroboam que él hizo, sin apartarse de ellos;

23 hasta que Jehová quitó a Israel de delante de su rostro, como Él lo había dicho por medio de todos los profetas sus siervos; e Israel fue llevado cautivo de su tierra a Asiria, hasta hoy.

24 Y el rey de Asiria trajo *gente* de Babilonia, y de Cuta, y de Iva, y de Hamat, y de Sefarvaim, y *los* puso en las ciudades de Samaria, en lugar de los hijos de Israel; y poseyeron a Samaria, y habitaron en sus ciudades.

25 Y aconteció al principio, cuando comenzaron a habitar allí, que no temiendo ellos a Jehová, envió Jehová contra ellos leones que mataron a *muchos* de ellos.

26 Entonces dijeron ellos al rey de Asiria: Las gentes que tú trasladaste y pusiste en las ciudades de Samaria, no conocen la costumbre del Dios de aquella tierra, y Él ha echado leones en *medio de* ellos, y he aquí los matan, porque no conocen la costumbre del Dios de la tierra.

27 Entonces el rey de Asiria mandó, diciendo: Llevad allí a alguno de los sacerdotes que trajeron de allá, y vayan y habiten allí, y les enseñen la costumbre del Dios del país.

28 Y vino uno de los sacerdotes que habían trasportado de Samaria, y habitó en Betel, y les enseñó cómo habían de temer a Jehová.

29 Mas cada nación se hizo sus dioses, y los pusieron en los templos de los lugares altos que habían hecho los de Samaria; cada nación en su ciudad donde habitaba.

30 Los de Babilonia hicieron a Sucot-benot, y los de Cuta hicieron a Nergal, y los de Hamat hicieron a Asima;

31 Los aveos hicieron a Nibhaz y a Tartac; y los de Sefarvaim quemaban sus hijos en el fuego *como ofrenda* a Adramelec y a Anamelec, dioses de Sefarvaim.

32 Y temían a Jehová; e hicieron del pueblo bajo sacerdotes de los lugares altos, quienes sacrificaban para ellos en los templos de los lugares altos.

33 Temían a Jehová, y honraban a sus dioses, según la costumbre de las gentes de donde habían sido trasladados.

34 Hasta hoy hacen como entonces; que ni temen a Jehová, ni guardan sus estatutos, ni sus ordenanzas, ni hacen según la ley y los mandamientos que prescribió Jehová a los hijos de Jacob, al cual puso el nombre de Israel;

35 Con los cuales había Jehová hecho pacto, y les mandó, diciendo: No temeréis a otros dioses, ni los adoraréis, ni les serviréis, ni les ofreceréis sacrificios.

36 Mas a Jehová, que os sacó de tierra de Egipto con gran poder y brazo extendido, a Éste temeréis, y a Éste adoraréis, y a Éste haréis sacrificio.

37 Los estatutos y derechos y ley y mandamientos que os dio por escrito, cuidaréis siempre de ponerlos por obra, y no temeréis a dioses ajenos.

38 Y no olvidaréis el pacto que hice con vosotros; ni temeréis a dioses ajenos.

39 Mas temed a Jehová vuestro Dios, y Él os librará de mano de todos vuestros enemigos.

40 Pero ellos no escucharon; antes hicieron según su costumbre antigua.

41 Así temieron a Jehová aquellas gentes, y juntamente sirvieron a sus ídolos; y como hicieron sus padres, así hacen hasta hoy sus hijos y sus nietos.

CAPÍTULO 18

Y aconteció que en el tercer año de Oseas hijo de Ela rey de Israel, comenzó a reinar Ezequías hijo de Acaz rey de Judá.

2 Veinticinco años tenía él cuando comenzó a reinar, y reinó en Jerusalén veintinueve años. El nombre de su madre *era* Abi hija de Zacarías.

3 Hizo *lo* recto en ojos de Jehová, conforme a todas las cosas que había hecho David su padre.

4 Él quitó los lugares altos, y quebró las imágenes, y destruyó las imágenes de Asera, e hizo pedazos la serpiente de bronce que había hecho Moisés, porque hasta entonces le quemaban incienso los hijos de Israel; y le llamó por nombre Nehustán.

5 En Jehová Dios de Israel puso su esperanza; ni después ni antes de él hubo otro como él entre todos los reyes de Judá.

6 Pues siguió a Jehová y no se apartó de Él, sino que guardó los mandamientos que Jehová prescribió a Moisés.

7 Y Jehová estaba con él; y adondequiera que iba prosperaba. Él se rebeló contra el rey de Asiria, y no le sirvió.

8 Hirió también a los filisteos hasta Gaza y sus términos, desde las torres de las atalayas hasta la ciudad fortificada.

9 Y aconteció que en el cuarto año del rey Ezequías, que *era* el año séptimo de Oseas hijo de Ela rey de Israel, subió Salmanasar rey de Asiria contra Samaria, y la sitió.

10 Y la tomaron al cabo de tres años; esto *es*, en el año sexto de Ezequías, el cual era el año noveno de Oseas rey de Israel, fue Samaria tomada.

11 Y el rey de Asiria llevó cautivo a Israel a Asiria, y los puso en Halah y en Habor, *junto* al río de Gozán, y en las ciudades de los medos:

12 Por cuanto no habían atendido la voz de Jehová su Dios, antes habían quebrantado su pacto; y todas las cosas que Moisés siervo de Jehová había mandado, ni las habían escuchado, ni puesto por obra.

13 Y a los catorce años del rey Ezequías, subió Senaquerib rey de Asiria contra todas las ciudades fortificadas de Judá, y las tomó.

14 Entonces Ezequías rey de Judá envió a decir al rey de Asiria en Laquis: Yo he pecado: apártate de mí, y llevaré todo lo que me impusieres. Y el rey de Asiria impuso a Ezequías rey de Judá trescientos talentos de plata, y treinta talentos de oro.

15 Y Ezequías *le* dio toda la plata que fue hallada en la casa de Jehová, y en los tesoros de la casa real.

16 En aquel tiempo Ezequías quitó *el oro* de las puertas del templo de Jehová, *y de* los quiciales que el *mismo* rey Ezequías había cubierto de oro, y lo dio al rey de Asiria.

17 Después el rey de Asiria envió al rey Ezequías, desde Laquis contra Jerusalén, a Tartán y a Rabsaris y al Rabsaces, con un gran ejército: y subieron, y vinieron a Jerusalén. Y habiendo subido, vinieron y pararon junto al acueducto del estanque de arriba, que está en el camino de la heredad del lavador.

18 Llamaron luego al rey, y salió a ellos Eliaquim hijo de Hilcías, que *era* mayordomo, y Sebna escriba, y Joah hijo de Asaf, el cronista.

19 Y les dijo el Rabsaces: Decid ahora a Ezequías: Así dice el gran rey de Asiria: ¿Qué confianza *es* ésta en que te apoyas?

20 Dices (pero *son* palabras vacías): *Tengo* consejo y fuerzas para la guerra. Mas ¿en quién confías, que te has rebelado contra mí?

21 He aquí tú confías ahora en este bordón de caña cascada, en Egipto, en el que si alguno se apoyare, se le entrará por la mano, y la traspasará. Tal es Faraón rey de Egipto, para todos los que en él confían.

22 Y si me decís: Nosotros confiamos en Jehová nuestro Dios: ¿no *es* Éste Aquél cuyos lugares altos y altares ha quitado Ezequías, y ha dicho a Judá y a Jerusalén: Delante de este altar adoraréis en Jerusalén?

23 Por tanto, ahora yo te ruego que des rehenes a mi señor, el rey de Asiria, y yo te daré dos mil caballos, si tú pudieres dar jinetes para ellos.

24 ¿Cómo, pues, podrás resistir a un capitán, al menor de los siervos de mi señor, aunque estés confiado en Egipto por sus carros y su gente de a caballo?

25 ¿Acaso he venido yo ahora sin Jehová a este lugar, para destruirlo? Jehová me ha dicho: Sube a esta tierra, y destrúyela.

26 Entonces dijo Eliaquim hijo de Hilcías, y Sebna y Joah, al Rabsaces: Te ruego que hables a tus siervos

en arameo, porque nosotros *lo* entendemos, y no hables con nosotros en lengua judaica a oídos del pueblo que está sobre el muro.

27 Y el Rabsaces les dijo: ¿Me ha enviado mi señor para decir estas palabras *sólo* a ti y a tu señor, y no a los hombres que están sobre el muro, para que coman su propio estiércol, y beban su propia orina con vosotros?

28 Luego el Rabsaces se puso de pie, y clamó a gran voz en lengua judaica, y habló, diciendo: Oíd la palabra del gran rey, el rey de Asiria.

29 Así ha dicho el rey: No os engañe Ezequías, porque no os podrá librar de mi mano.

30 Y no os haga Ezequías confiar en Jehová, diciendo: De cierto nos librará Jehová, y esta ciudad no será entregada en mano del rey de Asiria.

31 No oigáis a Ezequías, porque así dice el rey de Asiria: Haced conmigo paz, y salid a mí, y cada uno comerá de su vid, y de su higuera, y cada uno beberá las aguas de su pozo;

32 Hasta que yo venga, y os lleve a una tierra como la vuestra, tierra de grano y de vino, tierra de pan y de viñas, tierra de olivas, de aceite, y de miel; y viviréis, y no moriréis. No oigáis a Ezequías, porque os engaña cuando dice: Jehová nos librará.

33 ¿Acaso alguno de los dioses de las naciones ha librado su tierra de la mano del rey de Asiria?

34 ¿Dónde *están* los dioses de Hamat, y de Arfad? ¿Dónde *están* los dioses de Sefarvaim, de Hena, y de Iva? ¿Pudieron éstos librar a Samaria de mi mano?

35 ¿Qué dios de todos los dioses de estas tierras ha librado su tierra de mi mano, para que Jehová libre de mi mano a Jerusalén?

36 Y el pueblo calló, y no le respondió palabra: porque había mandamiento del rey, el cual había dicho: No le respondáis.

37 Entonces Eliaquim hijo de Hilcías, que *era* mayordomo, y Sebna el escriba, y Joah hijo de Asaf, el cronista, vinieron a Ezequías, rasgadas sus vestiduras, y le declararon las palabras del Rabsaces.

CAPÍTULO 19

Y aconteció que cuando el rey Ezequías lo oyó, rasgó sus vestiduras, y se cubrió de cilicio, y entró en la casa de Jehová.

2 Y envió a Eliaquim el mayordomo, y a Sebna escriba, y a los ancianos de los sacerdotes, vestidos de cilicio, al profeta Isaías, hijo de Amoz.

3 Y le dijeron: Así ha dicho Ezequías: Este día es día de angustia, de represión y de blasfemia; porque los hijos están a punto de nacer, y la que da a luz no tiene fuerzas.

4 Quizá oirá Jehová tu Dios todas las palabras del Rabsaces, al cual el rey de los asirios su señor ha enviado para injuriar al Dios vivo, y para vituperar con palabras, las cuales Jehová tu Dios ha oído; por tanto, eleva oración por el remanente que aún queda.

5 Vinieron, pues, los siervos del rey Ezequías a Isaías.

6 E Isaías les respondió: Así diréis a vuestro señor: Así dice Jehová; No temas por las palabras que has oído, con las cuales me han blasfemado los siervos del rey de Asiria.

7 He aquí pondré yo en él un espíritu, y oirá rumor, y se volverá a su tierra: y yo haré que en su tierra caiga a espada.

8 Y regresando el Rabsaces, halló al rey de Asiria combatiendo a Libna; porque había oído que se había ido de Laquis.

9 Y oyó decir de Tirhaca rey de Etiopía: He aquí es salido para hacerte guerra. Entonces volvió él, y envió embajadores a Ezequías, diciendo:

10 Así diréis a Ezequías rey de Judá: No te engañe tu Dios en quien tú confías, para decir: Jerusalén no será entregada en mano del rey de Asiria.

11 He aquí tú has oído lo que han hecho los reyes de Asiria a todas las tierras, destruyéndolas; ¿y serás tú librado?

12 ¿Acaso las libraron los dioses de las naciones que mis padres destruyeron, *es decir*, Gozán, y Harán, y Rezef, y los hijos de Edén que estaban en Telasar?

13 ¿Dónde *está* el rey de Hamat, el rey de Arfad, el rey de la ciudad de Sefarvaim, de Hena, y de Iva?

14 Y tomó Ezequías la carta de mano de los embajadores; y después que la hubo leído, subió a la casa de Jehová, y la extendió Ezequías delante de Jehová.

15 Y oró Ezequías delante de Jehová, diciendo: Jehová Dios de Israel, que habitas entre los querubines, solo tú eres Dios de todos los reinos de la tierra; tú hiciste el cielo y la tierra.

16 Inclina, oh Jehová, tu oído, y oye; abre, oh Jehová, tus ojos, y mira; y oye las palabras de Senaquerib, que ha enviado a blasfemar al Dios viviente.

17 Es verdad, oh Jehová, que los reyes de Asiria han destruido las naciones y sus tierras;

18 Y que pusieron en el fuego a sus dioses, por cuanto ellos no *eran* dioses, sino obra de manos de hombres, madera o piedra, y así los destruyeron.

19 Ahora pues, oh Jehová Dios nuestro, sálvanos, te suplico, de su mano, para que sepan todos los reinos de la tierra que sólo tú, Jehová, eres Dios.

20 Entonces Isaías hijo de Amoz envió a decir a Ezequías: Así dice Jehová, Dios de Israel: Lo que me rogaste acerca de Senaquerib rey de Asiria, he oído.

21 Ésta *es* la palabra que Jehová ha hablado contra él: Te ha menospreciado, te ha escarnecido la virgen hija de Sión; ha movido su cabeza detrás de ti la hija de Jerusalén.

22 ¿A quién has injuriado y a quién has blasfemado? ¿Y contra quién has alzado *tu* voz, y has alzado en alto tus ojos? Contra el Santo de Israel.

23 Por mano de tus mensajeros has proferido injuria contra el Señor, y has dicho: Con la multitud de mis carros he subido a las cumbres de los montes, a las cuestas del Líbano; y cortaré sus altos cedros, sus abetos más escogidos; y me alojaré en la morada más lejana, en el monte Carmelo.

24 Yo cavé y bebí las aguas extrañas, y con las plantas de mis pies sequé todos los ríos de los lugares sitiados.

25 ¿Nunca has oído que hace mucho tiempo yo lo hice, y que desde los días

de la antigüedad lo dispuse? Y ahora lo he hecho venir, y tú serás para hacer desolaciones, para reducir las ciudades fortificadas en montones de ruinas.

26 Y sus moradores fueron de corto poder, quebrantados y confundidos, fueron cual hierba del campo, como legumbre verde, como heno de los terrados, marchitado antes de su madurez.

27 Yo conozco tu sentarte, tu salir y tu entrar, y tu furor contra mí.

28 Por cuanto te has airado contra mí, y tu estruendo ha subido a mis oídos, yo por tanto pondré mi gancho en tu nariz, y mi freno en tus labios, y te haré volver por el camino por donde viniste.

29 Y esto te *será* por señal, *oh Ezequías*: Este año comerás lo que nacerá de suyo, y el segundo año lo que nacerá de suyo; y el tercer año sembrad y segad, plantad viñas y comed de su fruto.

30 Y lo que hubiere escapado, lo que habrá quedado de la casa de Judá, tornará a echar raíz abajo, y hará fruto arriba.

31 Porque saldrá de Jerusalén un remanente, y del monte de Sión los que escaparen: El celo de Jehová *de los ejércitos* hará esto.

32 Por tanto, Jehová dice así del rey de Asiria: No entrará en esta ciudad, ni echará saeta en ella; ni vendrá delante de ella escudo, ni será echado contra ella baluarte.

33 Por el camino que vino se volverá, y no entrará en esta ciudad, dice Jehová.

34 Porque yo ampararé a esta ciudad para salvarla, por amor a mí mismo, y por amor a David mi siervo.

35 Y aconteció que la misma noche salió el ángel de Jehová, e hirió en el campamento de los asirios ciento ochenta y cinco mil; y cuando se levantaron por la mañana, he aquí, todo *era* cuerpos de muertos.

36 Entonces Senaquerib, rey de Asiria partió, y fue y regresó a Nínive, donde se quedó.

37 Y aconteció que mientras él adoraba en el templo de Nisroc su dios, Adramelec y Sarezer sus hijos lo mataron a espada; y huyeron a

tierra de Ararat. Y reinó en su lugar Esar-hadón su hijo.

CAPÍTULO 20

En aquellos días Ezequías cayó enfermo de muerte, y vino a él el profeta Isaías, hijo de Amoz, y le dijo: Jehová dice así: Pon tu casa en orden, porque morirás, y no vivirás.

2 Entonces volvió él su rostro a la pared, y oró a Jehová, y dijo:

3 Te ruego, oh Jehová, te ruego que hagas memoria de que he andado delante de ti en verdad y con íntegro corazón, y que he hecho *las cosas* que te agradan. Y lloró Ezequías con gran lloro.

4 Y aconteció que antes que Isaías saliese hasta la mitad del patio, vino palabra de Jehová a Isaías, diciendo:

5 Vuelve, y di a Ezequías, príncipe de mi pueblo: Así dice Jehová, el Dios de David tu padre: Yo he oído tu oración, y he visto tus lágrimas; he aquí yo te sano; al tercer día subirás a la casa de Jehová.

6 Y añadiré a tus días quince años, y te libraré a ti y a esta ciudad de mano del rey de Asiria; y ampararé esta ciudad por amor de mí, y por amor de David mi siervo.

7 Y dijo Isaías: Tomad masa de higos. Y tomándola, la pusieron sobre la llaga, y sanó.

8 Y Ezequías había dicho a Isaías: ¿Qué señal *tendré* de que Jehová me sanará, y que subiré a la casa de Jehová al tercer día?

9 Y respondió Isaías: Esta señal tendrás de Jehová, de que Jehová hará esto que ha dicho: ¿Avanzará la sombra diez grados, o retrocederá diez grados?

10 Y Ezequías respondió: Fácil cosa es que la sombra decline diez grados: pero no que la sombra vuelva atrás diez grados.

11 Entonces el profeta Isaías clamó a Jehová; e hizo volver la sombra por los grados que había descendido en el reloj de Acaz, diez grados atrás.

12 En aquel tiempo Berodac-baladán hijo de Baladán, rey de Babilonia, envió cartas y un presente a Ezequías, porque había oído que Ezequías había caído enfermo.

13 Y Ezequías los oyó, y les mostró toda la casa de sus tesoros, plata, oro, y especiería, y preciosos ungüentos; y la casa de sus armas, y todo lo que había en sus tesoros: ninguna cosa quedó que Ezequías no les mostrase, así en su casa como en todo su señorío.

14 Entonces el profeta Isaías vino al rey Ezequías, y le dijo: ¿Qué dijeron aquellos varones, y de dónde vinieron a ti? Y Ezequías le respondió: De lejanas tierras han venido, de Babilonia.

15 Y él le volvió a decir: ¿Qué vieron en tu casa? Y Ezequías respondió: Vieron todo *lo* que *hay* en mi casa; nada quedó en mis tesoros que no les mostrase.

16 Entonces Isaías dijo a Ezequías: Oye palabra de Jehová:

17 He aquí vienen días, en que todo lo que *hay* en tu casa, y todo lo que tus padres han atesorado hasta hoy, será llevado a Babilonia, sin quedar nada, dice Jehová.

18 Y de tus hijos que saldrán de ti, que habrás engendrado, tomarán; y serán eunucos en el palacio del rey de Babilonia.

19 Entonces Ezequías dijo a Isaías: La palabra de Jehová que has hablado, es buena. Después dijo: ¿Mas no habrá paz y verdad en mis días?

20 Los demás hechos de Ezequías, y todo su poderío, y cómo hizo el estanque, y el conducto, y metió las aguas en la ciudad, ¿no están escritos en el libro de las crónicas de los reyes de Judá?

21 Y durmió Ezequías con sus padres, y reinó en su lugar Manasés su hijo.

CAPÍTULO 21

Doce años *tenía* Manasés cuando comenzó a reinar, y reinó en Jerusalén cincuenta y cinco años; el nombre de su madre *era* Hefziba.

2 E hizo *lo* malo ante los ojos de Jehová, según las abominaciones de las naciones que Jehová había echado delante de los hijos de Israel.

3 Porque él volvió a edificar los lugares altos que Ezequías su padre había derribado, y levantó altares a

Baal, e hizo una imagen de Asera, como había hecho Acab rey de Israel; y adoró a todo el ejército del cielo, y sirvió a aquellas cosas.

4 Asimismo edificó altares en la casa de Jehová, de la cual Jehová había dicho: Yo pondré mi nombre en Jerusalén.

5 Y edificó altares para todo el ejército del cielo en los dos atrios de la casa de Jehová.

6 Y pasó a su hijo por fuego, y miró en tiempos, y fue agorero, e instituyó encantadores y adivinos, multiplicando así el hacer lo malo ante los ojos de Jehová, para provocarlo a ira.

7 Y puso una imagen tallada de Asera que él había hecho, en la casa de la cual había Jehová dicho a David y a Salomón su hijo: Yo pondré mi nombre para siempre en esta casa, y en Jerusalén, a la cual escogí de todas las tribus de Israel:

8 Y no volveré a hacer que el pie de Israel sea movido de la tierra que di a sus padres, con tal que guarden y hagan conforme a todas las cosas que yo les he mandado, y conforme a toda la ley que mi siervo Moisés les mandó.

9 Mas ellos no escucharon; y Manasés los indujo a que hiciesen más mal que las gentes que Jehová destruyó delante de los hijos de Israel.

10 Y habló Jehová por medio de sus siervos los profetas, diciendo:

11 Por cuanto Manasés rey de Judá ha hecho estas abominaciones, y ha hecho más mal que todo lo que hicieron los amorreos que *fueron* antes de él, y también ha hecho pecar a Judá con sus ídolos;

12 por tanto, así dice Jehová el Dios de Israel: He aquí yo traigo *tal* mal sobre Jerusalén y sobre Judá, que el que lo oyere, le retiñirán ambos oídos.

13 Y extenderé sobre Jerusalén el cordel de Samaria, y la plomada de la casa de Acab; y yo limpiaré a Jerusalén como se limpia un plato, que se refriega y se pone boca abajo.

14 Y desampararé el resto de mi heredad, y los entregaré en manos de sus enemigos; y serán para presa y despojo de todos sus adversarios;

15 Por cuanto han hecho *lo* malo ante mis ojos, y me han provocado a ira, desde el día que sus padres salieron de Egipto hasta hoy.

16 Fuera de esto, derramó Manasés mucha sangre inocente en gran manera, hasta llenar a Jerusalén de un extremo a otro: además de su pecado con que hizo pecar a Judá, para que hiciese *lo* malo ante los ojos de Jehová.

17 Los demás hechos de Manasés, y todas las cosas que hizo, y su pecado que cometió, ¿no están escritos en el libro de las crónicas de los reyes de Judá?

18 Y durmió Manasés con sus padres, y fue sepultado en el huerto de su casa, en el huerto de Uza; y reinó en su lugar Amón su hijo.

19 Veintidós años tenía Amón cuando comenzó a reinar, y reinó dos años en Jerusalén. El nombre de su madre *era* Mesalemet hija de Harus de Jotba.

20 E hizo lo malo ante los ojos de Jehová, como había hecho Manasés su padre.

21 Y anduvo en todos los caminos en que su padre anduvo, y sirvió a los ídolos a los cuales había servido su padre, y a ellos adoró;

22 Y dejó a Jehová el Dios de sus padres, y no anduvo en el camino de Jehová.

23 Y los siervos de Amón conspiraron contra él, y mataron al rey en su casa.

24 Entonces el pueblo de la tierra mató a todos los que habían conspirado contra el rey Amón; y puso el pueblo de la tierra por rey en su lugar a Josías su hijo.

25 Los demás hechos de Amón, que él hizo, ¿no *están* escritos en el libro de las crónicas de los reyes de Judá?

26 Y fue sepultado en su sepulcro en el huerto de Uza, y reinó en su lugar Josías su hijo.

CAPÍTULO 22

Ocho años *tenía* Josías cuando comenzó a reinar, y reinó en Jerusalén treinta y un años. El nombre de su madre *fue* Jedida hija de Adaías de Boscat.

2 E hizo *lo* recto ante los ojos de Jehová, y anduvo en todo el camino de David su padre, sin apartarse ni a derecha ni a izquierda.

3 Y aconteció que a los dieciocho años del rey Josías, el rey envió a Safán, hijo de Azalías, hijo de Mesulam, escriba, a la casa de Jehová, diciendo:

4 Ve a Hilcías, sumo sacerdote: dile que recoja el dinero que se ha metido en la casa de Jehová, que han juntado del pueblo los guardianes de la puerta,

5 y que lo pongan en manos de los que hacen la obra, que tienen cargo de la casa de Jehová, y que lo entreguen a los que hacen la obra de la casa de Jehová, para reparar las grietas de la casa;

6 a los carpinteros, a los maestros y a los albañiles, para comprar madera y piedra de cantería para reparar la casa.

7 Y no se les pedía cuentas del dinero entregado en sus manos, porque ellos procedían con fidelidad.

8 Entonces dijo el sumo sacerdote Hilcías a Safán escriba: He hallado el libro de la ley en la casa de Jehová. E Hilcías dio el libro a Safán, y lo leyó.

9 Viniendo luego Safán escriba al rey, dio al rey la respuesta, y dijo: Tus siervos han juntado el dinero que se halló en el templo, y lo han entregado en poder de los que hacen la obra, que tienen cargo de la casa de Jehová.

10 Asimismo Safán escriba declaró al rey, diciendo: Hilcías el sacerdote me ha dado un libro. Y lo leyó Safán delante del rey.

11 Y sucedió que cuando el rey hubo oído las palabras del libro de la ley, rasgó sus vestiduras.

12 Luego mandó el rey a Hilcías el sacerdote, y a Ahicam hijo de Safán, y a Acbor hijo de Micaías, y a Safán escriba, y a Asaías siervo del rey, diciendo:

13 Id, y consultad a Jehová por mí, y por el pueblo, y por todo Judá, acerca de las palabras de este libro que se ha hallado; porque grande es la ira de Jehová que se ha encendido contra nosotros, por cuanto nuestros padres no escucharon las palabras de este libro, para hacer conforme a todo lo que nos fue escrito.

14 Entonces fue Hilcías el sacerdote, y Ahicam y Acbor y Safán y Asaías, a Hulda profetisa, esposa de Salum hijo de Ticva hijo de Araas, guarda de las vestiduras, la cual moraba en Jerusalén en la segunda parte de la ciudad, y hablaron con ella.

15 Y ella les dijo: Así dice Jehová el Dios de Israel: Decid al varón que os envió a mí:

16 Así dice Jehová: He aquí yo traigo mal sobre este lugar, y sobre los que en él moran, *según*, todas las palabras del libro que ha leído el rey de Judá:

17 Por cuanto me dejaron a mí, y quemaron incienso a dioses ajenos, provocándome a ira en toda obra de sus manos; y mi furor se ha encendido contra este lugar, y no se apagará.

18 Mas al rey de Judá que os ha enviado para que consultaseis a Jehová, diréis así: Así dice Jehová el Dios de Israel: Por cuanto oíste las palabras del libro,

19 y tu corazón se enterneció, y te humillaste delante de Jehová, cuando oíste lo que yo he pronunciado contra este lugar y contra sus moradores, que vendrían a ser asolados y malditos, y rasgaste tus vestiduras, y lloraste en mi presencia, también yo te he oído, dice Jehová.

20 Por tanto, he aquí yo te recogeré con tus padres, y tú serás recogido a tu sepulcro en paz, y no verán tus ojos todo el mal que yo traigo sobre este lugar. Y ellos dieron la respuesta al rey.

CAPÍTULO 23

Entonces el rey mandó que se reuniesen con él todos los ancianos de Judá y de Jerusalén.

2 Y subió el rey a la casa de Jehová con todos los varones de Judá, y con todos los moradores de Jerusalén, con los sacerdotes y profetas y con todo el pueblo, desde el más chico hasta el más grande; y leyó, oyéndolo ellos, todas las palabras del libro del pacto que había sido hallado en la casa de Jehová.

3 Y el rey se puso en pie junto a la columna, e hizo pacto delante de Jehová, de que irían en pos de Jehová, y guardarían sus mandamientos, y

sus testimonios, y sus estatutos con todo *su* corazón y con toda *su* alma, y que cumplirían las palabras del pacto que estaban escritas en aquel libro. Y todo el pueblo confirmó el pacto.

4 Entonces mandó el rey al sumo sacerdote Hilcías, y a los sacerdotes de segundo orden, y a los guardianes de la puerta, que sacasen del templo de Jehová todos los vasos que habían sido hechos para Baal, para Asera, y para todo el ejército del cielo; y los quemó fuera de Jerusalén en el campo de Cedrón, e hizo llevar las cenizas de ellos a Betel.

5 Y quitó a los sacerdotes idólatras que habían puesto los reyes de Judá para que quemasen incienso en los lugares altos en las ciudades de Judá, y en los alrededores de Jerusalén; asimismo a los que quemaban incienso a Baal, al sol y a la luna, y a los signos del zodiaco y a todo el ejército del cielo.

6 También sacó la imagen de Asera fuera de la casa de Jehová, fuera de Jerusalén, al torrente de Cedrón, y la quemó en el torrente de Cedrón, y la redujo a polvo, y echó el polvo de ella sobre los sepulcros de los hijos del pueblo.

7 Además derribó las casas de los sodomitas que *estaban* en la casa de Jehová, en las cuales las mujeres tejían pabellones para Asera.

8 E hizo venir todos los sacerdotes de las ciudades de Judá, y profanó los lugares altos donde los sacerdotes quemaban incienso, desde Gabaa hasta Beerseba; y derribó los altares de las puertas que *estaban* a la entrada de la puerta de Josué, gobernador de la ciudad, que estaban a la mano izquierda, a la puerta de la ciudad.

9 Pero los sacerdotes de los lugares altos no subían al altar de Jehová en Jerusalén, sólo comían panes sin levadura entre sus hermanos.

10 Asimismo profanó a Tofet, que *está* en el valle del hijo de Hinom, para que ninguno pasase su hijo o su hija por fuego a Moloc.

11 Quitó también los caballos que los reyes de Judá habían dedicado al sol a la entrada del templo de Jehová, junto a la cámara de Natán-melec eunuco, el cual tenía cargo de los ejidos; y quemó al fuego los carros del sol.

12 Derribó además el rey los altares que *estaban* sobre la azotea de la sala de Acaz, que los reyes de Judá habían hecho, y los altares que había hecho Manasés en los dos atrios de la casa de Jehová; y de allí corrió y arrojó el polvo en el torrente de Cedrón.

13 Asimismo profanó el rey los lugares altos que *estaban* delante de Jerusalén, a la mano derecha del monte de la destrucción, los cuales Salomón rey de Israel había edificado a Astarot, abominación de los sidonios, y a Quemos abominación de Moab, y a Milcom abominación de los hijos de Amón.

14 Y quebró las estatuas, y derribó las imágenes de Asera, y llenó el lugar de ellos de huesos de hombres.

15 Igualmente el altar que *estaba* en Betel, y el lugar alto que había hecho Jeroboam hijo de Nabat, el que hizo pecar a Israel, aquel altar y el alto destruyó; y quemó el lugar alto, y lo hizo polvo, y puso fuego a la imagen de Asera.

16 Y se volvió Josías, y viendo los sepulcros que *estaban* allí en el monte, envió y sacó los huesos de los sepulcros, y los quemó sobre el altar para contaminarlo, conforme a la palabra de Jehová que había profetizado el varón de Dios, el cual había anunciado estas cosas.

17 Y después dijo: ¿Qué monumento *es* éste que veo? Y los de la ciudad le respondieron: Éste *es* el sepulcro del varón de Dios que vino de Judá, y profetizó estas cosas que tú has hecho sobre el altar de Betel.

18 Y él dijo: Dejadlo; ninguno mueva sus huesos; y así fueron preservados sus huesos, y los huesos del profeta que había venido de Samaria.

19 Y todas las casas de los lugares altos que *estaban* en las ciudades de Samaria, las cuales habían hecho los reyes de Israel para provocar a ira *al Señor*, las quitó también Josías, e hizo de ellas como había hecho en Betel.

20 Mató además sobre los altares a todos los sacerdotes de los lugares altos que allí *estaban*, y quemó sobre

ellos huesos de hombres, y volvió a Jerusalén.

21 Entonces mandó el rey a todo el pueblo, diciendo: Haced la pascua a Jehová vuestro Dios, conforme *a lo que está* escrito en el libro de este pacto.

22 En verdad que no se había celebrado tal pascua desde los días de los jueces que gobernaron a Israel, ni en todos los días de los reyes de Israel, y de los reyes de Judá.

23 En el año dieciocho del rey Josías se celebró aquella pascua a Jehová en Jerusalén.

24 Asimismo barrió Josías los encantadores, los adivinos, las imágenes y los ídolos, y todas las abominaciones que se veían en la tierra de Judá y en Jerusalén, para cumplir las palabras de la ley que estaban escritas en el libro que el sacerdote Hilcías había hallado en la casa de Jehová.

25 No hubo antes otro rey como él que se convirtiese a Jehová con todo su corazón, y con toda su alma, y con todas sus fuerzas, conforme a toda la ley de Moisés; ni después de él se levantó *otro* igual.

26 Con todo, Jehová no desistió del furor de su grande ira con la cual se había encendido su enojo contra Judá, a causa de todas las provocaciones con que Manasés le había irritado.

27 Y dijo Jehová: También quitaré de mi presencia a Judá, como quité a Israel, y desecharé a esta ciudad que había escogido, a Jerusalén, y a la casa de la cual había yo dicho: Mi nombre estará allí.

28 Los demás hechos de Josías, y todo lo que hizo, ¿no está escrito en el libro de las crónicas de los reyes de Judá?

29 En aquellos días Faraón Necao rey de Egipto subió contra el rey de Asiria al río Éufrates, y salió contra él el rey Josías; pero aquél así que le vio, lo mató en Meguido.

30 Y sus siervos lo pusieron en un carro, y lo trajeron muerto de Meguido a Jerusalén, y lo sepultaron en su sepulcro. Entonces el pueblo de la tierra tomó a Joacaz hijo de Josías, y le ungieron y le pusieron por rey en lugar de su padre.

31 Veintitrés años *tenía* Joacaz cuando comenzó a reinar, y reinó tres meses en Jerusalén. El nombre de su madre *era* Amutal, hija de Jeremías de Libna.

32 E hizo *lo* malo ante los ojos de Jehová, conforme a todas las cosas que sus padres habían hecho.

33 Y Faraón Necao le encarceló en Ribla en la provincia de Hamat, para que no reinase él en Jerusalén; e impuso sobre la tierra un tributo de cien talentos de plata, y uno de oro.

34 Entonces Faraón Necao puso por rey a Eliaquim hijo de Josías, en lugar de Josías su padre, y le cambió el nombre por el de Joacim; y tomó a Joacaz, y *lo* llevó a Egipto, y allí murió.

35 Y Joacim pagó a Faraón la plata y el oro; e impuso gravamen sobre la tierra para dar el dinero conforme al mandamiento de Faraón, sacando la plata y el oro del pueblo de la tierra, de cada uno según la estimación de su hacienda, para dar a Faraón Necao.

36 Veinticinco años *tenía* Joacim cuando comenzó a reinar, y once años reinó en Jerusalén. El nombre de su madre *era* Zebuda hija de Pedaías, de Ruma.

37 E hizo *lo* malo ante los ojos de Jehová, conforme a todas las cosas que sus padres habían hecho.

CAPÍTULO 24

En su tiempo subió Nabuco-donosor rey de Babilonia, y Joacim vino a ser su siervo por tres años; pero luego volvió y se rebeló contra él.

2 Pero Jehová envió contra él tropas de caldeos, tropas de sirios, tropas de moabitas y tropas de amonitas; los cuales envió contra Judá para que la destruyesen, conforme a la palabra de Jehová que había hablado por sus siervos los profetas.

3 Ciertamente vino *esto* contra Judá por mandato de Jehová, para quitarla de su presencia, por los pecados de Manasés, conforme a todo lo que él hizo;

4 asimismo por la sangre inocente que derramó, pues llenó a Jerusalén de sangre inocente; lo cual Jehová no quiso perdonar.

5 Los demás hechos de Joacim, y todo lo que hizo, ¿no está escrito en el libro de las crónicas de los reyes de Judá?

6 Y durmió Joacim con sus padres, y reinó en su lugar Joaquín su hijo.

7 Y nunca más el rey de Egipto salió de su tierra; porque el rey de Babilonia le tomó todo lo que era suyo, desde el río de Egipto hasta el río Éufrates.

8 Dieciocho años *tenía* Joaquín cuando comenzó a reinar, y reinó en Jerusalén tres meses. El nombre de su madre *era* Neusta hija de Elnatán, de Jerusalén.

9 E hizo *lo* malo ante los ojos de Jehová, conforme a todas las cosas que había hecho su padre.

10 En aquel tiempo subieron los siervos de Nabucodonosor rey de Babilonia contra Jerusalén y la ciudad fue sitiada.

11 Vino también Nabucodonosor rey de Babilonia contra la ciudad, cuando sus siervos la tenían sitiada.

12 Entonces salió Joaquín rey de Judá al rey de Babilonia, él y su madre, sus siervos, sus príncipes y sus oficiales; y lo apresó el rey de Babilonia en el octavo año de su reinado.

13 Y sacó de allí todos los tesoros de la casa de Jehová, y los tesoros de la casa real, y quebró en piezas todos los vasos de oro que había hecho Salomón rey de Israel en la casa de Jehová, como Jehová había dicho.

14 Y llevó en cautiverio a toda Jerusalén, a todos los príncipes, y a todos los hombres valientes, hasta diez mil cautivos, y a todos los artesanos y herreros. No quedó nadie, excepto los pobres del pueblo de la tierra.

15 Asimismo llevó cautivos a Babilonia a Joaquín, y a la madre del rey, y a las esposas del rey, y a sus oficiales, y a los poderosos de la tierra; cautivos los llevó de Jerusalén a Babilonia.

16 A todos los hombres de guerra, que fueron siete mil, y a los artesanos y herreros, que fueron mil, y a todos los *hombres* fuertes y aptos para la guerra, llevó cautivos el rey de Babilonia.

Nabucodonosor sitia a Jerusalén

17 Y el rey de Babilonia puso por rey en lugar de Joaquín a Matanías su tío, y le cambió el nombre por el de Sedequías.

18 Veintiún años *tenía* Sedequías cuando comenzó a reinar, y reinó en Jerusalén once años. El nombre de su madre *era* Amutal hija de Jeremías, de Libna.

19 E hizo *lo* malo ante los ojos de Jehová, conforme a todo lo que había hecho Joacim.

20 Fue, pues, la ira de Jehová contra Jerusalén y Judá, hasta que los echó de su presencia. Y Sedequías se rebeló contra el rey de Babilonia.

CAPÍTULO 25

Y aconteció en el noveno año de su reinado, en el mes décimo, en el *día* diez del mes, que Nabucodonosor rey de Babilonia vino con todo su ejército contra Jerusalén, y la sitió; y levantaron contra ella baluartes alrededor.

2 Y la ciudad estuvo sitiada hasta el año undécimo del rey Sedequías.

3 A los nueve *días* del *cuarto* mes prevaleció el hambre en la ciudad, *hasta* que no hubo pan para el pueblo de la tierra.

4 Y abriendo una brecha en *el muro de* la ciudad, todos los hombres de guerra *huyeron* de noche por el camino de la puerta que estaba entre los dos muros, junto a los huertos del rey, estando los caldeos alrededor de la ciudad; y *el rey* se fue por el camino del desierto.

5 Y el ejército de los caldeos siguió al rey, y lo tomó en las llanuras de Jericó, habiéndose dispersado todo su ejército.

6 Y apresaron al rey y lo trajeron al rey de Babilonia a Ribla, y pronunciaron sentencia contra él.

7 Y degollaron a los hijos de Sedequías en presencia suya; y a Sedequías le sacaron los ojos, y atado con cadenas lo llevaron a Babilonia.

8 En el mes quinto, en el séptimo *día* del mes, siendo el año diecinueve de Nabucodonosor rey de Babilonia, vino a Jerusalén Nabuzaradán, capitán de la guardia, siervo del rey de Babilonia.

9 Y quemó la casa de Jehová, y la casa del rey, y todas las casas de Jerusalén; y todas las casas de los príncipes quemó a fuego.

10 Y todo el ejército de los caldeos que *estaba* con el capitán de la guardia, derribó los muros alrededor de Jerusalén.

11 Y a los del pueblo *que habían* quedado en la ciudad, y a los que se habían juntado al rey de Babilonia, con los que habían quedado del vulgo, los llevó cautivos Nabuzaradán, capitán de la guardia.

12 Mas de los pobres de la tierra dejó Nabuzaradán, capitán de la guardia, *para que* labrasen las viñas y las tierras.

13 Y quebraron los caldeos las columnas de bronce que *estaban* en la casa de Jehová, y las bases, y el mar de bronce que estaba en la casa de Jehová, y llevaron el bronce de ello a Babilonia.

14 También se llevaron las ollas, las paletas, las despabiladeras, los cucharones y todos los vasos de bronce con que ministraban.

15 Incensarios, cuencos, los que de oro, en oro, y los que de plata, en plata, todo lo llevó el capitán de la guardia.

16 Las dos columnas, un mar, y las bases que Salomón había hecho para la casa de Jehová; y del bronce de todos estos vasos, no había peso.

17 La altura de una columna *era* de dieciocho codos y *tenía* encima un capitel de bronce, y la altura del capitel era de tres codos; y sobre el capitel había una red y granadas alrededor, todo de bronce; y semejante obra había en la otra columna con la red.

18 Tomó entonces el capitán de la guardia a Seraías, el primer sacerdote, y a Sofonías, el segundo sacerdote y a los tres guardas de la puerta;

19 y de la ciudad tomó a un oficial que estaba a cargo de los hombres de guerra, y a cinco varones de los que estaban en la presencia del rey que se hallaban en la ciudad; y al principal escriba del ejército, que reclutaba la gente del país; y sesenta varones del pueblo de la tierra, que se hallaban en la ciudad.

20 Éstos tomó Nabuzaradán, capitán de la guardia, y los llevó a Ribla al rey de Babilonia.

21 Y el rey de Babilonia los hirió y mató en Ribla, en tierra de Hamat. Así fue trasportado Judá de sobre su tierra.

22 Y al pueblo que Nabucodonosor rey de Babilonia había dejado en tierra de Judá, puso por gobernador a Gedalías, hijo de Ahicam hijo de Safán.

23 Y oyendo todos los príncipes del ejército, ellos y su gente, que el rey de Babilonia había puesto por gobernador a Gedalías, vinieron a él en Mizpa, *esto es*, Ismael hijo de Netanías, y Johanán hijo de Carea, y Seraías hijo de Tanhumet netofatita, y Jaazanías hijo de un maacatita, ellos con los suyos.

24 Entonces Gedalías les hizo juramento, a ellos y a los suyos, y les dijo: No temáis de ser siervos de los caldeos; habitad en la tierra, y servid al rey de Babilonia, y os irá bien.

25 Pero sucedió que en el mes séptimo vino Ismael hijo de Netanías, hijo de Elisama, de la estirpe real, y con él diez varones, e hirieron a Gedalías, y murió; y también a los judíos y caldeos que estaban con él en Mizpa.

26 Y levantándose todo el pueblo, desde el menor hasta el mayor, con los capitanes del ejército, se fueron a Egipto por temor de los caldeos.

27 Y aconteció a los treinta y siete años del cautiverio de Joaquín rey de Judá, en el mes duodécimo, a los veintisiete *días* del mes, que Evil-merodac rey de Babilonia, en el primer año de su reinado, levantó la cabeza de Joaquín rey de Judá, sacándolo de la casa de la cárcel;

28 y le habló bien, y puso su asiento sobre el asiento de los reyes que *estaban* con él en Babilonia.

29 Y le cambió las vestiduras de su prisión, y comió siempre delante de él todos los días de su vida.

30 Y diariamente le fue dado su sustento de parte del rey, una porción para cada día, todos los días de su vida.

Libro Primero De
CRÓNICAS

CAPÍTULO 1

Adán, Set, Enós,
2 Cainán, Mahalaleel, Jared,
3 Enoc, Matusalén, Lamec,
4 Noé, Sem, Cam y Jafet.
5 Los hijos de Jafet: Gomer, Magog, Madai, Javán, Tubal, Mesec y Tiras.
6 Los hijos de Gomer: Askenaz, Rifat y Togarma.
7 Los hijos de Javán: Elisa, Tarsis, Quitim y Dodanim.
8 Los hijos de Cam: Cus, Mizraim, Fut y Canaán.
9 Los hijos de Cus: Seba, Havila, Sabta, Raama y Sabteca. Y los hijos de Raama: Seba y Dedán.
10 Cus engendró a Nimrod; éste comenzó a ser poderoso en la tierra.
11 Mizraim engendró a Ludim, Ananim, Lehabim, Naftuhim,
12 Patrusim y Casluhim; de éstos salieron los filisteos, y los caftoreos.
13 Canaán engendró a Sidón, su primogénito; y a Het,
14 al jebuseo, al amorreo, al gergeseo,
15 al heveo, al araceo, al sineo;
16 al arvadeo, al samareo y al hamateo.
17 Los hijos de Sem: Elam, Asur, Arfaxad, Lud, Aram, Uz, Hul, Geter y Mesec.
18 Arfaxad engendró a Sela, y Sela engendró a Heber.
19 Y a Heber nacieron dos hijos; el nombre del uno *fue* Peleg, por cuanto en sus días fue dividida la tierra; y el nombre de su hermano *fue* Joctán.
20 Y Joctán engendró a Elmodad, Selef, Hazarmavet y Jera,
21 A Adoram también; a Uzal, Dicla,
22 Ebal, Abimael, Seba,
23 Ofir, Havila y Jobab; todos hijos de Joctán.
24 Sem, Arfaxad, Sela,
25 Heber, Peleg, Reu,
26 Serug, Nacor, Taré,
27 y Abram, el cual *es* Abraham.
28 Los hijos de Abraham: Isaac e Ismael.

29 Y éstas *son* sus descendencias: El primogénito de Ismael, Nebaiot; después Cedar, Adbeel, Mibsam,
30 Misma, Duma, Massa, Hadad, Tema,
31 Jetur, Nafis y Cedema. Éstos son los hijos de Ismael.
32 Y Cetura, concubina de Abraham, dio a luz a Zimram, Jocsán, Medán, Madián, Isbac y a Súa. Los hijos de Jocsán: Seba y Dedán.
33 Los hijos de Madián: Efa, Efer, Enoc, Abida y Eldaa; todos éstos *fueron* hijos de Cetura.
34 Y Abraham engendró a Isaac; y los hijos de Isaac fueron Esaú e Israel.
35 Los hijos de Esaú: Elifaz, Reuel, Jeús, Jaalam y Coré.
36 Los hijos de Elifaz: Temán, Omar, Zefo, Gatam, Cenaz, Timna y Amalec.
37 Los hijos de Reuel: Nahat, Zera, Sama, y Miza.
38 Los hijos de Seir: Lotán, Sobal, Zibeón, Ana, Disón, Ezer y Disán.
39 Los hijos de Lotán: Hori y Homam; y Timna *fue* hermana de Lotán.
40 Los hijos de Sobal: Alván, Manahat, Ebal, Sefo y Onam. Los hijos de Zibeón: Aja y Ana.
41 Disón fue hijo de Ana; y los hijos de Disón; Hamrán, Esbán, Itrán y Querán.
42 Los hijos de Ezer: Bilhán, Zaaván y Jaacán. Los hijos de Disán: Uz y Arán.
43 Y éstos *son* los reyes que reinaron en la tierra de Edom, antes que reinase rey sobre los hijos de Israel. Bela, hijo de Beor; y el nombre de su ciudad *fue* Dinaba.
44 Y muerto Bela, reinó en su lugar Jobab, hijo de Zera, de Bosra.
45 Y muerto Jobab reinó en su lugar Husam, de la tierra de los temanitas.
46 Muerto Husam, reinó en su lugar Hadad, hijo de Bedad, el cual hirió a Madián en el campo de Moab; y el nombre de su ciudad *fue* Avit.

47 Muerto Hadad, reinó en su lugar Samla, de Masreca.

48 Muerto también Samla, reinó en su lugar Saúl de Rehobot, que está *junto al* río.

49 Y muerto Saúl, reinó en su lugar Baal-hanán, hijo de Acbor.

50 Y muerto Baal-hanán, reinó en su lugar Hadad, el nombre de cuya ciudad *fue* Pai; y el nombre de su esposa, Mehetabel, hija de Matred, hija de Mezaab.

51 Murió también Hadad. Y los duques de Edom fueron; el duque Timna, el duque Alva, el duque Jetet,

52 el duque Aholibama, el duque Ela, el duque Pinón,

53 el duque Cenaz, el duque Temán, el duque Mibzar,

54 el duque Magdiel y el duque Iram. Estos *fueron* los duques de Edom.

CAPÍTULO 2

Éstos *son* los hijos de Israel: Rubén, Simeón, Leví, Judá, Isacar, Zabulón,

2 Dan, José, Benjamín, Neftalí, Gad y Aser.

3 Los hijos de Judá: Er, Onán y Sela. *Éstos* tres le nacieron de la hija de Súa, cananea. Y Er, primogénito de Judá, fue malo delante de Jehová; y Él lo mató.

4 Y Tamar su nuera le dio a luz a Fares y a Zera. Todos los hijos de Judá *fueron* cinco.

5 Los hijos de Fares: Hezrón y Hamul.

6 Y los hijos de Zera; Zimri, Etán, Hemán, y Calcol y Darda; cinco en total.

7 Hijo de Carmi fue Acar, el que perturbó a Israel, porque prevaricó en el anatema.

8 Azarías fue hijo de Etán.

9 Los hijos que nacieron a Hezrón: Jerameel, Ram y Quelubai.

10 Y Ram engendró a Aminadab; y Aminadab engendró a Naasón, príncipe de los hijos de Judá;

11 y Naasón engendró a Salma, y Salma engendró a Boaz;

12 y Boaz engendró a Obed, y Obed engendró a Isaí;

13 e Isaí engendró a Eliab, su primogénito, y el segundo Abinadab, y Sima el tercero;

14 el cuarto Natanael, el quinto Radai;

15 el sexto Osem, el séptimo David;

16 de los cuales Sarvia y Abigail fueron hermanas. Los hijos de Sarvia *fueron* tres: Abisai, Joab y Asael.

17 Abigail dio a luz a Amasa, cuyo padre *fue* Jeter ismaelita.

18 Caleb hijo de Hezrón engendró *hijos* de Azuba *su* esposa, y de Jeriot. Y los hijos de ella *fueron* Jeser, Sobad y Ardón.

19 Y muerta Azuba, Caleb tomó por esposa a Efrata, la cual le dio a luz a Hur.

20 Y Hur engendró a Uri, y Uri engendró a Bezaleel.

21 Después entró Hezrón a la hija de Maquir padre de Galaad, la cual tomó siendo él de sesenta años, y ella le dio a luz a Segub.

22 Y Segub engendró a Jair, el cual tuvo veintitrés ciudades en la tierra de Galaad.

23 Y Gesur y Aram tomaron las ciudades de Jair de ellos, y a Kenat con sus aldeas, sesenta lugares. Todos éstos fueron de los hijos de Maquir padre de Galaad.

24 Y muerto Hezrón en Caleb de Efrata, Abía esposa de Hezrón le dio a luz a Asur padre de Tecoa.

25 Y los hijos de Jerameel primogénito de Hezrón fueron Ram su primogénito, Buna, Orem, Osem y Ahías.

26 Y tuvo Jerameel otra esposa llamada Atara, que *fue* madre de Onam.

27 Y los hijos de Ram primogénito de Jerameel fueron Maas, Jamín y Equer.

28 Y los hijos de Onam fueron Samai y Jada. Los hijos de Samai: Nadab y Abisur.

29 Y el nombre de la esposa de Abisur *fue* Abihail, la cual dio a luz a Abán y a Molib.

30 Y los hijos de Nadab: Seled y Apaim. Y Seled murió sin hijos.

31 E Isi fue hijo de Apaim; y Sesán, hijo de Isi; e hijo de Sesán, Ahlai.

32 Los hijos de Jada hermano de Samai: Jeter y Jonatán. Y murió Jeter sin hijos.

33 Y los hijos de Jonatán: Pelet y Zaza. Éstos fueron los hijos de Jerameel.

34 Y Sesán no tuvo hijos, sino hijas. Y Sesán tenía un siervo egipcio llamado Jara.

35 Y Sesán dio a su hija por esposa a Jarha su siervo; y ella le dio a luz a Atai.

36 Y Atai engendró a Natán, y Natán engendró a Zabad:

37 Y Zabad engendró a Eflal, y Eflal engendró a Obed;

38 y Obed engendró a Jehú, y Jehú engendró a Azarías;

39 y Azarías engendró a Heles, y Heles engendró a Elasa;

40 Elasa engendró a Sismai, y Sismai engendró a Salum;

41 y Salum engendró a Jecamía, y Jecamía engendró a Elisama.

42 Los hijos de Caleb hermano de Jerameel *fueron* Mesa su primogénito, que fue el padre de Zif; y los hijos de Maresa padre de Hebrón.

43 Y los hijos de Hebrón: Coré, Tapúa, Requem y Sema.

44 Y Sema engendró a Raham, padre de Jorcaam; y Requem engendró a Samai.

45 Maón *fue* hijo de Samai, y Maón padre de Bet-zur.

46 Y Efa, concubina de Caleb, dio a luz a Harán, a Mosa y a Gazez. Y Harán engendró a Gazez.

47 Y los hijos de Jahdai: Regem, Jotam, Gesán, Pelet, Efa y Saaf.

48 Maaca, concubina de Caleb, dio a luz a Sebet y a Tirana.

49 Y también dio a luz a Saaf padre de Madmana, y a Seva padre de Macbena y padre de Gibea. Y Acsa *fue* hija de Caleb.

50 Éstos fueron los hijos de Caleb, hijo de Hur, primogénito de Efrata: Sobal, padre de Quiriat-jearim;

51 Salma, padre de Belén; Haref, padre de Bet-gader.

52 Y los hijos de Sobal padre de Quiriat-jearim fueron Haroe, y la mitad de los manahetitas.

53 Y las familias de Quiriat-jearim fueron los itritas, y los futitas, y los samatitas, y los misraítas; de los cuales salieron los zoratitas y los estaolitas.

54 Los hijos de Salma: Belén, y los netofatitas, Atrot-bet-joab, la mitad de los manahetitas y los zoratitas.

55 Y las familias de los escribas, que moraban en Jabes, fueron los tirateos, simateos y los sucateos; los cuales son los cineos que vinieron de Hamat, padre de la casa de Recab.

CAPÍTULO 3

Éstos fueron los hijos de David, que le nacieron en Hebrón: Amnón el primogénito, de Ahinoam jezreelita; el segundo Daniel, de Abigail la carmelita;

2 el tercero, Absalón, hijo de Maaca hija de Talmai rey de Gesur; el cuarto, Adonías hijo de Haguit;

3 el quinto, Sefatías, de Abital; el sexto, Itream, de Egla su esposa.

4 *Estos* seis le nacieron en Hebrón, donde reinó siete años y seis meses; y en Jerusalén reinó treinta y tres años.

5 Estos cuatro le nacieron en Jerusalén: Sima, Sobab, Natán y Salomón, de Bet-súa hija de Amiel.

6 Y otros nueve: Ibhar, Elisama, Elifelet,

7 Noga, Nefeg, Jafía.

8 Elisama, Eliada y Elifelet.

9 Todos *éstos fueron* los hijos de David, sin los hijos de las concubinas. Y Tamar fue hermana de ellos.

10 Hijo de Salomón fue Roboam, cuyo hijo *fue* Abías, del cual fue hijo Asa, cuyo hijo fue Josafat;

11 de quien fue hijo Joram, cuyo hijo fue Ocozías, hijo del cual fue Joás;

12 del cual fue hijo Amasías, cuyo hijo fue Azarías, e hijo de éste, Jotam;

13 e hijo del cual fue Acaz, del que fue hijo Ezequías, cuyo hijo fue Manasés;

14 del cual fue hijo Amón, cuyo hijo fue Josías.

15 Y los hijos de Josías: Johanán su primogénito, el segundo Joacim, el tercero Sedequías, el cuarto Salum.

16 Los hijos de Joacim: Jeconías su hijo, hijo del cual fue Sedequías.

17 Y los hijos de Jeconías: Asir, Salatiel su hijo,

18 Malquiram, Pedaías, Seneaser, y Jecamía, Hosama y Nedabía.

19 Y los hijos de Pedaías: Zorobabel y Simeí. Y los hijos de Zorobabel: Mesulam, Hananías, y Selomit su hermana;

20 y Hasuba, Ohel, y Berequías, Hasadía y Jusabhesed; cinco.

21 Los hijos de Hananías: Pelatías, y Jesahías, hijo de Refaías, hijo de Arnán, hijo de Abdías, hijo de Secanías.

22 Hijos de Secanías fueron Semaías y los hijos de Semaías: Hatús, Igal, Barias, Nearías y Safat; seis.

23 Los hijos de Nearías fueron estos tres: Elioenai, Ezequías, y Azricam.

24 Los hijos de Elioenai *fueron estos* siete: Odavias, Eliasib, Pelaías, Acub, Johanán, Delaías y Anani.

CAPÍTULO 4

Los hijos de Judá: Fares, Hezrón, Carmi, Hur y Sobal.

2 Y Reaías hijo de Sobal, engendró a Jahat; y Jahat engendró a Ahumai y a Laad. Éstas *son* las familias de los zoratitas.

3 Y éstas *son* las del padre de Etam: Jezreel, Isma e Ibdas. Y el nombre de su hermana *fue* Haslelponi.

4 Y Peniel fue padre de Gedor, y Ezer padre de Husa. Éstos *fueron* los hijos de Hur, primogénito de Efrata, padre de Belén.

5 Y Asur padre de Tecoa tuvo dos esposas, Helea y Naara.

6 Y Naara le dio a luz a Auzam, y a Hefer, a Temeni y a Ahastari. Éstos *fueron* los hijos de Naara.

7 Y los hijos de Helea: Zeret, Jezoar y Etnán.

8 Y Cos engendró a Anob, y a Sobeba, y la familia de Aharhel hijo de Arum.

9 Y Jabes fue más ilustre que sus hermanos, al cual su madre llamó Jabes, diciendo: Por cuanto lo di a luz en dolor.

10 E invocó Jabes al Dios de Israel, diciendo: ¡Oh, que me dieras bendición, y ensancharas mi territorio, y que tu mano fuera conmigo y *me* libraras de mal, para que no me dañe! Y le otorgó Dios lo que pidió.

11 Y Quelub hermano de Súa engendró a Mehir, el cual *fue* padre de Estón.

12 Y Estón engendró a Bet-rafa, a Pasea, y a Tehina, padre de la ciudad de Nahas; éstos *son* los varones de Reca.

13 Los hijos de Cenaz: Otoniel y Seraías. Los hijos de Otoniel: Hatat,

14 y Meonotai, el cual engendró a Ofra; y Seraías engendró a Joab, padre de los habitantes en el valle llamado de Carisim, porque fueron artífices.

15 Los hijos de Caleb hijo de Jefone: Iru, Ela y Naham; e hijo de Ela, fue Cenaz.

16 Los hijos de Jehalelel: Zif, Zifas, Tirias y Asareel.

17 Y los hijos de Esdras: Jeter, Mered, Efer y Jalón; también engendró a Miriam, a Samai y a Isba, padre de Estemoa.

18 Y Jehudaía su esposa le dio a luz a Jered padre de Gedor, y a Heber padre de Soco, y a Icutiel padre de Zanoa. Éstos *fueron* los hijos de Bitia hija de Faraón, con la cual se casó Mered.

19 Y los hijos de la esposa de Odías, hermana de Naham, fueron el padre de Keila el garmita y Estemoa maacatita.

20 Y los hijos de Simón: Amnón, Rina, Ben-hanán y Tilón. Y los hijos de Isi: Zohet y Benzohet.

21 Los hijos de Sela, hijo de Judá: Er, padre de Leca, y Laada, padre de Maresa, y de la familia de la casa del oficio del lino en la casa de Asbea;

22 y Joacim, y los varones de Cozeba, Joás y Saraf, los cuales moraron en Moab, y Jasubi-lehem, que *son* palabras antiguas.

23 Éstos *fueron* alfareros y se hallaban en medio de plantíos y cercados, los cuales moraron allá con el rey en su obra.

24 Los hijos de Simeón: Nemuel, Jamín, Jarib, Zera, Saúl;

25 También Salum su hijo, Mibsam su hijo y Misma su hijo.

26 Los hijos de Misma: Hamuel su hijo, Zacur su hijo, y Simeí su hijo.

27 Los hijos de Simeí fueron dieciséis, y seis hijas; pero sus hermanos no tuvieron muchos hijos, ni multiplicaron toda su familia como los hijos de Judá.

28 Y habitaron en Beerseba, en Molada, en Hasar-sual,

29 en Bala, en Esem, en Tolad,

30 en Betuel, en Horma, en Siclag,

31 en Bet-marcabot, en Hasasusim, en Bet-birai y en Saaraim. Éstas *fueron* sus ciudades hasta el reino de David.

32 Y sus aldeas *fueron* Etam, Aín, Rimón, Toquén y Asán, cinco pueblos;

33 Y todas sus aldeas que *estaban* en contorno de estas ciudades hasta Baal. Ésta *fue* su habitación, y ésta su descendencia.

34 Y Mesobab, y Jamlec, y Josías hijo de Amasías;

35 Joel, y Jehú hijo de Josibias, hijo de Seraías, hijo de Aziel;

36 Y Elioenai, Jacoba, Jesohaía, Asaías, Adiel, Jesimiel, Benaía;

37 Y Ziza hijo de Sifi, hijo de Alón, hijo de Jedaía, hijo de Simri, hijo de Semaías.

38 Éstos por *sus* nombres *son* los principales que vinieron en sus familias, y que fueron multiplicados en gran manera en las casas de sus padres.

39 Y llegaron hasta la entrada de Gedor hasta el oriente del valle, buscando pastos para sus ganados.

40 Y hallaron gruesos y buenos pastos, y tierra ancha y espaciosa, quieta y reposada, porque *los* de Cam la habitaban de antes.

41 Y éstos que han sido escritos por sus nombres, vinieron en días de Ezequías rey de Judá, y desbarataron sus tiendas y las habitaciones que allí hallaron, y los destruyeron, hasta hoy, y habitaron allí en lugar de ellos; porque allí *había* pastos para sus ganados.

42 Y asimismo quinientos hombres de ellos, de los hijos de Simeón, se fueron al monte de Seir, llevando por capitanes a Pelatía, y a Nearías, y a Refaías y a Uziel, hijos de Isi;

43 y derrotaron a los que habían quedado de Amalec, y habitaron allí hasta hoy.

CAPÍTULO 5

Y los hijos de Rubén, primogénito de Israel (porque él *era* el primogénito, pero como violó el lecho de su padre, sus derechos de primogenitura fueron dados a los hijos de José, hijo de Israel; y no fue contado por primogénito.

2 Porque Judá prevaleció sobre sus hermanos, y de él *procedió* el príncipe; pero el derecho de primogenitura *era* de José),

3 fueron, *pues*, los hijos de Rubén, primogénito de Israel: Enoc, Falú, Hezrón y Carmi.

4 Los hijos de Joel: Semaías su hijo, Gog su hijo, Simeí su hijo;

5 Mica su hijo, Reaías su hijo, Baal su hijo;

6 Beera su hijo, el cual fue trasportado por Tiglat-pileser rey de los asirios. Éste *era* principal de los rubenitas.

7 Y sus hermanos por sus familias, cuando eran contados en sus descendencias, tenían por príncipes a Jeiel y a Zacarías.

8 Y Bela hijo de Azaz, hijo de Sema, hijo de Joel, habitó en Aroer hasta Nebo y Baal-meón.

9 Habitó también desde el oriente hasta la entrada del desierto desde el río Éufrates; porque su ganado se había multiplicado en la tierra de Galaad.

10 Y en los días de Saúl hicieron guerra contra los agarenos, los cuales cayeron en su mano; y ellos habitaron en sus tiendas sobre toda la *región* oriental de Galaad.

11 Y los hijos de Gad habitaron enfrente de ellos en la tierra de Basán hasta Salca.

12 Joel fue el principal en Basán, el segundo Safán, luego Jaanai, después Safat.

13 Y sus hermanos, según las familias de sus padres, *fueron* Micael, Mesulam, Seba, Jorai, Jacán, Zía y Heber; siete en total.

14 Éstos *fueron* los hijos de Abihail hijo de Huri, hijo de Jaroa, hijo de Galaad, hijo de Micael, hijo de Jesiaí, hijo de Jahdo, hijo de Buz.

15 También Ahí, hijo de Abdiel, hijo de Guni, fue principal en la casa de sus padres.

16 Los cuales habitaron en Galaad, en Basán y en sus aldeas, y en todos los ejidos de Sarón hasta salir de ellos.

17 Todos éstos fueron contados por genealogías en días de Jotam, rey de Judá, y en días de Jeroboam, rey de Israel.

18 Los hijos de Rubén y los gaditas, y la media tribu de Manasés, hombres valientes, hombres que traían escudo y espada, que entesaban arco, y diestros en la

guerra, *eran* cuarenta y cuatro mil setecientos sesenta que salían a batalla.

19 Y tuvieron guerra contra los agarenos, contra Jetur, Nafis y Nodab.

20 Y fueron ayudados contra ellos, y los agarenos se dieron en sus manos, y todos los que con ellos *estaban*; porque clamaron a Dios en la guerra, y les fue favorable, porque confiaron en Él.

21 Y tomaron sus ganados, cincuenta mil camellos, y doscientas cincuenta mil ovejas, dos mil asnos, y cien mil personas.

22 Y cayeron muchos muertos, porque la guerra *era* de Dios; y habitaron en sus lugares hasta el cautiverio.

23 Y los hijos de la media tribu de Manasés, multiplicados en gran manera, habitaron en la tierra, desde Basán hasta Baal-hermón, y Senir y el monte de Hermón.

24 Y éstas *fueron* las cabezas de las casas de sus padres: Efer, Isi, Eliel, Azriel, Jeremías, Odavías y Jadiel, hombres valientes y esforzados, varones de renombre y cabezas de las casas de sus padres.

25 Pero se rebelaron contra el Dios de sus padres, y se prostituyeron siguiendo a los dioses de los pueblos de la tierra, a los cuales Dios había destruido delante de ellos.

26 Por lo cual el Dios de Israel excitó el espíritu de Pul, rey de Asiria, y el espíritu de Tiglat-pileser, rey de Asiria, el cual transportó a los rubenitas y gaditas y a la media tribu de Manasés, y los llevó a Halah, a Habor, a Hara y al río de Gozán, hasta hoy.

CAPÍTULO 6

Los hijos de Leví: Gersón, Coat y Merari.

2 Los hijos de Coat: Amram, Izhar, Hebrón y Uziel.

3 Los hijos de Amram: Aarón, Moisés y Miriam. Los hijos de Aarón: Nadab, Abiú, Eleazar e Itamar.

4 Eleazar engendró a Finees, y Finees engendró a Abisúa;

5 y Abisúa engendró a Buqui, y Buqui engendró a Uzi;

6 y Uzi engendró a Zeraías, y Zeraías engendró a Meraiot;

7 y Meraiot engendró a Amarías, y Amarías engendró a Ahitob;

8 y Ahitob engendró a Sadoc, y Sadoc engendró a Ahimaas;

9 y Ahimaas engendró a Azarías, y Azarías engendró a Johanán;

10 y Johanán engendró a Azarías, el que tuvo el sacerdocio en la casa que Salomón edificó en Jerusalén;

11 y Azarías engendró a Amarías, y Amarías engendró a Ahitob;

12 y Ahitob engendró a Sadoc, y Sadoc engendró a Salum;

13 y Salum engendró a Hilcías, e Hilcías engendró a Azarías;

14 y Azarías engendró a Seraías, y Seraías, engendró a Josadac.

15 Y Josadac fue *cautivo* cuando Jehová trasportó a Judá y a Jerusalén, por mano de Nabucodonosor.

16 Los hijos de Leví: Gersón, Coat y Merari.

17 Y éstos *son* los nombres de los hijos de Gersón: Libni y Simeí.

18 Los hijos de Coat: Amram, Izhar, Hebrón y Uziel.

19 Los hijos de Merari: Mahali y Musi. Éstas *son* las familias de Leví, según sus descendencias.

20 Gersón: Libni su hijo, Jahat su hijo, Zima su hijo,

21 Joah su hijo, Iddo su hijo, Zera su hijo, Jeatrai su hijo.

22 Los hijos de Coat: Aminadab su hijo, Coré su hijo, Asir su hijo,

23 Elcana su hijo, Ebiasaf su hijo, Asir su hijo,

24 Tahat su hijo, Uriel su hijo, Uzías su hijo, y Saúl su hijo.

25 Los hijos de Elcana: Amasai, Ahimot y Elcana.

26 *En cuanto a* Elcana; los hijos de Elcana: Zuf su hijo, Nahat su hijo,

27 Eliab su hijo, Jeroham su hijo, Elcana su hijo.

28 Los hijos de Samuel: el primogénito Vasni y Abías.

29 Los hijos de Merari: Mahali, Libni su hijo, Simeí su hijo, Uza su hijo,

30 Sima su hijo, Haguía su hijo, Asaías su hijo.

31 Éstos *son* a los que David puso sobre el servicio del canto en la casa de Jehová, después que el arca tuvo reposo:

32 Los cuales servían delante de la tienda del tabernáculo de la congregación en el canto, hasta que Salomón edificó la casa de Jehová en Jerusalén; *después* estuvieron en su ministerio según su costumbre.

33 Éstos, *pues*, servían, con sus hijos. De los hijos de Coat, Hemán cantor, hijo de Joel, hijo de Samuel;

34 hijo de Elcana, hijo de Jeroham, hijo de Eliel, hijo de Toa;

35 hijo de Zuf, hijo de Elcana, hijo Mahat, hijo de Amasai;

36 hijo de Elcana, hijo de Joel, hijo de Azarías, hijo de Sofonías;

37 hijo de Tahat, hijo de Asir, hijo de Ebiasaf, hijo de Coré;

38 hijo de Izhar, hijo de Coat, hijo de Leví, hijo de Israel.

39 Y su hermano Asaf, el cual estaba a su mano derecha: Asaf, hijo de Berequías, hijo de Sima;

40 hijo de Micael, hijo de Baasías, hijo de Malquías;

41 hijo de Etni, hijo de Zera, hijo de Adaías;

42 hijo de Etán, hijo de Zima, hijo de Simeí;

43 hijo de Jahat, hijo de Gersón, hijo de Leví.

44 Y sus hermanos, los hijos de Merari, estaban a la mano izquierda, *esto es*, Etán hijo de Quisi, hijo de Abdi, hijo de Maluc;

45 hijo de Hasabías, hijo de Amasías, hijo de Hilcías;

46 hijo de Amasai, hijo de Bani, hijo de Semer;

47 hijo de Mahali, hijo de Musi, hijo de Merari, hijo de Leví.

48 Y sus hermanos los levitas *fueron* puestos sobre todo el ministerio del tabernáculo de la casa de Dios.

49 Mas Aarón y sus hijos quemaban ofrendas sobre el altar del holocausto, y sobre el altar del incienso, en toda la obra del lugar santísimo, y para hacer las expiaciones sobre Israel, conforme a todo lo que Moisés siervo de Dios había mandado.

50 Y los hijos de Aarón *son* éstos: Eleazar su hijo, Finees su hijo, Abisúa su hijo;

51 Buqui su hijo, Uzi su hijo, Zeraías su hijo;

52 Meraiot su hijo, Amarías su hijo, Ahitob su hijo;

53 Sadoc su hijo, Ahimaas su hijo.

54 Y éstas *son* sus habitaciones, conforme a sus domicilios y sus términos, las de los hijos de Aarón por las familias de los coatitas, porque de ellos les tocó en suerte.

55 Les dieron, pues, a Hebrón en tierra de Judá, y sus ejidos alrededor de ella.

56 Mas el territorio de la ciudad y sus aldeas se dieron a Caleb, hijo de Jefone.

57 Y a los hijos de Aarón dieron las ciudades de Judá, *esto es*, a Hebrón, *la ciudad* de refugio, además a Libna con sus ejidos; a Jatir y Estemoa con sus ejidos;

58 a Hilem con sus ejidos, y a Debir con sus ejidos;

59 a Asán con sus ejidos, y a Bet-semes con sus ejidos.

60 Y de la tribu de Benjamín, a Geba, con sus ejidos, y a Alemet con sus ejidos, y a Anatot con sus ejidos. Todas sus ciudades *fueron* trece ciudades, repartidas por sus linajes.

61 A los hijos de Coat, que quedaron de su parentela, dieron por suerte diez ciudades de la media tribu de Manasés.

62 Y a los hijos de Gersón, por sus linajes, dieron de la tribu de Isacar, de la tribu de Aser, de la tribu de Neftalí y de la tribu de Manasés en Basán, trece ciudades.

63 Y a los hijos de Merari, por sus linajes, de la tribu de Rubén, y de la tribu de Gad, y de la tribu de Zabulón, se dieron por suerte doce ciudades.

64 Y dieron los hijos de Israel a los levitas ciudades con sus ejidos.

65 Y dieron por suerte de la tribu de los hijos de Judá, y de la tribu de los hijos de Simeón, y de la tribu de los hijos de Benjamín, las ciudades que nombraron por *sus* nombres.

66 Y a los linajes de los hijos de Coat dieron ciudades con sus términos de la tribu de Efraín.

67 Y les dieron las ciudades de refugio, Siquem con sus ejidos en el monte de Efraín, y a Gezer con sus ejidos,

68 y a Jocmeam con sus ejidos, y a Bet-horón con sus ejidos,

69 a Ajalón con sus ejidos, y a Gat-rimón con sus ejidos.

70 De la media tribu de Manasés, a Aner con sus ejidos, y a Bilam con sus ejidos, para los del linaje de los hijos de Coat que habían quedado.

71 Y a los hijos de Gersón *dieron* de la familia de la media tribu de Manasés, a Golán en Basán con sus ejidos y a Astarot con sus ejidos;

72 y de la tribu de Isacar, a Cedes con sus ejidos, a Daberat con sus ejidos,

73 y a Ramot con sus ejidos, y a Anem con sus ejidos;

74 y de la tribu de Aser a Masal con sus ejidos, y a Abdón con sus ejidos,

75 y a Hucoc con sus ejidos, y a Rehob con sus ejidos.

76 Y de la tribu de Neftalí, a Cedes en Galilea con sus ejidos, y a Hamón con sus ejidos, a Quiriataim con sus ejidos.

77 Y a los hijos de Merari que habían quedado, *dieron* de la tribu de Zabulón a Rimón con sus ejidos, y a Tabor con sus ejidos.

78 Y del otro lado del Jordán frente a Jericó, al oriente del Jordán, *dieron* de la tribu de Rubén, a Beser en el desierto con sus ejidos; y a Jahaza con sus ejidos,

79 Y a Cademot con sus ejidos, y a Mefaat con sus ejidos.

80 Y de la tribu de Gad, a Ramot en Galaad con sus ejidos, y a Mahanaim con sus ejidos,

81 y a Hesbón con sus ejidos, y a Jazer con sus ejidos.

CAPÍTULO 7

Los hijos de Isacar *fueron* cuatro: Tola, Fúa, Jasub y Simrón.

2 Los hijos de Tola: Uzi, Refaías, Jeriel, Jamai, Jibsam y Samuel, cabezas en las familias de sus padres. De Tola *fueron* contados por sus linajes en el tiempo de David, veintidós mil seiscientos hombres muy valerosos.

3 Hijo de Uzi fue Izrahías; y los hijos de Izrahías: Micael, Abdías, Joel, e Isías, cinco; todos ellos príncipes.

4 Y había con ellos en sus linajes, por las familias de sus padres, treinta y seis mil *hombres* de guerra; por que tuvieron muchas esposas e hijos.

5 Y sus hermanos por todas las familias de Isacar, contados todos por sus genealogías, eran ochenta y siete mil hombres valientes en extremo.

6 *Los hijos* de Benjamín fueron tres: Bela, Bequer y Jediael.

7 Los hijos de Bela: Ezbón, Uzi, Uziel, Jerimot e Iri; cinco cabezas de casas paternas, hombres de gran valor, y de cuya descendencia fueron contados veintidós mil treinta y cuatro.

8 Los hijos de Bequer: Zemira, Joás, Eliezer, Elioenai, Omri, Jerimot, Abías, Anatot y Alemet; todos éstos *fueron* hijos de Bequer.

9 Y contados por sus descendencias, por sus linajes, los que eran cabezas de sus familias, resultaron veinte mil doscientos hombres de grande esfuerzo.

10 Hijo de Jediael fue Bilhán; y los hijos de Bilhán: Jeús, Benjamín, Aod, Quenaana, Zetán, Tarsis y Ahisahar.

11 Todos éstos fueron hijos de Jediael, cabezas de familias, hombres muy valerosos, diecisiete mil doscientos que salían a combatir en la guerra.

12 Y Supim y Hupim fueron hijos de Hir: y Husim, hijo de Aher.

13 Los hijos de Neftalí: Jahzeel, Guni, Jezer y Salum, hijos de Bilha.

14 Los hijos de Manasés: Asriel, el cual le dio a luz su concubina la siria, la cual también dio a luz a Maquir, padre de Galaad.

15 Y Maquir tomó por esposa *la hermana* de Hupim y Supim, cuya hermana *tuvo* por nombre Maaca; y el nombre del segundo *fue* Zelofehad. Y Zelofehad tuvo hijas.

16 Y Maaca esposa de Maquir le dio a luz un hijo, y le llamó Peres; y el nombre de su hermano *fue* Seres, cuyos hijos *fueron* Ulam y Requem.

17 Hijo de Ulam fue Bedán. Éstos *fueron* los hijos de Galaad, hijo de Maquir, hijo de Manasés.

18 Y su hermana Hamolequet dio a luz a Isod, y a Abiezer y Mahala.

19 Y los hijos de Semida fueron Ahián, Siquem, Likhi, y Aniam.

20 Los hijos de Efraín: Sutela, Bered su hijo, Tahat, Elada su hijo, Tahat su hijo,

21 Zabad su hijo, y Sutela su hijo, Ezer y Elad. Mas los hijos de Gat, naturales de *aquella* tierra, los

mataron, porque vinieron a quitarles sus ganados.

22 Y Efraín su padre hizo duelo por muchos días, y vinieron sus hermanos a consolarlo.

23 Y cuando él se llegó a su esposa, ella concibió y dio a luz un hijo, al cual puso por nombre Bería, por cuanto la aflicción había estado en su casa.

24 Y su hija *fue* Seera, la cual edificó a Bet-horón la baja y la alta, y a Uzen-seera.

25 Hijo de este Bería *fue* Refa y Resef, y Tela su hijo, y Tahán su hijo,

26 Laadán su hijo, Amiud su hijo, Elisama su hijo,

27 Nun su hijo, Josué su hijo.

28 Y la heredad y habitación de ellos *fue* Betel con sus aldeas; y hacia el oriente Naarán, y a la parte del occidente Gezer y sus aldeas; asimismo Siquem con sus aldeas, hasta Gaza y sus aldeas.

29 Y junto al territorio de los hijos de Manasés, Bet-seán con sus aldeas, Taanac con sus aldeas, Meguido con sus aldeas, Dor con sus aldeas. En estos lugares habitaron los hijos de José, hijo de Israel.

30 Los hijos de Aser: Imna, Isúa, Isúi, Bería, y su hermana Sera.

31 Los hijos de Bería: Heber, y Malquiel, el cual *fue* padre de Birzabit.

32 Y Heber engendró a Jaflet, Semer, Hotam, y Súa hermana de ellos.

33 Los hijos de Jaflet: Pasac, Bimhal y Asvat. Éstos *fueron* los hijos de Jaflet.

34 Y los hijos de Semer: Ahí, Roega, Jehúba y Aram.

35 Los hijos de Helem su hermano: Sofa, Imna, Seles y Amal.

36 Los hijos de Sofa: Súa, Harnafer, Sual, Beri, Imra,

37 Beser, Hod, Sama, Silsa, Itrán y Beera.

38 Los hijos de Jeter: Jefone, Pispa y Ara.

39 Y los hijos de Ula; Ara, y Haniel y Resia.

40 Y todos éstos *fueron* hijos de Aser, cabezas de familias paternas, escogidos, esforzados, cabezas de príncipes; y el número por sus linajes de entre los que podían tomar las armas *e* ir a la guerra *fue* veintiséis mil hombres.

CAPÍTULO 8

Benjamín engendró a Bela su primogénito, Asbel el segundo, Ara el tercero,

2 Noha el cuarto, y Rafa el quinto,

3 Y los hijos de Bela fueron Adar, Gera, Abiud,

4 Abisúa, Naamán, Ahoa,

5 Gera, Sefufán e Hiram.

6 Y éstos *son* los hijos de Aod, éstos son las cabezas paternas que habitaron en Geba, y fueron trasportados a Manahat:

7 Naamán, Ahías y Gera; éste los trasportó, y engendró a Uza y a Ahihud.

8 Y Saharaim engendró hijos en la provincia de Moab, después que dejó a Husim y a Baara que eran *sus* esposas.

9 Engendró, pues, de Hodes su esposa, a Jobab, Sibias, Mesa, Malcam,

10 Jeúz, Soquías y Mirma. Éstos *son* sus hijos, cabezas de familias.

11 Mas de Husim engendró a Abitob y a Elpaal.

12 Y los hijos de Elpaal: Heber, Misam y Semed (el cual edificó a Ono, y a Lod con sus aldeas),

13 Bería también, y Sema, que *fueron* las cabezas de las familias de los moradores de Ajalón, los cuales echaron a los moradores de Gat;

14 y Ahío, Sasac, Jeremot;

15 Zebadías, Arad, Ader;

16 Micael, Ispa y Joha, hijos de Bería;

17 Y Zebadías, Mesulam, Hizqui, Heber;

18 Ismari, Izlia y Jobab, hijos de Elpaal.

19 Y Jacim, Zicri, Zabdi;

20 Elioenai, Ziletai, Eliel;

21 Adaías, Baraías y Simrat, hijos de Simeí;

22 E Ispán, Heber, Eliel;

23 Abdón, Zicri, Hanán;

24 Hananías, Elam, Anatotías;

25 Ifdaías y Peniel, hijos de Sasac;

26 Y Samserai, Seharías, Atalía;

27 Jaarsías, Elías, Zicri, hijos de Jeroham.

28 Éstos *fueron* jefes principales de familias por sus linajes, y habitaron en Jerusalén.

29 Y en Gabaón habitaron el padre de Gabaón, la esposa del cual se llamó Maaca,

30 y su hijo primogénito, Abdón, luego Zur, Cis, Baal, Nadab,

31 Gedor, Ahío y Zequer.

32 Y Miclot engendró a Simea. Éstos también habitaron con sus hermanos en Jerusalén, enfrente de ellos.

33 Y Ner engendró a Cis, y Cis engendró a Saúl, y Saúl engendró a Jonatán, Malquisúa, Abinadab y Esbaal.

34 Hijo de Jonatán *fue* Merib-baal, y Merib-baal engendró a Micaía.

35 Los hijos de Micaía: Pitón, Melec, Taarea y Acaz.

36 Y Acaz engendró a Joada; y Joada engendró a Alemet, y a Azmavet y a Zimri; y Zimri engendró a Mosa;

37 y Mosa engendró a Bina, hijo del cual *fue* Rafa, hijo del cual fue Elasa, cuyo hijo fue Azel.

38 Y los hijos de Azel *fueron* seis, cuyos nombres son Azricam, Bocru, Ismael, Searías, Abdías y Hanán; todos éstos fueron hijos de Azel.

39 Y los hijos de Esec su hermano: Ulam su primogénito, Jeús el segundo, Elifelet el tercero.

40 Y fueron los hijos de Ulam hombres valientes y vigorosos, arqueros diestros, los cuales tuvieron muchos hijos y nietos, ciento cincuenta. Todos éstos *fueron* de los hijos de Benjamín.

CAPÍTULO 9

Y contado todo Israel por sus genealogías, *fueron* escritos en el libro de los reyes de Israel y de Judá, *que* fueron trasportados a Babilonia por su rebelión.

2 Los primeros moradores que entraron en sus posesiones en sus ciudades, *fueron* los israelitas, los sacerdotes, los levitas y los servidores del templo.

3 Y habitaron en Jerusalén de los hijos de Judá, de los hijos de Benjamín, de los hijos de Efraín y Manasés:

4 Utai hijo de Amiud, hijo de Omri, hijo de Imri, hijo de Bani, de los hijos de Fares hijo de Judá.

5 Y de Siloni, Asaías el primogénito y sus hijos.

6 Y de los hijos de Zera, Jehuel y sus hermanos, seiscientos noventa.

7 Y de los hijos de Benjamín: Salú hijo de Mesulam, hijo de Odavías, hijo de Asenúa;

8 Ibneías hijo de Jeroham, y Ela hijo de Uzi, hijo de Micri; y Mesulam hijo de Sefatías, hijo de Reuel, hijo de Ibnías.

9 Y sus hermanos según sus generaciones fueron novecientos cincuenta y seis. Todos estos hombres *fueron* cabezas de familia en las casas de sus padres.

10 Y de los sacerdotes: Jedaías, Joiarib, Jaquín;

11 y Azarías hijo de Hilcías, hijo de Mesulam, hijo de Sadoc, hijo de Meraiot, hijo de Ahitob, príncipe de la casa de Dios;

12 Adaías hijo de Jeroham, hijo de Pasur, hijo de Malquías; y Masai hijo de Adiel, hijo de Jazera, hijo de Mesulam, hijo de Mesilemit, hijo de Imer;

13 y sus hermanos, cabezas de las casas de sus padres, en número de mil setecientos sesenta, hombres de gran eficacia en la obra del ministerio en la casa de Dios.

14 Y de los levitas: Semaías, hijo de Hasub, hijo de Azricam, hijo de Hasabías, de los hijos de Merari;

15 y Bacbacar, Heres, y Galal, y Matanías hijo de Micaías, hijo de Zicri, hijo de Asaf;

16 y Abdías hijo de Semaías, hijo de Galal, hijo de Jedutún; y Berequías hijo de Asa, hijo de Elcana, el cual habitó en las aldeas de los netofatitas.

17 Y los porteros: Salum, Acub, Talmón, Ahimán y sus hermanos. Salum *era* el jefe.

18 Y hasta ahora entre las cuadrillas de los hijos de Leví han sido éstos los porteros en la puerta del Rey que está al oriente.

19 Y Salum hijo de Coré, hijo de Ebiasaf, hijo de Coré, y sus hermanos los coreítas por la casa de su padre, tuvieron cargo de la obra del ministerio, guardando las puertas del tabernáculo; así como sus padres *fueron* guardas de la entrada del campamento de Jehová.

20 Y Finees hijo de Eleazar fue antes capitán sobre ellos, y Jehová *era* con él.

21 Y Zacarías hijo de Meselemías era portero de la puerta del tabernáculo de la congregación.

22 Todos éstos, escogidos para guardas en las puertas, *eran* doscientos doce cuando fueron contados por el orden de sus linajes en sus aldeas, a los cuales constituyó en su oficio David y Samuel el vidente.

23 Así ellos y sus hijos *eran* porteros por sus turnos a las puertas de la casa de Jehová, y de la casa del tabernáculo.

24 Y estaban los porteros a los cuatro vientos, al oriente, al occidente, al norte y al sur.

25 Y sus hermanos que *estaban* en sus aldeas, venían cada siete días por sus tiempos con ellos.

26 Porque cuatro principales de los porteros levitas estaban en el oficio, y tenían cargo de las cámaras, y de los tesoros de la casa de Dios.

27 Éstos moraban alrededor de la casa de Dios, porque *tenían* el cargo de guardarla y de abrirla todas las mañanas.

28 Algunos de ellos tenían a su cargo los utensilios del ministerio, los cuales se metían por cuenta, y por cuenta se sacaban.

29 Y *otros* de ellos tenían el cargo de la vajilla, y de todos los utensilios del santuario, de la harina, del vino, del aceite, del incienso, y de las especias.

30 Y *algunos* de los hijos de los sacerdotes hacían los ungüentos aromáticos.

31 Y Matatías, *uno* de los levitas, primogénito de Salum coreíta, tenía a su cargo las cosas que se hacían en sartén.

32 Y *algunos* de los hijos de Coat, y de sus hermanos, *tenían* el cargo de los panes de la proposición, los cuales ponían por orden cada sábado.

33 Y de éstos *había* cantores, principales de familias de los levitas, *los cuales estaban* en sus cámaras exentos de otros servicios; porque de día y de noche estaban en *aquella* obra.

34 Éstos eran jefes de familias de los levitas por sus linajes, jefes que habitaban en Jerusalén.

35 Y en Gabaón habitaban Jeiel padre de Gabaón, el nombre de su esposa *era* Maaca;

36 y su hijo primogénito Abdón, luego Zur, Cis, Baal, Ner, Nadab;

37 Gedor, Ahío, Zacarías, y Miclot.

38 Y Miclot engendró a Samaán. Y éstos habitaban también en Jerusalén con sus hermanos enfrente de ellos.

39 Y Ner engendró a Cis, y Cis engendró a Saúl, y Saúl engendró a Jonatán, Malquisúa, Abinadab y Esbaal.

40 E hijo de Jonatán *fue* Merib-baal, y Merib-baal engendró a Micaía.

41 Y los hijos de Micaía: Pitón, Melec, Tarea y Acaz.

42 Acaz engendró a Jara, y Jara engendró a Alemet, Azmavet y Zimri; y Zimri engendró a Mosa;

43 y Mosa engendró a Bina, cuyo hijo fue Refaías, del que fue hijo Elasa, cuyo hijo fue Azel.

44 Y Azel tuvo seis hijos, los nombres de los cuales *son*: Azricam, Bocru, Ismael, Searías, Abdías y Hanán; éstos fueron los hijos de Azel.

CAPÍTULO 10

Los filisteos pelearon contra Israel; y huyeron delante de ellos los israelitas, y cayeron heridos en el monte de Gilboa.

2 Y los filisteos siguieron a Saúl y a sus hijos, y mataron los filisteos a Jonatán, y a Abinadab y a Malquisúa, hijos de Saúl.

3 Y arreció la batalla contra Saúl, y le alcanzaron los arqueros, y fue herido por los arqueros.

4 Entonces dijo Saúl a su escudero: Saca tu espada, y traspásame con ella, para que no vengan estos incircuncisos y hagan escarnio de mí; pero su escudero no quiso, porque tenía mucho miedo. Entonces Saúl tomó la espada, y se echó sobre ella.

5 Y cuando su escudero vio a Saúl muerto, él también se echó sobre su espada, y se mató.

6 Así murió Saúl, y sus tres hijos; y toda su casa murió juntamente con él.

7 Y viendo todos los de Israel que *habitaban* en el valle, que habían huido, y que Saúl y sus hijos eran muertos, dejaron sus ciudades y huyeron, y vinieron los filisteos y habitaron en ellas.

8 Y sucedió que al día siguiente, cuando los filisteos vinieron a despojar los muertos, hallaron a Saúl y a sus hijos tendidos en el monte de Gilboa.

9 Y luego que le despojaron, tomaron su cabeza y sus armas, y enviaron mensajeros por toda la tierra de los filisteos, para dar las nuevas a sus ídolos y al pueblo.

10 Y pusieron sus armas en el templo de sus dioses, y colgaron la cabeza en el templo de Dagón.

11 Y oyendo todos los de Jabes de Galaad lo que los filisteos habían hecho de Saúl,

12 se levantaron todos los hombres valientes, y tomaron el cuerpo de Saúl, y los cuerpos de sus hijos, y los trajeron a Jabes; y enterraron sus huesos debajo del alcornoque en Jabes, y ayunaron siete días.

13 Así murió Saúl por su rebelión con que prevaricó contra Jehová, contra la palabra de Jehová, la cual no guardó; y porque consultó a una pitonisa,

14 y no consultó a Jehová; por esta causa lo mató, y traspasó el reino a David, hijo de Isaí.

CAPÍTULO 11

Entonces todo Israel se juntó a David en Hebrón, diciendo: He aquí nosotros *somos* tu hueso y tu carne.

2 Y además antes de ahora, aún mientras Saúl reinaba, tú sacabas y metías a Israel. También Jehová tu Dios te ha dicho: Tú apacentarás a mi pueblo Israel, y tú serás príncipe sobre Israel mi pueblo.

3 Y vinieron todos los ancianos de Israel al rey en Hebrón, y David hizo con ellos pacto delante de Jehová; y ungieron a David por rey sobre Israel, conforme a la palabra de Jehová por medio de Samuel.

4 Entonces se fue David con todo Israel a Jerusalén, la cual *es* Jebús;

donde *estaban* los jebuseos que eran los habitantes de aquella tierra.

5 Y los moradores de Jebús dijeron a David: No entrarás acá. Pero David tomó la fortaleza de Sión, que *es* la ciudad de David.

6 Y David había dicho: El que primero hiriere al jebuseo, será cabeza y jefe. Entonces Joab hijo de Sarvia subió el primero, y fue hecho jefe.

7 Y David habitó en la fortaleza, y por esto la llamaron la ciudad de David.

8 Y edificó la ciudad alrededor, desde Milo hasta los alrededores. Y Joab reparó el resto de la ciudad.

9 Y David iba adelantando y creciendo, y Jehová de los ejércitos *era* con él.

10 Éstos *son* los principales de los valientes que David tuvo, y los que le ayudaron en su reino, con todo Israel, para hacerle rey sobre Israel, conforme a la palabra de Jehová.

11 Y éste *es* el número de los valientes que David tuvo: Jasobam hijo de Hacmoni, caudillo de los treinta, el cual blandió su lanza una vez contra trescientos, a los cuales mató.

12 Tras de éste *fue* Eleazar hijo de Dodo, ahohíta, el cual era de los tres valientes.

13 Éste estuvo con David en Pasdamim, estando allí juntos en batalla los filisteos: y había allí una parcela de tierra llena de cebada, y huyendo el pueblo delante de los filisteos,

14 se pusieron ellos en medio de la parcela, y la defendieron, y vencieron a los filisteos; y *los* favoreció Jehová con una gran victoria.

15 Y tres de los treinta principales descendieron a la peña a David, a la cueva de Adulam, estando el campamento de los filisteos en el valle de Refaim.

16 Y David *estaba* entonces en la fortaleza, y el destacamento de los filisteos *estaba* en Belén.

17 David deseó entonces, y dijo: ¡Quién me diera de beber de las aguas del pozo de Belén, que está a la puerta!

18 Y aquellos tres irrumpieron por el campamento de los filisteos, y

sacaron agua del pozo de Belén, que *está* a la puerta, y tomaron y *la* trajeron a David; mas él no la quiso beber, sino que la derramó a Jehová, y dijo:

19 Guárdeme mi Dios de hacer esto: ¿había yo de beber la sangre de estos varones que con riesgo de sus vidas la han traído? Y no la quiso beber. Esto hicieron aquellos tres valientes.

20 Y Abisai, hermano de Joab, era cabeza de los tres, el cual blandió su lanza contra trescientos, a *los cuales* mató; y tuvo renombre entre los tres.

21 De los tres fue más ilustre que los otros dos, pues era el capitán de ellos; pero no igualó a los tres *primeros*.

22 Benaía hijo de Joiada, hijo de un hombre valiente, de grandes hazañas, de Cabseel; que mató a dos hombres de Moab *que eran* fieros como leones; también descendió y mató a un león dentro de un foso, en tiempo de nieve.

23 Él mismo venció a un egipcio, hombre de cinco codos de estatura: y el egipcio traía una lanza como un rodillo de tejedor; mas descendió a él con un palo, y arrebató la lanza de la mano del egipcio y lo mató con su propia lanza.

24 Esto hizo Benaía hijo de Joiada, y fue nombrado entre los tres valientes.

25 Y fue el más distinguido de los treinta, pero no igualó a los tres *primeros*. A éste puso David en su consejo.

26 Y los valientes de los ejércitos: Asael hermano de Joab, y Elhanán hijo de Dodo de Belén;

27 Samot de Arori, Heles pelonita;

28 Ira hijo de Iques tecoíta, Abiezer anatotita;

29 Sibecai husatita, Ilai ahohíta;

30 Maharai netofatita, Heled hijo de Baana netofatita;

31 Itai hijo de Ribai de Gabaa de los hijos de Benjamín, Benaía piratonita;

32 Hurai de los arroyos de Gaas, Abiel arbatita;

33 Azmavet baharumita, Eliaba saalbonita;

34 Los hijos de Asem gizonita, Jonatán hijo de Sage ararita;

35 Ahiam hijo de Sacar ararita, Elifal hijo de Ur;

36 Hefer mequeratita, Ahías pelonita;

37 Hezro carmelita, Nahari hijo de Ezbai;

38 Joel hermano de Natán, Mibhar hijo de Agrai;

39 Selec amonita, Naharai berotita, escudero de Joab hijo de Sarvia;

40 Ira itrita, Gareb itrita;

41 Urías heteo, Zabad hijo de Ahlai;

42 Adina hijo de Siza rubenita, príncipe de los rubenitas, y con él treinta;

43 Hanán hijo de Maaca, y Josafat mitnita;

44 Uzías astarotita, Sama y Jeiel hijos de Hotam aroerita;

45 Jediael hijo de Simri, y Joha su hermano, tizita;

46 Eliel de Mahavi, Jeribai y Josabía hijos de Elnaam, e Itma moabita;

47 Eliel, y Obed, y Jasiel el mesobaíta.

CAPÍTULO 12

Éstos *son* los que vinieron a David a Siclag, estando él aún encerrado por causa de Saúl hijo de Cis, y *eran* de los valientes ayudadores de la guerra.

2 *Estaban* armados de arcos, y usaban de ambas manos para *tirar* piedras con honda, y saetas con arco. De los hermanos de Saúl de Benjamín:

3 El principal Ahiezer, después Joás, hijos de Semaa gabaatita; y Jeziel, y Pelet, hijos de Azmavet, y Beraca, y Jehú anatotita;

4 e Ismaías gabaonita, valiente entre los treinta, y más que los treinta; Jeremías, Jahaziel, Johanán, Jozabad gederatita,

5 Eluzai, y Jerimot, Bealías, Semarías, y Sefatías harufita;

6 Elcana, e Isías, y Azareel, y Joezer, y Jasobam, de Coré;

7 y Joela, y Zebadías, hijos de Jeroham de Gedor.

8 También de los de Gad se pasaron a David, estando en la fortaleza en el desierto, hombres de guerra muy valientes para pelear, dispuestos a hacerlo con escudo y lanza; sus rostros *eran como* rostros de leones, y *eran* ligeros como las gacelas sobre los montes.

9 Ezer el primero, Abdías el segundo, Eliab el tercero,

10 Mismana el cuarto, Jeremías el quinto,

11 Atai el sexto, Eliel el séptimo,

12 Johanán el octavo, Elzabad el noveno,

13 Jeremías el décimo, Macbani el undécimo.

14 Éstos *fueron* capitanes del ejército de los hijos de Gad. El menor *tenía* cargo de cien hombres, y el mayor de mil.

15 Éstos pasaron el Jordán en el mes primero, cuando había salido sobre todas sus riberas; e hicieron huir a todos *los* de los valles al oriente y al poniente.

16 Asimismo algunos de los hijos de Benjamín y de Judá vinieron a David a la fortaleza.

17 Y David salió a ellos, y les habló diciendo: Si habéis venido a mí para paz y para ayudarme, mi corazón será unido con vosotros; mas si para traicionarme en pro de mis enemigos, siendo mis manos sin iniquidad, véalo el Dios de nuestros padres, y lo demande.

18 Entonces el Espíritu invistió a Amasai, príncipe de treinta, *y dijo*: Por ti, oh David, y contigo, oh hijo de Isaí. Paz, paz contigo, y paz con tus ayudadores; pues que también tu Dios te ayuda. Y David los recibió, y los puso entre los capitanes de la cuadrilla.

19 También se pasaron a David *algunos* de Manasés, cuando vino con los filisteos a la batalla contra Saúl; pero no les ayudaron, porque los príncipes de los filisteos, habido consejo, lo despidieron, diciendo: Con *peligro* de nuestras cabezas se pasará a su señor Saúl.

20 Así que viniendo él a Siclag, se pasaron a él de los de Manasés, Adna, Jozabad, Micael, Jozabad, Jediael, Eliú y Ziletai, príncipes de millares de los de Manasés.

21 Éstos ayudaron a David contra la banda *de salteadores*; porque todos ellos eran hombres valientes, y fueron capitanes en el ejército.

22 Porque entonces todos los días venía ayuda a David, hasta *hacerse* un grande ejército, como ejército de Dios.

23 Y éste *es* el número de los principales que *estaban* listos para la guerra, y vinieron a David en Hebrón, para traspasarle el reino de Saúl, conforme a la palabra de Jehová:

24 De los hijos de Judá que traían escudo y lanza, seis mil ochocientos, listos para la guerra.

25 De los hijos de Simeón, hombres valientes y esforzados para la guerra, siete mil cien.

26 De los hijos de Leví, cuatro mil seiscientos;

27 asimismo Joiada, príncipe de los del linaje de Aarón, y con él tres mil setecientos;

28 y Sadoc, joven valiente y esforzado, con veintidós de los principales de la casa de su padre.

29 De los hijos de Benjamín hermanos de Saúl, tres mil; porque hasta aquel tiempo muchos de ellos se mantenían fieles a la casa de Saúl.

30 Y de los hijos de Efraín, veinte mil ochocientos, muy valientes, varones ilustres en las casas de sus padres.

31 De la media tribu de Manasés, dieciocho mil, los cuales fueron tomados por lista para venir a poner a David por rey.

32 Y de los hijos de Isacar, doscientos principales, entendidos en los tiempos, y que sabían lo que Israel debía hacer, cuyo dicho seguían todos sus hermanos.

33 Y de Zabulón cincuenta mil, que salían a campaña listos para la batalla, con todo tipo de armas de guerra, dispuestos a pelear sin doblez de corazón.

34 Y de Neftalí mil capitanes, y con ellos treinta y siete mil con escudo y lanza.

35 De los de Dan, dispuestos a pelear, veintiocho mil seiscientos.

36 Y de Aser, dispuestos para la guerra y preparados para pelear, cuarenta mil.

37 Y del otro lado del Jordán, de los rubenitas y de los gaditas y de la media tribu de Manasés, ciento veinte mil con todo tipo de armas de guerra.

38 Todos estos hombres de guerra, dispuestos para guerrear, vinieron con corazón perfecto a Hebrón, para poner a David por rey sobre todo

Israel; asimismo todos los demás de Israel *estaban* de un mismo ánimo para poner a David por rey.

39 Y estuvieron allí con David tres días comiendo y bebiendo, porque sus hermanos habían prevenido para ellos.

40 Y también los que les eran vecinos, hasta Isacar y Zabulón y Neftalí, trajeron pan en asnos, camellos, mulos y bueyes; y provisión de harina, masas de higos, y pasas, vino y aceite, bueyes y ovejas en abundancia, porque en Israel *había* alegría.

CAPÍTULO 13

Entonces David consultó con los capitanes de millares y de cientos, y con todos los jefes.

2 Y dijo David a toda la congregación de Israel: Si os *parece* bien y si *es la voluntad* de Jehová nuestro Dios, enviaremos por todas partes para llamar a nuestros hermanos que han quedado en todas las tierras de Israel, y a los sacerdotes y levitas que *están* con ellos en sus ciudades y ejidos que se unan con nosotros;

3 y traigamos el arca de nuestro Dios a nosotros, porque desde el tiempo de Saúl no hemos hecho caso de ella.

4 Y toda la congregación dijo que se hiciese así, porque la cosa parecía bien a todo el pueblo.

5 Entonces David reunió a todo Israel, desde Sihor de Egipto hasta entrar en Hamat, para que trajesen el arca de Dios de Quiriat-jearim.

6 Y subió David con todo Israel a Baala de Quiriat-jearim, que es en Judá, para pasar de allí el arca de Jehová Dios que habita *entre* los querubines, sobre la cual su nombre es invocado.

7 Y se llevaron el arca de Dios de la casa de Abinadab en un carro nuevo; y Uza y Ahío guiaban el carro.

8 Y David y todo Israel se regocijaban delante de Dios con todas *sus* fuerzas, con cánticos, arpas, salterios, tamboriles, címbalos y trompetas.

9 Y cuando llegaron a la era de Quidón, Uza extendió su mano para sostener el arca, porque los bueyes tropezaban.

10 Y el furor de Jehová se encendió contra Uza, y lo hirió, porque extendió su mano al arca; y murió allí delante de Dios.

11 Y David tuvo pesar, porque Jehová había quebrantado a Uza; por lo que llamó aquel lugar Pérez-uza, hasta hoy.

12 Y David temió a Dios aquel día, y dijo: ¿Cómo he de traer a mi *casa* el arca de Dios?

13 Y no trajo David el arca a su *casa*, en la ciudad de David, sino que la llevó a casa de Obed-edom geteo.

14 Y el arca de Dios estuvo en casa de Obed-edom, en su casa, tres meses; y bendijo Jehová la casa de Obed-edom, y todas las cosas que tenía.

CAPÍTULO 14

E Hiram rey de Tiro envió embajadores a David, y madera de cedro, y albañiles y carpinteros, que le edificasen una casa.

2 Y entendió David que Jehová lo había confirmado por rey sobre Israel, y que había exaltado su reino sobre su pueblo Israel.

3 Entonces David tomó más esposas en Jerusalén y engendró David más hijos e hijas.

4 Y éstos *son* los nombres de los que le nacieron en Jerusalén: Samúa, Sobab, Natán, Salomón,

5 Ibhar, Elisúa, Elifelet,

6 Noga, Nefeg, Jafía,

7 Elisama, Beeliada y Elifelet.

8 Y oyendo los filisteos que David había sido ungido por rey sobre todo Israel, subieron todos los filisteos en busca de David. Y como David *lo* oyó, salió contra ellos.

9 Y vinieron los filisteos y se extendieron por el valle de Refaim.

10 Entonces David consultó a Dios, diciendo: ¿Subiré contra los filisteos? ¿Los entregarás en mi mano? Y Jehová le dijo: Sube, que yo los entregaré en tus manos.

11 Subieron pues a Baal-perazim, y allí los hirió David. Dijo luego David: Dios rompió mis enemigos por mi mano, como se rompen las aguas. Por esto llamaron el nombre de aquel lugar Baal-perazim.

12 Y dejaron allí sus dioses, y David dijo que los quemasen.

13 Y volviendo los filisteos a extenderse por el valle,

14 David volvió a consultar a Dios, y Dios le dijo: No subas tras ellos, sino rodéalos, para venir a ellos por delante de los árboles de moras.

15 Y así que oigas venir un estruendo por las copas de los árboles de moras, sal luego a la batalla; porque Dios saldrá delante de ti, y herirá el ejército de los filisteos.

16 Hizo, pues, David como Dios le mandó, y derrotaron al ejército de los filisteos desde Gabaón hasta Gezer.

17 Y la fama de David fue divulgada por todas aquellas tierras; y Jehová puso temor de David sobre todas las naciones.

CAPÍTULO 15

Hizo también casas para sí en la ciudad de David, y labró un lugar para el arca de Dios, y le levantó una tienda.

2 Entonces dijo David: El arca de Dios no debe ser llevada sino por los levitas; porque a ellos ha escogido Jehová para que lleven el arca de Dios y le sirvan perpetuamente.

3 Y congregó David a todo Israel en Jerusalén, para que pasasen el arca de Jehová a su lugar, el cual le había él preparado.

4 Reunió también David a los hijos de Aarón y a los levitas:

5 De los hijos de Coat, Uriel el principal, y sus hermanos, ciento veinte.

6 De los hijos de Merari, Asaías el principal, y sus hermanos, doscientos veinte;

7 De los hijos de Gersón, Joel el principal, y sus hermanos, ciento treinta;

8 de los hijos de Elizafán, Semaías el principal, y sus hermanos, doscientos;

9 de los hijos de Hebrón, Eliel el principal, y sus hermanos, ochenta;

10 de los hijos de Uziel, Aminadab el principal, y sus hermanos, ciento doce.

11 Y llamó David a los sacerdotes Sadoc y a Abiatar, y a los levitas, Uriel, Asaías, Joel, Semaías, Eliel, y Aminadab;

12 y les dijo: Vosotros que *sois* los principales padres de los levitas, santificaos, vosotros y vuestros hermanos, y pasad el arca de Jehová Dios de Israel al *lugar* que le he preparado;

13 pues por no *haberlo* hecho así vosotros la primera vez, Jehová nuestro Dios nos quebrantó, por cuanto no le buscamos según la ordenanza.

14 Así los sacerdotes y los levitas se santificaron para traer el arca de Jehová Dios de Israel.

15 Y los hijos de los levitas trajeron el arca de Dios puesta sobre sus hombros en las barras, como lo había mandado Moisés conforme a la palabra de Jehová.

16 Asimismo dijo David a los principales de los levitas, que constituyesen de sus hermanos a cantores, con instrumentos de música, con salterios y arpas y címbalos, que resonasen y alzasen la voz con alegría.

17 Y los levitas constituyeron a Hemán hijo de Joel; y de sus hermanos, a Asaf hijo de Berequías; y de los hijos de Merari y de sus hermanos, a Etán hijo de Cusaías;

18 Y con ellos a sus hermanos del segundo *orden*, a Zacarías, Ben, Jaaziel, Semiramot, Jehiel, Uni, Eliab, Benaía, Maasías, Matatías, Elifelehu, Micnías, Obed-edom y Jeiel, los porteros.

19 Así Hemán, Asaf, y Etán, que *eran* cantores, sonaban címbalos de bronce.

20 Y Zacarías, Jaaziel, Semiramot, Jehiel, Uni, Eliab, Maasías, y Benaía, con salterios sobre Alamot.

21 Y Matatías, Elifelehu, Micnías, Obed-edom, Jeiel, y Azazías, cantaban con arpas en la octava sobresaliendo.

22 Y Quenanías, principal de los levitas, *estaba* para la entonación; pues él presidía en el canto, porque *era* entendido.

23 Y Berequías y Elcana *eran* porteros del arca.

24 Y Sebanías, Josafat, Natanael, Amasai, Zacarías, Benaía, y Eliezer,

sacerdotes, tocaban las trompetas delante del arca de Dios: Obed-edom y Jehías *eran* también porteros del arca.

25 David, pues, y los ancianos de Israel, y los capitanes de millares, fueron a traer el arca del pacto de Jehová, de casa de Obed-edom, con alegría.

26 Y sucedió que cuando Dios ayudó a los levitas que llevaban el arca del pacto de Jehová, ellos sacrificaron siete novillos y siete carneros.

27 Y David *iba* vestido de lino fino y también todos los levitas que llevaban el arca, y asimismo los cantores; y Quenanías era maestro de canto entre los cantores. Llevaba también David sobre sí un efod de lino.

28 De esta manera llevaba todo Israel el arca del pacto de Jehová, con júbilo y sonido de bocinas, y trompetas, y címbalos, y al son de salterios y arpas.

29 Y aconteció que cuando el arca del pacto de Jehová llegó a la ciudad de David, Mical, hija de Saúl, mirando por una ventana, vio al rey David que saltaba y danzaba; y lo menospreció en su corazón.

CAPÍTULO 16

Así trajeron el arca de Dios, y la pusieron en medio de la tienda que David había levantado para ella; y ofrecieron holocaustos y sacrificios de paz delante de Dios.

2 Y como David hubo acabado de ofrecer el holocausto y los sacrificios de paz, bendijo al pueblo en el nombre de Jehová.

3 Y repartió a todo Israel, así a hombres como a mujeres, a cada uno una torta de pan, y una pieza de carne, y un frasco *de vino*.

4 Y puso delante del arca de Jehová ministros de los levitas, para que recordasen y dieran gracias y loasen a Jehová Dios de Israel.

5 Asaf el primero, el segundo después de él Zacarías, Jeiel, Semiramot, Jehiel, Matatías, Eliab, Benaía, Obed-edom, y Jeiel, con sus instrumentos de salterios y arpas;

mas Asaf hacía sonido con címbalos.

6 También los sacerdotes Benaía y Jahaziel, *tocaban* continuamente las trompetas delante del arca del pacto de Dios.

7 Entonces, en aquel día, David dio *este salmo* para agradecer a Jehová, en la mano de Asaf y sus hermanos:

8 Dad gracias a Jehová, invocad su nombre, dad a conocer entre los pueblos sus obras.

9 Cantad a Él, cantadle salmos; hablad de todas sus maravillas.

10 Gloriaos en su santo nombre; alégrese el corazón de los que buscan a Jehová.

11 Buscad a Jehová y su fortaleza; buscad su rostro continuamente.

12 Haced memoria de sus maravillas que ha hecho, de sus prodigios, y de los juicios de su boca,

13 oh vosotros, simiente de Israel su siervo, hijos de Jacob, sus escogidos.

14 Jehová, Él *es* nuestro Dios; sus juicios *están* en toda la tierra.

15 Acordaos para siempre de su pacto, y de la palabra *que* Él mandó para mil generaciones;

16 *del pacto* que concertó con Abraham, y de su juramento a Isaac;

17 el cual confirmó a Jacob por estatuto, y a Israel *por* pacto sempiterno,

18 diciendo: A ti daré la tierra de Canaán, la porción de vuestra herencia;

19 cuando erais pocos en número, muy pocos, y peregrinos en ella;

20 y andaban de nación en nación, y de un reino a otro pueblo.

21 No permitió que nadie los oprimiese; antes por amor de ellos castigó a los reyes.

22 No toquéis, *dijo*, a mis ungidos, ni hagáis mal a mis profetas.

23 Cantad a Jehová, toda la tierra, anunciad de día en día su salvación.

24 Proclamad entre las naciones su gloria, y en todos los pueblos sus maravillas.

25 Porque grande *es* Jehová, y digno de suprema alabanza, y de ser temido sobre todos los dioses.

26 Porque todos los dioses de los pueblos *son* ídolos; pero Jehová hizo los cielos.

27 Gloria y hermosura *hay* en su presencia; fortaleza y alegría en su morada.

28 Dad a Jehová, oh familias de los pueblos, dad a Jehová gloria y poder.

29 Dad a Jehová la gloria *debida* a su nombre: Traed ofrenda, y venid delante de Él; adorad a Jehová en la hermosura de su santidad.

30 Temed ante su presencia toda la tierra: El mundo será aún establecido, para que no se conmueva.

31 Alégrense los cielos, y gócese la tierra, y digan en las naciones: ¡Jehová reina!

32 Resuene el mar, y su plenitud; alégrese el campo, y todo lo que hay en él.

33 Entonces cantarán los árboles de los bosques delante de Jehová, porque viene a juzgar la tierra.

34 Dad gracias a Jehová, porque *es* bueno; porque su misericordia es eterna.

35 Y decid: Sálvanos, oh Dios, salvación nuestra: Reúnenos, y líbranos de las naciones, para que confesemos tu santo nombre, y nos gloriemos en tus alabanzas.

36 Bendito *sea* Jehová Dios de Israel, desde la eternidad hasta eternidad. Y todo el pueblo dijo: Amén, y alabó a Jehová.

37 Y dejó allí, delante del arca del pacto de Jehová, a Asaf y a sus hermanos, para que ministrasen de continuo delante del arca, cada cosa en su día:

38 Y a Obed-edom y a sus hermanos, sesenta y ocho; y a Obed-edom hijo de Jedutún, y a Hosa, por porteros:

39 Asimismo a Sadoc el sacerdote, y a sus hermanos los sacerdotes, delante del tabernáculo de Jehová en el alto que *estaba* en Gabaón,

40 para que sacrificasen continuamente, a mañana y tarde, holocaustos a Jehová en el altar del holocausto, conforme a todo lo que está escrito en la ley de Jehová, que Él prescribió a Israel;

41 Y con ellos a Hemán y a Jedutún, y los otros escogidos declarados por sus nombres, para glorificar a Jehová, porque es eterna su misericordia.

42 Con ellos a Hemán y a Jedutún con trompetas y címbalos resonantes y con otros instrumentos de música de Dios; y a los hijos de Jedutún, por porteros.

43 Y todo el pueblo se fue cada uno a su casa; y David se volvió para bendecir su casa.

CAPÍTULO 17

Y aconteció que morando David en su casa, dijo David al profeta Natán: He aquí yo habito en casa de cedro, y el arca del pacto de Jehová debajo de cortinas.

2 Y Natán dijo a David: Haz todo lo que *está* en tu corazón, porque Dios *está* contigo.

3 Y sucedió que en aquella misma noche vino palabra de Dios a Natán, diciendo:

4 Ve y di a David mi siervo: Así dice Jehová: Tú no me edificarás casa en que habite:

5 Porque no he habitado en casa alguna desde el día que saqué a los hijos de Israel hasta hoy; antes estuve de tienda en tienda, y de tabernáculo *en tabernáculo*.

6 Dondequiera que anduve con todo Israel ¿hablé una palabra a alguno de los jueces de Israel, a los cuales mandé que apacentasen mi pueblo, para decirles: Por qué no me edificáis una casa de cedro?

7 Por tanto, ahora dirás a mi siervo David: Así dice Jehová de los ejércitos: Yo te tomé del redil, de detrás del rebaño, para que fueses príncipe sobre mi pueblo Israel;

8 y he estado contigo en todo cuanto has andado, y he talado a todos tus enemigos de delante de ti, y te he hecho gran nombre, como el nombre de los grandes que *hay* en la tierra.

9 Asimismo he dispuesto lugar a mi pueblo Israel, y lo he plantado para que habite en su lugar, y no sea más removido; ni los hijos de iniquidad lo consumirán más, como antes,

10 y desde el tiempo que puse los jueces sobre mi pueblo Israel; mas humillaré a todos tus enemigos. Además te hago saber que Jehová te edificará casa.

11 Y será que, cuando tus días fueren cumplidos para irte con tus padres,

levantaré tu simiente después de ti, que será uno de tus hijos; y afirmaré su reino.

12 Él me edificará casa, y yo confirmaré su trono eternamente.

13 Yo le seré por Padre, y él me será por hijo; y no quitaré de él mi misericordia, como *la* quité de *aquél* que fue antes de ti;

14 y yo lo afirmaré en mi casa y en mi reino eternamente; y su trono será firme para siempre.

15 Conforme a todas estas palabras, y conforme a toda esta visión, así habló Natán a David.

16 Y entró el rey David, y estuvo delante de Jehová, y dijo: Jehová Dios, ¿quién soy yo, y cuál *es* mi casa, que me has traído hasta este lugar?

17 Y *aun* esto, oh Dios, te ha parecido poco, pues que has hablado de la casa de tu siervo para tiempo futuro, y me has mirado como a un hombre excelente, oh Jehová Dios.

18 ¿Qué más puede añadir David pidiendo de ti para honrar a tu siervo? Pues tú conoces a tu siervo.

19 Oh Jehová, por amor de tu siervo y según tu corazón, has hecho toda esta grandeza, para hacer notorias todas tus grandezas.

20 Jehová, no *hay* semejante a ti, ni *hay* Dios sino tú, según todas las cosas que hemos oído con nuestros oídos.

21 ¿Y qué pueblo hay en la tierra como tu pueblo Israel, cuyo Dios fuese y se redimiese un pueblo, para hacerte nombre con grandezas y maravillas, echando las naciones de delante de tu pueblo, que tú rescataste de Egipto?

22 Tú has constituido a tu pueblo Israel por pueblo tuyo para siempre; y tú, Jehová, has venido a ser su Dios.

23 Ahora pues, Jehová, la palabra que has hablado acerca de tu siervo y de su casa, sea firme para siempre, y haz como has dicho.

24 Permanezca, pues, y sea engrandecido tu nombre para siempre, a fin de que se diga: Jehová de los ejércitos, Dios de Israel, *es* Dios para Israel. Y *sea* la casa de tu siervo David firme delante de ti.

25 Porque tú, Dios mío, revelaste al oído a tu siervo que le has de edificar casa; por eso ha hallado tu siervo motivo de orar delante de ti.

26 Ahora pues, Jehová, tú eres Dios, y has prometido a tu siervo este bien;

27 y ahora, ten a bien bendecir la casa de tu siervo, para que permanezca perpetuamente delante de ti; porque tú, Jehová, la has bendecido, y *será* bendita para siempre.

CAPÍTULO 18

Después de estas cosas aconteció que David derrotó a los filisteos, y los humilló; y tomó a Gat y sus aldeas de mano de los filisteos.

2 También derrotó a Moab; y los moabitas fueron siervos de David trayéndole presentes.

3 Asimismo hirió David a Hadad-ezer de Soba, en Hamat, yendo él a asegurar su dominio junto al río Éufrates.

4 Y les tomó David mil carros y siete mil hombres de a caballo y veinte mil hombres de a pie; y desjarretó David los *caballos* de todos los carros, excepto los de cien carros que dejó.

5 Y viniendo los sirios de Damasco en ayuda de Hadad-ezer rey de Soba, David hirió de los sirios veintidós mil hombres.

6 Y puso David *guarnición* en Siria de Damasco, y los sirios fueron hechos siervos de David, trayéndole presentes; porque Jehová daba victoria a David dondequiera que iba.

7 Tomó también David los escudos de oro que llevaban los siervos de Hadad-ezer, y los trajo a Jerusalén.

8 Asimismo de Tibhat y de Cun, ciudades de Hadad-ezer, tomó David muchísimo bronce, con el que Salomón hizo el mar de bronce, las columnas, y los utensilios de bronce.

9 Y oyendo Toi rey de Hamat, que David había deshecho todo el ejército de Hadad-ezer, rey de Soba,

10 envió a Adoram su hijo al rey David, a saludarle y a bendecirle por haber peleado con Hadad-ezer, y haberle vencido; porque Toi tenía guerra con Hadad-ezer. *Le envió* también toda clase de vasos de oro, de plata y de bronce;

11 los cuales el rey David dedicó a Jehová, con la plata y oro que había

tomado de todas las naciones, de Edom, de Moab, de los hijos de Amón, de los filisteos y de Amalec.

12 A más de esto Abisai hijo de Sarvia hirió en el valle de la Sal a dieciocho mil edomitas.

13 Y puso guarnición en Edom, y todos los edomitas fueron siervos de David; porque Jehová guardaba a David dondequiera que iba.

14 Y reinó David sobre todo Israel, y hacía juicio y justicia a todo su pueblo.

15 Y Joab hijo de Sarvia *era* general del ejército; y Josafat hijo de Ahilud, cronista.

16 Y Sadoc hijo de Ahitob, y Abimelec hijo de Abiatar *eran* sacerdotes; y Savsa era escriba;

17 y Benaía hijo de Joiada *era* sobre los cereteos y peleteos; y los hijos de David *eran* los príncipes cerca del rey.

CAPÍTULO 19

Después de estas cosas aconteció que murió Nahas rey de los hijos de Amón, y reinó en su lugar su hijo.

2 Y dijo David: Haré misericordia con Hanún hijo de Nahas, porque también su padre hizo conmigo misericordia. Así David envió embajadores que lo consolasen de la muerte de su padre. Mas venidos los siervos de David en la tierra de los hijos de Amón a Hanún, para consolarle,

3 los príncipes de los hijos de Amón dijeron a Hanún: ¿A tu parecer honra David a tu padre, que te ha enviado consoladores? ¿No vienen más bien sus siervos a ti para reconocer, e inquirir, y espiar la tierra?

4 Entonces Hanún tomó los siervos de David, y los rapó, y les cortó las vestiduras por la mitad, hasta las nalgas, y los despidió.

5 Y fueron *unos* y dijeron a David de cómo aquellos varones habían sido tratados; y él envió a recibirlos, porque estaban muy avergonzados. Y les hizo decir el rey: Estaos en Jericó hasta que os crezca la barba, y *entonces* volveréis.

6 Y viendo los hijos de Amón que se habían hecho odiosos a David, Hanún y los hijos de Amón enviaron

mil talentos de plata, para tomar a sueldo carros y gente de a caballo de Mesopotamia, de Siria, de Maaca y de Soba.

7 Y tomaron a sueldo treinta y dos mil carros, y al rey de Maaca y a su pueblo, los cuales vinieron y acamparon delante de Medeba. Y se juntaron también los hijos de Amón de sus ciudades, y vinieron a la guerra.

8 Oyéndolo David, envió a Joab con todo el ejército de los hombres valientes.

9 Y los hijos de Amón salieron, y ordenaron su tropa a la entrada de la ciudad; y los reyes que habían venido, *estaban* aparte en el campo.

10 Y viendo Joab que la batalla estaba contra él por el frente y por la retaguardia, escogió de los más aventajados que había en Israel, y ordenó *su escuadrón* contra los sirios.

11 Puso luego el resto de la gente en mano de Abisai su hermano, y los ordenó en batalla contra los amonitas.

12 Y dijo: Si los sirios fueren más fuertes que yo, tú me ayudarás; y si los amonitas fueren más fuertes que tú, yo te ayudaré.

13 Esfuérzate y mostremos hombría por nuestro pueblo, y por las ciudades de nuestro Dios; y que haga Jehová *lo que* bien le pareciere.

14 Se acercó luego Joab y el pueblo que *tenía* consigo, para pelear contra los sirios; mas ellos huyeron delante de él.

15 Y los hijos de Amón, viendo que los sirios habían huido, huyeron también ellos delante de Abisai su hermano, y entraron en la ciudad. Entonces Joab se volvió a Jerusalén.

16 Y viendo los sirios que habían caído delante de Israel, enviaron embajadores, y trajeron a los sirios que *estaban* al otro lado del río, cuyo capitán era Sofac, general del ejército de Hadad-ezer.

17 Luego que fue dado aviso a David, reunió a todo Israel, y pasando el Jordán vino a ellos, y ordenó contra ellos su ejército. Y como David hubo ordenado su tropa contra ellos, pelearon contra él los sirios.

18 Pero los sirios huyeron delante de Israel; y mató David de los sirios siete mil hombres de los carros, y cuarenta mil hombres de a pie; asimismo mató a Sofac, general del ejército.

19 Y viendo los sirios de Hadadezer que habían caído delante de Israel, concertaron paz con David, y fueron sus siervos; y nunca más quiso el sirio ayudar a los hijos de Amón.

CAPÍTULO 20

Y aconteció a la vuelta del año, en el tiempo que suelen los reyes salir *a la guerra*, que Joab sacó las fuerzas del ejército, y destruyó la tierra de los hijos de Amón, y vino y sitió a Rabá. Mas David estaba en Jerusalén; y Joab batió a Rabá, y la destruyó.

2 Entonces David tomó la corona del rey de ellos de sobre su cabeza, y la halló de peso de un talento de oro, y *había* en ella piedras preciosas; y fue puesta sobre la cabeza de David. Y además de esto sacó de la ciudad muy grande botín.

3 Sacó también al pueblo que *estaba* en ella y *les* hizo cortar con sierras, con trillos de hierro, y con hachas. Lo mismo hizo David a todas las ciudades de los hijos de Amón. Y se volvió David con todo el pueblo a Jerusalén.

4 Después de esto aconteció que se levantó guerra en Gezer contra los filisteos; e hirió Sibecai husatita a Sipai, del linaje de los gigantes; y fueron humillados.

5 Y se volvió a levantar guerra con los filisteos; e hirió Elhanán hijo de Jair a Lahmi, hermano de Goliat geteo, el asta de cuya lanza *era* como de un rodillo de telar.

6 Y volvió a haber guerra en Gat, donde hubo un hombre de *grande* estatura, el cual *tenía* seis dedos en pies y manos, veinticuatro en total; y también era hijo de un gigante.

7 Desafió él a Israel, mas lo mató Jonatán, hijo de Sima hermano de David.

8 Éstos fueron hijos del gigante de Gat, los cuales cayeron por mano de David y de sus siervos.

David cuenta a Israel
CAPÍTULO 21

Pero Satanás se levantó contra Israel, e incitó a David a que contase a Israel.

2 Y dijo David a Joab y a los príncipes del pueblo: Id, contad a Israel desde Beerseba hasta Dan, y traedme el número de ellos para que yo *lo* sepa.

3 Y dijo Joab: Añada Jehová a su pueblo cien veces más. Rey señor mío, ¿no *son* todos éstos siervos de mi señor? ¿Para qué procura mi señor esto, que será pernicioso a Israel?

4 Mas el mandamiento del rey pudo más que Joab. Salió, por tanto, Joab y recorrió todo Israel, y volvió a Jerusalén.

5 Y Joab dio la cuenta del número del pueblo a David. Y había en todo Israel un millón cien mil que sacaban espada, y de Judá cuatrocientos setenta mil hombres que sacaban espada.

6 Entre éstos no fueron contados los levitas, ni los hijos de Benjamín, porque Joab abominaba el mandamiento del rey.

7 Y esto desagradó a Dios, e hirió a Israel.

8 Y dijo David a Dios: He pecado gravemente en hacer esto; te ruego que hagas pasar la iniquidad de tu siervo, porque yo he hecho muy locamente.

9 Y habló Jehová a Gad, vidente de David, diciendo:

10 Ve, y habla a David, y dile: Así dice Jehová: Tres *cosas* te propongo; escoge de ellas una que yo haga contigo.

11 Y viniendo Gad a David, le dijo: Así dice Jehová: Escoge para ti;

12 o tres años de hambre; o por tres meses ser derrotado delante de tus enemigos, y que la espada de tus adversarios te alcance; o por tres días la espada de Jehová y pestilencia en la tierra, y que el ángel de Jehová destruya en todo el término de Israel. Mira, pues, qué he de responder al que me ha enviado.

13 Entonces David dijo a Gad: Estoy en grande angustia: ruego que yo caiga en la mano de Jehová; porque sus misericordias *son* muchas en extremo. Y que no caiga yo en manos de hombres.

14 Así Jehová envió pestilencia en Israel, y cayeron de Israel setenta mil hombres.

15 Y envió Jehová el ángel a Jerusalén para destruirla; pero cuando él estaba destruyendo, miró Jehová, y se arrepintió de aquel mal, y dijo al ángel que destruía: ¡Basta ya! Detén tu mano. Y el ángel de Jehová estaba junto a la era de Ornán el jebuseo.

16 Y alzando David sus ojos, vio al ángel de Jehová, que estaba entre el cielo y la tierra, teniendo una espada desenvainada en su mano, extendida sobre Jerusalén. Entonces David y los ancianos se postraron sobre sus rostros, cubiertos de cilicio.

17 Y dijo David a Dios: ¿No soy yo el que hizo contar el pueblo? Yo mismo soy el que pequé, y ciertamente he hecho mal; mas estas ovejas, ¿qué han hecho? Jehová Dios mío, sea ahora tu mano contra mí, y contra la casa de mi padre, y no haya plaga en tu pueblo.

18 Y el ángel de Jehová ordenó a Gad que dijese a David, que subiese y construyese un altar a Jehová en la era de Ornán jebuseo.

19 Entonces David subió, conforme a la palabra de Gad que le había dicho en nombre de Jehová.

20 Y volviéndose Ornán vio al ángel; por lo que se escondieron cuatro hijos suyos que con él estaban. Y Ornán trillaba el trigo.

21 Y viniendo David a Ornán, miró Ornán, y vio a David; y saliendo de la era, se postró en tierra ante David.

22 Entonces dijo David a Ornán: Dame este lugar de la era, para que edifique un altar a Jehová, y dámelo por su cabal precio, para que cese la plaga del pueblo.

23 Y Ornán respondió a David: Tómalo para ti, y haga mi señor el rey lo que bien le pareciere; y aun los bueyes daré para el holocausto, y los trillos para leña, y trigo para la ofrenda; yo lo doy todo.

24 Entonces el rey David dijo a Ornán: No, sino que efectivamente la compraré por su justo precio: porque no tomaré para Jehová lo que es tuyo, ni sacrificaré holocausto que nada me cueste.

25 Y dio David a Ornán por aquel lugar seiscientos siclos de oro por peso.

26 Y edificó allí David un altar a Jehová, en el que ofreció holocaustos y ofrendas de paz, e invocó a Jehová, el cual le respondió por fuego desde los cielos en el altar del holocausto.

27 Y Jehová habló al ángel, y éste volvió su espada a la vaina.

28 En aquel tiempo cuando David vio que Jehová le había respondido en la era de Ornán jebuseo, sacrificó allí.

29 Y el tabernáculo de Jehová que Moisés había hecho en el desierto, y el altar del holocausto, estaban entonces en el alto de Gabaón:

30 Pero David no pudo ir allá a consultar a Dios, porque estaba espantado a causa de la espada del ángel de Jehová.

CAPÍTULO 22

Y dijo David: Ésta será la casa de Jehová Dios, y éste será el altar del holocausto para Israel.

2 Después mandó David que se juntasen los extranjeros que estaban en la tierra de Israel, y señaló de entre ellos canteros que labrasen piedras para edificar la casa de Dios.

3 Asimismo preparó David mucho hierro para los clavos de las puertas, y para las junturas; y mucho bronce sin peso;

4 y madera de cedro en abundancia; porque los sidonios y tirios habían traído a David mucha madera de cedro.

5 Y dijo David: Salomón mi hijo es muchacho y tierno, y la casa que se ha de edificar a Jehová ha de ser magnífica por excelencia, para nombre y honra en todas las naciones; ahora, pues, yo le prepararé lo necesario. Y David antes de su muerte hizo grandes preparativos.

6 Llamó entonces David a Salomón su hijo, y le mandó que edificase casa a Jehová Dios de Israel.

7 Y dijo David a Salomón: Hijo mío, en mi corazón tuve el edificar templo al nombre de Jehová mi Dios.

8 Mas vino a mí palabra de Jehová, diciendo: Tú has derramado mucha sangre, y has traído grandes guerras;

no edificarás casa a mi nombre, porque has derramado mucha sangre en la tierra delante de mí.

9 He aquí, un hijo te nacerá, el cual será varón pacífico, porque yo le daré reposo de todos sus enemigos en derredor; por tanto, su nombre será Salomón; y yo daré paz y reposo sobre Israel en sus días:

10 Él edificará casa a mi nombre, y él me será a mí por hijo, y yo le *seré* por Padre; y afirmaré el trono de su reino sobre Israel para siempre.

11 Ahora pues, hijo mío, sea contigo Jehová, y seas prosperado, y edifiques casa a Jehová tu Dios, como Él ha dicho de ti.

12 Y Jehová te dé entendimiento y prudencia, y Él te dé mandamientos para Israel; y que tú guardes la ley de Jehová tu Dios.

13 Entonces serás prosperado, si cuidares de poner por obra los estatutos y derechos que Jehová mandó a Moisés para Israel. Esfuérzate, pues, y sé valiente; no temas, ni desmayes.

14 He aquí, yo en mi aflicción he preparado para la casa de Jehová cien mil talentos de oro, y un millar de millares de talentos de plata; y del bronce y del hierro no hay peso, porque es mucho. Asimismo he preparado madera y piedra, a lo cual tú añadirás.

15 Tú tienes contigo muchos obreros, canteros, albañiles, y carpinteros, y todo hombre experto en toda obra.

16 Del oro, de la plata, del bronce, y del hierro, no *hay* número. Levántate, *pues*, y manos a la obra, y Jehová sea contigo.

17 Asimismo mandó David a todos los principales de Israel que diesen ayuda a Salomón su hijo, *diciendo*:

18 ¿No *está* con vosotros Jehová vuestro Dios, el cual os ha dado reposo por todas partes? Porque Él ha entregado en mi mano a los moradores de la tierra, y la tierra ha sido sujetada delante de Jehová, y delante de su pueblo.

19 Poned, pues, ahora vuestros corazones y vuestros ánimos en buscar a Jehová vuestro Dios; y levantaos, y edificad el santuario de Jehová Dios, para traer el arca del pacto de Jehová, y los utensilios sagrados de Dios, a la casa edificada al nombre de Jehová.

CAPÍTULO 23

Siendo, pues, David ya viejo y lleno de días, hizo a Salomón su hijo rey sobre Israel.

2 Y juntando a todos los principales de Israel, y a los sacerdotes y levitas,

3 fueron contados los levitas de treinta años arriba; y fue el número de ellos por sus cabezas, contados uno a uno, treinta y ocho mil.

4 De éstos, veinticuatro mil para dar prisa a la obra de la casa de Jehová; y gobernadores y jueces, seis mil.

5 Además cuatro mil porteros; y cuatro mil para alabar a Jehová, *dijo David*, con los instrumentos que he hecho para rendir alabanzas.

6 Y los repartió David en órdenes conforme a los hijos de Leví, Gersón y Coat y Merari.

7 Los hijos de Gersón: Laadán, y Simei.

8 Los hijos de Laadán, tres: Jehiel el primero, después Zetam y Joel.

9 Los hijos de Simei, tres: Selomit, Haziel y Harán. Éstos *fueron* los príncipes de las familias de Laadán.

10 Y los hijos de Simei: Jahat, Zinat, Jeús y Bería. Estos cuatro *fueron* los hijos de Simei.

11 Jahat era el primero, Zinat el segundo; mas Jeús y Bería no tuvieron muchos hijos, por lo cual fueron contados por una familia.

12 Los hijos de Coat: Amram, Izhar, Hebrón, y Uziel, ellos cuatro.

13 Los hijos de Amram: Aarón y Moisés. Y Aarón fue apartado para ser dedicado a las cosas más santas, él y sus hijos para siempre, para que quemasen incienso delante de Jehová, y le ministrasen, y bendijesen en su nombre, para siempre.

14 Y los hijos de Moisés, varón de Dios, fueron contados en la tribu de Leví.

15 Los hijos de Moisés *fueron* Gersón y Eliezer.

16 Hijo de Gersón *fue* Sebuel el primero.

17 E hijo de Eliezer *fue* Rehabía el primero. Y Eliezer no tuvo otros

hijos; mas los hijos de Rehabía fueron muchos.

18 Hijo de Izhar fue Selomit el primero.

19 Los hijos de Hebrón: Jerías el primero, Amarías el segundo, Jahaziel el tercero, y Jecamán el cuarto.

20 Los hijos de Uziel: Mica el primero, e Isías el segundo.

21 Los hijos de Merari: Mahali y Musi. Los hijos de Mahali: Eleazar y Cis.

22 Y murió Eleazar sin hijos, mas tuvo hijas; y los hijos de Cis, sus parientes, las tomaron por esposas.

23 Los hijos de Musi: Mahali, Eder y Jerimot, ellos tres.

24 Éstos son los hijos de Leví en las familias de sus padres, cabeceras de familias en sus delineaciones, contados por sus nombres, por sus cabezas, los cuales hacían obra en el ministerio de la casa de Jehová, de veinte años arriba.

25 Porque David dijo: Jehová Dios de Israel ha dado reposo a su pueblo Israel, y el habitar en Jerusalén para siempre.

26 Y también los levitas no llevarán más el tabernáculo ni ninguno de sus utensilios para su servicio.

27 Así que, conforme a las postreras palabras de David, fue la cuenta de los hijos de Leví de veinte años arriba.

28 Y estaban bajo la mano de los hijos de Aarón, para ministrar en la casa de Jehová, en los atrios y en las cámaras, y en la purificación de toda cosa santificada, y en la demás obra del ministerio de la casa de Dios.

29 Asimismo para los panes de la proposición, y para la flor de harina para el sacrificio, y para las hojuelas sin levadura, y para lo que se prepara en sartén, y para lo tostado, y para toda medida y cuenta;

30 y para asistir cada mañana a dar gracias y alabar a Jehová, y asimismo a la tarde;

31 y para ofrecer todos los holocaustos a Jehová los sábados, lunas nuevas y fiestas solemnes, por número, conforme se les había ordenado, continuamente delante de Jehová.

32 Y para que tuviesen la guarda del tabernáculo de la congregación, y la guarda del santuario, y las órdenes de los hijos de Aarón sus hermanos, en el ministerio de la casa de Jehová.

CAPÍTULO 24

Éstos son los grupos de los hijos de Aarón. Los hijos de Aarón: Nadab, Abiú, Eleazar e Itamar.

2 Pero Nadab y Abiú murieron antes que su padre, y no tuvieron hijos; por lo cual Eleazar e Itamar ejercieron el sacerdocio.

3 Y David los repartió según la función de ellos en su ministerio, siendo Sadoc de los hijos de Eleazar, y Ahimelec de los hijos de Itamar.

4 Y de los hijos de Eleazar fueron hallados más varones principales que de los hijos de Itamar; y los repartieron así: De los hijos de Eleazar había dieciséis cabezas de familias paternas; y de los hijos de Itamar por las familias de sus padres, ocho.

5 Los repartieron, pues, por suerte los unos con los otros; porque de los hijos de Eleazar y de los hijos de Itamar hubo príncipes del santuario, y príncipes de la casa de Dios.

6 Y Semaías escriba, hijo de Natanael, de los levitas, los escribió delante del rey y de los príncipes, y delante de Sadoc el sacerdote, y de Ahimelec hijo de Abiatar, y de los príncipes de las familias de los sacerdotes y levitas, asignaban una familia para Eleazar, y otra para Itamar.

7 Y la primera suerte tocó a Joiarib, la segunda a Jedaías;

8 la tercera a Harim, la cuarta a Seorim;

9 la quinta a Malquías, la sexta a Miamín;

10 la séptima a Cos, la octava a Abías;

11 la novena a Jesúa, la décima a Secanías;

12 la undécima a Eliasib, la duodécima a Jacim;

13 la decimatercera a Upa, la decimacuarta a Isebeab;

14 la decimaquinta a Bilga, la decimasexta a Imer;

15 la decimaséptima a Hezir, la decimaoctava a Afses;

16 la decimanovena Petaías, la vigésima por Hezequiel;

17 la vigesimaprimera a Jaquín, la vigesimasegunda a Hamul;

18 la vigesimatercera a Delaías, la vigesimacuarta a Maazías.

19 Éste *fue* el orden para ellos en su ministerio, para que entrasen en la casa de Jehová, conforme a su ordenanza, bajo el mando de Aarón su padre, de la manera que le había mandado Jehová el Dios de Israel.

20 Y de los hijos de Leví que quedaron: Subael, de los hijos de Ámram; y de los hijos de Subael, Jehedías.

21 Y de los hijos de Rehabía, Isías el principal.

22 De los izharitas, Selemot; e hijo de Selemot, Jahat.

23 Y de los hijos *de Hebrón*; Jerías *el primero*, el segundo Amarías, el tercero Jahaziel, el cuarto Jecamán.

24 Hijo de Uziel, Micaía; e hijo de Micaía, Samir.

25 Hermano de Micaía, Isías; e hijo de Isías, Zacarías.

26 Los hijos de Merari: Mahali y Musi; hijo de Jaazía, Beno.

27 Los hijos de Merari por Jaazía: Beno, y Soam, Zacur e Ibri.

28 Y de Mahali, Eleazar, el cual no tuvo hijos.

29 Hijo de Cis, Jerameel.

30 Los hijos de Musi: Mahali, Eder y Jerimot. Éstos *fueron* los hijos de los levitas conforme a las casas de sus familias.

31 Éstos también echaron suertes, como sus hermanos los hijos de Aarón, delante del rey David, y de Sadoc y de Ahimelec, y de los príncipes de las familias de los sacerdotes y levitas; el principal de los padres igualmente que el menor de sus hermanos.

CAPÍTULO 25

Asimismo David y los príncipes del ejército apartaron para el ministerio a los hijos de Asaf, y de Hemán, y de Jedutún, para que profetizasen con arpas, salterios, y címbalos; y el número de ellos, hombres idóneos para la obra de su ministerio respectivo fue:

2 De los hijos de Asaf: Zacur, José, Netanías y Asareela, hijos de Asaf, bajo la dirección de Asaf, el cual profetizaba a la orden del rey.

3 De Jedutún: los hijos de Jedutún, Gedalías, Zeri, Jesahías, Hasabías y Matatías; seis, bajo la mano de su padre Jedutún, el cual profetizaba con arpa, para dar gracias y alabar a Jehová.

4 De Hemán: los hijos de Hemán, Buquía, Matanías, Uziel, Sebuel, Jerimot, Hananías, Hanani, Eliata, Gidalti, Romamti-ezer, Josbecasa, Maloti, Otir y Mahaziot.

5 Todos éstos *fueron* hijos de Hemán, vidente del rey en palabras de Dios, para exaltar su poder: y dio Dios a Hemán catorce hijos y tres hijas.

6 Y todos éstos *estaban* bajo la dirección de su padre en la música, en la casa de Jehová, con címbalos, salterios y arpas, para el ministerio del templo de Dios, por disposición del rey acerca de Asaf, de Jedutún, y de Hemán.

7 Y el número de ellos con sus hermanos instruidos en música de Jehová, todos los aptos, fue doscientos ochenta y ocho.

8 Y echaron suertes para los turnos del servicio, entrando el pequeño con el grande, lo mismo el maestro que el discípulo.

9 Y la primera suerte tocó por Asaf, a José: la segunda a Gedalías, quien con sus hermanos e hijos *fueron* doce;

10 la tercera a Zacur, *con* sus hijos y sus hermanos, doce;

11 la cuarta a Isri, *con* sus hijos y sus hermanos, doce;

12 la quinta a Netanías, *con* sus hijos y sus hermanos, doce;

13 la sexta a Buquía, *con* sus hijos y sus hermanos, doce;

14 la séptima a Jesarela, *con* sus hijos y sus hermanos, doce;

15 la octava a Jesahías, *con* sus hijos y sus hermanos, doce;

16 la novena a Matanías, *con* sus hijos y sus hermanos, doce;

17 la décima a Simeí, *con* sus hijos y sus hermanos, doce;

18 la undécima a Azareel, *con* sus hijos y sus hermanos, doce;

19 la duodécima a Hasabías, con sus hijos y sus hermanos, doce;

20 la decimatercera a Subael, con sus hijos y sus hermanos, doce;

21 la decimacuarta a Matatías, con sus hijos y sus hermanos, doce;

22 la decimaquinta a Jerimot, con sus hijos y sus hermanos, doce;

23 la decimasexta a Hananías, con sus hijos y sus hermanos, doce;

24 la decimaséptima a Josbecasa, con sus hijos y sus hermanos, doce;

25 la decimaoctava a Hanani, con sus hijos y sus hermanos, doce;

26 la decimanovena a Maloti, con sus hijos y sus hermanos, doce;

27 la vigésima a Eliata, con sus hijos y sus hermanos, doce;

28 la vigesimaprimera a Otir, con sus hijos y sus hermanos, doce;

29 la vigesimasegunda a Gidalti, con sus hijos y sus hermanos, doce;

30 la vigesimatercera a Mahaziot, con sus hijos y sus hermanos, doce;

31 la vigesimacuarta a Romamti-ezer, con sus hijos y sus hermanos, doce.

CAPÍTULO 26

En cuanto a la distribución de los porteros: De los coreítas; Meselemías hijo de Coré, de los hijos de Asaf.

2 Los hijos de Meselemías: Zacarías el primogénito, Jediael el segundo, Zebadías el tercero, Jatnael el cuarto;

3 Elam el quinto, Johanán el sexto, Elioenai el séptimo.

4 Los hijos de Obed-edom: Semaías el primogénito, Jozabad el segundo, Joah el tercero, el cuarto Sacar, el quinto Natanael;

5 el sexto Amiel, el séptimo Isacar, el octavo Peultai; porque Dios había bendecido a Obed-edom.

6 También de Semaías su hijo nacieron hijos que fueron señores sobre la casa de sus padres; porque eran varones muy valerosos.

7 Los hijos de Semaías: Otni, Rafael, Obed, Elzabad, y sus hermanos, hombres esforzados; asimismo Eliú, y Samaquías.

8 Todos éstos de los hijos de Obed-edom; ellos con sus hijos y sus hermanos, hombres robustos y fuertes para el ministerio; sesenta y dos, de Obed-edom.

9 Y los hijos de Meselemías y sus hermanos, dieciocho hombres valientes.

10 De Hosa, de los hijos de Merari: Simri el principal (aunque no era el primogénito, mas su padre lo hizo el jefe),

11 el segundo Hilcías, el tercero Tebelías, el cuarto Zacarías; todos los hijos de Hosa y sus hermanos fueron trece.

12 Entre éstos se hizo la distribución de los porteros, alternando los principales de los varones en la guardia con sus hermanos, para servir en la casa de Jehová.

13 Y echaron suertes, el pequeño con el grande, por las casas de sus padres, para cada puerta.

14 Y cayó la suerte al oriente a Selemías. Y a Zacarías su hijo, consejero entendido, metieron en las suertes; y salió la suerte suya al norte.

15 Y a Obed-edom, al sur; y a sus hijos, la casa de las provisiones.

16 A Supim y Hosa al occidente, con la puerta de Salequet al camino de la subida, guardia contra guardia.

17 Al oriente seis levitas, al norte cuatro de día; al sur cuatro de día; y a la casa de provisiones, de dos en dos.

18 En Pabor al occidente, había cuatro en el camino, y dos en Pabor.

19 Éstos son los repartimientos de los porteros, hijos de los coreítas, y de los hijos de Merari.

20 Y de los levitas, Ahías tenía cargo de los tesoros de la casa de Dios, y de los tesoros de las cosas santificadas.

21 Cuanto a los hijos de Laadán, hijos de Gersón; de Laadán, los príncipes de las familias de Laadán fueron Gersón y Jehieli.

22 Los hijos de Jehieli, Zetam y Joel su hermano, tuvieron cargo de los tesoros de la casa de Jehová.

23 Acerca de los amramitas, de los izharitas, de los hebronitas, y de los uzielitas,

24 Sebuel hijo de Gersón, hijo de Moisés, era principal sobre los tesoros.

25 En orden a su hermano Eliezer, hijo de éste era Rehabía, hijo de éste Jesahías, hijo de éste Joram, hijo de éste Zicri, del que fue hijo Selomit.

26 Este Selomit y sus hermanos *tenían* cargo de todos los tesoros de todas las cosas santificadas, que había consagrado el rey David, y los príncipes de las familias, y los capitanes de millares y de centenas, y los jefes del ejército;

27 de lo que habían consagrado de las guerras, y de los botines, para reparar la casa de Jehová.

28 Asimismo todas las cosas que había consagrado Samuel vidente, y Saúl hijo de Cis, y Abner hijo de Ner, y Joab hijo de Sarvia; y todo lo que *cualquiera* consagraba, estaba bajo la mano de Selomit y de sus hermanos.

29 De los izharitas, Quenanías y sus hijos *eran* gobernadores y jueces sobre Israel en las obras de fuera.

30 De los hebronitas, Hasabías y sus hermanos, hombres de vigor, mil setecientos, gobernaban a Israel al otro lado del Jordán, al occidente, en toda la obra de Jehová, y en el servicio del rey.

31 De los hebronitas, Jerías *era* el principal entre los hebronitas repartidos en sus linajes por sus familias. En el año cuarenta del reinado de David se registraron, y se hallaron entre ellos fuertes y vigorosos en Jazer de Galaad.

32 Y sus hermanos, hombres valientes, *eran* dos mil setecientos, cabezas de familias, los cuales el rey David constituyó sobre los rubenitas, gaditas, y sobre la media tribu de Manasés, para todas las cosas de Dios, y los negocios del rey.

CAPÍTULO 27

Y los hijos de Israel según su número, *es decir*, príncipes de familias, jefes de millares y de centenas, y oficiales de los que servían al rey en todos los negocios de las divisiones que entraban y salían cada mes en todos los meses del año, *eran* en cada división veinticuatro mil.

2 Sobre la primera división del primer mes *estaba* Jasobam hijo de Zabdiel; y había en su división veinticuatro mil.

3 De los hijos de Fares *era* el jefe de todos los capitanes de las compañías del primer mes.

4 Sobre la división del segundo mes *estaba* Dodai ahohíta; y Miclot *era* jefe en su división, en la que también *había* veinticuatro mil.

5 El jefe de la tercera división para el tercer mes *era* Benaía, hijo de Joiada el sumo sacerdote; y en su división *había* veinticuatro mil.

6 Este Benaía *era* valiente *entre* los treinta y sobre los treinta; y en su división *estaba* Amisabad su hijo.

7 El cuarto *jefe* para el cuarto mes *era* Asael hermano de Joab, y después de él Zebadías su hijo; y en su división *había* veinticuatro mil.

8 El quinto jefe para el quinto mes *era* Samhut izrita; y en su división había veinticuatro mil.

9 El sexto para el sexto mes *era* Ira hijo de Iques, de Tecoa; y en su división veinticuatro mil.

10 El séptimo para el séptimo mes *era* Heles pelonita, de los hijos de Efraín; y en su división veinticuatro mil.

11 El octavo para el octavo mes *era* Sibecai husatita, de los zeraítas; y en su división veinticuatro mil.

12 El noveno para el noveno mes *era* Abiezer anatotita, de los benjamitas; y en su división veinticuatro mil.

13 El décimo para el décimo mes *era* Maharai netofatita, de los zeraítas; y en su división veinticuatro mil.

14 El undécimo para el undécimo mes *era* Benaía piratonita, de los hijos de Efraín; y en su división veinticuatro mil.

15 El duodécimo para el duodécimo mes *era* Heldai netofatita, de Otoniel; y en su división veinticuatro mil.

16 Asimismo sobre las tribus de Israel; el jefe de los rubenitas *era* Eliezer hijo de Zicri; de los simeonitas, Sefatías, hijo de Maaca:

17 De los levitas, Hasabías hijo de Quemuel; de los aaronitas, Sadoc;

18 De Judá, Eliú, *uno* de los hermanos de David; de los de Isacar, Omri hijo de Micael.

19 De los de Zabulón, Ismaías hijo de Abdías; de los de Neftalí, Jerimot hijo de Azriel;

20 De los hijos de Efraín, Oseas hijo de Azazías; de la media tribu de Manasés, Joel hijo de Pedaías;

21 De la otra media tribu de Manasés en Galaad, Iddo hijo de Zacarías; de los de Benjamín, Jasiel hijo de Abner.

22 Y de Dan, Azareel hijo de Jeroham. Éstos *fueron* los jefes de las tribus de Israel.

23 Y no tomó David el número de los que eran de veinte años abajo, por cuanto Jehová había dicho que Él había de multiplicar a Israel como las estrellas del cielo.

24 Joab hijo de Sarvia había comenzado a contar, mas no acabó, pues por esto vino la ira sobre Israel; y así el número no fue puesto en el registro de las crónicas del rey David.

25 Y Azmavet hijo de Adiel *tenía* a su cargo los tesoros del rey; y de los tesoros de los campos, y de las ciudades, y de las aldeas y castillos, Jonatán hijo de Uzías.

26 Y de los que trabajaban en la labranza de las tierras, Ezri hijo de Quelub.

27 Y de las viñas Simeí ramatita; y del fruto de las viñas para las bodegas, Zabdi sifmita.

28 Y de los olivares y de los sicómoros del valle, Baal-hanán gederita; y de los almacenes del aceite, Joás;

29 De las vacas que pastaban en Sarón, Sitrai saronita; y de las vacas que *estaban* en los valles, Safat hijo de Adlai.

30 Y de los camellos, Obil ismaelita; y de las asnas, Jehedías meronotita;

31 Y de las ovejas, Jaziz agareno. Todos éstos *eran* superintendentes de la hacienda del rey David.

32 Y Jonatán, tío de David, era consejero, varón prudente y escriba; y Jehiel hijo de Hacmoni *estaba* con los hijos del rey.

33 Y también Ahitofel *era* consejero del rey; y Husai arquita amigo del rey.

34 Después de Ahitofel *era* Joiada hijo de Benaía, y Abiatar. Y Joab *era* el general del ejército del rey.

CAPÍTULO 28

Y reunió David en Jerusalén a todos los principales de Israel, los príncipes de las tribus, y los jefes de las divisiones que servían al rey, los jefes de millares y de centenas, con los superintendentes de toda la hacienda y posesión del rey, y sus hijos, con los oficiales, los poderosos, y todos sus hombres valientes.

2 Y levantándose el rey David, puesto en pie dijo: Oídme, hermanos míos, y pueblo mío. Yo *tenía* en propósito edificar una casa, para que en ella reposara el arca del pacto de Jehová, y para el estrado de los pies de nuestro Dios; y había ya aprestado todo para edificar.

3 Mas Dios me dijo: Tú no edificarás casa a mi nombre; porque *eres* hombre de guerra, y has derramado sangre.

4 Pero Jehová el Dios de Israel me eligió de toda la casa de mi padre, para que perpetuamente fuese rey sobre Israel; porque a Judá escogió por caudillo, y de la casa de Judá la familia de mi padre; y de entre los hijos de mi padre se agradó de mí para ponerme por rey sobre todo Israel.

5 Y de todos mis hijos (porque Jehová me ha dado muchos hijos), eligió a mi hijo Salomón para que se siente en el trono del reino de Jehová sobre Israel.

6 Y me ha dicho: Salomón tu hijo, él edificará mi casa y mis atrios; porque a él he escogido por hijo, y yo le seré por Padre.

7 Asimismo yo confirmaré su reino para siempre, si él se esforzare a poner por obra mis mandamientos y mis juicios, como este día.

8 Ahora, pues, delante de los ojos de todo Israel, congregación de Jehová, y en oídos de nuestro Dios, guardad e inquirid todos los preceptos de Jehová vuestro Dios, para que poseáis la buena tierra, y *la* dejéis por heredad a vuestros hijos después de vosotros perpetuamente.

9 Y tú, Salomón, hijo mío, conoce al Dios de tu padre, y sírvele con corazón perfecto, y con ánimo voluntario; porque Jehová escudriña los corazones de todos, y entiende toda imaginación de los pensamientos. Si tú le buscares, lo hallarás; mas si lo dejares, Él te desechará para siempre.

10 Mira, pues, ahora que Jehová te ha elegido para que edifiques casa para santuario; esfuérzate, y hazla.

11 Entonces David dio a Salomón su hijo el diseño del pórtico, de sus casas, sus tesorerías, sus aposentos, sus cámaras y del lugar del propiciatorio.

12 Asimismo el diseño de todas las cosas que él tenía por el Espíritu para los atrios de la casa de Jehová, y para todas las cámaras en derredor, para los tesoros de la casa de Dios, y para los tesoros de las cosas santificadas:

13 También para los grupos de los sacerdotes y de los levitas, y para toda la obra del ministerio de la casa de Jehová, y para todos los vasos del ministerio de la casa de Jehová.

14 Y dio oro por peso para lo de oro, para todos los utensilios de cada servicio; y plata por peso para todos los utensilios, para todos los utensilios de cada servicio.

15 Oro por peso para los candeleros de oro, y para sus candilejas; por peso el oro para cada candelero y sus candilejas; y para los candeleros de plata, plata por peso para el candelero y sus candilejas, conforme al servicio de cada candelero.

16 Asimismo dio oro por peso para las mesas de la proposición, para cada mesa; del mismo modo plata para las mesas de plata.

17 También oro puro para los garfios, para los tazones, para las copas y para las tazas de oro, para cada tazón por peso; y para las tazas de plata, por peso para cada taza:

18 Además, oro puro por peso para el altar del incienso, para el diseño del carruaje de los querubines de oro que con las alas extendidas cubrían el arca del pacto de Jehová.

19 Todas estas cosas, dijo David, me fueron trazadas por la mano de Jehová que me hizo entender todas las obras del diseño.

20 Dijo más David a Salomón su hijo: Esfuérzate y sé valiente, y ponlo por obra; no temas, ni desmayes, porque Jehová Dios, mi Dios, estará contigo; Él no te dejará, ni te desamparará, hasta que acabes toda la obra para el servicio de la casa de Jehová.

21 He aquí los grupos de los sacerdotes y de los levitas para todo el ministerio de la casa de Dios estarán contigo en toda la obra; asimismo todos los voluntarios e inteligentes para toda forma de servicio; y los príncipes, y todo el pueblo para ejecutar todas tus órdenes.

CAPÍTULO 29

Después dijo el rey David a toda la congregación: Sólo a Salomón mi hijo ha elegido Dios; él es joven y tierno, y la obra grande; porque la casa no es para hombre, sino para Jehová Dios.

2 Yo con todas mis fuerzas he preparado para la casa de mi Dios, oro para las cosas de oro, y plata para las de plata, y bronce para las de bronce, y hierro para las de hierro, y madera para las de madera, y piedras de ónice, y piedras preciosas, y piedras negras, y piedras de diversos colores, y toda clase de piedras preciosas, y piedras de mármol en abundancia.

3 A más de esto, por cuanto tengo mi afecto en la casa de mi Dios, yo guardo en mi tesoro particular oro y plata que he dado para la casa de mi Dios, además de todas las cosas que he preparado para la casa del santuario;

4 es decir, tres mil talentos de oro, de oro de Ofir, y siete mil talentos de plata refinada para cubrir las paredes de las casas.

5 Oro, pues, para las cosas de oro, y plata para las de plata, y para toda la obra de manos de los artífices. ¿Y quién quiere hacer hoy ofrenda voluntaria a Jehová?

6 Entonces los príncipes de las familias, y los príncipes de las tribus de Israel, jefes de millares y de centenas, con los superintendentes de la hacienda del rey, ofrecieron voluntariamente;

7 y dieron para el servicio de la casa de Dios cinco mil talentos y diez mil dracmas de oro, y diez mil talentos de plata, y dieciocho mil talentos de bronce, y cinco mil talentos de hierro.

8 Y todo el que se halló con piedras *preciosas, las* dio para el tesoro de la casa de Jehová, en mano de Jehiel gersonita.

9 Y se gozó el pueblo de haber contribuido voluntariamente; porque de todo corazón ofrecieron a Jehová voluntariamente. Asimismo se gozó mucho el rey David,

10 y bendijo a Jehová delante de toda la congregación; y dijo David: Bendito seas tú, oh Jehová, Dios de Israel nuestro padre, desde la eternidad y hasta la eternidad.

11 Tuya *es*, oh Jehová, la magnificencia, y el poder, y la gloria, la victoria, y el honor; porque todas las cosas *que están* en los cielos y en la tierra *son tuyas*. Tuyo, oh Jehová, *es* el reino, y tú eres exaltado por cabeza sobre todos.

12 Las riquezas y el honor *proceden* de ti, y tú reinas sobre todo; en tu mano está el poder y la fortaleza, y en tu mano el engrandecer y dar fortaleza a todos.

13 Ahora pues, Dios nuestro, nosotros te damos gracias, y alabamos tu glorioso nombre.

14 Porque ¿quién soy yo, y quién *es* mi pueblo, para que pudiésemos ofrecer de nuestra voluntad cosas semejantes? Porque todo es tuyo, y lo recibido de tu mano te damos.

15 Porque nosotros, extranjeros y advenedizos somos delante de ti, como todos nuestros padres; y nuestros días cual sombra sobre la tierra, y nadie permanece.

16 Oh Jehová Dios nuestro, toda esta abundancia que hemos aprestado para edificar casa a tu santo nombre, de tu mano es, y todo *es* tuyo.

17 Yo sé, Dios mío, que tú escudriñas los corazones, y que la rectitud te agrada; por eso yo con rectitud de mi corazón voluntariamente te he ofrecido todo esto, y ahora he visto con alegría que tu pueblo, que aquí se ha hallado ahora, ha dado para ti espontáneamente.

18 Jehová, Dios de Abraham, de Isaac, y de Israel, nuestros padres; conserva perpetuamente esta voluntad del corazón de tu pueblo, y encamina su corazón a ti.

19 Asimismo da a mi hijo Salomón corazón perfecto, para que guarde tus mandamientos, y tus testimonios y tus estatutos, y para que haga todas *las cosas*, y te edifique la casa *para* la cual yo he hecho preparativos.

20 Después dijo David a toda la congregación: Bendecid ahora a Jehová vuestro Dios. Entonces toda la congregación bendijo a Jehová Dios de sus padres, e inclinándose adoraron delante de Jehová, y del rey.

21 Y ofrecieron sacrificios a Jehová, y ofrecieron a Jehová holocaustos el día siguiente, mil becerros, mil carneros, mil corderos con sus libaciones, y muchos sacrificios por todo Israel.

22 Y comieron y bebieron delante de Jehová aquel día con gran gozo; y dieron la segunda vez la investidura del reino a Salomón hijo de David, y *lo* ungieron a Jehová por príncipe, y a Sadoc por sacerdote.

23 Y se sentó Salomón por rey en el trono de Jehová en lugar de David su padre, y fue prosperado; y le obedeció todo Israel.

24 Y todos los príncipes y poderosos, y todos los hijos del rey David, prestaron homenaje al rey Salomón.

25 Y Jehová engrandeció en extremo a Salomón a los ojos de todo Israel, y le dio gloria del reino, cual ningún rey la tuvo antes de él en Israel.

26 Así reinó David hijo de Isaí sobre todo Israel.

27 Y el tiempo que reinó sobre Israel *fue* cuarenta años. Siete años reinó en Hebrón, y treinta y tres reinó en Jerusalén.

28 Y murió en buena vejez, lleno de días, de riquezas, y de gloria. Y reinó en su lugar Salomón su hijo.

29 Y los hechos del rey David, primeros y postreros, *están* escritos en el libro de las crónicas de Samuel vidente, y en las crónicas del profeta Natán, y en las crónicas de Gad vidente,

30 con todo lo relativo a su reinado y su poder, y los tiempos que pasaron sobre él, y sobre Israel, y sobre todos los reinos de aquellas tierras.

Libro Segundo De
CRÓNICAS

CAPÍTULO 1

Y Salomón hijo de David fue afirmado en su reino; y Jehová su Dios *fue* con él, y le engrandeció sobremanera.

2 Y llamó Salomón a todo Israel, a los jefes de millares y de centenas, y jueces, y a todos los príncipes de todo Israel, cabezas de familias.

3 Y fue Salomón, y toda la congregación con él, al lugar alto que *había* en Gabaón; porque allí estaba el tabernáculo de la congregación de Dios, que Moisés siervo de Jehová había hecho en el desierto.

4 Mas David había traído el arca de Dios de Quiriat-jearim *al lugar que* él le había preparado; porque él le había levantado una tienda en Jerusalén.

5 Asimismo el altar de bronce que había hecho Bezaleel hijo de Uri hijo de Hur, estaba allí delante del tabernáculo de Jehová, al cual fue a consultar Salomón con aquella congregación.

6 Subió, pues, Salomón allá delante de Jehová, al altar de bronce que *estaba* en el tabernáculo de la congregación, y ofreció sobre él mil holocaustos.

7 Y aquella noche apareció Dios a Salomón, y le dijo: Pide lo que quieras que yo te dé.

8 Y Salomón dijo a Dios: Tú has hecho con David mi padre grande misericordia, y a mí me has puesto por rey en lugar suyo.

9 Confírmese pues, ahora, oh Jehová Dios, tu palabra dada a David mi padre; porque tú me has puesto por rey sobre un pueblo tan numeroso como el polvo de la tierra.

10 Dame ahora sabiduría y entendimiento, para salir y entrar delante de este pueblo; porque ¿quién podrá juzgar a este tu pueblo *que es* tan grande?

11 Y dijo Dios a Salomón: Por cuanto esto fue en tu corazón, que no pediste riquezas, ni posesiones, ni gloria, ni la vida de tus enemigos, ni pediste muchos días, sino que has pedido para ti sabiduría y entendimiento para gobernar a mi pueblo, sobre el cual te he puesto por rey,

12 sabiduría y entendimiento te son dados; y también te daré riquezas, posesiones, y gloria, cual nunca hubo en los reyes que *han sido* antes de ti, ni después de ti habrá.

13 Y volvió Salomón a Jerusalén del lugar alto que *estaba* en Gabaón, de delante del tabernáculo de la congregación; y reinó sobre Israel.

14 Y juntó Salomón carros y gente de a caballo; y tuvo mil cuatrocientos carros, y doce mil jinetes, los cuales puso en las ciudades de los carros, y con el rey en Jerusalén.

15 Y el rey acumuló plata y oro en Jerusalén como piedras, y cedro en abundancia como los sicómoros que *hay* en los valles.

16 Y Salomón tenía caballos y lienzos finos traídos de Egipto; pues los mercaderes del rey adquirían los lienzos finos por precio.

17 Y subían, y compraban en Egipto, un carro por seiscientas *piezas* de plata, y un caballo por ciento cincuenta; y así se compraban por medio de ellos para todos los reyes de los heteos, y para los reyes de Siria.

CAPÍTULO 2

Determinó, pues, Salomón edificar casa al nombre de Jehová, y una casa para su reino.

2 Y contó Salomón setenta mil hombres que llevasen cargas, y ochenta mil hombres que cortasen en el monte, y tres mil seiscientos que los gobernasen.

3 Y envió a decir Salomón a Hiram rey de Tiro: Haz conmigo como hiciste con David mi padre, enviándole

cedros para que edificara para sí casa en que morase.

4 He aquí yo edifico casa al nombre de Jehová mi Dios, para consagrársela, para quemar incienso aromático delante de Él, y para la colocación continua de los panes de la proposición, y para holocaustos a mañana y tarde, y los sábados, y lunas nuevas, y festividades de Jehová nuestro Dios. Esto *será ordenanza* perpetua en Israel.

5 Y la casa *que voy a* edificar *será* grande; porque nuestro Dios *es* grande sobre todos los dioses.

6 Pero ¿Quién podrá edificarle casa, siendo que el cielo, y el cielo de los cielos no le pueden contener? ¿Quién, pues, soy yo, para que le edifique casa, aunque sólo sea para quemar incienso delante de Él?

7 Envíame, pues, ahora un hombre hábil que sepa trabajar en oro, en plata, en bronce, en hierro, en púrpura, en grana y en azul, y que sepa esculpir con los maestros que *están* conmigo en Judá y en Jerusalén, los cuales dispuso mi padre.

8 Envíame también del Líbano, madera de cedro, de abeto y de sándalo; porque yo sé que tus siervos saben cortar madera en el Líbano; y he aquí, mis siervos *irán* con los tuyos,

9 para que me preparen mucha madera, porque la casa que voy a edificar *será* grande y portentosa.

10 Y he aquí, para los trabajadores tus siervos, cortadores de madera, daré veinte mil coros de trigo en grano, y veinte mil coros de cebada, y veinte mil batos de vino, y veinte mil batos de aceite.

11 Entonces Hiram rey de Tiro respondió por escrito que envió a Salomón: Porque Jehová amó a su pueblo, te ha puesto por rey sobre ellos.

12 Y además decía Hiram: Bendito sea Jehová el Dios de Israel, que hizo el cielo y la tierra, y que dio al rey David hijo sabio, entendido, cuerdo y prudente, que edifique casa a Jehová, y casa para su reino.

13 Yo, pues, te he enviado un hombre hábil y entendido, que fue de Hiram mi padre,

14 hijo de una mujer de las hijas de Dan, mas su padre *fue* de Tiro; el cual sabe trabajar en oro, plata, bronce, hierro, en piedra, en madera, en púrpura, en azul, en lino fino y en carmesí; asimismo para esculpir toda clase de figuras, y sacar toda forma de diseño que se le propusiere, y estará con tus hombres peritos y con los de mi señor David tu padre.

15 Ahora, pues, envíe mi señor a sus siervos el trigo, la cebada, el aceite y el vino que ha dicho;

16 y nosotros cortaremos en el Líbano la madera que necesites, y te la traeremos en balsas por el mar hasta Jope, y tú la harás llevar hasta Jerusalén.

17 Y contó Salomón todos los hombres extranjeros que *estaban* en la tierra de Israel, después de haberlos ya contado David su padre, y fueron hallados ciento cincuenta y tres mil seiscientos.

18 Y señaló de ellos setenta mil cargadores, y ochenta mil canteros en la montaña, y tres mil seiscientos supervisores para hacer trabajar al pueblo.

CAPÍTULO 3

Entonces Salomón comenzó a edificar la casa de Jehová en Jerusalén, en el monte Moriah donde *el Señor* se había aparecido a David su padre, en el lugar que David había preparado en la era de Ornán jebuseo.

2 Y comenzó a edificar en el mes segundo, a dos del mes, en el cuarto año de su reinado.

3 Éstas son las instrucciones que recibió Salomón para la construcción de la casa de Dios. La primera medida, la longitud, de sesenta codos; y la anchura de veinte codos.

4 El pórtico que estaba en la parte frontal *del templo,* tenía longitud de veinte codos, igual al ancho de la casa, y su altura de ciento veinte: y lo cubrió por dentro de oro puro.

5 Y techó la casa mayor con madera de abeto, la cual cubrió de oro fino, e hizo resaltar sobre ella palmeras y cadenas.

6 Cubrió también la casa de piedras preciosas para ornamento; y el oro era oro de Parvaim.

7 Así cubrió la casa, sus vigas, sus umbrales, sus paredes y sus puertas, con oro; y esculpió querubines en las paredes.

8 Hizo asimismo la casa del lugar santísimo, cuya longitud *era* de veinte codos según el ancho del frente de la casa, y su anchura de veinte codos; y la cubrió de oro fino que ascendía a seiscientos talentos.

9 Y el peso de los clavos *fue* de cincuenta siclos de oro. Cubrió también de oro las salas.

10 Y dentro del lugar santísimo hizo dos querubines, obra de escultura, los cuales cubrió de oro.

11 La longitud de las alas de los querubines *era* de veinte codos; *porque* una ala *era* de cinco codos, la cual llegaba hasta la pared de la casa; y la otra ala de cinco codos, la cual llegaba al ala del otro querubín.

12 De la misma manera *una* ala del otro querubín *era* de cinco codos, la cual llegaba hasta la pared de la casa; y la otra ala *era* de cinco codos, que tocaba el ala del otro querubín.

13 Así las alas de estos querubines estaban extendidas por veinte codos: y ellos estaban en pie con sus rostros *hacia* la casa.

14 Hizo también el velo *de* azul, púrpura, carmesí y lino, e hizo resaltar en él querubines.

15 Delante de la casa hizo dos columnas de treinta y cinco codos de altura, con sus capiteles encima, de cinco codos.

16 Hizo asimismo cadenas en el santuario, y *las* puso sobre los capiteles de las columnas: e hizo cien granadas, *las* cuales puso en las cadenas.

17 Y levantó las columnas delante del templo, una a la mano derecha, y la otra a la izquierda; y a la de la mano derecha llamó Jaquín, y a la de la izquierda, Boaz.

CAPÍTULO 4

Hizo además un altar de bronce de veinte codos de longitud, y veinte codos de anchura, y diez codos de altura.

2 También hizo un mar de fundición, el cual tenía diez codos de un borde al otro, enteramente redondo; su altura era de cinco codos, y un cordón de treinta codos lo ceñía alrededor.

3 Y debajo de él *había* figuras de bueyes que lo circundaban, diez en cada codo todo alrededor; dos hileras de bueyes fundidos juntamente con el mar.

4 Estaba asentado sobre doce bueyes, tres de los cuales miraban al norte, y tres al occidente, y tres al sur, y tres al oriente; y el mar *asentaba* sobre ellos, y todas sus traseras *estaban* hacia el interior.

5 Y *tenía* de grueso un palmo menor, y el borde era como el borde de un cáliz, o de una flor de lirio; y recibía y le cabían tres mil batos.

6 Hizo también diez fuentes, y puso cinco a la derecha y cinco a la izquierda, para lavar y limpiar en ellas la obra del holocausto; mas el mar era para que los sacerdotes se lavaran en él.

7 Hizo asimismo diez candeleros de oro según su forma, *los* cuales puso en el templo, cinco a la derecha, y cinco a la izquierda.

8 Además hizo diez mesas y *las* puso en el templo, cinco a la derecha, y cinco a la izquierda: igualmente hizo cien tazones de oro.

9 A más de esto hizo el atrio de los sacerdotes, y el gran atrio, y las portadas del atrio, y cubrió de bronce las puertas de ellas.

10 Y asentó el mar al lado derecho hacia el oriente, enfrente del sur.

11 Hizo también Hiram calderos, y palas, y tazones; y acabó Hiram la obra que hacía al rey Salomón para la casa de Dios;

12 Las dos columnas, y los cordones, los capiteles sobre las cabezas de las dos columnas, y dos redes para cubrir las dos bolas de los capiteles que *estaban* sobre las columnas;

13 cuatrocientas granadas en las dos redecillas, dos hileras de granadas en cada redecilla, para que cubriesen las dos bolas de los capiteles que estaban sobre las columnas.

14 Hizo también las bases, sobre las cuales asentó las fuentes;

15 Un mar, y doce bueyes debajo de él:

16 Y calderos, y palas, y garfios; y todos sus enseres hizo Hiram su padre al rey Salomón para la casa de Jehová, de bronce finísimo.

17 Y los fundió el rey en los llanos del Jordán, en tierra arcillosa, entre Sucot y Zeredat.

18 Y Salomón hizo todos estos utensilios en número tan grande, que no pudo saberse el peso del bronce.

19 Así hizo Salomón todos los utensilios para la casa de Dios, y el altar de oro, y las mesas sobre las cuales se ponían los panes de la proposición;

20 Asimismo los candeleros y sus candilejas, de oro puro, para que las encendiesen delante del santuario interior conforme a la costumbre.

21 Y las flores, las lamparillas y las tenazas *las hizo* de oro, de oro perfecto.

22 También las despabiladeras, los tazones, las cucharas, y los incensarios eran *de* oro puro. Y la entrada de la casa, sus puertas interiores para el *lugar* santísimo, y las puertas de la casa del templo *eran* de oro.

CAPÍTULO 5

Y acabada que fue toda la obra que hizo Salomón para la casa de Jehová, metió Salomón en ella las cosas que David su padre había dedicado; y puso la plata, y el oro, y todos los utensilios en los tesoros de la casa de Dios.

2 Entonces Salomón congregó en Jerusalén a los ancianos de Israel, a todos los príncipes de las tribus y a los jefes de las familias de los hijos de Israel, para que subiesen el arca del pacto de Jehová de la ciudad de David, que *es* Sión.

3 Y se juntaron al rey todos los varones de Israel, a la fiesta del mes séptimo.

4 Y vinieron todos los ancianos de Israel, y tomaron los levitas el arca:

5 Y subieron el arca, y el tabernáculo de la congregación, y todos los utensilios del santuario que *estaban* en el tabernáculo; los sacerdotes y los levitas los subieron.

6 Y el rey Salomón, y toda la congregación de Israel que se había

a él reunido delante del arca, sacrificaron ovejas y bueyes, que por la multitud no se pudieron contar ni numerar.

7 Y los sacerdotes metieron el arca del pacto de Jehová en su lugar, en el santuario interior de la casa, en el *lugar* santísimo, bajo las alas de los querubines;

8 pues los querubines extendían las alas sobre el lugar del arca, y cubrían los querubines por encima así el arca como sus barras.

9 E hicieron salir fuera las barras, de modo que se viesen las cabezas de las barras del arca delante del santuario interior, pero no se veían desde fuera; y allí han quedado hasta hoy.

10 En el arca no había sino las dos tablas que Moisés había puesto en Horeb, con las cuales Jehová había hecho *pacto* con los hijos de Israel, después que salieron de Egipto.

11 Y aconteció que cuando los sacerdotes salieron del santuario (porque todos los sacerdotes que se hallaron habían sido santificados, y no guardaban sus turnos);

12 y los levitas cantores, todos los de Asaf, los de Hemán, y los de Jedutún, juntamente con sus hijos y sus hermanos, vestidos de lino fino, estaban con címbalos y salterios y arpas al oriente del altar, y con ellos ciento veinte sacerdotes que tocaban trompetas.

13 Sucedió pues, que cuando los trompetistas y cantores al unísono hicieron oír su voz para alabar y dar gracias a Jehová; cuando elevaron la voz con trompetas y címbalos e instrumentos de música y alabaron a Jehová, *diciendo*: Porque *Él es* bueno, porque para siempre *es* su misericordia, la casa se llenó *entonces* de una nube, la casa de Jehová.

14 Y no podían los sacerdotes continuar ministrando, por causa de la nube; porque la gloria de Jehová había llenado la casa de Dios.

CAPÍTULO 6

Entonces dijo Salomón: Jehová ha dicho que Él habitaría en la densa oscuridad.

2 Yo, pues, he edificado una casa de morada para ti, y una habitación en que mores para siempre.

3 Y volviendo el rey su rostro, bendijo a toda la congregación de Israel. Y toda la congregación de Israel estaba en pie.

4 Y él dijo: Bendito *sea* Jehová Dios de Israel, el cual con su mano ha cumplido *lo que* habló por su boca a David mi padre, diciendo:

5 Desde el día que saqué mi pueblo de la tierra de Egipto, ninguna ciudad he elegido de todas las tribus de Israel para edificar casa donde estuviese mi nombre, ni he escogido varón que fuese príncipe sobre mi pueblo Israel.

6 Mas a Jerusalén he elegido para que en ella esté mi nombre, y a David he elegido para que esté sobre mi pueblo Israel.

7 Y David mi padre tuvo en su corazón edificar casa al nombre de Jehová Dios de Israel.

8 Mas Jehová dijo a David mi padre: Respecto a haber tenido en tu corazón edificar casa a mi nombre, bien has hecho en haber tenido esto en tu corazón.

9 Pero tú no edificarás la casa, sino tu hijo que saldrá de tus lomos, él edificará casa a mi nombre.

10 Y Jehová ha cumplido su palabra que había dicho, pues me levanté yo en lugar de David mi padre, y me he sentado en el trono de Israel, como Jehová había dicho, y he edificado casa al nombre de Jehová Dios de Israel.

11 Y en ella he puesto el arca, en la cual *está* el pacto de Jehová que Él hizo con los hijos de Israel.

12 Se puso luego Salomón delante del altar de Jehová, en presencia de toda la congregación de Israel, y extendió sus manos.

13 Porque Salomón había hecho una plataforma de bronce, de cinco codos de largo, y de cinco codos de ancho, y de altura de tres codos, y la había puesto en medio del atrio. Y se puso sobre ella, e hincando sus rodillas delante de toda la congregación de Israel, y extendiendo sus manos al cielo, dijo:

14 Jehová Dios de Israel, no *hay* Dios semejante a ti ni en el cielo ni en la tierra, que guardas el pacto y la misericordia a tus siervos que caminan delante de ti con todo su corazón;

15 Que has guardado a tu siervo David mi padre lo que le prometiste; tú lo prometiste con tu boca, y con tu mano *lo* has cumplido, como *sucede* este día.

16 Ahora pues, oh Jehová Dios de Israel, cumple a tu siervo David mi padre lo que le has prometido, diciendo: No te faltará varón delante de mí, que se siente en el trono de Israel, a condición que tus hijos guarden su camino, andando en mi ley, como tú delante de mí has andado.

17 Ahora pues, oh Jehová Dios de Israel, sea confirmada tu palabra que dijiste a tu siervo David.

18 Mas ¿es verdad que Dios ha de habitar con el hombre en la tierra? He aquí que el cielo, y el cielo de los cielos no te pueden contener; ¿cuánto menos esta casa que yo he edificado?

19 Mas tú mirarás a la oración de tu siervo, y a su ruego, oh Jehová Dios mío, para oír el clamor y la oración con que tu siervo ora delante de ti.

20 Que tus ojos estén abiertos sobre esta casa de día y de noche, sobre el lugar del cual dijiste: Mi nombre estará allí; que oigas la oración con que tu siervo ora en este lugar.

21 Asimismo que oigas el ruego de tu siervo, y de tu pueblo Israel, cuando en este lugar hicieren oración, que tú oirás desde los cielos, desde el lugar de tu morada; que oigas y perdones.

22 Si alguno pecare contra su prójimo, y él le pidiere juramento haciéndole jurar, y el juramento viniere delante de tu altar en esta casa,

23 entonces escucha tú desde los cielos, y actúa, y juzga a tus siervos, dando la paga al impío, tornándole su proceder sobre su cabeza, y justificando al justo en darle conforme a su justicia.

24 Si tu pueblo Israel cayere delante de los enemigos, por haber prevaricado contra ti, y se convirtieren, y confesaren tu nombre, y rogaren delante de ti en esta casa,

25 entonces escucha tú desde los cielos, y perdona el pecado de tu pueblo Israel, y hazles volver a la tierra que diste a ellos y a sus padres.

26 Si los cielos se cerraren, y no hubiere lluvia, por haber ellos pecado contra ti, si oraren a ti en este lugar, y confesaren tu nombre, y se convirtieren de sus pecados, cuando los afligieres,

27 entonces escucha tú desde los cielos, y perdona el pecado de tus siervos y de tu pueblo Israel, y enséñales el buen camino para que anden en él, y darás lluvia sobre tu tierra, la cual diste por heredad a tu pueblo.

28 Y si hubiere hambre en la tierra, o si hubiere pestilencia, si hubiere tizoncillo o añublo, langosta o pulgón; o si los sitiaren sus enemigos en las ciudades de su tierra; cualquiera que *sea* la plaga o enfermedad;

29 toda oración y todo ruego que hiciere cualquier hombre, o todo tu pueblo Israel, cualquiera que conociere su llaga y su dolor en su corazón, si extendiere sus manos hacia esta casa,

30 entonces escucha tú desde los cielos, desde el lugar de tu habitación, y perdona, y da a cada uno conforme a sus caminos, habiendo conocido su corazón (porque sólo tú conoces el corazón de los hijos de los hombres);

31 para que te teman y anden en tus caminos, todos los días que vivan sobre la faz de la tierra que tú diste a nuestros padres.

32 Y también al extranjero que no fuere de tu pueblo Israel, que hubiere venido de lejanas tierras a causa de tu grande nombre, y de tu mano fuerte, y de tu brazo extendido, si vinieren, y oraren en esta casa,

33 entonces escucha tú desde los cielos, desde el lugar de tu morada, y haz conforme a todas las cosas por las cuales hubiere clamado a ti el extranjero; para que todos los pueblos de la tierra conozcan tu nombre, y te teman así como tu pueblo Israel, y sepan que tu nombre es invocado sobre esta casa que yo he edificado.

34 Si tu pueblo saliere a la guerra contra sus enemigos por el camino que tú los enviares, y oraren a ti hacia esta ciudad que tú elegiste, hacia la casa que he edificado a tu nombre,

35 entonces escucha desde los cielos su oración y su ruego, y ampara su causa.

36 Si pecaren contra ti (pues no *hay* hombre que no peque), y te enojares contra ellos, y los entregares delante de *sus* enemigos, y éstos los llevaren cautivos a tierra lejana o cercana;

37 si ellos volvieren en sí en la tierra donde fueren llevados cautivos; y se convirtieren, y oraren a ti en la tierra de su cautividad, y dijeren: Pecamos, hemos hecho inicuamente, impíamente hemos actuado;

38 si se convirtieren a ti de todo su corazón y de toda su alma en la tierra de su cautividad, donde los hubieren llevado cautivos, y oraren hacia su tierra que tú diste a sus padres, *hacia* la ciudad que tú elegiste, y hacia la casa que he edificado a tu nombre;

39 entonces escucha desde los cielos, desde el lugar de tu morada, su oración y su ruego, y ampara su causa, y perdona a tu pueblo que pecó contra ti.

40 Ahora, pues, oh Dios mío, te ruego que estén abiertos tus ojos, y atentos tus oídos a la oración en este lugar.

41 Oh Jehová Dios, levántate ahora para habitar en tu reposo, tú y el arca de tu fortaleza; sean, oh Jehová Dios, vestidos de salvación tus sacerdotes, y tus santos se regocijen en tu bondad.

42 Jehová Dios, no voltees tu rostro de tu ungido; acuérdate de las misericordias para con David tu siervo.

CAPÍTULO 7

Y cuando Salomón acabó de orar, descendió fuego del cielo y consumió el holocausto y las víctimas; y la gloria de Jehová llenó la casa.

2 Y no podían entrar los sacerdotes en la casa de Jehová, porque la gloria de Jehová había llenado la casa de Jehová.

3 Y cuando todos los hijos de Israel vieron descender el fuego y la gloria

de Jehová sobre la casa, cayeron en tierra sobre sus rostros en el pavimento, y adoraron, y dieron gracias a Jehová, *diciendo*: Porque Él *es* bueno, y su misericordia *es* para siempre.

4 Entonces el rey y todo el pueblo sacrificaron víctimas delante de Jehová.

5 Y ofreció el rey Salomón en sacrificio veintidós mil bueyes, y ciento veinte mil ovejas; y así dedicaron la casa de Dios el rey y todo el pueblo.

6 Y los sacerdotes cumplían con su ministerio; y los levitas con los instrumentos de música de Jehová, los cuales había hecho el rey David para alabar a Jehová porque su misericordia *es* para siempre; cuando David alababa por medio de ellos. Asimismo los sacerdotes tocaban trompetas delante de ellos, y todo Israel estaba en pie.

7 También santificó Salomón el medio del atrio que *estaba* delante de la casa de Jehová, por cuanto había ofrecido allí los holocaustos, y la grosura de las ofrendas de paz; porque en el altar de bronce que Salomón había hecho, no podían caber los holocaustos, las ofrendas y las grosuras.

8 Entonces hizo Salomón fiesta siete días, y con él todo Israel, una grande congregación, desde la entrada de Hamat hasta el arroyo de Egipto.

9 Al octavo día hicieron asamblea solemne, porque celebraron la dedicación del altar siete días, y la fiesta siete días.

10 Y a los veintitrés del mes séptimo envió al pueblo a sus tiendas, alegres y gozosos de corazón por los beneficios que Jehová había hecho a David y a Salomón, y a su pueblo Israel.

11 Acabó, pues, Salomón la casa de Jehová, y la casa del rey: y en todo lo que Salomón se propuso hacer en la casa de Jehová y en su propia casa, fue prosperado.

12 Y apareció Jehová a Salomón de noche, y le dijo: Yo he oído tu oración, y he elegido para mí este lugar por casa de sacrificio.

13 Si yo cerrare los cielos, para que no haya lluvia, y si mandare a la langosta que consuma la tierra, o si enviare pestilencia a mi pueblo;

14 Si se humillare mi pueblo, sobre el cual mi nombre es invocado, y oraren, y buscaren mi rostro, y se convirtieren de sus malos caminos; entonces yo oiré desde los cielos, y perdonaré sus pecados, y sanaré su tierra.

15 Ahora estarán abiertos mis ojos, y atentos mis oídos, a la oración en este lugar:

16 Pues que ahora he elegido y santificado esta casa, para que esté en ella mi nombre para siempre; y mis ojos y mi corazón estarán ahí para siempre.

17 Y tú, si anduvieres delante de mí, como anduvo David tu padre, e hicieres todas las cosas que yo te he mandado, y guardares mis estatutos y mis derechos,

18 yo confirmaré el trono de tu reino, como pacté con David tu padre, diciendo: No te faltará varón *que* gobierne en Israel.

19 Mas si vosotros os volviereis, y dejareis mis estatutos y mis preceptos que os he propuesto, y fuereis y sirviereis a dioses ajenos, y los adorareis,

20 yo os arrancaré de mi tierra que os he dado; y esta casa que he santificado a mi nombre, yo la echaré de delante de mí, y la pondré por proverbio y escarnio en todos los pueblos.

21 Y esta casa que es ilustre, será espanto a todo el que pasare, y dirá: ¿Por qué ha hecho así Jehová a esta tierra y a esta casa?

22 Y se responderá: Por cuanto dejaron a Jehová Dios de sus padres, el cual los sacó de la tierra de Egipto, y han abrazado dioses ajenos, y los adoraron y sirvieron; por eso Él ha traído todo este mal sobre ellos.

CAPÍTULO 8

Y aconteció que al cabo de veinte años que Salomón había edificado la casa de Jehová y su casa, 2 reedificó Salomón las ciudades que Hiram le había dado, y estableció en ellas a los hijos de Israel.

3 Después vino Salomón a Hamat de Soba, y la tomó.

4 Y edificó a Tadmor en el desierto, y todas las ciudades de abastecimiento que edificó en Hamat.

5 Asimismo reedificó a Bet-horón la de arriba, y a Bet-horón la de abajo, ciudades fortificadas, de muros, puertas, y barras;

6 y a Baalat, y a todas las ciudades de abastecimiento que Salomón tenía; también todas las ciudades de los carros, y las ciudades de la gente de a caballo; y todo lo que Salomón quiso edificar en Jerusalén, y en el Líbano, y en toda la tierra de su señorío.

7 Y a todo el pueblo que *había* quedado de los heteos, amorreos, ferezeos, heveos y jebuseos, que no *eran* de Israel,

8 los hijos de los que habían quedado en la tierra después de ellos, a los cuales los hijos de Israel no destruyeron del todo, hizo Salomón tributarios hasta hoy.

9 Y de los hijos de Israel no puso Salomón siervos en su obra; porque *eran* hombres de guerra, y sus príncipes y sus capitanes, y comandantes de sus carros, y su gente de a caballo.

10 Y tenía Salomón doscientos cincuenta principales de los gobernadores, los cuales mandaban en aquella gente.

11 Y pasó Salomón a la hija de Faraón, de la ciudad de David a la casa que él había edificado para ella; porque dijo: Mi esposa no morará en la casa de David rey de Israel, porque aquellas habitaciones donde ha entrado el arca de Jehová, son santas.

12 Entonces ofreció Salomón holocaustos a Jehová sobre el altar de Jehová, que había él edificado delante del pórtico,

13 para que ofreciesen cada cosa en su día, conforme al mandamiento de Moisés, en los sábados, en las nuevas lunas, y en las fiestas solemnes, tres veces en el año, *esto es*, en la fiesta de los panes sin levadura, en la fiesta de las semanas, y en la fiesta de los tabernáculos.

14 Y constituyó los turnos de los sacerdotes en sus oficios, conforme a lo establecido por David su padre;

y los levitas por sus órdenes, para que alabasen y ministrasen delante de los sacerdotes, cada cosa en su día; asimismo los porteros por su orden a cada puerta: porque así lo había mandado David, varón de Dios.

15 Y no se apartaron del mandamiento del rey dado a los sacerdotes y a los levitas, en ningún asunto, ni en cuanto a los tesoros:

16 Porque toda la obra de Salomón estaba preparada desde el día en que la casa de Jehová fue fundada hasta que se acabó, hasta que la casa de Jehová fue acabada del todo.

17 Entonces Salomón fue a Ezióngeber, y a Elot, a la costa del mar en la tierra de Edom.

18 Porque Hiram le había enviado navíos por mano de sus siervos, y marineros diestros en el mar, los cuales fueron con los siervos de Salomón a Ofir, y tomaron de allá cuatrocientos cincuenta talentos de oro, y *los* trajeron al rey Salomón.

CAPÍTULO 9

Yoyendo la reina de Seba la fama de Salomón, vino a Jerusalén con un séquito muy grande, con camellos cargados de especias aromáticas, y oro en abundancia, y piedras preciosas, para probar a Salomón con preguntas difíciles. Y luego que vino a Salomón, habló con él todo lo que en su corazón tenía.

2 Pero Salomón le respondió a todas sus preguntas; nada hubo tan difícil que Salomón no le pudiese responder.

3 Y viendo la reina de Seba la sabiduría de Salomón, y la casa que había edificado,

4 los manjares de su mesa, las sillas de sus siervos, el estado de sus criados, las vestiduras de ellos, sus maestresalas y sus vestiduras, y su escalinata por donde subía a la casa de Jehová, se quedó sin aliento.

5 Y dijo al rey: Verdad es lo que *había* oído en mi tierra de tus hechos y de tu sabiduría;

6 Mas yo no creía las palabras de ellos, hasta que he venido, y mis ojos han visto; y he aquí que ni aun la mitad de la grandeza de tu sabiduría

me había sido dicha; *porque* tú sobrepasas la fama que yo había oído.

7 Bienaventurados tus hombres, y dichosos estos tus siervos, que están siempre delante de ti, y oyen tu sabiduría.

8 Jehová tu Dios sea bendito, el cual se ha agradado en ti para ponerte sobre su trono por rey para Jehová tu Dios; por cuanto tu Dios amó a Israel para afirmarlo perpetuamente, por eso te ha puesto por rey sobre ellos, para que hagas juicio y justicia.

9 Y dio al rey ciento veinte talentos de oro, y gran cantidad de especias aromáticas y piedras preciosas; nunca hubo tales especias aromáticas como las que dio la reina de Seba al rey Salomón.

10 También los siervos de Hiram y los siervos de Salomón, que habían traído el oro de Ofir, trajeron madera de sándalo, y piedras preciosas.

11 E hizo el rey *de* la madera de sándalo gradas en la casa de Jehová, y en las casas reales, y arpas y salterios para los cantores; nunca en tierra de Judá se había visto madera semejante.

12 Y el rey Salomón dio a la reina de Seba todo lo que ella quiso y le pidió, más de lo *que* ella había traído al rey. Después se volvió y se fue a su tierra con sus siervos.

13 Y el peso de oro que venía a Salomón cada un año, era seiscientos sesenta y seis talentos de oro,

14 sin contar *el que* traían los mercaderes y negociantes. También todos los reyes de Arabia y los príncipes de la tierra traían oro y plata a Salomón.

15 Hizo también el rey Salomón doscientos escudos *de* oro labrado, cada uno de los cuales tenía seiscientos *siclos* de oro labrado.

16 Asimismo trescientos escudos de oro labrado, teniendo cada escudo trescientos *siclos* de oro: y los puso el rey en la casa del bosque del Líbano.

17 Hizo además el rey un gran trono de marfil, y lo cubrió de oro puro.

18 Y *había* seis gradas al trono, con un estrado de oro fijado al trono, y brazos a ambos lados del asiento, y dos leones que estaban junto a los brazos.

19 Había también allí doce leones sobre las seis gradas, a uno y otro lado. Jamás fue hecho otro *trono* semejante en ningún reino.

20 Toda la vajilla del rey Salomón *era* de oro, y toda la vajilla de la casa del bosque del Líbano, de oro puro. En los días de Salomón la plata no era de estima.

21 Porque la flota del rey iba a Tarsis con los siervos de Hiram, y cada tres años solían venir las naves de Tarsis, y traían oro, plata, marfil, simios y pavos reales.

22 Y excedió el rey Salomón a todos los reyes de la tierra en riqueza y en sabiduría.

23 Y todos los reyes de la tierra procuraban ver el rostro de Salomón, para oír su sabiduría, que Dios había puesto en su corazón.

24 Y de éstos, cada uno traía su presente, vasos de plata, vasos de oro, vestiduras, armas, aromas, caballos y mulos, todos los años.

25 Tuvo también Salomón cuatro mil caballerizas para los caballos y carros, y doce mil jinetes, los cuales puso en las ciudades de los carros, y con el rey en Jerusalén.

26 Y tuvo señorío sobre todos los reyes desde el río hasta la tierra de los filisteos, y hasta el término de Egipto.

27 E hizo el rey que en Jerusalén la plata *llegara a ser* como las piedras, y los cedros como los sicómoros que se dan en abundancia en los valles.

28 Sacaban también caballos para Salomón, de Egipto y de todas las provincias.

29 Lo demás de los hechos de Salomón, primeros y postreros, ¿no *está* todo escrito en los libros de Natán profeta, y en la profecía de Ahías silonita, y en las profecías del vidente Iddo contra Jeroboam hijo de Nabat?

30 Y reinó Salomón en Jerusalén sobre todo Israel cuarenta años.

31 Y durmió Salomón con sus padres, y lo sepultaron en la ciudad de David su padre; y reinó en su lugar Roboam su hijo.

CAPÍTULO 10

Y Roboam fue a Siquem porque en Siquem se había juntado todo Israel para hacerlo rey.

2 Y como lo oyó Jeroboam hijo de Nabat, el cual *estaba* en Egipto, donde había huido a causa del rey Salomón, volvió de Egipto.

3 Y enviaron y le llamaron. Vino, pues, Jeroboam, y todo Israel, y hablaron a Roboam, diciendo:

4 Tu padre agravó nuestro yugo; ahora pues, alivia tú algo de la dura servidumbre, y del grave yugo que tu padre puso sobre nosotros, y te serviremos.

5 Y él les dijo: Volved a mí de aquí a tres días. Y el pueblo se fue.

6 Entonces el rey Roboam tomó consejo con los viejos, que habían estado delante de Salomón su padre cuando vivía, y les dijo: ¿Cómo aconsejáis vosotros que responda a este pueblo?

7 Y ellos le hablaron, diciendo: Si te condujeres humanamente con este pueblo, y los agradares, y les hablares buenas palabras, ellos te servirán perpetuamente.

8 Mas él, dejando el consejo que le dieron los viejos, tomó consejo con los jóvenes que se habían criado con él, y que estaban a su servicio;

9 y les dijo: ¿Qué aconsejáis vosotros que respondamos a este pueblo, que me ha hablado, diciendo: Alivia algo del yugo que tu padre puso sobre nosotros?

10 Entonces los jóvenes que se habían criado con él, le hablaron, diciendo: Así dirás al pueblo que te ha hablado diciendo: Tu padre agravó nuestro yugo, mas tú aligéralo. Así les dirás: Mi dedo meñique es más grueso que los lomos de mi padre.

11 Así que, mi padre os cargó de grave yugo, y yo añadiré a vuestro yugo; mi padre os castigó con azotes, pero yo *os castigaré* con escorpiones.

12 Vino, pues, Jeroboam con todo el pueblo a Roboam al tercer día; según el rey les había mandado diciendo: Volved a mí de aquí a tres días.

13 Y les respondió el rey ásperamente; pues dejó el rey Roboam el consejo de los viejos,

14 y les habló conforme al consejo de los jóvenes, diciendo: Mi padre agravó vuestro yugo, y yo añadiré a vuestro yugo; mi padre os castigó con azotes, y yo *os castigaré* con escorpiones.

15 Y no escuchó el rey al pueblo; porque la causa era de Dios, para cumplir Jehová su palabra que había hablado, por Ahías silonita, a Jeroboam hijo de Nabat.

16 Y *viendo* todo Israel que el rey no les había oído, respondió el pueblo al rey, diciendo: ¿Qué parte tenemos nosotros con David? No *tenemos* herencia en el hijo de Isaí. ¡Israel, cada uno a sus tiendas! ¡David, mira ahora por tu casa! Así se fue todo Israel a sus tiendas.

17 Mas reinó Roboam sobre los hijos de Israel que habitaban en las ciudades de Judá.

18 Envió luego el rey Roboam a Adoram, que *tenía* cargo de los tributos; pero le apedrearon los hijos de Israel, y murió. Entonces el rey Roboam se apresuró para subir a un carro y huir a Jerusalén.

19 Así se apartó Israel de la casa de David hasta hoy.

CAPÍTULO 11

Ycuando Roboam vino a Jerusalén, juntó la casa de Judá y de Benjamín, ciento ochenta mil *hombres*, guerreros escogidos, para pelear contra Israel y volver el reino a Roboam.

2 Mas vino palabra de Jehová a Semaías varón de Dios, diciendo:

3 Habla a Roboam hijo de Salomón, rey de Judá, y a todos los israelitas en Judá y Benjamín, diciendo:

4 Así dice Jehová: No subáis ni peleéis contra vuestros hermanos; vuélvase cada uno a su casa, porque yo he hecho esto. Y ellos oyeron la palabra de Jehová, y se volvieron, y no fueron contra Jeroboam.

5 Y habitó Roboam en Jerusalén, y edificó ciudades para fortificar a Judá.

6 Y edificó a Belén, a Etam, a Tecoa,

7 a Bet-zur, a Soco, a Adulam,

8 a Gat, a Maresa, a Zif,

9 a Adoraim, a Laquis, a Azeca,

10 a Zora, a Ajalón y a Hebrón, que *eran* ciudades fortificadas en Judá y en Benjamín.

11 Reforzó también las fortalezas, y puso en ellas capitanes, y provisiones, vino y aceite.

12 Y en todas las ciudades, *puso* escudos y lanzas. Las fortificó, pues, en gran manera, y Judá y Benjamín le estaban sujetos.

13 Y los sacerdotes y levitas que *estaban* en todo Israel, se pasaron a él de todos sus términos.

14 Porque los levitas dejaban sus ejidos y sus posesiones, y se venían a Judá y a Jerusalén; pues Jeroboam y sus hijos los habían excluido del ministerio de Jehová.

15 Y él se hizo sacerdotes para los lugares altos, y para los demonios, y para los becerros que él había hecho.

16 Tras aquéllos acudieron también de todas las tribus de Israel los que habían puesto su corazón en buscar a Jehová Dios de Israel; y se vinieron a Jerusalén para ofrecer sacrificios a Jehová, el Dios de sus padres.

17 Así fortificaron el reino de Judá, y confirmaron a Roboam hijo de Salomón, por tres años; porque tres años anduvieron en el camino de David y de Salomón.

18 Y se tomó Roboam por esposa a Mahalat, hija de Jerimot hijo de David, y a Abihail, hija de Eliab hijo de Isaí.

19 La cual le dio a luz estos hijos; Jeús, Semarías, y Zaham.

20 Después de ella tomó a Maaca hija de Absalón, la cual le dio a luz Abías, Atai, Ziza, y Selomit.

21 Mas Roboam amó a Maaca hija de Absalón sobre todas sus esposas y concubinas; porque tomó dieciocho esposas y sesenta concubinas, y engendró veintiocho hijos y sesenta hijas.

22 Y puso Roboam a Abías hijo de Maaca por cabeza y príncipe de sus hermanos, porque *quería* hacerle rey.

23 Y actuó con astucia, y esparció a todos sus hijos por todas las tierras de Judá y de Benjamín, y por todas las ciudades fortificadas, y les dio víveres en abundancia, y pidió muchas esposas.

CAPÍTULO 12

Y sucedió que cuando Roboam se fortaleció y afirmó el reino, dejó la ley de Jehová, y con él todo Israel.

2 Y sucedió que en el quinto año del rey Roboam subió Sisac rey de Egipto

Roboam y el pueblo dejan a Jehová

contra Jerusalén (por cuanto se habían rebelado contra Jehová),

3 con mil doscientos carros, y con sesenta mil hombres de a caballo; mas el pueblo que venía con él de Egipto, no *tenía* número; es decir, los libios, los suquienos y los etíopes.

4 Y tomó las ciudades fortificadas de Judá, y llegó hasta Jerusalén.

5 Entonces vino Semaías profeta a Roboam y *a* los príncipes de Judá, que estaban reunidos en Jerusalén por causa de Sisac, y les dijo: Así dice Jehová: Vosotros me habéis dejado, y yo también os he dejado en manos de Sisac.

6 Y los príncipes de Israel y el rey se humillaron, y dijeron: Justo *es* Jehová.

7 Y como vio Jehová que se habían humillado, vino palabra de Jehová a Semaías, diciendo: Se han humillado; no los destruiré; antes los salvaré en breve, y no se derramará mi ira contra Jerusalén por mano de Sisac.

8 Pero serán sus siervos; para que sepan qué es servirme a mí, y servir a los reinos de las naciones.

9 Subió, pues, Sisac rey de Egipto a Jerusalén, y tomó los tesoros de la casa de Jehová, y los tesoros de la casa del rey; todo lo llevó: y tomó los escudos de oro que Salomón había hecho.

10 Y en lugar de ellos hizo el rey Roboam escudos de bronce, y *los* entregó en manos de los jefes de la guardia, los cuales custodiaban la entrada de la casa del rey.

11 Y cuando el rey iba a la casa de Jehová, venían los de la guardia, y los traían, y después los volvían a la cámara de la guardia.

12 Y como él se humilló, la ira de Jehová se apartó de él, para no destruirlo del todo; y también en Judá las cosas fueron bien.

13 Y Roboam se fortaleció en Jerusalén, y reinó; y *era* Roboam de cuarenta y un años cuando comenzó a reinar, y diecisiete años reinó en Jerusalén, ciudad que escogió Jehová de todas las tribus de Israel, para poner en ella su nombre. Y el nombre de su madre *fue* Naama amonita.

14 E hizo lo malo, porque no dispuso su corazón para buscar a Jehová.

15 Y los hechos de Roboam, primeros y postreros, ¿no *están* escritos en los libros del profeta Semaías y del vidente Iddo, según las genealogías? Y entre Roboam y Jeroboam hubo perpetua guerra.

16 Y durmió Roboam con sus padres, y fue sepultado en la ciudad de David. Y reinó en su lugar Abías su hijo.

CAPÍTULO 13

A los dieciocho años del rey Jeroboam, reinó Abías sobre Judá.

2 Y reinó tres años en Jerusalén. El nombre de su madre *fue* Micaía hija de Uriel de Gabaa. Y hubo guerra entre Abías y Jeroboam.

3 Entonces ordenó Abías batalla con un ejército de cuatrocientos mil hombres de guerra, valerosos y escogidos: y Jeroboam ordenó batalla contra él con ochocientos mil hombres escogidos, fuertes y valerosos.

4 Y se levantó Abías sobre el monte de Zemaraim, que *es* en los montes de Efraín, y dijo: Oídme, Jeroboam y todo Israel.

5 ¿No sabéis vosotros, que Jehová Dios de Israel dio el reino a David sobre Israel para siempre, a él y a sus hijos mediante pacto de sal?

6 Pero Jeroboam hijo de Nabat, siervo de Salomón hijo de David, se levantó y se rebeló contra su señor.

7 Y se unieron a él unos hombres vanos, hijos de Belial, y pudieron más que Roboam hijo de Salomón, porque Roboam era joven y tierno de corazón, y no pudo defenderse de ellos.

8 Y ahora vosotros tratáis de fortificaros contra el reino de Jehová en mano de los hijos de David, porque *sois* muchos, y *tenéis* con vosotros los becerros de oro que Jeroboam os hizo por dioses.

9 ¿No echasteis vosotros a los sacerdotes de Jehová, a los hijos de Aarón, y a los levitas, y os habéis hecho sacerdotes a la manera de los pueblos de *otras* tierras, para que cualquiera venga a consagrarse con un becerro y siete carneros, y así sea sacerdote de *los que* no *son* dioses?

10 Mas en cuanto a nosotros, Jehová *es* nuestro Dios, y no le hemos dejado; y los sacerdotes que ministran a Jehová *son* los hijos de Aarón, y los levitas en la obra;

11 los cuales queman para Jehová los holocaustos cada mañana y cada tarde, y el incienso aromático; y *ponen* los panes sobre la mesa limpia, y el candelero de oro con sus candilejas para que ardan cada tarde; porque nosotros guardamos la ordenanza de Jehová nuestro Dios; mas vosotros le habéis dejado.

12 Y he aquí Dios *está* con nosotros por cabeza, y sus sacerdotes con las trompetas del júbilo para que suenen contra vosotros. Oh hijos de Israel, no peleéis contra Jehová el Dios de vuestros padres, porque no os irá bien.

13 Pero Jeroboam hizo girar una emboscada para venir a ellos por la retaguardia; y estando así delante de ellos, la emboscada *estaba* a espaldas de Judá.

14 Y como miró Judá, he aquí que *tenía* batalla delante y a las espaldas; por lo que clamaron a Jehová, y los sacerdotes tocaron las trompetas.

15 Entonces los de Judá alzaron grito; y así que ellos alzaron el grito, sucedió que Dios desbarató a Jeroboam y a todo Israel delante de Abías y de Judá:

16 Y huyeron los hijos de Israel delante de Judá, y Dios los entregó en sus manos.

17 Y Abías y su gente hacían en ellos gran mortandad; y cayeron heridos de Israel quinientos mil hombres escogidos.

18 Así fueron humillados los hijos de Israel en aquel tiempo, y los hijos de Judá prevalecieron, porque se apoyaban en Jehová el Dios de sus padres.

19 Y siguió Abías a Jeroboam, y le tomó algunas ciudades, a Betel con sus aldeas, a Jesana con sus aldeas, y a Efraín con sus aldeas.

20 Y nunca más tuvo Jeroboam poderío en los días de Abías; y le hirió Jehová, y murió.

21 Pero Abías se fortificó; y tomó catorce esposas, y engendró veintidós hijos, y dieciséis hijas.

22 Lo demás de los hechos de Abías, sus caminos y sus dichos, *están* escritos en la historia del profeta Iddo.

CAPÍTULO 14

Y durmió Abías con sus padres, y fue sepultado en la ciudad de David. Y reinó en su lugar su hijo Asa, en cuyos días tuvo sosiego el país por diez años.

2 Y Asa hizo lo bueno y lo recto ante los ojos de Jehová su Dios.

3 Porque quitó los altares de los *dioses* extraños, y los lugares altos; quebró los ídolos, y destruyó las imágenes de Asera;

4 y mandó a Judá que buscase a Jehová el Dios de sus padres, y pusiese por obra la ley y sus mandamientos.

5 Quitó asimismo de todas las ciudades de Judá los lugares altos y las imágenes, y el reino estuvo quieto delante de él.

6 Y edificó ciudades fortificadas en Judá, por cuanto había paz en la tierra, y no había guerra contra él en aquellos años; porque Jehová le había dado reposo.

7 Dijo por tanto a Judá: Edifiquemos estas ciudades, y cerquémoslas de muros con torres, puertas y barras, ya que la tierra *es* nuestra; porque hemos buscado a Jehová nuestro Dios, *le* hemos buscado, y Él nos ha dado reposo de todas partes. Edificaron, pues, y fueron prosperados.

8 Tuvo también Asa ejército que traía escudos y lanzas; de Judá trescientos mil, y de Benjamín doscientos ochenta mil que traían escudos y entesaban arcos; todos *eran* hombres valerosos.

9 Y salió contra ellos Zera etíope con un ejército de mil millares, y trescientos carros; y vino hasta Maresa.

10 Entonces salió Asa contra él, y ordenaron la batalla en el valle de Sefata junto a Maresa.

11 Y clamó Asa a Jehová su Dios, y dijo: Jehová, no es gran cosa para ti ayudar al poderoso así como al que no tiene fuerza. Ayúdanos, oh Jehová Dios nuestro, porque en ti nos apoyamos, y en tu nombre venimos contra este ejército. Oh Jehová, tú *eres* nuestro Dios; no prevalezca contra ti el hombre.

12 Y Jehová deshizo a los etíopes delante de Asa y delante de Judá; y huyeron los etíopes.

13 Y Asa, y el pueblo que con él *estaba*, lo siguió hasta Gerar; y cayeron los etíopes hasta no quedar en ellos aliento; porque fueron deshechos delante de Jehová y de su ejército. Y les tomaron muy grande botín.

14 Y derrotaron también a todas las ciudades de alrededor de Gerar, porque el terror de Jehová vino sobre ellos; y saquearon todas las ciudades, porque había en ellas gran botín.

15 También destruyeron las cabañas de los ganados, y se llevaron muchas ovejas y camellos, y volvieron a Jerusalén.

CAPÍTULO 15

Y el Espíritu de Dios vino sobre Azarías hijo de Oded;

2 y salió al encuentro a Asa, y le dijo: Oídme, Asa, y todo Judá y Benjamín: Jehová *estará* con vosotros, si vosotros estuviereis con Él: y si le buscareis, será hallado de vosotros; mas si le dejareis, Él también os dejará.

3 Muchos días *ha estado* Israel sin verdadero Dios y sin sacerdote que enseñe, y sin ley:

4 Mas cuando en su tribulación se convirtieron a Jehová Dios de Israel, y le buscaron, Él fue hallado de ellos.

5 En aquellos tiempos no *hubo* paz, ni para el que entraba, ni para el que salía, sino muchas aflicciones sobre todos los habitantes de las tierras.

6 Y una nación destruía a la otra, y una ciudad a otra ciudad; porque Dios los turbó con toda clase de calamidades.

7 Pero esforzaos vosotros, y no desfallezcan vuestras manos; que recompensa hay para vuestra obra.

8 Y cuando Asa oyó estas palabras y la profecía del profeta Oded, cobró ánimo, y quitó los ídolos abominables de toda la tierra de Judá y de Benjamín, y de las ciudades que

él había tomado en el monte de Efraín; y reparó el altar de Jehová que *estaba* delante del pórtico de Jehová.

9 Y reunió a todo Judá y Benjamín, y con ellos a los extranjeros de Efraín, de Manasés y de Simeón; porque muchos de Israel se habían pasado a él, viendo que Jehová su Dios *era* con él.

10 Se reunieron, pues, en Jerusalén en el mes tercero del año decimoquinto del reinado de Asa.

11 Y en aquel mismo día ofrecieron sacrificios a Jehová, del botín *que* habían traído, setecientos bueyes y siete mil ovejas.

12 E hicieron pacto de que buscarían a Jehová el Dios de sus padres, con todo su corazón y con toda su alma;

13 y que cualquiera que no buscase a Jehová el Dios de Israel, muriese, grande o pequeño, hombre o mujer.

14 Y lo juraron a Jehová con gran voz y júbilo, a son de trompetas y de bocinas.

15 Y todos los de Judá se alegraron de este juramento; porque de todo su corazón lo juraban, y de toda su voluntad lo buscaban; y fue hallado de ellos; y Jehová les dio reposo por todas partes.

16 Y aun a Maaca madre del rey Asa, él mismo la quitó de *ser* reina, porque había hecho una imagen de Asera; y Asa deshizo la imagen, y *la* desmenuzó, y *la* quemó junto al torrente de Cedrón.

17 Mas con todo eso los lugares altos no eran quitados de Israel, aunque el corazón de Asa fue perfecto en todos sus días.

18 Y trajo a la casa de Dios lo que su padre había dedicado, y lo que él había consagrado, plata, oro y utensilios.

19 Y no hubo *más* guerra hasta los treinta y cinco años del reinado de Asa.

CAPÍTULO 16

En el año treinta y seis del reinado de Asa, subió Baasa rey de Israel contra Judá, y edificó a Ramá, para no dejar salir ni entrar a ninguno al rey Asa, rey de Judá.

2 Entonces sacó Asa la plata y el oro de los tesoros de la casa de Jehová y de la casa real, y envió a Benadad rey de Siria, que estaba en Damasco, diciendo:

3 *Haya* alianza entre tú y yo, como *la hubo* entre mi padre y tu padre; he aquí yo te he enviado plata y oro, para que vengas y deshagas la alianza que tienes con Baasa rey de Israel, a fin de que se retire de mí.

4 Y consintió Benadad con el rey Asa, y envió los capitanes de sus ejércitos a la ciudades de Israel; y derrotaron a Ahión, Dan, y Abel-maim, y las ciudades de abastecimiento de Neftalí.

5 Y sucedió que cuando Baasa *lo* oyó, cesó de edificar a Ramá, y dejó su obra.

6 Entonces el rey Asa tomó a todo Judá, y se llevaron de Ramá la piedra y madera con que Baasa edificaba, y con ella edificó a Geba y Mizpa.

7 En aquel tiempo vino Hanani vidente a Asa rey de Judá, y le dijo: Por cuanto te has apoyado en el rey de Siria, y no te apoyaste en Jehová tu Dios, por eso el ejército del rey de Siria ha escapado de tus manos.

8 Los etíopes y los libios, ¿no eran un ejército numerosísimo, con carros y mucha gente de a caballo? con todo, porque te apoyaste en Jehová, Él los entregó en tus manos.

9 Porque los ojos de Jehová contemplan toda la tierra, para mostrarse poderoso a *los* que tienen corazón perfecto para con Él. Locamente has hecho en esto; porque de aquí en adelante habrá guerras contra ti.

10 Y enojado Asa contra el vidente, lo echó en la casa de la cárcel, porque se encolerizó en extremo a causa de esto. Y oprimió Asa en aquel tiempo a *algunos* del pueblo.

11 Mas he aquí, los hechos de Asa, primeros y postreros, *están* escritos en el libro de los reyes de Judá y de Israel.

12 Y en el año treinta y nueve de su reinado Asa enfermó de sus pies; y su enfermedad *fue* muy grave, pero aun en su enfermedad no buscó a Jehová, sino a los médicos.

13 Y durmió Asa con sus padres, y murió en el año cuarenta y uno de su reinado.

14 Y lo sepultaron en sus sepulcros que él había hecho para sí en la ciudad de David; y lo pusieron en un ataúd, el cual llenaron de perfumes y diversas *especias* aromáticas, preparadas por expertos perfumistas; e hicieron un gran fuego en su honor.

CAPÍTULO 17

Y reinó en su lugar Josafat su hijo, el cual prevaleció contra Israel.

2 Y puso ejército en todas las ciudades fortificadas de Judá, y colocó gente de guarnición en tierra de Judá, y asimismo en las ciudades de Efraín que su padre Asa había tomado.

3 Y Jehová fue con Josafat, porque anduvo en los primeros caminos de David su padre, y no buscó a los Baales;

4 sino que buscó al Dios de su padre, y anduvo en sus mandamientos, y no según las obras de Israel.

5 Jehová por tanto confirmó el reino en su mano, y todo Judá dio a Josafat presentes; y tuvo riqueza y gloria en abundancia.

6 Y se animó su corazón en los caminos de Jehová, y quitó los lugares altos y las imágenes de Asera *de en medio* de Judá.

7 Al tercer año de su reinado envió sus príncipes Ben-hail, Abdías, Zacarías, Natanael y Micaías, para que enseñasen en las ciudades de Judá;

8 y con ellos a los levitas, Semaías, Netanías, Zebadías, y Asael, y Semiramot, y Jonatán, y Adonías, y Tobías, y Tobadonías, levitas; y con ellos a los sacerdotes Elisama y Joram.

9 Y enseñaron en Judá, *teniendo* consigo el libro de la ley de Jehová, y recorrieron todas las ciudades de Judá enseñando al pueblo.

10 Y cayó el pavor de Jehová sobre todos los reinos de las tierras que *estaban* alrededor de Judá; que no osaron hacer guerra contra Josafat.

11 Y traían de los filisteos presentes a Josafat, y tributos de plata. Los árabes también le trajeron ganados, siete mil setecientos carneros y siete mil setecientos machos cabríos.

12 Y Josafat fue engrandeciéndose más y más; y edificó en Judá fortalezas y ciudades de abastecimiento.

13 Tuvo además muchos negocios en las ciudades de Judá, y hombres de guerra muy valientes en Jerusalén.

14 Y éste *es* el número de ellos según las casas de sus padres: De Judá, los capitanes de millares; el general Adna, y con él trescientos mil hombres muy valientes;

15 Después de él, el jefe Johanán, y con él doscientos ochenta mil.

16 Tras éste, Amasías hijo de Zicri, el cual se había ofrecido voluntariamente a Jehová, y con él doscientos mil hombres valientes.

17 De Benjamín, Eliada, hombre muy valeroso, y con él doscientos mil armados de arco y escudo.

18 Tras éste, Jozabad, y con él ciento ochenta mil apercibidos para la guerra.

19 Éstos eran siervos del rey, sin contar *los* que el rey había puesto en las ciudades fortificadas por toda Judá.

CAPÍTULO 18

Tenía, pues, Josafat riquezas y gloria en abundancia, y trabó parentesco con Acab.

2 Y después de *algunos* años descendió a Acab a Samaria; por lo que mató Acab muchas ovejas y bueyes para él, y para la gente que con él venía; y le persuadió que fuese *con él* a Ramot de Galaad.

3 Y dijo Acab rey de Israel a Josafat rey de Judá: ¿Quieres venir conmigo a Ramot de Galaad? Y él respondió: Yo soy como tú, y mi pueblo como tu pueblo; iremos contigo a la guerra.

4 Además dijo Josafat al rey de Israel: Te ruego que consultes hoy la palabra de Jehová.

5 Entonces el rey de Israel juntó cuatrocientos profetas, y les dijo: ¿Iremos a la guerra contra Ramot de Galaad, o me estaré yo quieto? Y ellos dijeron: Sube, porque Dios *los* entregará en mano del rey.

6 Mas Josafat dijo: ¿*Hay* aún aquí algún profeta de Jehová, para que por medio de él preguntemos?

7 Y el rey de Israel respondió a Josafat: Aún *hay* aquí un hombre por

el cual podemos preguntar a Jehová; mas yo le aborrezco, porque nunca me profetiza cosa buena, sino siempre mal. Éste es Micaías, hijo de Imla. Y respondió Josafat: No hable así el rey.

8 Entonces el rey de Israel llamó a un oficial, y le dijo: Haz venir luego a Micaías hijo de Imla.

9 Y el rey de Israel y Josafat rey de Judá, estaban sentados cada uno en su trono, vestidos de *sus* vestiduras reales; y estaban sentados en la era a la entrada de la puerta de Samaria, y todos los profetas profetizaban delante de ellos.

10 Y Sedequías hijo de Quenaana se había hecho cuernos de hierro, y decía: Así dice Jehová: Con éstos acornearás a los sirios hasta destruirlos del todo.

11 De esta manera profetizaban también todos los profetas, diciendo: Sube a Ramot de Galaad, y sé prosperado; porque Jehová *la* entregará en mano del rey.

12 Y el mensajero que había ido a llamar a Micaías, le habló, diciendo: He aquí las palabras de los profetas a una voz *anuncian* al rey bienes; yo, pues, te ruego que tu palabra sea como la de uno de ellos, que hables bien.

13 Y dijo Micaías: Vive Jehová, que lo que mi Dios me dijere, eso hablaré. Y vino al rey.

14 Y el rey le dijo: Micaías, ¿iremos a pelear contra Ramot de Galaad, o me estaré yo quieto? Y él respondió: Subid, que seréis prosperados, que serán entregados en vuestras manos.

15 Y el rey le dijo: ¿Hasta cuántas veces te conjuraré por el nombre de Jehová que no me hables sino la verdad?

16 Entonces él dijo: He visto a todo Israel dispersado por los montes como ovejas sin pastor; y dijo Jehová: Éstos no tienen señor; vuélvase cada uno en paz a su casa.

17 Y el rey de Israel dijo a Josafat: ¿No te había yo dicho *que* no me profetizaría bien, sino mal?

18 Entonces él dijo: Oíd, pues, palabra de Jehová: Yo he visto a Jehová sentado en su trono, y todo el ejército del cielo estaba a su mano derecha y a su izquierda.

19 Y Jehová dijo: ¿Quién inducirá a Acab rey de Israel, para que suba y caiga en Ramot de Galaad? Y uno decía así, y otro decía de otra manera.

20 Mas salió un espíritu, que se puso delante de Jehová, y dijo: Yo le induciré. Y Jehová le dijo: ¿De qué modo?

21 Y él dijo: Saldré y seré espíritu de mentira en la boca de todos los profetas. Y *Jehová* dijo: Incita, y también prevalece; sal, y hazlo así.

22 Y he aquí ahora ha puesto Jehová espíritu de mentira en la boca de estos tus profetas; mas Jehová ha decretado el mal acerca de ti.

23 Entonces Sedequías hijo de Quenaana se le acercó y golpeó a Micaías en la mejilla, y dijo: ¿Por qué camino se apartó de mí el Espíritu de Jehová para hablarte a ti?

24 Y Micaías respondió: He aquí tú lo verás aquel día, cuando entrarás de cámara en cámara para esconderte.

25 Entonces el rey de Israel dijo: Tomad a Micaías, y volvedlo a Amón gobernador de la ciudad, y a Joás hijo del rey.

26 Y diréis: El rey ha dicho así: Poned a éste en la cárcel, y sustentadle con pan de aflicción y agua de angustia, hasta que yo vuelva en paz.

27 Y Micaías dijo: Si tú volvieres en paz, Jehová no ha hablado por mí. Dijo además: Oídlo, pueblos todos.

28 Subió, pues, el rey de Israel, y Josafat rey de Judá, a Ramot de Galaad.

29 Y dijo el rey de Israel a Josafat: Yo me disfrazaré para entrar en la batalla, mas tú vístete tus vestiduras reales. Y se disfrazó el rey de Israel, y entraron en la batalla.

30 Había el rey de Siria mandado a los capitanes de los carros que *tenía* consigo, diciendo: No peleéis contra chico ni contra grande, sino sólo contra el rey de Israel.

31 Y como los capitanes de los carros vieron a Josafat, dijeron: Éste *es* el rey de Israel. Y lo cercaron para pelear; mas Josafat clamó, y lo ayudó Jehová, y los apartó Dios de él;

32 Pues viendo los capitanes de los carros que no era el rey de Israel, desistieron de acosarle.

33 Mas disparando uno el arco a la ventura, hirió al rey de Israel entre las junturas y el coselete. Él entonces dijo al carretero: Vuelve tu mano, y sácame del campo, porque estoy mal herido.

34 Y arreció la batalla aquel día, por lo que estuvo el rey de Israel en pie en el carro enfrente de los sirios hasta la tarde; mas murió a la puesta del sol.

CAPÍTULO 19

Y Josafat rey de Judá se volvió en paz a su casa en Jerusalén.

2 Y le salió al encuentro Jehú el vidente, hijo de Hanani, y dijo al rey Josafat: ¿Al impío das ayuda, y amas a los que aborrecen a Jehová? Pues la ira de la presencia de Jehová *será* sobre ti por ello.

3 Pero se han hallado en ti buenas cosas, porque cortaste de la tierra las imágenes de Asera, y has dispuesto tu corazón para buscar a Dios.

4 Habitó, pues, Josafat en Jerusalén; mas daba vuelta y salía al pueblo, desde Beerseba hasta el monte de Efraín, y los conducía a Jehová el Dios de sus padres.

5 Y puso jueces en la tierra, en todas las ciudades fortificadas de Judá, por todas las ciudades.

6 Y dijo a los jueces: Mirad lo que hacéis; porque no juzgáis en lugar de hombre, sino en lugar de Jehová, el cual *está* con vosotros cuando juzgáis.

7 Sea, pues, con vosotros el temor de Jehová; guardad y haced; porque en Jehová nuestro Dios no *hay* iniquidad, ni acepción de personas, ni recibir cohecho.

8 Y puso también Josafat en Jerusalén algunos *de* los levitas y sacerdotes, y de los padres de familias de Israel, para el juicio de Jehová y para las causas. Y se volvieron a Jerusalén.

9 Y les mandó, diciendo: Procederéis asimismo con temor de Jehová, con verdad, y con corazón íntegro.

10 En cualquier causa que viniere a vosotros de vuestros hermanos que habitan en las ciudades, entre sangre y sangre, entre ley y precepto, estatutos y derechos, habéis de amonestarles que no pequen contra

Jehová, porque no venga ira sobre vosotros y sobre vuestros hermanos. Haciendo así no pecaréis.

11 Y he aquí Amarías el sacerdote *será* el que os presida en todo asunto de Jehová; y Zebadías hijo de Ismael, príncipe de la casa de Judá, en todos los negocios del rey; también los levitas *serán* oficiales en presencia de vosotros. Actuad con valentía, y Jehová será con el bueno.

CAPÍTULO 20

Pasadas estas cosas, aconteció *que* los hijos de Moab y de Amón, y con ellos otros *además* de los amonitas, vinieron contra Josafat a la guerra.

2 Entonces vinieron algunos y dieron aviso a Josafat, diciendo: Viene contra ti una grande multitud del otro lado del mar, y de este lado de Siria; y he aquí ellos *están* en Hazezón-tamar, que *es* Engadi.

3 Y Josafat tuvo temor; y puso su rostro para consultar a Jehová, e hizo pregonar ayuno a todo Judá.

4 Y se reunieron los de Judá para pedir *socorro* a Jehová, y también de todas las ciudades de Judá vinieron a buscar a Jehová.

5 Entonces Josafat se puso en pie en la congregación de Judá y de Jerusalén, en la casa de Jehová, delante del atrio nuevo;

6 y dijo: Oh Jehová Dios de nuestros padres, ¿no *eres* tú Dios en los cielos, y señoreas sobre todos los reinos de las naciones? ¿No *está* en tu mano tal fuerza y poder, que no hay quien te resista?

7 ¿No *eres* tú nuestro Dios, que echaste a los moradores de esta tierra delante de tu pueblo Israel, y la diste a la simiente de Abraham tu amigo para siempre?

8 Y ellos han habitado en ella, y te han edificado en ella santuario a tu nombre, diciendo:

9 Si mal viniere sobre nosotros, o espada de castigo, o pestilencia, o hambre, nos presentaremos delante de esta casa, y delante de ti (porque tu nombre *está* en esta casa), y en nuestras tribulaciones clamaremos a ti, y tú oirás y *nos* ayudarás.

10 Ahora, pues, he aquí los hijos de Amón y de Moab, y los del monte de Seir, a quienes no permitiste que Israel invadiese cuando venía de la tierra de Egipto, por lo cual se apartaron de ellos y no los destruyeron;

11 he aquí, *ahora* ellos nos pagan viniendo a echarnos de la heredad que tú nos diste en posesión.

12 ¡Oh Dios nuestro! ¿No los juzgarás tú? Porque en nosotros no hay fuerza contra tan grande multitud que viene contra nosotros y no sabemos qué hacer, mas a ti *volvemos* nuestros ojos.

13 Y todo Judá estaba en pie delante de Jehová, con sus niños, sus esposas y sus hijos.

14 Y estaba allí Jahaziel hijo de Zacarías, hijo de Benaía, hijo de Jeiel, hijo de Matanías, levita de los hijos de Asaf, sobre el cual vino el Espíritu de Jehová en medio de la congregación,

15 y dijo: Oíd, todo Judá, y vosotros moradores de Jerusalén, y tú, rey Josafat. Jehová os dice así: No temáis ni os amedrentéis delante de esta tan grande multitud; porque la batalla no *es* vuestra, sino de Dios.

16 Mañana descenderéis contra ellos: he aquí que ellos subirán por la cuesta de Sis, y los hallaréis junto al arroyo, antes del desierto de Jeruel.

17 No habrá para qué peleéis vosotros en este caso; paraos, estaos quietos, y ved la salvación de Jehová con vosotros. Oh Judá y Jerusalén, no temáis ni desmayéis; salid mañana contra ellos, porque Jehová *será* con vosotros.

18 Entonces Josafat se inclinó rostro en tierra, y asimismo todo Judá y los moradores de Jerusalén se postraron delante de Jehová, y adoraron a Jehová.

19 Y se levantaron los levitas de los hijos de Coat y de los hijos de Coré, para alabar a Jehová el Dios de Israel a fuerte y alta voz.

20 Y se levantaron muy de mañana y salieron al desierto de Tecoa. Y mientras ellos salían, Josafat, estando en pie, dijo: Oídme, Judá y moradores de Jerusalén. Creed en Jehová vuestro Dios, y estaréis seguros; creed a sus profetas, y seréis prosperados.

21 Y habiendo consultado con el pueblo, puso a algunos que cantasen a Jehová, y alabasen en la hermosura de la santidad, mientras salían delante del ejército, y que dijesen: Glorificad a Jehová, porque su misericordia *es* para siempre.

22 Y cuando comenzaron a cantar y a alabar, Jehová puso emboscadas contra los hijos de Amón, de Moab, y del monte de Seir, que habían venido contra Judá, y fueron derrotados;

23 Pues los hijos de Amón y Moab se levantaron contra los del monte de Seir, para matarlos y destruirlos; y como hubieron acabado a los del monte de Seir, cada cual ayudó a la destrucción de su compañero.

24 Y luego que vino Judá a la atalaya del desierto, miraron hacia la multitud; mas he aquí yacían ellos en tierra muertos, ninguno había escapado.

25 Viniendo entonces Josafat y su pueblo a despojarlos, hallaron en ellos muchas riquezas entre los cadáveres, así vestiduras como joyas preciosas, las cuales tomaron para sí, tantas, que no las podían llevar; tres días duró el despojo, porque era mucho.

26 Y al cuarto día se juntaron en el valle de Beraca; porque allí bendijeron a Jehová, y por esto llamaron el nombre de aquel paraje el valle de Beraca, hasta hoy.

27 Y todo Judá y los de Jerusalén, y Josafat a la cabeza de ellos, volvieron para tornarse a Jerusalén con gozo, porque Jehová les había dado gozo sobre sus enemigos.

28 Y vinieron a Jerusalén, a la casa de Jehová, con salterios, arpas, y trompetas.

29 Y el pavor de Dios cayó sobre todos los reinos de *aquella* tierra, cuando oyeron que Jehová había peleado contra los enemigos de Israel.

30 Y el reino de Josafat tuvo reposo; porque su Dios le dio reposo por todas partes.

31 Así reinó Josafat sobre Judá. Treinta y cinco años *tenía* cuando comenzó a reinar, y reinó veinticinco años en Jerusalén. El nombre de su madre *fue* Azuba, hija de Silhi.

32 Y anduvo en el camino de Asa su padre, sin apartarse de él, haciendo lo recto ante los ojos de Jehová.

33 Con todo eso los lugares altos no eran quitados; pues el pueblo aún no había enderezado su corazón al Dios de sus padres.

34 Lo demás de los hechos de Josafat, primeros y postreros, he aquí están escritos en las palabras de Jehú hijo de Hanani, del cual *es* hecha mención en el libro de los reyes de Israel.

35 Pasadas estas cosas, Josafat rey de Judá trabó amistad con Ocozías rey de Israel, el cual fue dado a la impiedad;

36 E hizo con él compañía para construir navíos que fuesen a Tarsis; y construyeron los navíos en Ezión-geber.

37 Entonces Eliezer hijo de Dodava de Maresa, profetizó contra Josafat, diciendo: Por cuanto has hecho compañía con Ocozías, Jehová destruirá tus obras. Y los navíos se rompieron, y no pudieron ir a Tarsis.

CAPÍTULO 21

Y durmió Josafat con sus padres, y lo sepultaron con sus padres en la ciudad de David. Y reinó en su lugar su hijo Joram.

2 Éste tuvo hermanos, hijos de Josafat: Azarías, Jehiel, Zacarías, Azarías, Micael, y Sefatías. Todos *éstos* fueron hijos de Josafat rey de Israel.

3 Y su padre les había dado muchos dones de oro y de plata, y cosas preciosas, y ciudades fortificadas en Judá; mas había dado el reino a Joram, porque él *era* el primogénito.

4 Y cuando Joram ascendió al reino de su padre, y se hizo fuerte, mató a espada a todos sus hermanos, y asimismo *algunos* de los príncipes de Israel.

5 Cuando comenzó a reinar era de treinta y dos años, y reinó ocho años en Jerusalén.

6 Y anduvo en el camino de los reyes de Israel, como hizo la casa de Acab; porque tenía por esposa a la hija de Acab, e hizo lo malo ante los ojos de Jehová.

Las malas compañías corrompen

7 Mas Jehová no quiso destruir la casa de David, a causa del pacto que había hecho con David, y porque le había dicho que le daría lámpara a él y a sus hijos perpetuamente.

8 En los días de éste los edomitas se rebelaron contra el dominio de Judá, y pusieron rey sobre sí.

9 Entonces pasó Joram con sus príncipes, y consigo todos sus carros; y se levantó de noche, e hirió a los edomitas que le habían cercado, y a todos los comandantes de sus carros.

10 Así que los edomitas se rebelaron contra la mano de Judá hasta hoy. También se rebeló en el mismo tiempo Libna para no estar bajo su mano; por cuanto él había dejado a Jehová el Dios de sus padres.

11 Además de esto edificó lugares altos en los montes de Judá, e hizo que los moradores de Jerusalén fornicasen, y a *lo mismo* impelió a Judá.

12 Y le vino una carta del profeta Elías que decía: Jehová el Dios de David tu padre ha dicho así: Por cuanto no has andado en los caminos de Josafat tu padre, ni en los caminos de Asa, rey de Judá,

13 sino que has andado en el camino de los reyes de Israel, y has hecho que fornicase Judá, y los moradores de Jerusalén, como fornicó la casa de Acab; y además has dado muerte a tus hermanos, a la familia de tu padre, *los cuales eran* mejores que tú.

14 He aquí Jehová herirá a tu pueblo de una gran plaga, y a tus hijos y a tus esposas, y a toda tu hacienda;

15 y a ti con muchas enfermedades, con enfermedad de tus intestinos, hasta que los intestinos se te salgan a causa de tu enfermedad día tras día.

16 Entonces despertó Jehová contra Joram el espíritu de los filisteos, y de los árabes que *estaban* junto a los etíopes;

17 y subieron contra Judá, e invadieron la tierra, y tomaron toda la hacienda que hallaron en la casa del rey, y a sus hijos, y a sus esposas; que no le quedó hijo, sino Joacaz el menor de sus hijos.

18 Después de todo esto Jehová lo hirió en las entrañas de una enfermedad incurable.

19 Y aconteció que, en el transcurrir de los días, al cabo de dos años, las entrañas se le salieron con la enfermedad, muriendo así de enfermedad muy penosa. Y no le hizo quema su pueblo, como lo habían hecho a sus padres.

20 Cuando comenzó a reinar era de treinta y dos años, y reinó en Jerusalén ocho años; y se fue sin ser deseado. Y lo sepultaron en la ciudad de David, mas no en los sepulcros de los reyes.

CAPÍTULO 22

Y los moradores de Jerusalén hicieron rey en lugar suyo a Ocozías su hijo menor, porque la tropa había venido con los árabes al campamento y había dado muerte a todos los mayores; por lo cual reinó Ocozías, hijo de Joram rey de Judá.

2 Cuarenta y dos años *tenía* Ocozías cuando comenzó a reinar, y reinó un año en Jerusalén. El nombre de su madre fue Atalía, hija de Omri.

3 También él anduvo en los caminos de la casa de Acab, porque su madre le aconsejaba a que hiciese impíamente.

4 Hizo, pues, lo malo ante los ojos de Jehová, como la casa de Acab; porque después de la muerte de su padre, ellos le aconsejaron para su perdición.

5 Y él anduvo en los consejos de ellos, y fue a la guerra con Joram hijo de Acab, rey de Siria, contra Hazael rey de Siria, a Ramot de Galaad, donde los sirios hirieron a Joram.

6 Y se volvió para curarse en Jezreel de las heridas que le habían hecho en Ramá, peleando con Hazael rey de Siria. Y descendió Azarías hijo de Joram, rey de Judá, a visitar a Joram hijo de Acab, en Jezreel, porque éste estaba enfermo.

7 Pero esto venía de Dios, para que Ocozías fuese hollado viniendo a Joram; porque cuando vino, salió con Joram contra Jehú hijo de Nimsi, al cual Jehová había ungido para que talase la casa de Acab.

8 Y aconteció que cuando Jehú ejecutaba juicio contra la casa de Acab, halló a los príncipes de Judá, y a los hijos de los hermanos de Ocozías, que servían a Ocozías, y los mató.

9 Y buscando a Ocozías, el cual se había escondido en Samaria, lo tomaron, y lo trajeron a Jehú, y le mataron; y le dieron sepultura, porque dijeron: *Es* hijo de Josafat, el cual buscó a Jehová de todo su corazón. Y la casa de Ocozías no tenía fuerzas para poder retener el reino.

10 Entonces Atalía madre de Ocozías, viendo que su hijo era muerto, se levantó y destruyó toda la simiente real de la casa de Judá.

11 Pero Josabet, hija del rey, tomó a Joás hijo de Ocozías, y lo arrebató de entre los hijos del rey, a los cuales mataban, y le guardó a él y a su ama en una recámara. Así lo escondió Josabet, hija del rey Joram, esposa de Joiada el sacerdote (porque ella era hermana de Ocozías), de delante de Atalía, y no lo mataron.

12 Y estuvo con ellos escondido en la casa de Dios seis años. Entre tanto Atalía reinaba en el país.

CAPÍTULO 23

Mas el séptimo año se animó Joiada, y tomó consigo en alianza a los centuriones, Azarías hijo de Jeroham, y a Ismael hijo de Johanán, y a Azarías hijo de Obed, y a Maasías hijo de Adaías, y a Elisafat hijo de Zicri;

2 los cuales rodeando por Judá, juntaron a los levitas de todas las ciudades de Judá, y a los príncipes de las familias de Israel, y vinieron a Jerusalén.

3 Y toda la multitud hizo alianza con el rey en la casa de Dios. Y él les dijo: He aquí el hijo del rey, el cual reinará, como Jehová lo tiene dicho de los hijos de David.

4 Esto *es* lo que habéis de hacer: una tercera parte de vosotros que entran el sábado, *estarán* de porteros con los sacerdotes y los levitas;

5 y una tercera parte *estará* en la casa del rey; y una tercera parte, a la puerta del Fundamento; y todo el pueblo *estará* en los atrios de la casa de Jehová.

6 Y ninguno entre en la casa de Jehová, sino los sacerdotes y levitas que sirven; éstos entrarán, porque *están* consagrados; y todo el pueblo hará la guardia de Jehová.

7 Y los levitas rodearán al rey por todas partes, y cada uno tendrá sus armas en la mano; y cualquiera que entrare en la casa, que muera; y estaréis con el rey cuando entrare, y cuando saliere.

8 Y los levitas y todo Judá lo hicieron todo como lo había mandado el sacerdote Joiada; y tomó cada uno a los suyos, los que entraban el sábado, y los que salían el sábado; porque el sacerdote Joiada no dio licencia a las compañías.

9 Dio también el sacerdote Joiada a los centuriones las lanzas, paveses y escudos que *habían sido* del rey David, que *estaban* en la casa de Dios;

10 y puso en orden a todo el pueblo, teniendo cada uno su espada en la mano, desde el rincón derecho del templo hasta el izquierdo, hacia el altar y la casa, en derredor del rey por todas partes.

11 Entonces sacaron al hijo del rey, le pusieron la corona, *le dieron* el testimonio y le proclamaron rey; y Joiada y sus hijos le ungieron, diciendo luego: ¡Viva el rey!

12 Y como Atalía oyó el estruendo de la gente que corría, y de los que aclamaban al rey, vino al pueblo a la casa de Jehová;

13 y mirando, vio al rey que estaba junto a su columna a la entrada, y los príncipes y los trompetistas junto al rey, y todo el pueblo de la tierra hacía alegrías, y tocaban trompetas, y los cantores con instrumentos de música dirigían la alabanza. Entonces Atalía rasgó sus vestidos, y dijo: ¡Traición! ¡Traición!

14 Entonces el sacerdote Joiada sacó a los centuriones que estaban al mando del ejército, y les dijo: Sacadla fuera del recinto; y el que la siguiere, muera a filo de espada. Porque el sacerdote había mandado que no la matasen en la casa de Jehová.

15 Ellos, pues, le echaron mano, y luego que hubo ella pasado la entrada de la puerta de los Caballos de la casa del rey, allí la mataron.

16 Y Joiada hizo pacto entre sí y todo el pueblo y el rey, que serían pueblo de Jehová.

17 Después de esto entró todo el pueblo en el templo de Baal, y lo derribaron, y también sus altares; e hicieron pedazos sus imágenes, y mataron delante de los altares a Matán, sacerdote de Baal.

18 Luego ordenó Joiada los oficios en la casa de Jehová bajo la mano de los sacerdotes y levitas, según David los había distribuido en la casa de Jehová, para ofrecer a Jehová los holocaustos, como *está* escrito en la ley de Moisés, con gozo y cantos, conforme *fue ordenado* por David.

19 Puso también porteros a las puertas de la casa de Jehová, para que por ninguna vía entrase ningún inmundo.

20 Tomó después a los centuriones, y a los principales, y a los que gobernaban el pueblo; y a todo el pueblo de la tierra, e hizo descender al rey de la casa de Jehová; y vinieron a través de la puerta mayor a la casa del rey, y sentaron al rey sobre el trono del reino.

21 Y se regocijó todo el pueblo del país, y la ciudad estuvo quieta, después que mataron a Atalía a filo de espada.

CAPÍTULO 24

Siete años *tenía* Joás cuando comenzó a reinar, y cuarenta años reinó en Jerusalén. El nombre de su madre fue Sibia, de Beerseba.

2 Y Joás hizo lo recto ante los ojos de Jehová todos los días de Joiada el sacerdote.

3 Y Joiada tomó para él dos esposas; y engendró hijos e hijas.

4 Después de esto aconteció *que* Joás tuvo voluntad de reparar la casa de Jehová.

5 Y juntó a los sacerdotes y a los levitas, y les dijo: Salid por las ciudades de Judá, y juntad dinero de todo Israel, para que cada año sea reparada la casa de vuestro Dios; y vosotros poned diligencia en el asunto. Pero los levitas no pusieron diligencia.

6 Por lo cual el rey llamó a Joiada el principal, y le dijo: ¿Por qué no has procurado que los levitas traigan de Judá y de Jerusalén al tabernáculo de la congregación, la ofrenda que impuso Moisés siervo de Jehová, y de la congregación de Israel?

7 Porque la impía Atalía y sus hijos habían destruido la casa de Dios, y además habían gastado en los ídolos todas las cosas consagradas a la casa de Jehová.

8 Mandó, pues, el rey que hiciesen un arca, la cual pusieron fuera a la puerta de la casa de Jehová;

9 e hicieron pregonar en Judá y en Jerusalén, que trajesen a Jehová la ofrenda *que* Moisés siervo de Dios había impuesto a Israel en el desierto.

10 Y todos los príncipes y todo el pueblo se gozaron, y trajeron ofrendas, y echaron en el arca hasta llenarla.

11 Y sucedía que cuando venía el tiempo para llevar el arca al magistrado del rey por mano de los levitas, cuando veían que *había* mucho dinero, venía el escriba del rey, y el que estaba puesto por el sumo sacerdote, y llevaban el arca, y la vaciaban, y la volvían a su lugar; y así lo hacían de día en día, y recogían mucho dinero;

12 y el rey y Joiada lo daban a los que hacían la obra del servicio de la casa de Jehová, y contrataban canteros y carpinteros para que reparasen la casa de Jehová, y a los que trabajaban con hierro y bronce para que reparasen la casa de Jehová.

13 Hacían, pues, los artesanos la obra, y por sus manos la obra fue restaurada, y restituyeron la casa de Dios a su condición, y la consolidaron.

14 Y cuando hubieron acabado, trajeron lo que quedaba del dinero al rey y a Joiada, e hicieron de él utensilios para la casa de Jehová, utensilios para el servicio, morteros, cucharas, vasos de oro y de plata. Y sacrificaban holocaustos continuamente en la casa de Jehová todos los días de Joiada.

15 Mas Joiada envejeció, y murió lleno de días; *tenía* ciento treinta años cuando murió.

16 Y lo sepultaron en la ciudad de David con los reyes, por cuanto había hecho bien con Israel, y para con Dios, y con su casa.

17 Muerto Joiada, vinieron los príncipes de Judá, y se postraron ante el rey; y el rey los oyó.

18 Y abandonaron la casa de Jehová el Dios de sus padres, y sirvieron a las imágenes de Asera y a las imágenes esculpidas; y la ira vino sobre Judá y Jerusalén por este su pecado.

19 Y les envió profetas para que los volviesen a Jehová, los cuales les amonestaron; mas ellos no los escucharon.

20 Y el Espíritu de Dios envistió a Zacarías, hijo de Joiada el sacerdote, y puesto en pie, donde estaba más alto que el pueblo, les dijo: Así dice Dios: ¿Por qué quebrantáis los mandamientos de Jehová? No os vendrá bien por ello; porque por haber abandonado a Jehová, Él también os abandonará.

21 Mas ellos hicieron conspiración contra él, y por mandato del rey, lo apedrearon en el atrio de la casa de Jehová.

22 Así el rey Joás no se acordó de la misericordia que su padre Joiada había hecho con él, antes mató su hijo; el cual dijo al morir: Jehová *lo* vea, y *lo* demande.

23 Y sucedió que a la vuelta del año subió contra él el ejército de Siria; y vinieron a Judá y a Jerusalén, y destruyeron en el pueblo a todos los principales de él, y enviaron todo el despojo al rey a Damasco.

24 Porque aunque el ejército de Siria había venido con poca gente, Jehová les entregó en sus manos un ejército muy numeroso; por cuanto habían dejado a Jehová el Dios de sus padres. Y así ejecutaron juicio contra Joás.

25 Y yéndose de él los sirios, lo dejaron en muchas enfermedades; y conspiraron contra él sus siervos a causa de la sangre de los hijos de Joiada el sacerdote, y le hirieron en su cama, y murió. Y le sepultaron en la ciudad de David, mas no lo sepultaron en los sepulcros de los reyes.

26 Los que conspiraron contra él fueron Zabad, hijo de Simeat amonita, y Jozabad, hijo de Simrit moabita.

27 Y *en cuanto* a sus hijos, y a la multiplicación que hizo de las rentas, y de la restauración de la casa de Jehová, he aquí *está* escrito en la

historia del libro de los reyes. Y reinó en su lugar Amasías su hijo.

CAPÍTULO 25

Veinticinco años *tenía* Amasías *cuando* comenzó a reinar, y veintinueve años reinó en Jerusalén: el nombre de su madre *fue* Joadan, de Jerusalén.

2 Hizo él lo recto ante los ojos de Jehová aunque no de perfecto corazón.

3 Y sucedió que luego que fue confirmado en el reino, mató a sus siervos que habían matado al rey su padre.

4 Mas no mató a los hijos de ellos, según lo que *está* escrito en la ley en el libro de Moisés, donde Jehová mandó, diciendo: No morirán los padres por los hijos, ni los hijos por los padres; mas cada uno morirá por su pecado.

5 Juntó luego Amasías a Judá, y con arreglo a las familias les puso jefes de millares y de centenas por todo Judá y Benjamín; y puso en lista a los de veinte años arriba, y fueron hallados en ellos trescientos mil escogidos para salir a la guerra, que tenían lanza y escudo.

6 Y de Israel tomó a sueldo cien mil hombres valientes, por cien talentos de plata.

7 Pero un varón de Dios vino a él y le dijo: Rey, no vaya contigo el ejército de Israel; porque Jehová no *está* con Israel, *ni con* todos los hijos de Efraín.

8 Pero si quieres ir, ve, esfuérzate para la batalla, *pero* Dios te hará caer delante de los enemigos; porque en Dios está el poder, o para ayudar, o para derribar.

9 Y Amasías dijo al varón de Dios: ¿Qué, pues, se hará de los cien talentos que he dado al ejército de Israel? Y el varón de Dios respondió: De Jehová es darte mucho más que esto.

10 Entonces Amasías apartó el escuadrón de la gente que había venido a él de Efraín, para que se fuesen a sus casas: y ellos se enojaron grandemente contra Judá, y se volvieron a sus casas encolerizados.

11 Esforzándose entonces·Amasías, sacó a su pueblo, y vino al valle de la Sal, y mató de los hijos de Seir diez mil.

12 Y los hijos de Judá tomaron vivos otros diez mil, los cuales llevaron a la cumbre de un peñasco, y de allí los despeñaron, y todos se hicieron pedazos.

13 Mas los del escuadrón que Amasías había despedido, para que no fuesen con él a la guerra, acometieron las ciudades de Judá, desde Samaria hasta Bet-horón, e hirieron de ellos tres mil, y tomaron un grande despojo.

14 Regresando luego Amasías de la matanza de los edomitas, trajo también consigo los dioses de los hijos de Seir, y los puso para sí por dioses, y se inclinó ante ellos y les quemó incienso.

15 Por lo cual se encendió el furor de Jehová contra Amasías, y envió a él un profeta, que le dijo: ¿Por qué has buscado los dioses de la gente, que no libraron a su pueblo de tus manos?

16 Y hablándole el profeta estas cosas, él le respondió: ¿Te han puesto a ti por consejero del rey? Déjate de eso: ¿Por qué quieres que te maten? Y cuando terminó de hablar, el profeta dijo luego: Yo sé que Dios ha determinado destruirte, porque has hecho esto, y no obedeciste a mi consejo.

17 Y Amasías rey de Judá, habiendo tomado consejo, envió a decir a Joás, hijo de Joacaz, hijo de Jehú, rey de Israel: Ven, y veámonos cara a cara.

18 Entonces Joás rey de Israel envió a decir a Amasías rey de Judá: El cardo que *estaba* en el Líbano, envió al cedro que *estaba* en el Líbano, diciendo: Da tu hija a mi hijo por esposa. Y he aquí que las bestias fieras que *estaban* en el Líbano, pasaron, y hollaron el cardo.

19 Tú dices: He aquí he herido a Edom; y tu corazón se enaltece para gloriarte; ahora quédate en tu casa; ¿para qué provocas *tu* mal, para caer tú y Judá contigo?

20 Pero Amasías no quiso oír; porque esto *venía* de Dios, que los quería entregar en manos *de sus*

enemigos, por cuanto habían buscado los dioses de Edom.

21 Subió, pues, Joás rey de Israel, y se vieron cara a cara él y Amasías rey de Judá, en Bet-semes, la cual *es* de Judá.

22 Pero cayó Judá delante de Israel, y huyó cada uno a su estancia.

23 Y Joás rey de Israel prendió en Bet-semes a Amasías rey de Judá, hijo de Joás hijo de Joacaz, y lo llevó a Jerusalén; y derribó el muro de Jerusalén desde la puerta de Efraín hasta la puerta del Ángulo, cuatrocientos codos.

24 Asimismo *tomó* todo el oro y la plata, y todos los utensilios que se hallaron en la casa de Dios en casa de Obed-edom, y los tesoros de la casa del rey, y los hijos de los príncipes, y se volvió a Samaria.

25 Y vivió Amasías hijo de Joás, rey de Judá, quince años después de la muerte de Joás hijo de Joacaz rey de Israel.

26 Lo demás de los hechos de Amasías, primeros y postreros, ¿no *está* escrito en el libro de los reyes de Judá y de Israel?

27 Desde aquel tiempo que Amasías se apartó de Jehová, maquinaron contra él conjura en Jerusalén; y habiendo él huido a Laquis, enviaron tras él a Laquis, y allá lo mataron;

28 y lo trajeron en caballos, y lo sepultaron con sus padres en la ciudad de Judá.

CAPÍTULO 26

Entonces todo el pueblo de Judá tomó a Uzías, el cual *tenía* dieciséis años, y lo pusieron por rey en lugar de Amasías su padre.

2 Edificó él a Elot, y la restituyó a Judá después que el rey durmió con sus padres.

3 Dieciséis años *tenía* Uzías cuando comenzó a reinar, y cincuenta y dos años reinó en Jerusalén. El nombre de su madre *fue* Jecolía, de Jerusalén.

4 E hizo lo recto ante los ojos de Jehová, conforme a todas las cosas que había hecho Amasías su padre.

5 Y persistió en buscar a Dios en los días de Zacarías, entendido en visiones de Dios; y en estos días que él buscó a Jehová, Él le prosperó.

6 Y salió, y peleó contra los filisteos, y rompió el muro de Gat, y el muro de Jabnia, y el muro de Asdod; y edificó ciudades en Asdod, y en la tierra de los filisteos.

7 Y Dios le dio ayuda contra los filisteos, y contra los árabes que habitaban en Gur-baal, y contra los meunitas.

8 Y dieron los amonitas presentes a Uzías, y se divulgó su nombre hasta la entrada de Egipto; porque se había hecho altamente poderoso.

9 Edificó también Uzías torres en Jerusalén, junto a la puerta del Ángulo, y junto a la puerta del Valle, y junto a las esquinas; y las fortificó.

10 Asimismo edificó torres en el desierto, y abrió muchas cisternas; porque tuvo muchos ganados, así en los valles como en las vegas; y viñas, y labranzas, así en los montes como en el Carmelo; porque era amigo de la agricultura.

11 Tuvo también Uzías escuadrones de guerreros, los cuales salían a la guerra en ejército, según que estaban por lista hecha por mano de Jeiel escriba y de Maasías gobernador, y por mano de Hananías, *uno* de los príncipes del rey.

12 Todo el número de los jefes de familias, valientes y esforzados, *era* dos mil seiscientos.

13 Y bajo la mano de éstos *estaba* el ejército de guerra, de trescientos siete mil quinientos guerreros poderosos y fuertes para ayudar al rey contra los enemigos.

14 Y les aprestó Uzías para todo el ejército, escudos, lanzas, almetes, coseletes, arcos, y hondas *de tirar* piedras.

15 E hizo en Jerusalén máquinas inventadas por ingenieros, para que estuviesen en las torres y en los baluartes, para arrojar saetas y grandes piedras, y su fama se extendió lejos, porque fue ayudado maravillosamente, hasta hacerse fuerte.

16 Mas cuando ya era fuerte, su corazón se enalteció para *su* ruina; porque se rebeló contra Jehová su Dios, entrando en el templo de Jehová para quemar incienso en el altar del incienso.

17 Y entró tras él el sacerdote Azarías, y con él ochenta sacerdotes de Jehová, de los valientes.

18 Y se pusieron contra el rey Uzías, y le dijeron: No a ti, oh Uzías, el quemar incienso a Jehová, sino a los sacerdotes hijos de Aarón, que son consagrados para quemarlo. Sal del santuario, por que has prevaricado, y no te *será* para gloria delante de Jehová Dios.

19 Y Uzías, que *tenía* en su mano un incensario para quemar incienso, se llenó de ira; y en esta su ira contra los sacerdotes, la lepra le salió en la frente delante de los sacerdotes en la casa de Jehová, junto al altar del incienso.

20 Y le miró Azarías el sumo sacerdote, y todos los sacerdotes, y he aquí la lepra *estaba* en su frente; y le hicieron salir aprisa de aquel lugar; y él también se dio prisa a salir, porque Jehová lo había herido.

21 Así el rey Uzías fue leproso hasta el día de su muerte, y habitó en una casa apartada, leproso, por lo que había sido separado de la casa de Jehová; y Jotam su hijo tuvo cargo de la casa real, gobernando al pueblo de la tierra.

22 Los demás hechos de Uzías, primeros y postreros, los escribió el profeta Isaías, hijo de Amoz.

23 Y durmió Uzías con sus padres, y lo sepultaron con sus padres en el campo de los sepulcros reales; porque dijeron: Leproso *es.* Y reinó Jotam su hijo en lugar suyo.

CAPÍTULO 27

Veinticinco años *tenía* Jotam cuando comenzó a reinar, y dieciséis años reinó en Jerusalén. El nombre de su madre *fue* Jerusa, hija de Sadoc.

2 E hizo lo recto ante los ojos de Jehová, conforme a todas las cosas que había hecho Uzías su padre, salvo que no entró en el templo de Jehová. Y el pueblo continuaba corrompiéndose.

3 Edificó él la puerta mayor de la casa de Jehová, y en el muro de la fortaleza edificó mucho.

4 Además edificó ciudades en las montañas de Judá, y labró palacios y torres en los bosques.

5 También tuvo él guerra con el rey de los hijos de Amón, a los cuales venció; y le dieron los hijos de Amón en aquel año cien talentos de plata, y diez mil coros de trigo, y diez mil de cebada. Esto le dieron los hijos de Amón, y lo mismo en el segundo año, y en el tercero.

6 Así que Jotam se hizo fuerte, porque preparó sus caminos delante de Jehová su Dios.

7 Lo demás de los hechos de Jotam, y todas sus guerras, y sus caminos, he aquí *está* escrito en el libro de los reyes de Israel y de Judá.

8 Cuando comenzó a reinar tenía veinticinco años, y dieciséis años reinó en Jerusalén.

9 Y durmió Jotam con sus padres, y lo sepultaron en la ciudad de David; y reinó en su lugar Acaz su hijo.

CAPÍTULO 28

Veinte años *tenía* Acaz cuando comenzó a reinar, y dieciséis años reinó en Jerusalén; mas no hizo lo recto ante los ojos de Jehová, como David su padre.

2 Pues anduvo en los caminos de los reyes de Israel, y además hizo imágenes de fundición a los Baales.

3 Quemó también incienso en el valle de los hijos de Hinom, y quemó sus hijos por fuego, conforme a las abominaciones de las naciones que Jehová había echado de delante de los hijos de Israel.

4 Asimismo sacrificó y quemó incienso en los lugares altos, y en los collados, y debajo de todo árbol frondoso.

5 Por lo cual Jehová su Dios lo entregó en manos del rey de los sirios, los cuales le derrotaron, y se llevaron cautiva una gran multitud que llevaron a Damasco. Fue también entregado en manos del rey de Israel, el cual lo batió con gran mortandad.

6 Porque Peka, hijo de Remalías mató en Judá en un día ciento veinte mil, todos hombres valientes; por cuanto habían dejado a Jehová el Dios de sus padres.

7 Asimismo Zicri, hombre poderoso de Efraín, mató a Maasías hijo del rey,

y a Azricam su mayordomo, y a Elcana, segundo después del rey.

8 Y los hijos de Israel se llevaron cautivos de sus hermanos a doscientos mil, mujeres, hijos e hijas, además de haber saqueado de ellos un gran despojo, el cual trajeron a Samaria.

9 Había entonces allí un profeta de Jehová, que se llamaba Oded, el cual salió delante del ejército cuando entraba en Samaria, y les dijo: He aquí Jehová el Dios de vuestros padres, por el enojo contra Judá, los ha entregado en vuestras manos; y vosotros los habéis matado con ira, *que* ha llegado hasta el cielo.

10 Y ahora habéis determinado sujetar a vosotros a Judá y a Jerusalén por siervos y siervas: *mas* ¿no habéis vosotros pecado contra Jehová vuestro Dios?

11 Oídme, pues, ahora, y devolved a los cautivos que habéis tomado de vuestros hermanos; porque Jehová *está* airado contra vosotros.

12 Se levantaron entonces algunos varones de los principales de los hijos de Efraín, Azarías hijo de Johanán, y Berequías hijo de Mesilemot, y Ezequías hijo de Salum, y Amasa hijo de Hadlai, contra los que venían de la guerra.

13 Y les dijeron: No metáis acá a los cautivos; porque el pecado contra Jehová será sobre nosotros. Vosotros tratáis de añadir sobre nuestros pecados y sobre nuestras culpas, siendo muy grande nuestro delito, y la ira del furor sobre Israel.

14 Entonces el ejército dejó los cautivos y el despojo delante de los príncipes y de toda la multitud.

15 Y se levantaron los varones nombrados, y tomaron los cautivos, y vistieron del despojo a los que de ellos estaban desnudos; los vistieron y los calzaron, y les dieron de comer y de beber, y los ungieron, y condujeron en asnos a todos los débiles, y los llevaron hasta Jericó, ciudad de las palmeras, cerca de sus hermanos; y ellos se volvieron a Samaria.

16 En aquel tiempo el rey Acaz envió a pedir a los reyes de Asiria que le ayudasen.

17 Pues otra vez los edomitas habían venido y herido a los de Judá, y habían llevado cautivos.

18 Asimismo los filisteos habían invadido a las ciudades de la llanura, y del sur de Judá, y habían tomado a Bet-semes, a Ajalón, Gederot, y a Soco con sus aldeas, Timna también con sus aldeas, y Gimzo con sus aldeas; y habitaban en ellas.

19 Porque Jehová había humillado a Judá por causa de Acaz rey de Israel; por cuanto él había desnudado a Judá, y había prevaricado gravemente contra Jehová.

20 Y vino contra él Tilgat-pileser, rey de los asirios; quien lo redujo a estrechez, y no lo fortificó.

21 Aunque despojó Acaz la casa de Jehová, y la casa real, y las de los príncipes, para dar al rey de los asirios, con todo eso él no le ayudó.

22 Además el rey Acaz en el tiempo de su aflicción, añadió mayor pecado contra Jehová;

23 Porque ofreció sacrificio a los dioses de Damasco que le habían derrotado, y dijo: Pues que los dioses de los reyes de Siria les ayudan, yo *también* sacrificaré a ellos para que me ayuden; bien que fueron éstos su ruina, y la de todo Israel.

24 A más de eso recogió Acaz los utensilios de la casa de Dios, y los quebró, y cerró las puertas de la casa de Jehová, y se hizo altares en Jerusalén en todos los rincones.

25 Hizo también lugares altos en todas las ciudades de Judá, para quemar incienso a otros dioses, provocando así a ira a Jehová el Dios de sus padres.

26 Lo demás de sus hechos, y todos sus caminos, primeros y postreros, he aquí *está* escrito en el libro de los reyes de Judá y de Israel.

27 Y durmió Acaz con sus padres, y lo sepultaron en la ciudad de Jerusalén; mas no le metieron en los sepulcros de los reyes de Israel; y reinó en su lugar Ezequías su hijo.

CAPÍTULO 29

Y Ezequías comenzó a reinar *siendo* de veinticinco años, y reinó veintinueve años en Jerusalén. El nombre de su madre *fue* Abía, hija de Zacarías.

2 E hizo lo recto ante los ojos de Jehová, conforme a todas las cosas que había hecho David su padre.

3 En el primer año de su reinado, en el mes primero, abrió las puertas de la casa de Jehová, y las reparó.

4 E hizo venir a los sacerdotes y levitas, y los juntó en la plaza oriental.

5 Y les dijo: Oídme, levitas, y santificaos ahora, y santificaréis la casa de Jehová el Dios de vuestros padres, y sacaréis del santuario la inmundicia.

6 Porque nuestros padres se han rebelado, y han hecho lo malo ante los ojos de Jehová nuestro Dios; que le dejaron, y apartaron sus rostros del tabernáculo de Jehová, y le volvieron las espaldas.

7 Y aun cerraron las puertas del pórtico, y apagaron las lámparas; no quemaron incienso, ni sacrificaron holocausto en el santuario al Dios de Israel.

8 Por tanto la ira de Jehová ha venido sobre Judá y Jerusalén, y los ha entregado a turbación, y a horror y escarnio, como veis vosotros con vuestros ojos.

9 Y he aquí nuestros padres han caído a espada, y nuestros hijos, nuestras hijas y nuestras esposas *están* en cautividad por causa de esto.

10 Ahora, *pues*, yo he determinado hacer pacto con Jehová el Dios de Israel, para que aparte de nosotros la ira de su furor.

11 Hijos míos, no os engañéis ahora, porque Jehová os ha escogido a vosotros para que estéis delante de Él, y le sirváis, y seáis sus ministros, y le queméis incienso.

12 Entonces los levitas se levantaron, Mahat hijo de Amasai, y Joel hijo de Azarías, de los hijos de Coat; y de los hijos de Merari, Cis hijo de Abdi, y Azarías hijo de Jehalelel; y de los hijos de Gersón, Joah hijo de Zima, y Edén hijo de Joah;

13 Y de los hijos de Elizafán, Simri y Jeiel; y de los hijos de Asaf, Zacarías y Matanías.

14 Y de los hijos de Hemán, Jehiel y Simeí; y de los hijos de Jedutún, Semaías y Uziel.

15 Éstos reunieron a sus hermanos, y se santificaron, y entraron, conforme al mandamiento del rey y las palabras de Jehová, para limpiar la casa de Jehová.

16 Y entrando los sacerdotes dentro de la casa de Jehová para limpiarla, sacaron toda la inmundicia que hallaron en el templo de Jehová, al atrio de la casa de Jehová; la cual tomaron los levitas, para sacarla fuera al torrente de Cedrón.

17 Y comenzaron a santificar el *día* primero del mes primero, y a los ocho del mismo mes vinieron al pórtico de Jehová; y santificaron la casa de Jehová en ocho días, y en el día dieciséis del mes primero acabaron.

18 Luego vinieron al rey Ezequías y le dijeron: Ya hemos limpiado toda la casa de Jehová, el altar del holocausto, y todos sus instrumentos, y la mesa de la proposición con todos sus utensilios.

19 Asimismo hemos preparado y santificado todos los utensilios que en su prevaricación había desechado el rey Acaz, cuando reinaba; y he aquí *están* delante del altar de Jehová.

20 Y levantándose de mañana el rey Ezequías reunió a los principales de la ciudad, y subió a la casa de Jehová.

21 Y trajeron siete becerros, siete carneros, siete corderos, y siete machos cabríos, para expiación por el reino, por el santuario y por Judá. Y dijo a los sacerdotes hijos de Aarón, que *los* ofreciesen sobre el altar de Jehová.

22 Mataron, pues, los siete becerros, y los sacerdotes tomaron la sangre, y *la* esparcieron sobre el altar; mataron luego los carneros, y esparcieron la sangre sobre el altar; asimismo mataron los corderos, y esparcieron la sangre sobre el altar.

23 Hicieron después llegar los machos cabríos *de* la expiación delante del rey y de la multitud, y pusieron sobre ellos sus manos:

24 Y los sacerdotes los mataron, y expiando esparcieron la sangre de ellos sobre el altar, para reconciliar a todo Israel; porque por todo Israel mandó el rey hacer el holocausto y la expiación.

25 Puso también levitas en la casa de Jehová con címbalos, y salterios, y arpas, conforme al mandamiento de David, y de Gad vidente del rey, y de Natán profeta; porque *así era* el mandamiento de Jehová, por medio de sus profetas.

26 Y los levitas estaban con los instrumentos de David, y los sacerdotes con trompeta.

27 Entonces mandó Ezequías sacrificar el holocausto en el altar; y al tiempo que comenzó el holocausto, comenzó *también* el cántico de Jehová, con las trompetas y los instrumentos de David rey de Israel.

28 Y toda la multitud adoraba, y los cantores cantaban, y los trompetistas tocaban las trompetas; todo hasta acabarse el holocausto.

29 Y cuando acabaron de ofrecer, se inclinó el rey, y todos los que con él estaban, y adoraron.

30 Entonces el rey Ezequías y los príncipes dijeron a los levitas que alabasen a Jehová por las palabras de David y de Asaf vidente: y ellos alabaron con grande alegría, e inclinándose adoraron.

31 Y respondiendo Ezequías, dijo: Vosotros os habéis consagrado ahora a Jehová; acercaos, pues, y presentad sacrificios y alabanzas en la casa de Jehová. Y la multitud presentó sacrificios y alabanzas; y todos los de corazón liberal trajeron holocaustos.

32 Y fue el número de los holocaustos que trajo la congregación, setenta becerros, cien carneros, doscientos corderos; todo para el holocausto de Jehová.

33 Y las ofrendas *fueron* seiscientos bueyes, y tres mil ovejas.

34 Mas los sacerdotes eran pocos, y no bastaban para desollar los holocaustos; y así sus hermanos los levitas les ayudaron hasta que acabaron la obra, y hasta que los sacerdotes se santificaron; porque los levitas *fueron* más rectos de corazón para santificarse que los sacerdotes.

35 Así, pues, *hubo* gran multitud de holocaustos, con grosuras de las ofrendas de paz, y libaciones de *cada* holocausto. Y quedó ordenado el servicio de la casa de Jehová.

36 Y se alegró Ezequías, y todo el pueblo, de que Dios hubiese preparado el pueblo; porque la cosa fue prestamente *hecha.*

CAPÍTULO 30

Envió también Ezequías por todo Israel y Judá, y escribió cartas a Efraín y a Manasés, que viniesen a Jerusalén a la casa de Jehová, para celebrar la pascua a Jehová Dios de Israel.

2 Y el rey había tomado consejo con sus príncipes, y con toda la congregación en Jerusalén, para celebrar la pascua en el mes segundo:

3 Porque entonces no la podían celebrar, por cuanto no había suficientes sacerdotes santificados, ni el pueblo se había reunido en Jerusalén.

4 Esto agradó al rey y a toda la multitud.

5 Y determinaron hacer pasar pregón por todo Israel, desde Beerseba hasta Dan, para que viniesen a celebrar la pascua a Jehová Dios de Israel, en Jerusalén; porque en mucho tiempo no *la* habían celebrado *al modo* que está escrito.

6 Fueron, pues, correos con cartas de parte del rey y de sus príncipes por todo Israel y Judá, como el rey lo había mandado, y decían: Hijos de Israel, volveos a Jehová el Dios de Abraham, de Isaac, y de Israel, y Él se volverá al remanente que os ha quedado de la mano de los reyes de Asiria.

7 No seáis como vuestros padres y como vuestros hermanos, que se rebelaron contra Jehová el Dios de sus padres, y Él los entregó a desolación, como vosotros veis.

8 No endurezcáis, pues, ahora vuestra cerviz como vuestros padres; someteos a Jehová, y venid a su santuario, el cual Él ha santificado para siempre; y servid a Jehová vuestro Dios, y el furor de su ira se apartará de vosotros.

9 Porque si os volviereis a Jehová, vuestros hermanos y vuestros hijos *hallarán* misericordia delante de los que los llevaron cautivos, y volverán a esta tierra; porque Jehová vuestro

Dios *es* clemente y misericordioso, y no volverá de vosotros *su* rostro, si vosotros os volviereis a Él.

10 Pasaron, pues, los correos de ciudad en ciudad por la tierra de Efraín y Manasés, hasta Zabulón: mas se reían y burlaban de ellos.

11 Con todo eso, algunos hombres de Aser, de Manasés, y de Zabulón, se humillaron, y vinieron a Jerusalén.

12 En Judá también fue la mano de Dios para darles un solo corazón para cumplir el mensaje del rey y de los príncipes, conforme a la palabra de Jehová.

13 Y se juntó en Jerusalén mucha gente para celebrar la fiesta solemne de los panes sin levadura en el mes segundo; una vasta reunión.

14 Y levantándose, quitaron los altares que *había* en Jerusalén; quitaron también todos los altares de incienso, y *los* echaron en el torrente de Cedrón.

15 Entonces sacrificaron la pascua, a los catorce *días* del mes segundo; y los sacerdotes y los levitas llenos de vergüenza se santificaron, y trajeron los holocaustos a la casa de Jehová.

16 Y se pusieron en su lugar conforme a su costumbre, conforme a la ley de Moisés varón de Dios; y los sacerdotes esparcían la sangre *que recibían* de manos de los levitas:

17 Porque *había* muchos en la congregación que no estaban santificados, y por eso los levitas sacrificaban la pascua por todos los que no se *habían* purificado, para santificarlos a Jehová.

18 Porque una gran multitud del pueblo de Efraín y Manasés, y de Isacar y Zabulón, no se habían purificado, y comieron la pascua no conforme a lo que está escrito. Mas Ezequías oró por ellos, diciendo: Jehová, que es bueno, sea propicio a todo aquel que ha apercibido su corazón para buscar a Dios,

19 a Jehová el Dios de sus padres, aunque no *esté purificado* según la purificación del santuario.

20 Y oyó Jehová a Ezequías, y sanó al pueblo.

21 Así los hijos de Israel que estaban presentes en Jerusalén celebraron la fiesta solemne de los panes sin levadura por siete días con grande gozo; y los levitas y los sacerdotes alababan a Jehová día tras día, *cantando* con instrumentos resonantes a Jehová.

22 Y habló Ezequías al corazón de todos los levitas que tenían buena inteligencia en el servicio de Jehová. Y comieron de lo sacrificado en la fiesta solemne por siete días, ofreciendo sacrificios de paz, y dando gracias a Jehová el Dios de sus padres.

23 Y toda la congregación determinó que celebrasen otros siete días; y celebraron *otros* siete días con alegría.

24 Porque Ezequías rey de Judá había dado a la multitud mil becerros y siete mil ovejas; y también los príncipes dieron al pueblo mil becerros y diez mil ovejas; y muchos sacerdotes se santificaron.

25 Se alegró, pues, toda la congregación de Judá, como también los sacerdotes y levitas, y toda la multitud que había venido de Israel; asimismo los extranjeros que habían venido de la tierra de Israel, y los que habitaban en Judá.

26 Y hubo gran alegría en Jerusalén; porque desde los días de Salomón hijo de David rey de Israel, no *había* habido cosa semejante en Jerusalén.

27 Después, levantándose los sacerdotes y levitas, bendijeron al pueblo; y la voz de ellos fue oída, y su oración llegó a la habitación de su santuario, al cielo.

CAPÍTULO 31

Hechas todas estas cosas, todos los de Israel que habían estado presentes, salieron por las ciudades de Judá, y quebraron las estatuas y destruyeron las imágenes de Asera, y derribaron los lugares altos y los altares por todo Judá y Benjamín, y también en Efraín y Manasés, hasta acabarlo todo. Después se volvieron todos los hijos de Israel, cada uno a su posesión y a sus ciudades.

2 Y arregló Ezequías los grupos de los sacerdotes y de los levitas conforme a sus porciones, cada uno según su oficio, los sacerdotes y los

levitas para el holocausto y las ofrendas de paz, para que ministrasen, para que diesen gracias y alabasen en las puertas de los atrios de Jehová.

3 La contribución del rey de su hacienda, era holocaustos a mañana y tarde, y holocaustos para los sábados, lunas nuevas y fiestas solemnes, como *está* escrito en la ley de Jehová.

4 Mandó también al pueblo que habitaba en Jerusalén, que diesen la porción a los sacerdotes y levitas, para que se esforzasen en la ley de Jehová.

5 Y como este edicto fue divulgado, los hijos de Israel dieron muchas primicias de grano, vino, aceite, miel, y de todos los frutos de la tierra; trajeron asimismo los diezmos de todas las *cosas* en abundancia.

6 También los hijos de Israel y de Judá, que habitaban en las ciudades de Judá, dieron del mismo modo los diezmos de las vacas y de las ovejas: y trajeron los diezmos de lo santificado, de las cosas que habían prometido a Jehová su Dios, y *los* pusieron por montones.

7 En el mes tercero comenzaron a formar aquellos montones, y en el mes séptimo acabaron.

8 Y Ezequías y los príncipes vinieron a ver los montones, y bendijeron a Jehová, y a su pueblo Israel.

9 Y preguntó Ezequías a los sacerdotes y a los levitas acerca de los montones.

10 Y Azarías, sumo sacerdote de la casa de Sadoc, le respondió: Desde que comenzaron a traer la ofrenda a la casa de Jehová, hemos comido y nos hemos saciado, y nos ha sobrado mucho: porque Jehová ha bendecido su pueblo, y ha quedado *esta* gran provisión.

11 Entonces mandó Ezequías que preparasen cámaras en la casa de Jehová; y *las* prepararon.

12 Y metieron las primicias y diezmos y las *cosas* consagradas, fielmente; y dieron cargo de ello a Conanías levita, el principal, y Simeí su hermano *fue* el segundo.

13 Y Jehiel, Azazías, Nahat, Asael, Jerimot, Jozabad, Eliel, Ismaquías,

Mahat, y Benaía, *fueron* los mayordomos bajo la mano de Conanías y de Simeí su hermano, por mandamiento del rey Ezequías y de Azarías, príncipe de la casa de Dios.

14 Y Coré hijo de Imna levita, portero al oriente, tenía cargo de las ofrendas voluntarias para Dios, y de distribuir las ofrendas dedicadas a Jehová, y de todo lo que se santificaba.

15 Y a su mano *estaba* Edén, Miniamín, Jesúa, Semaías, Amarías, y Secanías, en las ciudades de los sacerdotes, para dar con fidelidad a sus hermanos sus porciones conforme a sus grupos, así al mayor como al menor,

16 a los varones según sus genealogías, de tres años arriba, a todos los que entraban en la casa de Jehová, su porción diaria por su ministerio según sus cargos y grupos.

17 También a los que eran contados entre los sacerdotes por las familias de sus padres, y a los levitas de edad de veinte años arriba, conforme a sus cargos y grupos;

18 Asimismo a los de su generación con todos sus niños, sus esposas, sus hijos e hijas, de toda la congregación; porque con fidelidad se consagraban a las cosas santas.

19 Del mismo modo en orden a los hijos de Aarón, sacerdotes, que *estaban* en los ejidos de sus ciudades, por todas las ciudades, los varones nombrados tenían cargo de dar sus porciones a todos los varones de entre los sacerdotes, y a todo el linaje de los levitas.

20 De esta manera hizo Ezequías en todo Judá; y ejecutó lo bueno, recto, y verdadero, delante de Jehová su Dios.

21 En todo cuanto comenzó en el servicio de la casa de Dios, y en la ley y mandamientos, buscó a su Dios, y *lo* hizo de todo corazón, y fue prosperado.

CAPÍTULO 32

Después de estas cosas y de esta fidelidad, vino Senaquerib rey de los asirios, entró en Judá, y acampó contra las ciudades fortificadas, con la intención de conquistarlas.

2 Viendo, pues, Ezequías que Senaquerib había venido, y que se había propuesto combatir a Jerusalén,

3 tuvo consejo con sus príncipes y con sus valientes, para cegar las fuentes de las aguas que *estaban* fuera de la ciudad; y ellos le apoyaron.

4 Entonces se juntó mucho pueblo, y cegaron todas las fuentes, y el arroyo que corría a través del territorio, diciendo: ¿Por qué han de hallar los reyes de Asiria muchas aguas cuando vinieren?

5 Se animó así Ezequías, y edificó todos los muros caídos, e hizo levantar las torres, y otro muro por fuera; fortificó además a Milo *en* la ciudad de David, e hizo muchas espadas y escudos.

6 Y puso capitanes de guerra sobre el pueblo, y los hizo reunir así en la plaza de la puerta de la ciudad, y les habló al corazón de ellos, diciendo:

7 Esforzaos y sed valientes; no temáis, ni tengáis miedo del rey de Asiria, ni de toda su multitud que con él viene; porque más *hay* con nosotros que con él.

8 Con él *está* el brazo de carne, mas con nosotros *está* Jehová nuestro Dios, para ayudarnos y pelear nuestras batallas. Y el pueblo tuvo confianza en las palabras de Ezequías rey de Judá.

9 Después de esto Senaquerib rey de los asirios (estando él sobre Laquis y con él todas sus fuerzas), envió sus siervos a Jerusalén, para decir a Ezequías rey de Judá, y a todos los de Judá que *estaban* en Jerusalén:

10 Así ha dicho Senaquerib rey de los asirios: ¿En quién confiáis vosotros que permanecéis sitiados en Jerusalén?

11 ¿No os engaña Ezequías para entregaros a morir de hambre y de sed, diciendo: Jehová nuestro Dios nos librará de la mano del rey de Asiria?

12 ¿No es el mismo Ezequías quien ha quitado sus lugares altos y sus altares, y dijo a Judá y a Jerusalén: Delante de este solo altar adoraréis, y sobre él quemaréis incienso?

13 ¿No sabéis lo que yo y mis padres hemos hecho a todos los pueblos de la tierra? ¿Pudieron los dioses de las naciones de aquellas tierras librar su tierra de mi mano?

14 ¿Qué dios *hubo* de entre todos los dioses de aquellas naciones que destruyeron mis padres, que pudiese salvar su pueblo de mi mano, para que pueda vuestro Dios libraros de mi mano?

15 Ahora, pues, no os engañe Ezequías, ni os persuada tal cosa, ni le creáis; que si ningún dios de todas aquellas naciones y reinos pudo librar su pueblo de mis manos, y de las manos de mis padres, ¿cuánto menos vuestro Dios os podrá librar de mi mano?

16 Y otras cosas *más* hablaron sus siervos contra Jehová Dios, y contra su siervo Ezequías.

17 Además de esto escribió cartas en que blasfemaba a Jehová el Dios de Israel, y hablaba contra Él, diciendo: Como los dioses de las naciones de *otras* tierras no pudieron librar a su pueblo de mis manos, tampoco el Dios de Ezequías librará al suyo de mis manos.

18 Y gritaron a gran voz en judaico al pueblo de Jerusalén que *estaba* en los muros, para espantarles y atemorizarles, para tomar la ciudad.

19 Y hablaron contra el Dios de Jerusalén, como contra los dioses de los pueblos de la tierra, obra de manos de hombres.

20 Mas el rey Ezequías, y el profeta Isaías hijo de Amoz, oraron por esto, y clamaron al cielo.

21 Y Jehová envió un ángel, el cual hirió a todo valiente y esforzado, y a los jefes y capitanes en el campamento del rey de Asiria. Se volvió por tanto con vergüenza de rostro a su tierra; y entrando en el templo de su dios, allí lo mataron a espada los que habían salido de sus entrañas.

22 Así salvó Jehová a Ezequías y a los moradores de Jerusalén de las manos de Senaquerib rey de Asiria, y de las manos de todos; y los condujo por todas partes.

23 Y muchos trajeron ofrenda a Jehová a Jerusalén, y a Ezequías rey de Judá, ricos dones; y fue muy grande delante de todas las naciones después de esto.

24 En aquel tiempo Ezequías enfermó de muerte; y oró a Jehová, el cual le respondió, y le dio una señal.

25 Mas Ezequías no pagó conforme al bien que le había *sido hecho*; antes se enalteció su corazón, y fue la ira contra él, y contra Judá y Jerusalén.

26 Pero Ezequías, después de haberse enaltecido su corazón, se humilló, él y los moradores de Jerusalén; y no vino sobre ellos la ira de Jehová en los días de Ezequías.

27 Y tuvo Ezequías riquezas y gloria mucha en gran manera; y se hizo de tesoros de plata y oro, de piedras preciosas, de perfumes, de escudos, y de toda clase de alhajas preciosas.

28 Asimismo depósitos para las rentas del grano, del vino, y aceite; establos para toda clase de bestias, y apriscos para los ganados.

29 Se hizo también ciudades, y rebaños de ovejas y de vacas en gran abundancia; porque Dios le había dado muchas posesiones.

30 Este Ezequías tapó los manaderos de las aguas de Gihón la de arriba, y las encaminó abajo al occidente de la ciudad de David. Y fue prosperado Ezequías en todo lo que hizo.

31 Pero en lo de los embajadores de los príncipes de Babilonia, que enviaron a él para saber del prodigio que había *acaecido* en aquella tierra, Dios lo dejó, para probarle, para hacer conocer todo lo que *estaba* en su corazón.

32 Lo demás de los hechos de Ezequías, y de sus misericordias, he aquí todo *está* escrito en la profecía del profeta Isaías, hijo de Amoz, en el libro de los reyes de Judá y de Israel.

33 Y durmió Ezequías con sus padres, y lo sepultaron en los más insignes sepulcros de los hijos de David, honrándole en su muerte todo Judá y los de Jerusalén: y reinó en su lugar Manasés su hijo.

CAPÍTULO 33

Doce años *tenía* Manasés cuando comenzó a reinar, y cincuenta y cinco años reinó en Jerusalén.

2 Mas hizo lo malo ante los ojos de Jehová, conforme a las abominaciones de las naciones que había echado Jehová delante de los hijos de Israel:

3 Porque él reedificó los lugares altos que Ezequías su padre había derribado, y levantó altares a los Baales, e hizo imágenes de Asera, y adoró a todo el ejército del cielo, y les sirvió.

4 Edificó también altares en la casa de Jehová, de la cual había dicho Jehová: En Jerusalén será mi nombre perpetuamente.

5 Edificó asimismo altares a todo el ejército del cielo en los dos atrios de la casa de Jehová.

6 Y pasó sus hijos por fuego en el valle del hijo de Hinom; y observaba los tiempos, miraba en agüeros, era dado a adivinaciones, y consultaba adivinos y encantadores; hizo mucho mal ante los ojos de Jehová, provocándole a ira.

7 Además de esto puso una imagen de fundición que hizo, en la casa de Dios, de la cual había dicho Dios a David y a Salomón su hijo: En esta casa y en Jerusalén, la cual yo elegí sobre todas las tribus de Israel, pondré mi nombre para siempre:

8 Y nunca más quitaré el pie de Israel de la tierra que yo entregué a vuestros padres, a condición que guarden y hagan todas las cosas que yo les he mandado, toda la ley, estatutos, y ordenanzas, por mano de Moisés.

9 Y Manasés hizo que Judá y los moradores de Jerusalén se desviaran, para hacer más mal que las naciones que Jehová destruyó delante de los hijos de Israel.

10 Y habló Jehová a Manasés y a su pueblo, pero ellos no escucharon;

11 por lo cual Jehová trajo contra ellos los generales del ejército del rey de los asirios, los cuales aprisionaron con grillos a Manasés, y atado con cadenas lo llevaron a Babilonia.

12 Mas luego que fue puesto en angustias, oró a Jehová su Dios, humillado grandemente en la presencia del Dios de sus padres.

13 Y habiendo orado a Él, fue atendido de Él, pues oyó su oración, y lo volvió a Jerusalén, a su reino. Entonces conoció Manasés que Jehová *era* Dios.

14 Después de esto edificó el muro de afuera de la ciudad de David, al occidente de Gihón, en el valle, hasta la entrada de la puerta del Pescado; y amuralló Ofel, y levantó *el muro* muy alto; y puso capitanes del ejército en todas las ciudades fortificadas de Judá.

15 También quitó los dioses ajenos, y sacó el ídolo de la casa de Jehová, y todos los altares que había edificado en el monte de la casa de Jehová y en Jerusalén, y *los* echó fuera de la ciudad.

16 Reparó luego el altar de Jehová, y sacrificó sobre él sacrificios de ofrendas de paz y de alabanza; y mandó a Judá que sirviesen a Jehová Dios de Israel.

17 Pero el pueblo aún sacrificaba en los lugares altos, *aunque* sólo a Jehová su Dios.

18 Lo demás de los hechos de Manasés, y su oración a su Dios, y las palabras de los videntes que le hablaron en nombre de Jehová el Dios de Israel, he aquí todo *está* escrito en los hechos de los reyes de Israel.

19 Su oración también, y cómo fue oído, todos sus pecados, y su prevaricación, los lugares donde edificó lugares altos y había puesto imágenes de Asera e ídolos antes que se humillase, he aquí estas cosas *están* escritas en las palabras de los videntes.

20 Y durmió Manasés con sus padres, y lo sepultaron en su casa; y reinó en su lugar Amón su hijo.

21 Veintidós años *tenía* Amón cuando comenzó a reinar, y dos años reinó en Jerusalén.

22 E hizo lo malo ante los ojos de Jehová, como había hecho Manasés su padre: porque a todos los ídolos que su padre Manasés había hecho, sacrificó y sirvió Amón.

23 Pero nunca se humilló delante de Jehová, como se humilló Manasés su padre; antes bien Amón aumentó el pecado.

24 Y conspiraron contra él sus siervos, y lo mataron en su casa.

25 Mas el pueblo de la tierra hirió a todos los que habían conspirado contra el rey Amón; y el pueblo de la tierra puso por rey en su lugar a Josías su hijo.

CAPÍTULO 34

Ocho años *tenía* Josías cuando comenzó a reinar, y treinta y un años reinó en Jerusalén.

2 Éste hizo lo recto ante los ojos de Jehová, y anduvo en los caminos de David su padre, sin apartarse a la derecha *ni* a la izquierda.

3 A los ocho años de su reinado, siendo aún muchacho, comenzó a buscar al Dios de David su padre; y a los doce años comenzó a limpiar a Judá y a Jerusalén de los lugares altos, de las imágenes de Asera, de las esculturas, y de las imágenes de fundición.

4 Y derribaron delante de él los altares de los Baales, e hizo pedazos las imágenes del sol, que *estaban* puestas encima; despedazó también las imágenes de Asera, y las esculturas y estatuas de fundición, y *las* desmenuzó, y esparció el polvo sobre los sepulcros de los que las habían sacrificado.

5 Quemó además los huesos de los sacerdotes sobre sus altares, y limpió a Judá y a Jerusalén.

6 Lo *mismo hizo* en las ciudades de Manasés, Efraín, y Simeón, hasta en Neftalí, con sus lugares asolados alrededor.

7 Y cuando hubo derribado los altares y las imágenes de Asera, y quebrado y desmenuzado las esculturas, y destruido todos los ídolos por toda la tierra de Israel, se volvió a Jerusalén.

8 A los dieciocho años de su reinado, después de haber limpiado la tierra, y la casa, envió a Safán hijo de Azalías, y a Maasías gobernador de la ciudad, y a Joah hijo de Joacaz el cronista, para que reparasen la casa de Jehová su Dios.

9 Los cuales vinieron a Hilcías, sumo sacerdote, y dieron el dinero que había sido metido en la casa de Jehová, que los levitas que guardaban la puerta habían recogido de mano de Manasés y de Efraín y de todo el remanente de Israel, y de todo Judá y Benjamín, habiéndose después vuelto a Jerusalén.

10 Y *lo* entregaron en mano de los que hacían la obra, que eran mayordomos en la casa de Jehová; los cuales lo daban a los que hacían la obra y trabajaban en la casa de Jehová, para reparar y restaurar el templo.

11 Daban asimismo a los carpinteros y albañiles para que comprasen piedra de cantería, y madera para las uniones, y para la entabladura de las casas, las cuales habían destruido los reyes de Judá.

12 Y estos hombres procedían con fidelidad en la obra; y *eran* sus mayordomos Jahat y Abdías, levitas de los hijos de Merari; y Zacarías y Mesulam de los hijos de Coat, para que activasen *la obra*; y de los levitas, todos los entendidos en instrumentos de música.

13 También velaban sobre los cargadores y *eran* mayordomos de los que se ocupaban en cualquier clase de obra; y de los levitas *había* escribas, oficiales y porteros.

14 Y al sacar el dinero que había sido traído a la casa de Jehová, Hilcías el sacerdote halló el libro de la ley de Jehová *dada* por medio de Moisés.

15 Y dando cuenta Hilcías, dijo a Safán escriba: Yo he hallado el libro de la ley en la casa de Jehová. Y dio Hilcías el libro a Safán.

16 Y Safán lo llevó al rey, y le contó el asunto, diciendo: Tus siervos han cumplido todo lo que les fue dado a cargo.

17 Han reunido el dinero que se halló en la casa de Jehová, y lo han entregado en mano de los supervisores, y en mano de los que hacen la obra.

18 Además de esto, declaró el escriba Safán al rey, diciendo: El sacerdote Hilcías me dio un libro. Y leyó Safán en él delante del rey.

19 Y luego que el rey oyó las palabras de la ley, rasgó sus vestiduras;

20 y mandó a Hilcías y a Ahicam hijo de Safán, y a Abdón hijo de Micaía, y a Safán escriba, y a Asaías siervo del rey, diciendo:

21 Andad, y consultad a Jehová por mí, y por el remanente de Israel y de Judá, acerca de las palabras del libro que se ha hallado; porque grande *es* el furor de Jehová que ha caído sobre nosotros, por cuanto nuestros padres no guardaron la palabra de Jehová, para hacer conforme a todo lo que está escrito en este libro.

22 Entonces Hilcías y *los* del rey fueron a Hulda profetisa, esposa de Salum, hijo de Ticva, hijo de Hasra, guarda de las vestimentas, la cual moraba en Jerusalén en el segundo barrio; y hablaron con ella acerca de estas *palabras*.

23 Y ella respondió: Jehová el Dios de Israel dice así: Decid al varón que os ha enviado a mí:

24 Así dice Jehová: He aquí yo traigo mal sobre este lugar, y sobre los moradores de él, y todas las maldiciones que están escritas en el libro que leyeron delante del rey de Judá:

25 Por cuanto me han dejado, y han quemado incienso a dioses ajenos, provocándome a ira con todas las obras de sus manos; por tanto mi furor se derramará sobre este lugar, y no se apagará.

26 Mas al rey de Judá, que os ha enviado a consultar a Jehová, así le diréis: Jehová el Dios de Israel ha dicho así: Por cuanto oíste las palabras del libro,

27 y tu corazón se enterneció, y te humillaste delante de Dios al oír sus palabras sobre este lugar, y sobre sus moradores, y te humillaste delante de mí, y rasgaste tus vestiduras, y lloraste en mi presencia, yo también *te* he oído, dice Jehová.

28 He aquí que yo te recogeré con tus padres, y serás recogido en tus sepulcros en paz, y tus ojos no verán todo el mal que yo traigo sobre este lugar, y sobre los moradores de él. Y ellos refirieron al rey la respuesta.

29 Entonces el rey envió y reunió a todos los ancianos de Judá y de Jerusalén.

30 Y subió el rey a la casa de Jehová, y con él todos los varones de Judá, y los moradores de Jerusalén, y los sacerdotes, y los levitas, y todo el pueblo desde el mayor hasta el más pequeño; y leyó a oídos de ellos todas las palabras del libro del pacto que había sido hallado en la casa de Jehová.

31 Y estando el rey en pie en su sitio, hizo pacto delante de Jehová, de caminar en pos de Jehová y de guardar sus mandamientos, sus testimonios y sus estatutos, con todo su corazón y con toda su alma, poniendo por obra las palabras del pacto que estaban escritas en aquel libro.

32 E hizo que se obligaran a ello todos los que estaban en Jerusalén y en Benjamín; y los moradores de Jerusalén hicieron conforme al pacto de Dios, del Dios de sus padres.

33 Y quitó Josías todas las abominaciones de todas las tierras de los hijos de Israel, e hizo a todos los que se hallaban en Israel que sirviesen a Jehová su Dios. No se apartaron de en pos de Jehová el Dios de sus padres, todo el tiempo que él vivió.

CAPÍTULO 35

Y Josías celebró la pascua a Jehová en Jerusalén, y sacrificaron la pascua a los catorce del mes primero.

2 Y puso a los sacerdotes en sus cargos, y los confirmó en el ministerio de la casa de Jehová.

3 Y dijo a los levitas que enseñaban a todo Israel, y que estaban dedicados a Jehová: Poned el arca del santuario en la casa que edificó Salomón hijo de David, rey de Israel, para que no la carguéis más sobre los hombros. Ahora serviréis a Jehová vuestro Dios, y a su pueblo Israel.

4 Preparaos según las familias de vuestros padres, por vuestros grupos, conforme a lo prescrito por David rey de Israel, y de Salomón su hijo.

5 Estad en el santuario según la distribución de las familias de vuestros hermanos los hijos del pueblo, y según la división de la familia de los levitas.

6 Sacrificad la pascua, y santificaos, preparad a vuestros hermanos para que hagan conforme a la palabra de Jehová dada por mano de Moisés.

7 Y el rey Josías dio a los del pueblo ovejas, corderos y cabritos de los rebaños, en número de treinta mil, y tres mil bueyes, todo para la pascua, para todos los que se hallaban presentes; esto de la hacienda del rey.

8 También sus príncipes dieron con liberalidad al pueblo, a los sacerdotes y a los levitas. Hilcías, Zacarías y Jehiel, príncipes de la casa de Dios, dieron a los sacerdotes para hacer la pascua dos mil seiscientas *ovejas*, y trescientos bueyes.

9 Asimismo Conanías, y Semaías y Natanael sus hermanos, y Hasabías, Jeiel, y Jozabad, príncipes de los levitas, dieron a los levitas para los sacrificios de la pascua cinco mil *ovejas*, y quinientos bueyes.

10 Aprestado así el servicio, los sacerdotes se colocaron en sus puestos, y asimismo los levitas en sus órdenes, conforme al mandamiento del rey.

11 Y sacrificaron la pascua; y esparcían los sacerdotes *la sangre* tomada de mano de los levitas, y los levitas desollaban.

12 Tomaron luego del holocausto, para dar conforme a los repartimientos por las familias de los del pueblo, a fin de que ofreciesen a Jehová, según *está* escrito en el libro de Moisés; y asimismo *tomaron* de los bueyes.

13 Y asaron la pascua al fuego según la costumbre; mas lo que había sido santificado lo cocieron en ollas, en calderos, y calderas, y *lo* repartieron prestamente a todo el pueblo.

14 Y después prepararon para sí y para los sacerdotes; porque los sacerdotes, hijos de Aarón, *estuvieron* ocupados hasta la noche en el sacrificio de los holocaustos y de las grosuras; por tanto, los levitas prepararon para ellos mismos y para los sacerdotes hijos de Aarón.

15 Asimismo los cantores hijos de Asaf *estaban* en su puesto, conforme al mandamiento de David, de Asaf y de Hemán, y de Jedutún vidente del rey; también los porteros *estaban* a cada puerta; y no era necesario que se apartasen de su ministerio, porque sus hermanos los levitas preparaban para ellos.

16 Así fue aprestado todo el servicio de Jehová en aquel día, para celebrar la pascua, y sacrificar los holocaustos sobre el altar de Jehová, conforme al mandamiento del rey Josías.

17 Y los hijos de Israel que estuvieron presentes celebraron la pascua en aquel tiempo, y la fiesta solemne de los panes sin levadura, por siete días.

18 Nunca fue celebrada una pascua como ésta en Israel desde los días de Samuel el profeta; ni ningún rey de Israel celebró una pascua como la que celebró el rey Josías, y los sacerdotes y levitas, y todo Judá e Israel, los que se hallaron allí, juntamente con los moradores de Jerusalén.

19 Esta pascua fue celebrada en el año dieciocho del rey Josías.

20 Después de todas estas cosas, luego de haber Josías preparado la casa, Necao rey de Egipto subió para hacer guerra en Carquemis junto al Éufrates; y salió Josías contra él.

21 Y él le envió embajadores, diciendo: ¿Qué tengo yo contigo, rey de Judá? Yo no vengo contra ti hoy, sino contra la casa que me hace guerra; y Dios me ha dicho que me apresure. Deja de meterte con Dios, quien está conmigo, no sea que Él te destruya.

22 Mas Josías no volvió su rostro de él, antes se disfrazó para darle batalla, y no atendió a las palabras de Necao, que eran de boca de Dios; y vino a darle la batalla en el valle de Meguido.

23 Y los arqueros tiraron al rey Josías flechas; y dijo el rey a sus siervos: Quitadme de aquí, porque estoy herido gravemente.

24 Entonces sus siervos lo quitaron de aquel carro, y le pusieron en otro segundo carro que tenía, y lo llevaron a Jerusalén, y murió; y le sepultaron en los sepulcros de sus padres. Y todo Judá y Jerusalén hicieron duelo por Josías.

25 Y endechó Jeremías por Josías, y todos los cantores y cantoras recitan sus lamentaciones sobre Josías hasta hoy; y las dieron por norma para endechar en Israel, las cuales están escritas en las Lamentaciones.

26 Los demás de los hechos de Josías, y sus obras piadosas, conforme a lo que está escrito en la ley de Jehová,

27 y sus hechos, primeros y postreros, he aquí están escritos en el libro de los reyes de Israel y de Judá.

CAPÍTULO 36

Entonces el pueblo de la tierra tomó a Joacaz hijo de Josías, y le hicieron rey en lugar de su padre en Jerusalén.

2 Veintitrés años tenía Joacaz cuando comenzó a reinar, y tres meses reinó en Jerusalén.

3 Y el rey de Egipto lo quitó de Jerusalén, y condenó la tierra a pagar cien talentos de plata y uno de oro.

4 Y el rey de Egipto estableció a Eliaquim hermano de Joacaz por rey sobre Judá y Jerusalén, y le cambió el nombre en Joacim; y a Joacaz su hermano tomó Necao, y lo llevó a Egipto.

5 Veinticinco años tenía Joacim cuando comenzó a reinar, y reinó once años en Jerusalén; e hizo lo malo ante los ojos de Jehová su Dios.

6 Y subió contra él Nabucodonosor rey de Babilonia, y atado con cadenas lo llevó a Babilonia.

7 También llevó Nabucodonosor a Babilonia de los vasos de la casa de Jehová, y los puso en su templo en Babilonia.

8 Lo demás de los hechos de Joacim, y las abominaciones que hizo, y lo que en él se halló, he aquí está escrito en el libro de los reyes de Israel y de Judá: y reinó en su lugar Joaquín su hijo.

9 Ocho años tenía Joaquín cuando comenzó a reinar, y reinó tres meses y diez días en Jerusalén; e hizo lo malo ante los ojos de Jehová.

10 A la vuelta del año el rey Nabucodonosor envió, y lo hizo llevar a Babilonia juntamente con los vasos preciosos de la casa de Jehová; y estableció a Sedequías su hermano por rey sobre Judá y Jerusalén.

11 Veintiún años tenía Sedequías cuando comenzó a reinar, y once años reinó en Jerusalén.

12 E hizo lo malo ante los ojos de Jehová su Dios, y no se humilló delante del profeta Jeremías, que le hablaba de parte de Jehová.

13 También se rebeló contra Nabucodonosor, al cual había jurado por Dios; y endureció su cerviz, y obstinó su corazón, para no volverse a Jehová el Dios de Israel.

14 Y también todos los príncipes de los sacerdotes, y el pueblo, aumentaron la prevaricación, siguiendo todas las abominaciones de las naciones, y contaminando la casa de Jehová, la cual Él había santificado en Jerusalén.

15 Y Jehová el Dios de sus padres envió a ellos por medio de sus mensajeros, levantándose de mañana y enviando; porque Él tenía misericordia de su pueblo, y de su habitación.

16 Mas ellos hacían escarnio de los mensajeros de Dios, y menospreciaban sus palabras, burlándose de sus profetas, hasta que subió el furor de Jehová contra su pueblo, y no *hubo* ya remedio.

17 Por lo cual trajo contra ellos al rey de los caldeos, que mató a espada sus jóvenes en la casa de su santuario, sin perdonar joven, ni doncella, ni viejo, ni decrépito; todos *los* entregó en sus manos.

18 Asimismo todos los utensilios de la casa de Dios, grandes y chicos, los tesoros de la casa de Jehová y los tesoros del rey y de sus príncipes, todo *lo* llevó a Babilonia.

19 Y quemaron la casa de Dios, y rompieron el muro de Jerusalén, y consumieron al fuego todos sus palacios, y destruyeron todos sus vasos preciosos.

20 Los que escaparon de la espada, fueron llevados cautivos a Babilonia; y fueron siervos de él y de sus hijos, hasta que vino el reino de Persia;

21 para que se cumpliese la palabra de Jehová por la boca de Jeremías, hasta que la tierra hubo gozado sus sábados; *porque* todo el tiempo de su asolamiento guardó el sábado, hasta que los setenta años fueron cumplidos.

22 Mas al primer año de Ciro rey de Persia, para que se cumpliese la palabra de Jehová por boca de Jeremías, Jehová excitó el espíritu de Ciro rey de Persia, el cual hizo pasar pregón por todo su reino, y también por escrito, diciendo:

23 Así dice Ciro rey de Persia: Jehová, el Dios de los cielos, me ha dado todos los reinos de la tierra; y Él me ha encargado que le edifique casa en Jerusalén, que *es* en Judá. ¿Quién *hay* de vosotros de todo su pueblo? Jehová su Dios *sea* con él, y suba.

Libro De
ESDRAS

CAPÍTULO 1

En el primer año de Ciro rey de Persia, para que se cumpliese la palabra de Jehová por boca de Jeremías, Jehová despertó el espíritu de Ciro rey de Persia, el cual hizo pregonar por todo su reino, y lo puso también por escrito, diciendo:

2 Así ha dicho Ciro rey de Persia: Jehová Dios de los cielos me ha dado todos los reinos de la tierra, y me ha mandado que le edifique casa en Jerusalén, que *está* en Judá.

3 ¿Quién hay entre vosotros de todo su pueblo? Sea Dios con él, y suba a Jerusalén que está en Judá, y edifique la casa a Jehová Dios de Israel (Él es el Dios), la cual está en Jerusalén.

4 Y a cualquiera que hubiere quedado de todos los lugares donde peregrinare, los hombres de su lugar ayúdenle con plata y oro, bienes y ganado; además de ofrendas voluntarias para la casa de Dios, la cuál está en Jerusalén.

5 Entonces se levantaron los jefes de las familias de Judá y de Benjamín, y los sacerdotes y levitas, todos aquellos cuyo espíritu despertó Dios para subir a edificar la casa de Jehová, la cual está en Jerusalén.

6 Y todos los que estaban en sus alrededores corroboraron las manos de ellos con vasos de plata y de oro, con bienes y ganado, y con cosas preciosas, además de todo lo que se ofreció voluntariamente.

7 Y el rey Ciro sacó los vasos de la casa de Jehová, que Nabucodonosor

se había llevado de Jerusalén y había puesto en la casa de sus dioses.

8 Los sacó, pues, Ciro rey de Persia, por mano de Mitrídates el tesorero, el cual los dio por cuenta a Sesbasar príncipe de Judá.

9 Y ésta es la cuenta de ellos; treinta tazones de oro, mil tazones de plata, veintinueve cuchillos,

10 treinta tazas de oro, otras cuatrocientas diez tazas de plata, y otros mil vasos.

11 Todos los vasos de oro y de plata *fueron* cinco mil cuatrocientos. Todos los hizo llevar Sesbasar con los que subieron del cautiverio de Babilonia a Jerusalén.

CAPÍTULO 2

Y éstos *son* los hijos de la provincia que subieron de la cautividad, de los desterrados que Nabucodonosor, rey de Babilonia, había llevado cautivos a Babilonia, y que volvieron a Jerusalén y a Judá, cada uno a su ciudad;

2 los cuales vinieron con Zorobabel, Jesúa, Nehemías, Seraías, Reelaías, Mardoqueo, Bilsán, Mispar, Bigvai, Rehum y Baana. La cuenta de los varones del pueblo de Israel:

3 Los hijos de Paros, dos mil ciento setenta y dos.

4 Los hijos de Sefatías, trescientos setenta y dos.

5 Los hijos de Ara, setecientos setenta y cinco.

6 Los hijos de Pahat-moab, de los hijos de Jesúa y de Joab, dos mil ochocientos doce.

7 Los hijos de Elam, mil doscientos cincuenta y cuatro.

8 Los hijos de Zatu, novecientos cuarenta y cinco.

9 Los hijos de Zacai, setecientos sesenta.

10 Los hijos de Bani, seiscientos cuarenta y dos.

11 Los hijos de Bebai, seiscientos veintitrés.

12 Los hijos de Azgad, mil doscientos veintidós.

13 Los hijos de Adonicam, seiscientos sesenta y seis.

14 Los hijos de Bigvai, dos mil cincuenta y seis.

15 Los hijos de Adín, cuatrocientos cincuenta y cuatro.

16 Los hijos de Ater, de Ezequías, noventa y ocho.

17 Los hijos de Besai, trescientos veintitrés.

18 Los hijos de Jora, ciento doce.

19 Los hijos de Hasum, doscientos veintitrés.

20 Los hijos de Gibar, noventa y cinco.

21 Los hijos de Belén, ciento veintitrés;

22 Los varones de Netofa, cincuenta y seis.

23 Los varones de Anatot, ciento veintiocho.

24 Los hijos de Azmavet, cuarenta y dos.

25 Los hijos de Quiriat-jearim, Cefira, y Beerot, setecientos cuarenta y tres.

26 Los hijos de Ramá y Geba, seiscientos veintiuno.

27 Los varones de Micmas, ciento veintidós.

28 Los varones de Betel y Hai, doscientos veintitrés.

29 Los hijos de Nebo, cincuenta y dos.

30 Los hijos de Magbis, ciento cincuenta y seis.

31 Los hijos del otro Elam, mil doscientos cincuenta y cuatro.

32 Los hijos de Harim, trescientos veinte.

33 Los hijos de Lod, Hadid, y Ono, setecientos veinticinco.

34 Los hijos de Jericó, trescientos cuarenta y cinco.

35 Los hijos de Senaa, tres mil seiscientos treinta.

36 Los sacerdotes; los hijos de Jedaías, de la casa de Jesúa, novecientos setenta y tres.

37 Los hijos de Imer, mil cincuenta y dos.

38 Los hijos de Pasur, mil doscientos cuarenta y siete.

39 Los hijos de Harim, mil diecisiete.

40 Los levitas: los hijos de Jesúa y de Cadmiel, de los hijos de Odavías, setenta y cuatro.

41 Los cantores; los hijos de Asaf, ciento veintiocho.

42 Los hijos de los porteros: los hijos de Salum, los hijos de Ater, los hijos

de Talmón, los hijos de Acub, los hijos de Hatita, los hijos de Sobai; por todos, ciento treinta y nueve.

43 Los sirvientes del templo; los hijos de Siha, los hijos de Hasufa, los hijos de Tabaot,

44 los hijos de Queros, los hijos de Siaha, los hijos de Padón;

45 los hijos de Lebana, los hijos de Hagaba, los hijos de Acub.

46 Los hijos de Hagab, los hijos de Samlai, los hijos de Hanán.

47 Los hijos de Gidel, los hijos de Gahar, los hijos de Reaías.

48 Los hijos de Rezín, los hijos de Necoda, los hijos de Gazam.

49 Los hijos de Uza, los hijos de Pasea, los hijos de Besai.

50 Los hijos de Asná, los hijos de Meunim, los hijos de Nefusim.

51 Los hijos de Bacbuc, los hijos de Hacufa, los hijos de Harhur.

52 Los hijos de Bazlut, los hijos de Mehída, los hijos de Harsa.

53 Los hijos de Barcos, los hijos de Sísara, los hijos de Tema.

54 Los hijos de Nesía, los hijos de Hatifa.

55 Los hijos de los siervos de Salomón; los hijos de Sotai, los hijos de Soferet, los hijos de Peruda.

56 Los hijos de Jaala, los hijos de Darcón, los hijos de Gidel.

57 Los hijos de Sefatías, los hijos de Hatil, los hijos de Poqueret-hazebaim, los hijos de Ami.

58 Todos los sirvientes del templo, e hijos de los siervos de Salomón, trescientos noventa y dos.

59 Y éstos fueron los que subieron de Tel-mela, Tel-harsa, Querub, Adán, e Imer, los cuales no pudieron demostrar la casa de sus padres, ni su linaje, si eran de Israel.

60 Los hijos de Delaías, los hijos de Tobías, los hijos de Necoda, seiscientos cincuenta y dos.

61 Y de los hijos de los sacerdotes: los hijos de Habaías, los hijos de Cos, los hijos de Barzilai, el cual tomó esposa de las hijas de Barzilai galaadita, y fue llamado del nombre de ellas.

62 Éstos buscaron su registro de genealogías, y no fue hallado; y fueron excluidos del sacerdocio.

63 Y el Tirsata les dijo que no comiesen de las cosas más santas, hasta que hubiese sacerdote con Urim y Tumim.

64 Toda la congregación, unida como un solo hombre, *era de* cuarenta y dos mil trescientos sesenta,

65 además de sus siervos y siervas, los cuales eran siete mil trescientos treinta y siete: y tenían doscientos cantores y cantoras.

66 Sus caballos eran setecientos treinta y seis; sus mulos, doscientos cuarenta y cinco;

67 sus camellos, cuatrocientos treinta y cinco; asnos, seis mil setecientos veinte.

68 Y algunos de los jefes de los padres, cuando vinieron a la casa de Jehová la cual estaba en Jerusalén, ofrendaron voluntariamente para la casa de Dios, para levantarla en su mismo lugar.

69 Según sus fuerzas dieron al tesorero de la obra sesenta y un mil dracmas de oro, y cinco mil libras de plata, y cien túnicas sacerdotales.

70 Y habitaron los sacerdotes, y los levitas, y los del pueblo, y los cantores, y los porteros y los servidores del templo, en sus ciudades; y todo Israel en sus ciudades.

CAPÍTULO 3

Y cuando llegó el mes séptimo, y los hijos de Israel *estaban ya* en las ciudades, se reunió el pueblo como un solo hombre en Jerusalén.

2 Entonces se levantó Jesúa hijo de Josadac, y sus hermanos los sacerdotes, y Zorobabel hijo de Salatiel, y sus hermanos, y edificaron el altar del Dios de Israel, para ofrecer sobre él holocaustos como está escrito en la ley de Moisés varón de Dios.

3 Y asentaron el altar sobre sus bases, aunque tenían miedo de los pueblos de las tierras; y ofrecieron sobre él holocaustos a Jehová, holocaustos a la mañana y a la tarde.

4 Celebraron también la fiesta de los tabernáculos, como está escrito, y holocaustos cada día por cuenta, conforme a lo establecido para cada día;

5 y a más de esto, el holocausto continuo, y las nuevas lunas, y todas las fiestas santificadas de Jehová, y todo sacrificio espontáneo, toda ofrenda voluntaria a Jehová.

6 Desde el primer día del mes séptimo comenzaron a ofrecer holocaustos a Jehová; pero los cimientos del templo de Jehová no se habían echado todavía.

7 Y dieron dinero a los albañiles y carpinteros; asimismo comida y bebida y aceite a los sidonios y tirios, para que trajesen madera de cedro del Líbano por mar a Jope, conforme a la voluntad de Ciro rey de Persia acerca de esto.

8 Y en el año segundo de su venida a la casa de Dios en Jerusalén, en el mes segundo, comenzaron Zorobabel hijo de Salatiel, y Jesúa hijo de Josadac, y los otros sus hermanos, los sacerdotes y los levitas, y todos los que habían venido de la cautividad a Jerusalén; y pusieron a los levitas de veinte años arriba para que tuviesen cargo de la obra de la casa de Jehová.

9 Jesúa también, sus hijos y sus hermanos, Cadmiel y sus hijos, hijos de Judá, como un solo hombre asistían para dar prisa a los que hacían la obra en la casa de Dios: los hijos de Henadad, sus hijos y sus hermanos los levitas.

10 Y cuando los albañiles del templo de Jehová echaban los cimientos, pusieron a los sacerdotes vestidos de sus ropas, con trompetas, y a los levitas hijos de Asaf con címbalos, para que alabasen a Jehová, según la ordenanza de David rey de Israel.

11 Y cantaban, alabando y dando gracias a Jehová, y decían: Porque Él es bueno, porque para siempre es su misericordia sobre Israel. Y todo el pueblo aclamaba con gran júbilo, alabando a Jehová, porque se echaban los cimientos de la casa de Jehová.

12 Y muchos de los sacerdotes y de los levitas y de los jefes de los padres, ancianos que habían visto la primera casa, al ver que se echaban los cimientos de esta casa, lloraban en alta voz, mientras muchos otros daban grandes gritos de alegría.

13 Y no podía discernir el pueblo el clamor de los gritos de alegría, de la voz del lloro del pueblo; porque clamaba el pueblo con gran júbilo, y se oía el ruido hasta de lejos.

CAPÍTULO 4

Y cuando los enemigos de Judá y de Benjamín oyeron que los hijos de los de la cautividad edificaban el templo de Jehová Dios de Israel,

2 vinieron a Zorobabel, y a los cabezas de los padres, y les dijeron: Permitidnos edificar con vosotros, porque nosotros buscamos a vuestro Dios al igual que vosotros, y a Él hacemos sacrificios desde los días de Esar-hadón rey de Asiria, que nos hizo subir aquí.

3 Pero Zorobabel, y Jesúa y los demás cabezas de los padres de Israel les dijeron: No nos conviene edificar con vosotros casa a nuestro Dios, sino que nosotros solos la edificaremos a Jehová Dios de Israel, como nos mandó el rey Ciro, rey de Persia.

4 Entonces el pueblo de la tierra debilitaba las manos del pueblo de Judá, atemorizándolo para que no edificara.

5 Y contrataron consejeros contra ellos para frustrar su propósito, todo el tiempo de Ciro rey de Persia, y hasta el reinado de Darío rey de Persia.

6 Y en el reinado de Asuero, en el principio de su reinado, escribieron acusaciones contra los moradores de Judá y de Jerusalén.

7 Y en días de Artajerjes, Bislam, Mitrídates, Tabeel, y los demás sus compañeros, escribieron a Artajerjes rey de Persia; y la escritura de la carta estaba hecha en siriaco, y declarada en siriaco.

8 Rehum el canciller y el escriba Simsai escribieron una carta contra Jerusalén al rey Artajerjes, de esta manera.

9 En aquel tiempo *escribieron* el canciller Rehum y el escriba Simsai, y sus demás compañeros, los dineos, los aparsaqueos, los tarpelitas, los afarseos, los erqueos, los babilonios, los susasqueos, los dieveos y los elamitas;

10 y los demás pueblos que el grande y glorioso Asnapar trasportó, e hizo habitar en las ciudades de Samaria, y los demás del otro lado del río. Y ahora:

11 Ésta es la copia de la carta que enviaron: Al rey Artajerjes: Tus siervos del otro lado del río. Y ahora:

12 Sea notorio al rey, que los judíos que subieron de ti a nosotros, vinieron a Jerusalén; y edifican la ciudad rebelde y mala, y han levantado los muros y reparado los fundamentos.

13 Ahora sea notorio al rey, que si aquella ciudad fuere reedificada, y los muros fueren establecidos, ellos no pagarán tributo, ni impuesto, ni rentas, y el catastro de los reyes será menoscabado.

14 Y ya que nos mantienen del palacio, no nos es justo ver el menosprecio del rey; hemos enviado por tanto, y lo hemos hecho saber al rey, 15 para que busque en el libro de las historias de nuestros padres; y hallarás en el libro de las historias, y sabrás que esta ciudad es una ciudad rebelde y perjudicial a los reyes y a las provincias, y que de tiempo antiguo forman en medio de ella rebeliones; por lo que esta ciudad fue destruida.

16 Hacemos saber al rey, que si esta ciudad fuere reedificada, y erigidos sus muros, la región de más allá del río no será tuya.

17 El rey envió esta respuesta a Rehum el canciller, y al escriba Simsai, y a los demás sus compañeros que habitan en Samaria, y a los demás del otro lado del río: Paz ahora.

18 La carta que nos enviasteis fue leída claramente delante de mí.

19 Y por mí fue dado mandamiento, y buscaron; y hallaron que aquella ciudad de tiempo antiguo se ha levantado contra los reyes y se ha rebelado, y se ha formado en ella sedición;

20 y que reyes fuertes hubo en Jerusalén, quienes señorearon en todas las provin-cias que están más allá del río; y que se les pagaba tributo, impuesto y rentas.

21 Ahora, pues, dad orden que cesen aquellos hombres, y que no sea esa ciudad reedificada hasta que por mí sea dado mandamiento.

22 Y mirad bien que no hagáis error en esto; ¿por qué habrá de crecer el daño para perjuicio de los reyes?

23 Entonces, cuando la copia de la carta del rey Artajerjes *fue* leída delante de Rehum, y del escriba Simsai y sus compañeros, fueron prestamente a Jerusalén a los judíos, y les hicieron cesar con poder y fuerza.

24 Entonces cesó la obra de la casa de Dios, que *estaba* en Jerusalén. Y cesó hasta el año segundo del reinado de Darío rey de Persia.

CAPÍTULO 5

Y los profetas, Hageo profeta, y Zacarías hijo de Iddo, profetizaron en el nombre del Dios de Israel a los judíos, a aquellos que *estaban* en Judá y en Jerusalén.

2 Entonces se levantaron Zorobabel hijo de Salatiel, y Jesúa hijo de Josadac; y comenzaron a reedificar la casa de Dios que estaba en Jerusalén; y los profetas de Dios *estaban* con ellos ayudándoles.

3 En aquel tiempo vino a ellos Tatnai, capitán del otro lado del río, y Setar-boznai y sus compañeros, y les dijeron así: ¿Quién os dio mandamiento para edificar esta casa, y restablecer estos muros?

4 Entonces les dijeron así: ¿Cuáles son los nombres de los varones que edifican este edificio?

5 Pero los ojos de Dios fueron sobre los ancianos de los judíos, y no les hicieron cesar hasta que el asunto viniese a Darío; y entonces respondieron por carta sobre esto.

6 Copia de la carta que Tatnai, gobernador de más allá del río, y Setar-boznai, y sus compañeros los aparsaqueos, que *estaban* al otro lado del río, enviaron al rey Darío.

7 Le enviaron una carta, en la que estaba escrito de esta manera: Al rey Darío toda paz.

8 Sea notorio al rey, que fuimos a la provincia de Judea, a la casa del gran Dios, la cual se edifica de piedras grandes; y los maderos son puestos en las paredes, y la obra se hace aprisa, y prospera en sus manos.

9 Entonces preguntamos a los ancianos, diciéndoles así: ¿Quién os dio mandamiento para edificar esta casa, y para restablecer estos muros?

10 Y también les preguntamos sus nombres para hacértelo saber, para escribirte los nombres de los varones que *eran* los jefes de ellos.

11 Y nos respondieron, diciendo así: Nosotros somos siervos del Dios del cielo y de la tierra, y reedificamos la casa que ya muchos años antes había sido edificada, la cual edificó y terminó el gran rey de Israel.

12 Mas después que nuestros padres provocaron a ira al Dios de los cielos, Él los entregó en mano de Nabucodonosor rey de Babilonia, caldeo, el cual destruyó esta casa, e hizo trasportar al pueblo a Babilonia.

13 Pero en el año primero de Ciro rey de Babilonia, el *mismo* rey Ciro dio mandamiento para que esta casa de Dios fuese reedificada.

14 Y también los vasos de oro y de plata de la casa de Dios, que Nabucodonosor había sacado del templo que estaba en Jerusalén, y los había metido en el templo de Babilonia, el rey Ciro los sacó del templo de Babilonia, y fueron entregados a Sesbasar, al cual había puesto por gobernador;

15 y le dijo: Toma estos vasos, ve y ponlos en el templo que *está* en Jerusalén; y la casa de Dios sea reedificada en su lugar.

16 Entonces este Sesbasar vino, y puso los fundamentos de la casa de Dios que estaba en Jerusalén, y desde entonces hasta ahora se edifica, y aún no está terminada.

17 Y ahora, si al rey parece bien, búsquese en la casa de los tesoros del rey que está allí en Babilonia, si es así que por el rey Ciro había sido dado mandamiento para reedificar esta casa de Dios en Jerusalén, y envíenos a decir la voluntad del rey sobre esto.

CAPÍTULO 6

Entonces el rey Darío dio mandamiento, y buscaron en la casa de los libros, donde guardaban los tesoros allí en Babilonia.

2 Y fue hallado en Acmeta, en el palacio que está en la provincia de Media, un libro, en el que estaba escrito así: Memoria:

3 En el año primero del rey Ciro, el mismo rey Ciro dio mandamiento acerca de la casa de Dios que estaba en Jerusalén, para que fuese edificada la casa, lugar donde se ofrecen sacrificios, y que sus paredes fuesen firmes; su altura de sesenta codos, y de sesenta codos su anchura;

4 con tres hileras de piedras grandes, y una hilera de madera nueva, y que los gastos sean pagados por la casa del rey.

5 Y también los vasos de oro y de plata de la casa de Dios, que Nabucodonosor sacó del templo que estaba en Jerusalén y los pasó a Babilonia, sean devueltos y sean traídos al templo que está en Jerusalén, a su lugar, y sean puestos en la casa de Dios.

6 Ahora pues, Tatnai, jefe de más allá del río, Setar-boznai, y sus compañeros los aparsaqueos que estáis al otro lado del río, apartaos de allí.

7 Dejad que se haga la obra de esta casa de Dios; que el principal de los judíos y a sus ancianos edifiquen esta casa de Dios en su lugar.

8 Y por mí es dado mandamiento de lo que habéis de hacer con los ancianos de estos judíos, para edificar esta casa de Dios; que de la hacienda del rey, que tiene del tributo del otro lado del río, los gastos sean dados luego a aquellos varones, para que no cesen.

9 Y lo que fuere necesario, becerros y carneros y corderos, para holocaustos al Dios del cielo, trigo, sal, vino y aceite, conforme a lo que dijeren los sacerdotes que están en Jerusalén, les sea dado cada día, sin falta;

10 para que ofrezcan sacrificios de perfume grato al Dios del cielo, y oren por la vida del rey y por sus hijos.

11 También por mí es dado mandamiento, que cualquiera que altere este decreto, le sea arrancado un madero de su casa, y alzado, sea colgado en él; y su casa sea hecha muladar por esto.

467

12 Y el Dios que hizo habitar allí su nombre, destruya a todo rey y pueblo que pusiere su mano y lo altere para destruir esta casa de Dios, la cual está en Jerusalén. Yo Darío he dado el decreto; sea hecho prestamente.

13 Entonces Tatnai, gobernador del otro lado del río, y Setar-boznai, y sus compañeros, hicieron prestamente según el rey Darío había enviado.

14 Y los ancianos de los judíos edificaban y prosperaban, conforme a la profecía de Hageo profeta, y de Zacarías hijo de Iddo. Edificaron, pues, y acabaron, conforme al mandamiento del Dios de Israel, y por mandato de Ciro, y de Darío, y de Artajerjes rey de Persia.

15 Y esta casa fue acabada al tercer día del mes de Adar, que era el sexto año del reinado del rey Darío.

16 Y los hijos de Israel, los sacerdotes y los levitas, y los demás que habían venido de la cautividad, hicieron la dedicación de esta casa de Dios con gozo.

17 Y ofrecieron en la dedicación de esta casa de Dios cien becerros, doscientos carneros y cuatrocientos corderos; y machos cabríos en expiación por todo Israel, doce, conforme al número de las tribus de Israel.

18 Y pusieron a los sacerdotes en sus clases, y a los levitas en sus divisiones, sobre la obra de Dios que está en Jerusalén, conforme a lo escrito en el libro de Moisés.

19 Y los hijos de la cautividad celebraron la pascua a los catorce del mes primero.

20 Porque los sacerdotes y los levitas se habían purificado a una; todos fueron limpios; y sacrificaron la pascua por todos los hijos de la cautividad, y por sus hermanos los sacerdotes, y por sí mismos.

21 Y comieron los hijos de Israel que habían vuelto de la cautividad, y todos los que se habían apartado a ellos de la inmundicia de las naciones de la tierra, para buscar a Jehová Dios de Israel.

22 Y durante siete días con regocijo celebraron la fiesta de los panes sin levadura, porque Jehová los había alegrado, y había vuelto el corazón

Terminan de edificar el templo

del rey de Asiria hacia ellos, para esforzar sus manos en la obra de la casa de Dios, del Dios de Israel.

CAPÍTULO 7

Pasadas estas cosas, en el reinado de Artajerjes rey de Persia, Esdras, hijo de Seraías, hijo de Azarías, hijo de Hilcías,

2 hijo de Salum, hijo de Sadoc, hijo de Ahitob,

3 hijo de Amarías, hijo de Azarías, hijo de Meraiot,

4 hijo de Zeraías, hijo de Uzi, hijo de Buqui,

5 hijo de Abisúa, hijo de Finees, hijo de Eleazar, hijo de Aarón, primer sacerdote.

6 Este Esdras subió de Babilonia, el cual era escriba diligente en la ley de Moisés, que Jehová Dios de Israel había dado; y el rey le concedió todo lo que pidió, según la mano de Jehová su Dios *era* sobre él.

7 Y subieron con él a Jerusalén de los hijos de Israel, y de los sacerdotes, y levitas, y cantores, y porteros, y servidores del templo, en el séptimo año del rey Artajerjes.

8 Y llegó a Jerusalén en el mes quinto, el año séptimo del rey.

9 Porque el día primero del primer mes fue el principio de la partida de Babilonia, y al primero del mes quinto llegó a Jerusalén, según la buena mano de su Dios sobre él.

10 Porque Esdras había preparado su corazón para inquirir la ley de Jehová, y para hacer y enseñar a Israel mandamientos y juicios.

11 Ésta es la copia de la carta que dio el rey Artajerjes a Esdras, sacerdote escriba, escriba *instruido* en las palabras de los mandamientos de Jehová, y de sus estatutos a Israel:

12 Artajerjes, rey de los reyes, a Esdras sacerdote, escriba de la ley del Dios del cielo: Perfecta paz, etcétera.

13 Por mí es dado mandamiento, que cualquiera que quisiere en mi reino, del pueblo de Israel y de sus sacerdotes y levitas, ir contigo a Jerusalén, vaya.

14 Porque de parte del rey y de sus siete consejeros eres enviado a visitar a Judea y a Jerusalén, conforme a la

ley de tu Dios que está en tu mano;

15 Y a llevar la plata y el oro que el rey y sus consultores voluntariamente ofrecen al Dios de Israel, cuya morada está en Jerusalén,

16 y toda la plata y el oro que hallares en toda la provincia de Babilonia, con las ofrendas voluntarias del pueblo y de los sacerdotes, que de su voluntad ofrecieren para la casa de su Dios que *está* en Jerusalén.

17 Comprarás, pues, prestamente con este dinero becerros, carneros, corderos, con sus presentes y sus libaciones, y los ofrecerás sobre el altar de la casa de vuestro Dios que está en Jerusalén.

18 Y lo que a ti y a tus hermanos os parezca hacer con el resto de la plata y oro, hacedlo conforme a la voluntad de vuestro Dios.

19 Y los vasos que te son entregados para el servicio de la casa de tu Dios, los restituirás delante de Dios en Jerusalén.

20 Y lo demás que se requiera para la casa de tu Dios que te sea necesario dar, lo darás de la casa de los tesoros del rey.

21 Y por mí el rey Artajerjes es dado mandamiento a todos los tesoreros que están al otro lado del río, que todo lo que os demandare Esdras sacerdote, escriba de la ley del Dios del cielo, se le conceda prestamente,

22 hasta cien talentos de plata, y hasta cien coros de trigo, y hasta cien batos de vino, y hasta cien batos de aceite; y sal sin medida.

23 Todo lo que es mandado por el Dios del cielo, sea hecho prestamente para la casa del Dios del cielo; pues, ¿por qué habría de ser su ira contra el reino del rey y de sus hijos?

24 Y a vosotros os hacemos saber que a todos los sacerdotes y levitas, cantores, porteros, servidores del templo y ministros de la casa de Dios, ninguno pueda imponerles tributo, impuesto, o renta.

25 Y tú, Esdras, conforme a la sabiduría que tienes de tu Dios, pon jueces y gobernadores, que gobiernen a todo el pueblo que está del otro lado del río, a todos los que conocen las leyes de tu Dios; y al que no las conoce, le enseñarás.

26 Y cualquiera que no cumpliere la ley de tu Dios, y la ley del rey, prestamente sea juzgado, o a muerte, o a destierro, o a confiscación de bienes, o a prisión.

27 Bendito Jehová, Dios de nuestros padres, que puso tal cosa en el corazón del rey, para honrar la casa de Jehová que está en Jerusalén,

28 e inclinó hacia mí su misericordia delante del rey y de sus consejeros, y de todos los príncipes poderosos del rey. Y yo, fortalecido según la mano de mi Dios sobre mí, reuní a los principales de Israel para que subiesen conmigo.

CAPÍTULO 8

Y éstos *son* los jefes de sus padres, y la genealogía de los que subieron conmigo de Babilonia, cuando reinaba el rey Artajerjes.

2 De los hijos de Finees, Gersón; de los hijos de Itamar, Daniel; de los hijos de David, Hatús;

3 de los hijos de Secanías y de los hijos de Paros, Zacarías, y con él, en la línea de varones, ciento cincuenta;

4 de los hijos de Pahat-moab, Elioenai, hijo de Zeraías, y con él doscientos varones;

5 de los hijos de Secanías, el hijo de Jahaziel, y con él trescientos varones;

6 de los hijos de Adín, Ebed, hijo de Jonatán, y con él cincuenta varones;

7 de los hijos de Elam, Jesahías, hijo de Atalías, y con él setenta varones;

8 y de los hijos de Sefatías, Zebadías, hijo de Micael, y con él ochenta varones;

9 de los hijos de Joab, Abdías, hijo de Jehiel, y con él doscientos dieciocho varones;

10 y de los hijos de Selomit, el hijo de Josifías, y con él ciento sesenta varones;

11 y de los hijos de Bebai, Zacarías, hijo de Bebai, y con él veintiocho varones;

12 y de los hijos de Azgad, Johanán, hijo de Catán, y con él ciento diez varones;

13 y de los hijos de Adonicam, los postreros, cuyos nombres son estos, Elifelet, Jeiel, y Semaías, y con ellos sesenta varones;

14 y de los hijos de Bigvai, Utai y Zabud, y con ellos setenta varones.

15 Y los reuní junto al río que viene a Ahava, y acampamos allí tres días: y habiendo buscado entre el pueblo y entre los sacerdotes, no hallé allí de los hijos de Leví.

16 Entonces mandé traer a Eliezer, a Ariel, a Semaías, a Elnatán, a Jarib, a Elnatán, a Natán, a Zacarías, y a Mesulam, principales; asimismo a Joiarib y a Elnatán, hombres doctos;

17 y los envié a Iddo, jefe en el lugar de Casifia, y puse en boca de ellos las palabras que habían de hablar a Iddo, y a sus hermanos los sirvientes del templo en el lugar de Casifia, para que nos trajesen ministros para la casa de nuestro Dios.

18 Y nos trajeron, según la buena mano de nuestro Dios sobre nosotros, un varón entendido de los hijos de Mahali, hijo de Leví, hijo de Israel; y a Serebías con sus hijos y sus hermanos, dieciocho;

19 Y a Hasabías, y con él a Jesahías de los hijos de Merari, a sus hermanos y a sus hijos, veinte;

20 y de los sirvientes del templo, a quienes David puso con los príncipes para el ministerio de los levitas, doscientos veinte sirvientes del templo; todos los cuales fueron declarados por sus nombres.

21 Y publiqué ayuno allí junto al río de Ahava, para afligirnos delante de nuestro Dios, para solicitar de Él camino derecho para nosotros, y para nuestros niños, y para toda nuestra hacienda.

22 Porque tuve vergüenza de pedir al rey tropa y gente de a caballo que nos defendiesen del enemigo en el camino; porque habíamos hablado al rey, diciendo: La mano de nuestro Dios es para bien sobre todos los que le buscan; mas su poder y su furor contra todos los que le dejan.

23 Ayunamos, pues, y pedimos a nuestro Dios sobre esto, y Él nos fue propicio.

24 Aparté luego doce de los principales de los sacerdotes, a Serebías y a Hasabías, y con ellos diez de sus hermanos.

25 Y les pesé la plata, y el oro, y los vasos, la ofrenda que para la casa de nuestro Dios habían ofrecido el rey, y sus consejeros, y sus príncipes, todos los que se hallaron en Israel.

26 Pesé, pues, en manos de ellos seiscientos cincuenta talentos de plata, y vasos de plata por cien talentos, y cien talentos de oro;

27 además veinte tazones de oro, de mil dracmas; y dos vasos de bronce bruñido muy bueno, preciados como el oro.

28 Y les dije: Vosotros estáis consagrados a Jehová, y los vasos también son santos; y la plata y el oro, ofrenda voluntaria a Jehová, Dios de nuestros padres.

29 Velad, y guardadlos, hasta que los peséis delante de los príncipes de los sacerdotes y levitas, y de los jefes de los padres de Israel en Jerusalén, en las cámaras de la casa de Jehová.

30 Los sacerdotes, pues, y levitas recibieron el peso de la plata y del oro y de los vasos, para traerlo a Jerusalén a la casa de nuestro Dios.

31 Y partimos del río de Ahava el doce del mes primero, para ir a Jerusalén; y la mano de nuestro Dios fue sobre nosotros, y nos libró de mano del enemigo y del acechador en el camino.

32 Y llegamos a Jerusalén, y reposamos allí tres días.

33 Al cuarto día fue luego pesada la plata, y el oro, y los vasos, en la casa de nuestro Dios, por mano de Meremot hijo de Urías sacerdote, y con él Eleazar hijo de Finees; y con ellos Jozabad hijo de Jesúa, y Noadías hijo de Binúi, levitas.

34 Por cuenta y por peso todo; y se apuntó todo aquel peso en aquel tiempo.

35 También los hijos de los que habían sido llevados cautivos, y que habían venido de la cautividad, ofrecieron holocaustos al Dios de Israel, doce becerros por todo Israel, noventa y seis carneros, setenta y siete corderos, doce machos cabríos por expiación; todo el holocausto a Jehová.

36 Y dieron los despachos del rey a sus gobernadores y capitanes del otro lado del río, los cuales favorecieron al pueblo y a la casa de Dios.

CAPÍTULO 9

Y acabadas estas cosas, los príncipes vinieron a mí, diciendo: El pueblo de Israel, y los sacerdotes y levitas, no se han apartado de los pueblos de las tierras, de los cananeos, heteos, ferezeos, jebuseos, amonitas, y moabitas, egipcios, y amorreos, y hacen conforme a sus abominaciones.

2 Porque han tomado de sus hijas para sí y para sus hijos, y la simiente santa ha sido mezclada con los pueblos de las tierras; y la mano de los príncipes y de los gobernadores ha sido la primera en esta prevaricación.

3 Lo cual oyendo yo, rasgué mi vestidura y mi manto, y arranqué pelo de mi cabeza y de mi barba, y me senté atónito.

4 Y se reunieron delante mí todos los que temblaban ante las palabras del Dios de Israel, a causa de la prevaricación de los del cautiverio; y yo quedé atónito hasta el sacrificio de la tarde.

5 Y a la hora del sacrificio de la tarde me levanté de mi aflicción; y habiendo rasgado mi vestidura y mi manto, me postré de rodillas, y extendí mis manos a Jehová mi Dios,

6 y dije: Dios mío, confuso y avergonzado estoy para levantar, oh Dios mío, mi rostro a ti; porque nuestras iniquidades se han multiplicado sobre nuestra cabeza, y nuestros delitos han crecido hasta el cielo.

7 Desde los días de nuestros padres hasta este día estamos en gran pecado; y por nuestras iniquidades nosotros, nuestros reyes, y nuestros sacerdotes, hemos sido entregados en manos de los reyes de las tierras, a espada, a cautiverio, a robo, y a confusión de rostro, como en este día.

8 Y ahora por un breve momento se *mostró* la gracia de Jehová nuestro Dios, para hacer que nos quedase un remanente libre, y para darnos estaca en su lugar santo, a fin de alumbrar nuestros ojos nuestro Dios y darnos un poco de vida en nuestra servidumbre.

9 Porque siervos *éramos*; mas en nuestra servidumbre no nos desamparó nuestro Dios, antes extendió sobre nosotros *su* misericordia delante de los reyes de Persia, para que se nos diese vida para levantar la casa de nuestro Dios, y para restaurar sus ruinas, y para darnos muros en Judá y en Jerusalén.

10 Mas ahora, ¿qué diremos, oh Dios nuestro, después de esto? Porque nosotros hemos dejado tus mandamientos,

11 los cuales prescribiste por medio de tus siervos los profetas, diciendo: La tierra a la cual entráis para poseerla, tierra inmunda es a causa de la inmundicia de los pueblos de aquellas regiones, por las abominaciones de que la han llenado de uno a otro extremo con su inmundicia.

12 Ahora, pues, no daréis vuestras hijas a los hijos de ellos, ni sus hijas tomaréis para vuestros hijos, ni procuraréis su paz ni su bien para siempre; para que seáis fuertes, y comáis el bien de la tierra, y la dejéis por heredad a vuestros hijos para siempre.

13 Mas después de todo lo que nos ha sobrevenido a causa de nuestras malas obras, y a causa de nuestro grande delito, ya que tú eres nuestro Dios, nos has castigado menos de lo que nuestras iniquidades *merecieron*, y nos has dado tan grande liberación:

14 ¿Hemos de volver a infringir tus mandamientos, y a emparentar con los pueblos de estas abominaciones? ¿No te ensañarías contra nosotros hasta consumirnos, sin que quedara remanente ni quien escape?

15 Jehová, Dios de Israel, tú eres justo; pues que hemos quedado un *remanente* que ha escapado, como *en* este día, henos aquí delante de ti en nuestros delitos; porque no es posible estar en tu presencia a causa de esto.

CAPÍTULO 10

Y cuando Esdras hubo orado y confesado, llorando y postrándose delante de la casa de Dios, se juntó a él una muy grande multitud de Israel, hombres, mujeres y niños; y lloraba el pueblo con gran llanto.

2 Entonces respondió Secanías hijo de Jehiel, de los hijos Elam, y dijo a Esdras: Nosotros hemos prevaricado contra nuestro Dios, pues tomamos esposas extranjeras de los pueblos de la tierra; pero aún hay esperanza para Israel sobre esto.

3 Ahora, pues, hagamos pacto con nuestro Dios, que echaremos a todas las esposas *extranjeras* y a los nacidos de ellas, según el consejo de mi señor y de los que tiemblan ante el mandamiento de nuestro Dios; y hágase conforme a la ley.

4 Levántate, porque a ti toca este asunto, y nosotros seremos contigo; esfuérzate, y ponlo por obra.

5 Entonces se levantó Esdras, e hizo jurar a los príncipes de los sacerdotes y de los levitas, y a todo Israel, que harían conforme a esto; y ellos juraron.

6 Se levantó luego Esdras de delante de la casa de Dios, y fue a la cámara de Johanán hijo de Eliasib; y llegado allí, no comió pan ni bebió agua, porque se entristeció a causa de la prevaricación de los de la cautividad.

7 E hicieron pasar pregón por Judá y por Jerusalén a todos los hijos de la cautividad, que se juntasen en Jerusalén:

8 Y que el que no viniese en un lapso de tres días, conforme al acuerdo de los príncipes y de los ancianos, perdiese toda su hacienda, y él fuese apartado de la congregación de aquellos que habían sido llevados en cautiverio.

9 Así todos los hombres de Judá y de Benjamín se reunieron en Jerusalén dentro de los tres días, a los veinte del mes, el cual era el mes noveno; y se sentó todo el pueblo en la plaza de la casa de Dios, temblando con motivo de aquel asunto, y también por causa de la intensa lluvia.

10 Y se levantó Esdras el sacerdote, y les dijo: Vosotros habéis prevaricado, por cuanto tomasteis esposas extranjeras, añadiendo así sobre el pecado de Israel.

11 Ahora, pues, dad gloria a Jehová Dios de vuestros padres, y haced su voluntad, y apartaos de los pueblos de las tierras, y de las esposas extranjeras.

12 Entonces toda la congregación respondió, y dijo en alta voz: Así se haga conforme a tu palabra.

13 Mas el pueblo es mucho, y el tiempo lluvioso, y no podemos permanecer afuera; ni la obra es de un día ni de dos, porque somos muchos los que hemos prevaricado en esto.

14 Dejad ahora que se queden nuestros príncipes, los de toda la congregación; y todos aquellos que en nuestras ciudades hubieren tomado esposas extranjeras, vengan en tiempos determinados, y con ellos los ancianos de cada ciudad, y los jueces de ellas, hasta que apartemos de nosotros el furor de la ira de nuestro Dios sobre esto.

15 Solamente Jonatán hijo de Asael, y Jahazías hijo de Ticva fueron puestos sobre este asunto; y Mesulam y Sabetai, levitas, les ayudaron.

16 E hicieron así los hijos de la cautividad. Y fueron apartados Esdras el sacerdote, y los varones jefes de familias en la casa de sus padres, todos ellos por sus nombres, se sentaron el primer día del mes décimo para inquirir el asunto.

17 Y concluyeron, con todos aquellos que habían tomado esposas extranjeras, al primer día del mes primero.

18 Y de los hijos de los sacerdotes que habían tomado esposas extranjeras, fueron hallados estos: De los hijos de Jesúa hijo de Josadac, y de sus hermanos: Maasías, Eliezer, Jarib y Gedalías;

19 y dieron su mano en promesa de echar a sus esposas *extranjeras*, y *siendo* culpables *ofrecieron* un carnero de los rebaños por su delito.

20 Y de los hijos de Imer: Hanani y Zebadías.

21 Y de los hijos de Harim, Maasías, Elías, Semaías, Jehiel y Uzías.

22 Y de los hijos de Pasur: Elioenai, Maasías, Ismael, Natanael, Jozabad y Elasa.

23 Y de los hijos de los levitas: Jozabad, Simeí, Kelaía (éste es Kelita), Petaías, Judá y Eliezer.

24 Y de los cantores, Eliasib; y de los porteros: Selum, Telem y Uri.

25 Asimismo de Israel: De los hijos de Paros: Ramía, Izías, Malquías, Miamín, Eleazar, Malquías y Benaía.

26 Y de los hijos de Elam: Matanías, Zacarías, Jehiel, Abdi, Jeremot y Elías.

27 Y de los hijos de Zatu: Elioenai, Eliasib, Matanías, Jeremot, Zabad y Aziza.

28 Y de los hijos de Bebai: Johanán, Hananías, Zabai y Atlai.

29 Y de los hijos de Bani: Mesulam, Maluc, Adaías, Jasub, Seal y Ramot.

30 Y de los hijos de Pahat-moab: Adna, Queleal, Benaía, Maasías, Matanías, Bezaleel, Binúi y Manasés.

31 Y de los hijos de Harim: Eliezer, Isías, Malquías, Semaías, Simeón,

32 Benjamín, Maluc y Semarías.

33 De los hijos de Hasum: Matenai, Matata, Zabad, Elifelet, Jeremai, Manasés y Simeí.

34 De los hijos de Bani: Maadi, Amram Uel,

35 Benaía, Bedías, Quelúhi,

36 Vanías, Meremot, Eliasib,

37 Matanías, Matenai, Jaasai,

38 Bani, Binúi, Simeí,

39 Selemías, Natán, Adaías,

40 Macnadbai, Sasai, Sarai,

41 Azareel, Selemías, Semarías,

42 Salum, Amarías y José.

43 Y de los hijos de Nebo: Jeiel, Matatías, Zabad, Zebina, Jadau, Joel y Benaía.

44 Todos éstos habían tomado esposas extranjeras; y algunos de ellos tenían esposas que les habían dado hijos.

Libro De
NEHEMÍAS

CAPÍTULO 1

Palabras de Nehemías, hijo de Hacalías. Aconteció en el mes de Quisleu, en el año veinte, estando yo en Susán, capital del reino,

2 que vino Hanani, uno de mis hermanos, él y ciertos varones de Judá, y les pregunté por los judíos que habían escapado, que habían quedado de la cautividad, y por Jerusalén.

3 Y me dijeron: El remanente, los que quedaron de la cautividad allí en la provincia, están en gran mal y afrenta, y el muro de Jerusalén derribado, y sus puertas quemadas a fuego.

4 Y sucedió que, cuando yo oí estas palabras, me senté y lloré, e hice duelo por algunos días, y ayuné y oré delante del Dios del cielo,

5 Y dije: Te ruego, oh Jehová, Dios del cielo, fuerte, grande, y terrible, que guarda el pacto y la misericordia a los que le aman y guardan sus mandamientos;

6 Esté ahora atento tu oído, y tus ojos abiertos, para oír la oración de tu siervo, que yo hago ahora delante de ti día y noche, por los hijos de Israel tus siervos; y confieso los pecados de los hijos de Israel que hemos contra ti cometido; sí, yo y la casa de mi padre hemos pecado.

7 En extremo nos hemos corrompido contra ti, y no hemos guardado los mandamientos, y estatutos y juicios, que mandaste a Moisés tu siervo.

8 Acuérdate ahora de la palabra que ordenaste a Moisés tu siervo, diciendo: Vosotros prevaricaréis, y yo os esparciré por los pueblos;

9 pero si os volviereis a mí, y guardareis mis mandamientos, y los pusiereis por obra, aunque vuestros desterrados estén hasta el extremo de los cielos, de allí os reuniré; y los traeré al lugar que escogí para hacer habitar allí mi nombre.

10 Ellos, pues, son tus siervos y tu pueblo, los cuales redimiste con tu gran fortaleza, y con tu mano fuerte.

11 Te ruego, oh Señor, esté ahora atento tu oído a la oración de tu siervo, y a la oración de tus siervos, quienes desean temer tu nombre. Prospera a tu siervo hoy, y concédele gracia delante de aquel varón. Porque yo servía de copero al rey.

CAPÍTULO 2

Y sucedió en el mes de Nisán, en el año veinte del rey Artajerjes, que estando ya el vino delante de él, tomé el vino, y lo di al rey. Y como yo no había estado antes triste en su presencia,

2 me dijo el rey: ¿Por qué está triste tu rostro, pues no estás enfermo? No es esto sino quebranto de corazón. Entonces temí en gran manera.

3 Y dije al rey: Viva el rey para siempre. ¿Cómo no ha de estar triste mi rostro, cuando la ciudad, casa de los sepulcros de mis padres, está desierta, y sus puertas consumidas por el fuego?

4 Y me dijo el rey: ¿Qué cosa pides? Entonces oré al Dios de los cielos,

5 y dije al rey: Si le place al rey, y si tu siervo ha hallado gracia delante de ti, envíame a Judá, a la ciudad de los sepulcros de mis padres, para que yo la reedifique.

6 Entonces el rey me dijo (y la reina estaba sentada junto a él): ¿Cuánto durará tu viaje, y cuándo volverás? Y agradó al rey enviarme, y le señalé tiempo.

7 Además dije al rey: Si place al rey, que se me den cartas para los gobernadores del otro lado del río, para que me franqueen el paso hasta que llegue a Judá;

8 Y carta para Asaf, guarda del bosque del rey, a fin que me dé madera para enmaderar los portales del palacio de la casa, y para el muro de la ciudad, y para la casa donde yo estaré. Y el rey me lo otorgó, según la bondadosa mano de mi Dios sobre mí.

9 Y vine luego a los gobernadores del otro lado del río, y les di las cartas del rey. Y el rey envió conmigo capitanes del ejército y gente de a caballo.

10 Y oyéndolo Sanbalat horonita, y Tobías, el siervo amonita, les desagradó en extremo que viniese alguno para procurar el bien de los hijos de Israel.

11 Llegué, pues, a Jerusalén, y después de estar allí tres días,

12 me levanté de noche, yo y unos cuantos varones conmigo; y no declaré a hombre alguno lo que Dios había puesto en mi corazón que hiciese en Jerusalén; ni había bestia conmigo, excepto la cabalgadura en que cabalgaba.

13 Y salí de noche por la puerta del Valle hacia la fuente del Dragón y a la puerta del Muladar; y observé los muros de Jerusalén que estaban derribados, y sus puertas estaban consumidas por el fuego.

14 Pasé luego a la puerta de la Fuente, y al estanque del Rey; pero no había lugar por donde pasase la cabalgadura en que iba.

15 Y subí de noche por el torrente, y observé el muro, y regresando entré por la puerta del Valle, y regresé.

16 Y no sabían los magistrados a dónde yo había ido, ni qué había hecho; ni hasta entonces lo había yo declarado a los judíos y sacerdotes, ni a los nobles y magistrados, ni a los demás que hacían la obra.

17 Les dije, pues: Vosotros veis el mal en que estamos, que Jerusalén está desierta, y sus puertas consumidas por el fuego; venid, y edifiquemos el muro de Jerusalén, y no seamos más oprobio.

18 Entonces les declaré cómo la mano de mi Dios era buena sobre mí, y asimismo las palabras del rey, que me había dicho. Y dijeron: Levantémonos y edifiquemos. Así esforzaron sus manos para bien.

19 Mas habiéndolo oído Sanbalat horonita, y Tobías el siervo amonita, y Gesem el árabe, hicieron escarnio de nosotros, y nos despreciaron, diciendo: ¿Qué es esto que hacéis vosotros? ¿Os rebeláis contra el rey?

20 Entonces les respondí, y les dije: El Dios del cielo, Él nos prosperará, y nosotros sus siervos nos levantaremos y edificaremos; porque vosotros no tenéis parte ni derecho, ni memoria en Jerusalén.

CAPÍTULO 3

Y se levantó Eliasib el sumo sacerdote con sus hermanos los sacerdotes, y edificaron la puerta de las Ovejas. Ellos aparejaron y levantaron sus puertas hasta la torre de Meah, aparejándola hasta la torre de Hananeel.

2 Y junto a ella edificaron los varones de Jericó; y luego edificó Zacur hijo de Imri.

3 Y los hijos de Senaa edificaron la puerta del Pescado; ellos la enmaderaron, y levantaron sus puertas, con sus cerraduras y sus cerrojos.

4 Y junto a ellos restauró Meremot hijo de Urías, hijo de Cos, y al lado de ellos, restauró Mesulam hijo de Berequías, hijo de Mesezabeel. Junto a ellos restauró Sadoc hijo de Baana.

5 E inmediato a ellos restauraron los tecoítas; pero sus nobles no prestaron su cerviz a la obra de su Señor.

6 La puerta Antigua fue restaurada por Joiada hijo de Pasea, y Mesulam hijo de Besodías; ellos la enmaderaron, y levantaron sus puertas, con sus cerraduras y sus cerrojos.

7 Junto a ellos restauró Melatías gabaonita, y Jadón meronotita, varones de Gabaón y de Mizpa, que estaban bajo el dominio del gobernador del otro lado del río.

8 Y junto a ellos restauró Uziel hijo de Harhaía, de los plateros; junto al cual restauró también Hananías, hijo de un perfumista. Así dejaron reparada a Jerusalén hasta el muro ancho.

9 Junto a ellos restauró también Refaías hijo de Hur, príncipe de la mitad de la región de Jerusalén.

10 Asimismo restauró junto a ellos, y frente a su casa, Jedaía hijo de Harumaf; y junto a él restauró Hatús hijo de Hasabnías.

11 Malquías hijo de Harim y Hasub hijo de Pahat-moab, restauraron la otra medida, y la torre de los Hornos.

12 Junto a ellos restauró Salum hijo de Lohes, príncipe de la mitad de la región de Jerusalén, él con sus hijas.

13 La puerta del Valle la restauró Hanún con los moradores de Zanoa; ellos la reedificaron, y levantaron sus puertas, con sus cerraduras y sus cerrojos, y mil codos en el muro hasta la puerta del Muladar.

14 Y reedificó la puerta del Muladar, Malquías hijo de Recab, príncipe de la provincia de Bet-haquerem; él la reedificó, y levantó sus puertas, sus cerraduras y sus cerrojos.

15 Y Salum hijo de Col-hoze, príncipe de la región de Mizpa, restauró la puerta de la Fuente; él la reedificó, y la enmaderó, y levantó sus puertas, sus cerraduras y sus cerrojos, y el muro del estanque de Siloé hacia la huerta del rey, y hasta las gradas que descienden de la ciudad de David.

16 Después de él restauró Nehemías hijo de Azbuc, príncipe de la mitad de la región de Bet-zur, hasta delante de los sepulcros de David, y hasta el estanque labrado, y hasta la casa de los Valientes.

17 Tras él restauraron los levitas, Rehum hijo de Bani; junto a él restauró Hasabías, príncipe de la mitad de la región de Keila en su región.

18 Después de él restauraron sus hermanos, Bavai hijo de Henadad, príncipe de la mitad de la región de Keila.

19 Y junto a él restauró Ezer hijo de Jesúa, príncipe de Mizpa, la otra medida frente a la subida de la armería de la esquina.

20 Después de él Baruc hijo de Zabai con gran fervor restauró otro tramo, desde la esquina hasta la puerta de la casa de Eliasib sumo sacerdote.

21 Tras él restauró Meremot hijo de Urías hijo de Cos otro tramo, desde la entrada de la casa de Eliasib, hasta el cabo de la casa de Eliasib.

22 Después de él restauraron los sacerdotes, los varones de la llanura.

23 Después de ellos restauraron Benjamín y Hasub, frente a su casa; y después de éstos restauró Azarías, hijo de Maasías hijo de Ananías, cerca de su casa.

24 Después de él restauró Binúi hijo de Henadad el otro tramo, desde la casa de Azarías hasta la revuelta, y hasta la esquina.

25 Paal hijo de Uzai, enfrente de la esquina y la torre alta que sale de la casa del rey, que está en el patio de la cárcel. Después de él, Pedaías hijo de Paros.

26 Y los sirvientes del templo que estaban en Ofel *restauraron* hasta enfrente de la puerta de las Aguas al oriente, y la torre que sobresalía.

27 Después de ellos restauraron los tecoítas otro tramo, enfrente de la

grande torre que sobresale, hasta el muro de Ofel.

28 Desde la puerta de los Caballos restauraron los sacerdotes, cada uno enfrente de su casa.

29 Después de ellos restauró Sadoc hijo de Imer, enfrente de su casa: y después de él restauró Semaías hijo de Secanías, guarda de la puerta Oriental.

30 Tras él restauró Hananías hijo de Selemías, y Hanún hijo sexto de Salaf, el otro tramo. Después de él restauró Mesulam, hijo de Berequías, enfrente de su cámara.

31 Después de él restauró Malquías hijo del platero, hasta la casa de los sirvientes del templo y de los mercaderes, enfrente de la puerta del Juicio, y hasta la sala de la esquina.

32 Y entre la sala de la esquina hasta la puerta de las Ovejas, restauraron los plateros, y los mercaderes.

CAPÍTULO 4

Y fue que como oyó Sanbalat que nosotros edificábamos el muro, se encolerizó y se enojó en gran manera, e hizo escarnio de los judíos.

2 Y habló delante de sus hermanos y del ejército de Samaria, y dijo: ¿Qué hacen estos débiles judíos? ¿Se fortalecerán a sí mismos? ¿Han de sacrificar? ¿Han de acabar en un día? ¿Resucitarán las piedras de los montones de escombros que fueron quemados?

3 Y estaba junto a él Tobías amonita, el cual dijo: Aun lo que ellos edifican, si sube una zorra, derribará su muro de piedra.

4 Oye, oh Dios nuestro, que somos menospreciados, y vuelve el oprobio de ellos sobre su cabeza, y dalos en presa en la tierra de su cautiverio.

5 No cubras su iniquidad, ni su pecado sea borrado delante de ti; porque *te* provocaron a ira delante de los que edificaban.

6 Edificamos, pues, el muro, y toda la muralla fue unida hasta la mitad de su altura, porque el pueblo tuvo ánimo para trabajar.

7 Mas aconteció que oyendo Sanbalat y Tobías, y los árabes, y los amonitas, y los de Asdod, que los muros de Jerusalén eran reparados, porque ya los portillos comenzaban a cerrarse, se encolerizaron mucho;

8 y conspiraron todos a una para venir a combatir a Jerusalén, y a hacerle daño.

9 Entonces oramos a nuestro Dios, y por causa de ellos pusimos guarda contra ellos de día y de noche.

10 Y dijo Judá: Las fuerzas de los acarreadores se han debilitado, y el escombro es mucho, y no podemos edificar el muro.

11 Y nuestros enemigos dijeron: No sepan, ni vean, hasta que entremos en medio de ellos, y los matemos, y hagamos cesar la obra.

12 Pero sucedió que cuando vinieron los judíos que habitaban entre ellos, nos dijeron diez veces: De todos los lugares de donde volviereis a nosotros, ellos vendrán sobre vosotros.

13 Entonces puse por los lugares bajos del lugar, detrás del muro, en los lugares altos, puse al pueblo por familias con sus espadas, con sus lanzas y con sus arcos.

14 Después miré, y me levanté, y dije a los principales y a los magistrados, y al resto del pueblo: No temáis delante de ellos; acordaos del Señor grande y terrible, y pelead por vuestros hermanos, por vuestros hijos y por vuestras hijas, por vuestras esposas y por vuestras casas.

15 Y sucedió que cuando oyeron nuestros enemigos que nos habíamos enterado, y que Dios había desbaratado el consejo de ellos, nos volvimos todos al muro, cada uno a su obra.

16 Mas fue que desde aquel día la mitad de los jóvenes trabajaba en la obra, y la otra mitad de ellos tenía lanzas y escudos, y arcos y corazas; y los príncipes estaban tras toda la casa de Judá.

17 Los que edificaban en el muro, y los que llevaban cargas y los que cargaban, con una mano trabajaban en la obra, y en la otra tenían la espada.

18 Porque los que edificaban, cada uno tenía su espada ceñida a sus lomos, y así edificaban y el que tocaba la trompeta estaba junto a mí.

19 Y dije a los principales, y a los magistrados y al resto del pueblo: La obra es grande y amplia, y nosotros estamos apartados en el muro, lejos los unos de los otros.

20 En el lugar donde oyereis la voz de la trompeta, reuníos allí con nosotros. Nuestro Dios peleará por nosotros.

21 Nosotros, pues, trabajábamos en la obra; y la mitad de ellos tenían lanzas desde la subida del alba hasta salir las estrellas.

22 También dije entonces al pueblo: Cada uno con su criado se quede dentro de Jerusalén, para que de noche nos sirvan de centinelas, y de día en la obra.

23 Y ni yo, ni mis hermanos, ni mis mozos, ni la gente de guardia que me seguía, desnudamos nuestra ropa; cada uno se desnudaba solamente para lavarse.

CAPÍTULO 5

Entonces fue grande el clamor del pueblo y de sus esposas contra los judíos sus hermanos.

2 Y había quien decía: Nosotros, nuestros hijos y nuestras hijas, somos muchos; por tanto hemos tomado grano para comer y vivir.

3 Y había quienes decían: Hemos empeñado nuestras tierras, y nuestras viñas, y nuestras casas, para comprar grano, por causa del hambre.

4 Y había quienes decían: Hemos tomado prestado dinero para el tributo del rey, sobre nuestras tierras y viñas.

5 Ahora bien, nuestra carne es como la carne de nuestros hermanos, nuestros hijos como sus hijos; y he aquí que nosotros estamos sometiendo a nuestros hijos y a nuestras hijas a servidumbre, y algunas de nuestras hijas ya están sujetas a servidumbre; y no tenemos poder para rescatarlas, porque nuestras tierras y nuestras viñas son de otros.

6 Y me enojé en gran manera cuando oí su clamor y estas palabras.

7 Entonces lo medité, y reprendí a los nobles y a los magistrados, y les dije: ¿Tomáis cada uno usura de vuestros hermanos? Y convoqué contra ellos una gran asamblea.

8 Y les dije: Nosotros conforme a nuestras posibilidades rescatamos a nuestros hermanos judíos que habían sido vendidos a las naciones; ¿y vosotros venderéis aun a vuestros hermanos, o serán vendidos a nosotros? Y callaron, pues no tuvieron qué responder.

9 Y dije: No está bien lo que hacéis, ¿no andaréis en temor de nuestro Dios, para no ser el oprobio de las naciones que son nuestras enemigas?

10 También yo, y mis hermanos, y mis criados, les hemos prestado dinero y grano; absolvámosles ahora de este gravamen.

11 Os ruego que les devolváis hoy sus tierras, sus viñas, sus olivares, y sus casas, y la centésima parte del dinero y grano, del vino y del aceite que demandáis de ellos.

12 Y dijeron: Devolveremos, y nada les demandaremos; haremos así como tú dices. Entonces convoqué a los sacerdotes, y les hice jurar que harían conforme a esto.

13 Además sacudí mi ropa, y dije: Así sacuda Dios de su casa y de su trabajo a todo hombre que no cumpliere esto, y así sea sacudido y vacío. Y respondió toda la congregación: ¡Amén! Y alabaron a Jehová. Y el pueblo hizo conforme a esto.

14 También desde el día que me mandó el rey que fuese gobernador de ellos en la tierra de Judá, desde el año veinte del rey Artajerjes hasta el año treinta y dos, doce años, ni yo ni mis hermanos comimos el pan del gobernador.

15 Mas los primeros gobernadores que fueron antes de mí, cargaron al pueblo, y tomaron de ellos por el pan y por el vino sobre cuarenta siclos de plata; a más de esto, sus criados se enseñoreaban sobre el pueblo; pero yo no hice así, a causa del temor de Dios.

16 También continué en la obra de restauración de este muro, y no compramos heredad; y todos mis criados juntos estaban allí en la obra.

17 Además ciento cincuenta hombres de los judíos y magistrados,

y los que venían a nosotros de las naciones que están en nuestros alrededores.

18 Y lo que se aderezaba para cada día era un buey, seis ovejas escogidas, y aves también se aparejaban para mí, y cada diez días vino en toda abundancia: y con todo esto nunca requerí el pan del gobernador, porque la servidumbre de este pueblo era grave.

19 Acuérdate de mí para bien, Dios mío, y de todo lo que hice por este pueblo.

CAPÍTULO 6

Y aconteció que habiendo oído Sanbalat, y Tobías, y Gesem el árabe, y el resto de nuestros enemigos, que yo había edificado el muro, y que no quedaba en él portillo (aunque hasta aquel tiempo no había puesto las hojas en las puertas),

2 Sanbalat y Gesem enviaron a decirme: Ven y reunámonos juntos en alguna de las aldeas en el campo de Ono. Pero ellos habían pensado hacerme mal.

3 Y les envié mensajeros, diciendo: Yo hago una gran obra, y no puedo ir; porque cesaría la obra, dejándola yo para ir a vosotros.

4 Y enviaron a mí con el mismo asunto por cuatro veces, y yo les respondí de la misma manera.

5 Envió entonces Sanbalat a mí su criado, a decir lo mismo por quinta vez, con una carta abierta en su mano,

6 en la cual estaba escrito: Se ha oído entre las naciones, y Gasmu lo dice, que tú y los judíos pensáis rebelaros; y que por eso edificas tú el muro, con la mira, según estas palabras, de ser tú su rey;

7 y que has puesto profetas que prediquen de ti en Jerusalén, diciendo: ¡Hay rey en Judá! Y ahora serán oídas del rey las tales palabras; ven por tanto, y consultemos juntos.

8 Entonces envié yo a decirles: No hay tal cosa como dices, sino que de tu corazón tú lo inventas.

9 Porque todos ellos nos intimidaban, diciendo: Se debilitarán las manos de ellos en la obra, y no

será hecha. Ahora, pues, oh Dios, fortalece mis manos.

10 Vine luego a casa de Semaías hijo de Delaías, hijo de Mehetabel, porque él estaba encerrado; el cual me dijo: Reunámonos en la casa de Dios dentro del templo, y cerremos las puertas del templo, porque vienen para matarte; sí, esta noche vendrán a matarte.

11 Entonces dije: ¿Un hombre como yo ha de huir? ¿Y quién, que fuera como yo, entraría al templo para salvar su vida? ¡No entraré!

12 Y entendí que Dios no lo había enviado, sino que hablaba aquella profecía contra mí, porque Tobías y Sanbalat le habían alquilado por salario.

13 Porque fue sobornado para que yo fuese intimidado e hiciese así, y que pecase, y les sirviese de mal nombre con que fuera yo infamado.

14 Acuérdate, Dios mío, de Tobías y de Sanbalat, conforme a estas sus obras, y también de Noadías profetisa, y de los otros profetas que trataban de intimidarme.

15 Así que el muro fue terminado el veinticinco del mes de Elul, en cincuenta y dos días.

16 Y sucedió que cuando lo oyeron todos nuestros enemigos, temieron todas las naciones que estaban en nuestros alrededores, y se sintieron muy humillados ante sus propios ojos, y conocieron que esta obra había sido hecha por nuestro Dios.

17 Asimismo en aquellos días iban muchas cartas de los nobles de Judá a Tobías, y las de Tobías venían a ellos.

18 Porque muchos en Judá se habían conjurado con él, porque era yerno de Secanías hijo de Ara; y Johanán su hijo había tomado la hija de Mesulam, hijo de Berequías.

19 También contaban delante de mí las buenas obras de él, y a él le referían mis palabras. Y Tobías enviaba cartas para atemorizarme.

CAPÍTULO 7

Y luego que el muro fue edificado, y hube colocado las puertas, y fueron señalados porteros y cantores y levitas,

2 mandé a mi hermano Hanani, y a Hananías, príncipe del palacio de Jerusalén (porque éste era un hombre de verdad y temeroso de Dios, más que muchos);

3 y les dije: No se abran las puertas de Jerusalén hasta que caliente el sol; y aun ellos presentes, cierren las puertas, y atrancad. Y señalé guardas de los moradores de Jerusalén, cada cual en su guardia, y cada uno delante de su casa.

4 Y la ciudad era espaciosa y grande, pero poco pueblo dentro de ella, y no había casas reedificadas.

5 Y puso Dios en mi corazón que reuniese a los nobles, y a los magistrados, y al pueblo, para que fuesen empadronados por el orden de sus linajes: Y hallé el libro de la genealogía de los que habían subido antes, y encontré en él escrito:

6 Éstos son los hijos de la provincia que subieron de la cautividad, de la transmigración que hizo pasar Nabucodonosor rey de Babilonia, y que volvieron a Jerusalén y a Judá cada uno a su ciudad;

7 los cuales vinieron con Zorobabel, Jesúa, Nehemías, Azarías, Raamías, Nahamani, Mardoqueo, Bilsán, Misperet, Bigvai, Nehum, Baana. La cuenta de los varones del pueblo de Israel.

8 Los hijos de Paros, dos mil ciento setenta y dos.

9 Los hijos de Sefatías, trescientos setenta y dos.

10 Los hijos de Ara, seiscientos cincuenta y dos.

11 Los hijos de Pahat-moab, de los hijos de Jesúa y de Joab, dos mil ochocientos dieciocho.

12 Los hijos de Elam, mil doscientos cincuenta y cuatro.

13 Los hijos de Zatu, ochocientos cuarenta y cinco.

14 Los hijos de Zacai, setecientos sesenta.

15 Los hijos de Binúi, seiscientos cuarenta y ocho.

16 Los hijos de Bebai, seiscientos veintiocho;

17 Los hijos de Azgad, dos mil trescientos veintidós.

18 Los hijos de Adonicam, seiscientos sesenta y siete.

19 Los hijos de Bigvai, dos mil sesenta y siete.

20 Los hijos de Adín, seiscientos cincuenta y cinco.

21 Los hijos de Ater, de Ezequías, noventa y ocho.

22 Los hijos de Hasum, trescientos veintiocho.

23 Los hijos de Besai, trescientos veinticuatro.

24 Los hijos de Harif, ciento doce.

25 Los hijos de Gabaón, noventa y cinco.

26 Los varones de Belén y de Netofa, ciento ochenta y ocho.

27 Los varones de Anatot, ciento veintiocho.

28 Los varones de Bet-azmavet, cuarenta y dos.

29 Los varones de Quiriat-jearim, Cefira y Beerot, setecientos cuarenta y tres.

30 Los varones de Ramá y de Geba, seiscientos veintiuno.

31 Los varones de Micmas, ciento veintidós.

32 Los varones de Betel y de Hai, ciento veintitrés.

33 Los varones del otro Nebo, cincuenta y dos.

34 Los hijos del otro Elam, mil doscientos cincuenta y cuatro.

35 Los hijos de Harim, trescientos veinte.

36 Los hijos de Jericó, trescientos cuarenta y cinco.

37 Los hijos de Lod, de Hadid, y Ono, setecientos veintiuno.

38 Los hijos de Senaa, tres mil novecientos treinta.

39 Los sacerdotes; los hijos de Jedaías, de la casa de Jesúa, novecientos setenta y tres.

40 Los hijos de Imer, mil cincuenta y dos.

41 Los hijos de Pasur, mil doscientos cuarenta y siete.

42 Los hijos de Harim, mil diecisiete.

43 Levitas: los hijos de Jesúa, de Cadmiel, de los hijos de Odevía, setenta y cuatro.

44 Cantores: los hijos de Asaf, ciento cuarenta y ocho.

45 Porteros: los hijos de Salum, los hijos de Ater, los hijos de Talmón, los hijos de Acub, los hijos de Hatita, los hijos de Sobai, ciento treinta y ocho.

46 Sirvientes del templo: los hijos de Siha, los hijos de Hasufa, los hijos de Tabaot,

47 los hijos de Queros, los hijos de Siaha, los hijos de Padón,

48 los hijos de Lebana, los hijos de Hagaba, los hijos de Salmai,

49 los hijos de Hanán, los hijos de Gidel, los hijos de Gahar,

50 los hijos de Reaías, los hijos de Rezín, los hijos de Necoda,

51 los hijos de Gazam, los hijos de Uza, los hijos de Pasea,

52 los hijos de Besai, los hijos de Meunim, los hijos de Nefisesim,

53 los hijos de Bacbuc, los hijos de Hacufa, los hijos de Harhur,

54 los hijos de Bazlut, los hijos de Mehída, los hijos de Harsa,

55 los hijos de Barcos, los hijos de Sísara, los hijos de Tema,

56 los hijos de Nesía, los hijos de Hatifa.

57 Los hijos de los siervos de Salomón: los hijos de Sotai, los hijos de Soferet, los hijos de Perida,

58 los hijos de Jaala, los hijos de Darcón, los hijos de Gidel,

59 los hijos de Sefatías, los hijos de Hatil, los hijos de Poqueret-hazebaim, los hijos de Amón.

60 Todos los sirvientes del templo, e hijos de los siervos de Salomón, trescientos noventa y dos.

61 Y éstos son los que subieron de Tel-mela, Tel-harsa, Querub, Adón, e Imer, los cuales no pudieron mostrar la casa de sus padres, ni su linaje, si eran de Israel:

62 Los hijos de Delaías, los hijos de Tobías, los hijos de Necoda, seiscientos cuarenta y dos.

63 Y de los sacerdotes: los hijos de Habaías, los hijos de Cos, los hijos de Barzilai, el cual tomó esposa de las hijas de Barzilai galaadita, y se llamó del nombre de ellas.

64 Éstos buscaron su registro de genealogías, y no se halló; y como algo contaminado fueron excluidos del sacerdocio.

65 Y el Tirsata les dijo que no comiesen de las cosas más santas, hasta que hubiese sacerdote con Urim y Tumim.

66 La congregación toda junta era de cuarenta y dos mil trescientos sesenta,

67 sin sus siervos y siervas, que eran siete mil trescientos treinta y siete; y entre ellos había doscientos cuarenta y cinco cantores y cantoras.

68 Sus caballos, setecientos treinta y seis; sus mulos, doscientos cuarenta y cinco;

69 camellos, cuatrocientos treinta y cinco; asnos, seis mil setecientos veinte.

70 Y algunos de los príncipes de las familias dieron para la obra. El Tirsata dio para el tesoro mil dracmas de oro, cincuenta tazones, y quinientas treinta vestiduras sacerdotales.

71 Y de los príncipes de las familias dieron para el tesoro de la obra, veinte mil dracmas de oro, y dos mil doscientas libras de plata.

72 Y lo que dio el resto del pueblo fue veinte mil dracmas de oro, y dos mil libras de plata, y sesenta y siete vestiduras sacerdotales.

73 Y habitaron los sacerdotes y los levitas, y los porteros, y los cantores, y los del pueblo, y los sirvientes del templo, y todo Israel en sus ciudades. Y venido el mes séptimo, los hijos de Israel estaban en sus ciudades.

CAPÍTULO 8

Y se juntó todo el pueblo como un solo hombre en la plaza que está delante de la puerta de las Aguas. Y dijeron al escriba Esdras que trajese el libro de la ley de Moisés, que Jehová mandó a Israel.

2 Y Esdras el sacerdote, trajo la ley delante de la congregación, así de hombres como de mujeres, y de todo entendido para escuchar, el primer día del mes séptimo.

3 Y leyó en el libro delante de la plaza que está delante de la puerta de las Aguas, desde el alba hasta el mediodía, en presencia de hombres y mujeres y entendidos; y los oídos de todo el pueblo estaban atentos al libro de la ley.

4 Y Esdras el escriba estaba sobre un púlpito de madera, que habían hecho para ello; y junto a él, a su mano derecha, estaban Matatías, Sema, Anaías, Urías, Hilcías y Maasías; y a su mano izquierda, Pedaías, Misael,

Malquías, Hasum, Hasbadana, Zacarías y Mesulam.

5 Abrió, pues, Esdras el libro a ojos de todo el pueblo (porque estaba más alto que todo el pueblo); y como lo abrió, todo el pueblo estuvo atento.

6 Bendijo entonces Esdras a Jehová, Dios grande. Y todo el pueblo respondió: ¡Amén! ¡Amén! alzando sus manos; y se humillaron, y adoraron a Jehová con el rostro a tierra.

7 Y Jesúa, Bani, Serebías, Jamín, Acub, Sabetai, Odías, Maasías, Kelita, Azarías, Jozabad, Hanán y Pelaías, levitas, hacían entender al pueblo la ley; y el pueblo estaba en su lugar.

8 Y leían en el libro de la ley de Dios claramente, y ponían el sentido, de modo que entendiesen la lectura.

9 Y Nehemías el Tirsata, y el sacerdote Esdras, escriba, y los levitas que hacían entender al pueblo, dijeron a todo el pueblo: Día santo es a Jehová nuestro Dios; no os entristezcáis, ni lloréis; porque todo el pueblo lloraba oyendo las palabras de la ley.

10 Luego les dijo: Id, comed grosuras, y bebed vino dulce, y enviad porciones a los que no tienen nada preparado; porque día santo es a nuestro Señor; y no os entristezcáis, porque el gozo de Jehová es vuestra fortaleza.

11 Los levitas, pues, hacían callar a todo el pueblo, diciendo: Callad, que es día santo, y no os entristezcáis.

12 Y todo el pueblo se fue a comer y a beber, y a enviar porciones, y a gozar de grande alegría, porque habían entendido las palabras que les habían enseñado.

13 Y al día siguiente se reunieron los príncipes de las familias de todo el pueblo, sacerdotes, y levitas, a Esdras escriba, para entender las palabras de la ley.

14 Y hallaron escrito en la ley que Jehová había mandado por mano de Moisés, que habitasen los hijos de Israel en cabañas en la fiesta solemne del mes séptimo;

15 Y que hiciesen saber, y pasar pregón por todas sus ciudades y por Jerusalén, diciendo: Salid al monte, y traed ramas de olivo, y ramas de pino, y ramas de arrayán, y ramas de palmas, y ramas de todo árbol frondoso, para hacer cabañas como está escrito.

16 Salió, pues, el pueblo, y trajeron, y se hicieron cabañas, cada uno sobre su terrado, y en sus patios, y en los patios de la casa de Dios, y en la plaza de la puerta de las Aguas, y en la plaza de la puerta de Efraín.

17 Y toda la congregación que volvió de la cautividad hicieron tabernáculos, y en tabernáculos habitaron; porque desde los días de Josué hijo de Nun hasta aquel día, no habían hecho así los hijos de Israel. Y hubo alegría muy grande.

18 Y leyó Esdras en el libro de la ley de Dios cada día, desde el primer día hasta el postrero; y celebraron la fiesta por siete días, y el octavo día fue de solemne asamblea, según lo establecido.

CAPÍTULO 9

Y el día veinticuatro del mismo mes se reunieron los hijos de Israel en ayuno, y con cilicio y tierra sobre sí.

2 Y la simiente de Israel ya se había apartado de todos los extranjeros; y estando en pie, confesaron sus pecados, y las iniquidades de sus padres.

3 Y puestos de pie en su lugar, leyeron en el libro de la ley de Jehová su Dios la cuarta parte del día, y la cuarta parte confesaron y adoraron a Jehová su Dios.

4 Luego se levantaron sobre la grada de los levitas, Jesúa y Bani, Cadmiel, Sebanías, Buni, Serebías, Bani y Quenani, y clamaron en voz alta a Jehová su Dios.

5 Entonces los levitas, Jesúa y Cadmiel, Bani, Hasabnías, Serebías, Odías, Sebanías y Petaías, dijeron: Levantaos, bendecid a Jehová vuestro Dios desde la eternidad hasta la eternidad; Bendito sea tu glorioso nombre, el cual es exaltado sobre toda bendición y alabanza.

6 Tú, sólo tú, oh Jehová; tú hiciste el cielo, y el cielo de los cielos, y todo su ejército, la tierra y todo lo que está en ella, los mares y todo lo que hay

en ellos; y tú has preservado todas estas cosas, y el ejército del cielo te adora.

7 Tú, eres oh Jehová, el Dios que escogiste a Abram, y lo sacaste de Ur de los caldeos, y le pusiste el nombre Abraham;

8 Y hallaste fiel su corazón delante de ti, e hiciste pacto con él para darle la tierra del cananeo, del heteo, y del amorreo, y del ferezeo, y del jebuseo, y del gergeseo, para darla a su simiente: y cumpliste tu palabra, porque eres justo.

9 Y miraste la aflicción de nuestros padres en Egipto, y oíste el clamor de ellos en el Mar Rojo;

10 Y diste señales y maravillas en Faraón, y en todos sus siervos, y en todo el pueblo de su tierra; porque sabías que habían hecho soberbiamente contra ellos; y te hiciste nombre grande, como en este día.

11 Y dividiste el mar delante de ellos, y así pasaron por medio de él en seco; y a sus perseguidores echaste en las profundidades, como una piedra en turbulentas aguas.

12 Y con columna de nube los guiaste de día, y con columna de fuego de noche, para alumbrarles el camino por donde habían de ir.

13 Y sobre el monte de Sinaí descendiste, y hablaste con ellos desde el cielo, y les diste juicios rectos, leyes verdaderas, y estatutos y mandamientos buenos:

14 Y les hiciste conocer tu santo sábado, y por mano de Moisés tu siervo les prescribiste mandamientos, estatutos, y leyes.

15 Y les diste pan del cielo en su hambre; y en su sed les sacaste aguas de la roca; y les prometiste que entrarían a poseer la tierra, por la cual alzaste tu mano y juraste que se la darías.

16 Mas ellos y nuestros padres hicieron soberbiamente, y endurecieron su cerviz, y no escucharon tus mandamientos.

17 No quisieron obedecer, ni se acordaron de tus maravillas que habías hecho con ellos; antes endurecieron su cerviz, y en su rebelión pensaron poner caudillo para volverse a su servidumbre. Pero tú que eres Dios perdonador, clemente y piadoso, tardo para la ira, y grande en misericordia, no los abandonaste.

18 Además, cuando hicieron para sí becerro de fundición, y dijeron: Éste es tu Dios que te hizo subir de Egipto; y cometieron grandes abominaciones;

19 Tú, con todo, por tus muchas misericordias no los abandonaste en el desierto. La columna de nube no se apartó de ellos de día, para guiarlos por el camino, ni la columna de fuego de noche, para alumbrarles el camino por el cual habían de ir.

20 Y diste tu buen Espíritu para enseñarles, y no retiraste tu maná de su boca, y agua les diste en su sed.

21 Y los sustentaste cuarenta años en el desierto; de ninguna cosa tuvieron necesidad; sus ropas no se envejecieron, ni se hincharon sus pies.

22 Les diste reinos y pueblos, y los distribuiste por regiones; y poseyeron la tierra de Sehón, la tierra del rey de Hesbón, y la tierra de Og rey de Basán.

23 Y multiplicaste sus hijos como las estrellas del cielo, y los metiste en la tierra, de la cual habías dicho a sus padres que habían de entrar a poseerla.

24 Y los hijos vinieron y poseyeron la tierra, y humillaste delante de ellos a los moradores del país, a los cananeos, los cuales entregaste en su mano, y a sus reyes, y a los pueblos de la tierra, para que hiciesen de ellos a su voluntad.

25 Y tomaron ciudades fortificadas y tierra fértil, y heredaron casas llenas de todo bien, cisternas hechas, viñas y olivares, y muchos árboles de comer; y comieron y se saciaron, se engordaron y se deleitaron en tu gran bondad.

26 Pero fueron desobedientes y se rebelaron contra ti, y echaron tu ley tras sus espaldas, y mataron a tus profetas que protestaban contra ellos para convertirlos a ti; e hicieron grandes abominaciones.

27 Y los entregaste en mano de sus enemigos, los cuales los afligieron.

Pero en el tiempo de su tribulación clamaron a ti, y tú desde los cielos los oíste; y según tus muchas misericordias les diste libertadores para que los librasen de mano de sus enemigos.

28 Pero una vez que tenían reposo, volvían a hacer lo malo delante de ti; por lo cual los abandonaste en mano de sus enemigos, que se enseñorearon de ellos; mas cuando se volvían y clamaban otra vez a ti, tú desde los cielos los oías, y muchas veces los libraste según tus misericordias.

29 Y los amonestaste para que volviesen a tu ley; mas ellos fueron soberbios, y no oyeron tus mandamientos, sino que pecaron contra tus juicios, los cuales si el hombre hiciere, en ellos vivirá. Pero ellos dieron la espalda, y endurecieron su cerviz, y no escucharon.

30 Los soportaste muchos años, y les amonestaste con tu Espíritu por medio de tus profetas, mas no escucharon; por lo cual los entregaste en mano de los pueblos de la tierra.

31 Mas por tus muchas misericordias no los consumiste, ni los desamparaste; porque eres Dios clemente y misericordioso.

32 Ahora, pues, Dios nuestro, Dios grande, fuerte, terrible, que guardas el pacto y la misericordia, no sea tenida en poco delante de ti toda la aflicción que nos ha alcanzando a nuestros reyes, a nuestros príncipes, a nuestros sacerdotes, y a nuestros profetas, y a nuestros padres, y a todo tu pueblo, desde los días de los reyes de Asiria hasta este día.

33 Pero tú eres justo en todo lo que ha venido sobre nosotros; porque rectamente has hecho, mas nosotros hemos hecho lo malo.

34 Y nuestros reyes, nuestros príncipes, nuestros sacerdotes, y nuestros padres, no pusieron por obra tu ley, ni atendieron a tus mandamientos y a tus testimonios, con que les amonestabas.

35 Y ellos en su reino y en tu mucho bien que les diste, y en la tierra espaciosa y fértil que entregaste delante de ellos, no te sirvieron, ni se convirtieron de sus malas obras.

36 He aquí que hoy somos siervos, henos aquí, siervos en la tierra que diste a nuestros padres para que comiesen su fruto y su bien.

37 Y se multiplica su fruto para los reyes que has puesto sobre nosotros por nuestros pecados, quienes se enseñorean sobre nuestros cuerpos, y sobre nuestras bestias, conforme a su voluntad, y estamos en grande angustia.

38 A causa, pues, de todo eso nosotros hacemos fiel *pacto*, y lo escribimos, signado de nuestros príncipes, de nuestros levitas, y de nuestros sacerdotes.

CAPÍTULO 10

Y los que firmaron fueron, Nehemías el Tirsata, hijo de Hacalías, y Sedequías,

2 Seraías, Azarías, Jeremías,

3 Pasur, Amarías, Malquías,

4 Hatús, Sebanías, Maluc,

5 Harim, Meremot, Abdías,

6 Daniel, Ginetón, Baruc,

7 Mesulam, Abías, Miamín,

8 Maazías, Bilgai, Semaías; éstos *eran* sacerdotes.

9 Y los levitas: Jesúa hijo de Azanías, Binúi de los hijos de Henadad, Cadmiel;

10 y sus hermanos Sebanías, Odías, Kelita, Pelaías, Hanán;

11 Micaías, Rehob, Hasabías,

12 Zacur, Serebías, Sebanías,

13 Odías, Bani, Beninu.

14 Cabezas del pueblo: Paros, Pahat-moab, Elam, Zatu, Bani,

15 Buni, Azgad, Bebai,

16 Adonías, Bigvai, Adín,

17 Ater, Ezequías, Azur,

18 Odías, Hasum, Besai,

19 Harif, Anatot, Nebai,

20 Magpías, Mesulam, Hezir,

21 Mesezabeel, Sadoc, Jadúa,

22 Pelatías, Hanán, Anaías,

23 Oseas, Hananías, Hasub,

24 Lohes, Pilha, Sobec,

25 Rehum, Hasabna, Maasías,

26 y Ahías, Hanán, Anan,

27 Maluc, Harim, Baana.

28 Y el resto del pueblo, los sacerdotes, levitas, porteros, y

cantores, sirvientes del templo y todos los que se habían apartado de los pueblos de las tierras a la ley de Dios, sus esposas, y sus hijos y sus hijas, todos los que podían comprender y discernir,

29 se adhirieron a sus hermanos y sus principales, y entraron en protesta y juramento de que andarían en la ley de Dios, que fue dada por medio de Moisés siervo de Dios, y que guardarían y cumplirían todos los mandamientos de Jehová nuestro Señor, y sus juicios y sus estatutos.

30 Y que no daríamos nuestras hijas a los pueblos de la tierra, ni tomaríamos sus hijas para nuestros hijos.

31 Asimismo, que si los pueblos de la tierra trajesen a vender mercaderías y comestibles en día de sábado, nada tomaríamos de ellos en sábado, ni en día santo; y que el año séptimo dejaríamos reposar la *tierra*, y perdonaríamos toda deuda.

32 Nos impusimos además por ley el cargo de contribuir cada año con la tercera parte de un siclo, para la obra de la casa de nuestro Dios;

33 Para el pan de la proposición, y para la ofrenda continua, y para el holocausto continuo, de los sábados, y de las nuevas lunas, y de las festividades, y para las santificaciones y sacrificios por el pecado para expiar a Israel, y para toda la obra de la casa de nuestro Dios.

34 Echamos también las suertes, los sacerdotes, los levitas, y el pueblo, acerca de la ofrenda de la leña, para traerla a la casa de nuestro Dios, según las casas de nuestros padres, en los tiempos determinados cada un año, para quemar sobre el altar de Jehová nuestro Dios, como está escrito en la ley.

35 Y que cada año traeríamos las primicias de nuestra tierra, y las primicias de todo fruto de todo árbol, a la casa de Jehová.

36 Asimismo los primogénitos de nuestros hijos y de nuestras bestias, como está escrito en la ley; y que traeríamos los primogénitos de nuestras vacas y de nuestras ovejas a la casa de nuestro Dios, a los sacerdotes que ministran en la casa de nuestro Dios:

37 Que traeríamos también las primicias de nuestras masas, y nuestras ofrendas, y del fruto de todo árbol, del vino y del aceite, a los sacerdotes, a las cámaras de la casa de nuestro Dios, y el diezmo de nuestra tierra a los levitas; y que los levitas recibirían los diezmos de nuestras labores en todas las ciudades:

38 Y que estaría el sacerdote hijo de Aarón con los levitas, cuando los levitas recibirían el diezmo: y que los levitas llevarían el diezmo del diezmo a la casa de nuestro Dios, a las cámaras en la casa del tesoro.

39 Porque a las cámaras han de llevar los hijos de Israel y los hijos de Leví la ofrenda del grano, del vino, y del aceite; y allí estarán los vasos del santuario, y los sacerdotes que ministran, y los porteros, y los cantores; y no abandonaremos la casa de nuestro Dios.

CAPÍTULO 11

Y los príncipes del pueblo habitaron en Jerusalén; mas el resto del pueblo echó suertes para traer uno de diez que morase en Jerusalén, ciudad santa, y las nueve partes en las otras ciudades.

2 Y bendijo el pueblo a todos los varones que voluntariamente se ofrecieron a morar en Jerusalén.

3 Y éstos son los principales de la provincia que moraron en Jerusalén; mas en las ciudades de Judá habitaron cada uno en su posesión en sus ciudades, de Israel, de los sacerdotes, y levitas, y sirvientes del templo, y de los hijos de los siervos de Salomón.

4 En Jerusalén pues habitaron de los hijos de Judá, y de los hijos de Benjamín. De los hijos de Judá: Ataías, hijo de Uzías, hijo de Zacarías, hijo de Amarías, hijo de Sefatías, hijo de Mahalaleel, de los hijos de Fares;

5 y Maasías hijo de Baruc, hijo de Col-hoze, hijo de Hazaías, hijo de Adaías, hijo de Joiarib, hijo de Zacarías, hijo de Siloni.

6 Todos los hijos de Fares que moraron en Jerusalén, fueron cuatrocientos sesenta y ocho hombres fuertes.

7 Y éstos son los hijos de Benjamín: Salú hijo de Mesulam, hijo de Joed, hijo de Pedaías, hijo de Colaías, hijo de Maasías, hijo de Itiel, hijo de Jesahías.

8 Y tras él, Gabai, Salai, novecientos veintiocho.

9 Y Joel hijo de Zicri, era prefecto de ellos, y Judá hijo de Senúa, el segundo de la ciudad.

10 De los sacerdotes: Jedaías hijo de Joiarib, Jaquín,

11 Seraías hijo de Hilcías, hijo de Mesulam, hijo de Sadoc, hijo de Meraiot, hijo de Ahitob, príncipe de la casa de Dios,

12 y sus hermanos los que hacían la obra de la casa, ochocientos veintidós; y Adaías hijo de Jeroham, hijo de Pelalías, hijo de Amsi, hijo de Zacarías, hijo de Pasur, hijo de Malquías,

13 y sus hermanos, príncipes de familias, doscientos cuarenta y dos; y Amasai hijo de Azareel, hijo de Azai, hijo de Mesilemot, hijo de Imer,

14 y sus hermanos, hombres de grande vigor, ciento veintiocho; jefe de los cuales era Zabdiel, hijo de un hombre grande.

15 Y de los levitas: Semaías hijo de Hasub, hijo de Azricam, hijo de Hasabías, hijo de Buni;

16 Y Sabetai y Jozabad, de los principales de los levitas, encargados de la obra exterior de la casa de Dios;

17 Y Matanías hijo de Micaía, hijo de Zabdi, hijo de Asaf, el principal, el que empezaba las alabanzas y acción de gracias al tiempo de la oración; y Bacbucías el segundo de entre sus hermanos; y Abda hijo de Samúa, hijo de Galal, hijo de Jedutún.

18 Todos los levitas en la santa ciudad fueron doscientos ochenta y cuatro.

19 Y los porteros, Acub, Talmón, y sus hermanos, guardas en las puertas, ciento setenta y dos.

20 Y el resto de Israel, de los sacerdotes, de los levitas, en todas las ciudades de Judá, cada uno en su heredad.

21 Y los sirvientes del templo habitaban en Ofel; y los sirvientes del templo estaban bajo el mando de Siha y Gispa.

22 Y el prepósito de los levitas en Jerusalén era Uzi hijo de Bani, hijo de Hasabías, hijo de Matanías, hijo de Micaías de los cantores los hijos de Asaf, sobre la obra de la casa de Dios.

23 Porque había mandamiento del rey acerca de ellos, y determinación acerca de los cantores para cada día.

24 Y Petaías hijo de Mesezabeel, de los hijos de Zera hijo de Judá, estaba a la mano del rey en todos los asuntos del pueblo.

25 Y tocante a las aldeas y sus tierras, algunos de los hijos de Judá habitaron en Quiriat-arba y sus aldeas, y en Dibón y sus aldeas, y en Jecabseel y sus aldeas;

26 Y en Jesúa, Molada, y en Bet-pelet;

27 y en Hasar-sual, y en Beerseba, y en sus aldeas;

28 y en Siclag, y en Mecona y sus aldeas;

29 y en Enrimón, y en Zora y en Jarmut;

30 en Zanoa, en Adulam y sus aldeas; en Laquis y sus tierras, y en Azeca y sus aldeas. Y habitaron desde Beerseba hasta el valle de Hinom.

31 Y los hijos de Benjamín desde Geba habitaron en Micmas, y Hai, y en Betel y sus aldeas;

32 En Anatot, Nob, Ananías;

33 Hazor, Ramá, Gitaim;

34 Hadid, Zeboim, Nebalat;

35 Lod, y Ono, valle de los artífices.

36 Y algunos de los levitas, en los repartimientos de Judá y de Benjamín.

CAPÍTULO 12

Y éstos son los sacerdotes y levitas que subieron con Zorobabel hijo de Salatiel, y con Jesúa: Seraías, Jeremías, Esdras,

2 Amarías, Maluc, Hatús,

3 Secanías, Rehum, Meremot,

4 Iddo, Gineto, Abías,

5 Miamín, Maadías, Bilga,

6 Semaías, y Joiarib, Jedaías,

7 Salum, Amoc, Hilcías, Jedaías. Éstos eran los príncipes de los

sacerdotes y sus hermanos en los días de Jesúa.

8 Y los levitas: Jesúa, Binúi, Cadmiel, Serebías, Judá, y Matanías, que con sus hermanos oficiaba en los himnos.

9 Y Bacbucías y Uni, sus hermanos, cada cual en su ministerio.

10 Y Jesúa engendró a Joiacim, y Joiacim engendró a Eliasib y Eliasib engendró a Joiada,

11 y Joiada engendró a Jonatán, y Jonatán engendró a Jadúa.

12 Y en los días de Joiacim los sacerdotes cabezas de familias fueron: de Seraías, Meraías; de Jeremías, Hananías;

13 de Esdras, Mesulam; de Amarías, Johanán;

14 de Maluc, Jonatán; de Sebanías, José;

15 de Harim, Adna; de Meraiot, Helcai;

16 de Iddo, Zacarías; de Ginetón, Mesulam;

17 de Abías, Zicri; de Miniamín, de Moadías, Piltai;

18 de Bilga, Samúa; de Semaías, Jonatán;

19 de Joiarib, Matenai; de Jedaías, Uzi;

20 de Salai, Calai; de Amoc, Heber;

21 de Hilcías, Hasabías; de Jedaías, Natanael.

22 Los levitas en días de Eliasib, de Joiada, y de Johanán y Jadúa, fueron escritos por cabezas de familias; también los sacerdotes, hasta el reinado de Darío el persa.

23 Los hijos de Leví, cabezas de familias, fueron escritos en el libro de las Crónicas hasta los días de Johanán, hijo de Eliasib.

24 Y los principales de los levitas: Hasabías, Serebías, y Jesúa hijo de Cadmiel, y sus hermanos delante de ellos, para alabar y dar gracias, conforme al estatuto de David varón de Dios, guardando su turno.

25 Matanías, y Bacbucías, Abdías, Mesulam, Talmón, Acub, guardas, eran porteros para la guardia a las entradas de las puertas.

26 Éstos fueron en los días de Joiacim, hijo de Jesúa, hijo de Josadac, y en los días del gobernador Nehemías, y del sacerdote Esdras, escriba.

27 Y para la dedicación del muro de Jerusalén buscaron a los levitas de todos los lugares, para traerlos a Jerusalén, para hacer la dedicación y la fiesta con alabanzas y con cánticos, con címbalos, salterios y cítaras.

28 Y fueron reunidos los hijos de los cantores, así de la región de alrededor de Jerusalén como de las aldeas de Netofati;

29 y de la casa de Gilgal, y de los campos de Geba, y de Azmavet; porque los cantores se habían edificado aldeas alrededor de Jerusalén.

30 Y se purificaron los sacerdotes y los levitas; y purificaron al pueblo, y las puertas, y el muro.

31 Hice luego subir a los príncipes de Judá sobre el muro, y puse dos coros grandes que daban gracias; el uno a la mano derecha sobre el muro hacia la puerta del Muladar.

32 E iba tras de ellos Osaías, y la mitad de los príncipes de Judá,

33 y Azarías, Esdras y Mesulam,

34 Judá y Benjamín, y Semaías y Jeremías.

35 Y de los hijos de los sacerdotes iban con trompetas, Zacarías hijo de Jonatán, hijo de Semaías, hijo de Matanías, hijo de Micaías, hijo de Zacur, hijo de Asaf;

36 y sus hermanos Semaías, y Azareel, Milalai, Gilalai, Maai, Natanael, Judá y Hanani, con los instrumentos musicales de David varón de Dios; y Esdras escriba, delante de ellos.

37 Y a la puerta de la Fuente, en derecho delante de ellos, subieron por las gradas de la ciudad de David, por la subida del muro, desde la casa de David hasta la puerta de las Aguas al oriente.

38 Y el segundo coro iba del lado opuesto, y yo en pos de él, con la mitad del pueblo sobre el muro, desde la torre de los Hornos hasta el muro ancho;

39 y desde la puerta de Efraín hasta la puerta Antigua, y a la puerta del Pescado, y la torre de Hananeel, y la torre de Meah, hasta la puerta de las Ovejas; y pararon en la puerta de la Cárcel.

40 Pararon luego los dos coros en la casa de Dios; y yo, y la mitad de los magistrados conmigo;

41 y los sacerdotes, Eliaquim, Maasías, Miniamín, Micaías, Elioenai, Zacarías, y Hananías, con trompetas;

42 y Maasías, y Semaías, y Eleazar, y Uzi, y Johanán, y Malquías, y Elam, y Ezer. Y los cantores cantaban alto, e Izrahías era el prefecto.

43 Y sacrificaron aquel día grandes víctimas, e hicieron alegrías; porque Dios los había recreado con grande contentamiento; se alegraron también las mujeres y los niños; y el alborozo de Jerusalén fue oído desde lejos.

44 Y en aquel día fueron puestos varones sobres las cámaras de los tesoros, de las ofrendas, de las primicias, y de los diezmos, para juntar en ellas de los campos de las ciudades las porciones legales para los sacerdotes y levitas; porque era grande el gozo de Judá con respecto a los sacerdotes y levitas que servían.

45 Y los cantores y los porteros guardaron la ordenanza de su Dios y la ordenanza de la expiación conforme al estatuto de David y de Salomón su hijo.

46 Porque desde el tiempo de David y de Asaf, ya de antiguo, había príncipes de cantores, y cántico y alabanza, y acción de gracias a Dios.

47 Y todo Israel en días de Zorobabel, y en días de Nehemías, daba raciones a los cantores y a los porteros, cada cosa en su día: consagraban asimismo sus porciones a los levitas, y los levitas consagraban parte a los hijos de Aarón.

CAPÍTULO 13

Aquel día se leyó en el libro de Moisés oyéndolo el pueblo, y fue hallado escrito en él que los amonitas y moabitas no debían entrar jamás en la congregación de Dios;

2 por cuanto no salieron a recibir a los hijos de Israel con pan y agua, antes alquilaron a Balaam contra ellos, para que los maldijese; mas nuestro Dios volvió la maldición en bendición.

3 Y aconteció que cuando oyeron la ley, apartaron de Israel a todos los mezclados con extranjeros.

4 Y antes de esto, Eliasib sacerdote, siendo superintendente de la cámara de la casa de nuestro Dios, había emparentado con Tobías,

5 y le había hecho una grande cámara, en la cual guardaban antes las ofrendas, y el perfume, y los vasos, y el diezmo del grano, y del vino y del aceite, que estaba mandado darse a los levitas, a los cantores, y a los porteros, y la ofrenda de los sacerdotes.

6 Mas a todo esto, yo no estaba en Jerusalén; porque el año treinta y dos de Artajerjes rey de Babilonia, vine al rey; y al cabo de días obtuve permiso del rey.

7 Y vine a Jerusalén, entendí el mal que había hecho Eliasib en atención a Tobías, haciendo para él cámara en los patios de la casa de Dios.

8 Y me dolió en gran manera; y eché todos los enseres de la casa de Tobías fuera de la cámara;

9 y dije que limpiasen las cámaras, e hice volver allí los utensilios de la casa de Dios, las ofrendas y el perfume.

10 Entendí asimismo que las porciones de los levitas no les habían sido dadas; y que los levitas y cantores que hacían el servicio se habían huido cada uno a su heredad.

11 Y reprendí a los magistrados, y dije: ¿Por qué está la casa de Dios abandonada? Y los junté, y los puse en su lugar.

12 Y todo Judá trajo el diezmo del grano, del vino y del aceite, a los almacenes.

13 Y puse por mayordomos de ellos a Selemías sacerdote, y a Sadoc escriba, y de los levitas, a Pedaías; y a mano de ellos Hanán hijo de Zacur, hijo de Matanías; pues ellos eran tenidos por fieles, y de ellos eran el repartir a sus hermanos.

14 Acuérdate de mí, oh Dios, en orden a esto, y no borres mis misericordias que hice en la casa de mi Dios, y en el servicio en ella.

15 En aquellos días vi en Judá algunos que pisaban los lagares en sábado, y que acarreaban gavillas, y cargaban

asnos con vino, y también de uvas, de higos, y toda clase de carga, y traían a Jerusalén en día de sábado; y les amonesté acerca del día que vendían el mantenimiento.

16 También estaban en ella tirios que traían pescado y toda mercadería, y vendían en sábado a los hijos de Judá en Jerusalén.

17 Y reprendí a los señores de Judá, y les dije: ¿Qué mala cosa es ésta que vosotros hacéis, profanando así el día del sábado?

18 ¿No hicieron así vuestros padres, y trajo nuestro Dios sobre nosotros todo este mal, y sobre esta ciudad? ¿Y vosotros añadís ira sobre Israel profanando el sábado?

19 Sucedió, pues, que cuando iba oscureciendo a las puertas de Jerusalén antes del sábado, dije que se cerrasen las puertas, y ordené que no las abriesen hasta después del sábado; y puse a las puertas algunos de mis criados, para que en día de sábado no introdujesen carga.

20 Y se quedaron fuera de Jerusalén una y dos veces los negociantes, y los que vendían toda especie de mercancía.

21 Y les amonesté y les dije: ¿Por qué os quedáis vosotros delante del muro? Si lo hacéis otra vez, os echaré mano. Desde entonces no vinieron en sábado.

22 Y dije a los levitas que se purificasen, y viniesen a guardar las puertas, para santificar el día del sábado. También por esto acuérdate de mí, Dios mío, y perdóname según la muchedumbre de tu misericordia.

23 Vi asimismo en aquellos días a judíos que habían tomado esposas de Asdod, amonitas, y moabitas.

24 Y de sus hijos, la mitad hablaban la lengua de Asdod, y no podían hablar la lengua de los judíos, sino que hablaban conforme a la lengua de cada pueblo.

25 Y reñí con ellos y los maldije, y herí algunos de ellos y les arranqué los cabellos, y les hice jurar por Dios, diciendo: No daréis vuestras hijas a sus hijos, ni tomaréis de sus hijas para vuestros hijos, ni para vosotros mismos.

26 ¿No pecó por esto Salomón, rey de Israel? Bien que en muchas naciones no hubo rey como él, que era amado de su Dios y Dios lo había puesto por rey sobre todo Israel; y aun a él le hicieron pecar las esposas extranjeras.

27 ¿Y obedeceremos a vosotros para cometer todo este mal tan grande de prevaricar contra nuestro Dios, tomando esposas extranjeras?

28 Y uno de los hijos de Joiada, hijo de Eliasib el sumo sacerdote era yerno de Sanbalat horonita: por tanto lo ahuyenté de mí.

29 Acuérdate de ellos, Dios mío, contra los que contaminan el sacerdocio, y el pacto del sacerdocio y de los levitas.

30 Los limpié, pues, de todo extranjero, y puse a los sacerdotes y levitas por sus clases, a cada uno en su obra;

31 Y para la ofrenda de la leña en los tiempos señalados, y para las primicias. Acuérdate de mí, Dios mío, para bien.

Libro De
ESTHER

CAPÍTULO 1

Y aconteció en los días de Asuero (el Asuero que reinó desde la India hasta Etiopía *sobre* ciento veintisiete provincias);

2 *que* en aquellos días, cuando el rey Asuero fue afirmado en el trono de su reino, el cual *estaba* en Susán capital del reino,

3 en el tercer año de su reinado hizo banquete a todos sus príncipes y siervos, *teniendo* delante de él a los más poderosos de Persia y de Media, gobernadores y príncipes de provincias,

4 para mostrar él las riquezas de la gloria de su reino, y el esplendor de su gloriosa majestad, por muchos días, ciento ochenta días.

5 Y cumplidos estos, el rey hizo un banquete por siete días en el patio del huerto del palacio real para todo el pueblo, desde el mayor hasta el menor que se hallaba en Susán capital del reino.

6 *El pabellón era* de blanco, verde y azul, atado por cordones de lino y púrpura a anillos de plata y a columnas de mármol; los reclinatorios de oro y de plata, sobre losado de pórfido y de mármol, y de alabastro y de jacinto.

7 Y daban a beber en vasos de oro, y vasos diferentes unos de otros, y mucho vino real, conforme a la generosidad del rey.

8 Y la bebida *era* según la ley: Sin ninguna obligación; porque así lo había mandado el rey a todos los mayordomos de su casa; que se hiciese según la voluntad de cada uno.

9 Asimismo la reina Vasti hizo banquete de mujeres, *en* la casa real del rey Asuero.

10 El séptimo día, estando el corazón del rey alegre del vino, mandó a Mehumán, y a Bizta, y a Harbona, y a Bigta, y a Abagta, y a Zetar, y a Carcas, siete eunucos que servían delante del rey Asuero,

11 que trajesen a la reina Vasti delante del rey con la corona regia, para mostrar a los pueblos y a los príncipes su belleza; porque ella *era* de hermosa apariencia.

12 Mas la reina Vasti no quiso comparecer a la orden del rey, enviada por medio de los eunucos; y el rey se enojó mucho, y se encendió en él su ira.

13 Preguntó entonces el rey a los sabios que conocían los tiempos (porque así *era* la costumbre del rey para con todos los que sabían la ley y el derecho,

14 y *estaban* junto a él, Carsena, y Setar, y Admata, y Tarsis, y Meres, y Marsena, y Memucán, siete príncipes de Persia y de Media que veían la cara del rey, *y* se sentaban los primeros del reino):

15 Según la ley, ¿qué se ha de hacer con la reina Vasti, por cuanto no ha cumplido la orden del rey Asuero, enviada por medio de los eunucos?

16 Y dijo Memucán delante del rey y de los príncipes: No solamente contra el rey ha pecado la reina Vasti, sino contra todos los príncipes, y contra todos los pueblos que *hay* en todas las provincias del rey Asuero.

17 Porque *este* hecho de la reina llegará a oídos de todas las mujeres, para hacerles tener en poca estima a sus maridos, diciendo: El rey Asuero mandó traer delante de sí a la reina Vasti, y ella no vino.

18 Y entonces dirán esto las señoras de Persia y de Media que oyeren el hecho de la reina, a todos los príncipes del rey; y habrá mucho menosprecio y enojo.

19 Si parece bien al rey, salga mandamiento real delante de él, y escríbase entre las leyes de Persia y de Media, y no sea traspasado: Que no venga más Vasti delante del rey Asuero: y dé el rey su reino a su compañera que sea mejor que ella.

20 Y el mandamiento que hará el rey será oído en todo su reino, aunque

es grande, y todas las esposas darán honra a sus maridos, desde el mayor hasta el menor.

21 Y agradó esta palabra en ojos del rey y de los príncipes, e hizo el rey conforme al dicho de Memucán;

22 pues envió cartas a todas las provincias del rey, a cada provincia conforme a su lenguaje, y a cada pueblo conforme a su lenguaje, diciendo que todo hombre fuese señor en su casa; y que se publicase esto según la lengua de cada pueblo.

CAPÍTULO 2

Pasadas estas cosas, sosegada ya la ira del rey Asuero, se acordó de Vasti, y de lo que hizo, y de lo que fue sentenciado contra ella.

2 Entonces dijeron los siervos del rey, sus oficiales: Busquen para él jóvenes vírgenes de buen parecer;

3 y ponga el rey personas en todas las provincias de su reino, que junte todas las jóvenes vírgenes de buen parecer en Susán residencia regia, en la casa de las mujeres, al cuidado de Hegai, eunuco del rey, guarda de las mujeres, y que les den sus atavíos para purificarse;

4 y la joven que agradare a los ojos del rey, reine en lugar de Vasti. Y esto agradó a los ojos del rey, y lo hizo así.

5 Había un varón judío en Susán residencia regia, cuyo nombre *era* Mardoqueo, hijo de Jair, hijo de Simeí, hijo de Cis, benjamita;

6 el cual había sido trasportado de Jerusalén con los cautivos que fueron llevados con Jeconías rey de Judá, a quien hizo trasportar Nabucodonosor rey de Babilonia.

7 Y había criado a Hadasa, que *es* Esther, hija de su tío, porque no tenía padre ni madre; y la joven *era* de hermosa figura y de buen parecer; y como su padre y su madre murieron, Mardoqueo la había tomado por hija suya.

8 Sucedió, pues, que como se divulgó el mandamiento del rey y su acuerdo, y siendo reunidas muchas jóvenes en Susán residencia regia, a cargo de Hegai, Esther también fue llevada para la casa del rey, al cuidado de Hegai, guarda de las mujeres.

9 Y la joven agradó en sus ojos, y halló gracia delante de él; por lo que hizo que prestamente se le diesen sus atavíos para purificarse y sus raciones, y siete doncellas escogidas de la casa del rey; y la llevó con sus doncellas a lo mejor de la casa de las mujeres.

10 Esther no declaró cuál era su pueblo ni su parentela; porque Mardoqueo le había mandado que no lo declarase.

11 Y cada día Mardoqueo se paseaba delante del patio de la casa de las mujeres, por saber cómo le iba a Esther, y qué se hacía de ella.

12 Y cuando llegaba el tiempo de cada una de las doncellas para venir al rey Asuero, después de haber estado ya doce meses conforme a la ley acerca de las mujeres (porque así se cumplía el tiempo de sus purificaciones, *esto es*, seis meses con óleo de mirra, y seis meses con perfumes aromáticos y afeites de mujeres),

13 entonces la doncella venía así al rey. Todo lo que ella pedía se le daba, para venir con ello de la casa de las mujeres hasta la casa del rey.

14 Ella venía por la tarde, y a la mañana se volvía a la casa segunda de las mujeres, al cargo de Saasgaz eunuco del rey, guarda de las concubinas; no venía más al rey, salvo si el rey la quería, y era llamada por nombre.

15 Y llegado que fue el tiempo de Esther, hija de Abihail tío de Mardoqueo, que él se había tomado por hija, para venir al rey, ninguna cosa procuró sino lo que dijo Hegai eunuco del rey, guarda de las mujeres; y ganaba Esther el favor de todos los que la veían.

16 Fue, pues, Esther llevada al rey Asuero a su casa real en el mes décimo, que *es* el mes de Tebet, en el año séptimo de su reinado.

17 Y el rey amó a Esther sobre todas las mujeres, y halló gracia y benevolencia delante de él más que todas las vírgenes; y puso la corona real en su cabeza, y la hizo reina en lugar de Vasti.

18 Hizo luego el rey gran banquete a todos sus príncipes y siervos, el

banquete de Esther; y alivió de impuestos a las provincias, e hizo y dio mercedes conforme a la generosidad del rey.

19 Y cuando fueron reunidas las vírgenes la segunda vez, Mardoqueo estaba sentado a la puerta del rey.

20 Y Esther, según le tenía mandado Mardoqueo, *aún* no había declarado su nación ni su pueblo; porque Esther hacía lo que decía Mardoqueo, como cuando con él se educaba.

21 En aquellos días, estando Mardoqueo sentado a la puerta del rey, se enojaron Bigtán y Teres, dos eunucos del rey, de la guardia de la puerta, y procuraban poner mano en el rey Asuero.

22 Mas entendido que fue esto por Mardoqueo, él lo denunció a la reina Esther, y Esther lo dijo al rey en nombre de Mardoqueo.

23 Se hizo entonces indagación del asunto, y fue hallado cierto; por lo que ambos fueron colgados en una horca. Y fue escrito en el libro de las crónicas, en presencia del rey.

CAPÍTULO 3

Después de estas cosas, el rey Asuero engrandeció a Amán hijo de Amadata agageo, y lo enalteció, y puso su silla sobre todos los príncipes que *estaban* con él.

2 Y todos los siervos del rey que *estaban* a la puerta del rey, se arrodillaban e inclinaban a Amán, porque así lo había mandado el rey; pero Mardoqueo, ni se arrodillaba ni se humillaba.

3 Y los siervos del rey que *estaban* a la puerta, dijeron a Mardoqueo: ¿Por qué traspasas el mandamiento del rey?

4 Y aconteció que, hablándole cada día de esta manera, y no escuchándolos él, lo denunciaron a Amán, para ver si las palabras de Mardoqueo se mantendrían firmes; porque ya él les había declarado que *era* judío.

5 Y vio Amán que Mardoqueo ni se arrodillaba ni se humillaba delante de él; y se llenó de ira.

6 Pero tuvo en poco meter mano sólo en Mardoqueo; pues ya le habían declarado el pueblo de Mardoqueo; y procuró Amán destruir a todos los judíos que *había* en el reino de Asuero, al pueblo de Mardoqueo.

7 En el mes primero, que *es* el mes de Nisán, en el año duodécimo del rey Asuero, fue echada Pur, esto es, la suerte, delante de Amán, de día en día y de mes en mes hasta el *mes* duodécimo, que *es* el mes de Adar.

8 Y dijo Amán al rey Asuero: Hay un pueblo esparcido y dividido entre los pueblos en todas las provincias de tu reino, y sus leyes *son* diferentes de las de todo pueblo, y no observan las leyes del rey; y al rey nada le beneficia el dejarlos *vivir*.

9 Si place al rey, escríbase que sean destruidos; y yo pesaré diez mil talentos de plata en manos de los que manejan la hacienda, para que sean traídos a los tesoros del rey.

10 Entonces el rey quitó su anillo de su mano, y lo dio a Amán hijo de Amadata agageo, enemigo de los judíos,

11 y le dijo: La plata propuesta *sea* para ti, y asimismo el pueblo, para que hagas de él lo que bien te pareciere.

12 Entonces fueron llamados los escribanos del rey en el mes primero, a trece del mismo, y fue escrito conforme a todo lo que mandó Amán, a los príncipes del rey, y a los capitanes que *estaban* sobre cada provincia, y a los príncipes de cada pueblo, a cada provincia según su lenguaje, y a cada pueblo según su lengua; en nombre del rey Asuero fue escrito, y sellado con el anillo del rey.

13 Y fueron enviadas cartas por medio de los correos a todas las provincias del rey, para destruir, y matar, y exterminar a todos los judíos, jóvenes y ancianos, niños y mujeres, en un *mismo* día, en el *día* trece del mes duodécimo, que *es* el mes de Adar, y para apoderarse de su despojo.

14 La copia del escrito que se diese por mandamiento en cada provincia, fue publicada a todos los pueblos, a fin de que estuviesen apercibidos para aquel día.

15 Y salieron los correos de prisa por mandato del rey, y el edicto fue dado

en Susán capital del reino. Y el rey y Amán se sentaron a beber, y la ciudad de Susán estaba conmovida.

CAPÍTULO 4

Luego que supo Mardoqueo todo lo que se había hecho, rasgó sus vestiduras, y se vistió de cilicio y de ceniza, y se fue por medio de la ciudad clamando con grande y amargo clamor.

2 Y vino hasta delante de la puerta del rey; porque no era lícito pasar adentro de la puerta del rey vestido de cilicio.

3 Y en cada provincia y lugar donde el mandamiento del rey y su decreto llegaba, *tenían* los judíos gran duelo, y ayuno, y lloro, y lamentación; cilicio y ceniza era la cama de muchos.

4 Y vinieron las doncellas de Esther y sus eunucos, y se lo dijeron; y la reina tuvo gran dolor, y envió vestiduras para hacer vestir a Mardoqueo, y hacerle quitar el cilicio de sobre él; mas él no las recibió.

5 Entonces Esther llamó a Atac, *uno* de los eunucos del rey, que él había hecho estar delante de ella, y lo mandó a Mardoqueo, con orden de saber qué era aquello, y por qué.

6 Salió, pues, Atac a Mardoqueo, a la plaza de la ciudad que *estaba* delante de la puerta del rey.

7 Y Mardoqueo le declaró todo lo que le había acontecido, y de la suma de la plata que Amán había prometido que pagaría a los tesoros del rey por la destrucción de los judíos.

8 También le dio la copia de la escritura del decreto que había sido dado en Susán para que fuesen destruidos, a fin de que la mostrara a Esther y se lo declarase, y le encargara que fuese al rey a suplicarle, y a pedir delante de él por su pueblo.

9 Y vino Atac, y contó a Esther las palabras de Mardoqueo.

10 Entonces Esther dijo a Atac, y le mandó decir a Mardoqueo:

11 Todos los siervos del rey, y el pueblo de las provincias del rey saben, que cualquier hombre o mujer que entra al rey al patio de adentro sin ser llamado, *hay* una sola ley para

Consejo de Mardoqueo a Esther

él: Debe morir; salvo aquel a quien el rey extendiere el cetro de oro, el cual vivirá; y yo no he sido llamada para entrar al rey estos treinta días.

12 Y dijeron a Mardoqueo las palabras de Esther.

13 Entonces dijo Mardoqueo que respondiesen a Esther: No pienses en tu alma, que escaparás en la casa del rey más que todos los judíos.

14 Porque si callas absolutamente en este tiempo, respiro y liberación se levantará para los judíos de otro lugar; mas tú y la casa de tu padre pereceréis. ¿Y quién sabe si has llegado al reino, para un tiempo como éste?

15 Y Esther dijo que respondiesen a Mardoqueo:

16 Ve, y junta a todos los judíos que se hallan en Susán, y ayunad por mí, y no comáis ni bebáis en tres días, noche y día; yo también con mis doncellas ayunaré igualmente, y así entraré al rey, aunque no sea conforme a la ley; y si perezco, que perezca.

17 Entonces se fue Mardoqueo, e hizo conforme a todo lo que le mandó Esther.

CAPÍTULO 5

Y aconteció que al tercer día se vistió Esther *su vestido* real, y se puso en el patio interior de la casa del rey, frente al aposento del rey; y el rey estaba sentado en su trono regio en el aposento real, frente de la puerta del aposento.

2 Y fue que cuando el rey vio a la reina Esther que estaba en el patio, ella obtuvo gracia en sus ojos; y el rey extendió a Esther el cetro de oro que *tenía* en su mano. Entonces se acercó Esther y tocó la punta del cetro.

3 Y dijo el rey: ¿Qué tienes, reina Esther, y cuál *es* tu petición? Hasta la mitad del reino se te dará.

4 Y Esther dijo: Si al rey place, venga hoy el rey con Amán al banquete que le he hecho.

5 Y respondió el rey: Daos prisa, llamad a Amán, para hacer lo que Esther ha dicho. Vino, pues, el rey con Amán al banquete que Esther dispuso.

6 Y dijo el rey a Esther en el banquete del vino: ¿Cuál es tu petición, y te será otorgada? ¿Cuál es tu deseo? Aunque sea la mitad del reino, te será concedido.

7 Entonces respondió Esther, y dijo: Mi petición y mi deseo es este:

8 Si he hallado gracia en los ojos del rey, y si place al rey otorgar mi petición y conceder lo que pido, que venga el rey con Amán al banquete que yo les preparé; y mañana haré conforme a lo que el rey ha mandado.

9 Y salió Amán aquel día contento y alegre de corazón; pero cuando vio a Mardoqueo a la puerta del rey, que no se levantaba ni se movía de su lugar, se llenó de ira contra Mardoqueo.

10 Mas se refrenó Amán y vino a su casa, y mandó llamar a sus amigos y a Zeres su esposa.

11 Y les refirió Amán la gloria de sus riquezas, y la multitud de sus hijos, y todas las cosas con que el rey le había engrandecido y con que le había enaltecido sobre los príncipes y siervos del rey.

12 Y añadió Amán: También la reina Esther a ninguno hizo venir con el rey al banquete que ella preparó, sino a mí; y aun para mañana estoy convidado por ella con el rey.

13 Mas todo esto de nada me sirve cada vez que veo al judío Mardoqueo sentado a la puerta del rey.

14 Y le dijo Zeres su esposa, y todos sus amigos: Hagan una horca alta de cincuenta codos, y mañana di al rey que cuelguen a Mardoqueo en ella; y entra alegre con el rey al banquete. Y el consejo agradó a Amán, e hizo preparar la horca.

CAPÍTULO 6

Aquella noche se le fue el sueño al rey, y dijo que le trajesen el libro de las memorias y las crónicas; y las leyeron delante del rey.

2 Y se halló escrito que Mardoqueo había denunciado el complot de Bigtán y Teres, dos eunucos del rey, de la guardia de la puerta, que habían procurado poner mano en el rey Asuero.

3 Y dijo el rey: ¿Qué honra o qué distinción se hizo a Mardoqueo por esto? Y los siervos que ministraban al rey, respondieron: Nada se ha hecho por él.

4 Entonces dijo el rey: ¿Quién está en el patio? Y Amán había venido al patio de afuera de la casa del rey, para decir al rey que hiciese colgar a Mardoqueo en la horca que él le tenía preparada.

5 Y los servidores del rey le respondieron: He aquí Amán está en el patio. Y el rey dijo: Que entre.

6 Entró, pues, Amán, y el rey le dijo: ¿Qué se hará al hombre cuya honra desea el rey? Y dijo Amán en su corazón: ¿A quién deseará el rey hacer honra más que a mí?

7 Y respondió Amán al rey: Para el varón cuya honra desea el rey,

8 traigan la vestidura real de que el rey se viste, y el caballo en que el rey cabalga, y la corona real que está puesta en su cabeza;

9 y den la vestidura y el caballo en mano de alguno de los príncipes más nobles del rey, y vistan a aquel varón cuya honra desea el rey, y llévenlo en el caballo por la plaza de la ciudad, y pregonen delante de él: Así se hará al varón cuya honra desea el rey.

10 Entonces el rey dijo a Amán: Date prisa, toma la vestidura y el caballo, como tú has dicho, y hazlo así con el judío Mardoqueo, que se sienta a la puerta del rey; no omitas nada de todo lo que has dicho.

11 Y Amán tomó la vestidura y el caballo, y vistió a Mardoqueo, y lo llevó a caballo por la plaza de la ciudad, e hizo pregonar delante de él: Así se hará al varón cuya honra desea el rey.

12 Después de esto Mardoqueo se volvió a la puerta del rey, y Amán se fue corriendo a su casa, apesadumbrado y cubierta su cabeza.

13 Contó luego Amán a Zeres su esposa, y a todos sus amigos, todo lo que le había acontecido; y le dijeron sus sabios, y Zeres su esposa: Si Mardoqueo, delante de quien has comenzado a caer, es de la simiente de los judíos, no lo vencerás; antes caerás por cierto delante de él.

14 Aún estaban ellos hablando con él, cuando los eunucos del rey llegaron apresurados, para hacer venir a Amán al banquete que Esther había dispuesto.

CAPÍTULO 7

Vino, pues, el rey con Amán al banquete con la reina Esther.

2 Y también el segundo día dijo el rey a Esther en el convite del vino: ¿Cuál *es* tu petición, reina Esther, y se te concederá? ¿Cuál *es* tu demanda? Aunque sea la mitad del reino, y te será hecho.

3 Entonces la reina Esther respondió y dijo: Oh rey, si he hallado gracia en tus ojos, y si place al rey, me sea dada mi vida por mi petición, y mi pueblo por mi demanda.

4 Porque vendidos estamos yo y mi pueblo para ser destruidos, para ser muertos y exterminados. Y si para ser siervos y siervas fuéramos vendidos, yo callaría, aunque el enemigo no compensaría el daño del rey.

5 Y respondió el rey Asuero, y dijo a la reina Esther: ¿Quién es, y dónde está, aquél que ha concebido en su corazón hacer tal cosa?

6 Y Esther dijo: El enemigo y adversario es este malvado Amán. Entonces se turbó Amán delante del rey y de la reina.

7 Y se levantó el rey del banquete del vino, y enfurecido *se fue* al huerto del palacio; y se quedó Amán para rogar a la reina Esther por su vida; porque vio que estaba resuelto para él el mal de parte del rey.

8 Volvió después el rey del huerto del palacio al aposento del banquete del vino, y Amán había caído sobre el lecho en que *estaba* Esther. Entonces dijo el rey: ¿Querrá también forzar a la reina estando yo en casa? Y al salir esta palabra de la boca del rey, cubrieron el rostro a Amán.

9 Y dijo Harbona, uno de los eunucos de delante del rey: He aquí también la horca de cincuenta codos de altura que hizo Amán para Mardoqueo, el cual había hablado bien por el rey, está en casa de Amán. Entonces el rey dijo: Colgadlo en ella.

10 Así colgaron a Amán en la horca que él había preparado para Mardoqueo; y se apaciguó la ira del rey.

CAPÍTULO 8

Ese mismo día el rey Asuero dio a la reina Esther la casa de Amán enemigo de los judíos; y Mardoqueo vino delante del rey, porque Esther le declaró lo que él *era respecto* de ella.

2 Y se quitó el rey su anillo que había vuelto a tomar de Amán, y lo dio a Mardoqueo. Y Esther puso a Mardoqueo sobre la casa de Amán.

3 Volvió luego Esther a hablar delante del rey, y se echó a sus pies, llorando y rogándole que hiciese nula la maldad de Amán agageo, y su designio que había formado contra los judíos.

4 Entonces el rey extendió a Esther el cetro de oro, y Esther se levantó, y se puso en pie delante del rey.

5 Y dijo: Si place al rey, y si he hallado gracia delante del rey, y si la cosa es recta delante del rey, y agradable yo en sus ojos, sea escrito para revocar las cartas del designio de Amán hijo de Amadata agageo, que escribió para destruir a los judíos que están en todas las provincias del rey.

6 Porque ¿cómo podré yo ver el mal que vendrá sobre mi pueblo? ¿Y cómo podré yo ver la destrucción de mi gente?

7 Y respondió el rey Asuero a la reina Esther, y a Mardoqueo el judío: He aquí yo he dado a Esther la casa de Amán, y a él han colgado en la horca, por cuanto extendió su mano contra los judíos.

8 Escribid, pues, vosotros a los judíos como bien os pareciere en el nombre del rey, y selladlo con el anillo del rey; porque el escrito que se escribe en el nombre del rey y se sella con el anillo del rey, no puede ser revocado.

9 Entonces fueron llamados los escribanos del rey en el mes tercero, que *es* Siván, a veintitrés del mismo; y se escribió conforme a todo lo que mandó Mardoqueo, a los judíos, a los sátrapas, a los capitanes y a los príncipes de las provincias que *había*

desde la India hasta Etiopía, ciento veintisiete provincias; a cada provincia según su escritura, y a cada pueblo conforme a su lengua, a los judíos también conforme a su escritura y lengua.

10 Y escribió en nombre del rey Asuero, y *lo* selló con el anillo del rey, y envió cartas por correos montados en caballos, en mulos, en camellos y en dromedarios.

11 Y en ellas el rey daba facultad a los judíos que *estaban* en todas la ciudades, para que se juntasen y estuviesen a la defensa de su vida, prestos a destruir, y matar, y acabar con todo ejército de pueblo o provincia que viniese contra ellos, y aun niños y mujeres, y *que tomaran* de ellos el despojo,

12 en un mismo día en todas las provincias del rey Asuero, en el *día* trece del mes duodécimo, que *es* el mes de Adar.

13 La copia de la escritura que había de darse por ordenanza en cada provincia, para que fuese manifiesta a todos los pueblos, *decía* que los judíos estuviesen apercibidos para aquel día, para vengarse de sus enemigos.

14 Los correos, pues, cabalgando en mulos *y* camellos, salieron a toda prisa impulsados por el mandato del rey; y el decreto fue dado en Susán capital del reino.

15 Y Mardoqueo salió de delante del rey con una vestidura real de azul y blanco, y una gran corona de oro y un manto de lino fino y púrpura; y la ciudad de Susán se alegró y regocijó.

16 Los judíos tuvieron luz y alegría, y gozo y honra.

17 Y en cada provincia y en cada ciudad donde llegó el mandamiento del rey, los judíos tuvieron alegría y gozo, banquete y día de placer. Y muchos de los pueblos de la tierra se hacían judíos, porque el temor de los judíos había caído sobre ellos.

CAPÍTULO 9

Y en el mes duodécimo que *es* el mes de Adar, al día trece del mismo, en el que tocaba se ejecutase el mandamiento del rey y su ley, el mismo día en que esperaban los enemigos de los judíos enseñorearse de ellos, fue lo contrario; porque los judíos se enseñorearon de sus enemigos.

2 Los judíos se juntaron en sus ciudades en todas las provincias del rey Asuero, para echar mano sobre los que habían procurado su mal; y nadie pudo contra ellos, porque el temor de ellos había caído sobre todos los pueblos.

3 Y todos los príncipes de las provincias, los sátrapas, capitanes, y oficiales del rey ayudaban a los judíos; porque el temor de Mardoqueo había caído sobre ellos.

4 Pues Mardoqueo *era* grande en la casa del rey, y su fama iba por todas las provincias; y el varón Mardoqueo iba engrandeciéndose más y más.

5 E hirieron los judíos a todos sus enemigos a golpe de espada, de mortandad, de destrucción; e hicieron con los que los aborrecían lo que quisieron.

6 Y en Susán capital del reino, los judíos mataron y destruyeron a quinientos hombres.

7 Mataron entonces a Parsandata, a Dalfón, a Aspata,

8 a Porata, a Ahalía, a Aridata,

9 a Parmasta, a Arisai, a Aridai, y a Vaizata,

10 diez hijos de Amán hijo de Amadata, enemigo de los judíos: mas en el despojo no metieron su mano.

11 El mismo día vino la cuenta de los muertos en Susán residencia regia, delante del rey.

12 Y dijo el rey a la reina Esther: En Susán, capital del reino, los judíos han matado y destruido a quinientos hombres, y a diez hijos de Amán; ¿qué habrán hecho en las otras provincias del rey? ¿Cuál, pues, *es* tu petición? Y te será concedida; ¿o qué más *es* tu demanda? y será hecho.

13 Y respondió Esther: Si place al rey, concédase también mañana a los judíos en Susán, que hagan conforme al decreto de hoy; y que cuelguen en la horca a los diez hijos de Amán.

14 Y mandó el rey que se hiciese así; y se dio la orden en Susán, y colgaron a los diez hijos de Amán.

15 Y los judíos que *estaban* en Susán, se juntaron también el catorce del mes de Adar, y mataron en Susán a trescientos hombres; mas en el despojo no metieron su mano.

16 En cuanto a los otros judíos que *estaban* en las provincias del rey, también se juntaron y se pusieron en defensa de su vida, y tuvieron reposo de sus enemigos, y mataron de sus contrarios a setenta y cinco mil; mas en el despojo no metieron su mano.

17 Esto fue en el día trece del mes de Adar; y reposaron en el día catorce del mismo, y lo hicieron día de banquete y de alegría.

18 Mas los judíos que *estaban* en Susán se juntaron en el *día* trece y en el catorce del mismo mes; y al *día* quince del mismo reposaron, y lo hicieron día de banquete y de regocijo.

19 Por tanto los judíos aldeanos que habitan en las villas sin muro celebran a los catorce del mes de Adar *el día de* alegría y de banquete, un día de regocijo, y de enviar porciones cada uno a su vecino.

20 Y escribió Mardoqueo estas cosas, y envió cartas a todos los judíos que *estaban* en todas las provincias del rey Asuero, cercanos y distantes,

21 ordenándoles que celebrasen el día decimocuarto del mes de Adar, y el decimoquinto del mismo, cada año,

22 como días en que los judíos tuvieron reposo de sus enemigos, y el mes que se les tornó de tristeza en alegría, y de luto en día bueno; que los hiciesen días de banquete y de gozo, y de enviar porciones cada uno a su vecino, y dádivas a los pobres.

23 Y los judíos aceptaron hacer, según habían comenzado, lo que les escribió Mardoqueo.

24 Porque Amán hijo de Amadata, agageo, enemigo de todos los judíos, había ideado contra los judíos para destruirlos, y echó Pur, que quiere decir suerte, para consumirlos y acabar con ellos.

25 Mas cuando *Esther* vino a la presencia del rey, él ordenó por carta que el perverso designio que aquél trazó contra los judíos recayera sobre su cabeza; y que colgaran a él y a sus hijos en la horca.

26 Por esto llamaron a estos días Purim, del nombre Pur. Por todas las palabras de esta carta, y por lo que ellos vieron sobre esto, y lo que les había acontecido.

27 Establecieron y tomaron los judíos sobre sí, y sobre su simiente, y sobre todos los allegados a ellos, y no será traspasado, el celebrar estos dos días según está escrito tocante a ellos, conforme *a su tiempo* cada año;

28 y *que* estos dos días *serían* recordados y celebrados por todas las generaciones, familias, provincias y ciudades; y que estos días de Purim no dejarían de celebrarse entre los judíos, ni su memoria cesaría entre su simiente.

29 Y la reina Esther hija de Abihail, y Mardoqueo el judío, escribieron con toda autoridad, para confirmar esta segunda carta de Purim.

30 Y envió Mardoqueo cartas a todos los judíos, a las ciento veintisiete provincias del rey Asuero, *con* palabras de paz y de verdad,

31 para confirmar estos días de Purim en sus tiempos *señalados*, según les había constituido Mardoqueo el judío y la reina Esther, según ellos habían tomado sobre sí y sobre su simiente, para conmemorar el fin de los ayunos y de su clamor.

32 Y el mandato de Esther confirmó estas palabras dadas acerca de Purim, y fue escrito en el libro.

CAPÍTULO 10

Y el rey Asuero impuso tributo sobre la tierra y las costas del mar.

2 Y todos los hechos de su poder y autoridad, y la declaración de la grandeza de Mardoqueo, con que el rey le engrandeció, ¿no *está* escrito en el libro de las crónicas de los reyes de Media y de Persia?

3 Porque Mardoqueo el judío *fue* segundo después del rey Asuero, y grande entre los judíos, y estimado por la multitud de sus hermanos, procurando el bien de su pueblo, y hablando paz para toda su simiente.

Libro De
JÓB

CAPÍTULO 1

Hubo un varón en tierra de Uz, que se llamaba Job; y este hombre *era* perfecto y recto, temeroso de Dios y apartado del mal.

2 Y le nacieron siete hijos y tres hijas.

3 Su hacienda era siete mil ovejas, tres mil camellos, quinientas yuntas de bueyes, quinientas asnas, y muchísimos criados; y este varón era el más grande de todos los orientales.

4 E iban sus hijos y hacían banquetes en *sus* casas, cada uno en su día; y enviaban a llamar a sus tres hermanas, para que comiesen y bebiesen con ellos.

5 Y acontecía que habiendo pasado en turno los días del convite, Job enviaba y los santificaba, y se levantaba de mañana y ofrecía holocaustos *conforme* al número de todos ellos. Porque decía Job: Quizá habrán pecado mis hijos, y habrán blasfemado a Dios en sus corazones. De esta manera hacía todos los días.

6 Y un día vinieron los hijos de Dios a presentarse delante de Jehová, entre los cuales vino también Satanás.

7 Y dijo Jehová a Satanás: ¿De dónde vienes? Y respondiendo Satanás a Jehová, dijo: De rodear la tierra y de andar por ella.

8 Y Jehová dijo a Satanás: ¿No has considerado a mi siervo Job, que no *hay* otro como él en la tierra, varón perfecto y recto, temeroso de Dios y apartado del mal?

9 Y respondiendo Satanás a Jehová, dijo: ¿Teme Job a Dios de balde?

10 ¿No le has tú cercado a él, y a su casa, y a todo lo que tiene en derredor? El trabajo de sus manos has bendecido, y su hacienda ha crecido sobre la tierra.

11 Mas extiende ahora tu mano, y toca todo lo que tiene, y verás si no blasfema contra ti en tu rostro.

12 Y dijo Jehová a Satanás: He aquí, todo lo que tiene está en tu mano; solamente no pongas tu mano sobre él. Y salió Satanás de delante de Jehová.

13 Y aconteció un día que sus hijos e hijas *estaban* comiendo y bebiendo vino en casa de su hermano el primogénito;

14 y vino un mensajero a Job, y le dijo: Estaban arando los bueyes, y las asnas paciendo cerca de ellos,

15 y acometieron los sabeos y *los* tomaron, y mataron a los criados a filo de espada; solamente escapé yo para traerte la noticia.

16 Aún *estaba* éste hablando, y vino otro que dijo: Fuego de Dios cayó del cielo, que quemó las ovejas y los criados, y los consumió; solamente escapé yo para traerte la noticia.

17 Todavía *estaba* éste hablando, y vino otro que dijo: Los caldeos hicieron tres escuadrones, y dieron sobre los camellos, y los tomaron, y mataron a los criados a filo de espada; solamente escapé yo para traerte la noticia.

18 Entre tanto que éste hablaba, vino otro que dijo: Tus hijos y tus hijas *estaban* comiendo y bebiendo vino en casa de su hermano el primogénito;

19 y he aquí un gran viento que vino del lado del desierto, y azotó las cuatro esquinas de la casa, y cayó sobre los jóvenes, y murieron; solamente escapé yo para traerte la noticia.

20 Entonces Job se levantó, y rasgó su manto, y rasuró su cabeza, y cayendo en tierra adoró;

21 y dijo: Desnudo salí del vientre de mi madre, y desnudo volveré allá. Jehová dio, y Jehová quitó; sea el nombre de Jehová bendito.

22 En todo esto no pecó Job, ni atribuyó a Dios despropósito alguno.

CAPÍTULO 2

Y otro día aconteció que vinieron los hijos de Dios para presentarse delante de Jehová, y Satanás vino también entre ellos para presentarse delante de Jehová.

2 Y dijo Jehová a Satanás: ¿De dónde vienes? Respondió Satanás a Jehová, y dijo: De rodear la tierra, y de andar por ella.

3 Y Jehová dijo a Satanás: ¿No has considerado a mi siervo Job, que no *hay* otro como él en la tierra, varón perfecto y recto, temeroso de Dios y apartado del mal, y que aún retiene su integridad, a pesar de que tú me incitaste contra él para que lo arruinara sin causa?

4 Y respondiendo Satanás dijo a Jehová: Piel por piel, todo lo que el hombre tiene dará por su vida.

5 Mas extiende ahora tu mano, y toca su hueso y su carne, y verás si no te maldice en tu rostro.

6 Y Jehová dijo a Satanás: He aquí, él *está* en tu mano; mas guarda su vida.

7 Y salió Satanás de delante de Jehová, e hirió a Job de unas llagas malignas desde la planta de su pie hasta la coronilla de su cabeza.

8 Y tomó *Job* un tiesto para rascarse con él, y se sentó en medio de ceniza.

9 Entonces su esposa le dijo: ¿Aún retienes tu integridad? Maldice a Dios, y muérete.

10 Y él le dijo: Como suele hablar cualquiera de las mujeres fatuas, has hablado. ¿Qué? ¿Recibiremos de Dios el bien, y el mal no lo recibiremos? En todo esto no pecó Job con sus labios.

11 Y tres amigos de Job, Elifaz temanita, Bildad suhita, y Zofar naamatita, luego que oyeron todo este mal que le había sobrevenido, vinieron cada uno de su lugar; porque habían concertado de venir juntos para condolerse de él y para consolarle.

12 Y cuando alzaron los ojos desde lejos y no lo conocieron, alzaron su voz, y lloraron; y cada uno de ellos rasgó su manto, y esparcieron polvo hacia el cielo sobre sus cabezas.

13 Así se sentaron con él en tierra por siete días y siete noches, y ninguno le hablaba palabra, porque veían que *su* dolor era muy grande.

CAPÍTULO 3

Después de esto abrió Job su boca, y maldijo su día.

2 Y exclamó Job, y dijo:

3 Perezca el día en que yo nací, y la noche *en que* se dijo: Varón es concebido.

4 Sea aquel día sombrío, y no cuide de él Dios desde arriba, ni claridad sobre él resplandezca.

5 Aféenlo tinieblas y sombra de muerte; repose sobre él nublado, que lo haga horrible como día caliginoso.

6 Ocupe la oscuridad aquella noche; no sea contada entre los días del año, ni venga en el número de los meses.

7 ¡Oh, que fuera aquella noche solitaria, que no viniera canción alguna en ella!

8 Maldíganla los que maldicen el día, los que se aprestan para levantar su llanto.

9 Oscurézcanse las estrellas de su alba; espere la luz, y no venga, ni vea los párpados de la mañana:

10 Por cuanto no cerró las puertas del vientre *de mi madre*, ni escondió de mis ojos la miseria.

11 ¿Por qué no morí yo en la matriz, o entregué el espíritu al salir del vientre?

12 ¿Por qué me recibieron las rodillas? ¿Y para qué los pechos para que mamase?

13 Pues ahora yacería yo, y reposaría; dormiría, y entonces tendría reposo,

14 con los reyes y con los consejeros de la tierra, que edifican para sí lugares desolados;

15 o con los príncipes que poseían el oro, que llenaban sus casas de plata.

16 O ¿por qué no fui escondido como abortado, como los pequeñitos *que* nunca vieron la luz?

17 Allí los impíos dejan de perturbar, y allí descansan los de agotadas fuerzas.

18 Allí reposan juntos los cautivos; no oyen la voz del opresor.

19 Allí están el chico y el grande; y el siervo *es* libre de su señor.

20 ¿Para qué se da luz al trabajado, y vida al amargado de alma,

21 que esperan la muerte, y ella no *llega*, aunque la buscan más que a tesoros enterrados;

22 que se alegran sobremanera, y se gozan, cuando hallan el sepulcro?

23 ¿*Para qué se da luz* al hombre que no sabe por dónde va, y al cual Dios ha acorralado?

24 Pues antes que mi pan viene mi suspiro; y mis gemidos corren como aguas.

25 Porque el temor que me espantaba me ha venido, y me ha acontecido lo que yo temía.

26 No he tenido paz, no me aseguré, ni estuve reposado; no obstante me vino turbación.

CAPÍTULO 4

Y respondió Elifaz el temanita, y dijo:

2 Si probáremos a hablarte, te será molesto; pero, ¿quién podrá detener las palabras?

3 He aquí, tú enseñabas a muchos, y las manos débiles corroborabas;

4 Al que tropezaba, enderezaban tus palabras, y esforzabas las rodillas que decaían.

5 Mas ahora que el mal ha venido sobre ti, te desalientas; y cuando ha llegado hasta ti, te turbas.

6 ¿Es éste tu temor, tu confianza, tu esperanza, y la integridad de tus caminos?

7 Recapacita ahora, ¿quién siendo inocente pereció? Y ¿en dónde los rectos fueron cortados?

8 Como yo he visto, los que aran iniquidad y siembran injuria, la siegan.

9 Perecen por el aliento de Dios, y por el soplo de su furor son consumidos.

10 El rugido del león, y la voz del león, y los dientes de los leoncillos son quebrantados.

11 El león viejo perece por falta de presa, y los hijos del león son dispersados.

12 El asunto también me era a mí oculto; mas mi oído ha percibido algo de ello.

13 En imaginaciones de visiones nocturnas, cuando el sueño cae sobre los hombres,

14 me sobrevino un espanto y un temblor, que estremeció todos mis huesos;

15 y un espíritu pasó por delante de mí, que hizo se erizara el pelo de mi carne.

16 Se paró un fantasma delante de mis ojos, cuyo rostro yo no conocí, y quedo, oí que decía:

17 ¿Será el mortal más justo que Dios? ¿Será el hombre más puro que su Hacedor?

18 He aquí que en sus siervos no confía, y notó necedad en sus ángeles.

19 ¡Cuánto más en los que habitan en casas de barro, cuyo fundamento está en el polvo, y que serán quebrantados por la polilla!

20 De la mañana a la tarde son destruidos, y se pierden para siempre, sin haber quien lo considere.

21 Su hermosura, ¿no se pierde con ellos mismos? Mueren, aun sin sabiduría.

CAPÍTULO 5

Ahora, pues, da voces, si habrá quien te responda; ¿Y a cuál de los santos te volverás?

2 Es cierto que al necio lo mata la ira, y al codicioso lo consume la envidia.

3 Yo he visto al necio que echaba raíces, y en la misma hora maldije su habitación.

4 Sus hijos están lejos de la seguridad, en la puerta son quebrantados, y no hay quien los libre.

5 Su mies comen los hambrientos, y la sacan de entre los espinos, y el atracador devora su hacienda.

6 Porque la aflicción no sale del polvo, ni la molestia brota de la tierra.

7 Pero como las chispas se levantan para volar por el aire, así el hombre nace para la aflicción.

8 Ciertamente yo buscaría a Dios, y encomendaría a Él mi causa:

9 El cual hace cosas grandes e inescrutables, y maravillas sin número.

10 Que da la lluvia sobre la faz de la tierra, y envía las aguas sobre los campos:

11 Que pone a los humildes en altura, y a los enlutados levanta a seguridad;

12 Él frustra los pensamientos de los astutos, para que sus manos no hagan nada;

13 Él prende a los sabios en la astucia de ellos, y entontece el consejo de los perversos;

14 De día tropiezan con tinieblas, y a medio día andan a tientas como de noche.

15 Mas Él libra de la espada al pobre, de la boca de los impíos, y de la mano violenta;

16 por tanto, el menesteroso tiene esperanza, y la iniquidad cierra su boca.

17 He aquí, bienaventurado es el hombre a quien Dios castiga; por tanto, no menosprecies la corrección del Todopoderoso.

18 Porque Él es quien hace la llaga, y Él la vendará: Él hiere, y sus manos curan.

19 En seis tribulaciones te librará, y en la séptima no te tocará el mal.

20 En el hambre te redimirá de la muerte, y en la guerra, del poder de la espada.

21 Del azote de la lengua serás encubierto; no temerás de la destrucción cuando viniere.

22 De la destrucción y del hambre te reirás, y no temerás de las fieras del campo;

23 Pues aun con las piedras del campo tendrás alianza, y las fieras del campo tendrán paz contigo.

24 Y sabrás que *hay* paz en tu tienda; y visitarás tu morada, y no pecarás.

25 Asimismo echarás de ver que tu descendencia *será* numerosa, y tu prole como la hierba de la tierra.

26 Vendrás en la vejez a *tu* sepultura, como la gavilla de trigo que se recoge a su tiempo.

27 He aquí lo que hemos inquirido, lo cual *es* así: Óyelo, y conócelo tú para tu bien.

CAPÍTULO 6

Y respondió Job y dijo:
2 ¡Oh, que pudiesen pesar justamente mi sufrimiento, y lo pusiesen en balanza junto con mi calamidad!

3 Porque pesarían ahora más que la arena del mar; por tanto, mis palabras han sido precipitadas.

4 Porque las saetas del Todopoderoso *están* en mí, cuyo veneno bebe mi espíritu; y terrores de Dios me combaten.

5 ¿Acaso gime el asno montés junto a la hierba? ¿Muge el buey junto a su pasto?

6 ¿Se comerá lo desabrido sin sal? ¿O habrá gusto en la clara del huevo?

7 Las cosas que mi alma no quería tocar, son *ahora* mi triste alimento.

8 ¡Quién me diera que viniese mi petición, y que me otorgase Dios lo que anhelo;

9 y que agradara a Dios destruirme; que desatara su mano, y acabara conmigo!

10 Y sería aún mi consuelo, si me asaltase con dolor sin dar más tregua, que yo no he escondido las palabras del Santo.

11 ¿Cuál *es* mi fuerza para esperar aún? ¿Y cuál mi fin para prolongar mi vida?

12 ¿*Es* mi fuerza la de las piedras, o es mi carne de bronce?

13 ¿No me ayudo a mí mismo, y el poder me falta del todo?

14 El atribulado *ha de ser* consolado por su compañero; mas se ha abandonado el temor del Omnipotente.

15 Mis hermanos han sido traicioneros cual arroyo; pasan como corrientes impetuosas,

16 que están escondidas por la helada, y encubiertas con nieve;

17 que al tiempo del calor son deshechas, y al calentarse, desaparecen de su lugar;

18 se apartan de la senda de su rumbo, van menguando y se pierden.

19 Miraron los caminantes de Tema, los caminantes de Seba esperaron en ellas;

20 Pero fueron avergonzados por su esperanza; porque vinieron hasta ellas, y se hallaron confusos.

21 Ahora ciertamente como ellas sois vosotros; pues habéis visto *mi* infortunio, y teméis.

22 ¿Acaso yo os he dicho: Traedme, y pagad por mí de vuestra hacienda;

23 libradme de la mano del opresor, y redimidme del poder de los violentos?

24 Enseñadme, y yo callaré; y hacedme entender en qué he errado.

25 ¡Cuán fuertes son las palabras rectas! Pero, ¿qué reprende vuestra censura?

26 ¿Pensáis censurar las palabras, y los discursos de un desesperado, *que son* como el viento?

27 También os arrojáis sobre el huérfano, y caváis *un hoyo* para vuestro amigo.

28 Ahora, pues, si queréis, miradme, y ved si miento delante de vosotros.

29 Tornad ahora, y no haya iniquidad; volved aún a considerar mi justicia en esto.

30 ¿Hay iniquidad en mi lengua? ¿No puede mi paladar discernir las cosas depravadas?

CAPÍTULO 7

¿ Acaso no *hay* un tiempo determinado para el hombre sobre la tierra? *¿No son* sus días como los días del jornalero?

2 Como el siervo anhela la sombra, y como el jornalero espera *la paga* de su trabajo,

3 así he tenido que poseer meses de vanidad, y noches de congoja me fueron asignadas.

4 Cuando estoy acostado, digo: ¿Cuándo me levantaré, y se acabará la noche? Y estoy lleno de devaneos hasta el alba.

5 Mi carne está vestida de gusanos, y de costras de polvo; mi piel hendida y abominable.

6 Y mis días fueron más ligeros que la lanzadera del tejedor, y fenecieron sin esperanza.

7 Acuérdate que mi vida *es* un soplo, y que mis ojos no volverán a ver el bien.

8 Los ojos de los que me ven, no me verán *más*; fijarás en mí tus ojos, y dejaré de ser.

9 *Como* la nube se desvanece, y se va; así el que desciende al sepulcro *ya* no subirá;

10 No volverá más a su casa, ni su lugar le conocerá más.

11 Por tanto yo no refrenaré mi boca; hablaré en la angustia de mi espíritu, y me quejaré con la amargura de mi alma.

12 ¿*Soy* yo el mar, o ballena, para que me pongas guarda?

13 Cuando digo: Me consolará mi cama, mi lecho atenuará mis quejas;

14 Entonces me aterras con sueños, y me turbas con visiones.

15 Y así mi alma tuvo por mejor el estrangulamiento y la muerte, más que la vida.

16 Desvanezco; no he de vivir para siempre; déjame, pues mis días son vanidad.

17 ¿Qué *es* el hombre, para que lo engrandezcas, y para que pongas sobre él tu corazón,

18 y lo visites todas las mañanas, y a cada momento lo pruebes?

19 ¿Hasta cuándo no te apartarás de mí, y no me soltarás ni siquiera para que trague mi saliva?

20 Pequé, ¿qué te hago yo, oh Guarda de los hombres? ¿Por qué me has puesto como blanco tuyo, de modo que soy una carga para mí mismo?

21 ¿Y por qué no perdonas mi rebelión, y quitas mi iniquidad? Porque ahora dormiré en el polvo, y si me buscares de mañana, ya no *estaré*.

CAPÍTULO 8

Y respondió Bildad suhita, y dijo: 2 ¿Hasta cuándo hablarás tales cosas, y las palabras de tu boca serán como un viento impetuoso?

3 ¿Acaso pervertirá Dios el derecho, o el Todopoderoso pervertirá la justicia?

4 Si tus hijos pecaron contra Él, Él los echó en el lugar de su pecado.

5 Si tú de mañana buscares a Dios, y suplicares al Todopoderoso;

6 Si *fueres* limpio y recto, ciertamente luego se despertará por ti, y hará próspera la morada de tu justicia.

7 Aunque tu principio haya sido pequeño, tu postrimería será muy grande.

8 Porque pregunta ahora a la edad pasada, y disponte a inquirir de los padres de ellos;

9 porque nosotros somos de ayer y nada sabemos, pues nuestros días sobre la tierra *son como* una sombra.

10 ¿No te enseñarán ellos, te hablarán, y de su corazón sacarán palabras?

11 ¿Crece el junco sin lodo? ¿Crece el prado sin agua?

12 Aun en su verdor, y sin ser cortado, se seca antes que *toda* hierba.

13 Tales *son* los caminos de todos los que se olvidan de Dios; y la esperanza del impío perecerá:

14 Porque su esperanza será cortada, y aquello en que confía será tela de araña.

15 Se apoyará él sobre su casa, mas no permanecerá; se asirá de ella, mas no resistirá.

16 A *manera de un árbol*, está verde delante del sol, y sus renuevos salen sobre su huerto;

17 Sus raíces se entretejen junto a una fuente, y se enlazan hasta un lugar pedregoso.

18 Si le arrancaren de su lugar, éste le negará entonces, *diciendo*: Nunca te vi.

19 He aquí éste *es* el gozo de su camino; y de la tierra brotarán otros.

20 He aquí, Dios no desechará al perfecto, ni tampoco ayudará a los malhechores.

21 Aún llenará tu boca de risa, y tus labios de júbilo.

22 Los que te aborrecen, serán vestidos de vergüenza; y la habitación de los impíos perecerá.

CAPÍTULO 9

Y respondió Job, y dijo:

2 Ciertamente yo conozco que es así: ¿Y cómo se justificará el hombre con Dios?

3 Si quisiere contender con Él, no le podrá responder a una cosa de mil.

4 Él es sabio de corazón, y poderoso en fortaleza, ¿Quién se endureció contra Él, y le fue bien?

5 Él remueve las montañas con su furor, y ellas no saben quién las trastornó.

6 Él sacude la tierra de su lugar, y hace temblar sus columnas:

7 Él manda al sol, y no sale; y pone sello a las estrellas:

8 Él solo extiende los cielos, y anda sobre las olas del mar:

9 Él hizo la Osa Mayor, el Orión y las Pléyades; y los lugares secretos del sur.

10 Él hace cosas grandes e inescrutables; y maravillas, sin número.

11 He aquí que Él pasará delante de

mí, y yo no *lo* veré; y pasará, y no lo percibiré.

12 He aquí, arrebatará; ¿quién se lo impedirá? ¿Quién le dirá: Qué haces?

13 *Si* Dios no retira su ira, los ayudadores soberbios serán abatidos debajo de Él.

14 ¿Cuánto menos le responderé yo, y hablaré con Él palabras escogidas?

15 Aunque fuese yo justo, no respondería; antes habría de rogar a mi Juez.

16 Que si yo le invocara, y Él me respondiese, *aún* no creeré que haya escuchado mi voz.

17 Porque me ha quebrantado con tempestad, y sin causa ha aumentado mis heridas.

18 No me ha concedido que tome aliento, sino que me ha llenado de amarguras.

19 Si *yo hablare* de poder, he aquí Él es poderoso; si de juicio, ¿quién me emplazará?

20 Si yo me justificare, me condenaría mi boca; si me dijere perfecto, esto me haría inicuo.

21 Bien que yo *fuese* íntegro, no conocería mi alma: Despreciaría mi vida.

22 Una *cosa* resta que yo diga: Al perfecto y al impío Él los consume.

23 Si el azote mata de repente, se ríe del sufrimiento de los inocentes.

24 La tierra es entregada en manos de los impíos, y Él cubre el rostro de sus jueces. Si no es Él, ¿quién es? ¿Dónde está?

25 Mis días son más ligeros que un correo; Huyen, y no ven el bien.

26 Pasan cual naves veloces: Como el águila *que* se lanza sobre su presa.

27 Si digo: Olvidaré mi queja, dejaré mi triste semblante y me esforzaré;

28 *entonces* me turban todos mis dolores; sé que no me tendrás por inocente.

29 *Si* soy impío, ¿Para qué, pues, trabajaré en vano?

30 Aunque me lave con aguas de nieve, y limpie mis manos con la limpieza misma,

31 aún me hundirás en el hoyo, y mis propias vestiduras me abominarán.

32 Porque Él no *es* hombre igual que yo, para que yo le responda, y vengamos juntamente a juicio.

33 Ni hay entre nosotros árbitro, que ponga su mano sobre ambos.

34 Quite de sobre mí su vara, y su terror no me espante.

35 *Entonces* yo hablaría, y no le temería; mas no es así conmigo.

CAPÍTULO 10

Mi alma está hastiada de mi vida: Daré yo rienda suelta a mi queja sobre mí, hablaré en la amargura de mi alma.

2 Diré a Dios: No me condenes; hazme entender por qué contiendes conmigo.

3 ¿Te parece bien que oprimas, que deseches la obra de tus manos, y que resplandezcas sobre el consejo de los impíos?

4 ¿Acaso tienes tú ojos de carne? ¿Ves tú como ve el hombre?

5 ¿*Son* tus días como los días del hombre, o tus años como los tiempos humanos,

6 para que inquieras mi iniquidad, y busques mi pecado?

7 Tú sabes que no soy impío, y que no *hay* quien libre de tu mano.

8 Tus manos me hicieron y me formaron, ¿y luego te vuelves y me deshaces?

9 Acuérdate ahora que como a barro me diste forma: ¿Y en polvo me has de tornar?

10 ¿No me vaciaste como leche, y como queso me cuajaste?

11 Me vestiste de piel y carne, y me rodeaste de huesos y nervios.

12 Vida y misericordia me concediste, y tu cuidado guardó mi espíritu.

13 Estas cosas has guardado en tu corazón; yo sé que *están* cerca de ti.

14 Si peco, tú me observas, y no me tienes por limpio de mi iniquidad.

15 Si fuere malo, ¡ay de mí! Y *si* fuere justo, no levantaré mi cabeza. Estoy hastiado de afrenta, por tanto, mira tú mi aflicción.

16 Si levanto mi cabeza, me cazas como a león, y vuelves a mostrarte maravilloso sobre mí.

17 Renuevas contra mí tus pruebas, y aumentas conmigo tu furor como tropas de relevo.

18 ¿Por qué me sacaste de la matriz? Hubiera yo entregado el espíritu, y ningún ojo me habría visto.

19 Fuera como si nunca hubiera existido, llevado del vientre a la sepultura.

20 ¿No *son* pocos mis días? Cesa, pues, y déjame, para que me conforte un poco.

21 Antes que vaya para no volver, a la tierra de tinieblas y de sombra de muerte;

22 Tierra de oscuridad, lóbrega como sombra de muerte, sin orden, *donde* la luz *es* como la oscuridad misma.

CAPÍTULO 11

Y respondió Zofar naamatita, y dijo:

2 ¿Las muchas palabras no han de tener respuesta? ¿Y el hombre que habla mucho será justificado?

3 ¿Harán tus falacias callar a los hombres? ¿Y harás escarnio, y no habrá quien te avergüence?

4 Tú dices: Mi doctrina *es* pura, y yo soy limpio delante de tus ojos.

5 Mas ¡oh quién diera que Dios hablara, y abriera sus labios contra ti,

6 y que te declarara los secretos de la sabiduría, que son de doble valor que las riquezas! Conocerías entonces que Dios te ha castigado *menos* de lo que tu iniquidad *merece*.

7 Si escudriñas, ¿podrás entender a Dios? ¿Llegarás tú a la perfección del Todopoderoso?

8 *Es* más alta que los cielos: ¿qué harás? Es más profunda que el infierno: ¿cómo la conocerás?

9 Su dimensión es más extensa que la tierra, y más ancha que el mar.

10 Si Él corta, o aprisiona, o si congrega, ¿quién podrá contrarrestarle?

11 Porque Él conoce a los hombres vanos: Ve asimismo la iniquidad, ¿y no hará caso?

12 El hombre vano se hará entendido, aunque nazca *como* el pollino del asno montés.

13 Si tú apercibieres tu corazón, y extendieres a Él tus manos;

14 si alguna iniquidad *hubiere* en tu mano, y la echares de ti, y no

consintieres que more maldad en tus habitaciones;

15 entonces levantarás tu rostro limpio de mancha, y serás fuerte, y no temerás;

16 y olvidarás *tu* miseria, o te acordarás de ella como de aguas que pasaron;

17 y *tu* existencia será más clara que el mediodía; Resplandecerás, y serás como la mañana;

18 estarás confiado, porque hay esperanza; mirarás alrededor, y dormirás seguro.

19 Te acostarás, y no habrá quien *te* espante; y muchos implorarán tu favor.

20 Pero los ojos de los malos se consumirán, y no tendrán refugio; y su esperanza *será como* el dar el último suspiro.

CAPÍTULO 12

Y respondió Job, y dijo:
2 Ciertamente vosotros *sois* el pueblo; y con vosotros morirá la sabiduría.

3 También tengo yo entendimiento como vosotros; no *soy* yo menos que vosotros: ¿Y quién habrá que no pueda decir otro tanto?

4 Yo soy uno de quien su amigo se mofa, que invoca a Dios, y Él le responde; con todo, el justo y perfecto *es* escarnecido.

5 Aquel *cuyos* pies van a resbalar, *es como* una lámpara despreciada de aquel que está a sus anchas.

6 Prosperan las tiendas de los ladrones, y los que provocan a Dios viven seguros; en cuyas manos Él ha puesto cuanto tienen.

7 Y en efecto, pregunta ahora a las bestias, y ellas te enseñarán; y a las aves de los cielos, y ellas te lo mostrarán;

8 o habla a la tierra, y ella te enseñará; los peces del mar también te *lo* declararán.

9 ¿Qué cosa de todas éstas no entiende que la mano de Jehová la hizo?

10 En su mano *está* el alma de todo viviente, y el hálito de todo ser humano.

11 ¿No distingue el oído las palabras, y el paladar prueba la comida?

12 En los ancianos *está* la sabiduría, y en la largura de días la inteligencia.

13 Con Dios *está* la sabiduría y la fortaleza; suyo es el consejo y la inteligencia.

14 He aquí, Él derriba, y no será reedificado; Encierra al hombre, y no habrá quien le abra.

15 He aquí, Él detiene las aguas, y *todo* se seca; Las envía, y destruyen la tierra.

16 Con Él *está* la fortaleza y la sabiduría; Suyo *es* el que yerra, y el que hace errar.

17 Él hace andar despojados de consejo a los consejeros, y entontece a los jueces.

18 Él suelta las ataduras de los reyes, y les ata un cinto a sus lomos.

19 Él lleva despojados a los príncipes, y trastorna a los poderosos.

20 Él priva del habla al que dice verdad, y quita a los ancianos el consejo.

21 Él derrama menosprecio sobre los príncipes, y debilita la fuerza de los poderosos.

22 Él descubre las profundidades de las tinieblas, y saca a luz la sombra de muerte.

23 Él multiplica las naciones, y Él las destruye; Él esparce a las naciones, y las *vuelve* a reunir.

24 Él quita el entendimiento de los jefes del pueblo de la tierra, y les hace vagar por desierto *donde* no *hay* camino:

25 Van a tientas, como en tinieblas y sin luz, y los hace errar como borrachos.

CAPÍTULO 13

He aquí que todas *estas cosas* han visto mis ojos, y oído y entendido mis oídos.

2 Como vosotros lo sabéis, lo sé yo; no *soy* menos que vosotros.

3 Mas yo hablaría con el Todopoderoso, y querría razonar con Dios.

4 Porque ciertamente vosotros *sois* fraguadores de mentira; todos vosotros *sois* médicos nulos.

5 ¡Oh que callarais del todo! Y os sería sabiduría.

6 Oíd ahora mi razonamiento, y

estad atentos a los argumentos de mis labios.

7 ¿Habéis de hablar iniquidad por Dios? ¿Habéis de hablar por Él engaño?

8 ¿Haréis acepción de su persona? ¿Contenderéis vosotros por Dios?

9 ¿Sería bueno que Él os escudriñase? ¿Os burlaréis de Él como quien se burla de algún hombre?

10 Él os reprochará de seguro, si solapadamente hacéis acepción de personas.

11 ¿No debiera espantaros su majestad, y caer su pavor sobre vosotros?

12 Vuestras memorias *serán* comparadas a la ceniza, y vuestros cuerpos como cuerpos de barro.

13 Callaos, dejadme y hablaré yo, y que venga sobre mí lo que viniere.

14 ¿Por qué quitaré yo mi carne con mis dientes, y pondré mi alma en mi mano?

15 He aquí, aunque Él me matare, en Él esperaré; pero sostendré delante de Él mis caminos.

16 Y Él mismo *será* mi salvación, porque no entrará en su presencia el hipócrita.

17 Oíd con atención mi razonamiento, y mi declaración con vuestros oídos.

18 He aquí ahora, yo he preparado *mi* causa, y sé que seré justificado.

19 ¿Quién *es* el que contenderá conmigo? Porque si ahora yo callara, moriría.

20 A lo menos dos *cosas* no hagas conmigo; entonces no me esconderé de tu rostro.

21 Aparta de mí tu mano, y no me asombre tu terror.

22 Llama luego, y yo responderé; o yo hablaré, y respóndeme tú.

23 ¿Cuántas iniquidades y pecados tengo yo? Hazme entender mi transgresión y mi pecado.

24 ¿Por qué escondes tu rostro, y me cuentas por tu enemigo?

25 ¿A la hoja arrebatada has de quebrantar? ¿Y a una paja seca has de perseguir?

26 ¿Por qué escribes contra mí amarguras, y me haces cargo de los pecados de mi juventud?

27 Pones además mis pies en el cepo, y vigilas todos mis caminos, imprimes marcas en las plantas de mis pies.

28 Y el cuerpo mío se va gastando como de carcoma, como vestido que es comido de polilla.

CAPÍTULO 14

El hombre nacido de mujer, corto de días, y harto de sinsabores.

2 Que sale como una flor y es cortado; y huye como la sombra, y no permanece.

3 ¿Y sobre éste abres tus ojos, y me traes a juicio contigo?

4 ¿Quién podrá sacar *algo* limpio de lo inmundo? ¡Nadie!

5 Ciertamente sus días *están* determinados, y el número de sus meses está cerca de ti: Tú le pusiste límites, los cuales no pasará.

6 Apártate de él, y que descanse hasta que, cual jornalero, haya cumplido su día.

7 Porque si el árbol fuere cortado, aún queda de él esperanza; retoñará aún, y sus renuevos no faltarán.

8 Si se envejeciere en la tierra su raíz, y su tronco fuere muerto en el polvo,

9 al percibir el agua reverdecerá, y echará renuevos como planta *nueva*.

10 Pero el hombre muere, y es cortado; Perece el hombre, ¿y dónde *está* él?

11 *Como* las aguas se van del mar, y el río se agota y se seca.

12 Así el hombre yace, y no vuelve a levantarse; hasta que no haya cielo no despertarán, ni se levantarán de su sueño.

13 ¡Oh quién me diera que me escondieses en el sepulcro, que me encubrieras hasta apaciguarse tu ira, que me pusieses plazo, y de mí te acordaras!

14 Si el hombre muriere, ¿*volverá* a vivir? Todos los días de mi edad esperaré, hasta que venga mi transformación.

15 Tú llamarás, y te responderé yo; tendrás placer en la obra de tus manos.

16 Pero ahora me cuentas los pasos, y no das tregua a mi pecado.

17 Sellada *está* en saco mi transgresión, y tienes cosida mi iniquidad.

18 Y ciertamente el monte que cae se deshace, y las peñas son traspasadas de su lugar;

19 Las piedras son desgastadas con el agua impetuosa, que se lleva el polvo de la tierra; de igual manera haces tú perecer la esperanza del hombre.

20 Para siempre serás más fuerte que él, y él se va; demudarás su rostro, y lo despedirás.

21 Sus hijos alcanzan honor, y él no lo sabe; o son humillados, y no entiende de ellos.

22 Mas su carne sobre él se dolerá, y se entristecerá en él su alma.

CAPÍTULO 15

Entonces respondió Elifaz temanita, y dijo:

2 ¿Proferirá el sabio vana sabiduría, y llenará su vientre de viento solano?

3 ¿Disputará con palabras inútiles, y con razones sin provecho?

4 Tú también disipas el temor, y menosprecias la oración delante de Dios.

5 Porque tu boca declaró tu iniquidad, pues has escogido el hablar de los astutos.

6 Tu boca te condenará, y no yo; y tus labios testificarán contra ti.

7 ¿Naciste tú primero que Adán? ¿O fuiste formado antes que los collados?

8 ¿Oíste tú el secreto de Dios, que detienes en ti solo la sabiduría?

9 ¿Qué sabes tú que no sepamos? ¿*Qué* entiendes que no se halle en nosotros?

10 Entre nosotros también *hay* cabezas canas y hombres viejos, mucho más ancianos que tu padre.

11 ¿En tan poco tienes las consolaciones de Dios? ¿Tienes acaso alguna cosa oculta cerca de ti?

12 ¿Por qué te aleja tu corazón, y por qué guiñan tus ojos,

13 para que vuelvas tu espíritu contra Dios, y saques *tales* palabras de tu boca?

14 ¿Qué es el hombre para que sea limpio, y el nacido de mujer, para que sea justo?

15 He aquí que en sus santos no confía, y ni aun los cielos son limpios delante de sus ojos:

16 ¿Cuánto menos el hombre abominable y vil, que bebe la iniquidad como agua?

17 Escúchame; yo te mostraré, y te contaré lo que he visto;

18 Lo que los sabios nos contaron de sus padres, y no lo encubrieron;

19 A los cuales solamente fue dada la tierra, y no pasó extraño por medio de ellos;

20 Todos sus días, el impío es atormentado de dolor, y el número de años es escondido al violento.

21 Estruendos espantosos *hay* en sus oídos; en la prosperidad el destructor vendrá sobre él.

22 Él no creerá que ha de volver de las tinieblas, y descubierto está para la espada.

23 Vaga alrededor tras del pan, *diciendo*: ¿Dónde *está*? Sabe que le está preparado día de tinieblas, a la mano.

24 Tribulación y angustia le aterrarán, y se esforzarán contra él como un rey dispuesto para la batalla.

25 Por cuanto él extendió su mano contra Dios, y se ensoberbeció contra el Todopoderoso,

26 Él le acometerá en la cerviz, en lo grueso de las hombreras de sus escudos:

27 Porque cubrió su rostro con su gordura, e hizo pliegues sobre *sus* ijares;

28 Y habitó las ciudades asoladas, las casas inhabitadas, que estaban puestas en ruinas.

29 No se enriquecerá, ni sus bienes perdurarán, ni extenderá por la tierra su hermosura.

30 No escapará de las tinieblas; la llama secará sus ramas, y con el aliento de su boca perecerá.

31 No confíe el iluso en la vanidad; porque ella será su recompensa.

32 Él será cortado antes de su tiempo, y sus renuevos no reverdecerán.

33 Él perderá su agraz como la vid, y derramará su flor como el olivo.

34 Porque la congregación de los hipócritas *será* asolada, y fuego consumirá las tiendas de soborno.

35 Conciben maldad, y dan a luz iniquidad; y sus entrañas traman engaño.

CAPÍTULO 16

Entonces respondió Job, y dijo: 2 Muchas veces he oído cosas como éstas: Consoladores molestos sois todos vosotros.

3 ¿Tendrán fin las palabras vanas? ¿O qué te anima a responder?

4 También yo hablaría como vosotros. Si vuestra alma estuviera en lugar de la mía, yo podría hilvanar palabras contra vosotros, y sobre vosotros movería mi cabeza.

5 *Mas* yo os alentaría con mis palabras, y la consolación de mis labios apaciguaría *el dolor vuestro.*

6 Si hablo, mi dolor no cesa; y si dejo de hablar, no se aparta de mí.

7 Pero ahora me ha fatigado: Has tú asolado toda mi compañía.

8 Tú me has llenado de arrugas; testigo es mi flacura, que se levanta contra mí para testificar en mi rostro.

9 Su furor me despedazó, y me ha sido contrario: Crujió sus dientes contra mí; contra mí aguzó sus ojos mi enemigo.

10 Abrieron contra mí su boca; hirieron mis mejillas con afrenta; contra mí se juntaron todos.

11 Me ha entregado Dios al mentiroso, y en las manos de los impíos me hizo estremecer.

12 Próspero estaba, y me desmenuzó; y me arrebató por la cerviz y me despedazó, y me puso por blanco suyo.

13 Me rodearon sus arqueros, partió mis riñones, y no perdonó: Mi hiel derramó por tierra.

14 Me quebrantó de quebranto sobre quebranto; corrió contra mí como un gigante.

15 Yo cosí cilicio sobre mi piel, y hundí mi cabeza en el polvo.

16 Mi rostro está hinchado con el lloro, y mis párpados entenebrecidos:

17 A pesar de no haber iniquidad en mis manos, y de haber sido mi oración pura.

18 ¡Oh tierra! no cubras mi sangre, y no haya lugar a mi clamor.

19 Mas he aquí que en los cielos está mi testigo, y mi testimonio en las alturas.

20 Mis amigos me escarnecen; mis ojos derramarán lágrimas ante Dios.

21 ¡Oh que alguien intercediera por el hombre ante Dios, como el hombre *intercede* por su prójimo!

22 Mas los años contados vendrán, y yo iré por el camino de donde no volveré.

CAPÍTULO 17

Mi aliento está corrompido, mis días se extinguen, y me *está* preparado el sepulcro.

2 No *hay* conmigo sino escarnecedores, en cuya amargura se detienen mis ojos.

3 Determina ahora, dame fianza para contigo: ¿Quién *es* aquél *que* querría ser mi fiador?

4 Porque has escondido de su corazón la inteligencia; por tanto, no *los* exaltarás.

5 El que habla lisonjas a *sus* amigos, aun los ojos de sus hijos desfallecerán.

6 Él me ha puesto por refrán de pueblos, y delante de ellos he sido como tamboril.

7 Y mis ojos se oscurecieron por causa del dolor, y mis pensamientos todos *son* como sombra.

8 Los rectos se maravillarán de esto, y el inocente se levantará contra el hipócrita.

9 No obstante, proseguirá el justo su camino, y el limpio de manos aumentará la fuerza.

10 Mas volved todos vosotros, y venid ahora, pues no hallo sabio entre vosotros.

11 Pasaron mis días, fueron deshechos mis planes, los designios de mi corazón.

12 Pusieron la noche por día, y la luz se acorta delante de las tinieblas.

13 Si yo espero, el sepulcro *es* mi casa: Haré mi cama en las tinieblas.

14 A la corrupción he dicho: Mi padre *eres* tú; a los gusanos: Mi madre y mi hermana.

15 ¿Dónde *está* ahora mi esperanza? Y mi esperanza ¿quién la verá?

16 Ellos descenderán a la profundidad de la fosa, cuando

nosotros descansaremos juntos en el polvo.

CAPÍTULO 18

Entonces respondió Bildad suhita, y dijo:

2 ¿Cuándo pondréis fin a las palabras? Entended, y después hablemos.

3 ¿Por qué somos tenidos por bestias, y a vuestros ojos somos viles?

4 Oh tú, que te despedazas con tu furor, ¿Será abandonada la tierra por tu causa, y serán traspasadas de su lugar las peñas?

5 Ciertamente la luz de los impíos será apagada, y no resplandecerá la centella de su fuego.

6 La luz se oscurecerá en su tienda, y se apagará sobre él su lámpara.

7 Los pasos de su vigor serán acortados, y lo precipitará su propio consejo.

8 Porque red será echada a sus pies, y sobre mallas andará.

9 Lazo prenderá su calcañar; se afirmará la trampa contra él.

10 Su cuerda está escondida en la tierra, y hay una trampa para él en la senda.

11 De todas partes lo asombrarán temores, y le harán huir desconcertado.

12 Su fuerza será azotada por el hambre, y a su lado estará preparado quebrantamiento.

13 El primogénito de la muerte devorará la fuerza de su piel, y devorará sus miembros.

14 Su confianza será arrancada de su tienda, y le conducirá esto, al rey de los espantos.

15 En su tienda morará como si no fuese suya; piedra azufre será esparcida sobre su morada.

16 Abajo se secarán sus raíces, y arriba serán cortadas sus ramas.

17 Su memoria perecerá de la tierra, y no tendrá nombre por las calles.

18 De la luz será lanzado a las tinieblas, y echado fuera del mundo.

19 No tendrá hijo ni nieto en su pueblo, ni quien le suceda en sus moradas.

20 Los que vengan a él, ese día se espantarán, como fueron espantados los que vinieron antes.

21 Ciertamente tales son las moradas del impío, y éste será el lugar del que no conoció a Dios.

CAPÍTULO 19

Entonces respondió Job, y dijo:
2 ¿Hasta cuándo angustiaréis mi alma, y me moleréis con palabras?

3 Ya me habéis vituperado diez veces: ¿No os avergonzáis de injuriarme?

4 Y si en verdad he errado, conmigo se quedará mi error.

5 Mas si vosotros os engrandecéis contra mí, y contra mí invocáis mi oprobio,

6 sabed ahora que Dios me ha derribado, y me ha envuelto en su red.

7 He aquí yo clamo agravio, y no soy oído; doy voces, y no hay juicio.

8 Cercó de vallado mi camino, y no pasaré; y sobre mis veredas puso tinieblas.

9 Me ha despojado de mi gloria, y ha quitado la corona de mi cabeza.

10 Me ha arruinó por todos lados, y perezco; y ha hecho pasar mi esperanza como árbol arrancado.

11 También encendió contra mí su furor, y me contó para sí entre sus enemigos.

12 Vinieron sus ejércitos a una, y atrincheraron contra mí su camino, y acamparon en derredor de mi tienda.

13 Hizo alejar de mí a mis hermanos, y del todo se extrañaron de mí mis conocidos.

14 Mis parientes se detuvieron, y mis conocidos se olvidaron de mí.

15 Los moradores de mi casa y mis criadas me tuvieron por extraño; forastero fui yo a sus ojos.

16 Llamé a mi siervo, y no respondió; de mi propia boca le suplicaba.

17 Mi aliento vino a ser extraño a mi esposa, aunque por los hijos de mis entrañas le rogaba.

18 Aun los muchachos me menospreciaron; al levantarme, hablaban contra mí.

19 Todos mis amigos íntimos me aborrecieron; y los que yo amaba, se volvieron contra mí.

20 Mi piel y mi carne se pegaron a

mis huesos; y he escapado con *sólo* la piel de mis dientes.

21 Oh, vosotros mis amigos, tened compasión de mí, tened compasión de mí, porque la mano de Dios me ha tocado.

22 ¿Por qué me perseguís como Dios, y no os hartáis de mi carne?

23 ¡Quién diese ahora que mis palabras fuesen escritas! ¡Quién diese que se escribiesen en un libro!

24 ¡Que con cincel de hierro y con plomo fuesen en piedra esculpidas para siempre!

25 Yo sé que mi Redentor vive, y en el *día* final se levantará sobre la tierra;

26 y después de deshecha esta mi piel, en mi carne he de ver a Dios;

27 Al cual he de ver por mí mismo, y mis ojos lo verán, y no otro, *aunque* mis entrañas se consuman dentro de mí.

28 Mas debierais decir: ¿Por qué lo perseguimos? Ya que la raíz del asunto se halla en mí.

29 Temed vosotros delante de la espada; porque la ira *trae* el castigo de la espada, para que sepáis que hay un juicio.

CAPÍTULO 20

Respondió entonces Zofar el naamatita, y dijo:

2 Por cierto mis pensamientos me hacen responder, y por tanto me apresuro.

3 La reprensión de mi censura he oído, y me hace responder el espíritu de mi inteligencia.

4 ¿*No* sabes esto, que desde la antigüedad, desde el tiempo que fue puesto el hombre sobre la tierra;

5 que la alegría de los impíos es breve, y el gozo del hipócrita *sólo* por un momento?

6 Aunque subiere su altivez hasta el cielo, y su cabeza tocare en las nubes,

7 como su estiércol perecerá para siempre; los que le hubieren visto, dirán: ¿Qué es de él?

8 Como sueño volará, y no será hallado: y se disipará como visión nocturna.

9 El ojo que le vio, nunca más le verá; ni su lugar le contemplará ya más.

10 Sus hijos buscarán el favor de los pobres; y sus manos devolverán lo que él robó.

11 Sus huesos están llenos *del pecado* de su juventud, yacerán con él en el polvo.

12 Si el mal se endulzó en su boca, si lo ocultaba debajo de su lengua;

13 *si* le parecía bien, y no lo dejaba, sino que lo detenía en su paladar;

14 su comida se mudará en sus entrañas, hiel de áspides será dentro de él.

15 Devoró riquezas, mas las vomitará; de su vientre las sacará Dios.

16 Veneno de áspides chupará; lo matará lengua de víbora.

17 No verá los arroyos, los ríos, los torrentes de miel y de leche.

18 Restituirá el trabajo conforme a los bienes que tomó; según su sustancia *será* la restitución, y no se gozará *en ello.*

19 Por cuanto quebrantó y desamparó a los pobres, y robó casas que él no edificó.

20 Por tanto, no sentirá él sosiego en su vientre, ni salvará nada de lo que codiciaba.

21 No quedó nada que no comiese; por tanto, su bien no será duradero.

22 En la plenitud de su prosperidad, tendrá estrechez; la mano de todos los malvados vendrá sobre él.

23 *Cuando* se pusiere a llenar su vientre, Dios enviará sobre él el furor de su ira, y la hará llover sobre él y sobre su comida.

24 Huirá de las armas de hierro, *pero* el arco de acero le atravesará.

25 Saldrá la saeta por su espalda, relumbrante saldrá por su hiel; sobre él vendrán terrores.

26 Todas las tinieblas *estarán* guardadas en sus lugares secretos; fuego no atizado lo devorará, y consumirá al que quede en su tienda.

27 Los cielos descubrirán su iniquidad, y la tierra se levantará contra él.

28 Los frutos de su casa serán trasportados; serán esparcidos en el día de su furor.

29 Ésta *es* la porción de Dios para el hombre impío, y la herencia que Dios le ha señalado.

CAPÍTULO 21

Y respondió Job, y dijo:
2 Oíd atentamente mi palabra, y sea esto vuestra consolación.

3 Soportadme, y yo hablaré; y después que hubiere hablado, escarneced.

4 ¿Acaso me quejo yo ante algún hombre? ¿Y por qué no se ha de angustiar mi espíritu?

5 Miradme, y espantaos, y poned la mano sobre la boca.

6 Aun cuando me acuerdo, me asombro, y el estremecimiento se apodera de mi carne.

7 ¿Por qué viven los impíos, y se envejecen, y aun crecen en riquezas?

8 Su simiente es establecida delante de ellos; y sus renuevos delante de sus ojos.

9 Sus casas *están* libres de temor, y no hay azote de Dios sobre ellos.

10 Sus toros engendran, y no fallan; paren sus vacas, y no malogran su cría.

11 Sus pequeños salen como manada, y sus hijos van danzando.

12 Toman el pandero y el arpa, y se regocijan al son de la flauta.

13 Pasan sus días en prosperidad, y en un momento descienden a la sepultura.

14 Dicen, pues, a Dios: Apártate de nosotros, pues no queremos el conocimiento de tus caminos.

15 ¿Quién es el Todopoderoso, para que le sirvamos? ¿Y de qué nos aprovechará que oremos a Él?

16 He aquí que su bien no está en manos de ellos: El consejo de los impíos lejos esté de mí.

17 ¡Oh cuántas veces la lámpara de los impíos es apagada, y viene sobre ellos su quebranto, y Dios en su ira les reparte dolores!

18 Serán como la paja delante del viento, y como el tamo que arrebata el torbellino.

19 Dios guardará la iniquidad para los hijos de ellos: Él le dará su pago, para que conozca.

20 Verán sus ojos su quebranto, y beberá de la ira del Todopoderoso.

21 Porque ¿qué deleite tendrá él de su casa después de sí, siendo cortado el número de sus meses?

22 ¿Enseñará alguien a Dios sabiduría, juzgando Él a los que están encumbrados?

23 Éste morirá en el vigor de su hermosura, todo quieto y pacífico.

24 Sus colodras están llenas de leche, y sus huesos serán regados de tuétano.

25 Y este otro morirá en amargura de ánimo, y sin haber comido jamás con gusto.

26 Igualmente yacerán ellos en el polvo, y gusanos los cubrirán.

27 He aquí, yo conozco vuestros pensamientos, y las imaginaciones que contra mí forjáis.

28 Porque decís: ¿Qué es de la casa del príncipe, y qué de la tienda de las moradas de los impíos?

29 ¿No habéis preguntado a los que pasan por los caminos, y no habéis conocido sus señalamientos,

30 que el malo es reservado para el día de la destrucción? Presentados serán en el día de la ira.

31 ¿Quién le denunciará en su cara su camino? Y de lo que él hizo, ¿quién le dará el pago?

32 Porque será llevado al sepulcro, y en su tumba permanecerá.

33 Los terrones del valle le serán dulces; y tras de él será llevado todo hombre, y antes de él han ido innumerables.

34 ¿Cómo, pues, me consoláis en vano, viniendo a parar vuestras respuestas en falacia?

CAPÍTULO 22

Y respondió Elifaz temanita, y dijo:
2 ¿Traerá el hombre provecho a Dios, podrá el sabio ser de provecho a sí mismo?

3 ¿Tiene contentamiento el Omnipotente en que tú seas justo, gana algo con que tú hagas perfectos tus caminos?

4 ¿Te castigará acaso, o vendrá contigo a juicio porque te teme?

5 ¿Acaso no será grande tu maldad, y tus iniquidades sin fin?

6 Porque tomaste prenda de tus hermanos sin causa, y despojaste de sus ropas al desnudo.

7 No diste de beber agua al cansado, y detuviste el pan al hambriento.

8 Pero el hombre pudiente tuvo la tierra; y habitó en ella el distinguido.

9 A las viudas enviaste vacías, y los brazos de los huérfanos fueron quebrados.

10 Por tanto hay lazos alrededor de ti, y te turba espanto repentino;

11 o tinieblas, para que no veas; y abundancia de agua te cubre.

12 ¿No está Dios en la altura de los cielos? Mira lo encumbrado de las estrellas, cuán elevadas están.

13 ¿Y dirás tú: Qué sabe Dios? ¿Puede Él juzgar a través de la densa oscuridad?

14 Las densas nubes le cubren, y no ve; y por el circuito del cielo se pasea.

15 ¿Quieres tú guardar la senda antigua, que pisaron los hombres perversos?

16 Los cuales fueron cortados antes de tiempo, cuyo fundamento fue como un río derramado:

17 Que decían a Dios: Apártate de nosotros. ¿Y qué les había hecho el Omnipotente?

18 Les había colmado de bienes sus casas. Lejos sea de mí el consejo de los impíos.

19 Verán los justos y se gozarán; y el inocente los escarnecerá, diciendo:

20 Ciertamente nuestra sustancia no ha sido cortada, mas el fuego ha consumido lo que quedó de ellos.

21 Amístate ahora con Él, y tendrás paz; y por ello te vendrá bien.

22 Toma ahora la ley de su boca, y pon sus palabras en tu corazón.

23 Si te volvieres al Omnipotente, serás edificado; alejarás de tu tienda la aflicción;

24 y tendrás más oro que tierra, y como piedras de arroyos oro de Ofir;

25 y el Todopoderoso será tu defensa, y tendrás plata en abundancia.

26 Porque entonces te deleitarás en el Omnipotente, y alzarás a Dios tu rostro.

27 Orarás a Él, y Él te oirá; y tú pagarás tus votos.

28 Determinarás asimismo una cosa, y te será firme; y sobre tus caminos resplandecerá la luz.

29 Cuando fueren abatidos, dirás tú: Ensalzamiento habrá; y Dios salvará al humilde de ojos.

30 Él libertará la isla del inocente; y por la pureza de tus manos será librada.

CAPÍTULO 23

Y respondió Job, y dijo:
2 Hoy también hablaré con amargura; porque es más grave mi llaga que mi gemido.

3 ¡Quién me diera el saber dónde hallar a Dios! Yo iría hasta su silla.

4 Expondría mi causa delante de Él, y llenaría mi boca de argumentos.

5 Yo sabría las palabras que Él me respondiera, y entendería lo que Él me dijera.

6 ¿Contendería conmigo con su gran fuerza? No; antes Él pondría fuerza en mí.

7 Allí el justo razonaría con Él, y yo sería liberado para siempre de mi Juez.

8 He aquí yo iré al oriente, y no lo hallaré; y al occidente, y no lo percibiré:

9 Si al norte Él actuare, yo no lo veré; al sur se esconderá, y no lo veré.

10 Mas Él conoce el camino donde voy; me probará, y saldré como oro.

11 Mis pies han seguido sus pisadas; guardé su camino, y no me aparté.

12 Del mandamiento de sus labios nunca me separé; guardé las palabras de su boca más que mi comida.

13 Pero si Él determina una cosa, ¿quién le hará desistir? Lo que su alma desea, eso hace.

14 Él, pues, acabará lo que ha determinado de mí: y muchas cosas como éstas hay en Él.

15 Por lo cual yo me espanto en su presencia; cuando lo considero, tengo miedo de Él.

16 Dios ha enervado mi corazón, y me ha turbado el Omnipotente.

17 ¿Por qué no fui yo cortado delante de las tinieblas, ni cubrió con oscuridad mi rostro?

CAPÍTULO 24

Puesto que no son ocultos los tiempos al Todopoderoso, ¿Por qué los que le conocen no ven sus días?

2 Traspasan los términos, roban los ganados, y los apacientan.

3 Se llevan el asno de los huérfanos; y toman en prenda el buey de la viuda.

4 Hacen apartar del camino a los menesterosos; y todos los pobres de la tierra se esconden.

5 He aquí, como asnos monteses en el desierto, salen a su obra madrugando para robar; el desierto es mantenimiento de sus hijos.

6 En el campo siegan su pasto, y los impíos vendimian la viña ajena.

7 Al desnudo hacen dormir sin ropa, y que en el frío no tenga cobertura.

8 Con las avenidas de los montes se mojan, y abrazan las peñas por falta de abrigo.

9 Quitan el pecho a los huérfanos, y de sobre el pobre toman la prenda.

10 Al desnudo hacen andar sin ropa, y al hambriento quitan las gavillas.

11 Dentro de sus paredes exprimen el aceite, pisan los lagares, y mueren de sed.

12 De la ciudad gimen los hombres, y claman las almas de los heridos de muerte; mas Dios no puso estorbo.

13 Ellos son los que, rebeldes a la luz, nunca conocieron sus caminos, ni estuvieron en sus veredas.

14 A la luz se levanta el matador, mata al pobre y al necesitado, y de noche es como ladrón.

15 El ojo del adúltero aguarda al anochecer, diciendo: No me verá nadie; y esconde su rostro.

16 En las tinieblas minan las casas, que de día para sí señalaron; no conocen la luz.

17 Porque la mañana es para todos ellos como sombra de muerte; si son conocidos, terrores de sombra de muerte los toman.

18 Son ligeros como la superficie de las aguas; su porción es maldita en la tierra; no andarán por el camino de las viñas.

19 La sequía y el calor arrebatan las aguas de la nieve; y el sepulcro a los pecadores.

20 Se olvidará de ellos el seno materno; de ellos sentirán los gusanos dulzura; nunca más habrá de ellos memoria, y como un árbol serán quebrantados los impíos.

21 A la mujer estéril que no da a luz, afligió; y a la viuda nunca hizo bien.

¿Cómo se justificará el hombre?

22 A los fuertes arrastró con su poder: se levanta, y ninguno está seguro de la vida.

23 Les da seguridad en que se apoyen, y sus ojos están sobre los caminos de ellos.

24 Son exaltados por un poco de tiempo, mas desaparecen y son abatidos como todos *los demás*; serán encerrados, y cortados como cabezas de espigas.

25 Y si no, ¿quién me desmentirá ahora, o reducirá a nada mis palabras?

CAPÍTULO 25

Y respondió Bildad suhita, y dijo:
2 El señorío y el temor *están* con Él: Él hace paz en sus alturas.

3 ¿Tienen sus ejércitos número? ¿Sobre quién no está su luz?

4 ¿Cómo, pues, se justificará el hombre para con Dios? ¿O cómo será limpio el que nace de mujer?

5 He aquí que ni aun la misma luna será resplandeciente, ni las estrellas son limpias delante de sus ojos.

6 ¿Cuánto menos el hombre que es un gusano, y el hijo de hombre, también gusano?

CAPÍTULO 26

Y respondió Job, y dijo:
2 ¿En qué ayudaste al que no tiene fuerza? ¿*Cómo* has amparado al brazo sin fuerza?

3 ¿En qué aconsejaste al que no tiene entendimiento, y *qué* plenitud de sabiduría has dado a conocer?

4 ¿A quién has anunciado palabras, y de quién es el espíritu que de ti viene?

5 Cosas inanimadas son formadas debajo de las aguas, y los habitantes de ellas.

6 El infierno está descubierto delante de Él, y la destrucción no tiene cobertura.

7 Él extiende el norte sobre vacío, cuelga la tierra sobre nada.

8 Ata las aguas en sus nubes, y las nubes no se rompen debajo de ellas.

9 Él cubre la faz de su trono, y sobre él extiende su nube.

10 Él cercó con término la superficie de las aguas, hasta el fin de la luz y las tinieblas.

11 Las columnas del cielo tiemblan, y se espantan a su reprensión.

12 Él divide el mar con su poder, y con su entendimiento hiere su arrogancia.

13 Su Espíritu adornó los cielos; su mano creó la serpiente tortuosa.

14 He aquí, estas cosas son sólo parte de sus caminos: ¡Mas cuán poco hemos oído de Él! Pero el estruendo de su poder, ¿quién lo puede comprender?

CAPÍTULO 27

Y reasumió Job su discurso, y dijo: 2 Vive Dios, el cual ha quitado mi derecho, y el Omnipotente, que amargó el alma mía;

3 Que todo el tiempo que mi alma estuviere en mí, y hubiere hálito de Dios en mis narices,

4 mis labios no hablarán iniquidad, ni mi lengua pronunciará engaño.

5 Nunca tal acontezca que yo os justifique; hasta que muera no quitaré de mí mi integridad.

6 Mi justicia tengo asida, y no la cederé: No me reprochará mi corazón en el tiempo de mi vida.

7 Sea como el impío mi enemigo, y como el inicuo mi adversario.

8 Porque ¿cuál es la esperanza del impío, por mucho que hubiere robado, cuando Dios requiera su alma?

9 ¿Oirá Dios su clamor cuando la tribulación sobre él viniere?

10 ¿Se deleitará en el Omnipotente? ¿Invocará a Dios en todo tiempo?

11 Yo os enseñaré por la mano de Dios; no esconderé lo que hay para con el Omnipotente.

12 He aquí que todos vosotros lo habéis visto: ¿Por qué, pues, os hacéis enteramente vanos?

13 Ésta es para con Dios la porción del impío, y la herencia que los violentos han de recibir del Omnipotente.

14 Si sus hijos fueren multiplicados, *lo* serán para la espada, y sus pequeños no se saciarán de pan;

15 Los que de él quedaren, en muerte serán sepultados; y no llorarán sus viudas.

16 Aunque amontone plata como polvo, y prepare ropa como el barro;

17 él la preparará, pero el justo se vestirá *de ella*, y el inocente repartirá la plata.

18 Edificó su casa como la polilla, y como la cabaña que hizo el guarda.

19 El rico se acostará, mas no será recogido; abrirá sus ojos, y ya no *será*.

20 Se apoderarán de él terrores como aguas; torbellino lo arrebatará de noche.

21 El viento solano lo levanta, y se va; y tempestad lo arrebatará de su lugar.

22 *Dios*, pues, descargará sobre él, y no perdonará; hará él por huir de su mano.

23 Batirán sus manos sobre él, y desde su lugar le silbarán.

CAPÍTULO 28

C iertamente la plata tiene sus veneros, y el oro lugar donde se refina.

2 El hierro se saca del polvo, y de la piedra es fundido el bronce.

3 A las tinieblas puso término, y examina todo a la perfección, las piedras que hay en la oscuridad y en la sombra de muerte.

4 Brota el torrente de junto al morador, aguas que el pie había olvidado; se secan luego, se van del hombre.

5 De la tierra nace el pan, y debajo de ella está como convertida en fuego.

6 Lugar hay cuyas piedras son zafiro, y sus polvos de oro.

7 *Hay* senda que el ave no conoce, ni ojo de buitre ha visto;

8 los cachorros de león no la han pisado, ni el fiero león pasó por ella.

9 En el pedernal puso su mano, y trastornó de raíz los montes.

10 De los peñascos cortó ríos, y sus ojos vieron todo lo preciado.

11 Detuvo los ríos en su nacimiento, e hizo salir a luz lo escondido.

12 Mas ¿dónde se hallará la sabiduría? ¿Y dónde está el lugar de la inteligencia?

13 No conoce su valor el hombre, ni se halla en la tierra de los vivientes.

14 El abismo dice: No está en mí: Y el mar dijo: Ni conmigo.

15 No se dará por oro, ni su precio será a peso de plata.

16 No puede ser apreciada con oro de Ofir, ni con ónice precioso, ni con zafiro.

17 El oro no se le igualará, ni el diamante; ni se cambiará por joyas de oro fino.

18 No se hará mención de coral ni de perlas: La sabiduría es mejor que las piedras preciosas.

19 No se igualará con ella topacio de Etiopía; no se podrá apreciar con oro fino.

20 ¿De dónde, pues, vendrá la sabiduría? ¿Y dónde está el lugar de la inteligencia?

21 Porque encubierta está a los ojos de todo viviente, y a toda ave del cielo es oculta.

22 La destrucción y la muerte dijeron: Su fama hemos oído con nuestros oídos.

23 Dios entiende el camino de ella, y Él conoce su lugar.

24 Porque Él mira hasta los fines de la tierra, y ve debajo de todo el cielo.

25 Al dar peso al viento, y poner las aguas por medida;

26 Cuando Él hizo ley a la lluvia, y camino al relámpago de los truenos:

27 Entonces la veía Él, y la manifestaba: La preparó y la descubrió también.

28 Y dijo al hombre: He aquí que el temor del Señor es la sabiduría, y el apartarse del mal la inteligencia.

CAPÍTULO 29

Volvió Job a tomar su discurso, y dijo:

2 ¡Quién me volviese como en los meses pasados, como en los días en que Dios me guardaba;

3 Cuando su lámpara resplandecía sobre mi cabeza, y por su luz yo caminaba *a través de* la oscuridad;

4 Como fui yo en los días de mi juventud, cuando el secreto de Dios estaba en mi tienda;

5 Cuando el Omnipotente aún estaba conmigo, y mis hijos alrededor de mí;

6 Cuando lavaba yo mis pasos con leche, y la roca me derramaba ríos de aceite!

7 Cuando yo salía a la puerta a juicio, *cuando* en la plaza preparaba mi asiento;

8 Los jóvenes me veían, y se escondían; y los ancianos se levantaban, y estaban en pie;

9 Los príncipes detenían sus palabras, ponían la mano sobre su boca;

10 Los principales guardaban silencio, y su lengua se pegaba a su paladar:

11 Cuando los oídos que me oían, me llamaban bienaventurado, y los ojos que me veían, me daban testimonio:

12 Porque yo libraba al pobre que clamaba, y al huérfano que carecía de ayudador.

13 La bendición del que se iba a perder venía sobre mí; y al corazón de la viuda daba alegría.

14 Me vestía de justicia, y ella me cubría; como manto y diadema era mi justicia.

15 Yo era ojos al ciego, y pies al cojo.

16 A los menesterosos era padre; y de la causa que no entendía, me informaba con diligencia;

17 y quebraba los colmillos del inicuo, y de sus dientes hacía soltar la presa.

18 Y decía yo: En mi nido moriré, y como arena multiplicaré *mis* días.

19 Mi raíz estaba abierta junto a las aguas, y en mis ramas permanecía el rocío.

20 Mi honra se renovaba en mí, y mi arco se corroboraba en mi mano.

21 Me oían, y esperaban; y callaban a mi consejo.

22 Tras mi palabra no replicaban, y mi razón destilaba sobre ellos.

23 Y me esperaban como a la lluvia, y abrían su boca como a la lluvia tardía.

24 Si me reía con ellos, no lo creían; y no abatían la luz de mi rostro.

25 Calificaba yo el camino de ellos, y me sentaba en cabecera; y moraba como rey en el ejército, como el que consuela a los que lloran.

CAPÍTULO 30

Pero ahora se ríen de mí los más jóvenes que yo; a cuyos padres yo desdeñara poner con los perros de mi ganado.

2 ¿Y de qué me *serviría* la fuerza de sus manos, si el vigor de ellos ha perecido?

3 Por causa de la pobreza y del hambre andaban solos; huían a la soledad, a lugar tenebroso, asolado y desierto.

4 Recogían malvas entre los arbustos, y raíces de enebro para calentarse.

5 Eran arrojados de entre *las gentes*, les gritaban como tras el ladrón.

6 Habitaban en las barrancas de los arroyos, en las cavernas de la tierra, y en las rocas.

7 Bramaban entre las matas, y se reunían debajo de los espinos.

8 Hijos de viles, y hombres sin nombre, más bajos que la misma tierra.

9 Y ahora yo soy su canción, y he venido a ser su refrán.

10 Me abominan, se alejan de mí, y aun de mi rostro no detuvieron su saliva.

11 Porque Dios desató mi cuerda, y me afligió, por eso se desenfrenaron delante de mi rostro.

12 A la mano derecha se levantaron los jóvenes; Empujaron mis pies, y prepararon contra mí los caminos de su destrucción.

13 Mi senda desbarataron, se aprovecharon de mi quebrantamiento, contra los cuales no hubo ayudador.

14 Vinieron como por portillo ancho, en mi calamidad, se volvieron contra mí.

15 Terrores se han vuelto sobre mí; combatieron como viento mi alma, y mi prosperidad pasó como nube.

16 Y ahora mi alma está derramada en mí; días de aflicción se han apoderado de mí.

17 De noche taladra sobre mí mis huesos, y los que me roen no reposan.

18 Con grande fuerza es desfigurada mi vestidura; me ciñe como el cuello de mi túnica.

19 Me derribó en el lodo, y soy semejante al polvo y a la ceniza.

20 Clamo a ti, y no me oyes; me presento, y no me atiendes.

21 Te has vuelto cruel para mí; con el poder de tu mano me persigues.

22 Me levantaste, me hiciste cabalgar sobre el viento, y disolviste mi sustancia.

23 Pues yo sé que me llevarás a la muerte; y a la casa determinada a todo viviente.

24 Sin embargo Él no extenderá *su* mano contra el sepulcro; ¿Clamarán los sepultados cuando Él los quebrante?

25 ¿No lloré yo al afligido? ¿No se entristeció mi alma sobre el menesteroso?

26 Cuando esperaba yo el bien, entonces vino el mal; y cuando esperaba luz, la oscuridad vino.

27 Mis entrañas hierven, y no reposan; días de aflicción me han sobrevenido.

28 Denegrido ando, y no por el sol; me he levantado en la congregación y he clamado.

29 He venido a ser hermano de los dragones, y compañero de los búhos.

30 Mi piel está denegrida sobre mí, y mis huesos se han quemado del calor.

31 Y se ha vuelto mi arpa en luto, y mi flauta en voz de lamentadores.

CAPÍTULO 31

Hice pacto con mis ojos: ¿Cómo, pues, había yo de pensar en virgen?

2 Porque ¿qué galardón me daría de arriba Dios, y qué heredad el Omnipotente desde las alturas?

3 ¿No hay quebrantamiento para el impío, y calamidad inesperada para los que obran iniquidad?

4 ¿No ve Él mis caminos, y cuenta todos mis pasos?

5 Si anduve con mentira, y si mi pie se apresuró a engaño,

6 sea yo pesado en balanzas de justicia, y que Dios conozca mi integridad.

7 Si mis pasos se apartaron del camino, y si mi corazón se fue tras

mis ojos, y si algo sucio se apegó a mis manos,

8 siembre yo y otro coma, y sean desarraigados mis renuevos.

9 Si mi corazón fue engañado acerca de mujer, y si estuve acechando a la puerta de mi prójimo;

10 Muela mi esposa para otro, y sobre ella otros se encorven.

11 Porque es maldad e iniquidad, que han de castigar los jueces.

12 Porque es fuego que devoraría hasta la destrucción, y desarraigaría toda mi hacienda.

13 Si tuve en poco el derecho de mi siervo y de mi sierva, cuando ellos contendían conmigo,

14 ¿qué haré yo cuando Dios se levante? Y cuando Él me pida cuentas, ¿qué le responderé yo?

15 El que en el vientre me hizo a mí, ¿no lo hizo a él? ¿Y no nos dispuso uno mismo en la matriz?

16 Si estorbé el contento de los pobres, e hice desfallecer los ojos de la viuda,

17 Y si comí mi bocado solo, y no comió de él el huérfano

18 (Porque desde mi juventud creció conmigo como con un padre, y desde el vientre de mi madre fui guía de la viuda);

19 Si he visto a alguno perecer por falta de ropa, o al menesteroso sin abrigo;

20 si no me bendijeron sus lomos, y del vellón de mis ovejas se calentaron;

21 si alcé contra el huérfano mi mano, porque vi que me ayudarían en la puerta;

22 mi hombro se caiga de mi espalda, y mi brazo sea quebrado de mi antebrazo.

23 Porque temí el castigo de Dios, contra cuya alteza yo no tendría poder.

24 Si puse en el oro mi esperanza, y dije al oro: Mi confianza eres tú;

25 si me alegré de que mi riqueza *era* grande, y de que mi mano había adquirido mucho;

26 Si he mirado al sol cuando resplandecía, y a la luna cuando iba hermosa,

27 y mi corazón se engañó en secreto, y mi boca besó mi mano.

28 Esto también sería maldad *que debiera ser castigada por* el juez; porque habría negado al Dios soberano.

29 Si me alegré en el quebrantamiento del que me aborrecía, y me regocijé cuando le halló el mal

30 (Ni aun permití que mi lengua pecase, pidiendo maldición para su alma);

31 Si los siervos de mi morada no decían: ¡Oh que nos diese de su carne, pues no estamos saciados!

32 El extranjero no pasaba afuera la noche; mis puertas abría al caminante.

33 ¿Acaso encubrí como Adán mis transgresiones, escondiendo en mi seno mi iniquidad,

34 porque tuve temor de la gran multitud, y el menosprecio de las familias me atemorizó, y callé, y no salí de mi puerta?

35 ¡Quién me diera alguien que me oyese! He aquí mi deseo *es que* el Omnipotente me respondiese, y que mi adversario hubiese escrito un libro.

36 Ciertamente yo lo llevaría sobre mi hombro, y me lo ceñiría *como* una corona.

37 Yo le contaría el número de mis pasos, y como príncipe me presentaría ante Él.

38 Si mi tierra clama contra mí, y lloran todos sus surcos;

39 si comí su sustancia sin dinero, o afligí el alma de sus dueños;

40 en lugar de trigo me nazcan abrojos, y espinas en lugar de cebada. Terminan las palabras de Job.

CAPÍTULO 32

Y cesaron estos tres varones de responder a Job, por cuanto él era justo a sus propios ojos.

2 Entonces Eliú hijo de Baraquel, buzita, de la familia de Ram, se encendió en ira contra Job; se encendió en ira por cuanto él se justificaba más a sí mismo que a Dios.

3 Se encendió asimismo en ira contra sus tres amigos, porque no hallaban qué responder, aunque habían condenado a Job.

4 Y Eliú había esperado a que Job terminase de hablar, porque ellos eran más viejos que él.

5 Pero viendo Eliú que no había respuesta en la boca de aquellos tres varones, se encendió su ira.

6 Y respondió Eliú hijo de Baraquel, buzita, y dijo: Yo *soy* joven, y vosotros *sois* ancianos; por tanto, he tenido miedo, y he temido declararos mi opinión.

7 Yo decía: Los días hablarán, y la muchedumbre de años declarará sabiduría.

8 Ciertamente espíritu hay en el hombre, y la inspiración del Omnipotente le da entendimiento.

9 No los grandes son los sabios, ni los viejos entienden el derecho.

10 Por tanto, yo dije: Escuchadme; también yo declararé lo que pienso.

11 He aquí yo he esperado a vuestras razones, he escuchado vuestros argumentos, en tanto que buscabais palabras.

12 Os he prestado atención, y he aquí que no hay de vosotros quien redarguya a Job, y responda a sus razones.

13 Para que no digáis: Nosotros hemos hallado sabiduría: Lo derriba Dios, no el hombre.

14 Ahora bien, Job no dirigió contra mí sus palabras, ni yo le responderé con vuestras razones.

15 Se espantaron, no respondieron más; se les fueron los razonamientos.

16 Yo, pues, he esperado, porque no hablaban, antes pararon, y no respondieron más.

17 Por eso yo también responderé mi parte, también yo declararé mi juicio.

18 Porque lleno estoy de palabras, y el espíritu dentro de mí me constriñe.

19 De cierto mi vientre está como el vino que no tiene respiradero, y se rompe como odres nuevos.

20 Hablaré, pues, y respiraré; abriré mis labios, y responderé.

21 No haré ahora acepción de personas, ni usaré con hombre alguno de títulos lisonjeros.

22 Porque no sé hablar lisonjas; de otra manera en breve mi Hacedor me consumiría.

CAPÍTULO 33

Por tanto, Job, oye ahora mis razones, y escucha todas mis palabras.

2 He aquí yo abriré ahora mi boca, y mi lengua hablará en mi garganta.

3 Mis razones declararán la rectitud de mi corazón, y mis labios proferirán sabiduría pura.

4 El Espíritu de Dios me hizo, y la inspiración del Omnipotente me dio vida.

5 Si pudieres, respóndeme: Ordena tus palabras delante de mí, ponte de pie.

6 Heme aquí a mí en lugar de Dios, conforme a tu dicho: Yo también del barro soy formado.

7 He aquí que mi terror no te espantará, ni mi mano se agravará sobre ti.

8 De cierto tú dijiste a oídos míos, y yo oí la voz de tus palabras que decían:

9 Yo soy limpio y sin defecto; y soy inocente, y no hay maldad en mí.

10 He aquí que Él buscó causas contra mí, y me tiene por su enemigo;

11 Puso mis pies en el cepo, y vigiló todas mis sendas.

12 He aquí en esto no has hablado justamente: Yo te responderé que mayor es Dios que el hombre.

13 ¿Por qué tomaste pleito contra Él? Porque Él no da cuenta de ninguna de sus razones.

14 Sin embargo, en una o en dos maneras habla Dios; mas el hombre no entiende.

15 Por sueño de visión nocturna, cuando el sueño cae sobre los hombres, cuando se adormecen sobre el lecho;

16 Entonces revela al oído de los hombres, y les señala su consejo;

17 Para quitar al hombre de su obra, y apartar del varón la soberbia.

18 Él libra su alma de la fosa, y su vida de perecer a espada.

19 También sobre su cama es castigado con dolor fuerte en todos sus huesos,

20 que le hace que su vida aborrezca el pan, y su alma la comida suave.

21 Su carne desfallece hasta no verse, y sus huesos, que antes no se veían, aparecen.

22 Y su alma se acerca al sepulcro, y su vida a los que causan la muerte.

23 Si hubiese con él un elocuente mediador, uno entre mil, que anuncie al hombre su deber;

24 Que le diga que Dios tuvo de él misericordia, que lo libró de descender al sepulcro, que halló redención:

25 Su carne será más tierna que la del niño, volverá a los días de su juventud.

26 Orará a Dios, y Éste se agradará de él, y él verá su faz con júbilo. Porque Él restituirá al hombre su justicia.

27 Él mira sobre los hombres; y al que dijere: Pequé, y pervertí lo recto, y no me ha aprovechado;

28 Dios redimirá su alma, que no pase al sepulcro, y su vida se verá en luz.

29 He aquí, todas estas cosas hace Dios, dos y tres veces con el hombre;

30 Para apartar su alma del sepulcro, y para iluminarlo con la luz de los vivientes.

31 Escucha, Job, y óyeme; calla, y yo hablaré.

32 Si tienes algo qué decir, respóndeme; habla, porque yo te quiero justificar.

33 Y si no, óyeme tú a mí; calla, y te enseñaré sabiduría.

CAPÍTULO 34

Además respondió Eliú, y dijo:
2 Oíd, sabios, mis palabras; y vosotros, doctos, estadme atentos.

3 Porque el oído prueba las palabras, como el paladar gusta la comida.

4 Escojamos para nosotros el juicio, conozcamos entre nosotros cuál sea lo bueno;

5 Porque Job ha dicho: Yo soy justo, y Dios me ha quitado mi derecho.

6 ¿He de mentir yo contra mi razón? Mi herida es incurable sin haber yo transgredido.

7 ¿Qué hombre hay como Job, que bebe el escarnio como agua?

8 Y va en compañía con los que obran iniquidad, y anda con los hombres malignos.

9 Porque ha dicho: De nada sirve al hombre deleitarse a sí mismo en Dios.

10 Por tanto, varones entendidos, oídme; lejos esté de Dios la impiedad, y del Omnipotente la iniquidad.

11 Porque Él pagará al hombre según su obra, y Él le hará hallar conforme a su camino.

12 Sí, por cierto, Dios no hará injusticia, y el Omnipotente no pervertirá el derecho.

13 ¿Quién le dio autoridad sobre la tierra? ¿O quién puso en orden todo el mundo?

14 Si Él pusiese sobre el hombre su corazón, y recogiese a sí su espíritu y su aliento,

15 toda carne perecería juntamente, y el hombre se tornaría en polvo.

16 Si tienes entendimiento, oye esto: Escucha la voz de mis palabras.

17 ¿Gobernará el que aborrece juicio? ¿Y condenarás tú al que es tan justo?

18 ¿Se dirá al rey: Perverso; Y a los príncipes: Impíos?

19 ¿*Cuánto menos a Aquél* que no hace acepción de personas de príncipes, ni respeta al rico más que al pobre? Porque todos son obras de sus manos.

20 En un momento morirán, y a medianoche se alborotarán los pueblos, y pasarán, y sin mano será quitado el poderoso.

21 Porque sus ojos están sobre los caminos del hombre, y ve todos sus pasos.

22 No hay tinieblas ni sombra de muerte donde se oculten los que obran maldad.

23 No carga, pues, Él al hombre más de lo justo, para que vaya con Dios a juicio.

24 Él quebrantará a los fuertes sin indagación, y pondrá a otros en lugar de ellos.

25 Por tanto Él hará notorias las obras de ellos, cuando los trastorne en la noche, y sean quebrantados.

26 Como a malos los herirá en lugar donde sean vistos:

27 Por cuanto así se apartaron de Él, y no consideraron ninguno de sus caminos;

28 haciendo venir delante de Él el clamor del pobre, y que oiga el clamor de los necesitados.

29 Si Él diere reposo, ¿quién inquietará? Si escondiere el rostro, ¿quién lo mirará? Esto sobre una nación, y lo mismo sobre un hombre;

30 Haciendo que no reine el hombre hipócrita para vejaciones del pueblo.

31 De seguro conviene que se diga a Dios: He llevado ya *castigo*, no ofenderé *ya más*.

32 Enséñame tú lo que yo no veo; Si hice mal, no lo haré más.

33 ¿Ha de ser eso según tu mente? Él te retribuirá, ora rehúses, ora aceptes, y no yo; por tanto, habla lo que sabes.

34 Que los hombres de entendimiento me hablen, y el hombre sabio me oirá:

35 Job habla sin entendimiento, y sus palabras no son con sabiduría.

36 Deseo yo que Job sea probado ampliamente, a causa de sus respuestas por los hombres inicuos.

37 Porque a su pecado añadió rebelión; bate *las manos* entre nosotros, y contra Dios multiplica sus palabras.

CAPÍTULO 35

Y procediendo Eliú en su razonamiento, dijo:

2 ¿Piensas que es correcto esto que dijiste: Más justo soy yo que Dios?

3 Porque dijiste: ¿Qué ventaja sacarás tú de ello? ¿O qué provecho tendré de *no haber* pecado?

4 Yo te responderé razones, y a tus compañeros contigo.

5 Mira a los cielos, y ve, y considera que las nubes son más altas que tú.

6 Si pecares, ¿qué habrás hecho contra Él? Y si tus rebeliones se multiplicaren, ¿qué le harás tú?

7 Si fueres justo, ¿qué le darás a Él? ¿O qué recibirá de tu mano?

8 Al hombre como tú dañará tu impiedad, y al hijo del hombre aprovechará tu justicia.

9 A causa de la multitud de las violencias clamarán, y se lamentarán por el poderío de los grandes.

10 Y ninguno dice: ¿Dónde está Dios mi Hacedor, que da canciones en la noche,

11 que nos enseña más que a las bestias de la tierra, y nos hace sabios más que a las aves del cielo?

12 Allí clamarán, pero Él no oirá, por la soberbia de los malos.

13 Ciertamente Dios no oirá la vanidad, ni la mirará el Omnipotente.

14 Aunque digas: No lo mirará; el juicio está delante de Él, espera, pues, en Él.

15 Mas ahora, porque en su ira no visita, ni considera con rigor,

16 por eso Job abre su boca vanamente, y multiplica palabras sin sabiduría.

CAPÍTULO 36

Y añadió Eliú, y dijo:

2 Espérame un poco, y te enseñaré; porque todavía tengo razones de parte de Dios.

3 Traeré mi saber desde lejos, y atribuiré justicia a mi Hacedor.

4 Porque de cierto no son mentira mis palabras; contigo está el que es íntegro en sus conceptos.

5 He aquí que Dios es poderoso, mas no desestima a nadie; es poderoso en fuerza y sabiduría.

6 No otorgará vida al impío, y a los afligidos dará su derecho.

7 No quitará sus ojos del justo; antes bien con los reyes los pondrá en trono para siempre, y serán exaltados.

8 Y si estuvieren aprisionados en grillos, y atrapados en cuerdas de aflicción,

9 entonces Él les mostrará la obra de ellos, y que prevalecieron sus transgresiones.

10 Despierta además el oído de ellos para la corrección, y les dice que se conviertan de la iniquidad.

11 Si oyeren, y le sirvieren, acabarán sus días en bienestar, y sus años en contentamiento.

12 Pero si no oyeren, serán pasados a espada, y perecerán sin sabiduría.

13 Mas los hipócritas de corazón acumulan ira, y no clamarán cuando Él los atare.

14 Fallecerá el alma de ellos en su juventud, y su vida entre los sodomitas.

15 Al pobre librará de su pobreza, y en la aflicción despertará su oído.

16 Asimismo te apartará de la boca de la angustia a lugar espacioso, libre de todo apuro; y te aderezará mesa llena de grosura.

17 Mas tú has llenado el juicio del impío, en vez de sustentar el juicio y la justicia.

18 Por lo cual teme que en su ira no te quite con golpe, el cual no puedas apartar de ti con gran rescate.

19 ¿Hará Él estima de tus riquezas, o del oro, o de todas las fuerzas del poder?

20 No anheles la noche, en que desaparecen los pueblos de su lugar.

21 Guárdate, no *te* vuelvas a la iniquidad; pues ésta escogiste más bien que la aflicción.

22 He aquí que Dios es excelso en su poder; ¿Qué enseñador semejante a Él?

23 ¿Quién le ha prescrito su camino? ¿Y quién le dirá: Has hecho iniquidad?

24 Acuérdate de engrandecer su obra, la cual contemplan los hombres.

25 Los hombres todos la ven; la mira el hombre de lejos.

26 He aquí, Dios es grande, y nosotros no le conocemos; ni se puede rastrear el número de sus años.

27 Él reduce las gotas de las aguas, al derramarse la lluvia según el vapor;

28 Las cuales destilan las nubes, goteando en abundancia sobre los hombres.

29 ¿Quién podrá comprender la extensión de las nubes, y el sonido estrepitoso de su tabernáculo?

30 He aquí que sobre él extiende su luz, y cobija con ella las profundidades del mar.

31 Bien que por esos medios castiga a los pueblos, Él da sustento en abundancia.

32 Con las nubes encubre la luz, y le manda no brillar, interponiendo aquéllas.

33 Tocante a ella anunciará el trueno, su compañero, que hay acumulación de ira sobre el que se eleva.

CAPÍTULO 37

Ante esto también tiembla mi corazón, y salta de su lugar.

2 Oíd atentamente el estruendo de su voz, y el sonido que sale de su boca.

3 Debajo de todos los cielos lo dirige, y su luz hasta los fines de la tierra.

4 Después del *estruendo* ruge su voz, truena Él con la voz de su majestad; y aunque sea oída su voz, no los detiene.

5 Truena Dios maravillosamente con su voz; Él hace grandes cosas, que nosotros no entendemos.

6 Porque a la nieve dice: Desciende a la tierra; también a la llovizna, y al aguacero torrencial de su fortaleza.

7 Él sella la mano de todo hombre, para que los hombres todos reconozcan su obra.

8 Las bestias entran en su escondrijo, y se quedan en sus moradas.

9 Del sur viene el torbellino, y el frío de los vientos del norte.

10 Por el soplo de Dios se da el hielo, y el ancho de las aguas es confinado.

11 Regando también llega a disipar la densa nube, y con su luz esparce la niebla.

12 Asimismo por sus designios se revuelven las nubes en derredor, para hacer sobre la faz del mundo, en la tierra, lo que Él les mande.

13 Unas veces por azote, otras por causa de su tierra, otras por misericordia las hará venir.

14 Escucha esto, Job; Detente, y considera las maravillas de Dios.

15 ¿Sabes tú cuándo Dios las pone en concierto, y hace resplandecer la luz de su nube?

16 ¿Sabes tú las diferencias de las nubes, las maravillas del Perfecto en sabiduría?

17 ¿Por qué están calientes tus ropas cuando Él aquieta la tierra con el viento del sur?

18 ¿Extendiste tú con Él los cielos, firmes como un espejo sólido?

19 Muéstranos qué le hemos de decir; porque nosotros no podemos ordenar *nuestras ideas* a causa de las tinieblas.

20 ¿Será preciso contarle cuando yo hablare? Por más que el hombre razone, quedará como abismado.

21 Y ahora no se puede mirar la luz esplendente en los cielos, luego que pasa el viento y los limpia,

22 viniendo de la parte del norte la dorada claridad. En Dios hay una majestad terrible.

23 Él es Todopoderoso, al cual no alcanzamos, grande en poder; y en juicio y en multitud de justicia no afligirá.

24 Lo temerán por tanto los hombres: Él no estima a ninguno que *se cree ser* sabio de corazón.

CAPÍTULO 38

Y respondió Jehová a Job desde un torbellino, y dijo:

2 ¿Quién es ése que oscurece el consejo con palabras sin sabiduría?

3 Ciñe ahora como varón tus lomos; yo te preguntaré, y respóndeme tú.

4 ¿Dónde estabas cuando yo fundé la tierra? Házmelo saber, si tienes conocimiento.

5 ¿Quién ordenó sus medidas, si lo sabes? ¿O quién extendió sobre ella cordel?

6 ¿Sobre qué están fundadas sus bases? ¿O quién puso su piedra angular,

7 cuando las estrellas del alba juntas alababan, y todos los hijos de Dios daban gritos de gozo?

8 ¿Quién encerró con puertas el mar, cuando se derramaba como saliendo del vientre;

9 cuando puse yo nubes por vestidura suya, y por su faja oscuridad;

10 y establecí sobre él mi decreto, y le puse puertas y cerrojo,

11 y dije: Hasta aquí llegarás, y no pasarás adelante, y aquí parará la soberbia de tus olas?

12 ¿Has mandado tú a la mañana en tus días? ¿Has mostrado al alba su lugar,

13 para que ocupe los fines de la tierra, y que sean sacudidos de ella los impíos?

14 Ella muda como barro bajo el sello, y viene a estar como con vestidura;

15 Mas la luz de los impíos es quitada de ellos, y el brazo enaltecido es quebrantado.

16 ¿Has entrado tú hasta las fuentes del mar, y has andado escudriñando el abismo?

17 ¿Te han sido descubiertas las puertas de la muerte, y has visto las puertas de la sombra de muerte?

18 ¿Has considerado tú la anchura de la tierra? Declara si sabes todo esto.

19 ¿Por dónde está el camino a donde mora la luz, y dónde está el lugar de las tinieblas,

20 para que las lleves a sus términos, y entiendas las sendas de su casa?

21 ¿Lo sabes tú, porque entonces ya habías nacido, o porque es grande el número de tus días?

22 ¿Has entrado tú en los tesoros de la nieve, o has visto los tesoros del granizo,

23 lo cual tengo reservado para el tiempo de angustia, para el día de la guerra y de la batalla?

24 ¿Por qué camino se reparte la luz, y se esparce el viento solano sobre la tierra?

25 ¿Quién repartió conducto al turbión, y camino a los relámpagos y truenos,

26 haciendo llover sobre la tierra deshabitada, sobre el desierto, donde no hay hombre,

27 para saciar la tierra desierta e inculta, y para hacer brotar la tierna hierba?

28 ¿Tiene la lluvia padre? ¿O quién engendró las gotas del rocío?

29 ¿De qué vientre salió el hielo? Y la escarcha del cielo, ¿quién la engendró?

30 Las aguas se endurecen a manera de piedra, y se congela la faz del abismo.

31 ¿Podrás tú atar las delicias de las Pléyades, o desatarás las ligaduras del Orión?

32 ¿Sacarás tú a su tiempo las constelaciones de los cielos, o guiarás a la Osa Mayor con sus hijos?

33 ¿Supiste tú las ordenanzas de los cielos? ¿Dispondrás tú de su potestad en la tierra?

34 ¿Alzarás tú a las nubes tu voz, para que te cubra muchedumbre de aguas?

35 ¿Enviarás tú los relámpagos, para que ellos vayan? ¿Y te dirán ellos: Henos aquí?

36 ¿Quién puso la sabiduría en el corazón? ¿O quién dio a la mente la inteligencia?

37 ¿Quién puso por cuenta los cielos con sabiduría? Y los odres de los cielos, ¿quién los hace parar,

38 cuando el polvo se ha convertido en dureza, y los terrones se han pegado unos con otros?

39 ¿Cazarás tú la presa para el león? ¿Y saciarás el hambre de los leoncillos,

40 cuando están echados en las cuevas, o se están en sus guaridas para acechar?

41 ¿Quién prepara al cuervo su alimento, cuando sus polluelos claman a Dios, bullendo de un lado a otro por falta de comida?

CAPÍTULO 39

1 ¿Sabes tú el tiempo en que paren las cabras monteses? ¿O miras tú las ciervas cuando están pariendo?

2 ¿Puedes tú contar los meses de su preñez, y sabes el tiempo cuando han de parir?

3 Se encorvan, hacen salir sus crías, pasan sus dolores.

4 Sus crías están sanas, crecen con el pasto: Salen y no vuelven a ellas.

5 ¿Quién echó libre al asno montés, y quién soltó sus ataduras?

6 Al cual yo puse casa en la soledad, y sus moradas en lugares estériles.

7 Se burla de la multitud de la ciudad; no oye las voces del arriero.

8 Lo oculto de los montes es su pasto, y anda buscando todo lo que está verde.

9 ¿Querrá el unicornio servirte a ti, o quedar en tu pesebre?

10 ¿Atarás tú al unicornio con coyunda para el surco? ¿Labrará los valles en pos de ti?

11 ¿Confiarás tú en él, por ser grande su fortaleza, y le fiarás tu labor?

12 ¿Fiarás de él para que recoja tu semilla y la junte en tu era?

13 ¿Diste tú hermosas alas al pavo real, o alas y plumas al avestruz?

14 El cual desampara en la tierra sus huevos, y sobre el polvo los calienta,

15 y se olvida de que los pisará el pie, y que los quebrará bestia del campo.

16 Se endurece para con sus crías, como si no fuesen suyas, no temiendo que su trabajo haya sido en vano;

17 porque le privó Dios de sabiduría, y no le dio inteligencia.

18 Luego que se levanta en alto, se burla del caballo y de su jinete.

19 ¿Diste tú al caballo su fuerza? ¿Vestiste tú su cuello de crines?

20 ¿Le intimidarás tú como a alguna langosta? El resoplido de su nariz es formidable:

21 Escarba la tierra, se alegra en su fuerza, sale al encuentro de las armas:

22 Hace burla del espanto, y no teme, ni vuelve el rostro delante de la espada.

23 Contra él suena la aljaba, el hierro de la lanza y de la jabalina;

24 Y él con ímpetu y furor escarba la tierra, sin importarle el sonido de la trompeta;

25 Antes como que dice entre los clarines: ¡Ea! Y desde lejos huele la batalla, el grito de los capitanes, y el vocerío.

26 ¿Vuela el halcón por tu sabiduría, y extiende hacia el sur sus alas?

27 ¿Se remonta el águila por tu mandamiento, y pone en alto su nido?

28 Ella habita y mora en la roca, en la cumbre de la peña, en lugar seguro.

29 Desde allí acecha la presa; sus ojos observan de muy lejos.

30 Sus polluelos chupan la sangre; y donde hubiere cadáveres, allí está ella.

CAPÍTULO 40

1 Además respondió Jehová a Job y dijo:

2 ¿Es sabiduría contender con el Omnipotente? El que disputa con Dios, responda a esto.

3 Y respondió Job a Jehová, y dijo:

4 He aquí que yo soy vil, ¿qué te responderé? Mi mano pongo sobre mi boca.

5 Una vez hablé, mas no responderé: Aun dos veces, pero no añadiré más.

6 Entonces respondió Jehová a Job desde el torbellino, y dijo:

7 Cíñete ahora como varón tus lomos; Yo te preguntaré, y tú me lo declararás.

8 ¿Invalidarás tú también mi juicio? ¿Me condenarás a mí, para justificarte tú?

9 ¿Tienes tú un brazo como Dios? ¿Y tronarás tú con voz como Él?

10 Atavíate ahora de majestad y de alteza; y vístete de honra y de hermosura.

11 Esparce el furor de tu ira; y mira a todo arrogante, y abátelo.

12 Mira a todo soberbio, y humíllalo, y quebranta a los impíos en su sitio.

13 Encúbrelos a todos en el polvo, venda sus rostros en la oscuridad;

14 Y yo también te confesaré que podrá salvarte tu diestra.

15 He aquí ahora behemot, al cual yo hice contigo; hierba come como buey.

16 He aquí ahora que su fuerza está en sus lomos, y su vigor en el ombligo de su vientre.

17 Su cola mueve como un cedro, y los nervios de sus genitales están entretejidos.

18 Sus huesos son fuertes como bronce, y sus miembros como barras de hierro.

19 Él es el principal de los caminos de Dios: El que lo hizo, puede hacer que su espada a él se acerque.

20 Ciertamente los montes producen hierba para él; y toda bestia del campo retoza allá.

21 Se echará debajo de las sombras, en lo oculto de las cañas, y de los lugares húmedos.

22 Los árboles sombríos lo cubren con su sombra; los sauces del arroyo lo rodean.

23 He aquí que él bebe un río, y no se inmuta; y confía que puede pasarse el Jordán por su boca.

24 Lo toma con sus ojos; su nariz atraviesa el lazo.

CAPÍTULO 41

1 Sacarás tú al leviatán con el anzuelo, o con la cuerda que le eches en su lengua?

2 ¿Pondrás tú garfio en sus narices, y horadarás con espina su quijada?

3 ¿Multiplicará él ruegos para contigo? ¿Te hablará él lisonjas?

4 ¿Hará pacto contigo? ¿Le tomarás por siervo para siempre?

5 ¿Jugarás tú con él como con pájaro, o lo atarás para tus niñas?

6 ¿Harán de él banquete los compañeros? ¿Lo repartirán entre los mercaderes?

7 ¿Cortarás tú con cuchillo su piel, o con arpón de pescadores su cabeza?

8 Pon tu mano sobre él; te acordarás de la batalla, y no lo volverás a hacer.

9 He aquí que la esperanza acerca de él será burlada; porque aun a su sola vista se desmayarán.

10 Nadie hay tan osado que lo despierte: ¿Quién, pues, podrá estar delante de mí?

11 ¿Quién me ha dado a mi primero, para que yo se lo restituya? Todo lo que hay debajo del cielo es mío.

12 Yo no callaré en cuanto a sus miembros, ni lo de sus fuerzas y la gracia de su disposición.

13 ¿Quién descubrirá la delantera de su vestidura? ¿Quién se acercará a él con freno doble?

14 ¿Quién abrirá las puertas de su rostro? Las hileras de sus dientes espantan.

15 Sus escamas son su orgullo, cerradas entre sí estrechamente.

16 La una se junta con la otra, que viento no entra entre ellas.

17 Unida está la una con la otra, están trabadas entre sí, que no se pueden separar.

18 Con sus estornudos enciende lumbre, y sus ojos son como los párpados del alba.

19 De su boca salen hachas de fuego, centellas de fuego proceden.

20 De sus narices sale humo, como de una olla o caldero que hierve.

21 Su aliento enciende los carbones, y de su boca sale llama.

22 En su cerviz mora la fortaleza, y se esparce el desaliento delante de él.

23 Las partes más flojas de su carne están apretadas: Están en él firmes, y no se mueven.

24 Su corazón es firme como una piedra, y fuerte como la muela de abajo.

25 De su grandeza tienen temor los fuertes, y a causa de su desfallecimiento hacen por purificarse.

26 Cuando alguno lo alcanzare, ni espada, ni lanza, ni dardo, ni coselete durará.

27 El hierro estima por paja, y el acero por leño podrido.

28 Saeta no le hace huir; las piedras de honda se le tornan paja.

29 Tiene toda arma por hojarascas, y del blandir de la jabalina se burla.

30 Por debajo tiene agudas conchas; Imprime su agudeza en el suelo.

31 Hace hervir como una olla el profundo mar, y lo torna como una olla de ungüento.

32 En pos de sí hace resplandecer la senda, que parece que el abismo sea cano.

33 No hay sobre la tierra semejante a él, que es hecho libre de temor.

34 Menosprecia toda cosa alta: Es rey sobre todos los soberbios.

CAPÍTULO 42

Y respondió Job a Jehová, y dijo: 2 Yo sé que todo lo puedes, y que no hay pensamiento que se esconda de ti.

3 ¿Quién es el que oscurece el consejo sin conocimiento? Por tanto yo hablaba lo que no entendía; cosas muy maravillosas para mí, que yo no sabía.

4 Oye te ruego, y hablaré; te preguntaré, y tú me enseñarás.

5 De oídas te había oído; mas ahora mis ojos te ven.

6 Por tanto me aborrezco, y me arrepiento en polvo y en ceniza.

7 Y aconteció que después que habló Jehová estas palabras a Job, Jehová dijo a Elifaz temanita: Mi ira se encendió contra ti y tus dos compañeros; porque no habéis hablado de mí lo recto, como mi siervo Job.

8 Ahora pues, tomaos siete becerros y siete carneros, e id a mi siervo Job, y ofreced holocausto por vosotros, y mi siervo Job orará por vosotros; porque de cierto a él atenderé para no trataros con afrenta, por cuanto no habéis hablado de mí con rectitud, como mi siervo Job.

9 Fueron, pues, Elifaz temanita, y Bildad suhita, y Zofar naamatita, e hicieron como Jehová les dijo: y Jehová atendió a Job.

10 Y mudó Jehová la aflicción de Job, orando él por sus amigos: y aumentó al doble todas las cosas que habían sido de Job.

11 Y vinieron a él todos sus hermanos, y todas sus hermanas, y todos los que antes le habían conocido, y comieron con él pan en su casa, y se condolieron de él, y le consolaron de todo aquel mal que Jehová había traído sobre él; y cada uno de ellos le dio una pieza de dinero, y un zarcillo de oro.

12 Y bendijo Jehová la postrimería de Job más que su principio; porque tuvo catorce mil ovejas, seis mil camellos, mil yuntas de bueyes y mil asnas.

13 Y tuvo siete hijos y tres hijas.

14 Y llamó el nombre de la primera, Jemima, y el nombre de la segunda, Cesia, y el nombre de la tercera, Keren-hapuc.

15 Y en toda la tierra no había mujeres tan hermosas como las hijas de Job; y les dio su padre herencia entre sus hermanos.

16 Y después de esto vivió Job ciento cuarenta años, y vio a sus hijos, y a los hijos de sus hijos, hasta la cuarta generación.

17 Y murió Job, viejo y lleno de días.

Libro De Los
SALMOS

SALMO 1
<<El piadoso será prosperado, el impío perecerá>>

Bienaventurado el varón que no anduvo en consejo de malos, ni estuvo en camino de pecadores, ni en silla de escarnecedores se ha sentado;

2 Antes en la ley de Jehová está su delicia, y en su ley medita de día y de noche.

3 Y será como árbol plantado junto a corrientes de aguas, que da su fruto en su tiempo, y su hoja no cae; y todo lo que hace, prosperará.

4 No así los malos, que *son* como el tamo que arrebata el viento.

5 Por tanto, no se levantarán los malos en el juicio, ni los pecadores en la congregación de los justos.

6 Porque Jehová conoce el camino de los justos; mas la senda de los malos perecerá.

SALMOS 2
<<Profecía del reinado del ungido de Jehová>>

¿Por qué se amotinan las gentes, y los pueblos piensan vanidad?

2 Se levantan los reyes de la tierra, y los príncipes consultan unidos contra Jehová y contra su ungido, *diciendo*:

3 Rompamos sus coyundas, y echemos de nosotros sus cuerdas.

4 El que mora en los cielos se reirá; el Señor se burlará de ellos.

5 Entonces hablará a ellos en su furor, y los turbará con su ira.

6 Pero yo he puesto a mi Rey sobre Sión, mi santo monte.

7 Yo publicaré el decreto: Jehová me ha dicho: Mi Hijo eres tú; yo te engendré hoy.

8 Pídeme, y te daré por heredad las naciones, y por posesión tuya los confines de la tierra.

9 Los quebrantarás con vara de hierro; como vaso de alfarero los desmenuzarás.

10 Y ahora, reyes, entended: Admitid corrección, jueces de la tierra.

11 Servid a Jehová con temor, y alegraos con temblor.

12 Besad al Hijo, para que no se enoje, y perezcáis en el camino, cuando se encendiere un poco su furor. Bienaventurados todos los que en Él confían.

SALMO 3
<<Salmo de David, cuando huía de adelante de Absalón su hijo>>

¡Oh Jehová, cuánto se han multiplicado mis enemigos! Muchos se levantan contra mí.

2 Muchos dicen de mi vida: No hay para él salvación en Dios. (Selah)

3 Pero tú, oh Jehová, *eres* escudo alrededor de mí, mi gloria, y el que levanta mi cabeza.

4 Con mi voz clamé a Jehová, y Él me respondió desde su monte santo. (Selah)

5 Yo me acosté y dormí, y desperté; porque Jehová me sostuvo.

6 No temeré de diez millares de pueblos, que pusieren sitio contra mí.

7 Levántate, oh Jehová; sálvame, oh Dios mío; porque tú heriste a todos mis enemigos en la quijada; los dientes de los malos quebrantaste.

8 De Jehová es la salvación: Sobre tu pueblo *será* tu bendición. (Selah)

SALMO 4
<<Al Músico principal: sobre Neginot: Salmo de David>>

Respóndeme cuando clamo, oh Dios de mi justicia; estando en angustia, tú me hiciste ensanchar; ten misericordia de mí, y oye mi oración.

2 Hijos de los hombres, ¿hasta cuándo *volveréis* mi honra en infamia? ¿*Hasta cuándo* amaréis la vanidad, y buscaréis la mentira? (Selah)

3 Sabed, pues, que Jehová hizo apartar al piadoso para sí; Jehová oirá cuando yo a Él clamare.

4 Temblad, y no pequéis: Meditad en vuestro corazón sobre vuestra cama, y callad. (Selah)

5 Ofreced sacrificios de justicia, y confiad en Jehová.

6 Muchos dicen: ¿Quién nos mostrará el bien? Alza sobre nosotros, oh Jehová, la luz de tu rostro.

7 Tú diste alegría a mi corazón, más que la de ellos en el tiempo que se multiplicó su grano y su mosto.

8 En paz me acostaré, y asimismo dormiré; porque solo tú, Jehová, me haces estar confiado.

SALMO 5
<<Al Músico principal: sobre Nehilot: Salmo de David>>

Escucha, oh Jehová, mis palabras; considera mi meditación.

2 Está atento a la voz de mi clamor, Rey mío y Dios mío, porque a ti oraré.

3 Oh Jehová, de mañana oirás mi voz; de mañana presentaré *mi oración* delante de ti, y esperaré.

4 Porque tú no eres un Dios que se complace en la maldad; el malo no habitará junto a ti.

5 Los insensatos no estarán delante de tus ojos; aborreces a todos los que obran iniquidad.

6 Destruirás a los que hablan mentira; al hombre sanguinario y engañador abominará Jehová.

7 Y yo por la multitud de tu misericordia entraré *en* tu casa; y adoraré hacia tu santo templo en tu temor.

8 Guíame, Jehová, en tu justicia a causa de mis enemigos; endereza delante de mí tu camino.

9 Porque en su boca no hay rectitud; sus entrañas *son* perversidad; sepulcro abierto *es* su garganta; con su lengua lisonjean.

10 Destrúyelos, oh Dios; caigan por sus propios consejos; por la multitud de sus transgresiones échalos fuera, porque se rebelaron contra ti.

11 Pero alégrense todos los que en ti confían; para siempre den voces de júbilo, porque tú los defiendes: En ti se regocijen los que aman tu nombre.

12 Porque tú, oh Jehová, bendecirás al justo; lo rodearás de benevolencia como *con* un escudo.

SALMO 6
<<Al Músico principal: sobre Neginot sobre Seminit: Salmo de David>>

Oh Jehová, no me reprendas en tu furor, ni me castigues con tu ira.

2 Ten misericordia de mí, oh Jehová, porque yo estoy debilitado; sáname, oh Jehová, porque mis huesos están conmovidos.

3 Mi alma también está muy turbada; y tú, Jehová, ¿hasta cuándo?

4 Vuélvete, oh Jehová, libra mi alma; sálvame por tu misericordia.

5 Porque en la muerte no *hay* memoria de ti; en el sepulcro, ¿quién te alabará?

6 Fatigado estoy de mi gemir; toda la noche hago nadar mi cama *con mis lágrimas*, riego mi lecho con mi llanto.

7 Mis ojos están consumidos de sufrir; se han envejecido a causa de todos mis angustiadores.

8 Apartaos de mí, todos los obradores de iniquidad; porque Jehová ha oído la voz de mi lloro.

9 Jehová ha oído mi ruego; ha recibido Jehová mi oración.

10 Sean avergonzados y muy aterrados todos mis enemigos; que se vuelvan y súbitamente sean avergonzados.

SALMO 7
<<Sigaión de David, que cantó a Jehová sobre las palabras de Cus, hijo de Benjamín>>

Jehová Dios mío, en ti he confiado: Sálvame de todos los que me persiguen, y líbrame;

2 no sea que desgarren mi alma cual león, despedazándola, sin que haya quien libre.

3 Jehová Dios mío, si yo he hecho esto, si hay en mis manos iniquidad;

4 si di mal pago al que estaba en paz conmigo (Hasta he libertado al que sin causa era mi enemigo),

5 persiga el enemigo mi alma, y alcáncela; y pise en tierra mi vida, y mi honra ponga en el polvo. (Selah)

6 Levántate, oh Jehová, en tu ira; levántate a causa de la furia de mis angustiadores, y despierta en favor mío el juicio que mandaste.

7 Y te rodeará congregación de pueblos; por amor a ellos vuelve a levantarte en alto.

8 Jehová juzgará a los pueblos: Júzgame, oh Jehová, conforme a mi justicia y conforme a mi integridad.

9 Termine ahora la maldad de los impíos, pero establece tú al justo; pues el Dios justo prueba la mente y el corazón.

10 Mi defensa *está* en Dios, que salva a los rectos de corazón.

11 Dios es el que juzga al justo; y Dios está airado todos los días *contra el impío.*

12 Si no se convierte, Él afilará su espada: Ha tensado ya su arco, lo ha preparado.

13 Asimismo ha aparejado para él armas de muerte; ha labrado sus saetas para los que persiguen.

14 He aquí, *el impío* ha gestado iniquidad; concibió maldad, y dio a luz engaño.

15 Pozo ha cavado, y lo ha ahondado; y en el hoyo *que* hizo caerá.

16 Su maldad se volverá sobre su cabeza, y su agravio caerá sobre su propia coronilla.

17 Alabaré a Jehová conforme a su justicia, y cantaré al nombre de Jehová el Altísimo.

SALMO 8
<<Al Músico principal: sobre Gitit: Salmo de David>>

Oh Jehová, Señor nuestro, ¡cuán grande es tu nombre en toda la tierra, que has puesto tu gloria sobre los cielos!

2 De la boca de los niños y de los que maman, fundaste la fortaleza, a causa de tus enemigos, para hacer cesar al enemigo y al vengativo.

3 Cuando veo tus cielos, obra de tus dedos, la luna y las estrellas que tú formaste:

4 Digo: ¿Qué es el hombre, para que tengas de él memoria, y el hijo del hombre, para que lo visites?

5 Le has hecho un poco menor que los ángeles, y lo coronaste de gloria y de honra.

6 Le hiciste señorear sobre las obras de tus manos; todo lo pusiste debajo de sus pies;

7 ovejas y bueyes, todo ello; y también las bestias del campo,

8 las aves de los cielos y los peces del mar; *todo cuanto* pasa por los senderos del mar.

9 Oh Jehová, Señor nuestro, ¡Cuán grande *es* tu nombre en toda la tierra!

SALMO 9
<<Al Músico principal: sobre Mutlaben: Salmo de David>>

Te alabaré, oh Jehová, con todo mi corazón; Contaré todas tus maravillas.

2 Me alegraré y me regocijaré en ti; cantaré a tu nombre, oh Altísimo;

3 mis enemigos volvieron atrás; caerán y perecerán delante de ti.

4 Porque has sostenido mi juicio y mi causa; te sentaste en el trono juzgando *con* justicia.

5 Reprendiste naciones, destruiste al malo, raíste el nombre de ellos eternamente y para siempre.

6 Oh enemigo, acabados son para siempre los asolamientos, y las ciudades que derribaste; su memoria pereció con ellas.

7 Mas Jehová permanecerá para siempre; ha dispuesto su trono para juicio.

8 Y Él juzgará al mundo con justicia; y juzgará a los pueblos con rectitud.

9 Jehová será refugio al oprimido, un refugio en los tiempos de angustia.

10 En ti confiarán los que conocen tu nombre; por cuanto tú, oh Jehová, no desamparaste a los que te buscaron.

11 Cantad a Jehová, que habita en Sión; proclamad entre los pueblos sus obras.

12 Cuando demandó la sangre, se acordó de ellos; no se olvidó del clamor de los pobres.

13 Ten misericordia de mí, oh Jehová; mira mi aflicción que padezco de los que me aborrecen, tú que me levantas de las puertas de la muerte;

14 Para que cuente yo todas tus alabanzas en las puertas de la hija de Sión, y me goce en tu salvación.

15 Se hundieron las naciones en la

fosa que hicieron; en la red que escondieron fue atrapado su pie.

16 Jehová es conocido por el juicio que hizo; en la obra de sus propias manos fue enlazado el malo. (Higaion. Selah)

17 Los malos serán trasladados al infierno, y todas las naciones que se olvidan de Dios.

18 Porque no para siempre será olvidado el pobre; ni la esperanza de los pobres perecerá perpetuamente.

19 Levántate, oh Jehová; no se fortalezca el hombre; sean juzgadas las naciones delante de ti.

20 Pon, oh Jehová, temor en ellos; conozcan las naciones que no son sino hombres. (Selah)

SALMO 10

¿Por qué estás lejos, oh Jehová, y te escondes en el tiempo de la tribulación?

2 Con arrogancia el malo persigue al pobre; sean atrapados en los artificios que han ideado.

3 Porque el malo se jacta del deseo de su corazón, y bendice al codicioso al cual aborrece Jehová.

4 El malo, por la altivez de su rostro, no busca a Dios; no hay Dios en ninguno de sus pensamientos.

5 Sus caminos son torcidos en todo tiempo; tus juicios los tiene muy lejos de su vista, y desprecia a todos sus enemigos.

6 Dice en su corazón: No seré movido; Nunca me alcanzará el infortunio.

7 Su boca está llena de maldición, de engaño y de fraude; debajo de su lengua hay vejación y maldad.

8 Se sienta al acecho en las aldeas; en los escondrijos mata al inocente; sus ojos están acechando al pobre.

9 Acecha en oculto, como el león desde su cueva; acecha para arrebatar al pobre; arrebata al pobre trayéndolo a su red.

10 Se encoge, se agacha, y caen en sus garras muchos desdichados.

11 Dice en su corazón: Dios ha olvidado, ha encubierto su rostro; nunca lo verá.

12 Levántate, oh Jehová Dios, alza tu mano, no te olvides de los pobres.

Los malos, trasladados al infierno

13 ¿Por qué irrita el malo a Dios? En su corazón ha dicho: Tú no lo inquirirás.

14 Tú lo has visto; porque tú miras la maldad y la vejación, para cobrar venganza con tu mano: En ti se refugia el pobre, tú eres el amparo del huérfano.

15 Quiebra tú el brazo del impío y del maligno; persigue su maldad, hasta que ninguna halles.

16 Jehová es Rey eternamente y para siempre; de su tierra han perecido las naciones.

17 El deseo de los humildes oíste, oh Jehová: Tú dispones su corazón, y haces atento tu oído;

18 Para juzgar al huérfano y al oprimido, a fin de que no vuelva más a hacer violencia el hombre de la tierra.

SALMO 11

<<Al Músico principal: Salmo de David>>

En Jehová he confiado; ¿Cómo decís a mi alma: Escapa al monte cual ave?

2 Porque he aquí, los malos tensan el arco, preparan sus saetas sobre la cuerda, para asaetear en oculto a los rectos de corazón.

3 Si fueren destruidos los fundamentos, ¿Qué podrá hacer el justo?

4 Jehová está en su santo templo: El trono de Jehová está en el cielo: Sus ojos ven, sus párpados examinan a los hijos de los hombres.

5 Jehová prueba al justo; pero al malo y al que ama la violencia, su alma aborrece.

6 Sobre los malos lloverá lazos; fuego, azufre y terrible tempestad; ésta será la porción del cáliz de ellos.

7 Porque el justo Jehová ama la justicia; el hombre recto mirará su rostro.

SALMO 12

<<Al Músico principal: sobre Seminit: Salmo de David>>

Salva, oh Jehová, porque se acabaron los piadosos; porque han desaparecido los fieles de entre los hijos de los hombres.

2 Mentira habla cada uno con su prójimo; Hablan *con* labios lisonjeros y con doblez de corazón.

3 Jehová destruirá todos los labios lisonjeros, la lengua que habla soberbias;

4 los que han dicho: Por nuestra lengua prevaleceremos; nuestros labios *son* nuestros; ¿quién es señor sobre nosotros?

5 Por la opresión de los pobres, por el gemido de los necesitados, ahora me levantaré, dice Jehová; los pondré a salvo del que contra ellos se engríe.

6 Las palabras de Jehová *son* palabras puras; *como* plata refinada en horno de tierra, purificada siete veces.

7 Tú, Jehová, las guardarás; las preservarás de esta generación para siempre.

8 Asediando andan los malos, cuando son exaltados los más viles de los hijos de los hombres.

SALMO 13
<<Al Músico principal: Salmo de David>>

¿ Hasta cuándo, Jehová? ¿Me olvidarás para siempre? ¿Hasta cuándo esconderás tu rostro de mí?

2 ¿Hasta cuándo pondré consejos en mi alma, *con* ansiedad en mi corazón cada día? ¿Hasta cuándo será enaltecido mi enemigo sobre mí?

3 Mira, óyeme, Jehová Dios mío; alumbra mis ojos, para que no duerma en muerte;

4 Para que no diga mi enemigo: Lo he vencido: Mis enemigos se alegrarán, si yo resbalare;

5 mas yo en tu misericordia he confiado; Se alegrará mi corazón en tu salvación.

6 Cantaré a Jehová, porque me ha hecho bien.

SALMO 14
<<Al Músico principal: *Salmo* de David>>

D ijo el necio en su corazón: No hay Dios. Se corrompieron, hicieron obras abominables; no hay quien haga el bien.

2 Jehová miró desde los cielos sobre los hijos de los hombres, para ver si había algún entendido, que buscara a Dios.

3 Todos se desviaron, a una se han corrompido; no hay quien haga el bien, no hay ni siquiera uno.

4 ¿No tendrán conocimiento todos los obradores de iniquidad, que devoran a mi pueblo *como* si comiesen pan, y a Jehová no invocan?

5 Allí temblaron de espanto; porque Dios *está* con la generación de los justos.

6 El consejo del pobre habéis escarnecido, pero Jehová *es* su refugio.

7 ¡Oh que de Sión *viniese* la salvación de Israel! Cuando Jehová hiciere volver a los cautivos de su pueblo, se gozará Jacob, y se alegrará Israel.

SALMO 15
<<Salmo de David>>

J ehová, ¿quién habitará en tu tabernáculo? ¿Quién morará en tu santo monte?

2 El que anda en integridad y obra justicia, y habla verdad en su corazón.

3 *El que* no calumnia con su lengua, ni hace mal a su prójimo, ni admite reproche contra su prójimo.

4 *Aquel* a cuyos ojos es menospreciado el vil; mas honra a los que temen a Jehová; *el que* aun jurando en daño *suyo*, no cambia;

5 *quien* su dinero no dio a usura, ni contra el inocente tomó cohecho. El que hace estas cosas, jamás será removido.

SALMO 16
<<Mictam de David>>

G uárdame, oh Dios, porque en ti he confiado.

2 *Oh alma mía*, dijiste a Jehová: Tú *eres* mi Señor; mi bien a ti no aprovecha;

3 *sino* a los santos que *están* en la tierra, y a los íntegros, en quienes *está* toda mi complacencia.

4 Se multiplicarán los dolores de aquellos que sirven diligentes a otro *dios*: No ofreceré yo sus libaciones de sangre, ni en mis labios tomaré sus nombres.

5 Jehová es la porción de mi herencia y de mi copa. Tú sustentas mi suerte.

6 Las cuerdas me cayeron en lugares deleitosos, y es hermosa la heredad que me ha tocado.

7 Bendeciré a Jehová que me aconseja; aun en las noches me enseñan mis riñones.

8 A Jehová he puesto siempre delante de mí; porque está a mi diestra no seré conmovido.

9 Por tanto, mi corazón se alegra, y se goza mi gloria; también mi carne reposará segura.

10 Porque no dejarás mi alma en el infierno; ni permitirás que tu Santo vea corrupción.

11 Me mostrarás la senda de la vida: Plenitud de gozo hay en tu presencia; delicias en tu diestra para siempre.

SALMO 17
<<Oración de David>>

O ye, oh Jehová, justicia; está atento a mi clamor; escucha mi oración hecha de labios sin engaño.

2 De delante de tu rostro salga mi juicio; vean tus ojos la rectitud.

3 Tú has probado mi corazón, *me* has visitado de noche; me has puesto a prueba, y nada hallaste; me he propuesto que mi boca no ha de propasarse.

4 En cuanto a las obras de los hombres, por la palabra de tus labios yo me he guardado de las sendas de los violentos.

5 Sustenta mis pasos en tus caminos, para que mis pies no resbalen.

6 Yo te he invocado, porque tú me oirás, oh Dios: Inclina a mí tu oído, escucha mi palabra.

7 Muestra tus maravillosas misericordias, tú que con tu diestra salvas a los que *en ti* confían de los que se levantan *contra ellos*.

8 Guárdame como a la niña de tu ojo, escóndeme bajo la sombra de tus alas,

9 de la vista de los malos que me oprimen, de mis enemigos mortales que me rodean.

10 Encerrados están con su grosura; con su boca hablan soberbiamente.

11 Ahora han cercado nuestros pasos;

tienen puestos sus ojos para echarnos por tierra.

12 Como el león que desea hacer presa, y como el leoncillo acechando en su escondite.

13 Levántate, oh Jehová; sal a su encuentro, póstrale; libra mi alma del malo con tu espada;

14 De los hombres con tu mano, oh Jehová, de los hombres del mundo, que tienen su porción en esta vida, y cuyo vientre llenas de tu tesoro; sacian a sus hijos, y dejan el resto a sus pequeños.

15 En cuanto a mí, yo en justicia veré tu rostro; quedaré satisfecho cuando despierte a tu semejanza.

SALMO 18
<<Al Músico principal: *Salmo* de David, siervo de Jehová, el cual dijo a Jehová las palabras de este cántico el día que le libró Jehová de mano de todos sus enemigos, y de mano de Saúl. Entonces dijo:>>

T e amaré, oh Jehová, fortaleza mía. 2 Jehová *es* mi Roca, mi castillo y mi Libertador; mi Dios, mi fortaleza, en Él confiaré; mi escudo, el cuerno de mi salvación, y mi alto refugio.

3 Invocaré a Jehová, *quien es digno* de ser alabado, y seré salvo de mis enemigos.

4 Me rodearon los dolores de la muerte, y torrentes de hombres perversos me atemorizaron.

5 Dolores del infierno me rodearon, me previnieron lazos de muerte.

6 En mi angustia invoqué a Jehová, y clamé a mi Dios: Él oyó mi voz desde su templo, y mi clamor llegó delante de Él, a sus oídos.

7 La tierra se estremeció y tembló; se conmovieron los cimientos de los montes, y se estremecieron, porque se indignó Él.

8 Humo subió de su nariz, y de su boca fuego consumidor; carbones fueron por Él encendidos.

9 Inclinó los cielos, y descendió; y densa oscuridad *había* debajo de sus pies.

10 Y cabalgó sobre un querubín, y voló: Voló sobre las alas del viento.

11 Hizo de las tinieblas su escondedero, su pabellón en

derredor de sí; oscuridad de aguas, nubes de los cielos.

12 Por el resplandor de su presencia, sus nubes pasaron; granizo y carbones encendidos.

13 Y tronó en los cielos Jehová, y el Altísimo dio su voz; granizo y carbones encendidos.

14 Envió sus saetas, y los dispersó; lanzó relámpagos, y los destruyó.

15 Entonces aparecieron los senderos de las aguas, y se descubrieron los cimientos del mundo, a tu reprensión, oh Jehová, por el soplo del aliento de tu nariz.

16 Envió desde lo alto; me tomó, me sacó de las muchas aguas.

17 Me libró de mi poderoso enemigo, y de los que me aborrecían, pues ellos eran más fuertes que yo.

18 Me asaltaron en el día de mi quebranto; pero Jehová fue mi apoyo.

19 Él me sacó a lugar espacioso; me libró, porque se agradó de mí.

20 Jehová me pagó conforme a mi justicia; conforme a la limpieza de mis manos me ha recompensado.

21 Porque yo he guardado los caminos de Jehová, y no me aparté impíamente de mi Dios.

22 Pues todos sus juicios *estuvieron* delante de mí, y no eché de mí sus estatutos.

23 Y fui íntegro para con Él, y me guardé de mi maldad.

24 Por tanto Jehová me pagó conforme a mi justicia; conforme a la limpieza de mis manos delante de sus ojos.

25 Con el misericordioso te mostrarás misericordioso, y recto para con el hombre íntegro.

26 Limpio te mostrarás para con el limpio, y severo serás para con el perverso.

27 Y tú salvarás al pueblo afligido, y humillarás los ojos altivos.

28 Tú, pues, encenderás mi lámpara: Jehová mi Dios alumbrará mis tinieblas.

29 Pues por ti he desbaratado ejércitos; y por mi Dios he saltado muros.

30 *En cuanto a* Dios, perfecto *es* su camino: La palabra de Jehová es acrisolada: Es escudo a todos los que en Él esperan.

31 Porque ¿quién *es* Dios fuera de Jehová? ¿Y qué roca *hay* aparte de nuestro Dios?

32 Dios es el que me ciñe de poder, y hace perfecto mi camino;

33 quien hace mis pies como de ciervas, y me hace estar firme sobre mis alturas;

34 Él adiestra mis manos para la batalla, y el arco de bronce será quebrado por mis brazos.

35 Me diste asimismo el escudo de tu salvación, y tu diestra me sustentó, y tu benignidad me ha engrandecido.

36 Ensanchaste mis pasos debajo de mí, para que mis pies no resbalasen.

37 Perseguí a mis enemigos, y los alcancé, y no volví hasta acabarlos.

38 Los herí, de modo que no pudieron levantarse; cayeron debajo de mis pies.

39 Pues me ceñiste de fuerza para la pelea; has sometido bajo mis pies a los que se levantaron contra mí.

40 Y me has dado la cerviz de mis enemigos, para que yo destruya a los que me aborrecen.

41 Clamaron, y no hubo quien *los* salvase; *aun* a Jehová, pero Él no les respondió.

42 Y los molí como polvo delante del viento; los eché fuera como lodo de las calles.

43 Me libraste de las contiendas del pueblo; me pusiste por cabeza de gentes; pueblo que yo no conocía, me servirá.

44 Así que hubieren oído de mí, me obedecerán; los hijos de extraños se someterán a mí;

45 Los extraños se debilitarán, saldrán temblando de sus escondrijos.

46 Viva Jehová, y bendita *sea* mi Roca; y enaltecido sea el Dios de mi salvación:

47 *Es* Dios quién por mí cobra venganza, y sujeta pueblos debajo de mí.

48 El que me libra de mis enemigos: Tú me enalteciste sobre los que se levantan contra mí; me has librado del hombre violento.

49 Por tanto yo te confesaré entre las gentes, oh Jehová, y cantaré salmos a tu nombre.

50 Grandes triunfos da a su rey, y

hace misericordia a su ungido, a David y a su simiente, para siempre.

SALMO 19
<<Al Músico principal: Salmo de David>>

L os cielos cuentan la gloria de Dios, y el firmamento anuncia la obra de sus manos.

2 Un día emite palabra a otro día, y una noche a otra noche declara sabiduría.

3 No hay habla, ni lenguaje, *donde* su voz no sea oída.

4 Por toda la tierra salió su hilo, y hasta el extremo del mundo sus palabras. En ellos puso tabernáculo para el sol.

5 Y éste, como un novio que sale de su tálamo, se alegra cual gigante para correr el camino.

6 De un extremo de los cielos es su salida, y su giro hasta el término de ellos; y nada hay que se esconda de su calor.

7 La ley de Jehová *es* perfecta, que convierte el alma; el testimonio de Jehová es fiel, que hace sabio al sencillo.

8 Los mandamientos de Jehová *son* rectos, que alegran el corazón; el precepto de Jehová, *es* puro, que alumbra los ojos.

9 El temor de Jehová, *es* limpio, que permanece para siempre; los juicios de Jehová *son* verdad, todos justos.

10 Deseables *son* más que el oro, y más que mucho oro afinado; Y dulces más que la miel, y la que destila del panal.

11 Tu siervo es además amonestado con ellos; en guardarlos *hay* grande galardón.

12 ¿Quién podrá entender *sus propios* errores? Líbrame de los que me son ocultos.

13 Detén asimismo a tu siervo *de pecados* de soberbia; que no se enseñoreen de mí: Entonces seré íntegro, y estaré limpio de gran transgresión.

14 Sean gratos los dichos de mi boca y la meditación de mi corazón delante de ti, oh Jehová, Roca mía, y Redentor mío.

SALMO 20
<<Al Músico principal: Salmo de David>>

J ehová te oiga en el día de la angustia; El nombre del Dios de Jacob te defienda.

2 Te envíe ayuda desde el santuario, y desde Sión te sostenga.

3 Haga memoria de todas tus ofrendas, y acepte tu holocausto. (Selah)

4 Te dé conforme al deseo de tu corazón, y cumpla todo tu consejo.

5 Nosotros nos alegraremos en tu salvación, y alzaremos pendón en el nombre de nuestro Dios; conceda Jehová todas tus peticiones.

6 Ahora entiendo que Jehová guarda a su ungido; lo oirá desde su santo cielo, con la fuerza salvadora de su diestra.

7 Éstos *confían* en carros, y aquéllos en caballos; mas nosotros del nombre de Jehová nuestro Dios tendremos memoria.

8 Ellos se doblegaron y cayeron; mas nosotros nos levantamos, y estamos en pie.

9 Salva, Jehová; que el Rey nos oiga el día que lo invoquemos.

SALMO 21
<<Al Músico principal: Salmo de David>>

S e alegrará el rey en tu fortaleza, oh Jehová; y en tu salvación se gozará mucho.

2 El deseo de su corazón le has concedido, y no le has negado la petición de sus labios. (Selah)

3 Pues le has salido al encuentro con bendiciones de bien; corona de oro fino has puesto sobre su cabeza.

4 Vida te demandó, y le diste largura de días eternamente y para siempre.

5 Grande es su gloria en tu salvación; honra y majestad has puesto sobre él.

6 Porque lo has bendecido para siempre; lo llenaste de alegría con tu rostro.

7 Por cuanto el rey confía en Jehová, y en la misericordia del Altísimo, no será conmovido.

8 Alcanzará tu mano a todos tus enemigos; tu diestra alcanzará a los que te aborrecen.

9 Los pondrás como horno de fuego en el tiempo de tu ira: Jehová los deshará en su furor, y fuego los consumirá.

10 Su fruto destruirás de la tierra, y su simiente de entre los hijos de los hombres.

11 Porque intentaron el mal contra ti; fraguaron maquinaciones, mas no prevalecerán.

12 Pues tú los pondrás en fuga, cuando aprestares en tus cuerdas *las saetas* contra sus rostros.

13 Engrandécete, oh Jehová, con tu poder: Cantaremos y alabaremos tu poderío.

SALMO 22

<<Al Músico principal, sobre Ajelet-sahar. Salmo de David>>

Dios mío, Dios mío, ¿por qué me has desamparado? *¿Por qué estás tan* lejos de mi salvación, *y de* las palabras de mi clamor?

2 Dios mío, clamo de día, y no *me* escuchas; y de noche, y no hay para mí sosiego.

3 Pero tú eres santo, tú que habitas entre las alabanzas de Israel.

4 En ti esperaron nuestros padres: Esperaron, y tú los libraste.

5 Clamaron a ti, y fueron librados; confiaron en ti, y no fueron avergonzados.

6 Mas yo soy gusano, y no hombre; oprobio de los hombres, y despreciado del pueblo.

7 Todos los que me ven, se burlan de mí; estiran los labios, menean la cabeza, diciendo:

8 Confió en Jehová, líbrele Él; sálvele, puesto que en Él se complacía.

9 Pero tú *eres* el que me sacó del vientre; Me hiciste estar confiado *desde que estaba* a los pechos de mi madre.

10 Sobre ti fui echado desde la matriz; desde el vientre de mi madre, tú *eres* mi Dios.

11 No te alejes de mí, porque la angustia está cerca; porque no hay quien ayude.

12 Me han rodeado muchos toros; fuertes *toros* de Basán me han cercado.

13 Abrieron sobre mí su boca, *como* león rapaz y rugiente.

14 Estoy derramado como aguas, y todos mis huesos se descoyuntaron: Mi corazón es como cera, derretido en medio de mis entrañas.

15 Se secó como un tiesto mi vigor, y mi lengua se pegó a mi paladar; y me has puesto en el polvo de la muerte.

16 Porque perros me han rodeado, me ha cercado cuadrilla de malignos; horadaron mis manos y mis pies.

17 Contar puedo todos mis huesos; ellos me miran, y me observan.

18 Repartieron entre sí mis vestiduras, y sobre mi ropa echaron suertes.

19 Mas tú, oh Jehová, no te alejes; Fortaleza mía, apresúrate a socorrerme.

20 Libra de la espada mi alma; del poder del perro mi vida.

21 Sálvame de la boca del león; porque tú me has escuchado de los cuernos de los unicornios.

22 Anunciaré tu nombre a mis hermanos; en medio de la congregación te alabaré.

23 Los que teméis a Jehová, alabadle; glorificadle, simiente toda de Jacob; y temedle, vosotros, simiente toda de Israel.

24 Porque no menospreció ni abominó la aflicción del pobre, ni de él escondió su rostro; sino que cuando clamó a Él, le oyó.

25 De ti *será* mi alabanza en la gran congregación; mis votos pagaré delante de los que le temen.

26 Comerán los pobres, y serán saciados: Alabarán a Jehová los que le buscan: Vivirá vuestro corazón para siempre.

27 Se acordarán, y se volverán a Jehová todos los términos de la tierra; y adorarán delante de ti todas las familias de las naciones.

28 Porque de Jehová *es* el reino; y Él señorea sobre las naciones.

29 Comerán y adorarán todos los poderosos de la tierra; se postrarán delante de Él todos los que descienden al polvo, si bien ninguno puede conservar la vida de su propia alma.

30 La posteridad le servirá; será ella contada por una generación de Jehová.

31 Vendrán, y anunciarán su justicia a un pueblo que ha de nacer, le dirán que Él hizo *esto*.

SALMO 23
<<Salmo de David>>

Jehová *es* mi pastor; nada me faltará. En lugares de delicados pastos me hará descansar; junto a aguas de reposo me pastoreará.

3 Restaurará mi alma; me guiará por sendas de justicia por amor de su nombre.

4 Aunque ande en valle de sombra de muerte, no temeré mal alguno; porque tú estarás conmigo; tu vara y tu cayado me infundirán aliento.

5 Aderezas mesa delante de mí, en presencia de mis angustiadores; unges mi cabeza con aceite; mi copa está rebosando.

6 Ciertamente el bien y la misericordia me seguirán todos los días de mi vida; y en la casa de Jehová moraré por largos días.

SALMO 24
<<Salmo de David>>

De Jehová es la tierra y su plenitud; el mundo y los que en él habitan.

2 Porque Él la fundó sobre los mares, y la afirmó sobre los ríos.

3 ¿Quién subirá al monte de Jehová? ¿Y quién estará en su lugar santo?

4 El limpio de manos, y puro de corazón; el que no ha elevado su alma a la vanidad, ni jurado con engaño.

5 Él recibirá bendición de Jehová, y justicia del Dios de su salvación.

6 Tal es la generación de los que le buscan, de los que buscan tu rostro, oh Jacob. (Selah)

7 Alzad, oh puertas, vuestras cabezas, y alzaos vosotras, puertas eternas, y entrará el Rey de gloria.

8 ¿Quién *es* este Rey de gloria? Jehová el fuerte y valiente, Jehová el poderoso en batalla.

9 Alzad, oh puertas, vuestras cabezas, y alzaos vosotras, puertas eternas, y entrará el Rey de gloria.

10 ¿Quién es este Rey de gloria?

Jehová de los ejércitos, Él *es* el Rey de gloria. (Selah)

SALMO 25
<<*Salmo* de David>>

A ti, oh Jehová, levantaré mi alma.
2 Dios mío, en ti confío; no sea yo avergonzado, no se alegren de mí mis enemigos.

3 Ciertamente ninguno de cuantos en ti esperan será confundido: Serán avergonzados los que se rebelan sin causa.

4 Muéstrame, oh Jehová, tus caminos; enséñame tus sendas.

5 Encamíname en tu verdad, y enséñame; porque tú eres el Dios de mi salvación; en ti he esperado todo el día.

6 Acuérdate, oh Jehová, de tus piedades y de tus misericordias, que *son* eternas.

7 De los pecados de mi juventud, y de mis rebeliones, no te acuerdes; conforme a tu misericordia acuérdate de mí, por tu bondad, oh Jehová.

8 Bueno y recto es Jehová; por tanto, Él enseñará a los pecadores el camino.

9 Encaminará a los humildes por el juicio, y enseñará a los mansos su carrera.

10 Todas las sendas de Jehová *son* misericordia y verdad, para los que guardan su pacto y sus testimonios.

11 Por amor de tu nombre, oh Jehová, perdonarás también mi pecado, que es grande.

12 ¿Quién es el hombre que teme a Jehová? Él le enseñará el camino que ha de escoger.

13 Su alma reposará en bienestar, y su simiente heredará la tierra.

14 El secreto de Jehová *es* para los que le temen; y a ellos hará conocer su pacto.

15 Mis ojos están siempre hacia Jehová; porque Él sacará mis pies de la red.

16 Mírame, y ten misericordia de mí; porque estoy solo y afligido.

17 Las angustias de mi corazón se han aumentado; sácame de mis congojas.

18 Mira mi aflicción y mi trabajo; y perdona todos mis pecados.

19 Mira mis enemigos, que se han multiplicado, y con odio violento me aborrecen.

20 Guarda mi alma, y líbrame; no sea yo avergonzado, porque en ti confié.

21 Integridad y rectitud me guarden; porque en ti he esperado.

22 Redime, oh Dios, a Israel de todas sus angustias.

SALMO 26
<<*Salmo* de David>>

Júzgame, oh Jehová, porque yo en mi integridad he andado; he confiado asimismo en Jehová, no vacilaré.

2 Examíname, oh Jehová, y pruébame; purifica mi conciencia y mi corazón.

3 Porque tu misericordia *está* delante de mis ojos, y camino en tu verdad.

4 No me he sentado con hombres falsos; ni entraré con los hipócritas.

5 He aborrecido la reunión de los malignos, y no me sentaré con los impíos.

6 Lavaré en inocencia mis manos, y andaré alrededor de tu altar, oh Jehová:

7 Para proclamar con voz de acción de gracias, y contar todas tus maravillas.

8 Jehová, la habitación de tu casa he amado, y el lugar donde tu gloria habita.

9 No juntes con los pecadores mi alma, ni mi vida con hombres sanguinarios:

10 En cuyas manos *está* el mal, y su diestra está llena de sobornos.

11 Mas yo andaré en mi integridad: Redímeme, y ten misericordia de mí.

12 Mi pie ha estado en rectitud: En las congregaciones bendeciré a Jehová.

SALMO 27
<<Salmo de David>>

Jehová *es* mi luz y mi salvación; ¿de quién temeré? Jehová *es* la fortaleza de mi vida; ¿de quién he de atemorizarme?

2 Cuando se juntaron contra mí los malignos, mis angustiadores y mis enemigos, para comer mis carnes, ellos tropezaron y cayeron.

3 Aunque un ejército acampe contra mí, no temerá mi corazón: Aunque contra mí se levante guerra, yo estaré confiado.

4 Una cosa he demandado de Jehová, ésta buscaré: Que esté yo en la casa de Jehová todos los días de mi vida, para contemplar la hermosura de Jehová, y para inquirir en su templo.

5 Porque Él me esconderá en su tabernáculo en el día del mal; me ocultará en lo reservado de su pabellón; me pondrá en alto sobre una roca.

6 Luego levantará mi cabeza sobre mis enemigos que me rodean; y yo ofreceré en su tabernáculo sacrificios de júbilo: Cantaré y entonaré salmos a Jehová.

7 Oye, oh Jehová, mi voz *cuando a ti* clamo; y ten misericordia de mí, respóndeme.

8 *Tú has dicho*: Buscad mi rostro. Mi corazón dice de ti: Tu rostro buscaré, oh Jehová.

9 No escondas tu rostro de mí, no apartes con ira a tu siervo: Mi ayuda has sido; no me dejes y no me desampares, Dios de mi salvación.

10 Aunque mi padre y mi madre me dejaran, con todo, Jehová me recogerá.

11 Enséñame, oh Jehová, tu camino, y guíame por senda de rectitud, a causa de mis enemigos.

12 No me entregues a la voluntad de mis enemigos; porque se han levantado contra mí testigos falsos, y los que respiran crueldad.

13 Hubiera yo desmayado, si no creyese que he de ver la bondad de Jehová en la tierra de los vivientes.

14 Espera en Jehová; Esfuérzate, y aliéntese tu corazón; sí, espera en Jehová.

SALMO 28
<<*Salmo* de David>>

A ti clamaré, oh Jehová, Roca mía; no te desentiendas de mí; para que no sea yo, dejándome tú, semejante a los que descienden a la fosa.

2 Oye la voz de mis ruegos cuando a ti clamo, cuando alzo mis manos hacia tu santo templo.

3 No me arrebates a una con los malos, y con los obradores de iniquidad; los cuales hablan paz con su prójimo, pero la maldad *está* en su corazón.

4 Dales conforme a su obra, y conforme a la maldad de sus hechos: Dales conforme a la obra de sus manos, dales su paga.

5 Porque no atienden a los hechos de Jehová, ni a la obra de sus manos, Él los derribará, y no los edificará.

6 Bendito *sea* Jehová, que oyó la voz de mis súplicas.

7 Jehová *es* mi fortaleza y mi escudo: En Él confió mi corazón, y fui ayudado; por lo que se gozó mi corazón, y con mi canción le alabaré.

8 Jehová *es* la fortaleza de *su pueblo*, y la fuerza salvadora de su ungido.

9 Salva a tu pueblo, y bendice a tu heredad; pastoréalos y enaltécelos para siempre.

SALMO 29
<<Salmo de David>>

Dad a Jehová, oh hijos de poderosos, dad a Jehová la gloria y la fortaleza.

2 Dad a Jehová la gloria debida a su nombre: Adorad a Jehová en la hermosura de la santidad.

3 La voz de Jehová sobre las aguas; truena el Dios de gloria; Jehová sobre las muchas aguas.

4 La voz de Jehová *es* poderosa; la voz de Jehová *es* majestuosa.

5 La voz de Jehová quiebra los cedros; quiebra Jehová los cedros del Líbano.

6 Los hace saltar como becerros; al Líbano y al Sirión como cría de unicornio.

7 La voz de Jehová derrama llamas de fuego.

8 La voz de Jehová hace temblar el desierto; hace temblar Jehová el desierto de Cades.

9 La voz de Jehová hace parir a las ciervas, y desnuda los bosques; En su templo todos los suyos proclaman *su* gloria.

10 Jehová preside en el diluvio; y se

sienta Jehová como Rey para siempre.

11 Jehová dará fortaleza a su pueblo: Jehová bendecirá a su pueblo en paz.

SALMO 30
<<Salmo cantado en la dedicación de la casa de David>>

Te glorificaré, oh Jehová; porque me has levantado, y no hiciste a mis enemigos alegrarse de mí.

2 Jehová Dios mío, a ti clamé, y me sanaste.

3 Oh Jehová, hiciste subir mi alma del sepulcro; me diste vida, para que no descendiese a la fosa.

4 Cantad a Jehová, vosotros sus santos, y celebrad la memoria de su santidad.

5 Porque un momento *durará* su furor; *mas* en su voluntad *está* la vida: Por la noche durará el lloro, pero a la mañana *vendrá* la alegría.

6 Y dije yo en mi prosperidad: No seré movido jamás;

7 porque tú, Jehová, por tu benevolencia has asentado mi monte con fortaleza. Escondiste tu rostro, fui conturbado.

8 A ti, oh Jehová, clamaré; y al Señor suplicaré.

9 ¿Qué provecho hay en mi muerte, cuando yo descienda al sepulcro? ¿Te alabará el polvo? ¿Anunciará tu verdad?

10 Oye, oh Jehová, y ten misericordia de mí: Jehová, sé tú mi ayudador.

11 Has cambiado mi lamento en baile; desataste mi cilicio, y me ceñiste de alegría.

12 Por tanto a ti cantaré, gloria mía, y no estaré callado. Jehová Dios mío, te alabaré para siempre.

SALMO 31
<<Al Músico principal: Salmo de David>>

En ti, oh Jehová, he confiado; no sea yo confundido jamás: Líbrame en tu justicia.

2 Inclina a mí tu oído, líbrame presto; sé tú mi Roca fuerte, mi fortaleza para salvarme.

3 Porque tú *eres* mi Roca y mi castillo; y por amor a tu nombre me guiarás, y me encaminarás.

4 Me sacarás de la red que han escondido para mí; porque tú *eres* mi fortaleza.

5 En tu mano encomiendo mi espíritu: Tú me has redimido, oh Jehová, Dios de verdad.

6 Aborrecí a los que esperan en vanidades ilusorias; mas yo en Jehová he esperado.

7 Me gozaré y alegraré en tu misericordia; porque has visto mi aflicción; has conocido mi alma en las angustias:

8 Y no me encerraste en mano del enemigo; hiciste estar mis pies en lugar espacioso.

9 Ten misericordia de mí, oh Jehová, que estoy en angustia; de pesar se han consumido mis ojos, mi alma, y mis entrañas.

10 Porque mi vida se va gastando de dolor, y mis años de suspirar; se ha debilitado mi fuerza a causa de mi iniquidad, y mis huesos se han consumido.

11 De todos mis enemigos he sido oprobio, más de mis vecinos, y horror a mis conocidos; los que me veían fuera, huían de mí.

12 He sido olvidado de su corazón como un muerto; he venido a ser como un vaso quebrado.

13 Porque he oído la calumnia de muchos; miedo por todas partes, cuando consultaban juntos contra mí, e ideaban quitarme la vida.

14 Mas yo en ti confié, oh Jehová; yo dije: Tú eres mi Dios.

15 En tu mano están mis tiempos: Líbrame de la mano de mis enemigos, y de mis perseguidores.

16 Haz resplandecer tu rostro sobre tu siervo: Sálvame por tu misericordia.

17 No sea yo avergonzado, oh Jehová, ya que te he invocado; sean avergonzados los impíos, estén mudos en el sepulcro.

18 Enmudezcan los labios mentirosos, que hablan contra el justo cosas duras, con soberbia y menosprecio.

19 ¡Cuán grande *es* tu bondad, que has guardado para los que te temen, que has mostrado para los que en ti confían, delante de los hijos de los hombres!

20 Los esconderás en el secreto de tu rostro de las arrogancias del hombre; los pondrás en un tabernáculo a cubierto de contención de lenguas.

21 Bendito Jehová, porque ha hecho maravillosa su misericordia para conmigo en ciudad fuerte.

22 Y decía yo en mi premura: Cortado soy de delante de tus ojos; mas tú oíste la voz de mis súplicas, cuando a ti clamé.

23 Amad a Jehová todos vosotros sus santos: A los fieles guarda Jehová, y paga abundantemente al que obra con soberbia.

24 Esforzaos todos vosotros los que esperáis en Jehová, y Él fortalecerá vuestro corazón.

SALMO 32
<<*Salmo* de David: Masquil>>

B ienaventurado aquel cuya transgresión ha sido perdonada, y cubierto su pecado.

2 Bienaventurado el hombre a quien Jehová no imputa iniquidad, y en cuyo espíritu no hay engaño.

3 Mientras callé, se envejecieron mis huesos en mi gemir todo el día.

4 Porque de día y de noche se agravó sobre mí tu mano; mi verdor se volvió en sequedades de estío. (Selah)

5 Mi pecado te declaré, y no encubrí mi iniquidad. Dije: Confesaré mis transgresiones a Jehová; y tú perdonaste la maldad de mi pecado. (Selah)

6 Por esto orará a ti todo santo en el tiempo de poder hallarte: Ciertamente en la inundación de muchas aguas no llegarán éstas a él.

7 Tú eres mi refugio; me guardarás de angustia: Con cánticos de liberación me rodearás. (Selah)

8 Te haré entender, y te enseñaré el camino en que debes andar: Sobre ti fijaré mis ojos.

9 No seáis como el caballo, o como el mulo, sin entendimiento: Cuya boca ha de ser sujetada con cabestro y con freno, para que no lleguen a ti.

10 Muchos dolores *habrá* para el impío; mas al que confía en Jehová, le rodeará misericordia.

11 Alegraos en Jehová, y gozaos,

justos; dad voces de júbilo todos vosotros los rectos de corazón.

SALMO 33

Alegraos, oh justos, en Jehová: A los rectos es hermosa la alabanza.

2 Alabad a Jehová con arpa, cantadle con salterio y decacordio.

3 Cantadle cántico nuevo; hacedlo bien tañendo con júbilo.

4 Porque recta es la palabra de Jehová, y todas sus obras con verdad *son hechas*.

5 Él ama justicia y juicio: De la misericordia de Jehová está llena la tierra.

6 Por la palabra de Jehová fueron hechos los cielos, y todo el ejército de ellos por el aliento de su boca.

7 Él junta como en un montón las aguas del mar: Él pone en depósitos los abismos.

8 Tema a Jehová toda la tierra: Témanle todos los habitantes del mundo.

9 Porque Él habló, y fue hecho; Él mandó, y se estableció.

10 Jehová hace nulo el consejo de las naciones, y frustra las maquinaciones de los pueblos.

11 El consejo de Jehová permanece para siempre; los pensamientos de su corazón por todas las generaciones.

12 Bienaventurada la nación cuyo Dios *es* Jehová; el pueblo a quien Él escogió como heredad para sí.

13 Desde los cielos miró Jehová; vio a todos los hijos de los hombres:

14 Desde el lugar de su morada miró sobre todos los moradores de la tierra.

15 Él formó el corazón de todos ellos; Él considera todas sus obras.

16 El rey no es salvo con la multitud del ejército: No escapa el valiente por la mucha fuerza.

17 Vanidad *es* el caballo para salvarse; no librará por la grandeza de su fuerza.

18 He aquí, el ojo de Jehová sobre los que le temen, sobre los que esperan en su misericordia;

19 Para librar sus almas de la muerte, y para darles vida en tiempos de hambre.

20 Nuestra alma espera en Jehová; Nuestra ayuda y nuestro escudo *es* Él.

21 Por tanto, en Él se alegrará nuestro corazón, porque en su santo nombre hemos confiado.

22 Sea tu misericordia, oh Jehová, sobre nosotros, según esperamos en ti.

SALMO 34

<<*Salmo* de David, cuando mudó su semblante delante de Abimelec, y él lo echó, y se fue>>

Bendeciré a Jehová en todo tiempo; su alabanza *estará* siempre en mi boca.

2 En Jehová se gloriará mi alma; lo oirán los mansos, y se alegrarán.

3 Engrandeced a Jehová conmigo, y exaltemos a una su nombre.

4 Busqué a Jehová, y Él me oyó, y me libró de todos mis temores.

5 Los que a Él miraron fueron alumbrados; y sus rostros no fueron avergonzados.

6 Este pobre clamó, y le oyó Jehová, y lo libró de todas sus angustias.

7 El ángel de Jehová acampa en derredor de los que le temen, y los defiende.

8 Gustad, y ved que *es* bueno Jehová: Dichoso el hombre que en Él confía.

9 Temed a Jehová, vosotros sus santos; porque nada falta a los que le temen.

10 Los leoncillos necesitan, y tienen hambre; pero los que buscan a Jehová, no tendrán falta de ningún bien.

11 Venid, hijos, oídme; el temor de Jehová os enseñaré.

12 ¿Quién es el hombre que desea vida, que desea *muchos* días para ver el bien?

13 Guarda tu lengua del mal, y tus labios de hablar engaño.

14 Apártate del mal, y haz el bien; Busca la paz, y síguela.

15 Los ojos de Jehová están sobre los justos, y *atentos* sus oídos al clamor de ellos.

16 La ira de Jehová contra los que hacen mal, para cortar de la tierra la memoria de ellos.

17 Claman *los justos*, y Jehová *los* oye, y los libra de todas sus angustias.

18 Cercano está Jehová a los quebrantados de corazón; y salvará a los contritos de espíritu.

19 Muchas son las aflicciones del justo; pero de todas ellas lo librará Jehová.

20 Él guarda todos sus huesos; ni uno de ellos será quebrantado.

21 Matará al malo la maldad; y los que aborrecen al justo serán asolados.

22 Jehová redime el alma de sus siervos; y no serán desolados cuantos en Él confían.

SALMO 35
<<Salmo de David>>

Disputa, oh Jehová, con los que contra mí contienden; pelea con los que combaten contra mí.

2 Echa mano al escudo y al pavés, y levántate en mi ayuda.

3 Y saca la lanza, cierra contra mis perseguidores; di a mi alma: Yo soy tu salvación.

4 Sean avergonzados y confundidos los que buscan mi alma; vuelvan atrás, y sean avergonzados los que mi mal intentan.

5 Sean como el tamo delante del viento; y el ángel de Jehová los acose.

6 Sea su camino oscuro y resbaladizo; y el ángel de Jehová los persiga.

7 Porque sin causa escondieron para mí su red en un hoyo; sin causa hicieron hoyo para mi alma.

8 Que le venga destrucción sobre él sin darse cuenta, y que la red que él escondió lo prenda; que caiga en esa misma destrucción.

9 Y mi alma se alegrará en Jehová; Se regocijará en su salvación.

10 Todos mis huesos dirán: Jehová, ¿quién como tú, que libras al afligido del más fuerte que él, y al pobre y menesteroso del que le despoja?

11 Se levantaron testigos falsos; me demandaron lo que no sabía;

12 me devolvieron mal por bien, para abatir a mi alma.

13 Mas yo, cuando ellos enfermaron, me vestí de cilicio; afligí con ayuno mi alma, y mi oración se volvía en mi seno.

14 Anduve como si fuesen mis amigos, mis hermanos; como el que trae luto por su madre, enlutado me humillaba.

15 Pero ellos se alegraron en mi adversidad, y se juntaron; se juntó contra mí gente despreciable, y yo no lo entendía; me despedazaban, y no cesaban;

16 Como lisonjeros escarnecedores y truhanes, crujiendo sobre mí sus dientes.

17 Señor, ¿hasta cuándo verás esto? Rescata mi alma de sus destrucciones, mi ser de los leones.

18 Te confesaré en grande congregación; te alabaré entre numeroso pueblo.

19 No se alegren de mí los que injustamente son mis enemigos; ni los que me aborrecen sin causa guiñen el ojo.

20 Porque no hablan paz; y contra los mansos de la tierra piensan palabras engañosas.

21 Y ensancharon sobre mí su boca; dijeron: ¡Ea, ea, nuestros ojos lo han visto!

22 Tú lo has visto, oh Jehová; no calles: Señor, no te alejes de mí.

23 Muévete y levántate para mi juicio, para mi causa, Dios mío y Señor mío.

24 Júzgame conforme a tu justicia, Jehová Dios mío; y no se alegren de mí.

25 No digan en su corazón: ¡Ea, alma nuestra! No digan: ¡Lo hemos devorado!

26 Sean avergonzados y confundidos a una los que de mi mal se alegran; Vístanse de vergüenza y confusión los que se engrandecen contra mí.

27 Canten y alégrense los que están a favor de mi justa causa, y digan siempre: Sea exaltado Jehová, que se complace en la prosperidad de su siervo.

28 Y mi lengua hablará de tu justicia, y de tu loor todo el día.

SALMO 36
<<Al Músico principal: Salmo de David, siervo del Señor>>

La iniquidad del impío me dice al corazón: No hay temor de Dios delante de sus ojos.

2 Se lisonjea, por tanto, en sus propios ojos, hasta que su iniquidad sea hallada aborrecible.

3 Las palabras de su boca *son* iniquidad y fraude; dejó de ser sensato, y de hacer el bien.

4 Iniquidad piensa sobre su cama; está en camino no bueno, el mal no aborrece.

5 Jehová, hasta los cielos es tu misericordia; tu fidelidad *alcanza* hasta las nubes.

6 Tu justicia es como los montes de Dios, tus juicios abismo grande: Oh Jehová, al hombre y al animal conservas.

7 ¡Cuán preciosa, oh Dios, es tu misericordia! Por eso los hijos de los hombres se amparan bajo la sombra de tus alas.

8 Serán plenamente saciados de la grosura de tu casa, y tú los abrevarás del torrente de tus delicias.

9 Porque contigo está el manantial de la vida: En tu luz veremos la luz.

10 Extiende tu misericordia a los que te conocen, y tu justicia a los rectos de corazón.

11 No venga contra mí pie de soberbia, y mano de impíos no me mueva.

12 Allí cayeron los obradores de iniquidad; fueron derribados, y no podrán levantarse.

SALMO 37
<<Salmo de David>>

No te impacientes a causa de los malignos, ni tengas envidia de los que hacen iniquidad.

2 Porque como el pasto serán pronto cortados, y como la hierba verde se secarán.

3 Espera en Jehová, y haz el bien; y vivirás en la tierra, y en verdad serás alimentado.

4 Deléitate asimismo en Jehová, y Él te concederá las peticiones de tu corazón.

5 Encomienda a Jehová tu camino, y confía en Él; y Él hará.

6 Y exhibirá tu justicia como la luz, y tu derecho como el mediodía.

7 Guarda silencio ante Jehová, y espera en Él: No te alteres con motivo del que prospera en su camino, por causa del hombre que hace maldades.

8 Deja la ira, y depón el enojo; no te excites en manera alguna a hacer lo malo.

9 Porque los malignos serán talados, mas los que esperan en Jehová, ellos heredarán la tierra.

10 Pues de aquí a poco no existirá el malo; y contemplarás sobre su lugar, y ya no *estará*.

11 Pero los mansos heredarán la tierra, y se recrearán con abundancia de paz.

12 Maquina el impío contra el justo, y cruje sobre él sus dientes.

13 El Señor se reirá de él; porque ve que viene su día.

14 Los impíos han desenvainado la espada y entesado su arco, para derribar al pobre y al menesteroso, para matar a los de recto proceder.

15 La espada de ellos entrará en su mismo corazón, y su arco será quebrado.

16 Mejor es lo poco del justo, que las riquezas de muchos pecadores.

17 Porque los brazos de los impíos serán quebrados; Pero Jehová sostiene a los justos.

18 Conoce Jehová los días de los perfectos; y la heredad de ellos será para siempre.

19 No serán avergonzados en el mal tiempo; y en los días de hambre serán saciados.

20 Mas los impíos perecerán, y los enemigos de Jehová como la grasa de los carneros serán consumidos; se disiparán como humo.

21 El impío toma prestado y no paga; mas el justo tiene misericordia y da.

22 Porque los bendecidos de Él heredarán la tierra; y los maldecidos por Él serán talados.

23 Por Jehová son ordenados los pasos del hombre *bueno*, y Él aprueba su camino.

24 Cuando cayere, no quedará postrado, porque Jehová sostiene su mano.

25 Joven fui, y he envejecido, y no he visto justo desamparado, ni a su simiente mendigando pan.

26 En todo tiempo tiene misericordia y presta, y su simiente es para bendición.

27 Apártate del mal, y haz el bien, y viviras para siempre.

28 Porque Jehová ama la rectitud, y no desampara a sus santos; para siempre serán guardados; mas la simiente de los impíos será cortada.

29 Los justos heredarán la tierra, y vivirán para siempre sobre ella.

30 La boca del justo hablará sabiduría; y su lengua pronunciará juicio.

31 La ley de su Dios está en su corazón; No vacilarán sus pasos.

32 Acecha el impío al justo, y procura matarlo.

33 Jehová no lo dejará en sus manos, ni lo condenará cuando sea juzgado.

34 Espera en Jehová, y guarda su camino, y Él te exaltará para heredar la tierra: Cuando sean talados los pecadores, lo verás.

35 Vi yo al impío sumamente enaltecido, y que se extendía como un laurel verde.

36 Pero pasó, y he aquí, ya no estaba; lo busqué, y no fue hallado.

37 Considera al íntegro, y mira al justo; porque la postrimería de ellos es paz.

38 Mas los transgresores serán todos a una destruidos; la postrimería de los impíos será talada.

39 Pero la salvación de los justos *viene* de Jehová; Él es su fortaleza en el tiempo de la angustia.

40 Jehová los ayudará, y los librará; los librará de los impíos, y los salvará, por cuanto en Él confiaron.

SALMO 38
<<Salmo de David, para recordar>>

Jehová, no me reprendas en tu furor, ni me castigues en tu ira.

2 Porque tus saetas cayeron sobre mí, y sobre mí ha descendido tu mano.

3 No hay nada sano en mi carne a causa de tu ira; ni hay paz en mis huesos a causa de mi pecado.

4 Porque mis iniquidades han sobrepasado mi cabeza; como carga pesada se han agravado sobre mí.

5 Hieden y se corrompen mis llagas, a causa de mi locura.

6 Estoy encorvado, estoy humillado en gran manera, ando enlutado todo el día.

7 Porque mis lomos están llenos de irritación, y nada hay sano en mi carne.

8 Estoy debilitado y molido en gran manera; he gemido a causa de la conmoción de mi corazón.

9 Señor, delante de ti están todos mis deseos; y mi suspiro no te es oculto.

10 Mi corazón está acongojado, me ha dejado mi vigor; y aun la misma luz de mis ojos se ha ido de mí.

11 Mis amigos y mis compañeros se quitaron de delante de mi plaga; y mis cercanos se pusieron lejos.

12 Los que buscaban mi alma tendieron lazos; y los que procuraban mi mal hablaban iniquidades, y meditaban fraudes todo el día.

13 Mas yo, como si fuera sordo no oía; y *estaba* como un mudo, *que* no abre su boca.

14 Fui, pues, como un hombre que no oye, y que en su boca no tiene represiones.

15 Porque en ti, oh Jehová, esperé yo: Tú responderás, Jehová Dios mío.

16 Porque dije: Que no se alegren de mí: Cuando mi pie resbalaba, sobre mí se engrandecían.

17 Pero yo estoy a punto de claudicar, y mi dolor *está* delante de mí continuamente.

18 Por tanto confesaré mi maldad; Me contristaré por mi pecado.

19 Porque mis enemigos están vivos y fuertes; y se han aumentado los que me aborrecen sin causa:

20 Y pagando mal por bien me son contrarios, por seguir yo lo bueno.

21 No me desampares, oh Jehová: Dios mío, no te alejes de mí.

22 Apresúrate a socorrerme, oh Señor, mi salvación.

SALMO 39
<<Al Músico principal, a Jedutún: Salmo de David>>

Yo dije: Atenderé a mis caminos, para no pecar con mi lengua: Guardaré mi boca con freno, en tanto que el impío esté delante de mí.

2 Enmudecí con silencio, me callé aun respecto de lo bueno; y se agravó mi dolor.

3 Se enardeció mi corazón dentro de mí; se encendió fuego en mi

meditación, y así proferí con mi lengua:

4 Hazme saber, Jehová, mi fin, y cuál sea la medida de mis días; sepa yo cuán frágil soy.

5 He aquí diste a mis días término corto, y mi edad es como nada delante de ti: Ciertamente el hombre, aun en su mejor estado, es completa vanidad. (Selah)

6 Ciertamente en tinieblas anda el hombre; ciertamente en vano se afana; acumula *riqueza*, y no sabe quién la recogerá.

7 Y ahora, Señor, ¿qué esperaré? Mi esperanza *está* en ti.

8 Líbrame de todas mis transgresiones; no me pongas por escarnio del insensato.

9 Enmudecí, no abrí mi boca; porque tú lo hiciste.

10 Quita de sobre mí tu plaga; Bajo los golpes de tu mano estoy consumido.

11 Con castigos sobre el pecado corriges al hombre, y haces consumirse como de polilla su grandeza: Ciertamente vanidad es todo hombre. (Selah)

12 Oye mi oración, oh Jehová, y escucha mi clamor: no calles ante mis lágrimas; porque peregrino soy para contigo, y advenedizo, como todos mis padres.

13 Déjame, y tomaré fuerzas, antes que vaya y perezca.

SALMO 40

<<Al Músico principal: Salmo de David>>

Pacientemente esperé en Jehová, y Él se inclinó a mí, y oyó mi clamor.

2 Y me sacó del pozo de la desesperación, del lodo cenagoso; puso mis pies sobre peña, y enderezó mis pasos.

3 Puso luego en mi boca cántico nuevo, alabanza a nuestro Dios. Verán esto muchos, y temerán, y confiarán en Jehová.

4 Bienaventurado el hombre que pone en Jehová su confianza, y no mira a los soberbios, ni a los que se desvían a la mentira.

5 Has aumentado, oh Jehová Dios mío, tus maravillas; y tus pensa-

mientos para con nosotros, no te los podremos contar; si yo anunciare y hablare de ellos, no pueden ser enumerados.

6 Sacrificio y ofrenda no te agradan; has abierto mis oídos; holocausto y expiación no has demandado.

7 Entonces dije: He aquí, vengo; en el rollo del libro *está* escrito de mí:

8 El hacer tu voluntad, Dios mío, me ha agradado; y tu ley está en medio de mi corazón.

9 He predicado justicia en grande congregación; he aquí no he refrenado mis labios, Jehová, tú lo sabes.

10 No he encubierto tu justicia dentro de mi corazón: Tu fidelidad y tu salvación he proclamado: No he ocultado tu misericordia y tu verdad a la gran congregación.

11 Tú, oh Jehová, no retengas de mí tus misericordias; tu misericordia y tu verdad me guarden siempre.

12 Porque me han rodeado males sin número; me han alcanzado mis maldades, y no puedo levantar la vista; son más numerosas que los cabellos de mi cabeza, y mi corazón me falla.

13 Quieras, oh Jehová, librarme; Jehová, apresúrate a socorrerme.

14 Sean avergonzados y confundidos a una los que buscan mi vida para destruirla; vuelvan atrás y sean avergonzados los que mi mal desean.

15 Sean asolados en pago de su afrenta los que me dicen: ¡Ajá, ajá!

16 Gócense y alégrense en ti todos los que te buscan; y digan siempre los que aman tu salvación: Jehová sea engrandecido.

17 Aunque afligido yo y necesitado, Jehová pensará en mí. Mi ayuda y mi Libertador eres tú; Dios mío, no te tardes.

SALMO 41

<<Al Músico principal: Salmo de David>>

Bienaventurado el que piensa en el pobre; en el día malo lo librará Jehová.

2 Jehová lo guardará, y le dará vida; será bienaventurado en la tierra, y no lo entregarás a voluntad de sus enemigos.

3 Jehová lo sustentará sobre el lecho del dolor; ablandarás toda su cama en su enfermedad.

4 Yo dije: Jehová, ten misericordia de mí; sana mi alma, porque contra ti he pecado.

5 Mis enemigos dicen mal de mí, preguntando: ¿Cuándo morirá, y perecerá su nombre?

6 Y si vienen a verme, hablan mentira; su corazón acumula iniquidad para sí; y al salir fuera, la divulgan.

7 Reunidos murmuran contra mí todos los que me aborrecen; contra mí piensan mal, *diciendo de mí*:

8 Cosa pestilencial se ha apoderado de él; y el que cayó en cama, no volverá a levantarse.

9 Aun mi íntimo amigo, en quien yo confiaba, el que de mi pan comía, levantó contra mí *su* calcañar.

10 Mas tú, Jehová, ten misericordia de mí, y hazme levantar, y les daré el pago.

11 En esto conozco que te he agradado; en que mi enemigo no triunfa sobre mí.

12 En cuanto a mí, en mi integridad me has sustentado, y me has hecho estar delante de ti para siempre.

13 Bendito sea Jehová, el Dios de Israel, desde la eternidad, y hasta la eternidad. Amén, y amén.

SALMO 42

<<Al Músico principal: Masquil para los hijos de Coré>>

Como el ciervo brama por las corrientes de las aguas, así clama por ti, oh Dios, el alma mía.

2 Mi alma tiene sed de Dios, del Dios vivo: ¿Cuándo vendré, y me presentaré delante de Dios?

3 Fueron mis lágrimas mi pan de día y de noche, mientras me dicen todos los días: ¿Dónde *está* tu Dios?

4 Me acuerdo de estas cosas, y derramo mi alma dentro de mí: Porque yo fui con la multitud, fui con ellos a la casa de Dios, con voz de alegría y de alabanza, haciendo fiesta la multitud.

5 ¿Por qué te abates, oh alma mía, y te turbas dentro de mí? Espera en Dios; porque aún he de alabarle por la ayuda de su presencia.

6 Dios mío, mi alma está abatida dentro de mí; me acordaré por tanto de ti desde la tierra del Jordán, y de los hermonitas, desde el monte de Mizar.

7 Un abismo llama a otro a la voz de tus cascadas; todas tus ondas y tus olas han pasado sobre mí.

8 De día mandará Jehová su misericordia, y de noche su canción *será* conmigo, y mi oración al Dios de mi vida.

9 Diré a Dios: Roca mía, ¿por qué te has olvidado de mí? ¿Por qué andaré yo enlutado por la opresión del enemigo,

10 *como* con una espada en mis huesos? Mis enemigos me afrentan, diciéndome cada día: ¿Dónde está tu Dios?

11 ¿Por qué te abates, oh alma mía, y por qué te turbas dentro de mí? Espera en Dios; porque aún he de alabarle; *Él es* la salud de mi semblante, y mi Dios.

SALMO 43

Júzgame, oh Dios, y aboga mi causa: Líbrame de nación impía, del hombre de engaño e iniquidad.

2 Pues que tú *eres* el Dios de mi fortaleza, ¿por qué me has desechado? ¿Por qué andaré enlutado por la opresión del enemigo?

3 Envía tu luz y tu verdad; éstas me guiarán, me conducirán a tu monte santo, y a tus tabernáculos.

4 Y entraré al altar de Dios, a Dios mi alegría, mi gozo; y te alabaré con arpa, oh Dios, Dios mío.

5 ¿Por qué te abates, oh alma mía, y por qué te turbas dentro de mí? Espera en Dios; porque aún he de alabarle; *Él es* la salud de mi semblante, y mi Dios.

SALMO 44

<<Al Músico principal; para los hijos de Coré: Masquil>>

Oh Dios, con nuestros oídos hemos oído, nuestros padres nos han contado la obra que hiciste en sus días, en los tiempos antiguos.

2 Tú con tu mano echaste a las naciones, y los plantaste a ellos; afligiste a los pueblos, y los arrojaste.

3 Porque no se apoderaron de la tierra por su espada, ni su brazo los libró; sino tu diestra, y tu brazo, y la luz de tu rostro, porque te complaciste en ellos.

4 Tú, oh Dios, eres mi Rey; manda salvación a Jacob.

5 Por medio de ti sacudiremos a nuestros enemigos; en tu nombre hollaremos a nuestros adversarios.

6 Porque no confiaré en mi arco, ni mi espada me salvará.

7 Pues tú nos has guardado de nuestros enemigos, y has avergonzado a los que nos aborrecían.

8 En Dios nos gloriaremos todo el tiempo, y para siempre alabaremos tu nombre. (Selah)

9 Pero nos has desechado, y nos has hecho avergonzar; y no sales con nuestros ejércitos.

10 Nos has hecho retroceder ante el enemigo, y los que nos aborrecían nos han saqueado para sí.

11 Nos pusiste como a ovejas para comida, y nos esparciste entre las naciones.

12 Has vendido a tu pueblo de balde, y no acrecentaste *tu riqueza* con su precio.

13 Nos pusiste por vergüenza a nuestros vecinos, por escarnio y por burla a los que nos rodean.

14 Nos pusiste por proverbio entre las naciones, por movimiento de cabeza en los pueblos.

15 Cada día mi vergüenza está delante de mí, y me cubre la confusión de mi rostro,

16 por la voz del que me injuria y vitupera, por razón del enemigo y del vengativo.

17 Todo esto nos ha sobrevenido, pero no nos hemos olvidado de ti; y no hemos faltado a tu pacto.

18 No se ha vuelto atrás nuestro corazón, ni nuestros pasos se han apartado de tu camino;

19 aunque nos quebrantaste en el lugar de los dragones y nos cubriste con sombra de muerte.

20 Si nos hubiésemos olvidado del nombre de nuestro Dios, o extendido nuestras manos a dios ajeno,

Dios es nuestro amparo y fortaleza

21 ¿No demandaría Dios esto? Porque Él conoce los secretos del corazón.

22 Pero por causa de ti nos matan cada día; somos contados como ovejas para el matadero.

23 Despierta; ¿por qué duermes, Señor? Despierta, no nos deseches para siempre.

24 ¿Por qué escondes tu rostro, y te olvidas de nuestra aflicción y de nuestra opresión?

25 Porque nuestra alma está agobiada hasta el polvo; nuestro vientre está pegado con la tierra.

26 Levántate para ayudarnos, y redímenos por tu misericordia.

SALMO 45

<<Al Músico principal: sobre Sosanim: para los hijos de Coré: Masquil: Canción de amores>>

Rebosa mi corazón palabra buena: Refiero yo al Rey mis obras: Mi lengua es pluma de escribiente muy ligero.

2 Te has hermoseado más que los hijos de los hombres; la gracia se derramó en tus labios; por tanto, Dios te ha bendecido para siempre.

3 Cíñete tu espada sobre el muslo, oh valiente, con tu gloria y con tu majestad.

4 Y en tu gloria sé prosperado: Cabalga sobre palabra de verdad, de humildad y de justicia; y tu diestra te enseñará cosas terribles.

5 Tus saetas agudas con que caerán pueblos debajo de ti, penetrarán en el corazón de los enemigos del Rey.

6 Tu trono, oh Dios, es eterno y para siempre; cetro de equidad es el cetro de tu reino.

7 Amaste la justicia y aborreciste la maldad; por tanto Dios, el Dios tuyo, te ha ungido con óleo de alegría más que a tus compañeros.

8 Mirra, áloe y casia exhalan todas tus vestiduras; desde palacios de marfil te han alegrado.

9 Hijas de reyes hay entre tus mujeres ilustres: La reina está a tu diestra, con oro de Ofir.

10 Oye, hija, y mira, e inclina tu oído; y olvida tu pueblo, y la casa de tu padre;

11 y deseará el Rey tu hermosura: Adórale, porque Él es tu Señor.

12 Y la hija de Tiro vendrá con presentes; los ricos del pueblo implorarán tu favor.

13 Toda gloriosa en su interior es la hija del Rey; de brocado de oro es su vestido.

14 Con vestidos bordados será llevada al Rey; vírgenes en pos de ella; sus compañeras serán traídas a ti.

15 Serán traídas con alegría y gozo; entrarán en el palacio del Rey.

16 En lugar de tus padres serán tus hijos, a quienes harás príncipes en toda la tierra.

17 Haré que tu nombre sea recordado en todas las generaciones; por lo cual te alabarán los pueblos eternamente y para siempre.

SALMO 46

<<Al Músico principal; para los hijos de Coré: Salmo sobre Alamot>>

Dios *es* nuestro amparo y fortaleza, nuestro pronto auxilio en las tribulaciones.

2 Por tanto no temeremos aunque la tierra sea removida; aunque se traspasen los montes al corazón del mar;

3 *aunque* bramen y se turben sus aguas; *aunque* tiemblen los montes a causa de su braveza. (Selah)

4 *Hay* un río cuyas corrientes alegrarán la ciudad de Dios, el *lugar* santo de los tabernáculos del Altísimo.

5 Dios *está* en medio de ella; no será conmovida: Dios la ayudará al clarear la mañana.

6 Bramaron las naciones, titubearon los reinos; dio Él su voz, se derritió la tierra.

7 Jehová de los ejércitos *está* con nosotros; nuestro refugio *es* el Dios de Jacob. (Selah)

8 Venid, ved las obras de Jehová, que ha puesto asolamientos en la tierra.

9 Que hace cesar las guerras hasta los fines de la tierra; que quiebra el arco, corta la lanza, y quema los carros en el fuego.

10 Estad quietos, y conoced que yo soy Dios: Enaltecido seré entre las naciones, exaltado seré en la tierra.

11 Jehová de los ejércitos *está* con nosotros; Nuestro refugio *es* el Dios de Jacob. (Selah)

SALMO 47

<<Al Músico principal: De los hijos de Coré: Salmo>>

Pueblos todos, batid las manos; Aclamad a Dios con voz de júbilo.

2 Porque Jehová el Altísimo es terrible; Rey grande sobre toda la tierra.

3 Él sujetará a los pueblos debajo de nosotros, y a las naciones debajo de nuestros pies.

4 Él nos elegirá nuestras heredades; la hermosura de Jacob, al cual amó. (Selah)

5 Subió Dios con júbilo, Jehová con sonido de trompeta.

6 Cantad a Dios, cantad; cantad a nuestro Rey, cantad.

7 Porque Dios es el Rey de toda la tierra: Cantad con inteligencia.

8 Dios reina sobre las naciones: Sentado está Dios sobre su santo trono.

9 Los príncipes de los pueblos se han reunido, aun el pueblo del Dios de Abraham: Porque de Dios son los escudos de la tierra; Él es muy enaltecido.

SALMO 48

<<Canción: Salmo de los hijos de Coré>>

Grande es Jehová y digno de ser en gran manera alabado, en la ciudad de nuestro Dios, en su monte santo.

2 Hermosa provincia, el gozo de toda la tierra es el monte de Sión, a los lados del norte, la ciudad del gran Rey.

3 Dios en sus palacios es conocido por refugio.

4 Porque he aquí los reyes de la tierra se reunieron; pasaron todos.

5 Y viéndola ellos así, se maravillaron, se turbaron, se dieron prisa a huir.

6 Les tomó allí temblor; dolor, como a mujer que da a luz.

7 Con viento solano quiebras tú las naves de Tarsis.

8 Como lo oímos, así hemos visto en la ciudad de Jehová de los ejércitos, en la ciudad de nuestro Dios: Dios la afirmará para siempre. (Selah)

9 Nos hemos acordado de tu misericordia, oh Dios, en medio de tu templo.

10 Conforme a tu nombre, oh Dios, así es tu loor hasta los fines de la tierra; de justicia está llena tu diestra.

11 Se alegrará el monte de Sión; se gozarán las hijas de Judá por tus juicios.

12 Andad alrededor de Sión, y rodeadla; contad sus torres.

13 Observad atentamente su antemuro; mirad sus palacios; para que lo contéis a la generación venidera.

14 Porque este Dios es Dios nuestro eternamente y para siempre: Él nos guiará, *aun* hasta la muerte.

SALMO 49
<<Al Músico principal: Salmo para los hijos de Coré>>

Oíd esto, pueblos todos; escuchad, todos los habitantes del mundo:

2 Así los plebeyos como los nobles, el rico y el pobre juntamente.

3 Mi boca hablará sabiduría; y la meditación de mi corazón será inteligencia.

4 Inclinaré mi oído al proverbio; declararé con el arpa mi enigma.

5 ¿Por qué he de temer en los días de adversidad, cuando la iniquidad de mis acechadores me rodee?

6 Los que confían en sus posesiones, y se jactan en la muchedumbre de sus riquezas,

7 ninguno *de ellos* podrá en manera alguna redimir al hermano, ni dar a Dios su rescate

8 (Porque la redención de su alma es de gran precio, y no se hará jamás).

9 Para que viva en adelante para siempre, y nunca vea corrupción.

10 Pues él ve que mueren los sabios; igualmente perecen el insensato y el necio, y dejan a otros sus riquezas.

11 En su interior piensan que sus casas *serán* eternas, y sus habitaciones para generación y

generación; dan *sus* nombres a sus tierras.

12 Mas el hombre no permanecerá en honra; es semejante a las bestias que perecen.

13 Este su camino es locura; con todo, sus descendientes se complacen en el dicho de ellos. (Selah)

14 Como rebaños serán puestos en la sepultura; la muerte se cebará en ellos; y los rectos señorearán sobre ellos por la mañana; y su buen parecer se consumirá en el sepulcro de su morada.

15 Pero Dios redimirá mi alma del poder de la sepultura, porque Él me recibirá. (Selah)

16 No temas cuando se enriquece alguno, cuando aumenta la gloria de su casa;

17 Porque cuando muera no llevará nada, ni descenderá tras él su gloria.

18 Aunque mientras viva, bendiga a su alma: y tú serás loado cuando te hicieres bien.

19 Entrará a la generación de sus padres; nunca mirarán la luz.

20 El hombre *que está* en honra y no entiende, semejante es a las bestias que perecen.

SALMO 50
<<Salmo de Asaf>>

El Dios de dioses, Jehová, ha hablado, y convocado la tierra desde el nacimiento del sol hasta donde se pone.

2 De Sión, perfección de hermosura, Dios ha resplandecido.

3 Vendrá nuestro Dios, y no callará; fuego consumirá delante de Él, y en derredor suyo habrá tempestad grande.

4 Convocará a los cielos de arriba, y a la tierra, para juzgar a su pueblo.

5 Juntadme mis santos; los que hicieron conmigo pacto con sacrificio.

6 Y los cielos declararán su justicia; Porque Dios es el Juez. (Selah)

7 Oye, pueblo mío, y hablaré: Escucha, Israel, y testificaré contra ti: Yo soy Dios, el Dios tuyo.

8 No te reprenderé sobre tus sacrificios, ni por tus holocaustos, que delante de mí están siempre.

9 No tomaré de tu casa becerros, ni machos cabríos de tus apriscos.

10 Porque mía es toda bestia del bosque, y los millares de animales en los collados.

11 Conozco todas las aves de los montes, y mías son las fieras del campo.

12 Si yo tuviese hambre, no te lo diría a ti; porque mío es el mundo y su plenitud.

13 ¿He de comer yo carne de toros, o he de beber sangre de machos cabríos?

14 Sacrifica a Dios alabanza, y paga tus votos al Altísimo.

15 E invócame en el día de la angustia: Te libraré, y tú me honrarás.

16 Pero al malo dijo Dios: ¿Qué tienes tú que narrar mis leyes, y que tomar mi pacto en tu boca?

17 Pues tú aborreces la instrucción, y echas a tu espalda mis palabras.

18 Si veías al ladrón, tú corrías con él; y con los adúlteros era tu parte.

19 Tu boca metías en mal, y tu lengua componía engaño.

20 Tomabas asiento, y hablabas contra tu hermano; contra el hijo de tu madre ponías infamia.

21 Estas cosas hiciste, y yo he callado; pensabas que de cierto sería yo como tú; *pero* yo te reprenderé, y las pondré delante de tus ojos.

22 Entended ahora esto, los que os olvidáis de Dios; no sea que os despedace, sin que haya quien libre.

23 El que sacrifica alabanza me honrará; y al que ordenare su camino, le mostraré la salvación de Dios.

SALMO 51

<<Al Músico principal: Salmo de David, cuando después que entró a Betsabé, vino a él Natán el profeta>>

Ten piedad de mí, oh Dios, conforme a tu misericordia; conforme a la multitud de tus piedades borra mis rebeliones.

2 Lávame más y más de mi maldad, y límpiame de mi pecado.

3 Porque yo reconozco mis rebeliones; y mi pecado está siempre delante de mí.

4 Contra ti, contra ti sólo he pecado, y he hecho lo malo delante de tus ojos. Para que seas reconocido justo en tu palabra, y tenido por puro en tu juicio.

5 He aquí, en maldad he sido formado, y en pecado me concibió mi madre.

6 He aquí, tú amas la verdad en lo íntimo; y en lo secreto me has hecho comprender sabiduría.

7 Purifícame con hisopo, y seré limpio; lávame, y seré más blanco que la nieve.

8 Hazme oír gozo y alegría; y se recrearán los huesos que has abatido.

9 Esconde tu rostro de mis pecados, y borra todas mis maldades.

10 Crea en mí, oh Dios, un corazón limpio; y renueva un espíritu recto dentro de mí.

11 No me eches de delante de ti; y no quites de mí tu Santo Espíritu.

12 Vuélveme el gozo de tu salvación; y el espíritu libre me sustente.

13 *Entonces* enseñaré a los prevaricadores tus caminos; y los pecadores se convertirán a ti.

14 Líbrame de homicidios, oh Dios, Dios de mi salvación: Cantará mi lengua tu justicia.

15 Señor, abre mis labios; y publicará mi boca tu alabanza.

16 Porque no quieres tú sacrificio, que yo lo daría; no quieres holocausto.

17 Los sacrificios de Dios son el espíritu quebrantado; al corazón contrito y humillado no despreciarás tú, oh Dios.

18 Haz bien con tu benevolencia a Sión: Edifica los muros de Jerusalén.

19 Entonces te agradarán los sacrificios de justicia, el holocausto u ofrenda del todo quemada: Entonces ofrecerán becerros sobre tu altar.

SALMO 52

<<Al Músico principal: Masquil de David, cuando vino Doeg idumeo y dio cuenta a Saúl, diciéndole: David ha venido a casa de Ahimelec>>

¿Por qué te glorías de maldad, oh poderoso? La misericordia de Dios es continua.

2 Agravios maquina tu lengua; como navaja afilada hace engaño.

3 Amaste el mal más que el bien; la mentira más que hablar justicia. (Selah)

4 Has amado toda palabra perniciosa, oh lengua engañosa.

5 Por tanto Dios te derribará para siempre; te asolará y te arrancará de tu morada, y te desarraigará de la tierra de los vivientes. (Selah)

6 Y verán los justos, y temerán; y se reirán de él, *diciendo*:

7 He aquí el hombre que no puso a Dios por su fortaleza, sino que confió en la multitud de sus riquezas; y se mantuvo en su maldad.

8 Mas yo estoy como olivo verde en la casa de Dios: En la misericordia de Dios confío eternamente y para siempre.

9 Te alabaré para siempre por lo que has hecho; y esperaré en tu nombre, porque *es* bueno, delante de tus santos.

SALMO 53
<<Al Músico principal: sobre Mahalat: Masquil de David>>

Dijo el necio en su corazón: No hay Dios. Se corrompieron e hicieron abominable maldad; no hay quien haga bien.

2 Dios desde los cielos miró sobre los hijos de los hombres, para ver si había algún entendido que buscara a Dios.

3 Cada uno se había vuelto atrás; todos se habían corrompido; no hay quien haga bien, no hay ni siquiera uno.

4 ¿No tienen conocimiento todos esos que hacen iniquidad? Que devoran a mi pueblo como si comiesen pan; a Dios no han invocado.

5 Allí se sobresaltaron de pavor donde no *había* miedo: Porque Dios ha esparcido los huesos del que acampó *contra* ti: Los avergonzaste, porque Dios los desechó.

6 ¡Oh, quién diese que la salvación de Israel *viniese* de Sión! Cuando Dios hiciere volver de la cautividad a su pueblo, se gozará Jacob, y se alegrará Israel.

SALMO 54
<<Al Músico principal: en Neginot: Masquil de David, cuando vinieron los zifeos y dijeron a Saúl: ¿No está David escondido en nuestra tierra?>>

Oh Dios, sálvame por tu nombre, y con tu poder defiéndeme.

2 Oh Dios, oye mi oración; escucha las razones de mi boca.

3 Porque extraños se han levantado contra mí, y hombres violentos buscan mi vida; no han puesto a Dios delante de sí. (Selah)

4 He aquí, Dios es el que me ayuda; el Señor *es* con los que sostienen mi vida.

5 Él volverá el mal a mis enemigos; córtalos por tu verdad.

6 Voluntariamente sacrificaré a ti; alabaré tu nombre, oh Jehová, porque es bueno.

7 Porque me ha librado de toda angustia, y en mis enemigos vieron mis ojos *mi deseo*.

SALMO 55
<<Al Músico principal: en Neginot: Masquil de David>>

Escucha, oh Dios, mi oración, y no te escondas de mi súplica.

2 Está atento, y respóndeme; clamo en mi oración, y levanto el grito,

3 a causa de la voz del enemigo, por la opresión del impío; porque iniquidad echaron sobre mí, y con furor me aborrecen.

4 Mi corazón está dolorido dentro de mí, y terrores de muerte sobre mí han caído.

5 Temor y temblor vinieron sobre mí, y terror me ha cubierto.

6 Y dije: ¡Quién me diese alas como de paloma! Volaría yo, y descansaría.

7 Ciertamente huiría lejos; moraría en el desierto. (Selah)

8 Me apresuraría a escapar del viento tempestuoso, de la tempestad.

9 Deshace, oh Señor, divide la lengua de ellos; porque he visto violencia y rencilla en la ciudad.

10 Día y noche la rodean sobre sus muros; e iniquidad y trabajo hay en medio de ella.

11 Agravios hay en medio de ella, y el fraude y engaño no se apartan de sus plazas.

12 Porque no me afrentó un enemigo, lo cual habría soportado; ni se alzó contra mí el que me aborrecía, porque me hubiera ocultado de él:

13 Sino tú, hombre, al parecer íntimo mío, mi guía, y mi familiar:

14 Que juntos comunicábamos dulcemente los secretos, y a la casa de Dios andábamos en compañía.

15 Que la muerte los sorprenda; desciendan vivos al infierno; porque maldad hay en sus moradas, en medio de ellos.

16 En cuanto a mí, a Dios clamaré; y Jehová me salvará.

17 Tarde y mañana y a mediodía oraré y clamaré; y Él oirá mi voz.

18 Él ha librado en paz mi alma de la guerra contra mí; aunque había muchos contra mí.

19 Dios oirá, y los quebrantará luego, Él, que desde la antigüedad permanece (Selah); por cuanto no cambian, ni temen a Dios.

20 Extendió *el inicuo* sus manos contra los que estaban en paz con él; violó su pacto.

21 *Las palabras* de su boca fueron más blandas que mantequilla, pero guerra había en su corazón; suavizó sus palabras más que el aceite, mas ellas *fueron* espadas desenvainadas.

22 Echa sobre Jehová tu carga, y Él te sustentará; no dejará para siempre caído al justo.

23 Mas tú, oh Dios, harás descender aquéllos al pozo de la destrucción; los hombres sanguinarios y engañadores no llegarán a la mitad de sus días; pero yo confiaré en ti.

SALMO 56

<<Al Músico principal: sobre La paloma silenciosa en paraje muy distante. Mictam de David, cuando los filisteos le prendieron en Gat>>

Ten misericordia de mí, oh Dios, porque me devoraría el hombre: Me oprime combatiéndome cada día.

2 Me devorarían cada día mis enemigos; porque muchos son los que pelean contra mí, oh Altísimo.

3 En el día que temo, yo en ti confío.

4 En Dios alabaré su palabra: En Dios he confiado, no temeré lo que me pueda hacer el hombre.

5 Todos los días pervierten mis palabras; contra mí son todos sus pensamientos para mal.

6 Se reúnen, se esconden, miran atentamente mis pasos, acechan mi vida.

7 ¿Escaparán ellos con su iniquidad? Oh Dios, derriba en tu furor los pueblos.

8 Mis huidas tú has contado; pon mis lágrimas en tu redoma: ¿No están ellas en tu libro?

9 Serán luego vueltos atrás mis enemigos el día que yo clamare; en esto conozco que Dios es por mí.

10 En Dios alabaré su palabra; en Jehová alabaré su palabra.

11 En Dios he confiado; no temeré lo que me pueda hacer el hombre.

12 Sobre mí, oh Dios, están tus votos; te tributaré alabanzas.

13 Porque has librado mi alma de la muerte, y mis pies de caída, para que ande delante de Dios en la luz de los que viven.

SALMO 57

<<Al Músico principal: sobre No destruyas: Mictam de David, cuando huyó de delante de Saúl a la cueva>>

Ten misericordia de mí, oh Dios, ten misericordia de mí; porque en ti ha confiado mi alma, y en la sombra de tus alas me ampararé, hasta que pasen los quebrantos.

2 Clamaré al Dios Altísimo, al Dios que me favorece.

3 Él enviará desde los cielos, y me salvará de la infamia del que quiere devorarme. (Selah) Dios enviará su misericordia y su verdad.

4 Mi vida está entre leones; estoy echado *entre* hijos de hombres encendidos; sus dientes *son* lanzas y saetas, y su lengua espada aguda.

5 Sobre los cielos sé exaltado, oh Dios; sobre toda la tierra tu gloria.

6 Red han armado a mis pasos; mi alma se ha abatido: Hoyo han cavado delante de mí; en medio de él han caído. (Selah)

7 Mi corazón está firme, oh Dios, mi corazón está firme; cantaré y trovaré salmos.

8 Despierta, oh gloria mía; despierta, salterio y arpa; me levantaré de mañana.

9 Te alabaré entre los pueblos, oh Señor; cantaré de ti entre las naciones.

10 Porque grande es hasta los cielos tu misericordia, y hasta las nubes tu verdad.

11 Sé exaltado sobre los cielos, oh Dios; sobre toda la tierra *sea* tu gloria.

SALMO 58

<<Al Músico principal: sobre No destruyas: Mictam de David>>

Oh congregación, ¿pronunciáis en verdad justicia? ¿Juzgáis rectamente, hijos de los hombres?

2 Antes con el corazón obráis iniquidades: Hacéis pesar la violencia de vuestras manos en la tierra.

3 Se apartaron los impíos desde la matriz; se descarriaron desde el momento en que nacieron, hablando mentira.

4 Veneno tienen semejante al veneno de serpiente; son como áspid sordo que cierra su oído;

5 que no oye la voz de los encantadores, por más hábil que el encantador sea.

6 Oh Dios, quiebra sus dientes en sus bocas; quiebra, oh Jehová, las muelas de los leoncillos.

7 Escúrranse como aguas que se van de suyo; al entesar sus saetas, luego sean hechas pedazos.

8 Pasen ellos como el caracol que se deslíe; como el abortivo de mujer, no vean el sol.

9 Antes que vuestras ollas sientan las espinas, así vivos, así airados, los arrebatará Él con tempestad.

10 Se alegrará el justo cuando viere la venganza; sus pies lavará en la sangre del impío.

11 Entonces dirá el hombre: Ciertamente hay recompensa para el justo; ciertamente el es un Dios que juzga en la tierra.

SALMO 59

<<Al Músico principal; sobre No destruyas: Mictam de David, cuando envió Saúl, y guardaron la casa para matarlo>>

Líbrame de mis enemigos, oh Dios mío; ponme a salvo de los que contra mí se levantan.

2 Líbrame de los obradores de iniquidad, y sálvame de hombres sanguinarios.

3 Porque he aquí están acechando mi vida; se han juntado contra mí poderosos, no por falta mía, ni pecado mío, oh Jehová.

4 Sin delito mío, corren y se aperciben; despierta para ayudarme, y mira.

5 Y tú, Jehová Dios de los ejércitos, Dios de Israel, despierta para castigar a todas las naciones; no tengas misericordia de todos los que se rebelan con iniquidad. (Selah)

6 Volverán a la tarde, ladrarán como perros, y rodearán la ciudad.

7 He aquí proferirán con su boca; espadas hay en sus labios, porque dicen: ¿Quién oye?

8 Mas tú, oh Jehová, te reirás de ellos, te burlarás de todas las gentes.

9 A causa de su fuerza, esperaré yo en ti; porque Dios es mi defensa.

10 El Dios de mi misericordia irá delante de mí: Dios permitirá que yo vea en mis enemigos mi deseo.

11 No los mates, para que mi pueblo no se olvide; dispérsalos con tu poder, y abátelos, oh Jehová, escudo nuestro,

12 por el pecado de su boca, por la palabra de sus labios; sean presos por su soberbia, y por la maldición y mentira que profieren.

13 Acábalos con furor, acábalos, y dejen de ser; y sepan que Dios domina en Jacob hasta los fines de la tierra. (Selah)

14 Vuelvan, pues, a la tarde, y ladren como perros, y rodeen la ciudad.

15 Anden ellos errantes para hallar qué comer; y si no se saciaren, murmuren.

16 Pero yo cantaré de tu poder, y alabaré de mañana tu misericordia: Porque has sido mi amparo y refugio en el día de mi angustia.

17 Fortaleza mía, a ti cantaré; porque eres, *oh* Dios de mi refugio, el Dios de mi misericordia.

SALMO 60

<<Al Músico principal: sobre Susan-edut: Mictam de David, para enseñar, cuando tuvo guerra contra Aram-naharaim y contra Aram de Soba, y volvió Joab, y mató de Edom en el valle de la Sal a doce mil>>

Oh Dios, tú nos has desechado, nos disipaste; te has airado; ¡vuélvete a nosotros!

2 Hiciste temblar la tierra, la abriste; sana sus roturas, porque titubea.

3 Has hecho ver a tu pueblo duras cosas; nos hiciste beber el vino de aturdimiento.

4 Has dado bandera a los que te temen, que desplieguen por causa de la verdad. (Selah)

5 Para que se libren tus amados, salva con tu diestra, y óyeme.

6 Dios ha hablado en su santuario: Yo me alegraré; repartiré a Siquem, y mediré el valle de Sucot.

7 Mío es Galaad, y mío es Manasés; y Efraín es la fortaleza de mi cabeza; Judá, mi legislador;

8 Moab, es la vasija en que me lavo; Sobre Edom echaré mi zapato: Haz júbilo a causa de mí, oh Filistea.

9 ¿Quién me llevará a la ciudad fortificada? ¿Quién me llevará hasta Edom?

10 Ciertamente, tú, oh Dios, que nos habías desechado; y no salías, oh Dios, con nuestros ejércitos.

11 Danos socorro contra el enemigo, porque vana es la ayuda del hombre.

12 En Dios haremos proezas; y Él hollará a nuestros enemigos.

SALMO 61

<<Al Músico principal: sobre Neginot: *Salmo* de David>>

Oye, oh Dios, mi clamor; atiende mi oración.

2 Desde el cabo de la tierra clamaré a ti, cuando mi corazón desmayare: Llévame a la peña más alta que yo.

3 Porque tú has sido mi refugio, y torre fuerte delante del enemigo.

4 Yo habitaré en tu tabernáculo para siempre; estaré seguro bajo el abrigo de tus alas. (Selah)

5 Porque tú, oh Dios, has oído mis votos, has dado heredad a los que temen tu nombre.

6 Días sobre días añadirás al rey; sus años serán como generación y generación.

7 Estará para siempre delante de Dios: Misericordia y verdad prepara para que lo guarden.

8 Así cantaré salmos a tu nombre para siempre, pagando mis votos cada día.

SALMO 62

<<Al Músico principal: A Jedutún: Salmo de David>>

En Dios solamente está acallada mi alma: De Él viene mi salvación.

2 Sólo Él es mi Roca, y mi salvación; Es mi refugio, no resbalaré mucho.

3 ¿Hasta cuándo maquinaréis contra un hombre? Pereceréis todos vosotros, caeréis como pared desplomada, como cerca derribada.

4 Solamente consultan de cómo arrojarle de su grandeza; aman la mentira, con su boca bendicen, pero maldicen en sus entrañas. (Selah)

5 Alma mía, espera solamente en Dios; Porque en Él *está* mi esperanza.

6 Sólo Él es mi Roca y mi salvación. *Él es* mi refugio, no seré movido.

7 En Dios está mi salvación y mi gloria: En Dios está la roca de mi fortaleza, y mi refugio.

8 Esperad en Él en todo tiempo, oh pueblos; derramad delante de Él vuestro corazón: Dios es nuestro refugio. (Selah.)

9 Por cierto, vanidad son los hijos de los hombres, mentira los hombres de renombre; pesándolos a todos juntos en la balanza, pesarán menos que la vanidad.

10 No confiéis en la violencia, ni en la rapiña; no os envanezcáis; si se aumentaren las riquezas, no pongáis el corazón en ellas.

11 Una vez habló Dios; dos veces he oído esto; que de Dios es el poder.

12 Y de ti, oh Señor, es la misericordia; porque tú pagas a cada uno conforme a su obra.

SALMO 63

<<Salmo de David, estando en el desierto de Judá>>

Dios, Dios mío eres tú: De madrugada te buscaré; mi alma tiene sed de ti, mi carne te anhela, en tierra seca y árida donde agua no hay;

2 para ver tu poder y tu gloria, así como te he mirado en el santuario.

3 Porque mejor es tu misericordia que la vida; mis labios te alabarán.

4 Así te bendeciré en mi vida; en tu nombre alzaré mis manos.

5 Como de meollo y de grosura será saciada mi alma; y con labios de júbilo te alabará mi boca,

6 cuando me acuerdo de ti en mi lecho, y medito en ti en las vigilias de la noche.

7 Porque has sido mi socorro; y así en la sombra de tus alas me regocijaré.

8 Está mi alma apegada a ti; tu diestra me ha sostenido.

9 Mas los que para destrucción buscan mi alma, caerán en los sitios más bajos de la tierra.

10 Caerán a filo de espada; serán la porción de las zorras.

11 Pero el rey se alegrará en Dios; será alabado cualquiera que por Él jura; porque la boca de los que hablan mentira, será cerrada.

SALMO 64

<<Al Músico principal: Salmo de David>>

Escucha, oh Dios, mi voz en mi oración; guarda mi vida del miedo del enemigo.

2 Escóndeme del consejo secreto de los malignos; de la conspiración de los obradores de iniquidad;

3 que afilan su lengua como espada, y estiran *su* arco para *lanzar* saetas, *aun* palabras amargas;

4 Para asaetear a escondidas al íntegro; de repente tiran contra él, y no temen.

5 Obstinados en su inicuo designio, tratan de esconder los lazos, y dicen: ¿Quién los ha de ver?

6 Inquieren iniquidades, hacen una investigación exacta; y el íntimo pensamiento de cada uno de ellos, así como el corazón, es profundo.

7 Mas Dios los herirá con saeta; de repente serán heridos.

8 Y harán caer sobre sí sus mismas lenguas; se espantarán todos los que los vieren.

9 Y temerán todos los hombres, y anunciarán la obra de Dios, y entenderán su hecho.

10 Se alegrará el justo en Jehová, y confiará en Él; y se gloriarán todos los rectos de corazón.

SALMO 65

<<Al Músico principal: Salmo: Cántico de David>>

A ti es plácida la alabanza en Sión, oh Dios; y a ti se pagarán los votos.

2 Tú oyes la oración; a ti vendrá toda carne.

3 Iniquidades prevalecen contra mí; mas tú perdonarás nuestras transgresiones.

4 Bienaventurado el que tú escogieres, e hicieres acercarse *a ti, para que* habite en tus atrios. Seremos saciados del bien de tu casa, de tu santo templo.

5 Con tremendas cosas, en justicia, nos responderás tú, oh Dios de nuestra salvación, esperanza de todos los términos de la tierra, y de los más remotos confines del mar.

6 Tú, el que afirma los montes con su poder, ceñido de valentía:

7 El que calma el estruendo de los mares, el estruendo de sus ondas, y el alboroto de las naciones.

8 Por tanto, los moradores de los fines de la tierra temen de tus maravillas. Tú haces que se alegren las salidas de la mañana y de la tarde.

9 Visitas la tierra, y la riegas: En gran manera la enriqueces con el río de Dios, *que está* lleno de aguas; preparas el grano de ellos, cuando así la dispones.

10 Haces que se empapen sus surcos, haces descender sus canales; la ablandas con lluvias, bendices sus renuevos.

11 Tú coronas el año con tu bondad; y tus nubes destilan grosura.

12 Destilan *sobre* los pastizales del desierto; y los collados se ciñen de alegría.

13 Los prados se visten de rebaños, y los valles se cubren de grano; dan voces de júbilo, y aun cantan.

SALMO 66
<Al Músico principal: Cántico: Salmo>

A clamad a Dios con alegría, toda la tierra:

2 Cantad la gloria de su nombre; haced gloriosa su alabanza.

3 Decid a Dios: ¡Cuán asombrosas *son* tus obras! Por la grandeza de tu poder se someterán a ti tus enemigos.

4 Toda la tierra te adorará, y cantará a ti; cantarán a tu nombre. (Selah)

5 Venid, y ved las obras de Dios, temible en *sus* hechos para con los hijos de los hombres.

6 Volvió el mar en *tierra* seca; por el río pasaron a pie; allí en Él nos alegramos.

7 Él señorea con su poder para siempre; sus ojos atalayan sobre las naciones; los rebeldes no serán exaltados. (Selah)

8 Bendecid, pueblos, a nuestro Dios, y haced oír la voz de su alabanza.

9 Él es quien preserva nuestra alma en vida, y no permite que nuestros pies resbalen.

10 Porque tú nos probaste, oh Dios; nos refinaste como se refina la plata.

11 Nos metiste en la red; pusiste aflicción en nuestros lomos.

12 Hombres hiciste cabalgar sobre nuestra cabeza; pasamos por el fuego y por el agua, pero nos sacaste a *un lugar de* abundancia.

13 Entraré en tu casa con holocaustos: Te pagaré mis votos

14 que pronunciaron mis labios y habló mi boca, cuando angustiado estaba.

15 Te ofreceré holocaustos de animales engordados, con perfume de carneros: Sacrificaré bueyes y machos cabríos. (Selah)

16 Venid, oíd todos los que teméis a Dios, y contaré lo que Él ha hecho a mi alma.

17 A Él clamé con mi boca, y exaltado fue con mi lengua.

18 Si en mi corazón hubiese yo mirado a la iniquidad, el Señor no me habría escuchado.

19 Mas ciertamente me oyó Dios; atendió a la voz de mi súplica.

20 Bendito *sea* Dios, que no echó de sí mi oración, ni de mí su misericordia.

SALMO 67
<<Al Músico principal: sobre Neginot: Salmo: Cántico>>

D ios tenga misericordia de nosotros, y nos bendiga; haga resplandecer su rostro sobre nosotros (Selah);

2 para que sea conocido en la tierra tu camino, en todas las naciones tu salvación.

3 Te alaben los pueblos, oh Dios; todos los pueblos te alaben.

4 Alégrense y gócense las naciones; porque juzgarás los pueblos con equidad, y pastorearás las naciones en la tierra. (Selah)

5 Te alaben los pueblos, oh Dios; todos los pueblos te alaben.

6 La tierra dará su fruto: Nos bendecirá Dios, el Dios nuestro.

7 Bendíganos Dios, y témanlo todos los fines de la tierra.

SALMO 68
<<Al Músico principal: Salmo de David: Canción>>

L evántese Dios, sean esparcidos sus enemigos, y huyan de su presencia los que le aborrecen.

2 Como es lanzado el humo, los lanzarás: Como se derrite la cera delante del fuego, así perecerán los impíos delante de Dios.

3 Mas los justos se alegrarán; se gozarán delante de Dios, y saltarán de alegría.

4 Cantad a Dios, cantad salmos a su nombre: Exaltad al que cabalga sobre los cielos; Jehová es su nombre, y alegraos delante de Él.

5 Padre de huérfanos y defensor de viudas, es Dios en su santa morada:

6 Dios hace habitar en familia a los solitarios; Él saca a los aprisionados con grillos; mas los rebeldes habitan en tierra seca.

7 Oh Dios, cuando tú saliste delante de tu pueblo, cuando anduviste por el desierto, (Selah)

8 la tierra tembló; también destilaron los cielos a la presencia de Dios; aquel Sinaí *tembló* delante de Dios, del Dios de Israel.

9 Abundante lluvia esparciste, oh Dios, a tu heredad; y cuando se cansó, tú la recreaste.

10 Los que son de tu grey han morado en ella; por tu bondad, oh Dios, has provisto al pobre.

11 El Señor daba palabra: Grande era el ejército de aquellos que la publicaban.

12 Huyeron, huyeron reyes de ejércitos; y las que se quedaban en casa repartían el despojo.

13 Bien que fuisteis echados entre los tiestos, *seréis como* alas de paloma cubiertas de plata, y sus plumas con amarillez de oro.

14 Cuando el Omnipotente esparció los reyes en ella, se *emblanqueció* como la nieve en Salmón.

15 Monte de Dios es el monte de Basán; monte alto el de Basán.

16 ¿Por qué os levantáis, oh montes altos? *Éste es* el monte *que* Dios deseó para su morada; ciertamente Jehová habitará *en él* para siempre.

17 Los carros de Dios son veinte mil, y más millares de ángeles. El Señor *está* entre ellos, como en el Sinaí, así en el santuario.

18 Subiste a lo alto, cautivaste la cautividad, tomaste dones para los hombres, y también para los rebeldes, para que habite *entre ellos* JAH Dios.

19 Bendito *sea* el Señor; cada día nos colma de *bendiciones* el Dios de nuestra salvación. (Selah)

20 El Dios nuestro es el Dios de la salvación; y de Jehová el Señor es el librar de la muerte.

21 Ciertamente Dios herirá la cabeza de sus enemigos, la testa cabelluda del que camina en sus pecados.

22 El Señor dijo: De Basán *los* haré volver, haré volver *a mi pueblo* de las profundidades del mar;

23 porque sumergirás tu pie en la sangre de tus enemigos, y en ella también la lengua de tus perros.

24 Vieron tus caminos, oh Dios; los caminos de mi Dios, de mi Rey, en el santuario.

25 Los cantores iban delante, los tañedores detrás; en medio, las doncellas con panderos.

26 Bendecid a Dios en las congregaciones; al Señor, vosotros de la estirpe de Israel.

27 Allí estaba el joven Benjamín señoreador de ellos, los príncipes de Judá en su congregación, los príncipes de Zabulón, los príncipes de Neftalí.

28 Tu Dios ha ordenado tu fuerza; confirma, oh Dios, lo que has obrado en nosotros.

29 Por razón de tu templo en Jerusalén, los reyes te ofrecerán dones.

30 Reprime la reunión de gentes armadas, la multitud de toros con los becerros de los pueblos, *hasta que todos* se sometan con sus piezas de plata; esparce a los pueblos que se complacen en la guerra.

31 Vendrán príncipes de Egipto; Etiopía pronto extenderá sus manos a Dios.

32 Reinos de la tierra, cantad a Dios, cantad al Señor; (Selah)

33 al que cabalga sobre los cielos de los cielos que son desde la antigüedad: He aquí dará su voz, poderosa voz.

34 Atribuid fortaleza a Dios: Sobre Israel es su magnificencia, y su poder está en los cielos.

35 Terrible eres, oh Dios, desde tus santuarios: El Dios de Israel, Él da fortaleza y vigor a su pueblo. Bendito Dios.

SALMO 69

<<Al Músico principal: sobre Sosanim: *Salmo* de David>>

Sálvame, oh Dios, porque las aguas han entrado hasta el alma.

2 Estoy hundido en cieno profundo, donde no puedo sentar pie; he venido a abismos de aguas, y la corriente me ha anegado.

3 Cansado estoy de llamar; mi garganta se ha enronquecido; han desfallecido mis ojos esperando a mi Dios.

4 Más que los cabellos de mi cabeza son los que sin causa me aborrecen; Poderosos son los que quieren destruirme; Sin razón son mis enemigos; he tenido que pagar lo que no he robado.

5 Dios, tú sabes mi locura; y mis pecados no te son ocultos.

6 No sean avergonzados por mi causa los que esperan en ti, oh Señor Jehová de los ejércitos; no sean confundidos por causa mía los que te buscan, oh Dios de Israel.

7 Porque por amor de ti he sufrido afrenta; confusión ha cubierto mi rostro.

8 He venido a ser extraño a mis hermanos, y extranjero a los hijos de mi madre.

9 Porque me consumió el celo de tu casa; y las afrentas de los que te injuriaban, han caído sobre mí.

10 Y lloré *afligiendo* con ayuno mi alma; y esto me ha sido por afrenta.

11 Me puse además cilicio por vestidura; y vine a serles por proverbio.

12 Hablaban contra mí los que se sentaban a la puerta, y vine a ser la canción de los bebedores de vino.

13 Mas yo a ti elevo mi oración, oh Jehová, en tiempo aceptable; oh Dios, por la multitud de tu misericordia, por la verdad de tu salvación, escúchame.

14 Sácame del lodo, y no sea yo sumergido; sea yo libertado de los que me aborrecen, y de lo profundo de las aguas.

15 No me anegue la corriente de las aguas, ni me trague el abismo, ni el pozo cierre sobre mí su boca.

16 Escúchame, oh Jehová, porque benigna es tu misericordia; mírame conforme a la multitud de tus piedades.

17 Y no escondas tu rostro de tu siervo; porque estoy angustiado; apresúrate, óyeme.

18 Acércate a mi alma, redímela. Líbrame a causa de mis enemigos.

19 Tú sabes mi afrenta, y mi confusión, y mi oprobio; delante de ti están todos mis enemigos.

20 La afrenta ha quebrantado mi corazón, y estoy acongojado; y esperé quien se compadeciese de mí, y no lo hubo; y consoladores, y ninguno hallé.

21 Me pusieron además hiel por comida, y en mi sed me dieron a beber vinagre.

22 Que la mesa delante de ellos se convierta en lazo, y *lo que era* para su bien *les sea* tropiezo.

23 Sean oscurecidos sus ojos para que no vean, y haz vacilar continuamente sus lomos.

24 Derrama sobre ellos tu ira, y el furor de tu enojo los alcance.

25 Sea su palacio asolado; en sus tiendas no haya morador.

26 Porque persiguieron al que tú heriste; y cuentan del dolor de los que tú llagaste.

27 Pon maldad sobre su maldad, y no entren en tu justicia.

28 Sean raídos del libro de los vivientes, y no sean escritos con los justos.

29 Pero yo *estoy* afligido y quebrantado, tu salvación, oh Dios, me ponga en alto.

30 Alabaré yo el nombre de Dios con cántico, con acciones de gracias lo exaltaré.

31 Y *esto* agradará a Jehová más que *sacrificio* de buey, o becerro que tiene cuernos y pezuñas.

32 Los humildes lo verán, y se gozarán. Buscad a Dios, y vivirá vuestro corazón.

33 Porque Jehová oye a los menesterosos, y no menosprecia a sus prisioneros.

34 Alábenlo los cielos y la tierra, los mares, y todo lo que se mueve en ellos.

35 Porque Dios salvará a Sión, y reedificará las ciudades de Judá; y habitarán allí, y la poseerán.

36 Y la simiente de sus siervos la heredará, y los que aman su nombre habitarán en ella.

SALMO 70

<<Al Músico principal: *Salmo* de David, para conmemorar>>

Oh Dios, *apresúrate* a librarme; apresúrate, oh Dios, a socorrerme.

2 Sean avergonzados y confundidos los que buscan mi vida; sean vueltos

atrás y avergonzados los que mi mal desean.

3 Sean vueltos atrás, en pago de su afrenta hecha, los que dicen: ¡Ajá, ajá!

4 Gócense y alégrense en ti todos los que te buscan; y digan siempre los que aman tu salvación: Engrandecido sea Dios.

5 Yo estoy afligido y menesteroso; apresúrate a mí, oh Dios; mi ayuda y mi Libertador eres tú; oh Jehová, no te detengas.

SALMO 71

En ti, oh Jehová, he esperado; no sea yo avergonzado jamás.

2 Hazme escapar, y líbrame en tu justicia: Inclina a mí tu oído y sálvame.

3 Sé tú mi roca de refugio, adonde recurra yo continuamente: Has dado mandamiento para salvarme; porque tú eres mi Roca, y mi fortaleza.

4 Dios mío, líbrame de la mano del impío, de la mano del perverso y violento.

5 Porque tú, oh Señor Jehová, eres mi esperanza; seguridad mía desde mi juventud.

6 Por ti he sido sustentado desde el vientre; de las entrañas de mi madre tú fuiste el que me sacó; de ti *será* siempre mi alabanza.

7 Como prodigio he sido a muchos; y tú mi refugio fuerte.

8 Sea llena mi boca de tu alabanza, de tu gloria todo el día.

9 No me deseches en el tiempo de la vejez; cuando mi fuerza se acabare, no me desampares.

10 Porque mis enemigos hablan contra mí; y los que acechan mi alma, consultaron juntamente.

11 Diciendo: Dios lo ha dejado: Perseguidle y tomadle, porque no hay quien le libre.

12 Oh Dios, no estés lejos de mí: Dios mío, apresúrate a socorrerme.

13 Sean avergonzados, perezcan los adversarios de mi alma; sean cubiertos de vergüenza y de confusión los que mi mal buscan.

14 Mas yo esperaré siempre, y aún te alabaré más y más.

15 Mi boca publicará tu justicia y tu salvación todo el día, aunque no sé su número.

16 Iré en la fortaleza del Señor Jehová: Haré memoria de tu justicia, que es sólo tuya.

17 Oh Dios, me has enseñado desde mi juventud; y hasta ahora he manifestado tus maravillas.

18 Y aun hasta la vejez y las canas; oh Dios, no me desampares, hasta que muestre tu fortaleza a esta generación, y tu poder a todos los que han de venir.

19 Y tu justicia, oh Dios, hasta lo excelso; Tú has hecho grandes cosas: Oh Dios, ¿quién como tú?

20 Tú, que me has hecho ver muchas angustias y males, volverás a darme vida, y de nuevo me levantarás de los abismos de la tierra.

21 Aumentarás mi grandeza, y volverás a consolarme.

22 Asimismo yo te alabaré con instrumento de salterio, oh Dios mío: tu verdad cantaré a ti con el arpa, oh Santo de Israel.

23 Mis labios se alegrarán cuando a ti cante, y mi alma, la cual redimiste.

24 Mi lengua hablará también de tu justicia todo el día; por cuanto fueron avergonzados, porque fueron confundidos los que mi mal procuraban.

SALMO 72
<<Para Salomón>>

Oh Dios, da tus juicios al rey, y tu justicia al hijo del rey.

2 Él juzgará a tu pueblo con justicia, y a tus afligidos con juicio.

3 Los montes llevarán paz al pueblo, y los collados justicia.

4 Juzgará a los afligidos del pueblo, salvará los hijos del menesteroso, y quebrantará al violento.

5 Te temerán mientras duren el sol y la luna, de generación en generación.

6 Descenderá como la lluvia sobre la hierba cortada; como el rocío que destila sobre la tierra.

7 En sus días florecerá la justicia, y abundancia de paz hasta que no haya luna.

8 Y dominará de mar a mar, y desde el río hasta los confines de la tierra.

9 Los que habitan el desierto se postrarán delante de él; y sus enemigos lamerán la tierra.

10 Los reyes de Tarsis y de las islas traerán presentes: Los reyes de Seba y de Sabá ofrecerán dones,

11 y todos los reyes se postrarán delante de él: Todas las naciones le servirán.

12 Porque él librará al menesteroso que clamare, y al afligido que no tuviere quien le socorra.

13 Tendrá misericordia del pobre y del menesteroso, y salvará las almas de los pobres.

14 De engaño y de violencia redimirá sus almas; y la sangre de ellos será preciosa en sus ojos.

15 Y vivirá, y se le dará del oro de Seba; y se orará por él continuamente; Todo el día se le bendecirá.

16 Será echado un puño de grano en tierra, en las cumbres de los montes; Su fruto hará ruido como el Líbano, y los de la ciudad florecerán como la hierba de la tierra.

17 Su nombre será para siempre, perpetuado será su nombre mientras dure el sol; y benditas serán en él todas las naciones; lo llamarán bienaventurado.

18 Bendito Jehová Dios, el Dios de Israel, sólo Él hace maravillas.

19 Y bendito *sea* su nombre glorioso para siempre; y toda la tierra sea llena de su gloria. Amén y amén.

20 Terminan las oraciones de David, hijo de Isaí.

SALMO 73
<<Salmo de Asaf>>

Ciertamente bueno *es* Dios a Israel, a los limpios de corazón.

2 En cuanto a mí, casi se deslizaron mis pies; por poco resbalaron mis pasos.

3 Porque tuve envidia de los insensatos, viendo la prosperidad de los impíos.

4 Porque no hay dolores en su muerte; antes su fortaleza está entera.

5 No sufren trabajos como los *demás* mortales; ni son azotados como el resto de los hombres.

6 Por tanto soberbia los corona; se cubren de vestido de violencia.

7 Sus ojos se les saltan de gordura; logran con creces los antojos del corazón.

8 Blasfeman, y hablan con maldad de hacer violencia; Hablan con altanería.

9 Ponen en el cielo su boca, y su lengua pasea la tierra.

10 Por eso su pueblo vuelve aquí, y aguas de abundancia son extraídas para ellos.

11 Y dicen: ¿Cómo sabe Dios? ¿Y hay conocimiento en el Altísimo?

12 He aquí estos impíos, sin ser turbados del mundo, alcanzaron riquezas.

13 Verdaderamente en vano he limpiado mi corazón, y lavado mis manos en inocencia;

14 Pues he sido azotado todo el día, y castigado cada mañana.

15 Si yo hubiera dicho: Así hablaré; he aquí, habría traicionado a la generación de tus hijos.

16 Cuando pensé para saber esto; fue duro trabajo para mí,

17 hasta que entré en el santuario de Dios, *entonces* entendí la postrimería de ellos.

18 Ciertamente los has puesto en deslizaderos; en asolamientos los harás caer.

19 ¡Cómo han sido asolados de repente! Fueron enteramente consumidos de terrores.

20 Como sueño del que despierta, así, Señor, cuando despertares, menospreciarás su apariencia.

21 Mi corazón fue atribulado, y en mis riñones sentía punzadas.

22 Tan torpe era yo, y no entendía; era como una bestia delante de ti.

23 Con todo, yo siempre estuve contigo; Me trabaste de mi mano derecha.

24 Me has guiado según tu consejo, y después me recibirás en gloria.

25 ¿A quién tengo yo en los cielos, *sino a ti*? Y fuera de ti nada deseo en la tierra.

26 Mi carne y mi corazón desfallecen; *mas* la Roca de mi corazón y mi porción *es* Dios para siempre.

27 Porque he aquí, los que se alejan de ti perecerán: Tú cortarás a todo aquel que fornicando, se aparta de ti.

28 Y en cuanto a mí, el acercarme a Dios *es* el bien; he puesto en el Señor Jehová mi esperanza, para contar todas tus obras.

SALMO 74
<<Masquil de Asaf>>

¿Por qué, oh Dios, *nos* has desechado para siempre? ¿Por qué humea tu furor contra las ovejas de tu prado?

2 Acuérdate de tu congregación, que adquiriste de antiguo, la vara de tu heredad, la cual redimiste; Este monte de Sión, donde has habitado.

3 Levanta tus pies a los asolamientos eternos; a toda la maldad que el enemigo ha hecho en el santuario.

4 Tus enemigos vociferan en medio de tus asambleas; han puesto sus banderas por señales.

5 Cualquiera se hacía famoso según que había levantado el hacha sobre los gruesos maderos.

6 Y ahora con hachas y martillos han quebrado todas sus entalladuras.

7 Han puesto a fuego tus santuarios, han profanado el tabernáculo de tu nombre echándolo a tierra.

8 Dijeron en su corazón: Destruyámoslos de una vez; han quemado todas las sinagogas de Dios en la tierra.

9 No vemos ya nuestras señales; no hay más profeta; ni con nosotros hay quien sepa hasta cuándo.

10 ¿Hasta cuándo, oh Dios, el angustiador nos afrentará? ¿Ha de blasfemar el enemigo perpetuamente tu nombre?

11 ¿Por qué retraes tu mano, y tu diestra? ¿Por qué la escondes dentro de tu seno?

12 Pero Dios es mi Rey ya de antiguo; el que obra salvación en medio de la tierra.

13 Tú dividiste el mar con tu poder; quebrantaste cabezas de dragones en las aguas.

14 Tú machacaste las cabezas del leviatán; lo diste por comida al pueblo de los desiertos.

15 Tú abriste fuente y río; Tú secaste ríos impetuosos.

16 Tuyo *es* el día, tuya también *es* la noche: Tú estableciste la luna y el sol.

17 Tú estableciste todos los términos de la tierra; el verano y el invierno tú los formaste.

18 Acuérdate de esto; que el enemigo ha afrentado a Jehová, y que el pueblo insensato ha blasfemado tu nombre.

19 No entregues a las bestias el alma de tu tórtola; y no olvides para siempre la congregación de tus afligidos.

20 Mira al pacto: Porque los lugares tenebrosos de la tierra están llenos de habitaciones de violencia.

21 No vuelva avergonzado el oprimido: El pobre y el necesitado alaben tu nombre.

22 Levántate, oh Dios, aboga tu causa; acuérdate de cómo el insensato te injuria cada día.

23 No olvides las voces de tus enemigos; el alboroto de los que se levantan contra ti sube continuamente.

SALMO 75
<<Al Músico principal: sobre No destruyas: Salmo de Asaf: Cántico.>>

Te damos gracias, oh Dios, gracias te damos; porque cercano está tu nombre: Tus maravillas declaramos.

2 Cuando reciba la congregación, yo juzgaré rectamente.

3 Arruinada está la tierra y sus moradores; yo sostengo sus columnas. (Selah)

4 Dije a los insensatos: No os infatuéis; y a los impíos: No levantéis el cuerno:

5 No levantéis en alto vuestro cuerno; no habléis con cerviz erguida.

6 Porque ni de oriente, ni de occidente, ni del sur *viene* el enaltecimiento.

7 Mas Dios es el Juez; a éste humilla, y a aquél enaltece.

8 Porque el cáliz está en la mano de Jehová, y el vino es tinto, lleno de mixtura; y Él derrama del mismo; los asientos del mismo tomarán y beberán todos los impíos de la tierra.

9 Mas yo siempre anunciaré y cantaré alabanzas al Dios de Jacob.

10 Y quebraré todos los cuernos de los pecadores; *mas* los cuernos de los justos serán exaltados.

SALMO 76
<<Al Músico principal: sobre Neginot: Salmo de Asaf: Canción>>

Dios es conocido en Judá: En Israel es grande su nombre.

2 Y en Salem está su tabernáculo, y su habitación en Sión.

3 Allí quebró las saetas del arco, el escudo, y la espada, y *las armas* de guerra. (Selah)

4 Ilustre eres tú; Majestuoso, más que los montes de caza.

5 Los fuertes de corazón fueron despojados, durmieron su sueño; y ninguno de los varones fuertes pudo usar sus manos.

6 A tu reprensión, oh Dios de Jacob, el carro y el caballo fueron entorpecidos.

7 Tú, temible eres tú: ¿Y quién permanecerá de pie delante de ti, al desatarse tu ira?

8 Desde los cielos hiciste oír juicio; la tierra tuvo temor y quedó suspensa,

9 cuando te levantaste, oh Dios, al juicio, para salvar a todos los mansos de la tierra. (Selah)

10 Ciertamente la ira del hombre te alabará: Tú reprimirás el resto de las iras.

11 Prometed, y pagad a Jehová vuestro Dios; todos los que están alrededor de Él, traigan presentes al Temible.

12 Él cortará el espíritu de los príncipes; terrible es a los reyes de la tierra.

SALMO 77

<<Al Músico principal: para Jedutún: Salmo de Asaf>>

Con mi voz clamé a Dios, a Dios clamé, y Él me escuchó.

2 Al Señor busqué en el día de mi angustia: Mi mal corría de noche y no cesaba: Mi alma rehusó el consuelo.

3 Me acordaba de Dios, y me turbaba: Me quejaba, y desmayaba mi espíritu. (Selah)

4 Detenías los párpados de mis ojos: Estaba yo quebrantado, y no hablaba.

5 Consideraba los días desde el principio, los años de los siglos.

6 Me acordaba de mis canciones de noche; meditaba con mi corazón, y mi espíritu inquiría.

7 ¿Desechará el Señor para siempre, y no volverá más a sernos propicio?

8 ¿Ha cesado para siempre su misericordia? ¿Se ha acabado perpetuamente su promesa?

9 ¿Ha olvidado Dios el tener misericordia? ¿Ha encerrado con ira sus piedades? (Selah)

10 Y dije: Enfermedad mía es ésta; *traeré, pues, a la memoria* los años de la diestra del Altísimo.

11 Me acordaré de las obras de JAH; sí, haré yo memoria de tus maravillas antiguas.

12 Y meditaré en todas tus obras, y hablaré de tus hechos.

13 Oh Dios, en santidad es tu camino: ¿Qué Dios *es* grande como *nuestro* Dios?

14 Tú eres el Dios que hace maravillas; hiciste notorio en los pueblos tu poder.

15 Con tu brazo redimiste a tu pueblo, a los hijos de Jacob y de José. (Selah)

16 Te vieron las aguas, oh Dios; te vieron las aguas, y temieron; y temblaron los abismos.

17 Las nubes echaron inundaciones de aguas; tronaron los cielos, y discurrieron tus rayos.

18 Anduvo en derredor el sonido de tus truenos; los relámpagos alumbraron el mundo; se estremeció y tembló la tierra.

19 En el mar fue tu camino, y tus sendas en las muchas aguas; y tus pisadas no fueron conocidas.

20 Condujiste a tu pueblo como ovejas, por mano de Moisés y de Aarón.

SALMO 78

<<Masquil de Asaf>>

Escucha, pueblo mío, mi ley; inclinad vuestro oído a las palabras de mi boca.

2 Abriré mi boca en parábolas; hablaré cosas escondidas desde la antigüedad:

3 Las cuales hemos oído y entendido; que nuestros padres nos las contaron.

4 No las encubriremos a sus hijos, contando a la generación venidera las alabanzas de Jehová, y su fortaleza, y las maravillas que hizo.

5 Él estableció testimonio en Jacob, y puso ley en Israel; la cual mandó a nuestros padres que la enseñasen a sus hijos;

6 Para que lo sepa la generación venidera, y los hijos que nacerán; y

los que se levantarán, lo cuenten a sus hijos;

7 A fin de que pongan en Dios su confianza, y no se olviden de las obras de Dios, sino que guarden sus mandamientos;

8 y no sean como sus padres, generación contumaz y rebelde; generación que no apercibió su corazón, y cuyo espíritu no fue fiel para con Dios.

9 Los hijos de Efraín, arqueros armados, volvieron la espalda el día de la batalla.

10 No guardaron el pacto de Dios, ni quisieron andar en su ley:

11 Antes se olvidaron de sus obras, y de sus maravillas que les había mostrado.

12 Delante de sus padres hizo maravillas en la tierra de Egipto, en el campo de Zoán.

13 Dividió el mar, y los hizo pasar; y detuvo las aguas como en un montón.

14 Y los guió de día con nube, y toda la noche con resplandor de fuego.

15 Hendió las peñas en el desierto; y les dio a beber *como de* grandes abismos;

16 Pues sacó de la peña corrientes, e hizo descender aguas como ríos.

17 Pero aún siguieron pecando contra Él, provocando al Altísimo en el desierto.

18 Pues tentaron a Dios en su corazón, pidiendo comida a su gusto.

19 Y hablaron contra Dios, diciendo: ¿Podrá Dios poner mesa en el desierto?

20 He aquí ha herido la peña, y brotaron aguas, y arroyos salieron ondeando: ¿Podrá también dar pan? ¿Podrá proveer carne para su pueblo?

21 Por tanto, oyó Jehová, y se indignó: y se encendió el fuego contra Jacob, y el furor subió también contra Israel;

22 Por cuanto no habían creído a Dios, ni habían confiado en su salvación.

23 A pesar de que mandó a las nubes de arriba, y abrió las puertas de los cielos,

24 e hizo llover sobre ellos maná para comer, y les dio trigo de los cielos.

25 Pan de nobles comió el hombre: Les envió comida hasta saciarles.

26 Hizo que soplase el viento del este en el cielo, y trajo con su poder el viento del sur.

27 E hizo llover sobre ellos carne como polvo, y aves de alas como la arena del mar.

28 Las hizo caer en medio de su campamento, alrededor de sus tiendas.

29 Y comieron, y se saciaron mucho; les cumplió, pues, su deseo.

30 No habían quitado de sí su deseo, aún estaba la comida en su boca,

31 cuando vino sobre ellos el furor de Dios, y mató los más robustos de ellos, y derribó los escogidos de Israel.

32 Con todo esto, pecaron aún, y no dieron crédito a sus maravillas.

33 Por tanto, consumió sus días en vanidad, y sus años en tribulación.

34 Si los hería de muerte, entonces buscaban a Dios; entonces se volvían solícitos en busca suya.

35 Y se acordaban que Dios era su refugio; y el Dios Altísimo su Redentor.

36 Mas le lisonjeaban con su boca, y con su lengua le mentían:

37 Pues sus corazones no eran rectos para con Él, ni estuvieron firmes en su pacto.

38 Pero Él, misericordioso, perdonaba la maldad, y no los destruía; y apartó muchas veces su ira, y no despertó todo su enojo.

39 Y se acordó de que *eran* carne; soplo que va y no vuelve.

40 ¡Cuántas veces lo provocaron en el desierto, lo enojaron en la soledad!

41 Y volvían, y tentaban a Dios, y ponían límite al Santo de Israel.

42 No se acordaron de su mano, del día que los redimió de angustia;

43 cuando puso en Egipto sus señales, y sus maravillas en el campo de Zoán;

44 y volvió sus ríos en sangre, y sus corrientes, para que no bebiesen.

45 Envió entre ellos enjambres de moscas que los devoraban, y ranas que los destruyeron.

46 Dio también al pulgón sus frutos, y sus trabajos a la langosta.

47 Sus viñas destruyó con granizo, y sus higuerales con escarcha;

48 Y entregó al granizo sus bestias, y a los rayos sus ganados.

49 Envió sobre ellos el furor de su ira, enojo, indignación y angustia, enviándoles ángeles destructores.

50 Dispuso camino a su furor; no eximió la vida de ellos de la muerte, sino que entregó su vida a la mortandad.

51 E hirió a todo primogénito en Egipto, las primicias de su fuerza en las tiendas de Cam.

52 Pero hizo salir a su pueblo como ovejas, y los llevó por el desierto, como un rebaño.

53 Y los guió con seguridad, de modo que no tuvieran miedo; y el mar cubrió a sus enemigos.

54 Los metió después en los términos de su santuario, en este monte que adquirió su diestra.

55 Y echó a las naciones de delante de ellos, y con cuerdas les repartió *sus tierras* por heredad; e hizo habitar en sus tiendas a las tribus de Israel.

56 Mas ellos tentaron y enojaron al Dios Altísimo, y no guardaron sus testimonios;

57 Sino que se volvieron, y se rebelaron como sus padres: Se volvieron como arco engañoso.

58 Y lo enojaron con sus lugares altos, y lo provocaron a celo con sus esculturas.

59 Lo oyó Dios, y se enojó, y en gran manera aborreció a Israel.

60 Dejó por tanto el tabernáculo de Silo, la tienda en que habitó entre los hombres;

61 Y entregó al cautiverio su poder, y su gloria en mano del enemigo.

62 Entregó también su pueblo a la espada, y se airó contra su heredad.

63 El fuego devoró sus jóvenes, y sus vírgenes no fueron loadas en cantos nupciales.

64 Sus sacerdotes cayeron a espada, y sus viudas no hicieron lamentación.

65 Entonces despertó el Señor como de un sueño, como un valiente que grita excitado del vino:

66 E hirió a sus enemigos en las partes posteriores; les dio afrenta perpetua.

67 Y desechó el tabernáculo de José, y no escogió la tribu de Efraín.

68 Sino que escogió la tribu de Judá, el monte de Sión, al cual amó.

69 Y edificó su santuario a manera de eminencia, como la tierra que cimentó para siempre.

70 Y eligió a David su siervo, y lo tomó de las majadas de las ovejas.

71 De tras las paridas lo trajo, para que apacentase a Jacob su pueblo, y a Israel su heredad.

72 Y los apacentó conforme a la integridad de su corazón; y los pastoreó con la pericia de sus manos.

SALMO 79
<<Salmo de Asaf>>

Oh Dios, vinieron los gentiles a tu heredad; el templo de tu santidad han contaminado; pusieron a Jerusalén en montones.

2 Dieron los cuerpos de tus siervos por comida a las aves de los cielos; la carne de tus santos a las bestias de la tierra.

3 Derramaron su sangre como agua en los alrededores de Jerusalén; y no *hubo quien* los enterrase.

4 Somos afrentados de nuestros vecinos, escarnecidos y burlados de los que están en nuestros alrededores.

5 ¿Hasta cuándo, oh Jehová? ¿Estarás airado para siempre? ¿Arderá como fuego tu celo?

6 Derrama tu ira sobre las gentes que no te conocen, y sobre los reinos que no invocan tu nombre.

7 Porque han consumido a Jacob, y su morada han asolado.

8 No recuerdes contra nosotros las iniquidades antiguas: Anticípennos presto tus misericordias, porque estamos muy abatidos.

9 Ayúdanos, oh Dios, salvación nuestra, por la gloria de tu nombre; y líbranos, y aplácate sobre nuestros pecados por amor de tu nombre.

10 Porque dirán las gentes: ¿Dónde está su Dios? Sea notoria en las gentes, delante de nuestros ojos, la venganza de la sangre de tus siervos que fue derramada.

11 Entre ante tu presencia el gemido de los presos; conforme a la grandeza de tu brazo preserva a los sentenciados a muerte.

12 Y da a nuestros vecinos en su seno siete tantos de su infamia, con que te han deshonrado, oh Jehová.

13 Y nosotros, pueblo tuyo, y ovejas de tu prado, te alabaremos para siempre: De generación en generación cantaremos tus alabanzas.

SALMO 80

<<Al Músico principal: sobre Sosanim-edut: Salmo de Asaf>>

Oh Pastor de Israel, escucha: Tú que pastoreas como a ovejas a José, que habitas *entre* querubines, resplandece.

2 Despierta tu poder delante de Efraín, y de Benjamín, y de Manasés, y ven a salvarnos.

3 Oh Dios, restáuranos; y haz resplandecer tu rostro, y seremos salvos.

4 Jehová, Dios de los ejércitos, ¿Hasta cuándo mostrarás indignación contra la oración de tu pueblo?

5 Les diste a comer pan de lágrimas, y les diste a beber lágrimas en gran abundancia.

6 Nos pusiste por contienda a nuestros vecinos; y nuestros enemigos se burlan entre sí.

7 Oh Dios de los ejércitos, restáuranos; haz resplandecer tu rostro, y seremos salvos.

8 Hiciste venir una vid de Egipto; echaste las gentes, y la plantaste.

9 Preparaste *el terreno* delante de ella, e hiciste arraigar sus raíces, y llenó la tierra.

10 Los montes fueron cubiertos de su sombra; y sus sarmientos *fueron como* cedros de Dios.

11 Extendió sus vástagos hasta el mar, y hasta el río sus renuevos.

12 ¿Por qué has derribado sus vallados, de modo que la vendimien todos los que pasan por el camino?

13 La estropea el puerco montés, y la devora la bestia del campo.

14 Oh Dios de los ejércitos, vuelve ahora: Mira desde el cielo, y considera, y visita esta viña,

15 y la planta que plantó tu diestra, y el renuevo que para ti afirmaste.

16 Está quemada a fuego, asolada: ¡Perezcan por la represión de tu rostro!

17 Sea tu mano sobre el varón de tu diestra, sobre el hijo del hombre que para ti corroboraste.

18 Así no nos apartaremos de ti: Vida nos darás, e invocaremos tu nombre.

19 Oh Jehová, Dios de los ejércitos, ¡restáuranos! Haz resplandecer tu rostro, y seremos salvos.

SALMO 81

<<Al Músico principal: sobre Gitit: Salmo de Asaf>>

Cantad con gozo a Dios, fortaleza nuestra: Aclamad con júbilo al Dios de Jacob.

2 Entonad salmos, y tañed el pandero, el arpa deliciosa con el salterio.

3 Tocad la trompeta en la nueva luna, en el día señalado, en el día de nuestra fiesta solemne.

4 Porque estatuto es de Israel, ordenanza del Dios de Jacob.

5 Por testimonio en José lo ha constituido, cuando salió por la tierra de Egipto; *Donde* oí lenguaje *que* no entendía.

6 Aparté su hombro de debajo de la carga; sus manos fueron liberadas de los cestos.

7 En la calamidad clamaste, y yo te libré; te respondí en el secreto del trueno; te probé sobre las aguas de Meriba. (Selah)

8 Oye, pueblo mío y te protestaré. ¡Oh Israel, si me oyeres!

9 No habrá en ti dios ajeno, ni adorarás a dios extraño.

10 Yo soy Jehová tu Dios, que te hice subir de la tierra de Egipto: Abre bien tu boca, y la llenaré.

11 Mas mi pueblo no oyó mi voz, e Israel no me quiso a mí.

12 Los entregué, por tanto, a la dureza de su corazón: Caminaron en sus consejos.

13 ¡Oh, si me hubiera oído mi pueblo, si Israel hubiera andado en mis caminos!

14 En un instante habría yo derribado a sus enemigos, y vuelto mi mano sobre sus adversarios.

15 Los aborrecedores de Jehová se le hubieran sometido; y el tiempo de ellos fuera para siempre.

16 Él los hubiera sostenido con lo

mejor del trigo; y de miel de la roca te hubiera saciado.

SALMO 82
<<Salmo de Asaf>>

Dios está en la reunión de los dioses; En medio de los dioses juzga.

2 ¿Hasta cuándo juzgaréis injustamente, Y aceptaréis las personas de los impíos? (Selah)

3 Defended al pobre y al huérfano: Haced justicia al afligido y al menesteroso.

4 Librad al afligido y al necesitado; libradlo de mano de los impíos.

5 No saben, no entienden, andan en tinieblas. Vacilan todos los cimientos de la tierra.

6 Yo dije: Vosotros *sois* dioses; y todos vosotros *sois* hijos del Altísimo.

7 Pero como hombres moriréis; y caeréis como cualquiera de los príncipes.

8 Levántate, oh Dios, juzga la tierra; porque tú heredarás todas las naciones.

SALMO 83
<<Canción: Salmo de Asaf>>

Oh Dios no guardes silencio, no calles, oh Dios, ni te estés quieto.

2 Porque he aquí que rugen tus enemigos; y tus aborrecedores han alzado cabeza.

3 Sobre tu pueblo han consultado astuta y secretamente, y han entrado en consejo contra tus protegidos.

4 Han dicho: Venid, y cortémoslos de *ser* nación, y no haya más memoria del nombre de Israel.

5 Porque han conspirado a una, de común, contra ti han hecho alianza;

6 Las tiendas de Edom y de los ismaelitas, Moab y los agarenos;

7 Gebal, y Amón, y Amalec; los filisteos con los habitantes de Tiro.

8 También el asirio se ha juntado con ellos: Han dado la mano a los hijos de Lot. (Selah)

9 Hazles como a Madián; como a Sísara, como a Jabín en el arroyo de Cisón;

10 que perecieron en Endor, fueron hechos como estiércol para la tierra.

11 Pon a sus nobles como a Oreb y como a Zeeb; y como a Zeba y como a Zalmuna, a todos sus príncipes;

12 Que han dicho: Heredemos para nosotros las moradas de Dios.

13 Dios mío, ponlos como a torbellinos; como a hojarascas delante del viento.

14 Como fuego que quema el monte, como llama que abrasa los montes.

15 Persíguelos así con tu tempestad, y atérralos con tu torbellino.

16 Llena sus rostros de vergüenza; y busquen tu nombre, oh Jehová.

17 Sean afrentados y turbados para siempre; Sean avergonzados, y perezcan.

18 Y conozcan que tu nombre es JEHOVÁ; tú solo Altísimo sobre toda la tierra.

SALMO 84
<<Al Músico principal: sobre Gitit: Salmo para los hijos de Coré>>

¡Cuán amables son tus moradas, oh Jehová de los ejércitos!

2 Anhela mi alma, y aun ardientemente desea los atrios de Jehová: Mi corazón y mi carne cantan al Dios vivo.

3 Aun el gorrión halla casa, y la golondrina nido para sí, donde ponga sus polluelos, en tus altares, oh Jehová de los ejércitos, Rey mío, y Dios mío.

4 Bienaventurados los que habitan en tu casa: Perpetuamente te alabarán. (Selah)

5 Bienaventurado el hombre que tiene su fortaleza en ti; en cuyo corazón *están* tus caminos.

6 Atravesando el valle de lágrimas lo convierten en fuente, cuando la lluvia llena los estanques.

7 Irán de fortaleza en fortaleza, verán a Dios en Sión.

8 Jehová Dios de los ejércitos, oye mi oración: Escucha, oh Dios de Jacob. (Selah)

9 Mira, oh Dios, escudo nuestro, y pon los ojos en el rostro de tu ungido.

10 Porque mejor es un día en tus atrios que mil fuera de ellos: Escogería antes estar a la puerta de la casa de mi Dios, que habitar en las moradas de maldad.

11 Porque sol y escudo es Jehová Dios: Gracia y gloria dará Jehová: No quitará el bien a los que en integridad andan.

12 Jehová de los ejércitos, dichoso el hombre que en ti confía.

SALMO 85
<<Al Músico principal: Salmo para los hijos de Coré>>

Fuiste propicio a tu tierra, oh Jehová; volviste la cautividad de Jacob.

2 Perdonaste la iniquidad de tu pueblo; cubriste todos sus pecados. (Selah)

3 Dejaste todo tu enojo; te volviste de la ira de tu furor.

4 Restáuranos, oh Dios, salvación nuestra, y haz cesar tu ira de sobre nosotros.

5 ¿Estarás enojado contra nosotros para siempre? ¿Extenderás tu ira de generación en generación?

6 ¿No volverás a darnos vida, para que tu pueblo se regocije en ti?

7 Muéstranos, oh Jehová, tu misericordia, y danos tu salvación.

8 Escucharé lo que hable Jehová Dios: Porque hablará paz a su pueblo y a sus santos, para que no se vuelvan a la locura.

9 Ciertamente cercana *está* su salvación a los que le temen; Para que habite la gloria en nuestra tierra.

10 La misericordia y la verdad se encontraron: La justicia y la paz se besaron.

11 La verdad brotará de la tierra; y la justicia mirará desde los cielos.

12 Jehová dará también el bien; y nuestra tierra dará su fruto.

13 La justicia irá delante de Él, y nos pondrá en el camino de sus pasos.

SALMO 86
<<Oración de David>>

Inclina, oh Jehová, tu oído, y óyeme; porque estoy afligido y menesteroso.

2 Guarda mi alma, porque soy piadoso: Salva tú, oh Dios mío, a tu siervo que en ti confía.

3 Ten misericordia de mí, oh Jehová: Porque a ti clamo todo el día.

4 Alegra el alma de tu siervo: Porque a ti, oh Señor, levanto mi alma.

5 Porque tú, Señor, eres bueno y perdonador, y grande en misericordia para con todos los que te invocan.

6 Escucha, oh Jehová, mi oración, y está atento a la voz de mis ruegos.

7 En el día de mi angustia te llamaré; porque tú me respondes.

8 Oh Señor, ninguno *hay* como tú entre los dioses, ni *hay* obras que igualen tus obras.

9 Todas las naciones que hiciste vendrán y adorarán delante de ti, oh Señor; y glorificarán tu nombre.

10 Porque tú *eres* grande, y hacedor de maravillas: Sólo tú *eres* Dios.

11 Enséñame, oh Jehová, tu camino; caminaré yo en tu verdad: Consolida mi corazón para que tema tu nombre.

12 Te alabaré, oh Jehová Dios mío, con todo mi corazón; y glorificaré tu nombre para siempre.

13 Porque tu misericordia es grande para conmigo; y has librado mi alma del más profundo infierno.

14 Oh Dios, soberbios se levantaron contra mí, y conspiración de *hombres* violentos ha buscado mi alma, y no te pusieron delante de sí.

15 Mas tú, Señor, *eres* Dios misericordioso y clemente, lento para la ira, y grande en misericordia y verdad;

16 Mírame, y ten misericordia de mí: Da tu fortaleza a tu siervo, y guarda al hijo de tu sierva.

17 Haz conmigo señal para bien, y véanla los que me aborrecen, y sean avergonzados; porque tú, Jehová, me ayudaste, y me consolaste.

SALMO 87
<<A los hijos de Coré: Salmo: Canción>>

Su cimiento está en el monte santo.

2 Ama Jehová las puertas de Sión más que todas las moradas de Jacob.

3 Cosas gloriosas se dicen de ti, oh ciudad de Dios. (Selah)

4 Mencionaré a Rahab y a Babilonia entre los que me conocen. He aquí Filistea, y Tiro, con Etiopía: Éste nació allá.

5 Y de Sión se dirá: Éste y aquél

nacieron en ella; y el Altísimo mismo la establecerá.

6 Jehová contará cuando Él inscriba a los pueblos: Éste nació allí. (Selah)

7 Y cantores y tañedores *en ella* dirán: Todas mis fuentes estarán en ti.

SALMO 88

<Canción: Salmo para los hijos de Coré; al Músico principal; para cantar sobre Mahalat; Masquil de Hemán ezraíta>

Oh Jehová, Dios de mi salvación, día y noche clamo delante de ti.

2 Entre mi oración a tu presencia: Inclina tu oído a mi clamor.

3 Porque mi alma está harta de males, y mi vida cercana al sepulcro.

4 Soy contado con los que descienden a la fosa, soy como hombre sin fuerza:

5 Libre entre los difuntos, como los muertos que yacen en el sepulcro, que no te acuerdas más de ellos, y que son cortados de tu mano.

6 Me has puesto en el hoyo más profundo, en tinieblas, en lugares profundos.

7 Sobre mí descarga tu ira, y me has afligido con todas tus ondas. (Selah)

8 Has alejado de mí mis conocidos; me has puesto por abominación a ellos: Encerrado estoy, y no puedo salir.

9 Mis ojos enfermaron a causa de mi aflicción: Te he llamado, oh Jehová, cada día; he extendido a ti mis manos.

10 ¿Mostrarás maravillas a los muertos? ¿Se levantarán los muertos para alabarte? (Selah)

11 ¿Será contada en el sepulcro tu misericordia, o tu fidelidad en la perdición?

12 ¿Serán conocidas en las tinieblas tus maravillas, y tu justicia en la tierra del olvido?

13 Mas yo a ti he clamado, oh Jehová; y de mañana mi oración sale a tu encuentro.

14 ¿Por qué, oh Jehová, desechas mi alma? ¿*Por qué* escondes de mí tu rostro?

15 Yo estoy afligido y a punto de morir; desde la juventud he sufrido tus terrores, estoy perplejo.

16 Sobre mí han pasado tus iras; tus terrores me han cortado.

17 Me han rodeado como aguas de continuo; a una me han cercado.

18 Has alejado de mí al amigo y al compañero; y mis conocidos pusiste en tinieblas.

SALMO 89

<<Masquil de Etán ezraíta>>

Las misericordias de Jehová cantaré por siempre; con mi boca daré a conocer tu fidelidad a todas las generaciones.

2 Porque dije: Para siempre será edificada misericordia; en los mismos cielos apoyarás tu verdad.

3 Hice alianza con mi escogido; Juré a David mi siervo, diciendo:

4 Para siempre confirmaré tu simiente, y edificaré tu trono por todas las generaciones. (Selah)

5 Los cielos celebrarán tus maravillas, oh Jehová; tu fidelidad también en la congregación de los santos.

6 Porque ¿quién en los cielos se comparará a Jehová? ¿Quién será semejante a Jehová entre los hijos de los poderosos?

7 Dios terrible en la gran congregación de los santos, y formidable sobre todos cuantos están a su alrededor.

8 Oh Jehová, Dios de los ejércitos, ¿Quién como tú? Poderoso eres, Jehová, y tu fidelidad te rodea.

9 Tú tienes dominio sobre la braveza del mar; cuando se levantan sus ondas, tú las sosiegas.

10 Tú quebrantaste a Rahab como a un muerto; con tu brazo fuerte esparciste a tus enemigos.

11 Tuyos los cielos, tuya también la tierra: El mundo y su plenitud, tú lo fundaste.

12 Al norte y al sur tú los creaste: Tabor y Hermón cantarán en tu nombre.

13 Tú tienes brazo fuerte; poderosa es tu mano, exaltada es tu diestra.

14 Justicia y juicio *son* el fundamento de tu trono: Misericordia y verdad van delante de tu rostro.

15 Bienaventurado el pueblo que sabe aclamarte: Andará, oh Jehová, a la luz de tu rostro.

16 En tu nombre se alegrarán todo el día; y en tu justicia serán exaltados.

17 Porque tú *eres* la gloria de su fortaleza; y por tu buena voluntad exaltarás nuestro cuerno.

18 Porque Jehová *es* nuestro escudo; y nuestro Rey es el Santo de Israel.

19 Entonces hablaste en visión a tu santo, y dijiste: He puesto el socorro sobre *uno que es* poderoso; he enaltecido a un escogido de mi pueblo.

20 Hallé a David mi siervo; lo ungí con mi óleo santo.

21 Mi mano será firme con él, mi brazo también lo fortalecerá.

22 No lo avasallará enemigo, ni hijo de iniquidad lo quebrantará.

23 Mas yo quebrantaré delante de él a sus enemigos, y heriré a los que le aborrecen.

24 Y mi verdad y mi misericordia *serán* con él; y en mi nombre será exaltado su cuerno.

25 Asimismo pondré su mano en el mar, y en los ríos su diestra.

26 Él me llamará: Mi Padre *eres* tú, mi Dios, y la Roca de mi salvación.

27 Yo también lo haré *mi* primogénito, alto sobre los reyes de la tierra.

28 Para siempre le conservaré mi misericordia; y mi pacto será firme con él.

29 Y estableceré su simiente para siempre, y su trono como los días de los cielos.

30 Si dejaren sus hijos mi ley, y no anduvieren en mis juicios;

31 Si profanaren mis estatutos, y no guardaren mis mandamientos;

32 Entonces visitaré con vara su rebelión, y con azotes sus iniquidades.

33 Mas no quitaré de él mi misericordia, ni falsearé mi fidelidad.

34 No olvidaré mi pacto, ni mudaré lo que ha salido de mis labios.

35 Una vez he jurado por mi santidad, que no mentiré a David.

36 Su simiente será para siempre, y su trono como el sol delante de mí.

37 Como la luna será firme para siempre, y como un testigo fiel en el cielo. (Selah)

38 Mas tú desechaste y menospreciaste a tu ungido; y te has airado con él.

39 Rompiste el pacto de tu siervo; has profanado su corona hasta la tierra.

40 Rompiste todos sus vallados; has quebrantado sus fortalezas.

41 Lo saquean todos los que pasan por el camino: Es oprobio a sus vecinos.

42 Has exaltado la diestra de sus enemigos; has alegrado a todos sus adversarios.

43 Embotaste asimismo el filo de su espada, y no lo levantaste en la batalla.

44 Hiciste cesar su brillo, y echaste su trono por tierra.

45 Has acortado los días de su juventud; le has cubierto de afrenta. (Selah)

46 ¿Hasta cuándo, oh Jehová? ¿Te esconderás para siempre? ¿Arderá tu ira como el fuego?

47 Acuérdate de cuán breve es mi tiempo: ¿Por qué habrás creado en vano a todos los hijos del hombre?

48 ¿Qué hombre vivirá y no verá muerte? ¿Librarás su vida del poder del sepulcro? (Selah)

49 Señor, ¿dónde están tus antiguas misericordias, que juraste a David por tu verdad?

50 Señor, acuérdate del oprobio de tus siervos; *oprobio* de muchos pueblos, que llevo en mi seno.

51 Porque tus enemigos, oh Jehová, han deshonrado, han deshonrado los pasos de tu ungido.

52 Bendito *sea* Jehová para siempre. Amén, y amén.

SALMO 90

<<Oración de Moisés varón de Dios>>

Señor, tú nos has sido refugio de generación en generación.

2 Antes que naciesen los montes y formases la tierra y el mundo; Desde la eternidad y hasta la eternidad, tú eres Dios.

3 Vuelves al hombre hasta ser quebrantado, y dices: Convertíos, hijos de los hombres.

4 Porque mil años delante de tus ojos, *son* como el día de ayer, que pasó, y *como* una de las vigilias de la noche.

5 Los haces pasar como avenida de aguas; son *como* un sueño; como la hierba que crece en la mañana:

6 En la mañana florece y crece; A la tarde es cortada, y se seca.

7 Porque con tu furor somos consumidos, y con tu ira somos turbados.

8 Pusiste nuestras maldades delante de ti, nuestros *pecados* secretos a la luz de tu rostro.

9 Porque todos nuestros días declinan a causa de tu ira; acabamos nuestros años como un pensamiento.

10 Los días de nuestra edad son setenta años; y en los más robustos son ochenta años, con todo, su fortaleza es molestia y trabajo; porque es cortado presto, y volamos.

11 ¿Quién conoce el poder de tu ira, y tu indignación según que debes ser temido?

12 Enséñanos de tal modo a contar nuestros días, que traigamos al corazón sabiduría.

13 Vuélvete, oh Jehová; ¿hasta cuándo? Y aplácate para con tus siervos.

14 De mañana sácianos de tu misericordia; y cantaremos y nos alegraremos todos nuestros días.

15 Alégranos conforme a los días que nos afligiste, y los años que vimos el mal.

16 Aparezca en tus siervos tu obra, y tu gloria sobre sus hijos.

17 Sea la hermosura de Jehová nuestro Dios sobre nosotros; y confirma sobre nosotros la obra de nuestras manos; Sí, la obra de nuestras manos confirma.

SALMO 91

El que habita al abrigo del Altísimo, morará bajo la sombra del Omnipotente.

2 Diré yo a Jehová: Esperanza mía, y castillo mío; mi Dios; en Él confiaré.

3 Él te librará del lazo del cazador; de la peste destructora.

4 Con sus plumas te cubrirá, y debajo de sus alas estarás seguro: Escudo y adarga es su verdad.

5 No tendrás temor de espanto nocturno, *ni* de saeta que vuele de día;

6 *Ni* de pestilencia que ande en oscuridad, *ni* de mortandad que en medio del día destruya.

7 Caerán a tu lado mil, y diez mil a tu diestra; mas a ti no llegará.

8 Ciertamente con tus ojos mirarás, y verás la recompensa de los impíos.

9 Porque has puesto a Jehová, que es mi refugio, al Altísimo por tu habitación,

10 No te sobrevendrá mal, ni plaga tocará tu morada.

11 Pues a sus ángeles mandará acerca de ti, que te guarden en todos tus caminos.

12 En las manos te sostendrán, para que no tropieces con tu pie en piedra.

13 Sobre el león y la serpiente pisarás; Hollarás al cachorro del león y al dragón.

14 Por cuanto en mí ha puesto su amor, yo también lo libraré; lo pondré en alto, por cuanto ha conocido mi nombre.

15 Me invocará, y yo le responderé; con él *estaré* yo en la angustia; lo libraré, y le glorificaré.

16 Lo saciaré de larga vida, y le mostraré mi salvación.

SALMO 92

<<Salmo: Canción para el día del sábado>>

Bueno es alabar a Jehová, y cantar salmos a tu nombre, oh Altísimo;

2 Anunciar por la mañana tu misericordia, y tu fidelidad en las noches,

3 en el decacordio y en el salterio, en tono suave con el arpa.

4 Por cuanto me has alegrado, oh Jehová, con tus obras; en las obras de tus manos me gozo.

5 ¡Cuán grandes son tus obras, oh Jehová! Muy profundos son tus pensamientos.

6 El hombre necio no sabe, y el insensato no entiende esto:

7 Que brotan los impíos como la hierba, y florecen todos los obradores de iniquidad, para ser destruidos para siempre.

8 Mas tú, Jehová, para siempre *eres* Altísimo.

9 Porque he aquí tus enemigos, oh Jehová, porque he aquí, perecerán tus

enemigos; serán disipados todos los obradores de iniquidad.

10 Pero tú exaltarás mi cuerno como el del unicornio; seré ungido con aceite fresco.

11 Y mis ojos mirarán *mi deseo* sobre mis enemigos; oirán mis oídos de los que se levantaron contra mí, de los malignos.

12 El justo florecerá como la palmera; crecerá como cedro en el Líbano.

13 Los que están plantados en la casa de Jehová, en los atrios de nuestro Dios florecerán.

14 Aun en la vejez fructificarán; estarán vigorosos y verdes,

15 para anunciar que Jehová es recto: *Él es* mi Roca, y en Él no hay injusticia.

SALMO 93

Jehová reina, se vistió de magnificencia, se vistió Jehová, se ciñó de fortaleza; afirmó también el mundo, para que no sea movido.

2 Firme es tu trono desde entonces: Tú *eres* desde la eternidad.

3 Alzaron los ríos, oh Jehová, alzaron los ríos su sonido; alzaron los ríos sus ondas.

4 Jehová en las alturas *es* más poderoso que el estruendo de las muchas aguas, *más que* las recias ondas del mar.

5 Tus testimonios son muy firmes; la santidad conviene a tu casa, oh Jehová, por los siglos y para siempre.

SALMO 94

Jehová, Dios de las venganzas, Dios de las venganzas, manifiéstate.

2 Levántate, oh Juez de la tierra; da el pago a los soberbios.

3 ¿Hasta cuándo los impíos, hasta cuándo, oh Jehová, se gozarán los impíos?

4 ¿Hasta cuándo pronunciarán, hablarán cosas duras, y se vanagloriarán todos los obradores de iniquidad?

5 A tu pueblo, oh Jehová, quebrantan, y a tu heredad afligen.

6 A la viuda y al extranjero matan, y a los huérfanos quitan la vida.

7 Y dicen: No mirará Jehová, ni hará caso el Dios de Jacob.

8 Entended, necios del pueblo; y vosotros fatuos, ¿cuándo seréis sabios?

9 El que plantó el oído, ¿no oirá? El que formó el ojo, ¿no verá?

10 El que castiga a las gentes, ¿no reprenderá? El que enseña la ciencia al hombre, ¿*no sabrá*?

11 Jehová conoce los pensamientos de los hombres, que *son* vanidad.

12 Bienaventurado el hombre a quien tú, oh Jehová, corriges, y en tu ley lo instruyes;

13 Para darle reposo de los días de aflicción, en tanto que para el impío se cava el hoyo.

14 Porque Jehová no abandonará a su pueblo, ni desamparará su heredad;

15 Sino que el juicio volverá a la justicia, y en pos de ella irán todos los rectos de corazón.

16 ¿Quién se levantará por mí contra los malignos? ¿Quién estará por mí contra los obradores de iniquidad?

17 Si no ayudara Jehová, pronto moraría mi alma en el silencio.

18 Cuando yo decía: Mi pie resbala: Tu misericordia, oh Jehová, me sustentaba.

19 En la multitud de mis pensamientos dentro de mí, tus consolaciones alegraban mi alma.

20 ¿Se juntará contigo el trono de iniquidades, que forma agravio por ley?

21 Se juntan contra la vida del justo, y condenan la sangre inocente.

22 Mas Jehová me ha sido por refugio; y mi Dios es la Roca de mi confianza.

23 Y Él hará volver sobre ellos su iniquidad, y los destruirá en su propia maldad; Los talará Jehová nuestro Dios.

SALMO 95

Venid, cantemos alegremente a Jehová: Aclamemos con júbilo a la Roca de nuestra salvación.

2 Lleguemos ante su presencia con acción de gracias; aclamémosle con salmos.

3 Porque Jehová *es* Dios grande; Y Rey grande sobre todos los dioses.

4 Porque en su mano están las profundidades de la tierra, y las alturas de los montes son suyas.

5 Suyo también el mar, pues Él lo hizo; Y sus manos formaron la tierra seca.

6 Venid, adoremos y postrémonos; Arrodillémonos delante de Jehová nuestro Hacedor.

7 Porque Él es nuestro Dios; Nosotros el pueblo de su prado, y ovejas de su mano. Si oyereis hoy su voz,

8 no endurezcáis vuestro corazón como en Meriba, como el día de Masah en el desierto;

9 Donde me tentaron vuestros padres, me probaron, y vieron mis obras.

10 Cuarenta años estuve disgustado con esta generación, y dije: Pueblo es que divaga de corazón, y no han conocido mis caminos.

11 Por tanto, juré en mi ira que no entrarían en mi reposo.

SALMO 96

Cantad a Jehová cántico nuevo; Cantad a Jehová, toda la tierra.

2 Cantad a Jehová, bendecid su nombre: Anunciad de día en día su salvación.

3 Proclamad entre las naciones su gloria, en todos los pueblos sus maravillas.

4 Porque grande es Jehová, y digno de suprema alabanza; Temible sobre todos los dioses.

5 Porque todos los dioses de los pueblos son ídolos; Pero Jehová hizo los cielos.

6 Honor y majestad delante de Él: Poder y gloria hay en su santuario.

7 Dad a Jehová, oh familias de los pueblos; Dad a Jehová la gloria y el poder.

8 Dad a Jehová la gloria debida a su nombre: Traed ofrenda, y venid a sus atrios.

9 Adorad a Jehová en la hermosura de la santidad: Temed delante de Él, toda la tierra.

10 Decid entre las naciones: Jehová reina, también afirmó el mundo, no será conmovido: Juzgará a los pueblos en justicia.

11 Alégrense los cielos, y gócese la tierra: Brame el mar y su plenitud.

12 Regocíjese el campo, y todo lo que en él está: Entonces todos los árboles del bosque rebosarán de contento delante de Jehová:

Porque Él viene, porque Él viene a juzgar la tierra. Juzgará al mundo con justicia, y a los pueblos con su verdad.

SALMO 97

Jehová reina; regocíjese la tierra: Alégrense las muchas islas.

2 Nube y oscuridad alrededor de Él: Justicia y juicio son el fundamento de su trono.

3 Fuego va delante de Él, y abrasa a sus enemigos alrededor.

4 Sus relámpagos alumbraron el mundo: La tierra vio, y se estremeció.

5 Los montes se derritieron como cera delante de Jehová, delante del Señor de toda la tierra.

6 Los cielos anuncian su justicia, y todos los pueblos ven su gloria.

7 Avergüéncense todos los que sirven a las imágenes de talla, los que se glorían en los ídolos: Adórenle todos los dioses.

8 Oyó Sión, y se alegró; y las hijas de Judá, oh Jehová, se gozaron por tus juicios.

9 Porque tú, Jehová, eres excelso sobre toda la tierra; eres muy enaltecido sobre todos los dioses.

10 Los que a Jehová amáis, aborreced el mal: Él guarda las almas de sus santos; de mano de los impíos los libra.

11 Luz está sembrada para el justo, y alegría para los rectos de corazón.

12 Alegraos, justos, en Jehová; y alabad la memoria de su santidad.

SALMO 98
<<Salmo>>

Cantad a Jehová cántico nuevo; porque ha hecho maravillas; su diestra lo ha salvado, y su santo brazo.

2 Jehová ha hecho notoria su salvación; a vista de las naciones ha descubierto su justicia.

3 Se ha acordado de su misericordia y de su verdad para con la casa de

Israel; todos los términos de la tierra han visto la salvación de nuestro Dios.

4 Aclamad con júbilo a Jehová, toda la tierra; levantad la voz, regocijaos, y cantad salmos.

5 Cantad salmos a Jehová con arpa; con arpa y voz de cántico.

6 Aclamad con trompetas y sonidos de bocina delante del Rey Jehová.

7 Brame el mar y su plenitud; el mundo y los que en él habitan;

8 Los ríos batan las manos; los montes todos hagan regocijo delante de Jehová: 9 Porque Él viene a juzgar la tierra; juzgará al mundo con justicia, y a los pueblos con equidad.

SALMO 99

Jehová reina, temblarán los pueblos: Él está sentado *sobre* los querubines, se conmoverá la tierra.

2 Jehová en Sión *es* grande, y exaltado sobre todos los pueblos.

3 Alaben tu nombre grande y temible: Él *es* santo.

4 Y la gloria del rey ama el juicio: Tú confirmas la rectitud; Tú has hecho en Jacob juicio y justicia.

5 Exaltad a Jehová nuestro Dios, y postraos al estrado de sus pies: Él *es* santo.

6 Moisés y Aarón entre sus sacerdotes, y Samuel entre los que invocaron su nombre; Invocaban a Jehová, y Él les respondía.

7 En columna de nube hablaba con ellos; guardaban sus testimonios, y el estatuto que les había dado.

8 Jehová Dios nuestro, tú les respondías: Tú les fuiste un Dios perdonador, aunque cobraste venganza de sus malas obras.

9 Exaltad a Jehová nuestro Dios, y adorad en su santo monte; porque Jehová nuestro Dios *es* santo.

SALMO 100
<<Salmo de alabanza>>

Cantad alegres a Dios, habitantes de toda la tierra.

2 Servid a Jehová con alegría; venid ante su presencia con regocijo.

3 Reconoced que Jehová es Dios: Él nos hizo, y no nosotros a nosotros mismos. Pueblo suyo *somos*, y ovejas de su prado.

4 Entrad por sus puertas con acción de gracias, por sus atrios con alabanza: Dadle gracias, bendecid su nombre.

5 Porque Jehová *es* bueno; para siempre *es* su misericordia, y su verdad *permanece* por todas las generaciones.

SALMO 101
<<Salmo de David>>

Misericordia y juicio cantaré; a ti cantaré yo, oh Jehová.

2 Me conduciré con sabiduría en el camino de la perfección cuando vengas a mí. En integridad de mi corazón andaré en medio de mi casa.

3 No pondré delante de mis ojos cosa inicua; aborrezco la obra de los que se desvían; no se acercarán a mí.

4 Corazón perverso se apartará de mí; no conoceré al malvado.

5 Al que solapadamente infama a su prójimo, yo le cortaré; no sufriré al de ojos altaneros, y de corazón vanidoso.

6 Mis ojos *pondré* en los fieles de la tierra, para que estén conmigo: El que anduviere en el camino de la perfección, éste me servirá.

7 No habitará dentro de mi casa el que hace fraude; el que habla mentiras no se afirmará delante de mis ojos.

8 Por las mañanas cortaré a todos los impíos de la tierra; para extirpar de la ciudad de Jehová a todos los que hacen iniquidad.

SALMO 102
<<Oración del afligido, cuando está angustiado, y delante de Jehová derrama su lamento>>

Oh Jehová, escucha mi oración, y llegue a ti mi clamor.

2 No escondas de mí tu rostro: en el día de mi angustia inclina a mí tu oído; en el día que te invocare, apresúrate a responderme.

3 Porque mis días se han consumido como humo; y mis huesos cual tizón están quemados.

4 Mi corazón está herido, y seco como la hierba; por lo cual me olvido de comer mi pan.

5 Por la voz de mi gemido mis huesos se han pegado a mi carne.

6 Soy semejante al pelícano del desierto; soy como el búho de las soledades.

7 Velo, y soy como el pájaro solitario sobre el tejado.

8 Cada día me afrentan mis enemigos; los que contra mí se enfurecen se han conjurado contra mí.

9 Por lo cual he comido ceniza a manera de pan, y mi bebida mezclo con lágrimas,

10 a causa de tu enojo y de tu ira; pues me alzaste, y me has arrojado.

11 Mis días son como la sombra que se va; y me he secado como la hierba.

12 Mas tú, Jehová, permanecerás para siempre, y tu memoria de generación en generación.

13 Te levantarás y tendrás misericordia de Sión; porque es tiempo de tener misericordia de ella, pues el plazo ha llegado.

14 Porque tus siervos aman sus piedras, y del polvo de ella tienen compasión.

15 Entonces las naciones temerán el nombre de Jehová, y todos los reyes de la tierra tu gloria;

16 Por cuanto Jehová habrá edificado a Sión, y en su gloria será visto;

17 Habrá considerado la oración de los desamparados, y no habrá desechado el ruego de ellos.

18 Se escribirá esto para la generación venidera; y el pueblo que será creado, alabará a JAH.

19 Porque miró de lo alto de su santuario; Jehová miró desde los cielos a la tierra,

20 para oír el gemido de los presos, para soltar a los sentenciados a muerte;

21 Para que anuncien en Sión el nombre de Jehová, y su alabanza en Jerusalén,

22 cuando los pueblos se congreguen en uno, y los reinos, para servir a Jehová.

23 Él debilitó mi fuerza en el camino; Acortó mis días.

24 Dije: Dios mío, no me cortes en la mitad de mis días; por generación de generaciones son tus años.

25 Desde la antigüedad tú fundaste la tierra, y los cielos son obra de tus manos.

26 Ellos perecerán, y tú permanecerás; y todos ellos como una vestidura se envejecerán; como una ropa de vestir los mudarás, y serán mudados:

27 Mas tú eres el mismo, y tus años no tendrán fin.

28 Los hijos de tus siervos permanecerán, y su simiente será establecida delante de ti.

SALMO 103
<<Salmo de David>>

Bendice, alma mía a Jehová; y bendiga todo mi ser su santo nombre.

2 Bendice, alma mía, a Jehová, y no olvides ninguno de sus beneficios.

3 Él es quien perdona todas tus iniquidades, el que sana todas tus dolencias;

4 El que rescata del hoyo tu vida, el que te corona de favores y misericordias;

5 El que sacia de bien tu boca *de modo que* te rejuvenezcas como el águila.

6 Jehová el que hace justicia y derecho a todos los que padecen violencia.

7 Sus caminos notificó a Moisés, y a los hijos de Israel sus obras.

8 Misericordioso y clemente *es* Jehová; lento para la ira, y grande en misericordia.

9 No contenderá para siempre, ni para siempre guardará *el enojo.*

10 No ha hecho con nosotros conforme a nuestras iniquidades; ni nos ha pagado conforme a nuestros pecados.

11 Porque como la altura de los cielos sobre la tierra, engrandeció su misericordia sobre los que le temen.

12 Cuanto está lejos el oriente del occidente, hizo alejar de nosotros nuestras rebeliones.

13 Como el padre se compadece de *sus* hijos, se compadece Jehová de los que le temen.

14 Porque Él conoce nuestra condición; se acuerda que *somos* polvo.

15 El hombre, como la hierba son sus días, florece como la flor del campo;

16 que pasa el viento por ella, y perece; y su lugar no la conoce más.

17 Mas la misericordia de Jehová desde la eternidad y hasta la eternidad sobre los que le temen, y su justicia sobre los hijos de los hijos;

18 Sobre los que guardan su pacto, y los que se acuerdan de sus mandamientos para ponerlos por obra.

19 Jehová afirmó en los cielos su trono; y su reino domina sobre todos.

20 Bendecid a Jehová, vosotros sus ángeles, poderosos en fortaleza, que ejecutáis sus mandamientos, obedeciendo a la voz de su palabra.

21 Bendecid a Jehová, vosotros todos sus ejércitos, ministros suyos, que hacéis su voluntad.

22 Bendecid a Jehová, vosotras todas sus obras, en todos los lugares de su señorío. Bendice, alma mía, a Jehová.

SALMO 104

Bendice, alma mía, a Jehová. Jehová, Dios mío, mucho te has engrandecido; te has vestido de gloria y de magnificencia.

2 El que se cubre de luz como de vestidura, que extiende los cielos como una cortina;

3 Que establece sus aposentos entre las aguas; el que hace de las nubes su carruaje, el que anda sobre las alas del viento;

4 El que hace a sus ángeles espíritus, sus ministros fuego flameante.

5 Él fundó la tierra sobre sus cimientos; No será jamás removida.

6 Con el abismo, como con vestido, la cubriste; sobre los montes estaban las aguas.

7 A tu reprensión huyeron; al sonido de tu trueno se apresuraron;

8 Subieron los montes, descendieron los valles, al lugar que tú les fundaste.

9 Les pusiste término, el cual no traspasarán; ni volverán a cubrir la tierra.

10 Tú eres el que envías las fuentes por los arroyos; van entre los montes.

11 Abrevan a todas las bestias del campo; mitigan su sed los asnos monteses.

12 Junto a ellos habitarán las aves de los cielos, que elevan su trino entre las ramas.

13 El que riega los montes desde sus aposentos; del fruto de sus obras se sacia la tierra.

14 El que hace producir el pasto para las bestias, y la hierba para el servicio del hombre; para que saque el pan de la tierra.

15 Y el vino que alegra el corazón del hombre, el aceite que hace lucir el rostro, y el pan que sustenta el corazón del hombre.

16 Se llenan *de savia* los árboles de Jehová, los cedros del Líbano que Él plantó.

17 Allí anidan las aves; en las hayas hace su casa la cigüeña.

18 Los montes altos para las cabras monteses; las peñas, madrigueras para los conejos.

19 Hizo la luna para los tiempos: El sol conoce su ocaso.

20 Pones las tinieblas, y es la noche: En ella corretean todas las bestias de la selva.

21 Los leoncillos rugen tras la presa, y buscan de Dios su comida.

22 Sale el sol, se recogen, y se echan en sus cuevas.

23 Sale el hombre a su labor, y a su labranza hasta la tarde.

24 ¡Cuán numerosas son tus obras, oh Jehová! Hiciste todas ellas con sabiduría: La tierra está llena de tus beneficios.

25 He allí el grande y anchuroso mar: En él *hay* innumerables peces, animales pequeños y grandes.

26 Allí andan navíos; allí este leviatán que hiciste para que jugase en él.

27 Todos ellos esperan en ti, para que les des su comida a su tiempo.

28 Les das, recogen; abres tu mano, se sacian de bien.

29 Escondes tu rostro, se turban; les quitas el hálito, dejan de ser, y vuelven al polvo.

30 Envías tu Espíritu, son creados; y renuevas la faz de la tierra.

31 La gloria de Jehová será para siempre; Jehová se alegrará en sus obras;

32 El cual mira a la tierra, y ella tiembla; Toca los montes, y humean.

33 A Jehová cantaré en mi vida; a mi Dios cantaré salmos mientras viva.

34 Dulce será mi meditación en Él: Yo me alegraré en Jehová.

35 Sean consumidos de la tierra los pecadores, y los impíos dejen de ser. Bendice, oh alma mía, a Jehová. Aleluya.

SALMO 105

A labad a Jehová, invocad su nombre. Dad a conocer sus obras entre los pueblos.

2 Cantadle, cantadle salmos: Hablad de todas sus maravillas.

3 Gloriaos en su santo nombre: Alégrese el corazón de los que buscan a Jehová.

4 Buscad a Jehová, y su fortaleza: Buscad siempre su rostro.

5 Acordaos de las maravillas que Él ha hecho, de sus prodigios y de los juicios de su boca,

6 oh vosotros, simiente de Abraham su siervo, hijos de Jacob, sus escogidos.

7 Él es Jehová nuestro Dios; en toda la tierra *están* sus juicios.

8 Se acordó para siempre de su pacto; de la palabra que mandó para mil generaciones,

9 del pacto que hizo con Abraham; y de su juramento a Isaac.

10 Y lo estableció a Jacob por decreto, a Israel por pacto sempiterno,

11 diciendo: A ti daré la tierra de Canaán, como porción de vuestra heredad.

12 Cuando ellos eran pocos en número, y extranjeros en ella;

13 cuando andaban de nación en nación, de un reino a otro pueblo;

14 No consintió que hombre los agraviase; y por causa de ellos castigó a los reyes.

15 No toquéis, dijo, a mis ungidos, ni hagáis mal a mis profetas.

16 Y llamó al hambre sobre la tierra, y quebrantó todo sustento de pan.

17 Envió un varón delante de ellos, a José, que fue vendido por siervo.

18 Afligieron sus pies con grillos; en hierro fue puesta su persona.

19 Hasta la hora que llegó su palabra, la palabra de Jehová le probó.

20 Envió el rey, y le soltó; el señor de los pueblos, y le dejó ir libre.

21 Lo puso por señor de su casa, y por gobernador de todas sus posesiones;

22 Para que reprimiera a sus grandes como él quisiese, y a sus ancianos enseñara sabiduría.

23 Después entró Israel en Egipto, y Jacob peregrinó en la tierra de Cam.

24 Y multiplicó su pueblo en gran manera, y lo hizo más fuerte que sus enemigos.

25 Cambió el corazón de ellos para que aborreciesen a su pueblo, para que contra sus siervos pensasen mal.

26 Envió a su siervo Moisés, y a Aarón al cual escogió.

27 Pusieron en ellos las palabras de sus señales, y sus prodigios en la tierra de Cam.

28 Envió tinieblas, e hizo que oscureciera; y no fueron rebeldes a su palabra.

29 Volvió sus aguas en sangre, y mató sus peces.

30 Produjo su tierra ranas, aun en las cámaras de sus reyes.

31 Habló, y vinieron enjambres de moscas, y piojos en todos su términos.

32 Les dio granizo en vez de lluvia, y llamas de fuego en su tierra.

33 E hirió sus viñas y sus higueras, y quebró los árboles de su término.

34 Habló, y vinieron langostas, y pulgón sin número;

35 Y comieron toda la hierba de su país, y devoraron el fruto de su tierra.

36 También hirió *de muerte* a todos los primogénitos en su tierra, las primicias de toda su fuerza.

37 Y los sacó con plata y oro; y no *hubo* enfermo entre sus tribus.

38 Egipto se alegró de que salieran; porque su terror había caído sobre ellos.

39 Extendió una nube por cubierta, y fuego para alumbrar la noche.

40 Pidieron, e hizo venir codornices; y los sació de pan del cielo.

41 Abrió la peña, y fluyeron aguas; corrieron por los sequedales *como* un río.

42 Porque se acordó de su santa palabra, *dada a* Abraham su siervo.

43 Y sacó a su pueblo con gozo; con júbilo a sus escogidos.

44 Y les dio las tierras de las naciones; y las labores de los pueblos heredaron:

45 Para que guardasen sus estatutos, y observasen sus leyes. Aleluya.

SALMO 106

Aleluya. Alabad a Jehová, porque *Él es* bueno; porque para siempre es su misericordia.

2 ¿Quién expresará las proezas de Jehová? *¿Quién* contará sus alabanzas?

3 Dichosos los que guardan juicio, los que hacen justicia en todo tiempo.

4 Acuérdate de mí, oh Jehová, según tu benevolencia *para con* tu pueblo: Visítame con tu salvación;

5 Para que yo vea el bien de tus escogidos, para que me goce en la alegría de tu gente, y me gloríe con tu heredad.

6 Pecamos como nuestros padres, hicimos iniquidad, hicimos impiedad.

7 Nuestros padres en Egipto no entendieron tus maravillas; no se acordaron de la muchedumbre de tus misericordias; sino que se rebelaron junto al mar, en el Mar Rojo.

8 No obstante, Él los salvó por amor de su nombre, para hacer notoria su fortaleza.

9 Y reprendió al Mar Rojo, y lo secó; y les llevó por el abismo, como por un desierto.

10 Y los salvó de mano del enemigo, y los rescató de mano del adversario.

11 Cubrieron las aguas a sus enemigos; no quedó ni uno de ellos.

12 Entonces creyeron a sus palabras, y cantaron su alabanza.

13 *Pero* pronto se olvidaron de sus obras; no esperaron su consejo.

14 Y ardieron de deseo en el desierto; y tentaron a Dios en la soledad.

15 Y Él les dio lo que pidieron; mas envió flaqueza en sus almas.

16 Tuvieron envidia de Moisés en el campamento, y de Aarón, el santo de Jehová.

17 Se abrió la tierra, y tragó a Datán, y cubrió la compañía de Abiram.

18 Y se encendió el fuego en su junta; la llama quemó a los impíos.

19 Hicieron becerro en Horeb, y adoraron una imagen de fundición.

20 Así cambiaron su gloria por la imagen de un buey que come hierba.

21 Se olvidaron de Dios su Salvador, que había hecho grandezas en Egipto;

22 Maravillas en la tierra de Cam, cosas formidables sobre el Mar Rojo.

23 Y dijo que los hubiera destruido, de no haberse interpuesto Moisés su escogido ante Él en la brecha, a fin de apartar su ira, para que no los destruyese.

24 Pero aborrecieron la tierra deseable; no creyeron a su palabra;

25 Antes murmuraron en sus tiendas, y no oyeron la voz de Jehová.

26 Por lo que alzó su mano contra ellos, para derrocarlos en el desierto,

27 y humillar su simiente entre las naciones, y esparcirlos por las tierras.

28 Se unieron también a Baal-peor, y comieron los sacrificios de los muertos.

29 Provocaron la ira de *Dios* con sus obras, y se desató entre ellos la mortandad.

30 Entonces se levantó Finees, e hizo juicio; y se detuvo la plaga.

31 Y le fue contado por justicia, de generación en generación para siempre.

32 También le irritaron en las aguas de Meriba; y le fue mal a Moisés por causa de ellos;

33 Porque hicieron que el espíritu *de Moisés* se rebelase, haciéndole hablar precipitadamente con sus labios.

34 No destruyeron a los pueblos que Jehová les dijo;

35 Antes se mezclaron con las naciones, y aprendieron sus obras.

36 Y sirvieron a sus ídolos; los cuales les fueron por lazo.

37 Y sacrificaron sus hijos y sus hijas a los demonios;

38 Y derramaron la sangre inocente, la sangre de sus hijos y de sus hijas, que sacrificaron a los ídolos de Canaán; y la tierra fue contaminada con sangre.

39 Así se contaminaron con sus obras, y se prostituyeron con sus hechos.

40 Por tanto, la ira de Jehová se encendió contra su pueblo, tanto,

que aborreció a su propia heredad;

41 y los entregó en poder de las naciones, y se enseñorearon de ellos los que los aborrecían.

42 Y sus enemigos los oprimieron, y fueron quebrantados debajo de su mano.

43 Muchas veces los libró; mas ellos se rebelaron contra su consejo, y fueron humillados por su iniquidad.

44 Con todo, Él miraba cuando estaban en angustia, y oía su clamor:

45 Y se acordaba de su pacto con ellos, y se arrepentía conforme a la muchedumbre de sus misericordias.

46 Hizo asimismo que tuviesen misericordia de ellos todos los que los tenían cautivos.

47 Sálvanos, Jehová Dios nuestro, y reúnenos de entre las naciones, para que alabemos tu santo nombre, para que nos gloriemos en tus alabanzas.

48 Bendito Jehová Dios de Israel, desde la eternidad y hasta la eternidad; y diga todo el pueblo: Amén. Aleluya.

SALMO 107

Alabad a Jehová, porque *Él es* bueno; porque para siempre *es* su misericordia.

2 Díganlo los redimidos de Jehová, los que ha redimido del poder del enemigo,

3 y los ha congregado de las tierras; del oriente y del occidente, del norte y del sur.

4 Anduvieron perdidos por el desierto, por la soledad sin camino, sin hallar ciudad en donde morar.

5 Hambrientos y sedientos, su alma desfallecía en ellos.

6 Pero clamaron a Jehová en su angustia, y Él los libró de sus aflicciones:

7 Y los dirigió por camino derecho, para que viniesen a una ciudad en la cual morar.

8 Alaben la misericordia de Jehová, y sus maravillas para con los hijos de los hombres.

9 Porque Él sacia al alma sedienta, y llena de bien al alma hambrienta.

10 Los que moraban en tinieblas y sombra de muerte, aprisionados en aflicción y en hierros;

11 Por cuanto fueron rebeldes a las palabras de Jehová, y aborrecieron el consejo del Altísimo.

12 Por lo que quebrantó con trabajo sus corazones, cayeron y no hubo quien les ayudase;

13 Entonces clamaron a Jehová en su angustia, y Él los libró de sus aflicciones.

14 Los sacó de las tinieblas y de la sombra de muerte, y rompió sus prisiones.

15 Alaben la misericordia de Jehová, y sus maravillas para con los hijos de los hombres.

16 Porque quebrantó las puertas de bronce, y desmenuzó los cerrojos de hierro.

17 Los insensatos, a causa del camino de su rebelión y a causa de sus maldades, fueron afligidos.

18 Su alma abominó todo alimento, y llegaron hasta las puertas de la muerte.

19 Pero clamaron a Jehová en su angustia, y Él los libró de sus aflicciones.

20 Envió su palabra, y los sanó, y los libró de su ruina.

21 Alaben la misericordia de Jehová, y sus maravillas para con los hijos de los hombres:

22 Y ofrezcan sacrificios de acción de gracias, y publiquen sus obras con júbilo.

23 Los que descienden al mar en navíos, y hacen negocio en las muchas aguas,

24 ellos han visto las obras de Jehová, y sus maravillas en las profundidades.

25 Porque Él habló, e hizo levantar el viento tempestuoso, que encrespa las olas.

26 Suben a los cielos, descienden a los abismos; sus almas se derriten con el mal.

27 Tiemblan, y titubean como borrachos, y toda su destreza es inútil.

28 Entonces claman a Jehová en su angustia, y Él los libra de sus aflicciones.

29 Él cambia la tormenta en calma, y se apaciguan sus olas.

30 Se alegran luego porque se aquietaron; y así Él los guía al puerto anhelado.

31 Alaben la misericordia de Jehová, y sus maravillas para con los hijos de los hombres.

32 Exáltenlo en la congregación del pueblo; y alábenlo en la reunión de los ancianos.

33 Él convierte los ríos en desierto, y los manantiales de las aguas en sequedales;

34 La tierra fructífera en yermo, por la maldad de los que la habitan.

35 Vuelve el desierto en estanques de aguas, y la tierra seca en manantiales.

36 Y hace que allí habiten los hambrientos, para que dispongan ciudad donde morar;

37 Y siembran campos, y plantan viñas, y rinden abundante fruto.

38 Y los bendice, y se multiplican en gran manera; y no disminuye su ganado.

39 Y luego son menoscabados y abatidos a causa de tiranía, de males y congojas.

40 Él derrama menosprecio sobre los príncipes, y les hace andar errantes, vagabundos y sin camino:

41 Él levanta de la miseria al pobre, y hace multiplicar las familias como rebaños de ovejas.

42 Véanlo los rectos, y alégrense; y toda maldad cierre su boca.

43 ¿Quién es sabio y guardará estas cosas, y entenderá las misericordias de Jehová?

SALMO 108
<<Canción: Salmo de David>>

Mi corazón está dispuesto, oh Dios; cantaré y entonaré salmos, todavía en mi gloria.

2 Despiértate, salterio y arpa; despertaré al alba.

3 Te alabaré, oh Jehová, entre los pueblos; a ti cantaré salmos entre las naciones.

4 Porque grande más que los cielos es tu misericordia, y hasta los cielos tu verdad.

5 Exaltado seas oh Dios, sobre los cielos; y sobre toda la tierra sea tu gloria.

6 Para que sean librados tus amados, salva con tu diestra y respóndeme.

7 Dios dijo en su santuario; me alegraré, repartiré a Siquem, y mediré el valle de Sucot.

8 Mío es Galaad, mío es Manasés; y Efraín es la fortaleza de mi cabeza; Judá es mi legislador;

9 Moab, la vasija en que me lavo; sobre Edom echaré mi zapato; me regocijaré sobre Filistea.

10 ¿Quién me guiará a la ciudad fortificada? ¿Quién me guiará hasta Edom?

11 ¿No eres tú, oh Dios, el que nos habías desechado; y no salías, oh Dios, con nuestros ejércitos?

12 Danos socorro en la angustia: Porque vana es la ayuda del hombre.

13 En Dios haremos proezas; y Él hollará a nuestros enemigos.

SALMO 109
<<Al Músico principal: Salmo de David>>

Oh Dios de mi alabanza, no calles; 2 Porque la boca del impío y la boca del engañador se han abierto contra mí; han hablado de mí con lengua mentirosa,

3 Y con palabras de odio me rodearon; y pelearon contra mí sin causa.

4 En pago de mi amor me han sido adversarios; mas yo oraba.

5 Y me han devuelto mal por bien, y odio por amor.

6 Pon sobre él al impío; y Satanás esté a su diestra.

7 Cuando sea juzgado, salga culpable; y su oración sea para pecado.

8 Sean pocos sus días: Tome otro su oficio.

9 Sean huérfanos sus hijos, y viuda su esposa.

10 Y anden sus hijos vagabundos, y mendiguen; y procuren *su pan* lejos de sus desolados hogares.

11 Tome el acreedor todo lo que tiene, y extraños saqueen su trabajo.

12 No tenga quien le haga misericordia; ni haya quien tenga compasión de sus huérfanos.

13 Su posteridad sea talada; sea borrado su nombre en la siguiente generación.

14 Venga en memoria ante Jehová la maldad de sus padres, y el pecado de su madre no sea borrado.

15 Estén siempre delante de Jehová, y Él corte de la tierra su memoria.

16 Por cuanto no se acordó de hacer misericordia, y persiguió al hombre afligido y menesteroso y quebrantado de corazón, para matarlo.

17 Y amó la maldición, y le vino; y no quiso la bendición, y ésta se alejó de él.

18 Y se vistió de maldición como de su vestido, y entró como agua en sus entrañas, y como aceite en sus huesos.

19 Séale como vestido con que se cubra, y en lugar de cinto con que se ciña siempre.

20 *Sea* éste el pago de parte de Jehová para los que me calumnian, y para los que hablan mal contra mi alma.

21 Y tú, Señor Jehová, haz conmigo por amor de tu nombre: Líbrame, porque tu misericordia es buena.

22 Porque yo estoy afligido y necesitado; y mi corazón está herido dentro de mí.

23 Me voy como la sombra cuando declina; soy sacudido como langosta.

24 Mis rodillas están debilitadas a causa del ayuno, y mi carne desfallecida por falta de gordura.

25 Yo he sido para ellos objeto de oprobio; me miraban, y meneaban su cabeza.

26 Ayúdame, Jehová Dios mío: Sálvame conforme a tu misericordia.

27 Y entiendan que ésta *es* tu mano; que tú, Jehová, lo has hecho.

28 Maldigan ellos, pero bendice tú: Levántense, mas sean avergonzados, y regocíjese tu siervo.

29 Sean vestidos de ignominia los que me calumnian; y sean cubiertos de su confusión como con manto.

30 Yo alabaré a Jehová en gran manera con mi boca, y en medio de muchos le alabaré.

31 Porque Él se pondrá a la diestra del pobre, para librar su alma de los que le juzgan.

SALMO 110
<<Salmo de David>>

Jehová dijo a mi Señor: Siéntate a mi diestra, hasta que ponga a tus enemigos por estrado de tus pies.

2 Jehová enviará desde Sión la vara de tu poder: Domina en medio de tus enemigos.

3 Tu pueblo *estará* dispuesto en el día de tu poder, en la hermosura de la santidad; desde el seno de la aurora, tienes tú el rocío de tu juventud.

4 Juró Jehová, y no se arrepentirá: Tú eres sacerdote para siempre, según el orden de Melquisedec.

5 El Señor a tu diestra herirá a los reyes en el día de su furor:

6 Juzgará entre las naciones, las llenará de cadáveres; herirá las cabezas en muchas tierras.

7 Del arroyo beberá en el camino; por lo cual levantará la cabeza.

SALMO 111
<<Aleluya>>

Alabaré a Jehová con todo *mi* corazón en la compañía de los rectos y en la congregación.

2 Grandes *son* las obras de Jehová; buscadas de todos los que se deleitan en ellas.

3 Gloria y hermosura *es* su obra; y su justicia permanece para siempre.

4 Hizo memorables sus maravillas: Clemente y misericordioso es Jehová.

5 Él ha dado alimento a los que le temen; para siempre se acordará de su pacto.

6 Él ha mostrado a su pueblo el poder de sus obras, dándoles la heredad de las naciones.

7 Las obras de sus manos *son* verdad y juicio: Fieles *son* todos sus mandamientos;

8 Afirmados eternamente y para siempre, hechos en verdad y en rectitud.

9 Redención ha enviado a su pueblo; para siempre ha ordenado su pacto: Santo y temible es su nombre.

10 El principio de la sabiduría es el temor de Jehová: Buen entendimiento tienen todos los que ponen por obra *sus mandamientos*: Su loor permanece para siempre.

SALMO 112
<<Aleluya>>

Bienaventurado el hombre que teme a Jehová, y en sus mandamientos se deleita en gran manera.

2 Su simiente será poderosa en la tierra: La generación de los rectos será bendita.

3 Bienes y riquezas hay en su casa; y su justicia permanece para siempre.

4 En las tinieblas resplandece luz a los rectos: Él *es* clemente, misericordioso y justo.

5 El hombre de bien tiene misericordia y presta; conduce sus asuntos con juicio.

6 Por lo cual no resbalará para siempre; en memoria eterna será el justo.

7 No tendrá temor de malas noticias: Su corazón está firme, confiado en Jehová.

8 Afianzado *está* su corazón, no temerá, hasta que vea en sus enemigos *su deseo*.

9 Esparció, dio a los pobres: Su justicia permanece para siempre; su cuerno será ensalzado en gloria.

10 Lo verá el impío, y se irritará; crujirá los dientes, y se consumirá; el deseo de los impíos perecerá.

SALMO 113
<<Aleluya>>

Alabad al Señor; Oh siervos de Jehová, alabad el nombre de Jehová.

2 Sea el nombre de Jehová bendito, desde ahora y para siempre.

3 Desde el nacimiento del sol hasta donde se pone, sea alabado el nombre de Jehová.

4 Excelso sobre todas las naciones *es* Jehová; sobre los cielos su gloria.

5 ¿Quién como Jehová nuestro Dios, que mora en las alturas,

6 que se humilla a mirar *lo que hay* en el cielo y en la tierra?

7 Él levanta del polvo al pobre, y al menesteroso, alza del muladar,

8 para hacerlos sentar con los príncipes, con los príncipes de su pueblo.

9 Él hace habitar en familia a la estéril, y que se goce en ser madre de hijos. Aleluya.

SALMO 114

Cuando Israel salió de Egipto, la casa de Jacob del pueblo de lengua extraña,

2 Judá fue su santuario, e Israel su señorío.

3 El mar *lo* vio, y huyó; el Jordán se volvió atrás.

4 Los montes saltaron como carneros; los collados como corderitos.

5 ¿Qué tuviste, oh mar, que huiste? ¿Y tú, oh Jordán, que te volviste atrás?

6 Oh montes, ¿por qué saltasteis como carneros, y vosotros, collados, como corderitos?

7 A la presencia del Señor tiembla la tierra, a la presencia del Dios de Jacob;

8 El cual cambió la peña en estanque de aguas, y en fuente de aguas la roca.

SALMO 115

No a nosotros, oh Jehová, no a nosotros, sino a tu nombre da gloria; Por tu misericordia, por tu verdad.

2 ¿Por qué han de decir las gentes: ¿Dónde *está* ahora su Dios?

3 Nuestro Dios *está* en los cielos; todo lo que quiso ha hecho.

4 Los ídolos de ellos *son* plata y oro, obra de manos de hombres.

5 Tienen boca, mas no hablan; tienen ojos, mas no ven;

6 Orejas tienen, mas no oyen; tienen narices, mas no huelen;

7 Manos tienen, mas no palpan; tienen pies, mas no andan; ni hablan con su garganta.

8 Como ellos son los que los hacen, y cualquiera que en ellos confía.

9 Oh Israel, confía en Jehová: Él *es* su ayuda y su escudo.

10 Casa de Aarón, confiad en Jehová. Él *es* su ayuda y su escudo.

11 Los que teméis a Jehová, confiad en Jehová: Él *es* su ayuda y su escudo.

12 Jehová se acordó de nosotros; nos bendecirá. Bendecirá a la casa de Israel; bendecirá a la casa de Aarón.

13 Bendecirá a los que temen a Jehová; a chicos y a grandes.

14 Jehová os prospere más y más; a vosotros y a vuestros hijos.

15 Bendecidos *sois* de Jehová, que hizo el cielo y la tierra.

16 El cielo, *aun* los cielos *son* de Jehová; mas ha dado la tierra a los hijos de los hombres.

17 No alabarán los muertos a JAH, ni cuantos descienden al silencio;

18 Mas nosotros bendeciremos a JAH, desde ahora y para siempre. Aleluya.

SALMO 116

Amo a Jehová, pues ha oído mi voz y mis súplicas.

2 Porque ha inclinado a mí su oído, por tanto, le invocaré mientras yo viva.

3 Me rodearon los dolores de la muerte, me encontraron las angustias del infierno: Angustia y dolor había yo hallado.

4 Entonces invoqué el nombre de Jehová, diciendo: Te ruego, oh Jehová, libra mi alma.

5 Clemente es Jehová y justo; sí, misericordioso es nuestro Dios.

6 Jehová guarda al sencillo: Estaba yo postrado, y me salvó.

7 Vuelve, oh alma mía, a tu reposo; porque Jehová te ha hecho bien.

8 Pues tú has librado mi alma de la muerte, mis ojos de lágrimas, y mis pies de resbalar.

9 Andaré delante de Jehová en la tierra de los vivientes.

10 Creí; por tanto hablé, estando afligido en gran manera.

11 Y dije en mi apresuramiento: Todo hombre es mentiroso.

12 ¿Qué pagaré a Jehová por todos sus beneficios para conmigo?

13 Tomaré la copa de la salvación, e invocaré el nombre de Jehová.

14 Ahora pagaré mis votos a Jehová delante de todo su pueblo.

15 Estimada es a los ojos de Jehová la muerte de sus santos.

16 Oh Jehová, en verdad yo soy tu siervo, yo tu siervo, hijo de tu sierva: Tú desataste mis ataduras.

17 Te ofreceré sacrificio de alabanza, e invocaré el nombre de Jehová.

18 A Jehová pagaré ahora mis votos delante de todo su pueblo;

19 En los atrios de la casa de Jehová, en medio de ti, oh Jerusalén. Aleluya.

SALMO 117

Alabad a Jehová, naciones todas; pueblos todos, alabadle.

2 Porque ha engrandecido sobre nosotros su misericordia; y la verdad de Jehová es para siempre. Aleluya.

SALMO 118

Alabad a Jehová, porque Él es bueno; porque para siempre es su misericordia.

2 Diga ahora Israel, que para siempre es su misericordia.

3 Diga ahora la casa de Aarón, que para siempre es su misericordia.

4 Digan ahora los que temen a Jehová, que para siempre es su misericordia.

5 Desde la angustia invoqué a JAH; y JAH me respondió, poniéndome en lugar espacioso.

6 Jehová está de mi lado, no temeré; ¿qué me puede hacer el hombre?

7 Jehová está por mí entre los que me ayudan; por tanto, yo veré mi deseo en los que me aborrecen.

8 Mejor es confiar en Jehová que confiar en el hombre.

9 Mejor es confiar en Jehová que confiar en príncipes.

10 Todas las naciones me rodearon; pero en el nombre de Jehová yo las destruiré.

11 Me rodearon y me asediaron: Pero en el nombre de Jehová yo las destruiré.

12 Me rodearon como abejas; se extinguieron como fuego de espinos; en el nombre de Jehová yo las destruiré.

13 Me empujaste con violencia para que cayese: Pero Jehová me ayudó.

14 Mi fortaleza y mi canción es Jehová; Y Él ha sido mi salvación.

15 Voz de júbilo y de salvación hay en las tiendas de los justos: La diestra de Jehová hace proezas.

16 La diestra de Jehová es sublime: La diestra de Jehová hace proezas.

17 No moriré, sino que viviré, y contaré las obras de Jehová.

18 Me castigó gravemente Jehová; mas no me entregó a la muerte.

19 Abridme las puertas de la justicia; entraré por ellas, alabaré a Jehová.

20 Ésta es la puerta de Jehová, por ella entrarán los justos.

21 Te alabaré porque me has oído, y me fuiste por salvación.

22 La piedra que desecharon los edificadores ha venido a ser cabeza del ángulo.

23 De parte de Jehová es esto; es maravilloso a nuestros ojos.

24 Éste *es* el día *que* hizo Jehová; nos gozaremos y alegraremos en él.

25 Oh Jehová, salva ahora, te ruego; oh Jehová, te ruego que hagas prosperar ahora.

26 Bendito el que viene en el nombre de Jehová; desde la casa de Jehová os bendecimos.

27 Dios es Jehová que nos ha resplandecido: Atad víctimas con cuerdas a los cuernos del altar.

28 Mi Dios *eres* tú, y te alabaré: Dios mío, te exaltaré.

29 Alabad a Jehová porque *Él es* bueno; porque para siempre es su misericordia.

SALMO 119
ALEF.

Bienaventurados los perfectos de camino; los que andan en la ley de Jehová.

2 Bienaventurados los que guardan sus testimonios, y con todo el corazón le buscan:

3 Pues no hacen iniquidad los que andan en sus caminos.

4 Tú encargaste que sean muy guardados tus mandamientos.

5 ¡Oh que fuesen ordenados mis caminos para guardar tus estatutos!

6 Entonces no sería yo avergonzado, cuando atendiese a todos tus mandamientos.

7 Te alabaré con rectitud de corazón, cuando aprendiere los juicios de tu justicia.

8 Tus estatutos guardaré: No me dejes enteramente.

9 BET. ¿Con qué limpiará el joven su camino? Con guardar tu palabra.

10 Con todo mi corazón te he buscado; no me dejes divagar de tus mandamientos.

11 En mi corazón he guardado tus dichos, para no pecar contra ti.

12 Bendito tú, oh Jehová; enséñame tus estatutos.

13 Con mis labios he contado todos los juicios de tu boca.

14 Me he gozado en el camino de tus testimonios, *más que* sobre toda riqueza.

15 En tus mandamientos meditaré, consideraré tus caminos.

16 Me deleitaré en tus estatutos; no me olvidaré de tus palabras.

17 GIMEL. Haz bien a tu siervo; para que viva y guarde tu palabra.

18 Abre mis ojos, y miraré las maravillas de tu ley.

19 Advenedizo soy yo en la tierra; no encubras de mí tus mandamientos.

20 Quebrantada está mi alma de desear tus juicios en todo tiempo.

21 Destruiste a los soberbios malditos, que se desvían de tus mandamientos.

22 Aparta de mí oprobio y menosprecio; porque tus testimonios he guardado.

23 Príncipes también se sentaron y hablaron contra mí; *mas* tu siervo meditaba en tus estatutos.

24 Pues tus testimonios *son* mi delicia, y mis consejeros.

25 DALET. Mi alma está pegada al polvo; vivifícame según tu palabra.

26 Mis caminos te conté, y me has respondido; enséñame tus estatutos.

27 Hazme entender el camino de tus mandamientos, y hablaré de tus maravillas.

28 Se deshace mi alma de ansiedad; fortaléceme según tu palabra.

29 Aparta de mí el camino de mentira; y concédeme con gracia tu ley.

30 Escogí el camino de la verdad; he puesto tus juicios delante de mí.

31 Me he apegado a tus testimonios; oh Jehová, no me avergüences.

32 Por el camino de tus mandamientos correré, cuando tú ensanches mi corazón.

33 HE. Enséñame, oh Jehová, el camino de tus estatutos, y lo guardaré hasta el fin.

34 Dame entendimiento, y guardaré tu ley; y la observaré de todo corazón.

35 Guíame por la senda de tus mandamientos; porque en ella tengo mi voluntad.

36 Inclina mi corazón a tus testimonios, y no a la avaricia.

37 Aparta mis ojos, que no vean la vanidad; avívame en tu camino.

38 Confirma tu palabra a tu siervo, que te teme.

39 Quita de mí el oprobio que he temido; porque buenos son tus juicios.

40 He aquí yo he anhelado tus mandamientos; vivifícame en tu justicia.

41 VAV. Venga a mí tu misericordia, oh Jehová; tu salvación, conforme a tu palabra.

42 Y daré por respuesta al que me injuria, que en tu palabra he confiado.

43 Y no quites de mi boca en ningún tiempo la palabra de verdad; porque en tus juicios he esperado.

44 Y guardaré tu ley continuamente, eternamente y para siempre.

45 Y andaré en libertad, porque busqué tus mandamientos.

46 Y hablaré de tus testimonios delante de los reyes, y no me avergonzaré.

47 Y me deleitaré en tus mandamientos, los cuales he amado.

48 Alzaré asimismo mis manos a tus mandamientos que amé; y meditaré en tus estatutos.

49 ZAYIN. Acuérdate de la palabra dada a tu siervo, en la cual me has hecho esperar.

50 Ésta es mi consuelo en mi aflicción; pues tu palabra me ha vivificado.

51 Los soberbios se burlaron mucho de mí; mas no me he apartado de tu ley.

52 Me acordé, oh Jehová, de tus juicios antiguos, y me consolé.

53 Horror se apoderó de mí, a causa de los impíos que dejan tu ley.

54 Cánticos han sido para mí tus estatutos en la casa de mis peregrinaciones.

55 Me acordé en la noche de tu nombre, oh Jehová, y guardé tu ley.

56 Esto tuve, porque guardé tus mandamientos.

57 JET. Tú eres mi porción, oh Jehová, he dicho que guardaré tus palabras.

58 Tu presencia supliqué de todo corazón: Ten misericordia de mí según tu palabra.

59 Consideré mis caminos, y torné mis pies a tus testimonios.

60 Me apresuré, y no me tardé en guardar tus mandamientos.

61 Compañía de impíos me han robado; mas no me he olvidado de tu ley.

62 Á media noche me levantaba a alabarte por tus justos juicios.

63 Compañero soy yo de todos los que te temen y guardan tus mandamientos.

64 De tu misericordia, oh Jehová, está llena la tierra: Enséñame tus estatutos.

65 TET. Bien has hecho con tu siervo, oh Jehová, conforme a tu palabra.

66 Enséñame buen sentido y sabiduría; porque tus mandamientos he creído.

67 Antes que fuera yo humillado, descarriado andaba; mas ahora guardo tu palabra.

68 Bueno eres tú, y bienhechor: Enséñame tus estatutos.

69 Contra mí forjaron mentira los soberbios; mas yo guardaré de todo corazón tus mandamientos.

70 Se engrosó el corazón de ellos como sebo; mas yo en tu ley me he deleitado.

71 Bueno me es haber sido humillado, para que aprenda tus estatutos.

72 Mejor me es la ley de tu boca, que millares de oro y plata.

73 YOD. Tus manos me hicieron y me formaron: Hazme entender, y aprenderé tus mandamientos.

74 Los que te temen me verán, y se alegrarán; porque en tu palabra he esperado.

75 Conozco, oh Jehová, que tus juicios son justos, y que conforme a tu fidelidad me afligiste.

76 Sea ahora tu misericordia para consolarme, conforme a lo que has dicho a tu siervo.

77 Vengan a mí tus misericordias, y viva; porque tu ley es mi delicia.

78 Sean avergonzados los soberbios, porque sin causa me han calumniado; mas yo, meditaré en tus mandamientos.

79 Tórnense a mí los que te temen y conocen tus testimonios.

80 Sea mi corazón íntegro en tus estatutos; para que no sea yo avergonzado.

81 KAF. Desfallece mi alma por tu salvación, mas espero en tu palabra.

82 Desfallecieron mis ojos por tu palabra, diciendo: ¿Cuándo me consolarás?

83 Porque estoy como el odre al humo; *pero* no he olvidado tus estatutos.

84 ¿Cuántos son los días de tu siervo? ¿Cuándo harás juicio contra los que me persiguen?

85 Los soberbios han cavado hoyos para mí; mas no obran según tu ley.

86 Todos tus mandamientos *son* verdad; sin causa me persiguen; ayúdame.

87 Casi me han echado por tierra; mas yo no he dejado tus mandamientos.

88 Vivifícame conforme a tu misericordia; y guardaré los testimonios de tu boca.

89 LAMED. Para siempre, oh Jehová, está establecida tu palabra en el cielo.

90 Por generación y generación *es* tu fidelidad: Tú afirmaste la tierra, y permanece.

91 Por tus ordenanzas permanecen *todas las cosas* hasta hoy, pues todas ellas te sirven.

92 Si tu ley no *hubiese sido* mi delicia, ya en mi aflicción hubiera perecido.

93 Nunca jamás me olvidaré de tus mandamientos; porque con ellos me has vivificado.

94 Tuyo soy yo, guárdame; porque he buscado tus mandamientos.

95 Los impíos me han aguardado para destruirme; *mas* yo consideraré tus testimonios.

96 A toda perfección he visto fin: Extenso sobremanera *es* tu mandamiento.

97 MEM. ¡Oh, cuánto amo yo tu ley! Todo el día *es* ella mi meditación.

98 Me has hecho más sabio que mis enemigos con tus mandamientos; porque siempre *están* conmigo.

99 Más que todos mis enseñadores he entendido; porque tus testimonios *son* mi meditación.

100 Más que los viejos he entendido, porque he guardado tus mandamientos.

101 De todo mal camino contuve mis pies, para guardar tu palabra.

102 No me aparté de tus juicios; porque tú me enseñaste.

103 ¡Cuán dulces *son* a mi paladar tus palabras! Más que la miel a mi boca.

104 De tus mandamientos he adquirido inteligencia; por tanto, he aborrecido todo camino de mentira.

105 NUN. Lámpara *es* a mis pies tu palabra, y lumbrera a mi camino.

106 Juré y ratifiqué que he de guardar tus justos juicios.

107 Afligido estoy en gran manera; vivifícame, oh Jehová, conforme a tu palabra.

108 Te ruego, oh Jehová, que te sean agradables las ofrendas voluntarias de mi boca; y enséñame tus juicios.

109 De continuo *está* mi alma en mi mano; *mas* no me he olvidado de tu ley.

110 Me tendieron lazo los impíos: Pero yo no me desvié de tus mandamientos.

111 Por heredad he tomado tus testimonios para siempre; porque *son* el gozo de mi corazón.

112 Mi corazón incliné a poner por obra tus estatutos de continuo, hasta el fin.

113 SAMEC. Los pensamientos *vanos* aborrezco; mas amo tu ley.

114 Mi escondedero y mi escudo *eres* tú: En tu palabra he esperado.

115 Apartaos de mí, malignos; pues yo guardaré los mandamientos de mi Dios.

116 Susténtame conforme a tu palabra, y viviré; y no dejes que me avergüence de mi esperanza.

117 Sostenme, y seré salvo; y me deleitaré siempre en tus estatutos.

118 Hollaste a todos los que se desvían de tus estatutos; porque mentira es su engaño.

119 *Como* escorias hiciste consumir a todos los impíos de la tierra; por tanto yo he amado tus testimonios.

120 Mi carne se ha estremecido por temor de ti; y de tus juicios tengo miedo.

121 AIN. Juicio y justicia he hecho; no me abandones a mis opresores.

122 Responde por tu siervo para bien; no permitas que me opriman los soberbios.

123 Mis ojos desfallecieron por tu salvación, y por el dicho de tu justicia.

124 Haz con tu siervo según tu misericordia, y enséñame tus estatutos.

125 Tu siervo soy yo, dame entendimiento; para que sepa tus testimonios.

126 Tiempo *es* de actuar, oh Jehová; porque han invalidado tu ley.

127 Por tanto, amo tus mandamientos más que el oro, y más que oro muy puro.

128 Por tanto, estimo rectos todos tus preceptos acerca de todas las cosas, y aborrezco todo camino de mentira.

129 PE. Maravillosos *son* tus testimonios; por tanto los ha guardado mi alma.

130 El principio de tus palabras alumbra; hace entender a los simples.

131 Mi boca abrí y suspiré; porque deseaba tus mandamientos.

132 Mírame, y ten misericordia de mí, como acostumbras con los que aman tu nombre.

133 Ordena mis pasos con tu palabra; y ninguna iniquidad se enseñoree de mí.

134 Líbrame de la violencia de los hombres; y guardaré tus mandamientos.

135 Haz que tu rostro resplandezca sobre tu siervo; y enséñame tus estatutos.

136 Ríos de agua descendieron de mis ojos, porque no guardaban tu ley.

137 TZADI. Justo eres tú, oh Jehová, y rectos tus juicios.

138 Tus testimonios, que has encomendado, *son* rectos y muy fieles.

139 Mi celo me ha consumido; porque mis enemigos se olvidaron de tus palabras.

140 Sumamente pura *es* tu palabra; y la ama tu siervo.

141 Pequeño soy yo y desechado; *mas* no me he olvidado de tus mandamientos.

142 Tu justicia *es* justicia eterna, y tu ley la verdad.

143 Aflicción y angustia me hallaron; *mas* tus mandamientos fueron mi delicia.

144 Justicia eterna *son* tus testimonios; dame entendimiento, y viviré.

145 COF. Clamé con todo *mi* corazón; respóndeme, Jehová, y guardaré tus estatutos.

146 A ti clamé; sálvame, y guardaré tus testimonios.

147 Me anticipé al alba, y clamé: Esperé en tu palabra.

148 Se anticiparon mis ojos a las vigilias de la noche, para meditar en tu palabra.

149 Oye mi voz conforme a tu misericordia; oh Jehová, vivifícame conforme a tu juicio.

150 Se *me* han acercado los que siguen la maldad; Lejos están de tu ley.

151 Cercano estás tú, oh Jehová; y todos tus mandamientos son verdad.

152 Hace ya mucho que he entendido de tus testimonios, que para siempre los has establecido.

153 RESH. Mira mi aflicción, y líbrame; porque de tu ley no me he olvidado.

154 Aboga mi causa, y líbrame; vivifícame con tu palabra.

155 Lejos *está* de los impíos la salvación; porque no buscan tus estatutos.

156 Muchas *son* tus misericordias, oh Jehová: Vivifícame conforme a tus juicios.

157 Muchos *son* mis perseguidores y mis enemigos; mas de tus testimonios no me he apartado.

158 Veía a los prevaricadores, y me disgustaba; porque no guardaban tus palabras.

159 Mira, oh Jehová, que amo tus mandamientos; vivifícame conforme a tu misericordia.

160 El principio de tu palabra es verdad; y eterno es todo juicio de tu justicia.

161 SIN. Príncipes me han perseguido sin causa; mas mi corazón está asombrado de tu palabra.

162 Me gozo yo en tu palabra, como el que halla muchos despojos.

163 La mentira aborrezco y abomino: Tu ley amo.

164 Siete veces al día te alabo sobre los juicios de tu justicia.

165 Mucha paz tienen los que aman tu ley; y no hay para ellos tropiezo.

166 Tu salvación he esperado, oh Jehová; y tus mandamientos he puesto por obra.

167 Mi alma ha guardado tus testimonios, y los he amado en gran manera.

168 He guardado tus mandamientos y tus testimonios; porque todos mis caminos están delante de ti.

169 TAU. Llegue mi clamor delante de ti, oh Jehová; dame entendimiento conforme a tu palabra.

170 Llegue mi oración delante de ti: Líbrame conforme a tu palabra.

171 Mis labios rebosarán alabanza, cuando me hayas enseñado tus estatutos.

172 Hablará mi lengua tus palabras; porque todos tus mandamientos son justicia.

173 Que tu mano me ayude; Porque tus mandamientos he escogido.

174 He deseado tu salvación, oh Jehová; y tu ley es mi delicia.

175 Que viva mi alma y te alabe; y tus juicios me ayuden.

176 Yo anduve errante como oveja extraviada; busca a tu siervo; porque no me he olvidado de tus mandamientos.

SALMO 120
<<Cántico gradual>>

Clamé a Jehová en mi angustia, y Él me respondió.

2 Libra mi alma, oh Jehová, de labio mentiroso, de la lengua engañosa.

3 ¿Qué se te dará, o qué te aprovechará, oh lengua engañosa?

4 Afiladas saetas de valiente, con brasas de enebro.

5 ¡Ay de mí, que peregrino en Mesec, y habito entre las tiendas de Cedar!

6 Mucho tiempo ha morado mi alma con los que aborrecen la paz.

7 Yo soy pacífico: Mas cuando hablo, ellos están por la guerra.

SALMO 121
<<Cántico gradual>>

Alzaré mis ojos a los montes, de donde vendrá mi socorro.

2 Mi socorro viene de Jehová, que hizo el cielo y la tierra.

3 No dará tu pie al resbaladero; ni se dormirá el que te guarda.

4 He aquí, no se adormecerá ni dormirá el que guarda a Israel.

5 Jehová es tu guardador: Jehová es tu sombra a tu mano derecha.

6 El sol no te fatigará de día, ni la luna de noche.

7 Jehová te guardará de todo mal: Él guardará tu alma.

8 Jehová guardará tu salida y tu entrada, desde ahora y para siempre.

SALMO 122
<<Cántico gradual: de David>>

Yo me alegré con los que me decían: A la casa de Jehová iremos.

2 Nuestros pies estuvieron en tus puertas, oh Jerusalén;

3 Jerusalén, que se ha edificado como una ciudad que está bien unida entre sí.

4 Y allá subieron las tribus, las tribus de JAH, conforme al testimonio dado a Israel, para alabar el nombre de Jehová.

5 Porque allá están los tronos del juicio, los tronos de la casa de David.

6 Pedid por la paz de Jerusalén; sean prosperados los que te aman.

7 Haya paz dentro de tus muros, y prosperidad en tus palacios.

8 Por amor de mis hermanos y mis compañeros diré ahora: Haya paz en ti.

9 Por amor a la casa de Jehová nuestro Dios, procuraré tu bien.

SALMO 123
<<Cántico gradual>>

A ti levanto mis ojos, a ti que habitas en los cielos.

2 He aquí, como los ojos de los siervos miran a la mano de sus señores, y como los ojos de la sierva a la mano de su señora; así nuestros ojos miran a Jehová nuestro Dios; hasta que tenga misericordia de nosotros.

3 Ten misericordia de nosotros, oh Jehová, ten misericordia de nosotros; porque estamos muy hastiados de menosprecio.

4 Muy hastiada está nuestra alma del escarnio de los que están en holgura, y del menosprecio de los soberbios.

SALMO 124
<<Cántico gradual: de David>>

A no *haber estado* Jehová por nosotros, diga ahora Israel;

2 a no haber estado Jehová por nosotros, cuando se levantaron contra nosotros los hombres,

3 vivos nos habrían tragado entonces, cuando se encendió su furor contra nosotros.

4 Entonces nos habrían inundado las aguas; sobre nuestra alma hubiera pasado el torrente:

5 Hubieran entonces pasado sobre nuestra alma las aguas soberbias.

6 Bendito Jehová, que no nos dio por presa a los dientes de ellos.

7 Nuestra alma escapó cual ave del lazo de los cazadores; se rompió el lazo, y escapamos nosotros.

8 Nuestro socorro *está* en el nombre de Jehová, que hizo el cielo y la tierra.

SALMO 125
<<Cántico gradual>>

L os que confían en Jehová *son* como el monte de Sión que no se mueve; *sino que* permanece para siempre.

2 Como Jerusalén tiene montes alrededor de ella, así Jehová está alrededor de su pueblo desde ahora y para siempre.

3 Porque no reposará la vara de la impiedad sobre la heredad de los justos; para que no extiendan los justos sus manos a la iniquidad.

4 Haz bien, oh Jehová, a los buenos, y *a los que son* rectos en sus corazones.

5 Mas a los que se apartan tras sus perversidades, Jehová los llevará con los que obran iniquidad: Paz sea sobre Israel.

SALMO 126
<<Cántico gradual>>

C uando Jehová hizo volver la cautividad de Sión, éramos como los que sueñan.

2 Entonces nuestra boca se llenó de risa, y nuestra lengua de alabanza; Entonces decían entre las gentes: Grandes cosas ha hecho Jehová con éstos.

3 Grandes cosas ha hecho Jehová con nosotros; Estaremos alegres.

4 Haz volver nuestra cautividad oh Jehová, como los arroyos del sur.

5 Los que sembraron con lágrimas, con regocijo segarán.

6 Irá andando y llorando el que lleva la preciosa semilla; mas volverá a venir con regocijo, trayendo sus gavillas.

SALMO 127
<<Cántico gradual: para Salomón>>

S i Jehová no edificare la casa, en vano trabajan los que la edifican; si Jehová no guardare la ciudad, en vano vela la guarda.

2 Por demás es que os levantéis de madrugada, y vayáis tarde a reposar, y que comáis pan de dolores; pues que a su amado dará Dios el sueño.

3 He aquí, herencia de Jehová son los hijos: Cosa de estima el fruto del vientre.

4 Como saetas en mano del valiente, así *son* los hijos habidos en la juventud.

5 Bienaventurado el hombre que llenó su aljaba de ellos: No será avergonzado cuando hablare con los enemigos en la puerta.

SALMO 128
<<Cántico gradual>>

B ienaventurado todo aquel que teme a Jehová, que anda en sus caminos.

2 Cuando comieres el trabajo de tus manos, bienaventurado *serás*, y te irá bien.

3 Tu esposa *será* como parra que lleva fruto a los lados de tu casa; tus hijos como plantas de olivos alrededor de tu mesa.

4 He aquí que así será bendito el hombre que teme a Jehová.

5 Jehová te bendiga desde Sión, y veas el bien de Jerusalén todos los días de tu vida.

6 Y veas los hijos de tus hijos, y la paz sobre Israel.

SALMO 129
<<Cántico gradual>>

M ucho me han angustiado desde mi juventud, puede decir ahora Israel;

2 Mucho me han angustiado desde mi juventud; mas no prevalecieron contra mí.

3 Sobre mis espaldas araron los aradores; hicieron largos surcos.

4 Jehová es justo; cortó las coyundas de los impíos.

5 Serán avergonzados y vueltos atrás todos los que aborrecen a Sión.

6 Serán como la hierba de los tejados, que se seca antes que crezca;

7 De la cual no llenó el segador su mano, ni sus brazos el que hace gavillas.

8 Ni dijeron los que pasaban: Bendición de Jehová *sea* sobre vosotros; os bendecimos en el nombre de Jehová.

SALMO 130
<<Cántico gradual>>

De lo profundo, oh Jehová, a ti clamo.

2 Señor, oye mi voz; estén atentos tus oídos a la voz de mi súplica.

3 Jehová, si mirares a los pecados, ¿Quién, oh Señor, quedaría en pie?

4 Pero en ti hay perdón, para que seas temido.

5 Esperé yo a Jehová, esperó mi alma; en su palabra he esperado.

6 Mi alma *espera* a Jehová más que los centinelas a la mañana; más que los vigilantes a la mañana.

7 Espere Israel a Jehová; porque en Jehová *hay* misericordia, y abundante redención con Él.

8 Y Él redimirá a Israel de todos sus pecados.

SALMO 131
<<Cántico gradual: de David>>

Jehová, no se ha envanecido mi corazón, ni mis ojos se enaltecieron; ni anduve en grandezas, ni en cosas demasiado sublimes para mí.

2 En verdad que me he comportado y he acallado mi alma, como un niño destetado de su madre; como un niño destetado *está* mi alma.

3 Espera, oh Israel, en Jehová desde ahora y para siempre.

Los hermanos juntos en armonía
SALMO 132
<<Cántico gradual>>

Acuérdate, oh Jehová, de David, y de toda su aflicción;

2 Que juró él a Jehová, prometió al Fuerte de Jacob:

3 No entraré en la morada de mi casa, ni subiré sobre el lecho de mi estrado;

4 No daré sueño a mis ojos, ni a mis párpados adormecimiento,

5 hasta que halle un lugar para Jehová, una morada para el Fuerte de Jacob.

6 He aquí, en Efrata oímos de ella; la hallamos en los campos del bosque.

7 Entraremos en sus tabernáculos; adoraremos ante el estrado de sus pies.

8 Levántate, oh Jehová, entra al lugar de tu reposo; tú y el arca de tu fortaleza.

9 Tus sacerdotes se vistan de justicia, y tus santos se regocijen.

10 Por amor de David tu siervo no vuelvas de tu ungido el rostro.

11 En verdad juró Jehová a David, no se retractará de ello; del fruto de tus lomos pondré sobre tu trono.

12 Si tus hijos guardaren mi pacto, y mi testimonio que yo les enseñaré, sus hijos también se sentarán sobre tu trono para siempre.

13 Porque Jehová ha elegido a Sión; la deseó por habitación para sí.

14 Éste es mi lugar de reposo para siempre; aquí habitaré, porque la he deseado.

15 Bendeciré en gran manera su provisión; a sus pobres saciaré de pan.

16 Asimismo vestiré de salvación a sus sacerdotes, y sus santos darán voces de júbilo.

17 Allí haré reverdecer el cuerno de David; he preparado lámpara a mi ungido.

18 A sus enemigos vestiré de confusión; mas sobre él florecerá su corona.

SALMO 133
<<Cántico gradual: de David>>

Mirad cuán bueno y cuán delicioso es habitar los hermanos juntos en armonía!

2 *Es* como el buen óleo sobre la cabeza, el cual desciende sobre la barba, la barba de Aarón, y que baja hasta el borde de sus vestiduras;

3 Como el rocío de Hermón, que desciende sobre los montes de Sión; porque allí envía Jehová bendición, y vida eterna.

SALMO 134
<<Cántico gradual>>

Mirad, bendecid a Jehová, vosotros los siervos de Jehová, los que en la casa de Jehová estáis por las noches.

2 Alzad vuestras manos *en* el santuario, y bendecid a Jehová.

3 Jehová, que hizo el cielo y la tierra, te bendiga desde Sión.

SALMO 135
<<Aleluya>>

Alabad el nombre de Jehová; Alabadle, siervos de Jehová;

2 Los que estáis en la casa de Jehová, en los atrios de la casa de nuestro Dios.

3 Alabad a Jehová, porque Jehová *es* bueno: Cantad salmos a su nombre, porque es agradable.

4 Porque Jehová ha escogido a Jacob para sí, a Israel como su especial tesoro.

5 Porque yo sé que Jehová es grande, y el Señor nuestro, mayor que todos los dioses.

6 Todo lo que Jehová quiso, ha hecho, en los cielos y en la tierra, en los mares y en todos los abismos.

7 Él hace subir las nubes de los extremos de la tierra; hace los relámpagos para la lluvia; saca los vientos de sus depósitos.

8 Él es el que hirió los primogénitos de Egipto, desde el hombre hasta la bestia.

9 Envió señales y prodigios en medio de ti, oh Egipto, sobre Faraón, y sobre todos sus siervos.

10 El que hirió muchas gentes, y mató reyes poderosos:

11 A Sehón rey de los amorreos, y a Og rey de Basán, y a todos los reinos de Canaán.

12 Y dio la tierra de ellos en heredad, en heredad a Israel su pueblo.

13 Oh Jehová, eterno *es* tu nombre; tu memoria, oh Jehová, por todas las generaciones.

14 Porque Jehová juzgará a su pueblo, y se arrepentirá en cuanto a sus siervos.

15 Los ídolos de las gentes *son* plata y oro, obra de manos de hombres.

16 Tienen boca, mas no hablan; tienen ojos, mas no ven;

17 Tienen orejas, mas no oyen; tampoco hay aliento en sus bocas.

18 Como ellos son los que los hacen, y todos los que en ellos confían.

19 Casa de Israel, bendecid a Jehová; casa de Aarón, bendecid a Jehová:

20 Casa de Leví, bendecid a Jehová: los que teméis a Jehová, bendecid a Jehová:

21 Bendito sea Jehová desde Sión, que mora en Jerusalén. Aleluya.

SALMO 136

Alabad a Jehová, porque Él *es* bueno; porque para siempre es su misericordia.

2 Alabad al Dios de los dioses, porque para siempre *es* su misericordia.

3 Alabad al Señor de los señores, porque para siempre *es* su misericordia.

4 Al único que hace grandes maravillas, porque para siempre *es* su misericordia.

5 Al que hizo los cielos con sabiduría, porque para siempre *es* su misericordia.

6 Al que extendió la tierra sobre las aguas, porque para siempre *es* su misericordia;

7 Al que hizo las grandes luminarias, porque para siempre *es* su misericordia;

8 El sol para que señorease en el día, porque para siempre *es* su misericordia;

9 La luna y las estrellas para que señoreasen en la noche, porque para siempre *es* su misericordia.

10 Al que hirió a Egipto en sus primogénitos, porque para siempre *es* su misericordia.

11 Al que sacó a Israel de en medio de ellos, porque para siempre *es* su misericordia;

12 Con mano fuerte, y brazo extendido, porque para siempre *es* su misericordia.

13 Al que dividió el Mar Rojo en partes, porque para siempre *es* su misericordia;

14 E hizo pasar a Israel por medio de él, porque para siempre *es* su misericordia;

15 Y arrojó a Faraón y a su ejército en el Mar Rojo, porque para siempre *es* su misericordia.

16 Al que pastoreó a su pueblo por el desierto, porque para siempre *es* su misericordia.

17 Al que hirió grandes reyes, porque para siempre *es* su misericordia;

18 y mató a reyes poderosos, porque para siempre *es* su misericordia;

19 a Sehón rey amorreo, porque para siempre *es* su misericordia,

20 y a Og rey de Basán, porque para siempre *es* su misericordia;

21 y dio la tierra de ellos en heredad, porque para siempre *es* su misericordia;

22 en heredad a Israel su siervo, porque para siempre *es* su misericordia;

23 Él es el que en nuestro abatimiento se acordó de nosotros, porque para siempre *es* su misericordia;

24 y nos rescató de nuestros enemigos, porque para siempre *es* su misericordia.

25 Él da mantenimiento a toda carne, porque para siempre *es* su misericordia.

26 Alabad al Dios de los cielos; porque para siempre *es* su misericordia.

SALMO 137

Junto a los ríos de Babilonia, allí nos sentábamos, y aun llorábamos, acordándonos de Sión.

2 Sobre los sauces en medio de ella colgamos nuestras arpas.

3 Y los que allí nos habían llevado cautivos nos pedían que cantásemos, y los que nos habían desolado nos pedían alegría, *diciendo*: Cantadnos alguno de los cánticos de Sión.

4 ¿Cómo cantaremos canción de Jehová en tierra de extraños?

5 Si me olvidare de ti, oh Jerusalén, mi diestra olvide *su destreza*,

6 mi lengua se pegue a mi paladar, si de ti no me acordare; si no enalteciere a Jerusalén como preferente asunto de mi alegría.

7 Acuérdate, oh Jehová, contra los hijos de Edom en el día de Jerusalén; los cuales decían: Arrasadla, arrasadla hasta los cimientos.

8 Hija de Babilonia, serás destruida, bienaventurado el que te diere el pago de lo que tú nos hiciste.

9 Bienaventurado el que tomare y estrellare tus niños contra las piedras.

SALMO 138
<<*Salmo* de David>>

Te alabaré con todo mi corazón: Delante de los dioses te cantaré salmos.

2 Me postraré hacia tu santo templo, y alabaré tu nombre por tu misericordia y tu verdad: Porque has magnificado tu palabra por sobre todo tu nombre.

3 En el día que clamé, me respondiste; me fortaleciste con fortaleza en mi alma.

4 Te alabarán, oh Jehová, todos los reyes de la tierra, cuando escuchen los dichos de tu boca.

5 Y cantarán de los caminos de Jehová; Porque la gloria de Jehová *es* grande.

6 Aunque Jehová *es* excelso, atiende al humilde; mas al altivo mira de lejos.

7 Aunque yo anduviere en medio de la angustia, tú me vivificarás: Contra la ira de mis enemigos extenderás tu mano, y me salvará tu diestra.

8 Jehová cumplirá su propósito en mí: Tu misericordia, oh Jehová, *es* para siempre; no desampares la obra de tus manos.

SALMO 139
<<Al Músico principal: Salmo de David>>

Oh Jehová, tú me has examinado y conocido.

2 Tú conoces mi sentarme y mi levantarme, desde lejos entiendes mis pensamientos.

3 Mi andar y mi acostarme has rodeado, y todos mis caminos te son conocidos.

4 Pues aún no está la palabra en mi lengua, y he aquí, oh Jehová, tú la sabes toda.

5 Detrás y delante me has rodeado, y sobre mí pusiste tu mano.

6 *Tal* conocimiento *es* muy maravilloso para mí; alto es, no lo puedo comprender.

7 ¿A dónde me iré de tu Espíritu? ¿O a dónde huiré de tu presencia?

8 Si subiere a los cielos, allí estás tú; y si en el infierno hiciere mi lecho, he aquí *allí* tú *estás*.

9 Si tomare las alas del alba, y habitare en el extremo del mar,

10 aun allí me guiará tu mano, y me asirá tu diestra.

11 Si dijere: Ciertamente las tinieblas me encubrirán; aun la noche resplandecerá alrededor de mí.

12 Aun las tinieblas no encubren de ti, y la noche resplandece como el día: lo mismo te son las tinieblas que la luz.

13 Porque tú formaste mis riñones; me cubriste en el vientre de mi madre.

14 Te alabaré; porque formidable y maravillosamente me formaste: Estoy maravillado, y mi alma lo sabe muy bien.

15 No fue encubierto de ti mi cuerpo, bien que en secreto fui formado, y entretejido en lo más profundo de la tierra.

16 Mi embrión vieron tus ojos, siendo aún imperfecto; y en tu libro estaban escritos *mis miembros*, que fueron luego formados, cuando *aún no existía* ninguno de ellos.

17 ¡Qué preciosos me son, oh Dios, tus pensamientos! ¡Cuán grande es la suma de ellos!

18 *Si* los contara, serían más numerosos que la arena; al despertar aún estoy contigo.

19 De cierto, oh Dios, matarás al impío; apartaos, pues, de mí, hombres sanguinarios.

20 Porque blasfemias dicen ellos contra ti; tus enemigos toman en vano *tu nombre*.

21 ¿No odio, oh Jehová, a los que te aborrecen, y me enardezco contra tus enemigos?

22 Los aborrezco con perfecto odio; los tengo por enemigos.

23 Examíname, oh Dios, y conoce mi corazón; pruébame y conoce mis pensamientos:

24 Y ve si *hay* en mí camino de perversidad, y guíame en el camino eterno.

SALMO 140

<<Al Músico principal: Salmo de David>>

Líbrame, oh Jehová, del hombre malo; guárdame de hombres violentos;

2 Los cuales maquinan males en *su* corazón, cada día urden contiendas.

3 Aguzaron su lengua como la serpiente; veneno de áspid hay debajo de sus labios. (Selah)

4 Guárdame, oh Jehová, de manos del impío, presérvame de los hombres violentos; que han pensado trastornar mis pasos.

5 Me han escondido lazo y cuerdas los soberbios; han tendido red junto a la senda; me han puesto lazos. (Selah)

6 He dicho a Jehová: Dios mío *eres* tú; escucha, oh Jehová, la voz de mis ruegos.

7 Jehová Señor, la fortaleza de mi salvación, tú pusiste a cubierto mi cabeza en el día de la batalla.

8 No des, oh Jehová, al impío sus deseos; no saques adelante su pensamiento, no sea que se ensoberbezca. (Selah)

9 En cuanto a los que por todas partes me rodean, la maldad de sus propios labios cubrirá su cabeza.

10 Caigan sobre ellos carbones encendidos; sean arrojados en el fuego, en abismos profundos de donde no puedan salir.

11 El hombre deslenguado no será firme en la tierra; el mal cazará al hombre injusto para derribarle.

12 Yo sé que Jehová amparará la causa del afligido, y el derecho de los menesterosos.

13 Ciertamente los justos alabarán tu nombre; los rectos morarán en tu presencia.

SALMO 141

<<Salmo de David>>

Jehová, a ti clamo; apresúrate a mí; Escucha mi voz, cuando a ti clamo.

2 Suba mi oración delante de ti como el incienso, y el levantar mis manos como la ofrenda de la tarde.

3 Pon guarda a mi boca, oh Jehová; Guarda la puerta de mis labios.

4 No dejes que se incline mi corazón a cosa mala, a hacer obras impías con los que obran iniquidad, y no coma yo de sus manjares.

5 Que el justo me castigue, será un favor, y que me reprenda será un excelente bálsamo que no me herirá la cabeza. Pero mi oración tendrán, aun en sus calamidades.

6 Sus jueces serán derribados en lugares peñascosos, y oirán mis palabras, que son dulces.

7 Como quien hiende y rompe la tierra, son esparcidos nuestros huesos a la boca de la sepultura.

8 Por tanto a ti, oh Jehová Señor, miran mis ojos: En ti he confiado, no desampares mi alma.

9 Guárdame de los lazos que me han tendido, y de las trampas de los obradores de iniquidad.

10 Caigan los impíos a una en sus redes, mientras yo paso adelante.

SALMO 142
<<Masquil de David: Oración que hizo cuando estaba en la cueva>>

Con mi voz clamé a Jehová, con mi voz supliqué misericordia a Jehová.

2 Delante de Él derramé mi queja; delante de Él manifesté mi angustia.

3 Cuando mi espíritu se angustiaba dentro de mí, tú conociste mi senda. En el camino en que andaba, me escondieron lazo.

4 Miré a mi mano derecha, y observé; mas no había quien me conociese; no tuve refugio, nadie se preocupó por mi alma.

5 Clamé a ti, oh Jehová, dije: Tú *eres* mi esperanza, y mi porción en la tierra de los vivientes.

6 Escucha mi clamor, porque estoy muy abatido; líbrame de los que me persiguen, porque son más fuertes que yo.

7 Saca mi alma de la cárcel para que alabe tu nombre: Me rodearán los justos, porque tú me serás propicio.

SALMO 143
<<Salmo de David>>

Oh Jehová, oye mi oración, escucha mis ruegos: Respóndeme por tu verdad, por tu justicia.

2 Y no entres en juicio con tu siervo; porque no se justificará delante de ti ningún viviente.

3 Porque el enemigo ha perseguido mi alma; ha postrado en tierra mi vida; me ha hecho habitar en tinieblas como los ya muertos.

4 Y mi espíritu se angustió dentro de mí; mi corazón está desolado.

5 Me acordé de los días antiguos; meditaba en todas tus obras, reflexionaba en las obras de tus manos.

6 Extendí mis manos a ti; mi alma *tiene sed* de ti como la tierra sedienta. (Selah)

7 Respóndeme pronto, oh Jehová, porque mi espíritu desfallece: No escondas de mí tu rostro, no venga yo a ser semejante a los que descienden a la fosa.

8 Hazme oír por la mañana tu misericordia, porque en ti he confiado: Hazme saber el camino por el que debo andar, porque a ti elevo mi alma.

9 Líbrame de mis enemigos, oh Jehová; en ti me refugio.

10 Enséñame a hacer tu voluntad, porque tú *eres* mi Dios; Bueno *es* tu Espíritu; guíame a tierra de rectitud.

11 Por tu nombre, oh Jehová, me vivificarás; por tu justicia, sacarás mi alma de angustia.

12 Y por tu misericordia disipa a mis enemigos, y destruye a todos los adversarios de mi alma; porque yo soy tu siervo.

SALMO 144
<<*Salmo* de David>>

Bendito *sea* Jehová, mi Roca, que adiestra mis manos para la guerra, y mis dedos para la batalla.

2 Misericordia mía y mi castillo, fortaleza mía y mi Libertador, escudo mío, en quien he confiado; el que somete a mi pueblo delante de mí.

3 Oh Jehová, ¿qué es el hombre, para que en él pienses? ¿O el hijo del hombre, para que lo estimes?

4 El hombre es semejante a la vanidad: Sus días son como la sombra que pasa.

5 Oh Jehová, inclina tus cielos y desciende: Toca los montes, y humeen.

6 Despide relámpagos, y dispérsalos, envía tus saetas, y túrbalos.

7 Extiende tu mano desde lo alto; rescátame, y líbrame de las muchas aguas, de la mano de los hijos de extraños;

8 cuya boca habla vanidad, y su diestra *es* diestra de mentira.

9 Oh Dios, a ti cantaré canción nueva: con salterio, con decacordio cantaré a ti.

10 Tú, el que da salvación a los reyes, el que libra a David su siervo de maligna espada.

11 Rescátame, y líbrame de mano de los hijos extraños, cuya boca habla vanidad, y su diestra es diestra de mentira.

12 Que nuestros hijos *sean* como plantas crecidas en su juventud; Nuestras hijas como las esquinas labradas a manera de las de un palacio;

13 Nuestros graneros llenos, provistos de toda clase de grano; nuestros ganados, se multipliquen de millares y decenas de millares en nuestros campos.

14 Que nuestros bueyes *estén* fuertes para el trabajo; que no tengamos asalto, ni que hacer salida, ni grito de alarma en nuestras plazas.

15 Bienaventurado el pueblo que tiene esto: Bienaventurado el pueblo cuyo Dios *es* Jehová.

SALMO 145
<<*Salmo* de alabanza: de David>>

Te exaltaré, mi Dios, mi Rey; y bendeciré tu nombre eternamente y para siempre.

2 Cada día te bendeciré, y alabaré tu nombre eternamente y para siempre.

3 Grande es Jehová y digno de suprema alabanza: Y su grandeza es inescrutable.

4 Generación a generación celebrará tus obras, y anunciará tus proezas.

5 Hablaré de la gloriosa magnificencia de tu majestad, y de tus maravillosos hechos.

6 De tus portentos y temibles hechos hablarán los hombres; Y yo contaré tu grandeza.

7 Proclamarán la memoria de tu gran bondad, y cantarán de tu justicia.

8 Clemente y misericordioso *es* Jehová, lento para la ira, y grande en misericordia.

9 Bueno *es* Jehová para con todos; y sus misericordias sobre todas sus obras.

10 Te alabarán, oh Jehová, todas tus obras; y tus santos te bendecirán.

11 Contarán de la gloria de tu reino, y hablarán de tu poder;

12 Para dar a conocer sus proezas a los hijos de los hombres, y la gloriosa majestad de su reino.

13 Tu reino *es* reino eterno, y tu señorío *permanece* por todas las generaciones.

14 Jehová sostiene a todos los que caen, y levanta a todos los oprimidos.

15 Los ojos de todos esperan en ti, y tú les das su comida a su tiempo.

16 Abres tu mano, y colmas de bendición a todo viviente.

17 Justo es Jehová en todos sus caminos, y misericordioso en todas sus obras.

18 Cercano *está* Jehová a todos los que le invocan, a todos los que le invocan de veras.

19 Cumplirá el deseo de los que le temen; oirá asimismo el clamor de ellos, y los salvará.

20 Jehová guarda a todos los que le aman; pero destruirá a todos los impíos.

21 La alabanza de Jehová hablará mi boca; y toda carne bendiga su santo nombre eternamente y para siempre.

SALMO 146
<<Aleluya>>

• Aleluya! Oh alma mía, alaba a Jehová.

2 Alabaré a Jehová en mi vida; cantaré salmos a mi Dios mientras viva.

3 No confiéis en los príncipes, ni en hijo de hombre, porque no hay en él salvación.

4 Sale su espíritu, se vuelve a la tierra; en el mismo día perecen sus pensamientos.

5 Bienaventurado aquel cuya ayuda es el Dios de Jacob, cuya esperanza está en Jehová su Dios:

6 El cual hizo el cielo y la tierra, el mar, y todo lo que en ellos hay; que guarda verdad para siempre;

7 Que hace justicia a los agraviados; que da pan a los hambrientos: Jehová liberta a los prisioneros;

8 Jehová abre *los ojos* a los ciegos; Jehová levanta a los caídos; Jehová ama a los justos.

9 Jehová guarda a los extranjeros; al huérfano y a la viuda sustenta; y el camino de los impíos trastorna.

10 Reinará Jehová para siempre; tu Dios, oh Sión, por generación y generación. Aleluya.

SALMO 147

Alabad a Jehová, porque es bueno cantar salmos a nuestro Dios; porque suave y hermosa es la alabanza.

2 Jehová edifica a Jerusalén; a los desterrados de Israel recogerá.

3 Él sana a los quebrantados de corazón, y venda sus heridas.

4 Él cuenta el número de las estrellas; a todas ellas llama por sus nombres.

5 Grande *es* el Señor nuestro, y de mucho poder; y su entendimiento *es* infinito.

6 Jehová exalta a los humildes; y humilla a los impíos hasta el polvo.

7 Cantad a Jehová con alabanza, cantad con arpa a nuestro Dios.

8 Él es el que cubre los cielos de nubes, el que prepara la lluvia para la tierra, el que hace a los montes producir hierba.

9 Él da a la bestia su mantenimiento, y a los hijos de los cuervos que claman.

10 No toma contentamiento en la fortaleza del caballo, ni se complace en las piernas *fuertes* del hombre.

11 Se complace Jehová en los que le temen, y en los que esperan en su misericordia.

12 Alaba a Jehová, Jerusalén; alaba a tu Dios, Sión.

13 Porque fortificó los cerrojos de tus puertas; bendijo a tus hijos dentro de ti.

14 Él pone en tus términos la paz; te sacia con lo mejor del trigo.

15 Él envía su palabra a la tierra; velozmente corre su palabra.

16 Él da la nieve como lana, derrama la escarcha como ceniza.

17 Él echa su hielo como pedazos; delante de su frío, ¿quién resistirá?

18 Envía su palabra, y los derrite; hace soplar su viento, y el agua fluye.

19 Él manifiesta sus palabras a Jacob, sus estatutos y sus juicios a Israel.

20 No ha hecho así con ninguna otra de las naciones; y *en cuanto a* sus juicios, no los conocieron. Aleluya.

SALMO 148
<<Aleluya>>

Alabad a Jehová desde los cielos; alabadle en las alturas.

2 Alabadle, vosotros todos sus ángeles; alabadle, vosotros todos sus ejércitos.

3 Alabadle, sol y luna: Alabadle, vosotras todas, lucientes estrellas.

4 Alabadle, cielos de los cielos, y las aguas que están sobre los cielos.

5 Alaben el nombre de Jehová; porque Él mandó, y fueron creados.

6 Y los estableció eternamente y para siempre; les puso ley que no será quebrantada.

7 Alabad a Jehová, desde la tierra, los dragones y todos los abismos;

8 el fuego y el granizo, la nieve y el vapor, el viento de tempestad que ejecuta su palabra;

9 los montes y todos los collados; el árbol de fruto y todos los cedros;

10 la bestia y todo animal, reptiles y volátiles;

11 los reyes de la tierra y todos los pueblos; los príncipes y todos los jueces de la tierra;

12 los jóvenes y también las doncellas; los ancianos y los niños.

13 Alaben el nombre de Jehová, porque sólo su nombre es sublime; su gloria es sobre tierra y cielos.

14 Él ha exaltado el cuerno de su pueblo; alábenle todos sus santos, los hijos de Israel, el pueblo a Él cercano. Aleluya.

SALMO 149
<<Aleluya>>

Cantad a Jehová cántico nuevo: Su alabanza sea en la congregación de los santos.

2 Alégrese Israel en su Hacedor; los hijos de Sión se gocen en su Rey.

3 Alaben su nombre con danza: Canten a Él, con pandero y arpa.

4 Porque Jehová toma contentamiento con su pueblo: Hermoseará a los humildes con salvación.

5 Regocíjense los santos con gloria; canten con júbilo sobre sus camas.

6 Las alabanzas de Dios estén en sus gargantas, y la espada de dos filos en sus manos;

7 para cobrar venganza sobre las naciones, y castigo en los pueblos;

8 Para aprisionar a sus reyes en grillos, y a sus nobles con cadenas de hierro;

9 para ejecutar en ellos el juicio escrito; gloria será esto para todos sus santos. Aleluya.

SALMO 150
<<Aleluya>>

Alabad a Dios en su santuario; Alabadle en el firmamento de su fortaleza.

2 Alabadle por sus proezas; alabadle conforme a la muchedumbre de su grandeza.

3 Alabadle con sonido de trompeta; alabadle con salterio y arpa.

4 Alabadle con pandero y danza; alabadle con cuerdas y flauta.

5 Alabadle con címbalos resonantes; alabadle con címbalos de júbilo.

6 Todo lo que respira alabe a Jehová. Aleluya.

Libro De
PROVERBIOS

CAPÍTULO 1

Los proverbios de Salomón, hijo de David, rey de Israel:

2 Para entender sabiduría y doctrina; para conocer las razones prudentes;

3 para recibir el consejo de sabiduría, justicia, juicio y equidad;

4 para dar sagacidad a los simples, y a los jóvenes inteligencia y cordura.

5 Oirá el sabio, y aumentará el saber; y el entendido adquirirá consejo;

6 para entender parábola y declaración; palabras de los sabios, y sus enigmas.

7 El principio de la sabiduría *es* el temor de Jehová: Los insensatos desprecian la sabiduría y la enseñanza.

8 Oye, hijo mío, la instrucción de tu padre, y no desprecies la ley de tu madre:

9 Porque adorno de gracia *serán* a tu cabeza, y collares a tu cuello.

10 Hijo mío, si los pecadores te quisieren engañar, no consientas.

11 Si dijeren: Ven con nosotros, pongamos asechanzas para *derramar* sangre, acechemos sin motivo al inocente;

12 los tragaremos vivos como el sepulcro, y enteros, como los que caen en sima.

13 Hallaremos riquezas de toda clase, llenaremos nuestras casas de despojos;

14 echa tu suerte entre nosotros; tengamos todos una sola bolsa.

15 Hijo mío, no andes en camino con ellos; aparta tu pie de sus veredas:

16 Porque sus pies correrán al mal, e irán presurosos a derramar sangre.

17 Porque en vano se tenderá la red ante los ojos de toda ave;

18 mas ellos a su propia sangre ponen asechanzas, y a sus propias vidas tienden lazo.

19 Tales son las sendas de todo el que es dado a la codicia, la cual quita la vida de sus poseedores.

20 La sabiduría clama de fuera, da su voz en las plazas:

21 Clama en los principales lugares de concurso; en las entradas de las

puertas de la ciudad dice sus razones:

22 ¿Hasta cuándo, oh simples, amaréis la simpleza, y los burladores desearán el burlar, y los insensatos aborrecerán la ciencia?

23 Volveos a mi reprensión: He aquí yo os derramaré mi espíritu, y os haré saber mis palabras.

24 Porque llamé, y no quisisteis oír: Extendí mi mano, y no hubo quien atendiese;

25 antes desechasteis todo consejo mío, y mi reprensión no quisisteis:

26 También yo me reiré en vuestra calamidad, y me burlaré cuando os viniere lo que teméis;

27 cuando viniere cual destrucción lo que teméis, y vuestra calamidad llegare como un torbellino; cuando sobre vosotros viniere tribulación y angustia.

28 Entonces me llamarán, y no responderé; me buscarán de mañana, y no me hallarán;

29 por cuanto aborrecieron la sabiduría, y no escogieron el temor de Jehová,

30 ni quisieron mi consejo, y menospreciaron toda reprensión mía:

31 Por tanto comerán del fruto de su camino, y serán hastiados de sus propios consejos.

32 Porque el descarrío de los ignorantes los matará, y la prosperidad de los necios los echará a perder.

33 Mas el que me oyere, habitará confiadamente, y vivirá reposado, sin temor del mal.

CAPÍTULO 2

Hijo mío, si recibieres mis palabras, y mis mandamientos atesorares dentro de ti,

2 de manera que inclines tu oído a la sabiduría, y apliques tu corazón a la prudencia;

3 si clamares a la inteligencia, y a la prudencia alzares tu voz;

4 si como a la plata la buscares, y la procurares como a tesoros escondidos;

5 Entonces entenderás el temor de Jehová, y hallarás el conocimiento de Dios.

6 Porque Jehová da la sabiduría, y de su boca *viene* el conocimiento y la inteligencia.

7 Él reserva la sana sabiduría para los rectos; es escudo a los que caminan rectamente.

8 Él guarda las veredas del juicio, y preserva el camino de sus santos.

9 Entonces entenderás justicia, juicio, y equidad, y todo buen camino.

10 Cuando la sabiduría entrare en tu corazón, y el conocimiento fuere dulce a tu alma,

11 la discreción te guardará, te preservará la inteligencia,

12 para librarte del mal camino, de los hombres que hablan perversidades;

13 que dejan las sendas derechas, por andar en caminos tenebrosos;

14 que se alegran haciendo el mal, que se deleitan en las perversidades del vicio;

15 cuyas veredas son torcidas, y torcidos sus caminos.

16 Para librarte de la mujer extraña, de la ajena que halaga con sus palabras;

17 que abandona al compañero de su juventud, y se olvida del pacto de su Dios.

18 Por lo cual su casa está inclinada a la muerte, y sus veredas hacia los muertos.

19 Todos los que a ella entraren, no volverán, ni tomarán los senderos de la vida.

20 Para que andes por el camino de los buenos, y guardes las sendas de los justos.

21 Porque los rectos habitarán la tierra, y los perfectos permanecerán en ella;

22 mas los impíos serán cortados de la tierra, y los prevaricadores serán desarraigados de ella.

CAPÍTULO 3

Hijo mío, no te olvides de mi ley, y tu corazón guarde mis mandamientos;

2 porque largura de días, y años de vida y paz te añadirán.

3 Misericordia y verdad no se aparten de ti; átalas a tu cuello, escríbelas en la tabla de tu corazón;

4 y hallarás gracia y buena opinión ante los ojos de Dios y de los hombres.

5 Fíate de Jehová de todo tu corazón, y no estribes en tu propia prudencia.

6 Reconócelo en todos tus caminos, y Él enderezará tus veredas.

7 No seas sabio en tu propia opinión: Teme a Jehová, y apártate del mal;

8 Porque será medicina a tu ombligo, y tuétano a tus huesos.

9 Honra a Jehová con tu sustancia, y con las primicias de todos tus frutos;

10 y serán llenos tus graneros con abundancia, y tus lagares rebosarán de mosto.

11 No deseches, hijo mío, el castigo de Jehová; ni te fatigues de su corrección;

12 porque Jehová al que ama castiga, como el padre al hijo a quien quiere.

13 Bienaventurado el hombre que halla la sabiduría, y que obtiene la inteligencia;

14 porque su mercadería *es* mejor que la mercadería de la plata, y sus frutos más que el oro fino.

15 Más preciosa es que las piedras preciosas; y todo lo que puedes desear, no se puede comparar a ella.

16 Largura de días está en su mano derecha; en su izquierda riquezas y honra.

17 Sus caminos son caminos deleitosos, y todas sus veredas paz.

18 Ella *es* árbol de vida a los que la abrazan, y bienaventurados son los que la retienen.

19 Jehová con sabiduría fundó la tierra; afirmó los cielos con inteligencia.

20 Por su inteligencia los abismos fueron divididos, y los cielos destilan rocío.

21 Hijo mío, no se aparten estas cosas de tus ojos; guarda la sabiduría y el consejo;

22 Y serán vida a tu alma, y gracia a tu cuello.

23 Entonces andarás por tu camino confiadamente, y tu pie no tropezará.

24 Cuando te acuestes, no tendrás temor; sino que te acostarás, y será dulce tu sueño.

25 No tendrás temor de pavor repentino, ni de la ruina de los impíos cuando viniere:

26 Porque Jehová será tu confianza, y Él preservará tu pie de ser preso.

27 No detengas el bien de aquél a quien es debido, cuando tuvieres poder para hacerlo.

28 No digas a tu prójimo: Ve, y vuelve, y mañana te daré; cuando tienes contigo qué darle.

29 No intentes mal contra tu prójimo, estando él confiado de ti.

30 No pleitees con alguno sin razón, si él no te ha hecho agravio.

31 No envidies al hombre injusto, ni escojas ninguno de sus caminos.

32 Porque el perverso es abominación a Jehová; mas su comunión íntima es con los rectos.

33 La maldición de Jehová *está* en la casa del impío; mas Él bendice el hogar del justo.

34 Ciertamente Él escarnece a los escarnecedores, y a los humildes da gracia.

35 Los sabios heredarán honra; mas los necios llevarán ignominia.

CAPÍTULO 4

Oíd, hijos, la instrucción de un padre, y estad atentos, para que conozcáis cordura.

2 Porque os doy buena enseñanza; no desamparéis mi ley.

3 Porque yo fui hijo para mi padre, delicado y único a los ojos de mi madre.

4 Y él me enseñaba, y me decía: Retenga tu corazón mis palabras, guarda mis mandamientos, y vivirás:

5 Adquiere sabiduría, adquiere inteligencia; no te olvides ni te apartes de las palabras de mi boca:

6 No la dejes, y ella te guardará; ámala, y ella te conservará.

7 Sabiduría ante todo; adquiere sabiduría; y con toda tu posesión adquiere inteligencia.

8 Engrandécela, y ella te engrandecerá; ella te honrará, cuando tú la hubieres abrazado.

9 Adorno de gracia dará a tu cabeza; corona de hermosura te entregará.

10 Oye, hijo mío, y recibe mis razones, y se te multiplicarán años de vida.

11 Por el camino de la sabiduría te he encaminado, y por veredas derechas te he hecho andar.

12 Cuando anduvieres no se estrecharán tus pasos; y si corrieres, no tropezarás.

13 Retén la instrucción, no la dejes; guárdala, porque ella es tu vida.

14 No entres en la senda de los impíos, ni vayas por el camino de los malos.

15 Déjala, no pases por ella; apártate de ella, sigue adelante.

16 Porque no duermen ellos, si no han hecho mal, y pierden su sueño, si no han hecho caer *a alguno*.

17 Porque comen pan de maldad, y beben vino de violencia.

18 Mas la senda de los justos *es* como la luz de la aurora, que va en aumento hasta que el día es perfecto.

19 El camino de los impíos es como la oscuridad; no saben en qué tropiezan.

20 Hijo mío, está atento a mis palabras; inclina tu oído a mis razones.

21 No se aparten de tus ojos; guárdalas en medio de tu corazón.

22 Porque son vida a los que las hallan, y medicina a todo su cuerpo.

23 Sobre toda cosa guardada guarda tu corazón; porque de él mana la vida.

24 Aparta de ti la perversidad de la boca, y aleja de ti los labios inicuos.

25 Tus ojos miren lo recto, y tus párpados vean derecho delante de ti.

26 Examina la senda de tus pies, y todos tus caminos sean ordenados.

27 No te apartes a derecha, ni a izquierda; aparta tu pie del mal.

CAPÍTULO 5

Hijo mío, está atento a mi sabiduría, y a mi inteligencia inclina tu oído;

2 para que guardes consejo, y tus labios conserven el conocimiento.

3 Porque los labios de la mujer extraña destilan miel, y su paladar *es* más suave que el aceite;

4 pero su fin es amargo como el ajenjo, agudo como espada de dos filos.

5 Sus pies descienden a la muerte, sus pasos conducen al infierno.

6 Sus caminos son inestables; no los conocerás, si no considerares el camino de vida.

7 Ahora pues, hijos, oídme, y no os apartéis de las razones de mi boca.

8 Aleja de ella tu camino, y no te acerques a la puerta de su casa;

9 para que no des a los extraños tu honor, y tus años al cruel;

10 para que los extraños no se sacien de tu fuerza, y tus trabajos estén en casa del extraño;

11 y gimas en tus postrimerías, cuando se consumiere tu carne y tu cuerpo,

12 y digas: ¡Cómo aborrecí el consejo, y mi corazón menospreció la represión;

13 y no oí la voz de los que me instruían, y a los que me enseñaban no incliné mi oído!

14 Casi en todo mal he estado, en medio de la sociedad y de la congregación.

15 Bebe el agua de tu cisterna, y los raudales de tu propio pozo.

16 Derrámense afuera tus fuentes, y tus corrientes de aguas por las calles.

17 Sean para ti solo, y no para los extraños contigo.

18 Sea bendito tu manantial; y alégrate con la esposa de tu juventud.

19 Como cierva amada y graciosa gacela, sus pechos te satisfagan en todo tiempo; y en su amor recréate siempre.

20 ¿Y por qué, hijo mío, andarás ciego con la mujer ajena, y abrazarás el seno de la extraña?

21 Pues que los caminos del hombre *están* ante los ojos de Jehová, y Él considera todas sus veredas.

22 Prenderán al impío sus propias iniquidades, y detenido será con las cuerdas de su pecado;

23 él morirá por falta de corrección; y errará por la grandeza de su locura.

CAPÍTULO 6

Hijo mío, si salieres fiador por tu amigo, si estrechaste tu mano por el extraño,

2 enlazado eres con las palabras de tu boca, y preso con las razones de tu boca.

3 Haz esto ahora, hijo mío, y líbrate, ya que has caído en la mano de tu

prójimo; ve, humíllate, y asegúrate de tu amigo.

4 No des sueño a tus ojos, ni a tus párpados adormecimiento.

5 Escápate como el corzo de la mano *del cazador*, y como el ave de la mano del parancero.

6 Ve a la hormiga, oh perezoso, mira sus caminos, y sé sabio;

7 la cual no teniendo capitán, ni gobernador, ni señor,

8 prepara en el verano su comida y recoge en el tiempo de la siega su mantenimiento.

9 Perezoso, ¿hasta cuándo has de dormir? ¿Cuándo te levantarás de tu sueño?

10 Un poco de sueño, un poco de dormitar, y cruzar por un poco las manos para reposo:

11 Así vendrá tu necesidad como caminante, y tu pobreza como hombre armado.

12 El hombre malo, el hombre depravado, anda con perversidad de boca;

13 Guiña con sus ojos, habla con sus pies, hace señas con sus dedos;

14 perversidades *hay* en su corazón, continuamente trama el mal, y siembra discordia.

15 Por tanto su calamidad vendrá de repente; súbitamente será quebrantado, y no habrá remedio.

16 Seis cosas aborrece Jehová, y aun siete abomina su alma:

17 Los ojos altivos, la lengua mentirosa, las manos derramadoras de sangre inocente,

18 el corazón que maquina pensamientos inicuos, los pies presurosos para correr al mal,

19 el testigo falso que habla mentiras, y el que siembra discordia entre los hermanos.

20 Guarda, hijo mío, el mandamiento de tu padre, y no dejes la ley de tu madre:

21 Átalos siempre en tu corazón, enlázalos a tu cuello.

22 Te guiarán cuando anduvieres; cuando durmieres, te guardarán; hablarán contigo cuando despertares.

23 Porque el mandamiento *es* antorcha, y la enseñanza es luz; y camino de vida las represiones de la instrucción:

24 Para que te guarden de la mala mujer, de la blandura de la lengua de la mujer extraña.

25 No codicies su hermosura en tu corazón, ni ella te prenda con sus ojos:

26 Porque a causa de la mujer ramera *el hombre es reducido* a un bocado de pan; y la mujer adúltera caza la preciosa alma *del varón*.

27 ¿Tomará el hombre fuego en su seno, sin que su vestidura se queme?

28 ¿Andará el hombre sobre brasas, sin que se quemen sus pies?

29 Así el que entrare a la esposa de su prójimo; no será sin culpa cualquiera que la tocare.

30 No tienen en poco al ladrón, aunque hurte para saciar su alma cuando tiene hambre;

31 pero si es sorprendido, pagará siete tantos, y dará toda la sustancia de su casa.

32 Mas el que comete adulterio con la mujer, es falto de entendimiento; corrompe su alma el que tal hace.

33 Plaga y vergüenza hallará; y su afrenta nunca será borrada.

34 Porque los celos *son* el furor del hombre, y no perdonará en el día de la venganza.

35 No aceptará ninguna restitución; ni querrá perdonar, aunque multipliques los dones.

CAPÍTULO 7

Hijo mío, guarda mis razones, y atesora contigo mis mandamientos.

2 Guarda mis mandamientos, y vivirás, y mi ley como las niñas de tus ojos.

3 Lígalos a tus dedos; escríbelos en la tabla de tu corazón.

4 Di a la sabiduría: Tú *eres* mi hermana; y a la inteligencia llama parienta;

5 para que te guarden de la mujer ajena, y de la extraña que ablanda sus palabras.

6 Porque mirando yo por la ventana de mi casa, por mi celosía,

7 vi entre los simples, consideré entre los jóvenes, a un joven falto de entendimiento,

8 el cual pasaba por la calle, junto a la esquina de aquella, e iba camino de su casa,

9 al atardecer, ya que anochecía, en la oscuridad y tinieblas de la noche.

10 Y he aquí, una mujer *le sale* al encuentro, *con* atavío de ramera y astuta de corazón.

11 alborotadora y rencillosa, sus pies no pueden estar en casa;

12 unas veces *está* afuera, otras veces en las plazas, acechando por todas las esquinas.

13 Y trabó de él, y lo besó; y con descaro le dijo:

14 Sacrificios de paz había prometido; hoy he pagado mis votos;

15 por tanto, he salido a encontrarte, buscando diligentemente tu rostro, y te he hallado.

16 Con adornos he ataviado mi cama, recamados con cordoncillo de Egipto.

17 He perfumado mi cámara con mirra, áloes y canela.

18 Ven, embriaguémonos de amores hasta la mañana; alegrémonos en amores.

19 Porque *mi* marido no está en casa, se ha ido a un largo viaje;

20 la bolsa de dinero llevó en su mano; el día señalado volverá a su casa.

21 Lo rindió con sus muchas palabras suaves, lo sedujo con la zalamería de sus labios.

22 Se fue en pos de ella luego, como va el buey al degolladero, o como el necio a las prisiones para ser castigado;

23 como el ave que se apresura a la red, y no sabe que es contra su vida, hasta que la saeta traspasa su hígado.

24 Ahora pues, hijos, oídme, y estad atentos a las palabras de mi boca.

25 No se aparte tu corazón a sus caminos; no yerres en sus veredas.

26 Porque a muchos ha hecho caer heridos; y aun los *hombres* más fuertes han sido muertos por ella.

27 Camino al infierno *es* su casa, que desciende a las cámaras de la muerte.

CAPÍTULO 8

¿ No clama la sabiduría, y da su voz la inteligencia?

2 Está en las alturas junto al camino, a las encrucijadas de las veredas se pone de pie;

3 en el lugar de las puertas, a la entrada de la ciudad, a la entrada de las puertas da voces:

4 Oh hombres, a vosotros clamo; y mi voz *se dirige* a los hijos de los hombres.

5 Entended, simples, discreción; y vosotros, necios, entrad en cordura.

6 Oíd, porque hablaré cosas excelentes; y abriré mis labios para cosas rectas.

7 Porque mi boca hablará verdad, y la impiedad abominan mis labios.

8 En justicia *son* todas las razones de mi boca; no *hay* en ellas cosa perversa ni torcida.

9 Todas ellas *son* rectas al que entiende, y razonables a los que han hallado sabiduría.

10 Recibid mi enseñanza, y no plata; y entendimiento antes que el oro escogido.

11 Porque mejor *es* la sabiduría que las piedras preciosas; y todas las cosas que se pueden desear, no son de comparar con ella.

12 Yo, la sabiduría, habito con la prudencia, y hallo el conocimiento en los consejos.

13 El temor de Jehová *es* aborrecer el mal; la soberbia y la arrogancia, el mal camino, y la boca perversa aborrezco.

14 Conmigo está el consejo y la sana sabiduría; yo soy la inteligencia; mía es la fortaleza.

15 Por mí reinan los reyes, y los príncipes determinan justicia.

16 Por mí dominan los príncipes, y todos los gobernadores juzgan la tierra.

17 Yo amo a los que me aman; y me hallan los que temprano me buscan.

18 Las riquezas y la honra *están* conmigo; riquezas duraderas, y justicia.

19 Mejor es mi fruto que el oro, y que el oro refinado; y mi rédito mejor que la plata escogida.

20 Por vereda de justicia guiaré, por en medio de sendas de juicio;

21 para hacer que los que me aman, hereden hacienda, y yo llenaré sus tesoros.

22 Jehová me poseía en el principio de su camino, ya de antiguo, antes de sus obras.

23 Desde la eternidad tuve el principado, desde el principio, antes de la tierra.

24 Antes de los abismos fui engendrada; antes que fuesen las fuentes de las muchas aguas.

25 Antes que los montes fuesen fundados, antes de los collados, era yo engendrada:

26 No había aún hecho la tierra, ni los campos, ni el principio del polvo del mundo.

27 Cuando formó los cielos, allí *estaba* yo; cuando trazó un círculo sobre la faz del abismo;

28 cuando estableció los cielos arriba, cuando afirmó las fuentes del abismo;

29 cuando al mar puso sus límites, para que las aguas no pasasen su mandamiento; cuando estableció los fundamentos de la tierra;

30 Yo estaba con Él, ordenándolo todo; y era su delicia de día en día, regocijándome delante de Él en todo tiempo;

31 regocijándome en la parte habitable de su tierra; *teniendo* mis delicias con los hijos de los hombres.

32 Ahora pues, hijos, oídme: Y bienaventurados *los que* guardaren mis caminos.

33 Atended el consejo, y sed sabios, y no lo menospreciéis.

34 Bienaventurado el hombre que me oye, velando a mis puertas cada día, aguardando a los umbrales de mis puertas.

35 Porque el que me hallare, hallará la vida, y alcanzará el favor de Jehová.

36 Mas el que peca contra mí, defrauda su alma: Todos los que me aborrecen, aman la muerte.

CAPÍTULO 9

La sabiduría edificó su casa, labró sus siete columnas;

2 mató sus víctimas, mezcló su vino, y puso su mesa.

3 Envió sus criadas; sobre lo más alto de la ciudad clamó:

4 Quien *sea* simple, venga acá. A los faltos de cordura dice:

5 Venid, comed mi pan, y bebed del vino que yo he mezclado.

6 Dejad las simplezas, y vivid; y andad por el camino de la inteligencia.

7 El que corrige al escarnecedor, se acarrea afrenta: El que reprende al impío, se atrae mancha.

8 No reprendas al escarnecedor, para que no te aborrezca: Corrige al sabio, y te amará.

9 Da *consejo* al sabio, y será más sabio: Enseña al justo, y aumentará su saber.

10 El principio de la sabiduría *es* el temor de Jehová; y el conocimiento del Santo es la inteligencia.

11 Porque por mí se aumentarán tus días, y años de vida se te añadirán.

12 Si fueres sabio, para ti lo serás; mas si fueres escarnecedor, pagarás tú solo.

13 La mujer insensata *es* alborotadora; *es* simple e ignorante.

14 Se sienta en una silla a la puerta de su casa, en los lugares altos de la ciudad,

15 para llamar a los que pasan por el camino, que van por sus caminos derechos.

16 *Dice* al que *es* simple: Ven acá. A los faltos de cordura, dice:

17 Las aguas hurtadas son dulces, y el pan *comido* en oculto es sabroso.

18 Y no saben que allí están los muertos; que sus convidados están en lo profundo del infierno.

CAPÍTULO 10

Los proverbios de Salomón. El hijo sabio alegra al padre; pero el hijo necio es tristeza de su madre.

2 Los tesoros de maldad no serán de provecho; mas la justicia libra de muerte.

3 Jehová no dejará padecer hambre al alma del justo; mas arrojará la sustancia de los impíos.

4 La mano negligente hace pobre: Mas la mano de los diligentes enriquece.

5 El que recoge en el estío *es* hombre entendido: El que duerme en el tiempo de la siega *es* hijo que avergüenza.

6 Bendiciones sobre la cabeza del justo; pero violencia cubrirá la boca de los impíos.

7 La memoria del justo *será* bendita; mas el nombre de los impíos se pudrirá.

8 El sabio de corazón recibirá los mandamientos; mas el necio de labios caerá.

9 El que camina en integridad, anda confiado; mas el que pervierte sus caminos, será descubierto.

10 El que guiña el ojo acarrea tristeza; y el necio de labios caerá.

11 Manantial de vida *es* la boca del justo; pero violencia cubrirá la boca de los impíos.

12 El odio despierta rencillas; pero el amor cubrirá todas las faltas.

13 En los labios del prudente se halla sabiduría; mas la vara *es* para la espalda del falto de entendimiento.

14 Los sabios atesoran la sabiduría: Mas la boca del necio es calamidad cercana.

15 Las riquezas del rico *son* su ciudad fuerte; y la ruina de los pobres es su pobreza.

16 La obra del justo *es* para vida; mas el fruto del impío es para pecado.

17 Camino a la vida es guardar la instrucción; mas el que rechaza la reprensión, yerra.

18 El que encubre el odio *es* de labios mentirosos; y el que propaga calumnia *es* necio.

19 En las muchas palabras no falta pecado; mas el que refrena sus labios es prudente.

20 Plata escogida *es* la lengua del justo; mas el entendimiento de los impíos es como nada.

21 Los labios del justo alimentan a muchos; mas los necios mueren por falta de entendimiento.

22 La bendición de Jehová es la que enriquece, y no añade tristeza con ella.

23 Hacer maldad es como diversión al insensato; pero el hombre entendido tiene sabiduría.

24 Lo que el impío teme, eso le vendrá; mas a los justos les será dado lo que desean.

25 Como pasa el torbellino, así el malo no permanece; mas el justo *está* fundado para siempre.

26 Como el vinagre a los dientes, y como el humo a los ojos, así es el perezoso a los que lo envían.

27 El temor de Jehová aumentará los días; pero los años de los impíos serán acortados.

28 La esperanza de los justos *es* alegría; mas la esperanza de los impíos perecerá.

29 El camino de Jehová *es* fortaleza al íntegro; pero es destrucción a los que hacen iniquidad.

30 El justo jamás será removido; mas los impíos no habitarán la tierra.

31 La boca del justo producirá sabiduría; mas la lengua perversa será cortada.

32 Los labios del justo saben lo que agrada; mas la boca de los impíos *habla* perversidades.

CAPÍTULO 11

El peso falso abominación *es* a Jehová; mas la pesa cabal le agrada.

2 Cuando viene la soberbia, viene también la deshonra: Mas con los humildes es la sabiduría.

3 La integridad guiará a los rectos; mas a los pecadores los destruirá su perversidad.

4 No aprovecharán las riquezas en el día de la ira; mas la justicia librará de muerte.

5 La justicia del perfecto enderezará su camino; mas el impío por su impiedad caerá.

6 La justicia de los rectos los librará; mas los pecadores en *su* pecado serán presos.

7 Cuando muere el hombre impío, perece su esperanza; y la expectativa de los malos perecerá.

8 El justo es librado de la tribulación; mas el impío viene en lugar suyo.

9 El hipócrita con la boca daña a su prójimo; mas los justos son librados con la sabiduría.

10 En el bien de los justos la ciudad se alegra; mas cuando los impíos perecen, hay fiesta.

11 Por la bendición de los rectos la ciudad es engrandecida; mas por la boca de los impíos es trastornada.

12 El que carece de entendimiento, menosprecia a su prójimo; mas el hombre prudente calla.

13 El que anda en chismes, descubre el secreto, mas el de espíritu fiel cubre el asunto.

14 Donde no *hay* consejo, el pueblo cae, mas en la multitud de consejeros hay seguridad.

15 Con ansiedad será afligido el que sale por fiador del extraño; mas el que aborreciere las fianzas vivirá confiado.

16 La mujer agraciada tendrá honra, y los fuertes tendrán riquezas.

17 El hombre misericordioso a su propia alma hace bien; *mas* el cruel se atormenta a sí mismo.

18 El impío hace obra falsa; mas el que siembra justicia, tendrá galardón seguro.

19 Como la justicia *es* para vida, así el que sigue el mal es para su muerte.

20 Abominación *son* a Jehová los perversos de corazón; mas los íntegros de camino le *son* agradables.

21 *Aunque llegue* la mano a la mano, el malo no quedará sin castigo; mas la simiente de los justos escapará.

22 *Como* zarcillo de oro en la nariz de un cerdo, *es* la mujer hermosa y apartada de razón.

23 El deseo de los justos *es* solamente el bien; *mas* la esperanza de los impíos es el enojo.

24 Hay quienes reparten, y les es añadido más; y hay quienes son escasos más de lo que es justo, pero *vienen* a pobreza.

25 El alma liberal será engordada; y el que saciare, él también será saciado.

26 Al que retiene el grano, el pueblo lo maldecirá; mas bendición *será* sobre la cabeza del que lo vende.

27 El que procura el bien buscará favor; mas el que busca el mal, éste le vendrá.

28 El que confía en sus riquezas, caerá; mas los justos reverdecerán como ramas.

29 El que turba su casa heredará viento; y el necio *será* siervo del sabio de corazón.

30 El fruto del justo es árbol de vida; y el que gana almas *es* sabio.

31 Ciertamente el justo será recompensado en la tierra: ¡Cuánto más el impío y el pecador!

CAPÍTULO 12

El que ama la instrucción ama la sabiduría; mas el que aborrece la reprensión, *es* ignorante.

2 El bueno alcanzará favor de Jehová; mas Él condenará al hombre de malos pensamientos.

3 El hombre no se afirmará por medio de la impiedad; mas la raíz de los justos no será removida.

4 La mujer virtuosa corona *es* de su marido; mas la mala, *es* como carcoma en sus huesos.

5 Los pensamientos de los justos *son* rectitud; *mas* los consejos de los impíos, engaño.

6 Las palabras de los impíos *son* para acechar la sangre; mas la boca de los rectos los librará.

7 Trastornados *son* los impíos, y no serán más; mas la casa de los justos permanecerá.

8 Según su sabiduría es alabado el hombre; mas el perverso de corazón será menospreciado.

9 Mejor *es el que es* menospreciado y tiene servidores, que el que se jacta, y carece de pan.

10 El justo atiende a la vida de su bestia; mas las entrañas de los impíos *son* crueles.

11 El que labra su tierra, se saciará de pan; mas el que sigue a los vagabundos es falto de entendimiento.

12 Desea el impío la red de los malos; mas la raíz de los justos dará *fruto*.

13 El impío es enredado en la prevaricación de *sus* labios; mas el justo saldrá de la tribulación.

14 El hombre será saciado de bien del fruto de *su* boca; y la paga de las manos del hombre le será dada.

15 El camino del necio *es* derecho en su opinión; mas el que obedece al consejo es sabio.

16 El necio al punto da a conocer su ira: Mas el que disimula la injuria es prudente.

17 *El que* habla verdad, declara justicia; mas el testigo mentiroso, engaño.

18 Hay quienes hablan como dando estocadas de espada; mas la lengua de los sabios es medicina.

19 El labio veraz permanecerá para siempre; mas la lengua de mentira sólo por un momento.

20 Engaño *hay* en el corazón de los que piensan el mal; pero alegría en el de los que piensan el bien.

21 Ninguna adversidad acontecerá al justo; mas los impíos serán llenos de males.

22 Los labios mentirosos *son* abominación a Jehová; mas los obradores de verdad *son* su contentamiento.

23 El hombre cuerdo encubre su conocimiento; mas el corazón de los necios publica *su* necedad.

24 La mano de los diligentes señoreará; mas la negligencia será tributaria.

25 La congoja en el corazón del hombre lo abate; mas la buena palabra lo alegra.

26 El justo *es* guía a su prójimo; mas el camino de los impíos les hace errar.

27 El indolente no asará su caza; mas haber precioso del hombre es la diligencia.

28 En el camino de la justicia está la vida; y en *su* sendero no hay muerte.

CAPÍTULO 13

El hijo sabio *escucha* el consejo de su padre; mas el burlador no escucha la reprensión.

2 Del fruto de su boca el hombre comerá el bien; mas el alma de los prevaricadores *comerá* el mal.

3 El que guarda su boca guarda su alma; *mas* el que mucho abre sus labios tendrá calamidad.

4 El alma del perezoso desea, y nada alcanza; mas el alma de los diligentes será engordada.

5 El justo aborrece la palabra de mentira; mas el impío se hace odioso e infame.

6 La justicia guarda *al de* perfecto camino; mas la impiedad trastornará al pecador.

7 Hay quienes pretenden ser ricos, y no tienen nada; y hay quienes aparentan ser pobres, y tienen muchas riquezas.

8 El rescate de la vida del hombre *son* sus riquezas; pero el pobre no oye censuras.

9 La luz de los justos se alegrará; mas la lámpara de los impíos será apagada.

10 Sólo por la soberbia viene la contienda; mas con los avisados está la sabiduría.

11 Las riquezas de vanidad disminuirán; mas el que las acumula por mano laboriosa las aumentará.

12 La esperanza que se demora, es tormento del corazón; mas árbol de vida *es* el deseo cumplido.

13 El que menosprecia la palabra, perecerá por ello; mas el que teme el mandamiento, será recompensado.

14 La ley del sabio *es* manantial de vida, para apartarse de los lazos de la muerte.

15 El buen entendimiento da gracia; mas el camino de los trasgresores es duro.

16 Todo hombre prudente se conduce con sabiduría; mas el necio manifestará necedad.

17 El mal mensajero caerá en el mal; mas el fiel embajador *es* salud.

18 Pobreza y vergüenza *tendrá* el que menosprecia el consejo; mas el que guarda la corrección, será honrado.

19 El deseo cumplido endulza el alma; pero apartarse del mal es abominación a los necios.

20 El que anda con sabios, sabio será; mas el que se junta con necios, será quebrantado.

21 Mal perseguirá a los pecadores; mas a los justos el bien les será retribuido.

22 El hombre bueno dejará herederos a los hijos de sus hijos; y la riqueza del pecador, para el justo *está* guardada.

23 En el barbecho de los pobres *hay* mucho pan; mas se pierde por falta de juicio.

24 El que detiene el castigo, a su hijo aborrece; mas el que lo ama, temprano lo corrige.

25 El justo come hasta saciar su alma; mas el vientre de los impíos tendrá necesidad.

CAPÍTULO 14

La mujer sabia edifica su casa; mas la necia con sus manos la derriba.

2 El que camina en su rectitud teme a Jehová; mas *el que es* perverso en sus caminos lo menosprecia.

3 En la boca del necio está la vara de

la soberbia; mas los labios de los sabios los guardarán.

4 Sin bueyes el granero *está* limpio; mas por la fuerza del buey hay abundancia de pan.

5 El testigo verdadero no mentirá; mas el testigo falso hablará mentiras.

6 Busca el escarnecedor la sabiduría, y no *la halla*; mas al hombre entendido la sabiduría le es fácil.

7 Vete de delante del hombre necio, cuando veas que no hay *en él* labios de entendimiento.

8 La sabiduría del prudente *está* en entender su camino; mas la indiscreción de los necios es engaño.

9 Los necios se mofan del pecado; mas entre los rectos *hay* favor.

10 El corazón conoce la amargura de su alma; y extraño no se entrometerá en su alegría.

11 La casa de los impíos será asolada; mas florecerá la tienda de los rectos.

12 Hay camino que al hombre le parece derecho; pero su fin es camino de muerte.

13 Aun en la risa tendrá dolor el corazón; y el término de la alegría es congoja.

14 El de corazón descarriado será hastiado de sus caminos; y el hombre de bien *estará contento* del suyo.

15 El simple cree a toda palabra; mas el prudente mira bien sus pasos.

16 El sabio teme y se aparta del mal; mas el necio *se muestra* arrogante y confiado.

17 *El que* presto se enoja, hará locuras; y el hombre de malos designios será aborrecido.

18 Los simples heredarán necedad; mas los prudentes se coronarán de sabiduría.

19 Los malos se inclinarán delante de los buenos, y los impíos a las puertas del justo.

20 El pobre es odiado aun por su vecino; pero muchos son los amigos del rico.

21 Peca el que menosprecia a su prójimo; mas el que tiene misericordia de los pobres, es bienaventurado.

22 ¿No yerran los que piensan mal? Pero misericordia y verdad alcanzarán los que piensan el bien.

23 En toda labor hay fruto; mas la palabra sólo de labios empobrece.

24 Las riquezas de los sabios son su corona; *mas* es infatuación la insensatez de los necios.

25 El testigo verdadero libra las almas; mas el engañoso hablará mentiras.

26 En el temor de Jehová *está* la fuerte confianza; y sus hijos tendrán lugar de refugio.

27 El temor de Jehová *es* manantial de vida, para apartarse de los lazos de la muerte.

28 En la multitud de pueblo *está* la gloria del rey; y en la falta de pueblo la debilidad del príncipe.

29 *El que* tarda en airarse, *es* grande de entendimiento; mas el impaciente de espíritu enaltece la necedad.

30 El corazón apacible *es* vida de la carne; mas la envidia, es carcoma de los huesos.

31 El que oprime al pobre, afrenta a su Hacedor; mas el que tiene misericordia del pobre, lo honra.

32 Por su maldad será lanzado el impío; mas el justo en su muerte tiene esperanza.

33 En el corazón del prudente reposa la sabiduría; mas *aquello que está* entre los necios, se da a conocer.

34 La justicia engrandece a la nación; mas el pecado es afrenta de las naciones.

35 La benevolencia del rey *es* para con el siervo entendido; mas su enojo *contra* el que lo avergüenza.

CAPÍTULO 15

La suave respuesta, quita la ira; mas la palabra áspera hace subir el furor.

2 La lengua de los sabios adornará la sabiduría; mas la boca de los necios hablará sandeces.

3 Los ojos de Jehová *están* en todo lugar, mirando a los malos y a los buenos.

4 La lengua sana es árbol de vida; mas la perversidad en ella *es* quebrantamiento de espíritu.

5 El necio menosprecia el consejo de su padre; mas el que guarda la corrección, vendrá a ser prudente.

6 En la casa del justo *hay* gran provisión; pero hay turbación en las ganancias del impío.

7 Los labios de los sabios esparcen sabiduría; mas no así el corazón de los necios.

8 El sacrificio de los impíos *es* abominación a Jehová; mas la oración de los rectos es su gozo.

9 Abominación *es* a Jehová el camino del impío; mas Él ama al que sigue la justicia.

10 La reprensión *es* molesta al que abandona el camino; y el que aborreciere la corrección, morirá.

11 El infierno y la destrucción *están* delante de Jehová: ¡Cuánto más los corazones de los hombres!

12 El escarnecedor no ama al que le reprende; ni se junta con los sabios.

13 El corazón alegre hermosea el rostro; mas por el dolor del corazón el espíritu se abate.

14 El corazón entendido busca la sabiduría; mas la boca de los necios se alimenta de necedades.

15 Todos los días del afligido son malos; mas el de corazón contento *tiene* un banquete continuo.

16 Mejor es lo poco con el temor de Jehová, que el gran tesoro donde hay turbación.

17 Mejor *es* la comida de legumbres donde hay amor, que de buey engordado donde hay odio.

18 El hombre iracundo suscita contiendas; mas *el que* tarda en airarse, apacigua la rencilla.

19 El camino del perezoso *es* como seto de espinos; mas la senda de los rectos *es* como una calzada.

20 El hijo sabio alegra al padre; mas el hombre necio menosprecia a su madre.

21 La necedad *es* alegría al falto de entendimiento; mas el hombre entendido camina con rectitud.

22 Los pensamientos son frustrados donde no hay consejo; mas en la multitud de consejeros se afirman.

23 Se alegra el hombre con la respuesta de su boca; y la palabra a su tiempo, ¡cuán buena es!

24 El camino de la vida *es* hacia arriba al entendido, para apartarse del infierno abajo.

25 Jehová asolará la casa de los soberbios; mas Él afirmará los linderos de la viuda.

26 Abominación *son* a Jehová los pensamientos del malo; mas las palabras de los limpios *son* agradables.

27 Alborota su casa el codicioso; mas el que aborrece el soborno vivirá.

28 El corazón del justo piensa para responder; mas la boca de los impíos derrama malas cosas.

29 Lejos *está* Jehová de los impíos; pero Él oye la oración de los justos.

30 La luz de los ojos alegra el corazón; y la buena noticia engorda los huesos.

31 El oído que escucha las reprensiones de vida, entre los sabios morará.

32 El que tiene en poco la disciplina, menosprecia su alma; mas el que escucha la corrección, tiene entendimiento.

33 El temor de Jehová *es* enseñanza de sabiduría; y antes de la honra está la humildad.

CAPÍTULO 16

Del hombre son las disposiciones del corazón; mas de Jehová *es* la respuesta de la lengua.

2 Todos los caminos del hombre *son* limpios en su propia opinión; mas Jehová pesa los espíritus.

3 Encomienda a Jehová tus obras, y tus pensamientos serán afirmados.

4 Todas *las cosas* ha hecho Jehová para sí mismo, y aun al impío para el día malo.

5 Abominación *es* a Jehová todo altivo de corazón; *aunque esté* mano sobre mano, no quedará impune.

6 Con misericordia y verdad se corrige el pecado; y con el temor de Jehová el hombre se aparta del mal.

7 Cuando los caminos del hombre son agradables a Jehová, aun a sus enemigos hace estar en paz con él.

8 Mejor *es* lo poco con justicia, que la abundancia de frutos sin derecho.

9 El corazón del hombre piensa su camino; mas Jehová endereza sus pasos.

10 Oráculo *hay* en los labios del rey; su boca no yerra en juicio.

11 Peso y balanzas justas *son* de Jehová; obra suya *son* todas las pesas de la bolsa.

12 Abominación *es* a los reyes hacer impiedad; porque con justicia será afirmado el trono.

13 Los labios justos *son* el contentamiento de los reyes; y aman al que habla lo recto.

14 La ira del rey es *como* mensajero de muerte; mas el hombre sabio la aplacará.

15 En la alegría del rostro del rey *está* la vida; y su benevolencia *es* como nube de lluvia tardía.

16 Mejor *es* adquirir sabiduría que oro preciado; y adquirir inteligencia vale más que la plata.

17 El camino de los rectos *es* apartarse del mal: El que guarda su camino guarda su alma.

18 Antes del quebrantamiento *es* la soberbia; y antes de la caída la altivez de espíritu.

19 Mejor *es* humillar el espíritu con los humildes, que repartir despojos con los soberbios.

20 El entendido en la palabra, hallará el bien; y el que confía en Jehová, es bienaventurado.

21 El sabio de corazón será llamado prudente; y la dulzura de labios aumenta el saber.

22 Manantial de vida *es* el entendimiento al que lo posee; mas la instrucción de los necios es necedad.

23 El corazón del sabio hace prudente su boca; y con sus labios aumenta el saber.

24 Panal de miel *son* los dichos suaves; suavidad al alma y medicina a los huesos.

25 Hay camino que parece derecho al hombre, pero su fin *es* camino de muerte.

26 El alma del que trabaja, trabaja para sí; porque su boca lo anima.

27 El hombre perverso excava el mal; y en sus labios *hay* como llama de fuego.

28 El hombre perverso siembra discordia; y el chismoso aparta a los mejores amigos.

29 El hombre malo lisonjea a su prójimo, y le hace andar por camino no bueno;

30 Cierra sus ojos para pensar perversidades; mueve sus labios, efectúa el mal.

31 Corona de honra *es* la vejez, que se halla en el camino de justicia.

32 Mejor *es el que* tarda en airarse que el fuerte; y el que domina su espíritu, que el que toma una ciudad.

33 La suerte se echa en el regazo; mas de Jehová *es* el juicio de ella.

CAPÍTULO 17

Mejor *es* un bocado seco, y en paz, que la casa de contienda llena de víctimas.

2 El siervo prudente señoreará sobre el hijo que deshonra, y con los hermanos compartirá la herencia.

3 El crisol para la plata, y la hornaza para el oro; mas Jehová prueba los corazones.

4 El malo está atento al labio inicuo; y el mentiroso escucha a la lengua detractora.

5 El que escarnece al pobre, afrenta a su Hacedor; y el que se alegra de la calamidad, no quedará impune.

6 Corona de los viejos *son* los nietos; y la gloria de los hijos *son* sus padres.

7 No conviene al necio la altilocuencia: ¡Cuánto menos al príncipe el labio mentiroso!

8 Piedra preciosa *es* el don a quien lo posee; a dondequiera que se vuelve, prospera.

9 El que cubre la falta, busca amistad; mas el que la divulga, aparta a los *mejores* amigos.

10 Aprovecha la reprensión al hombre entendido, más que cien azotes al necio.

11 El rebelde no busca sino el mal; y mensajero cruel será enviado contra él.

12 Mejor es que se encuentre un hombre con una osa a la cual han robado sus cachorros, que con un necio en su necedad.

13 El que da mal por bien, no se apartará el mal de su casa.

14 El principio de la discordia *es como* cuando alguien suelta las aguas; deja, pues, la contienda, antes que se enmarañe.

15 El que justifica al impío, y el que condena al justo, ambos *son* igualmente abominación a Jehová.

16 ¿De qué sirve el precio en la mano del necio para comprar sabiduría, si no tiene el corazón *para ello*?

17 En todo tiempo ama el amigo; y el hermano nace para los *tiempos* de adversidad.

18 El hombre falto de entendimiento estrecha la mano, y sale por fiador delante de su amigo.

19 El que ama la prevaricación ama la contienda; y el que mucho abre su puerta, busca la ruina.

20 El perverso de corazón nunca hallará el bien; y el que tiene lengua perversa caerá en el mal.

21 El que engendra al necio, para su tristeza *lo engendra*; y el padre del necio no tiene alegría.

22 El corazón alegre es buena medicina; mas el espíritu triste seca los huesos.

23 El impío toma soborno del seno, para pervertir las sendas del derecho.

24 En el rostro del entendido aparece la sabiduría; mas los ojos del necio vagan hasta el cabo de la tierra.

25 El hijo necio *es* angustia a su padre, y amargura a la que lo engendró.

26 Ciertamente no *es* bueno condenar al justo, ni herir a los príncipes que hacen lo recto.

27 El que reserva sus palabras tiene sabiduría; de excelente espíritu es el hombre entendido.

28 Aun el necio, cuando calla, es contado por sabio; el que cierra sus labios *es* entendido.

CAPÍTULO 18

Según su antojo busca el que se desvía, y se entremete en todo negocio.

2 No toma placer el necio en la inteligencia, sino en que su corazón se descubra.

3 Cuando viene el impío, viene también el menosprecio, y con la deshonra, *viene* la afrenta.

4 Aguas profundas *son* las palabras de la boca del hombre; y arroyo que rebosa, la fuente de la sabiduría.

5 No *es* bueno tener respeto a la persona del impío, para hacer caer al justo de su derecho.

6 Los labios del necio entran en contienda; y su boca los azotes llama.

7 La boca del necio *es* quebrantamiento para sí, y sus labios *son* lazos para su alma.

8 Las palabras del chismoso *son* como estocadas, y penetran hasta lo más profundo del vientre.

9 También el que es negligente en su obra, es hermano del hombre disipador.

10 Torre fuerte *es* el nombre de Jehová; a Él correrá el justo, y estará a salvo.

11 Las riquezas del rico *son* la ciudad fortificada, y como un muro alto en su imaginación.

12 Antes del quebrantamiento se enaltece el corazón del hombre, y antes de la honra *está* la humildad.

13 El que responde palabra antes de oír, le *es* necedad y vergüenza.

14 El espíritu del hombre soportará su enfermedad; mas ¿quién soportará al espíritu angustiado?

15 El corazón del entendido adquiere sabiduría; y el oído de los sabios busca el conocimiento.

16 El don del hombre le ensancha el camino, y le lleva delante de los grandes.

17 El primero que aboga por su causa *parece ser* justo; pero viene su adversario, y lo revela.

18 La suerte pone fin a los pleitos, y decide entre los poderosos.

19 El hermano ofendido *es más difícil de ganar* que una ciudad fuerte, y las contiendas de los hermanos *son* como cerrojos de alcázar.

20 Del fruto de la boca del hombre se saciará su vientre; del producto de sus labios será saciado.

21 La muerte y la vida *están* en poder de la lengua; y el que la ama comerá de sus frutos.

22 El que halla esposa halla el bien, y alcanza la benevolencia de Jehová.

23 El pobre habla con ruegos; mas el rico responde con dureza.

24 El hombre *que tiene* amigos, ha de mostrarse amigo; y hay un amigo más cercano que un hermano.

CAPÍTULO 19

Mejor *es* el pobre que camina en su integridad, que el de perversos labios y necio.

2 No es bueno que el alma *esté* sin

conocimiento, y el que se apresura con los pies peca.

3 La insensatez del hombre tuerce su camino; y contra Jehová se enfurece su corazón.

4 Las riquezas atraen a muchos amigos, mas el pobre es apartado de su amigo.

5 El testigo falso no quedará sin castigo; y *el que* habla mentiras no escapará.

6 Muchos buscan el favor del príncipe; y todos *son* amigos del hombre que da.

7 Todos los hermanos del pobre le aborrecen: ¡Cuánto más sus amigos se alejarán de él! Buscará la palabra, y no la hallará.

8 El que posee entendimiento, ama su alma: El que guarda la inteligencia, hallará el bien.

9 El testigo falso no quedará sin castigo; y *el que* habla mentiras, perecerá.

10 No conviene al necio el deleite: ¡Cuánto menos al siervo ser señor de los príncipes!

11 La cordura del hombre detiene su furor; y su honra es pasar por alto la ofensa.

12 Como el rugido de cachorro de león *es* la ira del rey; y su favor como el rocío sobre la hierba.

13 El hijo necio dolor *es* para su padre; y gotera continua las contiendas de la esposa.

14 La casa y las riquezas *son* herencia de los padres; mas la esposa prudente viene de Jehová.

15 La pereza hace caer en profundo sueño; y el alma negligente padecerá hambre.

16 El que guarda el mandamiento, guarda su alma: *Mas* el que menosprecia sus caminos, morirá.

17 El que se compadece del pobre, a Jehová presta, y lo que ha dado, Él se lo volverá a pagar.

18 Castiga a tu hijo en tanto que hay esperanza, y no dejes que tu alma se detenga por causa de su llanto.

19 El hombre de grande ira llevará el castigo; y si tú lo libras, tendrás que volverlo a hacer.

20 Escucha el consejo, y recibe la corrección, para que seas sabio en tu vejez.

21 Muchos pensamientos *hay* en el corazón del hombre; mas el consejo de Jehová permanecerá.

22 El deseo del hombre *es* su bondad; pero mejor *es ser* pobre que mentiroso.

23 El temor de Jehová *es* para vida; y con él vivirá lleno de reposo el hombre; no será visitado de mal.

24 El perezoso esconde su mano en el seno; aun a su boca no la llevará.

25 Hiere al escarnecedor, y el simple se hará avisado; y corrigiendo al entendido, entenderá ciencia.

26 El que roba a su padre y ahuyenta a *su* madre, es hijo que causa vergüenza y acarrea deshonra.

27 Cesa, hijo mío, de oír la enseñanza *que te hace* divagar de las palabras de sabiduría.

28 El testigo perverso se burlará del juicio; y la boca de los impíos encubrirá la iniquidad.

29 Preparados están juicios para los escarnecedores, y azotes para la espalda de los necios.

CAPÍTULO 20

El vino *es* escarnecedor, el licor *es* alborotador; y cualquiera que por ellos yerra, no es sabio.

2 Como rugido de cachorro de león *es* el terror del rey; quien lo enfurece, contra su propia alma peca.

3 Honra *es* al hombre el apartarse de contienda; mas todo insensato se envolverá en ella.

4 El perezoso no ara a causa del invierno; mendigará, pues, en la siega, y no hallará.

5 *Como* aguas profundas es el consejo en el corazón del hombre; mas el hombre entendido lo alcanzará.

6 Muchos hombres proclaman cada uno su propia bondad; pero hombre de verdad, ¿quién lo hallará?

7 El justo camina en su integridad, bienaventurados *serán* sus hijos después de él.

8 El rey que se sienta en el trono de juicio, con su mirar disipa todo mal.

9 ¿Quién podrá decir: Yo he limpiado mi corazón, limpio estoy de mi pecado?

10 Pesa falsa y medida falsa, ambas cosas *son* abominación a Jehová.

11 Aun el muchacho es conocido por sus hechos, si su obra *fuere* limpia y recta.

12 El oído que oye, y el ojo que ve, ambas cosas ha hecho Jehová.

13 No ames el sueño, para que no te empobrezcas; abre tus ojos, y te saciarás de pan.

14 El que compra dice: Malo *es*, malo *es*; pero cuando se marcha, entonces se alaba.

15 Hay oro y multitud de piedras preciosas; mas los labios sabios *son* una joya preciosa.

16 Quítale su ropa al que salió por fiador del extraño; y tómale prenda al fiador de la mujer extraña.

17 Sabroso *es* al hombre el pan de mentira; mas después su boca será llena de cascajo.

18 Los pensamientos con el consejo se ordenan; y con estrategia se hace la guerra.

19 El que anda en chismes descubre el secreto; no te entremetas, pues, con el que lisonjea con sus labios.

20 El que maldice a su padre o a su madre, su lámpara será apagada en oscuridad tenebrosa.

21 La herencia adquirida de prisa al principio, su postrimería no será bendita.

22 No digas: Yo me vengaré; espera en Jehová, y Él te salvará.

23 Abominación *son* a Jehová las pesas falsas; y la balanza falsa no *es* buena.

24 De Jehová *son* los pasos del hombre: ¿Cómo, pues, entenderá el hombre su camino?

25 Lazo *es* al hombre el devorar lo santo, y reflexionar después de haber hecho los votos.

26 El rey sabio dispersa a los impíos, y sobre ellos hace rodar la rueda.

27 Lámpara de Jehová *es* el espíritu del hombre, que escudriña lo más recóndito del vientre.

28 Misericordia y verdad guardan al rey; y con clemencia se sustenta su trono.

29 La gloria de los jóvenes *es* su fuerza, y la hermosura de los viejos su vejez.

30 Lo amoratado de las heridas purifican del mal; y las llagas llegan a lo más recóndito del vientre.

CAPÍTULO 21

El corazón del rey *está* en la mano de Jehová, *como* los arroyos de agua, Él lo inclina hacia donde quiere.

2 Todo camino del hombre es recto en su propia opinión; mas Jehová pesa los corazones.

3 Hacer justicia y juicio *es* a Jehová más agradable que sacrificio.

4 Altivez de ojos, y orgullo de corazón, y el labrar de los impíos, *son* pecado.

5 Los pensamientos del diligente ciertamente tienden a la abundancia; mas los del presuroso, de cierto llevan a la pobreza.

6 Obtener tesoros con lengua de mentira, *es* vanidad desconcertada de aquellos que buscan la muerte.

7 La rapiña de los impíos los destruirá; porque rehúsan hacer juicio.

8 El camino del hombre *es* torcido y extraño; mas recto *es* el proceder del puro.

9 Mejor *es* vivir en un rincón del terrado, que en espaciosa casa con la mujer rencillosa.

10 El alma del impío desea el mal; su prójimo no halla favor a sus ojos.

11 Cuando el escarnecedor es castigado, el simple se hace sabio; y cuando el sabio es instruido, adquiere conocimiento.

12 Considera el justo la casa del impío; cómo los impíos son trastornados por el mal.

13 El que cierra su oído al clamor del pobre; también él clamará, y no será oído.

14 El presente en secreto pacifica el enojo, y la dádiva en el seno, la fuerte ira.

15 Alegría *es* al justo el hacer juicio; mas destrucción *vendrá* a los que hacen iniquidad.

16 El hombre que se extravía del camino de la sabiduría, vendrá a parar en la compañía de los muertos.

17 Hombre necesitado *será* el que ama el placer; y el que ama el vino y los perfumes no enriquecerá.

18 El impío *será* el rescate por el justo, y por los rectos, el prevaricador.

19 Mejor *es* morar en tierra del desierto, que con la mujer rencillosa e iracunda.

20 Tesoro codiciable y aceite *hay* en la casa del sabio; mas el hombre insensato lo disipa.

21 El que sigue la justicia y la misericordia, hallará la vida, la justicia y la honra.

22 El sabio escala la ciudad de los poderosos, y derriba la fortaleza en que confiaban.

23 El que guarda su boca y su lengua, su alma guarda de angustias.

24 Soberbio, presuntuoso y escarnecedor, *es* el nombre del que obra con arrogante saña.

25 El deseo del perezoso le mata, porque sus manos rehúsan trabajar.

26 Hay quien todo el día codicia; mas el justo da, y no escatima.

27 El sacrificio de los impíos *es* abominación: ¡Cuánto más ofreciéndolo con maldad!

28 El testigo mentiroso perecerá; mas el hombre que escucha, permanecerá en su dicho.

29 El hombre impío endurece su rostro; mas el recto ordena sus caminos.

30 No *hay* sabiduría, ni inteligencia, ni consejo, contra Jehová.

31 El caballo se prepara para el día de la batalla; pero la victoria *viene* de Jehová.

CAPÍTULO 22

De más estima *es* el *buen* nombre que las muchas riquezas; y la buena gracia más que la plata y el oro.

2 El rico y el pobre se encontraron; a todos ellos hizo Jehová.

3 El avisado ve el mal, y se esconde; mas los simples pasan, y reciben el daño.

4 Riquezas, honra y vida *son* la remuneración de la humildad y del temor de Jehová.

5 Espinas y lazos *hay* en el camino del perverso; el que guarda su alma se alejará de ellos.

6 Instruye al niño en el camino que debe andar; y aun cuando fuere viejo no se apartará de él.

7 El rico se enseñoreará de los pobres, y el que toma prestado *es* siervo del que presta.

8 El que sembrare iniquidad, iniquidad segará; y la vara de su ira será consumida.

9 El ojo misericordioso será bendito, porque da de su pan al necesitado.

10 Echa fuera al escarnecedor, y saldrá la contienda, y cesará el pleito y la afrenta.

11 El que ama la pureza de corazón, por la gracia de sus labios, el rey *será* su amigo.

12 Los ojos de Jehová preservan el conocimiento; mas Él trastorna las palabras de los prevaricadores.

13 Dice el perezoso: El león *está* fuera; seré muerto en la calle.

14 Fosa profunda *es* la boca de la mujer extraña; aquel contra el cual Jehová estuviere airado, caerá en ella.

15 La necedad *está* ligada al corazón del muchacho; mas la vara de la corrección la alejará de él.

16 El que oprime al pobre para acrecentar *su riqueza*, y que da al rico, ciertamente vendrá a pobreza.

17 Inclina tu oído, y oye las palabras de los sabios, y aplica tu corazón a mi sabiduría;

18 porque *es* cosa deliciosa, si las guardares dentro de ti; y si juntamente se afirmaren en tus labios.

19 Para que tu confianza sea en Jehová, te las he hecho saber hoy a ti también.

20 ¿No te he escrito cosas excelentes de consejo y conocimiento,

21 para hacerte saber la certeza de las palabras de verdad, a fin de que puedas responder palabras de verdad a los que a ti envíen?

22 No robes al pobre, porque *es* pobre, ni oprimas en la puerta al afligido.

23 Porque Jehová juzgará la causa de ellos, y despojará el alma de aquellos que los despojaren.

24 No te asocies con el hombre iracundo, ni te acompañes con el hombre furioso;

25 no sea que aprendas sus maneras, y tomes lazo para tu alma.

26 No estés entre los que estrechan la mano, entre los que dan fianza por deudas.

27 Si no tienes para pagar, ¿Por qué han de quitar tu cama de debajo de ti?

28 No remuevas el término antiguo que pusieron tus padres.

29 ¿Has visto un hombre diligente en su obra? Delante de los reyes estará; no estará delante de los *hombres* impíos.

CAPÍTULO 23

Cuando te sientes a comer con algún gobernante, considera bien lo que *está* delante de ti;

2 y pon cuchillo a tu garganta, si tienes gran apetito.

3 No codicies sus manjares delicados, porque *es* pan engañoso.

4 No te afanes por ser rico; sé prudente y desiste.

5 ¿Has de poner tus ojos en lo que no es nada? Porque *las riquezas* se harán alas, como alas de águila, y volarán al cielo.

6 No comas pan de hombre de mal ojo, ni codicies sus manjares:

7 Porque como piensa en su corazón, así *es* él. Come y bebe, te dirá; mas su corazón no está contigo.

8 Vomitarás la parte que comiste, y perderás tus suaves palabras.

9 No hables a oídos del necio; porque menospreciará la prudencia de tus palabras.

10 No remuevas el término antiguo, ni entres en la heredad de los huérfanos:

11 Porque el defensor de ellos *es* el Fuerte, el cual juzgará la causa de ellos contra ti.

12 Aplica tu corazón a la enseñanza, y tus oídos a las palabras de sabiduría.

13 No rehúses corregir al muchacho; porque *si* lo castigas con vara, no morirá.

14 Tú lo castigarás con vara, y librarás su alma del infierno.

15 Hijo mío, si tu corazón fuere sabio, también a mí se me alegrará el corazón;

16 Mis entrañas también se alegrarán cuando tus labios hablaren cosas rectas.

17 No tenga tu corazón envidia de los pecadores, antes *persevera* en el temor de Jehová todo el tiempo:

18 Porque ciertamente hay porvenir, y tu esperanza no será cortada.

19 Oye tú, hijo mío, y sé sabio, y endereza tu corazón al camino.

20 No estés con los bebedores de vino, ni con los comilones de carne:

21 Porque el bebedor y el comilón empobrecerán; y el sueño hará que *el hombre* vista de harapos.

22 Escucha a tu padre, a aquel que te engendró; y cuando tu madre envejeciere, no la menosprecies.

23 Compra la verdad y no la vendas; la sabiduría, la instrucción y la inteligencia.

24 Mucho se alegrará el padre del justo; y el que engendra sabio se gozará con él.

25 Alégrense tu padre y tu madre, y gócese la que te engendró.

26 Dame, hijo mío, tu corazón, y miren tus ojos por mis caminos.

27 Porque abismo profundo *es* la ramera, y pozo angosto la extraña.

28 También ella, como ladrón, acecha, y multiplica entre los hombres los prevaricadores.

29 ¿Para quién será el ay? ¿Para quién el dolor? ¿Para quién las rencillas? ¿Para quién las quejas? ¿Para quién las heridas en balde? ¿Para quién lo amoratado de los ojos?

30 Para los que se detienen mucho en el vino, para los que van buscando la mixtura.

31 No mires al vino cuando rojea, cuando resplandece su color en la copa; Se entra suavemente;

32 mas al fin como serpiente morderá, y como áspid dará dolor.

33 Tus ojos mirarán a la mujer extraña, y tu corazón hablará perversidades.

34 Y serás como el que yace en medio del mar, o como el que está en la punta de un mastelero.

35 *Y dirás*: Me hirieron, mas no me dolió; me azotaron, mas no lo sentí; cuando despierte, aún lo volveré a buscar.

CAPÍTULO 24

No tengas envidia de los hombres malos, ni desees estar con ellos;

2 porque su corazón trama violencia, e iniquidad hablan sus labios.

3 Con sabiduría se edifica la casa, y con prudencia se afirma;

4 Y con inteligencia se llenarán las cámaras de todo bien preciado y agradable.

5 El hombre sabio *es* fuerte; y de pujante vigor el hombre docto.

6 Porque con estrategia harás la guerra; y la victoria *está* en la multitud de consejeros.

7 La sabiduría *está* muy alta para el necio; en la puerta no abrirá él su boca.

8 Al que piensa hacer el mal, le llamarán hombre de malos pensamientos.

9 El pensamiento del necio *es* pecado; y abominación a los hombres el escarnecedor.

10 *Si* flaquees en el día de adversidad, tu fuerza *será* reducida.

11 Si dejares de librar *a los que son* llevados a la muerte, y *a los que son* llevados al matadero;

12 Si dijeres: Ciertamente no lo supimos; ¿Acaso no lo entenderá el que pesa los corazones, el que mira por tu alma? ¿*No* dará Él a cada hombre según sus obras?

13 Come, hijo mío, de la miel, porque *es* buena, y del panal *que es* dulce a tu paladar:

14 Así *será* a tu alma el conocimiento de la sabiduría; si la hallares tendrás recompensa, y al fin tu esperanza no será cortada.

15 Oh impío, no aceches la tienda del justo, no saquees su cámara;

16 porque siete veces cae el justo, y vuelve a levantarse; mas los impíos caerán en el mal.

17 Cuando cayere tu enemigo, no te regocijes; y cuando tropezare, no se alegre tu corazón:

18 No sea que Jehová lo mire, y le desagrade, y aparte de sobre él su enojo.

19 No te impacientes a causa de los malignos, ni tengas envidia de los impíos;

20 Porque para el malo no habrá buen fin, y la lámpara de los impíos será apagada.

21 Teme a Jehová, hijo mío, y al rey; no te entremetas con los que son inestables;

22 porque su calamidad surgirá de repente; y la ruina de ambos, ¿quién la sabrá?

23 También estas cosas *pertenecen* a los sabios. Hacer acepción de personas en el juicio no es bueno.

24 El que dijere al malo: Justo *eres*, los pueblos lo maldecirán, y le detestarán las naciones;

25 mas los que lo reprenden, serán apreciados, y sobre ellos vendrá gran bendición.

26 Besados serán los labios del que responde palabras rectas.

27 Prepara tus labores fuera, y disponlas en tu campo; y después edifica tu casa.

28 No seas sin causa testigo contra tu prójimo; y *no* lisonjees con tus labios.

29 No digas: Como me hizo, así le haré; Pagaré al hombre según su obra.

30 Pasé junto al campo del perezoso, y junto a la viña del hombre falto de entendimiento,

31 y vi que por toda ella habían crecido espinos, ortigas habían ya cubierto su faz, y su cerca de piedra estaba ya destruida.

32 Y miré, y lo puse en mi corazón; lo vi, y recibí instrucción.

33 Un poco de sueño, cabeceando otro poco, poniendo mano sobre mano otro poco para dormir;

34 así vendrá como caminante tu necesidad, y tu pobreza como hombre armado.

CAPÍTULO 25

También éstos *son* proverbios de Salomón, los cuales copiaron los varones de Ezequías, rey de Judá.

2 Gloria de Dios *es* ocultar un asunto; pero honra del rey *es* escudriñarlo.

3 La altura de los cielos, y la profundidad de la tierra y el corazón de los reyes, *son* inescrutables.

4 Quita las escorias de la plata, y saldrá vaso al fundidor.

5 Aparta al impío de la presencia del rey, y su trono se afirmará en justicia.

6 No te alabes delante del rey, ni estés en el lugar de los grandes:

7 Porque mejor *es* que se te diga: Sube acá, y no que seas humillado

delante del príncipe a quien tus ojos han visto.

8 No entres apresuradamente en pleito, no sea *que no sepas* qué hacer al fin, después que tu prójimo te haya avergonzado.

9 Trata tu causa con tu compañero y no descubras el secreto a otro.

10 No sea que te deshonre el que lo oyere, y tu infamia no pueda repararse.

11 Manzana de oro con figuras de plata *es* la palabra dicha oportunamente.

12 *Como* zarcillo de oro y joyel de oro fino, *es* el que reprende al sabio que tiene oído dócil.

13 Como frío de nieve en tiempo de la siega, *así es* el mensajero fiel a los que lo envían; pues al alma de su señor da refrigerio.

14 *Como* nubes y vientos sin lluvia, *así es* el hombre que se jacta de falsa liberalidad.

15 Con larga paciencia se aplaca el príncipe; y la lengua blanda quebranta los huesos.

16 ¿Hallaste la miel? Come lo que te basta; no sea que te hartes de ella y la vomites.

17 Detén tu pie de la casa de tu vecino, no sea que se harte de ti y te aborrezca.

18 Martillo y cuchillo y saeta aguda, *es* el hombre que habla contra su prójimo falso testimonio.

19 Diente quebrado y pie descoyuntado, *es* la confianza en el hombre infiel en el tiempo de angustia.

20 El que canta canciones al corazón afligido, *es como* el que quita la ropa en tiempo de frío, o el que sobre el jabón echa vinagre.

21 Si el que te aborrece tuviere hambre, dale de comer pan; y si tuviere sed, dale de beber agua:

22 Porque ascuas amontonarás sobre su cabeza, y Jehová te lo pagará.

23 El viento del norte ahuyenta la lluvia, y el rostro airado la lengua detractora.

24 Mejor *es* estar en un rincón del terrado, que con mujer rencillosa en espaciosa casa.

25 *Como* el agua fría al alma sedienta, así *son* las buenas nuevas de lejanas tierras.

26 *Como* fuente turbia y manantial corrompido, *es* el justo que cae delante del impío.

27 Comer mucha miel no *es* bueno; ni el buscar la propia gloria *es* gloria.

28 *Como* ciudad derribada y sin muro, *es* el hombre cuyo espíritu no tiene rienda.

CAPÍTULO 26

Como la nieve en el verano, y la lluvia en la siega, así no conviene al necio la honra.

2 Como el gorrión en su vagar, y como la golondrina en su vuelo, así la maldición nunca vendrá sin causa.

3 El látigo para el caballo, y el cabestro para el asno, y la vara para la espalda del necio.

4 No respondas al necio conforme a su necedad, para que no seas tú también como él.

5 Responde al necio según su necedad, para que no se estime sabio en su propia opinión.

6 El que envía mensaje por mano de un necio, se corta los pies y bebe su daño.

7 Las piernas del lisiado, penden inútiles; Así el proverbio en la boca del necio.

8 Como quien liga la piedra en la honda, así hace el que al necio da honra.

9 Espinas hincadas en mano del embriagado, tal *es* el proverbio en la boca de los necios.

10 El grande *Dios* que creó todas las cosas; da la paga al insensato, y da la paga a los transgresores.

11 Como perro que vuelve a su vómito, *así es* el necio que repite su necedad.

12 ¿Has visto hombre sabio en su propia opinión? Más esperanza *hay* del necio que de él.

13 Dice el perezoso: El león *está* en el camino; el león *está* en las calles.

14 *Como* la puerta gira sobre sus quicios; así el perezoso *da vueltas* en su cama.

15 Esconde el perezoso su mano en *su* seno; se cansa de llevarla a su boca.

16 En su propia opinión el perezoso es más sabio que siete que pueden aconsejar.

17 El que pasando se deja llevar de la ira en pleito ajeno, *es como* el que toma al perro por las orejas.

18 Como el que enloquece, y echa llamas y saetas y muerte,

19 tal *es* el hombre que engaña a su amigo, y dice: ¿Acaso no estaba yo bromeando?

20 Sin leña se apaga el fuego; y donde no *hay* chismoso, cesa la contienda.

21 El carbón para brasas, y la leña para el fuego; y el hombre rencilloso para encender contienda.

22 Las palabras del chismoso *son* como estocadas, y penetran hasta lo más profundo del vientre.

23 *Como* escoria de plata echada sobre el tiesto, *son* los labios enardecidos y el corazón malo.

24 El que odia, disimula con sus labios; pero en su interior maquina engaño.

25 Cuando hablare amigablemente, no le creas; porque siete abominaciones *hay* en su corazón.

26 *Aunque* su odio es encubierto con disimulo; su maldad será descubierta en la congregación.

27 El que cavare foso, caerá en él: y el que ruede la piedra, ésta volverá a él.

28 La lengua mentirosa aborrece *a los* afligidos; y la boca lisonjera acarrea ruina.

CAPÍTULO 27

No te jactes del día de mañana; Porque no sabes qué traerá el día.

2 Que te alaben otros, y no tu boca; el ajeno, y no tus labios.

3 Pesada *es* la piedra, y la arena pesa; mas la ira del necio es más pesada que ambas cosas.

4 Cruel *es* la ira, e impetuoso el furor; mas ¿quién podrá sostenerse delante de la envidia?

5 Mejor *es* represión manifiesta que amor oculto.

6 Fieles *son* las heridas del que ama; pero engañosos *son* los besos del que aborrece.

7 El hombre saciado desprecia el panal de miel; pero al hombre hambriento todo lo amargo es dulce.

8 Cual ave que se va de su nido, tal *es* el hombre que se va de su lugar.

9 El ungüento y el perfume alegran el corazón: Y el amigo al hombre con el cordial consejo.

10 No abandones a tu amigo, ni al amigo de tu padre; ni entres en casa de tu hermano el día de tu aflicción. Mejor *es* el vecino cerca que el hermano lejos.

11 Sé sabio, hijo mío, y alegra mi corazón, y tendré qué responder al que me agravie.

12 El avisado ve el mal, y se esconde, *mas* los simples pasan, y llevan el daño.

13 Quítale su ropa al que salió fiador por el extraño; y al que fió por la extraña, tómale prenda.

14 El que bendice a su amigo en alta voz, madrugando de mañana, por maldición se le contará.

15 Gotera continua en tiempo de lluvia, y la mujer rencillosa, son semejantes:

16 El que puede contenerla, puede contener el viento; o el aceite en su mano derecha.

17 Hierro con hierro se aguza; así el hombre aguza el rostro de su amigo.

18 El que cuida la higuera, comerá su fruto; y el que atiende a su señor, será honrado.

19 Como en el agua el rostro *corresponde* al rostro, así el corazón del hombre al del hombre.

20 El infierno y la perdición nunca se hartan: Así los ojos del hombre nunca se sacian.

21 El crisol prueba la plata, y la hornaza el oro; y al hombre la boca del que lo alaba.

22 Aunque majes al necio en un mortero entre granos de trigo majados con el pisón, no se apartará de él su necedad.

23 Considera atentamente el aspecto de tus ovejas; pon tu corazón a tus rebaños:

24 Porque las riquezas no *son* para siempre; ¿acaso perdurará la corona por todas las generaciones?

25 Sale la grama, aparece la hierba, y siegan las hierbas de los montes.

26 Los corderos *son* para tus vestiduras, y los cabritos *son* el precio del campo;

El que encubre sus pecados

27 Y *habrá* suficiente leche de las cabras para tu mantenimiento, y para el mantenimiento de tu casa, y para el sustento de tus criadas.

CAPÍTULO 28

Huye el impío sin que nadie lo persiga: Mas el justo está confiado como un león.

2 Por la rebelión de la tierra sus príncipes *son* muchos: Mas por el hombre entendido y sabio permanecerá estable.

3 El hombre pobre que oprime al pobre, *es como* lluvia torrencial que no deja pan.

4 Los que abandonan la ley, alaban a los impíos: Mas los que la guardan, contenderán con ellos.

5 Los hombres malos no entienden el juicio: Mas los que buscan a Jehová, entienden todas las cosas.

6 Mejor *es* el pobre que camina en su integridad, que el de perversos caminos, y rico.

7 El que guarda la ley *es* hijo prudente; mas el que es compañero de glotones, avergüenza a su padre.

8 El que aumenta sus riquezas con usura y crecido interés, para el que se compadece de los pobres las aumenta.

9 El que aparta su oído para no oír la ley, su oración también *es* abominable.

10 El que hace errar a los rectos por el mal camino, él caerá en su misma fosa: Mas los íntegros heredarán el bien.

11 El hombre rico *es* sabio en su propia opinión; mas el pobre entendido lo examinará.

12 Cuando los justos se alegran, grande *es* la gloria; mas cuando los impíos se levantan, los hombres se esconden.

13 El que encubre sus pecados, no prosperará; mas el que los confiesa y se aparta alcanzará misericordia.

14 Bienaventurado el hombre que siempre teme; mas el que endurece su corazón, caerá en mal.

15 León rugiente y oso hambriento, *es* el príncipe impío sobre el pueblo pobre.

16 El príncipe falto de entendimiento multiplicará los agravios;

mas el que aborrece la avaricia, prolongará sus días.

17 El hombre que hace violencia con sangre de persona, huirá hasta la fosa, y nadie le detendrá.

18 El que en integridad camina, será salvo; mas el de perversos caminos caerá en alguno.

19 El que labra su tierra, se saciará de pan; mas el que sigue a los ociosos, se hartará de pobreza.

20 El hombre de verdad tendrá muchas bendiciones; mas el que se apresura a enriquecerse, no será sin culpa.

21 Hacer acepción de personas, no *es* bueno. Hasta por un bocado de pan prevaricará el hombre.

22 El hombre de mal ojo se apresura a ser rico; y no sabe que le ha de venir pobreza.

23 El que reprende al hombre, hallará después mayor gracia que el que lisonjea con la lengua.

24 El que roba a su padre o a su madre, y dice que no es maldad, compañero *es* del hombre destruidor.

25 El altivo de ánimo suscita contiendas; mas el que confía en Jehová será prosperado.

26 El que confía en su propio corazón es necio; mas el que camina en sabiduría, será librado.

27 El que da al pobre, no tendrá pobreza; mas el que aparta sus ojos, tendrá muchas maldiciones.

28 Cuando los impíos se levantan, se esconde el hombre; mas cuando perecen, los justos se multiplican.

CAPÍTULO 29

El hombre que reprendido muchas veces endurece *su* cerviz, de repente será quebrantado, y no habrá para él remedio.

2 Cuando los justos están en autoridad, el pueblo se alegra; mas cuando gobierna el impío, el pueblo gime.

3 El hombre que ama la sabiduría alegra a su padre; mas el que mantiene rameras desperdiciará *sus* bienes.

4 El rey con el juicio afirma la tierra; mas el que acepta el soborno la destruye.

5 El hombre que lisonjea a su prójimo, red tiende delante de sus pasos.

6 En la transgresión del hombre malo *hay* lazo; mas el justo cantará y se alegrará.

7 Conoce el justo la causa de los pobres; *mas* el impío no entiende sabiduría.

8 Los hombres escarnecedores agitan la ciudad; mas los sabios apartan la ira.

9 *Si* el hombre sabio contendiere con el necio, que se enoje o que se ría, no *tendrá* reposo.

10 Los hombres sanguinarios aborrecen al íntegro; mas los rectos procuran por su alma.

11 El necio da rienda suelta a toda su ira; mas el sabio al fin la sosiega.

12 Si un gobernante presta atención a la palabra mentirosa, todos sus servidores *serán* impíos.

13 El pobre y el usurero se encontraron; Jehová alumbra los ojos de ambos.

14 El rey que juzga con verdad a los pobres, su trono será firme para siempre.

15 La vara y la corrección dan sabiduría; mas el muchacho consentido avergonzará a su madre.

16 Cuando los impíos se multiplican, aumenta la transgresión; mas los justos verán la ruina de ellos.

17 Corrige a tu hijo, y te dará descanso, y dará deleite a tu alma.

18 Donde no *hay* visión el pueblo perece; mas el que guarda la ley, es bienaventurado.

19 El siervo no se corregirá con palabras; porque aunque entienda, no responderá.

20 ¿Has visto hombre ligero en sus palabras? Más esperanza *hay* del necio que de él.

21 El que con cuidado cría a su siervo desde su niñez; a la postre éste vendrá a ser su hijo:

22 El hombre iracundo levanta contiendas; y el furioso muchas veces peca.

23 La soberbia del hombre le abate; pero al humilde de espíritu sustenta la honra.

24 El cómplice del ladrón aborrece su propia alma; pues oye la maldición, y no lo denuncia.

25 El temor del hombre pondrá lazo; mas el que confía en Jehová será exaltado.

26 Muchos buscan el favor del príncipe; mas de Jehová viene el juicio de cada uno.

27 El hombre inicuo *es* abominación a los justos; y el de caminos rectos *es* abominación al impío.

CAPÍTULO 30

Palabras de Agur, hijo de Jaqué: La profecía que dijo el varón a Itiel, a Itiel y a Ucal.

2 Ciertamente más rudo soy yo que ninguno, y no tengo entendimiento de hombre.

3 Yo ni aprendí sabiduría, ni tengo el conocimiento del Santo.

4 ¿Quién subió al cielo, y descendió? ¿Quién encerró los vientos en sus puños? ¿Quién ató las aguas en un paño? ¿Quién afirmó todos los términos de la tierra? ¿Cuál *es* su nombre, y el nombre de su Hijo, si lo sabes?

5 Toda palabra de Dios *es* pura: Es escudo a los que en Él esperan.

6 No añadas a sus palabras, no sea que Él te reprenda, y seas hallado mentiroso.

7 Dos *cosas* te he demandado. No me las niegues antes que muera.

8 Vanidad y palabra mentirosa aparta de mí. No me des pobreza ni riquezas; Mantenme del pan necesario;

9 No sea que me sacie, y te niegue, y diga: ¿Quién *es* Jehová? O que siendo pobre, hurte, y blasfeme el nombre de mi Dios.

10 No acuses al siervo ante su señor, no sea que te maldiga, y seas hallado culpable.

11 *Hay* generación que maldice a su padre, y a su madre no bendice.

12 *Hay* generación limpia en su propia opinión, si bien no se ha limpiado de su inmundicia.

13 *Hay* generación cuyos ojos son altivos, y cuyos párpados son alzados.

14 *Hay* generación cuyos dientes son espadas, y sus muelas cuchillos, para devorar a los pobres de la tierra, y de entre los hombres a los menesterosos.

15 La sanguijuela tiene dos hijas *que dicen*: Dame, dame. Tres cosas hay que nunca se sacian; aun la cuarta nunca dice: ¡Basta!

16 El sepulcro, la matriz estéril, la tierra que no se sacia de aguas, y el fuego que jamás dice: ¡Basta!

17 El ojo que escarnece a *su* padre, y menosprecia la enseñanza de *su* madre, los cuervos del valle lo saquen, y lo traguen los aguiluchos.

18 Tres cosas me son ocultas; aun tampoco sé la cuarta:

19 El rastro del águila en el aire; El rastro de la culebra sobre la peña; El rastro de la nave en medio del mar; Y el rastro del hombre en la doncella.

20 Tal *es* el proceder de la mujer adúltera: Come, y limpia su boca, y dice: No he hecho maldad.

21 Por tres cosas se alborota la tierra, y la cuarta no la puede soportar:

22 Por el siervo cuando reina; y por el necio cuando se harta de pan;

23 Por la *mujer* aborrecida cuando se casa; y por la sierva cuando hereda a su señora.

24 Cuatro cosas *son* de las más pequeñas de la tierra, y las mismas *son* más sabias que los sabios:

25 Las hormigas, pueblo no fuerte, y en el verano preparan su comida;

26 Los conejos, pueblo nada esforzado, y ponen su casa en la piedra;

27 Las langostas, *que* no tienen rey, y salen todas por cuadrillas;

28 La araña *que* atrapa con las manos, y está en palacios de rey.

29 Tres cosas hay de hermoso andar, y la cuarta pasea muy bien:

30 El león, fuerte entre todos los animales, que no vuelve atrás por nada;

31 El lebrel ceñido de lomos; asimismo el macho cabrío; y un rey contra el cual ninguno se levanta.

32 Si neciamente te has enaltecido; y si mal pensaste, *pon* la mano sobre tu boca.

33 Ciertamente el que bate la leche, sacará mantequilla; y el que recio se suena la nariz, sacará sangre; y el que provoca la ira, causará contienda.

CAPÍTULO 31

Palabras del rey Lemuel; la profecía con que le enseñó su madre.

2 ¿Qué, hijo mío? ¿Y qué, hijo de mi vientre? ¿Y qué, hijo de mis votos?

3 No des a las mujeres tu fuerza, ni tus caminos a lo que es para destruir a los reyes.

4 No *es* de los reyes, oh Lemuel, no *es* de los reyes beber vino, ni de los príncipes el licor.

5 No sea que bebiendo olviden la ley, y perviertan el derecho de todos los hijos afligidos.

6 Dad licor al desfallecido, y el vino a los de ánimo amargado.

7 Beban, y olvídense de su necesidad, y de su miseria no se acuerden más.

8 Abre tu boca por el mudo, en el juicio de todos los que están destinados a la muerte.

9 Abre tu boca, juzga con justicia, y defiende el derecho del pobre y del menesteroso.

10 Mujer virtuosa, ¿quién la hallará? Porque su estima sobrepasa largamente a la de piedras preciosas.

11 El corazón de su marido está en ella confiado, y no tendrá necesidad de despojo.

12 Le dará ella bien y no mal, todos los días de su vida.

13 Busca lana y lino, y con voluntad trabaja con sus manos.

14 Es como navío de mercader; trae su pan de lejos.

15 Se levanta aun de noche, y da comida a su familia, y ración a sus criadas.

16 Considera la heredad, y la compra; Y planta viña del fruto de sus manos.

17 Ciñe de fortaleza sus lomos, y esfuerza sus brazos.

18 Ve que su ganancia *es* buena; su lámpara no se apaga de noche.

19 Aplica su mano al huso, y sus manos toman la rueca.

20 Extiende su mano al pobre, y tiende su mano al menesteroso.

21 No tiene temor de la nieve por su familia, porque toda su familia *está* vestida de ropas dobles.

22 Ella se hace tapices; de lino fino y púrpura *es* su vestido.

23 Conocido es su marido en las puertas, cuando se sienta con los ancianos de la tierra.

24 Hace telas, y las vende; y da cintas al mercader.

25 Fuerza y honor *son* su vestidura; y se regocijará en el día postrero.

26 Abre su boca con sabiduría; y la ley de misericordia *está* en su lengua.

27 Considera los caminos de su casa, y no come el pan de balde.

28 Se levantan sus hijos, y la llaman bienaventurada; y su marido *también* la alaba.

29 Muchas mujeres han sido virtuosas; pero tú las sobrepasas a todas.

30 Engañosa *es* la gracia, y vana la hermosura; la mujer que teme a Jehová, ésa será alabada.

31 Dadle del fruto de sus manos, y alábenla en las puertas sus hechos.

Libro De
ECLESIASTÉS

CAPÍTULO 1

Palabras del Predicador, hijo de David, rey en Jerusalén.

2 Vanidad de vanidades, dijo el Predicador; vanidad de vanidades, todo *es* vanidad.

3 ¿Qué provecho tiene el hombre de todo su trabajo con que se afana debajo del sol?

4 Generación va, y generación viene; mas la tierra siempre permanece.

5 Y sale el sol, y se pone el sol, y se apresura a volver al lugar de donde nace.

6 El viento tira hacia el sur, y rodea al norte; va girando de continuo, y a sus giros vuelve el viento de nuevo.

7 Los ríos todos van al mar, y el mar no se llena; al lugar de donde los ríos vinieron, allí tornan para correr de nuevo.

8 Todas las cosas son fatigosas, más de lo que el hombre puede expresar. No se sacia el ojo de ver, ni el oído se harta de oír.

9 Lo que fue, *es* lo que será, y lo que ha sido hecho, *es* lo mismo que se hará; y nada *hay* nuevo debajo del sol.

10 ¿Hay algo de que se pueda decir: He aquí esto es nuevo? Ya fue en los siglos que nos han precedido.

11 No hay memoria de lo que precedió, ni tampoco de lo que sucederá habrá memoria en los que serán después.

12 Yo el Predicador fui rey sobre Israel en Jerusalén.

13 Y di mi corazón a inquirir y buscar con sabiduría sobre todo lo que se hace debajo del cielo; este penoso trabajo dio Dios a los hijos de los hombres, para que se ocupen en él.

14 Yo miré todas las obras que se hacen debajo del sol; y he aquí, todo ello es vanidad y aflicción de espíritu.

15 Lo torcido no se puede enderezar; y lo incompleto no puede numerarse.

16 Hablé yo con mi corazón, diciendo: He aquí yo me hallo engrandecido, y he crecido en sabiduría sobre todos los que fueron antes de mí en Jerusalén; y mi corazón ha percibido mucha sabiduría y ciencia.

17 Y di mi corazón a conocer la sabiduría, y también a entender las locuras y los desvaríos; conocí que aun esto *era* aflicción de espíritu.

18 Porque en la mucha sabiduría hay mucha molestia; y quien añade conocimiento, añade dolor.

CAPÍTULO 2

Dije yo en mi corazón: Ven ahora, te probaré con alegría, y gozarás del placer. Mas he aquí esto también *era* vanidad.

2 A la risa dije: Enloqueces; y al placer: ¿De qué sirve esto?

3 Propuse en mi corazón agasajar mi carne con vino, y que anduviese mi corazón en sabiduría, con retención de la necedad, hasta ver cuál fuese el bien de los hijos de los hombres, en el cual se ocuparan debajo del cielo todos los días de su vida.

4 Engrandecí mis obras, me edifiqué casas, me planté viñas;

5 me hice huertos y jardines, y planté en ellos árboles de toda *clase de* fruto;

6 Me hice estanques de aguas, para regar de ellos el bosque donde los árboles crecían.

7 Poseí siervos y siervas, y tuve siervos nacidos en casa; también tuve posesión grande de vacas y ovejas, más que todos los que fueron antes de mí en Jerusalén;

8 Acumulé también plata y oro, tesoro preciado de reyes y de provincias; me hice de cantores y cantoras, de los deleites de los hijos de los hombres, y de toda clase de instrumentos de música.

9 Y fui engrandecido y aumentado más que todos los que fueron antes de mí en Jerusalén; también permaneció conmigo mi sabiduría.

10 No negué a mis ojos ninguna cosa que desearan, ni aparté mi corazón de placer alguno, porque mi corazón gozó de todo mi trabajo: y ésta fue mi parte de toda mi faena.

11 Miré yo luego todas las obras que habían hecho mis manos, y el trabajo que tomé para hacerlas; y he aquí, todo *era* vanidad y aflicción de espíritu, y sin provecho debajo del sol.

12 Después torné yo a mirar para ver la sabiduría y los desvaríos y la necedad; porque ¿qué podrá hacer el hombre que venga después del rey, sino lo que ya ha sido hecho?

13 Y he visto que la sabiduría sobrepasa a la necedad, como la luz a las tinieblas.

14 El sabio tiene sus ojos en su cabeza, mas el necio anda en tinieblas; pero también entendí yo que un mismo suceso acontecerá al uno como al otro.

15 Entonces dije yo en mi corazón: Como sucederá al necio me sucederá también a mí: ¿Para qué, pues, he trabajado hasta ahora por hacerme más sabio? Y dije en mi corazón que también esto era vanidad.

16 Porque ni del sabio ni del necio habrá memoria para siempre; pues en los días venideros ya todo será olvidado, y también morirá el sabio como el necio.

17 Por tanto, aborrecí la vida, porque la obra que se hace debajo del sol me era fastidiosa; por cuanto todo es vanidad y aflicción de espíritu.

18 Asimismo aborrecí todo mi trabajo que había puesto por obra debajo del sol; el cual tendré que dejar a otro que vendrá después de mí.

19 ¿Y quién sabe si será sabio, o necio, el que señoreará sobre todo mi trabajo en que yo me afané, y en que ocupé debajo del sol mi sabiduría? Esto también es vanidad.

20 Por tanto, volví a desesperanzar mi corazón acerca de todo el trabajo en que me afané, y en que había ocupado debajo del sol mi sabiduría.

21 ¡Que el hombre trabaje con sabiduría, y con ciencia, y con rectitud, y que haya de dar su hacienda a hombre que nunca trabajó en ello! También esto es vanidad y mal grande.

22 Porque ¿qué tiene el hombre de todo su trabajo, y de la fatiga de su corazón, con que se afana debajo del sol?

23 Porque todos sus días no son sino dolores, y sus trabajos molestias; aun de noche su corazón no reposa. Esto también es vanidad.

24 No hay cosa mejor para el hombre sino que coma y beba, y que su alma vea el bien de su trabajo. También he visto que esto es de la mano de Dios.

25 Porque ¿quién comerá, y quién se cuidará, mejor que yo?

26 Porque al hombre que le agrada, *Dios* le da sabiduría, conocimiento y gozo; pero al pecador le da el trabajo de acumular y amontonar para que lo dé *al que* agrada a Dios. También esto es vanidad y aflicción de espíritu.

CAPÍTULO 3

Para todo hay sazón, y todo lo que se quiere debajo del cielo *tiene* su tiempo:

2 Tiempo de nacer, y tiempo de morir; tiempo de plantar, y tiempo de arrancar lo plantado;

3 Tiempo de matar, y tiempo de curar; tiempo de destruir, y tiempo de edificar;

4 Tiempo de llorar, y tiempo de reír; tiempo de endechar, y tiempo de bailar;

5 Tiempo de esparcir piedras, y tiempo de juntar piedras; tiempo de abrazar, y tiempo de abstenerse de abrazar;

6 Tiempo de buscar, y tiempo de perder; tiempo de guardar, y tiempo de desechar;

7 Tiempo de romper, y tiempo de coser; tiempo de callar, y tiempo de hablar;

8 Tiempo de amar, y tiempo de aborrecer; tiempo de guerra, y tiempo de paz.

9 ¿Qué provecho tiene el que trabaja en lo que trabaja?

10 Yo he visto el trabajo que Dios ha dado a los hijos de los hombres para que en él se ocupen.

11 Todo lo hizo hermoso en su tiempo; y aun puso un mundo en su corazón, de tal manera que no alcance el hombre la obra de Dios desde el principio hasta el fin.

12 Yo he conocido que no *hay* mejor para ellos, que alegrarse, y hacer bien en su vida;

13 Y también que es don de Dios que todo hombre coma y beba, y goce el bien de toda su labor.

14 Yo he entendido que todo lo que Dios hace será perpetuo: sobre aquello no se añadirá, ni de ello se disminuirá; y lo hace Dios, para que delante de Él teman los hombres.

15 Aquello que fue, ya es: y lo que ha de ser, fue ya; y Dios demanda lo que pasó.

16 Vi más debajo del sol: en lugar del juicio, allí la impiedad; y en lugar de la justicia, allí la iniquidad.

17 Y dije yo en mi corazón: Al justo y al impío juzgará Dios; porque *allí hay* un tiempo para todo lo que se quiere y sobre todo lo que se hace.

18 Dije en mi corazón: En cuanto a la condición de los hijos de los hombres, que Dios los pruebe, para que ellos mismos vean que son semejantes a las bestias.

19 Porque lo que sucede a los hijos de los hombres, y lo que sucede a las bestias, un mismo suceso es; como mueren los unos, así mueren los otros; y una misma respiración tienen todos; ni tiene más el hombre que la bestia; porque todo es vanidad.

20 Todo va a un mismo lugar; todo es hecho del polvo, y todo volverá al mismo polvo.

21 ¿Quién sabe que el espíritu de los hijos de los hombres sube arriba, y que el espíritu del animal desciende abajo a la tierra?

22 Así que he visto que no *hay* cosa mejor que alegrarse el hombre con lo que hiciere; porque ésta es su parte; porque ¿quién lo llevará para que vea lo que ha de ser después de él?

CAPÍTULO 4

Y me volví, y vi todas las violencias que se hacen debajo del sol; y he aquí las lágrimas de los oprimidos, sin tener quien los consuele; y la fuerza estaba en la mano de sus opresores, y para ellos no había consolador.

2 Y alabé yo a los muertos, los que ya murieron, más que a los vivientes, los que aún están con vida.

3 Y tuve por mejor que unos y otros, al que no ha sido aún, que no ha visto las malas obras que debajo del sol se hacen.

4 He visto asimismo que todo trabajo y toda excelencia de obra despierta la envidia del hombre contra su prójimo. También esto *es* vanidad y aflicción de espíritu.

5 El necio dobla sus manos y come su propia carne.

6 Mas vale un puño lleno con descanso, que ambos puños llenos con trabajo y aflicción de espíritu.

7 Y me volví otra vez, y vi vanidad debajo del sol.

8 Está un *hombre* solo y sin sucesor; que ni tiene hijo ni hermano; mas nunca cesa de trabajar, ni sus ojos se sacian de sus riquezas, *ni se pregunta*: ¿Para quién trabajo yo, y privo mi alma del bien? También esto es vanidad, y duro trabajo.

9 Mejores *son* dos que uno; porque tienen mejor paga de su trabajo.

10 Porque si cayeren, el uno levantará a su compañero. Pero ¡ay del solo cuando cayere! Pues no habrá segundo que lo levante.

11 También si dos durmieren juntos, se calentarán; mas ¿cómo se calentará uno *solo*?

12 Y si alguno prevaleciere contra el uno, dos estarán contra él; y cordón de tres dobleces no presto se rompe.

13 Mejor *es* el muchacho pobre y sabio, que el rey viejo y fatuo que no admite consejo.

14 Porque de la cárcel salió para reinar; mientras el nacido en su reino se hizo pobre.

15 Vi a todos los vivientes debajo del sol caminando con el muchacho, sucesor, que estará en lugar de aquél.

16 No tenía fin la muchedumbre de pueblo que fue antes de ellos; *aun* los que vendrán después tampoco estarán contentos con él. Y esto es también vanidad y aflicción de espíritu.

CAPÍTULO 5

Cuando fueres a la casa de Dios, guarda tu pie; y acércate más para oír que para dar el sacrificio de los necios, porque no saben que hacen mal.

2 No te des prisa con tu boca, ni tu corazón se apresure a proferir palabra delante de Dios; porque Dios *está* en el cielo, y tú en la tierra; por tanto, sean pocas tus palabras.

3 Porque de la mucha ocupación viene el sueño, y de la multitud de las palabras la voz del necio.

4 Cuando a Dios hicieres promesa, no tardes en cumplirla; porque *Él* no se agrada de los insensatos. Cumple lo que prometes.

5 Mejor *es* que no prometas, a que prometas y no cumplas.

6 No sueltes tu boca para hacer pecar a tu carne; ni digas delante del ángel, que *fue* ignorancia. ¿Por qué harás que Dios se enoje a causa de tu voz, y que destruya la obra de tus manos?

7 Donde los sueños *son* en multitud, también lo son las vanidades y las muchas palabras; mas tú, teme a Dios.

8 Si opresión de pobres, y extorsión de derecho y de justicia vieres en la provincia, no te maravilles de ello; porque sobre el alto está mirando otro más alto, y uno más alto está sobre ellos.

9 Además el provecho de la tierra es para todos; el rey *mismo* está sujeto a los campos.

10 El que ama el dinero, no se saciará de dinero; y el que ama el mucho tener, no sacará fruto. También esto es vanidad.

11 Cuando los bienes aumentan, también aumentan los que los consumen. ¿Qué bien, pues, tendrá su dueño, sino verlos con sus ojos?

12 Dulce *es* el sueño del trabajador, ya sea que coma mucho o poco; mas al rico no le deja dormir la abundancia.

13 Hay un grave mal que he visto debajo del sol; las riquezas guardadas por sus dueños para su propio mal;

14 Las cuales se pierden en malas ocupaciones, y a los hijos que engendraron nada les queda en la mano.

15 Como salió del vientre de su madre, desnudo, así volverá, yéndose tal como vino; y nada tomará de su trabajo para llevar en su mano.

16 Éste también *es* un grave mal, que como vino, así haya de volver. ¿Y de qué le aprovechó trabajar al viento?

17 Además de esto, todos los días de su vida comerá en tinieblas, con mucho enojo y dolor y miseria.

18 He aquí, pues, el bien que yo he visto: Que *es* bueno comer y beber, y gozarse *uno* del bien de todo su trabajo con que se afana debajo del sol, todos los días de su vida que Dios le da, porque ésta *es* su porción.

19 Igualmente, a todo hombre a quien Dios le da riquezas y bienes, y le da también facultad para que coma de ellos y tome su porción y goce de su trabajo. Esto *es* don de Dios.

20 Porque no se acordará mucho de los días de su vida, pues Dios le responderá con alegría de su corazón.

CAPÍTULO 6

Hay un mal que he visto debajo del cielo, y muy común entre los hombres:

2 Un hombre a quien Dios da riquezas, bienes y honra, y nada le falta de todo lo que su alma desea; mas Dios no le da facultad de comer de ello, sino que los extraños se lo

comen. Esto *es* vanidad y penosa enfermedad.

3 Si el hombre engendrare cien *hijos*, y viviere muchos años, y los días de su edad fueren numerosos; si su alma no se sació del bien, y también careció de sepultura, yo digo que el abortivo es mejor que él.

4 Porque en vano vino, y a tinieblas va, y con tinieblas será cubierto su nombre.

5 Aunque no haya visto el sol, ni conocido *nada*, más reposo tiene éste que aquél.

6 Aunque aquél viviere mil años dos veces, sin haber gozado del bien, ¿no van todos a un mismo lugar?

7 Todo el trabajo del hombre *es* para su boca, y con todo eso su alma no se sacia.

8 Porque ¿qué más tiene el sabio que el necio? ¿Qué más tiene el pobre que supo caminar entre los vivos?

9 Más vale vista de ojos que deseo que pasa. Y también esto *es* vanidad y aflicción de espíritu.

10 El que es, ya su nombre ha sido nombrado; y se sabe que *es* hombre, y que no podrá contender con Aquél que es más poderoso que él.

11 Ciertamente las muchas palabras multiplican la vanidad. ¿Qué más tiene el hombre?

12 Porque ¿quién sabe cuál es el bien del hombre en la vida, todos los días de la vida de su vanidad, los cuales él pasa como sombra? Porque ¿quién enseñará al hombre qué será después de él debajo del sol?

CAPÍTULO 7

Mejor *es* la buena fama que el buen ungüento; y el día de la muerte que el día del nacimiento.

2 Mejor *es* ir a la casa del luto que a la casa del banquete; porque aquello *es* el fin de todos los hombres, y el que vive lo pondrá en su corazón.

3 Mejor *es* el pesar que la risa; porque con la tristeza del rostro se enmendará el corazón.

4 El corazón de los sabios, *está* en la casa del luto, mas el corazón de los insensatos, en la casa del placer.

5 Mejor es oír la reprensión del sabio, que la canción de los necios.

6 Porque la risa del necio es como el estrépito de las espinas debajo de la olla. Y también esto es vanidad.

7 Ciertamente la opresión hace enloquecer al sabio, y el soborno corrompe el corazón.

8 Mejor *es* el fin del asunto que su principio; mejor es el sufrido de espíritu que el altivo de espíritu.

9 No te apresures en tu espíritu a enojarte, porque la ira en el seno de los necios reposa.

10 Nunca digas: ¿Cuál es la causa que los tiempos pasados fueron mejores que éstos? Porque nunca de esto preguntarás con sabiduría.

11 Buena es la sabiduría con herencia; y más a los que ven el sol.

12 Porque escudo *es* la sabiduría, y escudo *es* el dinero; mas la excelencia del conocimiento, *es que* la sabiduría da vida a los que la poseen.

13 Considera la obra de Dios; porque ¿quién podrá enderezar lo que Él torció?

14 En el día del bien goza del bien; y en el día del mal considera. Dios también hizo esto delante de lo otro, para que el hombre no descubra nada después de él.

15 Todo esto he visto en los días de mi vanidad. Justo hay que perece por su justicia, y hay impío que por su maldad alarga *sus días*.

16 No seas demasiado justo, ni seas sabio en exceso; ¿por qué habrás de destruirte?

17 No hagas mucho mal, ni seas insensato; ¿por qué habrás de morir antes de tu tiempo?

18 Bueno *es* que tomes esto, y también de esto otro no apartes tu mano; porque el que teme a Dios, saldrá con todo.

19 La sabiduría fortalece al sabio más que diez poderosos que haya en la ciudad.

20 Ciertamente no *hay* hombre justo en la tierra, que haga el bien y nunca peque.

21 Tampoco apliques tu corazón a todas las cosas que se dicen, no sea que oigas a tu siervo que habla mal de ti:

22 Pues tu corazón sabe que muchas veces tú también has hablado mal de otros.

23 Todas estas cosas probé con sabiduría, diciendo: Me haré sabio; pero la *sabiduría* estaba lejos de mí.

24 Lejos está lo que fue; y lo muy profundo, ¿quién lo hallará?

25 Apliqué mi corazón al saber y a examinar; a inquirir la sabiduría y la razón; para conocer la maldad de la insensatez, y la necedad de la locura.

26 Y he hallado más amarga que la muerte a la mujer cuyo corazón *es* lazos y redes, y sus manos son como ataduras. El que agrada a Dios escapará de ella; mas el pecador será apresado por ella.

27 He aquí, esto he hallado, dice el Predicador, pesando las cosas una por una para hallar la razón.

28 Lo que aún busca mi alma, y no lo encuentra: Un hombre entre mil he hallado; pero mujer entre todas éstas nunca hallé.

29 He aquí, solamente esto he hallado; que Dios hizo al hombre recto, mas ellos buscaron muchas imaginaciones.

CAPÍTULO 8

¿ Quién como el sabio? ¿Y quién como el que sabe la declaración de las cosas? La sabiduría del hombre iluminará su rostro, y la tosquedad de su semblante se mudará.

2 Yo *te aconsejo* que guardes el mandamiento del rey y la palabra del juramento de Dios.

3 No te apresures a irte de delante de él, ni en cosa mala persistas; porque él hará todo lo que le plazca.

4 Pues la palabra del rey es con potestad, ¿y quién le dirá: ¿Qué haces?

5 El que guarda el mandamiento no experimentará mal; y el corazón del sabio discierne el tiempo y el juicio.

6 Porque para todo lo que quisieres hay tiempo y juicio; mas el trabajo del hombre es grande sobre él;

7 Porque no sabe lo que ha de ser; y el cuándo haya de ser, ¿quién se lo enseñará?

8 No *hay* hombre que tenga potestad sobre el espíritu para retener el espíritu, ni potestad sobre el día de la muerte; y no se da de baja en tal guerra, ni la impiedad librará al que se entregue a ella.

9 Todo esto he visto, y he puesto mi corazón en todo lo que debajo del sol se hace; *hay* tiempo en que el hombre se enseñorea del hombre para su propio mal.

10 También he visto a los impíos ser sepultados, los cuáles entraban y salían del lugar santo, y ser olvidados en la ciudad donde esto hicieron. Esto también es vanidad.

11 Por cuanto no se ejecuta luego sentencia sobre la mala obra, el corazón de los hijos de los hombres está entregado para hacer el mal.

12 Bien que el pecador haga mal cien veces, y sus *días* le sean prolongados, con todo yo también sé que los que a Dios temen tendrán bien, los que temen ante su presencia;

13 Y que el impío no tendrá bien, ni le serán prolongados *sus* días, *que son* como sombra; por cuanto no teme ante la presencia de Dios.

14 Hay vanidad que se hace sobre la tierra; que hay justos a quienes sucede como si hicieran obras de impíos; y hay impíos a quienes acontece como si hicieran obras de justos. Digo que esto también es vanidad.

15 Por tanto, alabé yo la alegría; pues el hombre no tiene mejor bien debajo del sol, que comer y beber y alegrarse; y que esto le quede de su trabajo los días de su vida que Dios le concede debajo del sol.

16 Yo pues di mi corazón a conocer sabiduría, y a ver la faena que se hace sobre la tierra (porque hay quien ni de noche ni de día ve sueño en sus ojos);

17 Y he visto todas las obras de Dios, que el hombre no puede alcanzar la obra que debajo del sol se hace; por mucho que se afane el hombre buscándola, no la hallará; aunque diga el sabio que la sabe, no por eso podrá alcanzarla.

CAPÍTULO 9

Ciertamente he dado mi corazón a todas estas cosas, para declarar todo esto; que los justos y los sabios, y sus obras, están en la mano de Dios;

y que no saben los hombres ni el amor ni el odio; todo *está* delante de ellos.

2 Todo *acontece* de la misma manera a todos; un mismo suceso acontece al justo y al impío; al bueno, al limpio y al no limpio; al que sacrifica, y al que no sacrifica; como el bueno, así el que peca; el que jura, como el que teme el juramento.

3 Este mal *hay* entre todo lo que se hace debajo del sol, que todos tengan un mismo suceso, y también que el corazón de los hijos de los hombres esté lleno de mal y de enloqueci-miento en su corazón durante su vida; y después, *se van* a los muertos.

4 Aún hay esperanza para todo aquél que está entre los vivos; porque mejor es perro vivo que león muerto.

5 Porque los que viven saben que han de morir; pero los muertos nada saben, ni tienen más paga; porque su memoria es puesta en olvido.

6 También su amor, su odio y su envidia, fenecieron ya; y nunca más tendrán parte en todo lo que se hace debajo del sol.

7 Anda, y come tu pan con gozo, y bebe tu vino con alegre corazón; porque tus obras ya son agradables a Dios.

8 En todo tiempo sean blancas tus vestiduras, y nunca falte ungüento sobre tu cabeza.

9 Goza de la vida con la esposa que amas, todos los días de la vida de tu vanidad, que te son dados debajo del sol, todos los días de tu vanidad; porque ésta es tu parte en la vida, y en tu trabajo con que te afanas debajo del sol.

10 Todo lo que te viniere a la mano para hacer, hazlo según tus fuerzas; porque en el sepulcro, adonde tú vas, no *hay* obra, ni industria, ni conocimiento ni sabiduría.

11 Me volví, y vi debajo del sol, que ni es de los ligeros la carrera, ni la guerra de los fuertes, ni aun de los sabios el pan, ni de los prudentes las riquezas, ni de los elocuentes el favor; sino que tiempo y ocasión acontece a todos.

12 Porque el hombre tampoco conoce su tiempo; como los peces que son presos en la mala red, y como las aves que se prenden en lazo, así son enlazados los hijos de los hombres en el tiempo malo, cuando éste cae de repente sobre ellos.

13 También vi esta sabiduría debajo del sol, la cual me parece grande:

14 *Había* una pequeña ciudad, y pocos hombres en ella; y vino contra ella un gran rey, y la sitió, y edificó contra ella grandes baluartes;

15 y se halló en ella un hombre pobre, sabio, el cual libró la ciudad con su sabiduría; sin embargo nadie se acordó de aquel hombre pobre.

16 Entonces dije yo: Mejor *es* la sabiduría que la fortaleza; aunque la sabiduría del pobre *sea* menos-preciada, y no sean escuchadas sus palabras.

17 Las palabras del sabio dichas en quietud son oídas, más que los gritos del que gobierna entre los necios.

18 Mejor *es* la sabiduría que las armas de guerra; pero un pecador destruye mucho bien.

CAPÍTULO 10

Las moscas muertas hacen que el perfume del perfumista dé mal olor; así una pequeña locura, al estimado como sabio y honorable.

2 El corazón del sabio *está* a su mano derecha; mas el corazón del necio a su mano izquierda.

3 Y aun mientras va el necio por el camino, le falta la cordura, y va diciendo a todos *que es* necio.

4 Si el espíritu del príncipe se exaltare contra ti, no dejes tu lugar; porque el ceder hará cesar grandes ofensas.

5 Hay un mal que he visto debajo del sol, como el error emanado del príncipe;

6 la necedad está colocada en grandes alturas, y los ricos están sentados en lugar bajo.

7 Vi siervos a caballo, y príncipes caminando como siervos sobre la tierra.

8 El que hiciere el hoyo caerá en él; y al que rompiere el vallado, le morderá la serpiente.

9 El que remueve las piedras, se herirá con ellas; el que parte la leña, en ello peligrará.

10 Si se embotare el hierro, y su filo no fuere amolado, hay que añadir entonces más fuerza; pero la sabiduría es provechosa para dirigir.

11 Muerde la serpiente cuando no está encantada, y el lenguaraz no es mejor.

12 Las palabras de la boca del sabio *son* gracia; mas los labios del necio causan su propia ruina.

13 El principio de las palabras de su boca *es* necedad; y el fin de su charla, nocivo desvarío.

14 El necio multiplica las palabras; el hombre no sabe lo que ha de ser; ¿y quién le hará saber lo que después de él será?

15 El trabajo de los necios los fatiga; porque no saben por dónde ir a la ciudad.

16 ¡Ay de ti, tierra, cuando tu rey es muchacho, y tus príncipes banquetean de mañana!

17 ¡Bienaventurada, tú, tierra, cuando tu rey *es* hijo de nobles, y tus príncipes comen a su hora, para reponer sus fuerzas y no para embriagarse!

18 Por la pereza se cae la techumbre, y por la flojedad de manos se llueve la casa.

19 Por el placer se hace el convite, y el vino alegra a los vivos; y el dinero responde a todo.

20 Ni aun en tu pensamiento digas mal del rey, ni en los secretos de tu cámara digas mal del rico; porque las aves del cielo llevarán la voz, y las que tienen alas harán saber la palabra.

CAPÍTULO 11

Echa tu pan sobre las aguas; que después de muchos días lo hallarás.

2 Reparte a siete, y aun a ocho; porque no sabes el mal que vendrá sobre la tierra.

3 Si las nubes fueren llenas de agua, sobre la tierra la derramarán; y si el árbol cayere al sur, o al norte, en el lugar que el árbol cayere, allí quedará.

4 El que al viento mira, no sembrará; y el que mira a las nubes, no segará.

5 Como tú no sabes cuál es el camino del viento, o cómo *crecen* los huesos en el vientre de la mujer encinta, así ignoras la obra de Dios, el cual hace todas las cosas.

6 Por la mañana siembra tu semilla, y a la tarde no dejes reposar tu mano; porque tú no sabes cuál es lo mejor, si esto o aquello, o si ambas cosas *son* igualmente buenas.

7 Suave ciertamente *es* la luz, y agradable a los ojos ver el sol:

8 Pero aunque un hombre viviere muchos años, y se alegrase en todos ellos; acuérdese sin embargo, que los días de las tinieblas serán muchos. Todo cuanto viene *es* vanidad.

9 Alégrate, joven, en tu adolescencia, y tome placer tu corazón en los días de tu juventud; y anda en los caminos de tu corazón, y en la vista de tus ojos; mas sabe, que sobre todas estas cosas te traerá Dios a juicio.

10 Quita, pues, de tu corazón el enojo, y aparta de tu carne el mal; porque la adolescencia y la juventud *son* vanidad.

CAPÍTULO 12

Acuérdate de tu Creador en los días de tu juventud, antes que vengan los días malos, y lleguen los años, de los cuales digas: No tengo en ellos contentamiento;

2 antes que se oscurezca el sol, y la luz, y la luna y las estrellas, y las nubes se vuelvan tras la lluvia;

3 cuando temblarán los guardas de la casa, y se encorvarán los hombres fuertes, y cesarán las muelas, porque han disminuido, y se oscurecerán los que miran por las ventanas;

4 y las puertas de afuera se cerrarán, por lo bajo del ruido de la muela; cuando se levantará al canto del ave, y todas las hijas del canto serán abatidas;

5 *cuando* también temerán de la altura, y de los terrores en el camino; y florecerá el almendro, y la langosta será una carga, y se perderá el apetito; porque el hombre va a su morada eterna, y los que endechan andarán al derredor de las calles.

6 Antes que la cadena de plata se quiebre, y se rompa el cuenco de oro, y el cántaro se quiebre junto a la

fuente, y la rueda sea rota sobre el pozo;

7 y el polvo vuelva a la tierra, como era, y el espíritu vuelva a Dios que lo dio.

8 Vanidad de vanidades, dijo el Predicador, todo *es* vanidad.

9 Y cuanto más sabio fue el Predicador, tanto más enseñó sabiduría al pueblo; e hizo escuchar, e hizo escudriñar, y compuso muchos proverbios.

10 Procuró el Predicador hallar palabras agradables, y escritura recta, palabras de verdad.

11 Las palabras de los sabios *son* como aguijones; y como clavos hincados, las de los maestros de las congregaciones, dadas por un Pastor.

12 Ahora, hijo mío, a más de esto, sé avisado. No hay fin de hacer muchos libros; y el mucho estudio es fatiga de la carne.

13 El fin de todo el discurso oído es éste: Teme a Dios, y guarda sus mandamientos; porque esto es el todo del hombre.

14 Porque Dios traerá toda obra a juicio, juntamente con toda cosa encubierta, ya *sea* buena o *sea* mala.

Libro De
CANTARES

CAPÍTULO 1

Cantar de cantares, el cual *es* de Salomón.

2 ¡Oh si él me besara con ósculos de su boca! Porque mejores *son* tus amores que el vino.

3 Por el olor de tus suaves ungüentos, tu nombre *es* ungüento derramado, por eso las doncellas te aman.

4 Atráeme; en pos de ti correremos. Me metió el rey en sus cámaras; nos gozaremos y alegraremos en ti; nos acordaremos de tus amores más que del vino; los rectos te aman.

5 Morena soy, oh hijas de Jerusalén, pero codiciable; como las cabañas de Cedar, como las cortinas de Salomón.

6 No os fijéis en que *soy* morena, porque el sol me miró. Los hijos de mi madre se airaron contra mí, me hicieron guarda de las viñas, y mi viña, que era mía, no guardé.

7 Hazme saber, oh tú a quien ama mi alma, dónde apacientas, dónde haces recostar el *rebaño* al mediodía: Pues, ¿por qué había yo de estar como errante junto a los rebaños de tus compañeros?

8 Si tú no lo sabes, oh hermosa entre las mujeres, sal tras las huellas del rebaño, y apacienta tus cabritas junto a las cabañas de los pastores.

9 A yegua de los carros de Faraón te he comparado, amada mía.

10 Hermosas son tus mejillas entre los pendientes, tu cuello entre los collares.

11 Zarcillos de oro te haremos, con clavos de plata.

12 Mientras que el rey *estaba* en su reclinatorio, mi nardo dio su olor.

13 Mi amado *es* para mí un manojito de mirra, que reposa toda la noche entre mis pechos.

14 Racimo de flores de alheña en las viñas de Engadi *es* para mí mi amado.

15 He aquí que tú eres hermosa, amada mía; he aquí que eres bella; tus ojos son como de paloma.

16 He aquí que tú *eres* hermoso, amado mío, y dulce; nuestro lecho también florido.

17 Las vigas de nuestra casa *son de* cedro, y de ciprés los artesonados.

CAPÍTULO 2

Yo soy la rosa de Sarón, *y* el lirio de los valles.

2 Como el lirio entre los espinos, así *es* mi amada entre las doncellas.

3 Como el manzano entre los árboles silvestres, así *es* mi amado entre los jóvenes: Con gran deleite me senté bajo su sombra, y su fruto *fue* dulce a mi paladar.

4 Me llevó a la casa del banquete, y su bandera sobre mí *fue* amor.

5 Sustentadme con frascos de vino, corroboradme con manzanas; porque estoy enferma de amor.

6 Su izquierda *esté* debajo de mi cabeza, y su derecha me abrace.

7 Yo os conjuro, oh doncellas de Jerusalén, por los corzos y por las ciervas del campo, que no despertéis ni hagáis velar al amor hasta que quiera.

8 ¡La voz de mi amado! He aquí él viene saltando sobre los montes, brincando sobre los collados.

9 Mi amado es semejante al corzo, o al cervatillo. Helo aquí, está tras nuestra pared, mirando por las ventanas, mostrándose por las rejas.

10 Mi amado habló, y me dijo: Levántate, oh amada mía, hermosa mía, y ven.

11 Porque he aquí ha pasado el invierno, ha cesado la lluvia y se ha ido;

12 se han mostrado las flores en la tierra, el tiempo de la canción ha venido, y en nuestro país se ha oído la voz de la tórtola;

13 la higuera ha echado sus higos, y las vides en cierne dieron olor: Levántate, oh amada mía, hermosa mía, y ven.

14 Paloma mía, *que estás* en los agujeros de la peña, en lo escondido de escarpados parajes, muéstrame tu rostro, hazme oír tu voz; porque dulce *es* tu voz, y hermoso tu aspecto.

15 Cazadnos las zorras, las zorras pequeñas, que echan a perder las viñas; porque nuestras viñas están en cierne.

16 Mi amado *es* mío, y yo suya; él apacienta entre lirios.

17 Hasta que apunte el día, y huyan las sombras, vuélvete, amado mío; sé semejante al corzo, o al cervatillo, sobre los montes de Beter.

CAPÍTULO 3

Por las noches busqué en mi lecho al que ama mi alma: Lo busqué, y no lo hallé.

2 Me levantaré ahora, y rodearé por la ciudad; por las calles y por las plazas buscaré al que ama mi alma; lo busqué, y no lo hallé.

3 Me hallaron los guardas que rondan la ciudad, y *les dije*: ¿Habéis visto al que ama mi alma?

4 Pasando de ellos un poco, hallé luego al que ama mi alma; trabé de él, y no lo dejé, hasta que lo metí en casa de mi madre, y en la cámara de la que me engendró.

5 Yo os conjuro, oh doncellas de Jerusalén, por los corzos y por las ciervas del campo, que no despertéis ni hagáis velar al amor, hasta que quiera.

6 ¿Quién *es* ésta que sube del desierto como columna de humo, perfumada de mirra y de incienso, y de todo polvo aromático?

7 He aquí *es* la litera de Salomón; sesenta valientes la rodean, de los fuertes de Israel.

8 Todos ellos tienen espadas, diestros en la guerra; cada uno *con* su espada sobre su muslo, por los temores de la noche.

9 El rey Salomón se hizo un carruaje de madera del Líbano.

10 Sus columnas hizo de plata, su respaldo de oro, su asiento de grana, su interior tapizado de amor, por las doncellas de Jerusalén.

11 Salid, oh doncellas de Sión, y ved al rey Salomón con la corona con que le coronó su madre el día de su desposorio, y el día del gozo de su corazón.

CAPÍTULO 4

He aquí que tú *eres* hermosa, amada mía, he aquí que tú *eres* hermosa; tus ojos entre tus guedejas como de paloma; tus cabellos como rebaño de cabras, que se muestran desde el monte de Galaad.

2 Tus dientes, como rebaño *de ovejas* trasquiladas que suben del lavadero, todas con crías mellizas, y ninguna entre ellas estéril.

3 Tus labios, como un hilo de grana, y tu habla hermosa; tus mejillas, como cachos de granada entre tus guedejas.

4 Tu cuello, como la torre de David, edificada para armería; mil escudos están colgados en ella, todos escudos de valientes.

5 Tus dos pechos, como mellizos de gacela, que se apacientan entre lirios.

6 Hasta que apunte el día y huyan las sombras, me iré al monte de la mirra, y al collado del incienso.

7 Toda tú *eres* hermosa, amada mía y en ti no *hay* mancha.

8 Ven conmigo del Líbano, oh esposa *mía*, ven conmigo del Líbano; mira desde la cumbre de Amana, desde la cumbre de Senir y de Hermón, desde las guaridas de los leones, desde los montes de los leopardos.

9 Prendiste mi corazón, hermana, esposa mía; has prendido mi corazón con uno de tus ojos, con una gargantilla de tu cuello.

10 ¡Cuán hermosos son tus amores, hermana mía, esposa *mía*! ¡Cuánto mejores que el vino tus amores, y el olor de tus ungüentos que todas las especias aromáticas!

11 Como panal de miel destilan tus labios, oh esposa *mía*; miel y leche hay debajo de tu lengua; y el olor de tus vestidos como el olor del Líbano.

12 Huerto cerrado *eres*, hermana mía, esposa *mía*; fuente cerrada, fuente sellada.

13 Tus renuevos *son* paraíso de granados, con frutos suaves, de flores de alheña y nardos,

14 nardo y azafrán, caña aromática y canela, con todos los árboles de incienso; mirra y áloe, con todas las principales especias.

15 Fuente de huertos, pozo de aguas vivas, que corren del Líbano.

16 Levántate, viento del norte, y ven, viento del sur; soplad sobre mi huerto, despréndanse sus aromas. Venga mi amado a su huerto, y coma de su dulce fruta.

CAPÍTULO 5

Yo vine a mi huerto, oh hermana *mía*, esposa mía; he recogido mi mirra y mis aromas; he comido mi panal y mi miel, mi vino y mi leche he bebido. Comed, amigos; bebed en abundancia, oh amados.

2 Yo dormía, pero mi corazón velaba: La voz de mi amado que llamaba: Ábreme, hermana mía, amada mía, paloma mía, perfecta mía; porque mi cabeza está llena de rocío, mis cabellos de las gotas de la noche.

3 Me he desnudado mi ropa; ¿cómo me he de vestir? He lavado mis pies; ¿cómo los he de ensuciar?

4 Mi amado metió su mano por la ventanilla, y mis entrañas se conmovieron dentro de mí.

5 Yo me levanté para abrir a mi amado, y mis manos gotearon mirra, y mis dedos mirra que corría sobre las aldabas del candado.

6 Abrí yo a mi amado; mas mi amado se había ido, había ya pasado; y tras su hablar salió mi alma; lo busqué, y no lo hallé; lo llamé, y no me respondió.

7 Me hallaron los guardas que rondan la ciudad; me hirieron, me golpearon, me quitaron mi manto de encima los guardas de los muros.

8 Yo os conjuro, oh doncellas de Jerusalén, si halláis a mi amado, que le digáis que estoy enferma de amor.

9 ¿Qué *es* tu amado más que *otro* amado, oh la más hermosa de todas las mujeres? ¿Qué *es* tu amado más que *otro* amado, que así nos conjuras?

10 Mi amado *es* blanco y rubio, distinguido entre diez mil.

11 Su cabeza *como* oro finísimo; sus cabellos crespos, negros como el cuervo.

12 Sus ojos, como de palomas junto a los arroyos de las aguas, que se lavan con leche, y a la perfección colocados.

13 Sus mejillas, como una era de especias aromáticas, como fragantes flores; sus labios, como lirios que destilan mirra fragante.

14 Sus manos, como anillos de oro engastados de berilo; su vientre, *como* claro marfil cubierto de zafiros.

15 Sus piernas, como columnas de mármol fundadas sobre bases de oro fino; su aspecto como el Líbano, escogido como los cedros.

16 Su paladar, dulcísimo; y todo él codiciable. Tal *es* mi amado, tal *es* mi amigo, oh doncellas de Jerusalén.

CAPÍTULO 6

¿A dónde se ha ido tu amado, oh la más hermosa de todas las mujeres? ¿A dónde se apartó tu amado, y lo buscaremos contigo?

2 Mi amado descendió a su huerto, a las eras de los aromas para apacentar en los huertos, y para recoger los lirios.

3 Yo *soy* de mi amado, y mi amado *es* mío: Él apacienta entre los lirios.

4 Hermosa *eres* tú, oh amada mía, como Tirsa; de desear, como Jerusalén; Imponente como *un ejército* con *sus* banderas.

5 Aparta tus ojos de delante de mí, porque ellos me vencieron. Tu cabello *es* como rebaño de cabras, que se muestran de Galaad.

6 Tus dientes, como rebaño de ovejas que suben del lavadero, todas con crías mellizas, y estéril no *hay* entre ellas.

7 Como cachos de granada *son* tus mejillas entre tus guedejas.

8 Sesenta son las reinas, y ochenta las concubinas, y las doncellas sin número.

9 Mas una es la paloma mía, la perfecta mía; *Es* la *única* de su madre, la preferida de la que la engendró. La vieron las doncellas, y la llamaron bienaventurada; las reinas y las concubinas, y la alabaron.

10 ¿Quién *es* ésta que se muestra como el alba, hermosa como la luna, esclarecida como el sol, imponente como ejércitos con *sus* banderas?

11 Al huerto de los nogales descendí, a ver los frutos del valle, y para ver si brotaban las vides, si florecían los granados.

12 Antes que lo supiera; mi alma me puso *como* los carros de Aminadab.

13 Vuelve, vuelve, oh sulamita; vuelve, vuelve, para poder mirarte. ¿Qué veréis en la sulamita? Algo como la reunión de dos campamentos.

CAPÍTULO 7

1 Cuán hermosos son tus pies en las sandalias, oh hija de príncipe! Los contornos de tus muslos *son* como joyas, obra de mano de excelente maestro.

2 Tu ombligo, *como* una taza redonda, que no le falta bebida. Tu vientre, *como* montón de trigo, cercado de lirios.

3 Tus dos pechos, como mellizos de gacela.

4 Tu cuello, como torre de marfil; tus ojos, *como* los estanques de Hesbón junto a la puerta de Bat-rabim; Tu nariz, como la torre del Líbano, que mira hacia Damasco.

5 Tu cabeza encima de ti, como el Carmelo; y el cabello de tu cabeza, como la púrpura del rey ligada en los corredores.

6 ¡Qué hermosa eres, y cuán suave, oh amor deleitoso!

7 Tu estatura es semejante a la palmera, y tus pechos *como* racimos *de uvas.*

8 Yo dije: Subiré a la palmera, asiré sus ramas; y tus pechos serán ahora como racimos de vid, y el olor de tu boca como de manzanas;

9 y tu paladar como el buen vino, que se entra a mi amado suavemente, y hace hablar los labios de los que duermen.

10 Yo *soy* de mi amado, y conmigo tiene su contentamiento.

11 Ven, oh amado mío, salgamos al campo, moremos en las aldeas.

12 Levantémonos de mañana a las viñas; veamos si brotan las vides, si se abre el cierne, si han florecido los granados; allí te daré mis amores.

13 Las mandrágoras han dado olor, y a nuestras puertas hay toda clase de dulces *frutas,* nuevas y añejas, que para ti, oh amado mío, he guardado.

CAPÍTULO 8

1 Oh que *fueras* tú como mi hermano, que mamó los pechos de mi madre; así, al encontrarte afuera yo te besaría, y no me menospreciarían!

2 Yo te llevaría, te metería en la casa de mi madre, que me enseñaba; te daría a beber vino sazonado del mosto de mis granadas.

3 Su izquierda *esté* debajo de mi cabeza, y su derecha me abrace.

4 Os conjuro, oh doncellas de Jerusalén, que no despertéis ni hagáis velar al amor, hasta que quiera.

5 ¿Quién *es* ésta que sube del desierto, recostada sobre su amado? Debajo de un manzano te desperté: Allí tuvo dolores tu madre, allí tuvo dolores la que te dio a luz.

6 Ponme como un sello sobre tu corazón, como una marca sobre tu brazo; porque fuerte como la muerte *es* el amor; duros como el sepulcro los celos; sus brasas, brasas de fuego, fuerte llama.

7 Las muchas aguas no podrán apagar el amor, ni lo ahogarán los ríos. Si diese el hombre toda la hacienda de su casa por este amor, de cierto lo menospreciarían.

8 Tenemos una pequeña hermana, que no tiene pechos: ¿Qué haremos a nuestra hermana cuando de ella se hablare?

9 Si ella *es* muro, edificaremos sobre él un palacio de plata; y si *fuere* puerta, la guarneceremos con tablas de cedro.

10 Yo *soy* muro, y mis pechos como torres, desde que fui en sus ojos como la que halla paz.

11 Salomón tuvo una viña en Baal-hamón, la cual entregó a guardas, cada uno de los cuales debía traer mil *piezas* de plata por su fruto.

12 Mi viña, que *es* mía, está delante de mí; las mil serán tuyas, oh Salomón, y doscientas, de los que guardan su fruto.

13 Oh, tú la que moras en los huertos, los compañeros escuchan tu voz; házmela oír.

14 Huye, amado mío; y sé semejante al corzo, o al cervatillo, sobre las montañas de los aromas.

Libro De
ISAÍAS

CAPÍTULO 1

Visión de Isaías hijo de Amoz, la cual vio acerca de Judá y Jerusalén, en días de Uzías, Jotam, Acaz y Ezequías, reyes de Judá.

2 Oíd, cielos, y escucha tú, tierra; porque habla Jehová: Crié hijos, y los engrandecí, y ellos se rebelaron contra mí.

3 El buey conoce a su dueño, y el asno el pesebre de su señor: *Pero* Israel no conoce, mi pueblo no tiene entendimiento.

4 ¡Oh gente pecadora, pueblo cargado de maldad, generación de malignos, hijos depravados! Dejaron a Jehová, provocaron a ira al Santo de Israel, se tornaron atrás.

5 ¿Para qué habéis de ser castigados aún? ¿Todavía os rebelaréis? Toda cabeza está enferma, y todo corazón doliente.

6 Desde la planta del pie hasta la cabeza no *hay* en él cosa sana, *sino* herida, hinchazón y podrida llaga; no están curadas, ni vendadas, ni suavizadas con aceite.

7 Vuestra tierra *está* destruida, vuestras ciudades puestas a fuego, vuestra tierra la devoran extranjeros delante de vosotros, y

es asolada como asolamiento de extraños.

8 Y queda la hija de Sión como choza en viña, y como cabaña en melonar, como ciudad asolada.

9 Si Jehová de los ejércitos no nos hubiese dejado un pequeño remanente, como Sodoma fuéramos, y semejantes a Gomorra.

10 Príncipes de Sodoma, oíd la palabra de Jehová; escuchad la ley de nuestro Dios, pueblo de Gomorra.

11 ¿Para qué me sirven a mí, dice Jehová, la multitud de vuestros sacrificios? Harto estoy de holocaustos de carneros, y de sebo de animales gordos; no quiero sangre de bueyes, ni de ovejas, ni de machos cabríos.

12 ¿Quién demanda esto de vuestras manos, cuando venís a presentaros delante de mí, para hollar mis atrios?

13 No me traigáis más vana ofrenda; el incienso me es abominación; lunas nuevas, sábados, y el convocar asambleas, no lo puedo soportar; *son* iniquidad vuestras fiestas solemnes.

14 Vuestras lunas nuevas y vuestras fiestas solemnes aborrece mi alma; me son gravosas; cansado estoy de soportarlas.

15 Cuando extendiereis vuestras manos, yo esconderé de vosotros mis ojos; asimismo cuando multiplicareis la oración, yo no oiré; llenas están de sangre vuestras manos.

16 Lavaos, limpiaos; quitad la iniquidad de vuestras obras de delante de mis ojos; dejad de hacer lo malo.

17 Aprended a hacer el bien; buscad juicio, restituid al agraviado, haced justicia al huérfano, abogad por la viuda.

18 Venid luego, dice Jehová, y estemos a cuenta; si vuestros pecados fueren como la grana, como la nieve serán emblanquecidos; si fueren rojos como el carmesí, vendrán a ser como blanca lana.

19 Si quisiereis y obedeciereis, comeréis el bien de la tierra:

20 Si no quisiereis y fuereis rebeldes, seréis consumidos a espada; porque la boca de Jehová lo ha dicho.

21 ¡Cómo se ha convertido en ramera la ciudad fiel! Llena estuvo de juicio, en ella habitó justicia, mas ahora, homicidas.

22 Tu plata se ha tornado en escorias, tu vino con agua está mezclado.

23 Tus príncipes, *son* prevaricadores y compañeros de ladrones; todos aman el soborno, y van tras las recompensas; no oyen en juicio al huérfano, ni llega a ellos la causa de la viuda.

24 Por tanto, dice el Señor Jehová de los ejércitos, el Fuerte de Israel: Ea, tomaré satisfacción de mis enemigos, me vengaré de mis adversarios:

25 Y volveré mi mano sobre ti, y limpiaré hasta lo más puro tus escorias, y quitaré todo tu estaño:

26 Y restituiré tus jueces como al principio, y tus consejeros como de primero: entonces te llamarán Ciudad de Justicia, Ciudad Fiel.

27 Sión con juicio será rescatada, y los convertidos de ella con justicia.

28 Mas los rebeldes y pecadores a una serán quebrantados, y los que dejan a Jehová serán consumidos.

29 Entonces os avergonzarán los olmos que amasteis, y os afrentarán los bosques que escogisteis.

30 Porque seréis como el olmo al que se le cae la hoja, y como huerto al que le faltan las aguas.

31 Y el fuerte será como estopa, y lo que hizo como centella; y ambos serán encendidos juntamente, y no habrá quien apague.

CAPÍTULO 2

Lo que vio Isaías, hijo de Amoz, tocante a Judá y a Jerusalén.

2 Y acontecerá en lo postrero de los tiempos, que será confirmado el monte de la casa de Jehová por cabeza de los montes, y será ensalzado sobre los collados, y correrán a él todas las naciones.

3 Y vendrán muchos pueblos, y dirán: Venid, y subamos al monte de Jehová, a la casa del Dios de Jacob; y Él nos enseñará en sus caminos, y caminaremos por sus sendas. Porque de Sión saldrá la ley, y de Jerusalén la palabra de Jehová.

4 Y juzgará entre las naciones, y reprenderá a muchos pueblos; y volverán sus espadas en rejas de arado, y sus lanzas en hoces; no alzará espada nación contra nación, ni se adiestrarán más para la guerra.

5 Venid, oh casa de Jacob, y caminemos a la luz de Jehová.

6 Ciertamente tú has dejado tu pueblo, la casa de Jacob, porque están llenos *de maldades* del oriente, y de agoreros, como los filisteos; y hacen pacto con hijos de extranjeros.

7 Su tierra está llena de plata y oro, sus tesoros no tienen fin. También está su tierra llena de caballos; sus carros son innumerables.

8 Además está su tierra llena de ídolos, y a la obra de sus manos se han arrodillado, a lo que fabricaron sus dedos.

9 Y el hombre vil se ha inclinado, y el hombre altivo se ha humillado; por tanto no los perdones.

10 Métete en la piedra, escóndete en el polvo, por la presencia temible de Jehová, y por el esplendor de su majestad.

11 La altivez de los ojos del hombre será abatida, y la soberbia de los hombres será humillada; y sólo Jehová será exaltado en aquel día.

12 Porque día de Jehová de los ejércitos *vendrá* sobre todo soberbio

y altivo, y sobre todo enaltecido; y será abatido;

13 sobre todos los cedros del Líbano altos y erguidos, y sobre todas las encinas de Basán.

14 Y sobre todos los montes altos, y sobre todos los collados levantados;

15 Y sobre toda torre alta, y sobre todo muro fuerte;

16 Y sobre todas las naves de Tarsis, y sobre todas las pinturas preciadas.

17 Y la altivez del hombre será abatida, y la soberbia de los hombres será humillada; y sólo Jehová será exaltado en aquel día.

18 Y quitará totalmente los ídolos.

19 Y se meterán en las cavernas de las peñas, y en las aberturas de la tierra, por la temible presencia de Jehová, y por el esplendor de su majestad, cuando Él se levante para sacudir la tierra.

20 Aquel día arrojará el hombre, a los topos y murciélagos, sus ídolos de plata y sus ídolos de oro, que le hicieron para que adorase;

21 y se entrarán en las hendiduras de las rocas y en las cavernas de las peñas, por la temible presencia de Jehová, y por el esplendor de su majestad, cuando Él se levante para sacudir la tierra.

22 Dejaos del hombre, cuyo aliento *está* en su nariz; porque ¿de qué es él estimado?

CAPÍTULO 3

Porque he aquí que el Señor Jehová de los ejércitos quita de Jerusalén y de Judá la provisión y el apoyo; toda provisión de pan y todo sustento de agua;

2 al valiente y al hombre de guerra, al juez y al profeta, al prudente y al anciano;

3 al capitán de cincuenta y al hombre de respeto, al consejero, al artífice excelente y al hábil orador.

4 Y les pondré jóvenes por príncipes, y muchachos serán sus señores.

5 Y el pueblo sufrirá opresión, los unos de los otros, cada cual contra su vecino; el joven se levantará contra el anciano, y el villano contra el noble.

6 Cuando alguno tomare a su hermano, de la familia de su padre, y *le dijere*: Tú tienes vestidura, tú serás nuestro príncipe, y estas ruinas estarán bajo tu mando;

7 él jurará aquel día, diciendo: Yo no seré el sanador; porque en mi casa ni hay pan, ni qué vestir; no me hagáis príncipe del pueblo.

8 Pues arruinada está Jerusalén, y Judá ha caído; porque la lengua de ellos y sus obras *han sido* contra Jehová, para irritar los ojos de su majestad.

9 La apariencia de sus rostros testifica contra ellos; como Sodoma publican su pecado, no lo disimulan. ¡Ay del alma de ellos! porque allegaron mal para sí.

10 Decid al justo que *le irá* bien; porque comerá del fruto de su trabajo.

11 ¡Ay del impío! Mal *le irá*; porque según las obras de sus manos le será pagado.

12 Los opresores de mi pueblo son muchachos, y mujeres se enseñorearon de él. Pueblo mío, los que te guían te engañan, y tuercen el curso de tus caminos.

13 Jehová está en pie para litigar, y está para juzgar a los pueblos.

14 Jehová vendrá a juicio contra los ancianos de su pueblo y contra sus príncipes; porque vosotros habéis devorado la viña, y el despojo del pobre *está* en vuestras casas.

15 ¿Qué pensáis vosotros que majáis mi pueblo, y moléis las caras de los pobres? Dice el Señor Jehová de los ejércitos.

16 Asimismo dice Jehová: Por cuanto las hijas de Sión se ensoberbecen, y andan con el cuello erguido y ojos coquetos; cuando andan van danzando, y haciendo son con los pies.

17 Por tanto, el Señor raerá la cabeza de las hijas de Sión, y Jehová descubrirá sus vergüenzas.

18 Aquel día quitará el Señor el atavío de los calzados, las redecillas, las lunetas;

19 los collares, los brazaletes y los velos;

20 las cofias, los atavíos de las piernas, los partidores del pelo, los pomitos de olor y los zarcillos;

21 los anillos y los joyeles de la nariz;

22 las ropas de gala, los mantos, los lienzos, las bolsas,

23 los espejos, el lino fino, las mitras y los velos.

24 Y será que en lugar de perfume aromático vendrá hediondez; y cuerda en vez de cinturón; y calvez en lugar de la compostura del cabello; y en lugar de ropa de gala ceñimiento de cilicio; y quemadura en vez de hermosura.

25 Tus varones caerán a espada, y tus poderosos en la guerra.

26 Sus puertas se entristecerán y enlutarán, y ella, desamparada, se sentará en tierra.

CAPÍTULO 4

En aquel tiempo siete mujeres echarán mano de un hombre, diciendo: Nosotras comeremos de nuestro pan, y nos vestiremos de nuestras ropas; solamente permítenos ser llamadas por tu nombre, y así quitar nuestro oprobio.

2 En aquel tiempo el renuevo de Jehová será para hermosura y gloria, y el fruto de la tierra para grandeza y honra al remanente de Israel.

3 Y acontecerá que el que quedare en Sión, y el que fuere dejado en Jerusalén, será llamado santo; todos los que en Jerusalén están escritos entre los vivientes;

4 cuando el Señor haya lavado la inmundicia de las hijas de Sión, y limpiado la sangre derramada en medio de Jerusalén, con espíritu de juicio y con espíritu de fuego.

5 Y creará Jehová sobre toda la morada del monte de Sión, y sobre los lugares de sus convocaciones, nube y oscuridad de día, y de noche resplandor de fuego que eche llamas; porque sobre toda gloria habrá un dosel.

6 Y habrá cobertizo para sombra contra el calor del día, y para refugio y escondedero contra la tormenta y contra el aguacero.

CAPÍTULO 5

Ahora cantaré por mi amado el cantar de mi amado a su viña. Tenía mi amado una viña en una ladera fértil.

2 La había cercado y despedregado y plantado de vides escogidas; había edificado en medio de ella una torre, y hecho también en ella un lagar; y esperaba que diese uvas, y dio uvas silvestres.

3 Ahora, pues, moradores de Jerusalén y varones de Judá, juzgad entre mí y mi viña.

4 ¿Qué más se podía hacer a mi viña, que yo no haya hecho en ella? ¿Por qué, esperando yo que diese uvas, ha dado uvas silvestres?

5 Os mostraré, pues, ahora lo que haré yo a mi viña: Le quitaré su vallado, y será consumida; derribaré su cerca, y será hollada;

6 haré que quede desierta; no será podada ni cavada, y crecerán el cardo y los espinos; y aun a las nubes mandaré que no derramen lluvia sobre ella.

7 Ciertamente la viña de Jehová de los ejércitos es la casa de Israel, y los hombres de Judá su planta deliciosa. Esperaba juicio, y he aquí vileza; justicia, y he aquí clamor.

8 ¡Ay de los que juntan casa con casa, y añaden heredad a heredad hasta que ya no hay espacio! ¿Habitaréis vosotros solos en medio de la tierra?

9 Ha llegado a mis oídos de parte de Jehová de los ejércitos, que las muchas casas han de quedar asoladas, sin morador las grandes y hermosas.

10 Y diez yugadas de viña producirán un bato, y un homer de semilla producirá una efa.

11 ¡Ay de los que se levantan de mañana para seguir la embriaguez; que se están hasta la noche, hasta que el vino los enciende!

12 Y en sus banquetes hay arpas, vihuelas, tamboriles, flautas y vino; y no miran la obra de Jehová, ni consideran la obra de sus manos.

13 Por eso mi pueblo es llevado cautivo, porque no tiene conocimiento; y sus nobles perecen de hambre, y su multitud se seca de sed.

14 Por tanto, se ensanchó el infierno, y sin medida extendió su boca; y allá descenderá la gloria de ellos, y su multitud, y su ostentación, y el que en ello se regocijaba.

15 Y el hombre vil será abatido, y el hombre altivo será humillado, y los ojos de los soberbios serán bajados.

16 Mas Jehová de los ejércitos será exaltado en juicio, y el Dios Santo será santificado con justicia.

17 Y los corderos serán apacentados según su costumbre; y extraños devorarán los campos desolados de los ricos.

18 ¡Ay de los que traen la iniquidad con cuerdas de vanidad, y el pecado como con coyundas de carreta,

19 los cuales dicen: Venga ya, apresúrese su obra, y veamos; acérquese, y venga el consejo del Santo de Israel, para que lo sepamos!

20 ¡Ay de los que a lo malo dicen bueno, y a lo bueno malo; que hacen de la luz tinieblas, y de las tinieblas luz; que ponen lo amargo por dulce, y lo dulce por amargo!

21 ¡Ay de los sabios en sus propios ojos, y de los que son prudentes delante de sí mismos!

22 ¡Ay de los que son valientes para beber vino, y hombres fuertes para mezclar bebida;

23 los que dan por justo al impío por cohecho, y al justo quitan su justicia!

24 Por tanto, como la lengua del fuego consume el rastrojo, y la llama devora la paja, así será su raíz como podredumbre, y su flor se desvanecerá como polvo; porque desecharon la ley de Jehová de los ejércitos, y abominaron la palabra del Santo de Israel.

25 Por esta causa se encendió el furor de Jehová contra su pueblo, y extendió contra él su mano, y le hirió; y se estremecieron los montes, y sus cadáveres *fueron* arrojados en medio de las calles. Con todo esto no ha cesado su furor, pero su mano todavía *está* extendida.

26 Y alzará pendón a naciones lejanas, y silbará al que está en el extremo de la tierra; y he aquí que vendrá pronto y velozmente.

27 No habrá entre ellos cansado, ni que vacile; ninguno se dormirá ni le tomará sueño; a ninguno se le desatará el cinto de los lomos, ni se le romperá la correa de sus zapatos.

28 Sus saetas afiladas, y todos sus arcos entesados; los cascos de sus caballos parecerán como de pedernal, y las ruedas de sus carros como torbellino.

29 Su rugido *será* como de león; rugirá a manera de leoncillos, crujirá los dientes, y arrebatará la presa; se la llevará con seguridad, y nadie se la quitará.

30 Y bramarán sobre él en aquel día como bramido del mar; entonces mirará hacia la tierra, y he aquí tinieblas de tribulación, y en los cielos se oscurecerá la luz.

CAPÍTULO 6

En el año que murió el rey Uzías vi yo al Señor sentado sobre un trono alto y sublime, y el borde de su vestidura llenaba el templo.

2 Por encima de él había serafines; cada uno tenía seis alas; con dos cubrían sus rostros, y con dos cubrían sus pies, y con dos volaban.

3 Y el uno al otro daba voces, diciendo: Santo, santo, santo, Jehová de los ejércitos; toda la tierra *está* llena de su gloria.

4 Y los quiciales de las puertas se estremecieron con la voz del que clamaba, y la casa se llenó de humo.

5 Entonces dije: ¡Ay de mí! que soy muerto; porque siendo hombre inmundo de labios, y habitando en medio de pueblo que tiene labios inmundos, han visto mis ojos al Rey, Jehová de los ejércitos.

6 Y voló hacia mí uno de los serafines, teniendo en su mano un carbón encendido, tomado del altar con unas tenazas;

7 Y tocando con él sobre mi boca, dijo: He aquí que esto tocó tus labios, y es quitada tu culpa, y limpio tu pecado.

8 Después oí la voz del Señor, que decía: ¿A quién enviaré, y quién irá por nosotros? Entonces respondí yo: Heme aquí, envíame a mí.

9 Y dijo: Anda, y di a este pueblo: Oíd bien, y no entendáis; ved por cierto, mas no comprendáis.

10 Engruesa el corazón de este pueblo, y agrava sus oídos, y ciega sus ojos; no sea que vea con sus ojos, y oiga con sus oídos, y su corazón entienda, y se convierta, y sea sanado.

11 Y yo dije: ¿Hasta cuándo, Señor? Y respondió Él: Hasta que las ciudades estén asoladas y sin morador, y no haya hombre en las casas, y la tierra sea tornada en desierto;

12 Hasta que Jehová haya echado lejos a los hombres, y *sea* grande el abandono en medio de la tierra.

13 Pues aún *quedará* en ella una décima parte, y volverá a ser consumida, como la encina y el roble, de los cuales en la tala queda el tronco, así *será* el tronco de ella la simiente santa.

CAPÍTULO 7

Aconteció en los días de Acaz hijo de Jotam, hijo de Uzías, rey de Judá, que Rezín rey de Siria, y Peka hijo de Remalías, rey de Israel, subieron a Jerusalén para combatirla; mas no la pudieron tomar.

2 Y vino la nueva a la casa de David, diciendo: Siria se ha confederado con Efraín. Y se le estremeció el corazón, y el corazón de su pueblo, como se estremecen los árboles del bosque a causa del viento.

3 Entonces dijo Jehová a Isaías: Sal ahora al encuentro de Acaz, tú, y Sear-jasub tu hijo, al cabo del acueducto del estanque de arriba, en el camino de la Heredad del Lavador,

4 y dile: Guarda, y repósate; no temas, ni desmaye tu corazón a causa de estos dos cabos de tizón que humean, por el furor de la ira de Rezín y de Siria, y del hijo de Remalías.

5 Porque Siria, Efraín, y el hijo de Remalías, han acordado maligno consejo contra ti, diciendo:

6 Subamos contra Judá, y aterroricémosla, y hagamos una brecha para nosotros, y pondremos en medio de ella por rey al hijo de Tabeel.

7 El Señor Jehová dice así: No prevalecerá, ni sucederá.

8 Porque la cabeza de Siria *es* Damasco, y la cabeza de Damasco, Rezín; y dentro de sesenta y cinco años Efraín será quebrantado hasta dejar de ser pueblo.

9 Y la cabeza de Efraín *es* Samaria, y la cabeza de Samaria *es* el hijo de

Remalías. Si vosotros no creyereis, de cierto no permaneceréis.

10 Y Jehová habló otra vez a Acaz, diciendo:

11 Pide para ti señal de Jehová tu Dios, demandándola ya sea en lo profundo, o arriba en lo alto.

12 Y respondió Acaz: No pediré, y no tentaré a Jehová.

13 Dijo entonces Isaías: Oíd ahora casa de David. ¿Os *es* poco el ser molestos a los hombres, sino que también lo seáis a mi Dios?

14 Por tanto el Señor mismo os dará señal: He aquí una virgen concebirá, y dará a luz un hijo, y llamará su nombre Emmanuel.

15 Comerá mantequilla y miel, para que sepa desechar lo malo y escoger lo bueno.

16 Porque antes que el niño sepa desechar lo malo y escoger lo bueno, la tierra que tú aborreces será abandonada de sus dos reyes.

17 Jehová hará venir sobre ti, y sobre tu pueblo, y sobre la casa de tu padre, días cuales nunca vinieron desde el día que Efraín se apartó de Judá, *es decir,* al rey de Asiria.

18 Y acontecerá que aquel día silbará Jehová a la mosca que está en el fin de los ríos de Egipto, y a la abeja que está en la tierra de Asiria.

19 Y vendrán, y se asentarán todos en los valles desiertos, y en las cavernas de las piedras, y en todos los zarzales, y en todas las matas.

20 En aquel día raerá el Señor con navaja alquilada, con los que habitan al otro lado del río, *es decir,* con el rey de Asiria, cabeza y pelo de los pies; y aun la barba también quitará.

21 Y acontecerá en aquel tiempo, que un hombre criará una vaca y dos ovejas;

22 y será que a causa de la abundancia de leche que darán, comerá mantequilla; pues mantequilla y miel comerá el que quedare en medio de la tierra.

23 Acontecerá también en aquel tiempo, *que* el lugar donde había mil vides que valían mil siclos de plata, será para los espinos y cardos.

24 Con saetas y arco irán allá; porque toda la tierra será espinos y cardos.

25 Y a todos los montes que se cavaban con azadón, no llegará allá el temor de los espinos y de los cardos; mas serán para pasto de bueyes, y para ser hollados de los ganados.

CAPÍTULO 8

Y me dijo Jehová: Toma una tabla grande, y escribe en ella en estilo de hombre tocante a Maher-salal-has-baz.

2 Y tomé conmigo como testigos fieles para que confirmaran, al sacerdote Urías y a Zacarías hijo de Jeberequías.

3 Y me allegué a la profetisa, la cual concibió y dio a luz un hijo. Y me dijo Jehová: Ponle por nombre Maher-salal-has-baz.

4 Porque antes que el niño sepa decir: Padre mío, y madre mía, será quitada la fuerza de Damasco y los despojos de Samaria, en la presencia del rey de Asiria.

5 Otra vez volvió Jehová a hablarme, diciendo:

6 Por cuanto este pueblo desechó las aguas de Siloé, que corren mansamente, y se regocijó con Rezín y con el hijo de Remalías,

7 por tanto, he aquí que el Señor hace subir sobre ellos aguas de ríos, impetuosas y muchas, a saber, al rey de Asiria con todo su poder; el cual subirá sobre todos sus ríos, y pasará sobre todas sus riberas;

8 y pasando hasta Judá, inundará y seguirá adelante, y llegará hasta el cuello; y extendiendo sus alas, llenará la anchura de tu tierra, oh Emmanuel.

9 Reuníos, pueblos, y seréis quebrantados; oíd, todos los que sois de lejanas tierras; ceñíos, y seréis quebrantados; apercibíos, y seréis quebrantados.

10 Tomad consejo, y será frustrado; proferid palabra, y no será firme; porque Dios está con nosotros.

11 Porque Jehová me habló así con mano fuerte, y me enseñó que no caminase por el camino de este pueblo, diciendo:

12 No llaméis conspiración a todas las cosas a que este pueblo llame conspiración, ni temáis lo que ellos temen, ni tengáis miedo.

13 A Jehová de los ejércitos, a Él santificad; sea Él vuestro temor, y Él sea vuestro miedo.

14 Entonces Él será por santuario; mas a las dos casas de Israel por piedra para tropezar, y por tropezadero para caer, y por lazo y por red a los moradores de Jerusalén.

15 Y muchos tropezarán entre ellos, y caerán, y serán quebrantados; se enredarán, y serán apresados.

16 Ata el testimonio, sella la ley entre mis discípulos.

17 Esperaré, pues, en Jehová, el cual escondió su rostro de la casa de Jacob, y a Él buscaré.

18 He aquí, yo y los hijos que me dio Jehová, por señales y prodigios en Israel, de parte de Jehová de los ejércitos que mora en el monte de Sión.

19 Y cuando os dijeren: Consultad a los que evocan a los muertos y a los adivinos, que susurran y murmuran, responded: ¿No consultará el pueblo a su Dios? ¿Consultará a los muertos por los vivos?

20 ¡A la ley y al testimonio! Si no dijeren conforme a esto, es porque no les ha amanecido.

21 Y pasarán por la tierra fatigados y hambrientos, y acontecerá que teniendo hambre, se enojarán y maldecirán a su rey y a su Dios, levantando el rostro en alto.

22 Y mirarán a la tierra, y he aquí tribulación y tinieblas, oscuridad y angustia; y serán lanzados a las tinieblas.

CAPÍTULO 9

Aunque no será esta oscuridad tal como fue en su angustia, cuando al principio Él levemente afligió la tierra de Zabulón y la tierra de Neftalí; y después más gravemente los afligió por el camino del mar, al otro lado del Jordán, en Galilea de los gentiles.

2 El pueblo que andaba en tinieblas vio gran luz; los que moraban en tierra de sombra de muerte, luz resplandeció sobre ellos.

3 Aumentando la gente, no aumentaste la alegría. Se alegrarán

delante de ti como se alegran en la siega, como se gozan cuando reparten despojos.

4 Porque tú quebraste su pesado yugo, y la vara de su hombro, y el cetro de su opresor, como en el día de Madián.

5 Porque toda batalla de quien pelea es con estruendo, y con vestidura revolcada en sangre; pero *esto* será para quema, y combustible para el fuego.

6 Porque un niño nos es nacido, un hijo nos es dado; y el principado será sobre su hombro; y se llamará su nombre Admirable, Consejero, Dios Fuerte, Padre Eterno, Príncipe de Paz.

7 Lo dilatado de *su* imperio y de su paz no *tendrá* límite, sobre el trono de David y sobre su reino, disponiéndolo y confirmándolo en juicio y en justicia desde ahora y para siempre. El celo de Jehová de los ejércitos hará esto.

8 El Señor envió palabra a Jacob, y cayó en Israel.

9 Y la sabrá todo el pueblo, Efraín y los moradores de Samaria, que con soberbia y con altivez de corazón dicen:

10 Los ladrillos cayeron, pero edificaremos de cantería; cortaron los sicómoros, pero en su lugar pondremos cedros.

11 Pero Jehová levantará a los enemigos de Rezín contra él, y juntará sus enemigos;

12 del oriente los sirios, y los filisteos del poniente; y con su boca devorarán a Israel. Ni con todo eso ha cesado su furor, pero su mano todavía *está* extendida.

13 Mas el pueblo no se convirtió al que lo hería, ni buscaron a Jehová de los ejércitos.

14 Y Jehová cortará de Israel cabeza y cola, rama y caña en un mismo día.

15 El viejo y venerable de rostro *es* la cabeza; el profeta que enseña mentira, *es* la cola.

16 Porque los gobernadores de este pueblo son engañadores; y sus gobernados, perdidos.

17 Por tanto, el Señor no tomará contentamiento en sus jóvenes, ni de sus huérfanos y viudas tendrá

misericordia; porque todos son falsos y malignos, y toda boca habla necedades. Con todo esto no ha cesado su furor, pero su mano todavía *está* extendida.

18 Porque la maldad se encendió como fuego, cardos y espinos devorará; y se encenderá en lo espeso del bosque, y serán alzados *como* columna de humo.

19 Por la ira de Jehová de los ejércitos se oscureció la tierra, y será el pueblo como combustible para el fuego; el hombre no tendrá piedad de su hermano.

20 Cada uno hurtará a la mano derecha, y tendrá hambre; y comerá a la izquierda, y no se saciará; cada cual comerá la carne de su propio brazo.

21 Manasés a Efraín, y Efraín a Manasés, y ambos contra Judá. Ni con todo esto ha cesado su furor, pero su mano todavía *está* extendida.

CAPÍTULO 10

Ay de los que decretan leyes injustas, y escriben tiranía que ellos han prescrito,

2 para apartar del juicio a los pobres, y para quitar el derecho a los afligidos de mi pueblo; para despojar a las viudas, y robar a los huérfanos!

3 ¿Y qué haréis en el día de la visitación? ¿A quién os acogeréis para que os ayude, cuando viniere de lejos el asolamiento? ¿Y en dónde dejaréis vuestra gloria?

4 Sin mí se inclinarán entre los presos, y entre los muertos caerán. Ni con todo esto ha cesado su furor, pero su mano todavía *está* extendida.

5 Oh Asiria, vara y bordón de mi furor; en su mano he puesto mi ira.

6 Le mandaré contra una nación impía, y contra el pueblo de mi ira le enviaré, para que quite despojos, y arrebate presa, y lo ponga para ser hollado como lodo de las calles.

7 Aunque él no lo pensará así, ni su corazón lo imaginará de esta manera; sino que su pensamiento será desarraigar y cortar naciones no pocas.

8 Porque él dice: Mis príncipes, ¿no *son* todos reyes?

9 ¿No es Calno como Carquemis, Hamat como Arfad, y Samaria como Damasco?

10 Como halló mi mano los reinos de los ídolos, siendo sus imágenes más que las de Jerusalén y de Samaria; 11 como hice a Samaria y a sus ídolos, no haré también así a Jerusalén y a sus ídolos?

12 Pero acontecerá que después que el Señor hubiere acabado toda su obra en el monte de Sión, y en Jerusalén, visitaré sobre el fruto de la soberbia del corazón del rey de Asiria, y sobre la gloria de la altivez de sus ojos.

13 Porque dijo: Con el poder de mi mano lo he hecho, y con mi sabiduría; porque he sido prudente; y quité los términos de los pueblos, y saqué sus tesoros, y como hombre valiente derribé a sus habitantes.

14 Y halló mi mano como nido las riquezas de los pueblos; y como se recogen los huevos abandonados, así me apoderé yo de toda la tierra; y no hubo quien moviese ala, o abriese boca y graznase.

15 ¿Se gloriará el hacha contra el que con ella corta? ¿Se ensoberbecerá la sierra contra el que la mueve? ¡Como si el bordón se levantase contra el que lo levanta! ¡Como si se levantase la vara como si no fuese leño!

16 Por tanto el Señor Jehová de los ejércitos enviará flaqueza sobre sus gordos; y debajo de su gloria encenderá una hoguera como ardor de fuego.

17 Y la luz de Israel será por fuego, y su Santo por llama, que abrase y consuma en un día sus cardos y sus espinos.

18 Consumirá la gloria de su bosque y de su campo fértil, desde el alma hasta la carne: y vendrá a ser como abanderado en derrota.

19 Y los árboles que quedaren en su bosque, serán en número que un niño los pueda contar.

20 Y acontecerá en aquel tiempo, que los que hubieren quedado de Israel, y los que hubieren quedado de la casa de Jacob, nunca más se apoyarán en el que los hirió; sino que se apoyarán con verdad en Jehová el Santo de Israel.

21 El remanente volverá, el remanente de Jacob volverá al Dios poderoso.

22 Porque si tu pueblo, oh Israel, fuere como las arenas del mar, el remanente de él volverá; la destrucción acordada rebosará justicia.

23 Pues el Señor, Jehová de los ejércitos hará consumación, ya determinada, en medio de la tierra.

24 Por tanto el Señor, Jehová de los ejércitos dice así: Pueblo mío, morador de Sión, no temas de Asiria. Con vara te herirá, y contra ti alzará su bordón, a la manera de Egipto;

25 mas de aquí a muy poco tiempo, se acabará el furor y mi enojo, para destrucción de ellos.

26 Y Jehová de los ejércitos levantará azote contra él, como en la matanza de Madián en la peña de Oreb; y alzará su vara sobre el mar, como en Egipto.

27 Y acontecerá en aquel tiempo, que su carga será quitada de tu hombro, y su yugo de tu cerviz, y el yugo será destruido por causa de la unción.

28 Vino hasta Ajat, pasó hasta Migrón; en Micmas contará su ejército:

29 Pasaron el vado; alojaron en Geba: Ramá tembló; Gabaa de Saúl huyó.

30 Grita en alta voz, hija de Galim; haz que se oiga hacia Lais, pobrecilla Anatot.

31 Madmena se alborotó; los moradores de Gebim se juntaron para huir.

32 Aún vendrá día cuando reposará en Nob; alzará su mano contra el monte de la hija de Sión, al collado de Jerusalén.

33 He aquí el Señor Jehová de los ejércitos desgajará el ramaje con violencia; y los de grande altura serán cortados, y los altos serán humillados.

34 Y cortará con hierro la espesura del bosque, y el Líbano caerá ante un poderoso.

CAPÍTULO 11

Y saldrá una vara del tronco de Isaí, y un vástago retoñará de sus raíces.

2 Y reposará sobre Él el Espíritu de Jehová; espíritu de sabiduría y de inteligencia, espíritu de consejo y de poder, espíritu de conocimiento y de temor de Jehová.

3 Y le hará entender diligente en el temor de Jehová. No juzgará según la vista de sus ojos, ni argüirá por lo que oyeren sus oídos;

4 sino que juzgará con justicia a los pobres, y argüirá con equidad por los mansos de la tierra; y herirá la tierra con la vara de su boca, y con el espíritu de sus labios matará al impío.

5 Y la justicia será el cinto de sus lomos, y la fidelidad el ceñidor de sus riñones.

6 Morará el lobo con el cordero, y el leopardo con el cabrito se acostará; el becerro y el león y la bestia doméstica andarán juntos, y un niño los pastoreará.

7 La vaca y la osa pacerán, sus crías se echarán juntas; y el león como el buey comerá paja.

8 Y el niño de pecho jugará sobre la cueva del áspid, y el recién destetado extenderá su mano sobre la caverna de la serpiente.

9 No harán mal ni dañarán en todo mi santo monte; porque la tierra será llena del conocimiento de Jehová, como las aguas cubren el mar.

10 Y acontecerá en aquel tiempo que la raíz de Isaí, la cual estará puesta por pendón a las naciones, será buscada de los gentiles; y su reposo será glorioso.

11 Y acontecerá en aquel tiempo, que Jehová volverá a extender su mano, por segunda vez, para recobrar el remanente de su pueblo que haya quedado de Asiria, de Egipto, de Patros, de Etiopía, de Elam, de Sinar, de Hamat y de las islas del mar.

12 Y levantará pendón a las naciones, y juntará los desterrados de Israel, y reunirá los esparcidos de Judá de los cuatro extremos de la tierra.

13 Y se disipará la envidia de Efraín, y los enemigos de Judá serán talados. Efraín no tendrá envidia de Judá, ni Judá afligirá a Efraín;

14 Mas volarán sobre los hombros de los filisteos al occidente, saquearán también a los del oriente. Edom y Moab les servirán, y los hijos de Amón les obedecerán.

15 Y secará Jehová la lengua del mar de Egipto; y con su fuerte viento agitará su mano sobre el río, y lo herirá en sus siete brazos, y hará que pasen por él con sandalias.

16 Y habrá camino para el remanente de su pueblo, que haya quedado de Asiria, de la manera que lo hubo para Israel el día que subió de la tierra de Egipto.

CAPÍTULO 12

Y dirás en aquel día: Cantaré a ti, oh Jehová; pues aunque te enojaste contra mí, tu ira se apartó, y me has consolado.

2 He aquí Dios *es* mi salvación; confiaré, y no temeré; porque mi fortaleza y *mi* canción es JAH Jehová, el cual ha sido mi salvación.

3 Con gozo sacaréis aguas de las fuentes de la salvación.

4 Y diréis en aquel día: Cantad a Jehová, aclamad su nombre, haced célebres en los pueblos sus obras, recordad que su nombre es engrandecido.

5 Cantad salmos a Jehová; porque ha hecho cosas magníficas; sea sabido esto por toda la tierra.

6 Regocíjate y canta, oh moradora de Sión: porque grande *es* en medio de ti el Santo de Israel.

CAPÍTULO 13

Carga acerca de Babilonia, que vio Isaías, hijo de Amoz.

2 Levantad bandera sobre un alto monte; alzad la voz a ellos, alzad la mano, para que entren por puertas de príncipes.

3 Yo mandé a mis santificados, asimismo llamé a mis valientes para mi ira, a los que se alegran con mi gloria.

4 Estruendo de multitud en los montes, como de mucho pueblo; ruido de tumulto de reinos, de naciones reunidas; Jehová de los ejércitos pasa revista a las tropas para la batalla.

5 Vienen de lejana tierra, de lo postrero de los cielos, Jehová y los

instrumentos de su furor, para destruir toda la tierra.

6 Aullad, porque cerca está el día de Jehová; vendrá como asolamiento del Todopoderoso.

7 Por tanto, toda mano se debilitará, y desfallecerá todo corazón de hombre;

8 y se llenarán de terror; angustias y dolores se apoderarán de ellos; tendrán dolores como mujer de parto; se asombrará cada cual al mirar a su compañero; sus rostros *serán como* rostros de llamas.

9 He aquí el día de Jehová viene, cruel, y de saña y ardiente ira, para tornar la tierra en soledad, y raer de ella sus pecadores.

10 Por lo cual las estrellas de los cielos y sus constelaciones no darán su luz; y el sol se oscurecerá al salir, y la luna no dará su resplandor.

11 Y castigaré al mundo por su maldad, y a los impíos por su iniquidad; y haré que cese la arrogancia de los soberbios, y abatiré la altivez de los poderosos.

12 Haré más precioso que el oro fino al varón, y más que el oro de Ofir al hombre.

13 Porque haré estremecer los cielos, y la tierra se moverá de su lugar, en la indignación de Jehová de los ejércitos, y en el día de su ardiente ira.

14 Y será que como gacela acosada, y como oveja sin pastor, cada cual mirará hacia su pueblo, y cada uno huirá a su tierra.

15 Cualquiera que sea hallado, será traspasado; y cualquiera que *a ellos* se una, caerá a espada.

16 Sus niños serán estrellados delante de ellos; sus casas serán saqueadas, y violadas sus esposas.

17 He aquí que yo levanto contra ellos a los medos, que no se ocuparán de la plata, ni codiciarán oro.

18 Con arcos tirarán a los niños, y no tendrán misericordia del fruto del vientre, ni su ojo perdonará a los hijos.

19 Y Babilonia, hermosura de reinos y ornamento de la grandeza de los caldeos, será como Sodoma y Gomorra, a las que trastornó Dios.

20 Nunca más será habitada, ni se morará en ella de generación en generación; ni levantará allí tienda el árabe, ni pastores tendrán allí majada;

21 sino que dormirán allí las fieras del desierto, y sus casas se llenarán de hurones, allí habitarán los búhos, y allí saltarán cabras monteses.

22 Y en sus casas desoladas aullarán hienas, y dragones en sus casas de deleite; y cercano a llegar está su tiempo, y sus días no se prolongarán.

CAPÍTULO 14

Porque Jehová tendrá misericordia de Jacob, y todavía escogerá a Israel y le establecerá en su propia tierra; y a ellos se unirán extranjeros, y se juntarán a la casa de Jacob.

2 Y los tomarán los pueblos, y los traerán a su lugar: y la casa de Israel los poseerá por siervos y criadas en la tierra de Jehová: y cautivarán a los que los cautivaron, y señorearán sobre sus opresores.

3 Y será en el día que Jehová te dé reposo de tu trabajo, y de tu temor, y de la dura servidumbre en que te hicieron servir,

4 que levantarás este proverbio sobre el rey de Babilonia, y dirás: ¡Cómo cesó el opresor, cómo cesó la ciudad del oro!

5 Quebrantó Jehová el bastón de los impíos, el cetro de los señores;

6 al que hería a los pueblos con ira, con llaga permanente, el cual se enseñoreaba de las naciones con furor, y las perseguía con crueldad.

7 Descansó, sosegó toda la tierra: prorrumpieron en alabanza.

8 Aun los cipreses se regocijaron de ti, y los cedros del Líbano, *diciendo:* Desde que tú pereciste, no ha subido cortador contra nosotros.

9 El infierno abajo se espantó de ti, al recibirte en tu venida; te despertó a los muertos, *aun* a todos los príncipes de la tierra; hizo levantar de sus tronos a todos los reyes de las naciones.

10 Todos ellos darán voces, y te dirán: ¿Tú también te debilitaste como nosotros, y como nosotros has venido a ser?

11 Descendió al sepulcro tu soberbia, y el sonido de tus arpas; gusanos serán tu cama, y gusanos te cubrirán.

12 ¡Cómo caíste del cielo, oh Lucifer, hijo de la mañana! Cortado fuiste por tierra, tú que debilitabas las naciones.

13 Tú que decías en tu corazón: Subiré al cielo, en lo alto junto a las estrellas de Dios levantaré mi trono, y en el monte del testimonio me sentaré, a los lados del norte;

14 Sobre las alturas de las nubes subiré, y seré semejante al Altísimo.

15 Pero tú derribado serás hasta el infierno, a los lados del abismo.

16 Los que te vean, te observarán, te contemplarán, *diciendo:* ¿Es éste aquel varón que hacía temblar la tierra, que trastornaba los reinos;

17 que puso el mundo como un desierto, que asoló sus ciudades; que a sus presos nunca abrió la cárcel?

18 Todos los reyes de las naciones, todos ellos yacen con honra cada uno en su propia casa.

19 Pero tú has sido echado de tu sepulcro como vástago abominable, como ropa de muertos atravesados a espada, que descienden hasta las piedras de la fosa; como un cadáver pisoteado.

20 No serás contado con ellos en la sepultura; porque tú destruiste tu tierra, mataste tu pueblo. No será nombrada para siempre la simiente de los malhechores.

21 Preparad el matadero para sus hijos por la maldad de sus padres; no se levanten, ni posean la tierra, ni llenen la faz del mundo de ciudades.

22 Porque yo me levantaré contra ellos, dice Jehová de los ejércitos, y raeré de Babilonia el nombre y el remanente, hijo y nieto, dice Jehová.

23 Y la convertiré en posesión de erizos, y en lagunas de agua; y la barreré con escobas de destrucción, dice Jehová de los ejércitos.

24 Jehová de los ejércitos juró, diciendo: Ciertamente se hará de la manera que lo he pensado, y será confirmado como lo he determinado:

25 Que quebrantaré al asirio en mi tierra, y en mis montes lo hollaré; y su yugo será apartado de ellos, y su carga será quitada de su hombro.

26 Éste *es* el consejo que está acordado sobre toda la tierra; y ésta, la mano extendida sobre todas las naciones.

27 Porque Jehová de los ejércitos ha determinado; ¿y quién invalidará? Y su mano extendida, ¿quién la hará tornar?

28 En el año que murió el rey Acaz fue esta carga:

29 No te alegres tú, Filistea toda, por haberse quebrado la vara del que te hería; porque de la raíz de la culebra saldrá la víbora, y su fruto, serpiente voladora.

30 Y los primogénitos de los pobres serán apacentados, y los menesterosos se acostarán seguramente; mas yo haré morir de hambre tu raíz, y destruiré tu remanente.

31 Aúlla, oh puerta; clama, oh ciudad; disuelta *estás* toda tú, Filistea: porque humo vendrá del norte, no quedará uno solo en sus asambleas.

32 ¿Y qué se responderá a los mensajeros de la nación? Que Jehová fundó a Sión, y que en ella se refugiarán los afligidos de su pueblo.

CAPÍTULO 15

Carga de Moab. Ciertamente en una noche fue destruida y silenciada Ar de Moab. Ciertamente en una noche fue destruida y silenciada Kir de Moab.

2 Subió a Bayit y a Dibón, lugares altos, a llorar; sobre Nebo y sobre Medeba aullará Moab; toda cabeza de ella *será* rapada, y toda barba rasurada.

3 Se ceñirán de cilicio en sus plazas; en sus terrados y en sus calles aullarán todos, deshechos en llanto.

4 Hesbón y Eleale gritarán, hasta Jahaza se oirá su voz; por lo que aullarán los armados de Moab, se lamentará el alma de cada uno de por sí.

5 Mi corazón dará gritos por Moab; sus fugitivos *huirán* hasta Zoar, como novilla de tres años. Por la cuesta de Luhit subirán llorando, y levantarán grito de quebrantamiento por el camino de Horonaim.

6 Las aguas de Nimrim serán consumidas, y se secará la hierba, se marchitarán los retoños, todo verdor perecerá.

7 Por tanto, las riquezas que habrán adquirido, y las que habrán almacenado, las llevarán al torrente de los sauces.

8 Porque el llanto rodeó los términos de Moab; hasta Eglaim llegó su alarido, y hasta Beerelim su clamor.

9 Y las aguas de Dimón se llenarán de sangre; porque yo traeré sobre Dimón otros *males*, leones sobre los que escaparen de Moab, y sobre los que quedaren de la tierra.

CAPÍTULO 16

Enviad cordero al gobernador de la tierra, desde Sela del desierto hasta el monte de la hija de Sión.

2 Y será que cual ave espantada que huye de su nido, *así* serán las hijas de Moab en los vados de Arnón.

3 Reúne consejo, haz juicio; pon tu sombra en medio del día como la noche; esconde a los desterrados, no entregues a los que andan errantes.

4 Moren contigo mis desterrados, oh Moab; sé para ellos escondedero de la presencia del destructor; porque el atormentador fenecerá, el destructor tendrá fin, el opresor será consumido de sobre la tierra.

5 Y en misericordia será establecido el trono; y sobre él se sentará firmemente, en el tabernáculo de David, quien juzgue y busque el juicio, y apresure la justicia.

6 Hemos oído de la soberbia de Moab, *es* soberbio en extremo; de su soberbia, su arrogancia y su altivez; pero sus mentiras no permanecerán.

7 Por tanto, aullará Moab, todo él aullará; gemiréis por los fundamentos de Kir-hareset, en gran manera heridos.

8 Porque los campos de Hesbón se han marchitado, *también* las vides de Sibma; los señores de las naciones pisotearon sus mejores sarmientos; habían llegado hasta Jazer, y se habían extendido por el desierto; se extendieron sus plantas, pasaron el mar.

9 Por lo cual lamentaré con lloro de Jazer la viña de Sibma; te bañaré de mis lágrimas, oh Hesbón y Eleale; porque los gritos de alegría sobre tus frutos de verano y sobre tu cosecha han cesado.

10 Quitado es el gozo y la alegría del campo fértil; en las viñas no cantarán, ni se regocijarán; el pisador no pisará vino en los lagares; el júbilo *del lagarero* he hecho cesar.

11 Por tanto, mis entrañas sonarán como arpa por Moab, y mi interior por Kir-hareset.

12 Y sucederá que cuando Moab apareciere cansado sobre los lugares altos, que vendrá a su santuario a orar, pero no le valdrá.

13 Ésta *es* la palabra que pronunció Jehová acerca de Moab desde aquel tiempo.

14 Pero ahora Jehová ha hablado, diciendo: Dentro de tres años, como los años de un jornalero, será abatida la gloria de Moab, con toda su gran multitud; y el remanente *será* muy pequeño y débil.

CAPÍTULO 17

Carga de Damasco. He aquí que Damasco dejará de *ser* ciudad, y será un montón de ruinas.

2 Las ciudades de Aroer *están* abandonadas, serán para los rebaños; para que reposen allí, y no habrá quien *los* espante.

3 Y cesará el socorro de Efraín, y el reino de Damasco; y el remanente de Siria, será como la gloria de los hijos de Israel, dice Jehová de los ejércitos.

4 Y será que en aquel tiempo la gloria de Jacob se atenuará, y se enflaquecerá la grosura de su carne.

5 Y será como cuando el segador recoge la mies, y con su brazo siega las espigas; será también como el que recoge espigas en el valle de Refaim.

6 Y quedarán en él rebuscos, como cuando sacuden el olivo, dos o tres olivas en la rama más alta, cuatro o cinco en sus ramas más fructíferas, dice Jehová Dios de Israel.

7 En aquel día mirará el hombre a su Hacedor, y sus ojos contemplarán al Santo de Israel.

8 Y no mirará a los altares que hicieron sus manos, ni mirará a lo que hicieron sus dedos, ni a las imágenes de Asera, ni a las imágenes del sol.

9 En aquel día las ciudades fortificadas serán como los frutos que quedan en los renuevos y en las ramas, las cuales fueron dejadas a causa de los hijos de Israel; y habrá desolación.

10 Porque te olvidaste del Dios de tu salvación, y no te acordaste de la Roca de tu fortaleza; por tanto plantarás plantas hermosas, y sembrarás sarmiento extraño.

11 En el día harás crecer tus plantas, y por la mañana harás que tu semilla florezca; *pero* la cosecha *será* arrebatada en el día de angustia y dolor desesperado.

12 ¡Ay de la multitud de muchos pueblos, que hacen ruido como el estruendo de los mares; y del rugido de naciones que hacen alboroto como el bramido de muchas aguas!

13 Los pueblos harán estrépito a manera de ruido de muchas aguas; mas *Dios* los reprenderá, y huirán lejos; serán ahuyentados como el tamo de los montes delante del viento, y como el polvo delante del torbellino.

14 Al tiempo de la tarde he aquí turbación; y antes de la mañana ya no *es*. Ésta es la porción de los que nos despojan, y la suerte de los que nos saquean.

CAPÍTULO 18

Ay de la tierra que hace sombra con las alas, que *está* tras los ríos de Etiopía;

2 que envía mensajeros por el mar, en naves de junco sobre las aguas! Andad, veloces mensajeros, a la nación dispersada y raída, al pueblo temible desde su principio y después; nación agredida y pisoteada, cuya tierra destruyeron los ríos.

3 Vosotros, todos los moradores del mundo y habitantes de la tierra, cuando se levante bandera en los montes, mirad; y cuando se toque trompeta, oíd.

4 Porque Jehová me dijo así: Reposaré, y miraré desde mi morada, como sol claro después de la lluvia, como nube de rocío en el calor de la tierra.

5 Porque antes de la siega, cuando el fruto fuere perfecto, y pasada la flor fueren madurando los frutos, entonces podará con podaderas las ramitas, y cortará y quitará las ramas.

6 Y serán dejados para las aves de los montes, y para las bestias de la tierra; sobre ellos pasarán el verano las aves, e invernarán todas las bestias de la tierra.

7 En aquel tiempo será traído presente a Jehová de los ejércitos, de la nación dispersada y raída, y del pueblo temible desde su principio y después; nación agredida y pisoteada, cuya tierra destruyeron los ríos; al lugar del nombre de Jehová de los ejércitos, al monte de Sión.

CAPÍTULO 19

Carga de Egipto. He aquí, Jehová cabalga sobre una nube veloz, y entrará en Egipto. Los ídolos de Egipto se estremecerán ante su presencia, y el corazón de los egipcios desfallecerá dentro de ellos.

2 Y levantaré egipcios contra egipcios, y cada uno peleará contra su hermano, cada uno contra su prójimo; ciudad contra ciudad, y reino contra reino.

3 Y el espíritu de Egipto se desvanecerá en medio de él, y destruiré su consejo; y preguntarán a las imágenes, a los encantadores, a los evocadores y a los adivinos.

4 Y entregaré a Egipto en manos de un señor cruel; y un rey violento se enseñoreará de ellos, dice el Señor, Jehová de los ejércitos.

5 Y las aguas del mar faltarán, y el río se agotará y secará.

6 Y se alejarán los ríos, se agotarán y secarán las corrientes de los fosos; la caña y el carrizo se marchitarán.

7 Las cañas de junto al río, de junto a la ribera del río, y todas las cosas sembradas junto al río se secarán, se perderán, y no serán *más*.

8 Los pescadores también se entristecerán; y harán duelo todos los que echan anzuelo en el río, y desfallecerán los que extienden red sobre las aguas.

9 Los que labran lino fino, y los que tejen redes serán confundidos;

10 porque todas sus redes serán rotas: y se entristecerán todos los que hacen viveros para peces.

11 Ciertamente *son* necios los príncipes de Zoán; el consejo de los prudentes consejeros de Faraón, se ha desvanecido. ¿Cómo diréis a Faraón: Yo soy hijo de los sabios, e hijo de los reyes antiguos?

12 ¿Dónde *están* ahora aquellos tus sabios? Que te digan ahora, o te hagan saber qué es lo que Jehová de los ejércitos ha determinado sobre Egipto.

13 Se han desvanecido los príncipes de Zoán, se han engañado los príncipes de Nof; engañaron a Egipto los que son la piedra angular de sus tribus.

14 Jehová mezcló espíritu de vértigo en medio de él; e hicieron errar a Egipto en toda su obra, como tambalea el borracho en su vómito.

15 Y no aprovechará a Egipto cosa *alguna* que pueda hacer la cabeza o la cola, la rama o el junco.

16 En aquel día los egipcios serán como mujeres; porque se asombrarán y temerán, en la presencia de la mano alta de Jehová de los ejércitos, que Él ha de levantar sobre ellos.

17 Y la tierra de Judá será de espanto a Egipto; todo hombre que de ella se acordare temerá, por causa del consejo que Jehová de los ejércitos acordó sobre aquél.

18 En aquel tiempo habrá cinco ciudades en la tierra de Egipto que hablen la lengua de Canaán, y que juren por Jehová de los ejércitos; una será llamada La Ciudad de la Destrucción.

19 En aquel tiempo habrá altar para Jehová en medio de la tierra de Egipto, y una columna a Jehová junto a su frontera.

20 Y será por señal y por testimonio a Jehová de los ejércitos en la tierra de Egipto: porque a Jehová clamarán a causa de sus opresores, y Él les enviará salvador y príncipe que los libre.

21 Y Jehová será conocido de Egipto, y los de Egipto conocerán a Jehová en aquel día; y harán sacrificio y oblación; y harán votos a Jehová, y los cumplirán.

22 Y herirá a Egipto, herirá y sanará; y se convertirán a Jehová, y les será clemente y los sanará.

23 En aquel tiempo habrá una calzada de Egipto a Asiria, y los asirios entrarán en Egipto, y los egipcios en Asiria; y los egipcios servirán junto con los asirios.

24 En aquel tiempo, Israel será tercero con Egipto y con Asiria; será bendición en medio de la tierra;

25 porque Jehová de los ejércitos los bendecirá, diciendo: Bendito el pueblo mío Egipto, y Asiria obra de mis manos, e Israel mi heredad.

CAPÍTULO 20

En el año que vino Tartán a Asdod, cuando le envió Sargón rey de Asiria, y peleó contra Asdod y la tomó.

2 En aquel tiempo habló Jehová por Isaías hijo de Amoz, diciendo: Ve, y quita el cilicio de tus lomos, y quita las sandalias de tus pies. Y lo hizo así, andando desnudo y descalzo.

3 Y dijo Jehová: De la manera que anduvo mi siervo Isaías desnudo y descalzo tres años, *por* señal y pronóstico sobre Egipto y sobre Etiopía;

4 así llevará el rey de Asiria a los cautivos de Egipto y los exiliados de Etiopía, a jóvenes y a viejos, desnudos y descalzos, y con las nalgas descubiertas para vergüenza de Egipto.

5 Y se turbarán y avergonzarán de Etiopía su esperanza, y de Egipto su gloria.

6 Y dirá en aquel día el morador de esta isla: ¡Mirad cuál *es* nuestra esperanza, a dónde acudimos por ayuda para ser libres de la presencia del rey de Asiria! ¿Y cómo escaparemos nosotros?

CAPÍTULO 21

Carga del desierto del mar. Como pasan los torbellinos en el Neguev, *así* viene del desierto, de la tierra horrenda.

2 Visión dura me ha sido mostrada. El prevaricador prevarica, y el

destructor destruye. Sube, oh Elam; sitia, oh Media. Todo su gemido hice cesar.

3 Por tanto mis lomos se han llenado de dolor; angustias se apoderaron de mí, como angustias de mujer de parto; me agobié oyendo, y al ver me he espantado.

4 Se pasmó mi corazón, el horror me ha intimidado; la noche de mi placer se me tornó en espanto.

5 Poned la mesa, observad desde la atalaya, comed, bebed; levantaos, príncipes, ungid el escudo.

6 Porque el Señor me dijo así: Ve, pon centinela que haga saber lo que viere.

7 Y vio carros de par de jinetes, carros de asno, y carros de camello. Luego miró más atentamente,

8 y gritó: ¡Un león! Mi señor, sobre la atalaya estoy yo continuamente de día, y paso las noches enteras sobre mi guarda:

9 Y he aquí que viene carro de hombres, *con* un par de jinetes. Después habló, y dijo: ¡Ha caído, ha caído Babilonia! Y todas las imágenes de sus dioses quebró en tierra.

10 Trilla mía, y fruto de mi era; os he dicho lo que oí de Jehová de los ejércitos, Dios de Israel.

11 Carga de Duma. Me dan voces desde Seir, diciendo: Guarda, ¿qué de la noche? Guarda, ¿qué de la noche?

12 El guarda respondió: La mañana viene, y después la noche; si preguntareis, preguntad; volved, venid.

13 Carga sobre Arabia. En el bosque de Arabia pasaréis la noche, oh caravanas de Dedán.

14 Los moradores de la tierra de Tema trajeron agua al que estaba sediento; salieron con su pan a encontrar al que huía.

15 Porque huyeron de la espada, de la espada desnuda, del arco entesado, de lo pesado de la batalla.

16 Porque así me ha dicho Jehová: De aquí a un año, semejante a años de jornalero, toda la gloria de Cedar será desecha;

17 y el resto del número de los valientes arqueros, hijos de Cedar, será reducido; porque Jehová Dios de Israel lo ha dicho.

Carga del valle de la visión. ¿Qué tienes ahora, que toda tú te has subido sobre los terrados?

2 Tú, llena de alborotos, ciudad turbulenta, ciudad alegre; tus muertos no son muertos a espada, ni muertos en guerra.

3 Todos tus príncipes huyeron juntos, fueron atados por los arqueros; todos los que en ti se hallaron, fueron atados juntamente, aunque lejos habían huido.

4 Por esto dije: Dejadme, lloraré amargamente; no os afanéis por consolarme de la destrucción de la hija de mi pueblo.

5 Porque día es de alboroto, de atropello y de confusión, de parte del Señor, Jehová de los ejércitos en el valle de la visión, para derribar el muro, y clamar a las montañas.

6 Y Elam tomó aljaba en carro de hombres y de jinetes; y Kir descubrió el escudo.

7 Y acontecerá que tus hermosos valles serán llenos de carros, y los de a caballo acamparán a la puerta.

8 Y desnudó la cobertura de Judá; y miraste en aquel día hacia la casa de armas del bosque.

9 Y tú has visto las brechas de la ciudad de David, que son muchas; y recogisteis las aguas del estanque de abajo.

10 Y contasteis las casas de Jerusalén, y derribasteis casas para fortificar el muro.

11 E hicisteis foso entre los dos muros con las aguas del estanque antiguo; y no tuvisteis respeto al que lo hizo, ni mirasteis al que hace mucho tiempo lo labró.

12 Por tanto el Señor Jehová de los ejércitos llamó en este día a llanto y a endechas, a raparse el cabello y a vestirse de cilicio.

13 Y he aquí gozo y alegría, matando vacas y degollando ovejas, comiendo carne y bebiendo vino, *diciendo* Comamos y bebamos, que mañana moriremos.

14 Esto fue revelado a mis oídos de parte de Jehová de los ejércitos Ciertamente este pecado no os será perdonado hasta que muráis, dice el Señor Jehová de los ejércitos.

15 Jehová de los ejércitos dice así: Ve, entra a este tesorero, a Sebna el mayordomo, *y dile:*

16 ¿Qué tienes tú aquí, o a quién tienes tú aquí, que labraste aquí sepulcro para ti, *como* el que en lugar alto labra su sepultura, o el que esculpe para sí morada en una peña?

17 He aquí que Jehová te trasportará en duro cautiverio, y de cierto te cubrirá el rostro.

18 Te echará a rodar con ímpetu, *como* a bola por tierra extensa; allá morirás, y allá estarán los carros de tu gloria, oh vergüenza de la casa de tu señor.

19 Y te arrojaré de tu lugar, y te derribaré de tu puesto.

20 Y será que, en aquel día, llamaré a mi siervo Eliaquim, hijo de Hilcías;

21 y lo vestiré de tus vestiduras, y le fortaleceré con tu talabarte, y entregaré en sus manos tu potestad; y será padre al morador de Jerusalén, y a la casa de Judá.

22 Y pondré la llave de la casa de David sobre su hombro; y abrirá, y nadie cerrará; cerrará, y nadie abrirá.

23 Y lo hincaré como clavo en lugar firme; y será por asiento de honra a la casa de su padre.

24 Colgarán de él toda la honra de la casa de su padre, los hijos y los nietos, todos los vasos menores, desde los vasos de beber y toda clase de frascos.

25 En aquel día, dice Jehová de los ejércitos, el clavo hincado en lugar firme será quitado, será quebrado y caerá; y la carga que sobre él se puso, se echará a perder; porque Jehová ha hablado.

CAPÍTULO 23

Carga de Tiro. Lamentad, oh naves de Tarsis, porque Tiro es destruida hasta no quedar en ella casa ni lugar por donde entrar. Desde la tierra de Quitim le ha sido revelado.

2 Callad, moradores de la isla, mercaderes de Sidón, que pasando el mar te abastecían.

3 Su ganancia es de las sementeras que crecen con las muchas aguas del Nilo, de la mies del río. Es también el mercado de las naciones.

4 Avergüénzate, Sidón, porque el mar, la fortaleza del mar habló, diciendo: Nunca estuve de parto, ni di a luz, ni crié jóvenes, *ni* crié vírgenes.

5 Cuando llegue la noticia a Egipto, tendrán dolor de las nuevas de Tiro.

6 Pasaos a Tarsis; aullad, moradores de la isla.

7 ¿*Es* ésta vuestra *ciudad* alegre, cuya antigüedad *es* de muchos días? Sus pies la llevarán a peregrinar lejos.

8 ¿Quién decretó esto sobre Tiro, la que repartía coronas, cuyos negociantes eran príncipes, cuyos mercaderes eran los nobles de la tierra?

9 Jehová de los ejércitos lo decretó, para envilecer la soberbia de toda gloria; y para abatir todos los ilustres de la tierra.

10 Pasa cual río de tu tierra, oh hija de Tarsis; porque no tendrás ya más fortaleza.

11 Extendió su mano sobre el mar, hizo temblar los reinos: Jehová dio mandamiento respecto a Canaán, que sus fortalezas sean destruidas.

12 Y dijo: No te alegrarás más, oh tú, oprimida virgen hija de Sidón. Levántate para pasar a Quitim; y aun allí no tendrás reposo.

13 Mira la tierra de los caldeos; este pueblo no existía; *hasta que* Asiria la fundó para los moradores del desierto; levantaron sus fortalezas, edificaron sus palacios; Él la convirtió en ruinas.

14 Aullad, naves de Tarsis; porque destruida es vuestra fortaleza.

15 Y acontecerá en aquel día, que Tiro será puesta en olvido por setenta años, como días de un rey. Después de los setenta años, cantará Tiro canción como de ramera.

16 Toma arpa, y rodea la ciudad, oh ramera olvidada; haz buena melodía, canta muchas canciones, para que seas recordada.

17 Y acontecerá, que al fin de los setenta años visitará Jehová a Tiro: y volverá a su salario, y otra vez fornicará con todos los reinos de la tierra sobre la faz de la tierra.

18 Pero sus negocios y sus ganancias serán consagrados a Jehová; no se guardarán ni se atesorarán, porque

sus ganancias serán para los que estuvieren delante de Jehová, para que coman hasta saciarse, y vistan honradamente.

CAPÍTULO 24

He aquí que Jehová vacía la tierra y la desnuda, y trastorna su faz, y dispersa sus moradores.

2 Y sucederá así como al pueblo, también al sacerdote; como al siervo, así a su señor; como a la criada, así a su señora; como al que compra, así al que vende; como al que presta, así al que toma prestado; como al acreedor, así al deudor.

3 Del todo será vaciada la tierra, y totalmente saqueada; porque Jehová ha pronunciado esta palabra.

4 Se enlutó, se marchitó la tierra; el mundo languidece y se marchita; languidecen los grandes de los pueblos de la tierra.

5 Y la tierra se corrompió bajo sus moradores; porque traspasaron las leyes, falsearon el derecho, rompieron el pacto eterno.

6 Por esta causa la maldición consumió la tierra, y sus moradores fueron asolados; por esta causa fueron consumidos los habitantes de la tierra, y se disminuyeron los hombres.

7 Se enlutó el vino, languideció la vid, gimieron todos los que eran alegres de corazón.

8 Cesó el regocijo de los panderos, se acabó el estruendo de los que se alegran, cesó la alegría del arpa.

9 No beberán vino con canción; el licor será amargo a los que lo bebieren.

10 Quebrantada está la ciudad de la confusión; toda casa se ha cerrado, para que no entre nadie.

11 *Hay* clamores por *falta* de vino en las calles; todo gozo se oscureció, se desterró la alegría de la tierra.

12 En la ciudad quedó desolación, y con destrucción fue herida la puerta.

13 Porque así será en medio de la tierra, en medio de los pueblos, así como es sacudido el olivo, como rebuscos cuando ha acabado la vendimia.

14 Éstos alzarán su voz, cantarán gozosos en la grandeza de Jehová, desde el mar darán voces.

15 Por tanto, glorificad a Jehová en el fuego; *aun* en las islas del mar *sea* nombrado Jehová, Dios de Israel.

16 De lo postrero de la tierra oímos cánticos: Gloria al justo. Y yo dije: ¡Mi flaqueza, mi flaqueza, ay de mí! Prevaricadores han prevaricado; y han prevaricado con prevaricación de desleales.

17 Terror, y foso y lazo sobre ti, oh morador de la tierra.

18 Y acontecerá que el que huyere de la voz del terror, caerá en el foso; y el que saliere de en medio del foso, será preso en el lazo; porque de lo alto se abrieron ventanas, y temblarán los fundamentos de la tierra.

19 Se quebrantará del todo la tierra, enteramente desmenuzada será la tierra, en gran manera será conmovida la tierra.

20 Temblará la tierra, temblará como un borracho, y será removida como una choza; y se agravará sobre ella su pecado, y caerá, y nunca más se levantará.

21 Y acontecerá en aquel día, que Jehová visitará sobre el ejército sublime en lo alto, y sobre los reyes de la tierra que hay sobre la tierra.

22 Y serán amontonados *como* se amontona a los encarcelados en mazmorra, y en prisión quedarán encerrados, y serán visitados después de muchos días.

23 La luna se avergonzará, y el sol se confundirá, cuando Jehová de los ejércitos reine gloriosamente en el monte de Sión, y en Jerusalén, y delante de sus ancianos.

CAPÍTULO 25

Oh Jehová, tú *eres* mi Dios; te exaltaré, alabaré tu nombre; porque has hecho maravillas, tus consejos antiguos *son* fidelidad y verdad.

2 Que convertiste la ciudad en montón, la ciudad fortificada en ruina; el alcázar de los extraños para que no sea ciudad, nunca más será reedificada.

3 Por esto te glorificará el pueblo fuerte, te temerá la ciudad de gentes robustas.

4 Porque fuiste fortaleza al pobre, fortaleza al menesteroso en su aflicción, refugio contra la tormenta, sombra contra el calor; porque el ímpetu de los violentos es como tormenta *contra* el muro.

5 Como el calor en lugar seco, así humillarás el orgullo de los extraños; y como calor debajo de nube, harás marchitar el renuevo de los violentos.

6 Y Jehová de los ejércitos hará en este monte a todos los pueblos banquete de grosuras, banquete de vinos añejos, de gruesos tuétanos, y de vinos añejos bien refinados.

7 Y destruirá en este monte la máscara con la que están cubiertos todos los pueblos, y el velo que está extendido sobre todas las naciones.

8 Sorberá a la muerte en victoria; y enjugará Jehová el Señor toda lágrima de todos los rostros; y quitará la afrenta de su pueblo de toda la tierra; porque Jehová lo ha dicho.

9 Y se dirá en aquel día: He aquí Éste *es* nuestro Dios, en Él hemos esperado, y Él nos salvará; Éste es Jehová; en Él hemos esperado, estaremos alegres y nos regocijaremos en su salvación.

10 Porque la mano de Jehová reposará en este monte, y Moab será hollado debajo de Él, como es hollada la paja en el muladar.

11 Y Él extenderá sus manos en medio de ellos, como las extiende el nadador para nadar; y abatirá su soberbia junto con el despojo de sus manos.

12 Y allanará la fortaleza de tus altos muros; la humillará y echará a tierra, hasta el polvo.

CAPÍTULO 26

En aquel día cantarán este cántico en la tierra de Judá: Fuerte ciudad tenemos; salvación puso *Dios por* muros y antemuro.

2 Abrid las puertas, y entrará la nación justa que guarda la verdad.

3 Tú guardarás en completa paz, *a aquel* cuyo pensamiento *en ti* persevera; porque en ti ha confiado.

4 Confiad en Jehová perpetuamente; porque en el Señor Jehová *está* la fortaleza eterna.

5 Porque derribó los que moraban en lugar alto; humilló la ciudad enaltecida, la humilló hasta la tierra, la derribó hasta el polvo.

6 La hollará pie, los pies del pobre, los pasos de los menesterosos.

7 El camino del justo es rectitud: Tú *que eres* recto, pesas el camino del justo.

8 También en el camino de tus juicios, oh Jehová, te hemos esperado; tu nombre y tu memoria *son* el deseo de *nuestra* alma.

9 Con mi alma te he deseado en la noche; y con mi espíritu dentro de mí, madrugaré a buscarte; porque luego que *hay* juicios tuyos en la tierra, los moradores del mundo aprenden justicia.

10 *Aunque* se le muestre piedad al impío, no aprenderá justicia; en tierra de rectitud hará iniquidad, y no mirará a la majestad de Jehová.

11 Jehová, levantada está tu mano, *pero* ellos no ven; verán al fin, y se avergonzarán los que envidian a tu pueblo; y a tus enemigos fuego los consumirá.

12 Jehová, tú establecerás paz para nosotros; porque también has hecho en nosotros todas nuestras obras.

13 Oh Jehová Dios nuestro, *otros* señores fuera de ti se han enseñoreado de nosotros; pero en ti solamente nos acordaremos de tu nombre.

14 Muertos *son*, no vivirán; han fallecido, no se levantarán; porque los visitaste y destruiste, e hiciste que pereciera toda su memoria.

15 Tú has engrandecido la nación, oh Jehová, tú has engrandecido la nación; te hiciste glorioso; la has extendido hasta todos los términos de la tierra.

16 Jehová, en la tribulación te buscaron; derramaron oración cuando los castigaste.

17 Como la mujer encinta cuando se acerca el tiempo de dar a luz gime y da gritos en sus dolores, así hemos sido delante de ti, oh Jehová.

18 Concebimos, tuvimos dolores de parto, pero fue como si diéramos a

luz viento. Ninguna liberación hicimos en la tierra, ni cayeron los moradores del mundo.

19 Tus muertos vivirán; *junto con mi cuerpo muerto* resucitarán. ¡Despertad y cantad, moradores del polvo! porque tu rocío *es* cual rocío de hortalizas; y la tierra echará los muertos.

20 Anda, pueblo mío, entra en tus aposentos, cierra tras ti tus puertas; escóndete como por un momento, en tanto que pasa la indignación.

21 Porque he aquí que Jehová sale de su lugar, para castigar la maldad de los moradores de la tierra; y la tierra descubrirá su sangre, y no encubrirá más a sus muertos.

CAPÍTULO 27

En aquel día Jehová visitará con su espada dura, grande y fuerte, al leviatán, serpiente huidiza, y al leviatán serpiente tortuosa; y matará al dragón que *está* en el mar.

2 En aquel día cantadle a ella, la viña del vino rojo.

3 Yo Jehová la guardo, cada momento la regaré; la guardaré de noche y de día, para que nadie la dañe.

4 No *hay* enojo en mí. ¿Quién pondrá contra mí en batalla espinos y cardos? Yo los hollaré, los quemaré juntamente.

5 ¿O forzará alguien mi fortaleza? Haga conmigo paz, sí, haga paz conmigo.

6 Días vendrán cuando Jacob echará raíces, florecerá y echará renuevos Israel, y la faz del mundo se llenará de fruto.

7 ¿Acaso lo ha herido, como Él hirió a quien lo hirió? ¿O ha sido muerto como los que en la matanza por Él fueron muertos?

8 Con medida lo castigarás en sus vástagos. Él los remueve con su recio viento en el día del aire solano.

9 De esta manera, pues, será expiada la iniquidad de Jacob; y éste será todo el fruto, la remoción de su pecado; cuando Él haga todas las piedras del altar como piedras de cal desmenuzadas, y ya no sean levantadas las estatuas de Asera, ni las imágenes del sol.

10 Porque la ciudad fortificada *será* desolada, la habitación será abandonada y dejada como un desierto; allí pastará el becerro, allí tendrá su majada, y consumirá sus ramas.

11 Cuando sus ramas se sequen, serán quebradas; mujeres vendrán a encenderlas; porque aquél no es pueblo de entendimiento; por tanto su Hacedor no tendrá de él misericordia, ni se compadecerá de él el que lo formó.

12 Y acontecerá en aquel día, que trillará Jehová desde la corriente del río hasta el torrente de Egipto, y vosotros, hijos de Israel, seréis reunidos uno a uno.

13 Acontecerá también en aquel día, que se tocará con gran trompeta, y vendrán los que habían sido esparcidos en la tierra de Asiria, y los que habían sido echados en tierra de Egipto, y adorarán a Jehová en el monte santo, en Jerusalén.

CAPÍTULO 28

Ay de la corona de soberbia de los ebrios de Efraín, y de la flor marchita de la hermosura de su gloria, que *está* sobre la cabeza del valle fértil de los aturdidos del vino!

2 He aquí, Jehová tiene un fuerte y poderoso; *que es* como turbión de granizo y como tormenta destructora; como ímpetu de recias aguas desbordadas, *los* derribará a tierra con *su* mano.

3 Con los pies será hollada la corona de soberbia de los ebrios de Efraín;

4 Y será la flor caduca de la hermosura de su gloria que está sobre la cabeza del valle fértil, como la fruta temprana, la primera del verano, la cual cuando alguien la ve, se la traga tan luego como la tiene a mano.

5 En aquel día Jehová de los ejércitos será por corona de gloria y diadema de hermosura al remanente de su pueblo;

6 y por espíritu de juicio al que se sienta en juicio, y por fortaleza a los que rechazan la batalla en la puerta.

7 Mas también éstos erraron con el vino; y con el licor se entontecieron; el sacerdote y el profeta han errado a

causa del licor, fueron trastornados por el vino, han divagado a causa del licor, erraron en la visión, tropezaron *en* el juicio.

8 Porque todas las mesas están llenas de vómito y suciedad, *hasta no haber* lugar *limpio*.

9 ¿A quién le enseñará conocimiento, o a quién le hará entender doctrina? ¿A los destetados? ¿A los arrancados de los pechos?

10 Porque mandamiento tras mandamiento, mandato sobre mandato, renglón tras renglón, línea sobre línea, un poquito allí, otro poquito allá;

11 porque en lengua de tartamudos, y en otra lengua hablará a este pueblo,

12 a los cuales Él dijo: Éste es el reposo; dad reposo al cansado; y éste es el refrigerio; mas no quisieron oír.

13 Pues la palabra de Jehová les fue mandamiento tras mandamiento, mandato sobre mandato, renglón tras renglón, línea sobre línea, un poquito allí, otro poquito allá; para que fueran y cayeran de espaldas, y fueran quebrantados, enlazados y apresados.

14 Por tanto, varones burladores, que gobernáis a este pueblo que *está* en Jerusalén, oíd la palabra de Jehová.

15 Porque habéis dicho: Hemos hecho un pacto con la muerte, e hicimos un acuerdo con el infierno; cuando pase el turbión del azote, no llegará a nosotros, pues hemos hecho de la mentira nuestro refugio, y en la falsedad nos hemos escondido.

16 Por tanto, el Señor Jehová dice así: He aquí que yo pongo en Sión por fundamento una piedra, piedra probada, angular, preciosa, fundamento firme; el que creyere, no se apresurará.

17 Y ajustaré el juicio a cordel, y a nivel la justicia; y granizo barrerá el refugio de la mentira, y aguas arrollarán el escondrijo.

18 Y será anulado vuestro pacto con la muerte, y vuestro acuerdo con el infierno no será firme; cuando pasare el turbión del azote, seréis de él hollados.

19 Luego que comenzare a pasar, él os arrebatará; porque de mañana en mañana pasará, de día y de noche; y

será por espanto el sólo entender el reporte.

20 Porque la cama será demasiado corta para estirarse sobre ella, y la cubierta estrecha para envolverse.

21 Porque Jehová se levantará como en el monte Perazim, como en el valle de Gabaón se enojará; para hacer su obra, su extraña obra, y para hacer su operación, su extraña operación.

22 Ahora pues, no os burléis, para que no se aprieten más vuestras ataduras; porque he oído del Señor Jehová de los ejércitos que consumación ha sido determinada sobre toda la tierra.

23 Estad atentos, y oíd mi voz; estad atentos, y oíd mi dicho.

24 El que ara para sembrar, ¿arará todo el día; romperá y quebrará los terrones de la tierra?

25 Después que hubiere igualado su superficie, ¿no esparce el eneldo, siembra el comino, pone el trigo por hileras, y la cebada en su lugar, y el centeno en su borde?

26 Porque su Dios le instruye, y le enseña a juicio.

27 Porque no se trilla el eneldo con el trillo, ni sobre el comino rodará rueda de carreta; sino que con un palo se sacude el eneldo, y el comino con una vara.

28 El pan se trilla; mas no siempre lo trillará, ni lo comprime con la rueda de su carreta, ni lo quebranta con los dientes de su trillo.

29 También esto salió de Jehová de los ejércitos, para hacer maravilloso el consejo y engrandecer la sabiduría.

CAPÍTULO 29

1 Ay de Ariel, Ariel, la ciudad *donde* habitó David! Añadid un año a otro, seguid ofreciendo sacrificios.

2 Mas yo pondré a Ariel en apretura, y será desconsolada y triste; y será a mí como Ariel.

3 Porque acamparé contra ti en derredor, y te sitiaré con campamentos, y levantaré contra ti baluartes.

4 Entonces serás humillada, hablarás desde la tierra, y tu habla saldrá del polvo; y será tu voz de la tierra como de encantador, y tu habla susurrará desde el polvo.

5 Y la muchedumbre de tus extranjeros será como polvo menudo, y la multitud de los fuertes como tamo que pasa; y será repentinamente, en un momento.

6 De Jehová de los ejércitos serás visitada con truenos y con terremotos y con gran estruendo, con torbellino y tempestad, y llama de fuego consumidor.

7 Y será como sueño de visión nocturna la multitud de todas las naciones que pelean contra Ariel, y todos los que pelean contra ella y su fortaleza, y los que la ponen en apretura.

8 Y será como el que tiene hambre y sueña, y parece que come; mas cuando despierta, su alma está vacía; o como el que tiene sed y sueña, y parece que bebe; mas cuando se despierta, se halla cansado, y su alma sedienta. Así será la multitud de todas las naciones que pelean contra el monte de Sión.

9 Deteneos y maravillaos; ofuscaos y cegaos; embriagaos, y no de vino; tambalead, y no de licor.

10 Porque Jehová extendió sobre vosotros espíritu de sueño, y cerró vuestros ojos; puso velo sobre vuestros profetas principales, los videntes.

11 Y os será toda visión como palabras de libro sellado, el cual si dieren al que sabe leer, y le dijeren: Lee ahora esto; él dirá: No puedo, porque *está* sellado.

12 Y si se diere el libro al que no sabe leer, diciéndole: Lee ahora esto; él dirá: No sé leer.

13 Dice, pues, el Señor: Porque este pueblo se acerca *a mí* con su boca, y con sus labios me honra, mas han alejado de mí su corazón, y su temor para conmigo fue enseñado por mandamiento de hombres.

14 Por tanto, he aquí que yo volveré a hacer obra maravillosa en este pueblo, prodigio grande y asombroso; porque perecerá la sabiduría de sus sabios, y se desvanecerá el entendimiento de sus entendidos.

15 ¡Ay de los que se esconden de Jehová, encubriendo el consejo, y sus obras son en tinieblas, y dicen: ¿Quién nos ve, y quién nos conoce?

16 Vuestra perversión ciertamente será reputada como el barro del alfarero. ¿Acaso la obra dirá de su hacedor: No me hizo; y dirá el vaso de aquel que lo ha formado: No tiene entendimiento?

17 ¿No será tornado de aquí a muy poco tiempo el Líbano en campo fértil, y el campo fértil será estimado por bosque?

18 Y en aquel tiempo los sordos oirán las palabras del libro, y los ojos de los ciegos verán en medio de la oscuridad y de las tinieblas.

19 Los humildes aumentarán *su* alegría en Jehová, y los pobres de entre los hombres se gozarán en el Santo de Israel.

20 Porque el violento será acabado, y el escarnecedor será consumido; serán talados todos los que se desvelan para la iniquidad.

21 Los que hacen pecar al hombre en palabra; los que arman lazo para el que reprende en la puerta de la ciudad, y hacen que se desvíe el justo con vanidad.

22 Por tanto, Jehová que redimió a Abraham, dice así a la casa de Jacob: No será ahora confundido Jacob, ni su rostro se pondrá pálido;

23 porque verá a sus hijos, obra de mis manos en medio de sí, que santificarán mi nombre; y santificarán al Santo de Jacob, y temerán al Dios de Israel.

24 Y los descarriados de espíritu vendrán a entendimiento, y los murmuradores aprenderán doctrina.

CAPÍTULO 30

1 ¡Ay de los hijos que se apartan, dice Jehová, para tomar consejo, y no de mí; para cobijarse con cubierta, y no de mi Espíritu, añadiendo pecado a pecado!

2 Caminan para descender a Egipto, y no han preguntado de mi boca; para fortalecerse con la fuerza de Faraón, y poner su esperanza en la sombra de Egipto.

3 Por tanto, la fortaleza de Faraón será vuestra vergüenza, y la confianza en la sombra de Egipto *será vuestra* confusión.

4 Porque sus príncipes estuvieron en

Zoán, y sus embajadores vinieron a Hanes,

5 todos se avergonzaron del pueblo que no les aprovecha, ni los socorre, ni les trae provecho; antes les es para vergüenza, y aun para oprobio.

6 Carga acerca de las bestias del Neguev: De la tierra de tribulación y angustia, de donde viene el leoncillo y el león, la víbora y la serpiente voladora, llevarán sus riquezas sobre los lomos de sus asnos, y sus tesoros sobre gibas de camellos, a un pueblo que no les será de provecho.

7 Ciertamente Egipto en vano e inútilmente dará ayuda; por tanto yo dije así: Su fortaleza *será* estarse quietos.

8 Ve, pues, ahora, y escribe esta visión en una tabla delante de ellos, y anótala en un libro, para que quede hasta el día postrero, para siempre por todos los siglos.

9 Que este pueblo *es* rebelde, hijos mentirosos, hijos que no quisieron oír la ley de Jehová;

10 Que dicen a los videntes: No veáis; y a los profetas: No nos profeticéis lo recto, decidnos cosas halagüeñas, profetizad mentiras;

11 dejad el camino, apartaos de la senda, quitad de nuestra presencia al Santo de Israel.

12 Por tanto el Santo de Israel dice así: Porque desechasteis esta palabra, y confiasteis en violencia y en iniquidad, y en ello os habéis apoyado;

13 por tanto os será este pecado como pared agrietada a punto de caer, y como grieta en muro alto, cuya caída viene súbita y repentinamente.

14 Y lo quebrará como se quiebra un vaso de alfarero, que sin misericordia lo hacen pedazos; tanto, que entre los pedazos no se halla tiesto para traer fuego del hogar, o para sacar agua del pozo.

15 Porque así dijo Jehová el Señor, el Santo de Israel: En descanso y en reposo seréis salvos; en quietud y en confianza será vuestra fortaleza. Y no quisisteis,

16 sino que dijisteis: No, antes huiremos en caballos; por tanto, vosotros huiréis. Sobre ligeros *corceles* cabalgaremos; por tanto, serán ligeros vuestros perseguidores.

17 Mil *huirán* a la amenaza de uno; a la amenaza de cinco huiréis vosotros todos; hasta que quedéis como mástil en la cumbre de un monte, y como bandera sobre un collado.

18 Por tanto, Jehová esperará para tener piedad de vosotros, por eso Él será exaltado para tener misericordia de vosotros; porque Jehová es Dios de justicia; bienaventurados todos los que esperan en Él.

19 Ciertamente el pueblo morará en Sión, en Jerusalén; nunca más llorarás; el que tiene misericordia se apiadará de ti; al oír la voz de tu clamor te responderá.

20 Bien que os dará el Señor pan de congoja y agua de angustia, con todo, tus enseñadores nunca más te serán quitados, sino que tus ojos verán tus enseñadores.

21 Entonces tus oídos oirán a tus espaldas palabra que diga: Éste *es* el camino, andad por él; y no echéis a la mano derecha, ni tampoco torzáis a la mano izquierda.

22 Entonces profanarás la cubierta de tus esculturas de plata, y la vestidura de tus imágenes fundidas de oro; las apartarás como trapo de menstruo: ¡Sal fuera! les dirás.

23 Entonces Él te dará lluvia para tu semilla que habrás sembrado en la tierra; y pan del fruto de la tierra; y será abundante y copioso; tus ganados en aquel tiempo serán apacentados en amplios pastos.

24 Tus bueyes y tus asnos que labran la tierra, comerán grano limpio, el cual será aventado con pala y criba.

25 Y sobre todo monte alto, y sobre todo collado elevado, habrá ríos y corrientes de aguas el día de la gran matanza, cuando caerán las torres.

26 Y la luz de la luna será como la luz del sol, y la luz del sol siete veces mayor, como la luz de siete días, el día que Jehová haya vendado la quebradura de su pueblo, y curado la llaga de su herida.

27 He aquí que el nombre de Jehová viene de lejos: su rostro encendido, y grave de sufrir; sus labios llenos de ira, y su lengua como fuego consumidor;

28 y su aliento, cual torrente que inunda: llegará hasta el cuello, para

zarandear a las naciones con criba de destrucción; y el freno *estará* en las quijadas de los pueblos, haciéndoles errar.

29 Vosotros tendréis canción, como en la noche en que se celebra fiesta solemne; y alegría de corazón, como el que va con flauta para venir al monte de Jehová, al Poderoso de Israel.

30 Y Jehová hará oír su voz gloriosa, y hará ver el descargar de su brazo, con la indignación de su ira, y llama de fuego consumidor; con tormenta, tempestad y piedra de granizo.

31 Porque Asiria que hirió con vara, con la voz de Jehová será quebrantado.

32 Y en todo lugar por donde pase la vara que Jehová descargará sobre él, será con panderos y con arpas, y en batalla de agitación peleará contra ellos.

33 Porque Tofet ya de tiempo *está* dispuesta y preparada para el rey, Él la hizo profunda y ancha; cuya pira es de fuego, y mucha leña; el soplo de Jehová, como torrente de azufre, la enciende.

CAPÍTULO 31

í Ay de los que descienden a Egipto por ayuda, y confían en caballos; y ponen su esperanza en carros, porque *son* muchos, y en caballeros, porque son valientes; y no miraron al Santo de Israel, ni buscaron a Jehová!

2 Mas Él también *es* sabio, y traerá el mal, y no retirará sus palabras. Se levantará, pues, contra la casa de los malignos, y contra el auxilio de los obradores de iniquidad.

3 Y los egipcios hombres *son*, y no Dios; y sus caballos carne, y no espíritu; de manera que al extender Jehová su mano, caerá el ayudador, y caerá el ayudado, y todos ellos desfallecerán a una.

4 Porque Jehová me dijo a mí de esta manera: Como el león y el cachorro del león ruge sobre su presa, y si se reúne contra él cuadrilla de pastores, no se espantará de sus voces, ni se acobardará por el tropel de ellos; así Jehová de los ejércitos descenderá a pelear por el monte de Sión, y por su collado.

5 Como las aves que vuelan, así amparará Jehová de los ejércitos a Jerusalén, defendiendo, también la librará, pasando, la preservará.

6 Convertíos a *Aquél* contra quien los hijos de Israel profundamente se rebelaron.

7 Porque en aquel día arrojará el hombre sus ídolos de plata, y sus ídolos de oro, que para vosotros han hecho vuestras manos pecadoras.

8 Entonces el asirio caerá a espada, no de varón; y lo consumirá espada, no de hombre; y huirá de la presencia de la espada, y sus jóvenes serán tributarios.

9 Y de miedo pasará su fortaleza y sus príncipes tendrán pavor de la bandera, dice Jehová, cuyo fuego *está* en Sión, y su horno en Jerusalén.

CAPÍTULO 32

He aquí que en justicia reinará un rey, y príncipes presidirán en juicio.

2 Y será aquel varón como escondedero contra el viento, y como refugio contra la tempestad; como arroyos de aguas en tierra de sequedad, como sombra de gran peñasco en tierra calurosa.

3 No se ofuscarán entonces los ojos de los que ven, y los oídos de los oyentes oirán atentos.

4 Y el corazón de los necios entenderá para saber, y la lengua de los tartamudos hablará con fluidez y claridad.

5 El mezquino nunca más será llamado liberal, ni el avaro será llamado generoso.

6 Porque el mezquino hablará mezquindades, y su corazón fabricará iniquidad, para hacer la impiedad y para hablar escarnio contra Jehová, dejando vacía el alma hambrienta, y quitando la bebida al sediento.

7 Las armas del tramposo son malignas; maquina intrigas perversas para enredar a los simples con palabras mentirosas, aun cuando el pobre hable con derecho.

8 Mas el liberal pensará liberalidades, y por liberalidades será exaltado.

9 Mujeres indolentes, levantaos, oíd mi voz; hijas confiadas, escuchad mi razón.

10 Días y años tendréis espanto, oh confiadas; porque la vendimia faltará, y la cosecha no vendrá.

11 Temblad, oh indolentes; turbaos, oh confiadas: despojaos, desnudaos, ceñid los lomos con cilicio.

12 Sobre los pechos lamentarán por los campos deleitosos, por la vid fértil.

13 Sobre la tierra de mi pueblo subirán espinos y cardos; y aun sobre todas las casas de placer en la ciudad de alegría.

14 Porque los palacios serán abandonados, la multitud de la ciudad cesará; las torres y fortalezas se tornarán cuevas para siempre, donde retocen asnos monteses, y ganados hagan majada;

15 hasta que sobre nosotros sea derramado el Espíritu de lo alto, y el desierto se torne en campo fértil, y el campo fértil sea estimado por bosque.

16 Y habitará el juicio en el desierto, y en el campo fértil reinará la justicia.

17 Y la obra de la justicia será paz; y el efecto de la justicia, será reposo y seguridad para siempre.

18 Y mi pueblo habitará en morada de paz, y en habitaciones seguras, y en recreos de reposo.

19 Y cuando caiga el granizo, caerá en los montes; y la ciudad será del todo abatida.

20 Dichosos vosotros los que sembráis junto a todas las aguas, y metéis en ellas el pie de buey y de asno.

CAPÍTULO 33

1 Ay de ti, el que saqueas, y nunca *fuiste* saqueado; el que haces deslealtad, bien que nadie contra ti la hizo! Cuando acabares de saquear, serás tú saqueado; y cuando acabares de hacer deslealtad, se hará contra ti.

2 Oh Jehová, ten misericordia de nosotros, a ti hemos esperado; tú, brazo de ellos en la mañana, sé también nuestra salvación en tiempo de la tribulación.

3 Los pueblos huyeron a la voz del estruendo; las naciones fueron esparcidas al levantarte tú.

4 Mas vuestra presa será recogida *como* cuando recogen las orugas; correrá sobre ellos como de una a otra parte corren las langostas.

5 Será exaltado Jehová, el cual mora en las alturas; llenó a Sión de juicio y de justicia.

6 Y reinarán en tus tiempos la sabiduría y la ciencia, y el poder de la salvación; El temor de Jehová *será* su tesoro.

7 He aquí que sus embajadores darán voces afuera; los mensajeros de paz llorarán amargamente.

8 Las calzadas están desiertas, cesaron los caminantes; Él ha anulado el pacto, ha aborrecido las ciudades, tuvo en nada a los hombres.

9 Se enlutó, enfermó la tierra: el Líbano se avergonzó, y fue cortado; Sarón es como un desierto; y Basán y el Carmelo fueron sacudidos.

10 Ahora me levantaré, dice Jehová; ahora seré exaltado, ahora seré engrandecido.

11 Concebisteis hojarascas, rastrojo daréis a luz; el soplo de vuestro fuego os consumirá.

12 Y los pueblos serán como cal quemada; *como* espinos cortados serán quemados con fuego.

13 Oíd, los *que estáis* lejos, lo que he hecho; y vosotros, los *que estáis* cerca, conoced mi poder.

14 Los pecadores se asombraron en Sión, espanto sorprendió a los hipócritas. ¿Quién de nosotros morará con el fuego consumidor? ¿Quién de nosotros habitará con las llamas eternas?

15 El que camina en justicia, y habla lo recto; el que aborrece la ganancia de violencias, el que sacude sus manos por no recibir cohecho, el que tapa su oído para no oír *propuestas* sanguinarias, el que cierra sus ojos para no ver cosa mala:

16 Éste habitará en las alturas; fortaleza de rocas será su lugar de refugio; se le dará su pan, y sus aguas *serán* seguras.

17 Tus ojos verán al Rey en su hermosura; verán la tierra que está lejos.

18 Tu corazón imaginará el espanto, y *dirá*: ¿Dónde está el escriba? ¿Dónde está el que pesa? ¿Dónde está el que cuenta las torres?

19 No mirarás a aquel pueblo obstinado, pueblo de lengua difícil de entender, de lengua tartamuda *que* no *puedas* comprender.

20 Mira a Sión, ciudad de nuestras fiestas solemnes; tus ojos verán a Jerusalén, morada de quietud, tienda que no será desarmada, ni serán arrancadas sus estacas, ni ninguna de sus cuerdas será rota.

21 Porque ciertamente allí Jehová *será* fuerte para con nosotros, lugar de ríos, de arroyos muy anchos, por el cual no andará galeón, ni por él pasará grande navío.

22 Porque Jehová *es* nuestro juez, Jehová es nuestro legislador, Jehová es nuestro Rey, Él mismo nos salvará.

23 Tus cuerdas se aflojaron; no afirmaron su mástil, ni entesaron la vela; se repartirá entonces presa de muchos despojos; *aun* el cojo arrebatará presa.

24 No dirá el morador: Estoy enfermo; al pueblo que more en ella le será perdonada la iniquidad.

CAPÍTULO 34

Naciones, acercaos para oír; y escuchad, pueblos. Oiga la tierra y cuanto hay en ella, el mundo y todo lo que produce.

2 Porque la indignación de Jehová *es* contra todas las naciones, y *su* furor contra todos *sus* ejércitos: Las ha destruido por completo, las ha entregado al matadero.

3 Y los muertos de ellas serán arrojados, y de sus cadáveres se levantará hedor; y los montes se disolverán por la sangre de ellos.

4 Y todo el ejército del cielo se disolverá, y se enrollarán los cielos como un pergamino; y caerá todo su ejército, como se cae la hoja de la parra, y como se cae *el higo* de la higuera.

5 Porque mi espada se embriagará en el cielo; he aquí que descenderá sobre Edom, y sobre el pueblo de mi anatema, para juicio.

6 Llena está de sangre la espada de Jehová, engrasada está de grosura, de sangre de corderos y de machos cabríos, de grosura de riñones de carneros: porque Jehová tiene sacrificios en Bosra, y grande matanza en tierra de Edom.

7 Y con ellos caerán unicornios, y toros con becerros; y su tierra se embriagará de sangre, y su polvo se engrasará de grosura.

8 Porque *es* día de venganza de Jehová, año de retribuciones en el pleito de Sión.

9 Y sus arroyos se tornarán en brea, y su polvo en azufre, y su tierra en brea ardiente.

10 No se apagará de noche ni de día, perpetuamente subirá su humo; de generación en generación será asolada, nunca jamás pasará nadie por ella.

11 Y la poseerán el pelícano y el erizo; el búho y el cuervo morarán en ella, y se extenderá sobre ella cordel de destrucción, y plomada de asolamiento.

12 Llamarán a sus nobles para el reino, pero no *habrá* nadie allí; y todos sus príncipes serán nada.

13 En sus palacios crecerán espinos, y ortigas y cardos en sus fortalezas; y serán guarida de dragones y patio para los búhos.

14 Las fieras del desierto se encontrarán con las hienas, y la cabra del monte gritará a su compañero; la lechuza también tendrá allí morada, y hallará para sí lugar de reposo.

15 Allí anidará el búho real, pondrá *sus huevos*, y sacará sus pollos y los juntará debajo de sus alas; también se juntarán allí buitres, cada uno con su compañera.

16 Inquirid en el libro de Jehová, y leed si faltó alguno de ellos; ninguno faltó con su compañera; porque su boca mandó y los reunió su mismo Espíritu.

17 Y Él les echó las suertes, y su mano les repartió con cordel; para siempre la tendrán por heredad, de generación en generación morarán allí.

CAPÍTULO 35

Se alegrarán el desierto y la soledad; el yermo se gozará, y florecerá como la rosa.

2 Florecerá profusamente, y también se alegrará y cantará con júbilo; la gloria del Líbano le será dada, la hermosura del Carmelo y de Sarón. Ellos verán la gloria de Jehová, la hermosura del Dios nuestro.

3 Fortaleced las manos cansadas, corroborad las rodillas endebles.

4 Decid a los de corazón apocado: Esforzaos, no temáis; he aquí que vuestro Dios viene con venganza, con retribución; Dios mismo, Él vendrá y os salvará.

5 Entonces los ojos de los ciegos serán abiertos, y los oídos de los sordos se abrirán.

6 Entonces el cojo saltará como un ciervo, y cantará la lengua del mudo; porque aguas serán cavadas en el desierto, y torrentes en la soledad.

7 El lugar seco será tornado en estanque, y el sequedal en manaderos de aguas; en la habitación de dragones, en su guarida, será lugar de cañas y de juncos.

8 Y habrá allí calzada y camino, y será llamado Camino de Santidad; no pasará inmundo por él, sino que será para ellos; los errantes, aunque fueren torpes, no se extraviarán.

9 No habrá allí león, ni fiera voraz subirá por él, ni allí se hallará, para que caminen los redimidos.

10 Y los redimidos de Jehová volverán, y vendrán a Sión cantando; y gozo perpetuo habrá sobre sus cabezas; y tendrán gozo y alegría, y huirá la tristeza y el gemido.

CAPÍTULO 36

Aconteció en el año catorce del rey Ezequías, que Senaquerib rey de Asiria subió contra todas las ciudades fortificadas de Judá, y las tomó.

2 Y el rey de Asiria envió al Rabsaces con grande ejército desde Laquis a Jerusalén contra el rey Ezequías; y acampó junto al acueducto del estanque de arriba, en el camino del campo del Lavador.

3 Y salió a él Eliaquim hijo de Hilcías mayordomo, y Sebna, escriba, y Joah hijo de Asaf el cronista.

4 A los cuales dijo el Rabsaces: Decid ahora a Ezequías: El gran rey, el rey de Asiria, dice así: ¿Qué confianza es ésta en que confías?

5 Digo, alegas tú (pero son palabras vanas), que tengo consejo y fortaleza para la guerra. Ahora bien, ¿en quién confías que te rebelas contra mí?

6 He aquí que confías en este bordón de caña frágil, en Egipto, sobre el cual si alguien se apoyare, se le atravesará por la mano, y se la atravesará. Tal es Faraón rey de Egipto para con todos los que en él confían.

7 Y si me dijeres: En Jehová nuestro Dios confiamos; ¿no es Éste Aquél cuyos lugares altos y cuyos altares hizo quitar Ezequías, y dijo a Judá y a Jerusalén: Delante de este altar adoraréis?

8 Ahora, pues, yo te ruego que des rehenes al rey de Asiria mi señor, y yo te daré dos mil caballos, si pudieres tú dar jinetes que cabalguen sobre ellos.

9 ¿Cómo, pues, harás volver el rostro de un capitán de los más pequeños siervos de mi señor, aunque estés confiado en Egipto por sus carros y hombres de a caballo?

10 ¿Acaso vine yo ahora a esta tierra para destruirla sin Jehová? Jehová me dijo: Sube a esta tierra y destrúyela.

11 Entonces dijo Eliaquim, y Sebna y Joah al Rabsaces: Te rogamos que hables a tus siervos en arameo, porque nosotros lo entendemos; y no hables con nosotros en lengua judaica, a oídos del pueblo que está sobre el muro.

12 Y dijo el Rabsaces: ¿Me envió mi señor a ti y a tu señor, a que dijese estas palabras, y no a los hombres que están sobre el muro, para que coman su estiércol y beban su orina con vosotros?

13 Entonces el Rabsaces se puso en pie, y gritó a grande voz en lengua judaica, diciendo: Oíd las palabras del gran rey, el rey de Asiria.

14 El rey dice así: No os engañe Ezequías, porque él no os podrá librar.

15 Ni os haga Ezequías confiar en Jehová, diciendo: Ciertamente Jehová nos librará; no será entregada esta ciudad en manos del rey de Asiria.

16 No escuchéis a Ezequías; porque el rey de Asiria dice así: Haced conmigo paz, y salid a mí; y coma cada uno de su viña, y cada uno de su higuera, y beba cada cual las aguas de su pozo;

17 hasta que yo venga y os lleve a una tierra como la vuestra, tierra de grano y de vino, tierra de pan y de viñas.

18 *Mirad* no os engañe Ezequías diciendo: Jehová nos librará. ¿Acaso libraron los dioses de las naciones cada uno a su tierra de la mano del rey de Asiria?

19 ¿Dónde *están* los dioses de Hamat y de Arfad? ¿Dónde *están* los dioses de Sefarvaim? ¿Libraron a Samaria de mi mano?

20 ¿Qué dios hay entre los dioses de estas tierras, que haya librado su tierra de mi mano, para que Jehová libre de mi mano a Jerusalén?

21 Pero ellos callaron y no le respondieron palabra; porque el rey así lo había mandado, diciendo: No le respondáis.

22 Entonces Eliaquim hijo de Hilcías mayordomo, y Sebna escriba, y Joah hijo de Asaf el cronista, vinieron a Ezequías rasgadas sus vestiduras, y le contaron las palabras del Rabsaces.

CAPÍTULO 37

Aconteció que cuando el rey Ezequías lo oyó, rasgó sus vestiduras, y cubierto de cilicio vino a la casa de Jehová.

2 Y envió a Eliaquim mayordomo, y a Sebna escriba, y a los ancianos de los sacerdotes, cubiertos de cilicio, al profeta Isaías, hijo de Amoz.

3 Los cuales le dijeron: Ezequías dice así: Día de angustia, de reprensión y de blasfemia, *es* este día; porque los hijos han llegado hasta el punto de nacer, y no *hay* fuerzas para dar a luz.

4 Quizá oirá Jehová tu Dios las palabras del Rabsaces, a quien su señor el rey de Asiria ha enviado para blasfemar al Dios vivo, y vituperará las palabras que oyó Jehová tu Dios; eleva, pues, oración por el remanente que aún ha quedado.

5 Vinieron, pues, los siervos de Ezequías a Isaías.

6 Y les dijo Isaías: Diréis así a vuestro señor: Así dice Jehová: No temas por las palabras que has oído, con las cuales me han blasfemado los siervos del rey de Asiria.

7 He aquí que yo doy en él un espíritu, y oirá un rumor, y se volverá a su tierra; y yo haré que en su tierra caiga a espada.

8 Vuelto, pues, el Rabsaces, halló al rey de Asiria que combatía contra Libna; porque ya había oído que se había apartado de Laquis.

9 Mas oyendo decir de Tirhaca rey de Etiopía: He aquí que él ha salido para hacerte guerra; al oírlo, envió mensajeros a Ezequías, diciendo:

10 Diréis así a Ezequías rey de Judá: No te engañe tu Dios en quien tú confías, diciendo: Jerusalén no será entregada en mano del rey de Asiria.

11 He aquí que tú oíste lo que hicieron los reyes de Asiria a todas las tierras, que las destruyeron; ¿y serás tú librado?

12 ¿Acaso libraron los dioses de las naciones a los que destruyeron mis antepasados, a Gozán, y Harán, Rezef, y a los hijos de Edén que *moraban* en Telasar?

13 ¿Dónde está el rey de Hamat, y el rey de Arfad, el rey de la ciudad de Sefarvaim, de Hena, y de Iva?

14 Y tomó Ezequías las cartas de mano de los mensajeros, y las leyó; y subió a la casa de Jehová, y las extendió delante de Jehová.

15 Entonces Ezequías oró a Jehová, diciendo:

16 Jehová de los ejércitos, Dios de Israel, que moras *entre* los querubines, sólo tú eres Dios sobre todos los reinos de la tierra; tú hiciste el cielo y la tierra.

17 Inclina, oh Jehová, tu oído, y oye; abre, oh Jehová, tus ojos, y mira; y oye todas las palabras de Senaquerib, el cual ha enviado a blasfemar al Dios viviente.

18 Ciertamente, oh Jehová, los reyes de Asiria destruyeron todas las naciones y sus tierras,

19 y echaron los dioses de ellos al fuego; porque no *eran* dioses, sino obra de manos de hombre, madera y piedra; por eso los destruyeron.

20 Ahora pues, Jehová Dios nuestro, líbranos de su mano, para que todos

los reinos de la tierra sepan que sólo tú *eres* Jehová.

21 Entonces Isaías hijo de Amoz, envió a decir a Ezequías: Jehová Dios de Israel dice así: Acerca de lo que me rogaste sobre Senaquerib rey de Asiria,

22 ésta *es* la palabra que Jehová habló acerca de él: La virgen, la hija de Sión te ha menospreciado, y ha hecho escarnio de ti; a tus espaldas mueve su cabeza la hija de Jerusalén.

23 ¿A quién injuriaste y a quién blasfemaste? ¿Contra quién has alzado *tu* voz, y levantado tus ojos en alto? Contra el Santo de Israel.

24 Por mano de tus siervos infamaste al Señor, y dijiste: Yo con la multitud de mis carros subiré a las alturas de los montes, a las laderas del Líbano; cortaré sus altos cedros, sus cipreses escogidos; llegaré hasta la cumbre, al monte de su Carmelo.

25 Yo cavé y bebí las aguas *extrañas*; y con las plantas de mis pies sequé todos los ríos de los lugares sitiados.

26 ¿Acaso no has oído decir que desde hace mucho tiempo yo lo hice, que desde los días de la antigüedad lo he formado? Lo he hecho venir ahora, y tú serás para que tornes ciudades fortificadas en montones de ruinas.

27 Y sus moradores, *fueron* de corto poder, desalentados y confusos, fueron *como* pasto del campo y hortaliza verde, como hierba de los tejados, que antes de sazón se seca.

28 Pero yo conozco tu sentarte, tu salir y tu entrar, y tu furor contra mí.

29 Porque contra mí te airaste, y tu estruendo ha subido a mis oídos; pondré, pues, mi anzuelo en tu nariz, y mi freno en tus labios, y te haré volver por el camino por donde viniste.

30 Y esto te *será* por señal: Comerás *este* año lo que nace de suyo, y el año segundo lo que nace de suyo; y el año tercero sembraréis y segaréis, y plantaréis viñas, y comeréis su fruto.

31 Y el remanente de la casa de Judá que hubiere escapado, volverá a echar raíz abajo, y llevará fruto arriba.

32 Porque de Jerusalén saldrá un remanente, y los que escapen del monte de Sión. El celo de Jehová de los ejércitos hará esto.

33 Por tanto, así dice Jehová acerca del rey de Asiria: No entrará en esta ciudad, ni lanzará saeta en ella; no vendrá delante de ella con escudo, ni levantará baluarte contra ella.

34 Por el camino que vino, volverá, y no entrará en esta ciudad, dice Jehová:

35 Pues yo ampararé a esta ciudad para salvarla por amor de mí mismo, y por amor de David mi siervo.

36 Y salió el ángel de Jehová, e hirió a ciento ochenta y cinco mil en el campamento de los asirios; y cuando se levantaron por la mañana, he aquí que todo *era* cuerpos de muertos.

37 Entonces Senaquerib rey de Asiria partió, y fue y volvió, y habitó en Nínive.

38 Y aconteció, que mientras adoraba en el templo de Nisroc su dios, Adramelec y Sarezer, sus hijos, le mataron a espada, y huyeron a la tierra de Ararat; y reinó en su lugar Esar-hadón su hijo.

CAPÍTULO 38

En aquellos días Ezequías enfermó de muerte. Y vino a él el profeta Isaías, hijo de Amoz, y le dijo: Jehová dice así: Pon tu casa en orden, porque morirás, y no vivirás.

2 Entonces Ezequías volvió su rostro a la pared, e hizo oración a Jehová.

3 Y dijo: Oh Jehová, te ruego que te acuerdes ahora que he andado delante de ti en verdad y con íntegro corazón, y que he hecho *lo que ha sido* agradable delante de tus ojos. Y lloró Ezequías con gran lloro.

4 Entonces vino palabra de Jehová a Isaías, diciendo:

5 Ve, y di a Ezequías: Jehová Dios de David tu padre dice así: He oído tu oración, y he visto tus lágrimas; he aquí que yo añado a tus días quince años.

6 Y te libraré, y a esta ciudad, de mano del rey de Asiria; y a esta ciudad ampararé.

7 Y esto te *será* señal de parte de Jehová, que Jehová hará esto que ha dicho:

8 He aquí que yo haré retroceder la sombra de los grados, que ha descendido por el sol en el reloj de Acaz, diez grados. Y el sol retrocedió diez grados atrás, por los cuales había ya descendido.

9 Escritura de Ezequías rey de Judá, de cuando enfermó y fue sanado de su enfermedad.

10 Yo dije: En el medio de mis días iré a las puertas del sepulcro: Privado soy del resto de mis años.

11 Dije: No veré a JAH, a JAH en la tierra de los vivientes: Ya no veré más hombre con los moradores del mundo.

12 Mi morada ha sido movida y traspasada de mí, como tienda de pastor. Como el tejedor corté mi vida; me cortará con la enfermedad; me consumirás entre el día y la noche.

13 Contaba yo hasta la mañana. Como un león molió todos mis huesos: De la mañana a la noche me acabarás.

14 Como la grulla y como la golondrina me quejaba; Gemía como la paloma; mis ojos se cansaron de mirar hacia arriba: Jehová, violencia padezco; fortaléceme.

15 ¿Qué diré? El que me lo dijo, Él mismo lo ha hecho. Andaré humildemente en la amargura de mi alma, todos mis años.

16 Oh Señor, por estas cosas *el hombre* vive, y en todas estas cosas está la vida de mi espíritu; Tú pues, me restablecerás, y harás que yo viva.

17 He aquí amargura grande me sobrevino en la paz; pero por amor a mi alma tú *la libraste* del hoyo de corrupción; porque echaste tras tus espaldas todos mis pecados.

18 Porque el sepulcro no te exaltará, ni te alabará la muerte; *ni* los que descienden a la fosa esperarán tu verdad.

19 El que vive, el que vive, éste te alabará, como yo hoy: El padre dará a conocer tu verdad a sus hijos.

20 Jehová *estaba listo* para salvarme; por tanto cantaremos mis cantos en la casa de Jehová todos los días de nuestra vida.

21 Y había dicho Isaías: Tomen masa de higos, y pónganla en la llaga, y sanará.

22 También había dicho Ezequías: ¿Qué señal tendré de que subiré a la casa de Jehová?

CAPÍTULO 39

En aquel tiempo Merodac-baladán, hijo de Baladán, rey de Babilonia, envió cartas y presentes a Ezequías; porque había oído que había estado enfermo, y que había convalecido.

2 Y se regocijó con ellos Ezequías, y les enseñó la casa de su tesoro, plata y oro, y especias, y ungüentos preciosos, y toda su casa de armas, y todo lo que se pudo hallar en sus tesoros; no hubo cosa en su casa y en todo su señorío, que Ezequías no les mostrase.

3 Entonces el profeta Isaías vino al rey Ezequías, y le dijo: ¿Qué dicen estos hombres, y de dónde han venido a ti? Y Ezequías respondió: De tierra muy lejana han venido a mí, de Babilonia.

4 Dijo entonces: ¿Qué han visto en tu casa? Y dijo Ezequías: Todo lo que hay en mi casa han visto, y ninguna cosa hay en mis tesoros que no les haya mostrado.

5 Entonces dijo Isaías a Ezequías: Oye palabra de Jehová de los ejércitos:

6 He aquí, vienen días en que será llevado a Babilonia todo lo que *hay* en tu casa, y lo que tus padres han atesorado hasta hoy; ninguna cosa quedará, dice Jehová.

7 De tus hijos que hubieren salido de ti, y que engendraste, tomarán, y serán eunucos en el palacio del rey de Babilonia.

8 Y dijo Ezequías a Isaías: La palabra de Jehová que has hablado, *es* buena. Y añadió: A lo menos, haya paz y verdad en mis días.

CAPÍTULO 40

Consolaos, consolaos, pueblo mío, dice vuestro Dios.

2 Hablad al corazón de Jerusalén; decidle a voces que su tiempo es ya cumplido, que su pecado es perdonado; que doble ha recibido de la mano de Jehová por todos sus pecados.

3 Voz del que clama en el desierto: Preparad el camino de Jehová: enderezad calzada en la soledad a nuestro Dios.

4 Todo valle será levantado, y todo monte y collado será abajado; y lo torcido será enderezado, y lo áspero será allanado.

5 Y se manifestará la gloria de Jehová, y toda carne juntamente la verá; porque la boca de Jehová ha hablado.

6 Voz que decía: Da voces. Y yo respondí: ¿Qué he de decir? Toda carne es hierba, y toda su gloria *es* como la flor del campo:

7 La hierba se seca, y la flor se marchita; porque el Espíritu de Jehová sopla en ella. Ciertamente hierba *es* el pueblo.

8 La hierba se seca, la flor se marchita; mas la palabra del Dios nuestro permanece para siempre.

9 Súbete sobre un monte alto, oh Sión, tú que traes buenas nuevas; levanta fuertemente tu voz, oh Jerusalén, tú que traes buenas nuevas; levántala, no temas; di a las ciudades de Judá: ¡He aquí vuestro Dios!

10 He aquí que el Señor Jehová vendrá con *mano* fuerte, y su brazo señoreará; he aquí que su recompensa viene con Él, y su obra delante de su rostro.

11 Como pastor apacentará su rebaño; con su brazo recogerá los corderos, y en su seno los llevará; pastoreará suavemente a las recién paridas.

12 ¿Quién midió las aguas con el hueco de su mano, y midió los cielos con su palmo, y con tres dedos juntó el polvo de la tierra, y pesó los montes con balanza, y con pesas los collados?

13 ¿Quién enseñó al Espíritu de Jehová, o le aconsejó enseñándole?

14 ¿A quién pidió consejo para ser instruido? ¿*Quién* le enseñó el camino del juicio, o le enseñó conocimiento, o le mostró la senda del entendimiento?

15 He aquí que las naciones le *son* como la gota que cae de un cubo, y *son* contadas como el polvo de la balanza; he aquí que hace desaparecer las islas como polvo.

16 Ni el Líbano bastará para el fuego, ni todos sus animales para el sacrificio.

17 Como nada *son* todas las naciones delante de Él; y en su comparación serán estimadas en menos que nada, y que lo que no es.

18 ¿A qué, pues, haréis semejante a Dios, o a qué imagen le compararéis?

19 El artífice prepara la imagen de talla, el platero le extiende el oro, y le funde cadenas de plata.

20 El pobre escoge, para ofrecerle, madera que no se apolille; se busca un maestro sabio, que le haga una imagen de talla que no se mueva.

21 ¿No sabéis? ¿No habéis oído? ¿Nunca os lo han dicho desde el principio? ¿No habéis sido enseñados desde que la tierra se fundó?

22 Él *está* sentado sobre el globo de la tierra, cuyos moradores *son* como langostas; Él extiende los cielos como una cortina, los despliega como una tienda para morar.

23 Él reduce a nada a los poderosos, y a los jueces de la tierra hace como cosa vana.

24 Como si nunca hubieran sido plantados, como si nunca hubieran sido sembrados, como si nunca su tronco hubiera tenido raíz en la tierra; así que sopla en ellos, se secan, y el torbellino los lleva como hojarascas.

25 ¿A quién, pues, me haréis semejante o me haréis igual? Dice el Santo.

26 Levantad en alto vuestros ojos, y mirad quién creó estas cosas; Él saca y cuenta su ejército; a todas llama por sus nombres; ninguna faltará; tal es la grandeza de su fuerza, y su poder y virtud.

27 ¿Por qué dices, oh Jacob, y hablas tú, Israel: Mi camino está escondido de Jehová, y de mi Dios pasó mi juicio?

28 ¿No has sabido, no has oído que el Dios eterno es Jehová, el cual creó los confines de la tierra? No desfallece, ni se fatiga con cansancio, y su entendimiento no hay quien lo alcance.

29 Él da fortaleza al cansado, y multiplica las fuerzas al que no *tiene* ningunas.

30 Los muchachos se fatigan y se cansan, los jóvenes flaquean y caen;

31 pero los que esperan en Jehová tendrán nuevas fuerzas; levantarán las alas como águilas, correrán, y no se cansarán, caminarán, y no se fatigarán.

CAPÍTULO 41

Guardad silencio ante mí, oh islas, y esfuércense los pueblos; acérquense, y entonces hablen; vengamos juntos a juicio.

2 ¿Quién despertó del oriente al justo, lo llamó para que le siguiese, entregó delante de él naciones, y lo hizo señorear sobre reyes; los entregó a su espada como polvo, y a su arco como paja arrebatada?

3 Los siguió, pasó en paz por camino por donde sus pies nunca habían entrado.

4 ¿Quién ordenó e hizo esto? ¿Quién llama las generaciones desde el principio? Yo Jehová, el primero, y yo mismo con los postreros.

5 Las islas vieron, y tuvieron temor, los confines de la tierra se espantaron; se congregaron, y vinieron.

6 Cada cual ayudó a su prójimo, y a su hermano dijo: Esfuérzate.

7 El carpintero animó al platero, y el que alisa con martillo al que batía en el yunque, diciendo: Buena está la soldadura, y lo afirmó con clavos, *para que* no se moviese.

8 Pero tú, Israel, siervo mío *eres*, tú, Jacob, a quien yo escogí, simiente de Abraham mi amigo.

9 Porque te tomé de los confines de la tierra, y de entre sus hombres principales te llamé, y te dije: Mi siervo *eres* tú, yo te escogí, y no te deseché.

10 No temas, porque yo *estoy* contigo; no desmayes, porque yo soy tu Dios que te esfuerzo; siempre te ayudaré, siempre te sustentaré con la diestra de mi justicia.

11 He aquí que todos los que se enojan contra ti serán avergonzados y confundidos; los que contienden contigo serán como nada y perecerán.

12 Los buscarás, y no los hallarás, los que tienen contienda contigo, serán como nada, y como cosa que no es, aquellos que te hacen guerra.

13 Porque yo Jehová soy tu Dios, quien te sostiene de tu mano derecha, y te dice: No temas, yo te ayudaré.

14 No temas, gusano de Jacob, *ni* vosotros, varones de Israel; yo te ayudaré, dice Jehová tu Redentor, el Santo de Israel.

15 He aquí que yo te he puesto por trillo, trillo nuevo, lleno de dientes; trillarás montes y los molerás, y collados tornarás en tamo.

16 Los aventarás, y los llevará el viento, y los esparcirá el torbellino. Y tú te regocijarás en Jehová, te gloriarás en el Santo de Israel.

17 Los afligidos y menesterosos buscan las aguas, y no *las hay*; se secó de sed su lengua; yo Jehová los oiré, yo el Dios de Israel no los desampararé.

18 En los lugares altos abriré ríos, y fuentes en medio de los valles; tornaré el desierto en estanques de aguas, y en manantiales de aguas la tierra seca.

19 Daré en el desierto cedros, acacias, arrayanes, y olivos; pondré en la soledad cipreses, pinos y abetos juntamente;

20 para que vean y conozcan, y adviertan y entiendan todos, que la mano de Jehová hace esto, y que el Santo de Israel lo creó.

21 Presentad vuestra causa, dice Jehová; exponed vuestros *argumentos*, dice el Rey de Jacob.

22 Traigan, anúnciennos lo que ha de venir; dígannos lo que ha pasado desde el principio, y pondremos nuestro corazón en ello; sepamos también su postrimería, y hacednos entender lo que ha de venir.

23 Dadnos nuevas de lo que ha de ser después, para que sepamos que vosotros sois dioses; o a lo menos haced bien, o mal, para que tengamos qué contar, y juntamente nos maravillemos.

24 He aquí que vosotros sois de nada, y vuestras obras de vanidad; abominación el que os escogió.

25 Del norte levanté *uno*, y vendrá. Del nacimiento del sol invocará mi nombre; y hollará príncipes como lodo, y como pisa el barro el alfarero.

26 ¿Quién lo anunció desde el principio, para que sepamos; o de

tiempo atrás, y diremos: Es justo? Cierto, no hay quien anuncie, sí, no *hay* quien enseñe, ciertamente no hay quien oiga vuestras palabras.

27 Yo soy el primero que he enseñado estas cosas a Sión, y a Jerusalén le daré un portador de alegres nuevas.

28 Miré, y no *había* ninguno; y pregunté de estas cosas, y ningún consejero *hubo*; les pregunté, y no respondieron palabra.

29 He aquí, todos *son* vanidad, y las obras de ellos nada; viento y vanidad *son* sus imágenes de fundición.

CAPÍTULO 42

He aquí mi siervo, yo le sostendré; mi escogido *en quien* mi alma tiene contentamiento. He puesto sobre Él mi Espíritu, Él traerá juicio a las naciones.

2 No gritará, ni alzará su voz, ni la hará oír en las plazas.

3 No quebrará la caña cascada, ni apagará el pábilo que humeare; sacará el juicio a verdad.

4 No se cansará, ni desmayará, hasta que haya puesto juicio en la tierra; y las islas esperarán su ley.

5 Así dice Jehová Dios, el Creador de los cielos, y el que los despliega; el que extiende la tierra y sus frutos; el que da la respiración al pueblo que mora sobre ella, y espíritu a los que por ella andan.

6 Yo Jehová te he llamado en justicia, y te sostendré por la mano; te guardaré y te pondré por pacto del pueblo, por luz de los gentiles;

7 para que abras los ojos de los ciegos, para que saques de la cárcel a los presos, y de casas de prisión a los que moran en tinieblas.

8 Yo Jehová; éste *es* mi nombre; y a otro no daré mi gloria, ni mi alabanza a esculturas.

9 Las cosas primeras he aquí vinieron, y yo anuncio nuevas cosas; antes que salgan a luz, yo os las haré notorias.

10 Cantad a Jehová un nuevo cántico, su alabanza desde el fin de la tierra; los que descendéis al mar y cuanto hay en él, las islas y los moradores de ellas.

11 Alcen *la voz* el desierto y sus ciudades, las aldeas donde habita Cedar; canten los moradores de la roca, y desde la cumbre de los montes den voces de júbilo.

12 Den gloria a Jehová, y proclamen en las islas su alabanza.

13 Jehová saldrá como gigante, y como hombre de guerra despertará celo; gritará, voceará, prevalecerá sobre sus enemigos.

14 Desde el siglo he callado, he guardado silencio, y me he detenido; *ahora* daré voces como la mujer que está de parto; asolaré y devoraré juntamente.

15 Tornaré en soledad montes y collados, haré secar toda su hierba; los ríos tornaré en islas, y secaré los estanques.

16 Y guiaré a los ciegos por camino que no sabían, les haré pisar por las sendas que no habían conocido; delante de ellos tornaré las tinieblas en luz, y lo escabroso en llanura. Estas cosas les haré, y no los desampararé.

17 Serán vueltos atrás, y en extremo confundidos, los que confían en los ídolos, y dicen a las imágenes de fundición: Vosotros *sois* nuestros dioses.

18 Sordos, oíd; y vosotros ciegos, mirad para ver.

19 ¿Quién *es* ciego, sino mi siervo? ¿Quién *es* sordo, como mi mensajero que envié? ¿Quién *es* ciego como el perfecto, y ciego como el siervo de Jehová,

20 que ve muchas cosas y no advierte, que abre los oídos y no oye?

21 Jehová se complació por amor de su justicia en magnificar la ley y engrandecerla.

22 Mas éste *es* pueblo saqueado y pisoteado, todos ellos atrapados en cavernas y escondidos en cárceles; son puestos para presa, y no hay quien libre; despojados, y no hay quien diga: Restituid.

23 ¿Quién de vosotros oirá esto? ¿*Quién* atenderá y escuchará respecto al porvenir?

24 ¿Quién dio a Jacob por despojo, y entregó a Israel a saqueadores? ¿No fue Jehová, contra quien pecamos? Y no quisieron andar en sus caminos, ni oyeron su ley.

25 Por tanto, derramó sobre él el furor de su ira y la fuerza de guerra; le prendió fuego todo en derredor, pero no entendió; y le consumió, mas no hizo caso.

CAPÍTULO 43

Y ahora, así dice Jehová Creador tuyo, oh Jacob, y Formador tuyo, oh Israel: No temas, porque yo te redimí; te puse nombre, mío eres tú.

2 Cuando pasares por las aguas, yo *seré* contigo; y si por los ríos, no te anegarán. Cuando pasares por el fuego, no te quemarás, ni la llama arderá en ti.

3 Porque yo soy Jehová tu Dios, el Santo de Israel, tu Salvador: A Egipto he dado por tu rescate, a Etiopía y a Seba por ti.

4 Porque en mis ojos fuiste de grande estima, fuiste honorable, y yo te amé; daré, pues, hombres por ti, y naciones por tu alma.

5 No temas, porque yo soy contigo; del oriente traeré tu generación, y del occidente te recogeré.

6 Diré al norte: Da acá, y al sur: No detengas; trae de lejos mis hijos, y mis hijas de los confines de la tierra,

7 todos los llamados de mi nombre; para gloria mía los creé, los formé y los hice.

8 Sacad al pueblo ciego que tiene ojos, y a los sordos que tienen oídos.

9 Congréguense a una todas las naciones, y júntense todos los pueblos: ¿Quién de ellos hay que nos dé nuevas de esto, y que nos haga oír las cosas primeras? Presenten sus testigos, y justifíquense; oigan, y digan: *Es* Verdad.

10 Vosotros *sois* mis testigos, dice Jehová, y mi siervo que yo escogí; para que me conozcáis y creáis, y entendáis que yo mismo soy; antes de mí no fue formado Dios, ni lo será después de mí.

11 Yo, yo Jehová, y fuera de mí no hay quien salve.

12 Yo anuncié, y salvé, e hice oír, y no hubo entre vosotros *dios* extraño. Vosotros, pues, sois mis testigos, dice Jehová, que yo soy Dios.

13 Aun antes que *hubiera* día, yo soy; y no *hay* quien de mi mano libre. Yo lo haré, ¿quién lo estorbará?

Yo soy el que borro tus rebeliones

14 Así dice Jehová, Redentor vuestro, el Santo de Israel: Por vosotros envié a Babilonia, e hice descender fugitivos todos ellos, y clamor de caldeos en las naves.

15 Yo Jehová, Santo vuestro, Creador de Israel, vuestro Rey.

16 Así dice Jehová, el que hace camino en el mar, y senda en las aguas impetuosas;

17 el que saca carro y caballo, ejército y fuerza; caen juntamente para no levantarse; quedan extinguidos, como pábilo quedan apagados.

18 No os acordéis de las cosas pasadas, ni traigáis a memoria las cosas antiguas.

19 He aquí que yo hago una cosa nueva; pronto saldrá a luz: ¿no la sabréis? Otra vez haré camino en el desierto, y ríos en la soledad.

20 La bestia del campo me honrará, los dragones y los búhos; porque daré aguas en el desierto, ríos en la soledad, para que beba mi pueblo, mi escogido.

21 Este pueblo he creado para mí, mis alabanzas publicará.

22 Y no me invocaste a mí, oh Jacob; antes, de mí te cansaste, oh Israel.

23 No me trajiste a mí los animales de tus holocaustos, ni a mí me honraste con tus sacrificios; no te hice servir con presente, ni te hice fatigar con incienso.

24 No compraste para mí caña aromática por dinero, ni me saciaste con la grosura de tus sacrificios; antes me abrumaste con tus pecados, me has fatigado con tus maldades.

25 Yo, yo soy el que borro tus rebeliones por amor de mí mismo; y no me acordaré de tus pecados.

26 Hazme acordar, entremos en juicio juntamente; declara tú para justificarte.

27 Tu primer padre pecó, y tus enseñadores prevaricaron contra mí.

28 Por tanto, yo profané los príncipes del santuario, y puse por anatema a Jacob, y por oprobio a Israel.

CAPÍTULO 44

A hora pues, oye, Jacob, siervo mío, y tú, Israel, a quien yo escogí.

2 Así dice Jehová, Hacedor tuyo, y el que te formó desde el vientre, el cual te ayudará: No temas, siervo mío Jacob, y tú, Jesurún, a quien yo escogí.

3 Porque yo derramaré aguas sobre el que tiene sed, y ríos sobre la tierra seca; derramaré mi Espíritu sobre tu linaje, y mi bendición sobre tu descendencia;

4 y ellos brotarán *como* entre la hierba, como sauces junto a corrientes de aguas.

5 Uno dirá: Yo soy de Jehová; y el otro se llamará del nombre de Jacob; y otro escribirá con su mano: A Jehová, y se apellidará con el nombre de Israel.

6 Así dice Jehová el Rey de Israel, y su Redentor, Jehová de los ejércitos: Yo *soy* el primero, y yo *soy* el postrero, y fuera de mí no *hay* Dios.

7 ¿Y quién como yo, proclamará y denunciará esto, y lo ordenará por mí, como hago yo desde que establecí el pueblo antiguo? Anúncienles lo que viene, y lo que está por venir.

8 No temáis, ni os amedrentéis; ¿no te lo hice oír desde antiguo, y te lo dije? Luego vosotros *sois* mis testigos. No hay Dios sino yo. No hay Fuerte; no conozco *ninguno*.

9 Los formadores de imágenes de talla, todos ellos *son* vanidad, y lo más precioso de ellos para nada es útil; y ellos mismos para su confusión *son* testigos, que ellos ni ven ni entienden.

10 ¿Quién formó un dios, o quién fundió una imagen que para nada es de provecho?

11 He aquí que todos sus compañeros serán avergonzados, porque los artífices mismos *son* hombres. Que se reúnan todos ellos y se pongan de pie; se asombrarán, y serán avergonzados a una.

12 El herrero toma la tenaza, trabaja en las brasas, le da forma con los martillos, y trabaja en ello con la fuerza de su brazo; luego tiene hambre, y le faltan las fuerzas; no bebe agua, y desfallece.

13 El carpintero tiende la regla, lo señala con almagre, lo labra con los cepillos, le da figura con el compás, lo hace en forma de varón, a semejanza de hombre hermoso, para tenerlo en la casa.

14 Corta cedros para sí, y toma ciprés y encina, que crecen entre los árboles del bosque; planta pino, que se críe con la lluvia.

15 De él se sirve luego el hombre para quemar, y toma de ellos para calentarse; enciende también el horno, y cuece panes; hace además un dios, y lo adora; fabrica un ídolo, y se arrodilla delante de él.

16 Parte del leño quema en el fuego; con parte de él come carne, adereza asado, y se sacia; después se calienta, y dice: ¡Ah! Me he calentado, he visto el fuego;

17 y hace del sobrante un dios, un ídolo suyo; se humilla delante de él, lo adora, y le ruega diciendo: Líbrame, porque tú eres mi dios.

18 No saben ni entienden; porque Él ha cerrado sus ojos para que no vean y su corazón para que no entiendan.

19 Ninguno reflexiona en su corazón, ni tiene conocimiento o entendimiento para decir: Parte de esto quemé en el fuego, y sobre sus brasas cocí pan, asé carne, y la comí; ¿haré del restante de ello una abominación? ¿Me postraré delante de un tronco de árbol?

20 De ceniza se alimenta; su corazón engañado le desvía, para que no libre su alma, ni diga: ¿No es una mentira *lo que tengo* en mi mano derecha?

21 Acuérdate de estas cosas, oh Jacob, e Israel, pues que tú *eres* mi siervo: Yo te formé; siervo mío *eres* tú. Oh Israel, yo no me olvidaré de ti.

22 Yo deshice como a una nube tus rebeliones, y como a niebla tus pecados; vuélvete a mí, porque yo te redimí.

23 Cantad loores, oh cielos, porque Jehová lo hizo; gritad con júbilo, lugares bajos de la tierra; prorrumpid, montes, en alabanza; bosque, y todo árbol que en él está; porque Jehová redimió a Jacob, y en Israel será glorificado.

24 Así dice Jehová, tu Redentor, el que te formó desde el vientre: Yo Jehová, que lo hago todo, que extiendo solo los cielos, que extiendo la tierra por mí mismo;

25 que frustro las señales de los engañadores, y enloquezco a los agoreros; que hago retroceder atrás

a los sabios, y desvanezco su sabiduría.

26 Yo, quien confirma la palabra de su siervo, y cumple el consejo de sus mensajeros; que dice a Jerusalén: Serás habitada; y a las ciudades de Judá: Seréis reedificadas, y yo levantaré sus ruinas;

27 que dice a las profundidades: Secaos, y tus ríos haré secar;

28 que dice de Ciro: *Él es* mi pastor, y cumplirá todo lo que yo quiero, al decir a Jerusalén: Serás edificada; y al templo: Serán echados tus cimientos.

CAPÍTULO 45

Así dice Jehová a su ungido, a Ciro, al cual tomé yo por su mano derecha, para sujetar naciones delante de él y desatar lomos de reyes; para abrir delante de él puertas, y las puertas no se cerrarán:

2 Yo iré delante de ti, y enderezaré los lugares torcidos; quebraré puertas de bronce, y cerrojos de hierro haré pedazos;

3 y te daré los tesoros escondidos, y las riquezas de los lugares secretos; para que sepas que yo soy Jehová, el Dios de Israel, el que te llama por tu nombre.

4 Por amor a mi siervo Jacob y a Israel mi escogido, te he llamado por tu nombre; te puse sobrenombre, aunque tú no me has conocido.

5 Yo *soy* Jehová, y ninguno más *hay*. No *hay* Dios fuera de mí. Yo te ceñí, aunque tú no me has conocido;

6 para que se sepa desde el nacimiento del sol, y desde donde se pone, que no hay más que yo; yo Jehová, y ninguno más que yo,

7 que formo la luz y creo las tinieblas, que hago la paz y creo la adversidad. Yo Jehová que hago todo esto.

8 Rociad, cielos, de arriba, y las nubes destilen la justicia; ábrase la tierra, y prodúzcanse la salvación y la justicia; háganse brotar juntamente. Yo Jehová lo he creado.

9 ¡Ay del que pleitea con su Hacedor! ¡El tiesto con los tiestos de la tierra! ¿Dirá el barro al que lo labra: ¿Qué haces?; o tu obra: No tiene manos?

10 ¡Ay del que dice a *su* padre: ¿Por

qué engendraste? y a la mujer: ¿Por qué diste a luz?!

11 Así dice Jehová, el Santo de Israel y su Hacedor: Preguntadme de las cosas por venir; mandadme acerca de mis hijos, y acerca de la obra de mis manos.

12 Yo hice la tierra, y creé sobre ella al hombre. Yo, mis manos, extendieron los cielos, y a todo su ejército ordené.

13 Yo lo desperté en justicia, y enderezaré todos sus caminos; él edificará mi ciudad, y soltará mis cautivos, no por precio ni por recompensa, dice Jehová de los ejércitos.

14 Así dice Jehová: El trabajo de Egipto, las mercaderías de Etiopía y los sabeos, hombres de gran estatura, se pasarán a ti y serán tuyos; irán en pos de ti, pasarán con grillos; se inclinarán delante de ti y te suplicarán, *diciendo*: Ciertamente en ti está Dios, y no *hay* otro fuera de Dios.

15 Verdaderamente tú *eres* un Dios que te encubres, oh Dios de Israel, el Salvador.

16 Confusos y avergonzados serán todos ellos; irán con afrenta todos los fabricadores de imágenes.

17 Israel será salvo en Jehová con salvación eterna; no seréis avergonzados ni humillados, por toda la eternidad.

18 Porque así dice Jehová, que creó los cielos, el mismo Dios, el que formó e hizo la tierra, Él la estableció; no la creó en vano, para que fuese habitada la creó: Yo soy Jehová, y no *hay* otro.

19 No hablé en secreto, en un lugar oscuro de la tierra; no dije a la simiente de Jacob: En vano me buscáis. Yo soy Jehová que hablo justicia, que anuncio rectitud.

20 Reuníos, y venid; acercaos, todos los *que habéis* escapado de las naciones. No tienen conocimiento aquellos que erigen el madero de su imagen esculpida, y los que ruegan a un dios que no puede salvar.

21 Publicad, y hacedlos llegar, y entren todos en consulta. ¿*Quién* hizo oír esto desde el principio, y lo tiene dicho desde entonces, sino yo

Jehová? Y no *hay* más Dios que yo; Dios justo y Salvador: ningún otro fuera de mí.

22 Mirad a mí, y sed salvos, todos los términos de la tierra: porque yo soy Dios, y no *hay* más.

23 Por mí mismo hice juramento, de mi boca salió palabra en justicia, y no será revocada. Que a mí se doblará toda rodilla, y jurará toda lengua.

24 Y se dirá de mí: Ciertamente en Jehová está la justicia y la fortaleza; a Él vendrán, y todos los que contra Él se enardecen serán avergonzados.

25 En Jehová será justificada y se gloriará toda la simiente de Israel.

CAPÍTULO 46

Se postró Bel, se doblegó Nebo. Sus ídolos fueron puestos sobre bestias, sobre animales de carga; vuestros acarreos fueron muy pesados, muy gravosos para las *bestias* cansadas.

2 Se doblegaron, se postraron juntamente; no pudieron escaparse de la carga, sino que tuvieron ellos mismos que ir en cautiverio.

3 Oídme, oh casa de Jacob, y todo el remanente de la casa de Israel, los que sois traídos por mí desde el vientre, los que sois llevados desde la matriz.

4 Y hasta la vejez yo mismo, y hasta las canas os soportaré yo; yo hice, yo llevaré, yo os soportaré y os guardaré.

5 ¿A quién me asemejáis, y me igualáis, y me comparáis, para que seamos semejantes?

6 Sacan oro del talego, y pesan plata con balanzas, alquilan un platero para hacer un dios de ello; se postran y adoran.

7 Se lo echan sobre los hombros, lo llevan, y lo colocan en su lugar; allí se está, y no se mueve de su sitio. Le hablan, y tampoco responde, ni libra de la tribulación.

8 Acordaos de esto, y sed hombres, volved en vosotros, prevaricadores.

9 Acordaos de las cosas pasadas desde la antigüedad; porque yo soy Dios, y no *hay* más Dios, y nada *hay* semejante a mí;

10 que anuncio lo por venir desde el principio, y desde la antigüedad lo

que aún no era hecho; que digo: Mi consejo permanecerá, y haré todo lo que quiero;

11 que llamo desde el oriente al ave, y de tierra lejana al varón de mi consejo. Yo hablé, y lo haré venir; lo he pensado, y también lo haré.

12 Oídme, duros de corazón, que estáis lejos de la justicia.

13 Haré que se acerque mi justicia, no se alejará; y mi salvación no se detendrá. Y pondré salvación en Sión, y mi gloria en Israel.

CAPÍTULO 47

Desciende y siéntate en el polvo, virgen hija de Babilonia, siéntate en la tierra sin trono, hija de los caldeos; porque nunca más te llamarán tierna y delicada.

2 Toma el molino, y muele harina: descubre tus guedejas, descalza los pies, descubre las piernas, pasa los ríos.

3 Descubierta será tu desnudez, tu vergüenza será vista; tomaré venganza, y no te encontraré *como* hombre.

4 Nuestro Redentor, Jehová de los ejércitos *es* su nombre, el Santo de Israel.

5 Siéntate, calla, y entra en tinieblas, hija de los caldeos; porque nunca más te llamarán señora de reinos.

6 Me enojé contra mi pueblo, profané mi heredad, y los entregué en tu mano; no les tuviste misericordia; sobre el anciano agravaste mucho tu yugo.

7 Y dijiste: Para siempre seré señora; y no consideraste estas cosas en tu corazón, ni te acordaste de tu postrimería.

8 Oye, pues, ahora esto, *tú que eres* dada a los placeres, la que está sentada confiadamente, la que dice en su corazón: Yo soy, y fuera de mí no hay más; no quedaré viuda, ni conoceré orfandad.

9 Estas dos cosas te vendrán de repente en un mismo día, orfandad y viudez; en toda su fuerza vendrán sobre ti, por la multitud de tus hechicerías y por tus muchos encantamientos.

10 Porque te confiaste en tu maldad, diciendo: Nadie me ve. Tu sabiduría

y tu conocimiento te engañaron, y dijiste en tu corazón: Yo, y no más.

11 Por tanto vendrá sobre ti mal, que no sabrás ni de dónde vino; caerá sobre ti quebrantamiento, el cual no podrás remediar; y destrucción que no sabrás, vendrá de repente sobre ti.

12 Estate ahora en tus encantamientos, y con la multitud de tus hechizos, en los cuales te fatigaste desde tu niñez; quizá podrás mejorarte, quizá prevalecerás.

13 Te has fatigado en la multitud de tus consejos. Comparezcan ahora y te defiendan los astrólogos, los contempladores de las estrellas, los que cuentan los meses, para pronosticar lo que vendrá sobre ti.

14 He aquí que serán como tamo; fuego los quemará, no salvarán sus vidas del poder de la llama; no quedará brasa para calentarse, ni lumbre a la cual se sienten.

15 Así te serán aquellos con quienes te fatigaste, los que han negociado contigo desde tu juventud; cada uno se irá por su camino, no habrá quien te salve.

CAPÍTULO 48

Oíd esto, casa de Jacob, que os llamáis del nombre de Israel, los que salieron de las aguas de Judá, los que juran en el nombre de Jehová, y hacen memoria del Dios de Israel, pero no en verdad ni en justicia.

2 Porque de la santa ciudad se nombran, y se apoyan en el Dios de Israel. Jehová de los ejércitos es su nombre.

3 Lo que pasó, ya antes lo dije; y de mi boca salió; lo publiqué, lo hice presto, y vino a ser.

4 Por cuanto yo sabía que eres obstinado, y tendón de hierro tu cerviz, y tu frente de bronce,

5 te lo dije desde el principio; antes que sucediese te lo mostré, para que no dijeses: Mi ídolo lo hizo, mis imágenes de escultura y de fundición mandaron estas cosas.

6 Lo oíste, lo viste todo; ¿y no lo anunciaréis vosotros? Ahora, pues, te he hecho oír cosas nuevas y ocultas que tú no sabías.

7 Ahora han sido creadas, no en días pasados; ni antes de este día las habías oído, para que no digas: He aquí que yo lo sabía.

8 Sí, nunca lo habías oído, ni nunca lo habías conocido; ciertamente no se abrió antes tu oído; porque yo sabía que habrías de ser desleal, por tanto, desde el vientre has sido llamado rebelde.

9 Por amor de mi nombre diferiré mi furor, y para alabanza mía me refrenaré, para no talarte.

10 He aquí te he purificado, y no como a plata; te he escogido en horno de aflicción.

11 Por mí, por amor de mí mismo lo haré, para que no sea amancillado mi nombre, y mi honra no la daré a otro.

12 Óyeme, Jacob, y tú, Israel, mi llamado. Yo mismo, yo el primero, yo también el postrero.

13 Mi mano fundó también la tierra, y mi mano derecha midió los cielos con el palmo; al llamarlos yo, comparecieron juntamente.

14 Congregaos todos vosotros, y oíd. ¿Quién hay entre ellos que anuncie estas cosas? Jehová le ha amado; Él hará su voluntad en Babilonia, y su brazo estará sobre los caldeos.

15 Yo, yo hablé, y le llamé, y le traje; por tanto será prosperado su camino.

16 Acercaos a mí, oíd esto; desde el principio no hablé en secreto; desde que esto se hizo, allí estaba yo; y ahora el Señor Jehová me envió, y su Espíritu.

17 Así dice Jehová, tu Redentor, el Santo de Israel: Yo soy Jehová Dios, que te enseña para provecho, que te conduce por el camino en que debes andar.

18 ¡Oh si hubieras atendido a mis mandamientos! Entonces tu paz habría sido como un río, y tu justicia como las ondas del mar.

19 Tu simiente también habría sido como la arena, y los renuevos de tus entrañas como los granos de arena; su nombre nunca sería cortado, ni raído de mi presencia.

20 Salid de Babilonia, huid de entre los caldeos; dad nuevas de esto con voz de alegría, publicadlo, llevadlo hasta lo último de la tierra; decid: Redimió Jehová a Jacob su siervo.

21 Y no tuvieron sed *cuando* Él los llevó por los desiertos; Él hizo brotar las aguas de la roca; partió la peña, y fluyeron las aguas.

22 No *hay* paz para el impío, dice Jehová.

CAPÍTULO 49

Oídme, islas, y escuchad, pueblos lejanos: Jehová me llamó desde el vientre; desde las entrañas de mi madre mencionó mi nombre.

2 Y puso mi boca como espada aguda, me cubrió con la sombra de su mano; y me puso por saeta limpia, me guardó en su aljaba.

3 Y me dijo: Mi siervo *eres*, oh Israel; en ti me gloriaré.

4 Entonces dije: En vano he trabajado; por demás y sin provecho he consumido mi fuerza; pero mi juicio está delante de Jehová, y mi recompensa con mi Dios.

5 Ahora pues, dice Jehová, el que me formó desde el vientre *para ser* su siervo, para hacer volver a Él a Jacob. Bien que Israel no se juntare, con todo, estimado seré en los ojos de Jehová, y el Dios mío será mi fortaleza.

6 Y dijo: Poco es que tú me seas siervo para levantar las tribus de Jacob, y para que restaures los asolamientos de Israel: también te di por luz de las naciones, para que seas mi salvación hasta lo postrero de la tierra.

7 Así dice Jehová, el Redentor de Israel, el Santo suyo, al menospreciado de los hombres, al abominado de las naciones, al siervo de los gobernantes: Verán reyes y se levantarán, y príncipes adorarán a causa de Jehová; porque fiel es el Santo de Israel, el cual te escogerá.

8 Así dice Jehová: En tiempo aceptable te he oído, y en día de salvación te he socorrido; y te guardaré, y te daré por pacto al pueblo, para restaurar la tierra, para dar por herencia las asoladas heredades;

9 para que digas a los presos: Salid; y a los que *están* en tinieblas: Manifestaos. En los caminos serán apacentados, y en todas las cumbres *tendrán* sus pastos.

10 No tendrán hambre ni sed, ni el calor ni el sol los afligirá; porque el que tiene de ellos misericordia los guiará, y los conducirá a manaderos de aguas.

11 Y convertiré en camino todos mis montes, y mis calzadas serán levantadas.

12 He aquí éstos vendrán de lejos; y he aquí éstos del norte y del occidente, y éstos de la tierra de Sinim.

13 Cantad alabanzas, oh cielos, y alégrate, tierra; y prorrumpid en alabanzas, oh montes; porque Jehová ha consolado a su pueblo, y de sus pobres tendrá misericordia.

14 Pero Sión dijo: Me dejó Jehová, y el Señor se olvidó de mí.

15 ¿Se olvidará la mujer de lo que dio a luz, para dejar de compadecerse del hijo de su vientre? Aunque se olviden ellas, yo no me olvidaré de ti.

16 He aquí que en las palmas de *mis* manos te tengo esculpida; delante de mí *están* siempre tus muros.

17 Tus edificadores vendrán aprisa; tus destruidores y tus asoladores saldrán de ti.

18 Alza tus ojos alrededor, y mira; todos éstos se han reunido, han venido a ti. Vivo yo, dice Jehová, que de todos, como de vestidura de honra, serás vestida; y de ellos serás ceñida como novia.

19 Porque tus asolamientos, y tus ruinas, y tu tierra desierta, ahora será angosta por la multitud de los moradores; y tus destruidores serán apartados lejos.

20 Aun los hijos de tu orfandad dirán a tus oídos: Angosto *es* para mí este lugar; apártate por amor de mí, para que yo more.

21 Y dirás en tu corazón: ¿Quién me engendró éstos? Porque yo deshijada estaba y sola, peregrina y desterrada: ¿quién, pues, crió éstos? He aquí yo estaba dejada sola; éstos ¿dónde estaban?

22 Así dijo el Señor Jehová: He aquí, yo alzaré mi mano a los gentiles, y a los pueblos levantaré mi bandera; y traerán en brazos tus hijos, y tus hijas serán traídas en hombros.

23 Y reyes serán tus ayos, y sus reinas tus nodrizas; con el rostro inclinado

a tierra te adorarán, y lamerán el polvo de tus pies; y conocerás que yo soy Jehová, que no se avergonzarán los que me esperan.

24 ¿Será quitada la presa al valiente? ¿El justo cautivo, será liberado?

25 Pero así dice Jehová: Aun los cautivos serán rescatados del valiente, y la presa del tirano será librada; porque yo pelearé con los que peleen contra ti, y yo salvaré a tus hijos.

26 Y a los que te oprimen les haré comer sus propias carnes, y con su sangre serán embriagados como con vino dulce; y conocerá toda carne que yo Jehová soy tu Salvador, y tu Redentor, el Fuerte de Jacob.

CAPÍTULO 50

Así dice Jehová: ¿Dónde *está* la carta de divorcio de vuestra madre, con la cual yo la repudié? ¿O quiénes son mis acreedores, a quienes yo os he vendido? He aquí que por vuestras maldades os habéis vendido, y por vuestras rebeliones fue repudiada vuestra madre:

2 ¿Por qué cuando vine, no *había* nadie, y cuando llamé, nadie respondió? ¿Acaso se ha acortado mi mano, para no redimir? ¿No hay en mí poder para librar? He aquí que con mi represión hago secar el mar; torno los ríos en desierto, sus peces se pudren, y mueren de sed por falta de agua.

3 Visto de oscuridad los cielos, y hago que cilicio sea su cubierta.

4 El Señor Jehová me dio lengua de sabios, para saber hablar en sazón palabra al cansado; me despierta mañana tras mañana, despierta mi oído para que oiga como los sabios.

5 El Señor Jehová me abrió el oído, y yo no fui rebelde, ni me torné atrás.

6 Di mi cuerpo a los heridores, y mis mejillas a los que me mesaban la barba; no escondí mi rostro de injurias y de esputos.

7 Porque el Señor Jehová me ayudará; por tanto no seré confundido; por eso puse mi rostro como un pedernal, y sé que no seré avergonzado.

8 Cercano *está* el que me justifica;

El Señor Jehová me ayudará

¿quién contenderá conmigo? Juntémonos. ¿Quién *es* el adversario de mi causa? Acérquese a mí.

9 He aquí que el Señor Jehová me ayudará; ¿quién *es* el que me condenará? He aquí que todos ellos se envejecerán como ropa de vestir, se los comerá la polilla.

10 ¿Quién *hay* entre vosotros que teme a Jehová, y oye la voz de su siervo? El que anda *en* tinieblas y carece de luz, confíe en el nombre de Jehová, y apóyese en su Dios.

11 He aquí que todos vosotros encendéis fuego, y estáis cercados de centellas. Andad a la luz de vuestro fuego, y de las centellas que encendisteis. De mi mano os vendrá esto; en dolor seréis sepultados.

CAPÍTULO 51

Oídme, los que seguís justicia, los que buscáis a Jehová; mirad a la roca de donde fuisteis cortados, y al hueco de la cantera *de donde* fuisteis arrancados.

2 Mirad a Abraham vuestro padre, y a Sara *que* os dio a luz; porque lo llamé solo, y lo bendije, y lo multipliqué.

3 Ciertamente consolará Jehová a Sión; consolará todos sus lugares desolados, y hará su desierto como el Edén, y su soledad como el huerto de Jehová. Gozo y alegría se hallarán en ella, acciones de gracias y la voz de cánticos.

4 Estad atentos a mí, pueblo mío, y oídme, nación mía; porque de mí saldrá la ley, y mi juicio descubriré para luz de pueblos.

5 Cercana está mi justicia, ha salido mi salvación, y mis brazos juzgarán a los pueblos; las islas esperarán en mí, y en mi brazo pondrán su esperanza.

6 Alzad a los cielos vuestros ojos, y mirad abajo a la tierra; porque los cielos serán deshechos como humo, y la tierra se envejecerá como ropa de vestir, y de la misma manera perecerán sus moradores; mas mi salvación será para siempre, mi justicia no perecerá.

7 Oídme, los que conocéis justicia, pueblo en cuyo corazón está mi ley.

No temáis afrenta de hombre, ni desmayéis por sus injurias.

8 Porque como a vestidura los comerá la polilla, como a lana los comerá el gusano; mas mi justicia permanecerá para siempre, y mi salvación de generación en generación.

9 Despiértate, despiértate, vístete de fortaleza, oh brazo de Jehová; despiértate como en el tiempo antiguo, en las generaciones pasadas. ¿No *eres* tú el que cortó a Rahab, y el que hirió al dragón?

10 ¿No *eres* tú el que secó el mar, las aguas del gran abismo; el que transformó en camino las profundidades del mar para que pasasen los redimidos?

11 Ciertamente volverán los redimidos de Jehová, volverán a Sión cantando, y gozo perpetuo *habrá* sobre sus cabezas; tendrán gozo y alegría, y el dolor y el gemido huirán.

12 Yo, yo soy vuestro consolador. ¿Quién eres tú para que tengas temor del hombre, que es mortal, del hijo del hombre, que por heno será contado?

13 Y ya te has olvidado de Jehová tu Hacedor, que extendió los cielos y fundó la tierra; y todo el día temiste continuamente del furor del que aflige, cuando se disponía para destruir. ¿Pero en dónde está el furor del que aflige?

14 El cautivo en exilio se apresura para ser libertado, para no morir en la mazmorra, y que no le falte su pan.

15 Pero yo *soy* Jehová tu Dios, que agito el mar y hago rugir sus ondas. Jehová de los ejércitos es su nombre.

16 Y en tu boca he puesto mis palabras, y con la sombra de mi mano te cubrí, para yo plantar los cielos y fundar la tierra, y decir a Sión: Pueblo mío *eres* tú.

17 Despierta, despierta, levántate, oh Jerusalén, que bebiste de la mano de Jehová el cáliz de su ira; los sedimentos del cáliz de aturdimiento bebiste, *los* exprimiste.

18 De todos los hijos que dio a luz, no *hay* quien la guíe; ni quien la tome de la mano de todos los hijos que crió.

19 Estas dos cosas te han acontecido; ¿quién se dolerá de ti? Asolamiento y quebrantamiento, hambre y espada; ¿por quién te consolaré?

20 Tus hijos desmayaron, estuvieron tendidos en las encrucijadas de todos los caminos, como buey montaraz en la red, llenos del furor de Jehová, de la reprensión de tu Dios.

21 Oye, pues, ahora esto, afligida, ebria, y no de vino:

22 Así dice Jehová tu Señor, y tu Dios, *el cual* aboga la causa de su pueblo: He aquí he quitado de tu mano el cáliz de aturdimiento, los sedimentos del cáliz de mi ira; nunca más lo beberás.

23 Y lo pondré en la mano de tus angustiadores, que dijeron a tu alma: Póstrate para que pasemos. Y tú pusiste tu cuerpo como tierra, y como calle a los que pasaban.

CAPÍTULO 52

Despierta, despierta, vístete tu fortaleza, oh Sión; vístete tu ropa de hermosura, oh Jerusalén, ciudad santa; porque nunca más vendrá a ti incircunciso ni inmundo.

2 Sacúdete del polvo; levántate y siéntate, Jerusalén; suéltate de las ataduras de tu cuello, oh cautiva hija de Sión.

3 Porque así dice Jehová: De balde fuisteis vendidos; por tanto, sin dinero seréis rescatados.

4 Porque así dice Jehová el Señor: Mi pueblo descendió a Egipto en tiempo pasado, para peregrinar allá; y el asirio lo oprimió sin razón.

5 Y ahora ¿qué tengo yo aquí, dice Jehová, ya que mi pueblo es llevado sin haber un por qué? Y los que en él se enseñorean, lo hacen aullar, dice Jehová, y continuamente es blasfemado mi nombre todo el día.

6 Por tanto, mi pueblo sabrá mi nombre por esta causa en aquel día; porque yo mismo que hablo, he aquí estaré presente.

7 ¡Cuán hermosos son sobre los montes los pies del que trae alegres nuevas, del que publica la paz, del que trae buenas nuevas del bien, del que publica salvación, del que dice a Sión: Tu Dios reina!

8 ¡Voz de tus atalayas! alzarán la voz, juntamente darán voces de júbilo;

porque ojo a ojo verán cuando Jehová vuelve a traer a Sión.

9 Prorrumpid de gozo, cantad juntamente, lugares desolados de Jerusalén; porque Jehová ha consolado a su pueblo, a Jerusalén ha redimido.

10 Jehová desnudó su santo brazo ante los ojos de todas las naciones; y todos los términos de la tierra verán la salvación de nuestro Dios.

11 Apartaos, apartaos, salid de ahí, no toquéis cosa inmunda; salid de en medio de ella; limpiaos los que lleváis los vasos de Jehová.

12 Porque no saldréis apresurados, ni iréis huyendo; porque Jehová irá delante de vosotros, y *será* vuestra retaguardia el Dios de Israel.

13 He aquí que mi siervo será prosperado, será engrandecido y exaltado, y será muy enaltecido.

14 Como se asombraron de ti muchos, de tal manera fue desfigurado de los hombres su parecer; y su hermosura más que la de los hijos de los hombres,

15 así Él rociará muchas naciones; los reyes cerrarán ante Él la boca; porque verán lo que nunca les fue contado, y entenderán lo que jamás habían oído.

CAPÍTULO 53

1 ¿Quién ha creído a nuestro anuncio? ¿Y sobre quién se ha manifestado el brazo de Jehová?

2 Subirá cual renuevo delante de Él, y como raíz de tierra seca; no hay parecer en Él, ni hermosura; le veremos, mas sin atractivo para que le deseemos.

3 Despreciado y desechado entre los hombres, varón de dolores, experimentado en quebranto; y como que escondimos de Él el rostro, fue menospreciado, y no lo estimamos.

4 Ciertamente llevó Él nuestras enfermedades, y sufrió nuestros dolores; y nosotros le tuvimos por azotado, por herido de Dios y abatido.

5 Mas Él herido *fue* por nuestras transgresiones, molido por nuestros pecados; el castigo de nuestra paz *fue* sobre Él, y por su llaga fuimos nosotros curados.

6 Todos nosotros nos descarriamos como ovejas, cada cual se apartó por su camino; mas Jehová cargó en Él el pecado de todos nosotros.

7 Angustiado Él, y afligido, no abrió su boca; como cordero fue llevado al matadero; y como oveja delante de sus trasquiladores, enmudeció, y no abrió su boca.

8 De la cárcel y del juicio fue quitado; y su generación ¿quién la contará? Porque cortado fue de la tierra de los vivientes; por la rebelión de mi pueblo fue herido.

9 Y se dispuso con los impíos su sepultura, mas con los ricos fue en su muerte; aunque Él nunca hizo maldad, ni *hubo* engaño en su boca.

10 Con todo eso, Jehová quiso quebrantarlo, sujetándole a padecimiento. Cuando hubiere puesto su alma en expiación por el pecado, verá *su* linaje, prolongará *sus* días, y la voluntad de Jehová será en su mano prosperada.

11 Del trabajo de su alma verá y será saciado; por su conocimiento justificará mi siervo justo a muchos, y Él llevará las iniquidades de ellos.

12 Por tanto, yo le daré *parte* con los grandes, y con los fuertes repartirá despojos; por cuanto derramó su alma hasta la muerte, y fue contado con los transgresores; Y Él llevó el pecado de muchos, e hizo intercesión por los transgresores.

CAPÍTULO 54

1 Alégrate, oh estéril, la que no daba a luz; levanta canción, y da voces de júbilo, la que nunca estuvo de parto; porque más son los hijos de la dejada que los de la casada, dice Jehová.

2 Ensancha el sitio de tu tienda, y las cortinas de tus habitaciones sean extendidas; no seas escasa; alarga tus cuerdas, y refuerza tus estacas.

3 Porque a la mano derecha y a la mano izquierda has de crecer; y tu simiente heredará a los gentiles, y habitará las ciudades asoladas.

4 No temas, pues no serás avergonzada; y no te avergüences, que no serás afrentada; porque te olvidarás de la vergüenza de tu

juventud, y de la afrenta de tu viudez no tendrás más memoria.

5 Porque tu marido es tu Hacedor; Jehová de los ejércitos es su nombre; y tu Redentor, el Santo de Israel; Dios de toda la tierra será llamado.

6 Porque como a mujer abandonada y triste de espíritu te llamó Jehová, y como a la esposa de la juventud que es repudiada, dice el Dios tuyo.

7 Por un breve momento te dejé; mas te recogeré con grandes misericordias.

8 Con un poco de ira escondí mi rostro de ti por un momento; mas con misericordia eterna tendré compasión de ti, dice tu Redentor Jehová.

9 Porque esto me será como las aguas de Noé; que juré que nunca más las aguas de Noé pasarían sobre la tierra; así he jurado que no me enojaré contra ti, ni te reprenderé.

10 Porque los montes se moverán, y los collados temblarán; mas no se apartará de ti mi misericordia, ni el pacto de mi paz será removido, dice Jehová, el que tiene misericordia de ti.

11 Pobrecita, fatigada con tempestad, sin consuelo; he aquí que yo cimentaré tus piedras sobre carbunclo, y sobre zafiros te fundaré.

12 Tus ventanas pondré de piedras preciosas, tus puertas de piedras de carbunclo, y toda tu muralla de piedras preciosas.

13 Y todos tus hijos serán enseñados de Jehová; y multiplicará la paz de tus hijos.

14 Con justicia serás adornada; estarás lejos de opresión, porque no temerás; y del terror, porque no se acercará a ti.

15 Si alguno conspirare contra ti, lo hará sin mí; el que contra ti conspirare, delante de ti caerá.

16 He aquí que yo he creado al herrero que sopla las ascuas en el fuego, y que saca la herramienta para su obra; y yo he creado al destruidor para destruir.

17 Ninguna arma forjada contra ti, prosperará; y tú condenarás toda lengua que se levante contra ti en juicio. Ésta es la herencia de los siervos de Jehová, y su justicia viene de mí, dice Jehová.

CAPÍTULO 55

A todos los sedientos: Venid a las aguas; y los que no tienen dinero, venid, comprad, y comed. Venid, comprad, sin dinero y sin precio, vino y leche.

2 ¿Por qué gastáis el dinero en lo que no es pan, y vuestro trabajo en lo que no satisface? Oídme atentamente, y comed del bien, y se deleitará vuestra alma con grosura.

3 Inclinad vuestros oídos, y venid a mí; oíd, y vivirá vuestra alma; y haré con vosotros pacto eterno, las misericordias firmes a David.

4 He aquí, que yo lo di por testigo a los pueblos, por jefe y por maestro a las naciones.

5 He aquí, llamarás a gente que no conociste, y gentes que no te conocieron correrán a ti; por causa de Jehová tu Dios, y del Santo de Israel que te ha honrado.

6 Buscad a Jehová mientras puede ser hallado, llamadle en tanto que está cercano.

7 Deje el impío su camino, y el hombre inicuo sus pensamientos; y vuélvase a Jehová, el cual tendrá de él misericordia, y al Dios nuestro, el cual será amplio en perdonar.

8 Porque mis pensamientos no son vuestros pensamientos, ni vuestros caminos mis caminos, dice Jehová.

9 Como son más altos los cielos que la tierra, así son mis caminos más altos que vuestros caminos, y mis pensamientos más que vuestros pensamientos.

10 Porque como desciende de los cielos la lluvia, y la nieve, y no vuelve allá, sino que riega la tierra, y la hace germinar y producir, y da semilla al que siembra y pan al que come,

11 así será mi palabra que sale de mi boca; no volverá a mí vacía, antes hará lo que yo quiero, y será prosperada en aquello para que la envié.

12 Porque con alegría saldréis, y con paz seréis vueltos; los montes y los collados levantarán canción delante de vosotros, y todos los árboles del campo darán palmadas de aplauso.

13 En lugar de la zarza crecerá el ciprés, y en lugar de la ortiga crecerá

arrayán: y será a Jehová por nombre, por señal eterna que nunca será raída.

CAPÍTULO 56

Así dice Jehová: Guardad derecho, y haced justicia; porque cercana *está* mi salvación para venir, y mi justicia para ser revelada.

2 Bienaventurado el hombre que esto hiciere, y el hijo del hombre que esto abrazare; que guarda el sábado de profanarlo, y que guarda su mano de hacer el mal.

3 Y el hijo del extranjero, que se ha adherido a Jehová, no hable diciendo: Jehová me apartó totalmente de su pueblo. Ni diga el eunuco: He aquí yo *soy* árbol seco.

4 Porque así dice Jehová a los eunucos que guardaren mis sábados, y escogieren *lo* que yo quiero, y abrazaren mi pacto:

5 Yo les daré lugar en mi casa y dentro de mis muros, y nombre mejor que el de hijos e hijas; nombre perpetuo les daré que nunca perecerá.

6 Y a los hijos de los extranjeros que se adhirieren a Jehová para servirle, y que amaren el nombre de Jehová para ser sus siervos; a todos los que guardaren el sábado de profanarlo, y abrazaren mi pacto,

7 yo los llevaré a mi santo monte, y haré que se regocijen en mi casa de oración; sus holocaustos y sus sacrificios *serán* aceptos sobre mi altar; porque mi casa, casa de oración será llamada para todos los pueblos.

8 Dice el Señor Jehová, el que reúne a los dispersos de Israel: Aun reuniré *otros* a él; además de los que están a él congregados.

9 Todas las bestias del campo, todas las bestias del monte, venid a devorar.

10 Sus atalayas ciegos *son*, todos ellos ignorantes; todos ellos *son* perros mudos que no pueden ladrar; somnolientos, echados, aman el dormir.

11 Sí, *ellos son* perros comilones e insaciables; y *son* pastores *que* no pueden entender: todos ellos miran por sus propios caminos, cada uno busca su propio provecho, cada uno por su lado.

12 Venid, *dicen*, tomaré vino, embriaguémonos de licor; y será el día de mañana como éste, o mucho más excelente.

CAPÍTULO 57

Perece el justo, y no hay quien lo ponga en su corazón; y los piadosos *son* quitados, y no hay quien entienda que de delante de la aflicción es quitado el justo.

2 Entrará en la paz; descansarán en sus lechos todos los que andan en su rectitud.

3 Mas vosotros llegaos acá, hijos de la agorera, generación del adúltero y de la ramera.

4 ¿De quién os habéis mofado? ¿Contra quién ensanchasteis la boca, y alargasteis la lengua? ¿No *sois* vosotros hijos rebeldes, simiente mentirosa,

5 que os enardecéis con los ídolos debajo de todo árbol frondoso, que sacrificáis los hijos en los valles, debajo de los peñascos?

6 En las *piedras* lisas del valle está tu parte; ellas, ellas *son* tu suerte; y a ellas derramaste libación, y ofreciste presente. ¿No me he de vengar de estas cosas?

7 Sobre el monte alto y empinado pusiste tu cama; allí también subiste a hacer sacrificio.

8 Y tras la puerta y el umbral pusiste tu recuerdo; porque *a otro*, y no a mí, te descubriste, y subiste y ensanchaste tu cama, e hiciste *pacto* con ellos; amaste su cama dondequiera que la veías.

9 Y fuiste al rey con ungüento, y multiplicaste tus perfumes, y enviaste tus embajadores lejos, y te abatiste hasta el mismo infierno.

10 En la multitud de tus caminos te cansaste, mas no dijiste: No hay esperanza. Hallaste la vida de tu mano, por tanto no te desalentaste.

11 ¿Y de quién te asustaste o temiste que has faltado a la fe y no te has acordado de mí, ni lo pusiste en tu corazón? ¿No he guardado silencio desde tiempos antiguos, y nunca me has temido?

12 Yo publicaré tu justicia y tus obras, que no te aprovecharán.

13 Cuando clames, que te libren tus allegados; pero a todos ellos llevará el viento, un soplo *los* arrebatará; mas el que en mí espera, tendrá la tierra por heredad, y poseerá mi santo monte.

14 Y dirá: Allanad, allanad; preparad el camino, quitad los tropiezos del camino de mi pueblo.

15 Porque así dice el Alto y Sublime, el que habita la eternidad, y cuyo nombre es el Santo: Yo habito en la altura y la santidad, y con el quebrantado y humilde de espíritu, para hacer vivir el espíritu de los humildes, y para vivificar el corazón de los quebrantados.

16 Porque no contenderé para siempre, ni para siempre guardaré el enojo; pues decaería ante mí el espíritu, y las almas *que* yo he creado.

17 Por la iniquidad de su codicia me enojé y lo herí, escondí mi rostro y me indigné; y él siguió rebelde por el camino de su corazón.

18 He visto sus caminos, y lo sanaré; y lo guiaré y le daré consuelo a él y a sus enlutados.

19 Yo creo el fruto de labios: Paz, paz al que está lejos y al que está cerca, dice Jehová; y lo sanaré.

20 Mas los impíos *son* como el mar en tempestad, que no puede estarse quieto, y sus aguas arrojan cieno y lodo.

21 No *hay* paz, dice mi Dios, para el impío.

CAPÍTULO 58

Clama a voz en cuello, no te detengas; alza tu voz como trompeta, y anuncia a mi pueblo su rebelión, y a la casa de Jacob su pecado.

2 Que me buscan cada día, y quieren saber mis caminos, como gente que hubiese obrado justicia, y que no hubiese dejado la ley de su Dios; me piden justos juicios, y quieren acercarse a Dios.

3 *Dicen:* ¿Por qué ayunamos, y tú no lo ves? ¿*Por qué* humillamos nuestras almas, y tú no te das por entendido? He aquí que en el día de vuestro ayuno halláis placer, y oprimís a todos vuestros obreros.

4 He aquí que para contiendas y debates ayunáis, y para herir con el puño inicuamente; no ayunéis como hoy, para que vuestra voz sea oída en lo alto.

5 ¿Es tal el ayuno que yo escogí, que de día aflija el hombre su alma, que encorve su cabeza como junco, y haga cama de cilicio y de ceniza? ¿Llamaréis a esto ayuno y día agradable a Jehová?

6 ¿No *es* más bien el ayuno que yo escogí, desatar las ligaduras de impiedad, quitar las pesadas cargas, y dejar ir libres a los quebrantados, y que rompáis todo yugo?

7 ¿No *es* que compartas tu pan con el hambriento, y a los pobres errantes metas en casa; que cuando vieres al desnudo, lo cubras, y no te escondas de tu propia carne?

8 Entonces nacerá tu luz como el alba, y tu sanidad se dejará ver pronto; e irá tu justicia delante de ti, y la gloria de Jehová será tu retaguardia.

9 Entonces invocarás, y te oirá Jehová; clamarás, y dirá Él: Heme aquí. Si quitares de en medio de ti el yugo, el extender el dedo, y hablar vanidad;

10 Y si derramares tu alma al hambriento, y saciares al alma afligida, en las tinieblas nacerá tu luz, y tu oscuridad *será* como el mediodía.

11 Y Jehová te pastoreará siempre, y en las sequías saciará tu alma, y engordará tus huesos; y serás como huerto de riego, y como manantial de aguas, cuyas aguas nunca faltan.

12 Y los tuyos edificarán las ruinas antiguas; los cimientos de generación y generación levantarás; y serás llamado reparador de portillos, restaurador de calzadas para habitar.

13 Si retrajeres del sábado tu pie, *de* hacer tu voluntad en mi día santo, y al sábado llamares delicias, santo, glorioso de Jehová; y lo honrares, no andando en tus propios caminos, ni buscando tu voluntad, ni hablando *tus propias* palabras;

14 entonces te deleitarás en Jehová; y yo te haré subir sobre las alturas de la tierra, y te daré a comer la heredad de Jacob tu padre; porque la boca de Jehová *lo* ha hablado.

CAPÍTULO 59

He aquí que no se ha acortado la mano de Jehová para salvar, ni se ha agravado su oído para oír;

2 pero vuestras iniquidades han hecho división entre vosotros y vuestro Dios, y vuestros pecados han hecho ocultar *su* rostro de vosotros, para no oír.

3 Porque vuestras manos están contaminadas de sangre, y vuestros dedos de iniquidad; vuestros labios pronuncian mentira, habla maldad vuestra lengua.

4 No hay quien clame por la justicia, ni quien juzgue por la verdad; confían en vanidad, y hablan vanidades; conciben trabajo, y dan a luz iniquidad.

5 Ponen huevos de áspides, y tejen telas de arañas; el que comiere de sus huevos, morirá; y si los apretaren, saldrán víboras.

6 Sus telas no servirán para vestir, ni de sus obras serán cubiertos; sus obras *son* obras de iniquidad, y obra de rapiña está en sus manos.

7 Sus pies corren al mal, y se apresuran para derramar la sangre inocente; sus pensamientos, *son* pensamientos de iniquidad, destrucción y quebrantamiento *hay* en sus caminos.

8 No conocen camino de paz, ni hay derecho en sus caminos; sus veredas *son* torcidas; cualquiera que por ellas fuere, no conocerá paz.

9 Por esto se alejó de nosotros el juicio, y no nos alcanzó justicia; esperamos luz, y he aquí tinieblas; resplandor, y andamos en oscuridad.

10 Palpamos la pared como ciegos, y andamos a tientas como sin ojos; tropezamos a mediodía como de noche; estamos en lugares oscuros como muertos.

11 Gruñimos como osos todos nosotros, y gemimos lastimeramente como palomas; esperamos juicio, y no lo hay; salvación, *pero* está lejos de nosotros.

12 Porque nuestras rebeliones se han multiplicado delante de ti, y nuestros pecados han atestiguado contra nosotros; porque con nosotros están nuestras iniquidades, y conocemos nuestros pecados;

13 el prevaricar y mentir contra Jehová, y apartarse de en pos de nuestro Dios; el hablar calumnia y rebelión, concebir y proferir de corazón palabras de mentira.

14 Y el derecho se retiró, y la justicia se puso lejos; porque la verdad tropezó en la plaza, y la equidad no pudo entrar.

15 Y la verdad fue detenida; y el que se aparta del mal se convierte en presa; y lo vio Jehová, y desagradó a sus ojos, porque pereció el derecho.

16 Y vio que no *había* hombre, y se maravilló que no hubiera intercesor; por tanto su propio brazo le trajo salvación, y le afirmó su misma justicia.

17 Pues de justicia se vistió como de coraza, con yelmo de salvación en su cabeza; y se puso las ropas de venganza por vestidura, y se cubrió de celo como de manto.

18 De acuerdo a *sus* hechos, así Él retribuirá; ira a sus enemigos, pago a sus adversarios. Él dará su retribución a las islas.

19 Y temerán desde el occidente el nombre de Jehová, y desde el nacimiento del sol su gloria; porque vendrá el enemigo como río, mas el Espíritu de Jehová levantará bandera contra él.

20 Y vendrá el Redentor a Sión, y a los que se volvieren de la iniquidad en Jacob, dice Jehová.

21 Y éste será mi pacto con ellos, dice Jehová: Mi Espíritu que *está* sobre ti, y mis palabras que he puesto en tu boca, no faltarán de tu boca, ni de la boca de tus hijos, dice Jehová, ni de la boca de los hijos de tus hijos, desde ahora y para siempre.

CAPÍTULO 60

Levántate, resplandece; que ha venido tu luz, y la gloria de Jehová ha nacido sobre ti.

2 Porque he aquí que tiniebla cubrirán la tierra, y oscuridad los pueblos; mas sobre ti amanecer Jehová, y sobre ti será vista su gloria

3 Y andarán los gentiles a tu luz, y lo reyes al resplandor de tu nacimiento.

4 Alza tus ojos en derredor, y mira; todos éstos se han juntado, vinieron a ti; tus hijos vendrán de lejos, y tus hijas junto a ti serán criadas.

5 Entonces verás y resplandecerás; y se maravillará y ensanchará tu corazón, porque se convertirá a ti la multitud del mar, y las fuerzas de los gentiles vendrán a ti.

6 Multitud de camellos te cubrirá, dromedarios de Madián y de Efa; vendrán todos los de Seba; traerán oro e incienso, y publicarán alabanzas de Jehová.

7 Todo el ganado de Cedar será juntado para ti; carneros de Nebaiot te serán servidos; serán ofrecidos con agrado sobre mi altar, y glorificaré la casa de mi gloria.

8 ¿Quiénes *son* éstos *que* vuelan como nubes, y como palomas a sus ventanas?

9 Ciertamente a mí esperarán las islas, y las naves de Tarsis desde el principio, para traer tus hijos de lejos, su plata y su oro con ellos, al nombre de Jehová tu Dios, y al Santo de Israel, que te ha glorificado.

10 Y los hijos de los extranjeros edificarán tus muros, y sus reyes te servirán; porque en mi ira te herí, mas en mi buena voluntad te tuve misericordia.

11 Tus puertas estarán de continuo abiertas, no se cerrarán de día ni de noche, para que sean traídas a ti las riquezas de los gentiles, y conducidos a ti sus reyes.

12 Porque la nación o el reino que no te sirviere, perecerá; y esas naciones del todo serán asoladas.

13 La gloria del Líbano vendrá a ti, abetos, pinos y cedros juntamente, para decorar el lugar de mi santuario; y yo honraré el lugar de mis pies.

14 Y vendrán a ti humillados los hijos de los que te afligieron, y se postrarán a las plantas de tus pies todos los que te escarnecían, y te llamarán Ciudad de Jehová, Sión del Santo de Israel.

15 Aunque fuiste abandonada y aborrecida, tanto que nadie por ti pasaba, yo haré de ti gloria perpetua, gozo de generación y generación.

16 Y mamarás la leche de los gentiles, el pecho de los reyes mamarás; y conocerás que yo Jehová soy tu Salvador, y tu Redentor, el Fuerte de Jacob.

17 En vez de bronce traeré oro, y por hierro plata, y por madera bronce, y en lugar de piedras hierro; y pondré paz por tu tributo, y justicia por tus exactores.

18 Nunca más se oirá en tu tierra violencia, destrucción ni quebrantamiento en tus términos; sino que a tus muros llamarás Salvación, y a tus puertas Alabanza.

19 El sol nunca más te servirá de luz para el día, ni el resplandor de la luna te alumbrará; sino que Jehová te será por luz perpetua, y el Dios tuyo por tu gloria.

20 No se pondrá jamás tu sol, ni menguará tu luna; porque te será Jehová por luz perpetua, y los días de tu luto se acabarán.

21 Y tu pueblo, todos ellos *serán* justos, para siempre heredarán la tierra; renuevos de mi plantío, obra de mis manos, para glorificarme.

22 El pequeño vendrá a ser mil, el menor, una nación fuerte. Yo Jehová, a su tiempo lo apresuraré.

CAPÍTULO 61

El Espíritu de Jehová el Señor está sobre mí, porque me ha ungido Jehová; me ha enviado a predicar buenas nuevas a los abatidos, a vendar a los quebrantados de corazón, a publicar libertad a los cautivos, y *a los* presos apertura de la cárcel;

2 a proclamar el año de la buena voluntad de Jehová, y día de venganza del Dios nuestro; a consolar a todos los enlutados;

3 para ordenar a los que hacen duelo en Sión: Para darles gloria en lugar de ceniza, óleo de gozo en lugar del luto, manto de alegría en lugar de espíritu angustiado; y serán llamados árboles de justicia, plantío de Jehová, para que Él sea glorificado.

4 Y reedificarán los desiertos antiguos, y levantarán los asolamientos primeros, y restaurarán las ciudades arruinadas, los asolamientos de muchas generaciones.

5 Los extranjeros se levantarán y apacentarán vuestras ovejas, y los

hijos de los extranjeros *serán* vuestros labradores y vuestros viñadores.

6 Y vosotros seréis llamados sacerdotes de Jehová, ministros del Dios nuestro seréis llamados; comeréis la riqueza de los gentiles, y con su gloria seréis exaltados.

7 En lugar de vuestra doble confusión, y de vuestra deshonra, os alabarán en sus heredades; por lo cual en sus tierras poseerán el doble, y tendrán perpetuo gozo.

8 Porque yo Jehová amo el derecho, y aborrezco el latrocinio para holocausto; por tanto, afirmaré en verdad su obra, y haré con ellos un pacto eterno.

9 Y la simiente de ellos será conocida entre los gentiles, y sus renuevos en medio de los pueblos; todos los que los vieren, reconocerán, que *son* simiente *que* Jehová ha bendecido.

10 En gran manera me gozaré en Jehová, mi alma se alegrará en mi Dios; porque me vistió con ropas de salvación, me rodeó de manto de justicia, como a novio me atavió, y como a novia adornada con sus joyas.

11 Porque como la tierra produce su renuevo, y como el huerto hace brotar lo sembrado en él, así Jehová el Señor hará brotar justicia y alabanza delante de todas las naciones.

CAPÍTULO 62

Por amor de Sión no callaré, y por amor de Jerusalén no he de parar, hasta que salga como resplandor su justicia, y su salvación se encienda como una antorcha.

2 Entonces los gentiles verán tu justicia, y todos los reyes tu gloria; y te será puesto un nombre nuevo, que la boca de Jehová nombrará.

3 Y serás corona de gloria en la mano de Jehová, y diadema real en la mano de tu Dios.

4 Nunca más te llamarán Desamparada, ni tu tierra se dirá más Desolada; sino que serás llamada Hefziba, y tu tierra, Beula; porque el amor de Jehová será en ti, y tu tierra será desposada.

5 Pues *como* el joven se casa con la virgen, se casarán contigo tus hijos;

y como el gozo del esposo con la esposa, *así* tu Dios se gozará contigo.

6 Sobre tus muros, oh Jerusalén, he puesto guardas; todo el día y toda la noche no callarán jamás. Los que os acordáis de Jehová, no descanséis,

7 ni le deis tregua, hasta que Él establezca y ponga a Jerusalén por alabanza en la tierra.

8 Juró Jehová por su mano derecha, y por el brazo de su poder: Nunca más daré tu trigo *por* comida a tus enemigos, ni beberán los extraños el vino por el que tú trabajaste.

9 Mas los que lo cosecharon lo comerán, y alabarán a Jehová; y los que lo vendimiaron, lo beberán en los atrios de mi santuario.

10 Pasad, pasad por las puertas; preparad el camino al pueblo; allanad, allanad la calzada, quitad las piedras, alzad pendón a los pueblos.

11 He aquí que Jehová hizo oír hasta lo último de la tierra: Decid a la hija de Sión: He aquí viene tu Salvador; he aquí su recompensa con Él, y delante de Él su obra.

12 Y les llamarán Pueblo Santo, Redimidos de Jehová; y a ti te llamarán Ciudad Deseada, no desamparada.

CAPÍTULO 63

¿Quién *es* Éste que viene de Edom, de Bosra con vestiduras rojas? ¿Éste *que es* hermoso en su vestir, que marcha en la grandeza de su poder? Yo, el que hablo en justicia, poderoso para salvar.

2 ¿Por qué *es* roja tu vestidura, y tus ropas como del que ha pisado en lagar?

3 He pisado el lagar yo solo, y de los pueblos nadie fue conmigo; los pisé con mi ira, y los hollé con mi furor; y su sangre salpicó mis vestiduras, y manché todo mi ropaje.

4 Porque el día de la venganza *está* en mi corazón, y el año de mi redimidos ha llegado.

5 Y miré y no *había* quien ayudara, y me maravillé que no hubiera quien sustentase; y me salvó mi brazo, y m sostuvo mi ira.

6 Y con mi ira hollaré los pueblos, los embriagaré en mi furor, derribaré a tierra su fortaleza.

7 De las misericordias de Jehová haré mención, de las alabanzas de Jehová, conforme a todo lo que Jehová nos ha dado, y de la grandeza de su bondad hacia la casa de Israel, que les ha hecho según sus misericordias, y según la multitud de sus piedades.

8 Porque dijo: Ciertamente mi pueblo *son*, hijos que no mienten; y fue su Salvador.

9 En toda angustia de ellos Él fue angustiado, y el Ángel de su faz los salvó; en su amor y en su clemencia los redimió, y los trajo, y los levantó todos los días de la antigüedad.

10 Mas ellos fueron rebeldes, e hicieron enojar su Santo Espíritu; por lo cual se les volvió enemigo, *y* Él mismo peleó contra ellos.

11 Entonces se acordó de los días antiguos, de Moisés y de su pueblo, *diciendo*: ¿Dónde está el que les hizo subir del mar con el pastor de su rebaño? ¿Dónde está el que puso en medio de él su Santo Espíritu?

12 ¿El que los guió por la diestra de Moisés con el brazo de su gloria; el que dividió las aguas delante de ellos, haciéndose así nombre perpetuo?

13 ¿El que los condujo por los abismos, como un caballo por el desierto, sin que tropezaran?

14 El Espíritu de Jehová los pastoreó, como a una bestia que desciende al valle; así pastoreaste a tu pueblo, para hacerte un nombre glorioso.

15 Mira desde el cielo, y contempla desde la morada de tu santidad y de tu gloria: ¿Dónde está tu celo, y tu fortaleza, la conmoción de tus entrañas y de tus misericordias para conmigo? ¿Se han estrechado?

16 Pero tú *eres* nuestro Padre, si bien Abraham nos ignora, e Israel no nos conoce; tú, oh Jehová, *eres* nuestro Padre; nuestro Redentor, perpetuo *es* tu nombre.

17 ¿Por qué, oh Jehová, nos has hecho errar de tus caminos, y endureciste nuestro corazón a tu temor? Vuélvete por amor de tus siervos, por las tribus de tu heredad.

18 Por poco tiempo lo poseyó tu santo pueblo; nuestros enemigos han hollado tu santuario.

19 Nosotros somos *tuyos*. Tú nunca señoreaste sobre ellos, ellos nunca fueron llamados por tu nombre.

CAPÍTULO 64

1 Oh si rompiese los cielos, y descendieras, y a tu presencia se escurriesen los montes,

2 como fuego abrasador de fundiciones, fuego que hace hervir las aguas, para que hicieras notorio tu nombre a tus enemigos, y las naciones temblasen a tu presencia!

3 Cuando hiciste cosas terribles, cuales nunca esperábamos, y descendiste, se deslizaron los montes ante tu presencia.

4 Porque desde el principio del mundo no se ha escuchado, ni oído ha percibido, ni ojo ha visto a Dios fuera de ti, que hiciese por el que en Él espera.

5 Saliste al encuentro del que con alegría hacía justicia, de *los que* se acordaban de ti en tus caminos (he aquí, tú te enojaste cuando pecamos), en ellos hay perpetuidad, y seremos salvos.

6 Si bien todos nosotros somos como suciedad, y todas nuestras justicias como trapo de inmundicia; y caímos todos nosotros como la hoja, y nuestras maldades nos llevaron como viento.

7 Y nadie *hay* que invoque tu nombre, que se despierte para asirse de ti; por lo cual escondiste de nosotros tu rostro, y nos dejaste marchitar en poder de nuestras maldades.

8 Ahora pues, Jehová, tú *eres* nuestro Padre; nosotros barro, y tú el que nos formaste; así que obra de tus manos *somos* todos nosotros.

9 No te enojes sobremanera, oh Jehová, ni tengas perpetua memoria de la iniquidad; he aquí mira ahora, pueblo tuyo *somos* todos nosotros.

10 Tus santas ciudades están desiertas, Sión es un desierto, Jerusalén una soledad.

11 La casa de nuestro santuario y de nuestra gloria, en la cual te alabaron nuestros padres, fue consumida al fuego; y todas nuestras cosas preciosas han sido destruidas.

12 ¿Te estarás quieto, oh Jehová, sobre estas cosas? ¿Callarás, y nos afligirás sobremanera?

CAPÍTULO 65

Fui buscado de *los que* no preguntaban *por mí;* fui hallado de los que no me buscaban. Dije a gente que no invocaba mi nombre: Heme aquí, heme aquí.

2 Extendí mis manos todo el día a un pueblo rebelde, el cual anda por camino no bueno, en pos de sus pensamientos;

3 Pueblo que en mi cara me provoca de continuo a ira, sacrificando en huertos, y ofreciendo perfume sobre ladrillos;

4 que se quedan en los sepulcros, y en lugares escondidos pasan la noche; que comen carne de puerco, y en sus ollas *hay* caldo de cosas inmundas;

5 que dicen: Estate en tu lugar, no te acerques a mí, porque soy más santo que tú. Éstos son humo en mi furor, fuego que arde todo el día.

6 He aquí que escrito *está* delante de mí; no callaré, antes retornaré, y daré el pago en su seno,

7 por vuestras iniquidades, y las iniquidades de vuestros padres juntamente, dice Jehová, los cuales quemaron incienso sobre los montes, y sobre los collados me afrentaron; por tanto, yo les mediré su obra antigua en su seno.

8 Así dice Jehová: Como si alguno hallase mosto en un racimo, y dijese: No lo desperdicies, porque bendición *hay* en él; así haré yo por mis siervos, que no lo destruiré todo.

9 Mas sacaré simiente de Jacob, y de Judá heredero de mis montes; y mis escogidos poseerán por heredad la tierra, y mis siervos habitarán allí.

10 Y será Sarón para habitación de ovejas, y el valle de Acor para majada de vacas, para mi pueblo que me buscó.

11 Pero vosotros los que dejáis a Jehová, que olvidáis mi santo monte, que ponéis mesa para la Fortuna, y suministráis libaciones para el Destino;

12 yo también os destinaré a la espada, y todos vosotros os arrodillaréis al degolladero; por cuanto llamé, y no respondisteis; hablé, y no oísteis; sino que hicisteis lo malo delante de mis ojos, y escogisteis lo que no me agrada.

13 Por tanto así dice el Señor Jehová: He aquí que mis siervos comerán, y vosotros tendréis hambre; he aquí que mis siervos beberán, y vosotros tendréis sed; he aquí que mis siervos se alegrarán, y vosotros seréis avergonzados;

14 he aquí que mis siervos cantarán por el júbilo del corazón, y vosotros clamaréis por el dolor del corazón, y por el quebrantamiento de espíritu aullaréis.

15 Y dejaréis vuestro nombre por maldición a mis escogidos, y el Señor Jehová te matará; y a sus siervos llamará por otro nombre.

16 El que se bendijere en la tierra, en el Dios de verdad se bendecirá; y el que jurare en la tierra, por el Dios de verdad jurará; porque las angustias primeras serán olvidadas, y serán cubiertas de mis ojos.

17 Porque he aquí que yo creo nuevos cielos y nueva tierra; y de lo primero no habrá memoria, ni más vendrá al pensamiento.

18 Mas os gozaréis y os alegraréis para siempre *en las cosas* que yo he creado; porque he aquí que yo he creado alegría para Jerusalén, y gozo para su pueblo.

19 Y me alegraré con Jerusalén, y me gozaré con mi pueblo; y nunca más se oirán en ella voz de lloro, ni voz de clamor.

20 No habrá más allí niño *que muera* de días, ni viejo que sus días no cumpla; porque el niño morirá de cien años, y el pecador de cien años, será maldito.

21 Y edificarán casas, y morarán en ellas; plantarán viñas, y comerán el fruto de ellas.

22 No edificarán, y otro morará; no plantarán, y otro comerá; porque según los días de los árboles serán los días de mi pueblo, y mis escogidos disfrutarán por largo tiempo la obra de sus manos.

23 No trabajarán en vano, ni darán a luz para maldición; porque *son*

simiente de los benditos de Jehová, y sus descendientes con ellos.

24 Y sucederá que antes de que ellos clamen, responderé yo; y mientras aún estén hablando, yo habré oído.

25 El lobo y el cordero pacerán juntos, y el león comerá paja como el buey; y el polvo *será* el alimento de la serpiente. No afligirán, ni harán mal en todo mi santo monte, dice Jehová.

CAPÍTULO 66

Jehová dijo así: El cielo es mi trono, y la tierra el estrado de mis pies; ¿dónde *está* la casa que me habréis de edificar, y dónde *está* el lugar de mi reposo?

2 Mi mano hizo todas estas cosas, y así todas estas cosas fueron, dice Jehová; pero miraré a aquel que *es* pobre y humilde de espíritu, y que tiembla a mi palabra.

3 El que sacrifica buey, *es como si* matase un hombre; el que sacrifica oveja, *como si* degollase un perro; el que ofrece presente, *como si* ofreciese sangre de puerco; el que quema incienso, *como si* bendijese a un ídolo. Y porque han escogido sus propios caminos, y su alma amó sus abominaciones,

4 también yo escogeré sus escarnios, y traeré sobre ellos lo que temieron; porque llamé, y nadie respondió; hablé, y no oyeron; antes hicieron lo malo delante de mis ojos, y escogieron lo que no me agrada.

5 Oíd palabra de Jehová, vosotros los que tembláis a su palabra: Vuestros hermanos que os aborrecen, y os echan fuera por causa de mi nombre, dijeron: Jehová sea glorificado. Mas Él se mostrará para alegría vuestra, y ellos serán confundidos.

6 Voz de alboroto de la ciudad, voz del templo, voz de Jehová que da el pago a sus enemigos.

7 Antes que estuviese de parto, dio a luz; antes que le viniesen dolores dio a luz hijo.

8 ¿Quién oyó cosa semejante? ¿Quién vio tal cosa? ¿Dará a luz la tierra en un día? ¿Nacerá una nación de una vez? Pues en cuanto Sión estuvo de parto, dio a luz sus hijos.

9 Yo que hago dar a luz, ¿no haré nacer? dice Jehová. Yo que hago nacer, ¿cerraré *la matriz*? dice tu Dios.

10 Alegraos con Jerusalén, y gozaos con ella, todos los que la amáis; llenaos de gozo con ella, todos los que os enlutáis por ella;

11 para que maméis y os saciéis de los pechos de sus consolaciones; para que ordeñéis, y os deleitéis con el resplandor de su gloria.

12 Porque así dice Jehová: He aquí que yo extiendo sobre ella paz como un río, y la gloria de los gentiles como un arroyo que se desborda; y mamaréis, y sobre el regazo seréis traídos, y sobre las rodillas seréis acariciados.

13 Como aquel a quien consuela su madre, así os consolaré yo a vosotros, y en Jerusalén tomaréis consuelo.

14 Y veréis, y se alegrará vuestro corazón, y vuestros huesos reverdecerán como la hierba; y la mano de Jehová para con sus siervos será conocida, y su indignación contra sus enemigos.

15 Porque he aquí que Jehová vendrá con fuego, y sus carros como torbellino, para tornar su ira en furor, y su reprensión en llama de fuego.

16 Porque Jehová juzgará con fuego y con su espada a toda carne; y los muertos por Jehová serán multiplicados.

17 Los que se santifican y los que se purifican en los huertos, unos tras otros, los que comen carne de puerco, y abominación, y ratón; juntamente serán talados, dice Jehová.

18 Porque yo *conozco* sus obras y sus pensamientos; tiempo vendrá para juntar a todas las naciones y lenguas; y vendrán, y verán mi gloria.

19 Y pondré entre ellos señal, y enviaré a los que escaparon de ellos a las naciones, a Tarsis, a Pul y Lud, que disparan arco, a Tubal y a Javán, a las islas apartadas que no oyeron de mí, ni vieron mi gloria; y publicarán mi gloria entre los gentiles.

20 Y traerán a todos vuestros hermanos de entre todas las naciones, por ofrenda a Jehová, en caballos, en carros, en literas, en

mulos y en camellos, a mi santo monte de Jerusalén, dice Jehová, al modo que los hijos de Israel traen el presente en vasos limpios a la casa de Jehová.

21 Y tomaré también de ellos para sacerdotes y levitas, dice Jehová.

22 Porque como los cielos nuevos y la nueva tierra que yo hago permanecerán delante de mí, dice Jehová, así permanecerá vuestra simiente y vuestro nombre.

23 Y será que de mes en mes, y de sábado en sábado, vendrá toda carne a adorar delante de mí, dice Jehová.

24 Y saldrán, y verán los cadáveres de los hombres que se rebelaron contra mí; porque su gusano nunca morirá, ni su fuego se apagará; y serán abominables a toda carne.

Libro De
JEREMÍAS

CAPÍTULO 1

Las palabras de Jeremías hijo de Hilcías, de los sacerdotes que *habitaban* en Anatot, en tierra de Benjamín.

2 La palabra de Jehová que vino a él en los días de Josías hijo de Amón, rey de Judá, en el año decimotercero de su reinado.

3 Fue asimismo en días de Joacim hijo de Josías, rey de Judá, hasta el fin del año undécimo de Sedequías hijo de Josías, rey de Judá, hasta la cautividad de Jerusalén en el mes quinto.

4 Vino, pues, palabra de Jehová a mí, diciendo:

5 Antes que te formase en el vientre te conocí, y antes que salieses de la matriz te santifiqué, y te di por profeta a las naciones.

6 Y yo dije: ¡Ah, Señor Jehová! He aquí, no sé hablar, porque soy niño.

7 Y me dijo Jehová: No digas, soy niño; porque a todo lo que te envíe irás tú, y dirás todo lo que te mande.

8 No temas delante de ellos, porque yo estoy contigo para librarte, dice Jehová.

9 Y extendió Jehová su mano, y tocó sobre mi boca; y me dijo Jehová: He aquí he puesto mis palabras en tu boca.

10 Mira que te he puesto en este día sobre naciones y sobre reinos, para arrancar y para destruir, para arruinar y para derribar, para edificar y para plantar.

11 Y la palabra de Jehová vino a mí, diciendo: ¿Qué ves tú, Jeremías? Y dije: Yo veo una vara de almendro.

12 Y me dijo Jehová: Bien has visto; porque yo apresuro mi palabra para ponerla por obra.

13 Y vino a mí palabra de Jehová por segunda vez, diciendo: ¿Qué ves tú? Y dije: Yo veo una olla que hierve; y su faz está hacia el norte.

14 Y me dijo Jehová: Del norte se desatará el mal sobre todos los moradores de la tierra.

15 Porque he aquí que yo convoco a todas las familias de los reinos del norte, dice Jehová; y vendrán, y pondrá cada uno su trono a la entrada de las puertas de Jerusalén, y junto a todos sus muros en derredor, y en todas las ciudades de Judá.

16 Y a causa de toda su maldad, pronunciaré mis juicios contra ellos, quienes me dejaron, y quemaron incienso a dioses extraños, y adoraron la obra de sus propias manos.

17 Tú pues, ciñe tus lomos, y levántate, y háblales todo lo que yo te mande. No temas ante su presencia, para que yo no te quebrante delante de ellos.

18 Porque he aquí que yo te he puesto en este día como ciudad fortificada, y como columna de hierro, y como muro de bronce contra toda la tierra, contra los reyes de Judá, contra sus príncipes, contra sus sacerdotes, y contra el pueblo de la tierra.

19 Y pelearán contra ti, mas no te vencerán; porque yo *estoy* contigo, dice Jehová, para librarte.

Y vino a mí palabra de Jehová, diciendo:

2 Anda, y clama a los oídos de Jerusalén, diciendo: Así dice Jehová: Me he acordado de ti, de la lealtad de tu juventud, del amor de tu desposorio, cuando andabas en pos de mí en el desierto, en tierra no sembrada.

3 Santidad *era* Israel a Jehová, primicias de sus nuevos frutos. Todos los que le devoran injuriarán; mal vendrá sobre ellos, dice Jehová.

4 Oíd la palabra de Jehová, casa de Jacob, y todas las familias de la casa de Israel.

5 Así dice Jehová: ¿Qué maldad hallaron en mí vuestros padres, que se alejaron de mí, y se fueron tras la vanidad, y se tornaron vanos?

6 Y no dijeron: ¿Dónde está Jehová, que nos hizo subir de la tierra de Egipto, que nos hizo andar por el desierto, por una tierra desierta y barrancosa, por tierra seca y de sombra de muerte, por una tierra por la cual no pasó varón, ni allí habitó hombre?

7 Y os metí en tierra de abundancia, para que comieseis su fruto y su bien; mas entrasteis, y contaminasteis mi tierra, e hicisteis abominable mi heredad.

8 Los sacerdotes no dijeron: ¿Dónde está Jehová? Y los que tenían la ley no me conocieron; y los pastores se rebelaron contra mí, y los profetas profetizaron por Baal, y anduvieron tras *lo que* no aprovecha.

9 Por tanto entraré aún en juicio con vosotros, dice Jehová, y con los hijos de vuestros hijos pleitearé.

10 Porque pasad a las islas de Quitim y mirad; y enviad a Cedar, y considerad cuidadosamente, y ved si ha habido cosa semejante.

11 ¿Acaso alguna nación ha cambiado *sus* dioses, aunque ellos no *son* dioses? Pero mi pueblo ha cambiado su gloria por lo que no aprovecha.

12 Espantaos, cielos, sobre esto, y horrorizaos; desolaos en gran manera, dice Jehová.

13 Porque dos males ha hecho mi pueblo: me dejaron a mí, fuente de agua viva, por cavar para sí cisternas, cisternas rotas que no retienen el agua.

14 ¿*Es* Israel siervo? ¿*Es* esclavo? ¿Por qué ha sido despojado?

15 Los cachorros de los leones rugieron sobre él, alzaron su voz; y asolaron su tierra; quemadas están sus ciudades, sin morador.

16 Aun los hijos de Nof y de Tafnes te quebrantaron la coronilla.

17 ¿No te acarreaste esto tú mismo, al haber dejado a Jehová tu Dios, cuando Él te guiaba por el camino?

18 Ahora pues, ¿qué tienes tú en el camino de Egipto, para que bebas agua del Nilo? ¿Y qué tienes tú en el camino de Asiria, para que bebas agua del río?

19 Tu maldad te castigará, y tus rebeldías te condenarán; sabe, pues, y ve cuán malo y amargo *es* el haber dejado tú a Jehová tu Dios, y faltar mi temor en ti, dice el Señor, Jehová de los ejércitos.

20 Porque desde hace mucho quebré tu yugo, y rompí tus ataduras; y dijiste: No serviré. Con todo eso, sobre todo collado alto y debajo de todo árbol frondoso corrías tú, oh ramera.

21 Y yo te planté como una vid escogida, simiente verdadera toda ella: ¿cómo, pues, te me has tornado sarmientos de vid extraña?

22 Aunque te laves con lejía, y amontones jabón sobre ti, tu pecado está sellado delante de mí, dice el Señor Jehová.

23 ¿Cómo puedes decir: No soy inmunda, nunca anduve tras los Baales? Mira tu proceder en el valle, reconoce lo que has hecho, dromedaria ligera que entrevera sus caminos,

24 asna montés acostumbrada al desierto, que en el ardor de su deseo olfatea el viento; en su celo, ¿quién la detendrá? Todos los que la buscaren no se cansarán; la hallarán en su mes.

25 Guarda tus pies de andar descalzos, y tu garganta de la sed. Mas dijiste: No hay esperanza, no; porque amo a los extraños y tras ellos he de ir.

26 Como se avergüenza el ladrón cuando es tomado, así se avergonzará

la casa de Israel; ellos, sus reyes, sus príncipes, sus sacerdotes y sus profetas,

27 que dicen al leño: Mi padre *eres* tú; y a la piedra: Tú me has engendrado; pues me volvieron la cerviz, y no el rostro; pero en el tiempo de su tribulación dicen: Levántate, y líbranos.

28 ¿Y dónde *están* tus dioses que hiciste para ti? Levántense, a ver si te pueden librar en el tiempo de tu aflicción; porque *según* el número de tus ciudades, oh Judá, fueron tus dioses.

29 ¿Por qué contendéis conmigo? Todos vosotros prevaricasteis contra mí, dice Jehová.

30 Por demás he azotado vuestros hijos; no han recibido corrección. Vuestra espada devoró a vuestros profetas como león destructor.

31 ¡Oh generación! atended vosotros la palabra de Jehová. ¿He sido yo a Israel soledad, o tierra de tinieblas? ¿Por qué ha dicho mi pueblo: Somos señores; nunca más vendremos a ti?

32 ¿Se olvidará la virgen de sus adornos, o la desposada de sus atavíos? Pero mi pueblo se ha olvidado de mí por innumerables días.

33 ¿Por qué realzas tu camino para hallar amor? Pues aun a las malvadas enseñaste tus caminos.

34 También en tus faldas se halló la sangre de las almas de los pobres, de los inocentes; no la hallé en indagación secreta, sino en todas estas cosas.

35 Y dices: Porque soy inocente, de cierto su ira se desviará de mí. He aquí yo entraré en juicio contigo, porque dijiste: No he pecado.

36 ¿Para qué discurres tanto, mudando tus caminos? También serás avergonzada de Egipto, como fuiste avergonzada de Asiria.

37 También saldrás de él con tus manos sobre tu cabeza; porque Jehová desechó a aquellos en quienes confías, y no prosperarás por ellos.

CAPÍTULO 3

Dicen: Si alguno dejare su esposa, y yéndose ésta de él se juntare a

otro hombre, ¿volverá a ella más? ¿No será tal tierra del todo amancillada? Tú, pues, te has prostituido con muchos amantes; mas vuélvete a mí, dice Jehová.

2 Alza tus ojos a los lugares altos, y ve en qué lugar no se han acostado contigo; para ellos te sentabas en los caminos, como árabe en el desierto; y has contaminado la tierra con tu prostitución y tu maldad.

3 Por esta causa las aguas han sido detenidas, y faltó la lluvia tardía; y has tenido frente de ramera, y no quisiste tener vergüenza.

4 A lo menos desde ahora, ¿no clamarás a mí: Padre mío, guiador de mi juventud?

5 ¿Guardará *su enojo* para siempre? ¿Eternamente lo guardará? He aquí que has hablado y hecho cuantas maldades pudiste.

6 Y me dijo Jehová en días del rey Josías: ¿Has visto lo que ha hecho la infiel Israel? Ella se va sobre todo monte alto y debajo de todo árbol frondoso, y allí se prostituye.

7 Y *le* dije después que hizo todo esto: Vuélvete a mí; pero no se volvió. Y lo vio la rebelde su hermana Judá.

8 Y yo vi cuando por causa de todo esto, cometió adulterio la infiel Israel, yo la había despedido dándole carta de divorcio; y aún así no tuvo temor la rebelde Judá su hermana, sino que también ella fue y se prostituyó.

9 Y sucedió que por la liviandad con que se prostituyó la tierra, fue contaminada, y adulteró con la piedra y con el leño.

10 Y con todo esto, su hermana la rebelde Judá no se volvió a mí de todo su corazón, sino fingidamente, dice Jehová.

11 Y me dijo Jehová: Se ha justificado más la rebelde Israel en comparación con la desleal Judá.

12 Ve, y proclama estas palabras hacia el norte, y di: Vuélvete, oh rebelde Israel, dice Jehová, y no haré caer mi ira sobre vosotros; porque misericordioso *soy* yo, dice Jehová, y no guardaré para siempre *el enojo*.

13 Sólo reconoce tu maldad, porque contra Jehová tu Dios has prevaricado, y tus caminos has

derramado a los extraños debajo de todo árbol frondoso, y no oíste mi voz, dice Jehová.

14 Convertíos, hijos rebeldes, dice Jehová, porque yo soy vuestro esposo: y os tomaré uno de una ciudad, y dos de una familia, y os introduciré en Sión;

15 Y os daré pastores según mi corazón, que os apacienten con conocimiento e inteligencia.

16 Y acontecerá, que cuando os multiplicareis y creciereis en la tierra, en aquellos días, dice Jehová, no se dirá más: El arca del pacto de Jehová; ni vendrá al pensamiento, ni se acordarán de ella, ni la visitarán, ni la volverán a hacer.

17 En aquel tiempo llamarán a Jerusalén: Trono de Jehová, y todas las naciones se unirán a ella en el nombre de Jehová en Jerusalén; y no andarán más tras la dureza de su malvado corazón.

18 En aquellos tiempos irán de la casa de Judá a la casa de Israel, y vendrán juntamente de la tierra del norte a la tierra que hice heredar a vuestros padres.

19 Mas yo dije: ¿Cómo he de ponerte entre los hijos, y darte la tierra deseable, la rica heredad de los ejércitos de las naciones? Y dije: Padre mío me llamarás, y no te apartarás de en pos de mí.

20 Mas *como* la esposa infiel quiebra la fe de su compañero, así prevaricasteis contra mí, oh casa de Israel, dice Jehová.

21 Voz sobre las alturas fue oída, llanto de los ruegos de los hijos de Israel; porque han torcido su camino, se han olvidado de Jehová su Dios.

22 Convertíos, hijos rebeldes, y sanaré vuestra infidelidad. He aquí nosotros venimos a ti; porque tú eres Jehová nuestro Dios.

23 Ciertamente en vano *es esperar que la salvación* venga de los collados, o de la multitud de las montañas: Ciertamente en Jehová nuestro Dios está la salvación de Israel.

24 Confusión consumió el trabajo de nuestros padres desde nuestra juventud; sus ovejas, sus vacas, sus hijos y sus hijas.

25 Yacemos en nuestra confusión, y nuestra afrenta nos cubre: porque pecamos contra Jehová nuestro Dios, nosotros y nuestros padres, desde nuestra juventud y hasta este día; y no hemos obedecido la voz de Jehová nuestro Dios.

CAPÍTULO 4

Si te has de convertir, oh Israel, dice Jehová, conviértete a mí; y si quitares de delante de mí tus abominaciones, no andarás de acá para allá.

2 Y jurarás, diciendo: Vive Jehová, en verdad, en juicio y en justicia; y las naciones se bendecirán en Él, y en Él se gloriarán.

3 Porque así dice Jehová a todo varón de Judá y de Jerusalén: Haced barbecho para vosotros, y no sembréis entre espinos.

4 Circuncidaos para Jehová, y quitad los prepucios de vuestro corazón, varones de Judá y moradores de Jerusalén; no sea que mi ira salga como fuego, y se encienda y no haya quien *la* apague, por la maldad de vuestras obras.

5 Anunciad en Judá, y haced oír en Jerusalén, y decid: Tocad trompeta en la tierra. Pregonad, juntaos, y decid: Reuníos, y entremos en las ciudades fortificadas.

6 Alzad bandera en Sión, juntaos, no os detengáis; porque yo hago venir mal del norte, y destrucción grande.

7 El león sube de su guarida, y el destructor de los gentiles viene en camino; ha salido de su lugar para tornar tu tierra en desolación; tus ciudades quedarán en ruinas, y sin morador.

8 Por esto vestíos de cilicio, endechad y aullad; porque la ira de Jehová no se ha apartado de nosotros.

9 Y será en aquel día, dice Jehová, que desfallecerá el corazón del rey, y el corazón de los príncipes, y los sacerdotes estarán atónitos, y se maravillarán los profetas.

10 Y dije: ¡Ay, ay, Jehová Dios! verdaderamente en gran manera has engañado a este pueblo y a Jerusalén, diciendo: Paz tendréis; pues la espada ha venido hasta el alma.

11 En aquel tiempo se dirá de este pueblo y de Jerusalén: Viento seco de las alturas del desierto vino a la hija de mi pueblo, no para aventar, ni para limpiar.

12 Viento más vehemente que éste vendrá a mí; y ahora yo pronunciaré juicios contra ellos.

13 He aquí que subirá como nube, y su carro como torbellino; sus caballos son más ligeros que las águilas. ¡Ay de nosotros, porque hemos sido saqueados!

14 Lava tu corazón de maldad, oh Jerusalén, para que seas salva. ¿Hasta cuándo permanecerán en medio de ti los pensamientos de iniquidad?

15 Porque una voz proclama desde Dan, y anuncia calamidad desde el monte de Efraín.

16 Decid a las naciones; he aquí, haced oír sobre Jerusalén: Guardas vienen de tierra lejana, y darán su voz sobre las ciudades de Judá.

17 Como guardas de campo, estuvieron contra ella en derredor, porque ha sido rebelde contra mí, dice Jehová.

18 Tu camino y tus obras te hicieron esto, ésta es tu maldad; por lo cual amargura penetrará hasta tu corazón.

19 ¡Mis entrañas, mis entrañas! Me duelen las fibras de mi corazón; mi corazón se agita dentro de mí; no callaré; porque voz de trompeta has oído, oh alma mía, pregón de guerra.

20 Destrucción tras destrucción es anunciada; porque toda la tierra es devastada; de repente son destruidas mis tiendas, en un momento mis cortinas.

21 ¿Hasta cuándo he de ver bandera, y he de oír sonido de trompeta?

22 Porque mi pueblo es necio; no me han conocido, son hijos ignorantes y sin entendimiento; son sabios para hacer el mal, pero hacer el bien no lo saben.

23 Miré la tierra, y he aquí que estaba desordenada y vacía; y los cielos, y no había en ellos luz.

24 Miré los montes, y he aquí que temblaban, y todos los collados fueron destruidos.

25 Miré, y no había hombre alguno, y todas las aves del cielo se habían ido.

26 Miré, y he aquí la tierra fértil era un desierto, y todas sus ciudades estaban asoladas a la presencia de Jehová, delante del furor de su ira.

27 Porque así dice Jehová: Toda la tierra será asolada; mas no haré consumación.

28 Por esto se enlutará la tierra, y los cielos arriba se oscurecerán, porque hablé, lo determiné, y no me arrepentiré, ni me retraeré de ello.

29 Por el estruendo de la gente de a caballo y de los arqueros huirá toda la ciudad; entrarán en las espesuras de los bosques, y subirán a los peñascos; todas las ciudades serán abandonadas, y no quedará en ellas morador alguno.

30 Y tú, asolada, ¿qué harás? Aunque te vistas de grana, aunque te adornes con atavíos de oro, aunque pintes con antimonio tus ojos, en vano te engalanas; te menospreciaron tus amantes, buscarán tu vida.

31 Porque oí una voz como de mujer que está de parto, angustia como de primeriza; voz de la hija de Sión que lamenta y extiende sus manos, diciendo: ¡Ay ahora de mí! que mi alma desmaya a causa de los asesinos.

CAPÍTULO 5

Recorred las calles de Jerusalén, y mirad ahora, y sabed, y buscad en sus plazas si podéis hallar algún hombre, si hay alguno que haga juicio, que busque verdad; y yo la perdonaré.

2 Y aunque digan: Vive Jehová; ciertamente juran falsamente.

3 Oh Jehová, ¿no miran tus ojos a la verdad? Los azotaste, y no les dolió; los consumiste, pero no quisieron recibir corrección; endurecieron sus rostros más que la piedra, no quisieron arrepentirse.

4 Pero yo dije: Ciertamente ellos son pobres, han enloquecido, pues no conocen el camino de Jehová, el juicio de su Dios.

5 Me iré a los grandes, y les hablaré; porque ellos conocen el camino de Jehová, el juicio de su Dios. Pero ellos también quebraron el yugo y rompieron las coyundas.

6 Por tanto, el león de la selva los

herirá, los destruirá el lobo del desierto, el leopardo acechará sobre sus ciudades; cualquiera que de ellas saliere, será despedazado; porque sus rebeliones se han multiplicado, se han aumentado sus deslealtades.

7 ¿Cómo te he de perdonar por esto? Tus hijos me dejaron, y juraron por *lo que no es* Dios. Los sacié, y adulteraron, y en casa de rameras se juntaron en compañías.

8 Como caballos bien alimentados de mañana, cada cual relinchaba tras la esposa de su prójimo.

9 ¿No he de castigar por esto? dice Jehová. De una gente como ésta ¿no se ha de vengar mi alma?

10 Escalad sus muros, y destruid; mas no hagáis consumación: quitad las almenas de sus muros, porque no *son* de Jehová.

11 Porque resueltamente se rebelaron contra mí la casa de Israel y la casa de Judá, dice Jehová.

12 Negaron a Jehová, y dijeron: Él no *es*, y no vendrá mal sobre nosotros, ni veremos espada ni hambre;

13 y los profetas serán como el viento, y no *hay* en ellos palabra; así se hará a ellos.

14 Por tanto, así dice Jehová Dios de los ejércitos: Porque hablasteis esta palabra, he aquí yo pongo mis palabras en tu boca por fuego, y a este pueblo por leña, y los consumirá.

15 He aquí yo traigo sobre vosotros gente de lejos, oh casa de Israel, dice Jehová; gente robusta, gente antigua, gente cuya lengua ignorarás, y no entenderás lo que hablare.

16 Su aljaba *es* como sepulcro abierto, todos ellos *son* valientes.

17 Y comerán tu mies y tu pan, *que habían de* comer tus hijos y tus hijas; comerán tus ovejas y tus vacas, comerán tus viñas y tus higueras; y a espada destruirán tus ciudades fuertes en que tú confías.

18 Mas en aquellos días, dice Jehová, no os destruiré del todo.

19 Y será que cuando dijereis: ¿Por qué Jehová el Dios nuestro hace con nosotros todas estas cosas?, entonces les dirás: De la manera que me dejasteis a mí, y servisteis a dioses ajenos en vuestra tierra, así serviréis a extraños en tierra ajena.

20 Anunciad esto en la casa de Jacob, y haced que esto se oiga en Judá, diciendo:

21 Oíd ahora esto, pueblo necio y sin corazón, que tiene ojos y no ve, que tiene oídos y no oye.

22 ¿A mí no me temeréis? dice Jehová; ¿no os amedrentaréis ante mi presencia, que al mar puse arena por término por ordenación eterna, la cual no quebrantará? Se levantarán tempestades, mas no prevalecerán; bramarán sus ondas, mas no lo pasarán.

23 Pero este pueblo tiene corazón falso y rebelde; se volvieron y se fueron.

24 Y no dijeron en su corazón: Temamos ahora a Jehová Dios nuestro, que da lluvia temprana y tardía en su tiempo; Él nos guarda los tiempos establecidos de la siega.

25 Vuestras iniquidades han estorbado estas cosas; y vuestros pecados detuvieron de vosotros el bien.

26 Porque fueron hallados en mi pueblo *hombres* impíos; acechan como quien pone lazos; ponen trampa para cazar hombres.

27 Como jaula llena de pájaros, así *están* sus casas llenas de engaño: así se hicieron grandes y ricos.

28 Engordaron y se pusieron lustrosos, y sobrepasaron los hechos del malo; no juzgaron la causa, la causa del huérfano; con todo, se hicieron prósperos, y la causa de los pobres no juzgaron.

29 ¿No he de castigar por esto? dice Jehová; ¿y de tal nación no se vengará mi alma?

30 Cosa espantosa y fea es hecha en la tierra;

31 los profetas profetizaron mentira, y los sacerdotes dirigían por su propia mano; y mi pueblo así lo quiso. ¿Qué, pues, haréis al final de esto?

CAPÍTULO 6

Huid, hijos de Benjamín, de en medio de Jerusalén, y tocad bocina en Tecoa, y alzad por señal humo sobre Bet-haquerem; porque del norte se ve venir el mal, y destrucción grande.

2 A *mujer* hermosa y delicada comparé a la hija de Sión.

3 A ella vendrán pastores y sus rebaños; junto a ella en derredor pondrán *sus* tiendas; cada uno apacentará en su lugar.

4 Declarad guerra contra ella; levantaos y asaltémosla al mediodía. ¡Ay de nosotros! que va cayendo ya el día, que las sombras de la tarde se han extendido.

5 Levantaos, y subamos de noche, y destruyamos sus palacios.

6 Porque así dice Jehová de los ejércitos: Cortad árboles, y levantad baluarte junto a Jerusalén; ésta *es* la ciudad que toda ella ha de ser castigada; toda ella *está* llena de violencia.

7 Como la fuente nunca cesa de manar sus aguas, así ella nunca cesa de manar su maldad; injusticia y robo se oye en ella; continuamente en mi presencia, enfermedad y herida.

8 Corrígete, Jerusalén, para que no se aparte mi alma de ti, para que no te convierta en desierto, en tierra inhabitada.

9 Así dice Jehová de los ejércitos: Del todo rebuscarán como a vid al remanente de Israel; vuelve tu mano como vendimiador a los cestos.

10 ¿A quién debo de hablar y amonestar, para que oigan? He aquí que sus oídos *son* incircuncisos, y no pueden escuchar; he aquí que la palabra de Jehová les es cosa vergonzosa, no la aman.

11 Por tanto, estoy lleno de la ira de Jehová, cansado estoy de contener-me; la derramaré sobre los niños en la calle, y sobre la reunión de los jóvenes juntamente; porque el marido también será preso con la esposa, el viejo con el lleno de días.

12 Y sus casas serán traspasadas a otros, *sus* heredades y también sus esposas; porque extenderé mi mano sobre los moradores de la tierra, dice Jehová.

13 Porque desde el más chico de ellos hasta el más grande de ellos, cada uno sigue la avaricia; y desde el profeta hasta el sacerdote, todos son engañadores.

14 Y curan el quebrantamiento *de la* hija de mi pueblo con liviandad, diciendo: Paz, paz; y no *hay* paz.

15 ¿Se han avergonzado de haber hecho abominación? Ciertamente no se han avergonzado, ni siquiera se han ruborizado; por tanto, caerán entre los que caigan; cuando los castigue, caerán, dice Jehová.

16 Así dice Jehová: Paraos en los caminos, y mirad, y preguntad por las sendas antiguas, cuál *es* el buen camino, y andad por él, y hallaréis descanso para vuestra alma. Mas dijeron: No andaremos.

17 Puse también atalayas sobre vosotros, *que dijesen:* Escuchad el sonido de la trompeta. Y dijeron ellos: No escucharemos.

18 Por tanto oíd, naciones, y entended, oh congregación, lo que *hay* entre ellos.

19 Oye, tierra. He aquí yo traigo mal sobre este pueblo, el fruto de sus pensamientos; porque no atendieron a mis palabras, y aborrecieron mi ley.

20 ¿Para qué viene a mí este incienso de Seba, y la caña olorosa de tierra lejana? Vuestros holocaustos no *son* aceptables, ni vuestros sacrificios me agradan.

21 Por tanto, Jehová dice esto: He aquí yo pongo a este pueblo piedras de tropiezo, y caerán en ellas los padres y los hijos juntamente, el vecino y su compañero perecerán.

22 Así dice Jehová: He aquí que viene pueblo de la tierra del norte, y una nación grande se levantará de los confines de la tierra.

23 Arco y lanza empuñarán; crueles *son*, y no tendrán misericordia; sonará la voz de ellos como el mar, y montarán a caballo como hombres dispuestos para la guerra, contra ti, oh hija de Sión.

24 Su fama hemos oído, y nuestras manos se descoyuntan; angustia se apodera de nosotros, dolor como de mujer que está de parto.

25 No salgas al campo, ni andes por el camino; porque espada de enemigo y temor *hay* por todas partes.

26 Hija de mi pueblo, cíñete de cilicio, y revuélcate en ceniza; haz luto *como por* hijo único, llanto de amarguras; porque pronto vendrá sobre nosotros el destructor.

27 Por fortaleza te he puesto en mi pueblo, y por torre; conocerás pues, y examinarás el camino de ellos.

28 Todos ellos *son* rebeldes obstinados, andan con calumniadores; *son* bronce y hierro; todos ellos *son* corruptores.

29 Se quemó el fuelle, por el fuego se ha consumido el plomo; por demás fundió el fundidor, pues los malvados no han sido desarraigados.

30 Plata desechada los llamarán, porque Jehová los desechó.

CAPÍTULO 7

Palabra de Jehová que vino a Jeremías, diciendo:

2 Ponte a la puerta de la casa de Jehová, y predica allí esta palabra, y di: Oíd palabra de Jehová, todo Judá, los que entráis por estas puertas para adorar a Jehová.

3 Así dice Jehová de los ejércitos, Dios de Israel: Mejorad vuestros caminos y vuestras obras, y os haré morar en este lugar.

4 No confiéis en palabras de mentira, diciendo: Templo de Jehová, templo de Jehová, templo de Jehová *es* éste.

5 Mas si mejorareis cumplidamente vuestros caminos y vuestras obras; si con exactitud hiciereis justicia entre el hombre y su prójimo,

6 y no oprimiereis al extranjero, al huérfano, y a la viuda, ni en este lugar derramareis la sangre inocente, ni anduviereis en pos de dioses ajenos para mal vuestro;

7 entonces os haré morar en este lugar, en la tierra que di a vuestros padres para siempre.

8 He aquí que vosotros confiáis en palabras de mentira, que no aprovechan.

9 ¿Seguiréis hurtando, matando, adulterando, jurando falsamente, y quemando incienso a Baal, y andando tras dioses ajenos que no conocisteis?

10 ¿Y vendréis y os pondréis delante de mí en esta casa que es llamada por mi nombre, y diréis: Librados somos; para hacer todas estas abominaciones?

11 ¿Es cueva de ladrones delante de vuestros ojos esta casa, sobre la cual es invocado mi nombre? He aquí que también yo veo, dice Jehová.

12 Ahora pues, id a mi lugar en Silo, donde hice morar mi nombre al principio, y ved lo que le hice por la maldad de mi pueblo Israel.

13 Y ahora, por cuanto vosotros habéis hecho todas estas obras, dice Jehová, y bien que os hablé, madrugando para hablar, no oísteis, y os llamé, y no respondisteis;

14 haré también a *esta* casa que es llamada por mi nombre, en la que vosotros confiáis, y a este lugar que di a vosotros y a vuestros padres, como hice a Silo;

15 y os echaré de mi presencia como eché a todos vuestros hermanos, a toda la descendencia de Efraín.

16 Tú pues, no ores por este pueblo, ni levantes por ellos clamor ni oración, ni me ruegues; porque no te oiré.

17 ¿No ves lo que éstos hacen en las ciudades de Judá y en las calles de Jerusalén?

18 Los hijos recogen la leña, y los padres encienden el fuego, y las mujeres amasan la masa, para hacer tortas a la reina del cielo y para hacer ofrendas a dioses ajenos, para provocarme a ira.

19 ¿Me provocarán ellos a ira? dice Jehová, ¿No obran más bien ellos mismos para confusión de sus rostros?

20 Por tanto, así dice el Señor Jehová: He aquí que mi furor y mi ira se derrama sobre este lugar, sobre los hombres, sobre los animales, sobre los árboles del campo, y sobre los frutos de la tierra; y se encenderá, y no se apagará.

21 Así dice Jehová de los ejércitos, Dios de Israel: Añadid vuestros holocaustos sobre vuestros sacrificios, y comed carne.

22 Porque no hablé yo con vuestros padres el día que los saqué de la tierra de Egipto, ni les di mandamiento acerca de holocaustos y de víctimas.

23 Mas esto les mandé, diciendo: Obedeced mi voz, y yo seré vuestro Dios, y vosotros seréis mi pueblo; y andad en todo camino que os he mandado, para que os vaya bien.

24 Pero ellos no escucharon ni inclinaron su oído; antes caminaron en sus consejos, en la dureza de su corazón malvado, y fueron hacia atrás y no hacia adelante,

25 desde el día que vuestros padres salieron de la tierra de Egipto hasta hoy. Y os envié a todos los profetas mis siervos, madrugando cada día y enviándolos:

26 Pero no me escucharon ni inclinaron su oído; antes endurecieron su cerviz, e hicieron peor que sus padres.

27 Tú, pues, les dirás todas estas palabras, mas no te oirán; los llamarás, y no te responderán.

28 Les dirás por tanto: Ésta *es* la nación que no obedeció la voz de Jehová su Dios, ni admitió corrección; pereció la verdad, y de la boca de ellos fue cortada.

29 Corta tu cabello, *oh Jerusalén*, y arrójalo, y levanta llanto sobre las alturas; porque Jehová ha desechado y abandonado a la generación *objeto* de su ira.

30 Porque los hijos de Judá han hecho lo malo ante mis ojos, dice Jehová; pusieron sus abominaciones en la casa sobre la cual mi nombre es invocado, amancillándola.

31 Y han edificado los lugares altos de Tofet, que *está* en el valle del hijo de Hinom, para quemar al fuego a sus hijos y a sus hijas, cosa que yo no *les* mandé, ni subió en mi corazón.

32 Por tanto, he aquí vendrán días, dice Jehová, que no se dirá más, Tofet, ni valle del hijo de Hinom, sino valle de la Matanza; y serán enterrados en Tofet, por no haber lugar.

33 Y los cadáveres de este pueblo servirán de comida a las aves del cielo y a las bestias de la tierra; y no habrá quien las espante.

34 Y haré cesar de las ciudades de Judá, y de las calles de Jerusalén, la voz de gozo y la voz de alegría, la voz de desposado y la voz de desposada; porque la tierra será desolada.

CAPÍTULO 8

En aquel tiempo, dice Jehová, sacarán los huesos de los reyes de Judá, y los huesos de sus príncipes, y

Rebeldía perpetua de Jerusalén

los huesos de los sacerdotes, y los huesos de los profetas, y los huesos de los moradores de Jerusalén, fuera de sus sepulcros;

2 y los esparcirán al sol y a la luna y a todo el ejército del cielo, a quienes amaron y a quienes sirvieron, y en pos de quienes anduvieron, a quienes consultaron, y a quienes adoraron. No serán recogidos, ni enterrados; serán como estiércol sobre la faz de la tierra.

3 Y se escogerá la muerte antes que la vida por todo el remanente que quedare de esta mala generación, en todos los lugares adonde arrojaré yo a los que quedaren, dice Jehová de los ejércitos.

4 Les dirás asimismo: Así dice Jehová: El que cae, ¿no se levanta? El que se desvía, ¿no regresa al camino?

5 ¿Por qué es este pueblo de Jerusalén rebelde con rebeldía perpetua? Se aferran al engaño, rehúsan volver.

6 Escuché y oí; *pero* no hablan derecho, no hay hombre que se arrepienta de su mal, diciendo: ¿Qué he hecho? Cada cual se volvió a su carrera, como caballo que arremete con ímpetu a la batalla.

7 Aun la cigüeña en el cielo conoce su tiempo, y la tórtola y la grulla y la golondrina guardan el tiempo de su venida; pero mi pueblo no conoce el juicio de Jehová.

8 ¿Cómo decís: Nosotros *somos* sabios, y la ley de Jehová *está* con nosotros? Ciertamente, he aquí que en vano se cortó la pluma, por demás fueron los escribas.

9 Los sabios se avergonzaron, se espantaron y fueron presos; he aquí que aborrecieron la palabra de Jehová; ¿y qué sabiduría tienen?

10 Por tanto, daré sus esposas a otros, y sus campos a quienes los posean; porque desde el chico hasta el grande cada uno sigue la avaricia, desde el profeta hasta el sacerdote todos practican el engaño.

11 Y curaron el quebrantamiento de la hija de mi pueblo con liviandad, diciendo: Paz, paz; y no *hay* paz.

12 ¿Se avergonzaron de haber hecho abominación? Ciertamente no se han avergonzado, ni siquiera se han

ruborizado; por tanto, caerán entre los que caigan, cuando los castigue, caerán, dice Jehová.

13 Los destruiré del todo, dice Jehová. No *habrá* uvas en la vid, ni higos en la higuera, y se caerá la hoja; y *lo que* les he dado pasará de ellos.

14 ¿Por qué nos estamos sentados? Congregaos, y entremos en las ciudades fortificadas, y allí reposaremos; porque Jehová nuestro Dios nos ha hecho callar, dándonos a beber bebida de hiel, porque pecamos contra Jehová.

15 Esperamos paz, y no *hubo* bien; tiempo de sanidad, y he aquí turbación.

16 Desde Dan se oyó el bufido de sus caballos: del sonido de los relinchos de sus fuertes tembló toda la tierra; y vinieron y devoraron la tierra y su abundancia, ciudad y moradores de ella.

17 Porque he aquí que yo envío sobre vosotros serpientes, áspides, contra las cuales no hay encantamiento; y os morderán, dice Jehová.

18 A causa de mi fuerte dolor mi corazón desfallece en mí.

19 He aquí la voz del clamor de la hija de mi pueblo, a causa de los que moran en tierra lejana: ¿No *está* Jehová en Sión? ¿No *está* en ella su Rey? ¿Por qué me provocaron a ira con sus imágenes de talla, y con vanidades extrañas?

20 Pasó la siega, terminó el verano, y nosotros no hemos sido salvos.

21 Quebrantado estoy por el quebrantamiento de la hija de mi pueblo; entenebrecido estoy, espanto me ha arrebatado.

22 ¿No *hay* bálsamo en Galaad? ¿No *hay* allí médico? ¿Por qué, pues, no se ha restablecido la salud de la hija de mi pueblo?

CAPÍTULO 9

¡Oh si mi cabeza se hiciese aguas, y mis ojos fuentes de lágrimas, para que llore día y noche los muertos de la hija de mi pueblo!

2 ¡Oh quién me diese en el desierto un mesón de caminantes, para que dejase mi pueblo, y de ellos me apartase! Porque todos ellos son adúlteros, congregación de prevaricadores.

3 Tensan su lengua *como* su arco, *para lanzar* mentira; pero no son valientes para la verdad en la tierra: porque de mal en mal procedieron, y me han desconocido, dice Jehová.

4 Guárdese cada uno de su compañero, y en ningún hermano tenga confianza; porque todo hermano engaña con falacia, y todo compañero anda con calumniadores.

5 Y cada uno engaña a su compañero, y no habla verdad; enseñaron su lengua a hablar mentira, y se ocupan de hacer perversamente.

6 Tu morada *es* en medio de engaño; de muy engañadores no quisieron conocerme, dice Jehová.

7 Por tanto, así dice Jehová de los ejércitos: He aquí que yo los refinaré, y los probaré; porque ¿qué he de hacer por la hija de mi pueblo?

8 Saeta afilada *es* la lengua de ellos; engaño habla; con su boca habla paz con su amigo, pero dentro de sí pone sus asechanzas.

9 ¿No habré de castigarles por estas cosas? dice Jehová. ¿No ha de vengarse mi alma de una gente como ésta?

10 Sobre los montes levantaré lloro y lamentación, y llanto sobre los pastos del desierto; porque desolados fueron hasta no quedar quien pase, ni oyeron bramido de ganado; desde las aves del cielo hasta las bestias de la tierra huyeron, y se fueron.

11 Y convertiré a Jerusalén en un montón de ruinas, en guarida de dragones; y de las ciudades de Judá haré asolamiento, que no quede morador.

12 ¿Quién *es* varón sabio que entienda esto? ¿y a quién habló la boca de Jehová, para que pueda declararlo? ¿Por qué causa la tierra ha perecido, ha sido asolada como desierto, que no hay quien pase?

13 Y dijo Jehová: Porque dejaron mi ley, la cual di delante de ellos, y no obedecieron a mi voz, ni caminaron conforme a ella;

14 antes se fueron tras la imaginación de su corazón, y en pos de los Baales que les enseñaron sus padres:

15 Por tanto así dice Jehová de los ejércitos, Dios de Israel: He aquí que a este pueblo yo les daré a comer ajenjo, y les daré a beber aguas de hiel.

16 Y los esparciré entre gentes que ni ellos ni sus padres conocieron; y enviaré espada en pos de ellos, hasta que yo los acabe.

17 Así dice Jehová de los ejércitos: Considerad, y llamad plañideras que vengan; y enviad por las *mujeres* hábiles, que vengan;

18 que se den prisa y hagan lamento sobre nosotros, para que nuestros ojos derramen lágrimas, y nuestros párpados destilen aguas.

19 Porque voz de endecha fue oída de Sión: ¡Cómo hemos sido destruidos! en gran manera hemos sido confundidos. Porque dejamos la tierra, porque nos han echado de sí nuestras moradas.

20 Oíd, pues, oh mujeres, palabra de Jehová, y vuestro oído reciba la palabra de su boca; y enseñad endechas a vuestras hijas, y cada una a su amiga, lamentación.

21 Porque la muerte ha subido por nuestras ventanas, ha entrado en nuestros palacios; para talar a los niños de las calles y a los jóvenes de las plazas.

22 Habla: Así dice Jehová: Los cuerpos de los hombres muertos caerán como estiércol sobre la faz del campo, y como manojo tras el segador, que no hay quien lo recoja.

23 Así dice Jehová: No se alabe el sabio en su sabiduría, ni en su valentía se alabe el valiente, ni el rico se alabe en su riqueza.

24 Mas el que se hubiere de alabar, alábese en esto; en entenderme y conocerme, que yo soy Jehová, que hago misericordia, juicio y justicia en la tierra; porque en estas cosas me complazco, dice Jehová.

25 He aquí que vienen días, dice Jehová, y visitaré sobre todo circuncidado, y sobre todo incircunciso:

26 A Egipto y a Judá, a Edom y a los hijos de Amón y de Moab, y a todos los arrinconados en el postrer rincón, que moran en el desierto; porque todas las naciones son incircuncisas, y toda la casa de Israel es incircuncisa de corazón.

CAPÍTULO 10

Oíd la palabra que Jehová ha hablado sobre vosotros, oh casa de Israel.

2 Así dice Jehová: No aprendáis el camino de las gentes, ni de las señales del cielo tengáis temor, aunque las gentes las teman.

3 Porque las costumbres de los pueblos *son* vanidad; pues cortan el leño del bosque con el hacha, *es* obra de manos de artífice.

4 Lo adornan con plata y oro; con clavos y martillo lo afirman para que no se mueva.

5 Erguidos *están* como palmera, pero no hablan; necesitan ser llevados porque no pueden andar. No tengáis temor de ellos, porque no pueden hacer mal, ni para hacer bien tienen poder.

6 No hay nadie como tú, oh Jehová; grande *eres* tú, y grande *es* tu nombre en poder.

7 ¿Quién no te temerá, oh Rey de las naciones? Porque a ti corresponde; porque entre todos los sabios de las naciones, y en todos sus reinos, no *hay* nadie como tú.

8 Pero ellos son del todo torpes y necios. Enseñanza de vanidades *es* el leño.

9 Plata extendida es traída de Tarsis, y oro de Ufaz; obra del artífice y de manos del fundidor; azul y púrpura *es* su vestidura; obra de peritos *es* todo.

10 Mas Jehová *es* el Dios verdadero; Él *es* el Dios viviente y Rey eterno; a su ira tiembla la tierra, y las naciones no pueden sufrir su indignación.

11 Les diréis así: Los dioses que no hicieron los cielos ni la tierra, perezcan de la tierra y de debajo de estos cielos.

12 El que hizo la tierra con su poder, el que puso en orden el mundo con su sabiduría, y extendió los cielos con su inteligencia;

13 a su voz se da muchedumbre de aguas en el cielo, y hace subir las nubes de lo postrero de la tierra; hace los relámpagos con la lluvia, y saca el viento de sus depósitos.

14 Todo hombre se embrutece en *su* entendimiento; avergüéncese de su ídolo todo fundidor; porque mentira es su obra de fundición, y no hay espíritu en ella.

15 Vanidad *son*, obra irrisoria; en el tiempo de su visitación perecerán.

16 No *es* como ellos la suerte de Jacob: porque Él *es* el Hacedor de todo, e Israel *es* la vara de su herencia: Jehová de los ejércitos es su nombre.

17 Recoge de las tierras tus pertenencias, tú que moras en lugar fuerte.

18 Porque así dice Jehová: He aquí que esta vez arrojaré con honda los moradores de la tierra, y los afligiré, para que lo hallen *así*.

19 ¡Ay de mí, por mi quebrantamiento! mi llaga es muy dolorosa. Pero yo dije: Ciertamente enfermedad mía es ésta, y debo sufrirla.

20 Mi tienda es destruida, y todas mis cuerdas están rotas; mis hijos se han ido de mí, y perecieron. No hay ya quien levante mi tienda, ni quien ponga mis cortinas.

21 Porque los pastores se infatuaron, y no buscaron a Jehová; por tanto, no prosperaron, y todo su rebaño será dispersado.

22 He aquí que voz de rumor viene, y alboroto grande de la tierra del norte, para tornar en soledad todas las ciudades de Judá, en guarida de dragones.

23 Conozco, oh Jehová, que el hombre no *es* señor de su camino, ni del hombre que camina el ordenar sus pasos.

24 Castígame, oh Jehová, mas con juicio; no con tu furor, para que no me aniquiles.

25 Derrama tu enojo sobre las gentes que no te conocen, y sobre las naciones que no invocan tu nombre; porque se comieron a Jacob, le devoraron, le han consumido, y han asolado su morada.

CAPÍTULO 11

Palabra de Jehová, que vino a Jeremías, diciendo:

2 Oíd las palabras de este pacto, y hablad a todo varón de Judá, y a todo morador de Jerusalén.

3 Y les dirás tú: Así dice Jehová Dios de Israel: Maldito el varón que no obedeciere las palabras de este pacto,

4 el cual mandé a vuestros padres el día que los saqué de la tierra de Egipto, del horno de hierro, diciéndoles: Obedeced mi voz, y haced conforme a todo lo que os mando, y vosotros seréis mi pueblo, y yo seré vuestro Dios;

5 para que confirme el juramento que hice a vuestros padres, que les daría la tierra que fluye leche y miel, como en este día. Y respondí, y dije: Amén, oh Jehová.

6 Y Jehová me dijo: Pregona todas estas palabras en las ciudades de Judá y en las calles de Jerusalén, diciendo: Oíd las palabras de este pacto, y ponedlas por obra.

7 Porque solemnemente protesté a vuestros padres el día que los hice subir de la tierra de Egipto hasta el día de hoy, desde muy temprano, protestando y diciendo: Obedeced mi voz.

8 Pero no obedecieron, ni inclinaron su oído, antes se fueron cada uno tras la imaginación de su malvado corazón; por tanto, traeré sobre ellos todas las palabras de este pacto, el cual mandé que cumpliesen, y no lo cumplieron.

9 Y me dijo Jehová: Conspiración se ha hallado entre los varones de Judá, y entre los moradores de Jerusalén.

10 Se han vuelto a las maldades de sus primeros padres, los cuales no quisieron escuchar mis palabras, antes se fueron tras dioses ajenos para servirles; la casa de Israel y la casa de Judá quebrantaron mi pacto, el cual yo había concertado con sus padres.

11 Por tanto, así dice Jehová: He aquí yo traigo sobre ellos mal del que no podrán escapar; y clamarán a mí, y no los oiré.

12 E irán las ciudades de Judá y los moradores de Jerusalén, y clamarán a los dioses a quienes queman ellos incienso, los cuales no los podrán salvar en el tiempo de su mal.

13 Porque *según* el número de tus ciudades fueron tus dioses, oh Judá; y según el número de tus calles, oh Jerusalén, pusisteis los altares de

ignominia, altares para ofrecer incienso a Baal.

14 Tú pues, no ores por este pueblo, ni levantes por ellos clamor ni oración; porque yo no oiré el día que en su aflicción a mí clamen.

15 ¿Qué tiene que hacer mi amada en mi casa, habiendo hecho tantas abominaciones? Y las carnes santas se pasarán de ti, porque en tu maldad te gloriaste.

16 Olivo verde, hermoso en fruto y en parecer, llamó Jehová tu nombre. A la voz de gran estrépito hizo encender fuego sobre él, y quebraron sus ramas.

17 Pues Jehová de los ejércitos, que te plantó, ha pronunciado mal contra ti, a causa de la maldad de la casa de Israel y de la casa de Judá, que hicieron contra sí mismos, provocándome a ira al ofrecer incienso a Baal.

18 Y Jehová me *lo* hizo saber, y *lo* entendí: Entonces me hiciste ver sus obras.

19 Y yo *era* como cordero inocente que es llevado al matadero, pues no entendía que maquinaban designios contra mí, *diciendo:* Destruyamos el árbol con su fruto, y cortémoslo de la tierra de los vivientes, y no haya más memoria de su nombre.

20 Mas, oh Jehová de los ejércitos, que juzgas justicia, que escudriñas la mente y el corazón, vea yo tu venganza de ellos; porque a ti he expuesto mi causa.

21 Por tanto, así dice Jehová acerca de los varones de Anatot, que buscan tu vida, diciendo: No profetices en nombre de Jehová, para que no mueras a nuestras manos.

22 Así, pues, dice Jehová de los ejércitos: He aquí que yo los castigaré; los jóvenes morirán a espada; sus hijos y sus hijas morirán de hambre;

23 y no quedará remanente de ellos; porque yo traeré mal sobre los varones de Anatot, el año de su visitación.

CAPÍTULO 12

Justo *eres* tú, oh Jehová, cuando yo contigo disputo; sin embargo hablaré contigo de *tus* juicios. ¿Por qué es prosperado el camino de los impíos, y tienen bien todos los que se portan deslealmente?

2 Los plantaste, y echaron raíces; progresaron, e hicieron fruto; cercano *estás* tú en sus bocas, mas lejos de sus riñones.

3 Pero tú, oh Jehová, me conoces; me has visto y has probado mi corazón para contigo; arráncalos como a ovejas para el degolladero, y señálalos para el día de la matanza.

4 ¿Hasta cuándo estará de luto la tierra, y marchita la hierba de todo el campo? Por la maldad de los que en ella moran, faltaron los ganados y las aves; porque dijeron: Él no verá nuestro fin.

5 Si corriste con los de a pie, y te cansaron, ¿cómo contenderás con los caballos? Y si en la tierra de paz te escondiste, ¿cómo harás en la espesura del Jordán?

6 Porque aun tus hermanos y la casa de tu padre, aun ellos se levantaron contra ti, aun ellos dieron voces en pos de ti. No les creas, cuando bien te hablen.

7 He dejado mi casa, desamparé mi heredad, he entregado lo que amaba mi alma en manos de sus enemigos.

8 Mi heredad fue para mí como león en la selva; rugió contra mí; por tanto, la aborrecí.

9 Como ave de rapiña *es* mi heredad para mí; las aves en derredor *están* contra ella. Venid, reuníos, vosotras todas las bestias del campo, venid a devorarla.

10 Muchos pastores han destruido mi viña, hollaron mi heredad, han convertido mi heredad preciosa en un desierto desolado.

11 Fue puesta en asolamiento, y lloró sobre mí desolada; fue asolada toda la tierra, porque no hubo hombre que lo pusiese en su corazón.

12 Sobre todos los lugares altos del desierto vinieron destructores; porque la espada de Jehová devorará desde un extremo de la tierra hasta el otro extremo; no habrá paz para ninguna carne.

13 Sembraron trigo, pero espinos segarán; se esforzaron, *pero* no tendrán provecho. Se avergonzarán

de sus cosechas a causa de la ardiente ira de Jehová.

14 Así dice Jehová contra todos mis malos vecinos, que tocan la heredad que hice poseer a mi pueblo Israel: He aquí que yo los arrancaré de su tierra, y arrancaré de en medio de ellos la casa de Judá.

15 Y será que, después que los hubiere arrancado, tornaré y tendré misericordia de ellos, y los haré volver cada uno a su heredad, y cada cual a su tierra.

16 Y será que, si cuidadosamente aprendieren los caminos de mi pueblo, para jurar en mi nombre, diciendo: Vive Jehová, así como enseñaron a mi pueblo a jurar por Baal; ellos serán prosperados en medio de mi pueblo.

17 Mas si no obedecieren, arrancaré de raíz y destruiré a esta nación, dice Jehová.

CAPÍTULO 13

Así me dijo Jehová: Ve, y cómprate un cinto de lino, y cíñelo sobre tus lomos, y no lo metas en agua.

2 Compré, pues, el cinto conforme a la palabra de Jehová, y *lo* puse sobre mis lomos.

3 Y vino a mí por segunda vez la palabra de Jehová, diciendo:

4 Toma el cinto que compraste, que *está* sobre tus lomos, y levántate, y ve al Éufrates, y escóndelo allá en la concavidad de una peña.

5 Fui, pues, y lo escondí junto al Éufrates, como Jehová me mandó.

6 Y sucedió que después de muchos días me dijo Jehová: Levántate, y ve al Éufrates, y toma de allí el cinto que te mandé escondieses allá.

7 Entonces fui al Éufrates, y cavé, y tomé el cinto del lugar donde lo había escondido; y he aquí que el cinto se había podrido; para ninguna cosa era bueno.

8 Y vino a mí la palabra de Jehová, diciendo:

9 Así dice Jehová: Así haré podrir la soberbia de Judá, y la mucha soberbia de Jerusalén.

10 Este pueblo malo, que no quieren oír mis palabras, que andan en las imaginaciones de su corazón, y se

fueron en pos de dioses ajenos para servirles, y para adorarles, vendrá a ser como este cinto, que para ninguna cosa es bueno.

11 Porque como el cinto se junta a los lomos del hombre, así hice juntar a mí toda la casa de Israel y toda la casa de Judá, dice Jehová, para que me fuesen por pueblo y por fama, y por alabanza y por honra; pero no escucharon.

12 Les dirás pues esta palabra: Así dice Jehová, Dios de Israel: Todo odre será llenado de vino. Y ellos te dirán: ¿Acaso no sabemos que todo odre será llenado de vino?

13 Entonces les dirás: Así dice Jehová: He aquí que yo lleno de embriaguez a todos los moradores de esta tierra, aun a los reyes que se sientan sobre el trono de David, y a los sacerdotes y profetas, y a todos los moradores de Jerusalén;

14 y los quebrantaré el uno contra el otro, los padres con los hijos juntamente, dice Jehová: No perdonaré, ni tendré piedad ni misericordia, para no destruirlos.

15 Escuchad y oíd; no os enaltezcáis; pues Jehová ha hablado.

16 Dad gloria a Jehová Dios vuestro, antes que haga venir tinieblas, y antes que vuestros pies tropiecen en montes de oscuridad, y esperéis luz, y os la torne en sombra de muerte y tinieblas.

17 Mas si no oyereis esto, en secreto llorará mi alma a causa de *vuestra* soberbia; y llorando amargamente, se desharán mis ojos en lágrimas, porque el rebaño de Jehová es llevado cautivo.

18 Di al rey y a la reina: Humillaos, sentaos en tierra; porque la corona de vuestra gloria caerá de vuestras cabezas.

19 Las ciudades del Neguev serán cerradas, y no habrá quien las abra; toda Judá será llevada cautiva, será llevada cautiva toda ella.

20 Alzad vuestros ojos, y ved a los que vienen del norte; ¿dónde está el rebaño que te fue dado, tu hermosa grey?

21 ¿Qué dirás cuando Él te castigue? Porque tú los enseñaste a ser príncipes y cabeza sobre ti. ¿No te

tomarán dolores como a mujer que está de parto?

22 Cuando dijeres en tu corazón: ¿Por qué me ha sobrevenido esto? Por la enormidad de tu maldad fueron descubiertas tus faldas, fueron desnudos tus calcañares.

23 ¿Podrá el etíope mudar su piel, o el leopardo sus manchas? *Entonces* también vosotros podéis hacer bien, estando habituados a hacer mal.

24 Por tanto, yo los esparciré, como tamo que pasa, al viento del desierto.

25 Ésta *es* tu suerte, la porción de tus medidas de parte mía, dice Jehová; porque te olvidaste de mí, y confiaste en la mentira.

26 Yo pues descubriré también tus faldas delante de tu cara, y se manifestará tu ignominia.

27 Tus adulterios, tus relinchos, la maldad de tu fornicación sobre los collados; en el mismo campo vi tus abominaciones. ¡Ay de ti, Jerusalén! ¿No habrás de ser limpia? ¿Hasta cuándo *será*?

CAPÍTULO 14

Palabra de Jehová que fue dada a Jeremías, con motivo de la sequía.

2 Se enlutó Judá, y sus puertas languidecen; se oscurecieron hasta los suelos, y subió el clamor de Jerusalén.

3 Y sus nobles enviaron sus criados al agua; vinieron a las lagunas, y no hallaron agua; se volvieron con sus vasos vacíos; se avergonzaron, se confundieron, y cubrieron sus cabezas.

4 Porque se resquebrajó la tierra por falta de lluvia en el país; los labradores, de vergüenza, cubrieron sus cabezas.

5 Y aun las ciervas en los campos parían, y abandonaban la cría, porque no había hierba.

6 Y los asnos monteses se ponían en los altos, aspiraban el viento como los dragones; sus ojos se ofuscaron, porque no *había* hierba.

7 Aunque nuestras iniquidades testifican contra nosotros, oh Jehová, obra por amor de tu nombre; porque muchas son nuestras rebeliones, contra ti hemos pecado.

8 Oh esperanza de Israel, Guardador suyo en el tiempo de la aflicción, ¿por qué has de ser como forastero en la tierra, y como caminante *que* se aparta para pasar la noche?

9 ¿Por qué has de ser como hombre atónito, y como valiente que no puede librar? Mas tú *estás* entre nosotros, oh Jehová, y sobre nosotros es invocado tu nombre; no nos desampares.

10 Así dice Jehová a este pueblo: ¡Cómo les ha gustado vagar! No han refrenado sus pies; por tanto, Jehová no los acepta; se acordará ahora de la maldad de ellos y castigará sus pecados.

11 Y me dijo Jehová: No ruegues por este pueblo para bien.

12 Cuando ayunen, yo no oiré su clamor, y cuando ofrecieren holocausto y ofrenda, no lo aceptaré; sino que los consumiré con espada, y con hambre, y con pestilencia.

13 Y yo dije: ¡Ah, Señor Jehová! he aquí que los profetas les dicen: No veréis espada, ni habrá hambre en vosotros, sino que en este lugar os daré paz verdadera.

14 Me dijo entonces Jehová: Los profetas profetizan mentiras en mi nombre: Yo no los envié, ni les mandé, ni les hablé; os profetizan visión mentirosa, adivinación y vanidad, y el engaño de su corazón.

15 Por tanto, así dice Jehová sobre los profetas que profetizan en mi nombre, los cuales yo no envié, y que dicen, No habrá ni espada ni hambre en esta tierra: Con espada y con hambre serán consumidos esos profetas.

16 Y el pueblo a quien profetizan, echado será en las calles de Jerusalén por hambre y por espada; y no habrá quien los entierre, a ellos, a sus esposas, a sus hijos, a sus hijas; y sobre ellos derramaré su maldad.

17 Les dirás, pues, esta palabra: Derramen mis ojos lágrimas noche y día, y no cesen; porque de gran quebranto es quebrantada la virgen hija de mi pueblo, de muy grave herida.

18 Si salgo al campo, he aquí muertos a espada; y si entro en la ciudad, he aquí enfermos de hambre; porque

tanto el profeta como el sacerdote andan vagando en una tierra que no conocen.

19 ¿Has desechado enteramente a Judá? ¿Ha aborrecido tu alma a Sión? ¿Por qué nos hiciste herir sin que haya curación para nosotros? Esperamos paz, y no *hubo* bien; tiempo de sanidad, y he aquí turbación.

20 Reconocemos, oh Jehová, nuestra impiedad, la iniquidad de nuestros padres: porque contra ti hemos pecado.

21 Por amor de tu nombre no *nos* deseches, ni deshonres el trono de tu gloria: acuérdate, no anules tu pacto con nosotros.

22 ¿Hay entre las vanidades de las naciones quien haga llover? ¿Y darán los cielos lluvias? ¿No *eres* tú, oh Jehová, nuestro Dios? En ti, pues, esperamos; pues tú hiciste todas estas cosas.

CAPÍTULO 15

Y me dijo Jehová: Si Moisés y Samuel se pusieran delante de mí, mi voluntad no *será* con este pueblo: échalos de delante de mí, y salgan.

2 Y será que si te preguntaren: ¿A dónde saldremos? les dirás: Así dice Jehová: El que a muerte, a muerte; y el que a espada, a espada; y el que a hambre, a hambre; y el que a cautividad, a cautividad.

3 Y enviaré sobre ellos cuatro géneros *de castigo*, dice Jehová: Espada para matar, y perros para despedazar, y aves del cielo y bestias de la tierra, para devorar y para destruir.

4 Y los entregaré a ser agitados por todos los reinos de la tierra, a causa de Manasés hijo de Ezequías rey de Judá, por lo que hizo en Jerusalén.

5 Porque ¿quién tendrá compasión de ti, oh Jerusalén? ¿O quién se entristecerá por tu causa? ¿O quién ha de venir a preguntar por tu paz?

6 Tú me dejaste, dice Jehová, te volviste atrás; por tanto, yo extenderé sobre ti mi mano y te destruiré; estoy cansado de arrepentirme.

7 Y los aventé con aventador hasta las puertas de la tierra; desahijé,

desbaraté mi pueblo; no se tornaron de sus caminos.

8 Sus viudas se multiplicaron más que la arena del mar; traje contra ellos destruidor a mediodía sobre la madre y los hijos; sobre la ciudad hice que de repente cayesen terrores.

9 Se enflaqueció la que dio a luz a siete; se llenó de dolor su alma; su sol se le puso siendo aún de día; fue avergonzada y llena de confusión: y lo que de ella quedare, lo entregaré a espada delante de sus enemigos, dice Jehová.

10 ¡Ay de mí, madre mía, que me has engendrado hombre de contienda y hombre de discordia a toda la tierra! Nunca les di a logro, ni lo tomé de ellos; y todos me maldicen.

11 Dijo Jehová: De cierto tu remanente estará bien; de cierto haré que el enemigo te salga a recibir en el tiempo de aflicción, y en el tiempo de angustia.

12 ¿Podrá el hierro quebrar al hierro del norte, y al bronce?

13 Tus riquezas y tus tesoros entregaré al saqueo sin ningún precio, por todos tus pecados, y en todos tus términos;

14 Y te haré pasar a tus enemigos en tierra que no conoces: porque fuego se ha encendido en mi furor, y arderá sobre vosotros.

15 Tú lo sabes, oh Jehová; acuérdate de mí, y visítame, y véngame de mis enemigos. No me tomes en la prolongación de tu enojo: sabes que por amor de ti sufro afrenta.

16 Se hallaron tus palabras, y yo las comí; y tus palabras fueron para mí el gozo y la alegría de mi corazón; porque tu nombre se invocó sobre mí, oh Jehová Dios de los ejércitos.

17 No me senté en compañía de burladores, ni me regocijé a causa de tu profecía; me senté solo, porque me llenaste de indignación.

18 ¿Por qué fue perpetuo mi dolor, y mi herida desahuciada no admitió cura? ¿Serás para mí como cosa ilusoria, como aguas que no son estables?

19 Por tanto, así dice Jehová: Si te convirtieres, yo te repondré, y delante de mí estarás; y si sacares lo precioso de lo vil, serás como mi

boca. Conviértanse ellos a ti, y tú no te conviertas a ellos.

20 Y te daré para este pueblo por muro fortificado de bronce, y pelearán contra ti, y no te vencerán: porque yo *estoy* contigo para salvarte y para librarte, dice Jehová.

21 Y te libraré de la mano de los malos, y te redimiré de la mano de los fuertes.

CAPÍTULO 16

Y vino a mí palabra de Jehová, diciendo:

2 No tomarás esposa para ti, ni tendrás hijos ni hijas en este lugar.

3 Porque así dice Jehová acerca de los hijos y de las hijas que nacieren en este lugar, y de sus madres que los dieren a luz, y de los padres que los engendraren en esta tierra.

4 De dolorosas enfermedades morirán; no serán plañidos ni sepultados; serán como estiércol sobre la faz de la tierra; y con espada y con hambre serán consumidos, y sus cuerpos servirán de comida para las aves del cielo y para las bestias de la tierra.

5 Porque así dice Jehová: No entres en casa de luto, ni vayas a lamentar, ni los consueles: porque yo he quitado mi paz de este pueblo, dice Jehová, *mi* misericordia y piedades.

6 Morirán grandes y pequeños en esta tierra; no serán sepultados, ni los plañirán, ni se sajarán ni se raparán por ellos;

7 ni partirán *pan* de luto por ellos, para consolarles de *sus* muertos; ni les darán a beber vaso de consolaciones por su padre o por su madre.

8 Asimismo no entres en casa de convite, para sentarte con ellos a comer o a beber.

9 Porque así dice Jehová de los ejércitos, Dios de Israel: He aquí que yo haré cesar en este lugar, delante de vuestros ojos y en vuestros días, toda voz de gozo y toda voz de alegría, toda voz de desposado y toda voz de desposada.

10 Y acontecerá que cuando anunciares a este pueblo todas estas cosas, te dirán ellos: ¿Por qué habló Jehová sobre nosotros este mal tan grande? ¿O cuál es nuestra maldad, o qué pecado *es* el nuestro, que hemos cometido contra Jehová nuestro Dios?

11 Entonces les dirás: Porque vuestros padres me dejaron, dice Jehová, y anduvieron en pos de dioses ajenos, y los sirvieron, y a ellos se encorvaron, y me dejaron a mí, y no guardaron mi ley;

12 Y vosotros habéis hecho peor que vuestros padres; porque he aquí que vosotros camináis cada uno tras la imaginación de su malvado corazón, no oyéndome a mí.

13 Por tanto, yo os arrojaré de esta tierra a una tierra que ni vosotros ni vuestros padres habéis conocido, y allá serviréis a dioses ajenos de día y de noche; porque no os mostraré clemencia.

14 Por tanto, he aquí vienen días, dice Jehová, que no se dirá más: Vive Jehová, que hizo subir a los hijos de Israel de tierra de Egipto;

15 sino: Vive Jehová, que hizo subir a los hijos de Israel de la tierra del norte, y de todas las tierras a donde los había arrojado; y los volveré a su tierra, la cual di a sus padres.

16 He aquí que yo envío muchos pescadores, dice Jehová, y los pescarán; y después enviaré muchos cazadores, y los cazarán de todo monte, y de todo collado, y de las cavernas de los peñascos.

17 Porque mis ojos *están* sobre todos sus caminos, los cuales no se me ocultaron, ni su maldad se esconde de la presencia de mis ojos.

18 Mas primero pagaré al doble su iniquidad y su pecado; porque contaminaron mi tierra con los cuerpos muertos de sus abominaciones, y de sus abominaciones llenaron mi heredad.

19 Oh Jehová, fortaleza mía, y fuerza mía, y refugio mío en el tiempo de la aflicción; a ti vendrán gentes desde los extremos de la tierra, y dirán: Ciertamente mentira poseyeron nuestros padres, vanidad, y no *hay* en ellos provecho.

20 ¿Ha de hacer el hombre dioses para sí? Mas ellos no *son* dioses.

21 Por tanto, he aquí les enseñaré esta vez, les enseñaré mi mano y mi

poder, y sabrán que mi nombre *es* Jehová.

CAPÍTULO 17

El pecado de Judá escrito *está* con cincel de hierro, y con punta de diamante; esculpido *está* en la tabla de su corazón, y en los lados de vuestros altares;

2 cuando sus hijos se acuerdan de sus altares y de sus imágenes de Asera, junto a los árboles verdes y en los collados altos.

3 ¡Oh mi montaña! tu hacienda en el campo y todos tus tesoros daré a saqueo, por el pecado de tus lugares altos en todos tus términos.

4 Y habrá en ti cesación de tu heredad, la cual yo te di, y te haré servir a tus enemigos en tierra que no conociste; porque fuego habéis encendido en mi furor, para siempre arderá.

5 Así dice Jehová: Maldito el hombre que confía en el hombre, y pone carne por su brazo, y su corazón se aparta de Jehová.

6 Pues será como la retama en el desierto, y no verá cuando viniere el bien; sino que morará en los sequedales en el desierto, en tierra despoblada y deshabitada.

7 Bendito el varón que se fía en Jehová, y cuya confianza es Jehová.

8 Porque él será como el árbol plantado junto a las aguas, que junto a la corriente echará sus raíces, y no verá cuando viniere el calor, sino que su hoja estará verde; y en el año de sequía no se fatigará, ni dejará de hacer fruto.

9 Engañoso *es* el corazón más que todas las cosas, y perverso; ¿quién lo conocerá?

10 Yo Jehová, que escudriño el corazón, que pruebo los riñones, para dar a cada uno según su camino, según el fruto de sus obras.

11 Como la perdiz que cubre *los huevos* pero no *los* incuba, es el que acumula riquezas, y no con justicia; en la mitad de sus días las dejará, y en su postrimería será insensato.

12 Trono de gloria, excelso desde el principio, *es* el lugar de nuestro santuario.

13 ¡Oh Jehová, esperanza de Israel! todos los que te dejan, serán avergonzados; y los que de mí se apartan, serán escritos en el polvo; porque dejaron el manantial de aguas vivas, a Jehová.

14 Sáname, oh Jehová, y seré sano; sálvame, y seré salvo; porque tú *eres* mi alabanza.

15 He aquí que ellos me dicen: ¿Dónde *está* la palabra de Jehová? Venga ahora.

16 Mas yo no me entrometí a ser pastor en pos de ti, ni deseé día de calamidad, tú lo sabes. Lo que de mi boca ha salido, fue en tu presencia.

17 No me seas tú por espanto, *pues* tú *eres* mi esperanza en el día malo.

18 Avergüéncense los que me persiguen, y no me avergüence yo; asómbrense ellos, y yo no me asombre: trae sobre ellos día malo, y quebrántalos con doble quebrantamiento.

19 Así me ha dicho Jehová: Ve, y ponte a la puerta de los hijos del pueblo, por la cual entran y salen los reyes de Judá, y a todas las puertas de Jerusalén;

20 y diles: Oíd la palabra de Jehová, reyes de Judá, y todo Judá, y todos los moradores de Jerusalén que entráis por estas puertas.

21 Así dice Jehová: Guardaos por vuestras vidas, y no traigáis carga en el día del sábado, para meter por las puertas de Jerusalén;

22 Ni saquéis carga de vuestras casas en el día del sábado, ni hagáis obra alguna: mas santificad el día del sábado, como mandé a vuestros padres;

23 Mas ellos no oyeron, ni inclinaron su oído, antes endurecieron su cerviz, para no oír, ni recibir corrección.

24 Pero sucederá, si vosotros me obedeciereis, dice Jehová, no metiendo carga por las puertas de esta ciudad en el día del sábado, sino que santificareis el día del sábado, no haciendo en él ninguna obra,

25 que entrarán por las puertas de esta ciudad, en carros y en caballos, los reyes y los príncipes que se sientan sobre el trono de David, ellos y sus príncipes, los varones de Judá, y los moradores de Jerusalén: y esta ciudad será habitada para siempre.

26 Y vendrán de las ciudades de Judá, y de los alrededores de Jerusalén, y de tierra de Benjamín, de las llanuras, de los montes, y del Neguev, trayendo holocausto y sacrificio, y ofrenda e incienso, y trayendo sacrificio de alabanza a la casa de Jehová.

27 Mas si no me oyereis para santificar el día del sábado, y para no traer carga ni meterla por las puertas de Jerusalén en día de sábado, yo haré encender fuego en sus puertas, y consumirá los palacios de Jerusalén, y no se apagará.

CAPÍTULO 18

La palabra que vino a Jeremías de parte de Jehová, diciendo:

2 Levántate, y vete a casa del alfarero, y allí te haré oír mis palabras.

3 Y descendí a casa del alfarero, y he aquí que él hacía una obra sobre la rueda.

4 Y el vaso de barro que él hacía se echó a perder en la mano del alfarero; así que volvió a hacer de él otro vaso, según al alfarero le pareció mejor hacerlo.

5 Entonces vino a mí palabra de Jehová, diciendo:

6 ¿No podré yo hacer de vosotros como este alfarero, oh casa de Israel, dice Jehová? He aquí que como el barro en la mano del alfarero, así sois vosotros en mi mano, oh casa de Israel.

7 En un instante hablaré acerca de una nación, o de un reino, para arrancar, y derribar, y destruir.

8 Y si esta nación de la cual he hablado se vuelve de su maldad, yo me arrepentiré del mal que había pensado hacerle.

9 Y en un instante hablaré acerca de una nación y de un reino, para edificar y para plantar.

10 Pero si hiciere lo malo delante de mis ojos, no oyendo mi voz, me arrepentiré del bien que había determinado hacerle.

11 Ahora pues, habla luego a todo hombre de Judá, y a los moradores de Jerusalén, diciendo: Así dice Jehová: He aquí que yo dispongo mal contra vosotros, y trazo contra vosotros designios; conviértase ahora cada uno de su mal camino, y mejorad vuestros caminos y vuestras obras.

12 Y dijeron: Es por demás; porque en pos de nuestras imaginaciones hemos de ir, y cada uno de nosotros ha de hacer el pensamiento de su malvado corazón.

13 Por tanto, así dice Jehová: Preguntad ahora a las gentes, quién ha oído cosa semejante. Una cosa muy horrible ha hecho la virgen de Israel.

14 ¿Dejará el hombre la nieve del Líbano que viene de la roca del campo? ¿Podrán ser abandonadas las aguas frías que corren de lejanas tierras?

15 Pero mi pueblo me ha olvidado, quemando incienso a las vanidades, y éstas les han hecho tropezar en sus caminos, desviándole de las sendas antiguas, para que camine por sendas, por camino no preparado;

16 para poner su tierra en desolación y en burla perpetua; todo el que pase por ella se asombrará, y meneará su cabeza.

17 Como viento solano los esparciré delante del enemigo; les mostraré las espaldas, y no el rostro, en el día de su calamidad.

18 Y dijeron: Venid, y tramemos maquinaciones contra Jeremías; porque la ley no faltará del sacerdote, ni consejo del sabio, ni palabra del profeta. Venid e hirámoslo de lengua, y no miremos a ninguna de sus palabras.

19 Oh Jehová, mira por mí, y oye la voz de los que contienden conmigo.

20 ¿Se da mal por bien para que hayan cavado hoyo para mi alma? Acuérdate que me puse delante de ti para hablar bien por ellos, para apartar de ellos tu ira.

21 Por tanto, entrega sus hijos a hambre, y haz derramar su sangre por medio de la espada; y queden sus esposas sin hijos, y viudas; y sus maridos sean puestos a muerte, y sus jóvenes heridos a espada en la guerra.

22 Óigase clamor de sus casas, cuando traigas sobre ellos ejército de repente; porque cavaron hoyo para prenderme, y a mis pies han escondido lazos.

23 Mas tú, oh Jehová, conoces todo su consejo contra mí para muerte; no perdones su maldad, ni borres su pecado de delante de tu rostro: y tropiecen delante de ti; haz así con ellos en el tiempo de tu furor.

CAPÍTULO 19

Así dice Jehová: Ve, y compra una vasija de barro de alfarero, y *lleva* contigo de los ancianos del pueblo, y de los ancianos de los sacerdotes;

2 y sal al valle del hijo de Hinom, que *está* a la entrada de la puerta oriental, y proclama allí las palabras que yo te hablaré.

3 Dirás pues: Oíd palabra de Jehová, oh reyes de Judá, y moradores de Jerusalén. Así dice Jehová de los ejércitos, Dios de Israel: He aquí que yo traigo mal sobre este lugar, tal que quien lo oyere, le retiñirán los oídos.

4 Porque me dejaron, y enajenaron este lugar, y ofrecieron en él perfumes a dioses ajenos, los cuales no habían ellos conocido, ni sus padres, ni los reyes de Judá; y llenaron este lugar de sangre de inocentes.

5 Y edificaron lugares altos a Baal, para quemar con fuego a sus hijos en holocaustos al mismo Baal; cosa que no les mandé, ni hablé, ni me vino al pensamiento.

6 Por tanto, he aquí vienen días, dice Jehová, que este lugar no se llamará más Tofet, ni valle del hijo de Hinom, sino valle de la Matanza.

7 Y desvaneceré el consejo de Judá y de Jerusalén en este lugar; y les haré caer a espada delante de sus enemigos, y en las manos de los que buscan sus vidas; y daré sus cuerpos para comida de las aves del cielo y de las bestias de la tierra;

8 Y pondré a esta ciudad en desolación y burla; todo aquel que pasare por ella se asombrará, y silbará sobre todas sus plagas.

9 Y les haré comer la carne de sus hijos y la carne de sus hijas; y cada uno comerá la carne de su amigo, en el cerco y en el apuro con que los estrecharán sus enemigos y los que buscan sus almas.

10 Y quebrarás la vasija ante los ojos de los varones que van contigo,

11 y les dirás: Así dice Jehová de los ejércitos: Así quebrantaré a este pueblo y a esta ciudad, como quien quiebra un vaso de barro, que no puede más restaurarse; y en Tofet se enterrarán, porque no *habrá* otro lugar para enterrar.

12 Así haré a este lugar, dice Jehová, y a sus moradores, poniendo esta ciudad como Tofet.

13 Y las casas de Jerusalén, y las casas de los reyes de Judá, serán como el lugar de Tofet inmundas, por todas las casas sobre cuyos tejados quemaron incienso a todo el ejército del cielo, y vertieron libaciones a dioses ajenos.

14 Y volvió Jeremías de Tofet, a donde le envió Jehová a profetizar, y se paró en el atrio de la casa de Jehová, y dijo a todo el pueblo:

15 Así dice Jehová de los ejércitos, Dios de Israel: He aquí yo traigo sobre esta ciudad y sobre todas sus villas todo el mal que hablé contra ella; porque han endurecido su cerviz, para no oír mis palabras.

CAPÍTULO 20

Y Pasur sacerdote, hijo de Imer, que presidía por príncipe en la casa de Jehová, oyó a Jeremías que profetizaba estas palabras.

2 Y Pasur azotó al profeta Jeremías, y le puso en el cepo que *estaba* a la puerta superior de Benjamín, la cual *conducía* a la casa de Jehová.

3 Y aconteció que el día siguiente Pasur sacó a Jeremías del cepo. Le dijo entonces Jeremías: Jehová no ha llamado tu nombre Pasur, sino Magormisabib.

4 Porque así dice Jehová: He aquí yo te pondré en espanto, a ti y a todos tus amigos, y caerán por la espada de sus enemigos, y tus ojos lo verán; y a todo Judá entregaré en mano del rey de Babilonia, y los trasportará a Babilonia, y los matará a espada.

5 Entregaré también toda la riqueza de esta ciudad, y todo su trabajo, y todas sus cosas preciosas; y daré todos los tesoros de los reyes de Judá en manos de sus enemigos, y los saquearán, y los tomarán, y los llevarán a Babilonia.

6 Y tú, Pasur, y todos los moradores de tu casa iréis cautivos, y entrarás en Babilonia, y allí morirás, y allí serás enterrado tú, y todos tus amigos, a los cuales has profetizado con mentira.

7 Me confundiste, oh Jehová, y fui confundido; más fuerte fuiste que yo, y me venciste; cada día he sido escarnecido; todos se burlan de mí.

8 Porque desde que hablo, doy voces, grito: Violencia y destrucción; porque la palabra de Jehová me ha sido para afrenta y escarnio cada día.

9 Y dije: No me acordaré más de Él, ni hablaré más en su nombre: Pero *su palabra* fue en mi corazón como un fuego ardiente metido en mis huesos, traté de sufrirlo, y no pude.

10 Porque oí la murmuración de muchos, temor de todas partes: Denunciad, y denunciaremos. Todos mis amigos miraban si claudicaría. Quizá se engañará, *decían*, y prevaleceremos contra él, y tomaremos de él nuestra venganza.

11 Mas Jehová está conmigo como poderoso gigante; por tanto los que me persiguen tropezarán, y no prevalecerán; serán avergonzados en gran manera, porque no prosperarán; tendrán perpetua confusión que jamás será olvidada.

12 Oh Jehová de los ejércitos, que pruebas a los justos, que ves los pensamientos y el corazón, vea yo tu venganza de ellos; porque a ti he expuesto mi causa.

13 Cantad a Jehová, load a Jehová: porque ha librado el alma del pobre de mano de los malignos.

14 Maldito el día en que nací: el día en que mi madre me dio a luz no sea bendito.

15 Maldito el hombre que dio nuevas a mi padre, diciendo: Hijo varón te ha nacido, haciéndole alegrarse así mucho.

16 Y sea el tal hombre como las ciudades que asoló Jehová, y no se arrepintió; y oiga gritos de mañana, y voces al mediodía.

17 porque no me mató en el vientre, y mi madre me hubiera sido mi sepulcro, y su vientre un embarazo perpetuo.

18 ¿Para qué salí del vientre? ¿Para ver trabajo y dolor, y que mis días se gastasen en afrenta?

El camino de vida, y el de muerte

CAPÍTULO 21

Palabra que vino a Jeremías de parte de Jehová, cuando el rey Sedequías envió a él a Pasur hijo de Malquías, y a Sofonías sacerdote, hijo de Maasías, que le dijesen:

2 Pregunta ahora por nosotros a Jehová; porque Nabucodonosor rey de Babilonia hace guerra contra nosotros: quizá Jehová hará con nosotros según todas sus maravillas, y aquél se irá de sobre nosotros.

3 Y Jeremías les dijo: Diréis así a Sedequías:

4 Así dice Jehová Dios de Israel: He aquí yo vuelvo atrás las armas de guerra que *están* en vuestras manos, con las cuales vosotros peleáis contra el rey de Babilonia y *contra* los caldeos, que os tienen sitiados fuera de la muralla, y yo los reuniré en medio de esta ciudad.

5 Y pelearé contra vosotros con mano levantada y con brazo fuerte, y con furor, y enojo, e ira grande:

6 Y heriré los moradores de esta ciudad; y los hombres y las bestias morirán de pestilencia grande.

7 Y después, dice Jehová, entregaré a Sedequías rey de Judá, y a sus siervos, y al pueblo, y a los que quedaren en la ciudad de la pestilencia, y de la espada, y del hambre, en mano de Nabucodonosor rey de Babilonia, y en mano de sus enemigos, y en mano de los que buscan sus vidas; y él los herirá a filo de espada; no los perdonará ni se compadecerá de ellos, ni les tendrá misericordia.

8 Y a este pueblo dirás: Así dice Jehová: He aquí pongo delante de vosotros camino de vida y camino de muerte.

9 El que se quedare en esta ciudad, morirá a espada, o de hambre, o pestilencia: mas el que saliere y se pasare a los caldeos que os tienen cercados, vivirá, y su vida le será por despojo.

10 Porque mi rostro he puesto contra esta ciudad para mal, y no para bien, dice Jehová; en mano del rey de

Babilonia será entregada, y la quemará a fuego.

11 Y a la casa del rey de Judá *dirás:* Oíd palabra de Jehová:

12 Casa de David, así dice Jehová: Haced de mañana juicio, y librad al oprimido de mano del opresor; para que mi ira no salga como fuego, y se encienda, y no haya quien apague, por la maldad de vuestras obras.

13 He aquí yo contra ti, moradora del valle de la piedra de la llanura, dice Jehová; los que decís: ¿Quién subirá contra nosotros? ¿Y quién entrará en nuestras moradas?

14 Yo os castigaré conforme al fruto de vuestras obras, dice Jehová, y haré encender fuego en su bosque, y consumirá todo lo que está alrededor de ella.

CAPÍTULO 22

Así dice Jehová: Desciende a la casa del rey de Judá, y habla allí esta palabra,

2 y di: Oye palabra de Jehová, oh rey de Judá que estás sentado sobre el trono de David, tú, y tus criados, y tu pueblo que entran por estas puertas.

3 Así dice Jehová: Haced juicio y justicia, y librad al oprimido de mano del opresor, y no engañéis, ni robéis al extranjero, ni al huérfano, ni a la viuda, ni derraméis sangre inocente en este lugar.

4 Porque si en verdad observareis esta palabra, los reyes que en lugar de David se sientan sobre su trono, entrarán montados en carros y en caballos por las puertas de esta casa, ellos, y sus siervos, y su pueblo.

5 Pero si no observareis estas palabras, por mí he jurado, dice Jehová, que esta casa será desierta.

6 Porque así dice Jehová sobre la casa del rey de Judá: *Como* Galaad *eres* tú para mí, y *como* cabeza del Líbano; sin embargo te convertiré en un desierto, *como* ciudades deshabitadas.

7 Y designaré contra ti destructores, cada uno con sus armas; y cortarán tus cedros escogidos, y los echarán en el fuego.

8 Y muchas gentes pasarán junto a esta ciudad, y dirán cada uno a su compañero: ¿Por qué ha hecho así Jehová a esta gran ciudad?

9 Y dirán: Porque dejaron el pacto de Jehová su Dios, y adoraron dioses ajenos, y les sirvieron.

10 No lloréis al muerto, ni hagáis duelo por él; llorad amargamente por el que se va; porque no volverá jamás, ni verá la tierra donde nació.

11 Porque así dice Jehová, de Salum hijo de Josías, rey de Judá, que reina por Josías su padre, que salió de este lugar: No volverá acá más;

12 antes morirá en el lugar adonde lo llevaron cautivo, y no verá más esta tierra.

13 ¡Ay del que edifica su casa y no en justicia, y sus salas y no en juicio, sirviéndose de su prójimo de balde, y no dándole el salario de su trabajo!

14 Que dice: Edificaré para mí casa espaciosa, y airosas salas; y le abre ventanas, y la cubre de cedro, y la pinta de bermellón.

15 ¿Reinarás porque te rodeas de cedro? ¿No comió y bebió tu padre, e hizo juicio y justicia, y entonces le fue bien?

16 Él juzgó la causa del afligido y del menesteroso, y entonces *estuvo* bien. ¿No *es* esto conocerme a mí? dice Jehová.

17 Mas tus ojos y tu corazón no son sino para tu avaricia, y para derramar la sangre inocente, y para opresión, y para hacer agravio.

18 Por tanto así dice Jehová, de Joacim hijo de Josías, rey de Judá: No lo llorarán, diciendo: ¡Ay hermano mío! o ¡Ay hermana! ni lo lamentarán, *diciendo:* ¡Ay señor! o ¡Ay su grandeza!

19 En sepultura de asno será enterrado, arrastrándole y echándole fuera de las puertas de Jerusalén.

20 Sube al Líbano, y clama, y en Basán da tu voz, y grita hacia todas partes; porque todos tus amantes son destruidos.

21 Te hablé en tu prosperidad; *pero* dijiste: No oiré. Éste ha sido tu proceder desde tu juventud, que nunca oíste mi voz.

22 A todos tus pastores arrasará el viento, y tus amantes irán en cautiverio; entonces te avergonzarás y te confundirás a causa de toda tu maldad.

23 Habitaste en el Líbano, hiciste tu nido en los cedros: ¡Cómo gemirás cuando te vinieren dolores, dolores como de mujer que está de parto!

24 Vivo yo, dice Jehová, que si Conías hijo de Joacim rey de Judá fuese anillo en mi mano derecha, aun de allí te arrancaría.

25 Y te entregaré en mano de los que buscan tu vida, y en mano de aquellos cuya vista temes; sí, en mano de Nabucodonosor rey de Babilonia, y en mano de los caldeos.

26 Y te arrojaré a ti, y a tu madre que te dio a luz, a tierra extraña en donde no nacisteis; y allá moriréis.

27 Y a la tierra a la cual con el alma anhelan volver, a ella no volverán.

28 ¿Es este hombre Conías un ídolo vil quebrado? ¿Es vaso con quien nadie se deleita? ¿Por qué fueron arrojados, él y su generación, y echados a tierra que no habían conocido?

29 ¡Tierra, tierra, tierra! oye palabra de Jehová.

30 Así dice Jehová: Escribid que este hombre será privado de descendencia, hombre que no prosperará en todos los días de su vida; porque ninguno de su simiente prosperará para sentarse sobre el trono de David, y gobernar sobre Judá.

CAPÍTULO 23

Ay de los pastores que destruyen y dispersan las ovejas de mi rebaño! dice Jehová.

2 Por tanto, así ha dicho Jehová Dios de Israel a los pastores que apacientan mi pueblo: Vosotros derramasteis mis ovejas, y las espantasteis, y no las habéis visitado: he aquí yo visito sobre vosotros la maldad de vuestras obras, dice Jehová.

3 Y yo recogeré el remanente de mis ovejas de todas las tierras adonde las eché, y las haré volver a sus moradas; y crecerán, y se multiplicarán.

4 Y pondré sobre ellas pastores que las apacienten; y no temerán más, ni se asombrarán, ni serán menoscabadas, dice Jehová.

5 He aquí que vienen días, dice Jehová, en los cuales levantaré a David un

Pastores que destruyen el rebaño

Renuevo justo, y un Rey reinará y prosperará, y hará juicio y justicia en la tierra.

6 En sus días será salvo Judá, e Israel habitará seguro; y éste es su nombre por el cual será llamado: JEHOVÁ, JUSTICIA NUESTRA.

7 Por tanto, he aquí que vienen días, dice Jehová, y no dirán más: Vive Jehová que hizo subir los hijos de Israel de la tierra de Egipto;

8 Sino: Vive Jehová que hizo subir y trajo la simiente de la casa de Israel de tierra del norte, y de todas las tierras adonde los había yo echado; y habitarán en su tierra.

9 A causa de los profetas mi corazón está quebrantado dentro de mí, todos mis huesos tiemblan; estuve como hombre borracho, y como hombre a quien dominó el vino, delante de Jehová y delante de las palabras de su santidad.

10 Porque la tierra está llena de adúlteros; porque a causa del juramento la tierra está de luto; los pastizales del desierto se secaron; la carrera de ellos es mala, y su fortaleza no es recta.

11 Porque así el profeta como el sacerdote son fingidos; aun en mi casa hallé su maldad, dice Jehová.

12 Por tanto, como resbaladeros en oscuridad les será su camino; serán empujados, y caerán en él; porque yo traeré mal sobre ellos, año de su castigo, dice Jehová.

13 Y en los profetas de Samaria he visto desatinos; profetizaban en Baal, e hicieron errar a mi pueblo Israel.

14 Y en los profetas de Jerusalén he visto torpezas; cometían adulterios, y andaban en mentiras, y esforzaban las manos de los malos, para que ninguno se convirtiese de su maldad; me fueron todos ellos como Sodoma, y sus moradores como Gomorra.

15 Por tanto, así ha dicho Jehová de los ejércitos contra aquellos profetas: He aquí que yo les hago comer ajenjos, y les haré beber aguas de hiel; porque de los profetas de Jerusalén salió la hipocresía sobre toda la tierra.

16 Así ha dicho Jehová de los ejércitos: No escuchéis las palabras de los profetas que os profetizan; os

hacen vanos; hablan visión de su corazón, no de la boca de Jehová.

17 Dicen atrevidamente a los que me irritan: Jehová dijo: Paz tendréis; y a cualquiera que anda tras la imaginación de su corazón, dijeron: No vendrá mal sobre vosotros.

18 Porque ¿quién estuvo en el secreto de Jehová, y vio, y oyó su palabra? ¿Quién estuvo atento a su palabra, y *la* oyó?

19 He aquí que la tempestad de Jehová saldrá con furor; impetuosa tempestad descargará sobre la cabeza de los malos.

20 No se apartará el furor de Jehová, hasta tanto que haya hecho, y hasta tanto que haya cumplido los pensamientos de su corazón: en lo postrero de los días lo entenderéis perfectamente.

21 No envié yo aquellos profetas, pero ellos corrían; yo no les hablé, y ellos profetizaban.

22 Y si ellos hubieran estado en mi secreto, también hubieran hecho oír mis palabras a mi pueblo; y les hubieran hecho volver de su mal camino y de la maldad de sus obras.

23 ¿Acaso soy yo Dios sólo de cerca, dice Jehová, y no Dios desde muy lejos?

24 ¿Se ocultará alguno, dice Jehová, en escondrijos que yo no lo vea? ¿No lleno yo, dice Jehová, el cielo y la tierra?

25 Yo he oído lo que aquellos profetas dijeron, profetizando mentira en mi nombre, diciendo: Soñé, soñé.

26 ¿Hasta cuándo será esto en el corazón de los profetas que profetizan mentira, y que profetizan el engaño de su corazón?

27 Que tratan que mi pueblo se olvide de mi nombre con sus sueños que cada uno cuenta a su compañero, de la manera que sus padres se olvidaron de mi nombre por Baal.

28 El profeta que tuviere un sueño, cuente el sueño; y el que tuviere mi palabra, cuente mi palabra verdadera. ¿Qué tiene que ver la paja con el trigo? dice Jehová.

29 ¿No *es* mi palabra como fuego, dice Jehová, y como martillo que quebranta la piedra?

30 Por tanto, he aquí yo contra los profetas, dice Jehová, que hurtan mis palabras cada uno de su compañero.

31 He aquí yo contra los profetas, dice Jehová, que endulzan sus lenguas, y dicen: Él ha dicho.

32 He aquí yo contra los que profetizan sueños mentirosos, dice Jehová y los contaron, e hicieron errar a mi pueblo con sus mentiras y con sus lisonjas, y yo no los envié, ni les mandé; y ningún provecho hicieron a este pueblo, dice Jehová.

33 Y cuando te preguntare este pueblo, o el profeta, o el sacerdote, diciendo: ¿Cuál es la carga de Jehová? Les dirás: ¿Cuál carga? Os dejaré, dice Jehová.

34 Y al profeta, al sacerdote o al pueblo que dijere: Carga de Jehová; yo enviaré castigo sobre tal hombre y sobre su casa.

35 Así diréis cada cual a su compañero, y cada cual a su hermano: ¿Qué ha respondido Jehová, y qué habló Jehová?

36 Y nunca más os vendrá a la memoria decir: Carga de Jehová: porque la palabra de cada uno le será por carga; pues pervertisteis las palabras del Dios viviente, de Jehová de los ejércitos, Dios nuestro.

37 Así dirás al profeta: ¿Qué te respondió Jehová, y qué habló Jehová?

38 Mas si dijereis: Carga de Jehová: por eso Jehová dice así: Porque dijisteis esta palabra: Carga de Jehová, habiendo enviado a deciros: No digáis: Carga de Jehová:

39 Por tanto, he aquí que yo os echaré en olvido, y os echaré de mi presencia junto con la ciudad que os di a vosotros y a vuestros padres;

40 y pondré sobre vosotros afrenta perpetua, y eterna confusión que nunca borrará el olvido.

CAPÍTULO 24

Y Jehová me mostró dos cestas de higos puestas delante del templo de Jehová, después que Nabucodonosor, rey de Babilonia, había llevado cautivos a Jeconías hijo de Joacim, rey de Judá, y a los príncipes de Judá, y a los artesanos y herreros de Jerusalén, y los había llevado a Babilonia.

2 Una cesta *tenía* higos muy buenos, como brevas; y la otra cesta *tenía* higos muy malos, que no se podían comer de malos.

3 Y me dijo Jehová: ¿Qué ves tú, Jeremías? Y dije: Higos, higos buenos, muy buenos; y malos, muy malos, que de malos no se pueden comer.

4 Y vino a mí palabra de Jehová, diciendo:

5 Así dice Jehová Dios de Israel: Como a estos buenos higos, así consideraré a los transportados de Judá a los cuales eché de este lugar a tierra de caldeos, para *su* bien.

6 Porque pondré mis ojos sobre ellos para bien, y los volveré a esta tierra; y los edificaré, y no los destruiré: *los* plantaré, y no *los* arrancaré.

7 Y les daré corazón para que me conozcan, porque yo soy Jehová; y ellos serán mi pueblo, y yo seré su Dios; porque se volverán a mí de todo su corazón.

8 Y como los malos higos, que de malos no se pueden comer, ciertamente así dice Jehová: De la misma manera daré a Sedequías rey de Judá, y a sus príncipes, y al remanente de Jerusalén que queda en esta tierra, y a los que moran en la tierra de Egipto.

9 Y los daré por escarnio y por mal a todos los reinos de la tierra; por infamia, por ejemplo, por refrán y por maldición a todos los lugares adonde yo los arrojaré.

10 Y enviaré sobre ellos espada, hambre y pestilencia, hasta que sean exterminados de la tierra que les di a ellos y a sus padres.

CAPÍTULO 25

Palabra que vino a Jeremías acerca de todo el pueblo de Judá en el año cuarto de Joacim hijo de Josías, rey de Judá, el cual *era* el año primero de Nabucodonosor rey de Babilonia;

2 la cual habló el profeta Jeremías a todo el pueblo de Judá, y a todos los moradores de Jerusalén, diciendo:

3 Desde el año trece de Josías hijo de Amón, rey de Judá, hasta este día,

que son veintitrés años, vino a mí palabra de Jehová, y os he hablado, madrugando y dando aviso; mas no oísteis.

4 Y envió Jehová a vosotros todos sus siervos los profetas, madrugando y enviándolos; mas no oísteis, ni inclinasteis vuestro oído para escuchar

5 cuando decían: Volveos ahora de vuestro mal camino y de la maldad de vuestras obras, y morad en la tierra que os dio Jehová, a vosotros y a vuestros padres para siempre;

6 y no vayáis en pos de dioses ajenos, sirviéndoles y encorvándoos a ellos, ni me provoquéis a ira con la obra de vuestras manos; y no os haré mal.

7 Pero no me habéis oído, dice Jehová, para provocarme a ira con la obra de vuestras manos para mal vuestro.

8 Por tanto, así dice Jehová de los ejércitos: Por cuanto no habéis oído mis palabras,

9 he aquí yo enviaré y tomaré todas las familias del norte, dice Jehová, y a Nabucodonosor rey de Babilonia, mi siervo, y los traeré contra esta tierra, y contra sus moradores, y contra todas estas naciones en derredor; y los destruiré, y los pondré por espanto, y por escarnio, y por perpetua desolación.

10 Y haré que perezca de entre ellos la voz de gozo y la voz de alegría, la voz de desposado y la voz de desposada, el ruido de piedras de molino y la luz de la lámpara.

11 Y toda esta tierra será puesta en desolación y en espanto; y servirán estas naciones al rey de Babilonia setenta años.

12 Y será que, cuando fueren cumplidos los setenta años, castigaré al rey de Babilonia y aquella nación por su maldad, dice Jehová, y a la tierra de los caldeos; y la convertiré en desiertos para siempre.

13 Y traeré sobre aquella tierra todas mis palabras que he hablado contra ella, con todo lo que está escrito en este libro, profetizado por Jeremías contra todas las naciones.

14 Porque se servirán también de ellos muchas naciones, y reyes grandes; y yo les pagaré conforme a

sus hechos, y conforme a la obra de sus manos.

15 Porque así me dijo Jehová Dios de Israel: Toma de mi mano la copa del vino de este furor, y haz que beban *de él* todas las naciones a las cuales yo te envío.

16 Y beberán, y temblarán, y enloquecerán delante de la espada que yo envío entre ellos.

17 Y tomé la copa de la mano de Jehová, y di de beber a todas las naciones a las cuales me envió Jehová;

18 a Jerusalén, a las ciudades de Judá, y a sus reyes, y a sus príncipes, para ponerlos en soledad, en escarnio, y en silbo, y en maldición, como este día;

19 a Faraón rey de Egipto, y a sus siervos, a sus príncipes, y a todo su pueblo;

20 y a toda la mezcla de gente, y a todos los reyes de la tierra de Uz, y a todos los reyes de la tierra de los filisteos, a Ascalón, a Gaza, a Ecrón y al remanente de Asdod;

21 a Edom, y Moab, y a los hijos de Amón;

22 y a todos los reyes de Tiro, y a todos los reyes de Sidón, y a los reyes de las islas que *están* de ese lado del mar;

23 y a Dedán, y Tema, y Buz, y a todos los *que están* al cabo del mundo;

24 Y a todos los reyes de Arabia, y a todos los reyes de pueblos mezclados que habitan en el desierto;

25 y a todos los reyes de Zimri, y a todos los reyes de Elam, y a todos los reyes de Media;

26 y a todos los reyes del norte, los de cerca y los de lejos, los unos con los otros; y a todos los reinos de la tierra que están *sobre* la faz de la tierra: y el rey de Sesac beberá después de ellos.

27 Les dirás, pues: Así dice Jehová de los ejércitos, Dios de Israel: Bebed, y embriagaos, y vomitad, y caed, y no os levantéis delante de la espada que yo envío entre vosotros.

28 Y será que, si no quieren tomar la copa de tu mano para beber, les dirás tú: Así dice Jehová de los ejércitos: Habéis de beber.

29 Porque he aquí, que a la ciudad sobre la cual es invocado mi nombre yo comienzo a hacer mal; ¿y vosotros seréis absueltos? No seréis absueltos; porque espada traigo sobre todos los moradores de la tierra, dice Jehová de los ejércitos.

30 Tú pues, profetizarás a ellos todas estas palabras, y les dirás: Jehová rugirá desde lo alto, y desde la morada de su santidad dará su voz, enfurecido rugirá sobre su morada; canción de lagareros cantará contra todos los moradores de la tierra.

31 Llegó el estruendo hasta el cabo de la tierra; porque Jehová tiene litigio con las naciones; Él es el Juez de toda carne; entregará los impíos a espada, dice Jehová.

32 Así dice Jehová de los ejércitos: He aquí que el mal irá de nación en nación, y grande tempestad se levantará de los fines de la tierra.

33 Y en aquel día los muertos por Jehová estarán desde un extremo de la tierra hasta el otro extremo; no se endecharán, ni se recogerán, ni serán enterrados; serán como estiércol sobre la faz de la tierra.

34 Aullad, pastores, y clamad; y revolcaos en *ceniza*, mayorales del rebaño; porque cumplidos son vuestros días para que seáis degollados y esparcidos, y caeréis como vaso precioso.

35 Y se acabará la huida de los pastores, y el escape de los mayorales del rebaño.

36 ¡Voz del clamor de los pastores, y aullido de los mayorales del rebaño! porque Jehová asoló sus majadas.

37 Y las majadas quietas serán taladas por el furor de la ira de Jehová.

38 Dejó cual leoncillo su guarida; pues asolada fue la tierra de ellos por la ira del opresor, y por el furor de su ira.

CAPÍTULO 26

En el principio del reinado de Joacim hijo de Josías, rey de Judá, vino esta palabra de Jehová, diciendo:

2 Así dice Jehová: Ponte en el atrio de la casa de Jehová, y habla a todas las ciudades de Judá, que vienen para adorar en la casa de Jehová, todas las palabras que yo te mandé que les hablases; no retengas palabra.

3 Quizá oirán, y se convertirán cada uno de su mal camino; y me arrepentiré yo del mal que pienso hacerles por la maldad de sus obras.

4 Les dirás pues: Así dice Jehová: Si no me oyereis para andar en mi ley, la cual di delante de vosotros,

5 para atender a las palabras de mis siervos los profetas que yo os envío, madrugando en enviarlos, a los cuales no habéis oído;

6 yo pondré esta casa como Silo, y daré esta ciudad en maldición a todas las gentes de la tierra.

7 Y los sacerdotes, los profetas, y todo el pueblo, oyeron a Jeremías hablar estas palabras en la casa de Jehová.

8 Y aconteció que cuando Jeremías terminó de hablar todo lo que Jehová le había mandado que hablase a todo el pueblo, los sacerdotes y los profetas y todo el pueblo le echaron mano, diciendo: De cierto morirás.

9 ¿Por qué has profetizado en nombre de Jehová, diciendo: Esta casa será como Silo, y esta ciudad será asolada hasta no quedar morador? Y se juntó todo el pueblo contra Jeremías en la casa de Jehová.

10 Y los príncipes de Judá oyeron estas cosas, y subieron de la casa del rey a la casa de Jehová; y se sentaron en la entrada de la puerta nueva de la casa de Jehová.

11 Entonces hablaron los sacerdotes y los profetas a los príncipes y a todo el pueblo, diciendo: En pena de muerte ha incurrido este hombre; porque profetizó contra esta ciudad, como vosotros habéis oído con vuestros oídos.

12 Y habló Jeremías a todos los príncipes y a todo el pueblo, diciendo: Jehová me envió a que profetizase contra esta casa y contra esta ciudad, todas las palabras que habéis oído.

13 Y ahora, mejorad vuestros caminos y vuestras obras, y oíd la voz de Jehová vuestro Dios, y se arrepentirá Jehová del mal que ha hablado contra vosotros.

14 En lo que a mí toca, he aquí *estoy* en vuestras manos; haced de mí como mejor y más recto os pareciere.

15 Mas sabed de cierto que si me matareis, sangre inocente echaréis sobre vosotros, y sobre esta ciudad, y sobre sus moradores: porque en verdad Jehová me envió a vosotros para que dijese todas estas palabras en vuestros oídos.

16 Y dijeron los príncipes y todo el pueblo a los sacerdotes y profetas. No ha incurrido este hombre en pena de muerte, porque en nombre de Jehová nuestro Dios nos ha hablado.

17 Entonces se levantaron ciertos de los ancianos de la tierra, y hablaron a toda la asamblea del pueblo, diciendo:

18 Miqueas el morastita profetizó en tiempo de Ezequías rey de Judá, diciendo: Así dice Jehová de los ejércitos: Sión será arada *como* un campo, y Jerusalén vendrá a ser montones, y el monte del templo en cumbres de bosque.

19 ¿Acaso lo mataron Ezequías, rey de Judá, y todo Judá? ¿No temió a Jehová, y oró en presencia de Jehová, y Jehová se arrepintió del mal que había hablado contra ellos? ¿Haremos pues nosotros tan grande mal contra nuestras almas?

20 Hubo también un hombre que profetizaba en nombre de Jehová, Urías, hijo de Semaías de Quiriat-jearim, el cual profetizó contra esta ciudad y contra esta tierra, conforme a todas las palabras de Jeremías:

21 Y oyó sus palabras el rey Joacim, y todos sus grandes, y todos sus príncipes, y el rey procuró matarle; lo cual entendiendo Urías, tuvo temor, y huyó, y se fue a Egipto;

22 Y el rey Joacim envió hombres a Egipto, a Elnatán hijo de Acbor, y otros hombres con él, a Egipto;

23 los cuales sacaron a Urías de Egipto, y lo trajeron al rey Joacim, y lo hirió a espada, y echó su cuerpo en los sepulcros del vulgo.

24 Pero la mano de Ahicam hijo de Safán era con Jeremías, para que no lo entregasen en las manos del pueblo para matarlo.

CAPÍTULO 27

En el principio del reinado de Joacim hijo de Josías, rey de Judá, vino esta palabra de Jehová a Jeremías, diciendo:

2 Jehová me ha dicho así: Hazte coyundas y yugos, y ponlos sobre tu cuello;

3 y los enviarás al rey de Edom, y al rey de Moab, y al rey de los hijos de Amón, y al rey de Tiro, y al rey de Sidón, por mano de los mensajeros que vienen a Jerusalén a Sedequías, rey de Judá.

4 Y les mandarás que digan a sus señores: Así dice Jehová de los ejércitos, Dios de Israel: Así habéis de decir a vuestros señores:

5 Yo hice la tierra, el hombre y las bestias que *están* sobre la faz de la tierra, con mi gran poder y con mi brazo extendido, y la di a quien yo quise.

6 Y ahora yo he dado todas estas tierras en mano de Nabucodonosor rey de Babilonia, mi siervo, y aun las bestias del campo le he dado para que le sirvan.

7 Y todas las naciones le servirán a él, y a su hijo, y al hijo de su hijo, hasta que venga también el tiempo de su misma tierra; y entonces muchas naciones y grandes reyes se servirán de él.

8 Y sucederá, que la nación y el reino que no sirviere a Nabucodonosor rey de Babilonia, y que no pusiere su cuello debajo del yugo del rey de Babilonia, con espada y con hambre y con pestilencia castigaré a la tal gente, dice Jehová, hasta que los acabe yo por su mano.

9 Y vosotros no prestéis oído a vuestros profetas, ni a vuestros adivinos, ni a vuestros soñadores, ni a vuestros agoreros, ni a vuestros encantadores, que os hablan diciendo: No serviréis al rey de Babilonia.

10 Porque ellos os profetizan mentira, para haceros alejar de vuestra tierra, y para que yo os arroje y perezcáis.

11 Mas a las naciones que sometieren su cuello al yugo del rey de Babilonia, y le sirvieren, les haré dejar en su tierra, dice Jehová, y la labrarán, y morarán en ella.

12 Y hablé también a Sedequías rey de Judá conforme a todas estas palabras, diciendo: Someted vuestros cuellos al yugo del rey de Babilonia, y servid a él y a su pueblo, y vivid.

13 ¿Por qué moriréis, tú y tu pueblo, a espada, de hambre, y pestilencia, según ha dicho Jehová a la gente que no sirviere al rey de Babilonia?

14 No escuchéis las palabras de los profetas que os hablan, diciendo: No serviréis al rey de Babilonia; porque os profetizan mentira.

15 Porque yo no los envié, dice Jehová, y ellos profetizan falsamente en mi nombre, para que yo os arroje, y perezcáis, vosotros y los profetas que os profetizan.

16 También a los sacerdotes y a todo este pueblo hablé, diciendo: Así dice Jehová: No oigáis las palabras de vuestros profetas que os profetizan diciendo: He aquí que los vasos de la casa de Jehová volverán de Babilonia ahora presto. Porque os profetizan mentira.

17 No los escuchéis; servid al rey de Babilonia, y vivid: ¿por qué ha de ser desierta esta ciudad?

18 Y si ellos *son* profetas, y si está con ellos la palabra de Jehová, oren ahora a Jehová de los ejércitos, que los vasos que han quedado en la casa de Jehová y en la casa del rey de Judá y en Jerusalén, no vayan a Babilonia.

19 Porque así dice Jehová de los ejércitos de aquellas columnas, y del mar, y de las bases, y del resto de los vasos que quedan en esta ciudad,

20 que no quitó Nabucodonosor rey de Babilonia, cuando trasportó de Jerusalén a Babilonia a Jeconías hijo de Joacim, rey de Judá, y a todos los nobles de Judá y de Jerusalén:

21 Así pues ha dicho Jehová de los ejércitos, Dios de Israel, acerca de los vasos que quedaron en la casa de Jehová, y en la casa del rey de Judá, y en Jerusalén:

22 A Babilonia serán trasportados, y allí estarán hasta el día en que yo los visite, dice Jehová; y después los haré subir, y los restituiré a este lugar.

CAPÍTULO 28

Y aconteció en el mismo año, en el principio del reinado de Sedequías rey de Judá, en el año cuarto, en el quinto mes, que Hananías, hijo de Azur, profeta que *era* de Gabaón, me habló en la casa de Jehová delante de los sacerdotes y de todo el pueblo, diciendo:

2 Así habló Jehová de los ejércitos, Dios de Israel, diciendo: Quebranté el yugo del rey de Babilonia.

3 Dentro de dos años haré volver a este lugar todos los vasos de la casa de Jehová, que Nabucodonosor, rey de Babilonia, tomó de este lugar para meterlos en Babilonia.

4 Y yo traeré otra vez a este lugar a Jeconías hijo de Joacim, rey de Judá, y a todos los trasportados de Judá que entraron en Babilonia, dice Jehová; porque yo quebrantaré el yugo del rey de Babilonia.

5 Entonces el profeta Jeremías respondió al profeta Hananías, delante de los sacerdotes y delante de todo el pueblo que estaba en la casa de Jehová.

6 Y el profeta Jeremías dijo: Amén, así lo haga Jehová. Confirme Jehová tus palabras, con las cuales profetizaste que los vasos de la casa de Jehová, y todos los trasportados, han de ser devueltos de Babilonia a este lugar.

7 Con todo eso, oye ahora esta palabra que yo hablo en tus oídos y en los oídos de todo el pueblo:

8 Los profetas que fueron antes de mí y antes de ti en tiempos pasados, profetizaron sobre muchas tierras y grandes reinos, de guerra, y de aflicción, y de pestilencia.

9 El profeta que profetizó de paz, cuando se cumpliere la palabra del profeta, será conocido el profeta que Jehová en verdad lo envió.

10 Entonces el profeta Hananías quitó el yugo del cuello del profeta Jeremías, y lo quebró.

11 Y habló Hananías en presencia de todo el pueblo, diciendo: Así dice Jehová: De esta manera quebraré el yugo de Nabucodonosor, rey de Babilonia, del cuello de todas las gentes dentro de dos años. Y se fue Jeremías su camino.

12 Y después que el profeta Hananías quebró el yugo del cuello del *profeta* Jeremías, vino palabra de Jehová a Jeremías, diciendo:

13 Ve, y habla a Hananías, diciendo: Así dice Jehová: Yugos de madera quebraste, mas en vez de ellos harás yugos de hierro.

El yugo de Jeremías es quebrado

14 Porque así dice Jehová de los ejércitos, Dios de Israel: Yugo de hierro puse sobre el cuello de todas estas naciones, para que sirvan a Nabucodonosor rey de Babilonia, y le servirán; y aun también le he dado las bestias del campo.

15 Entonces el profeta Jeremías dijo al profeta Hananías: Ahora oye, Hananías; Jehová no te envió, y tú has hecho que este pueblo confíe en mentira.

16 Por tanto, así dice Jehová: He aquí que yo te arrojo de sobre la faz de la tierra; morirás en este año, porque hablaste rebelión contra Jehová.

17 Y en el mismo año murió el profeta Hananías en el mes séptimo.

CAPÍTULO 29

Éstas *son* las palabras de la carta que el profeta Jeremías envió de Jerusalén a los ancianos que habían quedado de los trasportados, y a los sacerdotes y profetas, y a todo el pueblo que Nabucodonosor llevó cautivo de Jerusalén a Babilonia

2 (Después que salió el rey Jeconías y la reina, y los de palacio, y los príncipes de Judá y de Jerusalén, y los artífices, y los herreros de Jerusalén),

3 por mano de Elasa hijo de Safán, y de Gemarías hijo de Hilcías, los cuales envió Sedequías rey de Judá a Babilonia, a Nabucodonosor rey de Babilonia, diciendo:

4 Así dice Jehová de los ejércitos. Dios de Israel, a todos los de la cautividad que hice transportar de Jerusalén a Babilonia:

5 Edificad casas, y morad; y plantad huertos, y comed del fruto de ellos;

6 casaos, y engendrad hijos e hijas dad esposas a vuestros hijos, y dad maridos a vuestras hijas, para que den a luz hijos e hijas; para que os multipliquéis ahí, y no os disminu yáis.

7 Y procurad la paz de la ciudad a la cual os hice llevar cautivos, y rogad por ella a Jehová; porque en su paz tendréis vosotros paz.

8 Porque así dice Jehová de los ejércitos, Dios de Israel: No os engañen vuestros profetas que está

entre vosotros, ni vuestros adivinos; ni miréis a vuestros sueños que soñáis.

9 Porque ellos os profetizan falsamente en mi nombre: Yo no los envié, dice Jehová.

10 Porque así dice Jehová: Cuando en Babilonia se cumplieren los setenta años, yo os visitaré, y cumpliré sobre vosotros mi buena palabra, para volveros a este lugar.

11 Porque yo sé los pensamientos que tengo acerca de vosotros, dice Jehová, pensamientos de paz, y no de mal, para daros el fin que esperáis.

12 Entonces me invocaréis, y vendréis y oraréis a mí, y yo os oiré;

13 y me buscaréis y hallaréis, porque me buscaréis de todo vuestro corazón.

14 Y seré hallado de vosotros, dice Jehová, y haré volver vuestra cautividad, y os reuniré de todas las naciones, y de todos los lugares adonde os arrojé, dice Jehová; y os haré volver al lugar de donde os hice ser llevados.

15 Mas habéis dicho: Jehová nos ha levantado profetas en Babilonia.

16 Pero así dice Jehová, del rey que está sentado sobre el trono de David, y de todo el pueblo que mora en esta ciudad, de vuestros hermanos que no salieron con vosotros en cautiverio;

17 así dice Jehová de los ejércitos: He aquí envío yo contra ellos espada, hambre, y pestilencia, y los pondré como los malos higos, que de malos no se pueden comer.

18 Y los perseguiré con espada, con hambre y con pestilencia; y los haré objeto de aversión a todos los reinos de la tierra, de maldición y de espanto, y de escarnio y de afrenta a todas las naciones a las cuales los habré arrojado;

19 Porque no oyeron mis palabras, dice Jehová, que les envié por mis siervos los profetas, madrugando en enviarlos; y no habéis escuchado, dice Jehová.

20 Oíd, pues, palabra de Jehová, vosotros todos los trasportados que eché de Jerusalén a Babilonia.

21 Así dice Jehová de los ejércitos, Dios de Israel, acerca de Acab hijo de Colaías, y acerca de Sedequías hijo de Maasías, quienes os profetizan falsamente en mi nombre: He aquí yo los entrego en mano de Nabucodonosor, rey de Babilonia, y él los matará delante de vuestros ojos.

22 Y todos los trasportados de Judá que están en Babilonia, tomarán de ellos maldición, diciendo: Jehová te ponga como a Sedequías y como a Acab, los cuales asó al fuego el rey de Babilonia.

23 Porque hicieron maldad en Israel, y cometieron adulterio con las esposas de sus prójimos, y falsamente hablaron en mi nombre palabra que no les mandé; lo cual yo sé, y soy testigo, dice Jehová.

24 Y a Semaías de Nehelam hablarás, diciendo:

25 Así habló Jehová de los ejércitos, Dios de Israel, diciendo: Por cuanto enviaste cartas en tu nombre a todo el pueblo que está en Jerusalén, y a Sofonías sacerdote hijo de Maasías, y a todos los sacerdotes, diciendo:

26 Jehová te ha puesto por sacerdote en lugar de Joiada sacerdote, para que te encargues en la casa de Jehová de todo hombre loco que se dice ser profeta, poniéndolo en el calabozo y en el cepo.

27 ¿Por qué, pues, no has ahora reprendido a Jeremías de Anatot, que os profetiza?

28 Porque por eso nos envió a decir en Babilonia: Largo va el cautiverio; edificad casas, y morad; plantad huertos y comed el fruto de ellos.

29 Y el sacerdote Sofonías había leído esta carta a oídos del profeta Jeremías.

30 Y vino palabra de Jehová a Jeremías, diciendo:

31 Envía a decir a todos los de la cautividad: Así dice Jehová de Semaías de Nehelam: Porque os profetizó Semaías, y yo no lo envié, y os hizo confiar en mentira:

32 Por tanto, así dice Jehová: He aquí que yo voy a castigar a Semaías el nehelamita, y a su descendencia; no tendrá varón que more entre este pueblo, ni verá el bien que voy a hacer a mi pueblo, dice Jehová; porque contra Jehová ha hablado rebelión.

CAPÍTULO 30

Palabra de Jehová que vino a Jeremías, diciendo:

2 Así habló Jehová Dios de Israel, diciendo: Escríbete en un libro todas las palabras que te he hablado.

3 Porque he aquí que vienen días, dice Jehová, en que haré volver la cautividad de mi pueblo Israel y Judá, dice Jehová, y los traeré a la tierra que di a sus padres, y la poseerán.

4 Éstas, pues, *son* las palabras que habló Jehová acerca de Israel y de Judá.

5 Porque así dice Jehová: Hemos oído voz de temblor: espanto, y no paz.

6 Preguntad ahora, y mirad si el varón da a luz: porque he visto que todo hombre tenía las manos sobre sus lomos, como mujer de parto, y se han tornado pálidos todos los rostros.

7 ¡Ah, cuán grande es aquel día! tanto, que no hay otro semejante a él; tiempo de angustia para Jacob; mas de él será librado.

8 Y será en aquel día, dice Jehová de los ejércitos, que yo quebraré su yugo de tu cuello, y romperé tus coyundas, y extraños no lo volverán más a poner en servidumbre,

9 sino que servirán a Jehová su Dios, y a David su rey, el cual les levantaré.

10 Tú pues, siervo mío Jacob, no temas, dice Jehová, ni te atemorices, Israel; porque he aquí que yo soy el que te salvo de lejos, y a tu simiente de la tierra de su cautividad; y Jacob volverá, y descansará tranquilo, y no habrá quien le espante.

11 Porque yo *estoy* contigo, dice Jehová, para salvarte; y haré consumación en todas las naciones entre las cuales te esparcí; pero en ti no haré consumación, sino que te castigaré con juicio; de ninguna manera te dejaré sin castigo.

12 Porque así dice Jehová: Incurable es tu quebrantamiento, y grave tu herida.

13 No *hay* quien defienda tu causa para que seas sanado; no hay para ti medicina eficaz.

14 Todos tus amantes te olvidaron; no te buscan; porque de herida de enemigo te herí, con azote de cruel, a causa de la muchedumbre de tu maldad, y de la multitud de tus pecados.

15 ¿Por qué gritas a causa de tu quebrantamiento? Incurable es tu dolor; porque por la grandeza de tu iniquidad, y por tus muchos pecados te he hecho esto.

16 Pero todos los que te consumen serán consumidos; y todos tus opresores, todos ellos, irán en cautiverio; y serán hollados los que te hollaron, y a todos los que hicieron presa de ti daré en presa.

17 Mas yo haré venir sanidad para ti, y te sanaré de tus heridas, dice Jehová; porque Desechada te llamaron, *diciendo:* Ésta *es* Sión, a la que nadie busca.

18 Así dice Jehová: He aquí yo hago volver la cautividad de las tiendas de Jacob, y de sus tiendas tendré misericordia; y la ciudad será edificada sobre su collado, y el palacio será asentado según su forma.

19 Y acción de gracias saldrá de ellos, y voz de gente que se regocija; y los multiplicaré, y no serán disminuidos; los glorificaré, y no serán menoscabados.

20 Y serán sus hijos como en el pasado y su congregación será afirmada delante de mí; y castigaré a todos sus opresores.

21 Y de entre ellos saldrán sus nobles, y de en medio de ellos saldrá su gobernador; y le haré llegar cerca, y él se acercará a mí; porque ¿quién es aquel que dispuso su corazón para acercarse a mí? dice Jehová.

22 Y me seréis por pueblo, y yo seré vuestro Dios.

23 He aquí, la tempestad de Jehová sale con furor, tempestad devastadora; descargará dolor sobre la cabeza de los impíos.

24 No se volverá la ira del enojo de Jehová, hasta que haya hecho y cumplido los pensamientos de su corazón; en el fin de los días entenderéis esto.

CAPÍTULO 31

En aquel tiempo, dice Jehová, yo seré el Dios de todas las familias de Israel, y ellos serán mi pueblo.

2 Así dice Jehová: El pueblo que escapó de la espada halló gracia en el desierto; cuando fui yo para hacer reposar a Israel.

3 Jehová se manifestó a mí hace ya mucho tiempo, *diciendo*: Con amor eterno te he amado; por tanto, te prolongué mi misericordia.

4 Aún te edificaré, y serás edificada, oh virgen de Israel; todavía serás adornada con tus panderos, y saldrás en corro de danzantes.

5 Aún plantarás viñas en los montes de Samaria; plantarán los plantadores, y harán común uso de ellas.

6 Porque habrá día en que clamarán los guardas en el monte de Efraín: Levantaos, y subamos a Sión, a Jehová nuestro Dios.

7 Porque así dice Jehová: Regocijaos en Jacob con alegría, y dad voces de júbilo a la cabeza de naciones; haced oír, alabad, y decid: Oh Jehová, salva a tu pueblo, el remanente de Israel.

8 He aquí yo los hago volver de la tierra del norte, y los reuniré de los confines de la tierra, y entre ellos ciegos y cojos, la mujer encinta y la que da a luz juntamente; una gran compañía volverá acá.

9 Con llanto vendrán, y entre súplicas los conduciré. Los haré andar junto a arroyos de aguas, por camino derecho en el cual no tropezarán; porque yo soy Padre para Israel, y Efraín es mi primogénito.

10 Oíd palabra de Jehová, oh naciones, y hacedlo saber en las islas que están lejos, y decid: El que esparció a Israel lo reunirá y lo guardará como un pastor a su rebaño.

11 Porque Jehová redimió a Jacob, lo redimió de mano del más fuerte que él.

12 Y vendrán, y cantarán en lo alto de Sión, y correrán al bien de Jehová, al pan, y al vino, y al aceite, y a las crías de las ovejas y de las vacas; y su alma será como huerto de riego, y nunca más tendrán dolor.

13 Entonces la virgen se alegrará en la danza, los jóvenes y los viejos juntamente; y cambiaré su lloro en gozo, y los consolaré, y los alegraré de su dolor.

14 Y saciaré el alma del sacerdote de grosura, y de mi bien será saciado mi pueblo, dice Jehová.

15 Así dice Jehová: Voz fue oída en Ramá, llanto y lloro amargo: Raquel que llora por sus hijos, y no quiso ser consolada acerca de sus hijos, porque perecieron.

16 Así dice Jehová: Reprime tu voz del llanto, y tus ojos de las lágrimas; porque tu obra será recompensada, dice Jehová, y volverán de la tierra del enemigo.

17 Esperanza también hay para tu fin, dice Jehová, y los hijos volverán a su término.

18 Ciertamente he oído a Efraín lamentarse *así*: Me azotaste, y castigado fui como novillo indómito. Conviérteme y seré convertido; porque tú eres Jehová mi Dios.

19 Porque después que me volví, tuve arrepentimiento, y después que fui instruido, golpeé *mi* muslo; me avergoncé y me confundí, porque llevé el oprobio de mi juventud.

20 ¿No *es* Efraín hijo precioso para mí? ¿No *es* niño placentero? Pues desde que hablé contra él, fervientemente le he recordado. Por eso mis entrañas se conmueven por él; ciertamente tendré de él misericordia, dice Jehová.

21 Establécete señales, hazte majanos altos; pon tu corazón hacia el camino, vuelve al camino de donde te fuiste, virgen de Israel, vuelve a estas tus ciudades.

22 ¿Hasta cuándo andarás errante, oh hija contumaz? Porque Jehová creará una cosa nueva sobre la tierra; la mujer rodeará al varón.

23 Así dice Jehová de los ejércitos, Dios de Israel: Aún dirán esta palabra en la tierra de Judá y en sus ciudades, cuando yo haga volver su cautiverio: Jehová te bendiga, oh morada de justicia, oh monte santo.

24 Y morará allí Judá; y también en todas sus ciudades; los labradores y los que van con rebaño.

25 Porque di satisfacción al alma cansada, y sacié toda alma entristecida.

26 En esto me desperté, y vi, y mi sueño me fue sabroso.

27 He aquí vienen días, dice Jehová, en que sembraré la casa de Israel y la casa de Judá de simiente de hombre y de simiente de animal.

28 Y será que, como tuve cuidado de ellos para arrancar y derribar, y trastornar y perder, y afligir, así tendré cuidado de ellos para edificar y plantar, dice Jehová.

29 En aquellos días no dirán más: Los padres comieron las uvas agrias, y los dientes de los hijos tienen la dentera.

30 Sino que cada cual morirá por su propia maldad; los dientes de todo hombre que comiere las uvas agrias, tendrán la dentera.

31 He aquí que vienen días, dice Jehová, en los cuales haré nuevo pacto con la casa de Jacob y la casa de Judá:

32 No como el pacto que hice con sus padres el día que tomé su mano para sacarlos de la tierra de Egipto; porque ellos invalidaron mi pacto, bien que fui yo un marido para ellos, dice Jehová:

33 Mas éste es el pacto que haré con la casa de Israel después de aquellos días, dice Jehová: Daré mi ley en sus entrañas, y la escribiré en sus corazones; y yo seré su Dios, y ellos serán mi pueblo.

34 Y no enseñará más ninguno a su prójimo, ni ninguno a su hermano, diciendo: Conoce a Jehová: porque todos me conocerán, desde el más pequeño de ellos hasta el más grande, dice Jehová: porque perdonaré la maldad de ellos, y no me acordaré más de su pecado.

35 Así dice Jehová, que da el sol para luz del día, las leyes de la luna y de las estrellas para luz de la noche; que parte el mar y braman sus ondas; Jehová de los ejércitos es su nombre:

36 Si estas leyes faltaren delante de mí, dice Jehová, también la simiente de Israel faltará para no ser nación delante de mí todos los días.

37 Así dice Jehová: Si los cielos arriba pueden medirse, y examinarse abajo los fundamentos de la tierra, también yo desecharé toda la simiente de Israel por todo lo que hayan hecho, dice Jehová.

38 He aquí que vienen días, dice Jehová, en que la ciudad será edificada a Jehová, desde la torre de Hananeel hasta la puerta del Ángulo.

39 Y saldrá más adelante el cordel de la medida delante de él sobre el collado de Gareb, y rodeará a Goa.

40 Y todo el valle de los cuerpos muertos y de la ceniza, y todas las llanuras hasta el arroyo de Cedrón, hasta la esquina de la puerta de los Caballos al oriente, será santo a Jehová; no será arrancada ni destruida más para siempre.

CAPÍTULO 32

Palabra de Jehová que vino a Jeremías, el año décimo de Sedequías rey de Judá, que fue el año decimoctavo de Nabucodonosor.

2 Y entonces el ejército del rey de Babilonia tenía cercada a Jerusalén; y el profeta Jeremías estaba preso en el patio de la cárcel que estaba en la casa del rey de Judá.

3 Pues Sedequías rey de Judá lo había apresado, diciendo: ¿Por qué profetizas tú diciendo: Así dice Jehová: He aquí yo entrego esta ciudad en mano del rey de Babilonia, y la tomará,

4 y Sedequías rey de Judá no escapará de la mano de los caldeos, sino que de cierto será entregado en mano del rey de Babilonia, y hablará con él boca a boca, y sus ojos verán sus ojos,

5 y hará llevar a Sedequías a Babilonia, y allá estará hasta que yo le visite, dice Jehová: si peleareis con los caldeos, no os sucederá bien?

6 Y dijo Jeremías: Palabra de Jehová vino a mí, diciendo:

7 He aquí que Hanameel, hijo de Salum tu tío, viene a ti, diciendo: Cómprame mi heredad que está en Anatot; porque tú tienes derecho a ella para comprarla.

8 Y vino a mí Hanameel, hijo de mi tío, conforme a la palabra de Jehová, al patio de la cárcel, y me dijo: Compra ahora mi heredad que está en Anatot, en tierra de Benjamín, porque tuyo es el derecho de la herencia, y a ti compete la redención; cómprala para ti. Entonces conocí que era palabra de Jehová.

9 Y compré la heredad de Hanameel, hijo de mi tío, la cual estaba en

Anatot, y le pesé el dinero; diecisiete siclos de plata.

10 Y escribí la carta, y la sellé, y tomé testigos, y pesé el dinero en la balanza.

11 Tomé luego la carta de venta, sellada según el derecho y costumbre, y el traslado abierto.

12 Y di la carta de venta a Baruc hijo de Nerías, hijo de Maasías, delante de Hanameel *el hijo* de mi tío, y delante de los testigos que habían suscrito en la carta de venta, delante de todos los judíos que estaban en el patio de la cárcel.

13 Y di orden a Baruc delante de ellos, diciendo:

14 Así dice Jehová de los ejércitos, Dios de Israel: Toma estas cartas, esta carta de venta sellada, y esta carta abierta, y ponlas en un vaso de barro, para que se conserven muchos días.

15 Porque así dice Jehová de los ejércitos, Dios de Israel: Aún se comprarán casas, y heredades, y viñas en esta tierra.

16 Y después que di la carta de venta a Baruc hijo de Nerías, oré a Jehová, diciendo:

17 ¡Oh Señor Jehová! he aquí que tú hiciste el cielo y la tierra con tu gran poder, y con tu brazo extendido, ni hay nada que sea difícil para ti;

18 que haces misericordia en millares, y vuelves la maldad de los padres en el seno de sus hijos después de ellos: Dios grande, poderoso, Jehová de los ejércitos *es* su nombre;

19 grande en consejo, y poderoso en hechos; porque tus ojos *están* abiertos sobre todos los caminos de los hijos de los hombres, para dar a cada uno según sus caminos, y según el fruto de sus obras;

20 que pusiste señales y portentos en tierra de Egipto hasta este día, y en Israel, y entre los hombres; y te has hecho nombre cual es este día;

21 y sacaste tu pueblo Israel de tierra de Egipto con señales y portentos, y con mano fuerte y brazo extendido, con terror grande;

22 y les diste esta tierra, de la cual juraste a sus padres que se la darías, tierra que mana leche y miel;

23 y entraron, y la poseyeron; mas no oyeron tu voz, ni anduvieron en tu ley; nada hicieron de lo que les mandaste hacer; por tanto has hecho venir sobre ellos todo este mal.

24 He aquí que con arietes han acometido la ciudad para tomarla; y la ciudad va a ser entregada en mano de los caldeos que pelean contra ella, a causa de la espada, y del hambre y de la pestilencia; lo que tú habías dicho, ha sucedido, y he aquí tú *lo* estás viendo.

25 Y tú, oh Señor Jehová me has dicho: Cómprate la heredad por dinero, y pon testigos; aunque la ciudad sea entregada en manos de los caldeos.

26 Y vino palabra de Jehová a Jeremías, diciendo:

27 He aquí que yo *soy* Jehová, Dios de toda carne; ¿habrá algo que sea difícil para mí?

28 Por tanto así dice Jehová: He aquí voy a entregar esta ciudad en mano de los caldeos, y en mano de Nabucodonosor rey de Babilonia, y la tomará:

29 Y vendrán los caldeos que combaten contra esta ciudad, y le prenderán fuego, y la quemarán, asimismo las casas sobre cuyas azoteas ofrecieron incienso a Baal y derramaron libaciones a dioses ajenos, para provocarme a ira.

30 Porque los hijos de Israel y los hijos de Judá no han hecho sino lo malo delante de mis ojos desde su juventud; porque los hijos de Israel no han hecho más que provocarme a ira con la obra de sus manos, dice Jehová.

31 Porque esta ciudad me ha sido, *como* provocación a ira e indignación, desde el día que la edificaron y hasta hoy; de modo que la quitaré de mi presencia,

32 por toda la maldad de los hijos de Israel y de los hijos de Judá, que han hecho para enojarme, ellos, sus reyes, sus príncipes, sus sacerdotes, y sus profetas, y los varones de Judá, y los moradores de Jerusalén.

33 Y me volvieron la cerviz, y no el rostro; y aunque los enseñaba, madrugando y enseñando, no escucharon para recibir corrección.

34 Antes asentaron sus abominaciones en la casa sobre la cual es invocado mi nombre, contaminándola.

35 Y edificaron altares a Baal, los cuales están en el valle del hijo de Hinom, para hacer pasar por el fuego a sus hijos y a sus hijas a Moloc, lo cual no les mandé, ni me vino al pensamiento que hiciesen esta abominación, para hacer pecar a Judá.

36 Y con todo, ahora así dice Jehová Dios de Israel, a esta ciudad, de la cual decís vosotros: Entregada será en mano del rey de Babilonia a espada, a hambre, y a pestilencia:

37 He aquí que yo los juntaré de todas las tierras a las cuales los eché con mi furor, y con mi enojo y saña grande; y los haré tornar a este lugar, y los haré habitar seguramente,

38 y ellos serán mi pueblo, y yo seré su Dios.

39 Y les daré un corazón, y un camino, para que me teman perpetuamente, para bien de ellos, y de sus hijos después de ellos.

40 Y haré con ellos pacto eterno, que no tornaré atrás de hacerles bien, y pondré mi temor en el corazón de ellos, para que no se aparten de mí.

41 Y me alegraré con ellos haciéndoles bien, y los plantaré en esta tierra en verdad, de todo mi corazón y de toda mi alma.

42 Porque así dice Jehová: Como traje sobre este pueblo todo este grande mal, así traeré sobre ellos todo el bien que les he prometido.

43 Y poseerán heredad en esta tierra de la cual vosotros decís: *Está* desierta, sin hombres y sin animales; es entregada en manos de los caldeos.

44 Heredades comprarán por dinero, y harán carta, y la sellarán, y pondrán testigos, en tierra de Benjamín y en los contornos de Jerusalén, y en las ciudades de Judá; y en las ciudades de las montañas, y en las ciudades de los valles, y en las ciudades del Neguev; porque yo haré volver su cautividad, dice Jehová.

CAPÍTULO 33

Y vino palabra de Jehová a Jeremías la segunda vez, estando él aún preso en el patio de la cárcel, diciendo:

2 Así dice Jehová que hizo *la tierra*,

Clama a mí, y yo te responderé

Jehová que la formó para afirmarla; Jehová *es* su nombre:

3 Clama a mí, y yo te responderé, y te enseñaré cosas grandes y difíciles que tú no conoces.

4 Porque así dice Jehová, Dios de Israel, acerca de las casas de esta ciudad, y de las casas de los reyes de Judá, derribadas con arietes y con hachas:

5 (Porque vinieron para pelear con los caldeos, para llenarlas de cuerpos de hombres muertos, a los cuales herí yo con mi furor y con mi ira, pues yo escondí mi rostro de esta ciudad, a causa de toda su maldad.)

6 He aquí que yo le hago subir sanidad y medicina; y los curaré, y les revelaré abundancia de paz y de verdad.

7 Y haré volver la cautividad de Judá, y la cautividad de Israel, y los edificaré como al principio.

8 Y los limpiaré de toda su maldad con que pecaron contra mí; y perdonaré todos sus pecados con que contra mí pecaron, y con que contra mí se rebelaron.

9 Y me será a mí por nombre de gozo, de alabanza y de gloria, entre todas las naciones de la tierra, que habrán oído todo el bien que yo les hago; y temerán y temblarán de todo el bien y de toda la paz que yo les haré.

10 Así dice Jehová: En este lugar, del cual decís *que está* desierto sin hombres y sin animales, en las ciudades de Judá y en las calles de Jerusalén, que están asoladas sin hombre y sin morador y sin animal, aún se ha de oír

11 voz de gozo y voz de alegría, voz de desposado y voz de desposada, voz de los que digan: Alabad a Jehová de los ejércitos, porque Jehová es bueno, porque para siempre es su misericordia; voz de los que traigan alabanza a la casa de Jehová. Porque volveré a traer la cautividad de la tierra como al principio, dice Jehová.

12 Así dice Jehová de los ejércitos: En este lugar desierto, sin hombre y sin animal, y en todas sus ciudades, aún habrá cabañas de pastores que hagan descansar a *sus* rebaños.

13 En las ciudades de las montañas, en las ciudades de los valles, y en las

ciudades del Neguev, y en tierra de Benjamín, y alrededor de Jerusalén y en las ciudades de Judá, aún pasarán ganados por las manos de los que *las* cuentan, dice Jehová.

14 He aquí vienen días, dice Jehová, en que yo confirmaré la palabra buena que he hablado a la casa de Israel y a la casa de Judá.

15 En aquellos días y en aquel tiempo haré producir a David Renuevo de justicia, y hará juicio y justicia en la tierra.

16 En aquellos días Judá será salvo, y Jerusalén habitará segura, y éste es *el nombre* con el cual la llamarán: Jehová, justicia nuestra.

17 Porque así dice Jehová: No faltará a David varón que se siente sobre el trono de la casa de Israel;

18 y de los sacerdotes y levitas no faltará varón que en mi presencia ofrezca holocausto, y encienda presente, y que haga sacrificio todos los días.

19 Y vino palabra de Jehová a Jeremías, diciendo:

20 Así dice Jehová: Si pudieres invalidar mi pacto con el día y mi pacto con la noche, de manera que no haya día ni noche a su tiempo,

21 podrá también invalidarse mi pacto con mi siervo David, para que deje de tener hijo que reine sobre su trono, y con los levitas y sacerdotes, mis ministros.

22 Como no puede ser contado el ejército del cielo, ni la arena del mar se puede medir, así multiplicaré la simiente de David mi siervo, y los levitas que a mí ministran.

23 Y vino palabra de Jehová a Jeremías, diciendo:

24 ¿No has considerado lo que habla este pueblo, diciendo: Las dos familias que Jehová escogió, las ha desechado? Y han tenido en poco a mi pueblo, hasta no tenerlos más por nación.

25 Así dice Jehová: Si no permaneciere mi pacto con el día y con la noche, si yo no he puesto las leyes del cielo y de la tierra,

26 también desecharé la simiente de Jacob, y de David mi siervo, para no tomar de su simiente quien sea señor sobre la simiente de Abraham, de Isaac, y de Jacob. Porque haré volver su cautividad, y tendré de ellos misericordia.

CAPÍTULO 34

Palabra de Jehová que vino a Jeremías (cuando Nabucodonosor rey de Babilonia, y todo su ejército, y todos los reinos de la tierra del señorío de su mano, y todos los pueblos peleaban contra Jerusalén, y contra todas sus ciudades), diciendo:

2 Así dice Jehová Dios de Israel: Ve, y habla a Sedequías rey de Judá, y dile: Así dice Jehová: He aquí yo entregaré esta ciudad en mano del rey de Babilonia, y la quemará con fuego;

3 y no escaparás tú de su mano, sino que de cierto serás apresado, y en su mano serás entregado; y tus ojos verán los ojos del rey de Babilonia, y te hablará boca a boca, y en Babilonia entrarás.

4 Con todo eso, oye palabra de Jehová, Sedequías rey de Judá: Así dice Jehová de ti: No morirás a espada;

5 en paz morirás, y como quemaron *incienso* por tus padres, los reyes primeros que fueron antes de ti, así quemarán por ti, y te endecharán, *diciendo*: ¡Ay, señor!; porque yo he hablado la palabra, dice Jehová.

6 Entonces el profeta Jeremías habló a Sedequías rey de Judá todas estas palabras en Jerusalén.

7 Y el ejército del rey de Babilonia peleaba contra Jerusalén, y contra todas las ciudades de Judá que habían quedado, contra Laquis, y contra Azeca; porque de las ciudades fortificadas de Judá éstas habían quedado.

8 Palabra que vino a Jeremías de parte de Jehová, después que Sedequías hizo pacto con todo el pueblo en Jerusalén, para promulgarles libertad:

9 Que cada uno dejase libre a su siervo, y cada uno a su sierva, hebreo y hebrea; que ninguno usase de los judíos sus hermanos como de siervos.

10 Y cuando oyeron todos los príncipes, y todo el pueblo que habían entrado en el pacto de dejar

cada uno su siervo y cada uno su sierva libres, que ninguno usase más de ellos como de siervos, obedecieron, y los dejaron.

11 Mas después se arrepintieron, e hicieron volver a los siervos y a las siervas que habían dejado libres, y los sujetaron por siervos y por siervas.

12 Por lo cual vino palabra de Jehová a Jeremías, de parte de Jehová, diciendo:

13 Así dice Jehová Dios de Israel: Yo hice pacto con vuestros padres el día que los saqué de tierra de Egipto, de casa de siervos, diciendo:

14 Al cabo de siete años dejará cada uno a su hermano hebreo que le fuere vendido; te servirá, pues, seis años, y lo enviarás libre de ti; mas vuestros padres no me oyeron, ni inclinaron su oído.

15 Y vosotros os habíais hoy convertido, y hecho lo recto delante de mis ojos, anunciando cada uno libertad a su prójimo; y habíais hecho pacto en mi presencia, en la casa sobre la cual es invocado mi nombre;

16 Pero os habéis vuelto y profanado mi nombre, y habéis vuelto a tomar cada uno a su siervo y cada uno a su sierva, que habíais dejado libres a su voluntad; y los habéis sujetado para que os sean siervos y siervas.

17 Por tanto, así ha dicho Jehová: Vosotros no me habéis oído en promulgar cada uno libertad a su hermano, y cada uno a su compañero; he aquí que yo os promulgo libertad, dice Jehová, a espada y a pestilencia, y a hambre; y haré que seáis removidos a todos los reinos de la tierra.

18 Y entregaré a los hombres que traspasaron mi pacto, que no han llevado a efecto las palabras del pacto que celebraron en mi presencia dividiendo en dos partes el becerro y pasando por medio de ellas:

19 A los príncipes de Judá y a los príncipes de Jerusalén, a los eunucos y a los sacerdotes, y a todo el pueblo de la tierra, que pasaron entre las partes del becerro,

20 los entregaré en mano de sus enemigos y en mano de los que buscan su vida; y sus cuerpos muertos serán para comida de las aves del cielo, y de las bestias de la tierra.

21 Y a Sedequías rey de Judá, y a sus príncipes, entregaré en mano de sus enemigos, y en mano de los que buscan su vida, y en mano del ejército del rey de Babilonia, que se fueron de vosotros.

22 He aquí, mandaré yo, dice Jehová, y los haré volver a esta ciudad, y pelearán contra ella, y la tomarán, y le prenderán fuego; y reduciré a soledad las ciudades de Judá, hasta no quedar morador.

CAPÍTULO 35

La palabra que vino a Jeremías de parte de Jehová en días de Joacim hijo de Josías, rey de Judá, diciendo:

2 Ve a casa de los recabitas, y habla con ellos, e introdúcelos en la casa de Jehová, en una de las cámaras, y dales a beber vino.

3 Tomé entonces a Jaazanías hijo de Jeremías, hijo de Habasinías, y a sus hermanos, y a todos sus hijos, y a toda la familia de los recabitas;

4 y los metí en la casa de Jehová, en la cámara de los hijos de Hanán, hijo de Igdalías, varón de Dios, la cual *estaba* junto a la cámara de los príncipes, que *estaba* sobre la cámara de Maasías hijo de Salum, guarda de la puerta.

5 Y puse delante de los hijos de la familia de los recabitas tazas y copas llenas de vino, y les dije: Bebed vino.

6 Mas ellos dijeron: No beberemos vino; porque Jonadab hijo de Recab nuestro padre nos mandó, diciendo: No beberéis vino jamás, ni vosotros ni vuestros hijos;

7 Ni edificaréis casa, ni sembraréis sementera, ni plantaréis viña, ni la poseeréis; sino que moraréis en tiendas todos vuestros días, para que viváis muchos días sobre la faz de la tierra donde vosotros peregrináis.

8 Y nosotros hemos obedecido a la voz de Jonadab nuestro padre, hijo de Recab, en todas las cosas que nos mandó, de no beber vino en todos nuestros días, ni nosotros, ni nuestras esposas, ni nuestros hijos, ni nuestras hijas;

9 Y de no edificar casas para nuestra

morada, y de no tener viña, ni heredad, ni sementera.

10 Mas hemos morado en tiendas, y hemos obedecido y hecho conforme a todas las cosas que nos mandó Jonadab nuestro padre.

11 Pero sucedió que cuando Nabucodonosor rey de Babilonia subió a la tierra, dijimos: Venid, y entrémonos en Jerusalén, por miedo al ejército de los caldeos y por miedo al ejército de los de Siria; y en Jerusalén nos quedamos.

12 Y vino palabra de Jehová a Jeremías, diciendo:

13 Así dice Jehová de los ejércitos, Dios de Israel: Ve, y di a los varones de Judá, y a los moradores de Jerusalén: ¿No recibiréis instrucción para obedecer a mis palabras? dice Jehová.

14 Fue firme la palabra de Jonadab hijo de Recab, el cual mandó a sus hijos que no bebiesen vino, y no lo han bebido hasta hoy, por obedecer al mandamiento de su padre; y yo os he hablado a vosotros, madrugando, y hablando, y no me habéis oído.

15 Y envié a vosotros a todos mis siervos los profetas, madrugando y enviándolos a decir: Volveos ahora cada uno de su mal camino, y enmendad vuestras obras, y no vayáis tras dioses ajenos para servirles, y viviréis en la tierra que di a vosotros y a vuestros padres: mas no inclinasteis vuestro oído, ni me oísteis.

16 Ciertamente los hijos de Jonadab, hijo de Recab, tuvieron por firme el mandamiento que les dio su padre; mas este pueblo no me ha obedecido.

17 Por tanto, así dice Jehová Dios de los ejércitos, Dios de Israel: He aquí traeré yo sobre Judá y sobre todos los moradores de Jerusalén todo el mal que contra ellos he hablado: porque les hablé, y no oyeron; los llamé, y no han respondido.

18 Y dijo Jeremías a la familia de los recabitas: Así dice Jehová de los ejércitos, Dios de Israel: Porque obedecisteis al mandamiento de Jonadab vuestro padre, y guardasteis todos sus mandamientos, e hicisteis conforme a todas las cosas que os mandó;

19 Por tanto, así dice Jehová de los ejércitos, Dios de Israel: No faltará varón de Jonadab, hijo de Recab, que esté en mi presencia todos los días.

CAPÍTULO 36

Y aconteció en el cuarto año de Joacim hijo de Josías, rey de Judá, que vino esta palabra a Jeremías, de parte de Jehová, diciendo:

2 Tómate un rollo de libro, y escribe en él todas las palabras que te he hablado contra Israel y contra Judá, y contra todas las gentes, desde el día que comencé a hablarte, desde los días de Josías hasta hoy.

3 Quizá oiga la casa de Judá todo el mal que yo pienso hacerles, y se arrepienta cada uno de su mal camino, y yo perdonaré su maldad y su pecado.

4 Y llamó Jeremías a Baruc hijo de Nerías, y escribió Baruc de boca de Jeremías, en un rollo de libro, todas las palabras que Jehová le había hablado.

5 Después mandó Jeremías a Baruc, diciendo: Yo *estoy* preso, no puedo entrar en la casa de Jehová:

6 Entra tú pues, y lee de este rollo que escribiste de mi boca, las palabras de Jehová en oídos del pueblo, en la casa de Jehová, el día del ayuno; y las leerás también en oídos de todo Judá que vienen de sus ciudades.

7 Quizá llegue la oración de ellos a la presencia de Jehová, y se vuelva cada uno de su mal camino; porque grande *es* el furor y la ira que ha pronunciado Jehová contra este pueblo.

8 Y Baruc hijo de Nerías hizo conforme a todas las cosas que el profeta Jeremías le mandó, leyendo en el libro las palabras de Jehová en la casa de Jehová.

9 Y aconteció en el año quinto de Joacim hijo de Josías, rey de Judá, en el mes noveno, que promulgaron ayuno en la presencia de Jehová, a todo el pueblo de Jerusalén, y a todo el pueblo que venía de las ciudades de Judá a Jerusalén.

10 Entonces Baruc leyó en el libro las palabras de Jeremías en la casa de

Jehová, en la cámara de Gemarías hijo de Safán escriba, en el atrio de arriba, a la entrada de la puerta nueva de la casa de Jehová, a oídos del pueblo.

11 Y Micaías hijo de Gemarías, hijo de Safán, habiendo oído del libro todas las palabras de Jehová,

12 descendió a la casa del rey, a la cámara del escriba, y he aquí que todos los príncipes estaban allí sentados: Elisama el escriba, Delaías hijo de Semaías, Elnatán hijo de Acbor, Gemarías hijo de Safán, Sedequías hijo de Ananías, y todos los príncipes.

13 Y Micaías les contó todas las palabras que había oído cuando Baruc leyó en el libro a oídos del pueblo.

14 Entonces enviaron todos los príncipes a Jehudí hijo de Netanías, hijo de Selemías, hijo de Cusi, para que dijese a Baruc: Toma el rollo en que leíste a oídos del pueblo, y ven. Y Baruc, hijo de Nerías, tomó el rollo en su mano y vino a ellos.

15 Y le dijeron: Siéntate ahora, y léelo a nuestros oídos. Y leyó Baruc a sus oídos.

16 Y aconteció que cuando oyeron todas aquellas palabras, cada uno se volvió espantado a su compañero, y dijeron a Baruc: Sin duda contaremos al rey todas estas palabras.

17 Preguntaron luego a Baruc, diciendo: Cuéntanos ahora cómo escribiste de boca de Jeremías todas estas palabras.

18 Y Baruc les dijo: Él me dictaba de su boca todas estas palabras, y yo escribía con tinta en el libro.

19 Entonces dijeron los príncipes a Baruc: Ve y escóndete, tú y Jeremías, y que nadie sepa dónde estáis.

20 Y entraron a donde estaba el rey, al atrio, habiendo depositado el rollo en la cámara de Elisama el escriba; y contaron a oídos del rey todas las palabras.

21 Y envió el rey a Jehudí a que tomase el rollo, el cual lo tomó de la cámara del escriba Elisama, y leyó en él Jehudí a oídos del rey, y a oídos de todos los príncipes que junto al rey estaban.

22 Y el rey estaba en la casa de invierno en el mes noveno, y había un brasero ardiendo delante de él;

23 Y aconteció que cuando Jehudí hubo leído tres o cuatro planas, lo rasgó *el rey* con un cuchillo de escribanía, y lo echó en el fuego que *había* en el brasero, hasta que todo el rollo se consumió en el fuego que *había* en el brasero.

24 Y no tuvieron temor, ni rasgaron sus vestiduras, ni el rey ni ninguno de sus siervos que oyeron todas estas palabras.

25 Y aunque Elnatán y Delaías y Gemarías rogaron al rey que no quemase aquel rollo, no los quiso oír:

26 Antes mandó el rey a Jerameel hijo de Amelec, y a Seraías hijo de Azriel, y a Selemías hijo de Abdeel, que prendiesen a Baruc el escriba y al profeta Jeremías; pero Jehová los escondió.

27 Y vino palabra de Jehová a Jeremías, después que el rey quemó el rollo, las palabras que Baruc había escrito de boca de Jeremías, diciendo:

28 Vuelve a tomar otro rollo, y escribe en él todas las palabras primeras que estaban en el primer rollo que quemó Joacim, el rey de Judá.

29 Y dirás a Joacim rey de Judá: Así dice Jehová: Tú quemaste este rollo, diciendo: ¿Por qué escribiste en él, diciendo: De cierto, vendrá el rey de Babilonia, y destruirá esta tierra, y hará que no queden en ella hombres ni animales?

30 Por tanto, así dice Jehová acerca de Joacim rey de Judá: No tendrá quien se siente sobre el trono de David; y su cuerpo será echado al calor del día y al hielo de la noche.

31 Y castigaré a él y a su simiente y a sus siervos por su maldad; y traeré sobre ellos, y sobre los moradores de Jerusalén, y sobre los varones de Judá, todo el mal que les he dicho y no escucharon.

32 Y tomó Jeremías otro rollo y lo dio a Baruc hijo de Nerías escriba; y escribió en él de boca de Jeremías todas las palabras del libro que quemó en el fuego Joacim rey de Judá; y aun fueron añadidas sobre ellas muchas otras palabras semejantes.

CAPÍTULO 37

Y reinó el rey Sedequías hijo de Josías, en lugar de Conías hijo de Joacim, al cual Nabucodonosor rey de Babilonia había constituido por rey en la tierra de Judá.

2 Pero ni él, ni sus siervos, ni el pueblo de la tierra obedecieron a las palabras que Jehová habló por medio del profeta Jeremías.

3 Y envió el rey Sedequías a Jucal hijo de Selemías, y a Sofonías hijo de Maasías el sacerdote, para que dijesen al profeta Jeremías: Ruega ahora por nosotros a Jehová nuestro Dios.

4 Y Jeremías entraba y salía en medio del pueblo; porque *aún* no lo habían puesto en la cárcel.

5 Y cuando el ejército de Faraón hubo salido de Egipto, y llegó la noticia de ello a oídos de los caldeos que tenían sitiada a Jerusalén, se retiraron de Jerusalén.

6 Entonces vino palabra de Jehová al profeta Jeremías, diciendo:

7 Así dice Jehová Dios de Israel: Diréis así al rey de Judá, que os envió a mí para que me consultaseis: He aquí que el ejército de Faraón que había salido en vuestro socorro, se volverá a su tierra en Egipto.

8 Y los caldeos volverán y pelearán contra esta ciudad, y la tomarán y le prenderán fuego.

9 Así dice Jehová: No os engañéis a vosotros mismos, diciendo: De cierto los caldeos se irán de nosotros; porque no se irán.

10 Porque aun cuando hirieseis a todo el ejército de los caldeos que pelean contra vosotros, y quedasen de ellos hombres heridos, cada uno se levantará de su tienda, y prenderán fuego a esta ciudad.

11 Y aconteció que cuando el ejército de los caldeos se retiró de Jerusalén por miedo al ejército de Faraón,

12 Jeremías salió de Jerusalén para irse a la tierra de Benjamín, para apartarse allí de en medio del pueblo.

13 Y cuando llegó a la puerta de Benjamín, estaba allí un capitán de la guardia que se llamaba Irías, hijo de Selemías hijo de Hananías, el cual apresó al profeta Jeremías, diciendo: Tú te pasas a los caldeos.

14 Y Jeremías dijo: Falso; no me paso a los caldeos. Mas él no lo escuchó, antes prendió Irías a Jeremías, y lo llevó delante de los príncipes.

15 Y los príncipes se airaron contra Jeremías, y le azotaron, y le pusieron en prisión en la casa de Jonatán escriba, porque a ésta la habían convertido en cárcel.

16 Entró pues Jeremías en la casa de la mazmorra, y en las camarillas. Y habiendo estado allá Jeremías por muchos días,

17 el rey Sedequías envió, y le sacó; y le preguntó el rey escondidamente en su casa, y dijo: ¿Hay palabra de Jehová? Y Jeremías dijo: Hay. Y dijo más: En mano del rey de Babilonia serás entregado.

18 Dijo también Jeremías al rey Sedequías: ¿En qué pequé contra ti, y contra tus siervos, y contra este pueblo, para que me pusieseis en la cárcel?

19 ¿Y dónde *están* vuestros profetas que os profetizaban, diciendo: No vendrá el rey de Babilonia contra vosotros, ni contra esta tierra?

20 Ahora pues, oye, te ruego, oh rey mi señor: caiga ahora mi súplica delante de ti, y no me hagas volver a casa de Jonatán escriba, para que no muera allí.

21 Entonces dio orden el rey Sedequías, y pusieron a Jeremías en el patio de la cárcel, haciéndole dar una torta de pan al día, de la plaza de los Panaderos, hasta que todo el pan de la ciudad se gastase. Y quedó Jeremías en el patio de la cárcel.

CAPÍTULO 38

Y oyó Sefatías hijo de Matán, y Gedalías hijo de Pasur, y Jucal hijo de Selemías, y Pasur hijo de Malquías, las palabras que Jeremías hablaba a todo el pueblo, diciendo:

2 Así dice Jehová: El que se quede en esta ciudad morirá a espada, o de hambre, o de pestilencia; mas el que se pase a los caldeos vivirá, pues su vida le será por despojo, y vivirá.

3 Así dice Jehová: De cierto será entregada esta ciudad en mano del ejército del rey de Babilonia, y la tomará.

4 Y dijeron los príncipes al rey: Te pedimos que sea muerto este hombre; porque de esta manera hace desmayar las manos de los hombres de guerra que han quedado en esta ciudad, y las manos de todo el pueblo, hablándoles tales palabras; porque este hombre no busca la paz de este pueblo, sino el mal.

5 Y dijo el rey Sedequías: Helo ahí, en vuestras manos está; pues el rey nada puede *hacer* contra vosotros.

6 Entonces tomaron ellos a Jeremías, y lo echaron en la mazmorra de Malquías hijo de Amelec, que *estaba* en el patio de la cárcel; y metieron a Jeremías con sogas. Y en la mazmorra no *había* agua, sino cieno; y se hundió Jeremías en el cieno.

7 Y oyendo Ebedmelec, hombre etíope, eunuco que estaba en casa del rey, que habían puesto a Jeremías en la mazmorra, y estando sentado el rey a la puerta de Benjamín,

8 Ebedmelec salió de la casa del rey, y habló al rey, diciendo:

9 Mi señor el rey, mal hicieron estos varones en todo lo que han hecho al profeta Jeremías, al cual echaron en la mazmorra; porque allí morirá de hambre, pues no *hay* más pan en la ciudad.

10 Entonces mandó el rey al mismo Ebedmelec etíope, diciendo: Toma en tu poder treinta hombres de aquí, y saca al profeta Jeremías de la mazmorra, antes que muera.

11 Y tomó Ebedmelec en su poder hombres, y entró a la casa del rey al lugar debajo de la tesorería, y tomó de allí trapos viejos y raídos, ropas viejas y andrajosas, y los echó a Jeremías con sogas en la mazmorra.

12 Y el etíope Ebedmelec dijo a Jeremías: Pon ahora esos trapos viejos y ropas raídas y andrajosas bajo tus sobacos, debajo de las sogas. Y lo hizo así Jeremías.

13 De este modo sacaron a Jeremías con sogas, y lo subieron de la mazmorra; y quedó Jeremías en el patio de la cárcel.

14 Después envió el rey Sedequías, e hizo traer a sí al profeta Jeremías a la tercera entrada que estaba en la casa de Jehová. Y dijo el rey a Jeremías: Voy a preguntarte algo, no me ocultes nada.

15 Y Jeremías dijo a Sedequías: Si te lo declaro, ¿no es verdad que me matarás? Y si te doy un consejo, no me escucharás.

16 Y el rey Sedequías juró en secreto a Jeremías, diciendo: Vive Jehová que nos hizo esta alma, que no te mataré, ni te entregaré en mano de estos varones que buscan tu vida.

17 Entonces dijo Jeremías a Sedequías: Así dice Jehová Dios de los ejércitos, Dios de Israel: Si en verdad te pasas a los príncipes del rey de Babilonia, tu alma vivirá, y esta ciudad no será puesta a fuego; y vivirás tú y tu casa:

18 Pero si no te pasas a los príncipes del rey de Babilonia, esta ciudad será entregada en mano de los caldeos, y le prenderán fuego, y tú no escaparás de sus manos.

19 Y el rey Sedequías dijo a Jeremías: Tengo temor de los judíos que se han pasado a los caldeos, no sea que me entreguen en sus manos y me escarnezcan.

20 Pero Jeremías dijo: No te entregarán. Te ruego que obedezcas la voz de Jehová, que yo te hablo, y te irá bien y vivirá tu alma.

21 Pero si rehúsas salir, esta *es* la palabra que me ha mostrado Jehová:

22 Y he aquí que todas las mujeres que han quedado en casa del rey de Judá, serán llevadas a los príncipes del rey de Babilonia; y ellas mismas dirán: Te han engañado, y han prevalecido contra ti tus amigos; hundieron en el cieno tus pies, se volvieron atrás.

23 Sacarán, pues, todas tus esposas y tus hijos a los caldeos, y tú no escaparás de sus manos, sino que por mano del rey de Babilonia serás apresado, y a esta ciudad quemará a fuego.

24 Y dijo Sedequías a Jeremías: Que nadie sepa estas palabras, y no morirás.

25 Y si los príncipes oyen que yo he hablado contigo, y vienen a ti y te dicen: Decláranos ahora qué hablaste con el rey, no nos lo encubras, y no te mataremos; y dinos también qué te dijo el rey;

26 tú les dirás: Supliqué al rey que no me hiciese volver a casa de Jonatán para que no me muriese allí.

27 Y vinieron luego todos los príncipes a Jeremías, y le preguntaron: y él les respondió conforme a todo lo que el rey le había mandado. Con esto se dejaron de él, porque el asunto no se había oído.

28 Y quedó Jeremías en el patio de la cárcel hasta el día que fue tomada Jerusalén; y *allí* estaba cuando Jerusalén fue tomada.

CAPÍTULO 39

En el noveno año de Sedequías rey de Judá, en el mes décimo, vino Nabucodonosor rey de Babilonia con todo su ejército contra Jerusalén, y la sitiaron.

2 Y en el año undécimo de Sedequías, en el mes cuarto, a los nueve días del mes, fue abierta brecha en *el muro de* la ciudad.

3 Y entraron todos los príncipes del rey de Babilonia, y asentaron a la puerta del medio: Nergal-sarezer, Samgar-nebo, Sarsequim, y Rabsaris, Nergal-sarezer, Rabmag, y todos los demás príncipes del rey de Babilonia.

4 Y sucedió que al verlos Sedequías rey de Judá y todos los hombres de guerra, huyeron y salieron de noche de la ciudad por el camino del huerto del rey, por la puerta entre los dos muros; y el *rey* salió por el camino del desierto.

5 Mas el ejército de los caldeos los siguió, y alcanzaron a Sedequías en los llanos de Jericó; y le tomaron, y le hicieron subir a Nabucodonosor rey de Babilonia, a Ribla, en tierra de Hamat, y le sentenció.

6 Y degolló el rey de Babilonia a los hijos de Sedequías en su presencia en Ribla, haciendo asimismo degollar el rey de Babilonia a todos los nobles de Judá.

7 Y sacó los ojos al rey Sedequías, y le aprisionó con grillos para llevarle a Babilonia.

8 Y los caldeos prendieron fuego a la casa del rey y a las casas del pueblo, y derribaron los muros de Jerusalén.

9 Y al resto del pueblo que había quedado en la ciudad, y a los que se habían adherido a él, con todo el resto del pueblo que había quedado, los trasportó a Babilonia Nabuzaradán, capitán de la guardia.

10 Mas Nabuzaradán, capitán de la guardia, hizo quedar en tierra de Judá a los más pobres del vulgo que no tenían nada, y en ese tiempo les dio viñas y campos.

11 Y Nabucodonosor rey de Babilonia había ordenado a Nabuzaradán capitán de la guardia, acerca de Jeremías, diciendo:

12 Tómale, y mira por él, y no le hagas mal alguno; sino que harás con él como él te dijere.

13 Envió por tanto Nabuzaradán capitán de la guardia, y Nabusazbán, Rabsaris, y Nergal-sarezer, y Rabmag, y todos los príncipes del rey de Babilonia;

14 Enviaron entonces, y tomaron a Jeremías del patio de la cárcel, y lo entregaron a Gedalías hijo de Ahicam, hijo de Safán, para que lo llevase a casa: y vivió entre el pueblo.

15 Y la palabra de Jehová vino a Jeremías, estando preso en el patio de la cárcel, diciendo:

16 Ve, y habla a Ebedmelec etíope, diciendo: Así dice Jehová de los ejércitos, Dios de Israel: He aquí yo traigo mis palabras sobre esta ciudad para mal, y no para bien; y se cumplirán en aquel día en presencia tuya.

17 Mas en aquel día yo te libraré, dice Jehová, y no serás entregado en mano de aquellos a quienes tú temes.

18 Porque ciertamente te libraré, y no caerás a espada, sino que tu vida te será por despojo, porque pusiste tu confianza en mí, dice Jehová.

CAPÍTULO 40

Palabra que vino a Jeremías de parte de Jehová, después que Nabuzaradán capitán de la guardia le envió desde Ramá, cuando le tomó estando atado con esposas entre todos los que fueron llevados cautivos de Jerusalén y de Judá que fueron desterrados a Babilonia.

2 Tomó pues, el capitán de la guardia a Jeremías, y le dijo: Jehová tu Dios habló este mal contra este lugar;

3 Y Jehová lo ha traído y hecho según lo había dicho; porque pecasteis contra Jehová, y no oísteis su voz, por eso os ha venido esto.

4 Y ahora yo te he soltado hoy de las esposas que tenías en tus manos. Si te parece bien venir conmigo a Babilonia, ven, y yo miraré por ti; mas si no te parece bien venir conmigo a Babilonia, déjalo; mira, toda la tierra está delante de ti; ve a donde mejor y más cómodo te pareciere ir.

5 Y aún no se había vuelto él, cuando *le dijo*: Vuélvete a Gedalías hijo de Ahicam, hijo de Safán, al cual el rey de Babilonia ha puesto sobre todas las ciudades de Judá, y vive con él en medio del pueblo; o ve a donde te pareciere más cómodo ir. Y el capitán de la guardia le dio provisiones y un presente, y le despidió.

6 Se fue entonces Jeremías a Gedalías hijo de Ahicam, a Mizpa, y moró con él en medio del pueblo que había quedado en la tierra.

7 Y como oyeron todos los príncipes del ejército que estaba por el campo, ellos y sus hombres, que el rey de Babilonia había puesto a Gedalías hijo de Ahicam sobre la tierra, y que le había encomendado los hombres, y las mujeres, y los niños, y los pobres de la tierra, que no fueron llevados cautivos a Babilonia.

8 Vinieron luego a Gedalías en Mizpa, *esto es*, Ismael hijo de Netanías, y Johanán y Jonatán hijos de Carea, y Seraías hijo de Tanhumet, y los hijos de Efi netofatita, y Jezanías hijo de un maacatita, ellos y sus hombres.

9 Y les juró Gedalías hijo de Ahicam, hijo de Safán, a ellos y a sus hombres, diciendo: No tengáis temor de servir a los caldeos; habitad en la tierra, y servid al rey de Babilonia, y tendréis bien.

10 Y he aquí que yo habito en Mizpa, para estar delante de los caldeos que vendrán a nosotros; mas vosotros, tomad el vino, los frutos del verano y el aceite, y ponedlo en vuestros almacenes, y quedaos en vuestras ciudades que habéis tomado.

11 Asimismo todos los judíos que *estaban* en Moab, y entre los hijos de Amón, y en Edom, y los que *estaban* en todas las tierras, cuando oyeron decir como el rey de Babilonia había dejado un remanente en Judá, y que había puesto sobre ellos a Gedalías hijo de Ahicam, hijo de Safán,

12 todos estos judíos regresaron entonces de todos los lugares adonde habían sido echados, y vinieron a tierra de Judá, a Gedalías en Mizpa; y tomaron vino y muchísima fruta de verano.

13 Y Johanán, hijo de Carea, y todos los príncipes de la gente de guerra que estaban en el campo, vinieron a Gedalías en Mizpa,

14 y le dijeron: ¿No sabes de cierto como Baalis, rey de los hijos de Amón, ha enviado a Ismael hijo de Netanías, para matarte? Mas Gedalías hijo de Ahicam no les creyó.

15 Entonces Johanán hijo de Carea habló a Gedalías en secreto, en Mizpa, diciendo: Yo iré ahora, y heriré a Ismael hijo de Netanías, y ningún hombre lo sabrá: ¿por qué te ha de matar, y todos los judíos que se han reunido a ti se dispersarán, y perecerá el resto de Judá?

16 Pero Gedalías hijo de Ahicam dijo a Johanán hijo de Carea: No hagas esto, porque es falso lo que tú dices de Ismael.

CAPÍTULO 41

Y aconteció en el mes séptimo, que vino Ismael hijo de Netanías, hijo de Elisama, de la simiente real, y algunos príncipes del rey, y diez hombres con él, a Gedalías hijo de Ahicam en Mizpa; y juntos comieron pan allí en Mizpa.

2 Y se levantó Ismael hijo de Netanías, y los diez hombres que con él estaban, e hirieron a espada a Gedalías hijo de Ahicam, hijo de Safán, matando así a aquel a quien el rey de Babilonia había puesto sobre la tierra.

3 Asimismo hirió Ismael a todos los judíos que estaban con él, con Gedalías en Mizpa, y a los soldados caldeos que allí se hallaron.

4 Sucedió además, un día después que mató a Gedalías, cuando nadie *lo* sabía *aún*,

5 que venían unos hombres de Siquem y de Silo y de Samaria, ochenta hombres, raída la barba, y rotas las ropas, y arañados y traían en sus manos ofrenda y perfume para llevar a la casa de Jehová.

6 Y de Mizpa les salió al encuentro, llorando, Ismael hijo de Netanías: y aconteció que como los encontró, les dijo: Venid a Gedalías, hijo de Ahicam.

7 Y fue que cuando llegaron al medio de la ciudad, Ismael hijo de Netanías los degolló, y los echó dentro de una cisterna, él y los hombres que con él estaban.

8 Mas entre aquellos fueron hallados diez hombres que dijeron a Ismael: No nos mates; porque tenemos en el campo tesoros de trigos, y cebadas, y aceite, y miel. Y los dejó, y no los mató entre sus hermanos.

9 Y la cisterna en que echó Ismael todos los cadáveres de los hombres que él había matado a causa de Gedalías, era la misma que había hecho el rey Asa a causa de Baasa, rey de Israel; la llenó de muertos Ismael, hijo de Netanías.

10 Después Ismael llevó cautivo a todo el resto del pueblo que estaba en Mizpa; a las hijas del rey y a todo el pueblo que en Mizpa había quedado, el cual Nabuzaradán, capitán de la guardia, había encargado a Gedalías hijo de Ahicam. Los llevó, pues, cautivos Ismael hijo de Netanías, y se fue para pasarse a los hijos de Amón.

11 Y oyó Johanán hijo de Carea, y todos los príncipes de la gente de guerra que estaban con él, todo el mal que había hecho Ismael, hijo de Netanías.

12 Entonces tomaron todos los hombres, y fueron a pelear con Ismael hijo de Netanías, y lo hallaron junto al gran estanque que está en Gabaón.

13 Y aconteció que como todo el pueblo que estaba con Ismael vio a Johanán hijo de Carea, y a todos los príncipes de la gente de guerra que estaban con él, se alegraron.

14 Y todo el pueblo que Ismael había traído cautivo de Mizpa, se tornaron, y volvieron, y se fueron a Johanán hijo de Carea.

15 Mas Ismael hijo de Netanías se escapó delante de Johanán con ocho hombres, y se fue a los hijos de Amón.

16 Y Johanán hijo de Carea, y todos los príncipes de la gente de guerra que con él estaban, tomaron todo el resto del pueblo que habían recobrado de Ismael hijo de Netanías, de Mizpa, después que hirió a Gedalías hijo de Ahicam: hombres de guerra, y mujeres, y niños, y los eunucos que Johanán había hecho tornar de Gabaón;

17 y fueron y habitaron en Gerut-quimam, que es cerca de Belén, a fin de partir y meterse en Egipto,

18 por causa de los caldeos; pues temían de ellos, porque Ismael hijo de Netanías había matado a Gedalías hijo de Ahicam, al cual el rey de Babilonia había puesto sobre la tierra.

CAPÍTULO 42

Y vinieron todos los capitanes de la gente de guerra, y Johanán hijo de Carea, y Jezanías hijo de Osaías, y todo el pueblo desde el menor hasta el mayor,

2 y dijeron al profeta Jeremías: Sea acepta nuestra súplica delante de ti, y ora por nosotros a Jehová tu Dios, por todo este remanente (pues de muchos hemos quedado unos pocos, como nos ven tus ojos),

3 para que Jehová tu Dios nos enseñe el camino por donde vayamos, y lo que hemos de hacer.

4 Y el profeta Jeremías les dijo: Ya he oído. He aquí que voy a orar a Jehová vuestro Dios, como habéis dicho; y será que todo lo que Jehová os respondiere, os lo declararé; no os reservaré palabra.

5 Y ellos dijeron a Jeremías: Jehová sea testigo entre nosotros de la verdad y de la lealtad, si no hiciéremos conforme a todo aquello para lo cual Jehová tu Dios te enviare a nosotros.

6 Sea bueno, o sea malo, a la voz de Jehová nuestro Dios, al cual te enviamos, obedeceremos; para que, obedeciendo a la voz de Jehová nuestro Dios, tengamos bien.

7 Y aconteció que al cabo de diez días vino palabra de Jehová a Jeremías.

8 Y llamó a Johanán hijo de Carea, y a todos los capitanes de la gente de guerra que con él *estaban*, y a todo el pueblo desde el menor hasta el mayor;

9 Y les dijo: Así ha dicho Jehová Dios de Israel, al cual me enviasteis para presentar vuestras súplicas delante de Él:

10 Si os quedareis quietos en esta tierra, os edificaré, y no os destruiré; os plantaré, y no os arrancaré; porque arrepentido estoy del mal que os he hecho.

11 No temáis de la presencia del rey de Babilonia, del cual tenéis temor; no temáis de su presencia, ha dicho Jehová, porque con vosotros *estoy* yo para salvaros y libraros de su mano:

12 Y os daré misericordias, y tendrá misericordia de vosotros, y os hará volver a vuestra tierra.

13 Mas si dijereis: No moraremos en esta tierra, no obedeciendo así a la voz de Jehová vuestro Dios,

14 y diciendo: No, antes nos entraremos en tierra de Egipto, en la cual no veremos guerra, ni oiremos sonido de trompeta, ni tendremos hambre de pan, y allá moraremos;

15 ahora por eso, oíd la palabra de Jehová, remanente de Judá: Así dice Jehová de los ejércitos, Dios de Israel: Si vosotros volviereis vuestros rostros para entrar en Egipto, y entrareis para peregrinar allá,

16 entonces sucederá que la espada que teméis, os alcanzará allí en tierra de Egipto, y el hambre de que tenéis temor, allá en Egipto se os pegará; y allí moriréis.

17 Será, pues, que todos los hombres que tornaren sus rostros para entrarse en Egipto, para peregrinar allí, morirán a espada, de hambre, y de pestilencia: no habrá de ellos quien quede vivo, ni quien escape delante del mal que traeré yo sobre ellos.

18 Porque así dice Jehová de los ejércitos, Dios de Israel: Como se derramó mi enojo y mi ira sobre los moradores de Jerusalén, así se derramará mi ira sobre vosotros, cuando entrareis en Egipto; y seréis por juramento y por espanto, y por maldición y por afrenta; y no veréis más este lugar.

19 Jehová habló sobre vosotros, oh remanente de Judá: No entréis en Egipto; sabed por cierto que os aviso hoy.

20 ¿Por qué hicisteis errar vuestras almas? Porque vosotros me enviasteis a Jehová vuestro Dios, diciendo: Ora por nosotros a Jehová nuestro Dios; y conforme a todas las cosas que Jehová nuestro Dios dijere, háznoslo saber así, y *lo* pondremos por obra.

21 Y os lo he denunciado hoy, y no habéis obedecido a la voz de Jehová vuestro Dios, ni a todas las cosas por las cuales me envió a vosotros.

22 Ahora, pues, sabed de cierto que moriréis a espada, de hambre y de pestilencia, en el lugar donde deseasteis entrar para peregrinar allí.

CAPÍTULO 43

Y aconteció que como Jeremías acabó de hablar a todo el pueblo todas las palabras de Jehová su Dios, *esto es*, todas las palabras por las cuales Jehová su Dios le había enviado a ellos,

2 dijo Azarías hijo de Osaías, y Johanán hijo de Carea, y todos los varones soberbios dijeron a Jeremías: Mentira dices; no te ha enviado Jehová nuestro Dios para decir: No entréis en Egipto a peregrinar allí.

3 sino que Baruc, hijo de Nerías te incita contra nosotros, para entregarnos en mano de los caldeos, para matarnos y para hacernos trasportar a Babilonia.

4 No obedeció, pues, Johanán hijo de Carea, y todos los capitanes de la gente de guerra, y todo el pueblo, a la voz de Jehová para quedarse en tierra de Judá;

5 sino que tomó Johanán hijo de Carea, y todos los capitanes de la gente de guerra, a todo el remanente de Judá que había vuelto de todas las naciones adonde habían sido echados, para habitar en la tierra de Judá;

6 a hombres y mujeres y niños, y a las hijas del rey, y a toda alma que Nabuzaradán, capitán de la guardia, había dejado con Gedalías

hijo de Ahicam hijo de Safán, y al profeta Jeremías y a Baruc, hijo de Nerías;

7 y entraron en tierra de Egipto; porque no obedecieron a la voz de Jehová; y llegaron hasta Tafnes.

8 Y vino palabra de Jehová a Jeremías en Tafnes, diciendo:

9 Toma con tu mano piedras grandes, y escóndelas en el barro, en el enladrillado que *está* a la puerta de la casa de Faraón en Tafnes, a vista de los hombres de Judá;

10 y diles: Así dice Jehová de los ejércitos, Dios de Israel: He aquí que yo enviaré y tomaré a Nabuco-donosor rey de Babilonia, mi siervo, y pondré su trono sobre estas piedras que he escondido, y extenderá su pabellón sobre ellas.

11 Y vendrá, y herirá la tierra de Egipto: los que a muerte, a muerte; y los que a cautiverio, a cautiverio, y los que a espada, a espada.

12 Y yo pondré a fuego las casas de los dioses de Egipto; y las quemará, y a ellos llevará cautivos; y él se vestirá la tierra de Egipto, como el pastor se viste su capa, y saldrá de allá en paz.

13 Además, quebrará las estatuas de Bet-semes, que está en tierra de Egipto, y las casas de los dioses de Egipto quemará a fuego.

CAPÍTULO 44

Palabra que vino a Jeremías acerca de todos los judíos que moraban en la tierra de Egipto, que moraban en Migdol, y en Tafnes, y en Nof, y en tierra de Patros, diciendo:

2 Así dice Jehová de los ejércitos, Dios de Israel: Vosotros habéis visto todo el mal que traje sobre Jerusalén y sobre todas las ciudades de Judá: y he aquí que ellas *están* el día de hoy asoladas, y ni hay en ellas morador;

3 a causa de la maldad que ellos cometieron para hacerme enojar, yendo a ofrecer incienso, honrando a dioses ajenos que ellos no habían conocido, *ni* vosotros, ni vuestros padres.

4 Y envié a vosotros a todos mis siervos los profetas, madrugando y enviándolos, diciendo: No hagáis ahora esta cosa abominable que yo aborrezco.

5 Mas no oyeron ni inclinaron su oído para convertirse de su maldad, para no ofrecer incienso a dioses ajenos.

6 Se derramó, por tanto, mi furor y mi ira, y se encendió en las ciudades de Judá y en las calles de Jerusalén, y fueron destruidas y desoladas, como están hoy.

7 Ahora, pues, así dice Jehová de los ejércitos, Dios de Israel: ¿Por qué hacéis tan grande mal contra vuestras almas, para ser talados varón y mujer, y niño de pecho, de en medio de Judá, sin que os quede remanente alguno;

8 haciéndome enojar con las obras de vuestras manos, ofreciendo incienso a dioses ajenos en la tierra de Egipto, adonde habéis entrado para morar, de suerte que os acabéis, y seáis por maldición y por oprobio a todas las gentes de la tierra?

9 ¿Os habéis olvidado de las maldades de vuestros padres, y de las maldades de los reyes de Judá, y de las maldades de sus esposas, y de vuestras maldades, y de las maldades de vuestras esposas, que hicieron en la tierra de Judá y en las calles de Jerusalén?

10 No se han humillado hasta el día de hoy, ni han tenido temor, ni han caminado en mi ley, ni en mis estatutos que puse delante de vosotros y delante de vuestros padres.

11 Por tanto, así dice Jehová de los ejércitos, Dios de Israel: He aquí que yo pongo mi rostro contra vosotros para mal, y para destruir a todo Judá.

12 Y tomaré el remanente de Judá que puso su rostro para entrar en la tierra de Egipto para morar allí, y en la tierra de Egipto serán todos consumidos. Caerán a espada y por el hambre serán consumidos; por la espada y el hambre morirán desde el menor hasta el mayor; y serán causa de blasfemia, de espanto, de maldición y de oprobio.

13 Pues castigaré a los que moran en tierra de Egipto, como castigué a Jerusalén, con espada, y con hambre, y con pestilencia.

14 Y del remanente de Judá que entraron en tierra de Egipto para morar allí, no habrá quien escape, ni quien quede vivo, para volver a la tierra de Judá, por la cual suspiran ellos por volver para habitar allí; porque no volverán sino los que escaparen.

15 Entonces todos los que sabían que sus esposas habían ofrecido incienso a dioses ajenos, y todas las mujeres que estaban presentes, una gran multitud, y todo el pueblo que habitaba en tierra de Egipto, en Patros, respondieron a Jeremías, diciendo:

16 *En cuanto a* la palabra que nos has hablado en nombre de Jehová, no la oiremos de ti;

17 sino que ciertamente pondremos por obra toda palabra que ha salido de nuestra boca, para ofrecer incienso a la reina del cielo, derramándole libaciones, como hemos hecho nosotros y nuestros padres, nuestros reyes y nuestros príncipes, en las ciudades de Judá y en las plazas de Jerusalén, y fuimos saciados de pan, y estuvimos alegres, y no vimos mal alguno.

18 Mas desde que cesamos de ofrecer incienso a la reina del cielo, y de derramarle libaciones, nos falta todo, y a espada y a hambre somos consumidos.

19 Y cuando ofrecimos incienso a la reina del cielo, y le derramamos libaciones, ¿acaso nosotras le hicimos tortas para tributarle culto, y le derramamos libaciones, sin *saberlo* nuestros maridos?

20 Y habló Jeremías a todo el pueblo, a los hombres y a las mujeres, y a todo el vulgo que le había respondido esto, diciendo:

21 ¿No se ha acordado Jehová, y no ha venido a su memoria el incienso que ofrecisteis en las ciudades de Judá, y en las plazas de Jerusalén, vosotros y vuestros padres, vuestros reyes y vuestros príncipes, y el pueblo de la tierra?

22 Y no pudo soportar más Jehová a causa de la maldad de vuestras obras, a causa de las abominaciones que habíais hecho: por tanto vuestra tierra fue en asolamiento, y en espanto, y en maldición, hasta no quedar morador, como hoy.

23 Porque habéis quemado incienso y pecasteis contra Jehová, y no obedecisteis a la voz de Jehová, ni anduvisteis en su ley, ni en sus estatutos, ni en sus testimonios; por tanto ha venido sobre vosotros este mal, como en este día.

24 Y dijo Jeremías a todo el pueblo, y a todas las mujeres: Oíd palabra de Jehová, todos los de Judá que *estáis* en tierra de Egipto:

25 Así habla Jehová de los ejércitos, el Dios de Israel, diciendo: Vosotros y vuestras esposas hablasteis con vuestras bocas, y con vuestras manos lo ejecutasteis, diciendo: Cumpliremos efectivamente nuestros votos que hicimos, de ofrecer incienso a la reina del cielo y de derramarle libaciones; confirmáis a la verdad vuestros votos, y ponéis vuestros votos por obra.

26 Por tanto, oíd palabra de Jehová, todo Judá que habitáis en tierra de Egipto: He aquí he jurado por mi grande nombre, dice Jehová, que mi nombre no será más invocado en toda la tierra de Egipto por boca de ningún hombre judío, diciendo: Vive el Señor Jehová.

27 He aquí que yo velo sobre ellos para mal, y no para bien; y todos los hombres de Judá que *están* en la tierra de Egipto, serán consumidos a espada y de hambre, hasta que perezcan del todo.

28 Y los pocos hombres que escaparen de la espada, volverán de la tierra de Egipto a la tierra de Judá, y sabrá todo el remanente de Judá, que han entrado en Egipto a morar allí la palabra de quién ha de permanecer, si la mía, o la suya.

29 Y esto *tendréis* por señal, dice Jehová, de que en este lugar os visito, para que sepáis que de cierto permanecerán mis palabras para mal sobre vosotros.

30 Así dice Jehová: He aquí que yo entrego a Faraón Hofra rey de Egipto en mano de sus enemigos, en mano de los que buscan su vida, como entregué a Sedequías rey de Judá en mano de Nabucodonosor rey de Babilonia, su enemigo que buscaba su vida.

CAPÍTULO 45

Palabra que habló el profeta Jeremías a Baruc hijo de Nerías, cuando escribía en el libro estas palabras de boca de Jeremías, en el año cuarto de Joacim hijo de Josías, rey de Judá, diciendo:

2 Así dice Jehová Dios de Israel, a ti, oh Baruc:

3 Tú dijiste: ¡Ay de mí ahora! porque Jehová ha añadido tristeza a mi dolor; fatigado estoy de mi gemir, y no hallo descanso.

4 Así le dirás: Así dice Jehová: He aquí que yo destruyo lo que edifiqué, y arranco lo que planté, y toda esta tierra.

5 ¿Y tú buscas para ti grandescosas? No *las* busques; porque he aquí que yo traigo mal sobre toda carne, dice Jehová, y a ti te daré tu vida por despojo en todos los lugares adonde vayas.

CAPÍTULO 46

Palabra de Jehová que vino al profeta Jeremías, contra los gentiles.

2 En cuanto a Egipto; contra el ejército de Faraón Necao rey de Egipto, que estaba cerca del río Éufrates en Carquemis, al cual hirió Nabucodonosor rey de Babilonia el año cuarto de Joacim hijo de Josías, rey de Judá.

3 Preparad escudo y pavés, y venid a la batalla.

4 Uncid caballos, y subid, vosotros los caballeros, y poneos con yelmos; limpiad las lanzas, vestíos de corazas.

5 ¿Por qué los vi medrosos, tornando atrás? Y sus valientes fueron deshechos, y huyeron aterrados sin mirar atrás *porque había* miedo de todas partes, dice Jehová.

6 No huya el ligero, ni el valiente escape al norte; junto a la ribera del Éufrates tropezaron y cayeron.

7 ¿Quién *es* éste *que* como río se levanta, y cuyas aguas se mueven como ríos?

8 Egipto como río se levanta, y *sus* aguas se mueven como ríos, y dijo: Subiré, cubriré la tierra, destruiré la ciudad y los que en ella moran.

9 Subid, caballos, y alborotaos, carros; y salgan los valientes; los etíopes y los de Libia que toman escudo, y los de Lud que toman y entesan arco.

10 Mas ese día *será* para Jehová, Dios de los ejércitos, día de venganza, para vengarse de sus enemigos; y la espada devorará y se saciará, y se embriagará de la sangre de ellos; porque matanza será para Jehová, Dios de los ejércitos, en la tierra del norte, junto al río Éufrates.

11 Sube a Galaad, y toma bálsamo, virgen hija de Egipto; por demás multiplicarás medicinas; no hay cura para ti.

12 Las naciones oyeron de tu afrenta, y tu clamor llenó la tierra; porque fuerte se encontró con fuerte, y cayeron ambos juntos.

13 Palabra que habló Jehová al profeta Jeremías acerca de la venida de Nabucodonosor, rey de Babilonia, para herir la tierra de Egipto:

14 Denunciad en Egipto, y haced saber en Migdol; haced saber también en Nof y en Tafnes; decid: Ponte de pie y prepárate; porque espada devorará tu comarca.

15 ¿Por qué han sido derribados tus valientes? No pudieron permanecer, porque Jehová los empujó.

16 Multiplicó los caídos, y cada uno cayó sobre su compañero, y dijeron: Levántate y volvámonos a nuestro pueblo, y a la tierra de nuestro nacimiento, de delante de la espada vencedora.

17 Allí gritaron: Faraón rey de Egipto, *es sólo* ruido; dejó pasar el tiempo señalado.

18 Vivo yo, dice el Rey, cuyo nombre es Jehová de los ejércitos, que como Tabor entre los montes, y como Carmelo junto al mar, *así* vendrá.

19 Hazte vasos de transmigración, moradora hija de Egipto; porque Nof será por yermo, y será asolada hasta no quedar morador.

20 Becerra hermosa *es* Egipto; *mas* viene destrucción, del norte viene.

21 También sus soldados en medio de ella *son* como becerros engordados; porque también ellos se volvieron atrás, a una todos huyeron, no resistieron; porque vino sobre

ellos el día de su quebrantamiento, el tiempo de su visitación.

22 Su voz saldrá como de serpiente; porque con ejército vendrán, y con hachas vienen a ella como cortadores de leña.

23 Cortaron su bosque, dice Jehová, porque no podrán ser contados; porque serán más que langostas, no tendrán número.

24 Se avergonzará la hija de Egipto; entregada será en mano del pueblo del norte.

25 Jehová de los ejércitos, Dios de Israel, ha dicho: He aquí que yo visito el pueblo de Amón de No, y a Faraón y a Egipto, y a sus dioses y a sus reyes; así a Faraón como a los que en él confían.

26 Y los entregaré en mano de los que buscan su alma, y en mano de Nabucodonosor rey de Babilonia, y en mano de sus siervos: mas después será habitada como en los días pasados, dice Jehová.

27 Y tú no temas, siervo mío Jacob, y no desmayes, Israel; porque he aquí que yo te salvo de lejos, y a tu simiente de la tierra de su cautividad. Y volverá Jacob, y descansará y será prosperado, y no habrá quien lo espante.

28 Tú, siervo mío Jacob, no temas, dice Jehová; porque yo *estoy* contigo; porque haré consumación en todas las gentes a las cuales te habré echado; mas en ti no haré consumación, sino que te castigaré con juicio, de ninguna manera te dejaré sin castigo.

CAPÍTULO 47

P alabra de Jehová que vino al profeta Jeremías acerca de los filisteos, antes que Faraón hiriese a Gaza.

2 Así dice Jehová: He aquí que suben aguas del norte, y se tornarán en torrente, e inundarán la tierra y su plenitud, ciudades y moradores de ellas; y los hombres clamarán, y aullará todo morador de la tierra.

3 Por el sonido de las uñas de sus fuertes, por el alboroto de sus carros, por el estruendo de sus ruedas, los padres no mirarán a los hijos por la flaqueza de las manos;

4 A causa del día que viene para destrucción de todos los filisteos, para cortar de Tiro y de Sidón a todo ayudador que queda vivo; porque Jehová destruirá a los filisteos, al resto de la isla de Caftor.

5 Sobre Gaza vino mesadura, Ascalón fue cortada, y el resto de su valle; ¿hasta cuándo te sajarás?

6 Oh espada de Jehová, ¿hasta cuándo reposarás? Vuélvete a tu vaina, reposa y sosiégate.

7 ¿Cómo reposarás si Jehová te ha enviado contra Ascalón y contra la ribera del mar? Allí te puso.

CAPÍTULO 48

A cerca de Moab. Así dice Jehová de los ejércitos, Dios de Israel: ¡Ay de Nebo! que fue destruida, fue avergonzada; Quiriataim fue tomada; fue confusa Misgab, y desmayó.

2 No se alabará ya más Moab; contra Hesbón maquinaron mal, diciendo: Venid, y quitémosla de entre las gentes. También tú, Madmén, serás cortada, espada irá tras ti.

3 ¡Voz de clamor de Horonaim, destrucción y gran quebrantamiento!

4 Moab fue quebrantada; hicieron que se oyese el clamor de sus pequeños.

5 Porque a la subida de Luhit con lloro subirá el que llora; porque a la bajada de Horonaim los enemigos oyeron clamor de quebranto.

6 Huid, salvad vuestra vida, y sed como retama en el desierto.

7 Pues por cuanto confiaste en tus haciendas, en tus tesoros, tú también serás tomada: y Quemos saldrá en cautiverio, los sacerdotes y sus príncipes juntamente.

8 Y vendrá destruidor a cada una de las ciudades, y ninguna ciudad escapará: se arruinará también el valle, y será destruida la llanura, como ha dicho Jehová.

9 Dad alas a Moab, para que volando se vaya; pues serán desiertas sus ciudades hasta no quedar en ellas morador.

10 Maldito el que hiciere engañosa-

mente la obra de Jehová, y maldito el que detuviere su espada de la sangre.

11 Quieto estuvo Moab desde su juventud, y sobre sus rescoldos ha estado él reposado, y no fue trasegado de vaso en vaso, ni nunca fue en cautiverio: por tanto quedó su sabor en él, y su olor no ha cambiado.

12 Por eso, he aquí que vienen días, dice Jehová, en que yo le enviaré trasportadores que lo harán trasportar; y vaciarán sus vasos, y romperán sus odres.

13 Y se avergonzará Moab de Quemos, a la manera que la casa de Israel se avergonzó de Betel, su confianza.

14 ¿Cómo diréis: *Somos* valientes, y robustos hombres para la guerra?

15 Destruido fue Moab, y sus ciudades asoló, y sus jóvenes escogidos descendieron al degolladero, ha dicho el Rey, cuyo nombre es Jehová de los ejércitos.

16 Cercano está el quebrantamiento de Moab para venir, y su mal se apresura mucho.

17 Compadeceos de él todos los que estáis alrededor suyo; y todos los que sabéis su nombre, decid: ¿Cómo se quebró la vara de fortaleza, el báculo de hermosura?

18 Desciende de la gloria, siéntate en seco, moradora hija de Dibón; porque el destructor de Moab subió contra ti, disipó tus fortalezas.

19 Párate junto al camino, y mira, oh moradora de Aroer; pregunta a la que va huyendo, y a la que escapó; dile: ¿Qué ha acontecido?

20 Se avergonzó Moab, porque fue quebrantado: aullad y clamad: denunciad en Arnón que Moab es destruido.

21 Y que vino juicio sobre la tierra de la llanura; sobre Holón, y sobre Jahaza, y sobre Mefaat,

22 Y sobre Dibón, y sobre Nebo, y sobre Bet-diblataim,

23 Y sobre Quiriataim, y sobre Bet-gamul, y sobre Bet-meón,

24 y sobre Queriot, y sobre Bosra, y sobre todas las ciudades de tierra de Moab, las de lejos y las de cerca.

25 Cortado es el cuerno de Moab, y su brazo quebrantado, dice Jehová.

26 Embriagadlo, porque contra Jehová se engrandeció; y revuélquese Moab sobre su vómito, y sea también él por escarnio.

27 ¿Y no te fue a ti Israel por escarnio, como si lo tomaran entre ladrones? Porque desde que de él hablaste, tú te has burlado.

28 Desamparad las ciudades, y habitad en peñascos, oh moradores de Moab; y sed como la paloma que hace nido detrás de la boca de la caverna.

29 Oído hemos la soberbia de Moab, que es muy soberbio; su altivez y su arrogancia, su orgullo y la altanería de su corazón.

30 Yo conozco, dice Jehová, su cólera; mas no tendrá efecto; sus mentiras no le aprovecharán.

31 Por tanto yo aullaré sobre Moab, y sobre todo Moab haré clamor, y sobre los hombres de Kir-heres gemiré.

32 Con lloro de Jazer lloraré por ti, oh vid de Sibma; tus sarmientos pasaron el mar, llegaron hasta el mar de Jazer; sobre tus frutos de verano y sobre tu vendimia vino destructor.

33 Y será cortada la alegría y el regocijo de los campos labrados, y de la tierra de Moab; y haré cesar el vino de los lagares: no pisarán con canción; la canción no *será* canción.

34 El clamor, desde Hesbón hasta Eleale; hasta Jahaza dieron su voz; desde Zoar hasta Horonaim, becerra de tres años; porque también las aguas de Nimrim serán destruidas.

35 Y haré cesar de Moab, dice Jehová, quien sacrifique en altar, y quien ofrezca incienso a sus dioses.

36 Por tanto, mi corazón resonará como flautas por causa de Moab, asimismo resonará mi corazón a modo de flautas por los hombres de Kir-heres: porque perecieron las riquezas que había hecho.

37 Porque en toda cabeza *habrá* calva, y toda barba será raída; sobre toda mano *habrá* rasguños, y cilicio sobre todo lomo.

38 Sobre todas las techumbres de Moab y en sus calles, todo él será llanto; porque yo quebranté a Moab como a vaso que no *es* agradable, dice Jehová.

39 Aullad: ¡Cómo ha sido quebrantado! ¡Cómo volvió la cerviz Moab, y fue avergonzado! Y fue Moab en escarnio y en espanto a todos los que están en sus alrededores.

40 Porque así dice Jehová: He aquí que como águila volará, y extenderá sus alas a Moab.

41 Tomada ha sido Queriot, y tomadas son las fortalezas; y aquel día el corazón de los valientes de Moab será como el corazón de mujer en angustias.

42 Y Moab será destruido *para dejar* de *ser* pueblo; porque se engrandeció contra Jehová.

43 Miedo y hoyo y lazo sobre ti, oh morador de Moab, dice Jehová.

44 El que huyere del miedo, caerá en el hoyo; y el que saliere del hoyo, será preso del lazo: porque yo traeré sobre él, sobre Moab, año de su visitación, dice Jehová.

45 A la sombra de Hesbón se pararon los que huían de la fuerza; mas salió fuego de Hesbón, y llama de en medio de Sehón, y quemó el rincón de Moab, y la coronilla de los hijos revoltosos.

46 ¡Ay de ti, Moab! pereció el pueblo de Quemos: porque tus hijos fueron presos para cautividad, y tus hijas para cautiverio.

47 Pero en los postreros días yo haré volver a los cautivos de Moab, dice Jehová. Hasta aquí es el juicio de Moab.

CAPÍTULO 49

De los hijos de Amón. Así dice Jehová: ¿No tiene hijos Israel? ¿No tiene heredero? ¿Por qué tomó como por heredad el rey de ellos a Gad, y su pueblo habitó en sus ciudades?

2 Por tanto, he aquí vienen días, ha dicho Jehová, en que haré oír en Rabá de los hijos de Amón clamor de guerra; y será puesta en montón de asolamiento, y sus ciudades serán puestas a fuego, e Israel tomará por heredad a los que los tomaron a ellos, dice Jehová.

3 Aúlla, oh Hesbón, porque destruida es Hai; clamad, hijas de Rabá, vestíos de cilicio, endechad, y

rodead por los vallados, porque el rey de ellos fue en cautiverio, sus sacerdotes y sus príncipes juntamente.

4 ¿Por qué te glorías de los valles? Tu valle se deshizo, oh hija contumaz, la que confía en sus tesoros, *la que dice:* ¿Quién vendrá contra mí?

5 He aquí yo traigo espanto sobre ti, dice el Señor Jehová de los ejércitos, de todos tus alrededores; y seréis lanzados cada uno delante de su rostro, y no habrá quien recoja al errante.

6 Y después de esto haré tornar la cautividad de los hijos de Amón, dice Jehová.

7 De Edom. Así dice Jehová de los ejércitos: ¿No hay más sabiduría en Temán? ¿Ha perecido el consejo en los sabios? ¿Se corrompió su sabiduría?

8 Huid, volveos, escondeos en abismos, oh moradores de Dedán; porque el quebrantamiento de Esaú traeré sobre él, al tiempo que lo he de visitar.

9 Si vendimiadores vinieran contra ti, ¿no dejarán rebuscos? Si ladrones de noche, tomarán sólo hasta que les baste.

10 Mas yo desnudaré a Esaú, descubriré sus escondrijos, y no podrá esconderse; será destruida su simiente, y sus hermanos, y sus vecinos; y *ya* no será.

11 Deja tus huérfanos, yo los preservaré con vida; y tus viudas confiarán en mí.

12 Porque así dice Jehová: He aquí que los que no estaban condenados a beber del cáliz, beberán ciertamente; ¿y serás tú absuelto del todo? No serás absuelto, sino que de cierto beberás.

13 Porque por mí he jurado, dice Jehová, que en asolamiento, en oprobio, en soledad, y en maldición, será Bosra; y todas sus ciudades serán en asolamientos perpetuos.

14 La fama oí, que de Jehová había sido enviado mensajero a las naciones, *diciendo:* Juntaos, y venid contra ella, y levantaos a la batalla.

15 Porque he aquí que pequeño te he puesto entre las naciones, menospreciado entre los hombres.

16 Tu arrogancia te engañó, y la soberbia de tu corazón, tú que habitas en las hendiduras de la peña, que tienes la altura del monte; aunque en las alturas como el águila hagas tu nido, de allí te haré descender, dice Jehová.

17 Y será Edom en asolamiento: todo aquel que pasare por ella se espantará, y silbará sobre todas sus plagas.

18 Como en la destrucción de Sodoma y Gomorra, y de sus ciudades vecinas, dice Jehová, no morará allí nadie, ni la habitará hijo de hombre.

19 He aquí que como león subirá de la hinchazón del Jordán contra la bella y robusta; porque muy pronto lo haré correr de sobre ella, y al que fuere escogido la encargaré; porque ¿quién es semejante a mí? ¿Quién me emplazará? ¿Quién será aquel pastor que me podrá resistir?

20 Por tanto, oíd el consejo de Jehová, que ha acordado sobre Edom; y sus pensamientos, que ha resuelto sobre los moradores de Temán. Ciertamente los más pequeños del hato los arrastrarán, y destruirán sus moradas con ellos.

21 Del estruendo de la caída de ellos la tierra tembló, y el grito de su voz se oyó en el Mar Rojo.

22 He aquí que como águila subirá y volará, y extenderá sus alas sobre Bosra: y el corazón de los valientes de Edom será en aquel día como el corazón de mujer en angustias.

23 Acerca de Damasco. Se confundió Hamat, y Arfad, porque oyeron malas nuevas: se derritieron en aguas de desmayo, no pueden sosegarse.

24 Se desmayó Damasco, se volvió para huir, y le tomó temblor: angustia y dolores le tomaron, como de mujer que está de parto.

25 ¡Cómo dejaron a la ciudad de alabanza, ciudad de mi gozo!

26 Por tanto, sus jóvenes caerán en sus plazas, y todos los hombres de guerra morirán en aquel día, dice Jehová de los ejércitos.

27 Y haré encender fuego en el muro de Damasco, y consumirá las casas de Benadad.

28 De Cedar y de los reinos de Hazor, los cuales hirió Nabucodonosor rey de Babilonia. Así dice Jehová: Levantaos, subid contra Cedar, y destruid a los hijos del oriente.

29 Sus tiendas y sus ganados tomarán; sus cortinas, y todos sus vasos, y sus camellos, tomarán para sí; y llamarán contra ellos miedo alrededor.

30 Huid, escapad muy lejos, habitad en lugares profundos, oh moradores de Hazor, dice Jehová; porque Nabucodonosor rey de Babilonia tomó consejo contra vosotros, y contra vosotros ha formado designio.

31 Levantaos, subid a gente pacífica, que vive confiadamente, dice Jehová, que ni tienen puertas ni cerrojos, que viven solitarios.

32 Y serán sus camellos por presa, y la multitud de sus ganados por despojo; y los esparciré por todos los vientos, *serán* lanzados hasta el postrer rincón; y de todos sus lados les traeré su ruina, dice Jehová.

33 Y Hazor será guarida de dragones, soledad para siempre: ninguno morará allí, ni la habitará hijo de hombre.

34 Palabra de Jehová que vino al profeta Jeremías acerca de Elam, en el principio del reinado de Sedequías rey de Judá, diciendo:

35 Así dice Jehová de los ejércitos: He aquí que yo quiebro el arco de Elam, principio de su fortaleza.

36 Y traeré sobre Elam los cuatro vientos de los cuatro puntos del cielo, y los aventaré a todos estos vientos. No habrá nación adonde no vengan los expulsados de Elam.

37 Y haré que Elam se intimide delante de sus enemigos, y delante de los que buscan su alma; y traeré sobre ellos mal, y el furor de mi enojo, dice Jehová; y enviaré en pos de ellos espada hasta que los acabe.

38 Y pondré mi trono en Elam, y destruiré de allí rey y príncipe, dice Jehová.

39 Mas acontecerá en lo postrero de los días, que haré volver la cautividad de Elam, dice Jehová.

CAPÍTULO 50

Palabra que habló Jehová contra Babilonia, y contra la tierra de los caldeos, por medio del profeta Jeremías.

2 Anunciad entre las naciones, proclamad y levantad bandera; publicad, y no encubráis; decid: Tomada es Babilonia, Bel es confundido, deshecho es Merodac; confundidas son sus esculturas, quebrados son sus ídolos.

3 Porque una nación del norte subirá contra ella, la cual pondrá su tierra en asolamiento, y no habrá ni hombre ni animal que en ella more; tanto hombres como animales se irán.

4 En aquellos días y en aquel tiempo, dice Jehová, vendrán los hijos de Israel, ellos y los hijos de Judá juntamente; e irán andando y llorando, y buscarán a Jehová su Dios.

5 Preguntarán por el camino de Sión, hacia donde volverán sus rostros, *diciendo:* Venid y unámonos a Jehová, con un pacto eterno que jamás será olvidado.

6 Ovejas perdidas fueron mi pueblo: sus pastores las hicieron errar, por los montes las descarriaron: anduvieron de monte en collado, se olvidaron de sus majadas.

7 Todos los que los hallaban, los comían; y decían sus enemigos: No pecamos, porque ellos pecaron contra Jehová morada de justicia, contra Jehová, esperanza de sus padres.

8 Huid de en medio de Babilonia, y salid de la tierra de los caldeos, y sed como los machos cabríos delante del ganado.

9 Porque he aquí que yo levanto y hago subir contra Babilonia reunión de grandes pueblos de la tierra del norte; y desde allí se prepararán contra ella, y será tomada; sus flechas como de valiente diestro; ninguno se volverá vacío.

10 Y Caldea será para despojo; todos los que la saquearen, quedarán saciados, dice Jehová.

11 Porque os alegrasteis, porque os gozasteis destruyendo mi heredad, porque os llenasteis como becerra sobre la hierba, y mugís como toros.

12 Vuestra madre será en gran manera avergonzada, se avergonzará la que os engendró; he aquí la última de las naciones *será* un desierto, tierra seca, y páramo.

13 Por la ira de Jehová no será habitada, sino será asolada toda ella; todo hombre que pasare por Babilonia se asombrará, y silbará sobre todas sus plagas.

14 Apercibíos contra Babilonia alrededor, todos los que entesáis arco; tirad contra ella, no escatiméis las saetas; porque pecó contra Jehová.

15 Gritad contra ella en derredor; se rindió; han caído sus fundamentos, derribados son sus muros; porque venganza es de Jehová. Tomad venganza de ella; haced con ella como ella hizo.

16 Talad de Babilonia al sembrador, y al que mete hoz en tiempo de la siega; delante de la espada opresora cada uno volverá el rostro hacia su pueblo, cada uno huirá hacia su tierra.

17 Oveja descarriada *es* Israel; leones lo dispersaron; el rey de Asiria lo devoró primero; este Nabucodonosor rey de Babilonia lo deshuesó después.

18 Por tanto, así dice Jehová de los ejércitos, Dios de Israel: He aquí que yo castigaré al rey de Babilonia y a su tierra como castigué al rey de Asiria.

19 Y volveré a traer a Israel a su morada, y pacerá en el Carmelo y en Basán; y en el monte de Efraín y de Galaad su alma será saciada.

20 En aquellos días y en aquel tiempo, dice Jehová, la maldad de Israel será buscada, y no aparecerá; y los pecados de Judá, y no se hallarán; porque perdonaré a los que yo hubiere dejado.

21 Sube contra la tierra de Merataim, contra ella, y contra los moradores de Pekod: destruye y mata en pos de ellos, dice Jehová, y haz conforme a todo lo que yo te he mandado.

22 Estruendo de guerra *hay* en la tierra, y destrucción grande.

23 ¡Cómo fue cortado y quebrado el martillo de toda la tierra! ¡Cómo se convirtió Babilonia en desierto entre las naciones!

24 Te puse lazos, y aun fuiste tomada, oh Babilonia, y tú no lo supiste; fuiste hallada, y aun presa, porque provocaste a Jehová.

25 Jehová ha abierto su arsenal, y ha sacado las armas de su indignación; porque ésta es obra de Jehová, Dios de los ejércitos, en la tierra de los caldeos.

26 Venid contra ella desde el extremo de la tierra; abrid sus almacenes; convertidla en montones, y destruidla; y no quede nada de ella.

27 Matad todos sus novillos; que vayan al matadero. ¡Ay de ellos! porque ha venido su día, el tiempo de su castigo.

28 Voz de los que huyen y escapan de la tierra de Babilonia, para dar las nuevas en Sión de la venganza de Jehová nuestro Dios, de la venganza de su templo.

29 Haced juntar contra Babilonia arqueros, a todos los que entesan arco; acampad contra ella alrededor; no escape de ella ninguno; pagadle según su obra; conforme a todo lo que ella hizo, haced con ella; porque contra Jehová se ensoberbeció, contra el Santo de Israel.

30 Por tanto, sus jóvenes caerán en sus calles, y todos sus hombres de guerra serán talados en aquel día, dice Jehová.

31 He aquí yo contra ti, oh soberbio, dice el Señor, Jehová de los ejércitos; porque tu día ha venido, el tiempo en que te visitaré.

32 Y el soberbio tropezará y caerá, y no tendrá quien lo levante; y encenderé fuego en sus ciudades, y quemaré todos sus alrededores.

33 Así dice Jehová de los ejércitos: Oprimidos fueron los hijos de Israel y los hijos de Judá juntamente; y todos los que los tomaron cautivos, los retuvieron; no los quisieron soltar.

34 El Redentor de ellos es el Fuerte; Jehová de los ejércitos es su nombre; de cierto abogará la causa de ellos, para hacer reposar la tierra, y turbar a los moradores de Babilonia.

35 Espada sobre los caldeos, dice Jehová, y sobre los moradores de Babilonia, y sobre sus príncipes, y sobre sus sabios.

36 Espada sobre los engañadores, y se atontarán; espada sobre sus valientes, y serán quebrantados.

37 Espada sobre sus caballos, y sobre sus carros, y sobre todo el vulgo que está en medio de ella, y serán como mujeres; espada sobre sus tesoros, y serán saqueados.

38 Sequedad sobre sus aguas, y se secarán; porque es tierra de imágenes, y con sus ídolos se enloquecen.

39 Por tanto, allí morarán las fieras del desierto junto con las hienas, y los búhos también morarán en ella; y nunca más será poblada ni será habitada, por generación y generación.

40 Como Dios destruyó a Sodoma y a Gomorra y a las ciudades vecinas, dice Jehová, así no morará allí hombre, ni hijo de hombre la habitará.

41 He aquí viene un pueblo del norte; y una nación grande, y muchos reyes se levantarán de los extremos de la tierra.

42 Arco y lanza manejarán; serán crueles, y no tendrán misericordia; su voz sonará como el mar, y montarán sobre caballos; se apercibirán como hombre para la batalla, contra ti, oh hija de Babilonia.

43 Oyó la noticia el rey de Babilonia, y sus manos se debilitaron; angustia le tomó, dolor como de mujer de parto.

44 He aquí que como león subirá de la espesura del Jordán a la morada fuerte; porque muy pronto le haré huir de ella, y al que fuere escogido la encargaré; porque ¿quién es semejante a mí? ¿y quién me emplazará? ¿o quién será aquel pastor que me podrá resistir?

45 Por tanto, oíd el consejo de Jehová, que ha acordado sobre Babilonia, y sus pensamientos que ha formado sobre la tierra de los caldeos: Ciertamente los más pequeños del rebaño los arrastrarán, y destruirán sus moradas con ellos.

46 Al grito de la toma de Babilonia la tierra tembló, y el clamor se oyó entre las naciones.

CAPÍTULO 51

Así dice Jehová: He aquí que yo levanto un viento destruidor contra Babilonia, y contra sus moradores que se levantan contra mí.

2 Y enviaré a Babilonia aventadores que la avienten, y vaciarán su tierra; porque serán contra ella de todas partes en el día del mal.

3 Diré al arquero que entesa su arco, y al que se enorgullece en su coraza: No perdonéis a sus jóvenes, destruid todo su ejército.

4 Y caerán muertos en la tierra de los caldeos, y alanceados en sus calles.

5 Porque Israel y Judá no han enviudado de su Dios, Jehová de los ejércitos, aunque su tierra fue llena de pecado contra el Santo de Israel.

6 Huid de en medio de Babilonia, y librad cada uno su alma, para que no perezcáis a causa de su maldad; porque éste *es* el tiempo de la venganza de Jehová; Él le dará su pago.

7 Copa de oro *fue* Babilonia en la mano de Jehová, que embriagó a toda la tierra. Las naciones bebieron de su vino; se enloquecieron, por tanto, las naciones.

8 En un momento cayó Babilonia, y se despedazó; gemid sobre ella; tomad bálsamo para su dolor, quizá sanará.

9 Curamos a Babilonia, y no ha sanado; dejadla, y vayamos cada uno a su tierra; porque su juicio ha llegado hasta el cielo, y se ha levantado hasta las nubes.

10 Jehová sacó a luz nuestras justicias; venid, y contemos en Sión la obra de Jehová nuestro Dios.

11 Limpiad las saetas, tomad los escudos; Jehová ha despertado el espíritu de los reyes de Media; porque contra Babilonia es su pensamiento para destruirla; porque venganza es de Jehová, venganza de su templo.

12 Levantad bandera sobre los muros de Babilonia, reforzad la guardia, colocad centinelas, tended emboscadas; porque deliberó Jehová, y aun pondrá en efecto lo que ha dicho contra los moradores de Babilonia.

13 Oh tú que habitas entre muchas aguas, rica en tesoros, ha venido tu fin, la medida de tu codicia.

14 Jehová de los ejércitos juró por sí mismo, *diciendo:* Yo te llenaré de hombres como de langostas, y levantarán contra ti gritería.

15 Él es el que hizo la tierra con su poder, el que afirmó el mundo con su sabiduría, y extendió los cielos con su inteligencia.

16 Cuando emite su voz, tumulto de aguas se producen en los cielos, y hace subir las nubes de lo último de la tierra; Él hace relámpagos con la lluvia, y saca el viento de sus depósitos.

17 Todo hombre se ha infatuado por su conocimiento; se avergüenza todo artífice de la escultura, porque mentira es su imagen de fundición, y no tienen espíritu en ellos.

18 Vanidad *son,* obra irrisoria; en el tiempo de su visitación perecerán.

19 No es como ellos la porción de Jacob; porque Él *es* el Formador de todo; e *Israel es* la vara de su heredad: Jehová de los ejércitos *es* su nombre.

20 Maza me *sois,* y armas de guerra; contigo quebrantaré naciones, y contigo destruiré reinos.

21 Contigo destruiré caballo y jinete, y contigo destruiré carros y a los que en ellos suben;

22 contigo destruiré hombres y mujeres, contigo destruiré viejos y niños, y contigo destruiré jóvenes y doncellas.

23 También destruiré contigo al pastor y a su rebaño; destruiré contigo a labradores y sus yuntas; a príncipes y gobernadores destruiré contigo.

24 Y pagaré a Babilonia y a todos los moradores de Caldea, todo el mal que ellos hicieron en Sión delante de vuestros ojos, dice Jehová.

25 He aquí yo contra ti, oh monte destruidor, dice Jehová, que destruiste toda la tierra; y extenderé mi mano sobre ti, y te haré rodar de las peñas, y te tornaré en monte quemado.

26 Y no tomarán de ti piedra para esquina, ni piedra para cimiento; porque para siempre serás desolada, dice Jehová.

27 Alzad bandera en la tierra, tocad trompeta en las naciones, preparaos naciones contra ella; convocad contra ella a los reinos de Ararat, de Mini, y

de Askenaz; señalad contra ella capitán, haced subir caballos como langostas erizadas.

28 Apercibid contra ella a las naciones; a los reyes de Media, sus capitanes y todos sus príncipes, y a toda la tierra de su señorío.

29 Y temblará la tierra, y se afligirá; porque confirmado es contra Babilonia todo el pensamiento de Jehová, para poner la tierra de Babilonia en soledad, y que no haya morador.

30 Los valientes de Babilonia dejaron de pelear, se han quedado en sus fortalezas; les faltaron las fuerzas, se han vuelto como mujeres; encendieron sus casas, quebrados están sus cerrojos.

31 Un correo se encontrará con otro correo, un mensajero se encontrará con otro mensajero, para notificar al rey de Babilonia que su ciudad es tomada por todas partes.

32 Y los vados fueron tomados, y los juncos fueron quemados a fuego, y los hombres de guerra están aterrados.

33 Porque así dice Jehová de los ejércitos, Dios de Israel: La hija de Babilonia es como una era; tiempo es ya de trillarla; de aquí a poco le vendrá el tiempo de la siega.

34 Me comió, me desmenuzó Nabucodonosor rey de Babilonia; me dejó como un vaso vacío, me tragó como dragón, llenó su vientre de mis delicadezas, y me echó fuera.

35 Sobre Babilonia *caiga* la violencia hecha a mí y a mi carne, dirá la moradora de Sión; y mi sangre sobre los moradores de Caldea, dirá Jerusalén.

36 Por tanto, así dice Jehová: He aquí que yo juzgo tu causa y haré tu venganza; y secaré su mar, y haré que se seque su manantial.

37 Y Babilonia se convertirá en escombros, en morada de dragones, en espanto y escarnio, sin morador.

38 A una rugirán como leones; como cachorros de leones gruñirán.

39 En su calor les pondré sus banquetes; y les haré que se embriaguen, para que se alegren, y duerman eterno sueño y no despierten, dice Jehová.

40 Los haré traer como corderos al matadero, como carneros y machos cabríos.

41 ¡Cómo fue apresada Sesac, y fue tomada la que era alabada por toda la tierra! ¡Cómo vino a ser Babilonia objeto de horror entre las naciones!

42 Subió el mar sobre Babilonia; de la multitud de sus ondas fue cubierta.

43 Sus ciudades fueron asoladas, la tierra seca y desierta, tierra que no morará en ella nadie, ni pasará por ella hijo de hombre.

44 Y juzgaré a Bel en Babilonia, y sacaré de su boca lo que ha tragado; y no vendrán más naciones a él; y el muro de Babilonia caerá.

45 Salid de en medio de ella, pueblo mío, y salvad cada uno su vida de la ira del furor de Jehová.

46 No sea que desmaye vuestro corazón, y temáis a causa del rumor que se oirá por la tierra, en un año vendrá el rumor, y después en otro año un rumor, y violencia en la tierra, gobernante contra gobernante.

47 Por tanto, he aquí vienen días que yo destruiré los ídolos de Babilonia, y toda su tierra será avergonzada, y todos sus muertos caerán en medio de ella.

48 Y los cielos y la tierra, y todo lo que está en ellos, cantarán de gozo sobre Babilonia; porque del norte vendrán sobre ella destructores, dice Jehová.

49 Como Babilonia *causó* que los muertos de Israel cayesen, así en Babilonia caerán los muertos de toda la tierra.

50 Los que escapasteis de la espada, andad, no os detengáis; acordaos por muchos días de Jehová, y acordaos de Jerusalén.

51 Estamos avergonzados, porque oímos la afrenta: confusión cubrió nuestros rostros, porque vinieron extranjeros contra los santuarios de la casa de Jehová.

52 Por tanto, he aquí vienen días, dice Jehová, que yo visitaré sus esculturas, y en toda su tierra gemirán los heridos.

53 Aunque suba Babilonia al cielo, aunque se fortifique hasta lo alto de su fuerza, de mi parte vendrán a ella destructores, dice Jehová.

54 ¡Se oye el clamor de Babilonia, y destrucción grande de la tierra de los caldeos!

55 Porque Jehová destruye a Babilonia, y quitará de ella el mucho estruendo; y bramarán sus olas, como muchas aguas será el sonido de la voz de ellos:

56 Porque vino destruidor contra ella, contra Babilonia, y sus valientes fueron apresados, el arco de ellos fue quebrado; porque Jehová, Dios de retribuciones, dará la paga.

57 Y embriagaré a sus príncipes y a sus sabios, a sus capitanes y a sus nobles y a sus fuertes; y dormirán sueño eterno y no despertarán, dice el Rey, cuyo nombre es Jehová de los ejércitos.

58 Así dice Jehová de los ejércitos: El muro ancho de Babilonia será derribado enteramente, y sus altas puertas serán quemadas a fuego; y en vano trabajarán pueblos y gentes en el fuego, y se cansarán.

59 Palabra que envió el profeta Jeremías a Seraías hijo de Nerías, hijo de Maasías, cuando iba con Sedequías rey de Judá a Babilonia, en el cuarto año de su reinado. Y era Seraías el principal camarero.

60 Escribió, pues, Jeremías en un libro todo el mal que había de venir sobre Babilonia, todas las palabras que están escritas contra Babilonia.

61 Y dijo Jeremías a Seraías: Cuando llegares a Babilonia, y vieres y leyeres todas estas cosas,

62 dirás: Oh Jehová, tú has dicho contra este lugar que lo habías de talar, hasta no quedar en él morador, ni hombre ni animal, sino que para siempre ha de ser asolado.

63 Y será que cuando acabares de leer este libro, lo atarás una piedra, y lo echarás en medio del Éufrates:

64 Y dirás: Así se hundirá Babilonia, y no se levantará del mal que yo traigo sobre ella; y serán rendidos. Hasta aquí *son* las palabras de Jeremías.

CAPÍTULO 52

Era Sedequías de edad de veintiún años cuando comenzó a reinar, y reinó once años en Jerusalén. Su madre se llamaba Amutal, hija de Jeremías, de Libna.

2 E hizo lo malo ante los ojos de Jehová, conforme a todo lo que hizo Joacim.

3 Y a causa de la ira de Jehová sucedió *esto* contra Jerusalén y Judá, hasta que los echó de su presencia; y se rebeló Sedequías contra el rey de Babilonia.

4 Aconteció por tanto a los nueve años de su reinado, en el mes décimo, a los diez días del mes, que vino Nabucodonosor rey de Babilonia, él y todo su ejército, contra Jerusalén, y contra ella acamparon, y de todas partes edificaron baluartes contra ella.

5 Y estuvo sitiada la ciudad hasta el undécimo año del rey Sedequías.

6 En el mes cuarto, a los nueve del mes, prevaleció el hambre en la ciudad, hasta no haber pan para el pueblo de la tierra.

7 Entonces fue abierta una brecha en la ciudad, y todos los hombres de guerra huyeron, y salieron de la ciudad de noche por el camino de la puerta de entre los dos muros, que había cerca del jardín del rey, y se fueron por el camino del desierto, *estando* aún los caldeos junto a la ciudad alrededor.

8 Y el ejército de los caldeos siguió al rey, y alcanzaron a Sedequías en los llanos de Jericó; y se dispersó de él todo su ejército.

9 Entonces prendieron al rey, y le hicieron venir al rey de Babilonia, a Ribla en tierra de Hamat, donde pronunció sentencia contra él.

10 Y degolló el rey de Babilonia a los hijos de Sedequías delante de sus ojos, y también degolló a todos los príncipes de Judá en Ribla.

11 Después el rey de Babilonia le sacó los ojos a Sedequías, y le aprisionó con grillos y lo hizo llevar a Babilonia; y lo puso en la cárcel hasta el día en que murió.

12 Y en el mes quinto, a los diez del mes, que era el año diecinueve del reinado de Nabucodonosor, rey de Babilonia, entró a Jerusalén Nabuzaradán, capitán de la guardia, que solía estar delante del rey de Babilonia.

13 Y quemó la casa de Jehová, y la casa del rey, y todas las casas de Jerusalén; y le prendió fuego a todo grande edificio.

14 Y todo el ejército de los caldeos, que venía con el capitán de la guardia, destruyó todos los muros de Jerusalén en derredor.

15 E hizo trasportar Nabuzaradán, capitán de la guardia, a algunos de los pobres del pueblo, y al remanente del pueblo que había quedado en la ciudad, y a los desertores que se habían pasado al rey de Babilonia, y a todo el resto de la multitud.

16 Mas de los pobres del país dejó Nabuzaradán, capitán de la guardia, para viñadores y labradores.

17 Y los caldeos quebraron las columnas de bronce que *estaban* en la casa de Jehová, y las bases, y el mar de bronce que *estaba* en la casa de Jehová, y llevaron todo el bronce a Babilonia.

18 Se llevaron también los calderos, las palas, las despabiladeras, los tazones, las cucharas, y todos los vasos de bronce con que se ministraba,

19 y las copas, incensarios, tazones, ollas, candeleros, escudillas y tazas: lo que de oro de oro, y lo que de plata de plata, se llevó el capitán de la guardia.

20 Las dos columnas, un mar, y doce bueyes de bronce que *estaban* debajo de las bases, que había hecho el rey Salomón en la casa de Jehová: no se podía pesar el bronce de todos estos vasos.

21 En cuanto a las columnas, la altura de la columna era de dieciocho codos, y un hilo de doce codos la rodeaba; y su grueso *era* de cuatro dedos, y hueca.

22 Y el capitel de bronce que había sobre ella, era de altura de cinco codos, con una red y granadas en el capitel alrededor, todo de bronce; y lo mismo *era* lo de la segunda columna con sus granadas.

23 Había noventa y seis granadas en cada hilera; todas ellas *eran* ciento sobre la red alrededor.

24 Tomó también el capitán de la guardia a Seraías, el principal sacerdote, y a Sofonías, el segundo sacerdote, y a los tres guardas de la puerta.

25 Y de la ciudad tomó a un oficial que era capitán sobre los hombres de guerra, y siete hombres de los consejeros del rey, que se hallaron en la ciudad; y al principal secretario de la milicia, que pasaba revista al pueblo de la tierra para la guerra; y sesenta hombres del vulgo del país, que se hallaron dentro de la ciudad.

26 Los tomó, pues, Nabuzaradán, capitán de la guardia, y los llevó al rey de Babilonia a Ribla.

27 Y el rey de Babilonia los hirió, y los mató en Ribla en tierra de Hamat. Así fue Judá trasportado de su tierra.

28 Éste *es* el pueblo que Nabucodonosor hizo trasportar: En el año séptimo, tres mil veintitrés judíos.

29 En el año dieciocho de Nabucodonosor él llevó cautivas de Jerusalén a ochocientas treinta y dos personas.

30 En el año veintitrés de Nabucodonosor, Nabuzaradán capitán de la guardia, llevó cautivas a setecientas cuarenta y cinco personas de los judíos: todas las personas *fueron* cuatro mil seiscientas.

31 Y aconteció que en el año treinta y siete de la cautividad de Joaquín rey de Judá, en el mes duodécimo, a los veinticinco del mes, Evil-merodac, rey de Babilonia, en el año primero de su reinado, alzó la cabeza de Joaquín rey de Judá y lo sacó de la cárcel;

32 y habló con él amigablemente, e hizo poner su trono sobre los tronos de los reyes que *estaban* con él en Babilonia.

33 Le hizo mudar también su ropa de prisionero, y comía pan delante del *rey* siempre todos los días de su vida.

34 Y continuamente se le daba una ración de parte del rey de Babilonia, cada cosa en su día, todos los días de su vida, hasta el día de su muerte.

Libro De
LAMENTACIONES

CAPÍTULO 1

¡Cómo está sentada sola la ciudad populosa! La grande entre las naciones se ha vuelto como viuda; La princesa entre las provincias es hecha tributaria.

2 Amargamente llora en la noche, y sus lágrimas *están* en sus mejillas; no tiene quien *la* consuele de entre todos sus amantes; todos sus amigos la traicionaron, se le volvieron enemigos.

3 Judá ha ido en cautiverio, a causa de la aflicción y de la dura servidumbre; ella moró entre las gentes, y no halló descanso; todos sus perseguidores la alcanzaron entre las estrechuras.

4 Las calzadas de Sión tienen luto, porque no hay quien venga a las fiestas solemnes; todas sus puertas están asoladas, sus sacerdotes gimen, sus vírgenes afligidas, y ella tiene amargura.

5 Sus enemigos han sido hechos cabeza, sus enemigos fueron prosperados; porque Jehová la afligió por la multitud de sus rebeliones; sus niños fueron en cautividad delante del enemigo.

6 Se fue de la hija de Sión toda su hermosura; sus príncipes fueron como ciervos *que* no hallan pasto, y anduvieron sin fuerzas delante del perseguidor.

7 Jerusalén, cuando cayó su pueblo en mano del enemigo y no hubo quien le ayudase, se acordó de los días de su aflicción, y de sus rebeliones, y de todas sus cosas deseables que tuvo desde los tiempos antiguos; la miraron los enemigos, y se burlaron de sus sábados.

8 Pecado cometió Jerusalén; por lo cual ella ha sido removida: Todos los que la honraban la han menospreciado, porque vieron su vergüenza; y ella suspira, y se vuelve atrás.

9 Su inmundicia *está* en sus faldas; no se acordó de su postrimería: Por tanto ella ha caído asombrosamente, no tiene consolador. Mira, oh Jehová, mi aflicción, porque el enemigo se ha engrandecido.

10 Extendió su mano el enemigo a todas sus cosas preciosas; ella ha visto entrar en su santuario las gentes, de las cuales mandaste que no entrasen en tu congregación.

11 Todo su pueblo buscó su pan suspirando; dieron por la comida todas sus cosas preciosas, para entretener la vida. Mira, oh Jehová, y ve que estoy abatida.

12 ¿No os conmueve a cuantos pasáis por el camino? Mirad, y ved si hay dolor como mi dolor que me ha venido; porque Jehová me ha angustiado en el día de su ardiente furor.

13 Desde lo alto envió fuego en mis huesos, el cual prevaleció; ha extendido red a mis pies, me volvió atrás, me dejó desolada, y desfallezco todo el día.

14 El yugo de mis transgresiones está atado por su mano, ataduras han subido sobre mi cerviz: ha hecho que falten mis fuerzas; me ha entregado el Señor en manos contra las cuales no podré levantarme.

15 El Señor ha hollado a todos mis *hombres* fuertes en medio de mí; Convocó contra mí asamblea para quebrantar mis jóvenes; *como* lagar ha pisoteado el Señor a la virgen hija de Judá.

16 Por esta causa yo lloro; mis ojos, mis ojos fluyen aguas; porque el consolador que debiera reanimar mi alma se alejó de mí; mis hijos están desolados, porque el enemigo prevaleció.

17 Sión extendió sus manos, no tiene quien la consuele; Jehová dic mandamiento contra Jacob, que sus enemigos lo rodeasen: Jerusalén fue *como* una mujer menstruosa entre ellos.

18 Jehová es justo; pues yo contra su palabra me rebelé. Oíd ahora, pueblos todos, y ved mi dolor: Mis vírgenes y mis jóvenes fueron en cautiverio.

19 Llamé a mis amantes, *pero* ellos me han engañado; Mis sacerdotes y mis ancianos en la ciudad perecieron, cuando buscaban comida para sí con que entretener su vida.

20 Mira, oh Jehová, que estoy atribulada; mis entrañas hierven, mi corazón se revuelve dentro de mí; porque me rebelé en gran manera; de fuera la espada priva de hijos, en casa señorea la muerte.

21 Oyeron que gemía, mas no *hay* consolador para mí: Todos mis enemigos han oído mi mal, se han alegrado de que tú lo hiciste. Harás venir el día que has anunciado, y serán como yo.

22 Venga delante de ti toda su maldad, y haz con ellos como hiciste conmigo por todas mis rebeliones; porque muchos *son* mis suspiros, y mi corazón desfallece.

CAPÍTULO 2

Cómo oscureció el Señor en su furor a la hija de Sión! Derribó del cielo a la tierra la hermosura de Israel, y no se acordó del estrado de sus pies en el día de su ira.

2 Destruyó el Señor, y no perdonó; Devoró en su furor todas las tiendas de Jacob: Echó por tierra las fortalezas de la hija de Judá, humilló el reino y a sus príncipes.

3 Cortó con el furor de *su* ira todo el cuerno de Israel; Hizo volver atrás su diestra delante del enemigo; y se encendió en Jacob como llama de fuego que ha devorado *todo* en derredor.

4 Entesó su arco como enemigo, afirmó su mano derecha como adversario, y destruyó todo lo que *era* agradable a la vista: En la tienda de la hija de Sión derramó como fuego su enojo.

5 El Señor fue como un enemigo, devoró a Israel; destruyó todos sus palacios, demolió sus fortalezas; y multiplicó en la hija de Judá la tristeza y el lamento.

6 Y violentamente arrancó su tabernáculo como de un huerto, destruyó el lugar donde se congregaban; Jehová ha hecho olvidar en Sión las fiestas solemnes y los sábados, y en el ardor de su ira ha desechado al rey y al sacerdote.

7 El Señor desechó su altar, menospreció su santuario, ha entregado en mano del enemigo los muros de sus palacios; han dado gritos en la casa de Jehová como en día de fiesta.

8 Jehová determinó destruir el muro de la hija de Sión; Extendió el cordel, no retrajo su mano de destruir: Hizo, pues, que se lamentara el antemuro y el muro; languidecen juntos.

9 Sus puertas fueron echadas por tierra, destruyó y quebrantó sus cerrojos: Su rey y sus príncipes están entre los gentiles donde no hay ley; sus profetas tampoco hallaron visión de Jehová.

10 Se sentaron en tierra, callaron los ancianos de la hija de Sión; echaron polvo sobre sus cabezas, se ciñeron de cilicio; las vírgenes de Jerusalén bajaron sus cabezas a tierra.

11 Mis ojos desfallecieron de lágrimas, se conmovieron mis entrañas, mi hígado se derramó por tierra por el quebrantamiento de la hija de mi pueblo, cuando desfallecía el niño y el que mamaba, en las plazas de la ciudad.

12 Decían a sus madres: ¿Dónde *está* el trigo y el vino? Desfallecían como heridos en las calles de la ciudad, derramando sus almas en el regazo de sus madres.

13 ¿Qué testigo te traeré, o a quién te haré semejante, hija de Jerusalén? ¿A quién te compararé para consolarte, oh virgen hija de Sión? Porque tu quebrantamiento *es* grande como el mar; ¿quién te sanará?

14 Tus profetas vieron para ti vanidad y locura; y no descubrieron tu pecado para impedir tu cautiverio, sino que te predicaron vanas profecías y extravíos.

15 Todos los que pasaban por el camino, batieron las manos sobre ti; silbaron, y movieron sus cabezas sobre la hija de Jerusalén, *diciendo:* ¿Es ésta la ciudad que llamaban: La perfección de la hermosura, el gozo de toda la tierra?

16 Todos tus enemigos abrieron contra ti su boca, silbaron, y

rechinaron los dientes; dijeron: La hemos devorado; ciertamente éste es el día que esperábamos; *lo* hemos hallado, *lo* hemos visto.

17 Jehová ha hecho lo que tenía determinado, ha cumplido su palabra que Él había mandado desde tiempo antiguo: Destruyó, y no perdonó; y ha hecho que se alegre sobre ti el enemigo, y ha enaltecido el cuerno de tus adversarios.

18 El corazón de ellos clamaba al Señor: Oh muro de la hija de Sión, corran *tus* lágrimas como un arroyo día y noche; no descanses, ni cesen las niñas de tus ojos.

19 Levántate, da voces en la noche, en el principio de las vigilias; derrama como agua tu corazón ante la presencia del Señor; alza tus manos hacia Él por la vida de tus pequeñitos, que desfallecen de hambre en las entradas de todas las calles.

20 Mira, oh Jehová, y considera a quién has hecho así. ¿Han de comer las mujeres su fruto, los pequeñitos de sus crías? ¿Han de ser muertos en el santuario del Señor el sacerdote y el profeta?

21 Niños y viejos yacían por tierra en las calles; Mis vírgenes y mis jóvenes cayeron a espada: Mataste en el día de tu furor, degollaste, no perdonaste.

22 Has llamado, como a día de solemnidad, mis temores de todas partes; y en el día del furor de Jehová no hubo quien escapase ni quedase vivo: Los que crié y mantuve, mi enemigo los acabó.

CAPÍTULO 3

Yo soy el hombre que ha visto aflicción por la vara de su enojo.

2 Me guió y me llevó *en* tinieblas, y no *en* luz.

3 Ciertamente contra mí volvió y revolvió su mano todo el día.

4 Hizo envejecer mi carne y mi piel; quebrantó mis huesos.

5 Edificó contra mí, y me cercó de tósigo y de trabajo.

6 Me asentó en oscuridades, como los ya muertos de mucho tiempo.

7 Me cercó por todos lados, y no puedo salir; ha hecho pesadas mis cadenas.

8 Aun cuando clamé y di voces, cerró los oídos a mi oración.

9 Cercó mis caminos con piedra tajada, torció mis senderos.

10 *Como* oso que acecha *fue* para mí, *como* león en escondrijos.

11 Torció mis caminos, y me despedazó; me dejó asolado.

12 Su arco entesó, y me puso como blanco a la saeta.

13 Hizo entrar en mis entrañas las saetas de su aljaba.

14 Fui escarnio a todo mi pueblo, canción de ellos todos los días.

15 Me hartó de amarguras, me embriagó de ajenjos.

16 Me quebró los dientes con cascajo, me cubrió de ceniza.

17 Y mi alma se alejó de la paz, me olvidé del bien.

18 Y dije: Perecieron mis fuerzas, y mi esperanza de Jehová.

19 Acuérdate de mi aflicción y de mi abatimiento, del ajenjo y de la hiel.

20 Mi alma aún lo recuerda, y se humilla dentro de mí.

21 Esto traigo a mi memoria, por lo cual tengo esperanza.

22 *Es* por la misericordia de Jehová que no hemos sido consumidos, porque nunca decayeron sus misericordias.

23 Nuevas *son* cada mañana; grande *es* tu fidelidad.

24 Mi porción *es* Jehová, dijo mi alma; por tanto en Él esperaré.

25 Bueno *es* Jehová a los que en Él esperan, al alma que le busca.

26 Bueno *es* esperar en silencio la salvación de Jehová.

27 Bueno le *es* al hombre, llevar el yugo desde su juventud.

28 Que se siente solo, y calle, porque es Él quien se *lo* impuso.

29 Ponga su boca en el polvo, por si aún hay esperanza.

30 Dé la mejilla al que le hiere; y sea colmado de afrenta.

31 Porque el Señor no desecha para siempre;

32 antes bien, si aflige, también se compadece según la multitud de sus misericordias.

33 Porque no aflige ni acongoja de su corazón a los hijos de los hombres.

34 Desmenuzar bajo de sus pies todos los encarcelados de la tierra,

35 hacer apartar el derecho de

hombre ante la presencia del Altísimo,

36 trastornar al hombre en su causa, el Señor no lo aprueba.

37 ¿Quién *será* aquel que diga, que vino algo que el Señor no mandó?

38 ¿De la boca del Altísimo no sale lo malo y lo bueno?

39 ¿Por qué murmura el hombre viviente, el hombre en su pecado?

40 Examinemos nuestros caminos, y busquemos, y volvámonos a Jehová.

41 Levantemos nuestros corazones con las manos a Dios en los cielos.

42 Nosotros nos hemos rebelado, y fuimos desleales; tú no perdonaste.

43 Desplegaste la ira, y nos perseguiste; mataste, no perdonaste.

44 Te cubriste de nube, para que no pasase la oración nuestra.

45 Nos has vuelto escoria y abominación en medio de los pueblos.

46 Todos nuestros enemigos abrieron contra nosotros su boca.

47 Temor y lazo nos han sobrevenido, asolamiento y quebranto.

48 Ríos de aguas derraman mis ojos, por el quebrantamiento de la hija de mi pueblo.

49 Mis ojos destilan, y no cesan, porque no hay alivio,

50 hasta que Jehová mire y vea desde los cielos.

51 Mis ojos contristaron mi corazón, por todas las hijas de mi ciudad.

52 Mis enemigos me dieron caza como a ave, sin haber por qué.

53 Ataron mi vida en mazmorra, pusieron piedra sobre mí.

54 Aguas cubrieron mi cabeza; yo dije: Muerto soy.

55 Invoqué tu nombre, oh Jehová, desde la cárcel profunda.

56 Oíste mi voz; no escondas tu oído a mi suspiro, a mi clamor.

57 Te acercaste el día que te invoqué: dijiste: No temas.

58 Abogaste, Señor, la causa de mi alma; redimiste mi vida.

59 Tú has visto, oh Jehová, mi agravio; defiende mi causa.

60 Tú has visto toda su venganza; todos sus pensamientos contra mí.

61 Tú has oído el oprobio de ellos, oh Jehová, todas sus maquinaciones contra mí;

62 Los dichos de los que contra mí se levantaron, y su designio contra mí todo el día.

63 Mira su sentarse, y su levantarse; yo *soy* su canción.

64 Dales el pago, oh Jehová, según la obra de sus manos.

65 Dales dureza de corazón, tu maldición *caiga* sobre ellos.

66 Persíguelos en tu furor, y quebrántalos de debajo de los cielos, oh Jehová.

CAPÍTULO 4

¡Cómo se ha oscurecido el oro! ¡Cómo el buen oro se ha demudado! Las piedras del santuario están esparcidas por las encrucijadas de todas las calles.

2 Los hijos de Sión, preciados y estimados más que el oro puro, ¡cómo son tenidos por vasos de barro, obra de manos de alfarero!

3 Aun los monstruos marinos sacan la teta, y amamantan a sus chiquitos: La hija de mi pueblo se ha vuelto cruel, como los avestruces en el desierto.

4 La lengua del niño de pecho, se pegó a su paladar, a causa de la sed: Los pequeños pidieron pan, y no hubo quien para ellos lo partiese.

5 Los que comían delicadamente, asolados fueron en las calles; los que se criaron entre púrpura, abrazaron los muladares.

6 Y se aumentó la iniquidad de la hija de mi pueblo más que el pecado de Sodoma, que fue derribada en un momento, sin que manos asentaran sobre ella.

7 Sus nazareos fueron más puros que la nieve, más blancos que la leche. Sus cuerpos más rubicundos que los rubíes, más bellos que el zafiro:

8 Oscuro más que la negrura es su aspecto; no los conocen por las calles: Su piel está pegada a sus huesos, seca como un palo.

9 Más dichosos fueron los muertos a espada que los muertos por el hambre; porque éstos murieron poco a poco por falta de los frutos de la tierra.

10 Las manos de las mujeres piadosas cocieron a sus propios hijos; les sirvieron de comida en el quebrantamiento de la hija de mi pueblo.

11 Jehová cumplió su enojo, derramó el ardor de su ira; y encendió fuego en Sión, que consumió sus cimientos.

12 Nunca los reyes de la tierra, ni todos los que habitan en el mundo, creyeron que el enemigo y el adversario entrarían por las puertas de Jerusalén.

13 Es por los pecados de sus profetas, por las maldades de sus sacerdotes, que derramaron en medio de ella la sangre de los justos.

14 Titubearon *como* ciegos en las calles, fueron contaminados con sangre, de modo que no pudiesen tocar a sus vestiduras.

15 ¡Apartaos! ¡Inmundos! les gritaban, ¡Apartaos, apartaos, no toquéis! Cuando huyeron y fueron dispersados, dijeron entre las naciones: Nunca más morarán aquí.

16 La ira de Jehová los apartó, no los mirará más: No respetaron la faz de los sacerdotes, ni tuvieron compasión de los viejos.

17 Aun han desfallecido nuestros ojos tras nuestro vano socorro: En nuestra esperanza aguardamos a una nación que no puede salvar.

18 Cazaron nuestros pasos para que no anduviésemos por nuestras calles; se cercó nuestro fin, se cumplieron nuestros días; porque llegó nuestro fin.

19 Nuestros perseguidores fueron más ligeros que las águilas del cielo; sobre los montes nos persiguieron, en el desierto nos tendieron emboscada.

20 El aliento de nuestra nariz, el ungido de Jehová fue apresado en sus fosos; de quien habíamos dicho: A su sombra tendremos vida entre las naciones.

21 Gózate y alégrate, hija de Edom, la que habitas en tierra de Uz: Aun hasta ti pasará el cáliz; te embriagarás, y vomitarás.

22 Se ha cumplido el castigo de tu iniquidad, oh hija de Sión: Nunca más te hará llevar cautiva. Él castigará tu iniquidad, oh hija de Edom; pondrá al descubierto tus pecados.

CAPÍTULO 5

Acuérdate, oh Jehová, de lo que nos ha sucedido: Ve y mira nuestro oprobio.

2 Nuestra heredad ha pasado a extraños, nuestras casas a forasteros.

3 Huérfanos somos sin padre, nuestras madres *son* como viudas.

4 Nuestra agua bebemos por dinero; nuestra leña compramos por precio.

5 Persecución padecemos sobre nuestra cerviz; nos fatigamos, y no hay para nosotros reposo.

6 Al egipcio y al asirio extendimos la mano, para saciarnos de pan.

7 Nuestros padres pecaron, y han muerto; y nosotros llevamos su castigo.

8 Siervos se enseñorearon de nosotros; no *hay* quien de su mano *nos* libre.

9 Con peligro de nuestras vidas traíamos nuestro pan a causa de la espada del desierto.

10 Nuestra piel se ennegreció como un horno a causa del ardor del hambre.

11 Violaron a las mujeres en Sión, a las vírgenes en las ciudades de Judá.

12 Príncipes han sido colgados por su mano; no respetaron el rostro de los viejos.

13 Llevaron los jóvenes a moler, y los muchachos desfallecieron bajo *el peso* de la leña.

14 Los ancianos cesaron de la puerta, los jóvenes de sus canciones.

15 Cesó el gozo de nuestro corazón; nuestra danza se cambió en luto.

16 Cayó la corona de nuestra cabeza: ¡Ay ahora de nosotros! porque pecamos.

17 Por esto fue entristecido nuestro corazón, por esto se entenebrecieron nuestros ojos:

18 Por el monte de Sión que está asolado; zorras andan por él.

19 Mas tú, Jehová, permanecerás para siempre; tu trono de generación en generación.

20 ¿Por qué te olvidarás para siempre de nosotros, y nos dejarás por largos días?

21 Vuélvenos, oh Jehová, a ti, y nos volveremos: Renueva nuestros días como al principio.

22 Porque nos has desechado; en gran manera te has airado contra nosotros.

Libro De
EZEQUIEL

CAPÍTULO 1

Y aconteció en el año treinta, en el mes cuarto, el quinto *día* del mes, *estando* yo en medio de los cautivos junto al río de Quebar, los cielos se abrieron, y vi visiones de Dios.

2 En el quinto *día* del mes, que *fue* en el quinto año de la cautividad del rey Joaquín,

3 vino la palabra de Jehová al sacerdote Ezequiel, hijo de Buzi, en la tierra de los caldeos, junto al río de Quebar; y la mano de Jehová fue allí sobre él.

4 Y miré, y he aquí un viento tempestuoso venía del norte, una gran nube, con un fuego envolvente, y en derredor suyo un resplandor, y en medio del fuego una cosa que parecía como de ámbar.

5 y en medio de ella la figura de cuatro seres vivientes. Y ésta era su apariencia: Tenían ellos semejanza de hombre.

6 Y cada uno tenía cuatro caras, y cuatro alas.

7 Y los pies de ellos *eran* derechos, y la planta de sus pies como la planta de pie de becerro; y centelleaban a manera de bronce muy bruñido.

8 Y debajo de sus alas, a sus cuatro lados, *tenían* manos de hombre; y sus caras y sus alas por los cuatro lados.

9 Con las alas se juntaban el uno al otro. No se volvían cuando andaban; cada uno caminaba derecho hacia adelante.

10 Y el aspecto de sus caras era cara de hombre; y cara de león al lado derecho en los cuatro; y a la izquierda cara de buey en los cuatro; y los cuatro tenían cara de águila.

11 Tales *eran* sus rostros; y tenían sus alas extendidas por encima, cada uno dos, las cuales se juntaban; y las otras dos cubrían sus cuerpos.

12 Y cada uno caminaba derecho hacia adelante: hacia donde el espíritu les movía que anduviesen, andaban; y cuando andaban, no se volvían.

13 En cuanto a la semejanza de los seres vivientes, su parecer *era* como de carbones de fuego encendidos, como parecer de hachones encendidos que andaban entre los seres vivientes; y el fuego resplandecía, y del fuego salían relámpagos.

14 Y los seres vivientes corrían y volvían a semejanza de relámpagos.

15 Y mientras yo miraba a los seres vivientes, he aquí una rueda en la tierra junto a los seres vivientes de cuatro caras.

16 Y el parecer de las ruedas y su obra *era* semejante al color del berilo. Y las cuatro tenían una misma semejanza; su apariencia y su obra *eran* como una rueda en medio de *otra* rueda.

17 Cuando andaban, se movían sobre sus cuatro costados; no se volvían cuando andaban.

18 Y sus aros eran altos y espantosos, y llenos de ojos alrededor en las cuatro.

19 Y cuando los seres vivientes andaban, las ruedas andaban junto a ellos: y cuando los seres vivientes se levantaban de la tierra, las ruedas se levantaban.

20 Hacia donde el espíritu les movía que anduviesen, andaban; hacia donde les movía el espíritu que anduviesen, las ruedas también se levantaban tras ellos; porque el espíritu de los seres vivientes *estaba* en las ruedas.

21 Cuando ellos andaban, andaban *ellas*; y cuando ellos se paraban, se paraban ellas; asimismo cuando se levantaban de la tierra, las ruedas se levantaban tras ellos; porque el espíritu de los seres vivientes *estaba* en las ruedas.

22 Y sobre las cabezas de cada ser viviente aparecía una expansión a manera de cristal maravilloso, extendido encima sobre sus cabezas.

23 Y debajo de la expansión *estaban* las alas de ellos derechas la una a la

otra; cada uno tenía dos, y otras dos que cubrían sus cuerpos.

24 Y oí el ruido de sus alas cuando andaban, como el estruendo de muchas aguas, como la voz del Omnipotente, como ruido de muchedumbre, como la voz de un ejército. Cuando se paraban, aflojaban sus alas.

25 Y cuando se paraban y bajaban sus alas, se oía una voz de arriba de la expansión que había sobre sus cabezas.

26 Y sobre la expansión que había sobre sus cabezas, se veía la figura de un trono que parecía de piedra de zafiro; y sobre la figura del trono había una semejanza que parecía de hombre, sentado sobre él.

27 Y vi apariencia como de ámbar, como apariencia de fuego dentro de ella en derredor, desde el aspecto de sus lomos para arriba; y desde sus lomos para abajo, vi que parecía como fuego, y que tenía resplandor alrededor.

28 Como la apariencia del arco iris que está en las nubes el día que llueve, así era el parecer del resplandor alrededor. Ésta fue la visión de la semejanza de la gloria de Jehová. Y luego que yo la vi, caí sobre mi rostro, y oí la voz de uno que hablaba.

CAPÍTULO 2

Y me dijo: Hijo de hombre, ponte sobre tus pies, y hablaré contigo.

2 Y luego que me habló, entró el Espíritu en mí, y me afirmó sobre mis pies, y oía al que me hablaba.

3 Y me dijo: Hijo de hombre, yo te envío a los hijos de Israel, a gente rebelde que se ha rebelado contra mí; ellos y sus padres se han rebelado contra mí hasta este mismo día.

4 Yo, pues, te envío a hijos de duro rostro y de empedernido corazón; y les dirás: Así dice Jehová el Señor.

5 Y ya sea que ellos escuchen; o dejen de escuchar (porque son una casa rebelde), siempre sabrán que hubo profeta entre ellos.

6 Y tú, hijo de hombre, no temas de ellos, ni tengas miedo de sus palabras, aunque te hallas entre zarzas y espinas, y moras con escorpiones; no tengas miedo de sus palabras, ni temas delante de ellos, porque son casa rebelde.

7 Les hablarás, pues, mis palabras, escuchen o dejen de escuchar; porque son muy rebeldes.

8 Mas tú, hijo de hombre, oye lo que yo te hablo; no seas rebelde como esa casa rebelde; abre tu boca, y come lo que yo te doy.

9 Y miré, y he aquí una mano extendida hacia mí, y en ella había un rollo de libro.

10 Y lo extendió delante de mí, y estaba escrito por delante y por detrás; y había escritas en él endechas, lamentaciones y ayes.

CAPÍTULO 3

Y me dijo: Hijo de hombre, come lo que hallas; come este rollo, y ve y habla a la casa de Israel.

2 Y abrí mi boca, y me hizo comer aquel rollo.

3 Y me dijo: Hijo de hombre, haz a tu vientre que coma, y llena tus entrañas de este rollo que yo te doy. Y lo comí, y fue en mi boca dulce como miel.

4 Me dijo luego: Hijo de hombre, ve y entra a la casa de Israel, y habla a ellos con mis palabras.

5 Porque no eres enviado a pueblo de habla profunda ni de lengua difícil, sino a la casa de Israel.

6 No a muchos pueblos de habla profunda ni de lengua difícil, cuyas palabras no entiendas; y si a ellos te enviara, ellos te oirían.

7 Mas la casa de Israel no te querrá oír, porque no me quieren oír a mí; porque toda la casa de Israel son duros de frente, y de corazón empedernido.

8 He aquí, yo he hecho tu rostro fuerte contra los rostros de ellos, y tu frente fuerte contra sus frentes.

9 Como diamante, más fuerte que el pedernal he hecho tu frente; no los temas, ni tengas miedo delante de ellos, porque son casa rebelde.

10 Y me dijo: Hijo de hombre, toma en tu corazón todas mis palabras que yo te hablaré, y oye con tus oídos.

11 Y ve y entra a los cautivos, a los

hijos de tu pueblo, y les hablarás y les dirás: Así dice Jehová el Señor; escuchen, o dejen de escuchar.

12 Entonces el Espíritu me levantó, y oí detrás de mí una voz de grande estruendo, *que decía*: Bendita *sea* la gloria de Jehová desde su lugar.

13 Oí también el ruido de las alas de los seres vivientes que se juntaban la una con la otra, y el ruido de las ruedas delante de ellos, y ruido de grande estruendo.

14 Me levantó, pues, el Espíritu, y me tomó; y fui en amargura, en la indignación de mi espíritu; mas la mano de Jehová era fuerte sobre mí.

15 Y vine a los cautivos en Telabib, que moraban junto al río de Quebar, y me senté donde ellos estaban sentados, y allí permanecí siete días atónito entre ellos.

16 Y aconteció que al cabo de los siete días vino a mí palabra de Jehová, diciendo:

17 Hijo de hombre, yo te he puesto por atalaya a la casa de Israel; oirás, pues, tú, la palabra de mi boca, y los amonestarás de mi parte.

18 Cuando yo dijere al impío: De cierto morirás; y tú no le amonestares, ni le hablares, para que el impío sea apercibido de su mal camino, a fin de que viva, el impío morirá por su pecado, pero su sangre demandaré de tu mano.

19 Y si tú amonestares al impío, y él no se convirtiere de su impiedad, y de su mal camino, él morirá por su pecado, pero tú habrás librado tu alma.

20 Y cuando el justo se apartare de su justicia, e hiciere maldad, y pusiere yo tropiezo delante de él, él morirá, porque tú no le amonestaste; en su pecado morirá, y sus justicias que había hecho no vendrán en memoria; pero su sangre demandaré de tu mano.

21 Y si al justo amonestares para que el justo no peque, y no pecare, de cierto vivirá, porque fue amonestado; y tú habrás librado tu alma.

22 Y vino allí la mano de Jehová sobre mí, y me dijo: Levántate, y sal al campo, y allí hablaré contigo.

23 Y me levanté, y salí al campo; y he aquí que allí estaba la gloria de Jehová, como la gloria que había visto junto al río de Quebar; y caí sobre mi rostro.

24 Entonces entró el Espíritu en mí, y me afirmó sobre mis pies, y me habló, y me dijo: Entra, y enciérrate dentro de tu casa.

25 Y tú, oh hijo de hombre, he aquí que pondrán sobre ti cuerdas, y con ellas te atarán, y no saldrás entre ellos.

26 Y haré que tu lengua se pegue a tu paladar, y estarás mudo, y no serás a ellos varón que reprende; porque *son* casa rebelde.

27 Mas cuando yo te hubiere hablado, abriré tu boca, y les dirás: Así dice Jehová el Señor: El que oye, oiga; y el que no quiera oír, no oiga; porque casa rebelde son.

CAPÍTULO 4

Y tú, hijo de hombre, tómate un adobe, y ponlo delante de ti, y diseña sobre él la ciudad de Jerusalén:

2 Y pon contra ella sitio, y edifica contra ella fortaleza, y levanta contra ella baluarte, y pon delante de ella campamento, y coloca contra ella arietes alrededor.

3 Tómate también una plancha de hierro, y ponla en lugar de muro de hierro entre ti y la ciudad; afirma luego tu rostro contra ella, y será sitiada, y tú pondrás sitio contra ella. Ésta *será* señal a la casa de Israel.

4 Y tú te acostarás sobre tu lado izquierdo, y pondrás sobre él la iniquidad de la casa de Israel; el número de los días que dormirás sobre él, llevarás sobre ti la iniquidad de ellos.

5 Yo te he dado los años de su iniquidad por el número de los días, trescientos noventa días; así llevarás la iniquidad de la casa de Israel.

6 Y cumplidos éstos, te acostarás otra vez, sobre tu lado derecho, y llevarás la iniquidad de la casa de Judá cuarenta días; día por año, día por año te lo he dado.

7 Y afirmarás tu rostro al sitio de Jerusalén, y descubierto tu brazo, profetizarás contra ella.

8 Y he aquí, yo pondré sobre ti ataduras, y no te darás vuelta de un lado al otro, hasta que hayas cumplido los días de tu asedio.

9 Y tú toma para ti trigo, cebada, habas, lentejas, maíz y centeno, y ponlos en una vasija, y hazte pan de ellos el número de los días que durmieres sobre tu lado; trescientos noventa días comerás de él.

10 Y la comida que has de comer será por peso de veinte siclos al día; de tiempo a tiempo lo comerás.

11 Y beberás el agua por medida, la sexta parte de un hin; de tiempo a tiempo beberás.

12 Y comerás pan de cebada cocido debajo de la ceniza; y lo cocerás sobre excremento de hombre, a vista de ellos.

13 Y dijo Jehová: Así comerán los hijos de Israel su pan inmundo, entre las naciones a donde los lanzaré yo.

14 Y dije: ¡Ah Señor Jehová! he aquí que mi alma no es inmunda, ni nunca desde mi juventud hasta este tiempo comí cosa mortecina ni despedazada, ni nunca en mi boca entró carne inmunda.

15 Y me respondió: He aquí te doy estiércol de bueyes en lugar del estiércol de hombre, y cocerás tu pan con ellos.

16 Me dijo luego: Hijo de hombre, he aquí quebrantaré la provisión de pan en Jerusalén, y comerán el pan por peso, y con angustia; y beberán el agua por medida, y con espanto.

17 Porque les faltará el pan y el agua, y se espantarán los unos con los otros, y se consumirán por su maldad.

CAPÍTULO 5

Y tú, hijo de hombre, tómate un cuchillo agudo, toma una navaja de barbero, y hazla pasar sobre tu cabeza y tu barba; tómate después un peso de balanza, y divide los *cabellos*.

2 Una tercera parte quemarás con fuego en medio de la ciudad, cuando se cumplieren los días del sitio, y tomarás una tercera parte, y herirás con espada alrededor de ella; y una tercera parte esparcirás al viento, y yo desenvainaré espada en pos de ellos.

3 Tomarás también de allí unos pocos en número, y los atarás en el borde de tu manto.

4 Y tomarás otra vez de ellos, y los echarás en medio del fuego, y en el fuego los quemarás; de allí saldrá el fuego hacia toda la casa de Israel.

5 Así dice Jehová el Señor: Ésta *es* Jerusalén; la puse en medio de las naciones y de las tierras alrededor de ella.

6 Y ella cambió mis juicios y mis ordenanzas en impiedad más que las naciones, y más que las tierras que *están* alrededor de ella; porque desecharon mis juicios y mis mandamientos, y no anduvieron en ellos.

7 Por tanto, así dice el Señor Jehová: ¿Por haberos multiplicado más que las naciones que *están* alrededor de vosotros, no habéis andado en mis mandamientos, ni habéis guardado mis leyes? Ni siquiera según las leyes de las naciones que *están* alrededor de vosotros habéis hecho.

8 Así pues, dice Jehová el Señor: He aquí yo contra ti; sí, yo, y haré juicios en medio de ti a los ojos de las naciones.

9 Y haré en ti lo que nunca hice, ni jamás haré cosa semejante, a causa de todas tus abominaciones.

10 Por eso los padres comerán a los hijos en medio de ti, y los hijos comerán a sus padres; y haré en ti juicios, y a todo tu remanente esparciré a todos los vientos.

11 Por tanto, vivo yo, dice el Señor Jehová, ciertamente por haber profanado mi santuario con todos tus ídolos detestables y con todas tus abominaciones, *te* quebrantaré yo también; mi ojo no perdonará, ni tampoco tendré yo misericordia.

12 Una tercera parte de ti morirá de pestilencia y será consumida de hambre en medio de ti; y una tercera parte caerá a espada alrededor de ti; y una tercera parte esparciré a todos los vientos, y tras ellos desenvainaré espada.

13 Y se cumplirá mi furor, y haré que mi enojo repose en ellos, y tomaré satisfacción; y sabrán que yo Jehová he hablado en mi celo, cuando haya cumplido en ellos mi enojo.

14 Y te tornaré en desierto y en oprobio entre las naciones que *están* alrededor de ti, a los ojos de todo transeúnte.

15 Y serás oprobio y escarnio y escarmiento y espanto a las naciones que *están* alrededor de ti, cuando yo haga en ti juicios en furor e indignación, y en reprensiones de ira. Yo Jehová he hablado.

16 Cuando arroje yo sobre ellos las perniciosas saetas del hambre, que serán para destrucción, las cuales enviaré para destruiros, entonces aumentaré el hambre sobre vosotros, y quebrantaré entre vosotros la provisión de pan.

17 Enviaré, pues, sobre vosotros hambre, y malas bestias que te destruyan; y pestilencia y sangre pasarán por ti, y meteré sobre ti espada. Yo Jehová he hablado.

CAPÍTULO 6

Y vino a mí palabra de Jehová, diciendo:

2 Hijo de hombre, pon tu rostro hacia los montes de Israel, y profetiza contra ellos.

3 Y dirás: Montes de Israel, oíd palabra de Jehová el Señor: Así dice Jehová el Señor a los montes y a los collados, a los arroyos y a los valles: He aquí que yo, yo haré venir sobre vosotros espada, y destruiré vuestros lugares altos.

4 Y vuestros altares serán asolados, y vuestras imágenes del sol serán quebradas; y haré que caigan vuestros muertos delante de vuestros ídolos.

5 Y pondré los cuerpos muertos de los hijos de Israel delante de sus ídolos; y vuestros huesos esparciré en derredor de vuestros altares.

6 En todo lugar donde habitéis las ciudades serán desiertas, y los lugares altos serán asolados, para que sean asolados y se hagan desiertos vuestros altares; y quebrados serán vuestros ídolos, y cesarán; y vuestras imágenes del sol serán destruidas, y vuestras obras serán desechas.

7 Y los muertos caerán en medio de vosotros; y sabréis que yo soy Jehová.

8 Mas dejaré un remanente de modo que tengáis quien escape de la espada entre las naciones, cuando seáis esparcidos por las tierras.

9 Y los que de vosotros escaparen, se acordarán de mí entre las naciones entre las cuales serán cautivos; porque yo me quebranté a causa de su corazón fornicario, que se apartó de mí, y a causa de sus ojos, que fornicaron tras sus ídolos; y se avergonzarán de sí mismos, a causa de los males que hicieron en todas sus abominaciones.

10 Y sabrán que yo soy Jehová; no en vano dije que les había de hacer este mal.

11 Así dice Jehová el Señor: Hiere con tu mano, y huella con tu pie, y di: ¡Ay de los males de la casa de Israel por todas las abominaciones! porque con espada, y con hambre, y con pestilencia caerán.

12 El que estuviere lejos, morirá de pestilencia, y el que estuviere cerca caerá a espada, y el que quedare y fuere sitiado morirá de hambre; así cumpliré en ellos mi enojo.

13 Y sabréis que yo soy Jehová, cuando sus muertos estén en medio de sus ídolos, en derredor de sus altares, en todo collado alto, y en todas las cumbres de los montes, y debajo de todo árbol frondoso, y debajo de toda encina espesa, lugares donde ofrecieron olor suave a todos sus ídolos.

14 Y extenderé mi mano contra ellos, y tornaré la tierra más asolada y desierta que el desierto hacia Diblat, en todas sus habitaciones; y conocerán que yo soy Jehová.

CAPÍTULO 7

Y vino a mí palabra de Jehová, diciendo:

2 Y tú, hijo de hombre *di*: Así dice Jehová el Señor a la tierra de Israel: El fin, el fin viene sobre los cuatro extremos de la tierra.

3 Ahora *será* el fin sobre ti, y enviaré sobre ti mi furor, y te juzgaré según tus caminos; y pondré sobre ti todas tus abominaciones.

4 Y mi ojo no te perdonará, ni tendré misericordia; antes pondré sobre ti tus caminos, y en medio de ti estarán

tus abominaciones; y sabréis que yo soy Jehová.

5 Así dice Jehová el Señor: Un mal, he aquí que viene un mal.

6 Viene el fin, el fin viene; se ha despertado contra ti; he aquí que viene.

7 La mañana viene para ti, oh morador de la tierra; el tiempo viene, cercano está el día; día de tribulación, y no de alegría, sobre los montes.

8 Ahora pronto derramaré mi ira sobre ti, y cumpliré en ti mi furor, y te juzgaré según tus caminos; y pondré sobre ti tus abominaciones.

9 Y mi ojo no perdonará, ni tendré misericordia; te pagaré conforme a tus caminos y a tus abominaciones que están en medio de ti; y sabréis que yo Jehová soy el que hiere.

10 He aquí el día, he aquí que viene; ha salido la mañana; ha florecido la vara, ha reverdecido la soberbia.

11 La violencia se ha levantado en vara de impiedad; ninguno *quedará* de ellos, ni de su multitud, ni uno de los suyos; *ni habrá* quien por ellos se lamente.

12 El tiempo ha venido, se acercó el día; el que compra, no se alegre, y el que vende, no llore; porque la ira *está* sobre toda la multitud.

13 Porque el que vende no volverá a lo vendido, aunque queden vivos; porque la visión sobre toda su multitud no será revocada; y ninguno podrá, a causa de su iniquidad, amparar su vida.

14 Tocarán trompeta, y prepararán todas las cosas, pero no habrá quien vaya a la batalla; porque mi ira *está* sobre toda la multitud.

15 De fuera espada, de dentro pestilencia y hambre; el que *estuviere* en el campo morirá a espada; y al que *estuviere* en la ciudad, el hambre y la pestilencia lo consumirán.

16 Y los que escaparen de ellos, huirán y estarán sobre los montes como palomas de los valles, gimiendo todos por su iniquidad.

17 Toda mano será debilitada, y toda rodilla será débil *como* agua.

18 Se ceñirán también de cilicio, y les cubrirá terror; en todo rostro *habrá* vergüenza, y todas sus cabezas estarán rapadas.

19 Arrojarán su plata en las calles, y su oro será desechado; ni su plata ni su oro podrá librarlos en el día de la ira de Jehová; no saciarán su alma, ni llenarán sus entrañas, porque ha sido tropiezo para su maldad.

20 En cuanto a la belleza de su ornamento, Él la puso en majestad; pero ellos hicieron de ella las imágenes de sus detestables ídolos; por eso se lo torné en cosa repugnante.

21 Y en mano de extraños la entregué por presa, y por despojo a los impíos de la tierra, y la profanarán.

22 Y apartaré de ellos mi rostro, y mi *lugar* secreto será profanado; pues entrarán en él ladrones y lo profanarán.

23 Haz una cadena, porque la tierra está llena de crímenes sangrientos, y la ciudad está llena de violencia.

24 Traeré, por tanto, a los más malos de las naciones, los cuales poseerán sus casas; y haré cesar la soberbia de los poderosos, y sus santuarios serán profanados.

25 Destrucción viene; y buscarán la paz, y no la *habrá*.

26 Quebrantamiento vendrá sobre quebrantamiento, y rumor será sobre rumor; y buscarán respuesta del profeta, pero la ley se alejará del sacerdote, y el consejo de los ancianos.

27 El rey se enlutará, y el príncipe se vestirá de asolamiento, y las manos del pueblo de la tierra serán conturbadas; según su camino haré con ellos, y con los juicios de ellos los juzgaré; y sabrán que yo soy Jehová.

CAPÍTULO 8

Y aconteció en el sexto año, en *el mes* sexto, a los cinco del mes, que estaba yo sentado en mi casa, y los ancianos de Judá estaban sentados delante de mí, y allí descendió sobre mí la mano del Señor Jehová.

2 Y miré, y he aquí una semejanza que parecía de fuego; desde sus lomos para abajo, fuego; y desde sus lomos para arriba parecía como resplandor, como el color ámbar.

3 Y aquella semejanza extendió la mano, y me tomó por las guedejas de mi cabeza; y el Espíritu me alzó entre

el cielo y la tierra, y me llevó en visiones de Dios a Jerusalén, a la entrada de la puerta de adentro que mira hacia el norte, donde *estaba* la habitación de la imagen del celo, la que hacía celar.

4 Y he aquí, allí *estaba* la gloria del Dios de Israel, como la visión que yo había visto en el campo.

5 Y me dijo: Hijo de hombre, alza ahora tus ojos hacia el lado del norte. Y alcé mis ojos hacia el lado del norte, y he aquí al norte, junto a la puerta del altar, la imagen del celo en la entrada.

6 Me dijo entonces: Hijo de hombre, ¿no ves lo que éstos hacen, las grandes abominaciones que la casa de Israel hace aquí, para alejarme de mi santuario? Mas vuélvete aún, y verás abominaciones mayores.

7 Y me llevó a la entrada del atrio, y miré, y he aquí en la pared un agujero.

8 Y me dijo: Hijo de hombre, cava ahora en la pared. Y cavé en la pared, y he aquí una puerta.

9 Me dijo luego: Entra, y ve las malvadas abominaciones que éstos hacen allí.

10 Entré pues, y miré, y he aquí toda forma de reptiles, y bestias abominables, y todos los ídolos de la casa de Israel, que estaban pintados en la pared alrededor.

11 Y delante de ellos estaban setenta varones de los ancianos de la casa de Israel, y Jaazanías hijo de Safán estaba en medio de ellos, cada uno con su incensario en su mano; y subía una espesa nube de incienso.

12 Y me dijo: Hijo de hombre, ¿has visto las cosas que los ancianos de la casa de Israel hacen en tinieblas, cada uno en sus cámaras de imágenes pintadas? Porque dicen ellos: No nos ve Jehová; Jehová ha dejado la tierra.

13 Me dijo después: Vuélvete aún, verás abominaciones mayores que hacen éstos.

14 Y me llevó a la entrada de la puerta de la casa de Jehová, que está al norte; y he aquí mujeres que *estaban* allí sentadas endechando a Tamuz.

15 Luego me dijo: ¿No ves hijo de hombre? Vuélvete aún, verás abominaciones mayores que éstas.

16 Y me metió en el atrio de adentro de la casa de Jehová: y he aquí junto a la entrada del templo de Jehová, entre la entrada y el altar, como veinticinco varones, sus espaldas vueltas al templo de Jehová y sus rostros hacia el oriente, y adoraban al sol, postrándose hacia el oriente.

17 Y me dijo: ¿No has visto, hijo de hombre? ¿Es cosa liviana para la casa de Judá hacer las abominaciones que hacen aquí? Después que han llenado la tierra de maldad, y han vuelto a provocarme a ira, y he aquí que se llevan el ramo a su nariz.

18 Por tanto, yo también obraré con furor; no perdonará mi ojo, ni tendré misericordia, y gritarán a mis oídos con gran voz, y no los oiré.

CAPÍTULO 9

Y clamó en mis oídos con gran voz, diciendo: Los verdugos de la ciudad han llegado, y cada uno *trae* en su mano su instrumento para destruir.

2 Y he aquí que seis varones venían del camino de la puerta de arriba que mira hacia el norte, y cada uno traía en su mano su instrumento para destruir. Y entre ellos *había* un varón vestido de lino, el cual traía a su cintura un tintero de escribano; y entrados, se pararon junto al altar de bronce.

3 Y la gloria del Dios de Israel se alzó de sobre el querubín sobre el cual había estado, al umbral de la casa; y *Jehová* llamó al varón vestido de lino, que *tenía* a su cintura el tintero de escribano;

4 y le dijo Jehová: Pasa por medio de la ciudad, por medio de Jerusalén, y pon una señal en la frente a los hombres que gimen y que claman a causa de todas las abominaciones que se hacen en medio de ella.

5 Y a los otros dijo a mis oídos: Pasad por la ciudad en pos de él, y herid; no perdone vuestro ojo, ni tengáis misericordia.

6 Matad viejos, jóvenes y vírgenes, niños y mujeres, hasta que no quede ninguno; mas a todo aquel sobre el cual hubiere señal, no llegaréis; y habéis de comenzar desde mi

santuario. Comenzaron, pues, desde los varones ancianos que *estaban* delante del templo.

7 Y les dijo: Contaminad la casa, y llenad los atrios de muertos; salid. Y salieron, e hirieron en la ciudad.

8 Y aconteció que cuando ellos herían y quedé yo *solo*, me postré sobre mi rostro, y clamé y dije: ¡Ah, Señor Jehová! ¿Has de destruir todo el remanente de Israel derramando tu furor sobre Jerusalén?

9 Y me dijo: La maldad de la casa de Israel y de Judá *es* grande sobremanera, pues la tierra está llena de sangre, y la ciudad está llena de perversidad; porque han dicho: Jehová ha dejado la tierra, y Jehová no ve.

10 Así también yo; mi ojo no perdonará, ni tendré misericordia, sino que haré recaer el camino de ellos sobre su cabeza.

11 Y he aquí que el varón vestido de lino, que *tenía* el tintero a su cintura, respondió una palabra diciendo: He hecho conforme a todo lo que me mandaste.

CAPÍTULO 10

Y miré, y he aquí en la expansión que había sobre la cabeza de los querubines como una piedra de zafiro, que parecía como semejanza de un trono que se mostró sobre ellos.

2 Y habló al varón vestido de lino, y le dijo: Entra en medio de las ruedas debajo de los querubines, y llena tus manos con carbones encendidos de entre los querubines, y espárcelos sobre la ciudad. Y él entró a vista mía.

3 Y los querubines estaban a la mano derecha de la casa cuando este varón entró; y la nube llenaba el atrio de adentro.

4 Y la gloria de Jehová se levantó del querubín al umbral de la puerta; y la casa fue llena de la nube, y el atrio se llenó del resplandor de la gloria de Jehová.

5 Y el estruendo de las alas de los querubines se oía *hasta* el atrio de afuera, como la voz del Dios Omnipotente cuando habla.

6 Y aconteció que, cuando mandó al varón vestido de lino, diciendo: Toma fuego de entre las ruedas, de entre los querubines, él entró, y se paró entre las ruedas.

7 Y *un* querubín extendió su mano de entre los querubines al fuego que *estaba* entre los querubines, y tomó, y puso en las manos *del que estaba* vestido de lino, el cual *lo* tomó y se salió.

8 Y apareció en los querubines la figura de una mano de hombre debajo de sus alas.

9 Y miré, y he aquí cuatro ruedas junto a los querubines, una rueda junto a un querubín, y otra rueda junto a otro querubín; y el aspecto de las ruedas *era* como la piedra de berilo.

10 *En cuanto* al parecer de ellas, las cuatro eran de una forma, como si una rueda estuviera en medio de *otra* rueda.

11 Cuando andaban, sobre sus cuatro lados andaban; no se volvían cuando andaban, sino que al lugar adonde se volvía la primera, en pos de ella iban; no se volvían cuando andaban.

12 Y todo su cuerpo, y sus espaldas, y sus manos, y sus alas, y las ruedas, *estaban* llenos de ojos alrededor en sus cuatro ruedas.

13 A las ruedas, oyéndolo yo, se les gritaba: ¡Rueda!

14 Y cada uno tenía cuatro caras. La primera *tenía* rostro de querubín; la segunda, rostro de hombre; la tercera, rostro de león; la cuarta, rostro de águila.

15 Y se levantaron los querubines; éste *es* el ser viviente que vi en el río de Quebar.

16 Y cuando andaban los querubines, andaban las ruedas junto con ellos; y cuando los querubines alzaban sus alas para levantarse de la tierra, las ruedas también no se volvían de junto a ellos.

17 Cuando se paraban ellos, se paraban *ellas*, y cuando ellos se alzaban, se alzaban con *ellos*; porque el espíritu de los seres vivientes *estaba* en ellas.

18 Y la gloria de Jehová se salió de sobre el umbral de la casa, y se puso sobre los querubines.

19 Y alzando los querubines sus alas, se levantaron de la tierra delante de mis ojos: cuando ellos salieron, también las ruedas al lado de ellos; y se pararon a la entrada de la puerta oriental de la casa de Jehová, y la gloria del Dios de Israel *estaba* arriba sobre ellos.

20 Éste *era* el ser viviente que vi debajo del Dios de Israel en el río de Quebar; y conocí que *eran* querubines.

21 Cada uno tenía cuatro caras, y cada uno cuatro alas, y figuras de manos de hombres debajo de sus alas.

22 Y la figura de sus rostros *era* la de los rostros que vi junto al río de Quebar, su mismo parecer y su ser; cada uno caminaba derecho hacia adelante.

CAPÍTULO 11

Y el Espíritu me elevó, y me metió por la puerta oriental de la casa de Jehová, la cual mira hacia el oriente: y he aquí a la entrada de la puerta veinticinco varones, entre los cuales vi a Jaazanías hijo de Azur, y a Pelatías hijo de Benaía, príncipes del pueblo.

2 Y me dijo: Hijo de hombre, éstos *son* los hombres que maquinan perversidad, y dan mal consejo en esta ciudad.

3 Los cuales dicen: No *será* tan pronto; edifiquemos casas; ésta será la caldera, y nosotros la carne.

4 Por tanto, profetiza contra ellos, profetiza, hijo de hombre.

5 Y el Espíritu de Jehová descendió sobre mí, y me dijo: Di: Así dice Jehová: Así habéis hablado, oh casa de Israel, y las cosas que suben a vuestro espíritu, yo las he entendido.

6 Habéis multiplicado vuestros muertos en esta ciudad, y habéis llenado de muertos sus calles.

7 Por tanto, así dice Jehová el Señor: Vuestros muertos que habéis puesto en medio de ella, ellos *son* la carne, y ella es la caldera; mas yo os sacaré a vosotros de en medio de ella.

8 Espada habéis temido, y espada traeré sobre vosotros, dice Jehová el Señor.

9 Y os sacaré de en medio de ella, y os entregaré en manos de extraños, y yo haré juicios entre vosotros.

10 A espada caeréis; en el término de Israel os juzgaré, y sabréis que yo soy Jehová.

11 Esta *ciudad* no os será por caldera, ni vosotros seréis en medio de ella la carne; en el término de Israel os juzgaré.

12 Y sabréis que yo soy Jehová; porque no habéis andado en mis estatutos, ni habéis obedecido mis juicios, sino según las costumbres de las gentes que *están* en vuestros alrededores habéis hecho.

13 Y aconteció que mientras yo profetizaba, Pelatías hijo de Benaía murió. Entonces caí sobre mi rostro, y clamé con grande voz, y dije: ¡Ah, Señor Jehová! ¿Habrás de exterminar al remanente de Israel?

14 Y vino a mí palabra de Jehová, diciendo:

15 Hijo de hombre, tus hermanos, tus hermanos, los hombres de tu parentesco y toda la casa de Israel, toda ella *son* aquellos a quienes dijeron los moradores de Jerusalén: Alejaos de Jehová; a nosotros es dada la tierra en posesión.

16 Por tanto, di: Así dice Jehová el Señor: Aunque los he echado lejos entre las naciones, y los he esparcido por las tierras, con todo eso les seré por un pequeño santuario en las tierras a donde llegaren.

17 Por tanto, di: Así dice Jehová el Señor: Yo os recogeré de los pueblos, y os congregaré de las tierras en las cuales estáis esparcidos, y os daré la tierra de Israel.

18 Y vendrán allá, y quitarán de ella todas las cosas detestables, y todas sus abominaciones.

19 Y les daré un solo corazón, y pondré un espíritu nuevo dentro de ellos; y quitaré el corazón de piedra de su carne, y les daré corazón de carne;

20 para que anden en mis ordenanzas, y guarden mis juicios y los cumplan, y ellos serán mi pueblo, y yo seré su Dios.

21 Mas *a aquellos* cuyo corazón anda tras el deseo de sus cosas detestables y de sus abominaciones, yo haré que

recaiga su camino sobre sus cabezas, dice el Señor Jehová.

22 Después alzaron los querubines sus alas, y las ruedas en pos de ellos; y la gloria del Dios de Israel *estaba* encima sobre ellos.

23 Y la gloria de Jehová se fue de en medio de la ciudad, y se puso sobre el monte que *está* al oriente de la ciudad.

24 Luego me levantó el Espíritu, y me volvió a llevar en visión del Espíritu de Dios a la tierra de los caldeos, a los cautivos. Y se fue de mí la visión que había visto.

25 Y hablé a los cautivos todas las cosas que Jehová me había mostrado.

CAPÍTULO 12

Y vino a mí palabra de Jehová, diciendo:

2 Hijo de hombre, tú habitas en medio de casa rebelde, los cuales tienen ojos para ver, y no ven, tienen oídos para oír, y no oyen, porque son casa rebelde.

3 Por tanto tú, hijo de hombre, hazte equipaje de partida, y márchate de día delante de sus ojos; y te pasarás de tu lugar a otro lugar a vista de ellos, por si tal vez consideren, porque son casa rebelde.

4 Entonces sacarás tu equipaje, como equipaje de cautivo, de día delante de sus ojos; y tú saldrás por la tarde a vista de ellos, como quien sale a cautiverio.

5 Delante de sus ojos horadarás la pared, y saldrás por ella.

6 Delante de sus ojos llevarás sobre tus hombros *el equipaje*, de noche *lo* sacarás; cubrirás tu rostro, y no mirarás la tierra; porque te he puesto *por* señal a la casa de Israel.

7 Y yo hice así como me fue mandado; saqué mi equipaje de día, como equipaje de cautivo, y a la tarde horadé la pared a mano; salí de noche, y llevé *mi equipaje* sobre los hombros a vista de ellos.

8 Y vino a mi palabra de Jehová por la mañana, diciendo:

9 Hijo de hombre, ¿no te ha dicho la casa de Israel, aquella casa rebelde: ¿Qué haces?

10 Diles: Así dice Jehová el Señor: Al príncipe en Jerusalén es esta carga, y a toda la casa de Israel que *está* en medio de ellos.

11 Diles: Yo soy vuestra señal; como yo hice, así les harán a ellos; irán al destierro, a la cautividad.

12 Y al príncipe que *está* en medio de ellos llevarán a cuestas de noche, y saldrán; horadarán la pared para sacarlo por ella; cubrirá su rostro para no ver con *sus* ojos la tierra.

13 Mas yo extenderé mi red sobre él, y será preso en mi malla, y lo haré llevar a Babilonia, *a* tierra de caldeos; mas no la verá, y allá morirá.

14 Y a todos los que estuvieren alrededor de él para ayudarle, y a todas sus tropas esparciré a todo viento, y desenvainaré espada en pos de ellos.

15 Y sabrán que yo soy Jehová, cuando los esparciere entre las naciones, y los dispersare por las tierras.

16 Y haré que de ellos queden pocos en número, de la espada, y del hambre, y de la pestilencia, para que cuenten todas sus abominaciones entre las naciones adonde llegaren; y sabrán que yo soy Jehová.

17 Y vino a mí palabra de Jehová, diciendo:

18 Hijo de hombre, come tu pan con temblor, y bebe tu agua con estremecimiento y con angustia;

19 y di al pueblo de la tierra: Así dice Jehová el Señor sobre los moradores de Jerusalén, y sobre la tierra de Israel: Su pan comerán con temor, y con espanto beberán su agua; porque su tierra será despojada de todo lo que en ella hay, a causa de la maldad de todos los que en ella moran.

20 Y las ciudades habitadas quedarán desiertas, y la tierra será asolada; y sabréis que yo soy Jehová.

21 Y vino a mí palabra de Jehová, diciendo:

22 Hijo de hombre, ¿qué refrán *es* éste que tenéis vosotros en la tierra de Israel, diciendo: Se prolongan los días, y toda visión desaparece?

23 Diles por tanto: Así dice Jehová el Señor: Haré cesar este refrán, y no repetirán más este dicho en Israel. Diles pues: Se han acercado aquellos días, y la palabra de toda visión.

24 Porque no habrá más visión vana, ni habrá adivinación de lisonjeros en medio de la casa de Israel.

25 Porque yo Jehová hablaré; y se cumplirá la palabra que yo hable; no se dilatará más; antes en vuestros días, oh casa rebelde, hablaré palabra, y la cumpliré, dice el Señor Jehová.

26 Y vino a mí palabra de Jehová, diciendo:

27 Hijo de hombre, he aquí que *los de* la casa de Israel dicen: La visión que éste ve *es* para muchos días, y para lejanos tiempos profetiza éste.

28 Por tanto, diles: Así dice Jehová el Señor: No se dilatarán más todas mis palabras; la palabra que yo hable, se cumplirá, dice Jehová el Señor.

CAPÍTULO 13

Y vino a mí palabra de Jehová, diciendo:

2 Hijo de hombre, profetiza contra los profetas de Israel que profetizan, y di a los que profetizan de su corazón: Oíd palabra de Jehová.

3 Así dice Jehová el Señor: ¡Ay de los profetas insensatos, que andan en pos de su propio espíritu, y nada han visto!

4 Como zorras en los desiertos fueron tus profetas, oh Israel.

5 No habéis subido a los portillos, ni echasteis vallado en la casa de Israel, estando en la batalla en el día de Jehová.

6 Vieron vanidad y adivinación de mentira, diciendo: Dice Jehová; y Jehová no los envió; y hacen esperar que se confirme la palabra.

7 ¿No habéis visto visión vana, y no habéis dicho adivinación de mentira, por cuanto decís: Dijo Jehová; no habiendo yo hablado?

8 Por tanto, así dice Jehová el Señor: Por cuanto vosotros habéis hablado vanidad, y habéis visto mentira, por tanto, he aquí yo *estoy* contra vosotros, dice Jehová el Señor.

9 Y será mi mano contra los profetas que ven vanidad y adivinan mentira; no estarán en la congregación de mi pueblo, ni serán escritos en el libro de la casa de Israel, ni a la tierra de Israel volverán; y sabréis que yo soy Jehová el Señor.

10 Así que, por cuanto engañaron a mi pueblo, diciendo: Paz, no *habiendo* paz; y uno edificaba la pared, y he aquí que los otros la recubrían con *lodo* suelto,

11 di a los que *la* recubren con *lodo* suelto, que caerá; vendrá lluvia torrencial, y enviaré piedras de granizo que la hagan caer, y viento tempestuoso *la* romperá.

12 Y he aquí cuando la pared haya caído, ¿no os dirán: ¿Dónde *está* la embarradura con *la* que recubristeis?

13 Por tanto, así dice Jehová el Señor: Haré que *la* rompa viento tempestuoso con mi ira, y lluvia torrencial vendrá con mi furor, y piedras de granizo con enojo para consumir.

14 Así desbarataré la pared que vosotros recubristeis con *lodo* suelto, y la echaré a tierra, y será descubierto su cimiento, y caerá, y seréis consumidos en medio de ella; y sabréis que yo soy Jehová.

15 Cumpliré así mi furor en la pared y en los que la recubrieron con *lodo* suelto; y os diré: No *existe* la pared, ni aquellos que la recubrieron.

16 los profetas de Israel que profetizan a Jerusalén, y ven para ella visión de paz, no *habiendo* paz, dice Jehová el Señor.

17 Y tú, hijo de hombre, pon tu rostro contra las hijas de tu pueblo que profetizan de su propio corazón, y profetiza contra ellas,

18 y di: Así dice Jehová el Señor: ¡Ay de *aquellas* que cosen almohadillas para todas las manos, y hacen velos sobre la cabeza de toda edad para cazar las almas! ¿Habéis de cazar las almas de mi pueblo, para mantener así vuestra propia vida?

19 ¿Y habéis de profanarme entre mi pueblo por puñados de cebada y por pedazos de pan, matando las almas que no mueren, y dando vida a las almas que no vivirán, mintiendo a mi pueblo que escucha la mentira?

20 Por tanto, así dice Jehová el Señor: He aquí yo contra vuestras almohadillas, con que cazáis allí las almas volando; yo las arrancaré de vuestros brazos, y dejaré las almas, las almas que cazáis volando.

21 Rasgaré también vuestros velos, y libraré a mi pueblo de vuestra mano, y no estarán más en vuestra mano para caza; y sabréis que yo soy Jehová.

22 Por cuanto entristecisteis con mentira el corazón del justo, al cual yo no entristecí, y esforzasteis las manos del impío, para que no se apartase de su mal camino, infundiéndole ánimo;

23 por tanto, ya no veréis vanidad, ni adivinaréis adivinación; y libraré a mi pueblo de vuestra mano, y sabréis que yo soy Jehová.

CAPÍTULO 14

Y vinieron a mí algunos de los ancianos de Israel, y se sentaron delante de mí.

2 Y vino a mí palabra de Jehová, diciendo:

3 Hijo de hombre, estos hombres han puesto sus ídolos en su corazón, y establecido el tropiezo de su maldad delante de su rostro; ¿acaso he de ser yo en manera alguna consultado por ellos?

4 Háblales por tanto, y diles: Así dice Jehová el Señor: Cualquier hombre de la casa de Israel que hubiere puesto sus ídolos en su corazón, y establecido el tropiezo de su maldad delante de su rostro, y viniere al profeta, yo Jehová responderé al que viniere en la multitud de sus ídolos;

5 para tomar a la casa de Israel en su corazón, que se han apartado de mí todos ellos por sus ídolos.

6 Por tanto di a la casa de Israel: Así dice Jehová el Señor: Convertíos, y volveos de vuestros ídolos, y apartad vuestro rostro de todas vuestras abominaciones.

7 Porque cualquier hombre de la casa de Israel, y de los extranjeros que moran en Israel, que se hubiere apartado de andar en pos de mí, y hubiere puesto sus ídolos en su corazón, y establecido delante de su rostro el tropiezo de su maldad, y viniere al profeta para preguntarle por mí, yo Jehová le responderé por mí mismo:

8 Y pondré mi rostro contra aquel hombre, y le pondré por señal y por refrán, y yo lo cortaré de entre mi pueblo; y sabréis que yo soy Jehová.

9 Y cuando el profeta fuere engañado y hablare palabra, yo Jehová engañé al tal profeta; y extenderé mi mano contra él, y le raeré de en medio de mi pueblo Israel.

10 Y ambos llevarán el castigo de su maldad; el castigo del profeta será igual que el castigo del que *le* consulta;

11 para que la casa de Israel no se desvíe más de en pos de mí; ni se contamine más en todas sus rebeliones, y me sean por pueblo, y yo les sea por Dios, dice Jehová el Señor.

12 Y vino a mí palabra de Jehová, diciendo:

13 Hijo de hombre, cuando la tierra pecare contra mí rebelándose pérfidamente, entonces yo extenderé mi mano sobre ella y le quebrantaré el sustento de pan y enviaré en ella hambre, y cortaré de ella a hombres y bestias;

14 y aunque estuviesen en medio de ella estos tres varones, Noé, Daniel, y Job, sólo ellos por su justicia librarían sus propias almas, dice el Señor Jehová.

15 Y si hiciere pasar malas bestias por la tierra, y la asolaren, y fuere desolada que no haya quien pase a causa de las bestias,

16 y estos tres varones *estuviesen* en medio de ella, vivo yo, dice el Señor Jehová, ni a sus hijos ni a sus hijas librarían; ellos solos serían librados, pero la tierra será asolada.

17 O *si* yo trajere espada sobre la tierra, y dijere: Espada, pasa por la tierra; e hiciere cortar de ella hombres y bestias,

18 y estos tres varones estuviesen en medio de ella, vivo yo, dice Jehová el Señor, no librarían ni a sus hijos ni a sus hijas; sólo ellos serían librados.

19 O *si* enviare pestilencia sobre esa tierra, y derramare mi ira sobre ella en sangre, para cortar de ella a hombres y bestias,

20 y *estuviesen* en medio de ella Noé, Daniel y Job, vivo yo, dice Jehová el Señor, no librarían a hijo ni a hija; *pero* ellos por su justicia librarían sus almas.

21 Por lo cual así dice Jehová el Señor: ¿Cuánto más, si yo enviare contra

Jerusalén mis cuatro juicios terribles, espada, y hambre, y mala bestia, y pestilencia, para cortar de ella hombres y bestias?

22 Sin embargo, he aquí quedará en ella un remanente, hijos e hijas, que serán llevados fuera; he aquí que ellos entrarán a vosotros, y veréis su camino y sus hechos; y seréis consolados del mal que hice venir sobre Jerusalén, de todas las cosas que traje sobre ella.

23 Y os consolarán cuando viereis su camino y sus hechos, y sabréis que no sin causa hice todo lo que he hecho en ella, dice Jehová el Señor.

CAPÍTULO 15

Y vino a mí palabra de Jehová, diciendo:

2 Hijo de hombre, ¿qué es el árbol de la vid más que todo árbol? ¿Qué es el sarmiento entre los árboles del bosque?

3 ¿Tomarán de él madera para hacer alguna obra? ¿Tomarán de él una estaca para colgar de ella algún vaso?

4 He aquí, que es puesto en el fuego para ser consumido; sus dos extremos consumió el fuego, y la parte del medio se quemó; ¿servirá para obra *alguna*?

5 He aquí que cuando estaba entero no era para obra alguna; ¿cuánto menos después que el fuego lo hubiere consumido, y fuere quemado? ¿Servirá más para obra *alguna*?

6 Por tanto, así dice Jehová el Señor: Como el árbol de la vid entre los árboles del bosque, el cual di al fuego para que lo consuma, así haré a los moradores de Jerusalén.

7 Y pondré mi rostro contra ellos; de *un* fuego saldrán, y *otro* fuego los consumirá; y sabréis que yo soy Jehová, cuando pusiere mi rostro contra ellos.

8 Y tornaré la tierra en asolamiento, por cuanto cometieron prevaricación, dice Jehová el Señor.

CAPÍTULO 16

Y vino a mí palabra de Jehová, diciendo:

2 Hijo de hombre, haz conocer a Jerusalén sus abominaciones,

3 y di: Así dice Jehová el Señor sobre Jerusalén: Tu origen, tu nacimiento, *es* de la tierra de Canaán; tu padre *fue* amorreo, y tu madre hetea.

4 Y *en cuanto* a tu nacimiento, el día que naciste no fue cortado tu ombligo, ni fuiste lavada con aguas para atemperarte, ni salada con sal, ni fuiste envuelta con fajas.

5 No hubo ojo que se compadeciese de ti, para hacerte algo de esto, teniendo de ti misericordia; sino que fuiste echada sobre la faz del campo, con menosprecio de tu vida, en el día que naciste.

6 Y yo pasé junto a ti, y te vi sucia en tus sangres. *Y cuando estabas* en tu propia sangre, te dije: ¡Vive! Sí, *cuando estabas* en tu sangre, te dije: ¡Vive!

7 Te hice multiplicar como la hierba del campo, y creciste, y te has engrandecido, y viniste a ser adornada grandemente; *tus* pechos te crecieron, y tu pelo creció; pero tú *estabas* desnuda y descubierta.

8 Y cuando pasé yo junto a ti, y te miré, he aquí que tu tiempo *era* tiempo de amores; y extendí mi manto sobre ti y cubrí tu desnudez; y te hice juramento, y entré en pacto contigo y fuiste mía, dice Jehová el Señor.

9 Y te lavé con agua, y lavé tu sangre de encima de ti, y te ungí con aceite;

10 y te vestí de bordado, y te calcé de tejón, y te ceñí de lino, y te vestí de seda.

11 Y te atavié con adornos, y puse brazaletes en tus brazos, y collar a tu cuello.

12 Y puse joyas en tu nariz, y zarcillos en tus orejas, y una hermosa diadema en tu cabeza.

13 Y fuiste adornada de oro y de plata, y tu vestido *fue* lino, y seda y bordado; comiste flor de harina de trigo, y miel y aceite; y fuiste hermoseada en extremo, y has prosperado hasta reinar.

14 Y salió tu renombre entre las naciones a causa de tu hermosura; porque *era* perfecta, a causa de mi hermosura que yo puse sobre ti, dice Jehová el Señor.

15 Pero confiaste en tu hermosura, y te prostituiste a causa de tu renombre, y derramaste tus fornicaciones a cuantos pasaron; suya eras.

16 Y tomaste de tus vestidos, y te hiciste diversos lugares altos, y te prostituiste en ellos; *cosa semejante* no había sucedido, ni sucederá más.

17 Tomaste también tus hermosas joyas de mi oro y de mi plata, que yo te había dado, y te hiciste imágenes de hombre, y fornicaste con ellas.

18 Y tomaste tus vestidos de diversos colores, y las cubriste; y mi aceite y mi incienso pusiste delante de ellas.

19 Mi pan también, que yo te había dado, la flor de harina, y el aceite, y la miel, *con que* yo te mantuve, pusiste delante de ellas para perfume grato; y fue así, dice Jehová el Señor.

20 Además de esto, tomaste a tus hijos y a tus hijas que habías dado a luz para mí, y los sacrificaste a ellas para ser consumidos. ¿Te fueron poca cosa tus fornicaciones,

21 que sacrificaste a mis hijos, y los diste a ellas para que los hiciesen pasar por *el fuego*?

22 Y con todas tus abominaciones y tus prostituciones no te has acordado de los días de tu juventud, cuando estabas desnuda y descubierta, cuando estabas envuelta en tu sangre.

23 Y sucedió que después de toda tu maldad (¡ay, ay de ti! dice Jehová el Señor),

24 te edificaste lugares altos, y te hiciste altar en todas las plazas.

25 En toda cabecera de camino edificaste tu altar, e hiciste abominable tu hermosura, y abriste tus piernas a cuantos pasaban, y multiplicaste tus prostituciones.

26 Y fornicaste con los hijos de Egipto, tus vecinos, de grandes carnes; y aumentaste tus prostituciones para enojarme.

27 Por tanto, he aquí que yo extendí sobre ti mi mano, y disminuí tu *provisión* ordinaria, y te entregué a la voluntad de las hijas de los filisteos, que te aborrecen, las cuales se avergüenzan de tu camino deshonesto.

28 Te prostituiste también con los asirios, porque no estabas satisfecha; y te prostituiste con ellos y tampoco te saciaste.

29 Multiplicaste asimismo tu fornicación en la tierra de Canaán y de los caldeos; y tampoco con ello quedaste satisfecha.

30 ¡Cuán débil es tu corazón, dice Jehová el Señor, habiendo hecho todas estas cosas, obras de una desvergonzada ramera,

31 edificando tus altares en la cabecera de todo camino, y haciendo tus altares en todas las plazas! Y no fuiste semejante a ramera, en que menospreciaste la paga,

32 *sino como* mujer adúltera, que en lugar de su marido recibe a ajenos.

33 A todas las rameras les dan regalos; mas tú diste regalos a todos tus amantes; y les diste presentes, para que entrasen a ti de todas partes por tus prostituciones.

34 Y tú has sido lo contrario de las *demás* mujeres en tus prostituciones, porque ninguno te solicitó para prostituirse; y tú das la paga, y a ti no se te paga; tú has sido lo contrario.

35 Por tanto, ramera, oye palabra de Jehová.

36 Así dice Jehová el Señor: Por cuanto fue descubierta tu suciedad, y tu desnudez ha sido manifestada a tus amantes con tus prostituciones, y a todos los ídolos de tus abominaciones, y en la sangre de tus hijos, los cuales les diste;

37 por tanto, he aquí que yo reuniré a todos tus amantes con los cuales tomaste placer, y a todos *los* que amaste, con todos *los* que aborreciste; y los reuniré contra ti alrededor, y descubriré tu desnudez ante ellos, para que vean toda tu desnudez.

38 Y yo te juzgaré por las leyes de las adúlteras, y de las que derraman sangre; y te daré en sangre de ira y de celo.

39 Y te entregaré en mano de ellos; y destruirán tus lugares altos, y derribarán tus altares, y te despojarán de tus ropas, y se llevarán tus hermosas joyas, y te dejarán desnuda y descubierta.

40 Y harán subir contra ti una multitud, y te apedrearán, y te atravesarán con sus espadas.

41 Y quemarán tus casas a fuego, y harán en ti juicios a ojos de muchas mujeres; y haré que dejes de ser ramera, y ya no volverás a dar paga.

42 Y daré descanso a mi ira sobre ti, y se apartará de ti mi celo, y reposaré, y ya no me enojaré más.

43 Por cuanto no te acordaste de los días de tu juventud, y me provocaste a ira en todo esto, por eso, he aquí yo también haré recaer *tu* camino sobre tu cabeza, dice Jehová el Señor; y no cometerás esta lascivia además de todas tus abominaciones.

44 He aquí que todo proverbista hará de ti proverbio, diciendo: Como la madre, *tal* su hija.

45 Hija de tu madre *eres* tú, que desechó a su marido y a sus hijos; y hermana de tus hermanas *eres* tú, que desecharon a sus maridos y a sus hijos: vuestra madre *fue* hetea, y vuestro padre amorreo.

46 Y tu hermana mayor *es* Samaria con su hijas, la cual habita a tu mano izquierda; y tu hermana menor *es* Sodoma con sus hijas, la cual habita a tu mano derecha.

47 Ni aun anduviste en sus caminos, ni hiciste según sus abominaciones; antes, como *si esto fuera* poco y muy poco, te corrompiste más que ellas en todos tus caminos.

48 Vivo yo, dice Jehová el Señor: Sodoma tu hermana, con sus hijas, no ha hecho como hiciste tú y tus hijas.

49 He aquí que ésta fue la maldad de Sodoma tu hermana: Soberbia, abundancia de pan, y demasiada ociosidad tuvieron ella y sus hijas; y no fortaleció la mano del pobre y del menesteroso.

50 Y se enaltecieron, e hicieron abominación delante de mí, y cuando lo vi las quité.

51 Y Samaria no cometió ni la mitad de tus pecados; porque tú multiplicaste tus abominaciones más que ellas, y has justificado a tus hermanas con todas las abominaciones que hiciste.

52 Tú también, que juzgaste a tus hermanas, lleva tu vergüenza en tus pecados que hiciste, más abominables que los de ellas; más justas son que tú: avergüénzate, pues,

tú también, y lleva tu confusión, pues que has justificado a tus hermanas.

53 Yo, pues, haré volver a sus cautivos, los cautivos de Sodoma y de sus hijas, y los cautivos de Samaria y de sus hijas, y los cautivos de tus cautiverios entre ellas,

54 para que tú lleves tu confusión, y te avergüences de todo lo que has hecho, siéndoles tú motivo de consuelo.

55 Y tus hermanas, Sodoma con sus hijas y Samaria con sus hijas, volverán a su primer estado; tú también y tus hijas volveréis a vuestro primer estado.

56 Sodoma, tu hermana, no fue mencionada por tu boca en el tiempo de tus soberbias,

57 antes que tu maldad se descubriese, como en el tiempo del oprobio de las hijas de Siria y de todas las hijas de los filisteos alrededor, que por todos lados te desprecian.

58 Has llevado sobre tu lascivia y tus abominaciones, dice Jehová.

59 Porque así dice Jehová el Señor: ¿Haré yo contigo como tú hiciste, que menospreciaste el juramento para invalidar el pacto?

60 Sin embargo yo tendré memoria de mi pacto que concerté contigo en los días de tu juventud, y estableceré contigo un pacto eterno.

61 Y te acordarás de tus caminos y te avergonzarás, cuando recibas a tus hermanas, las mayores que tú y las menores que tú, las cuales yo te daré por hijas, mas no por tu pacto.

62 Y estableceré mi pacto contigo, y sabrás que yo soy Jehová;

63 Para que te acuerdes, y te avergüences, y nunca más abras la boca a causa de tu vergüenza, cuando yo hiciere expiación por todo lo que has hecho, dice Jehová el Señor.

CAPÍTULO 17

Y vino a mí palabra de Jehová, diciendo:

2 Hijo de hombre, propón una enigma, y relata una parábola a la casa de Israel.

3 Y dirás: Así dice Jehová el Señor: Una gran águila, de grandes alas y de largos miembros, llena de plumas de

diversos colores, vino al Líbano, y tomó el cogollo del cedro;

4 arrancó el más alto de sus renuevos, y lo llevó a la tierra de comerciantes, y lo puso en una ciudad de mercaderes.

5 Tomó también de la semilla de la tierra, y la puso en un campo bueno para sembrar, *la* plantó junto a aguas abundantes, la puso *como* un sauce.

6 Y creció, y se hizo una vid de mucho ramaje, baja de estatura, que sus ramas miraban al *águila*, y sus raíces estaban debajo de ella; así que se hizo una vid, y arrojó renuevos, y echó sarmientos.

7 Hubo también otra gran águila, de grandes alas y de muchas plumas; y he aquí que esta vid juntó cerca de ella sus raíces, y extendió hacia ella sus ramas, para ser regada por ella por los surcos de su plantío.

8 En un buen campo, junto a aguas abundantes fue plantada, para que echase ramas y llevase fruto, y para que fuese vid robusta.

9 Di: Así dice Jehová el Señor: ¿Será prosperada? ¿No arrancará sus raíces, y destruirá su fruto, y se secará? Todas sus hojas lozanas se secarán, y no con gran poder ni con mucha gente para arrancarla de sus raíces.

10 Y he aquí que *estando* plantada, ¿será prosperada? ¿No se secará del todo cuando el viento solano la tocare? En los surcos de su verdor se secará.

11 Y vino a mí palabra de Jehová, diciendo:

12 Di ahora a la casa rebelde: ¿No habéis entendido qué *significan* estas cosas? Diles: He aquí que el rey de Babilonia vino a Jerusalén, y tomó tu rey y sus príncipes, y los llevó consigo a Babilonia.

13 Tomó también de la simiente del reino, e hizo pacto con él, y le hizo prestar juramento; y tomó a los poderosos de la tierra,

14 para que el reino fuese abatido y no se levantase, *sino* que guardase su alianza y estuviese en ella.

15 Pero se rebeló contra él enviando sus embajadores a Egipto para que le diese caballos y mucha gente. ¿Será prosperado, escapará el que hace

tales *cosas*? ¿Podrá romper el pacto y escapar?

16 Vivo yo, dice Jehová el Señor, que ciertamente morirá en medio de Babilonia, en el lugar donde *habita* el rey que le hizo reinar, cuyo juramento menospreció, y cuyo pacto hecho con él rompió.

17 Y no con grande ejército, ni con mucha compañía hará por él Faraón en la batalla, cuando funden baluarte y edifiquen bastiones para cortar muchas vidas.

18 Por cuanto menospreció el juramento, para invalidar el pacto cuando he aquí que había dado su mano, e hizo todas estas cosas, no escapará.

19 Por tanto, así dice Jehová el Señor: Vivo yo, que el juramento mío que menospreció, y mi pacto que ha quebrantado, haré recaer sobre su cabeza.

20 Y extenderé sobre él mi red, y será preso en mi malla; y lo haré venir a Babilonia, y allí estaré a juicio con él, por su prevaricación con que contra mí se ha rebelado.

21 Y todos sus fugitivos con todos sus escuadrones caerán a espada, y los que quedaren serán esparcidos a todos los vientos; y sabréis que yo Jehová he hablado.

22 Así dice Jehová el Señor: Y yo tomaré el más alto de los renuevos de aquel alto cedro, y *lo* plantaré; del principal de sus renuevos cortaré un tallo, y *lo* plantaré sobre un monte alto y sublime.

23 En el monte alto de Israel lo plantaré, y alzará ramas, y llevará fruto, y se hará magnífico cedro; y todas las especies de aves habitarán debajo de él, a la sombra de sus ramas habitarán.

24 Y sabrán todos los árboles del campo que yo Jehová abatí el árbol sublime, levanté el árbol bajo, hice secar el árbol verde, e hice reverdecer el árbol seco. Yo Jehová hablé e hice.

CAPÍTULO 18

Y vino a mí palabra de Jehová, diciendo:

2 ¿Qué pensáis vosotros, vosotros que usáis este refrán sobre la tierra

de Israel, diciendo: Los padres comieron las uvas agrias, y los dientes de los hijos tienen la dentera?

3 Vivo yo, dice Jehová el Señor, que nunca más tendréis *por qué* usar este refrán en Israel.

4 He aquí que todas las almas son mías; como el alma del padre, así el alma del hijo es mía; el alma que pecare, esa morirá.

5 Y el hombre que fuere justo, e hiciere juicio y justicia;

6 que no comiere sobre los montes, ni alzare sus ojos a los ídolos de la casa de Israel, ni deshonrare a la esposa de su prójimo, ni se llegare a la mujer menstruosa,

7 ni oprimiere a ninguno; al deudor devolviere su prenda, no cometiere robo, diere de su pan al hambriento, y cubriere con ropa al desnudo,

8 el *que* no diere a usura, ni prestare a interés; de la maldad retrajere su mano, e hiciere juicio de verdad entre hombre y hombre,

9 en mis estatutos caminare, y guardare mis ordenanzas para hacer rectamente, éste *es* justo; éste vivirá, dice Jehová el Señor.

10 Mas si engendrare hijo ladrón, derramador de sangre, o *que* haga alguna cosa de éstas,

11 y que no haga las otras; antes comiere sobre los montes, o deshonrare a la esposa de su prójimo,

12 al pobre y menesteroso oprimiere, cometiere robos, no devolviere la prenda, o alzare sus ojos a los ídolos, e hiciere abominación,

13 diere a usura y prestare a interés; ¿vivirá éste? No vivirá. Todas estas abominaciones hizo, de cierto morirá; su sangre será sobre él.

14 Pero *si* éste engendrare hijo, el cual viere todos los pecados que su padre hizo, y viéndolos no hiciere según ellos;

15 no comiere sobre los montes, ni alzare sus ojos a los ídolos de la casa de Israel; a la esposa de su prójimo no deshonrare,

16 ni oprimiere a nadie; la prenda no retuviere, ni cometiere robos; al hambriento diere de su pan, y cubriere de ropa al desnudo,

17 apartare su mano del pobre, usura e interés no recibiere; hiciere mis

derechos, y anduviere en mis estatutos, éste no morirá por la maldad de su padre; de cierto vivirá.

18 Su padre, por cuanto hizo agravio, despojó violentamente al hermano, e hizo en medio de su pueblo lo *que* no *es* bueno, he aquí que él morirá por su maldad.

19 Y si dijereis: ¿Por qué el hijo no llevará el pecado de su padre? Porque el hijo hizo juicio y justicia, guardó todos mis estatutos, y los hizo, de cierto vivirá.

20 El alma que pecare, esa morirá. El hijo no llevará el pecado del padre, ni el padre llevará el pecado del hijo; la justicia del justo será sobre él, y la impiedad del impío será sobre él.

21 Mas si el impío se apartare de todos sus pecados que hizo, y guardare todos mis estatutos, e hiciere juicio y justicia, de cierto vivirá; no morirá.

22 Todas sus rebeliones que cometió, no le serán recordadas; en su justicia que hizo vivirá.

23 ¿Quiero yo la muerte del impío? dice Jehová el Señor. ¿No vivirá, si se apartare de sus caminos?

24 Mas si el justo se apartare de su justicia, y cometiere maldad, e hiciere conforme a todas las abominaciones que el impío hizo; ¿vivirá él? Ninguna de las justicias que hizo le serán recordadas; por su rebelión con que prevaricó, y por su pecado que cometió, por ello morirá.

25 Y si dijereis: No es recto el camino del Señor: Oíd ahora, casa de Israel: ¿No es recto mi camino? ¿No son torcidos vuestros caminos?

26 Cuando el justo se apartare de su justicia, e hiciere iniquidad, él morirá por ello; por su iniquidad que hizo, morirá.

27 Y cuando el impío se apartare de su impiedad que hizo, e hiciere juicio y justicia, hará vivir su alma.

28 Porque miró, y se apartó de todas sus prevaricaciones que hizo, de cierto vivirá, no morirá.

29 Si aún dijere la casa de Israel: No es recto el camino del Señor: ¿No son rectos mis caminos, casa de Israel? Cierto, vuestros caminos no son rectos.

30 Por tanto, yo os juzgaré a cada uno

según sus caminos, oh casa de Israel, dice el Señor Jehová. Convertíos, y volveos de todas vuestras iniquidades; y no os será la iniquidad causa de ruina.

31 Echad de vosotros todas vuestras iniquidades con que habéis prevaricado, y haceos corazón nuevo y espíritu nuevo. ¿Por qué moriréis, casa de Israel?

32 Porque yo no quiero la muerte del que muere, dice Jehová el Señor, convertíos, pues, y viviréis.

CAPÍTULO 19

Y tú levanta endecha sobre los príncipes de Israel.

2 Y dirás: ¡Cómo se echó entre los leones tu madre la leona! entre los leoncillos crió sus cachorros.

3 E hizo subir uno de sus cachorros: vino a ser leoncillo, y aprendió a capturar presa, y a devorar hombres.

4 Y las naciones oyeron de él; fue capturado en la trampa de ellas, y lo llevaron con grillos a la tierra de Egipto.

5 Y viendo ella que había esperado mucho tiempo, y que se perdía su esperanza, tomó otro de sus cachorros, y lo puso por leoncillo.

6 Y él andaba entre los leones; se hizo leoncillo, aprendió a capturar la presa, devoró hombres.

7 Y conoció sus lugares desolados, y arrasó sus ciudades; y fue desolada la tierra y su abundancia, a la voz de su rugido.

8 Y arremetieron contra él las gentes de las provincias de su alrededor, y extendieron sobre él su red; y en su foso fue capturado.

9 Y lo pusieron en jaula con cadenas, y lo llevaron al rey de Babilonia; lo metieron en fortalezas, para que su voz no se oyese más sobre los montes de Israel.

10 Tu madre *es* como una vid en tu sangre, plantada junto a las aguas, dando fruto y echando vástagos a causa de las muchas aguas.

11 Y ella tuvo varas fuertes para cetros de señores; y se levantó su estatura por encima entre las ramas, y fue vista en su altura, y con la multitud de sus sarmientos.

12 Pero fue arrancada con ira, derribada en tierra, y viento solano secó su fruto; fueron quebradas y se secaron sus varas fuertes; las consumió el fuego.

13 Y ahora *está* plantada en el desierto, en tierra de sequedad y de aridez.

14 Y ha salido fuego de la vara de sus ramas, ha consumido su fruto, y no ha quedado en ella vara fuerte, cetro para señorear. Endecha es ésta, y de endecha servirá.

CAPÍTULO 20

Y aconteció en el año séptimo, en *el mes* quinto, a los diez del mes, que vinieron algunos de los ancianos de Israel a consultar a Jehová, y se sentaron delante de mí.

2 Y vino a mí palabra de Jehová, diciendo:

3 Hijo de hombre, habla a los ancianos de Israel, y diles: Así dice Jehová el Señor: ¿A consultarme venís vosotros? Vivo yo, que yo no os responderé, dice Jehová el Señor.

4 ¿Quieres tú juzgarlos? ¿Los quieres juzgar tú, hijo de hombre? Hazles saber las abominaciones de sus padres;

5 y diles: Así dice Jehová el Señor: El día que escogí a Israel, e hice juramento a la simiente de la casa de Jacob, y que fui conocido de ellos en la tierra de Egipto, cuando alcé mi mano a ellos y *les juré*, diciendo: Yo soy Jehová vuestro Dios;

6 Aquel día *que* les alcé mi mano, *jurando así* que los sacaría de la tierra de Egipto a la tierra que les había provisto, que fluye leche y miel, la cual *es* la más hermosa de todas las tierras;

7 entonces les dije: Cada uno eche de sí las abominaciones de sus ojos, y no os contaminéis con los ídolos de Egipto. Yo soy Jehová vuestro Dios.

8 Mas ellos se rebelaron contra mí, y no quisieron obedecerme; no echó de sí cada uno las abominaciones de sus ojos, ni dejaron los ídolos de Egipto; y dije que derramaría mi ira sobre ellos, para cumplir mi enojo en ellos en medio de la tierra de Egipto.

9 Pero actué por causa de mi nombre, para que no se infamase ante los ojos de las naciones en medio de las cuales *estaban*, en cuyos ojos me di a conocer, sacándolos de la tierra de Egipto.

10 Los saqué, pues, de la tierra de Egipto, y los traje al desierto;

11 y les di mis ordenanzas, y les declaré mis decretos, los cuales el hombre que los hiciere, vivirá por ellos.

12 Y les di también mis sábados que fuesen por señal entre mí y ellos, para que supiesen que yo soy Jehová que los santifico.

13 Mas se rebeló contra mí la casa de Israel en el desierto; no anduvieron en mis ordenanzas, y desecharon mis decretos, los cuales el hombre que los hiciere, vivirá por ellos; y mis sábados profanaron en gran manera; dije, por tanto, que había de derramar sobre ellos mi ira en el desierto para consumirlos.

14 Pero actué por causa de mi nombre, para que *éste* no se infamase a vista de las naciones, delante de cuyos ojos los saqué.

15 Y también yo les alcé mi mano en el desierto, *jurando* que no los metería en la tierra que les había dado, que fluye leche y miel, la cual *es* la más hermosa de todas las tierras;

16 porque desecharon mis decretos, y no anduvieron en mis ordenanzas, y mis sábados profanaron; porque tras sus ídolos iba su corazón.

17 Con todo, los perdonó mi ojo, no matándolos, ni los consumí en el desierto;

18 antes dije en el desierto a sus hijos: No andéis en las ordenanzas de vuestros padres, ni guardéis sus leyes, ni os contaminéis con sus ídolos.

19 Yo soy Jehová vuestro Dios; andad en mis estatutos, y guardad mis decretos, y ponedlos por obra;

20 y santificad mis sábados, y sean por señal entre mí y vosotros, para que sepáis que yo soy Jehová vuestro Dios.

21 Sin embargo los hijos se rebelaron contra mí; no anduvieron en mis estatutos, ni guardaron mis decretos para ponerlos por obra, los cuales el hombre que los hiciere, vivirá por ellos; profanaron mis sábados. Dije entonces que derramaría mi ira sobre ellos, para cumplir mi enojo contra ellos en el desierto.

22 Mas retraje mi mano, y actué por causa de mi nombre, para que no se infamase a la vista de las naciones, delante de cuyos ojos los saqué.

23 Y también les alcé yo mi mano en el desierto, *jurando* que los dispersaría entre las naciones, y que los esparciría por las tierras;

24 porque no pusieron por obra mis decretos, y desecharon mis ordenanzas, y profanaron mis sábados, y tras los ídolos de sus padres se les fueron sus ojos.

25 Por eso yo también les di estatutos *que* no *eran* buenos, y decretos por los cuales no podrían vivir.

26 Y los contaminé en sus ofrendas cuando hacían pasar por *el fuego* todo primogénito, para desolarlos, a fin de que supiesen que yo soy Jehová.

27 Por tanto, hijo de hombre, habla a la casa de Israel, y diles: Así dice Jehová el Señor: Aun en esto me afrentaron vuestros padres cuando cometieron contra mí rebelión.

28 Porque yo los metí en la tierra sobre la cual había alzado mi mano *jurando* que había de dársela, y miraron a todo collado alto, y a todo árbol frondoso, y allí sacrificaron sus víctimas, y allí presentaron la provocación de sus ofrendas, allí pusieron también el olor de su suavidad, y allí derramaron sus libaciones.

29 Y yo les dije: ¿Qué *es* ese lugar alto adonde vosotros vais? Y fue llamado su nombre Bama hasta el día de hoy.

30 Di, pues, a la casa de Israel: Así dice Jehová el Señor: ¿No os contamináis vosotros a la manera de vuestros padres, y fornicáis tras sus abominaciones?

31 Porque ofreciendo vuestras ofrendas, haciendo pasar vuestros hijos por el fuego, os habéis contaminado con todos vuestros ídolos hasta hoy; ¿y he de ser consultado por vosotros, oh casa de Israel? Vivo yo, dice Jehová el Señor, que no os responderé.

32 Y no ha de ser lo que habéis pensado. Porque vosotros decís: Seamos como las naciones, como las familias de las tierras, que sirven a la madera y a la piedra.

33 Vivo yo, dice Jehová el Señor, que con mano fuerte, y brazo extendido, y enojo derramado, he de reinar sobre vosotros;

34 y os sacaré de entre los pueblos, y os juntaré de las tierras en que estáis esparcidos, con mano fuerte, y brazo extendido, y enojo derramado;

35 y os traeré al desierto de los pueblos, y allí entraré en juicio con vosotros cara a cara.

36 Como entré en juicio con vuestros padres en el desierto de la tierra de Egipto, así entraré en juicio con vosotros, dice Jehová el Señor.

37 Y os haré pasar bajo la vara y os haré entrar en el vínculo del pacto;

38 y apartaré de entre vosotros a los rebeldes, y a los que se rebelaron contra mí; de la tierra de sus peregrinaciones los sacaré, mas a la tierra de Israel no entrarán, y sabréis que yo soy Jehová.

39 Y vosotros, oh casa de Israel, así dice Jehová el Señor: Andad cada uno tras sus ídolos, y servidles, pues que a mí no me obedecéis; y no profanéis más mi santo nombre con vuestras ofrendas, y con vuestros ídolos.

40 Porque en mi santo monte, en el alto monte de Israel, dice Jehová el Señor, allí me servirá toda la casa de Israel, toda ella en la tierra; allí los aceptaré, y allí demandaré vuestras ofrendas, y las primicias de vuestros dones, con todas vuestras cosas consagradas.

41 En olor de suavidad os aceptaré, cuando os hubiere sacado de entre los pueblos, y os hubiere reunido de entre las tierras en que estáis esparcidos; y seré santificado en vosotros a los ojos de las naciones.

42 Y sabréis que yo soy Jehová, cuando os hubiere metido en la tierra de Israel, en la tierra por la cual alcé mi mano *jurando* que la daría a vuestros padres.

43 Y allí os acordaréis de vuestros caminos, y de todos vuestros hechos en que os contaminasteis; y os detestaréis a vosotros mismos por todos vuestros pecados que cometisteis.

44 Y sabréis que yo soy Jehová cuando haga con vosotros por amor de mi nombre, no según vuestros malos caminos, ni según vuestras perversas obras, oh casa de Israel, dice Jehová el Señor.

45 Y vino a mí palabra de Jehová, diciendo:

46 Hijo de hombre, pon tu rostro hacia el sur, y derrama *tu palabra* hacia la parte austral, y profetiza contra el bosque de la región del sur.

47 Y dirás al bosque del sur: Oye palabra de Jehová: Así dice Jehová el Señor: He aquí que yo enciendo en ti fuego, el cual consumirá en ti todo árbol verde, y todo árbol seco; no se apagará la llama del fuego; y serán quemados en ella todos los rostros, desde el sur hasta el norte.

48 Y verá toda carne que yo Jehová lo encendí; no se apagará.

49 Y dije: ¡Ah, Señor Jehová! ellos dicen de mí: ¿No profiere éste parábolas?

CAPÍTULO 21

Y vino a mí palabra de Jehová, diciendo:

2 Hijo de hombre, pon tu rostro contra Jerusalén, y derrama *palabra* sobre los santuarios, y profetiza contra la tierra de Israel.

3 Y dirás a la tierra de Israel: Así dice Jehová: He aquí, que yo contra ti, y sacaré mi espada de su vaina, y cortaré de ti al justo y al impío.

4 Y por cuanto he de cortar de ti al justo y al impío, por tanto, mi espada saldrá de su vaina contra toda carne, desde el sur hasta el norte.

5 Y sabrá toda carne que yo Jehová saqué mi espada de su vaina; no volverá más *a su vaina*.

6 Y tú, hijo de hombre, gime con quebrantamiento de *tus* lomos, y con amargura; gime delante de los ojos de ellos.

7 Y será, que cuando te dijeren: ¿Por qué gimes tú? dirás: Por la noticia que viene; y todo corazón desfallecerá, y toda mano se debilitará, y se angustiará todo espíritu, y toda rodilla será débil *como* el agua; he

aquí que viene, y se hará, dice Jehová el Señor.

8 Y vino a mí palabra de Jehová, diciendo:

9 Hijo de hombre, profetiza, y di: Así dice el Señor: Di: La espada, la espada está afilada, y también pulida.

10 Para degollar víctimas está afilada, pulida está para que relumbre. ¿Hemos de alegrarnos? Al cetro de mi hijo ha menospreciado *como* a una vara cualquiera.

11 Y la dio a pulir para tenerla a mano: la espada está afilada, y pulida está ella, para entregarla en mano del matador.

12 Clama y gime, oh hijo de hombre; porque ésta *será* sobre mi pueblo, será ella sobre todos los príncipes de Israel. Temores de espada serán a mi pueblo: por tanto, hiere el muslo;

13 porque *está* probado. ¿Y qué, si la espada desprecia aun el cetro? Él no será *más*, dice Jehová el Señor.

14 Tú, pues, hijo de hombre, profetiza y bate una mano con otra, y se duplicará la espada la tercera vez, la espada de muertos; ésta *es* la espada de la gran matanza que los traspasará,

15 para que el corazón desmaye, y los estragos se multipliquen; en todas las puertas de ellos he puesto espanto de espada. ¡Ah! dispuesta está para que relumbre, y preparada para degollar.

16 Ponte a una parte, ya sea a la derecha, o a la izquierda, hacia donde tu rostro se determine.

17 Y yo también batiré mi mano con mi mano, y haré reposar mi ira. Yo Jehová he hablado.

18 Y vino a mí palabra de Jehová, diciendo:

19 Y tú, hijo de hombre, señálate dos caminos por donde venga la espada del rey de Babilonia; de una misma tierra salgan ambos; y elige un lugar; escógelo en el principio del camino que conduce a la ciudad.

20 El camino señalarás por donde venga la espada a Rabá de los hijos de Amón, y a Judá contra Jerusalén la fortificada.

21 Porque el rey de Babilonia se paró en una encrucijada, al principio de dos caminos, para tomar adivinación; acicaló las saetas, consultó en ídolos, miró el hígado.

22 La adivinación señaló a su mano derecha, sobre Jerusalén, para poner capitanes, para abrir la boca a la matanza, para levantar la voz en grito de guerra, para poner arietes contra las puertas, para levantar baluarte, y edificar fuerte.

23 Y les será como adivinación mentirosa en sus ojos, por estar juramentados con juramento a ellos; pero él trae a la memoria la maldad de ellos, para prenderlos.

24 Por tanto, así ha dicho el Señor Jehová: Por cuanto habéis hecho venir en memoria vuestras maldades, manifestando vuestras traiciones, y descubriendo vuestros pecados en todas vuestras obras; por cuanto habéis venido en memoria, seréis apresados por *su* mano.

25 Y tú, profano e impío príncipe de Israel, cuyo día vino en el tiempo de la consumación de la maldad;

26 así ha dicho el Señor Jehová: Depón la mitra, quita la corona; ésta ya no *será* la misma; sea exaltado lo bajo, y lo alto sea humillado.

27 La derribaré, derribaré, derribaré, y ya no será *más*, hasta que venga Aquél cuyo es el derecho, y se la entregaré.

28 Y tú, hijo de hombre, profetiza, y di: Así dice Jehová el Señor sobre los hijos de Amón, y su oprobio. Dirás, pues: La espada, la espada está desenvainada para degollar, para consumir; pulida con resplandor.

29 Te profetizan vanidad, y te adivinan mentira, para entregarte con los cuellos de los malos sentenciados a muerte, cuyo día vino en tiempo de la consumación de la maldad.

30 ¿La volveré a su vaina? En el lugar donde te criaste, en la tierra donde has vivido, te juzgaré.

31 Y derramaré sobre ti mi ira; el fuego de mi enojo haré encender sobre ti, y te entregaré en mano de hombres temerarios, artífices de destrucción.

32 Serás pasto para el fuego; tu sangre quedará en medio de la tierra, y no habrá *más* memoria de ti; porque yo Jehová he hablado.

CAPÍTULO 22

Y vino a mí palabra de Jehová, diciendo:

2 Y tú, hijo de hombre, ¿no juzgarás tú, no juzgarás tú a la ciudad derramadora de sangre, y le mostrarás todas sus abominaciones?

3 Dirás, pues: Así dice Jehová el Señor: ¡Ciudad derramadora de sangre en medio de sí, para que venga su hora, y que hizo ídolos contra sí misma para contaminarse!

4 En tu sangre que derramaste has pecado, y te has contaminado en tus ídolos que hiciste; y has hecho acercar tus días, y has llegado al término de tus años; por tanto te he dado en oprobio a las naciones, y en escarnio a todas las tierras.

5 *Las que están* cerca de ti y las que están lejos se reirán de ti, *que eres* amancillada de nombre y de gran turbación.

6 He aquí que los príncipes de Israel, cada uno según su poder, estuvieron en ti para derramar sangre.

7 Despreciaron en ti al padre y a la madre; al extranjero trataron con violencia en medio de ti; y despojaron en ti al huérfano y a la viuda.

8 Has menospreciado mis cosas sagradas, y mis sábados has profanado.

9 Calumniadores hubo en ti para derramar sangre; y sobre los montes comieron en ti; hicieron en medio de ti perversidades.

10 La desnudez del padre descubrieron en ti; la inmunda de menstruo humillaron en ti.

11 Y cada uno hizo abominación con la esposa de su prójimo; y otro contaminó pervertidamente a su nuera; y en ti otro humilló a su hermana, hija de su padre.

12 Precio recibieron en ti para derramar sangre; interés y usura tomaste, y a tus prójimos defraudaste con violencia; te olvidaste de mí, dice Jehová el Señor.

13 Y he aquí, que golpeé mi mano a causa de tu avaricia que cometiste, y a causa de la sangre que derramaste en medio de ti.

14 ¿Estará firme tu corazón? ¿Tus manos serán fuertes en los días que yo actúe contra ti? Yo Jehová he hablado, y *lo* haré.

15 Y yo te dispersaré por las naciones, y te esparciré por las tierras; y haré fenecer de ti tu inmundicia.

16 Y tomarás heredad para ti a los ojos de las naciones; y sabrás que yo soy Jehová.

17 Y vino a mí palabra de Jehová, diciendo:

18 Hijo de hombre, la casa de Israel se me ha vuelto en escoria; todos ellos *son* bronce y estaño y hierro y plomo en medio del horno; y en escorias de plata se volvieron.

19 Por tanto, así dice Jehová el Señor: Por cuanto todos vosotros os habéis vuelto en escorias, por tanto, he aquí que yo os juntaré en medio de Jerusalén.

20 *Como* quien junta plata y bronce y hierro y plomo y estaño en medio del horno, para encender fuego en él para fundir; así os juntaré en mi furor y en mi ira, y os dejaré allí, y os fundiré.

21 Yo os juntaré y soplaré sobre vosotros en el fuego de mi furor, y en medio de él seréis fundidos.

22 Como se funde la plata en medio del horno, así seréis fundidos en medio de él; y sabréis que yo Jehová habré derramado mi furor sobre vosotros.

23 Y vino a mí palabra de Jehová, diciendo:

24 Hijo de hombre, di a ella: Tú no *eres* tierra limpia, ni rociada con lluvia en el día del furor.

25 *Hay* conspiración de sus profetas en medio de ella, como león rugiente que arrebata presa; devoraron almas, tomaron haciendas y honra, aumentaron sus viudas en medio de ella.

26 Sus sacerdotes quebrantaron mi ley, y contaminaron mis santuarios; entre lo santo y lo profano no hicieron diferencia, ni distinguieron entre inmundo y limpio; y de mis sábados escondieron sus ojos, y yo he sido profanado en medio de ellos.

27 Sus príncipes en medio de ella *como* lobos que arrebataban presa, derramando sangre, para destruir las almas, para obtener ganancia deshonesta.

28 Y sus profetas los recubrieron con *lodo* suelto, profetizándoles vanidad, y adivinándoles mentira, diciendo: Así dice Jehová el Señor; y Jehová no había hablado.

29 El pueblo de la tierra usaba de opresión y cometía robo, y al pobre y menesteroso hacían violencia, y al extranjero oprimían sin derecho.

30 Y busqué entre ellos hombre que hiciese vallado y que se pusiese en la brecha delante de mí por la tierra, para que yo no la destruyese; y no lo hallé.

31 Por tanto derramé sobre ellos mi ira; con el fuego de mi ira los consumí: hice recaer el camino de ellos sobre su cabeza, dice Jehová el Señor.

CAPÍTULO 23

Y vino a mí palabra de Jehová, diciendo:

2 Hijo de hombre, hubo dos mujeres, hijas de una madre,

3 las cuales se prostituyeron en Egipto; en su juventud se prostituyeron. Allí fueron apretados sus pechos, y allí fueron estrujados los pechos de su virginidad.

4 Y se llamaban, la mayor, Ahola, y su hermana, Aholiba; las cuales fueron mías, y dieron a luz hijos e hijas. Y llamaron a Samaria, Ahola; y Jerusalén, Aholiba.

5 Y Ahola se prostituyó *aun* cuando era mía; y se enamoró de sus amantes, los asirios *sus* vecinos,

6 vestidos de púrpura, capitanes y príncipes, todos ellos jóvenes codiciables, jinetes que montaban a caballo.

7 Y se prostituyó con ellos, con todos los más escogidos de los hijos de los asirios, y con todos aquellos de quienes se enamoró; se contaminó con todos los ídolos de ellos.

8 Y no dejó sus prostituciones *traídas* de Egipto; porque con ella se echaron en su juventud, y ellos estrujaron los pechos de su virginidad, y derramaron sobre ella su prostitución.

9 Por lo cual la entregué en mano de sus amantes, en mano de los hijos de los asirios, de quienes se había enamorado.

10 Ellos descubrieron su desnudez, tomaron sus hijos y sus hijas, y a ella mataron a espada; y vino a ser famosa entre las mujeres, pues en ella ejecutaron juicios.

11 Y lo vio su hermana Aholiba, y se corrompió en sus deseos más que ella; y sus prostituciones, *fueron* más que las prostituciones de su hermana.

12 Y se enamoró de los hijos de los asirios, *sus* vecinos, capitanes y príncipes, vestidos en perfección, jinetes que andaban a caballo, todos ellos jóvenes codiciables.

13 Y vi que se había contaminado; un mismo camino era el de ambas.

14 Y aumentó sus prostituciones; pues cuando vio hombres pintados en la pared, imágenes de caldeos pintadas de color,

15 ceñidos de talabartes por sus lomos, y turbantes de colores en sus cabezas, teniendo todos ellos parecer de capitanes, a la manera de los hombres de Babilonia, nacidos en tierra de caldeos,

16 al verlos se enamoró de ellos, y les envió mensajeros a la tierra de los caldeos.

17 Y entraron a ella los hombres de Babilonia al lecho de amores, y la contaminaron con su prostitución; y ella también se contaminó con ellos, y su deseo se sació de ellos.

18 Así hizo patentes sus prostituciones, y descubrió su desnudez; por lo cual mi alma se hastió de ella, como se había ya hastiado mi alma de su hermana.

19 Aun multiplicó sus prostituciones trayendo en memoria los días de su juventud, en los cuales se había prostituido en la tierra de Egipto.

20 Y se enamoró de sus rufianes, cuya carne *es como* carne de asnos, y cuyo flujo *como* flujo de caballos.

21 Así trajiste a la memoria la lujuria de tu juventud, cuando los egipcios comprimieron tus pechos, los pechos de tu juventud.

22 Por tanto, Aholiba, así dice Jehová el Señor: He aquí que yo despierto tus amantes contra ti, de los cuales se sació tu deseo, y yo les haré venir contra ti en derredor;

23 Los de Babilonia, y todos los caldeos, los de Pecod, Soa y Coa, y todos los de Asiria con ellos; jóvenes todos ellos codiciables, capitanes y gobernadores, nobles y varones de renombre, que montan a caballo todos ellos.

24 Y vendrán contra ti carros, carretas, y ruedas, y multitud de pueblos. Escudos, y paveses, y yelmos pondrán contra ti en derredor; y yo daré el juicio delante de ellos, y por sus leyes te juzgarán.

25 Y pondré mi celo contra ti, y obrarán contigo con furor; te quitarán tu nariz y tus orejas, y lo que te quedare caerá a espada. Ellos tomarán a tus hijos y a tus hijas, y tu remanente será consumido por el fuego.

26 Y te despojarán de tus vestidos, y tomarán tus hermosas joyas.

27 Y haré cesar de ti tu suciedad, y tu prostitución de la tierra de Egipto; y no levantarás más a ellos tus ojos, ni nunca más te acordarás de Egipto.

28 Porque así dice Jehová el Señor: He aquí, yo te entrego en mano *de aquellos* que tú aborreciste, en mano *de aquellos* de los cuales se hastió tu alma;

29 los cuales obrarán contigo con odio, y tomarán todo lo que tú trabajaste, y te dejarán desnuda y descubierta; y se descubrirá la vergüenza de tus prostituciones; tanto tu lujuria como tus prostituciones.

30 Estas cosas se harán contigo, porque te prostituiste en pos de las naciones, en las cuales te contaminaste con sus ídolos.

31 En el camino de tu hermana anduviste; yo, pues, pondré su cáliz en tu mano.

32 Así dice Jehová el Señor: Beberás el hondo y ancho cáliz de tu hermana; de ti se mofarán las gentes, y te escarnecerán; de grande cabida es.

33 Serás llena de embriaguez y de dolor por el cáliz de soledad y desolación, por el cáliz de tu hermana Samaria.

34 Lo beberás, pues, y *lo* agotarás, y quebrarás sus tiestos; y rasgarás tus pechos; porque yo he hablado, dice Jehová el Señor.

35 Por tanto, así dice Jehová el Señor: Por cuanto te has olvidado de mí, y me has echado tras tus espaldas, por eso, lleva tú también tu suciedad y tus fornicaciones.

36 Y me dijo Jehová: Hijo de hombre, ¿no juzgarás tú a Ahola, y a Aholiba, y les denunciarás sus abominaciones?

37 Porque han adulterado, y hay sangre en sus manos, y han cometido adulterio con sus ídolos; y aun sus hijos que habían dado a luz para mí, hicieron pasar por *el fuego*, quemándolos.

38 Además me hicieron esto: contaminaron mi santuario en aquel día, y profanaron mis sábados;

39 pues habiendo sacrificado sus hijos a sus ídolos, entraban en mi santuario el mismo día para contaminarlo; y he aquí, así hicieron en medio de mi casa.

40 Y aun más, pues enviaron por hombres que viniesen de lejos, a los cuales *había* sido enviado mensajero; y he aquí vinieron; y por amor de ellos te lavaste, y pintaste tus ojos, y te ataviaste con adornos;

41 y te sentaste sobre suntuoso estrado, y fue aderezada mesa delante de él, y sobre ella pusiste mi incienso y mi óleo.

42 Y se oyó en ella voz de compañía en holganza; y con los varones de la gente común *fueron* traídos los sabeos del desierto; y pusieron brazaletes sobre sus manos, y hermosas coronas sobre sus cabezas.

43 Y dije *acerca de* la envejecida en adulterios: ¿Cometerán ahora prostituciones con ella, y ella con ellos?

44 Porque han venido a ella como quien viene a mujer ramera; así vinieron a Ahola y a Aholiba, mujeres depravadas.

45 Por tanto, hombres justos las juzgarán por la ley de las adúlteras, y por la ley de las que derraman sangre; porque *son* adúlteras, y sangre hay en sus manos.

46 Por lo que así dice Jehová el Señor: Yo haré subir contra ellas compañías, las entregaré a turbación y a rapiña:

47 Y la asamblea las apedreará, y las atravesarán con sus espadas; matarán a sus hijos y a sus hijas, y a sus casas consumirán con fuego.

48 Y haré cesar la depravación de la tierra, y escarmentarán todas las mujeres, y no harán según vuestra depravación.

49 Y sobre vosotras pondrán vuestra depravación, y llevaréis el pecado de *adorar* vuestros ídolos; y sabréis que yo soy Jehová el Señor.

CAPÍTULO 24

Y vino a mí palabra de Jehová en el noveno año, en el mes décimo, a los diez del mes, diciendo:

2 Hijo de hombre, escríbete la fecha de este día; el rey de Babilonia se puso contra Jerusalén este mismo día.

3 Y pronuncia una parábola a la casa rebelde, y diles: Así dice Jehová el Señor: Pon una olla, ponla, y echa también agua en ella;

4 junta sus piezas *de carne* en ella; todas buenas piezas, pierna y espalda; llénala de huesos escogidos.

5 Toma una oveja escogida; y también enciende los huesos debajo de ella; haz que hierva bien; cuece también sus huesos dentro de ella.

6 Pues así dice Jehová el Señor: ¡Ay de la ciudad sanguinaria, de la olla enmohecida, y cuyo moho no salió de ella! Por sus piezas, por sus piezas sácala; no caiga suerte sobre ella.

7 Porque su sangre está en medio de ella; sobre una roca alisada la derramó; no la derramó sobre la tierra para que fuese cubierta con polvo.

8 Habiendo, pues, hecho subir la ira para hacer venganza, yo pondré su sangre sobre la roca alisada, para que no sea cubierta.

9 Por tanto, así dice Jehová el Señor: ¡Ay de la ciudad sanguinaria! Pues también haré yo grande la hoguera,

10 multiplicando la leña, encendiendo el fuego, para consumir la carne y hacer la salsa; y los huesos serán quemados.

11 Asentando después la olla vacía sobre sus brasas, para que se caldee, y se queme su fondo, y se funda en ella su suciedad, y se consuma su herrumbre.

12 Se fatigó con mentiras, y no salió de ella su mucha herrumbre. En fuego su herrumbre *será* consumida.

13 En tu suciedad perversa padecerás; porque te limpié, y tú no te limpiaste de tu suciedad; nunca más te limpiarás, hasta que yo haga que mi ira repose sobre ti.

14 Yo Jehová he hablado; vendrá, y *lo* haré. No me volveré atrás, ni tendré misericordia, ni me arrepentiré; según tus caminos y tus obras te juzgarán, dice Jehová el Señor.

15 Y vino a mí palabra de Jehová, diciendo:

16 Hijo de hombre, he aquí que yo te quito de golpe el deleite de tus ojos; no endeches, ni llores, ni corran tus lágrimas.

17 Reprime el suspirar, no hagas luto de mortuorios; ata tu mitra sobre ti, y pon tus zapatos en tus pies, y no te cubras con rebozo, ni comas pan de hombres.

18 Y hablé al pueblo por la mañana, y a la tarde murió mi esposa; y a la mañana hice como me fue mandado.

19 Y me dijo el pueblo: ¿No nos enseñarás qué significan para nosotros estas cosas que tú haces?

20 Y yo les dije: La palabra de Jehová vino a mí, diciendo:

21 Di a la casa de Israel: Así dice Jehová el Señor: He aquí yo profano mi santuario, la gloria de vuestra fortaleza, el deseo de vuestros ojos, y el deleite de vuestra alma; vuestros hijos y vuestras hijas que dejasteis caerán a espada.

22 Y haréis de la manera que yo hice: no os cubriréis con rebozo, ni comeréis pan de hombres;

23 Y vuestras mitras *estarán* sobre vuestras cabezas, y vuestros zapatos en vuestros pies; no endecharéis ni lloraréis, sino que os consumiréis a causa de vuestras maldades, y gemiréis unos con otros.

24 Ezequiel, pues, os será por señal; según todas las cosas que él hizo, haréis; cuando esto suceda, entonces sabréis que yo soy Jehová el Señor.

25 Y tú, hijo de hombre, el día que yo quite de ellos su fortaleza, el gozo de su gloria, el deleite de sus ojos, y el anhelo de sus almas, sus hijos y sus hijas,

26 ese día vendrá a ti uno que haya escapado para traer la noticia.

27 En aquel día se abrirá tu boca para hablar con el que haya escapado, y hablarás, y no estarás más mudo; y les serás por señal, y sabrán que yo soy Jehová.

CAPÍTULO 25

Y vino a mí palabra de Jehová, diciendo:

2 Hijo de hombre, pon tu rostro hacia los hijos de Amón, y profetiza contra ellos.

3 Y dirás a los hijos de Amón: Oíd palabra de Jehová el Señor: Así dice Jehová el Señor: Por cuanto dijiste ¡Ea, bien! contra mi santuario cuando fue profanado, y contra la tierra de Israel cuando fue asolada, y contra la casa de Judá, cuando fueron en cautiverio;

4 por tanto, he aquí, yo te entrego por heredad a los orientales, y pondrán en ti sus apriscos, y colocarán en ti sus tiendas; ellos comerán tus sementeras, y beberán tu leche.

5 Y pondré a Rabá por establo de camellos, y a los hijos de Amón por majada de ovejas; y sabréis que yo soy Jehová.

6 Porque así dice Jehová el Señor: Por cuanto tú batiste *tus* manos, y golpeaste con tus pies, y te regocijaste en tu corazón con todo tu menosprecio contra la tierra de Israel;

7 por tanto, he aquí yo extenderé mi mano contra ti, y te entregaré a las naciones para ser saqueada; y yo te cortaré de entre los pueblos, y te destruiré de entre las tierras; te raeré; y sabrás que yo soy Jehová.

8 Así dice Jehová el Señor: Por cuanto dijo Moab y Seir: He aquí la casa de Judá *es* como todas las naciones;

9 por tanto, he aquí yo abro el lado de Moab desde las ciudades, desde sus ciudades *que están* en su confín, las tierras deseables de Bet-jesimot, y Baal-meón, y Quiriataim,

10 a los hijos del oriente contra los hijos de Amón; y la entregaré por heredad para que no haya más memoria de los hijos de Amón entre las naciones.

11 También en Moab haré juicios; y sabrán que yo soy Jehová.

12 Así dice Jehová el Señor: Por lo que hizo Edom tomando venganza de la casa de Judá, pues delinquieron en extremo, y se vengaron de ellos;

13 por tanto, así dice Jehová el Señor: Yo también extenderé mi mano sobre Edom, y cortaré de ella hombres y bestias, y la asolaré; desde Temán y Dedán caerán a espada.

14 Y pondré mi venganza en Edom por la mano de mi pueblo Israel; y harán en Edom según mi enojo y según mi ira; y conocerán mi venganza, dice Jehová el Señor.

15 Así dice Jehová el Señor: Porque los filisteos procedieron con venganza, cuando se vengaron con despecho de ánimo, destruyendo por antiguas enemistades;

16 por tanto, así dice Jehová el Señor: He aquí yo extiendo mi mano contra los filisteos, y talaré los cereteos, y destruiré el remanente de la costa del mar.

17 Y ejecutaré sobre ellos grandes venganzas con reprensiones de ira; y sabrán que yo soy Jehová, cuando descargue mi venganza sobre ellos.

CAPÍTULO 26

Y aconteció en el undécimo año, en el primero del mes, *que* vino a mí palabra de Jehová, diciendo:

2 Hijo de hombre, por cuanto dijo Tiro sobre Jerusalén: Ea, bien; destruida está la *que era* puerta de las naciones; a mí se volvió; yo seré llena; y ella desierta;

3 por tanto, así dice Jehová el Señor: He aquí yo contra ti, oh Tiro, y haré subir contra ti muchas naciones, como el mar hace subir sus olas.

4 Y demolerán los muros de Tiro, y derribarán sus torres; y raeré de ella su polvo, y la dejaré como una roca lisa.

5 Tendedero de redes será en medio del mar, porque yo he hablado, dice Jehová el Señor; y será saqueada por las naciones.

6 Y sus hijas que *están* en el campo, serán muertas a espada; y sabrán que yo soy Jehová.

7 Porque así dice Jehová el Señor: He aquí que del norte traigo yo contra Tiro a Nabucodonosor, rey de Babilonia, rey de reyes, con caballos, y carros, y jinetes, y compañías, y mucho pueblo.

8 Matará a espada a tus hijas que están en el campo; y pondrá contra ti fortaleza, y levantará contra ti baluarte, y escudo afirmará contra ti.

9 Y pondrá arietes contra tus muros, y con sus hachas demolerá tus torres.

10 Por la multitud de sus caballos te cubrirá el polvo de ellos; con el estruendo de la caballería, y de las ruedas, y de los carros, temblarán tus muros, cuando él entre por tus puertas como por portillos de ciudad destruida.

11 Con los cascos de sus caballos hollará todas tus calles; a tu pueblo matará a espada, y las estatuas de tu fortaleza caerán a tierra.

12 Y robarán tus riquezas, y saquearán tus mercaderías; y arruinarán tus muros, y tus casas preciosas destruirán; y pondrán tus piedras y tu madera y tu polvo en medio de las aguas.

13 Y haré cesar el estrépito de tus canciones, y no se oirá más el sonido de tus arpas.

14 Y te pondré como una roca lisa; tendedero de redes serás; nunca más serás edificada; porque yo Jehová he hablado, dice Jehová el Señor.

15 Así dice Jehová el Señor a Tiro: ¿No se estremecerán las islas al estruendo de tu caída, cuando griten los heridos, cuando se haga la matanza en medio de ti?

16 Entonces todos los príncipes del mar descenderán de sus tronos, y se quitarán sus mantos, y desnudarán sus ropas bordadas; se vestirán de espanto, se sentarán sobre la tierra, y temblarán a *cada* momento y estarán ante ti atónitos.

17 Y levantarán sobre ti endechas, y te dirán: ¿Cómo pereciste tú, poblada por gente de mar, ciudad que fue alabada, que fue fuerte en el mar, ella y sus habitantes, que infundían terror a todos sus vecinos?

18 Ahora se estremecerán las islas en el día de tu caída, sí, las islas que *están* en el mar se espantarán de tu partida.

19 Porque así dice Jehová el Señor: Yo te tornaré en ciudad asolada, como las ciudades que no se habitan; haré subir sobre ti el abismo, y las muchas aguas te cubrirán.

20 Y te haré descender con los que descienden a la fosa, con el pueblo de antaño; y te pondré en las profundidades de la tierra, como los desiertos antiguos, con los que descienden a la fosa, para que nunca más seas poblada; y yo daré gloria en la tierra de los vivientes.

21 Yo te convertiré en espanto, y dejarás *de ser;* aunque seas buscada, nunca más serás hallada, dice Jehová el Señor.

CAPÍTULO 27

Y vino a mí palabra de Jehová, diciendo:

2 Tú, hijo de hombre, levanta endechas sobre Tiro.

3 Y dirás a Tiro: Oh tú que estás asentada a las entradas del mar, *que eres* mercader de los pueblos de muchas islas: Así ha dicho el Señor Jehová: Tiro, tú has dicho: Yo soy de perfecta hermosura.

4 En el corazón de los mares *están* tus términos; los que te edificaron completaron tu belleza.

5 De cipreses del monte Senir te fabricaron toda tu armazón; tomaron cedros del Líbano para hacerte el mástil.

6 *De* encinas de Basán hicieron tus remos; compañía de asirios hicieron tus bancos *de* marfil de las islas de Quitim.

7 De lino fino bordado de Egipto era tu cortina, para que te sirviese de vela; de azul y púrpura de las costas de Elisa era tu pabellón.

8 Los moradores de Sidón y de Arvad fueron tus remeros; tus sabios, oh Tiro, *estaban* en ti; ellos fueron tus timoneles.

9 Los ancianos de Gebal y sus expertos calafateadores reparaban tus junturas; todas las galeras del mar y los remeros de ellas estuvieron en ti para negociar contigo.

10 Persas y los de Lud, y los de Fut, fueron en tu ejército tus hombres de guerra; escudos y yelmos colgaron en ti; ellos te dieron tu honra.

11 Y los hijos de Arvad con tu ejército *estuvieron* sobre tus muros alrededor, y los gamadeos en tus torres; sus escudos colgaron sobre tus muros alrededor; ellos completaron tu hermosura.

12 Tarsis tu mercader a causa de la multitud de todas *tus* riquezas; con plata, hierro, estaño y plomo, comerciaba en tus ferias.

13 Grecia, Tubal, y Mesec, fueron tus mercaderes, con hombres y con utensilios de bronce, comerciaban en tus ferias.

14 De la casa de Togarma, caballos y jinetes y mulos, comerciaban en tu mercado.

15 Los hijos de Dedán *eran* tus negociantes; muchas costas tomaban mercadería de tu mano; colmillos de marfil y ébano te dieron en presente.

16 Siria *fue* tu mercader por la multitud de tus productos; venía a tus ferias con esmeraldas, púrpura, vestidos bordados, linos finos, corales y rubíes.

17 Judá, y la tierra de Israel, *eran* tus mercaderes; con trigos de Minit y Panag, miel, aceite y resina comerciaban en tu mercado.

18 Damasco, *era* tu mercader por la multitud de tus productos, por la abundancia de toda riqueza, con vino de Helbón y lana blanca.

19 Asimismo Dan y el errante Javán vinieron a tus ferias, para negociar en tu mercado con hierro labrado, casia y caña aromática.

20 Dedán *fue* tu mercader con paños preciosos para carros.

21 Arabia y todos los príncipes de Cedar, comerciaban contigo en corderos, y carneros, y machos cabríos; en estas cosas *fueron* tus mercaderes.

22 Los mercaderes de Seba y de Raama *fueron* tus mercaderes; con lo principal de toda especiería, y toda piedra preciosa, y oro, vinieron a tus ferias.

23 Harán, Cane, Edén, y los mercaderes de Seba, de Asiria y de Quilmad comerciaban contigo.

24 Éstos *eran* tus mercaderes en varias cosas; en mantos de azul, y bordados, y en cajas de ropas preciosas, enlazadas con cordones, y en madera de cedro.

25 Las naves de Tarsis, eran tus flotas que llevaban tus mercancías; y llegaste a ser opulenta y muy gloriosa en medio de los mares.

26 En muchas aguas te engolfaron tus remeros; viento solano te quebrantó en medio de los mares.

27 Tus riquezas, tus mercancías, tu comercio, tus marineros, tus timoneles, tus calafateadores, los agentes de tus negocios y todos tus hombres de guerra que *hay* en ti, con toda tu compañía que está en medio de ti se halla, caerán en medio de los mares el día de tu caída.

28 Al estrépito de las voces de tus timoneles temblarán las costas.

29 Y descenderán de sus naves todos los que toman remo; remeros, y todos los timoneles del mar se pararán en tierra:

30 Y harán oír su voz sobre ti, y gritarán amargamente, y echarán polvo sobre sus cabezas, y se revolcarán en la ceniza.

31 Y se raparán la cabeza por causa de ti, y se ceñirán con cilicio, y llorarán por ti con amargura de corazón y amargo duelo.

32 Y en sus endechas levantarán sobre ti lamentaciones, y endecharán sobre ti *diciendo*: ¿Quién como Tiro, como la *ciudad* destruida en medio del mar?

33 Cuando tus mercaderías salían de las naves, saciabas a muchos pueblos; a los reyes de la tierra enriqueciste con la multitud de tus riquezas y de tus mercancías.

34 En el tiempo en que serás destrozada por los mares en las profundidades de las aguas, tu comercio y toda tu compañía caerán en medio de ti.

35 Todos los moradores de las islas se maravillarán sobre ti, y sus reyes temblarán de espanto; y demudarán *sus* rostros.

36 Los mercaderes en los pueblos silbarán sobre ti; vendrás a ser espanto, y para siempre dejarás *de ser*.

CAPÍTULO 28

Y vino a mí palabra de Jehová, diciendo:

2 Hijo de hombre, di al príncipe de Tiro: Así dice Jehová el Señor: Por cuanto se enalteció tu corazón y dijiste: Yo soy Dios; en la silla de Dios estoy sentado en medio de los mares (siendo tú hombre y no Dios), y has puesto tu corazón como corazón de Dios.

3 He aquí que tú *eres* más sabio que Daniel; no hay secreto que te sea oculto;

4 con tu sabiduría y con tu prudencia has acumulado riquezas, y has adquirido oro y plata en tus tesoros.

5 Con la grandeza de tu sabiduría y tu comercio has multiplicado tus riquezas; y a causa de tus riquezas se ha enaltecido tu corazón.

6 Por tanto, así dice Jehová el Señor: Por cuanto pusiste tu corazón como corazón de Dios,

7 por tanto, he aquí yo traigo sobre ti extranjeros, los violentos de las naciones, que desenvainarán sus espadas contra la hermosura de tu sabiduría, y mancharán tu esplendor.

8 A la fosa te harán descender, y morirás de la muerte de *los que* mueren en medio de los mares.

9 ¿Hablarás delante del que te mate, diciendo: Yo soy Dios? Tú, hombre *eres*, y no Dios, en la mano de tu matador.

10 De muerte de incircuncisos morirás por mano de extranjeros; porque yo he hablado, dice Jehová el Señor.

11 Y vino a mí palabra de Jehová, diciendo:

12 Hijo de hombre, levanta endechas sobre el rey de Tiro, y dile: Así dice Jehová el Señor: Tú eras el sello a la proporción, lleno de sabiduría y perfecto en hermosura.

13 En Edén, en el huerto de Dios estuviste; toda piedra preciosa *fue* tu vestidura; el sardio, el topacio, el diamante, el berilo, el ónice, el jaspe, el zafiro, la esmeralda, el carbunclo y el oro; los primores de tus tamboriles y flautas fueron preparados en ti el día que fuiste creado.

14 Tú, querubín ungido, protector; yo te puse *así*; en el santo monte de Dios estuviste; en medio de piedras de fuego has andado.

15 Perfecto *eras* en todos tus caminos desde el día que fuiste creado, hasta que se halló en ti maldad.

16 A causa de la multitud de tus contrataciones fuiste lleno de iniquidad, y pecaste; por lo cual yo te echaré por profano del monte de Dios, y te destruiré, oh querubín protector, de entre las piedras del fuego.

17 Se enalteció tu corazón a causa de tu hermosura, corrompiste tu sabiduría a causa de tu esplendor; yo te arrojaré por tierra; delante de los reyes te pondré para que miren en ti.

18 Con la multitud de tus maldades, y con la iniquidad de tus contrataciones profanaste tu santuario; yo, pues, sacaré fuego de en medio de ti, el cual te consumirá, y te pondré en ceniza sobre la tierra a los ojos de todos los que te miran.

19 Todos los que te conocieron de entre los pueblos se maravillarán sobre ti; espanto serás, y para siempre dejarás *de ser*.

20 Y vino a mí palabra de Jehová, diciendo:

21 Hijo de hombre, pon tu rostro hacia Sidón, y profetiza contra ella;

22 y dirás: Así dice Jehová el Señor: He aquí yo contra ti, oh Sidón, y en medio de ti seré glorificado; y sabrán que yo soy Jehová, cuando ejecute en ella juicios, y en ella sea santificado.

23 Porque pestilencia enviaré a ella, y sangre en sus calles; y caerán muertos en medio de ella; con espada contra ella por todos lados; y sabrán que yo soy Jehová.

24 Y nunca más será a la casa de Israel espina que le hiera, ni aguijón que le dé dolor, en medio *de cuantos* la rodean y la desprecian; y sabrán que yo soy Jehová el Señor .

25 Así dice Jehová el Señor: Cuando reúna la casa de Israel de los pueblos entre los cuales está esparcida, entonces me santificaré en ellos a los ojos de las naciones, y habitarán en su tierra, la cual di a mi siervo Jacob.

26 Y habitarán en ella seguros, y edificarán casas, y plantarán viñas, y habitarán confiadamente, cuando yo haya ejecutado juicios en todos los que los desprecian en sus alrededores; y sabrán que yo soy Jehová su Dios.

CAPÍTULO 29

En el año décimo, en *el mes* décimo, a los doce del mes, vino a mí palabra de Jehová, diciendo:

2 Hijo de hombre, pon tu rostro contra Faraón rey de Egipto, y profetiza contra él y contra todo Egipto.

3 Habla, y di: Así dice Jehová el Señor: He aquí yo contra ti, Faraón rey de Egipto, el gran dragón que yace en medio de sus ríos, el cual dijo: Mío *es* mi río, y yo *lo* hice para mí.

4 Yo pues, pondré anzuelos en tus quijadas, y haré que los peces de tus ríos se peguen a tus escamas, y te sacaré de en medio de tus ríos, y todos los peces de tus ríos se pegarán a tus escamas.

5 Y te dejaré en el desierto, a ti y a todos los peces de tus ríos; sobre la faz del campo caerás; no serás recogido, ni serás juntado; a las fieras de la tierra y a las aves del cielo te he dado por comida.

6 Y sabrán todos los moradores de Egipto que yo soy Jehová, por cuanto fueron bordón de caña a la casa de Israel.

7 Cuando te tomaron con la mano, te quebraste, y les rompiste todo el hombro; y cuando se recostaron sobre ti, te quebraste, y les rompiste sus lomos enteramente.

8 Por tanto, así dice Jehová el Señor: He aquí que yo traigo contra ti espada, y cortaré de ti hombres y bestias.

9 Y la tierra de Egipto será asolada y desierta; y sabrán que yo soy Jehová: porque dijo: Mío *es* mi río, y yo *lo* hice.

10 Por tanto, he aquí yo contra ti, y contra tus ríos; y pondré a la tierra de Egipto en total desolación, en la soledad del desierto, desde Migdol hasta Sevene, hasta el término de Etiopía.

11 No pasará por ella pie de hombre, ni pie de bestia pasará por ella; ni será habitada por cuarenta años.

12 Y pondré a la tierra de Egipto en soledad entre las tierras asoladas, y sus ciudades entre las ciudades destruidas estarán asoladas por cuarenta años; y esparciré a Egipto entre las naciones, y los dispersaré por las tierras.

13 Porque así dice Jehová el Señor: Al fin de cuarenta años juntaré a Egipto de los pueblos entre los cuales fueren esparcidos;

14 y volveré a traer a los cautivos de Egipto, y los volveré a la tierra de Patros, a la tierra de su origen; y allí serán un reino humilde.

15 En comparación de los otros reinos será humilde; nunca más se alzará sobre las naciones; porque yo los disminuiré, para que no se enseñoreen sobre las naciones.

16 Y no será más a la casa de Israel por confianza, que les haga recordar el pecado, mirando en pos de ellos; y sabrán que yo soy Jehová el Señor.

17 Y aconteció en el año veintisiete, en *el mes* primero, al primer *día* del mes, que vino a mí palabra de Jehová, diciendo:

18 Hijo de hombre, Nabucodonosor rey de Babilonia sometió a su ejército a una ardua labor contra Tiro. Toda cabeza *fue* rapada, y todo hombro *fue* desgarrado; y ni para él ni para su ejército hubo paga de Tiro, por el servicio que prestó contra ella.

19 Por tanto, así dice Jehová el Señor: He aquí que yo doy a Nabucodonosor, rey de Babilonia, la tierra de Egipto; y él tomará su multitud, y recogerá sus despojos, y arrebatará su presa, y habrá paga para su ejército.

20 Por su trabajo con que sirvió contra ella le he dado la tierra de Egipto: porque trabajaron para mí, dice Jehová el Señor.

21 En aquel tiempo haré reverdecer el cuerno a la casa de Israel, y abriré tu boca en medio de ellos; y sabrán que yo soy Jehová.

CAPÍTULO 30

Y vino a mí palabra de Jehová diciendo:

2 Hijo de hombre, profetiza, y di: As dice Jehová el Señor: Clamad: ¡Ay de aquel día!

3 Porque cerca *está* el día, cerca *est*é el día del Señor; día de nublado tiempo de las naciones será.

4 Y la espada vendrá a Egipto, y habrá gran dolor en Etiopía, cuando caigan los heridos en Egipto; y tomarán sus riquezas, y serán destruidos sus fundamentos.

5 Etiopía, y Libia, y Lidia, y todo el pueblo mezclado, y Cub, y los hijos de las tierras aliadas, caerán con ellos a espada.

6 Así dice Jehová: También caerán los que sostienen a Egipto, y la altivez de su poderío caerá; desde Migdol hasta Sevene caerán en él a espada, dice Jehová el Señor.

7 Y serán asolados entre las tierras asoladas, y sus ciudades serán entre las ciudades desiertas.

8 Y sabrán que yo soy Jehová, cuando ponga fuego a Egipto, y sean destruidos todos sus ayudadores.

9 En aquel tiempo saldrán mensajeros de delante de mí en navíos, para espantar a Etiopía la confiada, y tendrán espanto como en el día de Egipto; porque he aquí viene.

10 Así dice Jehová el Señor: Haré cesar la multitud de Egipto por mano de Nabucodonosor, rey de Babilonia.

11 Él, y con él su pueblo, los más violentos de las naciones, serán traídos para destruir la tierra; y desenvainarán sus espadas contra Egipto, y llenarán la tierra de muertos.

12 Y secaré los ríos, y entregaré la tierra en manos de malos, y destruiré la tierra y su plenitud por mano de extranjeros; yo Jehová he hablado.

13 Así dice Jehová el Señor: Destruiré también las imágenes, y haré cesar los ídolos de Nof; y no habrá más príncipe de la tierra de Egipto, y en la tierra de Egipto pondré temor.

14 Y asolaré a Patros, y pondré fuego a Zoán, y ejecutaré juicios en No.

15 Y derramaré mi ira sobre Sin, fortaleza de Egipto, y talaré la multitud de No.

16 Y pondré fuego a Egipto; Sin tendrá gran dolor, y No será destrozada, y Nof tendrá angustias todos los días.

17 Los jóvenes de Avén y de Pibeset caerán a espada; y ellas irán en cautiverio.

18 Y en Tafnes se oscurecerá el día, cuando quiebre yo el yugo de Egipto, y cesará en ella la soberbia de su poderío; una nube la cubrirá, y sus hijas irán en cautiverio.

19 Ejecutaré, pues, juicios en Egipto y sabrán que yo soy Jehová.

20 Y aconteció en el año undécimo, en *el mes* primero, a los siete del mes, *que* vino a mí palabra de Jehová, diciendo:

21 Hijo de hombre, he quebrado el brazo de Faraón rey de Egipto; y he aquí que no ha sido vendado para que pueda sanar, ni le han puesto faja para ligarlo, a fin de fortalecerle para que pueda sostener la espada.

22 Por tanto, así dice Jehová el Señor: Heme aquí contra Faraón rey de Egipto, y quebraré sus brazos, el fuerte y el fracturado, y haré que la espada se le caiga de la mano.

23 Y esparciré a los egipcios entre las naciones, y los dispersaré por las tierras.

24 Y fortaleceré los brazos del rey de Babilonia, y pondré mi espada en su mano; mas quebraré los brazos de Faraón, y delante de aquél gemirá con gemidos de herido de muerte.

25 Fortaleceré, pues, los brazos del rey de Babilonia, y los brazos de Faraón caerán; y sabrán que yo soy Jehová, cuando yo ponga mi espada en la mano del rey de Babilonia, y él la extendiere contra la tierra de Egipto.

26 Y esparciré a los egipcios entre las naciones, y los dispersaré por las tierras; y sabrán que yo soy Jehová.

CAPÍTULO 31

Y aconteció en el año undécimo, en *el mes* tercero, al primer *día* del mes, *que* vino a mí palabra de Jehová, diciendo:

2 Hijo de hombre, di a Faraón rey de Egipto, y a su pueblo: ¿A quién te comparaste en tu grandeza?

3 He aquí *era* el asirio cedro en el Líbano, hermoso en ramas, y de frondoso ramaje y de grande altura, y su copa estaba entre densas ramas.

4 Las aguas lo hicieron crecer, lo encumbró el abismo; sus ríos corrían alrededor de su pie, y a todos los árboles del campo enviaba sus corrientes.

5 Por tanto, se encumbró su altura sobre todos los árboles del campo, y se multiplicaron sus ramas, y a causa de las muchas aguas se alargó su ramaje que había echado.

6 En sus ramas hacían su nido todas las aves del cielo, y debajo de su ramaje parían todas las bestias del campo, y a su sombra habitaban todas las grandes naciones.

7 Se hizo, pues, hermoso en su grandeza con la extensión de sus ramas; porque su raíz estaba junto a muchas aguas.

8 Los cedros no lo cubrieron en el huerto de Dios; las hayas no fueron semejantes a sus ramas, ni los castaños fueron semejantes a su ramaje; ningún árbol en el huerto de Dios fue semejante a él en su hermosura.

9 Lo hice hermoso con la multitud de sus ramas; y todos los árboles de Edén, que *estaban* en el huerto de Dios, tuvieron de él envidia.

10 Por tanto, así dice Jehová el Señor: Por cuanto se encumbró en altura, y puso su cumbre entre densas ramas, y su corazón se elevó con su altura,

11 por eso yo lo he entregado en mano del poderoso de las naciones, que de cierto tratará con él. Yo lo he desechado por su impiedad.

12 Y los extranjeros, los violentos de las naciones, le han cortado, y lo han abandonado. Sus ramas caerán sobre los montes y por todos los valles, y por todos los ríos de la tierra será quebrado su ramaje; y se irán de su sombra todos los pueblos de la tierra, y lo dejarán.

13 Sobre sus ruinas habitarán todas las aves del cielo, y sobre sus ramas estarán todas las bestias del campo,

14 para que no se exalten en su altura todos los árboles que están junto a las aguas, ni levanten su cumbre entre las espesuras, ni en sus ramas se paren por su altura todos los que beben aguas; porque todos son entregados a muerte, a la parte más baja de la tierra, en medio de los hijos de los hombres, con los que descienden a la fosa.

15 Así dice Jehová el Señor: El día que descendió a la sepultura, hice hacer luto, hice cubrir por él el abismo, y detuve sus ríos, y las muchas aguas fueron detenidas; y al Líbano cubrí de tinieblas por él, y todos los árboles del campo desmayaron por él.

16 Del estruendo de su caída hice temblar a las naciones, cuando les hice descender al infierno con todos los que descienden a la fosa; y todos los árboles del Edén, los escogidos y mejores del Líbano, todos los que beben aguas, fueron consolados en las partes más bajas de la tierra.

17 También ellos descendieron con él al infierno, con los muertos a espada, *los que fueron* su brazo, los *que* habitaron a su sombra en medio de las naciones.

18 ¿A quién te has comparado así en gloria y en grandeza entre los árboles del Edén? Pues derribado serás con los árboles del Edén a la parte más baja de la tierra; entre los incircuncisos yacerás, con los muertos a espada. Éste *es* Faraón y toda su multitud, dice Jehová el Señor.

CAPÍTULO 32

Endecha sobre Faraón

Y aconteció en el año duodécimo, en el mes duodécimo, al primer *día* del mes, *que* vino a mí palabra de Jehová, diciendo:

2 Hijo de hombre, levanta endechas sobre Faraón rey de Egipto, y dile: A leoncillo de gentes eres semejante, y *eres* como la ballena en los mares; que secabas tus ríos, y enturbiabas las aguas con tus pies, y hollabas sus riberas.

3 Así dice Jehová el Señor: Yo extenderé sobre ti mi red en compañía de muchos pueblos, y te harán subir en mi red.

4 Y te dejaré en tierra, te arrojaré sobre la faz del campo, y haré que posen sobre ti todas las aves del cielo, y saciaré de ti a las bestias de toda la tierra.

5 Y pondré tus carnes sobre los montes, y llenaré los valles de tus cadáveres.

6 Y regaré de tu sangre la tierra donde nadas, hasta los montes; y los ríos se llenarán de ti.

7 Y cuando te haya extinguido, cubriré los cielos, y haré entenebrecer sus estrellas; el sol cubriré con nublado, y la luna no hará resplandecer su luz.

8 Haré entenebrecer todas las lumbreras del cielo por ti, y pondré tinieblas sobre tu tierra, dice Jehová el Señor.

9 Y entristeceré el corazón de muchos pueblos, cuando traiga tu destrucción entre las naciones, por las tierras que no conociste.

10 Y dejaré atónitos sobre ti a muchos pueblos, y sus reyes tendrán horror grande a causa de ti, cuando haga resplandecer mi espada delante de sus rostros, y todos se sobresaltarán en sus ánimos a *cada* momento en el día de tu caída.

11 Porque así dice Jehová el Señor: La espada del rey de Babilonia vendrá sobre ti.

12 Con espadas de fuertes haré caer a tu pueblo; todos ellos serán los poderosos de las naciones; y destruirán la soberbia de Egipto, y toda su multitud será deshecha.

13 Todas sus bestias destruiré de sobre las muchas aguas; ni más las enturbiará pie de hombre, ni pezuña de bestias las enturbiará.

14 Entonces haré asentarse sus aguas, y haré que sus ríos corran como aceite, dice Jehová el Señor.

15 Cuando asuele la tierra de Egipto, y la tierra fuere despojada de su plenitud, cuando hiera a todos los que en ella moran, entonces sabrán que yo soy Jehová.

16 Ésta *es* la endecha, y la cantarán; las hijas de las naciones la cantarán: endecharán sobre Egipto, y sobre toda su multitud, dice Jehová el Señor.

17 Y aconteció en el año duodécimo, a los quince del mes, *que* vino a mí palabra de Jehová, diciendo:

18 Hijo de hombre, endecha sobre la multitud de Egipto, y despéñalo a él, y a las hijas de las naciones poderosas, a las partes más bajas de la tierra, con los que descienden a la fosa.

19 ¿A quién superas en hermosura? Desciende, y yace con los incircuncisos.

20 Entre los muertos a espada caerán: a la espada es entregado: traedlo a él y a todos sus pueblos.

21 De en medio del infierno hablarán a él los fuertes de entre los poderosos, con los que le ayudaron, que descendieron y yacen con los incircuncisos muertos a espada.

22 Allí *está* Asiria con toda su gente; en derredor de él *están* sus sepulcros; todos ellos cayeron muertos a espada.

23 Sus sepulcros fueron puestos a los lados de la fosa, y su gente está por los alrededores de su sepulcro; todos ellos cayeron muertos a espada, los cuales causaron terror en la tierra de los vivientes.

24 Allí *está* Elam, y toda su multitud por los alrededores de su sepulcro; todos ellos cayeron muertos a espada, los cuales descendieron incircuncisos a las partes más bajas de la tierra, porque causaron terror en la tierra de los vivientes, mas llevaron su confusión con los que descienden a la fosa.

25 En medio de los muertos le pusieron cama con toda su multitud; a sus alrededores *están* sus sepulcros; todos ellos incircuncisos, muertos a espada, porque causaron terror en la tierra de los vivientes, mas llevaron su confusión con los que descienden a la fosa; él fue puesto en medio de los muertos.

26 Allí *está* Mesec, y Tubal, y toda su multitud; sus sepulcros en sus alrededores; todos ellos incircuncisos muertos a espada, porque habían causado su terror en la tierra de los vivientes.

27 Y no yacerán con los fuertes *que* cayeron de los incircuncisos, los cuales descendieron al infierno con sus armas de guerra, y pusieron sus espadas debajo de sus cabezas; mas sus pecados estarán sobre sus huesos, porque *fueron* terror de fuertes en la tierra de los vivientes.

28 Tú, pues, serás destruido entre los incircuncisos, y yacerás con los muertos a espada.

29 Allí *está* Idumea, sus reyes y todos sus príncipes, los cuales con su poderío fueron puestos con los muertos a espada; ellos yacerán con los incircuncisos, y con los que descienden a la fosa.

30 Allí *están* los príncipes del norte, todos ellos, y todos los de Sidón, que con su terror descendieron con los

muertos, avergonzados de su poderío, yacen también incircuncisos con los muertos a espada, y llevaron su confusión con los que descienden a la fosa.

31 A éstos verá Faraón, y se consolará sobre toda su multitud; Faraón muerto a espada, y todo su ejército, dice Jehová el Señor.

32 Porque yo puse mi terror en la tierra de los vivientes, también yacerá entre los incircuncisos con los muertos a espada, Faraón y toda su multitud, dice Jehová el Señor.

CAPÍTULO 33

Y vino a mí palabra de Jehová, diciendo:

2 Hijo de hombre, habla a los hijos de tu pueblo, y diles: Cuando trajere yo espada sobre la tierra, y el pueblo de la tierra tomare un hombre de sus términos, y lo pusiere por atalaya,

3 y él viere venir la espada sobre la tierra, y tocare trompeta, y avisare al pueblo;

4 cualquiera que oyere el sonido de la trompeta, y no se apercibiere, y viniendo la espada lo tomare, su sangre será sobre su cabeza.

5 El sonido de la trompeta oyó, y no se apercibió; su sangre será sobre él; mas el que se apercibiere, librará su vida.

6 Pero si el atalaya viere venir la espada, y no tocare la trompeta, y el pueblo no se apercibiere, y viniendo la espada, tomare de él a alguno; por causa de su pecado fue tomado, pero demandaré su sangre de mano del atalaya.

7 A ti, pues, hijo de hombre, te he puesto por atalaya a la casa de Israel, y oirás la palabra de mi boca, y los amonestarás de mi parte.

8 Cuando yo dijere al impío: Impío, de cierto morirás; si tú no hablares para que se guarde el impío de su camino, el impío morirá por su pecado, pero su sangre yo la demandaré de tu mano.

9 Y si tú avisares al impío de su camino para que de él se aparte, y él no se apartare de su camino, él morirá por su pecado, pero tú libraste tu alma.

Su sangre demandaré de tu mano

10 Tú, pues, hijo de hombre, di a la casa de Israel: Vosotros habéis hablado así, diciendo: Nuestras transgresiones y nuestros pecados *están* sobre nosotros, y a causa de ellos somos consumidos: ¿cómo, pues, viviremos?

11 Diles: Vivo yo, dice Jehová el Señor, que no me complazco en la muerte del impío, sino en que se vuelva el impío de su camino, y que viva. Volveos, volveos de vuestros caminos; ¿por qué moriréis, oh casa de Israel?

12 Y tú, hijo de hombre, di a los hijos de tu pueblo: La justicia del justo no lo librará el día que se rebelare; y la impiedad del impío no le será estorbo el día que se volviere de su impiedad; y el justo no podrá vivir por su *justicia* el día que pecare.

13 Diciendo yo al justo: De cierto vivirás, y él confiado en su justicia hiciere iniquidad, todas sus justicias no serán recordadas, sino que morirá por su iniquidad que hizo.

14 Y diciendo yo al impío: De cierto morirás; si él se volviere de su pecado, e hiciere juicio y justicia,

15 *si* el impío restituyere la prenda, devolviere lo que hubiere robado, caminare en los estatutos de la vida, no haciendo iniquidad, vivirá ciertamente y no morirá.

16 No se le recordará ninguno de sus pecados que había cometido; hizo según el derecho y la justicia; vivirá ciertamente.

17 Luego dirán los hijos de tu pueblo: No es recto el camino del Señor. ¡El camino de ellos es el que no es recto!

18 Cuando el justo se apartare de su justicia, e hiciere iniquidad, morirá por ello.

19 Y cuando el impío se apartare de su impiedad, e hiciere según el derecho y la justicia, vivirá por ello.

20 Y dijisteis: No es recto el camino del Señor. Yo os juzgaré, oh casa de Israel, a cada uno conforme a sus caminos.

21 Y aconteció en el año duodécimo de nuestro cautiverio, en *el mes* décimo, a los cinco del mes, *que* vino a mí uno que había escapado de Jerusalén, diciendo: La ciudad ha sido herida.

22 Y la mano de Jehová había sido sobre mí la tarde antes que viniese el que había escapado, y había abierto mi boca, hasta que vino a mí por la mañana; y abrió mi boca, y ya no más estuve callado.

23 Y vino a mí palabra de Jehová, diciendo:

24 Hijo de hombre, los que habitan aquellos desiertos en la tierra de Israel, hablan diciendo: Abraham era uno, y poseyó la tierra; pues nosotros *somos* muchos; a nosotros es dada la tierra en posesión.

25 Por tanto, diles: Así dice Jehová el Señor: ¿Coméis con sangre, y a vuestros ídolos alzáis vuestros ojos, y sangre derramáis, y poseeréis vosotros la tierra?

26 Estáis sobre vuestras espadas, hacéis abominación y contamináis cada cual a la esposa de su prójimo, ¿y habréis de poseer la tierra?

27 Les dirás así: Así dice Jehová el Señor: Vivo yo, que los que *están* en aquellos asolamientos caerán a espada, y al que *está* sobre la faz del campo entregaré a las fieras para que lo devoren; y los que *están* en las fortalezas y en las cuevas, de pestilencia morirán.

28 Y pondré la tierra en desierto y en soledad, y cesará la soberbia de su fortaleza; y los montes de Israel serán asolados, que no habrá quien pase.

29 Y sabrán que yo soy Jehová, cuando pusiere la tierra en soledad y desierto, por todas las abominaciones que han hecho.

30 Y tú, hijo de hombre, los hijos de tu pueblo se mofan de ti junto a las paredes y a las puertas de las casas, y habla el uno con el otro, cada uno con su hermano, diciendo: Venid ahora, y oíd qué palabra viene de Jehová.

31 Y vendrán a ti como viene el pueblo, y estarán delante de ti *como* mi pueblo, y oirán tus palabras, y no las pondrán por obra; porque con su boca muestran mucho amor, *pero* su corazón va en pos de su avaricia.

32 Y he aquí que tú *eres* a ellos como cantor de amores, agradable de voz y que toca bien un instrumento; y oyen tus palabras, pero no las ponen por obra.

33 Pero cuando esto sucediere (he aquí, viene) sabrán que hubo profeta entre ellos.

CAPÍTULO 34

Y vino a mí palabra de Jehová, diciendo:

2 Hijo de hombre, profetiza contra los pastores de Israel; profetiza, y diles a los pastores: Así dice Jehová el Señor: ¡Ay de los pastores de Israel, que se apacientan a sí mismos! ¿No deben los pastores apacentar los rebaños?

3 Coméis la grosura, y os vestís de la lana; la engordada degolláis, *pero* no apacentáis las ovejas.

4 No fortalecisteis las débiles, ni curasteis la enferma; no vendasteis la perniquebrada, no hicisteis volver la descarriada, ni buscasteis la perdida; sino que os habéis enseñoreado de ellas con dureza y con violencia.

5 Y ellas fueron dispersadas por falta de pastor; y fueron para ser comidas de toda bestia del campo, y fueron dispersadas.

6 Y anduvieron perdidas mis ovejas por todos los montes, y en todo collado alto; y por toda la faz de la tierra fueron dispersadas mis ovejas, y no hubo quien las buscase ni preguntase *por ellas*.

7 Por tanto, pastores, oíd palabra de Jehová:

8 Vivo yo, dice Jehová el Señor, que por cuanto mi rebaño ha venido a ser por presa, y por falta de pastor mis ovejas han venido a ser por comida a todas las fieras del campo; y mis pastores no buscaron mis ovejas, sino que los pastores se apacentaron a sí mismos, y no apacentaron mis ovejas;

9 Por tanto, oh pastores, oíd palabra de Jehová:

10 Así dice Jehová el Señor: He aquí, yo *estoy* contra los pastores; y requeriré mis ovejas de su mano, y les haré dejar de apacentar las ovejas; ni los pastores se apacentarán más a sí mismos; pues yo libraré mis ovejas de sus bocas, y no les serán más por comida.

11 Porque así dice Jehová el Señor: He aquí, yo mismo iré a buscar mis ovejas, y las reconoceré.

12 Como reconoce su rebaño el pastor el día que está en medio de sus ovejas esparcidas, así reconoceré mis ovejas, y las libraré de todos los lugares en que fueron esparcidas el día del nublado y de la oscuridad.

13 Y yo las sacaré de los pueblos, y las juntaré de las tierras; y las traeré a su propia tierra, y las apacentaré en los montes de Israel por las riberas, y en todos los lugares habitados del país.

14 En buenos pastos las apacentaré, y *en* los altos montes de Israel estará su aprisco; allí dormirán en buen redil, y en delicados pastos serán apacentadas sobre los montes de Israel.

15 Yo apacentaré mis ovejas, y yo les haré descansar, dice Jehová el Señor.

16 Yo buscaré la perdida, y haré volver la descarriada, y vendaré la perniquebrada, y fortaleceré a la enferma. Mas destruiré a la engordada y a la fuerte. Yo las apacentaré con justicia.

17 Mas vosotras, ovejas mías, así dice Jehová el Señor: He aquí yo juzgo entre oveja y oveja, entre carneros y machos cabríos.

18 ¿*Os es* poco que comáis los buenos pastos, sino que holláis con vuestros pies lo que de vuestros pastos queda; y que después de beber las aguas profundas, enturbiáis además con vuestros pies las que quedan?

19 Y mis ovejas comen lo hollado de vuestros pies, y beben lo que con vuestros pies habéis enturbiado.

20 Por tanto, así les dice Jehová el Señor: He aquí, yo, yo juzgaré entre la oveja engordada y la oveja flaca,

21 por cuanto empujasteis con el costado y con el hombro, y acorneasteis con vuestros cuernos a todas las débiles, hasta que las esparcisteis lejos.

22 Yo salvaré a mis ovejas, y nunca más serán por rapiña; y juzgaré entre oveja y oveja.

23 Y levantaré sobre ellas a un pastor, y Él las apacentará; a mi siervo David; Él las apacentará, y Él será su pastor.

24 Yo Jehová seré su Dios, y mi siervo David *será* príncipe en medio de ellos. Yo Jehová he hablado.

25 Y estableceré con ellos pacto de paz, y haré cesar de la tierra las malas bestias; y habitarán en el desierto seguramente, y dormirán en los bosques.

26 Y daré bendición a ellas y a los alrededores de mi collado; y haré descender la lluvia en su tiempo, lluvias de bendición serán.

27 Y el árbol del campo dará su fruto, y la tierra dará su fruto, y estarán a salvo sobre su tierra; y sabrán que yo soy Jehová, cuando yo haya quebrado las coyundas de su yugo, y los haya librado de mano de los que se sirven de ellos.

28 Y no serán más por presa a las naciones, ni las fieras de la tierra las devorarán; sino que habitarán seguros, y no habrá quien *los* espante.

29 Y levantaré para ellos una planta de renombre, y no serán ya más consumidos de hambre en la tierra, ni ya más serán avergonzados por las naciones.

30 Y sabrán que yo Jehová su Dios *soy* con ellos, y ellos *son* mi pueblo, la casa de Israel, dice Jehová el Señor.

31 Y vosotras, ovejas mías, ovejas de mi prado, hombres *sois*, y yo vuestro Dios, dice Jehová el Señor.

CAPÍTULO 35

Y vino a mí palabra de Jehová, diciendo:

2 Hijo de hombre, pon tu rostro hacia el monte de Seir, y profetiza contra él,

3 y dile: Así dice Jehová el Señor: He aquí yo *estoy* contra ti, oh monte de Seir, y extenderé mi mano contra ti, y te convertiré en desolación y en soledad.

4 A tus ciudades asolaré, y tú serás asolado; y sabrás que yo soy Jehová.

5 Por cuanto tuviste enemistad perpetua, y derramaste *la sangre de* los hijos de Israel con el poder de la espada en el tiempo de su aflicción, en el tiempo extremadamente malo;

6 por tanto, vivo yo, dice Jehová el Señor, que a sangre te destinaré, y sangre te perseguirá; y porque la sangre no aborreciste, sangre te perseguirá.

7 Y convertiré al monte de Seir en desolación y en soledad, y cortaré de él al que pasa y al que vuelve.

8 Y llenaré sus montes de sus muertos; en tus collados y en tus valles, y en todos tus arroyos ellos caerán muertos a espada.

9 Yo te pondré en asolamientos perpetuos, y tus ciudades nunca más se restaurarán; y sabréis que yo soy Jehová.

10 Por cuanto dijiste: Estas dos naciones y estas dos tierras serán mías, y las poseeremos, aunque Jehová esté allí.

11 Por tanto, vivo yo, dice Jehová el Señor, yo haré conforme a tu ira, y conforme a tu celo con que procediste, a causa de tus enemistades con ellos; y seré conocido en ellos, cuando te haya juzgado.

12 Y sabrás que yo Jehová he oído todas tus injurias que proferiste contra los montes de Israel, diciendo: Destruidos son, nos han sido dados para que los devoremos.

13 Y os engrandecisteis contra mí con vuestra boca, y multiplicasteis contra mí vuestras palabras. Yo lo oí.

14 Así dice Jehová el Señor: Para que se alegre toda la tierra, yo te haré una desolación.

15 Como te alegraste sobre la heredad de la casa de Israel, porque fue asolada, así te haré a ti; asolado será el monte de Seir, y toda Idumea, toda ella; y sabrán que yo soy Jehová.

CAPÍTULO 36

Y tú, hijo de hombre, profetiza a los montes de Israel, y di: Montes de Israel, oíd palabra de Jehová:

2 Así dice Jehová el Señor: Por cuanto el enemigo dijo sobre vosotros: ¡Ea! también las alturas perpetuas nos han sido dadas por heredad.

3 Profetiza por tanto, y di: Así dice Jehová el Señor: Por cuanto os desolaron y os tragaron de todas partes, para que fueseis heredad a las otras naciones, y se os ha hecho caer en boca de habladores, y *ser* el oprobio de los pueblos,

4 por tanto, montes de Israel, oíd palabra de Jehová el Señor: Así dice Jehová el Señor a los montes y a los collados, a los arroyos y a los valles, a las ruinas y asolamientos, y a las ciudades desamparadas, que fueron puestas por presa y escarnio al resto de las naciones alrededor;

5 por eso, así dice Jehová el Señor: He hablado por cierto en el fuego de mi celo contra las demás naciones, y contra toda Idumea, que se adjudicaron mi tierra por heredad con alegría de todo corazón, con enconamiento de ánimo, para arrojarla por presa.

6 Por tanto, profetiza acerca de la tierra de Israel, y di a los montes y a los collados, y a los arroyos y a los valles: Así dice Jehová el Señor: He aquí, en mi celo y en mi furor he hablado, porque habéis llevado el oprobio de las naciones.

7 Por lo cual así dice Jehová el Señor: Yo he alzado mi mano, he jurado que las naciones que *están* a vuestro alrededor han de llevar su afrenta.

8 Mas vosotros, oh montes de Israel, daréis vuestras ramas, y llevaréis vuestro fruto a mi pueblo Israel; porque cerca están para venir.

9 Porque he aquí, yo *estoy* por vosotros, y a vosotros me volveré, y seréis labrados y sembrados.

10 Y haré multiplicar sobre vosotros hombres, a toda la casa de Israel, toda ella; y las ciudades serán habitadas, y las ruinas serán edificadas.

11 Y multiplicaré sobre vosotros hombres y bestias, y serán multiplicados y crecerán; y os haré morar como solíais antiguamente, y os haré mayor bien que en vuestros principios; y sabréis que yo soy Jehová.

12 Y haré andar hombres sobre vosotros, a mi pueblo Israel; y te poseerán, y les serás por heredad, y nunca más les privarás *de varones*.

13 Así dice Jehová el Señor: Por cuanto dicen de vosotros: Comedora de hombres, y matadora de los hijos de tu nación has sido;

14 por tanto, ya no devorarás hombres, y nunca más privarás de hijos a tu nación, dice Jehová el Señor.

15 Y nunca más te haré oír injuria de naciones, ni más llevarás el oprobio

de pueblos, ni harás más morir a los hijos de tu nación, dice Jehová el Señor.

16 Y vino a mí palabra de Jehová, diciendo:

17 Hijo de hombre, morando en su tierra la casa de Israel, la contaminaron con sus caminos y con sus obras; como inmundicia de menstruosa fue su camino delante de mí.

18 Y derramé mi ira sobre ellos por la sangre que derramaron sobre la tierra; porque con sus ídolos la contaminaron.

19 Y los esparcí por las naciones, y fueron dispersados por las tierras; conforme a sus caminos y conforme a sus obras los juzgué.

20 Y entrados a las naciones a donde fueron, profanaron mi santo nombre, diciéndose de ellos: Éstos son el pueblo de Jehová, y de la tierra de Él han salido.

21 Pero he tenido compasión por causa de mi santo nombre, el cual profanó la casa de Israel entre las naciones adonde fueron.

22 Por tanto, di a la casa de Israel: Así dice Jehová el Señor: No lo hago por vosotros, oh casa de Israel, sino por causa de mi santo nombre, el cual profanasteis vosotros entre las naciones adonde habéis llegado.

23 Y santificaré mi grande nombre, el cual fue profanado entre las naciones, el cual profanasteis vosotros en medio de ellas; y sabrán las naciones que yo soy Jehová, dice Jehová el Señor, cuando yo sea santificado en vosotros delante de sus ojos.

24 Y yo os tomaré de las naciones, y os reuniré de todas las tierras, y os traeré a vuestro país.

25 Y rociaré sobre vosotros agua limpia, y seréis limpiados de todas vuestras inmundicias; y de todos vuestros ídolos os limpiaré.

26 Y os daré corazón nuevo, y pondré espíritu nuevo dentro de vosotros; y quitaré de vuestra carne el corazón de piedra, y os daré un corazón de carne.

27 Y pondré dentro de vosotros mi Espíritu, y haré que andéis en mis mandamientos, y guardéis mis decretos y los pongáis por obra.

El campo de los huesos secos

28 Y habitaréis en la tierra que di a vuestros padres; y vosotros seréis mi pueblo, y yo seré vuestro Dios.

29 Y os libraré de todas vuestras inmundicias; y llamaré al trigo, y lo multiplicaré, y no os daré hambre.

30 Multiplicaré asimismo el fruto de los árboles, y el fruto de los campos, para que nunca más recibáis oprobio de hambre entre las naciones.

31 Y os acordaréis de vuestros malos caminos, y de vuestras obras que no fueron buenas; y os avergonzaréis de vosotros mismos por vuestras iniquidades, y por vuestras abominaciones.

32 No lo hago por vosotros, dice Jehová el Señor, sabedlo bien. Avergonzaos y confundíos de vuestros caminos, casa de Israel.

33 Así dice Jehová el Señor: El día que os limpie de todas vuestras iniquidades, haré también que habitéis las ciudades, y las ruinas serán edificadas.

34 Y la tierra asolada será labrada, en lugar de haber permanecido asolada a la vista de todos los que pasaron.

35 Y dirán: Esta tierra que estaba asolada ha venido a ser como el huerto del Edén; y las ciudades que estaban desiertas y asoladas y arruinadas, están fortificadas y habitadas.

36 Y las naciones que queden en vuestros alrededores, sabrán que yo Jehová reedifiqué lo que estaba derribado, y planté lo que estaba asolado. Yo Jehová he hablado, y lo haré.

37 Así dice Jehová el Señor: Aún seré consultado por la casa de Israel, para hacerles esto; los multiplicaré con hombres como un rebaño.

38 Como las ovejas consagradas, como las ovejas de Jerusalén en sus fiestas solemnes, así las ciudades desiertas serán llenas de rebaños de hombres; y sabrán que yo soy Jehová.

CAPÍTULO 37

Y la mano de Jehová vino sobre mí, y me llevó en el Espíritu de Jehová, y me puso en medio de un campo que estaba lleno de huesos.

2 Y me hizo pasar cerca de ellos por todo alrededor: y he aquí *que eran* muchísimos sobre la faz del campo, y por cierto secos en gran manera.

3 Y me dijo: Hijo de hombre, ¿vivirán estos huesos? Y dije: Señor Jehová, tú lo sabes.

4 Me dijo entonces: Profetiza sobre estos huesos, y diles: Huesos secos, oíd palabra de Jehová.

5 Así dice Jehová el Señor a estos huesos: He aquí, yo hago entrar espíritu en vosotros, y viviréis.

6 Y pondré tendones sobre vosotros, y haré subir sobre vosotros carne, y os cubriré de piel, y pondré en vosotros espíritu, y viviréis; y sabréis que yo soy Jehová.

7 Profeticé, pues, como me fue mandado; y hubo un ruido mientras yo profetizaba, y he aquí un temblor, y los huesos se juntaron cada hueso a su hueso.

8 Y miré, y he aquí tendones sobre ellos, y la carne subió, y la piel cubrió por encima de ellos; pero no *había* en ellos espíritu.

9 Y me dijo: Profetiza al espíritu, profetiza, hijo de hombre, y di al espíritu: Así dice Jehová el Señor: Espíritu, ven de los cuatro vientos, y sopla sobre estos muertos, y vivirán.

10 Y profeticé como me había mandado, y entró espíritu en ellos, y vivieron, y estuvieron sobre sus pies, un ejército grande en extremo.

11 Me dijo luego: Hijo de hombre, todos estos huesos son la casa de Israel. He aquí, ellos dicen: Nuestros huesos se secaron, y pereció nuestra esperanza, y somos del todo talados.

12 Por tanto, profetiza, y diles: Así dice Jehová el Señor: He aquí, yo abro vuestros sepulcros, pueblo mío, y os haré subir de vuestras sepulturas, y os traeré a la tierra de Israel.

13 Y sabréis que yo soy Jehová, cuando abriere vuestros sepulcros, y os sacare de vuestras sepulturas, pueblo mío.

14 Y pondré mi Espíritu en vosotros, y viviréis, y os haré reposar sobre vuestra tierra; y sabréis que yo Jehová hablé, y *lo* hice, dice Jehová.

15 Y vino a mí palabra de Jehová, diciendo:

16 Tú, hijo de hombre, tómate ahora una vara, y escribe en ella: Para Judá, y *para* los hijos de Israel sus compañeros. Toma después otra vara, y escribe en ella: Para José, vara de Efraín, y *para* toda la casa de Israel sus compañeros.

17 Júntalos luego el uno con el otro, para que sean uno solo, y serán uno solo en tu mano.

18 Y cuando te hablaren los hijos de tu pueblo, diciendo: ¿No nos enseñarás qué te *propones* con eso?,

19 diles: Así dice Jehová el Señor: He aquí, yo tomo la vara de José que *está* en la mano de Efraín, y a las tribus de Israel sus compañeros, y los pondré con él, con la vara de Judá, y los haré una sola vara, y vendrán a ser uno en mi mano.

20 Y las varas sobre que escribieres, estarán en tu mano delante de sus ojos,

21 y les dirás: Así dice Jehová el Señor: He aquí, yo tomo a los hijos de Israel de entre las naciones a las que fueron, y los recogeré de todas partes, y los traeré a su tierra;

22 y los haré una nación en la tierra, en los montes de Israel; y un rey será a todos ellos por rey; y nunca más serán dos naciones, ni nunca más serán divididos en dos reinos.

23 No se contaminarán ya más con sus ídolos, ni con sus abominaciones, y con ninguna de sus transgresiones; y los salvaré de todas sus habitaciones en las cuales pecaron, y los limpiaré; y ellos serán mi pueblo, y yo seré su Dios.

24 Y mi siervo David *será* rey sobre ellos, y todos ellos tendrán un pastor. Andarán en mis decretos y guardarán mis estatutos y los pondrán por obra.

25 Y habitarán en la tierra que di a mi siervo Jacob, en la cual habitaron vuestros padres, en ella habitarán ellos, y sus hijos, y los hijos de sus hijos para siempre; y mi siervo David les *será* príncipe para siempre.

26 Y haré con ellos pacto de paz, pacto perpetuo será con ellos; y los estableceré, y los multiplicaré, y pondré mi santuario en medio de ellos para siempre.

27 Y estará en ellos mi tabernáculo, y yo seré su Dios, y ellos serán mi pueblo.

28 Y sabrán las naciones que yo Jehová santifico a Israel, estando mi santuario en medio de ellos para siempre.

CAPÍTULO 38

Y vino a mí palabra de Jehová, diciendo:

2 Hijo de hombre, pon tu rostro contra Gog en tierra de Magog, príncipe de la cabecera de Mesec y Tubal, y profetiza contra él.

3 Y di: Así dice Jehová el Señor: He aquí, yo *estoy* contra ti, oh Gog, príncipe de la cabecera de Mesec y Tubal.

4 Y yo te quebrantaré, y pondré anzuelos en tus quijadas, y te sacaré a ti, y a todo tu ejército, caballos y jinetes, todos ellos vestidos de toda *armadura*, gran multitud *con* pavés y escudo, todos ellos empuñando espada.

5 Persia, y Etiopía, y Libia con ellos; todos ellos con escudo y yelmo;

6 Gomer, y todas sus tropas; la casa de Togarma, a los lados del norte, y todas sus tropas; muchos pueblos contigo.

7 Prepárate y apercíbete, tú, y toda tu multitud que se ha reunido a ti, y sé tú su guarda.

8 De aquí a muchos días serás visitado; al cabo de años vendrás a la tierra salvada de la espada, recogida de muchos pueblos, a los montes de Israel, que siempre fueron una desolación; pero fue sacada de las naciones, y todos ellos morarán confiadamente.

9 Y subirás tú, vendrás como tempestad; como nublado para cubrir la tierra serás tú y todas tus tropas, y muchos pueblos contigo.

10 Así dice Jehová el Señor: Y será en aquel día, *que* subirán palabras en tu corazón, y concebirás mal pensamiento;

11 y dirás: Subiré contra tierra de aldeas indefensas, iré contra gentes tranquilas, que habitan confiadamente; todos ellos habitan sin muros, y no tienen cerrojos ni puertas;

12 para arrebatar despojos y para tomar presa; para poner tu mano sobre las tierras desiertas ya pobladas, y sobre el pueblo recogido de entre las naciones, que ha adquirido ganados y posesiones, que habita en medio de la tierra.

13 Seba, y Dedán, y los mercaderes de Tarsis, y todos sus leoncillos, te dirán: ¿Has venido a arrebatar despojos? ¿Has reunido tu multitud para tomar presa, para quitar plata y oro, para tomar ganados y posesiones, para tomar grandes despojos?

14 Por tanto profetiza, hijo de hombre, y di a Gog: Así dice Jehová el Señor: En aquel tiempo, cuando mi pueblo Israel habite seguramente, ¿no *lo* sabrás tú?

15 Y vendrás de tu lugar, de las partes del norte, tú y muchos pueblos contigo, todos ellos a caballo, gran multitud y poderoso ejército:

16 Y subirás contra mi pueblo Israel como nublado para cubrir la tierra; será al cabo de los días; y te traeré sobre mi tierra, para que las naciones me conozcan, cuando yo sea santificado en ti, oh Gog, delante de sus ojos.

17 Así dice Jehová el Señor: ¿No eres tú aquél de quien hablé yo en tiempos pasados por mis siervos los profetas de Israel, los cuales profetizaron en aquellos tiempos que yo te había de traer sobre ellos?

18 Y será en aquel tiempo, cuando vendrá Gog contra la tierra de Israel, dice Jehová el Señor, *que* subirá mi ira en mi enojo.

19 Porque he hablado en mi celo, y en el fuego de mi ira: Que en aquel tiempo habrá gran temblor sobre la tierra de Israel;

20 que los peces del mar, y las aves del cielo, y las bestias del campo, y todo reptil que se arrastra sobre la tierra, y todos los hombres que *están* sobre la faz de la tierra, temblarán a mi presencia; y se arruinarán los montes, y los vallados caerán, y todo muro caerá a tierra.

21 Y en todos mis montes llamaré contra él espada, dice Jehová el Señor; la espada de cada cual será contra su hermano.

22 Y yo haré juicio contra él con pestilencia y con sangre; y haré llover sobre él, sobre sus tropas, y sobre los

muchos pueblos que *están* con él, impetuosa lluvia, y piedras de granizo, fuego y azufre.

23 Y seré engrandecido y santificado, y seré conocido en ojos de muchas naciones; y sabrán que yo soy Jehová.

CAPÍTULO 39

Tú, pues, hijo de hombre, profetiza contra Gog, y di: Así dice Jehová el Señor: He aquí yo contra ti, oh Gog, príncipe de la cabecera de Mesec y Tubal:

2 Y te quebrantaré, y dejaré de ti sólo la sexta parte, y te haré subir de las partes del norte, y te traeré sobre los montes de Israel;

3 y romperé tu arco de tu mano izquierda, y derribaré tus saetas de tu mano derecha.

4 Sobre los montes de Israel caerás tú, y todas tus tropas, y los pueblos que *fueron* contigo; a toda ave de rapiña de toda especie, y *a* las fieras del campo, te daré por comida.

5 Sobre la faz del campo caerás; porque yo he hablado, dice Jehová el Señor.

6 Y enviaré fuego sobre Magog, y sobre los que moran seguros en las islas; y sabrán que yo soy Jehová.

7 Y haré notorio mi santo nombre en medio de mi pueblo Israel, y nunca más dejaré profanar mi santo nombre; y sabrán las naciones que yo soy Jehová, el Santo en Israel.

8 He aquí, ha venido, y se ha cumplido, dice Jehová el Señor; éste *es* el día del cual he hablado.

9 Y los moradores de las ciudades de Israel saldrán, y encenderán y quemarán armas, y escudos, y paveses, arcos y saetas, dardos de mano y lanzas; y las quemarán en fuego por siete años.

10 Y no traerán leña del campo, ni cortarán de los bosques, sino que quemarán las armas en el fuego; y despojarán a sus despojadores, y robarán a los que los robaron, dice Jehová el Señor.

11 Y será en aquel tiempo, *que* yo daré a Gog lugar para sepultura allí en Israel, el valle de los que pasan al oriente del mar, y obstruirá el paso a los transeúntes, pues allí enterrarán a Gog y a toda su multitud; y *lo* llamarán, el valle de Hamón-gog.

12 Y la casa de Israel los estará enterrando por siete meses, para limpiar la tierra:

13 Todo el pueblo de la tierra los enterrará; y será célebre para ellos el día que yo sea glorificado, dice Jehová el Señor.

14 Y tomarán hombres a jornal, que vayan por el país con los que viajen, para enterrar a los que queden sobre la faz de la tierra, a fin de limpiarla; al cabo de siete meses harán el reconocimiento.

15 Y pasarán los *que* irán por el país, y el que viere los huesos de algún hombre, pondrá junto a ellos una señal, hasta que los entierren los sepultureros en el valle de Hamón-gog.

16 Y también el nombre de la ciudad *será* Hamona; y limpiarán la tierra.

17 Y tú, hijo de hombre, así dice Jehová el Señor: Di a todas las aves, y a toda bestia del campo: Juntaos, y venid; reuníos de todas partes a mi víctima que sacrifico para vosotros, un sacrificio grande sobre los montes de Israel, y comeréis carne y beberéis sangre.

18 Comeréis carne de poderosos, y beberéis la sangre de príncipes de la tierra; de carneros, de corderos, de machos cabríos, de bueyes, de toros, engordados todos de Basán.

19 Y comeréis gordura hasta saciaros y beberéis sangre hasta embriagaros, de mis víctimas que yo sacrifiqué por vosotros.

20 Y os hartaréis sobre mi mesa, de caballos, y de jinetes fuertes, y de todos los hombres de guerra, dice Jehová el Señor.

21 Y pondré mi gloria entre las naciones, y todas las naciones verán mi juicio que habré hecho, y mi mano que sobre ellos puse.

22 Y de aquel día en adelante sabrá la casa de Israel que yo soy Jehová su Dios.

23 Y sabrán las naciones que la casa de Israel fue llevada cautiva por su pecado; por cuanto se rebelaron contra mí, y yo escondí de ellos mi rostro, y los entregué en mano de sus enemigos, y cayeron todos a espada.

24 Conforme a su inmundicia y conforme a sus rebeliones hice con ellos; y de ellos escondí mi rostro.

25 Por tanto, así dice Jehová el Señor: Ahora volveré la cautividad de Jacob, y tendré misericordia de toda la casa de Israel, y me mostraré celoso por mi santo nombre.

26 Y ellos sentirán su vergüenza, y toda su rebelión con que prevaricaron contra mí, cuando habiten seguros en su tierra, sin que nadie *los* espante;

27 cuando los haga volver de los pueblos, y los reúna de las tierras de sus enemigos, y sea santificado en ellos ante los ojos de muchas naciones.

28 Y sabrán que yo soy Jehová su Dios, cuando después de que hice que fuesen llevados en cautiverio entre las naciones, los reúna sobre su tierra, sin dejar allá a ninguno de ellos.

29 No esconderé más de ellos mi rostro; porque habré derramado de mi Espíritu sobre la casa de Israel, dice Jehová el Señor.

CAPÍTULO 40

En el año veinticinco de nuestro cautiverio, al principio del año, a los diez del mes, a los catorce años después que la ciudad fue tomada, en aquel mismo día vino sobre mí la mano de Jehová, y me llevó allá.

2 En visiones de Dios me llevó a la tierra de Israel, y me puso sobre un monte muy alto, sobre el cual *había* como la estructura de una ciudad en el sur.

3 Y me llevó allí, y he aquí un varón, cuyo aspecto *era* como aspecto de bronce, y tenía un cordel de lino en su mano, y una caña de medir; y él estaba a la puerta.

4 Y me habló aquel varón, diciendo: Hijo de hombre, mira con tus ojos, y oye con tus oídos, y pon tu corazón a todas las cosas que te muestro; pues para que yo te *las* mostrase *eres* traído aquí. Declara todo lo que ves a la casa de Israel.

5 Y he aquí, un muro fuera de la casa, alrededor; y la caña de medir que aquel varón tenía en la mano, era de seis codos, de a codo y palmo menor; y midió la anchura del edificio de una caña, y la altura, de otra caña.

6 Después vino a la puerta que daba hacia el oriente, y subió por sus gradas, y midió el poste de la puerta, de una caña de ancho, y el otro poste de otra caña de ancho.

7 Y *cada* cámara *tenía* una caña de largo, y una caña de ancho; y entre las cámaras había cinco codos de ancho; y cada poste de la puerta junto a la entrada de la puerta por dentro, una caña.

8 Midió asimismo la entrada de la puerta por dentro, una caña.

9 Midió luego la entrada del portal, de ocho codos, y sus postes de dos codos; y la puerta del portal *estaba* por dentro.

10 Y la puerta que daba hacia el oriente *tenía* tres cámaras a cada lado, las tres de una medida; también de una medida los portales a cada lado.

11 Y midió el ancho de la entrada de la puerta, de diez codos; la longitud del portal de trece codos.

12 Y el espacio de delante de las cámaras, de un codo a un lado, y de otro codo al otro lado; y cada cámara *tenía* seis codos de un lado, y seis codos del otro lado.

13 Y midió la puerta desde el techo de *una* cámara hasta el techo de la otra, veinticinco codos de anchura, puerta contra puerta.

14 E hizo los postes de sesenta codos, cada poste del atrio y del portal por todo alrededor.

15 Y desde el frente de la puerta de la entrada hasta el frente de la entrada de la puerta interior, cincuenta codos.

16 Y *había* ventanas estrechas en las cámaras, y en sus portales por dentro de la puerta alrededor, y asimismo en los corredores; y las ventanas *estaban* alrededor por dentro; y en *cada* poste *había* palmeras.

17 Me llevó luego al atrio exterior, y he aquí, *había* cámaras, y un enlosado hecho en derredor del atrio; treinta cámaras *había* sobre el enlosado.

18 Y el enlosado a los lados de las puertas, en proporción a la longitud

de los portales, *era* el enlosado más bajo.

19 Y midió la anchura desde el frente de la puerta de abajo hasta el frente del atrio interior por fuera, de cien codos hacia el oriente y el norte.

20 Y de la puerta que estaba hacia el norte en el atrio exterior, midió su longitud y su anchura.

21 Y sus cámaras eran tres de un lado, y tres del otro, y sus postes y sus arcos eran como la medida de la puerta primera; cincuenta codos su longitud, y veinticinco su anchura.

22 Y sus ventanas, y sus arcos, y sus palmeras, *eran* conforme a la medida de la puerta que estaba hacia el oriente; y subían a ella por siete gradas; y delante de ellas estaban sus arcos.

23 Y la puerta del atrio interior *estaba* enfrente de la puerta al norte; y así al oriente; y midió de puerta a puerta cien codos.

24 Me llevó después hacia el sur, y he aquí una puerta hacia el sur; y midió sus portales y sus arcos conforme a estas medidas.

25 Y *tenía* sus ventanas y sus arcos alrededor, como las otras ventanas; la longitud era de cincuenta codos, y la anchura de veinticinco codos.

26 Y sus gradas *eran* de siete escalones, con sus arcos delante de ellas; y tenía palmeras, una de un lado, y otra del otro, en sus postes.

27 Y *había* una puerta que daba hacia el sur del atrio interior; y midió de puerta a puerta hacia el sur cien codos.

28 Me metió después en el atrio de adentro a la puerta del sur, y midió la puerta del sur conforme a estas medidas.

29 Y sus cámaras, y sus postes y sus arcos, eran conforme a estas medidas; y *tenía* sus ventanas y sus arcos alrededor; la longitud *era* de cincuenta codos, y de veinticinco codos la anchura.

30 Y los arcos alrededor *eran* de veinticinco codos de largo, y cinco codos de ancho.

31 Y sus arcos caían afuera al atrio, con palmeras en sus postes; y sus gradas *eran* de ocho escalones.

32 Y me llevó al atrio interior hacia el oriente, y midió la puerta conforme a estas medidas.

33 Y eran sus cámaras, y sus postes, y sus arcos, conforme a estas medidas; y *tenía* sus ventanas y sus arcos alrededor; la longitud *era* de cincuenta codos, y la anchura de veinticinco codos.

34 Y sus arcos caían hacia el atrio exterior, con palmeras en sus postes de un lado y otro; y sus gradas *eran* de ocho escalones.

35 Me llevó luego a la puerta del norte, y midió conforme a estas medidas:

36 Sus cámaras, y sus postes, y sus arcos, y sus ventanas alrededor; la longitud *era* de cincuenta codos, y de veinticinco codos el ancho.

37 Y sus postes caían *hacia* el atrio exterior, con palmeras a cada uno de sus postes de un lado y otro; y sus gradas *eran* de ocho escalones.

38 Y había allí una cámara, y su puerta con postes de portales; allí lavaban el holocausto.

39 Y en la entrada de la puerta *había* dos mesas a un lado, y otras dos al otro, para degollar sobre ellas el holocausto y la expiación y el sacrificio por el pecado.

40 Y por el lado de fuera de las gradas, a la entrada de la puerta del norte, *había* dos mesas; y al otro lado que *estaba* a la entrada de la puerta, dos mesas.

41 Cuatro mesas a un lado, y cuatro mesas al otro lado, junto a la puerta; ocho mesas, sobre las cuales degollaban *los sacrificios*.

42 Y las cuatro mesas para el holocausto *eran* de piedra labrada, de un codo y medio de longitud, y codo y medio de ancho, y de altura de un codo; sobre éstas ponían los instrumentos con que degollaban el holocausto y el sacrificio.

43 Y adentro, ganchos de un palmo menor, dispuestos en derredor; y sobre las mesas la carne de las ofrendas.

44 Y fuera de la puerta interior, en el atrio de adentro que *estaba* al lado de la puerta del norte, estaban las cámaras de los cantores, las cuales miraban hacia el sur; una estaba al

lado de la puerta del oriente que miraba hacia el norte.

45 Y me dijo: Esta cámara que mira hacia el sur es de los sacerdotes que tienen la guarda del templo.

46 Y la cámara que mira hacia el norte *es* de los sacerdotes que tienen la guarda del altar; éstos *son* los hijos de Sadoc, los cuales son llamados de los hijos de Leví para ministrar a Jehová.

47 Y midió el atrio, cien codos de longitud, y la anchura de cien codos cuadrados; y el altar *estaba* delante de la casa.

48 Y me llevó al pórtico del templo, y midió *cada* poste del pórtico, cinco codos de un lado, y cinco codos de otro; y la anchura de la puerta tres codos de un lado, y tres codos del otro.

49 La longitud del pórtico veinte codos, y la anchura once codos, al cual subían por gradas; y *había* columnas junto a los postes, una de un lado, y otra de otro.

CAPÍTULO 41

Me metió luego en el templo, y midió los postes, siendo el ancho seis codos de un lado, y seis codos de otro, que *era* la anchura del tabernáculo.

2 Y la anchura de la puerta *era* de diez codos; y los lados de la puerta, de cinco codos de un lado, y cinco de otro. Y midió su longitud de cuarenta codos, y la anchura de veinte codos.

3 Y pasó al interior, y midió cada poste de la puerta de dos codos; y la puerta de seis codos; y la anchura de la entrada de siete codos.

4 Midió también su longitud, de veinte codos, y la anchura de veinte codos, delante del templo; y me dijo: Éste *es* el *lugar* santísimo.

5 Después midió el muro de la casa, de seis codos; y de cuatro codos la anchura de las cámaras, en torno de la casa alrededor.

6 Y las tres cámaras laterales *estaban* sobrepuestas unas a otras, treinta por orden; y entraban modillones en la pared de la casa alrededor, sobre los que las cámaras estribasen, para que no estribasen en la pared de la casa.

7 Y *había* mayor anchura y espiral en las cámaras a lo más alto; la escalera de caracol de la casa subía muy alto alrededor por dentro de la casa; por tanto la casa tenía más anchura arriba; y de la cámara baja se subía a la *cámara* alta por la del medio.

8 Y miré la altura de la casa alrededor; los cimientos de las cámaras *eran* una caña entera de seis codos largos.

9 Y la anchura de la pared de afuera de las cámaras *era* de cinco codos, y el espacio *que* quedaba de las cámaras de la casa por dentro.

10 Y entre las cámaras *había* anchura de veinte codos por todos lados alrededor de la casa.

11 Y la puerta de cada cámara salía al *espacio que quedaba*; una puerta hacia el norte, y otra puerta hacia el sur; y la anchura del espacio que quedaba *era* de cinco codos por todo alrededor.

12 Y el edificio que *estaba* delante del área reservada al final, hacia el occidente *era* de setenta codos; y la pared del edificio, de cinco codos de anchura alrededor, y noventa codos de largo.

13 Y midió la casa, cien codos de largo; y el área reservada, y el edificio, y sus paredes, de longitud de cien codos;

14 y la anchura de la delantera de la casa, y del área reservada al oriente, de cien codos.

15 Y midió la longitud del edificio que estaba delante del área reservada que *había* detrás de él, y las cámaras de un lado y otro, cien codos; y el templo de dentro, y los portales del atrio.

16 Los umbrales y las ventanas estrechas y las cámaras alrededor de los tres pisos estaba todo cubierto de madera alrededor, desde el suelo hasta las ventanas; y las ventanas también *estaban* cubiertas.

17 Por encima de la puerta, y hasta la casa de dentro, y de fuera, y por toda la pared en derredor por dentro y por fuera, tomó medidas.

18 Y *estaba* labrada con querubines y palmeras; entre querubín y querubín una palmera; y *cada* querubín tenía dos rostros.

19 Un rostro de hombre hacia la palmera de un lado, y un rostro de león hacia la palmera del otro lado, por toda la casa alrededor.

20 Desde el suelo hasta encima de la puerta *había* querubines labrados y palmeras, por toda la pared del templo.

21 Cada poste del templo *era* cuadrado, y el frente del santuario era como el otro frente.

22 La altura del altar de madera *era* de tres codos, y su longitud de dos codos; y sus esquinas, y su superficie, y sus paredes, *eran* de madera. Y me dijo: Ésta *es* la mesa que *está* delante de Jehová.

23 Y el templo y el santuario tenían dos puertas.

24 Y en cada puerta había dos *hojas*, dos hojas que giraban; dos hojas en una puerta, y otras dos en la otra.

25 Y en las puertas del templo *había* labrados de querubines y palmeras, como los que *estaban* labrados en las paredes, y sobre la fachada del pórtico por fuera, *había* unas vigas de madera.

26 Y *había* ventanas estrechas, y palmeras de uno y otro lado, por los lados del pórtico, y *sobre* las cámaras laterales de la casa, y por las vigas.

CAPÍTULO 42

Me sacó luego al atrio de afuera hacia el norte, y me llevó a la cámara que estaba delante del área reservada que *quedaba* enfrente del edificio, hacia el norte.

2 Por delante de la puerta del norte su longitud *era* de cien codos, y la anchura de cincuenta codos.

3 Frente a los veinte *codos* que *había* en el atrio de adentro, y enfrente del enlosado que *había* en al atrio exterior, estaban las cámaras, las unas enfrente de las otras en tres *pisos*.

4 Y delante de las cámaras *había* un corredor de diez codos de ancho hacia adentro, con una vía de un codo; y sus puertas *daban* hacia el norte.

5 Y las cámaras más altas *eran* más estrechas; porque las galerías quitaban de ellas más que de las bajas

y de las de en medio del edificio.

6 Porque *estaban* en tres *pisos*, y no tenían columnas como las columnas de los atrios: por tanto, eran más estrechas que las de abajo y las del medio desde el suelo.

7 Y el muro que *estaba* afuera enfrente de las cámaras, hacia el atrio exterior enfrente de las cámaras, *tenía* cincuenta codos de largo.

8 Porque la longitud de las cámaras del atrio de afuera era de cincuenta codos; y delante de la fachada del templo *había* cien codos.

9 Y debajo de las cámaras *estaba* la entrada al lado oriental, para entrar en él desde el atrio de afuera.

10 A lo largo del muro del atrio, hacia el oriente, enfrente del área reservada, y delante del edificio, *había* cámaras.

11 Y el corredor que había delante de ellas *era* semejante al de las cámaras que *estaban* hacia el norte, conforme a su longitud, asimismo su anchura, y todas sus salidas; conforme a sus puertas, y conforme a sus entradas.

12 Y conforme a las puertas de las cámaras que *estaban* hacia el sur, había una puerta al comienzo del corredor, del corredor frente al muro hacia el oriente a los que entran.

13 Y me dijo: Las cámaras del norte y las del sur, que están delante del área reservada, son cámaras santas, en las cuales los sacerdotes que se acercan a Jehová comerán las cosas santísimas; allí pondrán las ofrendas santas, el presente y la expiación, y el sacrificio por el pecado; porque el lugar es santo.

14 Cuando los sacerdotes entren, no saldrán del *lugar* santo al atrio de afuera, sino que allí dejarán sus vestimentas con que ministran, porque *son* santas; y se vestirán otras vestiduras, y así se acercarán a lo que es del pueblo.

15 Y luego que acabó las medidas de la casa de adentro, me sacó por el camino de la puerta que miraba hacia el oriente, y lo midió todo alrededor.

16 Midió el lado oriental con la caña de medir, quinientas cañas de la caña de medir en derredor.

17 Midió al lado del norte, quinientas cañas de la caña de medir alrededor.

18 Midió al lado del sur, quinientas cañas de la caña de medir.

19 Rodeó al lado del occidente, y midió quinientas cañas de la caña de medir.

20 A los cuatro lados lo midió; tenía un muro todo alrededor de quinientas *cañas* de longitud, y quinientas cañas de anchura, para hacer separación entre el santuario y el lugar profano.

CAPÍTULO 43

Luego me llevó a la puerta, a la puerta que mira hacia el oriente;

2 y he aquí la gloria del Dios de Israel, que venía del oriente; y su voz *era* como el sonido de muchas aguas, y la tierra resplandecía a causa de su gloria.

3 Y el aspecto de la visión que vi *era* como aquella visión que vi cuando vine para destruir la ciudad; y las visiones *eran* como la visión que vi junto al río de Quebar; y caí sobre mi rostro.

4 Y la gloria de Jehová entró en la casa por la vía de la puerta que daba hacia el oriente.

5 Y me alzó el Espíritu, y me metió en el atrio de adentro; y he aquí que la gloria de Jehová llenó la casa.

6 Y oí a uno que me hablaba desde la casa; y el varón estaba junto a mí,

7 y me dijo: Hijo de hombre, éste es el lugar de mi trono, y el lugar de las plantas de mis pies, en el cual habitaré en medio de los hijos de Israel para siempre; y nunca más profanará la casa de Israel mi santo nombre, *ni* ellos ni sus reyes, con sus fornicaciones, ni con los cuerpos muertos de sus reyes en sus lugares altos.

8 Porque al poner ellos su umbral junto a mi umbral, y su poste junto a mi poste, y *sólo* una pared entre ellos y yo, así han contaminado mi santo nombre con las abominaciones que han hecho; por tanto los consumí en mi furor.

9 Ahora, que echen lejos de mí su fornicación, y los cuerpos muertos de sus reyes, y habitaré en medio de ellos para siempre.

10 Tú, hijo de hombre, muestra a la casa de Israel esta casa, y avergüén-cense de sus pecados, y midan el diseño de ella.

11 Y si se avergonzaren de todo lo que han hecho, hazles entender la forma de la casa, y su diseño, y sus salidas y sus entradas, y todas sus formas, y todas sus descripciones, y todas sus configuraciones, y todas sus leyes; y descríbelo delante de sus ojos, para que guarden toda su forma, y todas sus reglas, y las pongan por obra.

12 Ésta *es* la ley de la casa: Sobre la cumbre del monte, todo su término alrededor *será* santísimo. He aquí que ésta *es* la ley de la casa.

13 Y éstas *son* las medidas del altar por codos (*cada* codo de un codo y un palmo menor). La base, de un codo, y de un codo el ancho; y su remate por su borde alrededor, de un palmo menor. Éste *será* el podio del altar.

14 Y desde la base de *sobre* el suelo hasta el lugar de abajo, dos codos, y la anchura de un codo; y desde el lugar menor hasta el lugar mayor, cuatro codos, y la anchura de un codo.

15 Y el altar, de cuatro codos, y encima del altar, cuatro cuernos.

16 Y el altar tenía doce codos de largo, y doce de ancho, cuadrado a sus cuatro lados.

17 Y el área, de catorce *codos* de longitud y catorce de anchura en sus cuatro lados, y de medio codo el borde alrededor; y la base de un codo por todos lados; y sus gradas estaban al oriente.

18 Y me dijo: Hijo de hombre, así dice Jehová el Señor: Éstas *son* las ordenanzas del altar el día en que sea hecho, para ofrecer sobre él holocausto, y para esparcir sobre él sangre.

19 A los sacerdotes levitas que son del linaje de Sadoc, que se acercan a mí para ministrarme, dice Jehová el Señor, darás un becerro de la vacada para expiación.

20 Y tomarás de su sangre, y pondrás en los cuatro cuernos del altar, y en las cuatro esquinas del descanso, y en el borde alrededor; así lo limpiarás y purificarás.

21 Tomarás luego el becerro de la expiación, y lo quemarás conforme

a la ley de la casa, fuera del santuario.

22 Y al segundo día ofrecerás un macho cabrío sin defecto, para expiación; y purificarán el altar como *lo* purificaron con el becerro.

23 Cuando acabes de expiar, ofrecerás un becerro de la vacada sin defecto, y un carnero sin tacha de la manada:

24 Y los ofrecerás delante de Jehová, y los sacerdotes echarán sal sobre ellos y los ofrecerán en holocausto a Jehová.

25 Por siete días sacrificarán un macho cabrío cada día en expiación; asimismo sacrificarán el becerro de la vacada y un carnero sin defecto del rebaño.

26 Por siete días harán expiación por el altar, y lo limpiarán, y así se consagrarán.

27 Y acabados estos días, del octavo día en adelante, los sacerdotes sacrificarán sobre el altar vuestros holocaustos y vuestras ofrendas de paz; y me seréis aceptos, dice Jehová el Señor.

CAPÍTULO 44

Y me hizo volver hacia la puerta de afuera del santuario, la cual mira hacia el oriente; y *estaba* cerrada.

2 Y me dijo Jehová: Esta puerta estará cerrada; no se abrirá, ni entrará por ella hombre, porque Jehová Dios de Israel entró por ella; por tanto permanecerá cerrada.

3 *Es* para el príncipe; el príncipe, él se sentará en ella para comer pan delante de Jehová; por el camino del vestíbulo de la puerta entrará, y por el mismo camino saldrá.

4 Y me llevó hacia la puerta del norte por delante de la casa, y miré, y he aquí, la gloria de Jehová había llenado la casa de Jehová; y caí sobre mi rostro.

5 Y me dijo Jehová: Hijo de hombre, pon tu corazón, y mira con tus ojos, y oye con tus oídos todo lo que yo hablo contigo sobre todas las ordenanzas de la casa de Jehová, y todas sus leyes; y pon tu corazón a las entradas de la casa, y a todas las salidas del santuario.

6 Y dirás a los rebeldes, a la casa de Israel: Así dice Jehová el Señor: ¡Ya basta de todas vuestras abominaciones, oh casa de Israel!

7 De traer extranjeros, incircuncisos de corazón e incircuncisos de carne, para estar en mi santuario, y para contaminar mi casa; de ofrecer mi pan, la grosura y la sangre; y de invalidar mi pacto con todas vuestras abominaciones.

8 Y no habéis guardado las ordenanzas de mis cosas santas, sino que habéis puesto *extranjeros como* guardas de mis ordenanzas en mi santuario.

9 Así dice Jehová el Señor: Ningún hijo de extranjero, incircunciso de corazón e incircunciso de carne, entrará en mi santuario, de todos los hijos de extranjeros que *están* entre los hijos de Israel.

10 Y los levitas que se apartaron lejos de mí cuando Israel se descarrió, el cual se alejó de mí, yendo en pos de sus ídolos, llevarán su iniquidad.

11 Y serán ministros en mi santuario, porteros a las puertas de la casa, y sirvientes en la casa; ellos matarán el holocausto y la víctima para el pueblo, y estarán delante de ellos para servirles.

12 Por cuanto les sirvieron delante de sus ídolos, y fueron la casa de Israel por tropezadero de maldad; por tanto, he alzado mi mano contra ellos, y llevarán su iniquidad, dice Jehová el Señor.

13 No se acercarán a mí para servirme como sacerdotes, ni se acercarán a ninguna de mis cosas santas en el *lugar* santísimo; sino que llevarán su vergüenza, y las abominaciones que hicieron.

14 Los pondré, pues, por guardas de las ordenanzas del templo para todo su servicio, y para todo lo que en él hubiere de hacerse.

15 Mas los sacerdotes levitas, hijos de Sadoc, que guardaron el ordenamiento de mi santuario, cuando los hijos de Israel se desviaron de mí, ellos se acercarán a mí para ministrarme, y estarán delante de mí para ofrecerme la grosura y la sangre, dice Jehová el Señor.

16 Ellos entrarán en mi santuario, y se acercarán a mi mesa para servirme, y guardarán mis ordenanzas.

17 Y será *que* cuando entraren por las puertas del atrio interior, se vestirán de vestiduras de lino; no llevarán sobre ellos lana, cuando ministraren en las puertas del atrio de adentro y en el templo.

18 Mitras de lino tendrán sobre sus cabezas, y calzoncillos de lino en sus lomos; no se ceñirán nada que los haga sudar.

19 Y cuando salgan al atrio exterior, al atrio de afuera, al pueblo, se despojarán de sus vestiduras con que ministraron, y las dejarán en las cámaras del santuario, y se vestirán de otras vestimentas; para no santificar al pueblo con sus vestiduras.

20 Y no raparán su cabeza, ni dejarán crecer su cabello; sólo se recortarán el pelo de su cabeza.

21 Y ninguno de los sacerdotes beberá vino cuando haya de entrar en el atrio interior.

22 Ni viuda ni repudiada tomarán por esposa; sino que tomarán vírgenes del linaje de la casa de Israel, o viuda que fuere viuda de sacerdote.

23 Y enseñarán a mi pueblo a *hacer diferencia* entre lo santo y lo profano, y les enseñarán a discernir entre lo limpio y lo no limpio.

24 Y en el pleito ellos estarán para juzgar; conforme a mis derechos juzgarán; y mis leyes y mis decretos guardarán en todas mis fiestas solemnes, y santificarán mis sábados.

25 Y a hombre muerto no entrarán para contaminarse; mas por padre, o madre, o hijo, o hija, hermano o hermana que no haya tenido marido, sí podrán contaminarse.

26 Y después de su purificación, le contarán siete días.

27 Y el día que entrare al santuario, al atrio de adentro, para ministrar en el santuario, ofrecerá su expiación, dice Jehová el Señor.

28 Y será a ellos por heredad; Yo seré su heredad; y no les daréis posesión en Israel: Yo soy su posesión.

29 Comerán la ofrenda y la expiación y el sacrificio por el pecado, comerán;

y toda cosa dedicada en Israel, será de ellos.

30 Y las primicias de todos los primeros frutos de todo, y toda ofrenda de todo lo que se ofreciere de todas vuestras ofrendas, será de los sacerdotes; daréis asimismo las primicias de todas vuestras masas al sacerdote, para que haga reposar la bendición en vuestras casas.

31 Ninguna cosa mortecina, ni desgarrada, así de aves como de animales, comerán los sacerdotes.

CAPÍTULO 45

Y cuando repartáis por suertes la tierra en heredad, consagraréis para Jehová una porción de la tierra, de longitud de veinticinco mil *cañas* y diez mil de ancho; esto *será* santificado en todo su término alrededor.

2 De esto serán para el santuario quinientas *cañas* de longitud, y quinientas *de ancho*, en cuadro alrededor; y cincuenta codos en derredor para sus ejidos.

3 Y de esta medida medirás en longitud veinticinco mil cañas, y en anchura diez mil, en lo cual estará el santuario y el *lugar* santísimo.

4 Lo consagrado de esta tierra será para los sacerdotes ministros del santuario, que se acercan para ministrar a Jehová; y servirá de lugar para sus casas, y *como* lugar santo para el santuario.

5 Asimismo veinticinco mil de longitud, y diez mil de anchura, lo cual será para los levitas ministros de la casa, por su posesión, con veinte cámaras.

6 Y para la posesión de la ciudad daréis cinco mil de anchura y veinticinco mil de longitud, delante de lo que se apartó para el santuario; será para toda la casa de Israel.

7 Y *la parte* del príncipe estará junto a lo que se apartó para el santuario, de uno y otro lado, y junto a la posesión de la ciudad, delante de lo que se apartó para el santuario, y delante de la posesión de la ciudad, desde el extremo occidental hacia el occidente, hasta el extremo oriental hacia el oriente; y su longitud será

de una parte a la otra, desde el límite del occidente hasta el límite del oriente.

8 Esta tierra tendrá por posesión en Israel; y mis príncipes nunca más oprimirán a mi pueblo; y darán la tierra a la casa de Israel por sus tribus.

9 Así dice Jehová el Señor: ¡Basta ya, oh príncipes de Israel! Dejad la violencia y la rapiña; haced juicio y justicia; quitad vuestras imposiciones de sobre mi pueblo, dice Jehová el Señor.

10 Balanza justa, efa justo, y bato justo, tendréis.

11 El efa y el bato serán de una misma medida; que el bato tenga la décima parte del homer, y la décima parte del homer el efa; la medida de ellos será según el homer.

12 Y el siclo será de veinte geras. Veinte siclos, con veinticinco siclos, y quince siclos, os serán una mina.

13 Ésta es la ofrenda que ofreceréis: la sexta parte de un efa de homer del trigo, y la sexta parte de un efa de homer de la cebada.

14 En cuanto a la ordenanza del aceite: ofreceréis un bato de aceite, que es la décima parte de un coro, que es un homer de diez batos (porque diez batos son un homer).

15 Y una cordera del rebaño de doscientas, de los delicados pastos de Israel, para sacrificio, y para holocausto y para ofrendas de paz, para expiación por ellos, dice Jehová el Señor.

16 Todo el pueblo de la tierra dará esta ofrenda para el príncipe de Israel.

17 Mas del príncipe será el dar el holocausto, y el sacrificio, y la libación, en las fiestas solemnes, y en las lunas nuevas, y en los sábados, y en todas las fiestas de la casa de Israel; él dispondrá la expiación, la ofrenda, el holocausto y las ofrendas de paz, para hacer expiación por la casa de Israel.

18 Así dice Jehová el Señor: El mes primero, el primer día del mes, tomarás un becerro sin defecto de la vacada, y purificarás el santuario.

19 Y el sacerdote tomará de la sangre de la expiación, y pondrá sobre los postes de la casa, y sobre los cuatro ángulos del descanso del altar, y sobre los postes de las puertas del atrio interior.

20 Así harás el séptimo día del mes por el que peca por error o por engaño; y harás expiación por la casa.

21 El mes primero, a los catorce días del mes, tendréis la pascua, fiesta de siete días; se comerá pan sin levadura.

22 Y aquel día el príncipe sacrificará por sí mismo y por todo el pueblo de la tierra, un becerro por el pecado.

23 Y en los siete días de la fiesta solemne hará holocausto a Jehová, siete becerros y siete carneros sin defecto, cada día de los siete días; y por el pecado un macho cabrío cada día.

24 Y con cada becerro ofrecerá presente de un efa, y con cada carnero un efa; y por cada efa un hin de aceite.

25 En el mes séptimo, a los quince del mes, en la fiesta, hará como en estos siete días, en cuanto a la expiación, en cuanto al holocausto, en cuanto a la ofrenda y en cuanto al aceite.

CAPÍTULO 46

Así dice Jehová el Señor: La puerta del atrio interior que mira al oriente, estará cerrada los seis días de trabajo, y el día del sábado se abrirá; se abrirá también el día de la luna nueva.

2 Y el príncipe entrará por el camino del portal de la puerta exterior, y estará de pie junto al umbral de la puerta, mientras los sacerdotes harán su holocausto y sus ofrendas de paz, y adorará a la entrada de la puerta; después saldrá; mas no se cerrará la puerta hasta la tarde.

3 Asimismo adorará el pueblo de la tierra delante de Jehová, a la entrada de la puerta, en los sábados y en las lunas nuevas.

4 Y el holocausto que el príncipe ofrecerá a Jehová el día del sábado, será de seis corderos sin defecto, y un carnero sin tacha;

5 y por ofrenda un efa con cada carnero; y con cada cordero una ofrenda, según sus posibilidades, y un hin de aceite con el efa.

6 Mas el día de la luna nueva, *ofrecerá* un becerro sin defecto de la vacada, y seis corderos, y un carnero; deberán ser sin defecto.

7 Y hará ofrenda de un efa con el becerro, y un efa con cada carnero; mas con los corderos, según sus posibilidades; y un hin de aceite por cada efa.

8 Y cuando el príncipe entrare, entrará por el camino del portal de la puerta: y por el mismo camino saldrá.

9 Mas cuando el pueblo de la tierra entrare delante de Jehová en las fiestas, el que entrare por la puerta del norte, saldrá por la puerta del sur; y el que entrare por la puerta del sur, saldrá por la puerta del norte; no volverá por la puerta por donde entró, sino que saldrá por la de enfrente de ella.

10 Y el príncipe, cuando ellos entraren, entrará en medio de ellos; y cuando ellos salieren, él saldrá.

11 Y en las fiestas y en las solemnidades será la ofrenda un efa con cada becerro, y un efa con cada carnero; y con los corderos, según sus posibilidades; y un hin de aceite con cada efa.

12 Mas cuando el príncipe libremente hiciere holocausto u ofrendas de paz a Jehová, le abrirán la puerta que mira al oriente, y hará su holocausto y sus ofrendas de paz, como hace en el día del sábado; y luego saldrá; y cerrarán la puerta después que saliere.

13 Y sacrificarás para Jehová cada día en holocausto un cordero de un año sin defecto, cada mañana lo sacrificarás.

14 Y con él harás todas las mañanas ofrenda de la sexta parte de un efa, y la tercera parte de un hin de aceite para mezclar con la flor de harina; ofrenda para Jehová continuamente, por estatuto perpetuo.

15 Ofrecerán, pues, el cordero, y la ofrenda y el aceite, todas las mañanas en holocausto continuo.

16 Así dice Jehová el Señor: Si el príncipe diere algún don de su heredad a alguno de sus hijos, será de ellos; posesión de ellos *será* por herencia.

17 Mas si de su heredad diere presente a alguno de sus siervos, será de él hasta el año del jubileo, y volverá al príncipe; mas su herencia será de sus hijos.

18 Y el príncipe no tomará nada de la herencia del pueblo, para no defraudarlos de su posesión; de lo que él posee dará herencia a sus hijos; para que mi pueblo no sea echado cada uno de su posesión.

19 Me metió después por la entrada que *estaba* hacia la puerta, a las cámaras santas de los sacerdotes, las cuales miraban al norte, y vi que *había* allí un lugar a los lados del occidente.

20 Y me dijo: Éste *es* el lugar donde los sacerdotes cocerán el sacrificio por el pecado y la expiación; allí cocerán la ofrenda, para no sacarla al atrio exterior para santificar al pueblo.

21 Luego me sacó al atrio exterior, y me llevó por los cuatro rincones del atrio; y en cada rincón *había* un patio.

22 En los cuatro ángulos del atrio *había* patios unidos de cuarenta *codos* de longitud, y treinta de anchura; los cuatro ángulos *tenían* una misma medida.

23 Y *había* una pared alrededor de ellos, alrededor de los cuatro, y fogones hechos abajo de las paredes de alrededor.

24 Y me dijo: Éstos *son* los aposentos de los cocineros, donde los servidores de la casa cocerán el sacrificio del pueblo.

CAPÍTULO 47

Me hizo volver luego a la entrada de la casa; y he aquí aguas que salían de debajo del umbral de la casa hacia el oriente; porque la fachada de la casa estaba al oriente: y las aguas descendían de debajo, hacia el lado derecho de la casa, al sur del altar.

2 Y me sacó por el camino de la puerta del norte, y me hizo rodear por el camino exterior, fuera de la puerta, al camino de la que mira al oriente; y he aquí que las aguas salían del lado derecho.

3 Y saliendo el varón hacia el oriente, tenía un cordel en su mano; y midió mil codos, y me hizo pasar por las aguas hasta los tobillos.

4 Y midió otros mil, y me hizo pasar por las aguas hasta las rodillas. Midió luego otros mil, y me hizo pasar por las aguas hasta los lomos.

5 Y midió otros mil, y era ya un río que yo no podía pasar; porque las aguas habían crecido, aguas para nadar, y el río no se podía pasar.

6 Y me dijo: ¿Has visto, hijo de hombre? Después me llevó, y me hizo volver por la ribera del río.

7 Y cuando volví, he aquí en la ribera del río había muchísimos árboles a uno y otro lado.

8 Y me dijo: Estas aguas salen a la región del oriente, y descenderán a la llanura, y entrarán en el mar; y entradas en el mar, recibirán sanidad las aguas.

9 Y será que toda alma viviente que nadare por dondequiera que entraren estos dos ríos, vivirá; y habrá muchísimos peces por haber entrado allá estas aguas, y recibirán sanidad; y vivirá todo lo que entrare en este río.

10 Y será que junto a él estarán pescadores; y desde Engadi hasta Eneglaim será tendedero de redes; en su especie será su pescado como el pescado del Mar Grande, mucho en gran manera.

11 Sus pantanos y sus lagunas no se sanearán; quedarán para salinas.

12 Y junto al río, en su ribera de uno y otro lado, crecerá todo árbol frutal; su hoja nunca caerá, ni faltará su fruto; a sus meses madurará, porque sus aguas salen del santuario; y su fruto será para comer, y su hoja para medicina.

13 Así dice Jehová el Señor: Éste será el término, en el cual recibiréis la tierra por heredad entre las doce tribus de Israel; José tendrá dos partes.

14 Y la heredaréis así los unos como los otros; por ella alcé mi mano jurando que la había de dar a vuestros padres; por tanto, esta tierra os será por heredad.

15 Y éste será el término de la tierra hacia el lado del norte; desde el Mar Grande, camino de Hetlón viniendo a Sedad;

16 Hamat, Berota, Sibrahim, que está entre el término de Damasco y el término de Hamat; Hazar-haticón, que es el término de Haurán.

17 Y será el término del norte desde el mar de Hazar-enán al término de Damasco al norte, y al término de Hamat al lado del norte.

18 Y el lado oriente lo mediréis por medio de Haurán y de Damasco, y de Galaad y de la tierra de Israel, al Jordán; desde el término hasta el mar del oriente; este es el lado oriental.

19 Y al lado del Neguev, hacia el sur, desde Tamar hasta las aguas de las rencillas; desde Cades y el arroyo hasta el Mar Grande; y esto será el lado sur, hacia el Neguev.

20 Del lado del occidente el Mar Grande será el término hasta enfrente de la entrada de Hamat; éste será el lado occidental.

21 Repartiréis, pues, esta tierra entre vosotros conforme a las tribus de Israel.

22 Y será que echaréis sobre ella suertes por herencia para vosotros, y para los extranjeros que peregrinan entre vosotros, que entre vosotros han engendrado hijos; y los tendréis como naturales entre los hijos de Israel; echarán suertes con vosotros para heredar entre las tribus de Israel.

23 Y será que en la tribu en que peregrinare el extranjero, allí le daréis su heredad, dice Jehová el Señor.

CAPÍTULO 48

Y éstos son los nombres de las tribus: Desde el extremo norte por la vía de Hetlón viniendo a Hamat, Hazar-enán, al término de Damasco, al norte, al término de Hamat; tendrá Dan una porción, desde el lado oriental hasta el occidental.

2 Y junto al término de Dan, desde el lado del oriente hasta el lado del mar, para Aser una porción.

3 Y junto al término de Aser, desde el lado oriental hasta el lado del mar, Neftalí, otra.

4 Y junto al término de Neftalí, desde el lado del oriente hasta el lado del mar, Manasés, otra.

5 Y junto al término de Manasés, desde el lado del oriente hasta el lado del mar, Efraín, otra.

6 Y junto al término de Efraín, desde el lado del oriente hasta el lado del mar, Rubén, otra.

7 Y junto al término de Rubén, desde el lado del oriente hasta el lado del mar, Judá, otra.

8 Y junto al término de Judá, desde el lado del oriente hasta el lado del mar, será la suerte que apartaréis de veinticinco mil *cañas* de anchura, y de longitud como cualquiera de las *otras* partes, desde el lado del oriente hasta el lado del mar; y el santuario estará en medio de ella.

9 La porción que apartaréis para Jehová, *será* de longitud de veinticinco mil cañas, y de diez mil de ancho.

10 Y allí será la porción santa de los sacerdotes, de veinticinco mil cañas al norte, y de diez mil de anchura al occidente, y de diez mil de ancho al oriente, y de veinticinco mil de longitud al sur; y el santuario de Jehová estará en medio de ella.

11 Los sacerdotes santificados de los hijos de Sadoc, que guardaron mi observancia, que no erraron cuando erraron los hijos de Israel, como erraron los levitas,

12 tendrán como parte santísima la porción de la tierra reservada, junto al término de los levitas.

13 Y la de los levitas, al lado del término de los sacerdotes, *será* de veinticinco mil cañas de longitud, y de diez mil de anchura; toda la longitud de veinticinco mil, y la anchura de diez mil.

14 No venderán de ello, ni lo permutarán, ni traspasarán las primicias de la tierra; porque *es* cosa consagrada a Jehová.

15 Y las cinco mil cañas de anchura que quedan de las veinticinco mil, serán profanas, para la ciudad, para habitación y para ejido; y la ciudad estará en medio.

16 Y éstas *serán* sus medidas: al lado del norte cuatro mil quinientas cañas, y al lado del sur cuatro mil quinientas, y al lado del oriente cuatro mil quinientas, y al lado del occidente cuatro mil quinientas.

17 Y el ejido de la ciudad será al norte de doscientas cincuenta cañas, y al sur de doscientas cincuenta, y al oriente de doscientas cincuenta, y de doscientas cincuenta al occidente.

18 Y lo que quedare de longitud delante de la *porción* santa, diez mil cañas al oriente y diez mil al occidente, que será lo que quedará de la porción santa, será para sembrar para los que sirven a la ciudad.

19 Y los que servirán a la ciudad, serán de todas las tribus de Israel.

20 Toda la porción reservada de veinticinco mil cañas por veinticinco mil en cuadro, apartaréis como porción para el santuario, y para la posesión de la ciudad.

21 Y del príncipe *será* lo que quedare a uno y otro lado de la porción santa, y de la posesión de la ciudad, *esto es*, delante de las veinticinco mil cañas de la porción hasta el término oriental, y al occidente delante de las veinticinco mil hasta el término occidental, delante de las partes dichas será del príncipe; y porción santa será; y el santuario de la casa *estará* en medio de ella.

22 Y desde la posesión de los levitas, y desde la posesión de la ciudad, en medio estará lo que pertenecerá al príncipe, entre el término de Judá y el término de Benjamín estará la porción del príncipe.

23 En cuanto a las demás tribus, desde el lado del oriente hasta el lado del mar, *tendrá* Benjamín una *porción*.

24 Y junto al término de Benjamín, desde el lado del oriente hasta el lado del mar, Simeón, otra.

25 Y junto al término de Simeón, desde el lado del oriente hasta el lado del mar, Isacar, otra.

26 Y junto al término de Isacar, desde el lado del oriente hasta el lado del mar, Zabulón, otra.

27 Y junto al término de Zabulón, desde el lado del oriente hasta el lado del mar, Gad, otra.

28 Y junto al término de Gad, al lado del austro, al sur, será el término desde Tamar hasta las aguas de las rencillas, y desde Cades y el arroyo hasta el Mar Grande.

29 Ésta *es* la tierra que repartiréis por suertes en heredad a las tribus de Israel, y éstas son sus porciones, dice Jehová el Señor.

30 Y éstas *son* las salidas de la ciudad al lado del norte, cuatro mil quinientas cañas por medida.

31 Y las puertas de la ciudad *serán* según los nombres de las tribus de Israel; tres puertas al norte: la puerta de Rubén, una; la puerta de Judá, otra; la puerta de Leví, otra.

32 Y al lado oriental cuatro mil quinientas cañas, y tres puertas; la puerta de José, una; la puerta de Benjamín, otra; la puerta de Dan, otra.

33 Y al lado del sur, cuatro mil quinientas cañas por medida, y tres puertas; la puerta de Simeón, una; la puerta de Isacar, otra; la puerta de Zabulón, otra.

34 Y al lado del occidente cuatro mil quinientas cañas, y sus tres puertas; la puerta de Gad, una; la puerta de Aser, otra; la puerta de Neftalí, otra.

35 En derredor tendrá dieciocho mil cañas. Y el nombre de la ciudad desde aquel día *será* JEHOVÁ SAMA.

Libro De
DANIEL

CAPÍTULO 1

En el año tercero del reinado de Joacim rey de Judá, vino Nabucodonosor rey de Babilonia a Jerusalén, y la sitió.

2 Y el Señor entregó en sus manos a Joacim rey de Judá, y parte de los vasos de la casa de Dios, y los trajo a tierra de Sinar, a la casa de su dios; y metió los vasos en la casa del tesoro de su dios.

3 Y dijo el rey a Aspenaz, príncipe de sus eunucos, que trajese de los hijos de Israel, del linaje real de los príncipes,

4 muchachos en quienes no *hubiese* tacha alguna, y de buen parecer, e instruidos en toda sabiduría, y sabios en ciencia, y de buen entendimiento, e idóneos para estar en el palacio del rey; y que les enseñase las letras y la lengua de los caldeos.

5 Y el rey les señaló una porción para cada día de la comida del rey y del vino que él bebía; y que los criase tres años, para que al fin de ellos estuviesen delante del rey.

6 Y estaban entre ellos, de los hijos de Judá, Daniel, Ananías, Misael y Azarías;

7 a los cuales el príncipe de los eunucos puso nombres. A Daniel llamó Beltsasar; y a Ananías, Sadrac; y a Misael, Mesac; y a Azarías, Abed-nego.

8 Y Daniel propuso en su corazón no contaminarse con la porción de la comida del rey, ni con el vino que él bebía; pidió, por tanto, al príncipe de los eunucos que *se le permitiese* no contaminarse.

9 Y Dios puso a Daniel en gracia y en buena voluntad con el príncipe de los eunucos.

10 y dijo el príncipe de los eunucos a Daniel: Tengo temor de mi señor el rey, que señaló vuestra comida y vuestra bebida; pues luego que él vea vuestros rostros más demacrados que los de los muchachos que *son* semejantes a vosotros, condenaréis para con el rey mi cabeza.

11 Entonces dijo Daniel a Melsar, que estaba puesto por el príncipe de los eunucos sobre Daniel, Ananías, Misael, y Azarías:

12 Prueba, te ruego, con tus siervos *por* diez días, y que nos den legumbres a comer, y agua a beber.

13 Parezcan luego delante de ti nuestros rostros, y los rostros de los muchachos que comen de la porción de la comida del rey; y según lo que vieres, harás con tus siervos.

14 Consintió, pues, con ellos en esto, y probó con ellos diez días.

15 Y al cabo de los diez días pareció el rostro de ellos mejor y más robusto que el de los otros muchachos que comían de la porción de la comida del rey.

16 Así fue que Melsar tomaba la porción de la comida de ellos, y el vino que habían de beber, y les daba legumbres.

17 Y a estos cuatro muchachos Dios les dio conocimiento e inteligencia

en todas las letras, y sabiduría; mas Daniel tuvo entendimiento en toda visión y sueños.

18 Pasados, pues, los días al fin de los cuales había dicho el rey que los trajesen, el príncipe de los eunucos los trajo delante de Nabucodonosor.

19 Y el rey habló con ellos, y de entre todos ellos no se halló ninguno como Daniel, Ananías, Misael, y Azarías; y así estuvieron delante del rey.

20 Y en todo asunto de sabiduría e inteligencia que el rey les demandó, los halló diez veces mejores que todos los magos y astrólogos que *había* en todo su reino.

21 Y continuó Daniel hasta el año primero del rey Ciro.

CAPÍTULO 2

Yen el segundo año del reinado de Nabucodonosor, soñó Nabucodonosor sueños, y se perturbó su espíritu, y su sueño se fue de él.

2 Y el rey mandó llamar a magos, astrólogos, encantadores y caldeos, para que declarasen al rey sus sueños. Vinieron, pues, y se presentaron delante del rey.

3 Y el rey les dijo: He tenido un sueño, y mi espíritu se ha perturbado por saber del sueño.

4 Entonces hablaron los caldeos al rey en lengua aramea: Rey, para siempre vive; di el sueño a tus siervos, y mostraremos la interpretación.

5 Respondió el rey y dijo a los caldeos: El asunto se me fue; si no me mostráis el sueño y su interpretación, seréis descuartizados, y vuestras casas serán puestas por muladares.

6 Y si mostrareis el sueño y su interpretación, recibiréis de mí dones y recompensas y grande honra; por tanto, mostradme el sueño y su interpretación.

7 Respondieron la segunda vez, y dijeron: Diga el rey el sueño a sus siervos, y mostraremos su interpretación.

8 El rey respondió, y dijo: Yo conozco ciertamente que vosotros ponéis dilaciones, porque veis que el asunto se me ha ido.

9 Si no me mostráis el sueño, una sola sentencia será de vosotros. Ciertamente preparáis respuesta mentirosa y perversa que decir delante de mí, entre tanto que se pasa el tiempo; por tanto, decidme el sueño, para que yo entienda que me podéis mostrar su interpretación.

10 Los caldeos respondieron delante del rey, y dijeron: No hay hombre sobre la tierra que pueda declarar el asunto del rey; pues ningún rey, príncipe, o señor, preguntó cosa semejante a ningún mago, ni astrólogo, ni caldeo.

11 Finalmente, el asunto que el rey demanda, es singular, ni hay quien lo pueda declarar delante del rey, salvo los dioses cuya morada no es con la carne.

12 Por esta causa el rey se enojó, y enfurecido, mandó que matasen a todos los sabios de Babilonia.

13 Y se publicó el decreto, de que los sabios fueran llevados a la muerte; y buscaron a Daniel y a sus compañeros para matarlos.

14 Entonces Daniel habló avisada y prudentemente a Arioc, capitán de la guardia del rey, que había salido para matar a los sabios de Babilonia.

15 Habló y dijo a Arioc capitán del rey: ¿Cuál es la causa por la que este decreto se publique de parte del rey tan apresuradamente? Entonces Arioc declaró el asunto a Daniel.

16 Y Daniel entró, y pidió al rey que le diese tiempo, y que él mostraría al rey la interpretación.

17 Se fue luego Daniel a su casa, y declaró el asunto a Ananías, Misael, y Azarías, sus compañeros,

18 para que pidiesen misericordias del Dios del cielo sobre este misterio, y que Daniel y sus compañeros no pereciesen con los otros sabios de Babilonia.

19 Entonces el secreto fue revelado a Daniel en visión de noche; por lo cual bendijo Daniel al Dios del cielo.

20 Y Daniel habló, y dijo: Sea bendito el nombre de Dios desde la eternidad hasta la eternidad; porque suyos son la sabiduría y el poder.

21 Y Él cambia los tiempos y las sazones; quita reyes, y pone reyes; da la sabiduría a los sabios, y la ciencia a los entendidos.

22 Él revela lo profundo y lo escondido; conoce lo que *está* en tinieblas, y la luz mora con Él.

23 A ti, oh Dios de mis padres, te doy gracias y te alabo, que me diste sabiduría y fortaleza, y ahora me enseñaste lo que te pedimos; pues nos has enseñado el asunto del rey.

24 Después de esto Daniel entró a Arioc, al cual el rey había puesto para matar a los sabios de Babilonia; fue, y le dijo así: No mates a los sabios de Babilonia; llévame delante del rey, que yo mostraré al rey la interpretación.

25 Entonces Arioc llevó prestamente a Daniel delante del rey, y le dijo así: He hallado a un varón de los cautivos de Judá, el cual declarará al rey la interpretación.

26 Respondió el rey, y dijo a Daniel, al cual llamaban Beltsasar: ¿Podrás tú hacerme entender el sueño que vi, y su interpretación?

27 Daniel respondió delante del rey, y dijo: El misterio que el rey demanda, ni sabios, ni astrólogos, ni magos, ni adivinos lo pueden enseñar al rey.

28 Mas hay un Dios en el cielo, el cual revela los misterios, y Él ha hecho saber al rey Nabucodonosor lo que ha de acontecer en los postreros días. Tu sueño, y las visiones de tu cabeza sobre tu cama, es esto:

29 Estando tú, oh rey, en tu cama subieron tus pensamientos por saber lo que había de suceder en lo por venir; y el que revela los misterios te mostró lo que ha de suceder.

30 Y a mí me ha sido revelado este misterio, no porque en mí haya más sabiduría que en todos los vivientes, sino por aquellos que debían de hacer saber al rey la interpretación, y para que tú entendieses los pensamientos de tu corazón.

31 Tú, oh rey, veías, y he aquí una gran imagen. Esta imagen, que era muy grande, y cuya gloria *era* muy sublime, estaba en pie delante de ti, y su aspecto *era* terrible.

32 La cabeza de esta imagen *era* de oro fino; su pecho y sus brazos, de plata; su vientre y sus muslos, de bronce;

33 sus piernas de hierro; sus pies, en parte de hierro, y en parte de barro cocido.

34 Estabas mirando, hasta que una piedra fue cortada, no con mano, la cual hirió a la imagen en sus pies de hierro y de barro cocido, y los desmenuzó.

35 Entonces fue también desmenuzado el hierro, el barro cocido, el bronce, la plata y el oro, y se tornaron como tamo de las eras del verano; y los levantó el viento, y nunca más se les halló lugar. Mas la piedra que hirió a la imagen, vino a ser una gran montaña, que llenó toda la tierra.

36 Éste *es* el sueño; también la interpretación de él diremos en presencia del rey.

37 Tú, oh rey, *eres* rey de reyes; porque el Dios del cielo te ha dado reino, poder, fortaleza y majestad.

38 Y todo lo que habitan los hijos de los hombres, bestias del campo y aves del cielo, Él los ha entregado en tu mano, y te ha dado dominio sobre todo; tú *eres* aquella cabeza de oro.

39 Y después de ti se levantará otro reino menor que tú; y otro tercer reino de bronce, el cual dominará sobre toda la tierra.

40 Y el cuarto reino será fuerte como hierro; y como el hierro desmenuza y pulveriza todas las cosas, y como el hierro que quebranta todas estas cosas, desmenuzará y quebrantará.

41 Y lo que viste de los pies y los dedos, en parte de barro cocido de alfarero, y en parte de hierro, el reino será dividido; mas habrá en él algo de fortaleza de hierro, según que viste el hierro mezclado con el barro cocido.

42 Y por ser los dedos de los pies en parte de hierro, y en parte de barro cocido, en parte será el reino fuerte, y en parte será frágil.

43 En cuanto a lo que viste, el hierro mezclado con el barro, se mezclarán por medio de simiente humana, mas no se unirán el uno con el otro, como el hierro no se mezcla con el barro.

44 Y en los días de estos reyes, el Dios del cielo levantará un reino que jamás será destruido; y este reino no será dejado a otro pueblo; desmenuzará y consumirá a todos estos reinos, y él permanecerá para siempre.

45 De la manera que viste que del monte fue cortada una piedra, no con manos, la cual desmenuzó al hierro, al bronce, al barro, a la plata, y al oro; el gran Dios ha mostrado al rey lo que ha de acontecer en lo por venir; y el sueño *es* verdadero, y fiel su interpretación.

46 Entonces el rey Nabucodonosor cayó sobre su rostro, y se humilló ante Daniel, y mandó que le ofreciesen presentes y perfumes.

47 El rey habló a Daniel, y dijo: Ciertamente que el Dios vuestro *es* Dios de dioses, y Señor de los reyes, y el que revela los misterios, pues pudiste revelar este misterio.

48 Entonces el rey engrandeció a Daniel, y le dio muchos y grandes dones, y lo puso por gobernador de toda la provincia de Babilonia, y por príncipe de los gobernadores sobre todos los sabios de Babilonia.

49 Y Daniel solicitó del rey, y él puso sobre los negocios de la provincia de Babilonia a Sadrac, Mesac, y Abed-nego: y Daniel *estaba* a la puerta del rey.

CAPÍTULO 3

El rey Nabucodonosor hizo una estatua de oro, la altura de la cual era de sesenta codos, su anchura de seis codos; la levantó en el campo de Dura, en la provincia de Babilonia.

2 Y envió el rey Nabucodonosor a juntar los grandes, los asistentes y capitanes, oidores, receptores, los del consejo, presidentes, y a todos los gobernadores de las provincias, para que viniesen a la dedicación de la estatua que el rey Nabucodonosor había levantado.

3 Fueron, pues, reunidos los príncipes, los asistentes y capitanes, los jueces, los tesoreros, los consejeros, los magistrados y todos los gobernadores de las provincias, a la dedicación de la estatua que el rey Nabucodonosor había levantado; y estaban en pie delante de la estatua que había levantado el rey Nabucodonosor.

4 Y el pregonero anunciaba en alta voz: Se ordena a vosotros, oh pueblos, naciones, y lenguas,

5 que al oír el son de la bocina, de la flauta, del tamboril, del arpa, del salterio, de la zampoña, y de todo instrumento de música, os postréis y adoréis la estatua de oro que el rey Nabucodonosor ha levantado;

6 y cualquiera que no se postre y adore, en la misma hora será echado dentro de un horno de fuego ardiendo.

7 Por lo cual, al oír todos los pueblos el son de la bocina, de la flauta, del tamboril, del arpa, del salterio, de la zampoña, y de todo instrumento de música, todos los pueblos, naciones, y lenguas, se postraron, y adoraron la estatua de oro que el rey Nabucodonosor había levantado.

8 Por esto en aquel tiempo algunos varones caldeos vinieron, y denunciaron a los judíos.

9 Hablando y diciendo al rey Nabucodonosor: Rey, para siempre vive.

10 Tú, oh rey, diste una ley que todo hombre al oír el son de la bocina, de la flauta, del tamboril, del arpa, del salterio, de la zampoña, y de todo instrumento de música, se postrase y adorase la estatua de oro;

11 y el que no se postrase y adorase, fuese echado dentro de un horno de fuego ardiendo.

12 Hay unos varones judíos, los cuales pusiste tú sobre los negocios de la provincia de Babilonia; Sadrac, Mesac, y Abed-nego; estos varones, oh rey, no han hecho cuenta de ti; no adoran tus dioses, no adoran la estatua de oro que tú levantaste.

13 Entonces Nabucodonosor con ira y con enojo mandó que trajesen a Sadrac, Mesac, y Abed-nego. Y al punto fueron traídos estos varones delante del rey.

14 Habló Nabucodonosor, y les dijo: ¿*Es* verdad Sadrac, Mesac, y Abed-nego, que vosotros no honráis a mis dioses, ni adoráis la estatua de oro que he levantado?

15 Ahora, pues, ¿estáis dispuestos para que al oír el son de la bocina, de la flauta, del tamboril, del arpa, del salterio, de la zampoña, y de todo instrumento de música, os postréis, y adoréis la estatua que he hecho? Porque si no la adorareis, en la misma

hora seréis echados en medio de un horno de fuego ardiendo; ¿y quién será el Dios que os pueda librar de mis manos?

16 Sadrac, Mesac, y Abed-nego respondieron y dijeron al rey Nabuco-donosor: No tenemos necesidad de responderte sobre este asunto.

17 He aquí nuestro Dios a quien servimos, puede librarnos del horno de fuego ardiendo; y de tu mano, oh rey, nos librará.

18 Y si no, sepas, oh rey, que no serviremos a tus dioses, ni tampoco adoraremos la estatua de oro que has levantado.

19 Entonces Nabucodonosor se llenó de ira, y se demudó el aspecto de su rostro contra Sadrac, Mesac, y Abed-nego; por lo cual habló, y ordenó que el horno se calentase siete veces más de lo que solían calentarlo.

20 Y mandó a hombres muy vigorosos que tenía en su ejército, que atasen a Sadrac, Mesac, y Abed-nego, para echarlos en el horno de fuego ardiendo.

21 Entonces estos varones fueron atados con sus mantos, y sus calzas, y sus mitras, y sus *demás* vestiduras, y fueron echados dentro del horno de fuego ardiendo.

22 Y porque la orden del rey era apremiante, y habían calentado mucho el horno, la llama del fuego mató a aquellos que habían alzado a Sadrac, Mesac, y Abed-nego.

23 Y estos tres varones, Sadrac, Mesac, y Abed-nego, cayeron atados dentro del horno de fuego ardiendo.

24 Entonces el rey Nabucodonosor se espantó, y se levantó de prisa, y habló, y dijo a los de su consejo: ¿No echaron tres varones atados dentro del fuego? Ellos respondieron y dijeron al rey: Es verdad, oh rey.

25 Respondió él y dijo: He aquí yo veo cuatro varones sueltos, que se pasean en medio del fuego, y ningún daño hay en ellos; y el parecer del cuarto es semejante al Hijo de Dios.

26 Entonces Nabucodonosor se acercó a la puerta del horno de fuego ardiendo, y habló y dijo: Sadrac, Mesac, y Abed-nego, siervos del Dios Altísimo, salid y venid. Entonces

Sadrac, Mesac, y Abed-nego salieron de en medio del fuego.

27 Y se juntaron los grandes, los gobernadores, los capitanes, y los del consejo del rey, para mirar estos varones, cómo el fuego no se enseñoreó de sus cuerpos, ni cabello de sus cabezas fue quemado, ni sus ropas se mudaron, ni olor de fuego había pasado por ellos.

28 Nabucodonosor habló y dijo: Bendito el Dios de ellos, de Sadrac, Mesac, y Abed-nego, que envió su Ángel, y libró sus siervos que esperaron en Él, y el mandamiento del rey mudaron, y entregaron sus cuerpos antes que servir o adorar a otro dios que su Dios.

29 Por tanto, yo decreto que todo pueblo, nación, o lengua, que dijere blasfemia contra el Dios de Sadrac, Mesac y Abed-nego, sea descuartizado, y su casa sea puesta por muladar; por cuanto no hay otro Dios que pueda librar como Éste.

30 Entonces el rey engrandeció a Sadrac, Mesac, y Abed-nego en la provincia de Babilonia.

CAPÍTULO 4

Nabucodonosor rey, a todos los pueblos, naciones, y lenguas, que moran en toda la tierra: Paz os sea multiplicada:

2 Me ha parecido bien publicar las señales y milagros que el Dios Altísimo ha hecho conmigo.

3 ¡Cuán grandes *son* sus señales, y cuán poderosas sus maravillas! Su reino, reino sempiterno, y su señorío de generación en generación.

4 Yo Nabucodonosor estaba tranquilo en mi casa, y próspero en mi palacio.

5 Vi un sueño que me espantó, y las imaginaciones y visiones de mi cabeza me turbaron en mi cama.

6 Por lo cual yo di mandamiento para hacer venir delante de mí a todos los sabios de Babilonia, a fin de que me hiciesen saber la interpretación del sueño.

7 Y vinieron magos, astrólogos, caldeos, y adivinos; y dije el sueño delante de ellos, mas ellos no me dieron a conocer su interpretación;

Sueño del árbol grande y frondoso

8 Hasta que entró delante de mí Daniel, cuyo nombre *es* Beltsasar, como el nombre de mi dios, y en el cual hay espíritu de los dioses santos, y dije el sueño delante de él, *diciendo*:

9 Beltsasar, príncipe de los magos, ya que he entendido que hay en ti espíritu de los dioses santos, y que ningún misterio se te esconde, dime las visiones de mi sueño que he visto, y su interpretación.

10 Éstas *son* las visiones de mi cabeza *cuando estaba* en mi cama: Me parecía que veía un árbol en medio de la tierra, cuya altura era grande.

11 Crecía este árbol, y se hacía fuerte, y su altura llegaba hasta el cielo, y su vista hasta el cabo de toda la tierra.

12 Su follaje *era* hermoso, y su fruto en abundancia, y para todos había en él mantenimiento. Debajo de él se ponían a la sombra las bestias del campo, y en sus ramas hacían morada las aves del cielo, y se mantenía de él toda carne.

13 Veía en las visiones de mi cabeza *estando* en mi cama, y he aquí que un vigilante y santo descendía del cielo.

14 Y clamaba fuertemente y decía así: Derribad el árbol, y cortad sus ramas, quitadle su follaje, y derramad su fruto; váyanse las bestias que están debajo de él, y las aves de sus ramas.

15 Mas la cepa de sus raíces dejaréis en la tierra, y con atadura de hierro y de bronce entre la hierba del campo; y sea mojado con el rocío del cielo, y su parte con las bestias en la hierba de la tierra.

16 Sea mudado su corazón de hombre, y le sea dado corazón de bestia, y pasen sobre él siete tiempos.

17 La sentencia *es* por decreto de los vigilantes, y por dicho de los santos la demanda: para que conozcan los vivientes que el Altísimo señorea en el reino de los hombres, y que a quien Él quiere lo da, y constituye sobre él al más bajo de los hombres.

18 Yo el rey Nabucodonosor he visto este sueño. Tú, pues, Beltsasar, dirás la interpretación de él, porque todos los sabios de mi reino nunca pudieron mostrarme su interpretación; mas tú puedes, porque *hay* en ti espíritu de los dioses santos.

19 Entonces Daniel, cuyo nombre *era* Beltsasar, estuvo atónito por una hora, y sus pensamientos lo espantaban: El rey habló, y dijo: Beltsasar, no te espante el sueño ni su interpretación. Respondió Beltsasar, y dijo: Señor mío, el sueño sea para los que te aborrecen, y su interpretación para tus enemigos.

20 El árbol que viste, que crecía y se hacía fuerte, y que su altura llegaba hasta el cielo, y que era visible a toda la tierra;

21 y cuyo follaje *era* hermoso, y su fruto en abundancia, y que para todos había mantenimiento en él; debajo del cual moraban las bestias del campo, y en sus ramas habitaban las aves del cielo,

22 *eres* tú mismo, oh rey, que creciste, y te hiciste fuerte, pues creció tu grandeza, y ha llegado hasta el cielo, y tu señorío hasta el cabo de la tierra.

23 Y en cuanto a lo que vio el rey, un vigilante y santo que descendía del cielo, y decía: Cortad el árbol y destruidlo; mas la cepa de sus raíces dejaréis en la tierra, y con atadura de hierro y de bronce en la hierba del campo; y sea mojado con el rocío del cielo, y su parte *sea* con las bestias del campo, hasta que pasen sobre él siete tiempos;

24 ésta *es* la interpretación, oh rey, y la sentencia del Altísimo, que ha venido sobre el rey mi señor:

25 Que te echarán de entre los hombres, y con las bestias del campo será tu morada, y te harán comer hierba del campo, como los bueyes, y con rocío del cielo serás bañado; y siete tiempos pasarán sobre ti, hasta que entiendas que el Altísimo señorea en el reino de los hombres, y que a quien Él quiere lo da.

26 Y lo que dijeron, que dejasen en la tierra la cepa de las raíces del mismo árbol, significa que tu reino te quedará firme, luego que reconozcas que el señorío es de los cielos.

27 Por tanto, oh rey, acepta mi consejo, y rompe con tus pecados mediante justicia, y con tus iniquidades mediante misericordias para con los pobres; que tal vez será

La locura de Nabucodonosor

eso una prolongación de tu tranquilidad.

28 Todo esto vino sobre el rey Nabucodonosor.

29 Al cabo de doce meses, paseando en el palacio del reino de Babilonia,

30 habló el rey, y dijo: ¿No es ésta la gran Babilonia, que yo edifiqué para casa del reino, con la fuerza de mi poder, y para gloria de mi grandeza?

31 Aún *estaba* la palabra en la boca del rey, cuando descendió una voz del cielo, *diciendo*: A ti se te dice, rey Nabucodonosor; el reino es traspasado de ti:

32 Y de entre los hombres te echan, y con las bestias del campo *será* tu morada, y como a los bueyes te apacentarán: y siete tiempos pasarán sobre ti, hasta que reconozcas que el Altísimo señorea en el reino de los hombres, y que a quien Él quiere lo da.

33 En la misma hora se cumplió la palabra sobre Nabucodonosor, y fue echado de entre los hombres; y comía hierba como los bueyes, y su cuerpo se bañaba con el rocío del cielo, hasta que su pelo creció como *las plumas* de águila, y sus uñas como de aves.

34 Mas al fin del tiempo yo Nabucodonosor alcé mis ojos al cielo, y mi sentido me fue vuelto; y bendije al Altísimo, y alabé y glorifiqué al que vive para siempre; porque su señorío *es* eterno, y su reino por todas las edades.

35 Y todos los moradores de la tierra son estimados como nada, y Él hace según su voluntad en el ejército del cielo, y en los habitantes de la tierra; no hay quien estorbe su mano, y le diga: ¿Qué haces?

36 En el mismo tiempo mi sentido me fue vuelto, y la majestad de mi reino, mi dignidad y mi grandeza volvieron a mí, y mis gobernadores y mis grandes me buscaron; y fui restituido a mi reino, y mayor grandeza me fue añadida.

37 Ahora yo Nabucodonosor alabo, engrandezco y glorifico al Rey del cielo, porque todas sus obras *son* verdad, y sus caminos juicio; y humillar puede a los que andan con soberbia.

CAPÍTULO 5

El rey Belsasar hizo un gran banquete a mil de sus príncipes, y en presencia de los mil bebía vino.

2 Belsasar, con el gusto del vino, mandó que trajesen los vasos de oro y de plata que Nabucodonosor su padre había traído del templo de Jerusalén; para que bebiesen con ellos el rey y sus príncipes, sus esposas y sus concubinas.

3 Entonces fueron traídos los vasos de oro que habían traído del templo de la casa de Dios que *estaba* en Jerusalén, y bebieron con ellos el rey y sus príncipes, sus esposas y sus concubinas.

4 Bebieron vino, y alabaron a los dioses de oro y de plata, de bronce, de hierro, de madera y de piedra.

5 En aquella misma hora salieron unos dedos de mano de hombre, y escribían delante del candelero sobre lo encalado de la pared del palacio real, y el rey veía la palma de la mano que escribía.

6 Entonces demudó el semblante del rey, y sus pensamientos lo turbaron, y se desataron las ceñiduras de sus lomos, y sus rodillas se batían la una con la otra.

7 El rey gritó en alta voz que hiciesen venir magos, caldeos, y adivinos. Habló el rey, y dijo a los sabios de Babilonia: Cualquiera que leyere esta escritura, y me mostrare su interpretación, será vestido de púrpura, y *tendrá* collar de oro a su cuello; y gobernará como el tercero en el reino.

8 Entonces fueron introducidos todos los sabios del rey, y no pudieron leer la escritura, ni mostrar al rey su interpretación.

9 Entonces el rey Belsasar se turbó en gran manera, y se le demudó su semblante y sus príncipes quedaron atónitos.

10 La reina, por las palabras del rey y de sus príncipes, entró a la sala del banquete. Y habló la reina, y dijo: Rey, para siempre vive, no te asombren tus pensamientos, ni se demude tu semblante.

11 En tu reino hay un varón, en el cual mora el espíritu de los dioses santos;

y en los días de tu padre se halló en él luz e inteligencia y sabiduría, como la sabiduría de los dioses; al cual tu padre, el rey Nabucodonosor, *digo*, tu padre el rey, constituyó príncipe sobre todos los magos, astrólogos, caldeos, y adivinos;

12 por cuanto fue hallado en él un mayor espíritu, y conocimiento e inteligencia, *para* interpretar sueños, declarar enigmas, y deshacer dudas, *es decir*, en Daniel; al cual el rey puso por nombre Beltsasar. Llámese, pues, ahora a Daniel, y él mostrará la interpretación.

13 Entonces Daniel fue traído delante del rey. Y habló el rey, y dijo a Daniel: ¿Eres tú aquel Daniel de los hijos de la cautividad de Judá, que mi padre trajo de Judea?

14 Yo he oído de ti que el espíritu de los dioses santos *está* en ti, y que en ti se halló luz, y entendimiento y mayor sabiduría.

15 Y ahora fueron traídos delante de mí, sabios, astrólogos, que leyesen esta escritura, y me mostrasen su interpretación; pero no han podido mostrar la declaración del asunto.

16 Yo pues he oído de ti que puedes interpretar *sueños* y disolver las dudas. Si ahora pudieres leer esta escritura, y mostrarme su interpretación, serás vestido de púrpura, y collar de oro tendrás en tu cuello, y en el reino serás el tercer señor.

17 Entonces Daniel respondió, y dijo delante del rey: Tus dones sean para ti, y tus presentes dalos a otro. La escritura yo la leeré al rey, y le declararé la interpretación.

18 El Altísimo Dios, oh rey, dio a Nabucodonosor tu padre el reino, y la grandeza, y la gloria, y la honra:

19 Y por la grandeza que le dio, todos los pueblos, naciones, y lenguas, temblaban y temían delante de él. A quien quería, mataba, y a quien quería, dejaba con vida; a quien quería, engrandecía, y a quien quería, humillaba.

20 Mas cuando su corazón se ensoberbeció, y su espíritu se endureció en altivez, fue depuesto del trono de su reino, y traspasaron de él la gloria:

21 Y fue echado de entre los hijos de los hombres; y su corazón fue puesto con las bestias, y con los asnos monteses fue su morada. Hierba le hicieron comer como a buey, y su cuerpo fue bañado con el rocío del cielo, hasta que reconoció que el Altísimo Dios señorea en el reino de los hombres, y que pone sobre él a quien le place.

22 Y tú, su hijo Belsasar, no has humillado tu corazón, sabiendo todo esto;

23 sino que contra el Señor del cielo te has ensoberbecido, e hiciste traer delante de ti los vasos de su casa, y tú y tus príncipes, tus esposas y tus concubinas, habéis bebido vino en ellos; además de esto diste alabanza a dioses de plata y de oro, de bronce, de hierro, de madera y de piedra, que ni ven, ni oyen, ni saben; y al Dios en cuya mano *está* tu vida, y de quien *son* todos tus caminos, no honraste.

24 Entonces de su presencia fue enviada la palma de la mano que esculpió esta escritura.

25 Y la escritura que esculpió *es*: MENE, MENE, TEKEL, UPARSIN.

26 Ésta *es* la interpretación del asunto: MENE: Contó Dios tu reino, y le ha puesto fin.

27 TEKEL: Pesado has sido en balanza y fuiste hallado falto.

28 PERES: Tu reino ha sido dividido, y dado a los medos y a los persas.

29 Entonces, mandándolo Belsasar, vistieron a Daniel de púrpura, y en su cuello *fue puesto* un collar de oro y pregonaron de él que fuese el tercer señor en el reino.

30 La misma noche fue muerto Belsasar, rey de los caldeos.

31 Y Darío de Media tomó el reino *siendo* de sesenta y dos años.

CAPÍTULO 6

Pareció bien a Darío constituir sobre el reino ciento veinte gobernadores, que estuviesen en todo el reino.

2 Y sobre ellos tres presidentes (de los cuales Daniel *era* el primero), quienes estos gobernadores diesen cuenta, para que el rey no recibiese daño.

3 Pero el mismo Daniel era más estimado que estos gobernadores y presidentes, porque en él *había* un espíritu excelente; y el rey pensaba en ponerlo sobre todo el reino.

4 Entonces los presidentes y gobernadores buscaban ocasión contra Daniel por parte del reino; mas no podían hallar alguna ocasión o falta, porque él era fiel, y ningún vicio ni falta fue hallado en él.

5 Entonces dijeron aquellos hombres: No hallaremos contra este Daniel ocasión alguna, si no *la* hallamos contra él en relación a la ley de su Dios.

6 Entonces estos gobernadores y presidentes se juntaron delante del rey, y le dijeron así: Rey Darío, para siempre vive:

7 Todos los presidentes del reino, magistrados, gobernadores, grandes y capitanes, han acordado por consejo promulgar un real edicto, y confirmarlo, que cualquiera que demandare petición de cualquier dios u hombre en el espacio de treinta días, excepto de ti, oh rey, sea echado en el foso de los leones.

8 Ahora, oh rey, confirma el edicto, y firma la escritura, para que no pueda ser cambiada, conforme a la ley de Media y de Persia, la cual no puede ser revocada.

9 Firmó, pues, el rey Darío la escritura y el edicto.

10 Y Daniel, cuando supo que la escritura estaba firmada, entró en su casa, y abiertas las ventanas de su cámara que estaban hacia Jerusalén, se hincaba de rodillas tres veces al día, y oraba, y daba gracias delante de su Dios, como lo solía hacer antes.

11 Entonces se juntaron aquellos hombres, y hallaron a Daniel orando y suplicando delante de su Dios.

12 Se llegaron luego, y hablaron delante del rey acerca del edicto real: ¿No has confirmado edicto que cualquiera que pidiere a cualquier dios u hombre en el espacio de treinta días, excepto a ti, oh rey, fuese echado en el foso de los leones? Respondió el rey y dijo: Verdad *es*, conforme a la ley de Media y de Persia, la cual no se abroga.

13 Entonces respondieron y dijeron

delante del rey: Ese Daniel, que es de los hijos de la cautividad de los judíos, no ha hecho cuenta de ti, oh rey, ni del edicto que confirmaste; antes tres veces al día hace su petición.

14 Entonces el rey, al oír *estas* palabras, le pesó en gran manera, y sobre Daniel puso cuidado para librarlo; y hasta la puesta del sol trabajó para librarle.

15 Pero aquellos hombres se reunieron cerca del rey, y dijeron al rey: Sepas, oh rey, que *es* ley de Media y de Persia, que ningún decreto u ordenanza que el rey confirmare puede ser cambiado.

16 Entonces el rey mandó, y trajeron a Daniel, y *le* echaron en el foso de los leones. Y hablando el rey dijo a Daniel: El Dios tuyo, a quien tú continuamente sirves, Él te librará.

17 Y fue traída una piedra, y puesta sobre la puerta del foso, la cual selló el rey con su anillo, y con el anillo de sus príncipes, para que el acuerdo acerca de Daniel no se cambiase.

18 Se fue luego el rey a su palacio, y pasó la noche en ayuno; ni instrumentos de música fueron traídos delante de él, y se le fue el sueño.

19 Entonces el rey se levantó muy de mañana, y fue aprisa al foso de los leones;

20 y llegándose cerca del foso llamó a voces a Daniel con voz triste. Y el rey habló a Daniel y le dijo: Daniel, siervo del Dios viviente, el Dios tuyo, a quien tú continuamente sirves ¿te ha podido librar de los leones?

21 Entonces habló Daniel con el rey: Oh rey, para siempre vive.

22 El Dios mío envió su ángel, el cual cerró la boca de los leones, para que no me hiciesen mal; porque delante de Él fui hallado inocente; y aun delante de ti, oh rey, yo no he hecho ningún mal.

23 Entonces se alegró el rey en gran manera a causa de él, y mandó sacar a Daniel del foso. Y Daniel fue sacado del foso, y ninguna lesión se halló en él, porque creyó en su Dios.

24 Y el rey ordenó que fueran traídos aquellos hombres que habían acusado a Daniel, y fueron echados

en el foso de los leones, ellos, sus hijos y sus esposas; y aún no habían llegado al suelo del foso, cuando los leones se apoderaron de ellos, y quebraron todos sus huesos.

25 Entonces el rey Darío escribió a todos los pueblos, naciones, y lenguas, que habitan en toda la tierra: Paz os sea multiplicada:

26 De parte mía es puesta ordenanza, que en todo el señorío de mi reino todos teman y tiemblen ante la presencia del Dios de Daniel; porque Él *es* el Dios viviente y permanece por la eternidad, y su reino no será destruido, y su señorío *permanecerá* hasta el fin.

27 Que salva y libra, y hace señales y maravillas en el cielo y en la tierra; el cual libró a Daniel del poder de los leones.

28 Y este Daniel fue prosperado durante el reinado de Darío, y durante el reinado de Ciro, el persa.

CAPÍTULO 7

En el primer año de Belsasar rey de Babilonia, tuvo Daniel un sueño y visiones de su cabeza *estando* en su cama; luego escribió el sueño, y relató la suma de los asuntos.

2 Habló Daniel y dijo: Veía yo en mi visión de noche, y he aquí que los cuatro vientos del cielo combatían en el gran mar.

3 Y cuatro bestias grandes, diferentes la una de la otra, subían del mar.

4 La primera *era* como león, y tenía alas de águila. Yo estaba mirando hasta que sus alas fueron arrancadas, y fue quitada de la tierra; y se puso enhiesta sobre los pies a manera de hombre, y le fue dado corazón de hombre.

5 Y he aquí otra segunda bestia, semejante a un oso, la cual se puso a un lado, y *tenía* en su boca tres costillas entre los dientes; y le fue dicho así: Levántate, traga mucha carne.

6 Después de esto yo miraba, y he aquí otra, semejante a un leopardo, y tenía cuatro alas de ave en sus espaldas: tenía también esta bestia cuatro cabezas; y le fue dado dominio.

7 Después de esto miraba yo en las visiones de la noche, y he aquí la cuarta bestia, espantosa y terrible, y en grande manera fuerte; la cual tenía unos dientes grandes de hierro: devoraba y desmenuzaba, y las sobras hollaba con sus pies; y era muy diferente de todas las bestias que habían sido antes de ella, y tenía diez cuernos.

8 Y mientras yo contemplaba los cuernos, he aquí que otro cuerno pequeño subía entre ellos, y delante de él fueron arrancados tres cuernos de los primeros; y he aquí, en este cuerno *había* ojos como ojos de hombre, y una boca que hablaba grandezas.

9 Estuve mirando hasta que fueron puestos unos tronos. Y el Anciano de días se sentó, cuya vestidura era blanca como la nieve, y el cabello de su cabeza como lana pura; su trono *era como* llama de fuego, y sus ruedas, *como* fuego ardiente.

10 Un río de fuego procedía y salía de delante de Él: millares de millares le servían, y millones de millones asistían delante de Él. El Juez se sentó, y los libros fueron abiertos.

11 Yo entonces miraba a causa de la voz de las grandes palabras que hablaba el cuerno; miré hasta que mataron a la bestia, y su cuerpo fue destrozado y entregado para ser quemado en el fuego.

12 Habían también quitado a las otras bestias su dominio, y les había sido dada prolongación de vida hasta cierto tiempo.

13 Miraba yo en la visión de la noche, y he aquí en las nubes del cielo *uno* como el Hijo del Hombre que venía, y llegó hasta el Anciano de días, y le hicieron llegar delante de Él.

14 Y le fue dado dominio, gloria y reino, para que todos los pueblos, naciones y lenguas le sirvieran; su dominio *es* dominio eterno, que no pasará, y su reino *uno* que no será destruido.

15 Yo Daniel, fui turbado en mi espíritu en medio de *mi* cuerpo, y las visiones de mi cabeza me asombraron.

16 Me acerqué a uno de los que asistían, y le pregunté la verda

acerca de todo esto. Y me habló, y me dio a conocer la interpretación de las cosas.

17 Estas cuatro grandes bestias, *son* cuatro reyes *que* se levantarán en la tierra.

18 Después tomarán el reino los santos del Altísimo, y poseerán el reino por siempre, eternamente y para siempre.

19 Entonces quise saber la verdad acerca de la cuarta bestia, que tan diferente era de todas las otras, espantosa en gran manera, que tenía dientes de hierro, y sus uñas de bronce, que devoraba y desmenuzaba, y las sobras hollaba con sus pies:

20 Asimismo acerca de los diez cuernos que *tenía* en su cabeza, y del otro que había subido, de delante del cual habían caído tres; y este mismo cuerno tenía ojos, y boca que hablaba grandezas, y parecía más grande que sus compañeros.

21 Y veía yo que este cuerno hacía guerra contra los santos, y los vencía,

22 hasta tanto que vino el Anciano de días, y se dio el juicio a los santos del Altísimo; y vino el tiempo, y los santos poseyeron el reino.

23 Dijo así: La cuarta bestia será un cuarto reino en la tierra, el cual será diferente de todos los *otros* reinos, y a toda la tierra devorará, y la hollará, y la despedazará.

24 Y los diez cuernos significan que de aquel reino se levantarán diez reyes; y tras ellos se levantará otro, el cual será mayor que los primeros, y a tres reyes subyugará.

25 Y hablará palabras contra el Altísimo, y a los santos del Altísimo afligirá, y pensará en mudar los tiempos y la ley; y serán entregados en su mano hasta un tiempo, y tiempos, y el medio de un tiempo.

26 Pero se sentará el Juez, y le quitarán su dominio, para que sea destruido y arruinado hasta el extremo;

27 y que el reino, el dominio y la majestad de los reinos debajo de todo cielo, sea dado al pueblo de los santos del Altísimo; cuyo reino *es* reino eterno, y todos los dominios le servirán y obedecerán.

28 Hasta aquí *fue* el fin del asunto. En cuanto a mí, Daniel, mucho me turbaron mis pensamientos, y mi rostro se demudó, pero guardé el asunto en mi corazón.

CAPÍTULO 8

En el año tercero del reinado del rey Belsasar, me apareció una visión a mí, Daniel, después de aquella que se me había aparecido antes.

2 Vi en visión, y sucedió cuando la vi, que yo *estaba* en Susán, que *es* cabecera del reino en la provincia de Elam; vi, pues, en visión, estando junto al río Ulai.

3 Y alcé mis ojos, y miré, y he aquí un carnero que estaba delante del río, el cual *tenía* dos cuernos; y los dos cuernos *eran* altos, pero uno *era* más alto que el otro; y el más alto subió a la postre.

4 Vi que el carnero hería con los cuernos al poniente, al norte, y al sur, y que ninguna bestia podía mantenerse de pie delante de él, ni *había* quien librara de su mano; y hacía conforme a su voluntad, y se engrandecía.

5 Y mientras yo consideraba, he aquí un macho cabrío venía de la parte del poniente sobre la faz de toda la tierra, el cual no tocaba la tierra; y aquel macho cabrío *tenía* un cuerno notable entre sus ojos.

6 Y vino hasta el carnero que tenía los *dos* cuernos, al cual yo había visto que estaba delante del río, y corrió contra él con la ira de su poder.

7 Y lo vi que llegó junto al carnero, y se levantó contra él, y lo hirió, y quebró sus dos cuernos, porque en el carnero no había fuerzas para pararse delante de él; lo derribó, por tanto, en tierra, y lo pisoteó; y no hubo quien librase al carnero de su mano.

8 Y el macho cabrío se engrandeció en gran manera; y estando en su mayor fuerza, aquel gran cuerno fue quebrado, y en su lugar subieron otros cuatro *cuernos* notables hacia los cuatro vientos del cielo.

9 Y de uno de ellos salió un cuerno pequeño, el cual creció mucho al sur,

y al oriente, y hacia la *tierra* gloriosa.

10 Y se engrandeció hasta el ejército del cielo; y *parte* del ejército y de las estrellas echó por tierra, y las pisoteó.

11 Aun contra el príncipe de la fortaleza se engrandeció, y por él fue quitado el continuo *sacrificio*, y el lugar de su santuario fue echado por tierra.

12 Y el ejército le fue entregado a causa de la prevaricación sobre el continuo *sacrificio*; y echó por tierra la verdad, e hizo cuanto quiso, y prosperó.

13 Y oí a un santo que hablaba; y otro de los santos dijo a aquél que hablaba: ¿Hasta cuándo durará la visión del continuo *sacrificio*, y la prevaricación asoladora que pone el santuario y el ejército para ser hollados?

14 Y él me dijo: Hasta dos mil trescientas tardes y mañanas; y el santuario será purificado.

15 Y aconteció que mientras yo Daniel consideraba la visión, y buscaba su significado, he aquí uno con apariencia de hombre se puso delante de mí.

16 Y oí una voz de hombre entre *las riberas* de Ulai, que gritó y dijo: Gabriel, enseña a éste la visión.

17 Vino luego cerca de donde yo estaba; y con su venida me asombré, y caí sobre mi rostro. Pero él me dijo: Entiende, hijo de hombre, porque la visión *será* para el tiempo del fin.

18 Y mientras él hablaba conmigo, caí dormido en tierra sobre mi rostro; y él me tocó, y me hizo estar en pie.

19 Y dijo: He aquí yo te enseñaré lo que ha de venir en el fin de la ira: porque al tiempo señalado el fin *se cumplirá:*

20 Aquel carnero que viste, que tenía *dos* cuernos, *son* los reyes de Media y de Persia.

21 Y el macho cabrío *es* el rey de Grecia; y el cuerno grande que tenía entre sus ojos *es* el rey primero.

22 Y *en cuanto al cuerno* que fue quebrado y sucedieron cuatro en su lugar, significa que cuatro reinos se levantarán de esa nación, mas no con la fuerza de él.

23 Y al fin del reinado de éstos, cuando los transgresores hayan

Daniel enfermo y quebrantado

llegado a su colmo, se levantará un rey altivo de rostro, y entendido en enigmas.

24 Y su poder se fortalecerá, mas no por su propio poder; y destruirá maravillosamente, y prosperará; y hará arbitrariamente, y destruirá a los fuertes y al pueblo de los santos.

25 Y con su sagacidad hará prosperar el engaño en su mano; y en su corazón se engrandecerá, y con paz destruirá a muchos; y contra el Príncipe de los príncipes se levantará; mas sin mano será quebrantado.

26 Y la visión de la tarde y la mañana que está dicha, es verdadera; y tú guarda la visión, porque *es* para muchos días.

27 Y yo Daniel fui quebrantado, y estuve enfermo *algunos* días; y cuando convalecí, atendí el asunto del rey; mas estaba espantado acerca de la visión, y no había quien la entendiese.

CAPÍTULO 9

En el año primero de Darío hijo de Asuero, de la nación de los medos, el cual fue puesto por rey sobre el reino de los caldeos;

2 en el año primero de su reinado, yo Daniel miré atentamente en los libros el número de los años, de los cuales vino palabra de Jehová al profeta Jeremías, que había de concluir la asolación de Jerusalén en setenta años.

3 Y volví mi rostro al Señor Dios, buscándole en oración y ruego, en ayuno, y cilicio y ceniza.

4 Y oré a Jehová mi Dios, y confesé, y dije: Oh Señor, Dios grande y digno de ser temido, que guardas el pacto y la misericordia con los que te aman y guardan tus mandamientos;

5 hemos pecado, hemos hecho iniquidad, hemos obrado impíamente y hemos sido rebeldes, y nos hemos apartado de tus mandamientos y de tus juicios.

6 No hemos obedecido a tus siervos los profetas, que en tu nombre hablaron a nuestros reyes, y a nuestros príncipes, a nuestros padres y a todo el pueblo de la tierra.

7 Tuya es, Señor, la justicia, y nuestra la confusión de rostro, como en el día de hoy *sucede* a todo hombre de Judá, y a los moradores de Jerusalén, y a todo Israel, a los de cerca y a los de lejos, en todas las tierras adonde los has echado a causa de su rebelión con que contra ti se rebelaron.

8 Oh Jehová, nuestra es la confusión de rostro, de nuestros reyes, de nuestros príncipes, y de nuestros padres; porque contra ti pecamos.

9 De Jehová nuestro Dios es el tener misericordia, y el perdonar, aunque contra Él nos hemos rebelado;

10 y no obedecimos a la voz de Jehová nuestro Dios, para andar en sus leyes, las cuales Él puso delante de nosotros por medio de sus siervos los profetas.

11 Y todo Israel traspasó tu ley apartándose para no oír tu voz: por lo cual ha caído sobre nosotros la maldición, y el juramento que *está* escrito en la ley de Moisés, siervo de Dios; porque contra Él pecamos.

12 Y Él ha confirmado su palabra que habló sobre nosotros, y sobre nuestros jueces que nos gobernaron, trayendo sobre nosotros tan grande mal; que nunca fue hecho debajo del cielo como el que fue hecho en Jerusalén.

13 Según *está* escrito en la ley de Moisés, todo este mal vino sobre nosotros; y no hemos rogado a la faz de Jehová nuestro Dios, para convertirnos de nuestras maldades, y entender tu verdad.

14 Por tanto, Jehová veló sobre el mal, y lo trajo sobre nosotros; porque justo *es* Jehová nuestro Dios en todas sus obras que Él hace, porque no obedecimos a su voz.

15 Ahora pues, Señor Dios nuestro, que sacaste tu pueblo de la tierra de Egipto con mano poderosa, y te hiciste nombre cual en este día; hemos pecado, impíamente hemos hecho.

16 Oh Señor, según todas tus justicias, apártese ahora tu ira y tu furor de sobre tu ciudad Jerusalén, tu santo monte: porque a causa de nuestros pecados, y por la maldad de nuestros padres, Jerusalén y tu pueblo *son* el oprobio de todos en derredor nuestro.

17 Ahora pues, Dios nuestro, oye la oración de tu siervo, y sus súplicas, y haz que tu rostro resplandezca sobre tu santuario asolado, por amor del Señor.

18 Inclina, oh Dios mío, tu oído, y oye; abre tus ojos, y mira nuestros asolamientos, y la ciudad sobre la cual es llamado tu nombre: porque no derramamos nuestros ruegos ante tu presencia confiados en nuestras justicias, sino en tus muchas misericordias.

19 Oye, Señor; oh Señor, perdona; presta oído, Señor, y haz; no pongas dilación, por amor de ti mismo, Dios mío; porque tu nombre es invocado sobre tu ciudad y sobre tu pueblo.

20 Aún estaba yo hablando, y orando, y confesando mi pecado y el pecado de mi pueblo Israel, y presentaba mi súplica delante de Jehová mi Dios por el monte santo de mi Dios;

21 y todavía *estaba* yo hablando en oración, cuando aquel varón Gabriel, al cual había visto en visión al principio, volando con presteza, me tocó como a la hora del sacrificio de la tarde.

22 Y me hizo entender, y habló conmigo, y dijo: Daniel, ahora he salido para darte sabiduría y entendimiento.

23 Al principio de tus súplicas fue dada la orden, y yo he venido para enseñártela, porque tú *eres* muy amado. Entiende, pues, el asunto, y considera la visión.

24 Setenta semanas están determinadas sobre tu pueblo y sobre tu santa ciudad, para acabar la prevaricación, y concluir el pecado, y expiar la iniquidad; y para traer la justicia eterna, y sellar la visión y la profecía, y ungir al Santo de los santos.

25 Sabe, pues, y entiende, *que* desde la salida de la orden para restaurar y edificar a Jerusalén hasta el Mesías Príncipe, *habrá* siete semanas, y sesenta y dos semanas; la plaza volverá a ser edificada, y el muro, en tiempos angustiosos.

26 Y después de las sesenta y dos semanas se quitará la vida al Mesías,

mas no por sí; y el pueblo del príncipe que ha de venir, destruirá la ciudad y el santuario; con inundación *será* el fin de ella, y hasta el fin de la guerra las asolaciones están determinadas.

27 Y por una semana confirmará el pacto con muchos, y a la mitad de la semana hará cesar el sacrificio y la ofrenda. Después con la muchedumbre de las abominaciones vendrá el desolar, aun hasta una entera consumación; y lo que está determinado se derramará sobre el pueblo asolado.

CAPÍTULO 10

En el tercer año de Ciro rey de Persia, fue revelada palabra a Daniel, cuyo nombre era Beltsasar; y la palabra *era* verdadera, mas el tiempo fijado *era* largo; pero él comprendió la palabra, y tuvo inteligencia en la visión.

2 En aquellos días yo Daniel me contristé por espacio de tres semanas.

3 No comí pan delicado, ni entró carne ni vino en mi boca, ni me unté con ungüento, hasta que se cumplieron tres semanas.

4 Y a los veinticuatro días del mes primero estaba yo a la orilla del gran río Hidekel;

5 y alzando mis ojos miré, y he aquí un varón vestido de lino, y ceñidos sus lomos de oro de Ufaz:

6 Y su cuerpo *era* como el berilo, y su rostro parecía un relámpago, y sus ojos como antorchas de fuego, y sus brazos y sus pies como de color de bronce resplandeciente, y la voz de sus palabras como la voz de una multitud.

7 Y sólo yo, Daniel, vi aquella visión, y no la vieron los hombres que estaban conmigo; sino que cayó sobre ellos un gran temor y huyeron a esconderse.

8 Quedé, pues, yo solo, y vi esta gran visión, y no quedó fuerza en mí; antes mi fuerza se me cambió en debilidad, sin retener vigor alguno.

9 Pero oí la voz de sus palabras: y oyendo la voz de sus palabras, estaba yo adormecido sobre mi rostro, y mi rostro en tierra.

10 Y he aquí una mano me tocó, e hizo que me pusiese sobre mis rodillas y *sobre* las palmas de mis manos.

11 Y me dijo: Daniel, varón muy amado, está atento a las palabras que te hablaré, y levántate sobre tus pies; porque a ti he sido enviado ahora. Y cuando él hablaba conmigo estas palabras, yo estaba temblando.

12 Entonces me dijo: Daniel, no temas: porque desde el primer día que diste tu corazón a entender, y a afligirte en la presencia de tu Dios, fueron oídas tus palabras; y a causa de tus palabras yo he venido.

13 Mas el príncipe del reino de Persia se puso contra mí veintiún días; y he aquí, Miguel, uno de los principales príncipes, vino para ayudarme, y yo quedé allí con los reyes de Persia.

14 Yo he venido para hacerte saber lo que ha de venir a tu pueblo en los postreros días; porque la visión *es* aún para *muchos* días;

15 y cuando él habló conmigo estas palabras, puse mi rostro en tierra, y enmudecí.

16 Mas he aquí, como una semejanza de hijo de hombre tocó mis labios. Entonces abrí mi boca, y hablé, y dije a aquel que estaba delante de mí: Señor mío, con la visión se revolvieron mis dolores sobre mí, y no me quedó fuerza.

17 ¿Cómo, pues, podrá el siervo de mi señor hablar con este mi señor? Porque al instante me faltó la fuerza, y no me ha quedado aliento.

18 Y aquella como semejanza de hombre me tocó otra vez, y me fortaleció;

19 y me dijo: Varón muy amado, no temas; paz a ti; ten buen ánimo, y esfuérzate. Y hablando él conmigo recobré las fuerzas, y dije: Hable mi señor, porque me has fortalecido.

20 Y dijo: ¿Sabes por qué he venido a ti? Porque luego tengo que volver para pelear con el príncipe de Persia; y saliendo yo, he aquí, el príncipe de Grecia vendrá.

21 Pero yo te declararé lo que está anotado en la Escritura de la verdad. Y ninguno *hay* que se esfuerce conmigo en estas cosas, sino Miguel vuestro príncipe.

Y en el año primero de Darío el medo, yo estuve para animarlo y fortalecerlo.

2 Y ahora yo te mostraré la verdad. He aquí que aún habrá tres reyes en Persia, y el cuarto se hará de grandes riquezas más que todos; y fortificándose con sus riquezas, incitará a todos contra el reino de Grecia.

3 Se levantará luego un rey poderoso, el cual señoreará con gran dominio, y hará según su voluntad.

4 Pero cuando se haya levantado, su reino será quebrantado, y repartido por los cuatro vientos del cielo; y no a sus descendientes, ni según el señorío con que él señoreó; porque su reino será arrancado, y *será* para otros fuera de ellos.

5 Y se hará fuerte el rey del sur; mas uno de los príncipes de aquél le sobrepujará, y se hará poderoso; su dominio *será* gran dominio.

6 Y al cabo de años harán alianza entre ellos, y la hija del rey del sur vendrá al rey del norte para hacer un convenio. Pero ella no podrá retener la fuerza del brazo; ni permanecerá él, ni su brazo; porque será entregada ella, y los que la habían traído, asimismo su hijo, y los que estaban de parte de ella en *aquellos* tiempos.

7 Mas del renuevo de sus raíces se levantará uno en su lugar, y vendrá con ejército, y entrará en la fortaleza del rey del norte, y hará en ellos a su arbitrio, y predominará.

8 Y aun los dioses de ellos, con sus príncipes, con sus vasos preciosos de plata y de oro, llevará cautivos a Egipto; y por *muchos* años se mantendrá él contra el rey del norte.

9 Así entrará en *su* reino el rey del sur, y volverá a su tierra.

10 Mas los hijos de aquél se airarán y reunirán multitud de grandes ejércitos: y vendrá a gran prisa, e inundará, y pasará, y tornará, y llegará con ira hasta su fortaleza.

11 Por lo cual se enfurecerá el rey del sur, y saldrá, y peleará con el mismo rey del norte; y pondrá en campo gran multitud, y toda aquella multitud será entregada en su mano.

12 Y la multitud se ensoberbecerá, se elevará su corazón, y derribará muchos millares; mas no prevalecerá.

13 Y el rey del norte volverá a poner en campaña una multitud mayor que la primera, y al cabo de algunos años vendrá a gran prisa con grande ejército y con muchas riquezas.

14 Y en aquellos tiempos se levantarán muchos contra el rey del sur; e hijos de disipadores de tu pueblo se levantarán para confirmar la profecía, pero caerán.

15 Vendrá, pues, el rey del norte, y fundará baluartes, y tomará la ciudad fuerte; y los brazos del sur no podrán permanecer, ni su pueblo escogido, ni *habrá* fortaleza que pueda resistir.

16 Y el que vendrá contra él, hará a su voluntad, y no habrá quien se pueda parar delante de él; y estará en la tierra gloriosa, la cual será consumida en su poder.

17 Pondrá luego su rostro para venir con el poder de todo su reino; y hará con aquél cosas rectas, y le dará una hija de mujeres para corromperle; pero no le respaldará ni estará de su lado.

18 Volverá después su rostro a las islas, y tomará muchas; mas un príncipe le hará parar su afrenta, y aun tornará sobre él su oprobio.

19 Luego volverá su rostro a las fortalezas de su tierra; mas tropezará y caerá, y no será hallado.

20 Entonces se levantará en su lugar un recaudador de impuestos en la gloria del reino; pero a los pocos días será destruido, no en enojo, ni en batalla.

21 Y en su lugar se levantará un hombre vil, al cual no darán la honra del reino; pero vendrá con paz, y tomará el reino con halagos.

22 Y con los brazos de inundación serán inundados delante de él, y serán quebrantados; y aun también el príncipe del pacto.

23 Y después de la alianza *hecha* con él, él hará engaño, y subirá, y saldrá vencedor con poca gente.

24 Estando la provincia en paz y en abundancia, entrará y hará lo que no hicieron sus padres, ni los padres de

sus padres; presa, y despojos, y riquezas repartirá a sus soldados; y contra las fortalezas formará sus designios: y esto por un tiempo.

25 Y despertará sus fuerzas y su corazón contra el rey del sur con grande ejército; y el rey del sur se moverá a la guerra con grande y muy fuerte ejército; mas no prevalecerá, porque le harán traición.

26 Aun los que comen de su pan le destruirán; y su ejército será destruido, y muchos caerán muertos.

27 Y el corazón de estos dos reyes *será* para hacer mal, y en una misma mesa tratarán mentira; mas no servirá de nada, porque el plazo aún *ha de venir* al tiempo señalado.

28 Y se volverá a su tierra con grande riqueza, y su corazón será contra el pacto santo; actuará, pues, *contra éste*, y se volverá a su tierra.

29 Al tiempo señalado volverá, y vendrá hacia el sur; mas no será la postrera venida como la primera.

30 Porque vendrán contra él naves de Quitim, y él se contristará, y volverá, y se enojará contra el pacto santo, y actuará *contra éste*; volverá, pues, y se entenderá con los que abandonan el santo pacto.

31 Y se levantarán brazos de su parte; y contaminarán el santuario de fortaleza, y quitarán el continuo *sacrificio*, y pondrán la abominación desoladora.

32 Y con lisonjas hará pecar a los violadores del pacto; mas el pueblo que conoce a su Dios, se esforzará, y hará *proezas*.

33 Y los sabios del pueblo instruirán a muchos; mas caerán a espada y a fuego, en cautividad y despojo, por *muchos* días.

34 Y en su caer serán ayudados de pequeño socorro; y muchos se juntarán a ellos con lisonjas.

35 Y *algunos* de los sabios caerán para ser purificados, y limpiados, y emblanquecidos, hasta el tiempo determinado; porque aun para esto *hay* plazo.

36 Y el rey hará a su voluntad; y se enaltecerá y se engrandecerá sobre todo dios; y contra el Dios de los dioses hablará maravillas, y prosperará, hasta que sea consumada la ira;

porque lo que está determinado se cumplirá.

37 Y del Dios de sus padres no se cuidará, ni del amor de las mujeres: ni se cuidará de dios alguno, porque sobre todo se engrandecerá.

38 Mas honrará en su lugar al dios de las fortalezas, dios que sus padres no conocieron; lo honrará con oro, y plata, y piedras preciosas, y con cosas de gran precio.

39 Y actuará contra los baluartes más fuertes con el dios ajeno que él reconocerá y colmará de honores; y los hará señorear sobre muchos, y por interés repartirá la tierra.

40 Pero al cabo del tiempo el rey del sur se enfrentará con él; y el rey del norte se levantará contra él como tempestad, con carros y gente de a caballo, y muchos navíos; y entrará por las tierras, e inundará, y pasará.

41 Y vendrá a la tierra gloriosa, y muchas *naciones* caerán; mas éstas escaparán de su mano: Edom, y Moab, y lo mejor de los hijos de Amón.

42 Asimismo extenderá su mano contra las otras tierras, y no escapará el país de Egipto.

43 Y se apoderará de los tesoros de oro y plata, y de todas las cosas preciosas de Egipto. Libios y etíopes seguirán sus pasos.

44 Pero noticias del oriente y del norte lo estremecerán; y saldrá con grande ira para destruir y matar a muchos.

45 Y plantará las tiendas de su palacio entre los mares, en el monte deseable del santuario; y vendrá hasta su fin, y no tendrá quien le ayude.

CAPÍTULO 12

Y en aquel tiempo se levantará Miguel, el gran príncipe que está por los hijos de tu pueblo; y será tiempo de angustia, cual nunca fue después que hubo gente hasta entonces; mas en aquel tiempo será libertado tu pueblo, todos los que se hallen escritos en el libro.

2 Y muchos de los que duermen en el polvo de la tierra serán despertados, unos para vida eterna,

y otros para vergüenza y confusión perpetua.

3 Y los entendidos resplandecerán como el resplandor del firmamento; y los que guiaron a muchos a la justicia, como las estrellas, a perpetua eternidad.

4 Pero tú Daniel, cierra las palabras y sella el libro hasta el tiempo del fin. Muchos correrán de un lado a otro, y la ciencia se aumentará.

5 Y yo, Daniel, miré, y he aquí otros dos que estaban de pie, el uno a este lado del río, y el otro al otro lado del río.

6 Y dijo *uno* al varón vestido de lino, que estaba sobre las aguas del río: ¿Cuándo *será* el fin de estas maravillas?

7 Y oí al varón vestido de lino, que *estaba* sobre las aguas del río, el cual alzó su mano derecha y su mano izquierda al cielo, y juró por Aquél que vive por siempre, que *será* por tiempo, tiempos, y la mitad *de* un *tiempo*. Y cuando él acabe de dispersar el poder del pueblo santo, todas estas cosas serán cumplidas.

8 Y yo oí, mas no entendí. Y dije: Señor mío, ¿cuál *será* el fin de estas cosas?

9 Y dijo: Anda, Daniel, que estas palabras *están* cerradas y selladas hasta el tiempo del fin.

10 Muchos serán limpios, y emblanquecidos, y purificados; mas los impíos obrarán impíamente, y ninguno de los impíos entenderá, pero entenderán los entendidos.

11 Y desde el tiempo que fuere quitado el continuo *sacrificio* hasta la abominación desoladora, *habrá* mil doscientos noventa días.

12 Bienaventurado el que espere, y llegue hasta mil trescientos treinta y cinco días.

13 Pero tú sigue hasta el fin. Porque tú te levantarás y reposarás en tu heredad al fin de los días.

Libro De
OSEAS

CAPÍTULO 1

Palabra de Jehová que vino a Oseas hijo de Beeri, en días de Uzías, Jotam, Acaz, y Ezequías, reyes de Judá, y en días de Jeroboam hijo de Joás, rey de Israel.

2 El principio de la palabra de Jehová por medio de Oseas. Y dijo Jehová a Oseas: Ve, toma para ti a una esposa ramera, e hijos de prostitución; porque la tierra gravemente se ha prostituido, *apartándose* de Jehová.

3 Fue, pues, y tomó a Gomer hija de Diblaim, la cual concibió y le dio a luz un hijo.

4 Y le dijo Jehová: Ponle por nombre Jezreel; porque de aquí a poco yo vengaré la sangre de Jezreel sobre la casa de Jehú, y haré cesar el reino de la casa de Israel.

5 Y acontecerá que en aquel día quebraré yo el arco de Israel en el valle de Jezreel.

6 Y concibió otra vez, y dio a luz una hija. Y le dijo *Dios*: Ponle por nombre Lo-ruhama; porque ya no tendré misericordia de la casa de Israel, sino que los quitaré del todo.

7 Mas de la casa de Judá tendré misericordia, y los salvaré en Jehová su Dios: y no los salvaré con arco, ni con espada, ni con batalla, ni con caballos ni jinetes.

8 Y después de haber destetado a Lo-ruhama, concibió y dio a luz un hijo.

9 Y dijo *Dios*: Ponle por nombre Lo-ammi: porque vosotros no *sois* mi pueblo, ni yo seré vuestro *Dios*.

10 Con todo, el número de los hijos de Israel será como la arena del mar, que no se puede medir ni contar. Y sucederá que en el lugar donde se les ha dicho: Vosotros no *sois* mi pueblo, les será dicho: *Sois* hijos del Dios viviente.

11 Y los hijos de Judá y los hijos de Israel serán congregados en uno, y levantarán para sí una cabeza, y subirán de la tierra: porque el día de Jezreel *será* grande.

CAPÍTULO 2

Decid a vuestros hermanos, Ammi, y a vuestras hermanas, Ruhama:

2 Contended con vuestra madre, contended; porque ella no *es* mi esposa, ni yo su marido; quite, pues, de su rostro sus prostituciones, y sus adulterios de entre sus pechos;

3 no sea que yo la despoje y desnude, y la deje como el día en que nació, y la ponga como un desierto, y la deje como tierra seca, y la mate de sed.

4 Y no tendré misericordia de sus hijos, porque *son* hijos de prostitución.

5 Porque su madre se prostituyó; la que los engendró se deshonró; porque dijo: Iré tras mis amantes, que me dan mi pan y mi agua, mi lana y mi lino, mi aceite y mi bebida.

6 Por tanto, he aquí yo voy a cercar con espinos su camino, y le pondré vallado, para que no encuentre sus senderos.

7 Y seguirá a sus amantes, y no los alcanzará; los buscará, y no los hallará. Entonces dirá: Iré y me volveré a mi primer marido, porque mejor me iba entonces que ahora.

8 Y ella no reconoció que yo le daba el trigo, el vino y el aceite, y que les multipliqué la plata y el oro que ofrecían a Baal.

9 Por tanto yo volveré, y tomaré mi trigo a su tiempo, y mi vino a su sazón, y quitaré mi lana y mi lino *que le había dado* para cubrir su desnudez.

10 Y ahora descubriré yo su locura delante de los ojos de sus amantes, y nadie la librará de mi mano.

11 Y haré cesar todo su gozo, sus fiestas, sus nuevas lunas y sus sábados, y todas sus festividades.

12 Y haré talar sus vides y sus higueras, de las cuales ha dicho: Mi pago son, que me han dado mis amantes. Y las reduciré a un matorral, y las comerán las bestias del campo.

13 Y visitaré sobre ella los tiempos de los Baales, a los cuales incensaba, y se adornaba de sus zarcillos y de sus joyeles, y se iba tras sus amantes olvidándose de mí, dice Jehová.

14 Pero he aquí, yo la atraeré, y la llevaré al desierto, y hablaré a su corazón.

15 Y le daré sus viñas desde allí, y el valle de Acor por puerta de esperanza; y allí cantará como en los tiempos de su juventud, y como en el día de su subida de la tierra de Egipto.

16 Y será que en aquel tiempo, dice Jehová, me llamarás Ishi, y nunca más me llamarás Baali.

17 Porque quitaré de su boca los nombres de los Baales, y nunca más serán mencionados por sus nombres.

18 Y en aquel tiempo haré para ellos pacto con las bestias del campo, con las aves del cielo y con los reptiles de la tierra; y quebraré arco y espada y la batalla de la tierra, y los haré dormir seguros.

19 Y te desposaré conmigo para siempre; te desposaré conmigo en justicia, y juicio, en compasión, y en misericordias.

20 Y te desposaré conmigo en fe, y conocerás a Jehová.

21 Y será que en aquel tiempo responderé, dice Jehová, yo responderé a los cielos, y ellos responderán a la tierra;

22 Y la tierra responderá al trigo, y al vino, y al aceite, y ellos responderán a Jezreel.

23 Y la sembraré para mí en la tierra, y tendré misericordia de la que no ha obtenido misericordia; y diré al que no *era* mi pueblo: Tú *eres* mi pueblo, y él dirá: *Tú eres* mi Dios.

CAPÍTULO 3

Y me dijo otra vez Jehová: Ve, ama a una mujer amada de su compañero (aunque adúltera), como el amor de Jehová para con los hijos de Israel; los cuales miran a dioses ajenos, y aman frascos de vino.

2 La compré entonces para mí por quince *piezas* de plata, y un homer y medio de cebada.

3 Y le dije: Tú te quedarás para mí muchos días; no fornicarás, ni tomarás *otro* varón; lo mismo *haré* yo por ti.

4 Porque muchos días estarán los hijos de Israel sin rey, y sin príncipe,

y sin sacrificio, y sin estatua, y sin efod, y sin terafim.

5 Después volverán los hijos de Israel, y buscarán a Jehová su Dios, y a David su rey; y temerán a Jehová y a su bondad en el fin de los días.

CAPÍTULO 4

Oíd la palabra de Jehová, hijos de Israel, porque Jehová contiende con los moradores de la tierra; porque no *hay* verdad, ni misericordia, ni conocimiento de Dios en la tierra.

2 Perjurar, mentir, matar, hurtar y adulterar prevalecen, y derramamiento de sangre tras derramamiento de sangre.

3 Por lo cual, se enlutará la tierra, y se extenuará todo morador de ella, con las bestias del campo, y las aves del cielo: y aun los peces del mar fallecerán.

4 Ciertamente hombre no contienda ni reprenda a hombre, porque tu pueblo *es* como los que resisten al sacerdote.

5 Caerás por tanto en el día, y caerá también contigo el profeta de noche; y a tu madre talaré.

6 Mi pueblo fue destruido porque le faltó conocimiento. Porque tú desechaste el conocimiento, yo te echaré del sacerdocio; y porque olvidaste la ley de tu Dios, también yo me olvidaré de tus hijos.

7 Conforme a su grandeza así pecaron contra mí; *por tanto,* cambiaré su honra en afrenta.

8 Comen del pecado de mi pueblo, y en su maldad levantan su alma.

9 Tal será el pueblo como el sacerdote: y visitaré sobre él sus caminos, y le pagaré conforme a sus obras.

10 Y comerán, mas no se saciarán; fornicarán, mas no se aumentarán; porque dejaron de escuchar a Jehová.

11 Fornicación, vino y mosto quitan el corazón.

12 Mi pueblo a su ídolo de madera consulta, y su vara le responde; porque el espíritu de fornicaciones los ha engañado, y se han dado a la fornicación dejando a su Dios.

13 Sobre las cabezas de los montes sacrificaron, e incensaron sobre los collados, debajo de encinas, y álamos, y olmos que tuviesen buena sombra; por tanto, vuestras hijas fornicarán, y adulterarán vuestras nueras.

14 No visitaré sobre vuestras hijas cuando fornicaren, y sobre vuestras nueras cuando adulteraren: porque ellos ofrecen sacrificios con las rameras, y con las malas mujeres sacrifican; por tanto, el pueblo sin entendimiento caerá.

15 Si fornicares tú, Israel, a lo menos no peque Judá; y no entréis en Gilgal, ni subáis a Betaven; ni juréis: Vive Jehová.

16 Porque como becerra rebelde se apartó Israel: ¿los apacentará ahora Jehová como a carneros en lugar espacioso?

17 Efraín *es* dado a ídolos; déjalo.

18 Su bebida se corrompió; fornicaron pertinazmente; sus príncipes amaron lo que avergüenza.

19 La ató el viento en sus alas, y se avergonzarán de sus sacrificios.

CAPÍTULO 5

Sacerdotes, oíd esto, y estad atentos, casa de Israel; y casa del rey, escuchad; porque contra vosotros *es* el juicio, pues habéis sido lazo en Mizpa, y red extendida sobre Tabor.

2 Y haciendo víctimas han bajado hasta lo profundo; por tanto yo castigaré a todos ellos.

3 Yo conozco a Efraín, e Israel no me es desconocido; porque ahora, oh Efraín, te has prostituido, y se ha contaminado Israel.

4 No pondrán sus pensamientos en volverse a su Dios, porque espíritu de prostitución está en medio de ellos, y no conocen a Jehová.

5 Y la soberbia de Israel le desmentirá en su cara; e Israel y Efraín tropezarán en su pecado; tropezará también Judá con ellos.

6 Con sus ovejas y con sus vacas andarán buscando a Jehová, y no le hallarán; se apartó de ellos.

7 Contra Jehová prevaricaron, porque hijos extraños han engendrado: ahora los devorará un mes con sus heredades.

8 Tocad bocina en Gabaa, trompeta en Ramá; sonad alarma en Betaven; tras ti, oh Benjamín.

9 Efraín será asolado el día del castigo; en las tribus de Israel hice conocer verdad.

10 Los príncipes de Judá fueron como los que traspasan los linderos; derramaré sobre ellos como agua mi ira.

11 Efraín *es* vejado, quebrantado en juicio, porque quiso andar en pos de mandatos *de hombres*.

12 Yo, pues, *seré* como polilla a Efraín, y como carcoma a la casa de Judá.

13 Y verá Efraín su enfermedad, y Judá su llaga; irá entonces Efraín a Asiria, y enviará al rey Jareb; mas él no os podrá sanar, ni os curará la llaga.

14 Porque yo *seré* como león a Efraín, y como cachorro de león a la casa de Judá; yo, yo arrebataré, y andaré; tomaré, y no habrá quien liberte.

15 Andaré, y volveré a mi lugar hasta que reconozcan su pecado, y busquen mi rostro. En su angustia temprano me buscarán.

CAPÍTULO 6

Venid y volvámonos a Jehová; porque Él arrebató, y nos curará; hirió, y nos vendará.

2 Nos dará vida después de dos días; al tercer día nos resucitará y viviremos delante de Él.

3 Y conoceremos, y proseguiremos en conocer a Jehová; su salida está dispuesta como el alba, y vendrá a nosotros como la lluvia, como la lluvia tardía y temprana a la tierra.

4 ¿Qué haré a ti, Efraín? ¿Qué haré a ti, oh Judá? La piedad vuestra *es* como la nube de la mañana, y como el rocío que de madrugada viene.

5 Por esta causa corté con los profetas, con las palabras de mi boca los maté; y tus juicios *serán* como luz que sale.

6 Porque misericordia quise, y no sacrificio; y conocimiento de Dios más que holocaustos.

7 Mas ellos, cual Adán, traspasaron el pacto; allí prevaricaron contra mí.

8 Galaad, ciudad de obradores de iniquidad, ensuciada de sangre.

9 Y como ladrones que esperan a algún hombre, *así* una compañía de sacerdotes en consentimiento, asesina en el camino; porque cometen vileza.

10 En la casa de Israel he visto suciedad; allí *está* la prostitución de Efraín, se ha contaminado Israel.

11 También para ti oh Judá, está preparada una cosecha, cuando yo haga volver el cautiverio de mi pueblo.

CAPÍTULO 7

Mientras curaba yo a Israel, se descubrió la iniquidad de Efraín, y las maldades de Samaria; porque obran con engaño; y el ladrón entra, y los salteadores despojan por fuera.

2 Y no consideran en su corazón que tengo en la memoria toda su maldad; ahora los rodearán sus obras; delante de mí están.

3 Con su maldad alegran al rey, y a los príncipes con sus mentiras.

4 Todos ellos *son* adúlteros; son como horno encendido por el hornero, el cual cesará de avivar después que esté hecha la masa, hasta que esté leuda.

5 En el día de nuestro rey los príncipes lo hicieron enfermar con vasos de vino; extendió su mano con los escarnecedores.

6 Porque aplicaron su corazón, semejante a un horno, a sus artificios: toda la noche duerme su hornero; a la mañana está encendido como llama de fuego.

7 Todos ellos arden como un horno, y devoraron a sus jueces; cayeron todos sus reyes; no *hay* entre ellos quien a mí clame.

8 Efraín se mezcló con los pueblos; Efraín es torta no volteada.

9 Comieron extraños su sustancia, y él no *lo* supo; y aun vejez se ha esparcido por él, y él no lo entendió.

10 Y la soberbia de Israel testificará contra él en su cara; y con todo esto, no se volvieron a Jehová su Dios, ni lo buscaron.

11 Y Efraín es como paloma incauta, sin entendimiento; llama a Egipto, acude a Asiria.

12 Cuando fueren, extenderé sobre ellos mi red, los haré caer como aves del cielo; los castigaré conforme a lo que se ha oído en sus congregaciones.

13 ¡Ay de ellos! porque se apartaron de mí; destrucción vendrá sobre ellos, porque contra mí se rebelaron; yo los redimí, y ellos hablaron mentiras contra mí.

14 Y no clamaron a mí con su corazón cuando aullaron sobre sus camas, para el trigo y el mosto se congregaron, se rebelaron contra mí.

15 Aunque yo ceñí y fortalecí sus brazos, contra mí pensaron mal.

16 Se vuelven, *pero* no al Altísimo; son como arco engañoso; sus príncipes caerán a espada por la soberbia de su lengua; esto *será* su escarnio en la tierra de Egipto.

CAPÍTULO 8

Pon a tu boca trompeta. *Vendrá* como águila contra la casa de Jehová, porque traspasaron mi pacto, y se rebelaron contra mi ley.

2 Israel clamará a mí: Dios mío, te conocemos.

3 Israel ha rechazado el bien; el enemigo lo perseguirá.

4 Ellos hicieron reyes, mas no de parte mía; constituyeron príncipes, mas yo no *lo* supe: de su plata y de su oro hicieron ídolos para sí, para ser talados.

5 Tu becerro, oh Samaria, te hizo alejar; se encendió mi enojo contra ellos, hasta que no pudieron alcanzar inocencia.

6 Porque de Israel *es*, y artífice lo hizo; que no es Dios; por lo que en pedazos será deshecho el becerro de Samaria.

7 Porque sembraron viento, y torbellino segarán; no tendrán mies, ni el fruto hará harina; si la hiciere, extraños la tragarán.

8 Será devorado Israel; ahora serán entre los gentiles como vaso en que no *hay* placer.

9 Porque ellos subieron a Asiria, *como* asno montés por sí solo: Efraín con salario alquiló amantes.

10 Aunque alquilen entre las naciones, ahora los juntaré; y serán afligidos un poco por la carga del rey y de los príncipes.

11 Porque Efraín multiplicó altares para pecar, altares para pecar tendrá.

12 Yo escribí para él cosas grandes de mi ley, *pero* fueron tenidas como cosa extraña.

13 En los sacrificios de mis ofrendas sacrificaron carne, y comieron; *pero* no los aceptó Jehová; ahora se acordará de su iniquidad, y visitará su pecado; ellos volverán a Egipto.

14 Israel se ha olvidado de su Hacedor y ha edificado templos; y Judá ha multiplicado ciudades fortificadas; pero yo enviaré fuego a sus ciudades, el cual devorará sus palacios.

CAPÍTULO 9

No te alegres, oh Israel, hasta saltar de gozo como los *otros* pueblos, pues te has prostituido apartándote de tu Dios; amaste salario por todas las eras de trigo.

2 La era y el lagar no los mantendrán, y les fallará el mosto.

3 No quedarán en la tierra de Jehová, sino que volverá Efraín a Egipto, y a Asiria, donde comerán vianda inmunda.

4 No darán ofrendas de vino a Jehová, ni Él se agradará de ellos; sus sacrificios, como pan de enlutados les *serán* a ellos; todos los que coman de él serán inmundos. Será, pues, el pan de ellos para sí mismos; no entrará en la casa de Jehová.

5 ¿Qué haréis en el día de la solemnidad, y en el día de la fiesta de Jehová?

6 Porque, he aquí se fueron ellos a causa de la destrucción: Egipto los recogerá, Menfis los enterrará; espino poseerá por heredad lo deseable de su plata, ortiga *crecerá* en sus moradas.

7 Vinieron los días de la visitación, vinieron los días de la paga; lo conocerá Israel; necio *es* el profeta, insensato *es* el varón de espíritu, a causa de la multitud de tu maldad, y el grande odio.

8 Atalaya *era* Efraín para con mi Dios: *Pero* el profeta *es* lazo de cazador en todos sus caminos, y odio en la casa de su Dios.

9 Profundamente se han corrompido, como en los días de Gabaa; ahora se acordará de su iniquidad; visitará su pecado.

10 Como uvas en el desierto hallé a Israel; como la fruta temprana de la higuera en su principio vi a vuestros padres. Ellos entraron a Baal-peor, y se apartaron para vergüenza, y se hicieron abominables como aquello que amaron.

11 Efraín, cual ave volará su gloria desde el nacimiento, aun desde el vientre y desde la concepción.

12 Y si llegaren a grandes sus hijos, los quitaré de entre los hombres, porque ¡ay de ellos también, cuando de ellos me aparte!

13 Efraín, según veo, es semejante a Tiro, plantado en lugar delicioso; mas Efraín sacará sus hijos al matador.

14 Dales, oh Jehová, lo que les has de dar; dales matriz que aborte, y pechos enjutos.

15 Toda la maldad de ellos fue en Gilgal; allí, pues, les tomé aversión; por la perversidad de sus obras los echaré de mi casa; no los amaré más; todos sus príncipes *son* desleales.

16 Efraín fue herido, se secó su raíz, no dará más fruto; aunque engendren, yo mataré el amado fruto de su vientre.

17 Mi Dios los desechará, porque ellos no le oyeron; y andarán errantes entre las naciones.

CAPÍTULO 10

Israel *es* una viña vacía que da fruto para sí mismo; conforme a la multiplicación de su fruto multiplicó los altares, conforme a la bondad de su tierra aumentaron sus imágenes.

2 Su corazón está dividido. Ahora serán hallados culpables; Él quebrantará sus altares, asolará sus imágenes.

3 Porque dirán ahora: No tenemos rey, porque no temimos a Jehová; ¿y qué haría el rey por nosotros?

4 Han hablado palabras jurando en vano al hacer pacto; por tanto, el juicio florecerá como ajenjo en los surcos del campo.

5 Por las becerras de Betaven serán atemorizados los moradores de Samaria; porque su pueblo lamentará a causa del becerro, y sus sacerdotes que en él se regocijaban por su gloria, la cual será disipada.

6 Y aun será él llevado a Asiria *como* presente al rey Jareb: Efraín será avergonzado, e Israel se avergonzará de su propio consejo.

7 De Samaria fue cortado su rey como la espuma sobre la superficie de las aguas.

8 Y los altares de Avén serán destruidos, el pecado de Israel; crecerá sobre sus altares espino y cardo. Y dirán a los montes: Cubridnos; y a los collados: Caed sobre nosotros.

9 Desde los días de Gabaa has pecado, oh Israel; allí estuvieron; no los tomó la batalla en Gabaa contra los hijos de iniquidad.

10 Cuando yo lo desee, los castigaré; y pueblos se juntarán contra ellos cuando sean atados en sus dos surcos.

11 Efraín es becerra domada, amadora del trillar; mas yo pasaré sobre su lozana cerviz; yo haré llevar yugo a Efraín; arará Judá, quebrará sus terrones Jacob.

12 Sembrad para vosotros en justicia, segad para vosotros en misericordia; arad para vosotros barbecho; porque *es* tiempo de buscar a Jehová, hasta que venga y os enseñe justicia.

13 Habéis arado impiedad, segasteis iniquidad; comeréis fruto de mentira; porque confiaste en tu camino, en la multitud de tus valientes.

14 Por tanto, en tus pueblos se levantará alboroto, y todas tus fortalezas serán destruidas, como destruyó Salmán a Betarbel el día de la batalla; *cuando* la madre fue arrojada sobre *sus* hijos.

15 Así hará a vosotros Betel por causa de vuestra gran maldad; al amanecer será del todo cortado el rey de Israel.

CAPÍTULO 11

Cuando Israel *era* muchacho, yo lo amé, y de Egipto llamé a mi hijo.

2 Cuanto más los llamaban, así ellos se iban de su presencia; a los Baales sacrificaban, y a los ídolos quemaban incienso.

3 Yo con todo enseñé a caminar a Efraín, tomándolo de los brazos; y no conocieron que yo los cuidaba.

4 Con cuerdas de hombre los atraje, con cuerdas de amor; y fui para ellos como los que alzan el yugo de sobre su cerviz, y puse comida delante de ellos.

5 No volverá a la tierra de Egipto, sino que el asirio será su rey, porque no se quisieron convertir.

6 Y caerá espada sobre sus ciudades, y consumirá sus aldeas; las consumirá a causa de sus propios consejos.

7 Entre tanto, mi pueblo está inclinado a rebelarse contra mí; aunque ellos invocan al Altísimo, ninguno absolutamente quiere enaltecerle.

8 ¿Cómo he de dejarte, oh Efraín? ¿He de entregarte yo, Israel? ¿Cómo podré yo hacerte como Adma, o ponerte como a Zeboim? Mi corazón se conmueve dentro de mí, se inflama toda mi compasión.

9 No ejecutaré el furor de mi ira, no volveré para destruir a Efraín; porque Dios soy, y no hombre; el Santo en medio de ti; y no entraré en la ciudad.

10 En pos de Jehová caminarán; Él rugirá como león; de cierto rugirá; y los hijos vendrán temblando desde el occidente.

11 De Egipto vendrán temblando como ave, y como paloma de la tierra de Asiria; y yo los pondré en sus casas, dice Jehová.

12 Efraín me ha rodeado con mentira, y la casa de Israel con engaño; mas Judá aún gobierna con Dios, y es fiel con los santos.

CAPÍTULO 12

Efraín se apacienta de viento, y sigue al viento solano; mentira y destrucción aumenta continuamente; porque hicieron alianza con los asirios, y el aceite es llevado a Egipto.

2 Pleito tiene Jehová con Judá para castigar a Jacob conforme a sus caminos; le pagará conforme a sus obras.

3 En el vientre tomó por el calcañar a su hermano, y con su poder luchó con Dios.

4 Sí, luchó con el Ángel, y prevaleció; lloró, y le rogó; en Betel le encontró, y allí habló con nosotros.

5 Mas Jehová es Dios de los ejércitos; Jehová es su memorial.

6 Tú, pues, vuélvete a tu Dios; guarda misericordia y juicio, y en tu Dios espera siempre.

7 Es mercader que tiene en su mano peso falso, amador de opresión.

8 Y dijo Efraín: Ciertamente yo he enriquecido, he hallado riquezas para mí: nadie hallará en mí iniquidad, ni pecado en todos mis trabajos.

9 Pero yo soy Jehová tu Dios desde la tierra de Egipto; aún te haré morar en tiendas, como en los días de la fiesta.

10 Y he hablado a los profetas, y yo aumenté la profecía, y por medio de los profetas puse semejanzas.

11 ¿Hay iniquidad en Galaad? Ciertamente vanidad han sido; en Gilgal sacrificaron bueyes; y aún sus altares son como montones en los surcos del campo.

12 Mas Jacob huyó a tierra de Aram, y sirvió Israel por esposa, y por esposa fue pastor.

13 Y por un profeta hizo subir Jehová a Israel de Egipto, y por un profeta fue preservado.

14 Efraín ha provocado a Dios con amarguras; por tanto, su sangre se derramará sobre él, y su Señor le pagará su oprobio.

CAPÍTULO 13

Cuando Efraín hablaba, hubo temor; se exaltó en Israel; mas pecó en Baal, y murió.

2 Y ahora añadieron a su pecado, y de su plata se han hecho según su entendimiento, estatuas de fundición, ídolos, toda obra de artífices; acerca de los cuales dicen a los hombres que sacrifican, que besen los becerros.

3 Por tanto, serán como la niebla de la mañana, y como el rocío de la

madrugada que se pasa; como el tamo que la tempestad arroja de la era, y como el humo que sale de la chimenea.

4 Mas yo *soy* Jehová tu Dios desde la tierra de Egipto; no conocerás dios fuera de mí, ni otro salvador sino a mí.

5 Yo te conocí en el desierto, en tierra seca.

6 En sus pastos se saciaron, se llenaron, y se ensoberbeció su corazón; por esta causa se olvidaron de mí.

7 Por tanto, yo seré para ellos como león; como un leopardo en el camino los espiaré.

8 Como osa que ha sido privada de *sus cachorros* los encontraré, y desgarraré las telas de su corazón, y allí los devoraré como león; fiera del campo los despedazará.

9 Te destruiste a ti mismo, oh Israel, mas en mí *está* tu ayuda.

10 ¿Dónde está tu rey, para que te salve con todas tus ciudades; y tus jueces, de los cuales dijiste: Dame rey y príncipes?

11 Te di rey en mi furor, y lo quité en mi ira.

12 Atada *está* la maldad de Efraín; su pecado está guardado.

13 Dolores de mujer de parto le vendrán; es un hijo no sabio, que de otra manera no se detuviera tanto en el tiempo del nacimiento de los hijos.

14 De la mano del sepulcro los redimiré, los libraré de la muerte. Oh muerte, yo seré tu muerte; y seré tu destrucción, oh sepulcro; el arrepentimiento será escondido de mis ojos.

15 Aunque él fructifique entre *sus* hermanos, vendrá el solano, viento de Jehová, subiendo de la parte del desierto, y se secará su manantial, y se agotará su fuente; él saqueará el tesoro de todos los vasos preciosos.

16 Samaria será asolada, porque se rebeló contra su Dios; caerán a espada; sus niños serán estrellados, y sus mujeres encintas serán abiertas.

CAPÍTULO 14

Conviértete, oh Israel, a Jehová tu Dios; porque por tu pecado has caído.

2 Tomad con vosotros palabras, y convertíos a Jehová, y decidle: Quita toda iniquidad, y acepta el bien, y daremos becerros de nuestros labios.

3 No nos librará Asiria; no montaremos sobre caballos, ni nunca más diremos a la obra de nuestras manos: *Vosotros sois* nuestros dioses; porque en ti el huérfano alcanzará misericordia.

4 Yo sanaré su rebelión, los amaré de pura gracia; porque mi ira se apartó de ellos.

5 Yo seré a Israel como rocío; él florecerá como lirio, y extenderá sus raíces como el Líbano.

6 Se extenderán sus ramas, y será su gloria como la del olivo, y su fragancia como el Líbano.

7 Volverán, y se sentarán bajo su sombra; serán vivificados como trigo, y florecerán como la vid; su olor *será* como el del vino del Líbano.

8 Efraín *dirá*: ¿Qué más tendré ya con los ídolos? Yo lo oiré, y miraré; yo *seré* a él como el ciprés verde; de mí será hallado tu fruto.

9 ¿Quién *es* sabio para que entienda esto, y prudente para que lo sepa? Porque los caminos de Jehová *son* rectos, y los justos andarán por ellos; mas los rebeldes tropezarán en ellos.

Libro De
JOEL

CAPÍTULO 1

Palabra de Jehová que vino a Joel hijo de Petuel.

2 Oíd esto, ancianos, y escuchad, todos los moradores de la tierra. ¿Ha acontecido esto en vuestros días, o en los días de vuestros padres?

3 De esto contaréis a vuestros hijos, y vuestros hijos a sus hijos, y sus hijos a la otra generación.

4 Lo que quedó de la oruga comió la langosta, y lo que quedó de la langosta comió el pulgón; y el revoltón comió lo que del pulgón había quedado.

5 Despertad, borrachos, y llorad; aullad todos los que bebéis vino, a causa del mosto, porque os es quitado de vuestra boca.

6 Porque nación fuerte y sin número subió a mi tierra; sus dientes, dientes de león, y sus muelas, de león.

7 Asoló mi vid, y descortezó mi higuera; del todo la desnudó y derribó: sus ramas quedaron blancas.

8 Llora tú como virgen vestida de cilicio por el marido de su juventud.

9 La ofrenda y la libación han desaparecido de la casa de Jehová; los sacerdotes ministros de Jehová están de duelo.

10 El campo fue destruido, se enlutó la tierra; porque el trigo fue destruido, se secó el mosto, languideció el aceite.

11 Confundíos, labradores, aullad, viñeros, por el trigo y la cebada; porque se perdió la mies del campo.

12 Se secó la vid, se marchitó la higuera, el granado también, la palmera y el manzano; se secaron todos los árboles del campo; por lo cual se secó el gozo de los hijos de los hombres.

13 Ceñíos y lamentad, sacerdotes; aullad, ministros del altar; venid, dormid en cilicio, ministros de mi Dios; porque quitada es de la casa de vuestro Dios la ofrenda y la libación.

14 Pregonad ayuno, convocad a asamblea; congregad a los ancianos y a todos los moradores de la tierra en la casa de Jehová vuestro Dios, y clamad a Jehová.

15 ¡Ay del día! porque cercano está el día de Jehová, y vendrá como destrucción por el Todopoderoso.

16 ¿No fue quitado el alimento de delante de nuestros ojos, la alegría y el placer de la casa de nuestro Dios?

17 El grano se pudrió debajo de los terrones, los graneros fueron asolados, los alfolíes destruidos; porque se secó el trigo.

18 ¡Cómo gimieron las bestias! ¡Cuán turbados anduvieron los hatos de los bueyes, porque no tuvieron pastos! también fueron asolados los rebaños de las ovejas.

19 A ti, oh Jehová, clamaré: porque fuego consumió los pastos del desierto, y llama abrasó todos los árboles del campo.

20 Las bestias del campo braman también a ti; porque se secaron los arroyos de las aguas, y fuego consumió las praderías del desierto.

CAPÍTULO 2

Tocad trompeta en Sión, y pregonad en mi santo monte: tiemblen todos los moradores de la tierra; porque viene el día de Jehová, porque está cercano.

2 Día de tinieblas y de oscuridad, día de nube y de sombra, que sobre los montes se extiende como el alba; un pueblo grande y fuerte; nunca desde el siglo fue semejante, ni después de él será jamás en años de generación en generación.

3 Delante de ellos consumirá el fuego, tras de ellos abrasará llama; como el huerto del Edén será la tierra delante de ellos, y detrás de ellos como desierto asolado; ni tampoco habrá quien de ellos escape.

4 Su parecer, como parecer de caballos; y como gente de a caballo correrán.

5 Como estruendo de carros saltarán sobre las cumbres de los montes; como sonido de llama de fuego que consume hojarascas, como pueblo fuerte dispuesto para la batalla.

6 Delante de Él temerán los pueblos, se pondrán mustios todos los semblantes.

7 Como valientes correrán, como hombres de guerra subirán la muralla; y cada cual irá en sus caminos, y no torcerán sus sendas.

8 Ninguno oprimirá a su compañero, cada uno irá por su sendero; y aun cayendo sobre la espada no se herirán.

9 Irán por la ciudad, correrán por el muro, subirán por las casas, entrarán por las ventanas a manera de ladrones.

10 Delante de Él temblará la tierra, se estremecerán los cielos; el sol y la luna se oscurecerán, y las estrellas retraerán su resplandor.

11 Y Jehová dará su voz delante de su ejército; porque muy grande *es* su campamento, fuerte *es* el que ejecuta su palabra; porque grande es el día de Jehová, y muy terrible; ¿y quién podrá soportarlo?

12 Por eso pues, ahora, dice Jehová: Convertíos a mí con todo vuestro corazón, con ayuno y lloro y lamento.

13 Rasgad vuestro corazón, y no vuestras vestiduras; y convertíos a Jehová vuestro Dios; porque Él *es* misericordioso y clemente, tardo para la ira, y grande en misericordia, y que se arrepiente del castigo.

14 ¿Quién sabe si volverá y se apiadará y dejará bendición tras sí, *es decir,* ofrenda y libación para Jehová Dios vuestro?

15 Tocad trompeta en Sión, pregonad ayuno, llamad a congregación.

16 Reunid el pueblo, santificad la reunión, juntad a los ancianos, congregad a los niños y a los que maman; salga de su cámara el novio, y de su tálamo la novia.

17 Entre la entrada y el altar, lloren los sacerdotes, ministros de Jehová, y digan: Perdona, oh Jehová, a tu pueblo, y no pongas en oprobio tu heredad, para que las gentes se enseñoreen de ella. ¿Por qué han de decir entre los pueblos: Dónde *está* su Dios?

18 Entonces Jehová celará su tierra, y perdonará a su pueblo.

19 Y responderá Jehová, y dirá a su pueblo: He aquí yo os enviaré trigo, mosto y aceite, y seréis saciados de ellos; y nunca más os pondré en oprobio entre las gentes.

20 Y haré alejar de vosotros al *ejército* del norte, y lo echaré en la tierra seca y desierta: su faz será hacia el mar oriental, y su fin al mar occidental, y exhalará su hedor; y subirá su pudrición, porque hizo grandes cosas.

21 Tierra, no temas; alégrate y gózate: porque Jehová ha de hacer grandes cosas.

22 Animales del campo, no temáis; porque los pastos del desierto reverdecerán, porque los árboles llevarán su fruto, la higuera y la vid darán sus frutos.

23 Vosotros también, hijos de Sión, alegraos y gozaos en Jehová vuestro Dios; porque os ha dado la primera lluvia moderadamente, y hará descender sobre vosotros lluvia temprana y tardía como al principio.

24 Y las eras se llenarán de trigo, y los lagares rebosarán de vino y aceite.

25 Y os restituiré los años que comió la oruga, la langosta, el pulgón, y el revoltón; mi grande ejército que envié contra vosotros.

26 Y comeréis hasta saciaros, y alabaréis el nombre de Jehová vuestro Dios, el cual hizo maravillas con vosotros; y mi pueblo nunca más será avergonzado.

27 Y conoceréis que en medio de Israel estoy yo, y que yo *soy* Jehová vuestro Dios, y no hay otro: y mi pueblo nunca más será avergonzado.

28 Y será que después de esto, derramaré mi Espíritu sobre toda carne, y profetizarán vuestros hijos y vuestras hijas; vuestros viejos soñarán sueños, y vuestros jóvenes verán visiones.

29 Y también sobre los siervos y sobre las siervas derramaré mi Espíritu en aquellos días.

30 Y daré prodigios en el cielo y en la tierra, sangre, y fuego, y columnas de humo.

31 El sol se tornará en tinieblas, y la luna en sangre, antes que venga el día grande y espantoso de Jehová.

32 Y será que cualquiera que invocare el nombre de Jehová, será salvo; porque en el monte de Sión y en Jerusalén habrá salvación, como Jehová ha dicho, y en los que quedaren, a los cuales Jehová habrá llamado.

CAPÍTULO 3

Porque he aquí que en aquellos días, y en aquel tiempo en que haré volver la cautividad de Judá y de Jerusalén,

2 reuniré a todas las naciones, y las haré descender al valle de Josafat, y allí entraré en juicio con ellas a causa de mi pueblo, y de Israel mi heredad, a los cuales esparcieron entre las naciones, y repartieron mi tierra;

3 y echaron suertes sobre mi pueblo, y a los niños dieron por una ramera, y vendieron las niñas por vino para beber.

4 Y también, ¿qué tengo yo con vosotras, Tiro y Sidón, y todos los términos de Filistea? ¿Queréis vengaros de mí? Y si de mí os vengáis, bien pronto haré yo recaer la paga sobre vuestra cabeza.

5 Porque habéis llevado mi plata y mi oro, y mis cosas preciosas y hermosas metisteis en vuestros templos;

6 y vendisteis los hijos de Judá y los hijos de Jerusalén a los hijos de los griegos, para alejarlos de sus términos.

7 He aquí los levantaré yo del lugar donde los vendisteis, y volveré vuestra paga sobre vuestra cabeza.

8 Y venderé vuestros hijos y vuestras hijas en la mano de los hijos de Judá, y ellos los venderán a los sabeos, nación lejana; porque Jehová ha hablado.

9 Pregonad esto entre las naciones, proclamad guerra, despertad a los valientes, acérquense, vengan todos los hombres de guerra.

10 Haced espadas de vuestros azadones, lanzas de vuestras hoces; diga el débil: Fuerte soy.

11 Juntaos y venid, gentes todas de alrededor, y congregaos; haz venir allí, oh Jehová, tus fuertes.

12 Las gentes se despierten, y suban al valle de Josafat; porque allí me sentaré para juzgar a todas las gentes de alrededor.

13 Echad la hoz, porque la mies está ya madura. Venid, descended; porque el lagar está lleno, rebosan las lagaretas; porque grande es la maldad de ellos.

14 Multitudes, multitudes en el valle de la decisión; porque cercano está el día de Jehová en el valle de la decisión.

15 El sol y la luna se oscurecerán, y las estrellas retraerán su resplandor.

16 Jehová rugirá desde Sión, y dará su voz desde Jerusalén, y temblarán los cielos y la tierra; mas Jehová será la esperanza de su pueblo, y la fortaleza de los hijos de Israel.

17 Y conoceréis que yo soy Jehová vuestro Dios, que habito en Sión, monte de mi santidad; y será Jerusalén santa, y extraños no pasarán más por ella.

18 Y será en aquel tiempo, que los montes destilarán mosto, y los collados fluirán leche, y por todos los arroyos de Judá correrán aguas; y saldrá una fuente de la casa de Jehová, y regará el valle de Sitim.

19 Egipto será destruido, y Edom será vuelto en desierto asolado, por la injuria hecha a los hijos de Judá; porque derramaron en su tierra la sangre inocente.

20 Mas Judá para siempre será habitada, y Jerusalén por generación y generación.

21 Y limpiaré su sangre que aún no he limpiado; y Jehová morará en Sión.

Libro De
AMÓS

CAPÍTULO 1

Las palabras de Amós, que fue entre los pastores de Tecoa, las cuales vio acerca de Israel en días de Uzías rey de Judá, y en días de Jeroboam hijo de Joás rey de Israel, dos años antes del terremoto.

2 Y dijo: Jehová rugirá desde Sión, y dará su voz desde Jerusalén; y las habitaciones de los pastores se enlutarán, y se secará la cumbre del Carmelo.

3 Así dice Jehová: Por tres pecados de Damasco, y por el cuarto, no revocaré *su castigo*; porque trillaron a Galaad con trillos de hierro.

4 Y meteré fuego en la casa de Hazael, y consumirá los palacios de Benadad.

5 Y quebraré la barra de Damasco, y cortaré a los moradores del valle de Avén, y al que empuña el cetro de Bet-edén; y el pueblo de Aram será trasportado a Kir, dice Jehová.

6 Así dice Jehová: Por tres pecados de Gaza, y por el cuarto, no revocaré *su castigo*; porque llevó cautiva toda la cautividad, para entregarlos a Edom.

7 Y meteré fuego en el muro de Gaza, y quemará sus palacios.

8 Y cortaré a los moradores de Asdod, y al que empuña el cetro de Ascalón; y volveré mi mano contra Ecrón; y el remanente de los filisteos perecerá, dice Jehová el Señor.

9 Así dice Jehová: Por tres pecados de Tiro, y por el cuarto, no revocaré *su castigo*; porque entregaron la cautividad entera a Edom, y no se acordaron del pacto de hermanos.

10 Y meteré fuego en el muro de Tiro, y consumirá sus palacios.

11 Así dice Jehová: Por tres pecados de Edom, y por el cuarto, no revocaré *su castigo*; porque persiguió a espada a su hermano, y desechó la misericordia; y con su furor siempre le ha destrozado, y perpetuamente ha guardado el enojo.

12 Y meteré fuego en Temán, y consumirá los palacios de Bosra.

13 Así dice Jehová: Por tres pecados de los hijos de Amón, y por el cuarto, no revocaré *su castigo*; porque para ensanchar su término abrieron a las mujeres de Galaad *que estaban* encintas.

14 Y encenderé fuego en el muro de Rabá, y consumirá sus palacios con estruendo en el día de la batalla, con tempestad en día tempestuoso;

15 y su rey irá en cautiverio, él y todos sus príncipes, dice Jehová.

CAPÍTULO 2

Así dice Jehová: Por tres pecados de Moab, y por el cuarto, no revocaré *su castigo*; porque quemó los huesos del rey de Idumea hasta calcinarlos.

2 Y meteré fuego en Moab, y consumirá los palacios de Queriot; y morirá Moab en alboroto, en estrépito y sonido de trompeta.

3 Y quitaré el juez de en medio de él, y mataré con él a todos sus príncipes, dice Jehová.

4 Así dice Jehová: Por tres pecados de Judá, y por el cuarto, no revocaré *su castigo*; porque despreciaron la ley de Jehová, y no guardaron sus ordenanzas; y los hicieron errar sus mentiras, en pos de las cuales anduvieron sus padres.

5 Meteré por tanto fuego en Judá, el cual consumirá los palacios de Jerusalén.

6 Así dice Jehová: Por tres pecados de Israel, y por el cuarto, no revocaré *su castigo*; porque vendieron por dinero al justo, y al pobre por un par de zapatos:

7 Que codician *aun* el polvo de la tierra sobre la cabeza de los pobres, y tuercen el camino de los humildes; y el hombre y su padre entran a la misma joven, profanando mi santo nombre.

8 Y sobre las ropas empeñadas se acuestan junto a cualquier altar; y beben el vino de los condenados en la casa de sus dioses.

9 Y yo destruí delante de ellos al amorreo, cuya altura *era* como la altura de los cedros, y fuerte como un alcornoque; y destruí su fruto arriba, sus raíces abajo.

10 Y yo os hice a vosotros subir de la tierra de Egipto, y os traje por el desierto cuarenta años, para que poseyeseis la tierra del amorreo.

11 Y levanté de vuestros hijos para profetas, y de vuestros jóvenes para que fuesen nazareos. ¿No *es* esto así, dice Jehová, hijos de Israel?

12 Mas vosotros disteis de beber vino a los nazareos; y a los profetas mandasteis, diciendo: No profeticéis.

13 Pues he aquí, yo os apretaré en vuestro lugar, como se aprieta el carro lleno de gavillas;

14 y la huida perecerá del ligero, y al fuerte no le ayudará su fuerza, ni el valiente librará su vida;

15 y el que toma el arco no resistirá, ni escapará el ligero de pies, ni el que cabalga en caballo salvará su vida.

16 El esforzado entre los valientes huirá desnudo aquel día, dice Jehová.

CAPÍTULO 3

Oíd esta palabra que ha hablado Jehová contra vosotros, hijos de Israel, contra toda la familia que hice subir de la tierra de Egipto. Dice así:

2 A vosotros solamente he conocido de todas las familias de la tierra; por tanto visitaré contra vosotros todas vuestras maldades.

3 ¿Andarán dos juntos, si no estuvieren de acuerdo?

4 ¿Rugirá el león en la selva sin haber presa? ¿Dará el leoncillo su rugido desde su guarida, sin haber apresado algo?

5 ¿Caerá el ave en el lazo en la tierra, sin haber cazador? ¿Se alzará el lazo de la tierra, si no se ha atrapado nada?

6 ¿Se tocará la trompeta en la ciudad, y no se alborotará el pueblo? ¿Habrá algún mal en la ciudad, el cual Jehová no haya hecho?

7 Porque no hará nada Jehová el Señor, sin que revele su secreto a sus siervos los profetas.

8 Rugiendo el león, ¿quién no temerá? Hablando Jehová el Señor, ¿quién no profetizará?

9 Haced pregonar sobre los palacios de Asdod, y sobre los palacios de tierra de Egipto, y decid: Reuníos sobre los montes de Samaria, y ved muchas opresiones en medio de ella, y violencias en medio de ella.

10 Y no saben hacer lo recto, dice Jehová, atesorando rapiñas y despojos en sus palacios.

11 Por tanto, así dice Jehová el Señor: Un enemigo *vendrá* aún por todos lados de la tierra, y derribará de ti tu fortaleza, y tus palacios serán saqueados.

12 Así dice Jehová: De la manera que el pastor libra de la boca del león dos piernas, o la punta de una oreja, así escaparán los hijos de Israel que moran en Samaria en el rincón de una cama, y al lado de un lecho.

13 Oíd y testificad en la casa de Jacob, dice el Señor Jehová, el Dios de los ejércitos:

14 Que el día que visite las rebeliones de Israel sobre él, visitaré también sobre los altares de Betel; y serán cortados los cuernos del altar, y caerán a tierra.

15 Y heriré la casa de invierno con la casa de verano, y las casas de marfil perecerán; y las grandes casas serán destruidas, dice Jehová.

CAPÍTULO 4

Oíd esta palabra, vacas de Basán, que estáis en el monte de Samaria, que oprimís a los pobres, que quebrantáis a los menesterosos, que decís a sus señores: Traed, y beberemos.

2 Jehová el Señor juró por su santidad: He aquí, vienen días sobre vosotros en que os llevará con ganchos, y a vuestros descendientes con anzuelos de pescar.

3 Y saldréis por las brechas la una en pos de la otra, y seréis echadas del palacio, dice Jehová.

4 Id a Betel, y prevaricad; en Gilgal aumentad la rebelión, y traed de mañana vuestros sacrificios, y vuestros diezmos cada tres años.

5 Y ofreced sacrificio de alabanza con leudo, y pregonad, publicad ofrendas voluntarias; pues que así lo queréis, hijos de Israel, dice Jehová el Señor.

6 Yo también os di limpieza de dientes en todas vuestras ciudades, y falta de pan en todos vuestros pueblos; pero no os volvisteis a mí, dice Jehová.

7 Y también yo os detuve la lluvia tres meses antes de la siega; e hice llover sobre una ciudad, y sobre otra ciudad no hice llover; sobre una parte llovió; la parte sobre la cual no llovió, se secó.

8 Y venían dos o tres ciudades a una ciudad para beber agua, y no se saciaban; con todo no os volvisteis a mí, dice Jehová.

9 Os herí con viento solano y oruga; vuestros muchos huertos y vuestras viñas, y vuestros higuerales y vuestros olivares comió la langosta; pero nunca os volvisteis a mí, dice Jehová.

10 Envié entre vosotros mortandad tal como en Egipto; maté a espada a vuestros jóvenes, con cautiverio de vuestros caballos; e hice subir el hedor de vuestros campamentos hasta vuestras narices; pero no os volvisteis a mí, dice Jehová.

11 Os trastorné, como cuando Dios trastornó a Sodoma y a Gomorra, y fuisteis como tizón escapado del fuego; mas no os volvisteis a mí, dice Jehová.

12 Por tanto, de esta manera haré a ti, oh Israel; y porque te he de hacer esto, prepárate para venir al encuentro de tu Dios, oh Israel.

13 Porque he aquí, el que forma los montes, y crea el viento, y declara al hombre su pensamiento; el que hace a las tinieblas mañana, y pasa sobre las alturas de la tierra; Jehová, Dios de los ejércitos es su nombre.

CAPÍTULO 5

Oíd esta palabra que yo levanto por lamentación sobre vosotros, oh casa de Israel.

2 Cayó la virgen de Israel, y no podrá levantarse ya más; fue dejada sobre su tierra, no *hay* quien la levante.

3 Porque así dice Jehová el Señor a la casa de Israel: La ciudad que salía con mil, quedará con cien; y la que salía con cien, quedará con diez.

4 Mas así dice Jehová a la casa de Israel: Buscadme, y viviréis;

5 y no busquéis a Betel ni entréis en Gilgal, ni paséis a Beerseba; porque ciertamente Gilgal será llevada en cautiverio, y Betel será deshecha.

6 Buscad a Jehová, y vivid; no sea que Él acometa como fuego a la casa de José y la consuma, sin haber en Betel quien lo apague.

7 Los que convertís en ajenjo el juicio, y echáis por tierra la justicia,

8 *buscad* al que hace las Pléyades y el Orión, y las tinieblas vuelve en mañana, y hace oscurecer el día como noche; el que llama a las aguas del mar, y las derrama sobre la faz de la tierra: Jehová es su nombre;

9 Que da fuerzas al despojador sobre el fuerte, de modo que el despojador venga contra la fortaleza.

10 Ellos aborrecen en la puerta de la ciudad al que reprende, y abominan al que habla lo recto.

11 Por tanto, pues que vejáis al pobre y recibís de él carga de trigo; edificasteis casas de piedra labrada, mas no las habitaréis; plantasteis hermosas viñas, mas no beberéis el vino de ellas.

12 Porque yo conozco vuestras muchas rebeliones, y vuestros grandes pecados; que afligen al justo, y reciben cohecho, y a los pobres en la puerta hacen perder su causa.

13 Por tanto, el prudente en tal tiempo calla, porque el tiempo es malo.

14 Buscad lo bueno, y no lo malo, para que viváis; porque así Jehová Dios de los ejércitos será con vosotros, como decís.

15 Aborreced el mal, y amad el bien, y estableced juicio en la puerta; quizá Jehová, Dios de los ejércitos, tendrá piedad del remanente de José.

16 Por tanto, así dice Jehová Dios de los ejércitos, el Señor: En todas las plazas habrá llanto, y en todas las calles dirán: ¡Ay! ¡Ay!, y al labrador llamarán a lloro, y a endecha a los que saben endechar.

17 Y en todas las viñas *habrá* llanto; porque pasaré por en medio de ti, dice Jehová.

18 ¡Ay de los que desean el día de Jehová! ¿Para qué queréis este día de Jehová? *Será* de tinieblas, y no de luz:

19 Como el que huye de delante del león, y se topa con el oso; o que entra en casa y apoya su mano en la pared, y le muerde una serpiente.

20 ¿No *será* el día de Jehová tinieblas, y no luz; oscuridad, que no tiene resplandor?

21 Aborrecí, abominé vuestras solemnidades, y no me darán buen olor vuestras asambleas.

22 Aunque me ofrezcáis holocaustos y vuestros presentes, no *los* aceptaré; ni miraré a las ofrendas de paz de vuestros animales engordados.

23 Aleja de mí el ruido de tus cantos, que no escucharé las salmodias de tus instrumentos.

24 Pero corra el juicio como las aguas, y la justicia como impetuoso arroyo.

25 ¿Me habéis ofrecido sacrificios y presentes en el desierto en cuarenta años, oh casa de Israel?

26 Antes bien llevabais el tabernáculo de vuestro Moloc y Quiún, ídolos vuestros, la estrella de vuestros dioses que os hicisteis.

27 Por tanto, os haré trasportar más allá de Damasco, ha dicho Jehová, cuyo nombre *es* Dios de los ejércitos.

CAPÍTULO 6

Ay de los reposados en Sión, y de los confiados en el monte de Samaria, *los que son* llamados príncipes de las naciones, ante quienes acude la casa de Israel!

2 Pasad a Calne, y mirad; y de allí id a la gran Hamat; descended luego a Gat de los filisteos; ved si son aquellos reinos mejores que estos reinos, si su término es mayor que vuestro término.

3 Vosotros que dilatáis el día malo, y acercáis la silla de la iniquidad.

4 Duermen en camas de marfil, y se extienden sobre sus lechos; y comen los corderos del rebaño, y los becerros de en medio del engordadero;

5 gorjean al son de la flauta, e inventan instrumentos de música, como David;

6 beben vino en tazones, y se ungen con los ungüentos más preciosos; y no se afligen por el quebrantamiento de José.

7 Por tanto, ahora irán cautivos, a la cabeza de los que van en cautiverio, y el banquete de los disolutos será removido.

8 Jehová el Señor juró por sí mismo, Jehová Dios de los ejércitos ha dicho: Aborrezco la grandeza de Jacob, y detesto sus palacios; por tanto entregaré la ciudad y cuanto hay en ella.

9 Y acontecerá que si diez hombres quedaren en una casa, morirán.

10 Y su tío tomará a cada uno, y le quemará para sacar los huesos de casa; y dirá al que estará en los rincones de la casa: ¿*Hay* aún *alguno* contigo? Y dirá: No. Entonces dirá *aquél*: Calla que no podemos hacer mención del nombre de Jehová.

11 Porque he aquí, Jehová mandará, y herirá con hendiduras la casa mayor, y la casa menor con aberturas.

12 ¿Correrán los caballos por las peñas? ¿Ararán *en ellas* con bueyes? Porque vosotros habéis tornado el juicio en veneno, y el fruto de justicia en ajenjo.

13 Vosotros que os alegráis en nada, que decís: ¿No nos hemos tomado poderíos con nuestra propia fuerza?

14 Pues he aquí, levantaré yo sobre vosotros, oh casa de Israel, dice Jehová Dios de los ejércitos, gente que os oprimirá desde la entrada de Hamat hasta el arroyo del desierto.

CAPÍTULO 7

Así me ha mostrado el Señor Jehová; y he aquí, Él criaba langostas al principio que comenzaba a crecer el heno tardío; y he aquí, era el heno tardío después de las siegas del rey.

2 Y aconteció que cuando acabó de comer la hierba de la tierra, yo dije: Señor Jehová, perdona, te ruego; ¿quién levantará a Jacob? Porque es pequeño.

3 Se arrepintió Jehová de esto: No será *así*, dice Jehová.

4 El Señor Jehová me mostró así: y he aquí, llamaba para juzgar por fuego el Señor Jehová; y consumió un gran abismo, y consumió una parte de la tierra.

5 Y dije: Señor Jehová, cesa ahora; ¿quién levantará a Jacob? Porque *es* pequeño.

6 Se arrepintió Jehová de esto: No será esto tampoco, dijo el Señor Jehová.

7 Me enseñó así: He aquí, el Señor estaba sobre un muro *hecho* a plomo, y en su mano una plomada de albañil.

8 Jehová entonces me dijo: ¿Qué ves, Amós? Y dije: Una plomada de albañil. Y el Señor dijo: He aquí, yo pongo plomada de albañil en medio de mi pueblo Israel; no le pasaré más.

9 Y los altares de Isaac serán destruidos, y los santuarios de Israel serán asolados; y me levantaré con espada sobre la casa de Jeroboam.

10 Entonces Amasías sacerdote de Betel envió *a decir* a Jeroboam, rey de Israel: Amós ha conspirado contra ti en medio de la casa de Israel; la tierra no puede soportar todas sus palabras.

11 Porque así ha dicho Amós: Jeroboam morirá a espada, e Israel pasará de su tierra en cautiverio.

12 Y Amasías dijo a Amós: Vidente, vete, y huye a tierra de Judá, y come allá tu pan, y profetiza allí:

13 Y no profetices más en Betel, porque es santuario del rey, y cabecera del reino.

14 Entonces respondió Amós, y dijo a Amasías: Yo no *era* profeta, ni hijo de profeta, sino que *era* boyero, y recogía higos silvestres.

15 Y Jehová me tomó de detrás del ganado, y me dijo Jehová: Ve, y profetiza a mi pueblo Israel.

16 Ahora, pues, oye palabra de Jehová. Tú dices: No profetices contra Israel, ni hables contra la casa de Isaac.

17 Por tanto, así dice Jehová: Tu esposa será ramera en la ciudad, y tus hijos y tus hijas caerán a espada, y tu tierra será repartida a cordel; y tú morirás en tierra inmunda, e Israel será llevado cautivo lejos de su tierra.

CAPÍTULO 8

Así me ha mostrado Jehová; y he aquí un canastillo de fruta de verano.

2 Y dijo: ¿Qué ves, Amós? Y dije: Un canastillo de fruta de verano. Y me dijo Jehová: Ha venido el fin sobre mi pueblo Israel; no le pasaré más.

3 Y los cantores del templo aullarán en aquel día, dice Jehová el Señor; muchos *serán* los cuerpos muertos; en todo lugar serán echados en silencio.

4 Oíd esto, los que devoráis a los menesterosos, y arruináis a los pobres de la tierra,

5 diciendo: ¿Cuándo pasará la luna nueva, para que vendamos el grano; y el sábado, para que abramos los alfolíes del trigo, para que achiquemos la medida, y aumentemos el precio, y falseemos con engaño la balanza;

6 para comprar a los pobres por dinero, y a los necesitados por un par de zapatos, y para vender los desechos del trigo?

7 Jehová juró por la gloria de Jacob: Ciertamente yo no me olvidaré de ninguna de sus obras.

8 ¿No se estremecerá por esto la tierra? ¿No llorará todo aquel que habite en ella? Y subirá toda como un río, y será arrojada, y se hundirá como el río de Egipto.

9 Y acontecerá en aquel día, dice el Señor Jehová, que haré que se ponga el sol al mediodía, y la tierra cubriré de tinieblas en el día claro.

10 Y tornaré vuestras fiestas en lloro, y todos vuestros cantares en endechas; y pondré cilicio sobre todo lomo, y calvicie sobre toda cabeza; y haré que sea como duelo por hijo único, y su postrimería como día de amargura.

11 He aquí vienen días, dice Jehová el Señor, en los cuales enviaré hambre a la tierra, no hambre de pan, ni sed de agua, sino de oír la palabra de Jehová.

12 E irán errantes de mar a mar: desde el norte hasta el oriente discurrirán buscando palabra de Jehová, y no *la* hallarán.

13 En aquel tiempo las doncellas hermosas y los jóvenes desmayarán de sed.

14 Los que juran por el pecado de Samaria, y dicen: Vive tu dios, oh

Dan; y: Vive el camino de Beerseba, caerán, y nunca más se levantarán.

CAPÍTULO 9

Vi al Señor que estaba sobre el altar, y dijo: Hiere el umbral, y estremézcanse las puertas: y córtales en piezas la cabeza de todos; y el postrero de ellos mataré a espada; no habrá de ellos quien se fugue, ni quien escape.

2 Aunque caven hasta el infierno, de allá los tomará mi mano; y si subieren hasta el cielo, de allá los haré descender.

3 Y si se escondieren en la cumbre del Carmelo, allí los buscaré y los tomaré; y aunque se escondieren de delante de mis ojos en lo profundo del mar, allí mandaré a la serpiente y los morderá.

4 Y si fueren en cautiverio, delante de sus enemigos, allí mandaré la espada, y los matará; y pondré sobre ellos mis ojos para mal, y no para bien.

5 El Señor Jehová de los ejércitos es el que toca esta tierra, y se derretirá, y llorarán todos los que en ella moran; y subirá toda como un río, y menguará luego como el río de Egipto.

6 Él que edifica en el cielo sus cámaras, y ha establecido su expansión sobre la tierra; El que llama a las aguas del mar, y las derrama sobre la faz de la tierra: Jehová *es* su nombre.

7 Hijos de Israel, ¿no me *sois* vosotros, dice Jehová, como hijos de etíopes? ¿No hice yo subir a Israel de la tierra de Egipto, y a los filisteos de Caftor, y de Kir a los arameos?

8 He aquí los ojos del Señor Jehová *están* contra el reino pecador, y yo lo asolaré de la faz de la tierra; mas no destruiré del todo a la casa de Jacob, dice Jehová.

9 Porque he aquí yo mandaré, y haré que la casa de Israel sea zarandeada entre todas las naciones, como se zarandea *el grano* en un harnero, y no cae un granito en la tierra.

10 A espada morirán todos los pecadores de mi pueblo, que dicen: No se acercará, ni nos alcanzará el mal.

11 En aquel día yo levantaré el tabernáculo caído de David, y cerraré sus portillos, y levantaré sus ruinas, y lo edificaré como en el tiempo pasado;

12 para que aquellos sobre los cuales es invocado mi nombre, posean el resto de Idumea, y a todas las naciones, dice Jehová que hace esto.

13 He aquí vienen días, dice Jehová en que el que ara alcanzará al segador, y el pisador de las uvas al que lleva la semilla; y los montes destilarán mosto, y todos los collados se derretirán.

14 Y yo traeré el cautiverio de mi pueblo Israel, y ellos edificarán las ciudades asoladas, y las habitarán; y plantarán viñas, y beberán el vino de ellas; y harán huertos, y comerán el fruto de ellos.

15 Pues los plantaré sobre su tierra, y nunca más serán arrancados de su tierra que yo les di, ha dicho Jehová Dios tuyo.

Libro De
ABDÍAS

CAPÍTULO 1

Visión de Abdías. Así dice Jehová el Señor en cuanto a Edom: Hemos oído el pregón de Jehová, y mensajero es enviado a las gentes. Levantaos, y levantémonos contra ella en batalla.

2 He aquí, te he hecho pequeño entre las naciones; abatido eres tú en gran manera.

3 La soberbia de tu corazón te ha engañado, tú que moras en las hendiduras de las peñas, en tu altísima morada; que dices en tu corazón: ¿Quién me derribará a tierra?

4 Aunque te remontares como águila, aunque entre las estrellas pusieres tu nido, de ahí te derribaré, dice Jehová.

5 Si ladrones vinieran a ti, o robadores de noche (¡cómo has sido destruido!), ¿no hurtarán lo que les bastase? Si entraran a ti vendimiadores, ¿no dejarían *algún* rebusco?

6 ¡Cómo fueron escudriñadas *las cosas* de Esaú! sus tesoros escondidos fueron buscados.

7 Hasta el término te hicieron llegar todos tus aliados; aquellos que estaban en paz contigo te han engañado, y prevalecieron contra ti; *los que comían* tu pan, pusieron el lazo debajo de ti; no *hay* en él entendimiento.

8 ¿No haré que perezcan en aquel día, dice Jehová, los sabios de Edom, y la prudencia del monte de Esaú?

9 Y tus valientes, oh Temán, serán quebrantados; porque todo hombre será talado del monte de Esaú por el estrago.

10 Por la injuria contra tu hermano Jacob te cubrirá vergüenza, y serás talado para siempre.

11 El día que estando tú delante, el día que extraños llevaban cautivo su ejército, y los extranjeros entraban por sus puertas, y echaban suertes sobre Jerusalén, tú también *eras* como uno de ellos.

12 Pues no debiste tú haber estado mirando en el día de tu hermano, el día en que fue traspasado; no debiste haberte alegrado de los hijos de Judá en el día de su ruina, ni debiste haber ensanchado tu boca en el día de la angustia.

13 No debiste haber entrado por la puerta de mi pueblo en el día de su quebrantamiento; no, no debiste haber mirado su mal el día de su quebranto, ni haber echado mano a sus bienes el día de su calamidad.

14 Tampoco debiste haberte parado en las encrucijadas, para matar a los que de ellos escapasen; ni debiste tú haber entregado a los que quedaban en el día de angustia.

15 Porque cercano *está* el día de Jehová sobre todas las naciones; como tú hiciste se hará contigo; tu galardón volverá sobre tu cabeza.

16 De la manera que vosotros bebisteis en mi santo monte, así beberán continuamente todas las gentes; beberán, y engullirán, y serán como si no hubieran sido.

17 Mas en el monte de Sión habrá liberación, y habrá santidad, y la casa de Jacob, poseerá sus posesiones.

18 Y la casa de Jacob será fuego, y la casa de José será llama, y la casa de Esaú estopa, y los quemarán, y los consumirán; y ni aun uno quedará de la casa de Esaú, porque Jehová *lo* habló.

19 Y *los del* Neguev poseerán el monte de Esaú, y la llanura de los filisteos; poseerán también los campos de Efraín, y los campos de Samaria; y Benjamín a Galaad.

20 Y los cautivos de este ejército de los hijos de Israel *poseerán* lo de los cananeos hasta Sarepta; y los cautivos de Jerusalén, que *están* en Sefarad, poseerán las ciudades del sur.

21 Y vendrán salvadores al monte de Sión para juzgar al monte de Esaú; y el reino será de Jehová.

Libro De
JONÁS

CAPÍTULO 1

Y la palabra de Jehová vino a Jonás, hijo de Amitai, diciendo:

2 Levántate, y ve a Nínive, la gran ciudad, y pregona contra ella; porque su maldad ha subido delante de mí.

3 Y Jonás se levantó para huir de la presencia de Jehová a Tarsis, y descendió a Jope; y halló un navío que partía para Tarsis; y pagando su pasaje, entró en él, para irse con ellos a Tarsis de delante de Jehová.

4 Mas Jehová hizo levantar un gran viento en el mar, e hizo una tan gran tempestad en el mar, que se pensó se rompería la nave.

5 Y los marineros tuvieron miedo, y cada uno llamaba a su dios; y echaron al mar los enseres que *había* en la nave, para descargarla de ellos. Pero Jonás se había bajado a los lados del buque, y se había echado a dormir.

6 Y el maestre de la nave vino a él y le dijo: ¿Qué tienes, dormilón? Levántate, y clama a tu Dios; quizá Dios tendrá compasión de nosotros, y no pereceremos.

7 Y dijeron cada uno a su compañero: Venid, y echemos suertes, para saber por quién nos ha venido este mal. Y echaron suertes, y la suerte cayó sobre Jonás.

8 Entonces le dijeron ellos: Decláranos ahora por qué nos ha venido este mal. ¿Qué oficio tienes, y de dónde vienes? ¿Cuál *es* tu tierra, y de qué pueblo *eres*?

9 Y él les respondió: Soy hebreo, y temo a Jehová, Dios de los cielos, que hizo el mar y la tierra.

10 Y aquellos hombres temieron sobremanera, y le dijeron: ¿Por qué has hecho esto? Porque ellos entendieron que huía de delante de Jehová, porque él se los había declarado.

11 Y le dijeron: ¿Qué te haremos, para que el mar se nos aquiete? porque el mar se embravecía más y más.

12 Él les respondió: Tomadme, y echadme al mar, y el mar se os aquietará; porque yo sé que por mi causa *ha venido* esta grande tempestad sobre vosotros.

13 Y aquellos hombres trabajaron por tornar la nave a tierra; mas no pudieron, porque el mar iba a más, y se embravecía sobre ellos.

14 Entonces clamaron a Jehová, y dijeron: Te rogamos oh Jehová, te rogamos, no dejes que perezcamos por la vida de este hombre, ni pongas sobre nosotros la sangre inocente: porque tú, oh Jehová, has hecho como has querido.

15 Y tomaron a Jonás, y lo echaron al mar; y el mar se aquietó de su furia.

16 Y temieron aquellos hombres a Jehová con gran temor; y ofrecieron sacrificio a Jehová, y prometieron votos.

17 Pero Jehová había prevenido un gran pez que tragase a Jonás. Y estuvo Jonás en el vientre del pez tres días y tres noches.

CAPÍTULO 2

Entonces oró Jonás a Jehová su Dios desde el vientre del pez,

2 y dijo: Clamé de mi tribulación a Jehová, y Él me oyó; Del vientre del infierno clamé, y mi voz oíste.

3 Me echaste en el profundo, en medio de los mares, y me rodeó la corriente; Todas tus ondas y tus olas pasaron sobre mí.

4 Y yo dije: Echado soy de delante de tus ojos: Mas aún veré tu santo templo.

5 Las aguas me rodearon hasta el alma, me rodeó el abismo; Las algas se enredaron a mi cabeza.

6 Descendí a los cimientos de los montes; La tierra echó sus cerraduras sobre mí para siempre: Mas tú sacaste mi vida de la corrupción, oh Jehová Dios mío.

7 Cuando mi alma desfallecía en mí, me acordé de Jehová; Y mi oración entró hasta ti en tu santo templo.

8 Los que guardan las vanidades ilusorias, su misericordia abandonan.

9 Pero yo con voz de acción de gracias te ofreceré sacrificios; Pagaré lo que prometí. La salvación *pertenece* a Jehová.

10 Y mandó Jehová al pez, y vomitó a Jonás en *tierra* seca.

CAPÍTULO 3

Y vino palabra de Jehová por segunda vez a Jonás, diciendo:

2 Levántate, y ve a Nínive, aquella gran ciudad, y predica en ella el mensaje que yo te diré.

3 Y se levantó Jonás, y fue a Nínive, conforme a la palabra de Jehová. Y era Nínive ciudad sobremanera grande, de tres días de camino.

4 Y comenzó Jonás a entrar por la ciudad, camino de un día, y pregonaba diciendo: De aquí a cuarenta días Nínive será destruida.

5 Y los hombres de Nínive creyeron a Dios, y pregonaron ayuno, y se vistieron de cilicio desde el mayor de ellos hasta el menor de ellos.

6 Y llegó la noticia hasta el rey de Nínive, y se levantó de su silla, y echó de sí su vestidura, y se cubrió de cilicio, y se sentó sobre ceniza.

7 E hizo pregonar y anunciar en Nínive, por mandato del rey y de sus grandes, diciendo: Hombres y animales, bueyes y ovejas, no gusten cosa alguna, no se les dé alimento, ni beban agua;

8 y que se cubran de cilicio los hombres y los animales, y clamen a Dios fuertemente: y conviértase cada uno de su mal camino, de la rapiña que *está* en sus manos.

9 ¿Quién sabe *si* se volverá y arrepentirá Dios, y se apartará del furor de su ira, y no pereceremos?

10 Y vio Dios lo que hicieron, que se convirtieron de su mal camino; y se arrepintió del mal que había dicho que les había de hacer, y no *lo* hizo.

CAPÍTULO 4

Pero esto desagradó a Jonás en gran manera, y se enojó.

2 Y oró a Jehová, y dijo: Ahora, oh Jehová, ¿no es esto lo que yo decía estando aún en mi tierra? Por eso me precaví huyendo a Tarsis; porque sabía yo que tú *eres* Dios clemente y piadoso, tardo en enojarte, y de grande misericordia, y que te arrepientes del mal.

3 Ahora pues, oh Jehová, te ruego que me quites la vida; porque mejor me *es* la muerte que la vida.

4 Y Jehová le dijo: ¿Haces tú bien en enojarte *tanto*?

5 Entonces salió Jonás de la ciudad, y asentó hacia el oriente de la ciudad, y se hizo allí un cobertizo, y se sentó debajo de él a la sombra, hasta ver qué sería de la ciudad.

6 Y preparó Jehová Dios una calabacera, la cual creció sobre Jonás para que hiciese sombra sobre su cabeza, y le librase de su mal; y Jonás se alegró grandemente por la calabacera.

7 Mas Dios preparó un gusano al venir la mañana del día siguiente, el cual hirió a la calabacera, y se secó.

8 Y aconteció que al salir el sol, preparó Dios un recio viento solano; y el sol hirió a Jonás en la cabeza, y desmayaba; y deseaba la muerte, diciendo: Mejor *sería* para mí la muerte que la vida.

9 Entonces dijo Dios a Jonás: ¿Tanto te enojas por la calabacera? Y él respondió: Mucho me enojo, hasta la muerte.

10 Y dijo Jehová: Tuviste tú lástima de la calabacera, en la cual no trabajaste, ni tú la hiciste crecer; que en espacio de una noche nació, y en espacio de otra noche pereció:

11 ¿Y no tendré yo piedad de Nínive, aquella grande ciudad donde hay más de ciento veinte mil personas que no pueden discernir entre su mano derecha y su mano izquierda, y muchos animales?

Libro De
MIQUEAS

CAPÍTULO 1

Palabra de Jehová que vino a Miqueas el morastita en días de Jotam, Acaz, y Ezequías, reyes de Judá: lo que vio sobre Samaria y Jerusalén.

2 Oíd, pueblos todos: está atenta, tierra, y todo lo que en ella hay: y el Señor Jehová, el Señor desde su santo templo sea testigo contra vosotros.

3 Porque he aquí, Jehová sale de su lugar, y descenderá, y hollará sobre las alturas de la tierra.

4 Y debajo de Él se derretirán los montes, y los valles se hendirán como la cera delante del fuego, como las aguas que corren por un precipicio.

5 Todo esto por la rebelión de Jacob, y por los pecados de la casa de Israel. ¿Cuál es la rebelión de Jacob? ¿No es Samaria? ¿Y cuáles son los lugares altos de Judá? ¿No es Jerusalén?

6 Haré pues, de Samaria un montón de ruinas, tierra de viñas; y derramaré sus piedras por el valle, y descubriré sus fundamentos.

7 Y todas sus estatuas serán despedazadas, y todos sus dones serán quemados en fuego, y asolaré todos sus ídolos; porque de dones de rameras los juntó, y a dones de rameras volverán.

8 Por tanto lamentaré y aullaré, y andaré despojado y desnudo; haré gemido como de dragones, y lamento como de búhos.

9 Porque su llaga es dolorosa, que llegó hasta Judá; llegó hasta la puerta de mi pueblo, hasta Jerusalén.

10 No lo digáis en Gat, ni lloréis del todo: revuélcate en el polvo de Bet-le-afra.

11 Pásate desnuda con vergüenza, oh moradora de Safir: la moradora de Saanán no salió al llanto de Bet-esel: tomará de vosotros su tardanza.

12 Porque la moradora de Marot tuvo dolor por el bien; por cuanto el mal descendió de Jehová hasta la puerta de Jerusalén.

13 Unce al carro dromedarios, oh moradora de Laquis: Ella es el principio de pecado a la hija de Sión; porque en ti se encontraron las transgresiones de Israel.

14 Por tanto, tú darás dones a Moreset-gat: las casas de Aczib serán en mentira a los reyes de Israel.

15 Aun te traeré heredero, oh moradora de Maresa; la gloria de Israel vendrá hasta Adulam.

16 Rápate y aféitate por los hijos de tus delicias; ensancha tu calva como águila; porque fueron llevados cautivos lejos de ti.

CAPÍTULO 2

Ay de los que piensan iniquidad, y de los que fabrican el mal en sus camas! Cuando viene la mañana lo ponen en obra, porque tienen en su mano el poder.

2 Y codiciaron las heredades, y las robaron; y casas, y las tomaron: oprimieron al hombre y a su casa, al hombre y a su heredad.

3 Por tanto, así dice Jehová: He aquí, yo pienso sobre esta familia un mal del cual no sacaréis vuestros cuellos, ni andaréis erguidos; porque el tiempo será malo.

4 En aquel tiempo se levantará sobre vosotros refrán, y se endechará una amarga lamentación, diciendo: Del todo fuimos destruidos; Él ha cambiado la porción de mi pueblo. ¡Cómo nos quitó nuestros campos! Los dio y los repartió a otros.

5 Por tanto, no tendrás quien eche cordel para suerte en la congregación de Jehová.

6 No profeticéis, dicen a los que profetizan; no les profetizarán, para no llevar la vergüenza.

7 Tú que te dices casa de Jacob, ¿se ha acortado el Espíritu de Jehová? ¿Son éstas sus obras? ¿Mis palabras no hacen bien al que camina rectamente?

8 El que ayer era mi pueblo, se ha

levantado como enemigo; tras las vestiduras quitasteis las capas atrevidamente a los que pasaban, como los que vuelven de la guerra.

9 A las mujeres de mi pueblo echasteis fuera de las casas de sus delicias; a sus niños quitasteis mi perpetua alabanza.

10 Levantaos, y andad, pues éste no *es vuestro* reposo; y porque está contaminado, *os* destruirá con grande destrucción.

11 Si alguno que anda en el espíritu de falsedad mintiere, *diciendo*: Yo te profetizaré de vino y de sidra; este tal será profeta a este pueblo.

12 De cierto te reuniré todo, oh Jacob: ciertamente recogeré el remanente de Israel; lo reuniré como ovejas de Bosra, como rebaño en medio de su aprisco; harán estruendo por *la multitud* de hombres.

13 Subirá rompedor delante de ellos; romperán y pasarán la puerta, y saldrán por ella; y su rey pasará delante de ellos, y a la cabeza de ellos Jehová.

CAPÍTULO 3

Y dije: Oíd ahora, príncipes de Jacob, y cabezas de la casa de Israel: ¿No pertenece a vosotros saber el derecho?

2 A vosotros que aborrecéis lo bueno y amáis lo malo, que les arrancáis su piel y su carne de sobre sus huesos;

3 que coméis asimismo la carne de mi pueblo, y les desolláis su piel de sobre ellos y les quebráis sus huesos, y los hacéis pedazos como para la olla, y como carne en caldero.

4 Entonces clamarán a Jehová y no les responderá; antes esconderá de ellos su rostro en aquel tiempo, por cuanto hicieron malvadas obras.

5 Así dice Jehová acerca de los profetas que hacen errar a mi pueblo, que muerden con sus dientes, y claman: Paz, y contra el que no les da de comer, declaran guerra.

6 Por tanto, noche será para vosotros, no tendréis visión; os será oscuridad de manera que no adivinéis; y sobre los profetas se pondrá el sol, y el día se oscurecerá sobre ellos.

7 Y serán avergonzados los profetas, y se confundirán los adivinos; y ellos todos cubrirán su labio, porque no *hay* respuesta de Dios.

8 Mas yo estoy lleno de poder del Espíritu de Jehová, y de juicio, y de fortaleza, para denunciar a Jacob su rebelión, y a Israel su pecado.

9 Oíd ahora esto, cabezas de la casa de Jacob, y capitanes de la casa de Israel, que abomináis el juicio, y pervertís todo el derecho;

10 Que edificáis a Sión con sangre, y a Jerusalén con injusticia;

11 Sus cabezas juzgan por cohecho, y sus sacerdotes enseñan por precio, y sus profetas adivinan por dinero; y se apoyan en Jehová diciendo: ¿No *está* Jehová entre nosotros? No vendrá mal sobre nosotros.

12 Por tanto, a causa de vosotros Sión será arada *como* un campo, y Jerusalén vendrá a ser un montón de ruinas, y el monte de la casa como las cumbres del bosque.

CAPÍTULO 4

Y acontecerá en los postreros días *que* el monte de la casa de Jehová será establecido por cabecera de montes, y será exaltado más que los collados, y los pueblos correrán a él.

2 Y vendrán muchas naciones, y dirán: Venid, y subamos al monte de Jehová, y a la casa del Dios de Jacob; y Él nos enseñará en sus caminos, y andaremos por sus sendas; porque de Sión saldrá la ley, y de Jerusalén la palabra de Jehová.

3 Y juzgará entre muchos pueblos, y corregirá a naciones poderosas hasta muy lejos; y martillarán sus espadas para azadones, y sus lanzas para hoces; no alzará espada nación contra nación, ni se adiestrarán más para la guerra.

4 Y cada uno se sentará debajo de su vid y debajo de su higuera, y no habrá quien amedrente; porque la boca de Jehová de los ejércitos *lo* ha hablado.

5 Bien que todos los pueblos anduvieren cada uno en el nombre de sus dioses, nosotros con todo andaremos en el nombre de Jehová nuestro Dios eternamente y para siempre.

6 En aquel día, dice Jehová, juntaré a la que cojea, y recogeré a la descarriada, y a la que afligí:

7 Y haré un remanente de la que cojea, y de la descarriada una nación poderosa; y Jehová reinará sobre ellos en el monte de Sión desde ahora y para siempre.

8 Y tú, oh torre del rebaño, la fortaleza de la hija de Sión vendrá hasta ti; y el señorío primero, el reino vendrá a la hija de Jerusalén.

9 Ahora ¿por qué gritas tanto? ¿No *hay* rey en ti? ¿Pereció tu consejero, que te ha tomado dolor como de mujer de parto?

10 Duélete y gime, hija de Sión como mujer de parto; porque ahora saldrás de la ciudad, y morarás en el campo, y llegarás hasta Babilonia; allí serás librada, allí te redimirá Jehová de la mano de tus enemigos.

11 Ahora también muchas naciones se han juntado contra ti, y dicen: Sea profanada, y vean nuestros ojos su deseo sobre Sión.

12 Mas ellos no conocieron los pensamientos de Jehová, ni entendieron su consejo; por lo cual los juntó como gavillas en la era.

13 Levántate y trilla, hija de Sión, porque tu cuerno tornaré de hierro, y tus uñas de bronce, y desmenuzarás muchos pueblos; y consagrarás a Jehová su despojo, y sus riquezas al Señor de toda la tierra.

CAPÍTULO 5

Reúnete ahora en tropas, oh hija de guerreros; nos han sitiado; con vara herirán en la mejilla al Juez de Israel.

2 Pero tú, Belén Efrata, *aunque* eres pequeña entre los millares de Judá, de ti me saldrá el *que* será Señor en Israel; y sus salidas *han sido* desde el principio, desde la eternidad.

3 Pero los dejará hasta el tiempo *que* dé a luz la que ha de dar a luz; entonces el resto de sus hermanos volverán a los hijos de Israel.

4 Y Él estará, y apacentará con el poder de Jehová, con la majestad del nombre de Jehová su Dios; y permanecerán; porque ahora Él será engrandecido hasta los fines de la tierra.

5 Y Éste será *nuestra* paz. Cuando el asirio venga a nuestra tierra, y cuando pise nuestros palacios, entonces levantaremos contra él siete pastores, y ocho hombres principales;

6 y destruirán la tierra de Asiria a espada, y la tierra de Nimrod con sus espadas; y Él *nos* librará del asirio, cuando viniere contra nuestra tierra y hollare nuestros términos.

7 Y el remanente de Jacob será en medio de muchos pueblos, como el rocío de Jehová, como las lluvias sobre la hierba, las cuales no esperan a hombre, ni aguardan a los hijos de los hombres.

8 Y el remanente de Jacob será entre los gentiles, en medio de muchos pueblos, como el león entre las bestias de la selva, como el cachorro del león entre los rebaños de ovejas, el cual si pasa, pisotea y arrebata, y no hay quien pueda librar.

9 Tu mano se alzará sobre tus adversarios, y todos tus enemigos serán talados.

10 Y acontecerá en aquel día, dice Jehová, que exterminaré tus caballos de en medio de ti, y destruiré tus carros.

11 Y destruiré las ciudades de tu tierra, y derribaré todas tus fortalezas.

12 Asimismo destruiré de tu mano las hechicerías, y no se hallarán en ti agoreros.

13 Y destruiré tus esculturas y tus imágenes de en medio de ti, y nunca más adorarás la obra de tus manos.

14 Y arrancaré tus imágenes de Asera de en medio de ti, y destruiré tus ciudades.

15 Y con ira y con furor haré venganza en las gentes que no escucharon.

CAPÍTULO 6

Oíd ahora lo que dice Jehová: Levántate, pleitea con los montes, y oigan los collados tu voz.

2 Oíd, montes, y fuertes fundamentos de la tierra, el pleito de Jehová: porque Jehová tiene controversia con su pueblo, y altercará con Israel.

3 Pueblo mío, ¿qué te he hecho, o en qué te he molestado? Responde contra mí.

4 Porque yo te hice subir de la tierra de Egipto, y de la casa de siervos te redimí; y envié delante de ti a Moisés, y a Aarón, y a Miriam.

5 Pueblo mío, acuérdate ahora qué aconsejó Balac rey de Moab, y qué le respondió Balaam, hijo de Beor, desde Sitim hasta Gilgal, para que conozcas las justicias de Jehová.

6 ¿Con qué me presentaré delante de Jehová, y adoraré al Dios Altísimo? ¿Vendré ante Él con holocaustos, con becerros de un año?

7 ¿Se agradará Jehová de millares de carneros, o de diez mil arroyos de aceite? ¿Daré mi primogénito *por* mi rebelión, el fruto de mis entrañas *por* el pecado de mi alma?

8 Oh hombre, Él te ha declarado lo que *es* bueno, y ¿qué pide Jehová de ti? Solamente hacer justicia, y amar misericordia, y caminar humildemente con tu Dios.

9 La voz de Jehová clama a la ciudad, y el sabio mirará a tu nombre. Oíd la vara, y a quien lo ha establecido.

10 ¿Hay aún tesoros de impiedad en casa del impío, y medida escasa *que es* detestable?

11 ¿Tendré por inocente al que tiene balanza falsa, y bolsa de pesas engañosas?

12 Con lo cual sus ricos se llenaron de rapiña, y sus moradores hablaron mentira, y su lengua *es* engañosa en su boca.

13 Por eso yo también *te* haré enfermar, hiriéndote, asolándote por tus pecados.

14 Tú comerás, y no te saciarás; y tu abatimiento estará en medio de ti: Recogerás, pero no conservarás; y lo *que* conservares, yo lo entregaré a la espada.

15 Tú sembrarás, pero no segarás; pisarás aceitunas, pero no te ungirás con el aceite; y mosto, pero no beberás el vino.

16 Porque los mandamientos de Omri se han guardado, y toda obra de la casa de Acab; y en los consejos de ellos anduvisteis, para que yo te pusiese en asolamiento, y a tus moradores para escarnio. Llevaréis,

por tanto, el oprobio de mi pueblo.

CAPÍTULO 7

¡Ay de mí! porque he venido a ser como cuando han recogido los frutos del verano, como cuando han rebuscado después de la vendimia, que no queda racimo para comer; mi alma desea los primeros frutos.

2 Faltó el misericordioso de la tierra, y ninguno *hay* recto entre los hombres: todos acechan por sangre; cada cual arma red a su hermano.

3 Para completar la maldad con ambas manos, el príncipe demanda, y el juez *juzga* por recompensa; el grande habla el antojo de su alma, y lo confirman.

4 El mejor de ellos *es* como el abrojo, y el más recto, como el zarzal; el día de tus atalayas, tu visitación, viene; ahora será su confusión.

5 No creáis en amigo, ni confiéis en príncipe; de la que duerme a tu lado, guarda, no abras tu boca.

6 Porque el hijo deshonra al padre, la hija se levanta contra la madre, la nuera contra su suegra; y los enemigos del hombre *son* los de su propia casa.

7 Pero yo miraré a Jehová, esperaré en el Dios de mi salvación; el Dios mío me oirá.

8 No te alegres de mí, oh enemiga mía, porque aunque caiga, me volveré a levantar; aunque more en tinieblas, Jehová *será* mi luz.

9 La ira de Jehová soportaré, porque pequé contra Él, hasta que juzgue mi causa y haga mi juicio; Él me sacará a luz; veré su justicia.

10 Entonces mi enemiga lo verá, y la cubrirá vergüenza; la que me decía: ¿Dónde está Jehová tu Dios? Mis ojos la verán; ahora será hollada como el lodo de las calles.

11 El día en que se edificarán tus muros, aquel día será alejado el mandato.

12 *En* ese día vendrán hasta ti desde Asiria y las ciudades fortificadas, y *desde* las ciudades fortificadas hasta el Río, y de mar a mar, y *de* monte a monte.

13 Y la tierra con sus moradores será asolada por el fruto de sus obras.

14 Apacienta a tu pueblo con tu cayado, el rebaño de tu heredad, que mora solo *en* el bosque, en medio del Carmelo; Que pasten *en* Basán y Galaad, como en el tiempo pasado.

15 Yo les mostraré maravillas como el día que saliste de la tierra de Egipto.

16 Las naciones verán, y quedarán confundidas de todo su poderío; pondrán la mano sobre *su* boca, ensordecerán sus oídos.

17 Lamerán el polvo como la serpiente; saldrán de sus agujeros como los gusanos de la tierra, temblarán en sus encierros; tendrán pavor de Jehová nuestro Dios, y temerán de ti.

18 ¿Qué Dios como tú, que perdona la maldad y olvida el pecado del remanente de su heredad? No retuvo para siempre su enojo, porque se complace en la misericordia.

19 Él volverá, Él tendrá misericordia de nosotros; Él sujetará nuestras iniquidades, y echará en lo profundo del mar todos nuestros pecados.

20 Otorgarás a Jacob la verdad, *y* a Abraham la misericordia, que tú juraste a nuestros padres desde tiempos antiguos.

Libro De
NAHÚM

CAPÍTULO 1

Carga de Nínive. Libro de la visión de Nahúm de Elcos.

2 Dios celoso y vengador es Jehová; vengador es Jehová, y Señor de ira; Jehová, que se venga de sus adversarios, y que guarda *enojo* para sus enemigos.

3 Jehová *es* lento para la ira, y grande en poder, no tendrá por inocente *al culpable*. Jehová marcha en la tempestad y el torbellino, y las nubes *son* el polvo de sus pies.

4 Él reprende al mar, y lo hace secar, y agosta todos los ríos: Languidecen Basán y el Carmelo, y la flor del Líbano se marchita.

5 Los montes tiemblan delante de Él, y los collados se disuelven; y la tierra se enciende a su presencia, y el mundo, y todos los que en él habitan.

6 ¿Quién permanecerá delante de su ira? ¿Y quién quedará en pie en el furor de su enojo? Su ira se derrama como fuego, y por Él las rocas son quebradas.

7 Bueno *es* Jehová, *es* fortaleza en el día de la angustia; y conoce a los que en Él confían.

8 Mas con inundación impetuosa hará consumación de su lugar, y tinieblas perseguirán a sus enemigos.

9 ¿Qué tramáis contra Jehová? Él hará consumación; la tribulación no se levantará dos veces.

10 Porque como espinas entretejidas, estando embriagados con su vino, serán consumidos *como* paja completamente seca.

11 De ti salió el que tramó mal contra Jehová, un consejero perverso.

12 Así dice Jehová: Aunque reposo tengan, y sean muchos, aun así serán talados, y él pasará. Aunque te he afligido, no te afligiré más.

13 Porque ahora quebraré su yugo de sobre ti, y romperé tus coyundas.

14 Mas acerca de ti mandará Jehová, *que* nunca más sea sembrado alguno de tu nombre; de la casa de tus dioses talaré escultura y estatua de fundición, la haré tu sepulcro; porque fuiste vil.

15 He aquí sobre los montes los pies del que trae buenas nuevas, del que pregona la paz. Celebra, oh Judá, tus fiestas, cumple tus votos; porque nunca más pasará por ti el malvado; pereció del todo.

CAPÍTULO 2

Subió destruidor contra ti: guarda la fortaleza, mira el camino, fortifica los lomos, fortalece mucho la fuerza.

2 Porque Jehová restituirá la gloria de Jacob como la gloria de Israel; porque vaciadores los vaciaron, y estropearon sus pámpanos.

3 El escudo de sus valientes estará enrojecido, los varones de su ejército vestidos de escarlata; los carros *serán* como fuego de antorchas en el día de su preparación, y las hayas temblarán.

4 Los carros se precipitarán en las calles, discurrirán por las plazas; su parecer como antorchas encendidas; correrán como relámpagos.

5 Él se acordará de sus valientes; andando tropezarán; se apresurarán a su muro y se preparará la defensa.

6 Las compuertas de los ríos se abrirán, y el palacio será destruido.

7 Y la reina será llevada en cautividad; le mandarán que suba, y sus criadas *la* llevarán gimiendo como palomas, golpeándose su pecho.

8 Y fue Nínive de tiempo antiguo como estanque de aguas; mas ellos huyen: Parad, parad; y ninguno mira.

9 Saquead plata, saquead oro; no hay fin de las riquezas y suntuosidad de todos los objetos preciosos.

10 Vacía, y agotada, y despedazada está, y el corazón derretido; temblor de rodillas, y dolor en todos los lomos, y los rostros de todos tomarán negrura.

11 ¿Qué *es* de la guarida de los leones, y de la majada de los cachorros de los leones, donde se recogía el león, y la leona, y los cachorros del león, y no había quien *los* atemorizase?

12 El león arrebataba en abundancia para sus cachorros, y ahogaba para sus leonas, y llenaba de presa sus cavernas, y de robo sus guaridas.

13 Heme aquí contra ti, dice Jehová de los ejércitos. Encenderé y reduciré a humo tus carros, y espada devorará tus leoncillos; y raeré de la tierra tu robo, y nunca más se oirá la voz de tus embajadores.

CAPÍTULO 3

Ay de la ciudad sanguinaria, toda llena de mentira y de rapiña, sin apartarse de ella el pillaje!

2 Sonido de látigo, y estruendo de movimiento de ruedas; y caballo atropellador, y carro saltador;

3 caballero enhiesto, y resplandor de espada, y resplandor de lanza; y multitud de muertos, y multitud de cadáveres; y de *sus* cadáveres no *habrá* fin, y en sus cadáveres tropezarán:

4 A causa de la multitud de las fornicaciones de la ramera de hermosa gala, maestra de hechizos, que vende a las naciones con sus fornicaciones, y a los pueblos con sus hechizos.

5 Heme aquí contra ti, dice Jehová de los ejércitos, y descubriré tus faldas en tu cara, y mostraré a las naciones tu desnudez, y a los reinos tu vergüenza.

6 Y echaré sobre ti inmundicias, y te haré vil, y haré de ti un espectáculo.

7 Y será *que* todos los que te vieren, se apartarán de ti, y dirán: Nínive es asolada: ¿quién se compadecerá de ella? ¿Dónde te buscaré consoladores?

8 ¿Eres tú mejor que No-amón, que estaba asentada entre ríos, rodeada de aguas, cuyo baluarte era el mar, y el mar *era* su muralla?

9 Etiopía *era* su fortaleza, y Egipto sin límite; Fut y Libia fueron en tu ayuda.

10 También ella *fue* llevada en cautiverio; también sus chiquitos fueron estrellados en las encrucijadas de todas las calles; y sobre sus varones echaron suertes, y todos sus magnates fueron aprisionados con grillos.

11 Tú también serás embriagada, serás encerrada; tú también buscarás fortaleza a causa del enemigo.

12 Todas tus fortalezas serán cual higueras con brevas; que si las sacuden, caen en la boca del que las ha de comer.

13 He aquí, tu pueblo *será* como mujeres en medio de ti; las puertas de tu tierra se abrirán de par en par a tus enemigos; fuego consumirá tus cerrojos.

14 Provéete de agua para el asedio, refuerza tus fortalezas; entra en el lodo, pisa el barro, refuerza el horno.

15 Allí te consumirá el fuego, te talará la espada, te devorará como e[l]

pulgón; multiplícate como el pulgón, multiplícate como la langosta.

16 Multiplicaste tus mercaderes más que las estrellas del cielo; el pulgón hizo presa, y voló.

17 Tus príncipes *son* como langostas, y tus grandes como nubes de langostas que se sientan en vallados en día de frío; salido el sol se van, y no se conoce el lugar donde están.

18 Durmieron tus pastores, oh rey de Asiria, reposaron tus valientes; tu pueblo se derramó por los montes, y no hay quien *lo* junte.

19 No *hay* alivio para tu quebradura; tu herida es incurable; todos los que oigan tu fama aplaudirán sobre ti, porque ¿sobre quién no pasó continuamente tu maldad?

Libro De
HABACUC

CAPÍTULO 1

La carga que vio el profeta Habacuc.

2 ¿Hasta cuándo, oh Jehová, clamaré, y no oirás; y daré voces a ti a causa de la violencia, y no salvarás?

3 ¿Por qué me haces ver iniquidad, y haces que vea molestia? pues saqueo y violencia están delante de mí, y hay además quien levanta pleito y contienda.

4 Por lo cual la ley es debilitada, y el juicio no sale verdadero; por cuanto el impío asedia al justo, por eso sale torcido el juicio.

5 Mirad en las naciones, y ved, y maravillaos y asombraos; porque haré una obra en vuestros días, *que* aun cuando se *os* contare, no la creeréis.

6 Porque he aquí, yo levanto a los caldeos, gente amarga y presurosa, que camina por la anchura de la tierra para poseer las habitaciones ajenas.

7 Espantosa *es* y terrible; de ella misma saldrá su derecho y su grandeza.

8 Y sus caballos serán más ligeros que leopardos, y más feroces que lobos nocturnos; y sus jinetes se multiplicarán: vendrán de lejos sus caballeros, y volarán como águila que se apresura a la comida.

9 Toda ella vendrá a la presa; sus rostros hacia adelante *como* el viento solano; y recogerá cautivos como arena.

10 Y escarnecerá a los reyes, y de los príncipes hará burla; se reirá de toda fortaleza, y levantará terraplén, y la tomará.

11 Luego cambiará de parecer, y pasará adelante, y ofenderá atribuyendo este su poder a su dios.

12 ¿No *eres* tú desde el principio, oh Jehová, Dios mío, Santo mío? ¡No moriremos! Oh Jehová, para juicio lo pusiste; y tú, oh Roca, lo fundaste para castigar.

13 Muy limpio *eres* de ojos para ver el mal, y no puedes ver el agravio. ¿Por qué, pues, ves a los traidores, y callas cuando el impío destruye al más justo que él,

14 y haces que sean los hombres como los peces del mar, como reptiles *que* no *tienen* señor?

15 Sacará a todos con anzuelo, los atrapará con su red, y los juntará en su malla; por lo cual se gozará y se alegrará.

16 Por esto hará sacrificios a su red, y quemará incienso a sus mallas; porque con ellos engordó su porción, y engrasó su comida.

17 ¿Vaciará por eso su red, o tendrá piedad de matar gentes continuamente?

CAPÍTULO 2

Sobre mi guarda estaré, y sobre la fortaleza estaré firme; y velaré para ver qué habrá de decirme, y qué habré de responder cuando yo sea reprendido.

2 Y Jehová me respondió, y dijo: Escribe la visión, y declárala en tablas, para que corra el que leyere en ella.

3 Aunque la visión tardará aún por un tiempo, mas al fin hablará, y no mentirá; aunque se tardare, espéralo, que sin duda vendrá; no tardará.

4 He aquí se enorgullece aquel cuya alma no es recta en él; mas el justo por su fe vivirá.

5 Y también, por cuanto peca por el vino, *es* un hombre soberbio, y no queda en casa; el cual ensancha como el infierno su alma, y *es* como la muerte, que no se sacia; antes reúne para sí todas las naciones, y amontona para sí todos los pueblos.

6 ¿No han de levantar todos éstos refrán sobre él, y sarcasmos contra él? Y dirán: ¡Ay del que multiplicó lo que no era suyo! Y, ¿hasta cuándo había de amontonar sobre sí barro espeso?

7 ¿No se levantarán de repente los que te han de morder, y se despertarán los que te han de quitar de tu lugar, y serás a ellos por rapiña?

8 Porque tú has despojado a muchas naciones, todos los que han quedado de los pueblos te despojarán; a causa de la sangre de los hombres, y de la violencia de la tierra, de las ciudades y de todos los que moran en ellas.

9 ¡Ay del que codicia ganancia deshonesta para su casa, para poner en alto su nido, para ser librado del poder del mal!

10 Tomaste consejo vergonzoso para tu casa, asolaste muchos pueblos, y has pecado *contra* tu alma.

11 Porque la piedra clamará desde el muro, y la tabla del enmaderado le responderá.

12 ¡Ay del que edifica la ciudad con sangre, y del que funda una ciudad con iniquidad!

13 ¿No *es* esto de Jehová de los ejércitos? Los pueblos pues, trabajarán para el fuego, y las gentes se fatigarán en vano.

14 Porque la tierra será llena del conocimiento de la gloria de Jehová, como las aguas cubren el mar.

15 ¡Ay del que da de beber a su compañero! ¡Ay *de ti* que le acercas tu odre y le embriagas, para mirar su desnudez!

16 Te has llenado de deshonra más que de honra; bebe tú también, y serás descubierto; el cáliz de la mano derecha de Jehová volverá sobre ti, y vómito de afrenta sobre tu gloria.

17 Porque la rapiña del Líbano caerá sobre ti, y la destrucción de las fieras lo quebrantará; a causa de la sangre de los hombres, y de la violencia de la tierra, de las ciudades, y de todos los que moran en ellas.

18 ¿De qué sirve la escultura que esculpió el que la hizo? ¿La estatua de fundición, que enseña mentira, para que haciendo imágenes mudas confíe el hacedor en su obra?

19 ¡Ay del que dice al palo: Despiértate; y a la piedra muda: Levántate! ¿Podrá él enseñar? He aquí él está cubierto de oro y plata, y no *hay* espíritu dentro de él.

20 Mas Jehová *está* en su santo templo: calle delante de Él toda la tierra.

CAPÍTULO 3

Oración de Habacuc profeta, sobre Sigionot.

2 Oh Jehová, he oído tu palabra, y temí: Oh Jehová, aviva tu obra en medio de los tiempos, en medio de los tiempos hazla conocer; En la ira acuérdate de la misericordia.

3 Dios viene de Temán, y el Santo del monte de Parán (Selah). Su gloria cubrió los cielos, y la tierra se llenó de su alabanza.

4 Su resplandor era como la luz, y cuernos salían de su mano; allí estaba escondido su poder.

5 Delante de su rostro iba mortandad, y a sus pies salían carbones encendidos.

6 Se paró, y midió la tierra; miró, e hizo temblar a las naciones; y los montes antiguos fueron desmenuzados, los collados antiguos se humillaron. Sus caminos *son* eternos.

7 He visto las tiendas de Cusán en aflicción; las tiendas de la tierra de Madián temblaron.

8 ¿Se airó Jehová contra los ríos? ¿Contra los ríos *fue* tu enojo? ¿Tu ira contra el mar, cuando subiste sobre tus caballos, y sobre tus carros de salvación?

9 Se descubrió enteramente tu arco, los juramentos a las tribus, palabra segura (Selah). Hendiste la tierra con ríos.

10 Te vieron, y tuvieron temor los montes; pasó la inundación de las aguas; el abismo dio su voz, y a lo alto alzó sus manos.

11 El sol y la luna se pararon en su estancia; a la luz de tus saetas anduvieron, y al resplandor de tu fulgente lanza.

12 Con ira hollaste la tierra, con furor trillaste las naciones.

13 Saliste para salvar a tu pueblo, para salvar con tu ungido. Traspasaste la cabeza de la casa del impío, desnudando el cimiento hasta el cuello (Selah).

14 Horadaste con sus propias varas las cabezas de sus villas, que como tempestad acometieron para dispersarme; su regocijo *era* como para devorar al pobre encubierta-mente.

15 Hiciste camino en el mar a tus caballos, *por* montón de grandes aguas.

16 Oí, y se conmovieron mis entrañas; a la voz temblaron mis labios; pudrición entró en mis huesos, y dentro de mí me estremecí; si bien estaré quieto en el día de la angustia, cuando suba al pueblo el que lo invadirá con sus tropas.

17 Aunque la higuera no florezca, ni *haya* fruto en las vides; aunque falte el fruto del olivo, y los labrados no den mantenimiento; y las ovejas sean quitadas del redil, y no *haya* vacas en los corrales;

18 Con todo, yo me alegraré en Jehová, y me gozaré en el Dios de mi salvación.

19 Jehová el Señor es mi fortaleza, Él hará mis pies como de ciervas, y me hará andar sobre mis alturas. (Al principal de los cantores, sobre mis instrumentos de cuerdas)

Libro De
SOFONÍAS

CAPÍTULO 1

Palabra de Jehová que vino a Sofonías hijo de Cusi, hijo de Gedalías, hijo de Amarías, hijo de Ezequías, en días de Josías hijo de Amón, rey de Judá.

2 Destruiré del todo todas *las cosas* de sobre la faz de la tierra, dice Jehová.

3 Destruiré los hombres y las bestias; destruiré las aves del cielo, y los peces del mar, y las piedras de tropiezo con los impíos; y talaré los hombres de sobre la faz de la tierra, dice Jehová.

4 Y extenderé mi mano sobre Judá, y sobre todos los moradores de Jerusalén, y exterminaré de este lugar el remanente de Baal, y el nombre de los ministros idólatras junto con los sacerdotes;

5 y a los que se inclinan sobre los terrados al ejército del cielo; y a los que se inclinan jurando por Jehová y jurando por Milcom;

6 y a los que vuelven atrás de en pos de Jehová; y a *los* que no buscaron a Jehová, ni preguntaron por Él.

7 Calla en la presencia del Señor Jehová, porque el día de Jehová *está* cercano; porque Jehová ha preparado sacrificio, ha llamado a sus convidados.

8 Y será que en el día del sacrificio de Jehová, haré visitación sobre los príncipes, y sobre los hijos del rey, y sobre todos los que visten ropa extranjera.

9 Asimismo haré visitación en aquel día sobre todos los que saltan la puerta, los que llenan de robo y de engaño las casas de sus señores.

10 Y habrá en aquel día, dice Jehová, voz de clamor desde la puerta del Pescado, y aullido desde la segunda, y grande quebrantamiento desde los collados.

11 Aullad, moradores de Mactes, porque todo el pueblo mercader es destruido; talado son todos los que traían dinero.

12 Y será en aquel tiempo, *que* yo escudriñaré a Jerusalén con candiles,

y haré visitación sobre los hombres que están sentados sobre sus residuos de vino, los cuales dicen en su corazón: Jehová ni hará bien ni mal.

13 Será por tanto saqueada su hacienda, y sus casas asoladas; y edificarán casas, mas no *las* habitarán; y plantarán viñas, mas no beberán el vino de ellas.

14 Cercano *está* el día grande de Jehová, cercano y muy presuroso; clamor del día de Jehová; amargamente gritará allí el valiente.

15 Día de ira aquel día, día de angustia y de aprieto, día de alboroto y de asolamiento, día de tiniebla y de oscuridad, día de nublado y de densa niebla,

16 día de trompeta y de pregón de guerra sobre las ciudades fortificadas, y sobre las altas torres.

17 Y atribularé a los hombres, y andarán como ciegos, porque pecaron contra Jehová; y la sangre de ellos será derramada como polvo, y su carne como estiércol.

18 Ni su plata ni su oro podrá librarlos en el día de la ira de Jehová; pues toda la tierra será consumida con el fuego de su celo; porque ciertamente exterminio apresurado hará con todos los moradores de la tierra.

CAPÍTULO 2

Congregaos y meditad, gente indeseable,

2 antes que venga a luz el decreto, y el día se pase como el tamo; antes que venga sobre vosotros el furor de la ira de Jehová, antes que el día de la ira de Jehová venga sobre vosotros.

3 Buscad a Jehová todos los humildes de la tierra, que pusisteis en obra su juicio; buscad justicia, buscad mansedumbre; quizá seréis guardados en el día del enojo de Jehová.

4 Porque Gaza será desamparada, y Ascalón asolada; saquearán a Asdod en el mediodía, y Ecrón será desarraigada.

5 ¡Ay de los que habitan en la ribera del mar, de la gente de Ceretim! La palabra de Jehová *es* contra vosotros,

El oro y la plata no podrá librarles

oh Canaán, tierra de filisteos, que te haré destruir hasta no quedar morador.

6 Y la ribera del mar será para moradas de cabañas de pastores, y corrales de ovejas.

7 Y la ribera será para el resto de la casa de Judá; allí apacentarán: en las casas de Ascalón dormirán a la noche; porque Jehová su Dios los visitará, y hará volver a sus cautivos.

8 Yo he oído las afrentas de Moab, y las injurias de los hijos de Amón con que deshonraron a mi pueblo, y se engrandecieron sobre su término.

9 Por tanto, vivo yo, dice Jehová de los ejércitos, Dios de Israel, que Moab será como Sodoma, y los hijos de Amón como Gomorra; campo de ortigas, y mina de sal, y asolamiento perpetuo: el remanente de mi pueblo los saqueará, y el resto de mi gente los heredará.

10 Esto les vendrá por su soberbia, porque afrentaron, y se engrandecieron contra el pueblo de Jehová de los ejércitos.

11 Terrible *será* Jehová contra ellos, porque hará enflaquecer a todos los dioses de la tierra; y cada uno desde su lugar se inclinará a Él, todas las islas de las naciones.

12 También vosotros, etíopes, *seréis* muertos con mi espada.

13 Y extenderá su mano sobre el norte, y destruirá a Asiria, y pondrá a Nínive en asolamiento, y en sequedal como un desierto.

14 Y rebaños de ganado reposarán en ella, todas las bestias de las naciones; el pelícano y también el erizo dormirán en sus umbrales; *su* voz cantará en las ventanas; asolación será en las puertas, porque su enmaderamiento de cedro *será* descubierto.

15 Ésta *es* la ciudad alegre que estaba confiada, la que decía en su corazón: Yo, y no más. ¡Cómo fue en asolamiento, en cama de bestias! Cualquiera que pasare junto a ella silbará, agitará su mano.

CAPÍTULO 3

Ay de la ciudad ensuciada y contaminada y opresora!

2 No escuchó la voz, ni recibió la disciplina; no confió en Jehová, no se acercó a su Dios.

3 Sus príncipes en medio de ella *son* leones rugientes; sus jueces, lobos nocturnos que no dejan hueso para la mañana.

4 Sus profetas *son* livianos, hombres prevaricadores; sus sacerdotes contaminaron el santuario, falsearon la ley.

5 Jehová justo en medio de ella, no hará iniquidad; cada mañana Él saca a luz su juicio, nunca falta; mas el perverso no tiene vergüenza.

6 Hice talar gentes; sus castillos están asolados; hice desiertas sus calles, hasta no quedar quien pase: sus ciudades están asoladas hasta no quedar hombre, hasta no quedar morador.

7 Dije: Ciertamente me temerás, recibirás corrección; y así su habitación no será destruida sobre todo aquello por lo cual la castigué. Pero ellos se levantaron de mañana y corrompieron todas sus obras.

8 Por tanto, esperadme, dice Jehová, hasta el día que me levante al despojo: porque mi determinación *es* reunir a las naciones, juntar los reinos, para derramar sobre ellos mi enojo, todo el furor de mi ira; porque del fuego de mi celo será consumida toda la tierra.

9 Entonces daré a los pueblos pureza de labios, para que todos invoquen el nombre de Jehová, para que de un consentimiento le sirvan.

10 De más allá de los ríos de Etiopía, mis suplicantes, *aun* la hija de mis esparcidos, me traerán ofrenda.

11 En aquel día no serás avergonzada por ninguna de tus obras con que te rebelaste contra mí; porque entonces quitaré de en medio de ti los que se alegran en tu soberbia, y nunca más te ensoberbecerás en mi monte santo.

12 Y dejaré en medio de ti un pueblo humilde y pobre, los cuales esperarán en el nombre de Jehová.

13 El remanente de Israel no hará iniquidad, ni dirá mentira, ni en boca de ellos se hallará lengua engañosa: porque ellos serán apacentados y dormirán, y no habrá quien *los* espante.

14 Canta, oh hija de Sión; da voces de júbilo, oh Israel; gózate y regocíjate de todo corazón, hija de Jerusalén.

15 Jehová ha apartado tus juicios, ha echado fuera tus enemigos: Jehová es Rey de Israel en medio de ti; nunca más verás el mal.

16 En aquel tiempo se dirá a Jerusalén: No temas: Sión, no se debiliten tus manos.

17 Jehová en medio de ti, poderoso, Él salvará; se gozará sobre ti con alegría, callará de amor, se regocijará sobre ti con cantar.

18 Reuniré a *los* fastidiados por causa del largo tiempo; tuyos fueron; para quienes el oprobio de ella era una carga.

19 He aquí, en aquel tiempo yo desharé a todos tus opresores; y salvaré la coja, y recogeré la descarriada; y los pondré por alabanza y por renombre en todo país de confusión.

20 En aquel tiempo yo os traeré, en aquel tiempo yo os reuniré; pues os daré por renombre y por alabanza entre todos los pueblos de la tierra, cuando haga volver vuestra cautividad delante de vuestros ojos, dice Jehová.

Libro De
HAGEO

CAPÍTULO 1

En el año segundo del rey Darío en el mes sexto, en el primer día del mes, vino palabra de Jehová, por medio del profeta Hageo, a Zorobabel hijo de Salatiel, gobernador de Judá, y a Josué hijo de Josadac, el sumo sacerdote, diciendo:

2 Así habla Jehová de los ejércitos, diciendo: Este pueblo dice: El tiempo aún no ha venido, el tiempo de que la casa de Jehová sea reedificada.

3 Vino, pues, palabra de Jehová por medio del profeta Hageo, diciendo:

4 ¿*Es* para vosotros tiempo, para vosotros, de morar en vuestras casas artesonadas, y esta casa *está* desierta?

5 Pues así dice Jehová de los ejércitos: Considerad vuestros caminos.

6 Sembráis mucho, y encerráis poco; coméis, y no os saciáis; bebéis, y no estáis satisfechos; os vestís, y no os calentáis; y el que trabaja a jornal recibe su jornal en saco horadado.

7 Así dice Jehová de los ejércitos: Considerad vuestros caminos.

8 Subid al monte, y traed madera, y reedificad la casa; y pondré en ella, mi voluntad, y seré glorificado, dice Jehová.

9 Buscáis mucho, y halláis poco; y encerráis en casa, y soplo en ello. ¿Por qué? dice Jehová de los ejércitos. Por cuanto mi casa *está* desierta, y cada uno de vosotros corre a su propia casa.

10 Por eso se detuvo de los cielos sobre vosotros la lluvia, y la tierra detuvo sus frutos.

11 Y llamé la sequía sobre esta tierra, y sobre los montes, y sobre el trigo, y sobre el vino, y sobre el aceite, y sobre todo lo que la tierra produce; y sobre los hombres, y sobre el ganado, y sobre todo trabajo de manos.

12 Y oyó Zorobabel hijo de Salatiel, y Josué hijo de Josadac, el sumo sacerdote, y todo el resto del pueblo, la voz de Jehová su Dios, y las palabras del profeta Hageo, como lo había enviado Jehová el Dios de ellos; y temió el pueblo delante de Jehová.

13 Entonces Hageo, mensajero de Jehová, habló el mensaje de Jehová al pueblo, diciendo: Yo estoy con vosotros, dice Jehová.

14 Y despertó Jehová el espíritu de Zorobabel hijo de Salatiel, gobernador de Judá, y el espíritu de Josué hijo de Josadac, sumo sacerdote, y el espíritu de todo el resto del pueblo; y vinieron y trabajaron en la casa de Jehová de los ejércitos, su Dios,

15 en el día veinticuatro del mes sexto, en el segundo año del rey Darío.

CAPÍTULO 2

En el *mes* séptimo, a los veintiún *días* del mes, vino palabra de Jehová por medio del profeta Hageo, diciendo:

2 Habla ahora a Zorobabel hijo de Salatiel, gobernador de Judá, y a Josué hijo de Josadac, sumo sacerdote, y al resto del pueblo, diciendo:

3 ¿Quién ha quedado entre vosotros que haya visto esta casa en su primera gloria? ¿Y cómo la veis ahora? ¿No *es* ella como nada delante de vuestros ojos?

4 Pues ahora, Zorobabel, esfuérzate, dice Jehová; esfuérzate también, Josué, hijo de Josadac, sumo sacerdote; y esforzaos, pueblo todo de la tierra, dice Jehová, y trabajad; porque yo estoy con vosotros, dice Jehová de los ejércitos.

5 *Según* el pacto que hice con vosotros cuando salisteis de Egipto, así mi Espíritu estará en medio de vosotros: no temáis.

6 Porque así dice Jehová de los ejércitos: De aquí a poco aún yo haré temblar los cielos y la tierra, y el mar y la *tierra* seca;

7 y haré temblar a todas las naciones, y vendrá el Deseado de todas las naciones; y llenaré de gloria esta casa, ha dicho Jehová de los ejércitos.

8 Mía *es* la plata, y mío es el oro, dice Jehová de los ejércitos.

9 La gloria de esta casa postrera será mayor que la de la primera, ha dicho Jehová de los ejércitos; y daré paz en este lugar, dice Jehová de los ejércitos.

10 El día veinticuatro del noveno *mes*, en el segundo año de Darío, vino palabra de Jehová por medio del profeta Hageo, diciendo:

11 Así dice Jehová de los ejércitos: Pregunta ahora a los sacerdotes *acerca* de la ley, diciendo:

12 Si llevare alguno las carnes santificadas en el extremo de su vestidura, y con el extremo de ella tocare pan, o vianda, o vino, o aceite, o cualquier otra comida, ¿será santificada? Y respondieron los sacerdotes, y dijeron: No.

13 Y dijo Hageo: Si un inmundo a causa de cuerpo muerto tocare alguna cosa de éstas, ¿será inmunda? Y respondieron los sacerdotes, y dijeron: Inmunda será.

14 Y respondió Hageo y dijo: Así *es* este pueblo y esta nación delante de mí, dice Jehová; y asimismo toda obra de sus manos; y todo lo que aquí ofrecen *es* inmundo.

15 Ahora, pues, considerad *esto* en vuestro corazón desde este día en adelante, antes que pongáis piedra sobre piedra en el templo de Jehová.

16 Antes que fuesen estas cosas, venían al montón de veinte, y había diez; venían al lagar para sacar cincuenta *cántaros* del lagar, y había veinte.

17 Os herí con viento solano, y con tizoncillo, y con granizo en toda obra de vuestras manos; mas no os *convertisteis* a mí, dice Jehová.

18 Considerad, pues, ahora en vuestro corazón desde este día en adelante, desde el día veinticuatro del noveno *mes,* desde el día que se echó el cimiento del templo de Jehová; consideradlo.

19 ¿Todavía está la semilla en el granero? Aunque la vid, la higuera, el granado y el árbol de olivo aún no han florecido; sin embargo desde este día *os* daré bendición.

20 Y vino otra vez palabra de Jehová a Hageo, el día veinticuatro del mes, diciendo:

21 Habla a Zorobabel, gobernador de Judá, diciendo: Yo haré temblar los cielos y la tierra;

22 y trastornaré el trono de los reinos, y destruiré la fuerza del reino de las naciones; y trastornaré el carro, y los que en él suben; y vendrán abajo los caballos, y los que en ellos montan, cada cual por la espada de su hermano.

23 En aquel día, dice Jehová de los ejércitos, te tomaré, oh Zorobabel, hijo de Salatiel, siervo mío, dice Jehová, y te pondré como anillo de sellar; porque yo te escogí, dice Jehová de los ejércitos.

Libro De
ZACARÍAS

CAPÍTULO 1

En el mes octavo, en el año segundo de Darío, vino palabra de Jehová a Zacarías profeta, hijo de Berequías, hijo de Iddo, diciendo:

2 Jehová está muy enojado contra vuestros padres.

3 Por tanto, diles: Así dice Jehová de los ejércitos: Volveos a mí, dice Jehová de los ejércitos, y yo me volveré a vosotros, dice Jehová de los ejércitos.

4 No seáis como vuestros padres, a los cuales hablaron los primeros profetas, diciendo: Así dice Jehová de los ejércitos: Volveos ahora de vuestros malos caminos, y *de* vuestras malas obras; pero no atendieron, ni me escucharon, dice Jehová.

5 Vuestros padres, ¿dónde están? Y los profetas ¿han de vivir para siempre?

6 Pero mis palabras y mis ordenanzas que mandé a mis siervos los profetas, ¿no alcanzaron a vuestros padres? Por eso se volvieron ellos y dijeron: Así como Jehová de los

ejércitos pensó hacer con nosotros conforme a nuestros caminos y conforme a nuestras obras, así ha hecho con nosotros.

7 El día veinticuatro del mes undécimo, que *es* el mes de Sebat, en el año segundo de Darío, vino palabra de Jehová al profeta Zacarías, hijo de Berequías, hijo de Iddo, diciendo:

8 Vi de noche, y he aquí un varón que cabalgaba sobre un caballo alazán, el cual estaba entre los mirtos que *había* en la hondura; y detrás de él *había* caballos alazanes, overos y blancos.

9 Entonces dije: ¿Qué *son* éstos, Señor mío? Y me dijo el Ángel que hablaba conmigo: Yo te enseñaré qué son éstos.

10 Y aquel varón que estaba entre los mirtos respondió, y dijo: Éstos *son* los que Jehová ha enviado a recorrer la tierra.

11 Y ellos respondieron al Ángel de Jehová que estaba entre los mirtos, y dijeron: Hemos recorrido la tierra, y he aquí toda la tierra está reposada y quieta.

12 Y respondió el Ángel de Jehová, y dijo: Oh Jehová de los ejércitos, ¿hasta cuándo no tendrás piedad de Jerusalén, y de las ciudades de Judá, con las cuales has estado indignado estos setenta años?

13 Y Jehová respondió buenas palabras, palabras consoladoras, al Ángel que hablaba conmigo.

14 Y me dijo el Ángel que hablaba conmigo: Clama, diciendo: Así dice Jehová de los ejércitos: Celé a Jerusalén y a Sión con gran celo:

15 Y estoy muy indignado contra las naciones que *están* reposadas; porque *cuando* yo estaba enojado un poco, ellos ayudaron para el mal.

16 Por tanto, así dice Jehová: Yo me he vuelto a Jerusalén con misericordia; en ella será edificada mi casa, dice Jehová de los ejércitos, y el cordel será tendido sobre Jerusalén.

17 Clama aún, diciendo: Así dice Jehová de los ejércitos: Aún serán ensanchadas mis ciudades por la abundancia del bien; y aún consolará Jehová a Sión, y escogerá todavía a Jerusalén.

18 Después alcé mis ojos y miré, y he aquí cuatro cuernos.

19 Y dije al Ángel que hablaba conmigo: ¿Qué *son* éstos? Y me respondió: Éstos *son* los cuernos que dispersaron a Judá, a Israel y a Jerusalén.

20 Me mostró luego Jehová cuatro carpinteros.

21 Y yo dije: ¿Qué vienen a hacer éstos? Y me respondió, diciendo: Éstos *son* los cuernos que dispersaron a Judá, tanto que ninguno alzó su cabeza; mas éstos han venido para hacerlos temblar, para derribar los cuernos de las naciones, que alzaron el cuerno sobre la tierra de Judá para dispersarla.

CAPÍTULO 2

Alcé después mis ojos, y miré y he aquí un varón que tenía en su mano un cordel de medir.

2 Y le dije: ¿A dónde vas? Y Él me respondió: A medir a Jerusalén, para ver cuánta *es su* anchura, y cuánta *su* longitud.

3 Y he aquí, salía aquel Ángel que hablaba conmigo, y otro ángel le salió al encuentro,

4 y le dijo: Corre, habla a este joven, diciendo: Sin muros será habitada Jerusalén a causa de la multitud de hombres y de ganado en medio de ella.

5 Yo seré para ella, dice Jehová, muro de fuego en derredor, y seré la gloria en medio de ella.

6 Eh, eh, huid de la tierra del norte, dice Jehová, pues por los cuatro vientos de los cielos os esparcí, dice Jehová.

7 Oh Sión, la que moras *con* la hija de Babilonia, escápate.

8 Porque así dice Jehová de los ejércitos: Después de la gloria Él me ha enviado a las naciones que os despojaron; porque el que os toca, toca a la niña de su ojo.

9 Porque he aquí yo alzo mi mano sobre ellos, y serán despojo a sus siervos, y sabréis que Jehová de los ejércitos me ha enviado.

10 Canta y alégrate, hija de Sión; porque he aquí vengo, y moraré en medio de ti, dice Jehová.

11 Y muchas naciones se unirán a Jehová en aquel día, y serán mi pueblo; y moraré en medio de ti; y entonces conocerás que Jehová de los ejércitos me ha enviado a ti.

12 Y Jehová poseerá a Judá su heredad en la tierra santa, y escogerá aún a Jerusalén.

13 Calle toda carne delante de Jehová, porque Él se ha levantado de su santa morada.

CAPÍTULO 3

Y me mostró a Josué, el sumo sacerdote, el cual estaba delante del Ángel de Jehová; y Satanás estaba a su mano derecha para acusarle.

2 Y dijo Jehová a Satanás: Jehová te reprenda, oh Satanás; Jehová, que ha escogido a Jerusalén, te reprenda. ¿No es éste un tizón arrebatado del fuego?

3 Y Josué estaba vestido de vestiduras viles, y estaba delante del Ángel.

4 Y habló el *Ángel*, y mandó a los que estaban delante de Él, diciendo: Quitadle esas vestiduras viles. Y a él dijo: Mira que he hecho pasar de ti tu pecado, y te vestiré con ropas de gala.

5 Después dijo: Pongan mitra limpia sobre su cabeza. Y pusieron una mitra limpia sobre su cabeza, y le vistieron las ropas. Y el Ángel de Jehová estaba en pie.

6 Y el Ángel de Jehová amonestó a Josué, diciendo:

7 Así dice Jehová de los ejércitos: Si anduvieres por mis caminos, y si guardares mi ordenanza, también tú gobernarás mi casa, también tú guardarás mis atrios, y entre éstos que aquí están te daré plaza.

8 Escucha pues, ahora, Josué sumo sacerdote, tú, y tus amigos que se sientan delante de ti; porque *son* varones admirables: He aquí, yo traigo a mi siervo, el Renuevo.

9 Porque he aquí aquella piedra que puse delante de Josué; sobre esta única piedra *hay* siete ojos; he aquí, yo grabaré su escultura, dice Jehová de los ejércitos, y quitaré el pecado de la tierra en un día.

10 En aquel día, dice Jehová de los ejércitos, cada uno de vosotros llamará a su compañero debajo de la vid, y debajo de la higuera.

CAPÍTULO 4

Y volvió el Ángel que hablaba conmigo, y me despertó como un hombre que es despertado de su sueño.

2 Y me dijo: ¿Qué ves? Y respondí: He mirado, y he aquí un candelero todo *de* oro, con un tazón sobre la parte superior, y sus siete lámparas encima del candelero; y siete canales para las lámparas que *están* encima de él;

3 Y sobre él dos olivos, uno a la derecha del tazón, y el otro a su izquierda.

4 Proseguí, y hablé a aquel Ángel que hablaba conmigo, diciendo: ¿Qué *es* esto, mi Señor?

5 Y el Ángel que hablaba conmigo respondió, y me dijo: ¿No sabes qué es esto? Y dije: No, mi Señor.

6 Entonces respondió y me habló, diciendo: Ésta es palabra de Jehová a Zorobabel, que dice: No con ejército, ni con fuerza, sino con mi Espíritu, dice Jehová de los ejércitos.

7 ¿Quién *eres* tú, oh gran monte? Delante de Zorobabel *serás* reducido a llanura; él sacará la primera piedra *con* aclamaciones, *diciendo*: Gracia, gracia, a ella.

8 Entonces la palabra de Jehová vino a mí, diciendo:

9 Las manos de Zorobabel echarán el fundamento a esta casa, y sus manos la acabarán; y conocerás que Jehová de los ejércitos me envió a vosotros.

10 Porque los que menospreciaron el día de las pequeñeces se alegrarán, y verán la plomada en la mano de Zorobabel. Estos siete *son* los ojos de Jehová que recorren por toda la tierra.

11 Hablé más, y le dije: ¿Qué significan estos dos olivos a la derecha del candelero, y a su izquierda?

12 Hablé aún de nuevo, y le dije: ¿Qué *significan* las dos ramas de olivo que por medio de dos tubos de oro vierten de sí *aceite* como oro?

13 Y me respondió, diciendo: ¿No sabes qué *es* esto? Y dije: No, mi Señor.

14 Entonces Él dijo: Éstos *son* los dos ungidos que están delante del Señor de toda la tierra.

CAPÍTULO 5

Y me volví, y alcé mis ojos, y miré, y he aquí un rollo que volaba.

2 Y me dijo: ¿Qué ves? Y respondí: Veo un rollo que vuela, de veinte codos de largo, y diez codos de ancho.

3 Me dijo entonces: Ésta es la maldición que sale sobre la faz de toda la tierra; porque todo aquel que hurta será destruido según *lo escrito en* un lado, y todo aquel que jura será destruido según *lo escrito en* el otro lado.

4 Yo la haré salir, dice Jehová de los ejércitos, y vendrá a la casa del ladrón, y a la casa del que jura falsamente en mi nombre; y permanecerá en medio de su casa, y la consumirá, con su madera y sus piedras.

5 Y salió aquel Ángel que hablaba conmigo, y me dijo: Alza ahora tus ojos, y mira qué *es* esto que sale.

6 Y dije: ¿Qué *es*? Y Él dijo: Éste *es* un efa que sale. Además dijo: Ésta es la semejanza de ellos en toda la tierra.

7 Y he aquí, levantaron un talento de plomo, y una mujer estaba sentada en medio de aquel efa.

8 Y Él dijo: Ésta *es* la maldad; y la echó dentro del efa, y echó la masa de plomo en la boca del efa.

9 Alcé luego mis ojos, y miré, y he aquí dos mujeres que salían, y traían viento en sus alas, y tenían alas como de cigüeña, y alzaron el efa entre la tierra y el cielo.

10 Y dije al Ángel que hablaba conmigo: ¿A dónde llevan el efa?

11 Y Él me respondió: Para que le sea edificada casa en tierra de Sinar: y será establecido y puesto allí sobre su base.

CAPÍTULO 6

Y me volví, y alcé mis ojos y miré, y he aquí cuatro carros que salían de entre dos montes; y aquellos montes *eran* montes de bronce.

2 En el primer carro *había* caballos alazanes, y en el segundo carro caballos negros,

3 y en el tercer carro caballos blancos, y en el cuarto carro caballos overos bayos rodados.

4 Respondí entonces, y dije al Ángel que hablaba conmigo: Señor mío, ¿qué *es* esto?

5 Y el Ángel me respondió, y me dijo: Éstos *son* los cuatro espíritus de los cielos, que salen después de presentarse ante el Señor de toda la tierra.

6 Y los caballos negros que estaban allí, salían hacia la tierra del norte; y los blancos salían tras ellos; y los overos salían hacia la tierra del sur.

7 Y los bayos salieron, y se afanaron por ir a recorrer la tierra. Y dijo: Id, recorred la tierra. Y recorrieron la tierra.

8 Luego me llamó, y me habló diciendo: Mira, los que salieron hacia la tierra del norte hicieron reposar mi Espíritu en la tierra del norte.

9 Y vino a mí palabra de Jehová, diciendo:

10 Toma *de los* del cautiverio, de Heldai, y de Tobías, y de Jedaías, los cuales volvieron de Babilonia; y vendrás tú en aquel día, y entrarás en casa de Josías hijo de Sofonías.

11 Tomarás, pues, plata y oro, y harás coronas, y *las* pondrás en la cabeza del sumo sacerdote Josué, hijo de Josadac;

12 y le hablarás, diciendo: Así ha hablado Jehová de los ejércitos, diciendo: He aquí el varón cuyo nombre *es* El Renuevo, el cual brotará de su lugar, y edificará el templo de Jehová:

13 Él edificará el templo de Jehová, y Él llevará gloria y se sentará y regirá en su trono; será sacerdote sobre su trono, y consejo de paz habrá entre ambos.

14 Y Helem, y Tobías, y Jedaías, y Hen, hijo de Sofonías, tendrán coronas por memorial en el templo de Jehová.

15 Y los *que están* lejos vendrán y edificarán en el templo de Jehová, y conoceréis que Jehová de los ejércitos me ha enviado a vosotros. Y *esto* sucederá si con diligencia obedecéis la voz de Jehová vuestro Dios.

CAPÍTULO 7

Y aconteció en el año cuarto del rey Darío, que vino palabra de Jehová a Zacarías a los cuatro *días* del mes noveno, *que es* Quisleu;

2 cuando fue enviado a la casa de Dios, Sarezer, con Regem-melec y sus hombres, a implorar el favor de Jehová,

3 y a hablar a los sacerdotes que *estaban* en la casa de Jehová de los ejércitos, y a los profetas, diciendo: ¿Lloraremos en el mes quinto? ¿Haremos abstinencia como hemos hecho ya algunos años?

4 Entonces vino a mí palabra de Jehová de los ejércitos, diciendo:

5 Habla a todo el pueblo del país, y a los sacerdotes, diciendo: Cuando ayunasteis y llorasteis en el quinto y en el séptimo *mes* estos setenta años, ¿habéis ayunado para mí?

6 Y cuando comisteis y bebisteis, ¿no comisteis y bebisteis para *vosotros mismos*?

7 ¿No *oiréis* las palabras que proclamó Jehová por medio de los profetas primeros, cuando Jerusalén estaba habitada y quieta, y sus ciudades en sus alrededores, y el Neguev y la llanura estaban habitados?

8 Y vino palabra de Jehová a Zacarías, diciendo:

9 Así habló Jehová de los ejércitos, diciendo: Juzgad juicio verdadero, y haced misericordia y piedad cada cual con su hermano:

10 No oprimáis a la viuda, ni al huérfano, ni al extranjero, ni al pobre; ni ninguno piense mal en su corazón contra su hermano.

11 Pero no quisieron escuchar, antes volvieron la espalda, y taparon sus oídos para no oír;

12 y pusieron su corazón *como* diamante, para no oír la ley ni las palabras que Jehová de los ejércitos enviaba por su Espíritu, por medio de los profetas primeros; vino, por tanto, grande ira de parte de Jehová de los ejércitos.

13 Y aconteció *que* como Él clamó, y no escucharon, así ellos clamaron, y yo no escuché, dice Jehová de los ejércitos;

14 antes los esparcí con torbellino por todas las naciones que ellos no conocían, y la tierra fue desolada tras ellos, sin quedar quien fuese ni viniese; pues convirtieron en ruinas la tierra deseable.

CAPÍTULO 8

Y vino *a mí* palabra de Jehová de los ejércitos, diciendo:

2 Así dice Jehová de los ejércitos: Yo he celado a Sión con grande celo, y con grande ira la celé.

3 Así dice Jehová: Yo he retornado a Sión, y moraré en medio de Jerusalén: y Jerusalén se llamará Ciudad de la Verdad, y el monte de Jehová de los ejércitos, Monte de Santidad.

4 Así dice Jehová de los ejércitos: Aún han de morar ancianos y ancianas en las plazas de Jerusalén, y cada cual con bordón en su mano por la multitud de los días.

5 Y las calles de la ciudad se llenarán de muchachos y muchachas que jugarán en sus calles.

6 Así dice Jehová de los ejércitos: Si esto parecerá maravilloso a los ojos del remanente de este pueblo en aquellos días, ¿deberá también ser maravilloso delante de mis ojos? dice Jehová de los ejércitos.

7 Así dice Jehová de los ejércitos: He aquí, yo salvo a mi pueblo de la tierra del oriente, y de la tierra del poniente;

8 Y los traeré, y habitarán en medio de Jerusalén; y ellos serán mi pueblo, y yo seré su Dios en verdad y en justicia.

9 Así dice Jehová de los ejércitos: Fortaleced vuestras manos, vosotros los que oís en estos días estas palabras de la boca de los profetas, desde el día *que* se echó el cimiento de la casa de Jehová de los ejércitos, para edificar el templo.

10 Porque antes de estos días no había paga para el hombre, ni paga para la bestia, ni *había* paz alguna para el que entraba ni para el que salía, a causa de la aflicción; y yo puse a todo hombre, cada cual contra su compañero.

11 Mas ahora no lo haré con el remanente de este pueblo como en los días pasados, dice Jehová de los ejércitos.

12 Porque *habrá* simiente de paz; la vid dará su fruto, y la tierra dará su producto, y los cielos darán su rocío; y haré que el remanente de este pueblo posea todo esto.

13 Y será *que* como fuisteis maldición entre las naciones, oh casa de Judá y casa de Israel, así os salvaré, y seréis bendición. No temáis, mas esfuércense vuestras manos.

14 Porque así dice Jehová de los ejércitos: Como pensé haceros mal cuando vuestros padres me provocaron a ira, dice Jehová de los ejércitos, y no me arrepentí;

15 así otra vez he pensado hacer bien a Jerusalén y a la casa de Judá en estos días. No temáis

16 Éstas *son* las cosas que habéis de hacer: Hablad verdad cada cual con su prójimo; juzgad con verdad y juicio de paz en vuestras puertas.

17 Y ninguno de vosotros piense mal en su corazón contra su prójimo, ni améis juramento falso; porque todas éstas *son cosas* que aborrezco, dice Jehová.

18 Y vino a mí palabra de Jehová de los ejércitos, diciendo:

19 Así dice Jehová de los ejércitos: El ayuno del cuarto *mes*, y el ayuno del quinto, y el ayuno del séptimo, y el ayuno del décimo, se convertirán en gozo y alegría para la casa de Judá, y en fiestas de regocijo. Amad, pues, la verdad y la paz.

20 Así dice Jehová de los ejércitos: Aún vendrán pueblos, y moradores de muchas ciudades.

21 Y vendrán los habitantes de una *ciudad* a otra, y dirán: Vamos a implorar el favor de Jehová, y a buscar a Jehová de los ejércitos. Yo también iré.

22 Y vendrán muchos pueblos y fuertes naciones a buscar a Jehová de los ejércitos en Jerusalén, y a implorar el favor de Jehová.

23 Así dice Jehová de los ejércitos: En aquellos días *acontecerá* que diez hombres de todas las lenguas de las naciones, trabarán del manto de un judío, diciendo: Iremos con vosotros, porque hemos oído que Dios está con vosotros.

CAPÍTULO 9

Carga de la palabra de Jehová contra la tierra de Hadrac, y de Damasco, su reposo; cuando los ojos de los hombres y de todas las tribus de Israel se vuelvan a Jehová.

2 Y también Hamat tendrá término en ella; Tiro y Sidón, aunque muy sabias sean.

3 Bien que Tiro se edificó fortaleza, y amontonó plata como polvo, y oro como lodo de las calles,

4 he aquí, el Señor la empobrecerá, y herirá en el mar su fortaleza, y ella será consumida por el fuego.

5 Ascalón verá, y temerá; Gaza también, y se dolerá en gran manera: asimismo Ecrón, porque su esperanza será confundida; y de Gaza perecerá el rey, y Ascalón no será habitada.

6 Y un bastardo habitará en Asdod, y yo cortaré la soberbia de los filisteos;

7 Y quitaré la sangre de su boca, y sus abominaciones de entre sus dientes, mas el que quedare, aun él *será* para nuestro Dios, y será como capitán en Judá, y Ecrón como el jebuseo.

8 Y yo acamparé junto a mi casa a causa del ejército, a causa del que va y del que viene; y no pasará más sobre ellos el opresor; porque ahora he visto con mis ojos.

9 Alégrate mucho, hija de Sión; da voces de júbilo, hija de Jerusalén; he aquí, tu Rey vendrá a ti; Él *es* justo y salvador; humilde, y cabalgando sobre un asno, sobre un pollino hijo de asna.

10 Y de Efraín destruiré los carros, y los caballos de Jerusalén; y los arcos de guerra serán quebrados; y hablará paz a las naciones; y su señorío *será* de mar a mar, y desde el río hasta los confines de la tierra.

11 Y tú también por la sangre de tu pacto serás salva; yo he sacado a tus presos de la cisterna en la que no *hay* agua.

12 Volveos a la fortaleza, oh prisioneros de esperanza; hoy también os anuncio *que* os restauraré el doble.

13 Porque he entesado para mí a Judá como arco, llené a Efraín; y despertaré tus hijos, oh Sión, contra tus hijos, oh Grecia, y te haré como espada de valiente.

14 Y Jehová será visto sobre ellos, y su saeta saldrá como un relámpago; y Jehová el Señor tocará la trompeta, e irá con torbellinos del sur.

15 Jehová de los ejércitos los defenderá, y ellos devorarán y subyugarán con piedras de la honda, y beberán y harán estrépito como embriagados de vino; y se llenarán como tazones y como las esquinas del altar.

16 Y los salvará en aquel día Jehová su Dios como rebaño de su pueblo; porque ellos *serán* como piedras de corona, enaltecidos como una insignia en su tierra.

17 Porque ¡cuán grande *es* su bondad, y cuán grande su hermosura! El trigo alegrará a los jóvenes, y el vino nuevo a las doncellas.

CAPÍTULO 10

Pedid a Jehová lluvia en la estación tardía: Jehová hará relámpagos, y os dará lluvia abundante, y hierba en el campo a cada uno.

2 Porque las imágenes han hablado vanidad, y los adivinos han visto mentira, y han hablado sueños vanos, en vano consuelan; por eso ellos vagan como ovejas, fueron afligidos porque no *tenían* pastor.

3 Contra los pastores se ha encendido mi enojo, y castigaré a los machos cabríos; mas Jehová de los ejércitos visitará su rebaño, la casa de Judá, y los hará como su caballo de honor en la batalla.

4 De él saldrá la piedra angular, de él la clavija, de él el arco de guerra, de él también todo opresor.

5 Y serán como valientes, que en la batalla pisotean *al enemigo* en el lodo de las calles; y pelearán, porque Jehová *será* con ellos; y los que cabalgan en caballos serán avergonzados.

6 Porque yo fortaleceré la casa de Judá, y guardaré la casa de José; y los volveré a traer porque tendré misericordia de ellos; y serán como si no los hubiera desechado; porque yo soy Jehová su Dios, y los oiré.

7 Y *será* Efraín como valiente, y se alegrará su corazón como por el vino; sus hijos también verán y se alegrarán; su corazón se gozará en Jehová.

8 Yo les silbaré y los reuniré, porque los he redimido; y se multiplicarán como *antes* fueron multiplicados.

9 Y los sembraré entre los pueblos, aun en lejanos países se acordarán de mí; y vivirán con sus hijos, y volverán.

10 Yo los traeré de la tierra de Egipto, y los recogeré de Asiria; y los traeré a la tierra de Galaad y del Líbano, y no les bastará.

11 Y la tribulación pasará por el mar, y en el mar herirá las ondas, y se secarán todas las profundidades del río; y la soberbia de Asiria será derribada, y se perderá el cetro de Egipto.

12 Y yo los fortaleceré en Jehová, y caminarán en su nombre, dice Jehová.

CAPÍTULO 11

Oh Líbano, abre tus puertas, y que el fuego devore tus cedros.

2 Aúlla, oh ciprés, porque el cedro cayó, porque los poderosos son derribados. Aullad, alcornoques de Basán, porque el bosque espeso es derribado.

3 Voz de aullido de pastores, porque su magnificencia es asolada; estruendo de rugidos de cachorros de leones, porque la soberbia del Jordán es destruida.

4 Así dice Jehová mi Dios: Apacienta las ovejas de la matanza;

5 a las cuales matan sus compradores, y no se tienen por culpables; y el que las vende, dice: Bendito *sea* Jehová, porque me he enriquecido; y sus propios pastores no tienen piedad de ellas.

6 Por tanto, no tendré ya más piedad de los moradores de la tierra, dice Jehová; porque he aquí, yo entregaré los hombres, cada cual en mano de su compañero, y en mano de su rey; y herirán la tierra, y yo no *los* libraré de sus manos.

7 Apacentaré, pues, las ovejas de la matanza, *esto es*, a vosotros, los pobres del rebaño. Y tomé para mí dos cayados; al uno puse por nombre Hermosura, y al otro Lazos; y apacenté las ovejas.

8 Y destruí a tres pastores en un mes, y mi alma los detestó, y también el alma de ellos me aborreció a mí.

9 Y dije: No os apacentaré; la que ha de morir, que muera; y la que se ha de perder, que se pierda; y las que quedaren, que cada una coma la carne de su compañera.

10 Tomé *luego* mi cayado Hermosura, y lo quebré, para deshacer mi pacto que concerté con todos los pueblos.

11 Y fue deshecho en ese día, y así conocieron los pobres del rebaño que miraban a mí, que *era* la palabra de Jehová.

12 Y les dije: Si os parece bien, dadme mi salario; y si no, dejadlo. Y pesaron por mi salario treinta *piezas* de plata.

13 Y me dijo Jehová: Échalo al tesoro, ¡hermoso precio con que me han apreciado! Y tomé las treinta *piezas* de plata, y las eché en la casa de Jehová al tesoro.

14 Quebré luego mi segundo cayado, Lazos, para romper la hermandad entre Judá e Israel.

15 Y me dijo Jehová: Toma aún los aperos de un pastor insensato;

16 porque he aquí, yo levanto pastor en la tierra, *que* no visitará las perdidas, no buscará la pequeña, no curará la perniquebrada, ni llevará la cansada a cuestas; sino que comerá la carne de la engordada, y romperá sus pezuñas.

17 ¡Ay del pastor inútil que abandona el rebaño! Espada *caiga* sobre su brazo, y sobre su ojo derecho; del todo se secará su brazo, y su ojo derecho será totalmente oscurecido.

CAPÍTULO 12

Carga de la palabra de Jehová acerca de Israel. Jehová, que extiende los cielos, y funda la tierra, y forma el espíritu del hombre dentro de él, ha dicho:

2 He aquí, yo pongo a Jerusalén por copa de temblor a todos los pueblos de alrededor cuando estén en el sitio contra Judá y contra Jerusalén.

3 Y será en aquel día, que yo pondré a Jerusalén por piedra pesada a todos los pueblos; todos los que se la cargaren serán despedazados, aunque todas las naciones de la tierra se junten contra ella.

4 En aquel día, dice Jehová, heriré con aturdimiento a todo caballo, y con locura al que en él sube; mas sobre la casa de Judá abriré mis ojos, y a todo caballo de los pueblos heriré con ceguera.

5 Y los capitanes de Judá dirán en su corazón: Los habitantes de Jerusalén *serán* mi fortaleza en Jehová de los ejércitos su Dios.

6 En aquel día pondré a los capitanes de Judá como un brasero de fuego entre la leña, y como una tea de fuego en gavillas; y consumirán a derecha y a izquierda a todos los pueblos alrededor: y Jerusalén será otra vez habitada en su lugar, en Jerusalén.

7 Y librará Jehová las tiendas de Judá primero, para que la gloria de la casa de David y la gloria del morador de Jerusalén no se engrandezca sobre Judá.

8 En aquel día Jehová defenderá al morador de Jerusalén: y el que entre ellos fuere débil, en aquel tiempo será como David; y la casa de David *será* como Dios, como el Ángel de Jehová delante de ellos.

9 Y será *que* en aquel día yo procuraré destruir a todas las naciones que vinieren contra Jerusalén.

10 Y derramaré sobre la casa de David y sobre los moradores de Jerusalén el espíritu de gracia y de oración; y mirarán a mí, a quien traspasaron, y harán llanto sobre Él, como llanto sobre unigénito, afligiéndose sobre Él como quien se aflige sobre primogénito.

11 En aquel día habrá gran llanto en Jerusalén, como el llanto de Hadadrimón en el valle de Meguido.

12 Y la tierra lamentará, cada linaje de por sí; el linaje de la casa de David por sí, y sus esposas por sí; el linaje de la casa de Natán por sí, y sus esposas por sí;

13 El linaje de la casa de Leví por sí, y sus esposas por sí; el linaje de Simeí por sí, y sus esposas por sí;

14 todos los linajes que quedaren, cada linaje por sí, y sus esposas por sí.

CAPÍTULO 13

En aquel tiempo habrá un manantial abierto para la casa de David y para los moradores de Jerusalén, para *lavar* el pecado y la inmundicia.

2 Y será en aquel día, dice Jehová de los ejércitos, que borraré de la tierra los nombres de los ídolos, y nunca

más serán recordados; y también quitaré de la tierra a los profetas y al espíritu inmundo.

3 Y será *que* cuando alguno profetizare todavía, su padre y su madre que lo engendraron le dirán: No vivirás, porque has hablado mentira en el nombre de Jehová; y su padre y su madre que lo engendraron, lo traspasarán cuando profetizare.

4 Y será en aquel tiempo, *que* todos los profetas se avergonzarán de su visión cuando profetizaren; y nunca más se vestirán de manto velloso para mentir.

5 Y dirá: No soy profeta; labrador soy de la tierra; porque esto aprendí del hombre desde mi juventud.

6 Y le preguntarán: ¿Qué heridas *son* éstas en tus manos? Y Él responderá: Con ellas fui herido *en* casa de mis amigos.

7 Levántate, oh espada, sobre el pastor, y sobre el hombre compañero mío, dice Jehová de los ejércitos. Hiere al pastor, y se dispersarán las ovejas; y volveré mi mano sobre los pequeñitos.

8 Y acontecerá en toda la tierra, dice Jehová, que dos partes serán cortadas en ella, y perecerán; mas la tercera quedará en ella.

9 Y meteré en el fuego la tercera parte, y los refinaré como se refina la plata, y los probaré como se prueba el oro. Invocarán mi nombre, y yo les oiré, y diré: Pueblo mío; y ellos dirán: Jehová *es* mi Dios.

CAPÍTULO 14

He aquí, el día de Jehová viene, y tus despojos serán repartidos en medio de ti.

2 Porque yo reuniré a todas las naciones en batalla contra Jerusalén; y la ciudad será tomada, y las casas serán saqueadas, y violadas las mujeres; y la mitad de la ciudad irá en cautiverio, mas el resto del pueblo no será cortado de la ciudad.

3 Después saldrá Jehová y peleará contra aquellas naciones, como peleó el día de la batalla.

4 Y se afirmarán sus pies en aquel día sobre el monte de los Olivos, que *está* en frente de Jerusalén al oriente; y el monte de los Olivos se partirá por medio de sí hacia el oriente y hacia el occidente *haciendo* un valle muy grande; y la mitad del monte se apartará hacia el norte, y la otra mitad hacia el sur.

5 Y huiréis al valle de los montes; porque el valle de los montes llegará hasta Azel; y huiréis de la manera que huisteis por causa del terremoto en los días de Uzías, rey de Judá: y vendrá Jehová mi Dios, y todos los santos con Él.

6 Y acontecerá *que* en ese día no habrá luz clara, ni oscura.

7 Y será un día, el cual es conocido de Jehová, que ni será día ni noche; mas acontecerá *que* al tiempo de la tarde habrá luz.

8 Acontecerá también en aquel día, *que* saldrán de Jerusalén aguas vivas; la mitad de ellas hacia el mar oriental, y la otra mitad hacia el mar occidental, en verano y en invierno.

9 Y Jehová será Rey sobre toda la tierra. En aquel día Jehová será uno, y uno su nombre.

10 Y toda la tierra se volverá como llanura desde Geba hasta Rimón al sur de Jerusalén: y ésta será enaltecida, y será habitada en su mismo lugar desde la puerta de Benjamín hasta el lugar de la puerta primera, hasta la puerta del Ángulo; y *desde* la torre de Hananeel hasta los lagares del rey.

11 Y morarán en ella, y no habrá allí más destrucción; sino que Jerusalén será habitada confiadamente.

12 Y ésta será la plaga con que herirá Jehová a todos los pueblos que pelearon contra Jerusalén: la carne de ellos se disolverá estando ellos sobre sus pies, y se consumirán sus ojos en sus cuencas, y su lengua se les deshará en su boca.

13 Y acontecerá en aquel día *que* habrá en ellos gran quebrantamiento de Jehová; y trabará cada uno de la mano de su compañero, y su mano se levantará contra la mano de su compañero.

14 Y Judá también peleará en Jerusalén. Y serán reunidas las riquezas de todas las naciones de

alrededor; oro y plata, y ropa de vestir, en gran abundancia.

15 Y así será la plaga de los caballos, de los mulos, de los camellos, de los asnos, y de todas las bestias que estuvieren en aquellos campamentos, como esta plaga.

16 Y sucederá que todos los *que* quedaren de las naciones que vinieron contra Jerusalén subirán de año en año a adorar al Rey, Jehová de los ejércitos, y a celebrar la fiesta de los tabernáculos.

17 Y acontecerá *que* a los de las familias de la tierra que no subieren a Jerusalén a adorar al Rey, Jehová de los ejércitos, no vendrá sobre ellos lluvia.

18 Y si la familia de Egipto no subiere, y no viniere, sobre ellos no habrá lluvia; vendrá la plaga con que Jehová herirá a las naciones que no subieren a celebrar la fiesta de los tabernáculos.

19 Éste será el castigo de Egipto, y el castigo de todas las naciones que no subieren a celebrar la fiesta de los tabernáculos.

20 En aquel tiempo estará grabado sobre las campanillas de los caballos: SANTIDAD A JEHOVÁ; y las ollas en la casa de Jehová serán como los tazones delante del altar.

21 Y toda olla en Jerusalén y en Judá será santificada a Jehová de los ejércitos; y todos los que sacrificaren, vendrán y tomarán de ellas, y cocerán en ellas; y no habrá más cananeo alguno en la casa de Jehová de los ejércitos en aquel tiempo.

Libro De
MALAQUÍAS

CAPÍTULO 1

Carga de la palabra de Jehová a Israel, por medio de Malaquías.

2 Yo os he amado, dice Jehová: y dijisteis: ¿En qué nos amaste? ¿No *era* Esaú hermano de Jacob? dice Jehová, pero amé a Jacob,

3 y a Esaú aborrecí, y torné sus montes en asolamiento, y su posesión para los dragones del desierto.

4 Aunque Edom dijere: Nos hemos empobrecido, pero volveremos y edificaremos lo arruinado; así dice Jehová de los ejércitos: Ellos edificarán, pero yo destruiré; y les llamarán provincia de Impiedad, y pueblo contra quien Jehová se indignó para siempre.

5 Y vuestros ojos lo verán, y diréis: Sea Jehová engrandecido sobre la provincia de Israel.

6 El hijo honra a *su* padre, y el siervo a su señor. Si, pues, *soy* yo Padre, ¿dónde *está* mi honra? Y si soy Señor, ¿dónde *está* mi temor?, dice Jehová de los ejércitos a vosotros, oh sacerdotes, que menospreciáis mi nombre. Y decís: ¿En qué hemos menospreciado tu nombre?

7 En que ofrecéis sobre mi altar pan inmundo. Y dijisteis: ¿En qué te hemos deshonrado? En que decís: La mesa de Jehová *es* despreciable.

8 Y cuando ofrecéis el *animal* ciego para el sacrificio, ¿no *es* malo? Asimismo cuando ofrecéis el cojo o el enfermo, ¿no *es* malo? Ofrécelo, pues, a tu príncipe; ¿acaso se agradará de ti, o le serás acepto? dice Jehová de los ejércitos.

9 Ahora pues, os pido, rogad que Dios tenga piedad de nosotros (esto de vuestra mano vino). ¿Le seréis agradables? dice Jehová de los ejércitos.

10 ¿Quién también *hay* de vosotros que cierre las puertas o alumbre mi altar de balde? Yo no recibo contentamiento en vosotros, dice Jehová de los ejércitos, ni de vuestra mano aceptaré ofrenda.

11 Porque desde donde el sol nace hasta donde se pone, *será* grande mi nombre entre los gentiles; y en todo lugar se ofrecerá incienso a mi nombre, y ofrenda limpia; porque mi nombre *será* grande entre las naciones, dice Jehová de los ejércitos

12 Y vosotros lo habéis profanado cuando decís: Inmunda *es* la mesa de

Jehová; y cuando hablan que su alimento es despreciable.

13 Además dijisteis: ¡Oh qué fastidio! y lo despreciasteis, dice Jehová de los ejércitos; y trajisteis lo hurtado, o cojo, o enfermo, y presentasteis ofrenda. ¿Aceptaré yo eso de vuestra mano? dice Jehová.

14 Maldito el engañador, que tiene macho en su rebaño, y promete, y sacrifica lo dañado a Jehová; porque yo soy Gran Rey, dice Jehová de los ejércitos, y mi nombre *es* temible entre las naciones.

CAPÍTULO 2

Ahora pues, oh sacerdotes, para vosotros *es* este mandamiento.

2 Si no oyereis, y si no pusiereis en vuestro corazón el dar gloria a mi nombre, dice Jehová de los ejércitos, enviaré maldición sobre vosotros, y maldeciré vuestras bendiciones; y ya las he maldecido, porque no *lo* ponéis en vuestro corazón.

3 He aquí, yo os dañaré vuestra sementera, y arrojaré sobre vuestros rostros el estiércol, el estiércol de vuestras fiestas solemnes, y con él seréis removidos.

4 Y sabréis que yo os envié este mandamiento, para que fuese mi pacto con Leví, dice Jehová de los ejércitos.

5 Mi pacto fue con él de vida y de paz, y estas cosas yo le di *por su* temor; porque me temió, y delante de mi nombre estuvo humillado.

6 La ley de verdad estuvo en su boca, e iniquidad no fue hallada en sus labios; en paz y en justicia anduvo conmigo, y a muchos hizo apartar de la iniquidad.

7 Porque los labios del sacerdote han de guardar la sabiduría, y de su boca buscarán la ley; porque él *es* el mensajero de Jehová de los ejércitos.

8 Mas vosotros os habéis apartado del camino; habéis hecho tropezar a muchos en la ley; habéis corrompido el pacto de Leví, dice Jehová de los ejércitos.

9 Por tanto, yo también os he hecho despreciables y bajos ante todo el pueblo, así como vosotros no habéis guardado mis caminos, y en la ley hacéis acepción de personas.

10 ¿No tenemos todos un mismo padre? ¿No nos ha creado un mismo Dios? ¿Por qué menospreciaremos cada uno a su hermano, quebrantando el pacto de nuestros padres?

11 Prevaricó Judá, y en Israel y en Jerusalén se ha cometido abominación; porque Judá ha profanado la santidad de Jehová, que él amó, y se casó con la hija de un dios extraño.

12 Jehová cortará de las tiendas de Jacob al hombre que hiciere esto, al que vela, y al que responde, y al que ofrece presente a Jehová de los ejércitos.

13 Y esta otra vez haréis cubrir el altar de Jehová de lágrimas, de llanto, y de clamor; así que no miraré más a la ofrenda, para aceptarla con gusto de vuestra mano.

14 Mas diréis: ¿Por qué? Porque Jehová ha sido testigo entre ti y la esposa de tu juventud, contra la cual tú has sido desleal, aun *siendo* ella tu compañera y la esposa de tu pacto.

15 ¿No hizo Él uno, aunque tenía el remanente del espíritu? ¿Y por qué uno? Para que procurara una simiente de Dios. Guardaos, pues, en vuestro espíritu, y no seáis desleales contra la esposa de vuestra juventud.

16 Porque Jehová Dios de Israel dice que Él aborrece el divorcio; y al que cubre la violencia con su vestidura, dice Jehová de los ejércitos. Guardaos, pues, en vuestro espíritu, y no seáis desleales.

17 Habéis cansado a Jehová con vuestras palabras. Y diréis: ¿En qué *le* hemos cansado? Cuando decís: Cualquiera que hace mal agrada a Jehová, y en los tales Él toma contentamiento; de otra manera, ¿dónde *está* el Dios de juicio?

CAPÍTULO 3

He aquí, yo envío mi mensajero, el cual preparará el camino delante de mí; y vendrá repentinamente a su templo el Señor a quien vosotros buscáis, y el mensajero del pacto, a quien deseáis vosotros. He aquí viene, dice Jehová de los ejércitos.

2 ¿Y quién podrá permanecer en el día de su venida? ¿O quién podrá sostenerse en pie cuando Él se

manifieste? Porque Él *es* como fuego purificador, y como jabón de lavadores.

3 Y Él se sentará como refinador y purificador de plata y purificará a los hijos de Leví, y los refinará como a oro y como a plata, para que ofrezcan a Jehová ofrenda en justicia.

4 Entonces será grata a Jehová la ofrenda de Judá y de Jerusalén, como en los días pasados, y como en los años antiguos.

5 Y vendré a vosotros a juicio; y seré pronto testigo contra los hechiceros y adúlteros; y contra los que juran mentira, y los que defraudan en *su* salario al jornalero, a la viuda y al huérfano, y *contra* los que privan *de su derecho* al extranjero, no teniendo temor de mí, dice Jehová de los ejércitos.

6 Porque yo Jehová no cambio; por eso vosotros, hijos de Jacob, no habéis sido consumidos.

7 Desde los días de vuestros padres os habéis apartado de mis leyes, y no *las* guardasteis. Volveos a mí, y yo me volveré a vosotros, dice Jehová de los ejércitos. Mas dijisteis: ¿En qué nos hemos de volver?

8 ¿Robará el hombre a Dios? Pues vosotros me habéis robado. Y dijisteis: ¿En qué te hemos robado? En los diezmos y las ofrendas.

9 Malditos *sois* con maldición, porque vosotros, la nación toda, me habéis robado.

10 Traed todos los diezmos al alfolí, y haya alimento en mi casa; y probadme ahora en esto, dice Jehová de los ejércitos, si no os abriré las ventanas de los cielos, y derramaré sobre vosotros bendición hasta que sobreabunde.

11 Reprenderé también por vosotros al devorador, y no os destruirá el fruto de vuestra tierra; ni vuestra vid en el campo abortará, dice Jehová de los ejércitos.

12 Y todas las naciones os dirán bienaventurados; porque seréis tierra deseable, dice Jehová de los ejércitos.

13 Vuestras palabras han sido duras contra mí, dice Jehová. Y todavía decís: ¿Qué hemos hablado contra ti?

14 Habéis dicho: Por demás *es* servir a Dios; ¿y qué aprovecha que guardemos su ley, y que andemos tristes delante de Jehová de los ejércitos?

15 Decimos, pues, ahora, que son bienaventurados los soberbios, y también que los obreros de iniquidad son los prosperados; y aunque tentaron a Dios, escaparon.

16 Entonces los que temen a Jehová hablaron cada uno a su compañero; y Jehová escuchó y oyó, y fue escrito libro de memoria delante de Él para los que temen a Jehová, y para los que piensan en su nombre.

17 Y ellos serán míos, dice Jehová de los ejércitos, en el día que yo prepare mi especial tesoro; y los perdonaré como un hombre perdona a su hijo que le sirve.

18 Entonces os volveréis, y discerniréis la diferencia entre el justo y el impío, entre el que sirve a Dios y el que no le sirve.

CAPÍTULO 4

Porque he aquí, viene el día ardiente como un horno; y todos los soberbios, y todos los que hacen maldad, serán estopa; y aquel día vendrá y los abrasará, dice Jehová de los ejércitos, el cual no les dejará ni raíz ni rama.

2 Mas para vosotros los que teméis mi nombre, nacerá el Sol de Justicia, y en sus alas traerá salvación; y saldréis, y saltaréis como becerros de la manada.

3 Y hollaréis a los malos, los cuales serán ceniza bajo las plantas de vuestros pies, en el día en que yo haré esto, dice Jehová de los ejércitos.

4 Acordaos de la ley de Moisés mi siervo, al cual encargué en Horeb ordenanzas y leyes para todo Israel.

5 He aquí, yo os envío a Elías el profeta, antes que venga el día de Jehová grande y terrible.

6 Él convertirá el corazón de los padres hacia los hijos, y el corazón de los hijos hacia los padres; no sea que yo venga y hiera la tierra con maldición.

FIN DEL ANTIGUO TESTAMENTO

NUEVO TESTAMENTO
DE NUESTRO SEÑOR JESUCRISTO

CONCORDANCIA TEMÁTICA

El Santo Evangelio según
MATEO

CAPÍTULO 1

El libro de la generación de Jesucristo, hijo de David, hijo de Abraham.

2 Abraham engendró a Isaac; e Isaac engendró a Jacob; y Jacob engendró a Judá y a sus hermanos;

3 y Judá engendró de Tamar a Fares y a Zara: Y Fares engendró a Esrom, y Esrom engendró a Aram;

4 y Aram engendró a Aminadab; y Aminadab engendró a Naasón; y Naasón engendró a Salmón;

5 y Salmón engendró de Rahab a Boaz; y Boaz engendró a Obed de Ruth; y Obed engendró a Isaí;

6 e Isaí engendró al rey David; y el rey David engendró a Salomón de la *que fue esposa* de Urías,

7 y Salomón engendró a Roboam; y Roboam engendró a Abías; y Abías engendró a Asa;

8 y Asa engendró a Josafat; y Josafat engendró a Joram; y Joram engendró a Ozías;

9 y Ozías engendró a Jotam; y Jotam engendró a Acaz; y Acaz engendró a Ezequías;

10 y Ezequías engendró a Manasés; y Manasés engendró a Amón; y Amón engendró a Josías;

11 y Josías engendró a Jeconías y a sus hermanos, en el tiempo en que fueron expatriados a Babilonia.

12 Y después que fueron traídos a Babilonia, Jeconías engendró a Salatiel; y Salatiel engendró a Zorobabel;

13 y Zorobabel engendró a Abiud; y Abiud engendró a Eliaquim; y Eliaquim engendró a Azor;

14 y Azor engendró a Sadoc; y Sadoc engendró a Aquim; y Aquim engendró a Eliud;

15 y Eliud engendró a Eleazar; y Eleazar engendró a Matán; y Matán engendró a Jacob;

16 y Jacob engendró a José, esposo de María, de la cual nació Jesús, quien es llamado Cristo.

17 De manera que todas las generaciones desde Abraham hasta David *son* catorce generaciones; y de David hasta la expatriación a Babilonia *son* catorce generaciones; y desde la expatriación a Babilonia hasta Cristo *son* catorce generaciones.

18 El nacimiento de Jesucristo fue así: Estando María su madre desposada con José, antes que se juntasen, se halló que había concebido del Espíritu Santo,

19 y José su marido, como era un *hombre* justo y no quería infamarla, quiso dejarla secretamente.

20 Y pensando él en esto, he aquí el ángel del Señor le apareció en en sueño, diciendo: José hijo de David, no temas recibir a María tu esposa, porque lo que en ella es engendrado, del Espíritu Santo es.

21 Y dará a luz un hijo, y llamarás su nombre JESÚS; porque Él salvará a su pueblo de sus pecados.

22 Todo esto aconteció para que se cumpliese lo que fue dicho del Señor, por el profeta que dijo:

23 He aquí una virgen concebirá y dará a luz un hijo, y llamarás su nombre Emmanuel, que interpretado es: Dios con nosotros.

24 Y despertando José del sueño, hizo como el ángel del Señor le había mandado, y recibió a su esposa,

25 pero no la conoció hasta que dio a luz a su hijo primogénito; y llamó su nombre JESÚS.

CAPÍTULO 2

Y cuando Jesús nació en Belén de Judea en días del rey Herodes, he aquí unos hombres sabios del oriente vinieron a Jerusalén,

2 diciendo: ¿Dónde está el Rey de los judíos, que ha nacido? Porque su estrella hemos visto en el oriente, y venimos a adorarle.

3 Oyendo *esto* el rey Herodes, se turbó, y toda Jerusalén con él.

4 Y convocando a todos los príncipes de los sacerdotes, y a los escribas del pueblo, les preguntó dónde había de nacer el Cristo;

5 y ellos le dijeron: En Belén de Judea; porque así está escrito por el profeta:

6 Y tú Belén, de la tierra de Judá, no eres la más pequeña entre los príncipes de Judá; porque de ti saldrá un Guiador, que apacentará a mi pueblo Israel.

7 Entonces Herodes, llamando en secreto a los sabios, inquirió de ellos diligentemente el tiempo de la aparición de la estrella;

8 y enviándolos a Belén, dijo: Id y preguntad con diligencia por el niño; y cuando *le* hubiereis hallado, hacédmelo saber, para que yo también vaya y le adore.

9 Y ellos, habiendo oído al rey, se fueron; y he aquí la estrella que habían visto en el oriente iba delante de ellos, hasta que llegando, se detuvo sobre donde estaba el niño.

10 Y al ver la estrella, se regocijaron con muy grande gozo.

11 Y entrando en la casa, vieron al niño con María su madre, y postrándose lo adoraron; y abriendo sus tesoros, le ofrecieron dones, oro, incienso y mirra.

12 Y siendo avisados por Dios en un sueño que no volviesen a Herodes, se volvieron a su tierra por otro camino.

13 Y habiendo ellos partido, he aquí el ángel del Señor apareció en un sueño a José, diciendo: Levántate, toma al niño y a su madre, y huye a Egipto, y quédate allá hasta que yo te diga; porque Herodes buscará al niño para matarlo.

14 Y despertando él, tomó de noche al niño y a su madre y se fue a Egipto;

15 y estuvo allá hasta la muerte de Herodes; para que se cumpliese lo que dijo el Señor por medio del profeta, diciendo: De Egipto llamé a mi Hijo.

16 Herodes entonces, al verse burlado de los sabios, se llenó de ira, y mandó matar a todos los niños de dos años para abajo que había en Belén y en todos sus alrededores, conforme al tiempo que había inquirido de los sabios.

17 Entonces se cumplió lo que fue dicho por el profeta Jeremías, que dijo:

18 Voz fue oída en Ramá, lamentación, lloro y gemido grande, Raquel que llora a sus hijos, y no quiso ser consolada, porque perecieron.

19 Y muerto Herodes, he aquí un ángel del Señor apareció en un sueño a José en Egipto,

20 diciendo: Levántate, toma al niño y a su madre, y vete a la tierra de Israel, porque han muerto los que procuraban la muerte del niño.

21 Entonces él se levantó, y tomó al niño y a su madre, y vino a tierra de Israel.

22 Pero cuando oyó que Arquelao reinaba en Judea en lugar de Herodes su padre, tuvo temor de ir allá. Y siendo avisado por Dios en un sueño, se fue a la región de Galilea,

23 y vino y habitó en la ciudad que se llama Nazaret; para que se cumpliese lo dicho por los profetas, que habría de ser llamado nazareno.

CAPÍTULO 3

En aquellos días vino Juan el Bautista predicando en el desierto de Judea,

2 y diciendo: Arrepentíos, porque el reino de los cielos se ha acercado.

3 Porque éste es aquél de quien habló el profeta Isaías, diciendo: Voz del que clama en el desierto: Preparad el camino del Señor: Enderezad sus sendas.

4 Y Juan mismo tenía su vestidura de pelo de camello, y un cinto de cuero alrededor de sus lomos; y su comida era langostas y miel silvestre.

5 Entonces salía a él Jerusalén, y toda Judea, y toda la región de alrededor del Jordán;

6 y eran bautizados por él en el Jordán, confesando sus pecados.

7 Pero cuando vio que muchos de los fariseos y de los saduceos venían a su bautismo, les dijo: Generación de víboras, ¿quién os enseñó a huir de la ira que vendrá?

8 Haced, pues, frutos dignos de arrepentimiento,

9 y no penséis decir dentro de vosotros mismos: A Abraham

tenemos por padre; porque yo os digo que Dios puede levantar hijos a Abraham aun de estas piedras.

10 Y ya también el hacha está puesta a la raíz de los árboles; por tanto, todo árbol que no da buen fruto es cortado y echado en el fuego.

11 Yo a la verdad os bautizo en agua para arrepentimiento; mas el que viene tras mí, es más poderoso que yo; cuyo calzado no soy digno de llevar; Él os bautizará con el Espíritu Santo, y con fuego.

12 Su aventador está en su mano, y limpiará su era; y recogerá su trigo en el granero, y quemará la paja en fuego que nunca se apagará.

13 Entonces Jesús vino de Galilea a Juan al Jordán, para ser bautizado por él.

14 Pero Juan le resistía, diciendo: Yo necesito ser bautizado por ti, ¿y tú vienes a mí?

15 Pero Jesús respondió, y le dijo: Deja ahora; porque nos es preciso cumplir así toda justicia. Entonces le dejó.

16 Y Jesús, después que fue bautizado, subió luego del agua; y he aquí los cielos le fueron abiertos, y vio al Espíritu de Dios que descendía como paloma, y venía sobre Él.

17 Y he aquí una voz del cielo que decía: Éste es mi Hijo amado, en quien tengo contentamiento.

CAPÍTULO 4

Entonces Jesús fue llevado por el Espíritu al desierto, para ser tentado por el diablo.

2 Y después que hubo ayunado cuarenta días y cuarenta noches, tuvo hambre.

3 Y vino a Él el tentador, y le dijo: Si eres el Hijo de Dios, di que estas piedras se conviertan en pan.

4 Pero Él respondió y dijo: Escrito está: No sólo de pan vivirá el hombre, sino de toda palabra que sale de la boca de Dios.

5 Entonces el diablo lo llevó a la santa ciudad, y lo puso sobre el pináculo del templo,

6 y le dijo: Si eres el Hijo de Dios, échate abajo; porque escrito está: A sus ángeles mandará acerca de ti, y

en sus manos te sostendrán para que no tropieces con tu pie en piedra.

7 Jesús le dijo: Escrito está también: No tentarás al Señor tu Dios.

8 Otra vez el diablo lo llevó a un monte muy alto, y le mostró todos los reinos del mundo, y la gloria de ellos,

9 y le dijo: Todo esto te daré, si postrado me adorares.

10 Entonces Jesús le dijo: Vete, Satanás, porque escrito está: Al Señor tu Dios adorarás, y a Él sólo servirás.

11 Entonces el diablo le dejó, y he aquí, ángeles vinieron y le servían.

12 Y cuando Jesús oyó que Juan había sido encarcelado, se fue a Galilea;

13 y dejando Nazaret, vino y habitó en Capernaúm, ciudad marítima, en los confines de Zabulón y Neftalí;

14 para que se cumpliese lo dicho por el profeta Isaías, que dijo:

15 Tierra de Zabulón y tierra de Neftalí, camino del mar, al otro lado del Jordán, Galilea de los gentiles;

16 El pueblo asentado en tinieblas vio gran luz; y a los asentados en región y sombra de muerte, luz les resplandeció.

17 Desde entonces comenzó Jesús a predicar, y a decir: Arrepentíos, porque el reino de los cielos se ha acercado.

18 Y andando Jesús junto al mar de Galilea, vio a dos hermanos, Simón, llamado Pedro, y Andrés su hermano, que echaban la red en el mar; porque eran pescadores.

19 Y les dijo: Venid en pos de mí, y yo os haré pescadores de hombres.

20 Ellos entonces, dejando luego las redes, le siguieron.

21 Y pasando de allí, vio a otros dos hermanos, Jacobo hijo de Zebedeo, y Juan su hermano, en la barca con Zebedeo su padre, que remendaban sus redes; y los llamó.

22 Y ellos, dejando luego la barca y a su padre, le siguieron.

23 Y recorría Jesús toda Galilea, enseñando en las sinagogas de ellos, y predicando el evangelio del reino, y sanando toda enfermedad y toda dolencia en el pueblo.

24 Y corrió su fama por toda Siria. Y le traían a todos los enfermos que eran tomados de diversas

enfermedades y tormentos; los endemoniados, los lunáticos y los paralíticos; y los sanaba.

25 Y le seguían grandes multitudes de Galilea, *de* Decápolis, *de* Jerusalén, *de* Judea y *del* otro lado del Jordán.

CAPÍTULO 5

Y viendo las multitudes, subió al monte; y sentándose, sus discípulos vinieron a Él.

2 Y abriendo su boca, les enseñaba, diciendo:

3 Bienaventurados los pobres en espíritu; porque de ellos es el reino de los cielos.

4 Bienaventurados los que lloran; porque ellos serán consolados.

5 Bienaventurados los mansos; porque ellos heredarán la tierra.

6 Bienaventurados los que tienen hambre y sed de justicia; porque ellos serán saciados.

7 Bienaventurados los misericordiosos; porque ellos alcanzarán misericordia.

8 Bienaventurados los de limpio corazón; porque ellos verán a Dios.

9 Bienaventurados los pacificadores; porque ellos serán llamados hijos de Dios.

10 Bienaventurados los que padecen persecución por causa de la justicia; porque de ellos es el reino de los cielos.

11 Bienaventurados sois cuando por mi causa os vituperen y os persigan, y digan toda clase de mal contra vosotros, mintiendo.

12 Regocijaos y alegraos; porque vuestro galardón es grande en el cielo; porque así persiguieron a los profetas que fueron antes de vosotros.

13 Vosotros sois la sal de la tierra; pero si la sal pierde su sabor, ¿con qué será salada? No sirve más para nada, sino para ser echada fuera y ser hollada por los hombres.

14 Vosotros sois la luz del mundo. Una ciudad asentada sobre un monte no se puede esconder.

15 Ni se enciende un candil y se pone debajo del almud, sino sobre el candelero, y alumbra a todos los que están en casa.

16 Así alumbre vuestra luz delante de los hombres, para que vean vuestras buenas obras, y glorifiquen a vuestro Padre que está en el cielo.

17 No penséis que he venido para abrogar la ley o los profetas; no he venido para abrogar, sino para cumplir.

18 Porque de cierto os digo *que* hasta que pasen el cielo y la tierra, ni una jota ni una tilde pasará de la ley, hasta que todo sea cumplido.

19 De manera que cualquiera que quebrantare uno de estos mandamientos muy pequeños, y así enseñare a los hombres, muy pequeño será llamado en el reino de los cielos; mas cualquiera que *los* hiciere y enseñare, éste será llamado grande en el reino de los cielos.

20 Porque os digo que si vuestra justicia no fuere mayor que la de los escribas y fariseos, no entraréis en el reino de los cielos.

21 Oísteis que fue dicho por los antiguos: No matarás; y cualquiera que matare estará expuesto a juicio.

22 Mas yo os digo que cualquiera que sin razón se enojare contra su hermano, estará en peligro del juicio; y cualquiera que dijere a su hermano: Raca, estará en peligro del concilio; y cualquiera que le dijere: Fatuo, estará expuesto al infierno de fuego.

23 Por tanto, si trajeres tu ofrenda al altar, y allí te acordares que tu hermano tiene algo contra ti;

24 deja allí tu ofrenda delante del altar, y ve, reconcíliate primero con tu hermano, y entonces ven y presenta tu ofrenda.

25 Ponte de acuerdo pronto con tu adversario, mientras estás con él en el camino, no sea que el adversario te entregue al juez, y el juez te entregue al alguacil, y seas echado en la cárcel.

26 De cierto te digo que no saldrás de allí, hasta que pagues el último cuadrante.

27 Oísteis que fue dicho por los antiguos: No cometerás adulterio.

28 Pero yo os digo que cualquiera que mira a una mujer para codiciarla, ya adulteró con ella en su corazón.

29 Por tanto, si tu ojo derecho te es ocasión de caer, sácalo, y échalo de

ti; pues mejor te es que se pierda uno de tus miembros, y no que todo tu cuerpo sea lanzado al infierno.

30 Y si tu mano derecha te es ocasión de caer, córtala, y échala de ti; pues mejor te es que uno de tus miembros se pierda, y no que todo tu cuerpo sea lanzado al infierno.

31 También fue dicho: Cualquiera que repudiare a su esposa, déle carta de divorcio.

32 Pero yo os digo que cualquiera que repudiare a su esposa, salvo por causa de fornicación, hace que ella adultere; y el que se casa con la divorciada, comete adulterio.

33 Además, oísteis que fue dicho por los antiguos: No perjurarás; mas cumplirás al Señor tus juramentos.

34 Pero yo os digo: No juréis en ninguna manera; ni por el cielo, porque es el trono de Dios;

35 ni por la tierra, porque es el estrado de sus pies; ni por Jerusalén, porque es la ciudad del gran Rey.

36 Ni por tu cabeza jurarás, porque no puedes hacer blanco o negro un solo cabello.

37 Mas sea vuestro hablar: Sí, sí: No, no; porque lo que es más de esto, de mal procede.

38 Oísteis que fue dicho: Ojo por ojo, y diente por diente.

39 Pero yo os digo: No resistáis el mal; antes a cualquiera que te hiera en la mejilla derecha, vuélvele también la otra;

40 y a cualquiera que te demande ante la ley y tome tu túnica, déjale tomar también la capa;

41 y cualquiera que te obligue a ir una milla, ve con él dos.

42 Al que te pida, dale; y al que quiera tomar de ti prestado, no le rehúses.

43 Oísteis que fue dicho: Amarás a tu prójimo, y aborrecerás a tu enemigo.

44 Pero yo os digo: Amad a vuestros enemigos, bendecid a los que os maldicen, haced bien a los que os aborrecen, y orad por los que os ultrajan y os persiguen;

45 para que seáis hijos de vuestro Padre que está en el cielo; porque Él hace que su sol salga sobre malos y buenos; y envía lluvia sobre justos e injustos.

46 Porque si amáis a los que os aman, ¿qué recompensa tendréis? ¿No hacen también así los publicanos?

47 Y si saludáis solamente a vuestros hermanos, ¿qué hacéis de más? ¿No hacen también así los publicanos?

48 Sed, pues, vosotros perfectos, como vuestro Padre que está en el cielo es perfecto.

CAPÍTULO 6

Mirad que no hagáis vuestras limosnas delante de los hombres, para ser vistos de ellos; de otra manera no tenéis recompensa de vuestro Padre que está en el cielo.

2 Cuando, pues, des limosna, no hagas tocar trompeta delante de ti, como hacen los hipócritas en las sinagogas y en las calles, para ser alabados de los hombres; de cierto os digo: *Ya* tienen su recompensa.

3 Mas cuando tú des limosna, no sepa tu mano izquierda lo que hace tu mano derecha.

4 Que tu limosna sea en secreto, y tu Padre que ve en lo secreto, Él te recompensará en público.

5 Y cuando ores, no seas como los hipócritas; porque ellos aman el orar en pie en las sinagogas y en las esquinas de las calles, para ser vistos de los hombres. De cierto os digo: *Ya* tienen su recompensa.

6 Mas tú, cuando ores, entra en tu alcoba, y cerrada tu puerta ora a tu Padre que está en secreto; y tu Padre que ve en lo secreto, te recompensará en público.

7 Y cuando ores, no uses vanas repeticiones, como hacen los gentiles; que piensan que por su palabrería serán oídos.

8 No seáis, pues, semejantes a ellos; porque vuestro Padre sabe de qué cosas tenéis necesidad, antes que vosotros le pidáis.

9 Vosotros, pues, oraréis así: Padre nuestro que estás en el cielo, santificado sea tu nombre.

10 Venga tu reino. Hágase tu voluntad, así en la tierra como en el cielo.

11 El pan nuestro de cada día, dánoslo hoy.

12 Y perdónanos nuestras deudas, como también nosotros perdonamos a nuestros deudores.

13 Y no nos metas en tentación, mas líbranos del mal; porque tuyo es el reino, y el poder, y la gloria, por siempre. Amén.

14 Porque si perdonáis a los hombres sus ofensas, vuestro Padre celestial también os perdonará a vosotros.

15 Mas si no perdonáis a los hombres sus ofensas, tampoco vuestro Padre os perdonará vuestras ofensas.

16 Y cuando ayunéis, no seáis austeros, como los hipócritas; porque ellos demudan sus rostros para parecer a los hombres que ayunan. De cierto os digo que *ya* tienen su recompensa.

17 Pero tú, cuando ayunes, unge tu cabeza y lava tu rostro;

18 para no parecer a los hombres que ayunas, sino a tu Padre que está en secreto; y tu Padre que ve en lo secreto, te recompensará en público.

19 No os hagáis tesoros en la tierra, donde la polilla y el orín corrompen, y donde ladrones minan y hurtan.

20 Mas haceos tesoros en el cielo, donde ni la polilla, ni el orín corrompen, y donde ladrones no minan ni hurtan.

21 Porque donde esté vuestro tesoro, allí estará también vuestro corazón.

22 La lámpara del cuerpo es el ojo; así que, si tu ojo fuere sincero, todo tu cuerpo estará lleno de luz.

23 Mas si tu ojo fuere maligno, todo tu cuerpo estará en oscuridad. Así que, si la luz que hay en ti es tinieblas, ¿cuánto más lo *serán* las mismas tinieblas?

24 Ninguno puede servir a dos señores; porque o aborrecerá al uno, y amará al otro; o apreciará al uno, y menospreciará al otro. No podéis servir a Dios y a las riquezas.

25 Por tanto os digo: No os afanéis por vuestra vida, qué habéis de comer, o qué habéis de beber; ni por vuestro cuerpo, qué habéis de vestir. ¿No es la vida más que el alimento, y el cuerpo *más* que el vestido?

26 Mirad las aves del cielo, que no siembran, ni siegan, ni recogen en graneros; y vuestro Padre celestial las alimenta. ¿No sois vosotros mucho mejores que ellas?

27 ¿Y quién de vosotros podrá, por mucho que se afane, añadir a su estatura un codo?

28 Y por el vestido, ¿por qué os afanáis? Considerad los lirios del campo, cómo crecen; no trabajan ni hilan;

29 pero os digo, que ni aun Salomón con toda su gloria se vistió como uno de ellos.

30 Y si a la hierba del campo que hoy es, y mañana es echada en el horno, Dios la viste así, ¿no *hará* mucho más por vosotros, hombres de poca fe?

31 Por tanto, no os afanéis, diciendo: ¿Qué comeremos, o qué beberemos, o qué vestiremos?

32 Porque los gentiles buscan todas estas cosas; mas vuestro Padre celestial sabe que tenéis necesidad de todas estas cosas.

33 Mas buscad primeramente el reino de Dios y su justicia, y todas estas cosas os serán añadidas.

34 Así que, no os afanéis por el mañana, que el mañana traerá su afán. Bástele al día su propio mal.

CAPÍTULO 7

No juzguéis, para que no seáis juzgados.

2 Porque con el juicio con que juzgáis, seréis juzgados, y con la medida con que medís, os volverán a medir.

3 ¿Y por qué miras la paja que está en el ojo de tu hermano, pero no consideras la viga que está en tu propio ojo?

4 ¿O cómo dirás a tu hermano: Déjame sacar la paja de tu ojo, y he aquí, *hay* una viga en tu propio ojo?

5 ¡Hipócrita! saca primero la viga de tu propio ojo, entonces mirarás claramente para sacar la paja del ojo de tu hermano.

6 No deis lo santo a los perros; ni echéis vuestras perlas delante de los puercos, no sea que las pisoteen, y se vuelvan y os despedacen.

7 Pedid, y se os dará; buscad, y hallaréis; llamad, y se os abrirá.

8 Porque todo aquel que pide, recibe; y el que busca, halla; y al que llama, se le abrirá.

9 ¿Y qué hombre hay de vosotros, a quien si su hijo le pide pan, le dará una piedra?

10 ¿O si le pide un pez, le dará una serpiente?

11 Pues si vosotros, siendo malos, sabéis dar buenas dádivas a vuestros hijos, ¿cuánto más vuestro Padre que está en el cielo dará buenas cosas a los que le pidan?

12 Así que, todas las cosas que queráis que los hombres os hagan, así también haced vosotros a ellos; porque esto es la ley y los profetas.

13 Entrad por la puerta estrecha; porque ancha *es* la puerta, y espacioso el camino que lleva a la perdición y muchos son los que entran por ella.

14 Porque estrecha *es* la puerta, y angosto el camino que lleva a la vida, y pocos son los que la hallan.

15 Guardaos de los falsos profetas, que vienen a vosotros vestidos de ovejas, pero por dentro son lobos rapaces.

16 Por sus frutos los conoceréis. ¿Se recogen uvas de los espinos, o higos de los abrojos?

17 Así todo buen árbol da buenos frutos, mas el árbol malo da malos frutos.

18 El árbol bueno no puede dar frutos malos, ni el árbol malo dar frutos buenos.

19 Todo árbol que no da buen fruto es cortado y echado en el fuego.

20 Así que, por sus frutos los conoceréis.

21 No todo el que me dice: Señor, Señor, entrará en el reino de los cielos, sino el que hace la voluntad de mi Padre que está en el cielo.

22 Muchos me dirán en aquel día: Señor, Señor, ¿no profetizamos en tu nombre, y en tu nombre echamos fuera demonios, y en tu nombre hicimos muchos milagros?

23 Y entonces les protestaré: Nunca os conocí; apartaos de mí, obradores de maldad.

24 Cualquiera, pues, que oye estas mis palabras, y las hace, le compararé a un hombre prudente, que edificó su casa sobre la roca.

25 Y descendió lluvia, y vinieron ríos, y soplaron vientos, y golpearon contra aquella casa; y no cayó, porque estaba fundada sobre la roca.

26 Y todo el que oye estas mis palabras y no las hace, será comparado al hombre insensato, que edificó su casa sobre la arena;

27 y descendió lluvia, y vinieron ríos, y soplaron vientos, y dieron con ímpetu contra aquella casa; y cayó; y fue grande su ruina.

28 Y fue que, cuando Jesús hubo acabado estas palabras, la gente se maravillaba de su doctrina;

29 porque les enseñaba como quien tiene autoridad, y no como los escribas.

CAPÍTULO 8

Y cuando Él descendió del monte, grandes multitudes le seguían.

2 Y he aquí vino un leproso y le adoraba, diciendo: Señor, si quieres, puedes limpiarme.

3 Y Jesús extendiendo *su* mano le tocó, diciendo: Quiero; sé limpio. Y al instante quedó limpio de su lepra.

4 Entonces Jesús le dijo: Mira, no lo digas a nadie; mas ve, muéstrate al sacerdote, y ofrece el presente que mandó Moisés, para testimonio a ellos.

5 Y entrando Jesús en Capernaúm, vino a Él un centurión, rogándole,

6 y diciendo: Señor, mi siervo está postrado en casa, paralítico, gravemente atormentado.

7 Y Jesús le dijo: Yo iré y le sanaré.

8 Respondió el centurión y dijo: Señor, no soy digno de que entres bajo mi techo; mas solamente di la palabra, y mi siervo sanará.

9 Porque también yo soy hombre bajo autoridad, y tengo soldados bajo mi cargo; y digo a éste: Ve, y va; y a otro: Ven, y viene; y a mi siervo: Haz esto, y lo hace.

10 Y oyéndolo Jesús, se maravilló, y dijo a los que le seguían: De cierto os digo, que ni aun en Israel he hallado tanta fe.

11 Y os digo que vendrán muchos del oriente y del occidente, y se sentarán con Abraham e Isaac y Jacob en el reino de los cielos.

12 Mas los hijos del reino serán echados a las tinieblas de afuera; allí será el lloro y el crujir de dientes.

13 Entonces Jesús dijo al centurión: Ve, y como creíste te sea hecho. Y su siervo fue sano en aquella misma hora.

14 Y vino Jesús a casa de Pedro, y vio a la suegra de éste, postrada, y con fiebre.

15 Y tocó su mano, y la fiebre la dejó; y ella se levantó, y les servía.

16 Y caída la tarde, trajeron a Él muchos endemoniados; y con *su* palabra echó fuera a los espíritus, y sanó a todos los que estaban enfermos;

17 para que se cumpliese lo que fue dicho por el profeta Isaías, cuando dijo: Él mismo tomó nuestras enfermedades, y llevó *nuestras* dolencias.

18 Y viendo Jesús a una gran multitud alrededor de sí, mandó que pasasen al otro lado.

19 Y cierto escriba vino y le dijo: Maestro, te seguiré adondequiera que vayas.

20 Y Jesús le dijo: Las zorras tienen guaridas, y las aves del cielo nidos; mas el Hijo del Hombre no tiene donde recostar *su* cabeza.

21 Y otro de sus discípulos le dijo: Señor, permíteme que vaya primero y entierre a mi padre.

22 Pero Jesús le dijo: Sígueme; y deja que los muertos entierren a sus muertos.

23 Y cuando Él hubo entrado en una barca, sus discípulos le siguieron.

24 Y he aquí que se levantó en el mar una tempestad tan grande que las olas cubrían la barca; mas Él dormía.

25 Y vinieron sus discípulos y le despertaron, diciendo: Señor, sálvanos, *que* perecemos.

26 Y Él les dijo: ¿Por qué teméis, hombres de poca fe? Entonces, levantándose, reprendió a los vientos y al mar, y se hizo grande bonanza.

27 Y los hombres se maravillaron, diciendo: ¿Qué clase de hombre es Éste, que aun los vientos y el mar le obedecen?

28 Y cuando Él llegó a la otra ribera, a la región de los gergesenos, vinieron a su encuentro dos endemoniados que salían de los sepulcros, fieros en gran manera, tanto que nadie podía pasar por aquel camino.

29 Y he aquí, clamaron diciendo: ¿Qué tenemos que ver contigo, Jesús, Hijo de Dios? ¿Has venido acá para atormentarnos antes de tiempo?

30 Y lejos de ellos, estaba paciendo un hato de muchos puercos.

31 Y los demonios le rogaron diciendo: Si nos echas fuera, permítenos ir a aquel hato de puercos.

32 Y *Él* les dijo: Id. Y ellos saliendo, se fueron a aquel hato de puercos; y he aquí, todo el hato de puercos se precipitó en el mar por un despeñadero, y perecieron en las aguas.

33 Y los que los apacentaban huyeron; y viniendo a la ciudad, contaron todas las cosas, y lo que había acontecido con los endemoniados.

34 Y he aquí, toda la ciudad salió a encontrar a Jesús; y cuando le vieron, *le* rogaron que se fuera de sus contornos.

CAPÍTULO 9

Y entrando Él en una barca, pasó al otro lado, y vino a su ciudad.

2 Y he aquí, le trajeron a un paralítico echado en una cama; y viendo Jesús la fe de ellos, dijo al paralítico: Hijo, ten ánimo, tus pecados te son perdonados.

3 Y he aquí, ciertos de los escribas decían dentro de sí: Éste blasfema.

4 Y conociendo Jesús los pensamientos de ellos, dijo: ¿Por qué pensáis mal en vuestros corazones?

5 Porque, ¿qué es más fácil, decir: *Tus* pecados te son perdonados, o decir: Levántate y anda?

6 Pues para que sepáis que el Hijo del Hombre tiene potestad en la tierra de perdonar pecados (dijo entonces al paralítico): Levántate, toma tu lecho, y vete a tu casa.

7 Entonces él se levantó y se fue a su casa.

8 Pero cuando las multitudes vieron *esto*, se maravillaron y glorificaron a Dios, que había dado tal potestad a los hombres.

9 Y pasando Jesús de allí, vio a un hombre llamado Mateo, que estaba sentado al banco de los tributos

públicos; y le dijo: Sígueme. Y él se levantó y le siguió.

10 Y aconteció que estando Él sentado a la mesa en la casa, he aquí muchos publicanos y pecadores, que habían venido, se sentaron a la mesa con Jesús y sus discípulos.

11 Y cuando vieron esto los fariseos, dijeron a sus discípulos: ¿Por qué come vuestro Maestro con los publicanos y Pecadores?

12 Y oyéndolo Jesús, les dijo: Los que están sanos no tienen necesidad de médico, sino los que están enfermos.

13 Id, pues, y aprended lo que significa: Misericordia quiero, y no sacrificio. Porque no he venido a llamar a justos, sino a pecadores al arrepentimiento.

14 Entonces vinieron a Él los discípulos de Juan, diciendo: ¿Por qué nosotros y los fariseos ayunamos muchas veces, y tus discípulos no ayunan?

15 Y Jesús les dijo: ¿Pueden, los que están de bodas tener luto entre tanto que el esposo está con ellos? Mas los días vendrán, cuando el esposo les será quitado, y entonces ayunarán.

16 Nadie pone remiendo de paño nuevo en vestido viejo; porque tal remiendo tira del vestido, y se hace peor la rotura.

17 Tampoco echan vino nuevo en odres viejos; de otra manera los odres se rompen, y el vino se derrama, y los odres se pierden; mas echan el vino nuevo en odres nuevos, y ambos se conservan.

18 Hablándoles Él estas cosas, he aquí vino un principal y le adoró, diciendo: Mi hija ahora estará muerta; mas ven y pon tu mano sobre ella, y vivirá.

19 Y Jesús se levantó, y le siguió, y sus discípulos.

20 Y he aquí una mujer que estaba enferma de flujo de sangre por ya doce años, se le acercó por detrás y tocó el borde de su manto.

21 Porque decía dentro de sí: Si tan sólo tocare su manto, seré sana.

22 Mas Jesús, volviéndose, y mirándola, dijo: Hija, ten ánimo, tu fe te ha salvado. Y la mujer fue sana desde aquella hora.

23 Y cuando Jesús llegó a casa del principal, y vio los tañedores de flautas, y la gente que hacía bullicio,

24 les dijo: Apartaos, que la muchacha no está muerta, sino duerme. Y se burlaban de Él.

25 Mas cuando hubieron echado fuera a la gente, entró, y la tomó de la mano, y la muchacha se levantó.

26 Y la fama de esto salió por toda aquella tierra.

27 Y partiendo Jesús de allí, le siguieron dos ciegos, dando voces y diciendo: ¡Hijo de David, ten misericordia de nosotros!

28 Y llegado a casa, los ciegos vinieron a Él; y Jesús les dijo: ¿Creéis que puedo hacer esto? Ellos le dijeron: Sí, Señor.

29 Entonces les tocó los ojos, diciendo: Conforme a vuestra fe os sea hecho.

30 Y los ojos de ellos fueron abiertos. Y Jesús les encargó rigurosamente, diciendo: Mirad que nadie lo sepa.

31 Pero cuando ellos salieron, divulgaron su fama por toda aquella tierra.

32 Y al salir ellos, he aquí, le trajeron a un hombre mudo, endemoniado.

33 Y echado fuera el demonio, el mudo habló; y las multitudes se maravillaban, y decían: Jamás se había visto cosa semejante en Israel.

34 Pero los fariseos decían: Por el príncipe de los demonios echa fuera los demonios.

35 Y recorría Jesús todas las ciudades y aldeas, enseñando en las sinagogas de ellos, y predicando el evangelio del reino, y sanando toda enfermedad y todo achaque en el pueblo.

36 Y al ver las multitudes, tuvo compasión de ellas; porque estaban desamparadas y dispersas como ovejas que no tienen pastor.

37 Entonces dijo a sus discípulos: A la verdad la mies *es* mucha, mas los obreros pocos.

38 Rogad, pues, al Señor de la mies, que envíe obreros a su mies.

CAPÍTULO 10

Entonces llamando a sus doce discípulos, les dio potestad *contra* los espíritus inmundos, para que los echasen fuera, y sanasen toda enfermedad y toda dolencia.

2 Y los nombres de los doce apóstoles son estos: El primero, Simón, que es llamado Pedro, y Andrés su hermano; Jacobo *hijo* de Zebedeo, y Juan su hermano,

3 Felipe, y Bartolomé; Tomás, y Mateo el publicano; Jacobo *hijo* de Alfeo, y Lebeo, por sobrenombre Tadeo,

4 Simón el cananita, y Judas Iscariote, quien también le entregó.

5 A estos doce envió Jesús, y les mandó, diciendo: No vayáis por camino de los gentiles, y no entréis en ciudad de samaritanos,

6 sino id antes a las ovejas perdidas de la casa de Israel.

7 Y yendo, predicad, diciendo: El reino de los cielos se ha acercado.

8 Sanad enfermos, limpiad leprosos, resucitad muertos, echad fuera demonios; de gracia recibisteis, dad de gracia.

9 No os proveáis oro, ni plata, ni cobre en vuestras bolsas;

10 ni alforja para el camino, ni dos túnicas, ni calzado, ni bordón; porque el obrero digno es de su alimento.

11 Y en cualquier ciudad o aldea donde entréis, inquirid quién en ella sea digno y quedaos allí hasta que salgáis.

12 Y cuando entréis en una casa, saludadla.

13 Y si la casa fuere digna, vuestra paz vendrá sobre ella; mas si no fuere digna, vuestra paz se volverá a vosotros.

14 Y si alguno no os recibiere, ni oyere vuestras palabras, salid de aquella casa o ciudad, y sacudid el polvo de vuestros pies.

15 De cierto os digo: En el día del juicio, será más tolerable *el castigo* para la tierra de Sodoma y de Gomorra, que para aquella ciudad.

16 He aquí yo os envío como ovejas en medio de lobos; sed, pues, sabios como serpientes, y sencillos como palomas.

17 Y guardaos de los hombres, porque os entregarán a los concilios, y en sus sinagogas os azotarán.

18 Y seréis llevados ante reyes y gobernadores por causa de mí, para testimonio a ellos y a los gentiles.

19 Mas cuando os entregaren, no os preocupéis de cómo o qué habéis de hablar; porque en aquella misma hora, os será dado lo que habéis de hablar.

20 Porque no sois vosotros los que habláis, sino el Espíritu de vuestro Padre que habla en vosotros.

21 Y el hermano entregará a la muerte al hermano, y el padre al hijo; y los hijos se levantarán contra *sus* padres, y los harán morir.

22 Y seréis aborrecidos de todos por causa de mi nombre, mas el que perseverare hasta el fin, éste será salvo.

23 Y cuando os persiguieren en esta ciudad, huid a la otra; porque de cierto os digo: No acabaréis de recorrer todas las ciudades de Israel, sin que haya venido el Hijo del Hombre.

24 El discípulo no es más que *su* maestro, ni el siervo más que su señor.

25 Bástale al discípulo ser como su maestro, y el siervo como su señor. Si al padre de familia llamaron Belcebú, ¿cuánto más a los de su casa?

26 Así que, no les temáis; porque nada hay encubierto, que no haya de ser manifestado; ni oculto, que no haya de saberse.

27 Lo que os digo en tinieblas, decidlo en la luz; y lo que oís al oído proclamadlo desde las azoteas.

28 Y no temáis a los que matan el cuerpo, mas el alma no pueden matar; temed más bien a Aquél que puede destruir el alma y el cuerpo en el infierno.

29 ¿No se venden dos pajarillos por un cuadrante? Y ni uno de ellos cae a tierra sin vuestro Padre.

30 Pues aun los cabellos de vuestra cabeza están todos contados.

31 Así que, no temáis; de más estima sois vosotros que muchos pajarillos.

32 Cualquiera, pues, que me confesare delante de los hombres, también yo le confesaré delante de mi Padre que está en el cielo.

33 Y cualquiera que me negare delante de los hombres, también yo le negaré delante de mi Padre que está en el cielo.

34 No penséis que he venido para meter paz en la tierra; no he venido para meter paz, sino espada.

35 Porque he venido para poner en disensión al hombre contra su padre, a la hija contra su madre, y a la nuera contra su suegra.

36 Y los enemigos del hombre *serán* los de su propia casa.

37 El que ama padre o madre más que a mí, no es digno de mí; y el que ama hijo o hija más que a mí, no es digno de mí.

38 Y el que no toma su cruz y sigue en pos de mí, no es digno de mí.

39 El que hallare su vida, la perderá; mas el que perdiere su vida por causa de mí, la hallará.

40 El que a vosotros recibe, a mí me recibe, y el que me recibe a mí, recibe al que me envió.

41 El que recibe a un profeta en nombre de profeta, recompensa de profeta recibirá; y el que recibe a un justo en nombre de justo, recompensa de justo recibirá.

42 Y cualquiera que diere a uno de estos pequeñitos un vaso de *agua* fría solamente, en nombre de discípulo, de cierto os digo que no perderá su recompensa.

CAPÍTULO 11

Y aconteció que cuando Jesús terminó de dar comisión a sus doce discípulos, se fue de allí a enseñar y predicar en las ciudades de ellos.

2 Y oyendo Juan en la prisión los hechos de Cristo, envió dos de sus discípulos,

3 diciéndole: ¿Eres tú Aquél que había de venir, o esperaremos a otro?

4 Y respondiendo Jesús les dijo: Id, decid a Juan las cosas que oís y veis.

5 Los ciegos ven y los cojos andan, los leprosos son limpiados y los sordos oyen, los muertos son resucitados y a los pobres es predicado el evangelio.

6 Y bienaventurado es el que no fuere escandalizado en mí.

7 Y yéndose ellos, comenzó Jesús a decir a las multitudes acerca de Juan: ¿Qué salisteis a ver al desierto? ¿Una caña sacudida por el viento?

8 ¿O qué salisteis a ver? ¿Un hombre cubierto de ropas delicadas? He aquí, los que visten *ropas* delicadas, en las casas de los reyes están.

9 Mas, ¿qué salisteis a ver? ¿A un profeta? Sí, os digo, y más que profeta.

10 Porque éste es de quien está escrito: He aquí, yo envío mi mensajero delante de tu faz, el cual preparará tu camino delante de ti.

11 De cierto os digo: Entre los nacidos de mujer jamás se levantó otro mayor que Juan el Bautista; pero el que es menor en el reino de los cielos, mayor es que él.

12 Y desde los días de Juan el Bautista hasta ahora, el reino de los cielos sufre violencia, y los violentos lo arrebatan.

13 Porque todos los profetas y la ley, hasta Juan profetizaron.

14 Y si queréis recibirlo, él es aquel Elías que había de venir.

15 El que tiene oídos para oír, oiga.

16 Mas ¿a qué compararé esta generación? Es semejante a los muchachos que se sientan en las plazas, y dan voces a sus compañeros,

17 diciendo: Os tocamos flauta, y no bailasteis; os endechamos, y no lamentasteis.

18 Porque vino Juan, que ni comía ni bebía y dicen: Demonio tiene.

19 Vino el Hijo del Hombre, que come y bebe, y dicen: He aquí un hombre glotón y bebedor de vino, amigo de publicanos y pecadores. Pero la sabiduría es justificada por sus hijos.

20 Entonces comenzó a reconvenir a las ciudades donde la mayoría de sus milagros habían sido hechos, porque no se habían arrepentido, *diciendo:*

21 ¡Ay de ti, Corazín! ¡Ay de ti, Betsaida! Porque si los milagros hechos en vosotras, se hubiesen hecho en Tiro y en Sidón, hace mucho que se hubieran arrepentido en cilicio y en ceniza.

22 Por tanto os digo: En el día del juicio, será más tolerable *el castigo* para Tiro y para Sidón, que para vosotras.

23 Y tú, Capernaúm, que hasta el cielo eres levantada, hasta el infierno

serás abajada; porque si en Sodoma hubiesen sido hechos los milagros hechos en ti, habría permanecido hasta el día de hoy.

24 Por tanto os digo, que en el día del juicio, será más tolerable *el castigo* para la tierra de Sodoma, que para ti.

25 En aquel tiempo, respondió Jesús y dijo: Te doy gracias, Padre, Señor del cielo y de la tierra, porque escondiste estas cosas de los sabios y de los entendidos, y las revelaste a los niños.

26 Sí, Padre, porque así agradó a tus ojos.

27 Todas las cosas me son entregadas por mi Padre; y nadie conoce al Hijo, sino el Padre, ni nadie conoce al Padre, sino el Hijo, y aquel a quien el Hijo lo quisiere revelar.

28 Venid a mí todos los que estáis trabajados y cargados, y yo os haré descansar.

29 Llevad mi yugo sobre vosotros, y aprended de mí, que soy manso y humilde de corazón; y hallaréis descanso para vuestras almas.

30 Porque mi yugo *es* fácil, y ligera mi carga.

CAPÍTULO 12

En aquel tiempo iba Jesús por los sembrados en sábado; y sus discípulos tuvieron hambre, y comenzaron a arrancar espigas y a comer.

2 Y viéndolo los fariseos, le dijeron: He aquí tus discípulos hacen lo que no es lícito hacer en sábado.

3 Mas Él les dijo: ¿No habéis leído qué hizo David cuando tuvo hambre, él y los que con él estaban;

4 cómo entró en la casa de Dios, y comió del pan de la proposición que no le era lícito comer, ni a los que estaban con él, sino sólo a los sacerdotes?

5 ¿O no habéis leído en la ley, cómo los sábados en el templo los sacerdotes profanan el sábado y son sin culpa?

6 Pues os digo que *uno* mayor que el templo está aquí.

7 Mas si supieseis qué significa: Misericordia quiero, y no sacrificio, no condenaríais a los inocentes.

8 Porque el Hijo del Hombre es Señor aun del sábado.

9 Y partiendo de allí, vino a la sinagoga de ellos:

10 Y he aquí había un hombre que tenía seca una mano. Y le preguntaron para acusarle, diciendo: ¿Es lícito sanar en sábado?

11 Y Él les dijo: ¿Qué hombre habrá de vosotros, que tenga una oveja, y si ésta cayere en un pozo en sábado, no le eche mano, y *la* levante?

12 Pues ¿cuánto más vale un hombre que una oveja? Así que es lícito hacer bien en sábado.

13 Entonces dijo a aquel hombre: Extiende tu mano. Y él *la* extendió, y le fue restaurada sana como la otra.

14 Entonces salieron los fariseos y tomaron consejo contra Él, de cómo le matarían.

15 Mas sabiéndolo Jesús, se apartó de allí; y grandes multitudes le seguían, y sanaba a todos.

16 Y les encargaba rigurosamente que no le diesen a conocer:

17 Para que se cumpliese lo dicho por el profeta Isaías, que dijo:

18 He aquí mi siervo, a quien he escogido: Mi amado en quien se agrada mi alma: Pondré mi Espíritu sobre Él, y a los gentiles anunciará juicio.

19 No contenderá ni voceará; Ni nadie oirá en las calles su voz.

20 La caña cascada no quebrará, y el pábilo que humea no apagará, hasta que saque a victoria el juicio.

21 Y en su nombre esperarán los gentiles.

22 Entonces fue traído a Él un endemoniado, ciego y mudo; y le sanó, de tal manera que el ciego y mudo veía y hablaba.

23 Y todo el pueblo estaba maravillado, y decía: ¿No es Éste el Hijo de David?

24 Mas los fariseos oyéndolo decían: Éste no echa fuera los demonios sino por Belcebú, príncipe de los demonios.

25 Y conociendo Jesús los pensamientos de ellos, les dijo: Todo reino dividido contra sí mismo, es asolado; y toda ciudad o casa dividida contra sí misma, no permanecerá.

26 Y si Satanás echa fuera a Satanás, contra sí mismo está dividido; ¿cómo, pues, permanecerá su reino?

27 Y si yo por Belcebú echo fuera los demonios, ¿por quién los echan vuestros hijos? Por tanto, ellos serán vuestros jueces.

28 Pero si yo por el Espíritu de Dios echo fuera los demonios, entonces el reino de Dios ha llegado a vosotros.

29 De otra manera, ¿cómo puede uno entrar en la casa del hombre fuerte y saquear sus bienes, si primero no ata al hombre fuerte? Y entonces podrá saquear su casa.

30 El que no es conmigo, contra mí es, y el que conmigo no recoge, desparrama.

31 Por tanto os digo: Todo pecado y blasfemia será perdonado a los hombres; mas la blasfemia *contra* el Espíritu *Santo* no les será perdonada a los hombres.

32 Y a cualquiera que dijere palabra contra el Hijo del Hombre, le será perdonado; pero a cualquiera que hablare contra el Espíritu Santo, no le será perdonado, ni en este mundo, ni en el venidero.

33 O haced el árbol bueno y su fruto bueno, o haced el árbol malo y su fruto malo, porque el árbol por *su* fruto es conocido.

34 ¡Generación de víboras! ¿Cómo podéis hablar lo bueno, siendo malos? Porque de la abundancia del corazón habla la boca.

35 El hombre bueno, del buen tesoro del corazón saca buenas cosas; y el hombre malo, del mal tesoro saca malas cosas.

36 Pero yo os digo que de toda palabra ociosa que los hombres hablaren, de ella darán cuenta en el día del juicio.

37 Porque por tus palabras serás justificado, y por tus palabras serás condenado.

38 Entonces respondieron unos de los escribas y de los fariseos, diciendo: Maestro querríamos ver de ti señal.

39 Pero Él respondió y les dijo: La generación perversa y adúltera demanda señal; mas señal no le será dada, sino la señal del profeta Jonás.

40 Porque como estuvo Jonás en el vientre de la ballena tres días y tres noches; así estará el Hijo del Hombre tres días y tres noches en el corazón de la tierra.

41 Los hombres de Nínive se levantarán en el juicio con esta generación y la condenarán; porque ellos se arrepintieron a la predicación de Jonás; y he aquí, uno mayor que Jonás en este lugar.

42 La reina del Sur se levantará en el juicio con esta generación, y la condenará; porque ella vino de los fines de la tierra para oír la sabiduría de Salomón; y he aquí, uno mayor que Salomón en este lugar.

43 Cuando el espíritu inmundo ha salido del hombre, anda por lugares secos, buscando reposo, y no lo halla.

44 Entonces dice: Volveré a mi casa de donde salí; y cuando llega, la halla desocupada, barrida y adornada.

45 Entonces va, y toma consigo otros siete espíritus peores que él, y entrados, moran allí; y el postrer *estado* de aquel hombre viene a ser peor que el primero. Así también acontecerá a esta perversa generación.

46 Y cuando Él aún hablaba a la gente, he aquí su madre y sus hermanos estaban afuera, y querían hablar con Él.

47 Y le dijo uno: He aquí tu madre y tus hermanos están afuera, y quieren hablar contigo.

48 Y respondiendo Él al que le decía *esto*, dijo: ¿Quién es mi madre, y quiénes son mis hermanos?

49 Y extendiendo su mano hacia sus discípulos, dijo: He aquí mi madre y mis hermanos.

50 Porque todo aquel que hace la voluntad de mi Padre que está en el cielo, ése es mi hermano, y hermana, y madre.

CAPÍTULO 13

Y aquel día salió Jesús de casa, y se sentó junto al mar.

2 Y se le juntó una gran multitud, y entrando Él en la barca, se sentó, y toda la multitud estaba a la ribera.

3 Y les habló muchas cosas en parábolas, diciendo: He aquí, el sembrador salió a sembrar.

4 Y cuando sembraba, parte *de la semilla* cayó junto al camino; y vinieron las aves y la comieron.

5 Y parte cayó en pedregales, donde no había mucha tierra; y brotó luego, porque no tenía profundidad de tierra;

6 pero cuando salió el sol, se quemó; y porque no tenía raíz, se secó.

7 Y parte cayó entre espinos; y los espinos crecieron, y la ahogaron.

8 Mas parte cayó en buena tierra y dio fruto, cuál a ciento, cuál a sesenta, y cuál a treinta por uno.

9 El que tiene oídos para oír, oiga.

10 Entonces vienen los discípulos, y le dicen: ¿Por qué les hablas por parábolas?

11 Él respondiendo, les dijo: Porque a vosotros os es dado el saber los misterios del reino de los cielos; mas a ellos no les es dado.

12 Porque a cualquiera que tiene, se le dará, y tendrá más; mas al que no tiene, aun lo que tiene le será quitado.

13 Por eso les hablo por parábolas; porque viendo no ven, y oyendo no oyen, ni entienden.

14 Y en ellos se cumple la profecía de Isaías, que dijo: De oído oiréis, y no entenderéis; Y viendo veréis, mas no percibiréis.

15 Porque el corazón de este pueblo se ha engrosado, y con los oídos oyen pesadamente, y han cerrado sus ojos; para que no vean con los ojos, y oigan con los oídos, y con el corazón entiendan, y se conviertan, y yo los sane.

16 Mas bienaventurados vuestros ojos, porque ven, y vuestros oídos porque oyen.

17 Porque de cierto os digo, que muchos profetas y justos desearon ver lo que veis, y no lo vieron; y oír lo que oís, y no lo oyeron.

18 Oíd, pues, vosotros la parábola del sembrador.

19 Cuando alguno oye la palabra del reino y no la entiende, viene el malo, y arrebata lo que fue sembrado en su corazón. Éste es el que fue sembrado junto al camino.

20 Y el que fue sembrado en pedregales, éste es el que oye la palabra, y al instante la recibe con gozo,

21 pero no tiene raíz en sí, sino que es temporal; pues cuando viene la aflicción o la persecución por causa de la palabra, luego se ofende.

22 Y el que fue sembrado entre espinos, es el que oye la palabra; pero el afán de este mundo, y el engaño de las riquezas ahogan la palabra, y se hace infructuosa.

23 Mas el que fue sembrado en buena tierra, éste es el que oye la palabra y la entiende, y lleva fruto; y lleva uno a ciento, y otro a sesenta, y otro a treinta por uno.

24 Les relató otra parábola, diciendo: El reino de los cielos es semejante al hombre que sembró buena semilla en su campo;

25 pero mientras dormían los hombres, vino su enemigo y sembró cizaña entre el trigo y se fue.

26 Y cuando la hierba salió y dio fruto, entonces apareció también la cizaña.

27 Y vinieron los siervos del padre de familia y le dijeron: Señor, ¿no sembraste buena semilla en tu campo? ¿De dónde, pues, tiene cizaña?

28 Y él les dijo: Un enemigo ha hecho esto. Y los siervos le dijeron: ¿Quieres, pues, que vayamos y la arranquemos?

29 Mas él dijo: No; no sea que al arrancar la cizaña, arranquéis también con ella el trigo.

30 Dejad crecer juntamente lo uno y lo otro hasta la siega; y en el tiempo de la siega yo diré a los segadores: Recoged primero la cizaña, y atadla en manojos para quemarla; mas recoged el trigo en mi granero.

31 Otra parábola les relató, diciendo: El reino de los cielos es semejante a grano de mostaza, que un hombre tomó y sembró en su campo.

32 El cual a la verdad es la más pequeña de todas las semillas; mas cuando ha crecido, es la mayor de las hortalizas, y se hace árbol, tal, que vienen las aves del cielo y anidan en sus ramas.

33 Otra parábola les dijo: El reino de los cielos es semejante a la levadura que tomó una mujer, y escondió en tres medidas de harina, hasta que todo fue leudado.

34 Todas estas cosas habló Jesús por parábolas a la multitud, y sin parábolas no les hablaba;

35 para que se cumpliese lo que fue dicho por el profeta que dijo: En parábolas abriré mi boca; Enunciaré cosas que han estado escondidas desde la fundación del mundo.

36 Entonces Jesús despidió a la multitud, y se fue a casa, y sus discípulos vinieron a Él, y le dijeron: Decláranos la parábola de la cizaña del campo.

37 Respondiendo Él les dijo: El que siembra la buena semilla es el Hijo del Hombre;

38 el campo es el mundo; la buena semilla son los hijos del reino; y la cizaña son los hijos del malo.

39 El enemigo que la sembró es el diablo; la siega es el fin del mundo, y los segadores son los ángeles.

40 Así como la cizaña es recogida y quemada en el fuego; así será en el fin de este mundo.

41 El Hijo del Hombre enviará a sus ángeles, y recogerán de su reino a todo lo que hace tropezar, y a los que hacen iniquidad;

42 Y los lanzarán al horno de fuego; allí será el lloro y el crujir de dientes.

43 Entonces los justos resplandecerán como el sol en el reino de su Padre. El que tiene oídos para oír, oiga.

44 Además, el reino de los cielos es semejante a un tesoro escondido en un campo; el cual hallándolo un hombre, lo esconde, y gozoso por ello, va y vende todo lo que tiene, y compra aquel campo.

45 También el reino de los cielos es semejante a un mercader que busca buenas perlas;

46 el cual, hallando una perla preciosa, fue y vendió todo lo que tenía, y la compró.

47 Asimismo el reino de los cielos es semejante a una red, que fue echada en el mar, y atrapó de toda clase;

48 la cual llenándose, la sacaron a la orilla, y sentados, recogieron lo bueno en cestas, y lo malo echaron fuera.

49 Así será en el fin del mundo; los ángeles vendrán, y apartarán a los malos de entre los justos,

50 y los lanzarán en el horno de fuego; allí será el lloro y el crujir de dientes.

51 Jesús les dice: ¿Habéis entendido todas estas cosas? Ellos respondieron: Sí, Señor.

52 Entonces Él les dijo: Por eso todo escriba docto en el reino de los cielos es semejante a un padre de familia, que saca de su tesoro cosas nuevas y cosas viejas.

53 Y aconteció que acabando Jesús estas parábolas, se fue de allí.

54 Y venido a su tierra, les enseñaba en la sinagoga de ellos, de tal manera que ellos estaban atónitos, y decían: ¿De dónde tiene Éste esta sabiduría y *estos* milagros?

55 ¿No es Éste el hijo del carpintero? ¿No se llama su madre María, y sus hermanos Jacobo y José, y Simón, y Judas?

56 ¿Y no están todas sus hermanas con nosotros? ¿De dónde, pues, tiene Éste todas estas cosas?

57 Y se escandalizaban en Él. Mas Jesús les dijo: No hay profeta sin honra, sino en su tierra y en su casa.

58 Y no hizo allí muchos milagros, a causa de la incredulidad de ellos.

CAPÍTULO 14

En aquel tiempo Herodes el tetrarca oyó de la fama de Jesús,

2 y dijo a sus siervos: Éste es Juan el Bautista; él ha resucitado de los muertos, y por eso maravillas se manifiestan en él.

3 Porque Herodes había prendido a Juan, y le había aprisionado y puesto en la cárcel, por causa de Herodías, esposa de Felipe su hermano,

4 porque Juan le decía: No te es lícito tenerla.

5 Y quería matarle, pero temía al pueblo, porque le tenían como a profeta.

6 Mas celebrándose el cumpleaños de Herodes, la hija de Herodías danzó delante de ellos, y agradó a Herodes;

7 por lo cual él prometió con juramento darle cualquier cosa que ella pidiese.

8 Y ella, siendo instruida primero de su madre, dijo: Dame aquí en un plato la cabeza de Juan el Bautista.

9 Entonces el rey se entristeció, mas por causa del juramento, y de los que estaban sentados con él a la mesa, mandó que se le diese,

10 y envió decapitar a Juan en la cárcel.

11 Y fue traída su cabeza en un plato, y dada a la damisela, y ésta la presentó a su madre.

12 Entonces vinieron sus discípulos, y tomaron el cuerpo y lo enterraron; y fueron y dieron las nuevas a Jesús.

13 Y oyéndolo Jesús, se apartó de allí en una barca a un lugar desierto, apartado; y cuando el pueblo lo oyó, le siguió a pie de las ciudades.

14 Y saliendo Jesús, vio una gran multitud, y tuvo compasión de ellos, y sanó a los que de ellos estaban enfermos.

15 Y cuando fue la tarde, sus discípulos vinieron a Él, diciendo: Éste es un lugar desierto, y la hora es ya pasada; despide a la multitud para que vayan a las aldeas y compren para sí de comer.

16 Mas Jesús les dijo: No tienen necesidad de irse; dadles vosotros de comer.

17 Y ellos le dijeron: No tenemos aquí sino cinco panes y dos peces.

18 Y Él les dijo: Traédmelos acá.

19 Entonces mandó a la multitud recostarse sobre la hierba, y tomó los cinco panes y los dos peces, y levantando los ojos al cielo, bendijo, y partió y dio los panes a *sus* discípulos, y los discípulos a la multitud.

20 Y comieron todos, y se saciaron, y de los pedazos que sobraron, alzaron doce canastos llenos.

21 Y los que comieron fueron como cinco mil hombres, sin contar las mujeres y los niños.

22 Y luego Jesús hizo a sus discípulos entrar en la barca e ir delante de Él al otro lado, mientras Él despedía a la multitud.

23 Y despedida la multitud, subió al monte a orar aparte. Y cuando llegó la noche, estaba allí solo.

24 Y ya la barca estaba en medio del mar, azotada por las olas, porque el viento era contrario.

25 Y a la cuarta vigilia de la noche, Jesús vino a ellos andando sobre el mar.

26 Y los discípulos viéndole andar sobre el mar, se turbaron, diciendo: ¡Un fantasma! Y dieron voces de miedo.

27 Pero enseguida Jesús les habló, diciendo: ¡Tened ánimo; yo soy, no temáis!

28 Entonces le respondió Pedro, y dijo: Señor, si eres tú, manda que yo vaya a ti sobre las aguas.

29 Y Él dijo: Ven. Y descendiendo Pedro de la barca, caminó sobre las aguas para ir a Jesús.

30 Pero viendo el viento fuerte, tuvo miedo; y comenzando a hundirse, dio voces, diciendo: ¡Señor, sálvame!

31 Y al instante Jesús, extendiendo *su* mano, trabó de él, y le dijo: ¡Hombre de poca fe! ¿Por qué dudaste?

32 Y cuando ellos entraron en la barca, se calmó el viento.

33 Entonces los que estaban en la barca vinieron y le adoraron, diciendo: Verdaderamente tú eres el Hijo de Dios.

34 Y cruzando al otro lado, vinieron a la tierra de Genezaret.

35 Y cuando le reconocieron los hombres de aquel lugar, enviaron por toda aquella tierra alrededor, y trajeron a Él todos los enfermos,

36 y le rogaban que les dejase tocar tan sólo el borde de su manto; y todos los que le tocaban, quedaban sanos.

CAPÍTULO 15

Entonces vinieron a Jesús ciertos escribas y fariseos de Jerusalén, diciendo:

2 ¿Por qué tus discípulos quebrantan la tradición de los ancianos? Pues no se lavan sus manos cuando comen pan.

3 Pero Él respondió y les dijo: ¿Por qué también vosotros quebrantáis el mandamiento de Dios por vuestra tradición?

4 Porque Dios mandó, diciendo: Honra a tu padre y a tu madre, y: El que maldijere a *su* padre o a *su* madre, muera de muerte.

5 Pero vosotros decís: Cualquiera que dijere a *su* padre o a *su* madre: Es mi ofrenda todo aquello con que pudiera ayudarte,

6 y no honra a su padre o a su madre, *será libre*. Así habéis invalidado el mandamiento de Dios por vuestra tradición.

7 Hipócritas, bien profetizó de vosotros Isaías, diciendo:

8 Este pueblo se acerca a mí con su boca, y de labios me honra, pero su corazón lejos está de mí.

9 Pero en vano me honran; enseñando *como* doctrinas mandamientos de hombres.

10 Y llamó a sí a la multitud, y les dijo: Oíd, y entended:

11 No lo que entra en la boca contamina al hombre; sino lo que sale de la boca, esto contamina al hombre.

12 Entonces vinieron los discípulos, y le dijeron: ¿Sabes que los fariseos se ofendieron cuando oyeron esta palabra?

13 Mas Él respondió y dijo: Toda planta que no plantó mi Padre celestial, será desarraigada.

14 Dejadlos; son ciegos guías de ciegos; y si el ciego guiare al ciego, ambos caerán en el hoyo.

15 Entonces respondió Pedro, y le dijo: Decláranos esta parábola.

16 Y Jesús les dijo: ¿También vosotros estáis aún sin entendimiento?

17 ¿Aún no entendéis que todo lo que entra en la boca va al vientre, y es arrojado en la letrina?

18 Pero lo que sale de la boca, del corazón sale, y esto contamina al hombre.

19 Porque del corazón salen los malos pensamientos, homicidios, adulterios, fornicaciones, hurtos, falsos testimonios, blasfemias.

20 Estas cosas son las que contaminan al hombre, pero el comer con las manos sin lavar no contamina al hombre.

21 Y saliendo Jesús de allí, se fue a las costas de Tiro y de Sidón.

22 Y he aquí una mujer cananea que había salido de aquella región clamaba, diciéndole: Señor, Hijo de David, ten misericordia de mí, mi hija es gravemente atormentada de un demonio.

23 Pero Él no le respondió palabra. Y sus discípulos vinieron y le rogaron, diciendo: Despídela, pues da voces tras nosotros.

24 Y Él respondiendo, dijo: No soy enviado sino a las ovejas perdidas de la casa de Israel.

25 Entonces ella vino y le adoró, diciendo: ¡Señor, socórreme!

26 Mas Él respondió, y dijo: No está bien tomar el pan de los hijos, y echarlo a los perrillos.

27 Y ella dijo: Sí, Señor, mas los perrillos comen de las migajas que caen de la mesa de sus señores.

28 Entonces respondiendo Jesús, le dijo: ¡Oh mujer, grande *es* tu fe! Sea hecho contigo como quieres. Y su hija fue sanada desde aquella hora.

29 Y partiendo Jesús de allí, vino junto al mar de Galilea; y subiendo al monte, se sentó allí.

30 Y grandes multitudes vinieron a Él, trayendo consigo, a cojos, ciegos, mudos, mancos, y muchos otros, y los pusieron a los pies de Jesús, y los sanó:

31 De manera que la multitud se maravillaba, viendo a los mudos hablar, a los mancos ser sanados, a los cojos andar, y a los ciegos ver; y glorificaban al Dios de Israel.

32 Y llamando Jesús a sus discípulos, dijo: Tengo compasión de la multitud, porque hace ya tres días que están conmigo, y no tienen qué comer; y enviarlos en ayunas no quiero, no sea que desmayen en el camino.

33 Entonces sus discípulos le dijeron: ¿De dónde obtendremos tanto pan en el desierto, para saciar a tan grande multitud?

34 Y Jesús les dijo: ¿Cuántos panes tenéis? Y ellos dijeron: Siete, y unos cuantos pececillos.

35 Y mandó a la multitud que se recostasen en tierra.

36 Y tomando los siete panes y los peces, habiendo dado gracias, *los* partió y dio a sus discípulos, y los discípulos a la multitud.

37 Y todos comieron, y se saciaron; y recogieron lo que sobró de los pedazos, siete canastos llenos.

38 Y los que habían comido fueron cuatro mil hombres, además de las mujeres y los niños.

39 Entonces, despedida la multitud,

entró en una barca, y vino a las costas de Magdala.

CAPÍTULO 16

Y vinieron los fariseos y los saduceos para tentarle, y le pidieron que les mostrase señal del cielo.

2 Mas Él respondiendo, les dijo: Cuando anochece, decís: *Hará* buen tiempo, porque el cielo tiene arreboles.

3 Y por la mañana: Hoy *habrá* tempestad, porque el cielo tiene arreboles y está nublado. ¡Hipócritas! que sabéis discernir la faz del cielo; ¿Mas las señales de los tiempos no podéis?

4 La generación perversa y adúltera demanda señal; mas señal no le será dada, sino la señal del profeta Jonás. Y dejándolos, se fue.

5 Y viniendo los discípulos al otro lado, se habían olvidado de traer pan.

6 Entonces Jesús les dijo: Mirad, y guardaos de la levadura de los fariseos y de los saduceos.

7 Y ellos hablaban entre sí, diciendo: *Esto dice* porque no trajimos pan.

8 Y entendiéndolo Jesús, les dijo: ¿Por qué discutís entre vosotros, hombres de poca fe, que no trajisteis pan?

9 ¿No entendéis aún, ni os acordáis de los cinco panes *entre* cinco mil, y cuántas cestas alzasteis?

10 ¿Ni de los siete panes *entre* cuatro mil, y cuántas canastas recogisteis?

11 ¿Cómo es que no entendéis que no por el pan os dije, que os guardaseis de la levadura de los fariseos y de los saduceos?

12 Entonces entendieron que no *les* había dicho que se guardasen de la levadura de pan, sino de la doctrina de los fariseos y de los saduceos.

13 Y viniendo Jesús a la región de Cesarea de Filipo, preguntó a sus discípulos, diciendo: ¿Quién dicen los hombres que es el Hijo del Hombre?

14 Y ellos dijeron: Unos, Juan el Bautista; otros, Elías; y otros, Jeremías, o alguno de los profetas.

15 Él les dice: ¿Y vosotros quién decís que soy yo?

16 Y respondiendo Simón Pedro, dijo: Tú eres el Cristo, el Hijo del Dios viviente.

17 Y respondiendo Jesús, le dijo: Bienaventurado eres Simón hijo de Jonás; porque no te lo reveló carne ni sangre, sino mi Padre que está en el cielo.

18 Y yo también te digo que tú eres Pedro, y sobre esta roca edificaré mi iglesia, y las puertas del infierno no prevalecerán contra ella.

19 Y a ti te daré las llaves del reino de los cielos; y todo lo que atares en la tierra será atado en el cielo; y todo lo que desatares en la tierra será desatado en el cielo.

20 Entonces mandó a sus discípulos que a nadie dijesen que Él era Jesús el Cristo.

21 Desde aquel tiempo comenzó Jesús a declarar a sus discípulos que le era necesario ir a Jerusalén y padecer mucho de los ancianos, y de los príncipes de los sacerdotes y de los escribas; y ser muerto, y resucitar al tercer día.

22 Y Pedro, tomándole aparte, comenzó a reprenderle, diciendo: Señor, ten compasión de ti; en ninguna manera esto te acontezca.

23 Entonces Él, volviéndose, dijo a Pedro: Quítate de delante de mí Satanás; me eres tropiezo; porque no piensas en las cosas de Dios, sino en las de los hombres.

24 Entonces Jesús dijo a sus discípulos: Si alguno quiere venir en pos de mí, niéguese a sí mismo, y tome su cruz, y sígame.

25 Porque cualquiera que quisiere salvar su vida, la perderá; y cualquiera que perdiere su vida por causa de mí, la hallará.

26 Porque, ¿qué aprovechará el hombre, si ganare todo el mundo, y perdiere su alma? O, ¿qué recompensa dará el hombre por su alma?

27 Porque el Hijo del Hombre vendrá en la gloria de su Padre con sus ángeles; y entonces pagará a cada uno conforme a sus obras.

28 De cierto os digo que hay algunos de los que están aquí, que no gustarán la muerte, hasta que hayan visto al Hijo del Hombre viniendo en su reino.

CAPÍTULO 17

Y después de seis días, Jesús tomó a Pedro, y a Jacobo, y a Juan su hermano, y los llevó aparte a un monte alto:

2 Y se transfiguró delante de ellos; y su rostro resplandeció como el sol, y su vestidura se hizo blanca como la luz.

3 Y he aquí les aparecieron Moisés y Elías, hablando con Él.

4 Entonces respondiendo Pedro, dijo a Jesús: Señor, bueno es que nos quedemos aquí; si quieres, hagamos aquí tres tabernáculos; uno para ti, uno para Moisés, y uno para Elías.

5 Mientras Él aún hablaba, una nube resplandeciente los cubrió; y he aquí una voz desde la nube, que decía: Éste es mi Hijo amado, en quien tengo contentamiento; a Él oíd.

6 Y oyendo esto los discípulos, cayeron sobre sus rostros, y temieron en gran manera.

7 Entonces Jesús vino y los tocó, y dijo: Levantaos, y no temáis.

8 Y alzando ellos sus ojos a nadie vieron, sino a Jesús solo.

9 Y cuando descendieron del monte, Jesús les mandó, diciendo: No digáis a nadie la visión, hasta que el Hijo del Hombre resucite de los muertos.

10 Entonces sus discípulos le preguntaron, diciendo: ¿Por qué, pues, dicen los escribas que es necesario que Elías venga primero?

11 Y respondiendo Jesús, les dijo: A la verdad, Elías vendrá primero, y restaurará todas las cosas.

12 Mas os digo que Elías ya vino, y no le conocieron; sino que hicieron de él todo lo que quisieron: Así también el Hijo del Hombre padecerá de ellos.

13 Entonces los discípulos entendieron que les había hablado de Juan el Bautista.

14 Y cuando llegaron a la multitud, vino a Él un hombre, y cayendo de rodillas delante de Él, dijo:

15 Señor, ten misericordia de mi hijo, que es lunático, y padece mucho, porque muchas veces cae en el fuego, y muchas en el agua.

16 Y le traje a tus discípulos, y no le pudieron sanar.

17 Entonces respondiendo Jesús, dijo: ¡Oh generación incrédula y perversa! ¿Hasta cuándo he de estar con vosotros? ¿Hasta cuándo os he de soportar? Traédmele acá.

18 Y reprendió Jesús al demonio, el cual salió del muchacho, y éste quedó sano desde aquella hora.

19 Entonces viniendo los discípulos a Jesús, aparte, dijeron: ¿Por qué nosotros no pudimos echarlo fuera?

20 Y Jesús les dijo: Por vuestra incredulidad; porque de cierto os digo, que si tuviereis fe como un grano de mostaza, diréis a este monte: Pásate de aquí allá, y se pasará, y nada os será imposible.

21 Pero este género no sale sino por oración y ayuno.

22 Y estando ellos en Galilea, Jesús les dijo: El Hijo del Hombre será entregado en manos de hombres,

23 Y le matarán; pero al tercer día resucitará. Y ellos se entristecieron en gran manera.

24 Y cuando llegaron a Capernaúm, vinieron a Pedro los que cobraban los tributos, diciendo: ¿Vuestro maestro no paga los tributos?

25 Él dijo: Sí. Y entrando él en casa, Jesús le habló antes, diciendo: ¿Qué te parece, Simón? Los reyes de la tierra, ¿de quién cobran los impuestos o tributos? ¿De sus hijos, o de los extranjeros?

26 Pedro le dice: De los extranjeros. Jesús le dice: Luego los hijos están francos.

27 Mas para no ofenderles, ve al mar, y echa el anzuelo, y el primer pez que saques, tómalo, y al abrirle su boca, hallarás un estatero; tómalo y dáselo por mí y por ti.

CAPÍTULO 18

En aquella hora vinieron los discípulos a Jesús, diciendo: ¿Quién es el mayor en el reino de los cielos?

2 Y llamando Jesús a un niño, lo puso en medio de ellos,

3 Y dijo: De cierto os digo: Si no os volvéis y os hacéis como niños, no entraréis en el reino de los cielos.

4 Cualquiera, pues, que se humillare como este niño, ése es el mayor en el reino de los cielos.

5 Y cualquiera que recibiere en mi nombre a un niño como éste, a mí me recibe.

6 Y cualquiera que haga tropezar a uno de estos pequeñitos que creen en mí; mejor le fuera que se le colgase al cuello una piedra de molino de asno, y que se le sumergiese en lo profundo del mar.

7 ¡Ay del mundo por los tropiezos! porque necesario es que vengan tropiezos, mas ¡ay de aquel hombre por quien viene el tropiezo!

8 Por tanto, si tu mano o tu pie te hacen caer, córtalos y échalos de ti; mejor te es entrar cojo o manco en la vida, que teniendo dos manos o dos pies ser echado en el fuego eterno.

9 Y si tu ojo te hace caer, sácalo y échalo de ti; porque mejor te es entrar con un solo ojo en la vida, que teniendo dos ojos ser echado en el fuego del infierno.

10 Mirad que no tengáis en poco a uno de estos pequeñitos; porque os digo que sus ángeles en el cielo ven siempre la faz de mi Padre que está en el cielo.

11 Porque el Hijo del Hombre vino a salvar lo que se había perdido.

12 ¿Qué os parece? Si un hombre tiene cien ovejas, y se descarría una de ellas, ¿no deja las noventa y nueve y va por los montes a buscar la que se había descarriado?

13 Y si acontece que la halla, de cierto os digo que se regocija más por aquélla, que por las noventa y nueve que no se descarriaron.

14 Así, no es la voluntad de vuestro Padre que está en el cielo, que se pierda uno de estos pequeñitos.

15 Por tanto, si tu hermano pecare contra ti, ve y repréndele estando tú y él solos; si te oyere, has ganado a tu hermano.

16 Mas si no te oyere, toma aún contigo uno o dos, para que en boca de dos o tres testigos conste toda palabra.

17 Y si no los oyere a ellos, dilo a la iglesia, y si no oyere a la iglesia, tenle por gentil y publicano.

18 De cierto os digo: Todo lo que atéis en la tierra, será atado en el cielo; y todo lo que desatéis en la tierra, será desatado en el cielo.

19 Otra vez os digo: Que si dos de vosotros se pusieren de acuerdo en la tierra, acerca de cualquier cosa que pidieren, les será hecho por mi Padre que está en el cielo.

20 Porque donde están dos o tres congregados en mi nombre, allí estoy yo en medio de ellos.

21 Entonces Pedro viniendo a Él, dijo: Señor, ¿cuántas veces perdonaré a mi hermano que pecare contra mí? ¿Hasta siete?

22 Jesús le dijo: No te digo hasta siete, sino aun hasta setenta veces siete.

23 Por lo cual el reino de los cielos es semejante a un rey que quiso hacer cuentas con sus siervos.

24 Y comenzando a hacer cuentas, le fue traído uno que le debía diez mil talentos.

25 Mas a éste, no teniendo con qué pagar, su señor mandó venderle, y a su esposa e hijos, con todo lo que tenía, y que se le pagase.

26 Entonces aquel siervo, postrado le rogaba, diciendo: Señor, ten paciencia conmigo, y yo te lo pagaré todo.

27 Entonces el señor de aquel siervo, fue movido a misericordia, y le soltó y le perdonó la deuda.

28 Mas saliendo aquel siervo, halló a uno de sus consiervos, que le debía cien denarios, y sujetándolo del cuello, le dijo: Págame lo que me debes.

29 Entonces su consiervo, postrándose a sus pies, le rogaba diciendo: Ten paciencia conmigo, y yo te lo pagaré todo.

30 Pero él no quiso, sino fue y le echó en la cárcel, hasta que pagase la deuda.

31 Y cuando sus consiervos vieron lo que pasaba, se entristecieron mucho, y viniendo, dijeron a su señor todo lo que había pasado.

32 Entonces llamándole su señor, le dijo: Siervo malvado, toda aquella deuda te perdoné porque me rogaste.

33 ¿No debías tú también tener misericordia de tu consiervo, así como yo tuve misericordia de ti?

34 Entonces su señor se enojó, y le entregó a los verdugos, hasta que pagase todo lo que le debía.

35 Así también hará con vosotros mi Padre celestial, si no perdonáis de vuestro corazón cada uno a su hermano sus ofensas.

CAPÍTULO 19

Y aconteció que cuando Jesús hubo acabado estas palabras, se fue de Galilea, y vino a las costas de Judea al otro lado del Jordán.

2 Y le siguieron grandes multitudes, y los sanó allí.

3 Entonces vinieron a Él los fariseos, tentándole y diciéndole: ¿Es lícito al hombre repudiar a su esposa por cualquier causa?

4 Él respondiendo, les dijo: ¿No habéis leído que el que *los* hizo al principio, varón y hembra los hizo?

5 Y dijo: Por esto dejará el hombre a su padre y a su madre, y se unirá a su esposa, y los dos serán una sola carne.

6 Así que no son ya más dos, sino una sola carne. Por tanto, lo que Dios unió, no lo separe el hombre.

7 Le dijeron: ¿Por qué, pues, mandó Moisés dar carta de divorcio, y repudiarla?

8 Él les dijo: Por la dureza de vuestro corazón Moisés os permitió repudiar a vuestras esposas; pero al principio no fue así.

9 Y yo os digo: Cualquiera que repudiare a su esposa, a no ser por causa de fornicación, y se casare con otra, adultera; y el que se casare con la repudiada, adultera.

10 Le dijeron sus discípulos: Si así es la condición del hombre con *su* esposa, no conviene casarse.

11 Entonces Él les dijo: No todos pueden recibir esta palabra, sino *aquellos* a quienes es dado.

12 Porque hay eunucos que nacieron así del vientre de su madre; y hay eunucos que fueron hechos eunucos por los hombres, y hay eunucos que a sí mismos se hicieron eunucos por causa del reino de los cielos. El que sea capaz de recibir esto, que lo reciba.

13 Entonces le fueron presentados unos niños, para que pusiese las manos sobre ellos, y orase; y los discípulos les reprendieron.

14 Pero Jesús dijo: Dejad a los niños venir a mí, y no se los impidáis, porque de los tales es el reino de los cielos.

15 Y habiendo puesto *sus* manos sobre ellos, partió de allí.

16 Y he aquí, vino uno y le dijo: Maestro bueno, ¿qué bien haré para tener la vida eterna?

17 Y Él le dijo: ¿Por qué me llamas bueno? Ninguno hay bueno, sino uno, Dios. Y si quieres entrar en la vida, guarda los mandamientos.

18 Él le dijo: ¿Cuáles? Y Jesús dijo: No matarás. No cometerás adulterio. No hurtarás. No dirás falso testimonio.

19 Honra a tu padre y a *tu* madre; y: Amarás a tu prójimo como a ti mismo.

20 El joven le dijo: Todo esto he guardado desde mi juventud. ¿Qué más me falta?

21 Jesús le dijo: Si quieres ser perfecto, ve, vende lo que tienes, y da a los pobres, y tendrás tesoro en el cielo, y ven y sígueme.

22 Y oyendo el joven esta palabra, se fue triste, porque tenía muchas posesiones.

23 Entonces Jesús dijo a sus discípulos: De cierto os digo, que difícilmente entrará un rico en el reino de los cielos.

24 Y otra vez os digo: Es más fácil pasar un camello por el ojo de una aguja, que entrar un rico en el reino de Dios.

25 Al oír *esto*, sus discípulos se asombraron en gran manera, diciendo: ¿Quién, entonces, podrá ser salvo?

26 Mas Jesús, mirándoles, les dijo: Con los hombres esto es imposible, pero con Dios todo es posible.

27 Entonces respondiendo Pedro, le dijo: He aquí, nosotros lo hemos dejado todo y te hemos seguido; ¿qué, pues, tendremos?

28 Y Jesús les dijo: De cierto os digo: En la regeneración, cuando el Hijo del Hombre se siente en el trono de su gloria, vosotros que me habéis seguido os sentaréis sobre doce tronos, para juzgar a las doce tribus de Israel.

29 Y cualquiera que haya dejado casas, o hermanos, o hermanas, o

padre, o madre, o esposa, o hijos, o tierras por mi nombre, recibirá cien tantos, y heredará la vida eterna.

30 Pero muchos primeros serán postreros, y postreros, primeros.

CAPÍTULO 20

Porque el reino de los cielos es semejante a un hombre, padre de familia, que salió por la mañana a contratar obreros para su viña.

2 Y habiendo concertado con los obreros en un denario al día, los envió a su viña.

3 Y saliendo cerca de la hora tercera, vio a otros en la plaza que estaban ociosos,

4 y les dijo: Id también vosotros a mi viña, y os daré lo que sea justo. Y ellos fueron.

5 Salió otra vez cerca de las horas sexta y novena, e hizo lo mismo.

6 Y saliendo cerca de la hora undécima, halló otros que estaban ociosos, y les dijo: ¿Por qué estáis aquí todo el día ociosos?

7 Ellos le dicen: Porque nadie nos ha contratado. Él les dijo: Id también vosotros a la viña, y recibiréis lo que sea justo.

8 Y cuando cayó la tarde, el señor de la viña dijo a su mayordomo: Llama a los obreros y págales el jornal, comenzando desde los postreros hasta los primeros.

9 Y viniendo los que habían ido cerca de la hora undécima, recibieron cada uno un denario.

10 Y cuando vinieron los primeros, pensaban que habían de recibir más, pero ellos también recibieron cada uno un denario.

11 Y al recibirlo, murmuraban contra el padre de familia,

12 diciendo: Estos postreros han trabajado *sólo* una hora, y los has hecho iguales a nosotros, que hemos llevado la carga y el calor del día.

13 Mas él respondiendo, dijo a uno de ellos: Amigo, no te hago agravio; ¿no concertaste conmigo por un denario?

14 Toma *lo que es* tuyo y vete; pero quiero dar a este postrero igual que a ti.

La madre de los hijos de Zebedeo

15 ¿No me es lícito hacer con lo mío lo que quiero? ¿O es malo tu ojo porque yo soy bueno?

16 Así los primeros serán postreros, y los postreros, primeros: Porque muchos son llamados, mas pocos escogidos.

17 Y subiendo Jesús a Jerusalén, tomó a sus doce discípulos aparte en el camino, y les dijo:

18 He aquí subimos a Jerusalén, y el Hijo del Hombre será entregado a los príncipes de los sacerdotes y a los escribas, y le condenarán a muerte;

19 y le entregarán a los gentiles para ser escarnecido, azotado, y crucificado, mas al tercer día resucitará.

20 Entonces vino a Él la madre de los hijos de Zebedeo con sus hijos, adorándole y pidiéndole algo.

21 Y Él le dijo: ¿Qué quieres? Ella le dijo: Concede que en tu reino se sienten estos mis dos hijos, el uno a tu mano derecha, y el otro a tu izquierda.

22 Entonces Jesús respondiendo, dijo: No sabéis lo que pedís: ¿Podéis beber la copa que yo he de beber, y ser bautizados del bautismo de que yo soy bautizado? Ellos le dijeron: Podemos.

23 Y Él les dijo: A la verdad de mi copa beberéis, y seréis bautizados con el bautismo que yo soy bautizado, pero el sentaros a mi mano derecha y a mi izquierda, no es mío darlo, sino a aquellos para quienes está preparado por mi Padre.

24 Y oyéndolo los diez, se indignaron contra los dos hermanos.

25 Entonces Jesús, llamándolos, dijo: Sabéis que los príncipes de los gentiles se enseñorean sobre ellos, y los que son grandes ejercen sobre ellos autoridad.

26 Mas entre vosotros no será así, sino que el que quisiere ser grande entre vosotros sea vuestro servidor,

27 y el que quisiere ser el primero entre vosotros, sea vuestro servidor;

28 así como el Hijo del Hombre no vino para ser servido, sino para servir, y para dar su vida en rescate por muchos.

29 Y saliendo ellos de Jericó, le seguía una gran multitud.

30 Y he aquí, dos ciegos sentados junto al camino, cuando oyeron que Jesús pasaba, clamaron, diciendo: ¡Señor, Hijo de David, ten misericordia de nosotros!

31 Y la multitud les reprendía para que callasen; pero ellos más clamaban, diciendo: ¡Señor, Hijo de David, ten misericordia de nosotros!

32 Y deteniéndose Jesús, los llamó, y les dijo: ¿Qué queréis que os haga?

33 Ellos le dijeron: Señor, que sean abiertos nuestros ojos.

34 Entonces Jesús, teniendo compasión *de ellos*, tocó sus ojos, y al instante sus ojos recibieron la vista; y le siguieron.

CAPÍTULO 21

Y cuando se acercaron a Jerusalén, y vinieron a Betfagé, al monte de los Olivos; entonces Jesús envió dos discípulos,

2 diciéndoles: Id a la aldea que está delante de vosotros, y luego hallaréis una asna atada, y un pollino con ella; desatadla, y traédmelos.

3 Y si alguno os dijere algo, decid: El Señor los necesita; y luego los enviará.

4 Todo esto fue hecho para que se cumpliese lo que fue dicho por el profeta, que dijo:

5 Decid a la hija de Sión: He aquí tu Rey viene a ti, manso, y sentado sobre una asna, y un pollino hijo de animal de yugo.

6 Y los discípulos fueron, e hicieron como Jesús les mandó;

7 y trajeron el asna y el pollino, y pusieron sobre ellos sus mantos, y le sentaron encima.

8 Y la multitud, que era muy numerosa, tendía sus mantos en el camino, y otros cortaban ramas de los árboles y las tendían en el camino.

9 Y las multitudes que iban delante y los que iban detrás aclamaban, diciendo: ¡Hosanna al Hijo de David! ¡Bendito el que viene en el nombre del Señor! ¡Hosanna en las alturas!

10 Y entrando Él en Jerusalén, toda la ciudad se conmovió, diciendo: ¿Quién es Éste?

11 Y la multitud decía: Éste es Jesús el profeta, de Nazaret de Galilea.

12 Y entró Jesús en el templo de Dios, y echó fuera a todos los que vendían y compraban en el templo, y volcó las mesas de los cambistas, y las sillas de los que vendían palomas;

13 y les dijo: Escrito está: Mi casa, casa de oración será llamada, mas vosotros la habéis hecho cueva de ladrones.

14 Y los ciegos y los cojos venían a Él en el templo, y los sanaba.

15 Y cuando los príncipes de los sacerdotes y los escribas vieron las maravillas que hacía, y a los muchachos aclamando en el templo y diciendo: ¡Hosanna al Hijo de David! se indignaron,

16 y le dijeron: ¿Oyes lo que éstos dicen? Y Jesús les dijo: Sí; ¿nunca leísteis: De la boca de los niños y de los que maman perfeccionaste la alabanza?

17 Y dejándolos, salió fuera de la ciudad a Betania; y posó allí.

18 Y por la mañana volviendo a la ciudad, tuvo hambre.

19 Y viendo una higuera cerca del camino, vino a ella, y no halló nada en ella, sino hojas solamente, y le dijo: Nunca más nazca fruto de ti, por siempre. Y al instante se secó la higuera.

20 Y viéndolo los discípulos, se maravillaron y decían: ¡Cómo es que tan pronto se secó la higuera!

21 Y respondiendo Jesús les dijo: De cierto os digo que si tuviereis fe, y no dudareis, no sólo haréis esto de la higuera, sino que si a este monte dijereis: Quítate y échate en el mar, será hecho.

22 Y todo lo que pidieres en oración, creyendo, lo recibiréis.

23 Y cuando vino al templo, mientras enseñaba, vinieron los príncipes de los sacerdotes y los ancianos del pueblo, diciendo: ¿Con qué autoridad haces estas cosas? ¿Y quién te dio esta autoridad?

24 Y respondiendo Jesús, les dijo: Yo también os preguntaré una cosa, la cual si me respondiereis, también yo os diré con qué autoridad hago estas cosas.

25 El bautismo de Juan, ¿de dónde era? ¿Del cielo, o de los hombres? Ellos entonces hablaban entre sí,

diciendo: Si dijéremos del cielo, nos dirá: ¿Por qué, pues, no le creísteis?

26 Y si dijéremos, de los hombres, tememos al pueblo; porque todos tienen a Juan por profeta.

27 Y respondiendo a Jesús, dijeron: No sabemos. Y Él les dijo: Tampoco yo os digo con qué autoridad hago estas cosas.

28 Mas, ¿qué os parece? Un hombre tenía dos hijos, y llegando al primero le dijo: Hijo, ve hoy a trabajar en mi viña.

29 Y respondiendo él, dijo: No quiero; pero después, arrepentido, fue.

30 Y vino al segundo, y le dijo de la misma manera; y respondiendo él, dijo: Yo señor, *voy*, y no fue.

31 ¿Cuál de los dos hizo la voluntad de *su* padre? Ellos le dijeron: El primero. Jesús les dijo: De cierto os digo, que los publicanos y las rameras van delante de vosotros al reino de Dios.

32 Porque vino a vosotros Juan en camino de justicia, y no le creísteis; pero los publicanos y las rameras le creyeron; y vosotros, viendo esto, no os arrepentisteis después para creerle.

33 Oíd otra parábola: Hubo un hombre, padre de familia, el cual plantó una viña, y la cercó de vallado, y cavó en ella un lagar, y edificó una torre, y la arrendó a labradores, y se fue lejos.

34 Y cuando se acercó el tiempo de los frutos, envió sus siervos a los labradores, para que recibiesen sus frutos.

35 Mas los labradores, tomando a los siervos, golpearon a uno, y a otro mataron, y a otro apedrearon.

36 Otra vez, envió otros siervos, más que los primeros; e hicieron con ellos de la misma manera.

37 Y a la postre les envió su hijo, diciendo: Respetarán a mi hijo.

38 Mas los labradores cuando vieron al hijo, dijeron entre sí: Éste es el heredero, venid, matémosle, y apoderémonos de su heredad.

39 Y tomándole, le echaron fuera de la viña, y le mataron.

40 Cuando viniere, pues, el señor de la viña, ¿qué hará a aquellos labradores?

41 Ellos le dijeron: A los malos destruirá sin misericordia, y *su* viña arrendará a otros labradores, que le paguen el fruto a su tiempo.

42 Jesús les dijo: ¿Nunca leísteis en las Escrituras: La piedra que desecharon los edificadores, ha venido a ser cabeza de ángulo: El Señor ha hecho esto, y es cosa maravillosa en nuestros ojos?

43 Por tanto os digo: El reino de Dios será quitado de vosotros, y será dado a una nación que haga los frutos de él.

44 Y el que cayere sobre esta piedra, será quebrantado; y sobre quien ella cayere, le desmenuzará.

45 Y oyendo sus parábolas los príncipes de los sacerdotes y los fariseos, entendieron que hablaba de ellos.

46 Pero cuando buscaron cómo echarle mano, tuvieron miedo de la multitud; porque ellos le tenían por profeta.

CAPÍTULO 22

Y respondiendo Jesús, les volvió a hablar en parábolas, diciendo:

2 El reino de los cielos es semejante a un rey que hizo bodas a su hijo,

3 y envió a sus siervos para que llamasen a los convidados a las bodas; mas no quisieron venir.

4 Volvió a enviar otros siervos, diciendo: Decid a los convidados: He aquí, mi comida he preparado, mis toros y animales engordados han sido muertos, y todo *está* preparado; venid a las bodas.

5 Pero ellos lo tuvieron en poco y se fueron; uno a su labranza, otro a sus negocios,

6 y los otros, tomando a sus siervos, los afrentaron y los mataron.

7 Y oyéndolo el rey, se indignó; y enviando sus ejércitos, destruyó a aquellos homicidas, y puso a fuego su ciudad.

8 Entonces dijo a sus siervos: Las bodas a la verdad están preparadas, pero los que fueron convidados no eran dignos.

9 Id, pues, a las salidas de los caminos, y llamad a las bodas a cuantos halléis.

10 Y saliendo los siervos por los caminos, juntaron a todos los que hallaron, juntamente malos y buenos; y las bodas fueron llenas de convidados.

11 Y cuando el rey vino para ver los convidados, vio allí a un hombre que no estaba vestido de boda,

12 y le dijo: Amigo, ¿cómo entraste acá sin estar vestido de boda? Mas él enmudeció.

13 Entonces el rey dijo a los que servían: Atadle de pies y manos, llevadle y echadle en las tinieblas de afuera; allí será el lloro y el crujir de dientes.

14 Porque muchos son llamados, pero pocos son escogidos.

15 Entonces los fariseos fueron y consultaron de cómo le prenderían en alguna palabra.

16 Y le enviaron los discípulos de ellos, con los herodianos, diciendo: Maestro, sabemos que eres veraz, y que enseñas con verdad el camino de Dios, y que no te cuidas de nadie, porque no miras la apariencia de los hombres.

17 Dinos, pues, qué te parece: ¿Es lícito dar tributo a César, o no?

18 Pero Jesús, conociendo la malicia de ellos, les dijo: ¿Por qué me tentáis, hipócritas?

19 Mostradme la moneda del tributo. Y ellos le presentaron un denario.

20 Entonces les dijo: ¿De quién es esta imagen, y la inscripción?

21 Le dicen: De César. Entonces Él les dijo: Dad, pues, a César lo que es de César, y a Dios lo que es de Dios.

22 Y oyendo esto, se maravillaron, y dejándole, se fueron.

23 Aquel día, vinieron a Él los saduceos, que dicen que no hay resurrección, y le preguntaron,

24 diciendo: Maestro, Moisés dijo: Si alguno muriere sin hijos, su hermano se casará con su esposa, y levantará descendencia a su hermano.

25 Hubo, pues, entre nosotros siete hermanos; y el primero se casó, y murió; y no teniendo descendencia, dejó su esposa a su hermano;

26 así también el segundo, y el tercero, hasta el séptimo.

27 Y después de todos murió también la mujer.

28 En la resurrección, pues, ¿de cuál de los siete será esposa, pues todos la tuvieron?

29 Entonces respondiendo Jesús, les dijo: Erráis, no conociendo las Escrituras, ni el poder de Dios.

30 Porque en la resurrección ni se casan, ni se dan en casamiento, sino que son como los ángeles de Dios en el cielo.

31 Pero en cuanto a la resurrección de los muertos, ¿no habéis leído lo que os fue dicho por Dios, cuando dijo:

32 Yo soy el Dios de Abraham, y el Dios de Isaac, y el Dios de Jacob? Dios no es Dios de muertos, sino de vivos.

33 Y oyéndolo la multitud, se maravillaban de su doctrina.

34 Y cuando los fariseos oyeron que había hecho callar a los saduceos, se juntaron a una.

35 Entonces uno de ellos, que era intérprete de la ley, preguntó por tentarle, diciendo:

36 Maestro, ¿cuál es el gran mandamiento en la ley?

37 Jesús le dijo: Amarás al Señor tu Dios con todo tu corazón, y con toda tu alma, y con toda tu mente.

38 Éste es el primero y grande mandamiento.

39 Y el segundo es semejante a éste: Amarás a tu prójimo como a ti mismo.

40 De estos dos mandamientos pende toda la ley y los profetas.

41 Y juntándose los fariseos, Jesús les preguntó,

42 diciendo: ¿Qué pensáis del Cristo? ¿De quién es hijo? Le dicen: De David.

43 Él les dice: ¿Cómo entonces David en el Espíritu le llama Señor, diciendo:

44 Dijo el Señor a mi Señor: Siéntate a mi diestra, hasta que ponga a tus enemigos por estrado de tus pies.

45 Pues si David le llama Señor, ¿cómo es su hijo?

46 Y nadie le podía responder palabra; ni osó alguno desde aquel día preguntarle más.

CAPÍTULO 23

Entonces habló Jesús a la multitud y a sus discípulos,

2 diciendo: En la cátedra de Moisés se sientan los escribas y los fariseos:

3 Así que, todo lo que os digan que guardéis, guardadlo y hacedlo, pero no hagáis conforme a sus obras, porque ellos dicen, y no hacen.

4 Porque atan cargas pesadas y difíciles de llevar, y las ponen en hombros de los hombres; pero ellos ni con su dedo las quieren mover.

5 Antes, hacen todas sus obras para ser vistos por los hombres; porque ensanchan sus filacterias, y extienden los flecos de sus mantos;

6 y aman los primeros asientos en las cenas, y las primeras sillas en las sinagogas,

7 y las salutaciones en las plazas, y ser llamados por los hombres: Rabí, Rabí.

8 Mas vosotros no seáis llamados Rabí; porque uno es vuestro Maestro, *el* Cristo, y todos vosotros sois hermanos.

9 Y no llaméis vuestro padre a nadie en la tierra; porque uno es vuestro Padre, el que está en el cielo.

10 Ni seáis llamados maestros; porque uno es vuestro Maestro, *el* Cristo.

11 Y el que es mayor entre vosotros, sea vuestro siervo.

12 Porque el que se enaltece será humillado, y el que se humilla será enaltecido.

13 Mas ¡ay de vosotros, escribas y fariseos, hipócritas! porque cerráis el reino de los cielos delante de los hombres; porque ni entráis, ni a los que están entrando dejáis entrar.

14 ¡Ay de vosotros, escribas y fariseos, hipócritas! porque devoráis las casas de las viudas, y por pretexto, hacéis largas oraciones; por tanto llevaréis mayor condenación.

15 ¡Ay de vosotros, escribas y fariseos, hipócritas! porque recorréis mar y tierra para hacer un prosélito, y una vez hecho, lo hacéis dos veces más hijo del infierno que vosotros.

16 ¡Ay de vosotros, guías ciegos! que decís: Si alguno jura por el templo, no es nada; pero si alguno jura por el oro del templo, es deudor.

17 ¡Insensatos y ciegos! porque ¿cuál es mayor, el oro, o el templo que santifica al oro?

18 Y *decís*: Cualquiera que jura por el altar, no es nada; pero cualquiera que jura por la ofrenda que está sobre él, es deudor.

19 ¡Necios y ciegos! porque ¿cuál es mayor, la ofrenda, o el altar que santifica la ofrenda?

20 Pues el que jura por el altar, jura por él, y por todo lo que está sobre él;

21 y el que jura por el templo, jura por él, y por el que en él habita;

22 y el que jura por el cielo, jura por el trono de Dios, y por Aquél que está sentado sobre él.

23 ¡Ay de vosotros, escribas y fariseos, hipócritas! porque diezmáis la menta y el eneldo y el comino, y omitís lo más importante de la ley; la justicia, y la misericordia y la fe. Esto era necesario hacer, sin dejar de hacer lo otro.

24 ¡Guías ciegos, que coláis el mosquito, y tragáis el camello!

25 ¡Ay de vosotros, escribas y fariseos, hipócritas! porque limpiáis lo de fuera del vaso y del plato, pero por dentro estáis llenos de robo y de desenfreno.

26 ¡Fariseo ciego! Limpia primero lo de adentro del vaso y del plato, para que también lo de fuera sea limpio.

27 ¡Ay de vosotros, escribas y fariseos, hipócritas! porque sois semejantes a sepulcros blanqueados, que por fuera, a la verdad, se muestran hermosos, pero por dentro están llenos de huesos de muertos y de toda inmundicia.

28 Así también vosotros, por fuera a la verdad, os mostráis justos a los hombres; pero por dentro estáis llenos de hipocresía e iniquidad.

29 ¡Ay de vosotros, escribas y fariseos, hipócritas! porque edificáis los sepulcros de los profetas, y adornáis los monumentos de los justos,

30 y decís: Si hubiésemos *vivido* en los días de nuestros padres, no hubiéramos participado con ellos en la sangre de los profetas.

31 Así que dais testimonio contra vosotros mismos, de que sois hijos de aquellos que mataron a los profetas.

32 ¡Vosotros también colmad la medida de vuestros padres!

33 ¡Serpientes, generación de víboras! ¿Cómo escaparéis de la condenación del infierno?

34 Por tanto, he aquí yo os envío profetas, y sabios, y escribas; y de ellos, a *unos* mataréis y crucificaréis; y a *algunos* azotaréis en vuestras sinagogas, y perseguiréis de ciudad en ciudad;

35 para que venga sobre vosotros toda la sangre justa que ha sido derramada sobre la tierra, desde la sangre de Abel el justo, hasta la sangre de Zacarías, hijo de Baraquías, al cual matasteis entre el templo y el altar.

36 De cierto os digo que todo esto vendrá sobre esta generación.

37 ¡Jerusalén, Jerusalén, que matas a los profetas y apedreas a los que te son enviados! ¡Cuántas veces quise juntar tus hijos, como la gallina junta sus polluelos debajo de *sus* alas, y no quisiste!

38 He aquí vuestra casa os es dejada desierta.

39 Porque os digo que desde ahora no me veréis, hasta que digáis: Bendito el que viene en el nombre del Señor.

CAPÍTULO 24

Y *cuando* Jesús salió del templo y se iba, vinieron sus discípulos para mostrarle los edificios del templo.

2 Y Jesús les dijo: ¿No veis todo esto? De cierto os digo: No quedará piedra sobre piedra, que no sea derribada.

3 Y sentándose Él en el monte de los Olivos, los discípulos se le acercaron aparte, diciendo: Dinos, ¿cuándo serán estas cosas, y qué señal *habrá* de tu venida, y del fin del mundo?

4 Respondiendo Jesús, les dijo: Mirad que nadie os engañe.

5 Porque vendrán muchos en mi nombre, diciendo: Yo soy el Cristo; y a muchos engañarán.

6 Y oiréis de guerras, y rumores de guerras; mirad que no os turbéis, porque es menester que todo *esto* acontezca, pero aún no es el fin.

7 Porque se levantará nación contra nación, y reino contra reino; y habrá hambres, y pestilencias, y terremotos en muchos lugares.

8 Y todo esto *será* principio de dolores.

9 Entonces os entregarán para ser atribulados, y os matarán; y seréis aborrecidos de todas las naciones por causa de mi nombre.

10 Y entonces muchos se escandalizarán; y se entregarán unos a otros, y unos a otros se aborrecerán.

11 Y muchos falsos profetas se levantarán, y engañarán a muchos,

12 y por haberse multiplicado la maldad, el amor de muchos se enfriará.

13 Mas el que perseverare hasta el fin, éste será salvo.

14 Y será predicado este evangelio del reino en todo el mundo, para testimonio a todas las naciones; y entonces vendrá el fin.

15 Por tanto, cuando viereis la abominación desoladora, que fue dicha por el profeta Daniel, que estará en el lugar santo (el que lee, entienda),

16 Entonces los que estén en Judea, huyan a los montes.

17 El que esté en la azotea, no descienda a tomar algo de su casa;

18 y el que esté en el campo, no vuelva atrás a tomar su ropa.

19 Y ¡Ay de las que estén encintas, y de las que amamanten en aquellos días!

20 Orad, pues, que vuestra huida no sea en invierno ni en sábado;

21 porque habrá entonces gran tribulación, cual no ha habido desde el principio del mundo hasta ahora, ni jamás habrá.

22 Y si aquellos días no fuesen acortados, ninguna carne sería salva; mas por causa de los escogidos, aquellos días serán acortados.

23 Entonces si alguno os dijere: He aquí *está* el Cristo, o allí, no lo creáis.

24 Porque se levantarán falsos Cristos, y falsos profetas; y harán grandes señales y prodigios, de tal manera que engañarán, si *fuese* posible, aun a los escogidos.

25 He aquí os lo he dicho antes.

26 Así que, si os dijeren: He aquí, está en el desierto, no salgáis: He aquí, en las alcobas, no lo creáis.

27 Porque como el relámpago que sale del oriente y se muestra hasta el

occidente, así será también la venida del Hijo del Hombre.

28 Porque dondequiera que esté el cuerpo muerto, allí se juntarán también las águilas.

29 E inmediatamente después de la tribulación de aquellos días, el sol se oscurecerá, y la luna no dará su resplandor, y las estrellas caerán del cielo, y las potencias de los cielos serán conmovidas.

30 Y entonces aparecerá la señal del Hijo del Hombre en el cielo; entonces se lamentarán todas las tribus de la tierra, y verán al Hijo del Hombre viniendo en las nubes del cielo, con poder y gran gloria.

31 Y enviará a sus ángeles con gran voz de trompeta, y juntarán a sus escogidos de los cuatro vientos, desde un extremo del cielo hasta el otro.

32 De la higuera aprended la parábola: Cuando ya su rama enternece, y las hojas brotan, sabéis que el verano *está* cerca.

33 Así también vosotros, cuando veáis todas estas cosas, sabed que está cerca, a las puertas.

34 De cierto os digo: No pasará esta generación, hasta que todo esto acontezca.

35 El cielo y la tierra pasarán, mas mis palabras no pasarán.

36 Pero del día y la hora, nadie sabe, ni los ángeles del cielo, sino sólo mi Padre.

37 Y como en los días de Noé, así también será la venida del Hijo del Hombre.

38 Porque como en los días antes del diluvio estaban comiendo y bebiendo, casándose y dándose en casamiento, hasta el día en que Noé entró en el arca,

39 y no entendieron hasta que vino el diluvio y se los llevó a todos; así también será la venida del Hijo del Hombre.

40 Entonces estarán dos en el campo; el uno será tomado, y el otro será dejado:

41 Dos *mujeres estarán* moliendo en un molino; la una será tomada, y la otra será dejada.

42 Velad, pues, porque no sabéis a que hora ha de venir vuestro Señor.

43 Pero sabed esto, que si el padre de familia supiese en qué vela el ladrón habría de venir, velaría, y no dejaría minar su casa.

44 Por tanto, también vosotros estad apercibidos; porque el Hijo del Hombre vendrá a la hora que no pensáis.

45 ¿Quién es, pues, el siervo fiel y prudente, al cual su señor puso sobre su familia para que les dé el alimento a tiempo?

46 Bienaventurado aquel siervo al cual, cuando su señor venga, le halle haciendo así.

47 De cierto os digo que sobre todos sus bienes le pondrá.

48 Pero si aquel siervo malo dijere en su corazón: Mi señor tarda en venir;

49 y comenzare a golpear *a sus* compañeros, y aun a comer y a beber con los borrachos,

50 vendrá el señor de aquel siervo en el día que no lo espera, y a la hora que no sabe,

51 y le apartará, y pondrá su parte con los hipócritas: Allí será el lloro y el crujir de dientes.

CAPÍTULO 25

Entonces el reino de los cielos será semejante a diez vírgenes que tomando sus lámparas, salieron a recibir al esposo.

2 Y cinco de ellas eran prudentes, y cinco insensatas.

3 Las insensatas, tomaron sus lámparas, no tomando consigo aceite.

4 Mas las prudentes tomaron aceite en sus vasos, juntamente con sus lámparas.

5 Y tardándose el esposo, cabecearon todas y se durmieron.

6 Y a la media noche fue oído un clamor: He aquí, viene el esposo; salid a recibirle.

7 Entonces todas aquellas vírgenes se levantaron, y aderezaron sus lámparas.

8 Y las insensatas dijeron a las prudentes: Dadnos de vuestro aceite porque nuestras lámparas se apagan

9 Mas las prudentes respondieron diciendo: No; no sea que no hay

suficiente para nosotras y vosotras, id más bien a los que venden, y comprad para vosotras.

10 Y entre tanto que ellas iban a comprar, vino el esposo; y las que estaban apercibidas entraron con él a las bodas; y se cerró la puerta.

11 Y después vinieron también las otras vírgenes, diciendo: ¡Señor, señor, ábrenos!

12 Pero él, respondiendo, dijo: De cierto os digo: No os conozco.

13 Velad, pues, porque no sabéis el día ni la hora en que el Hijo del Hombre ha de venir.

14 Porque *el reino de los cielos* es como un hombre que yéndose lejos, llamó a sus siervos y les entregó sus bienes.

15 A uno dio cinco talentos, y a otro dos, y a otro uno, a cada uno conforme a su facultad; y luego partió lejos.

16 Y el que había recibido cinco talentos, fue y negoció con ellos, y ganó otros cinco talentos.

17 Asimismo el que *había recibido* dos, ganó también otros dos.

18 Mas el que había recibido uno fue y cavó en la tierra, y escondió el dinero de su señor.

19 Y después de mucho tiempo, vino el señor de aquellos siervos, e hizo cuentas con ellos.

20 Y el que había recibido cinco talentos, vino y trajo otros cinco talentos, diciendo: Señor, cinco talentos me entregaste; he aquí, he ganado sobre ellos otros cinco talentos.

21 Y su señor le dijo: Bien hecho, siervo bueno y fiel, sobre poco has sido fiel, sobre mucho te pondré; entra en el gozo de tu señor.

22 Llegando también el que había recibido dos talentos, dijo: Señor, dos talentos me entregaste; he aquí, he ganado sobre ellos, otros dos talentos.

23 Su señor le dijo: Bien hecho, siervo bueno y fiel; sobre poco has sido fiel, sobre mucho te pondré, entra en el gozo de tu señor.

24 Entonces vino el que había recibido un talento, y dijo: Señor, te conocía que eres hombre duro, que siegas donde no sembraste y recoges donde no esparciste;

25 y tuve miedo, y fui y escondí tu talento en la tierra; aquí tienes *lo que es* tuyo.

26 Respondiendo su señor, le dijo: Siervo malo y negligente, sabías que siego donde no sembré, y que recojo donde no esparcí.

27 Por tanto, debías haber dado mi dinero a los banqueros, y al venir yo, hubiera recibido lo mío con intereses.

28 Quitadle, pues, el talento, y dadlo al que tiene diez talentos.

29 Porque a todo el que tiene le será dado, y tendrá abundancia; pero al que no tiene, aun lo que tiene le será quitado.

30 Y al siervo inútil echadle en las tinieblas de afuera; allí será el lloro y el crujir de dientes.

31 Cuando el Hijo del Hombre venga en su gloria, y todos los santos ángeles con Él, entonces se sentará sobre el trono de su gloria;

32 y serán reunidas delante de Él todas las naciones; y apartará los unos de los otros, como aparta el pastor las ovejas de los cabritos;

33 y pondrá las ovejas a su derecha, y los cabritos a la izquierda.

34 Entonces el Rey dirá a los de su derecha: Venid, benditos de mi Padre, heredad el reino preparado para vosotros desde la fundación del mundo.

35 Porque tuve hambre, y me disteis de comer; tuve sed, y me disteis de beber; fui extranjero, y me recogisteis;

36 *estuve* desnudo, y me cubristeis; enfermo, y me visitasteis; en la cárcel, y vinisteis a mí.

37 Entonces los justos le responderán, diciendo: Señor, ¿cuándo te vimos hambriento, y te sustentamos, o sediento, y te dimos de beber?

38 ¿Y cuándo te vimos extranjero, y te recogimos, o desnudo, y te cubrimos?

39 ¿O cuándo te vimos enfermo o en la cárcel, y vinimos a ti?

40 Y respondiendo el Rey, les dirá: De cierto os digo: En cuanto lo hicisteis a uno de estos mis hermanos más pequeños, a mí lo hicisteis.

41 Entonces dirá también a los de la izquierda: Apartaos de mí, malditos,

al fuego eterno preparado para el diablo y sus ángeles.

42 Porque tuve hambre, y no me disteis de comer; tuve sed, y no me disteis de beber;

43 fui extranjero, y no me recogisteis; *estuve* desnudo, y no me cubristeis; enfermo, y en la cárcel, y no me visitasteis.

44 Entonces también ellos le responderán, diciendo: Señor, ¿cuándo te vimos hambriento, o sediento, o extranjero, o desnudo, o enfermo, o en la cárcel, y no te servimos?

45 Entonces les responderá, diciendo: De cierto os digo, en cuanto no lo hicisteis a uno de estos más pequeños, tampoco a mí lo hicisteis.

46 E irán éstos al castigo eterno, y los justos a la vida eterna.

CAPÍTULO 26

Y aconteció que cuando Jesús hubo acabado todas estas palabras, dijo a sus discípulos:

2 Sabéis que dentro de dos días se celebra la pascua; y el Hijo del Hombre será entregado para ser crucificado.

3 Entonces los príncipes de los sacerdotes, y los escribas, y los ancianos del pueblo, se reunieron en el palacio del sumo sacerdote llamado Caifás,

4 y tuvieron consejo para prender con engaño a Jesús, y matarle.

5 Pero decían: No en el *día* de fiesta, para que no se haga alboroto en el pueblo.

6 Y estando Jesús en Betania, en casa de Simón el leproso,

7 vino a Él una mujer, trayendo un frasco de alabastro de ungüento de mucho precio, y lo derramó sobre la cabeza de Él, estando Él sentado a la mesa.

8 Al ver esto sus discípulos, se indignaron, diciendo: ¿Por qué este desperdicio?

9 Porque este ungüento podía haberse vendido a gran precio, y haberse dado a los pobres.

10 Y entendiéndolo Jesús, les dijo: ¿Por qué molestáis a esta mujer? pues buena obra me ha hecho.

11 Porque a los pobres siempre los tenéis con vosotros, pero a mí no siempre me tenéis.

12 Porque derramando este ungüento sobre mi cuerpo, para mi sepultura lo ha hecho.

13 De cierto os digo: Dondequiera que se predique este evangelio, en todo el mundo, también lo que ésta ha hecho, será dicho para memoria de ella.

14 Entonces uno de los doce, llamado Judas Iscariote, fue a los príncipes de los sacerdotes,

15 y *les* dijo: ¿Qué me queréis dar, y yo os lo entregaré? Y convinieron con él por treinta piezas de plata.

16 Y desde entonces buscaba oportunidad para entregarle.

17 Y el primer *día de la fiesta* de los panes sin levadura, vinieron los discípulos a Jesús, diciéndole: ¿Dónde quieres que preparemos para que comas la pascua?

18 Y Él dijo: Id a la ciudad, a cierto hombre, y decidle: El Maestro dice: Mi tiempo está cerca; en tu casa celebraré la pascua con mis discípulos.

19 Y los discípulos hicieron como Jesús les mandó, y prepararon la pascua.

20 Y cuando llegó la noche, se sentó a la mesa con los doce.

21 Y comiendo ellos, dijo: De cierto os digo, que uno de vosotros me ha de entregar.

22 Y entristecidos en gran manera, comenzó cada uno de ellos a decirle: ¿Soy yo, Señor?

23 Entonces Él respondiendo, dijo: El que mete la mano conmigo en el plato, ése me ha de entregar.

24 A la verdad el Hijo del Hombre va, como está escrito de Él, mas ¡ay de aquel hombre por quien el Hijo del Hombre es entregado! Bueno le fuera a tal hombre no haber nacido.

25 Entonces Judas, el que le entregaba, respondió y dijo: ¿Soy yo, Maestro? *Él* le dijo: Tú lo has dicho.

26 Y mientras comían, Jesús tomó el pan, y *lo* bendijo, y *lo* partió y dio a sus discípulos, y dijo: Tomad, comed; esto es mi cuerpo.

27 Y tomando la copa, habiendo dado gracias, les dio, diciendo: Bebed de ella todos;

28 porque esto es mi sangre del nuevo testamento, la cual es derramada por muchos para remisión de pecados.

29 Y os digo, que desde ahora no beberé más de este fruto de la vid, hasta aquel día cuando lo beba nuevo con vosotros en el reino de mi Padre.

30 Y cuando hubieron cantado un himno, salieron al monte de los Olivos.

31 Entonces Jesús les dijo: Todos vosotros os escandalizaréis de mí esta noche; porque está escrito: Heriré al pastor, y las ovejas del rebaño serán dispersadas.

32 Pero después que haya resucitado, iré delante de vosotros a Galilea.

33 Respondiendo Pedro, le dijo: Aunque todos se escandalicen por causa de ti, yo nunca me escandalizaré.

34 Jesús le dijo: De cierto te digo que esta noche, antes que el gallo cante, me negarás tres veces.

35 Pedro le dice: Aunque me sea necesario morir contigo, no te negaré. Y todos los discípulos dijeron lo mismo.

36 Entonces llegó Jesús con ellos a un lugar que se llama Getsemaní, y dijo a sus discípulos: Sentaos aquí, entre tanto que voy allí y oro.

37 Y tomando a Pedro y a los dos hijos de Zebedeo, comenzó a entristecerse y a angustiarse en gran manera.

38 Entonces *Él* les dijo: Mi alma está muy triste hasta la muerte; quedaos aquí, y velad conmigo.

39 Y yendo un poco más adelante, se postró sobre su rostro, y oró diciendo: Padre mío, si es posible, pase de mí esta copa, pero no sea mi voluntad, sino la tuya.

40 Y vino a sus discípulos y los halló durmiendo, y dijo a Pedro: ¿Así que no habéis podido velar conmigo una hora?

41 Velad y orad, para que no entréis en tentación; el espíritu a la verdad *está* dispuesto, pero la carne *es* débil.

42 Otra vez fue, y oró por segunda vez, diciendo: Padre mío, si no puede pasar de mí esta copa sin que yo la beba, hágase tu voluntad.

43 Y vino, y otra vez los halló durmiendo, porque los ojos de ellos estaban cargados *de sueño.*

44 Y dejándolos, se fue de nuevo, y oró por tercera vez, diciendo las mismas palabras.

45 Entonces vino a sus discípulos y les dijo: Dormid ya, y descansad; he aquí ha llegado la hora, y el Hijo del Hombre es entregado en manos de pecadores.

46 Levantaos, vamos; he aquí, se acerca el que me entrega.

47 Y cuando Él aún hablaba, vino Judas, uno de los doce, y una gran multitud con él, con espadas y palos, de parte de los príncipes de los sacerdotes y de los ancianos del pueblo.

48 Y el que le entregaba les había dado señal, diciendo: Al que yo besare, ése es; prendedle.

49 Y luego se acercó a Jesús, y dijo: ¡Salve Maestro! Y le besó.

50 Y Jesús le dijo: Amigo, ¿a qué vienes? Entonces vinieron y echaron mano a Jesús, y le prendieron.

51 Y he aquí, uno de los que estaban con Jesús, extendiendo *su* mano, sacó su espada, e hiriendo a un siervo del sumo sacerdote, le cortó su oreja.

52 Entonces Jesús le dijo: Vuelve tu espada a su lugar; porque todos los que tomen espada, a espada perecerán.

53 O ¿piensas que no puedo ahora orar a mi Padre, y Él me daría más de doce legiones de ángeles?

54 ¿Pero cómo entonces se cumplirían las Escrituras, de que es necesario que así se haga?

55 En aquella hora, dijo Jesús a la multitud: ¿Como contra un ladrón habéis salido, con espadas y palos para prenderme? Cada día me sentaba con vosotros enseñando en el templo, y no me prendisteis.

56 Pero todo esto es hecho, para que se cumplan las Escrituras de los profetas. Entonces todos los discípulos, dejándole, huyeron.

57 Y los que prendieron a Jesús, le llevaron a Caifás el sumo sacerdote, donde los escribas y los ancianos estaban reunidos.

58 Mas Pedro le seguía de lejos hasta el patio del sumo sacerdote; y

entrando, se sentó con los siervos, para ver el fin.

59 Y los príncipes de los sacerdotes y los ancianos y todo el concilio, buscaban falso testimonio contra Jesús, para entregarle a muerte,

60 pero no lo hallaron; aunque muchos testigos falsos venían, pero no lo hallaron. Y a la postre vinieron dos testigos falsos,

61 que dijeron: Éste dijo: Puedo derribar el templo de Dios, y en tres días reedificarlo.

62 Y levantándose el sumo sacerdote, le dijo: ¿No respondes nada? ¿Qué testifican éstos contra ti?

63 Mas Jesús callaba. Y el sumo sacerdote respondiendo, le dijo: Te conjuro por el Dios viviente, que nos digas si eres tú el Cristo, el Hijo de Dios.

64 Jesús le dijo: Tú lo has dicho. Además os digo: Desde ahora veréis al Hijo del Hombre sentado a la diestra de poder, y viniendo en las nubes del cielo.

65 Entonces el sumo sacerdote rasgó sus vestiduras, diciendo: ¡Ha blasfemado! ¿Qué más necesidad tenemos de testigos? He aquí, ahora habéis oído su blasfemia.

66 ¿Qué os parece? Y respondiendo ellos, dijeron: ¡Culpable es de muerte!

67 Entonces le escupieron en su rostro, y le dieron de puñetazos; y otros le abofeteaban,

68 diciendo: Profetízanos, Cristo, ¿quién es el que te golpeó?

69 Y Pedro estaba sentado fuera en el patio; y se le acercó una criada, diciendo: Tú también estabas con Jesús el galileo.

70 Mas él negó delante de todos, diciendo: No sé lo que dices.

71 Y cuando salió al pórtico, le vio otra, y dijo a los que estaban allí: También éste estaba con Jesús el Nazareno.

72 Y negó otra vez con juramento: No conozco al hombre.

73 Y un poco después llegaron unos que por allí estaban, y dijeron a Pedro: Verdaderamente también tú eres de ellos, porque tu habla te descubre.

74 Entonces comenzó a maldecir, y a jurar, diciendo: No conozco al hombre. Y en seguida cantó el gallo.

75 Y Pedro se acordó de las palabras de Jesús, que le dijo: Antes que el gallo cante, me negarás tres veces. Y saliendo fuera, lloró amargamente.

CAPÍTULO 27

Y venida la mañana, todos los príncipes de los sacerdotes y los ancianos del pueblo tomaron consejo contra Jesús para entregarle a muerte.

2 Y le llevaron atado, y le entregaron a Poncio Pilato, el gobernador.

3 Entonces Judas, el que le había entregado, viendo que era condenado, arrepentido, devolvió las treinta monedas de plata a los príncipes de los sacerdotes y a los ancianos,

4 diciendo: Yo he pecado entregando sangre inocente. Pero ellos dijeron: ¿Qué a nosotros? Míralo tú.

5 Y arrojando las piezas de plata en el templo, salió, y fue y se ahorcó.

6 Y los príncipes de los sacerdotes, tomando las piezas de plata, dijeron: No es lícito echarlas en el tesoro, porque es precio de sangre.

7 Y tomando consejo, compraron con ellas el campo del alfarero, para sepultura de los extranjeros.

8 Por lo cual aquel campo fue llamado: Campo de Sangre, hasta el día de hoy.

9 Entonces se cumplió lo que fue dicho por el profeta Jeremías, que dijo: Y tomaron las treinta piezas de plata, el precio del estimado, el cual fue apreciado por los hijos de Israel;

10 y las dieron por el campo del alfarero, como me ordenó el Señor.

11 Y Jesús estaba en pie delante del gobernador; y el gobernador le preguntó, diciendo: ¿Eres tú el Rey de los judíos? Y Jesús le dijo: Tú lo dices.

12 Y siendo acusado por los príncipes de los sacerdotes y por los ancianos, nada respondió.

13 Pilato entonces le dijo: ¿No oyes cuántas cosas testifican contra ti?

14 Y Él no le respondió ni una palabra; de tal manera que el gobernador se maravillaba mucho.

15 Y en el día de la fiesta el gobernador acostumbraba soltar al pueblo a un preso, el que quisiesen.

16 Y tenían entonces un preso famoso llamado Barrabás.

17 Y reuniéndose ellos, Pilato les dijo: ¿A quién queréis que os suelte; a Barrabás, o a Jesús que es llamado el Cristo?

18 Porque sabía que por envidia le habían entregado.

19 Y estando él sentado en el tribunal, su esposa envió a él, diciendo: No tengas nada que ver con ese justo; porque hoy he padecido muchas cosas en sueños por causa de Él.

20 Mas los príncipes de los sacerdotes y los ancianos persuadieron a la multitud que pidiese a Barrabás, y que dieran muerte a Jesús.

21 Y el gobernador respondiendo, les dijo: ¿A cuál de los dos queréis que os suelte? Y ellos dijeron: A Barrabás.

22 Pilato les dijo: ¿Qué, pues, haré con Jesús, que es llamado el Cristo? Todos le dijeron: ¡Sea crucificado!

23 Y el gobernador les dijo: Pues, ¿qué mal ha hecho? Pero ellos gritaban aún más, diciendo: ¡Sea crucificado!

24 Y viendo Pilato que nada adelantaba, antes se hacía más alboroto, tomó agua y se lavó las manos delante del pueblo, diciendo: Inocente soy yo de la sangre de este justo; vedlo vosotros.

25 Y respondiendo todo el pueblo dijo: Su sangre *sea* sobre nosotros, y sobre nuestros hijos.

26 Entonces les soltó a Barrabás; y habiendo azotado a Jesús, le entregó para ser crucificado.

27 Entonces los soldados del gobernador llevaron a Jesús al pretorio, y reunieron alrededor de Él a toda la cuadrilla;

28 y desnudándole, le pusieron encima un manto escarlata.

29 Y tejiendo una corona de espinas, la pusieron sobre su cabeza; y una caña en su mano derecha, e hincada la rodilla delante de Él, le escarnecían, diciendo: ¡Salve, Rey de los judíos!

30 Y escupían en Él, y tomando la caña, le herían en la cabeza.

31 Y después que le hubieron escarnecido, le quitaron el manto, y poniéndole sus vestiduras, le llevaron para crucificarle.

32 Y saliendo, hallaron a un hombre de Cirene que se llamaba Simón; a éste obligaron a cargar su cruz.

33 Y cuando llegaron al lugar llamado Gólgota, que quiere decir, el lugar de la calavera,

34 le dieron a beber vinagre mezclado con hiel; y después de haberlo probado, no quiso beberlo.

35 Y cuando le hubieron crucificado, repartieron sus vestiduras, echando suertes; para que se cumpliese lo que fue dicho por el profeta: Repartieron entre sí mis vestiduras, y sobre mi ropa echaron suertes.

36 Y sentados le guardaban allí.

37 Y pusieron sobre su cabeza su causa escrita: ÉSTE ES JESÚS EL REY DE LOS JUDÍOS.

38 Entonces fueron crucificados con Él, dos ladrones, uno a la derecha, y otro a la izquierda.

39 Y los que pasaban le injuriaban, meneando sus cabezas,

40 y diciendo: Tú que derribas el templo, y en tres días lo reedificas, sálvate a ti mismo. Si eres el Hijo de Dios, desciende de la cruz.

41 De esta manera también los príncipes de los sacerdotes, escarneciéndole con los escribas y los ancianos, decían:

42 A otros salvó; a sí mismo no se puede salvar. Si es el Rey de Israel, descienda ahora de la cruz, y creeremos en Él.

43 Confió en Dios; líbrele ahora si le quiere, porque ha dicho: Yo soy el Hijo de Dios.

44 Los ladrones que estaban crucificados con Él, también le injuriaban.

45 Y desde la hora sexta hubo tinieblas sobre toda la tierra hasta la hora novena.

46 Y cerca de la hora novena, Jesús exclamó a gran voz, diciendo: Elí, Elí, ¿lama sabactani? Esto es: Dios mío, Dios mío, ¿por qué me has desamparado?

47 Y algunos de los que estaban allí, oyéndolo, decían: A Elías llama Éste.

48 Y al instante, corriendo uno de ellos, tomó una esponja, y la empapó de vinagre, y poniéndola en una caña, le dio a beber.

49 Y los otros decían: Deja, veamos si viene Elías a librarle.

50 Mas Jesús, habiendo otra vez clamado a gran voz, entregó el espíritu.

51 Y he aquí, el velo del templo se rasgó en dos, de arriba abajo, y la tierra tembló, y las piedras se partieron;

52 Y los sepulcros fueron abiertos, y muchos cuerpos de los santos que habían dormido, se levantaron;

53 Y saliendo de los sepulcros, después de su resurrección, vinieron a la santa ciudad y aparecieron a muchos.

54 Y el centurión y los que estaban con él guardando a Jesús, visto el terremoto, y las cosas que habían sido hechas, temieron en gran manera, y dijeron: Verdaderamente Éste era el Hijo de Dios.

55 Y muchas mujeres estaban allí mirando de lejos, las cuales habían seguido a Jesús desde Galilea, sirviéndole.

56 Entre las cuales estaban María Magdalena, y María la madre de Jacobo y de José, y la madre de los hijos de Zebedeo.

57 Y cayendo la tarde, vino un hombre rico de Arimatea, llamado José, el cual también era discípulo de Jesús.

58 Éste fue a Pilato y pidió el cuerpo de Jesús. Entonces Pilato mandó que el cuerpo le fuese entregado.

59 Y tomando José el cuerpo, lo envolvió en una sábana limpia,

60 Y lo puso en su sepulcro nuevo, que él había labrado en la roca; y rodó una gran piedra a la puerta del sepulcro, y se fue.

61 Y estaban allí María Magdalena, y la otra María, sentadas delante del sepulcro.

62 Y el día siguiente, después del día de la preparación, se reunieron los príncipes de los sacerdotes y los fariseos ante Pilato,

63 Diciendo: Señor, nos acordamos que aquel engañador, viviendo aún, dijo: Después de tres días resucitaré.

64 Manda, pues, que se asegure el sepulcro hasta el tercer día; no sea que vengan sus discípulos de noche, y le hurten, y digan al pueblo: Resucitó de los muertos. Y será el postrer error peor que el primero.

65 Y Pilato les dijo: Tenéis una guardia, id y aseguradlo como sabéis.

66 Entonces ellos fueron y aseguraron el sepulcro, sellando la piedra, y poniendo guardia.

CAPÍTULO 28

Pasado el sábado, al amanecer del primer *día* de la semana, vinieron María Magdalena y la otra María a ver el sepulcro.

2 Y he aquí, fue hecho un gran terremoto; porque el ángel del Señor descendió del cielo y llegando, removió la piedra de la puerta, y se sentó sobre ella.

3 Y su aspecto era como relámpago, y su vestidura blanca como la nieve.

4 Y de miedo de él, los guardias temblaron y se quedaron como muertos.

5 Y respondiendo el ángel, dijo a las mujeres: No temáis vosotras; porque yo sé que buscáis a Jesús, el que fue crucificado.

6 No está aquí, pues ha resucitado, como dijo. Venid, ved el lugar donde fue puesto el Señor.

7 E id pronto y decid a sus discípulos que ha resucitado de los muertos, y he aquí va delante de vosotros a Galilea; allí le veréis, he aquí, os lo he dicho.

8 Y ellas, saliendo aprisa del sepulcro, con temor y gran gozo, fueron corriendo a dar las nuevas a sus discípulos.

9 Y mientras iban a dar las nuevas a sus discípulos, he aquí, Jesús les sale al encuentro, diciendo: ¡Salve! Y ellas, acercándose, abrazaron sus pies, y le adoraron.

10 Entonces Jesús les dijo: No temáis; id, dad las nuevas a mis hermanos para que vayan a Galilea, y allí me verán.

11 Y yendo ellas, he aquí unos de la guardia vinieron a la ciudad, y dieron aviso a los príncipes de los sacerdotes

de todas las cosas que habían acontecido.

12 Y reuniéndose con los ancianos, y habido consejo, dieron mucho dinero a los soldados,

13 diciendo: Decid: Sus discípulos vinieron de noche, mientras dormíamos, y lo hurtaron.

14 Y si esto llegare a oídos del gobernador, nosotros le persuadiremos, y os haremos seguros.

15 Y ellos tomando el dinero, hicieron como fueron instruidos; y este dicho ha sido divulgado entre los judíos hasta el día de hoy.

16 Entonces los once discípulos se fueron a Galilea, al monte donde Jesús les había ordenado.

17 Y cuando le vieron, le adoraron, mas unos dudaban.

18 Y Jesús vino y les habló, diciendo: Toda potestad me es dada en el cielo y en la tierra.

19 Por tanto, id, y enseñad a todas las naciones, bautizándoles en el nombre del Padre, y del Hijo, y del Espíritu Santo;

20 enseñándoles que guarden todas las cosas que os he mandado; y he aquí yo estoy con vosotros todos los días, hasta el fin del mundo. Amén.

El Santo Evangelio según
MARCOS

CAPÍTULO 1

Principio del evangelio de Jesucristo, el Hijo de Dios.

2 Como está escrito en los profetas: He aquí yo envío mi mensajero delante de tu faz, El cual preparará tu camino delante de ti.

3 Voz del que clama en el desierto: Preparad el camino del Señor: Enderezad sus sendas.

4 Bautizaba Juan en el desierto, y predicaba el bautismo de arrepentimiento para remisión de pecados.

5 Y salía a él toda la provincia de Judea, y los de Jerusalén, y eran todos bautizados por él en el río Jordán, confesando sus pecados.

6 Y Juan estaba vestido de pelo de camello, y portaba un cinto de cuero alrededor de sus lomos; y comía langostas y miel silvestre.

7 Y predicaba, diciendo: Viene tras mí uno que es más poderoso que yo, a quien no soy digno de desatar encorvado la correa de su calzado.

8 Yo a la verdad os he bautizado en agua; pero Él os bautizará con el Espíritu Santo.

9 Y aconteció en aquellos días, que Jesús vino de Nazaret de Galilea, y fue bautizado por Juan en el Jordán.

10 Y luego, subiendo del agua, vio abrirse los cielos, y al Espíritu como paloma que descendía sobre Él.

11 Y vino una voz del cielo *que decía*: Tú eres mi Hijo amado, en ti tengo contentamiento.

12 Y enseguida el Espíritu le impulsó al desierto.

13 Y estuvo allí en el desierto cuarenta días, siendo tentado por Satanás; y estaba con las fieras; y los ángeles le servían.

14 Mas después que Juan fue encarcelado, Jesús vino a Galilea predicando el evangelio del reino de Dios,

15 y diciendo: El tiempo se ha cumplido, y el reino de Dios se ha acercado: Arrepentíos, y creed el evangelio.

16 Y caminando junto al mar de Galilea, vio a Simón y a Andrés su hermano, que echaban la red en el mar, porque eran pescadores.

17 Y Jesús les dijo: Venid en pos de mí, y haré que seáis pescadores de hombres.

18 Y dejando al instante sus redes, le siguieron.

19 Y pasando de allí un poco más adelante, vio a Jacobo, *hijo* de Zebedeo, y a Juan su hermano, que estaban también en la barca remendando sus redes.

20 Y al instante los llamó; y dejando a su padre Zebedeo en la barca con los jornaleros, fueron en pos de Él.

21 Y entraron en Capernaúm; y luego

en el día sábado, entrando en la sinagoga, enseñaba.

22 Y se admiraban de su doctrina; porque les enseñaba como quien tiene autoridad, y no como los escribas.

23 Y había en la sinagoga de ellos un hombre con un espíritu inmundo, el cual dio voces,

24 diciendo: ¡Déjanos! ¿Qué tenemos que ver contigo, Jesús nazareno? ¿Has venido para destruirnos? Sé quién eres, el Santo de Dios.

25 Y Jesús le reprendió, diciendo: ¡Enmudece, y sal de él!

26 Y el espíritu inmundo, sacudiéndole con violencia, y clamando a gran voz, salió de él.

27 Y todos estaban maravillados, de tal manera que se preguntaban entre sí, diciendo: ¿Qué es esto? ¿Qué nueva doctrina *es* ésta, que con autoridad manda aun a los espíritus inmundos, y le obedecen?

28 Y pronto corrió su fama por toda la región alrededor de Galilea.

29 Y en seguida, saliendo de la sinagoga, vinieron a casa de Simón y Andrés, con Jacobo y Juan.

30 Y la suegra de Simón estaba acostada con fiebre, y le dijeron luego de ella.

31 Entonces vino Él, y tomándola de la mano la levantó; y al instante le dejó la fiebre, y ella les servía.

32 Y caída la tarde, cuando el sol se puso, le trajeron a todos los enfermos, y a los endemoniados;

33 y toda la ciudad se agolpó a la puerta.

34 Y sanó a muchos que estaban enfermos de diversas enfermedades, y echó fuera muchos demonios; y no dejaba hablar a los demonios, porque le conocían.

35 Y levantándose muy de mañana, mucho antes del amanecer, salió y se fue a un lugar desierto, y allí oraba.

36 Y Simón y los que estaban con él salieron a buscarle;

37 y hallándole, le dijeron: Todos te buscan.

38 Y Él les dijo: Vamos a las ciudades vecinas, para que predique también allí, porque para esto he venido.

39 Y predicaba en las sinagogas de ellos por toda Galilea, y echaba fuera los demonios.

40 Y vino a Él un leproso, rogándole; y arrodillándose ante Él, le dijo: Si quieres, puedes limpiarme.

41 Y Jesús, teniendo compasión *de él*, extendió *su* mano y le tocó, y le dijo: Quiero, sé limpio.

42 Y así que hubo Él hablado, al instante la lepra se fue de aquél, y quedó limpio.

43 Entonces le apercibió rigurosamente, despidiéndole luego,

44 y le dijo: Mira, no digas a nadie nada, sino ve, muéstrate al sacerdote, y ofrece por tu limpieza lo que Moisés mandó, para testimonio a ellos.

45 Pero él, en cuanto salió, comenzó a publicarlo mucho, y a divulgar el hecho, de manera que Jesús ya no podía entrar abiertamente a la ciudad, sino que se estaba fuera en los lugares desiertos; y venían a Él de todas partes.

CAPÍTULO 2

Y después de *algunos* días entró otra vez en Capernaúm, y se oyó que estaba en casa.

2 E inmediatamente se juntaron muchos, tanto que ya no había lugar, ni aun a la puerta; y les predicaba la palabra.

3 Entonces vinieron a Él unos trayendo a un paralítico, que era cargado por cuatro.

4 Y no pudiendo llegar a Él por causa del gentío, descubrieron el techo de donde estaba, y haciendo una abertura, bajaron el lecho en que yacía el paralítico.

5 Y al ver Jesús la fe de ellos, dijo al paralítico: Hijo, tus pecados te son perdonados.

6 Y estaban sentados allí unos de los escribas, los cuales pensaban en sus corazones:

7 ¿Por qué habla Éste así? Blasfemias dice. ¿Quién puede perdonar pecados, sino sólo Dios?

8 Y al instante Jesús, conociendo en su espíritu que pensaban de esta manera dentro de sí mismos, les dijo: ¿Por qué pensáis estas cosas en vuestros corazones?

9 ¿Qué es más fácil, decir al paralítico: *Tus* pecados te son perdonados, o decirle: Levántate, toma tu lecho y anda?

10 Pues para que sepáis que el Hijo del Hombre tiene potestad en la tierra de perdonar pecados (dijo al paralítico):

11 A ti te digo: Levántate, toma tu lecho, y vete a tu casa.

12 Y al instante él se levantó, y tomando su lecho, salió delante de todos; de manera que todos estaban asombrados, y glorificaban a Dios, diciendo: ¡Nunca tal hemos visto!

13 Y volvió a irse al mar; y toda la multitud venía a Él, y les enseñaba.

14 Y pasando, vio a Leví *hijo* de Alfeo, sentado al banco de los tributos públicos, y le dijo: Sígueme. Y levantándose, le siguió.

15 Y aconteció que estando Jesús a la mesa en su casa, muchos publicanos y pecadores estaban también a la mesa con Jesús y sus discípulos; porque eran muchos, y le seguían.

16 Y los escribas y los fariseos, viéndole comer con los publicanos y los pecadores, dijeron a sus discípulos: ¿Qué es esto, que Él come y bebe con publicanos y pecadores?

17 Y oyéndolo Jesús, les dijo: Los sanos no tienen necesidad de médico, sino los enfermos: No he venido a llamar a justos, sino a pecadores al arrepentimiento.

18 Y los discípulos de Juan y los de los fariseos ayunaban; y vinieron, y le dijeron: ¿Por qué los discípulos de Juan, y los de los fariseos ayunan, y tus discípulos no ayunan?

19 Y Jesús les dijo: ¿Pueden ayunar los que están de bodas, mientras el esposo está con ellos? Entre tanto que tienen consigo al esposo, no pueden ayunar.

20 Pero vendrán días cuando el esposo les será quitado, y entonces en aquellos días ayunarán.

21 Nadie cose remiendo de paño nuevo en vestido viejo, de otra manera el remiendo nuevo tira de lo viejo, y se hace peor la rotura.

22 Y nadie echa vino nuevo en odres viejos; de otra manera el vino nuevo rompe los odres, y se derrama el vino, y los odres se pierden; mas el vino nuevo en odres nuevos se ha de echar.

23 Y aconteció que pasando Él por los sembrados en sábado, sus discípulos, andando, comenzaron a arrancar espigas.

24 Entonces los fariseos le dijeron: Mira, ¿por qué hacen en sábado lo que no es lícito?

25 Y Él les dijo: ¿No habéis leído qué hizo David cuando tuvo necesidad y sintió hambre, él y los que con él estaban;

26 cómo entró en la casa de Dios, en los días de Abiatar el sumo sacerdote, y comió los panes de la proposición, de los cuales no es lícito comer sino a los sacerdotes, y dio aun a los que con él estaban?

27 También les dijo: El sábado fue hecho por causa del hombre, y no el hombre por causa del sábado.

28 Así que el Hijo del Hombre es Señor aun del sábado.

CAPÍTULO 3

Y otra vez entró en la sinagoga; y había allí un hombre que tenía seca una mano.

2 Y le acechaban, si en sábado le sanaría, para poder acusarle.

3 Entonces dijo al hombre que tenía seca la mano: Levántate y ponte en medio.

4 Y les dijo: ¿Es lícito hacer bien en sábado, o hacer mal; salvar la vida, o quitarla? Pero ellos callaban.

5 Entonces mirándolos alrededor con enojo, entristecido por la dureza de sus corazones, dijo al hombre: Extiende tu mano. Y él la extendió, y su mano le fue restaurada sana como la otra.

6 Y saliendo los fariseos, en seguida tomaron consejo con los herodianos contra Él, de cómo le matarían.

7 Mas Jesús se retiró al mar con sus discípulos, y le siguió una gran multitud de Galilea, y de Judea,

8 y de Jerusalén, y de Idumea, y del otro lado del Jordán, y los de alrededor de Tiro y de Sidón, una gran multitud, que oyendo cuán grandes cosas hacía, vinieron a Él.

9 Y dijo a sus discípulos que le tuviesen siempre apercibida una

barca, por causa de la multitud, para que no le oprimiesen.

10 Porque había sanado a muchos, de manera que por tocarle, caían sobre Él todos los que tenían plagas.

11 Y los espíritus inmundos, al verle, se postraban delante de Él, y daban voces, diciendo: Tú eres el Hijo de Dios.

12 Mas Él les reprendía mucho que no le diesen a conocer.

13 Y cuando subió al monte, llamó *a sí* a los que Él quiso, y vinieron a Él.

14 Y ordenó a doce, para que estuviesen con Él, y para enviarlos a predicar.

15 Y que tuviesen poder para sanar enfermedades y para echar fuera demonios:

16 A Simón, a quien puso por sobrenombre Pedro;

17 a Jacobo, *hijo* de Zebedeo, a Juan hermano de Jacobo, a quienes puso por sobrenombre Boanerges, que es, Hijos del trueno;

18 a Andrés, a Felipe, a Bartolomé, a Mateo, a Tomás, a Jacobo, *hijo* de Alfeo, a Tadeo, a Simón el cananita,

19 y a Judas Iscariote, el que le entregó. Y vinieron a casa.

20 Y otra vez se agolpó la multitud, de manera que ellos ni aun podían comer pan.

21 Y cuando *lo* oyeron los suyos, vinieron para prenderle; porque decían: Está fuera de sí.

22 Y los escribas que habían venido de Jerusalén decían que tenía a Belcebú, y que por el príncipe de los demonios echaba fuera los demonios.

23 Y llamándoles, les dijo en parábolas: ¿Cómo puede Satanás, echar fuera a Satanás?

24 Y si un reino está dividido contra sí mismo, tal reino no puede permanecer.

25 Y si una casa está dividida contra sí misma, tal casa no puede permanecer.

26 Y si Satanás se levanta contra sí mismo, y se divide, no puede permanecer, antes ha llegado su fin.

27 Nadie puede entrar en la casa del hombre fuerte y saquear sus bienes, si primero no ata al hombre fuerte, y entonces podrá saquear su casa.

La madre y los hermanos de Jesús

28 De cierto os digo que todos los pecados serán perdonados a los hijos de los hombres, y las blasfemias cualesquiera con que blasfemaren;

29 pero cualquiera que blasfemare contra el Espíritu Santo, no tiene jamás perdón, sino que está en peligro de condenación eterna.

30 Porque decían: Tiene espíritu inmundo.

31 Entonces vienen sus hermanos y su madre, y estando afuera, envían a Él, llamándole.

32 Y la multitud estaba sentada alrededor de Él, y le dijeron: He aquí, tu madre y tus hermanos están afuera, y te buscan.

33 Y Él les respondió diciendo: ¿Quién es mi madre, o mis hermanos?

34 Y mirando alrededor a los que estaban sentados en derredor de Él, dijo: He aquí mi madre y mis hermanos.

35 Porque todo aquel que hiciere la voluntad de Dios, ése es mi hermano, y mi hermana, y mi madre.

CAPÍTULO 4

Y otra vez comenzó a enseñar junto al mar, y una gran multitud se reunió alrededor de Él; tanto que entró en una barca, y se sentó *en ella* en el mar, y toda la multitud estaba en tierra junto al mar.

2 Y les enseñaba por parábolas muchas cosas, y les decía en su doctrina:

3 Oíd: He aquí, el sembrador salió a sembrar;

4 y aconteció que al sembrar, una parte cayó junto al camino; y vinieron las aves del cielo y la devoraron.

5 Y otra parte cayó en pedregales, donde no tenía mucha tierra; y enseguida brotó, porque no tenía profundidad de tierra;

6 pero cuando salió el sol, se quemó; y porque no tenía raíz, se secó.

7 Y otra parte cayó entre espinos; y crecieron los espinos y la ahogaron, y no dio fruto.

8 Pero otra parte cayó en buena tierra, y dio fruto que brotó y creció; y produjo, una a treinta, otra a sesenta, y otra a ciento *por uno.*

9 Y les dijo: El que tiene oídos para oír, oiga.

10 Y cuando estuvo solo, los que estaban cerca de Él con los doce le preguntaron sobre la parábola.

11 Y les dijo: A vosotros es dado el saber los misterios del reino de Dios; mas a los que están fuera, todo es hecho por parábolas;

12 para que viendo, vean y no perciban; y oyendo, oigan y no entiendan; para que no se conviertan y les sean perdonados *sus* pecados.

13 Y les dijo: ¿No entendéis esta parábola? ¿Cómo, pues, entenderéis todas las parábolas?

14 El sembrador *es el que* siembra la palabra.

15 Y éstos son los de junto al camino; en quienes se siembra la palabra, pero después que la oyen, en seguida viene Satanás y quita la palabra que fue sembrada en sus corazones.

16 Y de igual modo, éstos son los que son sembrados en pedregales; quienes habiendo oído la palabra, al momento la reciben con gozo;

17 pero no tienen raíz en sí, sino que duran poco tiempo; después, cuando viene la aflicción o la persecución por causa de la palabra, enseguida se escandalizan.

18 Y éstos son los que fueron sembrados entre espinos; los que oyen la palabra,

19 pero los afanes de este mundo, y el engaño de las riquezas, y las codicias de otras cosas, entran y ahogan la palabra, y se hace infructuosa.

20 Y éstos son los que fueron sembrados en buena tierra; los que oyen la palabra y la reciben, y llevan fruto, uno a treinta, otro a sesenta, y otro a ciento por uno.

21 Y les dijo: ¿Se trae el candil para ponerse debajo del almud, o debajo de la cama? ¿No es para ponerse en el candelero?

22 Porque nada hay oculto que no haya de ser manifestado; ni secreto, que no haya de ser descubierto.

23 Si alguno tiene oídos para oír, oiga.

24 Y les dijo: Mirad lo que oís; porque con la medida que medís, se os medirá, y a vosotros los que oís, más os será añadido.

25 Porque al que tiene, se le dará; y al que no tiene, aun lo que tiene le será quitado.

26 Y dijo: Así es el reino de Dios, como cuando un hombre echa semilla en la tierra;

27 y duerme y se levanta, de noche y de día, y la semilla brota y crece sin saber él cómo.

28 Porque de suyo fructifica la tierra, primero hierba, luego espiga, después grano lleno en la espiga.

29 Y cuando ha dado el fruto, en seguida se mete la hoz, porque la siega es llegada.

30 Y dijo: ¿A qué haremos semejante el reino de Dios, o con qué parábola le compararemos?

31 *Es* como el grano de mostaza, que cuando se siembra en tierra, es la más pequeña de todas las semillas que hay en la tierra;

32 pero después de sembrado, crece, y se hace la más grande de todas las hortalizas, y echa grandes ramas, de manera que las aves del cielo pueden anidar bajo su sombra.

33 Y con muchas parábolas semejantes les hablaba la palabra, conforme ellos podían oír.

34 Y sin parábola no les hablaba, mas a sus discípulos en privado les aclaraba todas las cosas.

35 Y aquel día, cuando cayó la tarde, les dijo: Pasemos al otro lado.

36 Y despidiendo a la multitud, le recibieron como estaba en la barca; y había también con Él otras barcas.

37 Y se levantó una gran tempestad de viento, y las olas azotaban la barca, de manera que ya se anegaba.

38 Y Él estaba en la popa, durmiendo sobre un cabezal, y despertándole, le dijeron: Maestro, ¿no tienes cuidado que perecemos?

39 Y levantándose, reprendió al viento, y dijo al mar: Calla, enmudece. Y cesó el viento. Y se hizo grande bonanza.

40 Y les dijo: ¿Por qué estáis así amedrentados? ¿Cómo es que no tenéis fe?

41 Y temieron en gran manera, y se decían el uno al otro: ¿Qué clase de hombre es Éste, que aun el viento y el mar le obedecen?

CAPÍTULO 5

Y vinieron al otro lado del mar, a la provincia de los gadarenos.

2 Y saliendo Él de la barca, en seguida le salió al encuentro, de los sepulcros, un hombre con un espíritu inmundo.

3 que tenía su morada entre los sepulcros, y nadie podía atarle, ni aun con cadenas.

4 Porque muchas veces había sido atado con grillos y cadenas, mas las cadenas habían sido hechas pedazos por él, y desmenuzados los grillos, y nadie le podía domar.

5 Y siempre, de día y de noche, andaba en los montes y en los sepulcros, dando voces e hiriéndose con piedras.

6 Y cuando vio a Jesús de lejos, corrió y le adoró.

7 Y clamando a gran voz, dijo: ¿Qué tengo contigo, Jesús, Hijo del Dios Altísimo? Te conjuro por Dios que no me atormentes.

8 Porque le decía: Sal de este hombre, espíritu inmundo.

9 Y le preguntó: ¿Cómo te llamas? Y respondió diciendo: Legión me llamo; porque somos muchos.

10 Y le rogaba mucho que no los enviase fuera de aquella provincia.

11 Y estaba allí cerca del monte un hato grande de puercos paciendo.

12 Y le rogaron todos los demonios, diciendo: Envíanos a los puercos para que entremos en ellos.

13 Y luego Jesús se los permitió. Y saliendo aquellos espíritus inmundos, entraron en los puercos (los cuales eran como dos mil); y el hato se precipitó al mar por un despeñadero; y en el mar se ahogaron.

14 Y los que apacentaban los puercos huyeron, y dieron aviso en la ciudad y en los campos. Y salieron para ver qué era aquello que había acontecido.

15 Y vinieron a Jesús, y vieron al que había sido poseído del demonio y había tenido la legión, sentado, vestido y en su juicio cabal; y tuvieron miedo.

16 Y los que lo habían visto les contaron cómo le había acontecido al que había tenido el demonio, y lo de los puercos.

17 Y comenzaron a rogarle que se fuera de sus contornos.

18 Y entrando Él en la barca, el que había estado poseído del demonio le rogaba que le dejase estar con Él.

19 Mas Jesús no se lo permitió, sino que le dijo: Vete a tu casa, a los tuyos, y cuéntales cuán grandes cosas el Señor ha hecho contigo, y *cómo* ha tenido misericordia de ti.

20 Y yéndose, comenzó a publicar en Decápolis cuán grandes cosas Jesús había hecho con él; y todos se maravillaban.

21 Y cuando Jesús pasó otra vez en una barca al otro lado; una gran multitud se reunió alrededor de Él; y Él estaba junto al mar.

22 Y he aquí, vino uno de los príncipes de la sinagoga llamado Jairo, y luego que le vio, se postró a sus pies,

23 y le rogaba mucho, diciendo: Mi hija está a punto de morir; ven y pon tus manos sobre ella para que sea sana, y vivirá.

24 Y *Jesús* fue con él, y mucha gente le seguía, y le apretaban.

25 Y una mujer que padecía flujo de sangre por ya doce años,

26 y había sufrido mucho de muchos médicos, y había gastado todo lo que tenía, y no había mejorado, antes le iba peor,

27 cuando oyó hablar de Jesús, vino por detrás entre la multitud y tocó su manto.

28 Porque decía: Si tan sólo tocare su manto, seré sana.

29 Y al instante la fuente de su sangre se secó, y sintió en *su* cuerpo que estaba sana de aquel azote.

30 Y enseguida Jesús, sabiendo en sí mismo el poder que había salido de Él, volviéndose a la multitud, dijo: ¿Quién ha tocado mi manto?

31 Y le dijeron sus discípulos: Ves que la multitud te aprieta, y dices: ¿Quién me ha tocado?

32 Pero Él miraba alrededor para ver a la que había hecho esto.

33 Entonces la mujer, temiendo y temblando, sabiendo lo que en ella había sido hecho, vino y se postró delante de Él, y le dijo toda la verdad.

34 Y Él le dijo: Hija, tu fe te ha salvado; ve en paz, y queda sana de tu azote.

35 Mientras Él aún hablaba, vinieron *unos de la casa* del príncipe de la sinagoga, diciendo: Tu hija ha muerto; ¿para qué molestas más al Maestro?

36 Y tan pronto como Jesús oyó la palabra que fue dicha, dijo al príncipe de la sinagoga: No temas, cree solamente.

37 Y no permitió que le siguiese nadie, salvo Pedro, y Jacobo, y Juan hermano de Jacobo.

38 Y vino a casa del príncipe de la sinagoga, y vio el alboroto y a los que lloraban y lamentaban mucho.

39 Y entrando, les dijo: ¿Por qué alborotáis y lloráis? La muchacha no está muerta, sino duerme.

40 Y se burlaban de Él. Pero Él, echando fuera a todos, tomó al padre y a la madre de la muchacha, y a los que estaban con Él, y entró a donde la muchacha yacía.

41 Y tomando la mano de la muchacha, le dijo: Talita cumi; que es si lo interpretares: Muchacha, a ti te digo: Levántate.

42 Y al instante la muchacha se levantó y anduvo; porque tenía doce años. Y estaban atónitos, muy asombrados.

43 Y Él les encargó mucho que nadie lo supiese, y mandó que se le diese de comer.

CAPÍTULO 6

Y salió *Él* de allí y vino a su tierra, y le siguieron sus discípulos.

2 Y llegado el sábado, comenzó a enseñar en la sinagoga; y muchos, oyéndole, estaban atónitos, diciendo: ¿De dónde tiene Éste estas cosas? ¿Y qué sabiduría es ésta que le es dada, que tales maravillas son hechas por sus manos?

3 ¿No es Éste el carpintero, el hijo de María, hermano de Jacobo, y de José, y de Judas y de Simón? ¿No están también aquí con nosotros sus hermanas? Y se escandalizaban de Él.

4 Mas Jesús les dijo: No hay profeta sin honra sino en su propia tierra, y entre sus parientes, y en su casa.

5 Y no pudo hacer allí una gran obra, salvo que sanó a unos pocos enfermos, poniendo sus manos sobre *ellos.*

6 Y estaba maravillado de la incredulidad de ellos. Y recorría las aldeas de alrededor, enseñando.

7 Y llamó a los doce, y comenzó a enviarlos de dos en dos; y les dio potestad sobre los espíritus inmundos.

8 Y les mandó que no llevasen nada para el camino, sino solamente bordón; ni alforja, ni pan, ni dinero en la bolsa;

9 sino que calzasen sandalias, y no vistiesen dos túnicas.

10 Y les dijo: Dondequiera que entréis en una casa, posad en ella hasta que salgáis de allí.

11 Y todos aquellos que no os recibieren ni os oyeren, saliendo de allí, sacudid el polvo de debajo de vuestros pies para testimonio contra ellos. De cierto os digo que en el día del juicio, será más tolerable *el castigo* para Sodoma y Gomorra, que para aquella ciudad.

12 Y saliendo, predicaban que los hombres se arrepintiesen.

13 Y echaban fuera muchos demonios, y ungían con aceite a muchos enfermos, y los sanaban.

14 Y oyó el rey Herodes *la fama de Jesús,* porque su nombre se había hecho notorio, y dijo: Juan el Bautista ha resucitado de los muertos, y por eso milagros obran en él.

15 Otros decían: Es Elías. Y otros decían: Es un profeta, o alguno de los profetas.

16 Mas oyéndolo Herodes, dijo: Es Juan, al que yo decapité, él ha resucitado de los muertos.

17 Porque Herodes mismo había enviado y prendido a Juan, y le había atado en la cárcel a causa de Herodías, esposa de Felipe su hermano; pues se había casado con ella.

18 Porque Juan decía a Herodes: No te es lícito tener la esposa de tu hermano.

19 Y Herodías le aborrecía, y deseaba matarle, pero no podía;

20 porque Herodes temía a Juan, sabiendo que era varón justo y santo, y le guardaba; y cuando le oía, él hacía muchas cosas, y le oía de buena gana.

21 Pero viniendo un día oportuno, en que Herodes en su cumpleaños, hizo una cena a sus príncipes y tribunos y a los principales de Galilea;

22 entrando la hija de Herodías, danzó, y agradó a Herodes y a los que estaban con él a la mesa; y el rey dijo a la damisela: Pídeme lo que quieras, y yo te lo daré.

23 Y le juró: Todo lo que me pidieres te daré, hasta la mitad de mi reino.

24 Y saliendo ella, dijo a su madre: ¿Qué pediré? Y ella dijo: La cabeza de Juan el Bautista.

25 Entonces ella entró apresuradamente ante el rey, y pidió, diciendo: Quiero que ahora mismo me des en un plato la cabeza de Juan el Bautista.

26 Y el rey se entristeció mucho, *mas* por causa del juramento y de los que estaban con él a la mesa, no quiso desecharla.

27 Y en seguida el rey envió a un verdugo, y mandó que fuese traída su cabeza; y *el verdugo* fue y le decapitó en la cárcel,

28 y trajo su cabeza en un plato, y la dio a la damisela, y la damisela la dio a su madre.

29 Y cuando oyeron esto sus discípulos, vinieron y tomaron el cuerpo y lo pusieron en un sepulcro.

30 Entonces los apóstoles se reunieron con Jesús, y le contaron todo lo que habían hecho, y lo que habían enseñado.

31 Y Él les dijo: Venid vosotros aparte a un lugar desierto y descansad un poco. Porque eran muchos los que iban y venían, y ni aun tenían tiempo para comer.

32 Y se fueron en la barca a un lugar desierto, a solas.

33 Pero la gente les vio partir, y muchos le reconocieron, y corrieron allá a pie de todas las ciudades, y llegaron antes que ellos, y se juntaron a Él.

34 Y saliendo Jesús, vio una gran multitud, y tuvo compasión de ellos porque eran como ovejas que no tenían pastor, y comenzó a enseñarles muchas cosas.

35 Y cuando el día era ya muy avanzado, sus discípulos se acercaron a Él y le dijeron: El lugar es desierto, y la hora ya muy avanzada.

36 Despídelos para que vayan a los cortijos y aldeas de alrededor, y compren pan para sí; porque no tienen qué comer.

37 Respondiendo Él, les dijo: Dadles vosotros de comer. Y ellos le dijeron: ¿Que vayamos y compremos pan por doscientos denarios, y les demos de comer?

38 Él les dijo: ¿Cuántos panes tenéis? Id y vedlo. Y enterándose, dijeron: Cinco, y dos peces.

39 Y les mandó que hiciesen recostar a todos por grupos sobre la hierba verde.

40 Y se sentaron por grupos, de cien en cien, y de cincuenta en cincuenta.

41 Entonces tomó los cinco panes y los dos peces, y alzando los ojos al cielo, bendijo y partió los panes, y dio a sus discípulos para que los pusiesen delante de ellos; y repartió los dos peces entre todos.

42 Y todos comieron y se saciaron.

43 Y recogieron de los pedazos doce cestas llenas, y de los peces.

44 Y los que comieron de los panes eran como cinco mil hombres.

45 Y en seguida hizo a sus discípulos entrar en la barca e ir delante de Él al otro lado, a Betsaida, entre tanto que Él despedía a la multitud.

46 Y habiéndoles despedido se fue al monte a orar.

47 Y al anochecer, la barca estaba en medio del mar, y Él solo en tierra.

48 Y al ver que se fatigaban remando, porque el viento les era contrario, como a la cuarta vigilia de la noche vino a ellos andando sobre el mar, y quería pasarlos de largo.

49 Y viéndole ellos andar sobre el mar, pensaron que era un fantasma, y dieron voces;

50 porque todos le veían, y se turbaron. Pero en seguida habló con ellos y les dijo: Tened buen ánimo, yo soy, no temáis.

51 Y subió a ellos en la barca, y cesó el viento, y ellos estaban asombrados sobremanera, y se maravillaban.

52 Porque aún no habían entendido *el milagro* de los panes, por cuanto estaban endurecidos sus corazones.

53 Y habiendo pasado al otro lado, vinieron a tierra de Genezaret, y tomaron puerto.

54 Y saliendo ellos de la barca, enseguida le reconocieron;

55 y corriendo a través de toda la región de alrededor, comenzaron a traer en lechos a los que estaban enfermos, a donde oían que estaba.

56 Y dondequiera que entraba, en aldeas, ciudades o campos, ponían en las calles a los que estaban enfermos, y le rogaban que les dejase tocar tan siquiera el borde de su manto; y todos los que le tocaban quedaban sanos.

CAPÍTULO 7

Entonces se juntaron a Él los fariseos, y ciertos de los escribas, que habían venido de Jerusalén.

2 Y cuando vieron a algunos de sus discípulos comer pan con manos inmundas, es decir, no lavadas, los condenaban.

3 Porque los fariseos y todos los judíos, guardando la tradición de los ancianos, si muchas veces no se lavan las manos, no comen.

4 Y *volviendo* del mercado, si no se lavan, no comen. Y muchas otras cosas hay que han recibido para guardar, como el lavar las copas, los jarros, los vasos de bronce, y las mesas.

5 Entonces los fariseos y los escribas le preguntaron: ¿Por qué tus discípulos no andan conforme a la tradición de los ancianos, sino que comen pan sin lavarse las manos?

6 Y respondiendo Él, les dijo: Hipócritas, bien profetizó de vosotros Isaías, como está escrito: Este pueblo de labios me honra, pero su corazón lejos está de mí.

7 Pero en vano me honran, enseñando como doctrinas, mandamientos de hombres.

8 Porque haciendo a un lado el mandamiento de Dios, os aferráis a la tradición de los hombres; el lavamiento de jarros, de copas; y hacéis muchas otras cosas semejantes.

9 Y les decía: Bien invalidáis el mandamiento de Dios para guardar vuestra tradición.

10 Porque Moisés dijo: Honra a tu padre y a tu madre; y: El que maldijere a su padre o a su madre, muera de muerte.

11 Pero vosotros decís: Si un hombre dice a su padre o a su madre: *Es* corbán (que quiere decir, mi ofrenda) todo aquello con que pudiera ayudarte, *quedará libre,*

12 y no le dejáis hacer más por su padre o por su madre,

13 invalidando la palabra de Dios por vuestra tradición que disteis. Y muchas cosas hacéis semejantes a éstas.

14 Y llamando *a sí* a toda la multitud, les dijo: Oídme todos, y entended:

15 Nada hay fuera del hombre que entrando en él, le pueda contaminar, mas lo que sale de él, eso es lo que contamina al hombre.

16 Si alguno tiene oídos para oír, oiga.

17 Y apartado de la multitud, habiendo entrado en casa, sus discípulos le preguntaron acerca de la parábola.

18 Y les dijo: ¿También vosotros estáis sin entendimiento? ¿No entendéis que todo lo de fuera que entra en el hombre no le puede contaminar?

19 Porque no entra en su corazón, sino en el vientre, y sale a la letrina, limpiando todas las viandas.

20 Y decía: Lo que sale del hombre, eso contamina al hombre.

21 Porque de dentro, del corazón del hombre, salen los malos pensamientos, los adulterios, las fornicaciones, los homicidios,

22 los hurtos, las avaricias, las maldades, los engaños, las lascivias, el ojo maligno, la blasfemia, la soberbia, la insensatez.

23 Todas estas maldades de dentro salen, y contaminan al hombre.

24 Y levantándose de allí, se fue a la región de Tiro y de Sidón; y entrando en una casa, quiso que nadie lo supiese; pero no pudo esconderse.

25 Porque una mujer, cuya hija tenía un espíritu inmundo, oyendo de Él, vino y se postró a sus pies.

26 Y la mujer era griega, sirofenicia de nación; y le rogaba que echase fuera de su hija al demonio.

27 Pero Jesús le dijo: Deja que primero se sacien los hijos, porque no está bien quitar el pan de los hijos y echarlo a los perrillos.

28 Y ella respondió y le dijo: Sí, Señor, pero aun los perrillos debajo de la mesa, comen de las migajas de los hijos.

29 Entonces le dijo: Por esta palabra, ve; el demonio ha salido de tu hija.

30 Y cuando ella llegó a su casa, halló que el demonio había salido, y a su hija acostada sobre la cama.

31 Y saliendo otra vez de la región de Tiro y de Sidón, vino al mar de Galilea, a través de las costas de Decápolis.

32 Y le trajeron a uno que era sordo y tartamudo, y le rogaron que pusiera su mano sobre él.

33 Y tomándole aparte de la multitud, metió sus dedos en las orejas de él, y escupiendo, tocó su lengua;

34 y alzando los ojos al cielo, gimió, y le dijo: Efata; que es: Sé abierto.

35 Y al instante sus oídos fueron abiertos, y fue suelta la atadura de su lengua, y hablaba bien.

36 Y les mandó que no lo dijesen a nadie; pero cuanto más les mandaba, tanto más y más lo divulgaban.

37 Y se maravillaban en gran manera, diciendo: Todo lo ha hecho bien; hace a los sordos oír y a los mudos hablar.

CAPÍTULO 8

En aquellos días, siendo tan grande la multitud, y no teniendo qué comer, Jesús llamó a sus discípulos y les dijo:

2 Tengo compasión de la multitud, porque son ya tres días que están conmigo, y no tienen qué comer;

3 Y si los envío en ayunas a sus casas, desmayarán en el camino; porque algunos de ellos han venido de lejos.

4 Y sus discípulos le respondieron: ¿De dónde podrá alguien saciar de pan a éstos aquí en el desierto?

5 Y les preguntó: ¿Cuántos panes tenéis? Y ellos dijeron: Siete.

6 Entonces mandó a la multitud que se sentase en tierra; y tomando los siete panes, habiendo dado gracias, los partió, y dio a sus discípulos para que los pusiesen delante; y los pusieron delante de la multitud.

7 Tenían también unos pocos pececillos; y los bendijo, y mandó que también los pusiesen delante.

8 Y comieron, y se saciaron; y levantaron de los pedazos que habían sobrado, siete canastos.

9 Y los que comieron eran, como cuatro mil; y los despidió.

10 Y luego entrando en la barca con sus discípulos, vino a la región de Dalmanuta.

11 Y vinieron los fariseos y comenzaron a altercar con Él, y tentándole, le pedían señal del cielo.

12 Y gimiendo en su espíritu, dijo: ¿Por qué pide señal esta generación? De cierto os digo que no se dará señal a esta generación.

13 Y dejándolos, volvió a entrar en la barca, y se fue al otro lado.

14 Y *los discípulos* se habían olvidado de tomar pan, y no tenían sino un pan consigo en la barca.

15 Y les mandó, diciendo: Mirad, guardaos de la levadura de los fariseos, y *de* la levadura de Herodes.

16 Y discutían entre sí, diciendo: *Es* porque no tenemos pan.

17 Y cuando Jesús lo entendió, les dijo: ¿Por qué discutís, porque no tenéis pan? ¿Aún no comprendéis ni entendéis? ¿Aún tenéis endurecido vuestro corazón?

18 ¿Teniendo ojos no veis, y teniendo oídos no oís? ¿Y no os acordáis?

19 Cuando partí los cinco panes entre cinco mil, ¿cuántas canastas llenas de los pedazos alzasteis? Y le dijeron: Doce.

20 Y cuando los siete panes entre cuatro mil, ¿cuántas canastas llenas de los pedazos alzasteis? Y ellos dijeron: Siete.

21 Y les dijo: ¿Cómo es que aún no entendéis?

22 Y vino a Betsaida; y le trajeron a un ciego, y le rogaron que le tocase.

23 Entonces tomando de la mano al ciego, lo condujo fuera de la aldea; y escupiendo en sus ojos, y poniendo sus manos sobre él, le preguntó si veía algo.

24 Y él mirando, dijo: Veo los hombres como árboles que caminan.

25 Luego le puso otra vez las manos sobre sus ojos, y le hizo que mirase; y fue restablecido, y vio claramente a todos.

26 Y lo envió a su casa, diciendo: No entres en la aldea, ni lo digas a nadie en la aldea.

27 Y salieron Jesús y sus discípulos por las aldeas de Cesarea de Filipo. Y en el camino preguntó a sus discípulos, diciéndoles: ¿Quién dicen los hombres que soy yo?

28 Y ellos respondieron: Juan el Bautista; y otros: Elías; y otros: Alguno de los profetas.

29 Entonces Él les dijo: ¿Y vosotros, quién decís que soy yo? Y respondiendo Pedro, le dijo: Tú eres el Cristo.

30 Y les apercibió que no hablasen de Él a ninguno.

31 Y comenzó a enseñarles que era necesario que el Hijo del Hombre padeciese mucho, y ser rechazado de los ancianos, y de los príncipes de los sacerdotes y de los escribas, y ser muerto, y resucitar después de tres días.

32 Y claramente decía esta palabra. Entonces Pedro tomándole aparte, comenzó a reprenderlo.

33 Pero Él, volviéndose y mirando a sus discípulos, reprendió a Pedro, diciendo: Quítate de delante de mí, Satanás; porque no piensas en las cosas de Dios, sino en las de los hombres.

34 Y llamando a la multitud y a sus discípulos, les dijo: Si alguno quiere venir en pos de mí, niéguese a sí mismo, y tome su cruz, y sígame.

35 Porque el que quisiere salvar su vida, la perderá; y el que perdiere su vida por causa de mí y del evangelio, éste la salvará.

36 Porque ¿qué aprovechará el hombre, si ganare todo el mundo, y perdiere su alma?

37 ¿O qué recompensa dará el hombre por su alma?

38 Porque el que se avergonzare de mí y de mis palabras en esta generación perversa y adúltera, el Hijo del Hombre se avergonzará también de él, cuando venga en la gloria de su Padre con los santos ángeles.

CAPÍTULO 9

También les dijo: De cierto os digo que hay algunos de los que están aquí que no gustarán la muerte hasta que hayan visto el reino de Dios venido con poder.

2 Y seis días después Jesús tomó a Pedro, a Jacobo y a Juan, y los sacó solos aparte a un monte alto; y fue transfigurado delante de ellos.

3 Y sus vestiduras se volvieron resplandecientes, tan blancas como la nieve; tanto que ningún lavador en la tierra las puede hacer tan blancas.

4 Y les apareció Elías con Moisés, que hablaban con Jesús.

5 Entonces respondiendo Pedro, dijo a Jesús: Maestro, bueno es para nosotros que estemos aquí; y hagamos tres tabernáculos; uno para ti, otro para Moisés y otro para Elías.

6 Porque no sabía lo que hablaba; pues estaban aterrados.

7 Y vino una nube que les cubrió de sombra, y desde la nube una voz que decía: Éste es mi Hijo amado; a Él oíd.

8 Y luego, mirando alrededor, no vieron más a nadie consigo, sino a Jesús solo.

9 Y descendiendo ellos del monte, les mandó que a nadie dijesen lo que habían visto, sino hasta que el Hijo del Hombre hubiese resucitado de los muertos.

10 Y retuvieron la palabra entre sí, preguntándose entre ellos qué significaría eso de resucitar de los muertos.

11 Y le preguntaron, diciendo: ¿Por qué dicen los escribas que es necesario que Elías venga primero?

12 Y respondiendo Él, les dijo: Elías a la verdad vendrá primero, y restaurará todas las cosas; y como está escrito del Hijo del Hombre, que debe padecer mucho y ser tenido en nada.

13 Pero os digo que Elías ya vino, y le hicieron todo lo que quisieron, como está escrito de él.

14 Y cuando vino a sus discípulos, vio una gran multitud alrededor de ellos, y escribas que disputaban con ellos.

15 Y enseguida todo el pueblo, al verle, se asombró, y corriendo hacia Él, le saludaron.

16 Y preguntó a los escribas: ¿Qué disputáis con ellos?

17 Y uno de la multitud respondiendo, dijo: Maestro, traje a ti mi hijo, que tiene un espíritu mudo,

18 el cual, dondequiera que le toma, le desgarra; y echa espumarajos, y cruje los dientes, y se va secando; y dije a tus discípulos que le echasen fuera, y no pudieron.

19 Y respondiendo Él, les dijo: ¡Oh generación incrédula! ¿Hasta cuándo he de estar con vosotros? ¿Hasta cuándo os tengo que soportar? Traédmele.

20 Y se lo trajeron; y cuando le vio, al instante el espíritu le desgarraba; y cayendo en tierra, se revolcaba, echando espumarajos.

21 Y Jesús preguntó a su padre: ¿Cuánto tiempo hace que le sucede esto? Y él dijo: Desde niño;

22 Y muchas veces le echa en el fuego y en el agua para matarle; pero si puedes hacer algo, ten compasión de nosotros, y ayúdanos.

23 Y Jesús le dijo: Si puedes creer, al que cree todo le *es* posible.

24 Y al instante el padre del muchacho, clamando con lágrimas, dijo: Señor, creo, ayuda mi incredulidad.

25 Y cuando Jesús vio que la multitud se agolpaba, reprendió al espíritu inmundo, diciéndole: Espíritu mudo y sordo, yo te mando, sal de él, y no entres más en él.

26 Entonces *el espíritu*, clamando y desgarrándole mucho, salió; y él quedó como muerto, de modo que muchos decían: Está muerto.

27 Pero Jesús, tomándole de la mano, le enderezó; y se levantó.

28 Y cuando Él entró en casa, sus discípulos le preguntaron aparte: ¿Por qué nosotros no pudimos echarle fuera?

29 Y Él les dijo: Este género por nada puede salir, sino por oración y ayuno.

30 Y habiendo salido de allí, caminaron por Galilea; y no quería que nadie *lo* supiese.

31 Porque enseñaba a sus discípulos, y les decía: El Hijo del Hombre será entregado en manos de hombres, y le matarán; pero después de muerto, resucitará al tercer día.

32 Pero ellos no entendían este dicho, y tenían miedo de preguntarle.

33 Y llegó a Capernaúm; y estando ya en casa, les preguntó: ¿Qué disputabais entre vosotros en el camino?

34 Pero ellos callaron; porque en el camino habían disputado entre sí, de quién *había de ser* el mayor.

35 Entonces sentándose, llamó a los doce, y les dijo: Si alguno quiere ser el primero, será el postrero de todos, y el servidor de todos.

36 Y tomó a un niño, y lo puso en medio de ellos; y tomándole en sus brazos, les dijo:

37 El que recibiere en mi nombre a un niño como éste, a mí me recibe; y el que a mí me recibe, no me recibe a mí, sino al que me envió.

38 Y Juan le respondió, diciendo: Maestro, hemos visto a uno que en tu nombre echaba fuera demonios, el cual no nos sigue; y se lo prohibimos, porque no nos sigue.

39 Pero Jesús dijo: No se lo prohibáis; porque ninguno hay que haga milagro en mi nombre que luego pueda decir mal de mí.

40 Porque el que no es contra nosotros, por nosotros es.

41 Y cualquiera que os dé un vaso de agua en mi nombre, porque sois de Cristo, de cierto os digo que no perderá su recompensa.

42 Y cualquiera que haga tropezar a uno *de estos* pequeñitos que creen en mí, mejor le fuera si se le atase una piedra de molino al cuello, y se le arrojase al mar.

43 Y si tu mano te es ocasión de caer, córtala; mejor te es entrar en la vida manco, que teniendo dos manos ir al infierno, al fuego que nunca será apagado;

44 donde el gusano de ellos no muere, y el fuego nunca se apaga.

45 Y si tu pie te es ocasión de caer, córtalo; mejor te es entrar en la vida cojo, que teniendo dos pies ser echado en el infierno, al fuego que nunca será apagado,

46 donde el gusano de ellos no muere, y el fuego nunca se apaga.

47 Y si tu ojo te es ocasión de caer, sácalo; mejor te es entrar al reino de Dios con un ojo, que teniendo dos ojos ser echado al fuego del infierno,

48 donde el gusano de ellos no muere, y el fuego nunca se apaga.

49 Porque todos serán salados con fuego, y todo sacrificio será salado con sal.

50 Buena *es* la sal; pero si la sal pierde su sabor, ¿con qué será sazonada? Tened sal en vosotros mismos; y tened paz los unos con los otros.

CAPÍTULO 10

Y levantándose de allí, vino a las costas de Judea al otro lado del Jordán. Y volvió el pueblo a acudir a Él, y otra vez les enseñaba como solía.

2 Y viniendo los fariseos, para tentarle, le preguntaron: ¿Es lícito al marido divorciarse de *su* esposa?

3 Y Él respondiendo, les dijo: ¿Qué os mandó Moisés?

4 Y ellos dijeron: Moisés permitió escribir carta de divorcio y repudiarla.

5 Y Jesús respondiendo, les dijo: Por la dureza de vuestro corazón os escribió este mandamiento,

6 pero al principio de la creación, varón y hembra los hizo Dios.

7 Por esto dejará el hombre a su padre y a su madre, y se unirá a su esposa;

8 y los dos serán una sola carne; así que no son ya más dos, sino una carne.

9 Por tanto, lo que Dios unió, no lo separe el hombre.

10 Y en casa sus discípulos volvieron a preguntarle de lo mismo.

11 Y Él les dijo: Cualquiera que se divorcia de su esposa y se casa con otra, comete adulterio contra ella;

12 y si la mujer se divorcia de su marido y se casa con otro, comete adulterio.

13 Y le presentaban niños para que los tocase; y los discípulos reprendían a los que los presentaban.

14 Y viéndolo Jesús, se indignó, y les dijo: Dejad los niños venir a mí, y no se lo impidáis; porque de los tales es el reino de Dios.

15 De cierto os digo que el que no recibiere el reino de Dios como un niño, no entrará en él.

16 Y tomándolos en sus brazos, poniendo sus manos sobre ellos, los bendecía.

17 Y saliendo Él para continuar su camino, vino uno corriendo, y arrodillándose delante de Él, le preguntó: Maestro bueno, ¿qué haré para heredar la vida eterna?

18 Y Jesús le dijo: ¿Por qué me llamas bueno? Ninguno *hay* bueno, sino sólo uno, Dios.

19 Los mandamientos sabes: No adulteres: No mates: No hurtes: No des falso testimonio: No defraudes: Honra a tu padre y a tu madre.

20 Y él respondiendo, le dijo: Maestro, todo esto he guardado desde mi juventud.

21 Entonces Jesús, mirándole, le amó, y le dijo: Una cosa te falta: Ve, vende todo lo que tienes y da a los pobres; y tendrás tesoro en el cielo; y ven, toma tu cruz, y sígueme.

22 Pero él, afligido por estas palabras, se fue triste, porque tenía muchas posesiones.

23 Entonces Jesús, mirando alrededor, dijo a sus discípulos: ¡Cuán difícilmente entrarán en el reino de Dios los que tienen riquezas!

24 Y los discípulos se asombraron de sus palabras. Pero Jesús, respondiendo otra vez, les dijo: Hijos, ¡cuán difícil les es entrar en el reino de Dios, a los que confían en las riquezas!

25 Más fácil es pasar un camello por el ojo de una aguja, que entrar un rico en el reino de Dios.

26 Y ellos, se asombraban aun más, diciendo entre sí: ¿Quién, entonces, podrá ser salvo?

27 Y mirándolos Jesús, dijo: Con los hombres *es* imposible; pero con Dios, no; porque con Dios todas las cosas son posibles.

28 Entonces Pedro comenzó a decirle: He aquí, nosotros lo hemos dejado todo, y te hemos seguido.

29 Y respondiendo Jesús, dijo: De cierto os digo, que ninguno hay que haya dejado casa, o hermanos, o hermanas, o padre, o madre, o esposa, o hijos, o tierras, por causa de mí y del evangelio,

30 que no haya de recibir cien tantos ahora en este tiempo; casas, hermanos, hermanas, madres, hijos,

y tierras, con persecuciones; y en el mundo venidero, vida eterna.

31 Pero muchos primeros serán postreros, y los postreros, primeros.

32 E iban por el camino subiendo a Jerusalén, y Jesús iba delante de ellos; y estaban asombrados, y le seguían con miedo. Entonces volviendo a tomar a los doce aparte, les comenzó a decir las cosas que le habían de acontecer:

33 He aquí subimos a Jerusalén, y el Hijo del Hombre será entregado a los príncipes de los sacerdotes y a los escribas, y le condenarán a muerte, y le entregarán a los gentiles;

34 y le escarnecerán, y le azotarán, y escupirán en Él, y le matarán; mas al tercer día resucitará.

35 Entonces Jacobo y Juan, hijos de Zebedeo, vinieron a Él, diciendo: Maestro, querríamos que nos hagas lo que pidiéremos.

36 Y Él les dijo: ¿Qué queréis que os haga?

37 Y ellos le dijeron: Concédenos que en tu gloria nos sentemos el uno a tu derecha, y el otro a tu izquierda.

38 Pero Jesús les dijo: No sabéis lo que pedís. ¿Podéis beber la copa que yo bebo, o ser bautizados con el bautismo con que yo soy bautizado?

39 Y ellos le dijeron: Podemos. Y Jesús les dijo: A la verdad, beberéis de la copa de que yo bebo, y con el bautismo con que yo soy bautizado, seréis bautizados;

40 pero el sentarse a mi derecha o a mi izquierda, no es mío darlo, sino que *será dado a aquellos* para quienes está preparado.

41 Y cuando lo oyeron los diez, comenzaron a indignarse contra Jacobo y contra Juan.

42 Pero Jesús, llamándolos, les dijo: Sabéis que los que parecen ser príncipes de los gentiles, se enseñorean sobre ellos; y los que entre ellos son grandes, tienen potestad sobre ellos.

43 Pero no será así entre vosotros; antes el que quisiere ser grande entre vosotros, será vuestro servidor;

44 y el que de vosotros quisiere ser el primero, será siervo de todos.

45 Porque el Hijo del Hombre no vino para ser servido, sino para servir, y dar su vida en rescate por muchos.

46 Entonces vinieron a Jericó; y saliendo Él de Jericó, con sus discípulos y una gran multitud, Bartimeo el ciego, hijo de Timeo, estaba sentado junto al camino mendigando.

47 Y cuando oyó que era Jesús el Nazareno, comenzó a dar voces, diciendo: ¡Jesús, Hijo de David, ten misericordia de mí!

48 Y muchos le reprendían para que callara; pero él, mucho más gritaba: ¡Hijo de David, ten misericordia de mí!

49 Entonces Jesús, deteniéndose, mandó llamarle; y llamaron al ciego, diciéndole: Ten confianza; levántate, te llama.

50 Él entonces, arrojando su capa, se levantó y vino a Jesús.

51 Y respondiendo Jesús, le dijo: ¿Qué quieres que te haga? Y el ciego le dijo: Señor, que reciba la vista.

52 Y Jesús le dijo: Vete, tu fe te ha salvado. Y al instante recibió su vista, y seguía a Jesús en el camino.

CAPÍTULO 11

Y cuando llegaron cerca de Jerusalén a Betfagé y a Betania, al monte de los Olivos, *Él* envió a dos de sus discípulos,

2 y les dijo: Id a la aldea que está enfrente de vosotros, y luego que entréis en ella, hallaréis un pollino atado, sobre el cual ningún hombre se ha sentado; desatadlo y traedlo.

3 Y si alguien os dijere: ¿Por qué hacéis eso? decid que el Señor lo necesita, y que enseguida lo devolverá.

4 Y fueron, y hallaron el pollino atado afuera a la puerta, donde se unían dos caminos, y le desataron.

5 Y unos de los que estaban allí les dijeron: ¿Qué hacéis desatando el pollino?

6 Ellos entonces les dijeron como Jesús había mandado; y los dejaron

7 Y trajeron el pollino a Jesús, y echaron sobre él sus mantos, y se sentó sobre él.

8 Y muchos tendían sus mantos sobre el camino, y otros cortaban ramas de los árboles, y las tendían en el camino.

9 Y los que iban delante y los que seguían detrás, aclamaban, diciendo: ¡Hosanna! ¡Bendito el que viene en el nombre del Señor!

10 ¡Bendito el reino de nuestro padre David, que viene en el nombre del Señor! ¡Hosanna en las alturas!

11 Y entró Jesús en Jerusalén, y en el templo; y habiendo mirado alrededor todas las cosas, y como ya anochecía, se fue a Betania con los doce.

12 Y al día siguiente, cuando salieron de Betania, tuvo hambre.

13 Y viendo de lejos una higuera que tenía hojas, vino a ver si quizá hallaría en ella algo; y cuando vino a ella, nada halló sino hojas, porque no era tiempo de higos.

14 Entonces Jesús respondiendo, dijo a la higuera: Nunca más coma nadie fruto de ti, por siempre. Y sus discípulos lo oyeron.

15 Y vinieron a Jerusalén; y entrando Jesús en el templo, comenzó a echar fuera a los que vendían y compraban en el templo; y trastornó las mesas de los cambistas, y las sillas de los que vendían palomas;

16 y no consentía que nadie atravesase el templo llevando vaso *alguno*.

17 Y les enseñaba, diciendo: ¿No está escrito: Mi casa, casa de oración será llamada por todas las naciones? Pero vosotros la habéis hecho cueva de ladrones.

18 Y lo oyeron los escribas y los príncipes de los sacerdotes, y buscaban cómo le matarían; porque le tenían miedo, por cuanto todo el pueblo estaba maravillado de su doctrina.

19 Y al llegar la noche, *Él* salió de la ciudad.

20 Y en la mañana, pasando por allí, vieron que la higuera se había secado desde las raíces.

21 Y Pedro, acordándose, le dijo: Maestro, he aquí la higuera que maldijiste se ha secado.

22 Y respondiendo Jesús les dijo: Tened fe en Dios.

23 Porque de cierto os digo que cualquiera que dijere a este monte: Quítate y échate en el mar; y no dudare en su corazón, mas creyere que será hecho lo que dice, lo que dijere le será hecho.

24 Por tanto os digo que todo lo que pidiereis orando, creed que lo recibiréis, y os vendrá.

25 Y cuando estuviereis orando, perdonad, si tuviereis algo contra alguno, para que también vuestro Padre que está en el cielo os perdone a vosotros vuestras ofensas.

26 Porque si vosotros no perdonáis, tampoco vuestro Padre que está en el cielo os perdonará vuestras ofensas.

27 Y vinieron de nuevo a Jerusalén; y andando Él por el templo, vienen a Él los príncipes de los sacerdotes y los escribas, y los ancianos,

28 y le dijeron: ¿Con qué autoridad haces estas cosas? ¿Y quién te dio la autoridad para hacer estas cosas?

29 Y Jesús, respondiendo, les dijo: Yo también os haré una pregunta; y respondedme, y os diré con qué autoridad hago estas cosas:

30 El bautismo de Juan, ¿era del cielo, o de los hombres? Respondedme.

31 Y ellos discutían entre sí, diciendo: Si dijéremos: Del cielo, dirá: ¿Por qué, pues, no le creísteis?

32 Y si dijéremos: De los hombres, tememos al pueblo; porque todos tenían a Juan como un verdadero profeta.

33 Y ellos, respondiendo, dijeron a Jesús: No sabemos. Entonces respondiendo Jesús, les dijo: Tampoco yo os diré con qué autoridad hago estas cosas.

CAPÍTULO 12

Y comenzó a hablarles por parábolas: Un hombre plantó una viña, y la cercó con vallado, y cavó un lagar, y edificó una torre, y la arrendó a labradores, y partió lejos.

2 Y al tiempo envió un siervo a los labradores, para que recibiese de los labradores del fruto de su viña.

3 Mas ellos tomándole, le hirieron, y le enviaron vacío.

4 Y volvió a enviarles otro siervo, mas ellos apedreándole, le hirieron en la cabeza, y le enviaron afrentado.

5 Y volvió a enviar a otro, y a éste mataron; y a otros muchos, hiriendo a unos y matando a otros.

6 Por último, teniendo aún un hijo, su amado, lo envió también a ellos, diciendo: Tendrán respeto a mi hijo.

7 Pero aquellos labradores dijeron entre sí: Éste es el heredero, venid, matémosle, y la heredad será nuestra.

8 Y prendiéndole, le mataron, y le echaron fuera de la viña.

9 ¿Qué, pues, hará el señor de la viña? Vendrá y destruirá a estos labradores, y dará su viña a otros.

10 ¿Ni aun esta Escritura habéis leído: La piedra que desecharon los edificadores, ha venido a ser cabeza del ángulo;

11 El Señor ha hecho esto, y es cosa maravillosa en nuestros ojos?

12 Y procuraban prenderle, porque sabían que decía contra ellos aquella parábola; pero temían al pueblo, y dejándole se fueron.

13 Y enviaron a Él algunos de los fariseos y de los herodianos, para que le prendiesen en alguna palabra.

14 Y viniendo ellos, le dijeron: Maestro, sabemos que eres veraz, y que no te cuidas de nadie; porque no miras la apariencia de los hombres, sino que enseñas el camino de Dios en verdad: ¿Es lícito dar tributo a César, o no? ¿Daremos, o no daremos?

15 Pero Él, conociendo la hipocresía de ellos, les dijo: ¿Por qué me tentáis? Traedme una moneda para que la vea.

16 Y ellos se la trajeron. Y les dijo: ¿De quién *es* esta imagen e inscripción? Y ellos le dijeron: De César.

17 Y respondiendo Jesús, les dijo: Dad a César lo que es de César, y a Dios lo que es de Dios. Y se maravillaron de Él.

18 Entonces vinieron a Él los saduceos, que dicen que no hay resurrección, y le preguntaron, diciendo:

19 Maestro, Moisés nos escribió, que si el hermano de alguno muere, y deja esposa y no deja hijos, que su hermano tome su esposa y levante descendencia a su hermano.

20 Hubo siete hermanos; y el primero tomó esposa; y murió sin dejar descendencia.

21 Y la tomó el segundo, y murió, y tampoco él dejó descendencia; y el tercero, de la misma manera.

22 Y la tomaron los siete, y no dejaron descendencia; a la postre murió también la mujer.

23 En la resurrección, pues, cuando resuciten, ¿de cuál de ellos será esposa? Porque los siete la tuvieron por esposa.

24 Entonces respondiendo Jesús, les dijo: ¿No erráis por esto, porque no conocéis las Escrituras, ni el poder de Dios?

25 Porque cuando resuciten de entre los muertos, no se casarán, ni se darán en casamiento, mas serán como los ángeles que están en el cielo.

26 Y de que los muertos hayan de resucitar, ¿no habéis leído en el libro de Moisés, cómo le habló Dios en la zarza, diciendo: Yo soy el Dios de Abraham, y el Dios de Isaac, y el Dios de Jacob?

27 No es Dios de muertos, sino Dios de vivos; así que vosotros mucho erráis.

28 Y uno de los escribas que los había oído disputar, y sabía que les había respondido bien, vino y le preguntó: ¿Cuál es el primer mandamiento de todos?

29 Y Jesús le respondió: El primer mandamiento de todos *es*: Oye, oh Israel, el Señor nuestro Dios, el Señor uno es.

30 Y amarás al Señor tu Dios con todo tu corazón, y con toda tu alma, y con toda tu mente, y con todas tus fuerzas. Éste *es* el principal mandamiento.

31 Y el segundo *es* semejante a éste: Amarás a tu prójimo como a ti mismo. No hay otro mandamiento mayor que éstos.

32 Entonces el escriba le dijo: Bien, Maestro, verdad has dicho, porque hay un Dios, y no hay otro fuera de Él.

33 Y el amarle con todo el corazón, y con todo el entendimiento, y con toda el alma, y con todas las fuerzas, y amar al prójimo como a sí mismo, es más que todos los holocaustos y sacrificios.

34 Y viendo Jesús que él había respondido sabiamente, le dijo: No estás lejos del reino de Dios. Y ya ninguno osaba preguntarle.

35 Y enseñando en el templo, respondió Jesús y dijo: ¿Cómo dicen los escribas que el Cristo es hijo de David?

36 Porque el mismo David dijo por el Espíritu Santo: Dijo el Señor a mi Señor: Siéntate a mi diestra, hasta que ponga tus enemigos por estrado de tus pies.

37 Y si David mismo le llama Señor; ¿cómo, pues, es su hijo? Y el pueblo común le oía de buena gana.

38 Y les decía en su doctrina: Guardaos de los escribas, que gustan de andar con vestiduras largas, y *aman* las salutaciones en las plazas,

39 y las primeras sillas en las sinagogas, y los primeros asientos en las cenas;

40 que devoran las casas de las viudas, y por pretexto hacen largas oraciones. Éstos recibirán mayor condenación.

41 Y estando Jesús sentado delante del arca de la ofrenda, miraba cómo el pueblo echaba dinero en el arca: y muchos ricos echaban mucho.

42 Y vino una viuda pobre, y echó dos blancas, que es un cuadrante.

43 Entonces llamando a sus discípulos, les dijo: De cierto os digo que esta viuda pobre echó más que todos los que han echado en el arca;

44 porque todos han echado de lo que les sobra; mas ésta, de su pobreza echó todo lo que tenía, todo su sustento.

CAPÍTULO 13

Y saliendo Él del templo, le dijo uno de sus discípulos: Maestro, mira qué piedras, y qué edificios.

2 Y Jesús, respondiendo, le dijo: ¿Ves estos grandes edificios? No quedará piedra sobre piedra que no sea derribada.

3 Y sentándose en el monte de los Olivos, frente al templo, Pedro, Jacobo, Juan y Andrés le preguntaron aparte:

4 Dinos, ¿cuándo serán estas cosas? ¿Y qué señal habrá cuando todas estas cosas hayan de cumplirse?

5 Y Jesús, respondiéndoles, comenzó a decir: Mirad que nadie os engañe;

6 porque vendrán muchos en mi nombre, diciendo: Yo soy *el Cristo*; y a muchos engañarán.

7 Y cuando oyereis de guerras y de rumores de guerras, no os turbéis; porque es necesario que así acontezca; pero aún no *es* el fin.

8 Porque se levantará nación contra nación, y reino contra reino; y habrá terremotos en diversos lugares, y habrá hambres y alborotos; principios de dolores *son* estos.

9 Pero mirad por vosotros mismos; porque os entregarán a los concilios, y en las sinagogas seréis azotados; y delante de gobernadores y de reyes seréis llevados por causa de mí, para testimonio contra ellos.

10 Y es necesario que el evangelio sea predicado antes a todas las naciones.

11 Y cuando os llevaren y entregaren, no os preocupéis por lo que habéis de decir, ni lo premeditéis; sino lo que os fuere dado en aquella hora, eso hablad; porque no sois vosotros los que habláis, sino el Espíritu Santo.

12 Y el hermano entregará a muerte al hermano, y el padre al hijo; y se levantarán los hijos contra los padres, y los harán morir.

13 Y seréis aborrecidos de todos por causa de mi nombre; mas el que perseverare hasta el fin, éste será salvo.

14 Mas cuando viereis la abominación desoladora, de que habló el profeta Daniel, que estará donde no debe estar (el que lee, entienda), entonces los que estén en Judea, huyan a los montes;

15 y el que esté sobre el terrado, no descienda a la casa, ni entre para tomar algo de su casa;

16 Y el que estuviere en el campo, no vuelva atrás para tomar su capa.

17 Mas ¡ay de las que estén encinta, y de las que amamanten en aquellos días!

18 Orad, pues, que vuestra huida no acontezca en invierno.

19 Porque aquellos días serán de tribulación cual nunca ha habido desde el principio de la creación que Dios creó, hasta este tiempo, ni habrá.

20 Y si el Señor no hubiese acortado aquellos días, ninguna carne sería salva; mas por causa de los elegidos que Él escogió, acortó aquellos días.

21 Y entonces si alguno os dijere: Mirad, aquí está el Cristo, no le creáis; o: Mirad, allí está, no le creáis.

22 Porque se levantarán falsos Cristos y falsos profetas, y mostrarán señales y prodigios, para engañar, si *fuese* posible, aun a los escogidos.

23 Mas vosotros mirad, he aquí, os lo he dicho todo antes.

24 Pero en aquellos días, después de aquella tribulación, el sol se oscurecerá, y la luna no dará su resplandor;

25 y las estrellas caerán del cielo, y las potencias que están en los cielos serán conmovidas.

26 Y entonces verán al Hijo del Hombre, viniendo en las nubes con gran poder y gloria.

27 Y entonces enviará sus ángeles, y reunirá a sus escogidos de los cuatro vientos, desde el extremo de la tierra hasta el extremo del cielo.

28 De la higuera aprended la parábola: Cuando ya su rama enternece, y brotan las hojas, sabéis que el verano está cerca:

29 Así también vosotros, cuando veáis que suceden estas cosas, sabed que está cerca, a las puertas.

30 De cierto os digo que no pasará esta generación, hasta que todo esto acontezca.

31 El cielo y la tierra pasarán, mas mis palabras no pasarán.

32 Pero de aquel día y de la hora nadie sabe, ni aun los ángeles que están en el cielo, ni el Hijo, sino el Padre.

33 Mirad, velad y orad, porque no sabéis cuándo es el tiempo.

34 *Porque el Hijo del Hombre es* como el hombre que partió lejos, el cual dejó su casa, y dio autoridad a sus siervos, y a cada uno su obra, y al portero mandó que velase.

35 Velad, pues, porque no sabéis cuándo el señor de la casa ha de venir; si a la tarde, o a la media noche, o al canto del gallo, o al amanecer;

36 no sea que viniendo de repente, os halle durmiendo.

37 Y lo que a vosotros digo, a todos lo digo: Velad.

CAPÍTULO 14

Y dos días después era *la fiesta de* la pascua, y de los panes sin levadura; y los príncipes de los sacerdotes y los escribas buscaban cómo prenderle por engaño y matarle.

2 Y decían: No en el día de la fiesta, para que no se haga alboroto del pueblo.

3 Y estando Él en Betania, en casa de Simón el leproso, y sentado Él a la mesa, vino una mujer trayendo un frasco de alabastro de ungüento de nardo puro, de mucho precio, y quebrando el frasco de alabastro, se lo derramó sobre su cabeza.

4 Y hubo algunos que se indignaron dentro de sí, y dijeron: ¿Por qué se ha hecho este desperdicio de ungüento?

5 Porque podía esto haberse vendido por más de trescientos denarios, y haberse dado a los pobres. Y murmuraban contra ella.

6 Pero Jesús dijo: Dejadla, ¿por qué la molestáis? Buena obra me ha hecho.

7 Pues siempre tenéis a los pobres con vosotros, y cuando quisiereis, les podéis hacer bien; pero a mí no siempre me tenéis.

8 Ésta ha hecho lo que podía; y se ha anticipado a ungir mi cuerpo para la sepultura.

9 De cierto os digo: Dondequiera que se predique este evangelio, en todo el mundo, lo que ella ha hecho, también será contado para memoria de ella.

10 Entonces Judas Iscariote, uno de los doce, fue a los príncipes de los sacerdotes para entregárselo.

11 Y ellos, al oírlo, se regocijaron, y prometieron darle dinero. Y buscaba cómo poder entregarle.

12 Y el primer día de los panes sin levadura, cuando sacrificaban la pascua, sus discípulos le dijeron: ¿Dónde quieres que vayamos y preparemos para que comas la pascua?

13 Y envió dos de sus discípulos, y les dijo: Id a la ciudad, y os encontrará un hombre que lleva un cántaro de agua; seguidle,

14 y donde él entrare, decid al señor de la casa: El Maestro dice: ¿Dónde está el aposento donde he de comer la pascua con mis discípulos?

15 Y él os mostrará un aposento alto ya dispuesto; preparad para nosotros allí.

16 Y fueron sus discípulos y entraron en la ciudad, y hallaron como Él les había dicho, y prepararon la pascua.

17 Y cuando llegó la noche, vino Él con los doce.

18 Y sentándose ellos a la mesa, mientras comían, Jesús dijo: De cierto os digo: Uno de vosotros, que come conmigo, me va a entregar.

19 Entonces ellos comenzaron a entristecerse, y a decirle uno tras otro: ¿Seré yo? Y el otro: ¿Seré yo?

20 Y respondiendo Él, les dijo: Es uno de los doce, que moja conmigo en el plato.

21 A la verdad el Hijo del Hombre va, según está escrito de Él; mas ¡ay de aquel hombre por quien el Hijo del Hombre es entregado! Bueno le fuera a tal hombre nunca haber nacido.

22 Y comiendo ellos, Jesús tomó pan y bendijo, y lo partió y les dio, diciendo: Tomad, comed; esto es mi cuerpo.

23 Y tomando la copa, habiendo dado gracias, les dio; y bebieron de ella todos.

24 Y les dijo: Esto es mi sangre del nuevo testamento, que por muchos es derramada.

25 De cierto os digo, que no beberé más del fruto de la vid, hasta aquel día, cuando lo beberé nuevo en el reino de Dios.

26 Y habiendo cantado un himno, salieron al monte de los Olivos.

27 Entonces Jesús les dijo: Todos seréis escandalizados de mí esta noche; porque escrito está: Heriré al pastor, y serán dispersadas las ovejas.

28 Pero después que haya resucitado, iré delante de vosotros a Galilea.

29 Entonces Pedro le dijo: Aunque todos sean escandalizados, mas yo no.

30 Y Jesús le dijo: De cierto te digo que tú, hoy, en esta noche, antes de que el gallo haya cantado dos veces, me negarás tres veces.

31 Mas él con más vehemencia decía: Si me fuere necesario morir contigo, no te negaré. También todos decían lo mismo.

32 Y vinieron al lugar que se llama Getsemaní; y dijo a sus discípulos: Sentaos aquí, entre tanto que yo oro.

33 Y tomó consigo a Pedro, a Jacobo y a Juan, y comenzó a entristecerse y a angustiarse en gran manera.

34 Y les dijo: Mi alma está muy triste, hasta la muerte; quedaos aquí y velad.

35 Y yéndose un poco adelante, se postró en tierra, y oró que si fuese posible, pasase de Él aquella hora.

36 Y dijo: Abba, Padre, todas las cosas te *son* posibles; aparta de mí esta copa; pero no *sea* mi voluntad, sino la tuya.

37 Y vino y los halló durmiendo; y dijo a Pedro: Simón, ¿duermes? ¿No has podido velar una hora?

38 Velad y orad, para que no entréis en tentación; el espíritu a la verdad *está* dispuesto, pero la carne *es* débil.

39 Y otra vez fue y oró, diciendo las mismas palabras.

40 Y al volver, otra vez los halló durmiendo, porque los ojos de ellos estaban cargados *de sueño*, y no sabían qué responderle.

41 Y vino la tercera vez, y les dijo: Dormid ya y descansad; basta, la hora ha venido; he aquí, el Hijo del Hombre es entregado en manos de los pecadores.

42 Levantaos, vamos; he aquí, se acerca el que me entrega.

43 Y en ese momento, mientras Él aún hablaba, vino Judas, que era uno de los doce, y con él una gran multitud con espadas y palos, de parte de los príncipes de los sacerdotes y de los escribas y de los ancianos.

44 Y el que le entregaba les había dado señal, diciendo: Al que yo

besare, ése es, prendedle, y llevadle con seguridad.

45 Y cuando vino, enseguida se acercó a Él, y le dijo: Maestro, Maestro. Y le besó.

46 Entonces ellos le echaron mano, y le prendieron.

47 Y uno de los que estaban allí, sacó una espada, e hirió a un siervo del sumo sacerdote, y le cortó la oreja.

48 Y respondiendo Jesús, les dijo: ¿Como contra un ladrón habéis venido con espadas y palos para prenderme?

49 Cada día estaba con vosotros enseñando en el templo, y no me prendisteis; pero *es así*, para que se cumplan las Escrituras.

50 Entonces todos dejándole, huyeron.

51 Y cierto joven le seguía, cubierta *su* desnudez con una sábana; y los jóvenes le prendieron.

52 Mas él, dejando la sábana, huyó de ellos desnudo.

53 Y trajeron a Jesús ante el sumo sacerdote; y estaban reunidos con él todos los príncipes de los sacerdotes y los ancianos y los escribas.

54 Y Pedro le siguió de lejos hasta adentro del patio del sumo sacerdote; y estaba sentado con los siervos, calentándose al fuego.

55 Y los príncipes de los sacerdotes y todo el concilio buscaban testimonio contra Jesús, para entregarle a muerte, mas no lo hallaban.

56 Porque muchos decían falso testimonio contra Él; pero sus testimonios no concordaban.

57 Entonces levantándose unos, dieron falso testimonio contra Él, diciendo:

58 Nosotros le oímos decir: Yo derribaré este templo que es hecho a mano, y en tres días edificaré otro hecho sin mano.

59 Pero ni aun así concordaba el testimonio de ellos.

60 Entonces el sumo sacerdote, levantándose en medio, preguntó a Jesús, diciendo: ¿No respondes nada? ¿Qué testifican éstos contra ti?

61 Mas Él callaba, y nada respondía. El sumo sacerdote le volvió a preguntar, y le dijo: ¿Eres tú el Cristo, el Hijo del Bendito?

62 Y Jesús le dijo: Yo soy; y veréis al Hijo del Hombre sentado a la diestra del poder, y viniendo en las nubes del cielo.

63 Entonces el sumo sacerdote rasgando su vestidura, dijo: ¿Qué más necesidad tenemos de testigos?

64 Habéis oído la blasfemia; ¿qué os parece? Y todos le condenaron a ser culpable de muerte.

65 Y algunos comenzaron a escupirle, y a cubrir su rostro, y a abofetearle, diciéndole: Profetiza; y los siervos le herían a bofetadas.

66 Y estando Pedro abajo en el patio, vino una de las criadas del sumo sacerdote;

67 y cuando vio a Pedro que se calentaba, mirándole, dijo: Y tú también estabas con Jesús el Nazareno.

68 Pero él lo negó, diciendo: No le conozco, ni entiendo lo que dices. Y salió al portal; y cantó el gallo.

69 Y la criada, viéndole otra vez, comenzó a decir a los que estaban allí: Éste es de ellos.

70 Y él lo negó otra vez. Y poco después, los que estaban allí, dijeron otra vez a Pedro: Verdaderamente tú eres de ellos, porque eres galileo, y tu hablar es semejante.

71 Entonces él comenzó a maldecir y a jurar: No conozco a este hombre de quien habláis.

72 Y el gallo cantó la segunda vez. Entonces Pedro se acordó de las palabras que Jesús le había dicho: Antes que el gallo cante dos veces, me negarás tres veces. Y pensando en esto, lloraba.

CAPÍTULO 15

Y luego por la mañana, tomando consejo los príncipes de los sacerdotes con los ancianos y con los escribas y con todo el concilio, llevaron a Jesús atado, y le entregaron a Pilato.

2 Y Pilato le preguntó: ¿Eres tú el Rey de los judíos? Y respondiendo Él, le dijo: Tú lo dices.

3 Y los príncipes de los sacerdotes le acusaban mucho, mas Él no respondía nada.

4 Y Pilato le preguntó otra vez, diciendo: ¿No respondes nada? Mira cuántas cosas testifican contra ti.

5 Pero Jesús ni aun con eso respondió nada; de modo que Pilato se maravillaba.

6 Ahora bien, en el día de la fiesta les soltaba un preso, cualquiera que pidiesen.

7 Y había uno que se llamaba Barrabás, preso con sus compañeros de motín, que habían cometido homicidio en una insurrección.

8 Y la multitud, gritando, comenzó a pedir *que hiciera* como siempre les había hecho.

9 Y Pilato les respondió, diciendo: ¿Queréis que os suelte al Rey de los judíos?

10 Porque él sabía que los príncipes de los sacerdotes por envidia le habían entregado.

11 Mas los príncipes de los sacerdotes incitaron a la multitud, para que les soltase más bien a Barrabás.

12 Y respondiendo Pilato, les dijo otra vez: ¿Qué, pues, queréis que haga del que llamáis Rey de los judíos?

13 Y ellos volvieron a gritar: ¡Crucifícale!

14 Entonces Pilato les dijo: ¿Pues qué mal ha hecho? Pero ellos gritaban aun más: ¡Crucifícale!

15 Y Pilato queriendo agradar al pueblo, les soltó a Barrabás, y entregó a Jesús, después de azotarle, para que fuese crucificado.

16 Entonces los soldados le llevaron dentro de la sala que es llamada Pretorio; y convocaron a toda la cohorte.

17 Y le vistieron de púrpura; y tejiendo una corona de espinas, la pusieron sobre su *cabeza*.

18 Y comenzaron a saludarle: ¡Salve, Rey de los judíos!

19 Y le herían en la cabeza con una caña, y escupían en Él, y arrodillándose le adoraban.

20 Y cuando le hubieron escarnecido, le desnudaron la púrpura, y le pusieron sus propias vestiduras, y le sacaron para crucificarle.

21 Y obligaron a uno que pasaba, Simón cireneo, padre de Alejandro y de Rufo, que venía del campo, para que *le* llevase su cruz.

22 Y le llevaron al lugar llamado Gólgota, que interpretado es: El lugar de la Calavera.

23 Y le dieron a beber vino mezclado con mirra; mas Él no lo tomó.

24 Y cuando le hubieron crucificado, repartieron sus vestiduras echando suertes sobre ellas, *para ver* qué llevaría cada uno.

25 Y era la hora tercera cuando le crucificaron.

26 Y el título escrito de su causa era: EL REY DE LOS JUDÍOS.

27 Y crucificaron con Él a dos ladrones, uno a su derecha, y otro a su izquierda.

28 Y se cumplió la Escritura que dice: Y con los transgresores fue contado.

29 Y los que pasaban le injuriaban, meneando sus cabezas y diciendo: ¡Ah! Tú que derribas el templo *de Dios* y en tres días lo reedificas,

30 sálvate a ti mismo, y desciende de la cruz.

31 De esta manera también los príncipes de los sacerdotes escarneciendo, decían unos a otros, con los escribas: A otros salvó, a sí mismo no se puede salvar.

32 El Cristo, el Rey de Israel, descienda ahora de la cruz, para que veamos y creamos. También los que estaban crucificados con Él le injuriaban.

33 Y cuando vino la hora sexta, hubo tinieblas sobre toda la tierra hasta la hora novena.

34 Y a la hora novena Jesús clamó a gran voz, diciendo: Eloi, Eloi, ¿lama sabactani? Que interpretado, es: Dios mío, Dios mío, ¿por qué me has desamparado?

35 Y oyéndole unos de los que estaban allí, dijeron: He aquí, llama a Elías.

36 Y corrió uno, y empapando una esponja en vinagre, y poniéndola en una caña, le dio a beber, diciendo: Dejad, veamos si viene Elías a bajarle.

37 Mas Jesús, clamando a gran voz, entregó el espíritu.

38 Entonces el velo del templo se rasgó en dos, de arriba abajo.

39 Y cuando el centurión que estaba delante de Él, vio que así clamando entregó el espíritu, dijo: Verdaderamente este hombre era el Hijo de Dios.

40 Y estaban también *algunas* mujeres mirando de lejos, entre las cuales estaba María Magdalena, y María la madre de Jacobo el menor y de José, y Salomé;

41 las cuales, cuando estuvo en Galilea, le habían seguido, y le servían; y muchas otras que habían subido con Él a Jerusalén.

42 Y cuando ya atardecía, porque era la preparación, esto es, la víspera del sábado,

43 José de Arimatea, consejero honorable, que también esperaba el reino de Dios, vino, y entró osadamente a Pilato, y pidió el cuerpo de Jesús.

44 Y Pilato se maravilló de que ya hubiese muerto; y llamando al centurión, le preguntó si ya había muerto.

45 Y enterado del centurión, dio el cuerpo a José,

46 el cual compró una sábana, y bajándole, le envolvió en la sábana, y le puso en un sepulcro que estaba cavado en una roca, y rodó una piedra a la puerta del sepulcro.

47 Y María Magdalena, y María *la madre* de José, miraban dónde era puesto.

CAPÍTULO 16

Y cuando hubo pasado el sábado, María Magdalena, y María *la madre* de Jacobo, y Salomé, compraron especias aromáticas para venir a ungirle.

2 Y muy de mañana, el primer *día* de la semana, a la salida del sol, vinieron al sepulcro.

3 Y decían entre sí: ¿Quién nos removerá la piedra de la puerta del sepulcro?

4 Y cuando miraron, vieron removida la piedra, que era muy grande.

5 Y entrando en el sepulcro, vieron a un joven sentado al lado derecho, cubierto de una larga ropa blanca; y se espantaron.

6 Y él les dijo: No os asustéis; buscáis a Jesús el Nazareno, el que fue crucificado; ha resucitado, no está aquí; he aquí el lugar en donde le pusieron.

7 Pero id, decid a sus discípulos y a Pedro, que Él va delante de vosotros a Galilea; allí le veréis, como os dijo.

8 Y ellas se fueron aprisa, huyendo del sepulcro, porque les había tomado temblor y espanto; y no dijeron nada a nadie, porque tenían miedo.

9 Mas cuando *Jesús* resucitó por la mañana, el primer *día* de la semana, apareció primeramente a María Magdalena, de la cual había echado siete demonios.

10 Y ella fue y lo hizo saber a los que habían estado con Él, que estaban tristes y llorando.

11 Y ellos, cuando oyeron que vivía, y que había sido visto por ella, no lo creyeron.

12 Y después de esto, apareció en otra forma a dos de ellos que iban de camino, yendo al campo.

13 Y ellos fueron, y lo hicieron saber a los demás; y ni aun a ellos creyeron.

14 Finalmente se apareció a los once, estando ellos sentados a la mesa, y les reprochó su incredulidad y dureza de corazón, porque no habían creído a los que le habían visto resucitado.

15 Y les dijo: Id por todo el mundo y predicad el evangelio a toda criatura.

16 El que creyere y fuere bautizado, será salvo; mas el que no creyere, será condenado.

17 Y estas señales seguirán a los que creen: En mi nombre echarán fuera demonios; hablarán nuevas lenguas;

18 tomarán serpientes; y si bebieren cosa mortífera, no les dañará; sobre los enfermos pondrán sus manos y sanarán.

19 Y el Señor, después que les habló, fue recibido arriba en el cielo, y se sentó a la diestra de Dios.

20 Y ellos saliendo, predicaron en todas partes, obrando con *ellos* el Señor, y confirmando la palabra con señales que les seguían. Amén.

El Santo Evangelio según
LUCAS

CAPÍTULO 1

Puesto que ya muchos han intentado poner en orden la historia de las cosas que entre nosotros son ciertísimas,

2 así como nos lo enseñaron los que desde el principio lo vieron con sus ojos, y fueron ministros de la palabra;

3 me ha parecido también a mí, después de haber entendido perfectamente todas las cosas desde el principio, escribírtelas por orden, *oh* excelentísimo Teófilo,

4 para que conozcas la certeza de las cosas en las que has sido instruido.

5 Hubo en los días de Herodes, rey de Judea, un sacerdote llamado Zacarías, de la clase de Abías; y su esposa era de las hijas de Aarón, y se llamaba Elisabet.

6 Y ambos eran justos delante de Dios, andando irreprensibles en todos los mandamientos y ordenanzas del Señor.

7 Y no tenían hijo, porque Elisabet era estéril, y ambos eran *ya* de edad avanzada.

8 Y aconteció que ejerciendo Zacarías el sacerdocio delante de Dios en el orden de su clase,

9 conforme a la costumbre del sacerdocio, le tocó en suerte encender el incienso, entrando en el templo del Señor.

10 Y toda la multitud del pueblo estaba fuera orando a la hora del incienso.

11 Y se le apareció un ángel del Señor puesto en pie a la derecha del altar del incienso.

12 Y viéndole, se turbó Zacarías, y cayó temor sobre él.

13 Mas el ángel le dijo: Zacarías, no temas; porque tu oración ha sido oída; y tu esposa Elisabet te dará a luz un hijo, y llamarás su nombre Juan.

14 Y tendrás gozo y alegría, y muchos se regocijarán de su nacimiento.

15 Porque será grande delante del Señor; y no beberá vino ni sidra, y será lleno del Espíritu Santo, aun desde el vientre de su madre.

16 Y a muchos de los hijos de Israel convertirá al Señor Dios de ellos.

17 Porque él irá delante de Él en el espíritu y el poder de Elías, para hacer volver los corazones de los padres a los hijos, y los desobedientes a la sabiduría de los justos, para preparar un pueblo dispuesto para el Señor.

18 Y dijo Zacarías al ángel: ¿En qué conoceré esto? Porque yo soy viejo, y mi esposa es de edad avanzada.

19 Y respondiendo el ángel le dijo: Yo soy Gabriel, que estoy delante de Dios; y soy enviado a hablarte y darte estas buenas nuevas.

20 Y he aquí estarás mudo y no podrás hablar, hasta el día que esto sea hecho, por cuanto no creíste mis palabras, las cuales se cumplirán a su tiempo.

21 Y el pueblo estaba esperando a Zacarías, y se maravillaban de que él se demorase en el templo.

22 Y cuando salió, no les podía hablar; y entendieron que había visto visión en el templo, pues les hablaba por señas, y permanecía mudo.

23 Y aconteció que cumpliéndose los días de su ministerio, se fue a su casa.

24 Y después de aquellos días concibió su esposa Elisabet, y se encubrió por cinco meses, diciendo:

25 Así me ha hecho el Señor en los días en que miró para quitar mi afrenta entre los hombres.

26 Y al sexto mes, el ángel Gabriel fue enviado de Dios a una ciudad de Galilea, llamada Nazaret,

27 a una virgen desposada con un varón que se llamaba José, de la casa de David; y el nombre de la virgen *era* María.

28 Y entrando el ángel a donde ella estaba, dijo: ¡Salve, muy favorecida! El Señor *es* contigo; bendita tú entre las mujeres.

29 Y cuando ella le vio, se turbó por sus palabras, y pensaba qué salutación sería ésta.

30 Entonces el ángel le dijo: María, no temas, porque has hallado gracia delante de Dios.

31 Y he aquí, concebirás en tu vientre, y darás a luz un hijo, y llamarás su nombre JESÚS.

32 Éste será grande, y será llamado Hijo del Altísimo; y el Señor Dios le dará el trono de David, su padre;

33 y reinará sobre la casa de Jacob por siempre; y de su reino no habrá fin.

34 Entonces María dijo al ángel: ¿Cómo será esto? pues no conozco varón.

35 Y respondiendo el ángel le dijo: El Espíritu Santo vendrá sobre ti, y el poder del Altísimo te cubrirá con su sombra; por lo cual también lo Santo que de ti nacerá, será llamado el Hijo de Dios.

36 Y he aquí tu prima Elisabet, la que llamaban estéril, ella también ha concebido hijo en su vejez; y éste es el sexto mes para ella.

37 Porque con Dios nada será imposible.

38 Entonces María dijo: He aquí la sierva del Señor; hágase a mí conforme a tu palabra. Y el ángel se fue de ella.

39 Y en aquellos días levantándose María, se fue aprisa a la montaña, a una ciudad de Judá;

40 y entró en casa de Zacarías, y saludó a Elisabet.

41 Y aconteció que cuando oyó Elisabet la salutación de María, la criatura saltó en su vientre; y Elisabet fue llena del Espíritu Santo,

42 y exclamó a gran voz, y dijo: Bendita tú entre las mujeres, y bendito el fruto de tu vientre.

43 ¿Y de dónde esto a mí, que la madre de mi Señor venga a mí?

44 Porque he aquí, tan pronto como llegó la voz de tu salutación a mis oídos, la criatura saltó de alegría en mi vientre.

45 Y bienaventurada la que creyó, porque se cumplirán las cosas que le fueron dichas de parte del Señor.

46 Entonces María dijo: Mi alma engrandece al Señor;

47 y mi espíritu se regocijó en Dios mi Salvador;

48 porque ha mirado la bajeza de su sierva; y he aquí, desde ahora me dirán bienaventurada todas las generaciones.

49 Porque me ha hecho grandes cosas el Poderoso; y santo *es* su nombre.

50 Y su misericordia *es* en los que le temen, de generación en generación.

51 Hizo proezas con su brazo; esparció a los soberbios en las imaginaciones de sus corazones;

52 derribó de los tronos a los poderosos, y exaltó a los humildes.

53 A los hambrientos colmó de bienes, y a los ricos envió vacíos.

54 Socorrió a Israel su siervo, acordándose de *su* misericordia;

55 tal como habló a nuestros padres, a Abraham, y a su simiente para siempre.

56 Y se quedó María con ella como tres meses; y se regresó a su casa.

57 Y a Elisabet se le cumplió el tiempo de su alumbramiento, y dio a luz un hijo.

58 Y oyeron sus vecinos y sus parientes que Dios había mostrado para con ella la grande misericordia, y se regocijaron con ella.

59 Y aconteció que al octavo día vinieron para circuncidar al niño; y le llamaban por el nombre de su padre, Zacarías.

60 Y respondiendo su madre, dijo: No; sino Juan será llamado.

61 Y le dijeron: No hay nadie en tu parentela que se llame con ese nombre.

62 Entonces hicieron señas a su padre, *preguntándole* cómo le quería llamar.

63 Y pidiendo una tablilla, escribió, diciendo: Juan es su nombre. Y todos se maravillaron.

64 Y al instante fue abierta su boca y *suelta* su lengua, y habló bendiciendo a Dios.

65 Y vino temor sobre todos sus vecinos; y todas estas cosas se divulgaron por todas las montañas de Judea.

66 Y todos los que *las* oían las guardaban en su corazón, diciendo: ¿Quién será este niño? Y la mano del Señor era con él.

67 Y Zacarías su padre fue lleno del Espíritu Santo, y profetizó, diciendo:

68 Bendito el Señor Dios de Israel, porque ha visitado y redimido a su pueblo,

69 y nos alzó cuerno de salvación en la casa de David su siervo,

70 tal como habló por boca de sus santos profetas que fueron desde el principio del mundo;

71 que habríamos de ser salvos de nuestros enemigos, y de mano de todos los que nos aborrecen;

72 para hacer misericordia con nuestros padres, y acordarse de su santo pacto;

73 del juramento que hizo a Abraham nuestro padre,

74 que nos habría de conceder, que liberados de la mano de nuestros enemigos, sin temor le serviríamos,

75 en santidad y justicia delante de Él, todos los días de nuestra vida.

76 Y tú, niño, profeta del Altísimo serás llamado; porque irás delante de la faz del Señor, para preparar sus caminos;

77 para dar conocimiento de salvación a su pueblo, para remisión de sus pecados,

78 por la entrañable misericordia de nuestro Dios, con que la aurora nos visitó de lo alto,

79 para dar luz a los que habitan en tinieblas y sombra de muerte; para encaminar nuestros pies por camino de paz.

80 Y el niño crecía, y se fortalecía en espíritu; y estuvo en el desierto hasta el día que se mostró a Israel.

CAPÍTULO 2

Y aconteció en aquellos días que salió un edicto de parte de Augusto César, que todo el mundo fuese empadronado.

2 Este empadronamiento primero fue hecho siendo Cirenio gobernador de Siria.

3 E iban todos para ser empadronados, cada uno a su ciudad.

4 Y José también subió de Galilea, de la ciudad de Nazaret, a Judea, a la ciudad de David, que se llama Belén, por cuanto era de la casa y familia de David;

5 para ser empadronado con María su esposa, desposada con él, la cual estaba a punto de dar a luz.

6 Y aconteció que estando ellos allí, se cumplieron los días de su alumbramiento.

7 Y dio a luz a su hijo primogénito, y le envolvió en pañales, y le acostó en un pesebre, porque no había lugar para ellos en el mesón.

8 Y había pastores en la misma región, que velaban y guardaban las vigilias de la noche sobre su rebaño.

9 Y he aquí, el ángel del Señor vino sobre ellos, y la gloria del Señor los cercó de resplandor; y tuvieron gran temor.

10 Mas el ángel les dijo: No temáis; porque he aquí os doy nuevas de gran gozo, que será para todo el pueblo:

11 Que os ha nacido hoy, en la ciudad de David, un Salvador, que es Cristo el Señor.

12 Y esto os *será* por señal; hallaréis al niño envuelto en pañales, acostado en un pesebre.

13 Y repentinamente fue con el ángel una multitud de los ejércitos celestiales, que alababan a Dios, y decían:

14 Gloria a Dios en las alturas, y en la tierra paz, buena voluntad para con los hombres.

15 Y aconteció que cuando los ángeles se fueron de ellos al cielo, los pastores se dijeron unos a otros: Pasemos, pues, hasta Belén, y veamos esto que ha sucedido, que el Señor nos ha manifestado.

16 Y vinieron aprisa, y hallaron a María, y a José, y al niño acostado en el pesebre.

17 Y al verlo, hicieron notorio lo que les había sido dicho acerca del niño.

18 Y todos los que oyeron, se maravillaron de lo que los pastores les decían.

19 Pero María guardaba todas estas cosas, meditándolas en su corazón.

20 Y se volvieron los pastores glorificando y alabando a Dios por todas las cosas que habían oído y visto, como se les había dicho.

21 Y cumplidos los ocho días para circuncidar al niño, llamaron su nombre JESÚS; como fue llamado por el ángel antes que Él fuese concebido en el vientre.

22 Y cuando se cumplieron los días de la purificación de ella, conforme a la ley de Moisés, le trajeron a Jerusalén para presentarle al Señor

23 (Como está escrito en la ley del Señor: Todo varón que abriere la matriz, será llamado santo al Señor),

24 y para ofrecer sacrificio, conforme a lo que está dicho en la ley del Señor; un par de tórtolas, o dos palominos.

25 Y he aquí había en Jerusalén un hombre llamado Simeón, y este hombre, justo y piadoso, esperaba la consolación de Israel; y el Espíritu Santo estaba sobre él.

26 Y le había sido revelado por el Espíritu Santo, que no vería la muerte antes que viese al Cristo del Señor.

27 Y vino por el Espíritu al templo. Y cuando los padres metieron al niño Jesús en el templo, para hacer por Él conforme a la costumbre de la ley,

28 él entonces le tomó en sus brazos, y bendijo a Dios, diciendo:

29 Señor, ahora despides a tu siervo en paz, conforme a tu palabra;

30 porque han visto mis ojos tu salvación,

31 la cual has preparado en presencia de todos los pueblos;

32 luz para revelación a los gentiles, y la gloria de tu pueblo Israel.

33 Y José y su madre estaban maravillados de las cosas que se decían de Él.

34 Y los bendijo Simeón, y dijo a su madre María: He aquí, Éste es puesto para caída y levantamiento de muchos en Israel; y por señal a la que será contradicho

35 (Y una espada traspasará también tu misma alma), para que sean revelados los pensamientos de muchos corazones.

36 Estaba también allí Ana, profetisa, hija de Fanuel, de la tribu de Aser; la cual era grande de edad, y había vivido con su marido siete años desde su virginidad;

37 y *era* viuda como de ochenta y cuatro años, que no se apartaba del templo, sirviendo *a Dios* de noche y de día con ayunos y oraciones.

38 Y ésta, viniendo en la misma hora, también daba gracias al Señor, y

Jesús es presentado en el templo

hablaba de Él a todos los que esperaban la redención en Jerusalén.

39 Y cuando cumplieron todas las cosas según la ley del Señor, se volvieron a Galilea, a su ciudad de Nazaret.

40 Y el niño crecía, y se fortalecía en espíritu, lleno de sabiduría; y la gracia de Dios era sobre Él.

41 E iban sus padres todos los años a Jerusalén en la fiesta de la pascua.

42 Y cuando tuvo doce años, subieron ellos a Jerusalén conforme a la costumbre de la fiesta.

43 Y cuando cumplieron los días, regresando ellos, el niño Jesús se quedó en Jerusalén, sin saberlo José y su madre.

44 Y pensando que estaba en la compañía, anduvieron camino de un día; y le buscaban entre los parientes y entre los conocidos;

45 y como no le hallaron, volvieron a Jerusalén buscándole.

46 Y aconteció que tres días después le hallaron en el templo, sentado en medio de los doctores, oyéndoles y preguntándoles.

47 Y todos los que le oían, se admiraban de su inteligencia, y de sus respuestas.

48 Y cuando le vieron, se asombraron; y le dijo su madre: Hijo, ¿por qué nos has hecho así? He aquí, tu padre y yo te hemos buscado con angustia.

49 Entonces Él les dijo: ¿Por qué me buscabais? ¿No sabíais que en los negocios de mi Padre me es necesario estar?

50 Mas ellos no entendieron las palabras que les habló.

51 Y descendió con ellos, y vino a Nazaret, y estaba sujeto a ellos. Y su madre guardaba todas estas cosas en su corazón.

52 Y Jesús crecía en sabiduría y en estatura, y en gracia para con Dios y los hombres.

CAPÍTULO 3

Y en el año quince del imperio de Tiberio César, siendo gobernador de Judea Poncio Pilato, y Herodes tetrarca de Galilea, y su hermano Felipe tetrarca de Iturea y de la provincia de Traconite, y Lisanias tetrarca de Abilinia,

2 siendo sumos sacerdotes Anás y Caifás, vino palabra de Dios a Juan, hijo de Zacarías, en el desierto.

3 Y él vino por toda la tierra alrededor del Jordán predicando el bautismo del arrepentimiento para la remisión de pecados,

4 como está escrito en el libro de las palabras del profeta Isaías que dice: Voz del que clama en el desierto: Preparad el camino del Señor; Enderezad sus sendas.

5 Todo valle será llenado, y se bajará todo monte y collado; y lo torcido será enderezado, y los caminos ásperos *serán* allanados;

6 y toda carne verá la salvación de Dios.

7 Y decía a las multitudes que salían para ser bautizadas por él: ¡Oh generación de víboras! ¿Quién os enseñó a huir de la ira que vendrá?

8 Haced, pues, frutos dignos de arrepentimiento, y no comencéis a decir en vosotros mismos: Tenemos a Abraham por padre; porque os digo que Dios puede levantar hijos a Abraham aun de estas piedras.

9 Y ya también el hacha está puesta a la raíz de los árboles; por tanto, todo árbol que no da buen fruto es cortado y echado en el fuego.

10 Y la gente le preguntaba, diciendo: ¿Qué, pues, haremos?

11 Y respondiendo, les dijo: El que tiene dos túnicas, dé al que no tiene; y el que tiene qué comer, haga lo mismo.

12 Y vinieron también publicanos para ser bautizados, y le dijeron: Maestro, ¿qué haremos?

13 Y él les dijo: No exijáis más de lo que os está ordenado.

14 Y le preguntaron también los soldados, diciendo: Y nosotros, ¿qué haremos? Y les dice: No hagáis extorsión a nadie ni calumniéis; y contentaos con vuestro salario.

15 Y el pueblo estaba a la expectativa, y se preguntaban todos en sus corazones en cuanto a Juan, si él sería el Cristo.

16 Respondió Juan, diciendo a todos: Yo a la verdad os bautizo en agua; pero viene quien es más poderoso que yo, de quien no soy digno de desatar la correa de su calzado: Él os bautizará con el Espíritu Santo y fuego.

17 Su aventador está en su mano, y limpiará su era, y juntará el trigo en su granero, y quemará la paja en fuego que nunca se apagará.

18 Y así, muchas otras cosas predicaba al pueblo en su exhortación.

19 Entonces Herodes el tetrarca, siendo reprendido por él a causa de Herodías, esposa de Felipe su hermano, y de todas las maldades que Herodes había hecho,

20 sobre todas ellas, añadió además ésta: que encerró a Juan en la cárcel.

21 Y aconteció que cuando todo el pueblo se bautizaba, también Jesús fue bautizado; y orando, el cielo se abrió,

22 y descendió el Espíritu Santo sobre Él en forma corporal, como paloma, y vino una voz del cielo que decía: Tú eres mi Hijo amado, en ti tengo complacencia.

23 Y el mismo Jesús comenzaba a ser como de treinta años, siendo (como se creía) hijo de José, *hijo* de Elí,

24 *hijo* de Matat, *hijo* de Leví, *hijo* de Melqui, *hijo* de Jana, *hijo* de José,

25 *hijo* de Matatías, *hijo* de Amós, *hijo* de Nahúm, *hijo* de Esli, *hijo* de Nagai,

26 *hijo* de Maat, *hijo* de Matatías, *hijo* de Simeí, *hijo* de José, *hijo* de Judá,

27 *hijo* de Joana, *hijo* de Rhesa, *hijo* de Zorobabel, *hijo* de Salatiel, *hijo* de Neri,

28 *hijo* de Melqui, *hijo* de Abdi, *hijo* de Cosam, *hijo* de Elmodam, *hijo* de Er,

29 *hijo* de José, *hijo* de Eliezer, *hijo* de Joreim, *hijo* de Matat, *hijo* de Leví,

30 *hijo* de Simeón, *hijo* de Judá, *hijo* de José, *hijo* de Jonán, *hijo* de Eliaquim,

31 *hijo* de Melea, *hijo* de Mainán, *hijo* de Matata, *hijo* de Natán, *hijo* de David,

32 *hijo* de Isaí, *hijo* de Obed, *hijo* de Boaz, *hijo* de Salmón, *hijo* de Naasón,

33 *hijo* de Aminadab, *hijo* de Aram, *hijo* de Esrom, *hijo* de Fares, *hijo* de Judá,

34 *hijo* de Jacob, *hijo* de Isaac, *hijo* de Abraham, *hijo* de Taré, *hijo* de Nacor,

35 *hijo* de Serug, *hijo* de Reu, *hijo* de Peleg, *hijo* de Heber, *hijo* de Sala,

36 *hijo* de Cainán, *hijo* de Arfaxad, *hijo* de Sem, *hijo* de Noé, *hijo* de Lamec,

37 *hijo* de Matusalén, *hijo* de Enoc, *hijo* de Jared, *hijo* de Mahalaleel, *hijo* de Cainán,

38 *hijo* de Enós, *hijo* de Set, *hijo* de Adán, *hijo* de Dios.

CAPÍTULO 4

Y Jesús, lleno del Espíritu Santo, volvió del Jordán, y fue llevado por el Espíritu al desierto

2 por cuarenta días, y era tentado por el diablo. Y no comió nada en aquellos días; pasados los cuales, luego tuvo hambre.

3 Entonces el diablo le dijo: Si eres el Hijo de Dios, di a esta piedra que se convierta en pan.

4 Y Jesús, respondiéndole, dijo: Escrito está: No sólo de pan vivirá el hombre, sino de toda palabra de Dios.

5 Y le llevó el diablo a un monte alto, y le mostró en un momento de tiempo todos los reinos de la tierra.

6 Y le dijo el diablo: A ti te daré toda esta potestad, y la gloria de ellos; porque a mí me es entregada, y a quien quiero la doy.

7 Si tú, pues, me adorares, todos serán tuyos.

8 Y respondiendo Jesús, le dijo: Quítate de delante de mí, Satanás, porque escrito está: Al Señor tu Dios adorarás, y a Él solo servirás.

9 Y le llevó a Jerusalén, y le puso sobre las almenas del templo, y le dijo: Si eres el Hijo de Dios, échate de aquí abajo;

10 porque escrito está: A sus ángeles mandará acerca de ti, que te guarden;

11 y: En *sus* manos te sostendrán, para que no tropieces tu pie en piedra.

12 Y respondiendo Jesús, le dijo: Dicho está: No tentarás al Señor tu Dios.

13 Y cuando el diablo hubo acabado toda tentación, se apartó de Él por un tiempo.

14 Y Jesús volvió en el poder del Espíritu a Galilea, y salió su fama por toda la tierra de alrededor.

15 Y Él enseñaba en las sinagogas de ellos, y era glorificado de todos.

16 Y vino a Nazaret, donde había sido criado; y entró el día sábado en la sinagoga, conforme a su costumbre, y se levantó a leer.

17 Y le fue dado el libro del profeta Isaías. Y abriendo el libro, halló el lugar donde estaba escrito:

18 El Espíritu del Señor *está* sobre mí: Por cuanto me ha ungido para dar buenas nuevas a los pobres: Me ha enviado para sanar a los quebrantados de corazón: Para predicar libertad a los cautivos: Y a los ciegos vista: Para poner en libertad a los quebrantados:

19 Para predicar el año agradable del Señor.

20 Y enrollando el libro, *lo* dio al ministro, y se sentó: Y los ojos de todos en la sinagoga estaban fijos en Él.

21 Y comenzó a decirles: Hoy se ha cumplido esta Escritura en vuestros oídos.

22 Y todos daban testimonio de Él, y estaban maravillados de las palabras de gracia que salían de su boca, y decían: ¿No es Éste el hijo de José?

23 Y les dijo: Sin duda me diréis este refrán: Médico, cúrate a ti mismo; de tantas cosas que hemos oído haber sido hechas en Capernaúm, haz también aquí en tu tierra.

24 Y dijo: De cierto os digo, que ningún profeta es acepto en su tierra.

25 Pero en verdad os digo *que* muchas viudas había en Israel en los días de Elías, cuando el cielo fue cerrado por tres años y seis meses, en que hubo una gran hambre en toda la tierra;

26 pero a ninguna de ellas fue enviado Elías, sino a Sarepta de Sidón, a una mujer viuda.

27 Y muchos leprosos había en Israel en tiempo del profeta Eliseo; pero ninguno de ellos fue limpiado, sino Naamán el sirio.

28 Y cuando oyeron estas cosas, todos en la sinagoga se llenaron de ira;

29 Y levantándose, le echaron fuera de la ciudad, y le llevaron hasta la cumbre del monte sobre el cual la ciudad de ellos estaba edificada, para despeñarle.

30 Pero Él, pasando por en medio de ellos, se fue.

31 Y descendió a Capernaúm, ciudad de Galilea; y les enseñaba en los sábados.

32 Y se maravillaban de su doctrina, porque su palabra era con autoridad.

33 Y estaba en la sinagoga un hombre que tenía un espíritu de un demonio inmundo, el cual exclamó a gran voz,

34 diciendo: Déjanos, ¿qué tenemos contigo, Jesús de Nazaret? ¿Has venido a destruirnos? Yo te conozco quién eres, el Santo de Dios.

35 Y Jesús le reprendió, diciendo: Enmudece, y sal de él. Entonces el demonio, derribándole en medio, salió de él, y no le hizo daño alguno.

36 Y todos estaban asombrados, y hablaban entre sí, diciendo: ¿Qué palabra es ésta, que con autoridad y poder manda a los espíritus inmundos, y salen?

37 Y su fama se divulgaba por todos los lugares contiguos.

38 Y levantándose, salió de la sinagoga, y entró en casa de Simón. Y la suegra de Simón estaba con una gran fiebre; y le rogaron por ella.

39 Y acercándose a ella, reprendió a la fiebre; y la fiebre la dejó; y al instante ella se levantó y les servía.

40 Y a la puesta del sol, todos aquellos que tenían enfermos de diversas enfermedades los traían a Él; y Él ponía las manos sobre cada uno de ellos, y los sanaba.

41 Y también salían demonios de muchos, dando voces y diciendo: Tú eres Cristo, el Hijo de Dios. Pero Él *les* reprendía y no les dejaba hablar; porque sabían que Él era el Cristo.

42 Y cuando se hizo de día, salió y se fue a un lugar desierto; y la gente le buscaba, y llegando hasta Él, le detenían para que no se fuera de ellos.

43 Pero Él les dijo: Es necesario que también a otras ciudades yo predique el evangelio del reino de Dios; porque para esto he sido enviado.

44 Y predicaba en las sinagogas de Galilea.

CAPÍTULO 5

Y aconteció, que estando Él junto al lago de Genezaret, la multitud se agolpaba sobre Él para oír la palabra de Dios.

2 Y vio dos barcas que estaban cerca de la orilla del lago; y los pescadores, habiendo descendido de ellas, lavaban *sus* redes.

3 Y entrado en una de las barcas, la cual era de Simón, le rogó que la apartase de tierra un poco; y sentándose, enseñaba desde la barca a la multitud.

4 Y cuando terminó de hablar, dijo a Simón: Boga mar adentro, y echad vuestras redes para pescar.

5 Y respondiendo Simón, le dijo: Maestro, hemos trabajado toda la noche, y nada hemos pescado; mas en tu palabra echaré la red.

6 Y habiéndolo hecho, encerraron gran cantidad de peces, y su red se rompía.

7 E hicieron señas a los compañeros que estaban en la otra barca para que viniesen a ayudarles; y vinieron, y llenaron ambas barcas, de tal manera que se hundían.

8 Al ver esto Simón Pedro, cayó a las rodillas de Jesús, diciendo: Apártate de mí, Señor, porque soy hombre pecador.

9 Porque temor le había rodeado, y a todos los que estaban con él, a causa de la presa de los peces que habían tomado;

10 y asimismo a Jacobo y a Juan, hijos de Zebedeo, que eran compañeros de Simón. Y Jesús dijo a Simón: No temas; desde ahora pescarás hombres.

11 Y cuando trajeron las barcas a tierra, dejándolo todo, le siguieron.

12 Y aconteció que estando en una ciudad, he aquí un hombre lleno de lepra, el cual viendo a Jesús, se postró sobre su rostro, y le rogó, diciendo: Señor, si quieres, puedes limpiarme.

13 Y extendiendo *su* mano, le tocó, diciendo: Quiero; sé limpio. Y al instante la lepra se fue de él.

14 Y Él le mandó que no lo dijese a nadie; pero ve, *le dijo*, muéstrate al sacerdote, y ofrece por tu limpieza, según mandó Moisés, para testimonio a ellos.

15 Pero su fama mucho más se extendía, y grandes multitudes se reunían para oírle y ser sanados por Él de sus enfermedades.

16 Mas Él se apartaba al desierto, y oraba.

17 Y aconteció un día, que Él estaba enseñando, y los fariseos y doctores de la ley estaban sentados; los cuales habían venido de todas las aldeas de Galilea, y de Judea y Jerusalén: Y el poder del Señor estaba allí para sanarlos.

18 Y he aquí unos hombres que traían sobre un lecho a un hombre que estaba paralítico; y procuraban meterle, y ponerle delante de Él.

19 Y no hallando por dónde meterlo a causa de la multitud, subieron a la azotea y por el tejado lo bajaron con el lecho y *lo pusieron* en medio, delante de Jesús.

20 Y al ver Él la fe de ellos, le dijo: Hombre, tus pecados te son perdonados.

21 Entonces los escribas y los fariseos comenzaron a murmurar, diciendo: ¿Quién es Éste que habla blasfemias? ¿Quién puede perdonar pecados sino sólo Dios?

22 Y Jesús, percibiendo los pensamientos de ellos, respondió y les dijo: ¿Qué pensáis en vuestros corazones?

23 ¿Qué es más fácil, decir: Tus pecados te son perdonados, o decir: Levántate y anda?

24 Pues para que sepáis que el Hijo del Hombre tiene potestad en la tierra de perdonar pecados (dijo al paralítico): A ti digo, levántate, toma tu lecho, y vete a tu casa.

25 Y al instante, se levantó en presencia de ellos, y tomando el lecho en que había estado acostado, se fue a su casa, glorificando a Dios.

26 Y todos estaban asombrados, y glorificaban a Dios; y llenos de temor, decían: Hoy hemos visto maravillas.

27 Y después de estas cosas salió, y vio a un publicano llamado Leví, sentado al banco de los tributos públicos, y le dijo: Sígueme.

28 Y dejándolo todo, se levantó, y le siguió.

29 Y Leví le hizo un gran banquete en su casa; y había mucha compañía de publicanos y de otros que estaban sentados a la mesa con ellos.

30 Y los escribas y los fariseos murmuraban contra sus discípulos, diciendo: ¿Por qué coméis y bebéis con los publicanos y pecadores?

31 Respondiendo Jesús, les dijo: Los que están sanos no tienen necesidad de médico, sino los que están enfermos.

32 No he venido a llamar a justos, sino a pecadores al arrepentimiento.

33 Entonces ellos le dijeron: ¿Por qué los discípulos de Juan ayunan muchas veces y hacen oraciones, y asimismo los de los fariseos, pero los tuyos comen y beben?

34 Y Él les dijo: ¿Podéis hacer que los que están de bodas ayunen, entre tanto que el esposo está con ellos?

35 Pero los días vendrán cuando el esposo les será quitado; entonces, en aquellos días ayunarán.

36 Y les dijo también una parábola: Nadie pone remiendo de paño nuevo en vestido viejo; de otra manera el nuevo lo rompe, y el remiendo *sacado* del nuevo no armoniza con el viejo.

37 Y nadie echa vino nuevo en odres viejos; de otra manera el vino nuevo romperá los odres, y el vino se derramará, y los odres se perderán.

38 Mas el vino nuevo en odres nuevos se ha de echar; y ambos se conservan.

39 Y ninguno que bebiere el añejo, quiere luego el nuevo; porque dice: El añejo es mejor.

CAPÍTULO 6

Y aconteció en el segundo sábado después del primero, que pasando Él por los sembrados, sus discípulos arrancaban espigas, y comían, restregándolas con las manos.

2 Y algunos de los fariseos les dijeron: ¿Por qué hacéis lo que no es lícito hacer en los sábados?

3 Respondiendo Jesús les dijo: ¿Ni aun esto habéis leído, lo que hizo David cuando tuvo hambre él, y los que con él estaban;

4 cómo entró en la casa de Dios, y tomó los panes de la proposición, de

los cuales no es lícito comer sino sólo a los sacerdotes, y comió, y dio también a los que estaban con él?

5 Y les decía: El Hijo del Hombre es Señor aun del sábado.

6 Y aconteció también en otro sábado, que Él entró en la sinagoga y enseñaba; y estaba allí un hombre que tenía seca la mano derecha.

7 Y le acechaban los escribas y los fariseos, *para ver* si sanaría en sábado, para hallar de qué acusarle.

8 Pero Él conocía los pensamientos de ellos; y dijo al hombre que tenía seca la mano: Levántate, y ponte en medio. Y él, levantándose, se puso en pie.

9 Entonces Jesús les dijo: Os preguntaré una cosa: ¿Es lícito en sábados hacer bien, o hacer mal? ¿Salvar la vida, o quitarla?

10 Y mirándolos a todos alrededor, dijo al hombre: Extiende tu mano. Y él lo hizo así, y su mano fue restaurada, sana como la otra.

11 Y ellos se llenaron de ira; y hablaban entre sí de qué podrían hacer a Jesús.

12 Y aconteció en aquellos días, que fue al monte a orar, y pasó la noche orando a Dios.

13 Y cuando fue de día, llamó a sus discípulos, y escogió doce de ellos, a los cuales también llamó apóstoles.

14 A Simón, a quien también llamó Pedro, y a Andrés su hermano, Jacobo y Juan, Felipe y Bartolomé,

15 Mateo y Tomás, Jacobo *hijo* de Alfeo, y Simón el que se llama Zelotes;

16 Judas *hermano* de Jacobo, y Judas Iscariote, que también fue el traidor.

17 Y descendió con ellos, y se detuvo en un lugar llano, en compañía de sus discípulos y de una gran multitud de gente de toda Judea y de Jerusalén, y de la costa de Tiro y de Sidón, que habían venido para oírle, y para ser sanados de sus enfermedades;

18 y los que habían sido atormentados de espíritus inmundos; y fueron sanados.

19 Y toda la multitud procuraba tocarle; porque poder salía de Él, y sanaba a todos.

20 Y alzando Él sus ojos hacia sus discípulos, decía: Bienaventurados *vosotros* los pobres; porque vuestro es el reino de Dios.

21 Bienaventurados los que ahora tenéis hambre; porque seréis saciados. Bienaventurados los que ahora lloráis, porque reiréis.

22 Bienaventurados seréis, cuando los hombres os aborrecieren, y cuando os apartaren *de sí*, y os vituperaren, y desecharen vuestro nombre como malo, por causa del Hijo del Hombre.

23 Regocijaos en aquel día, y saltad de gozo; porque he aquí vuestro galardón *es* grande en el cielo; porque así hacían sus padres a los profetas.

24 Mas ¡ay de vosotros, ricos! porque tenéis vuestro consuelo.

25 ¡Ay de vosotros, los que estáis llenos! porque tendréis hambre. ¡Ay de vosotros, los que ahora reís! porque lamentaréis y lloraréis.

26 ¡Ay de vosotros, cuando todos los hombres hablaren bien de vosotros! Porque así hacían sus padres a los falsos profetas.

27 Pero a vosotros los que oís, os digo: Amad a vuestros enemigos, haced bien a los que os aborrecen;

28 Bendecid a los que os maldicen, y orad por los que os calumnian.

29 Y al que te hiriere en una mejilla, dale también la otra; y al que te quitare la capa, no le impidas llevar aun la túnica.

30 Y a cualquiera que te pida, dale; y al que tome lo que es tuyo, no pidas que te lo devuelva.

31 Y como queréis que os hagan los hombres, así también hacedles vosotros:

32 Porque si amáis a los que os aman, ¿qué gracia tenéis? Porque también los pecadores aman a los que los aman.

33 Y si hacéis bien a los que os hacen bien, ¿qué gracia tenéis? Porque también los pecadores hacen lo mismo.

34 Y si prestáis *a aquellos* de quienes esperáis recibir, ¿qué gracia tenéis? Porque también los pecadores prestan a los pecadores, para recibir otro tanto.

35 Amad, pues, a vuestros enemigos, y haced bien, y prestad, no esperando

nada a cambio; y vuestro galardón será grande, y seréis hijos del Altísimo; porque Él es benigno para con los ingratos y malos.

36 Sed, pues, misericordiosos, como también vuestro Padre es misericordioso.

37 No juzguéis, y no seréis juzgados: No condenéis, y no seréis condenados: Perdonad, y seréis perdonados.

38 Dad, y se os dará; medida buena, apretada, remecida y rebosando darán en vuestro regazo; porque con la misma medida con que midiereis, se os volverá a medir.

39 Y les dijo una parábola: ¿Puede el ciego guiar al ciego? ¿No caerán ambos en el hoyo?

40 El discípulo no es mayor que su maestro; mas todo el que es perfecto, será como su maestro.

41 ¿Y por qué miras la paja que está en el ojo de tu hermano, y no miras la viga que está en tu propio ojo?

42 ¿O cómo puedes decir a tu hermano: Hermano, déjame sacar la paja que está en tu ojo, cuando tú mismo no miras la viga que está en tu propio ojo? Hipócrita, saca primero la viga de tu propio ojo, y entonces verás bien para sacar la paja que está en el ojo de tu hermano.

43 Porque el árbol bueno no da mal fruto; ni el árbol malo da buen fruto.

44 Pues cada árbol por su fruto es conocido. Porque no cosechan higos de los espinos, ni vendimian uvas de las zarzas.

45 El hombre bueno del buen tesoro de su corazón saca lo bueno; y el hombre malo del mal tesoro de su corazón saca lo malo; porque de la abundancia del corazón habla su boca.

46 ¿Por qué me llamáis, Señor, Señor, y no hacéis lo que yo digo?

47 Todo aquel que viene a mí, y oye mis palabras, y las hace, os enseñaré a quién es semejante:

48 Semejante es al hombre que edificó una casa, y cavó profundo, y puso el fundamento sobre la roca; y cuando vino un torrente, el río dio con ímpetu contra aquella casa, mas no la pudo mover; porque estaba fundada sobre la roca.

49 Mas el que oye y no hace, es semejante al hombre que edificó su casa sobre tierra, sin fundamento; contra la cual el río dio con ímpetu, y cayó luego; y fue grande la ruina de aquella casa.

CAPÍTULO 7

Y cuando acabó todas sus palabras a oídos del pueblo, entró en Capernaúm.

2 Y el siervo de un centurión, a quien éste tenía en estima, estaba enfermo y a punto de morir.

3 Y cuando oyó de Jesús, le envió unos ancianos de los judíos, rogándole que viniese y sanase a su siervo.

4 Y viniendo ellos a Jesús, en seguida le rogaron, diciéndole: Es digno de que le concedas esto;

5 porque ama a nuestra nación, y él nos edificó una sinagoga.

6 Entonces Jesús fue con ellos. Y cuando ya no estaban lejos de su casa, el centurión le envió unos amigos, diciéndole: Señor, no te molestes, pues no soy digno de que entres bajo mi techo;

7 por lo que ni siquiera me tuve por digno de venir a ti; mas di la palabra, y mi siervo será sano.

8 Porque también yo soy hombre puesto bajo autoridad, y tengo soldados bajo mi cargo; y digo a éste: Ve, y va; y al otro: Ven, y viene; y a mi siervo: Haz esto, y *lo* hace.

9 Al oír esto, Jesús se maravilló de él, y volviéndose, dijo a la gente que le seguía: Os digo que ni aun en Israel he hallado tanta fe.

10 Y volviendo a casa los que habían sido enviados, hallaron sano al siervo que había estado enfermo.

11 Y aconteció el siguiente día, que Él iba a la ciudad que se llama Naín, e iban con Él muchos de sus discípulos, y una gran multitud.

12 Y cuando llegó cerca de la puerta de la ciudad, he aquí que llevaban a enterrar a un difunto, hijo único de su madre, la cual también era viuda; y había con ella mucha gente de la ciudad.

13 Y cuando el Señor la vio, se compadeció de ella, y le dijo: No llores.

14 Y acercándose, tocó el féretro; y los que lo llevaban, se detuvieron. Y dijo: Joven, a ti digo: Levántate.

15 Entonces se incorporó el que había muerto, y comenzó a hablar. Y lo dio a su madre.

16 Y todos tuvieron miedo, y glorificaban a Dios, diciendo: Un gran profeta se ha levantado entre nosotros; y: Dios ha visitado a su pueblo.

17 Y esta fama de Él salió por toda Judea, y por toda la región de alrededor.

18 Y los discípulos de Juan le dieron las nuevas de todas estas cosas.

19 Y llamó Juan a dos de sus discípulos, y *los* envió a Jesús, para preguntarle: ¿Eres tú Aquél que había de venir, o esperaremos a otro?

20 Y cuando los hombres vinieron a Él, dijeron: Juan el Bautista nos ha enviado a ti, para preguntarte: ¿Eres tú Aquél que había de venir, o esperaremos a otro?

21 Y en la misma hora sanó a muchos de enfermedades y plagas, y de malos espíritus; y a muchos ciegos dio la vista.

22 Y respondiendo Jesús, les dijo: Id, decid a Juan lo que habéis visto y oído; cómo los ciegos ven, los cojos andan, los leprosos son limpiados, los sordos oyen, los muertos son resucitados y a los pobres es predicado el evangelio;

23 y bienaventurado es *aquel* que no fuere escandalizado en mí.

24 Y cuando se fueron los mensajeros de Juan, comenzó a decir de Juan a las gentes: ¿Qué salisteis a ver al desierto? ¿Una caña que es agitada por el viento?

25 Mas ¿qué salisteis a ver? ¿Un hombre cubierto de vestiduras delicadas? He aquí, los que visten preciosas ropas y viven en delicias, en los palacios de los reyes están.

26 Mas ¿qué salisteis a ver? ¿Un profeta? Sí, os digo, y aun más que profeta.

27 Éste es de quien está escrito: He aquí, envío mi mensajero delante de tu faz, el cual preparará tu camino delante de ti.

28 Porque os digo que entre los nacidos de mujer, no hay mayor profeta que Juan el Bautista; pero el más pequeño en el reino de Dios, mayor es que él.

29 Y todo el pueblo y los publicanos, al oírle, justificaron a Dios, bautizándose con el bautismo de Juan.

30 Pero los fariseos y los doctores de la ley, rechazaron el consejo de Dios contra sí mismos, no siendo bautizados por él.

31 Y dijo el Señor: ¿A quién, pues, compararé los hombres de esta generación, y a qué son semejantes?

32 Semejantes son a los muchachos sentados en la plaza, que dan voces unos a otros, y dicen: Os tocamos flauta, y no bailasteis; os endechamos, y no llorasteis.

33 Porque vino Juan el Bautista, que ni comía pan, ni bebía vino, y decís: Demonio tiene.

34 Vino el Hijo del Hombre, que come y bebe, y decís: He aquí un hombre glotón y bebedor de vino, amigo de publicanos y de pecadores.

35 Mas la sabiduría es justificada por todos sus hijos.

36 Y uno de los fariseos le rogó que comiese con él. Y entrado en casa del fariseo, se sentó a la mesa.

37 Y he aquí, una mujer de la ciudad que era pecadora, cuando supo que *Jesús* estaba a la mesa en casa del fariseo, trajo un frasco de alabastro con ungüento,

38 y estando detrás *de Él*, a sus pies, llorando, comenzó a regar sus pies con lágrimas, y los enjugaba con los cabellos de su cabeza; y besaba sus pies, y *los* ungía con el perfume.

39 Y cuando vio esto el fariseo que le había convidado, habló entre sí, diciendo: Éste, si fuera profeta, conocería quién y qué clase de mujer es la que le toca, que es pecadora.

40 Entonces respondiendo Jesús, le dijo: Simón, una cosa tengo que decirte. Y él dijo: Di, Maestro.

41 Un acreedor tenía dos deudores; el uno le debía quinientos denarios, y el otro cincuenta;

42 y no teniendo éstos con qué pagar, perdonó a ambos. Di, pues, ¿cuál de ellos le amará más?

43 Y respondiendo Simón, dijo: Pienso que *aquel* a quien le perdonó

Las mujeres que sirven a Jesús

más. Y Él le dijo: Rectamente has juzgado.

44 Y vuelto a la mujer, dijo a Simón: ¿Ves esta mujer? Entré en tu casa, no me diste agua para mis pies; mas ésta ha lavado mis pies con lágrimas, y los ha enjugado con los cabellos de su cabeza.

45 No me diste beso, mas ésta, desde que entré, no ha cesado de besar mis pies.

46 No ungiste mi cabeza con aceite; mas ésta, ha ungido con ungüento mis pies.

47 Por lo cual te digo que sus muchos pecados le han sido perdonados; porque amó mucho; mas a quien se le perdona poco, poco ama.

48 Y a ella le dijo: Tus pecados te son perdonados.

49 Y los que estaban juntamente sentados a la mesa, comenzaron a decir entre sí: ¿Quién es Éste, que también perdona pecados?

50 Más Él dijo a la mujer: Tu fe te ha salvado, ve en paz.

CAPÍTULO 8

Y aconteció después, que caminaba Él por todas las ciudades y aldeas, predicando y anunciando el evangelio del reino de Dios, y los doce con Él,

2 y algunas mujeres que habían sido sanadas de malos espíritus y de enfermedades: María, que se llamaba Magdalena, de la cual habían salido siete demonios,

3 y Juana, esposa de Chuza, mayordomo de Herodes, y Susana, y otras muchas que le servían de sus bienes.

4 Y cuando se juntó una gran multitud, y vinieron a Él de cada ciudad, les dijo por parábola:

5 El sembrador salió a sembrar su semilla; y al sembrarla, una parte cayó junto al camino, y fue hollada; y las aves del cielo la comieron.

6 Y otra parte cayó sobre la piedra; y nacida, se secó, porque no tenía humedad.

7 Y otra parte cayó entre espinos; y creciendo los espinos juntamente con ella, la ahogaron.

8 Y otra parte cayó en buena tierra,

y nació, y llevó fruto a ciento por uno. Y hablando estas cosas, dijo a gran voz: El que tiene oídos para oír, oiga.

9 Y sus discípulos le preguntaron, diciendo: ¿Qué significa esta parábola?

10 Y Él dijo: A vosotros os es dado conocer los misterios del reino de Dios; mas a los otros por parábolas, para que viendo no vean, y oyendo no entiendan.

11 Ésta es, pues, la parábola: La semilla es la palabra de Dios.

12 Y los de junto al camino, éstos son los que oyen; y luego viene el diablo y quita la palabra de su corazón, para que no crean y sean salvos.

13 Y los de sobre la piedra, *son* los que habiendo oído, reciben la palabra con gozo; pero éstos no tienen raíces; que por un tiempo creen, pero en el tiempo de la prueba se apartan.

14 Y la que cayó entre espinos; éstos son los que oyen; mas yéndose, son ahogados de los afanes y las riquezas y los placeres de *esta* vida, y no llevan fruto.

15 Mas la que en buena tierra, éstos son los que con corazón bueno y recto retienen la palabra oída, y llevan fruto con paciencia.

16 Ninguno que enciende un candil lo cubre con una vasija, o lo pone debajo de la cama; mas lo pone en un candelero, para que los que entran vean la luz.

17 Porque nada hay oculto, que no haya de ser manifestado; ni escondido, que no haya de ser conocido, y de salir a luz.

18 Mirad, pues, cómo oís; porque a todo el que tiene, le será dado; y a todo el que no tiene, aun lo que parece tener le será quitado.

19 Entonces vinieron a Él *su* madre y sus hermanos; y no podían llegar a Él a causa de la multitud.

20 Y le fue dado aviso, diciendo: Tu madre y tus hermanos están fuera, y quieren verte.

21 Entonces respondiendo Él, les dijo: Mi madre y mis hermanos son aquellos que oyen la palabra de Dios, y la ponen por obra.

22 Y aconteció un día que Él entró en una barca con sus discípulos, y les

dijo: Pasemos al otro lado del lago. Y partieron.

23 Pero mientras navegaban, Él se durmió. Y sobrevino una tempestad de viento en el lago; y se anegaban, y peligraban.

24 Y viniendo a Él, le despertaron, diciendo: ¡Maestro, Maestro, que perecemos! Y despertado Él, reprendió al viento y al levantamiento de las aguas; y cesaron, y fue hecha bonanza.

25 Y les dijo: ¿Dónde está vuestra fe? Y atemorizados, se maravillaban, y se decían unos a otros: ¿Qué clase de hombre es Éste, que aun a los vientos y a las aguas manda, y le obedecen?

26 Y arribaron a la tierra de los gadarenos, que está al lado opuesto de Galilea.

27 Y llegando Él a tierra, le salió al encuentro un hombre de la ciudad que tenía demonios por ya mucho tiempo; y no vestía ropa, ni moraba en casa, sino en los sepulcros.

28 Éste, cuando vio a Jesús, dio voces, y postrándose delante de Él, dijo a gran voz: ¿Qué tengo yo contigo, Jesús, Hijo del Dios Altísimo? Te ruego que no me atormentes.

29 (Porque mandaba al espíritu inmundo que saliese del hombre; pues hacía mucho tiempo que le arrebataba; y le guardaban preso con cadenas y grillos; pero rompiendo las cadenas, era arrastrado por el demonio a los desiertos.)

30 Y Jesús le preguntó, diciendo: ¿Cómo te llamas? Y él dijo: Legión. Porque muchos demonios habían entrado en él.

31 Y le rogaban que no les mandase ir al abismo.

32 Y había allí un hato de muchos puercos que pacían en el monte; y le rogaron que los dejase entrar en ellos; y los dejó.

33 Y los demonios, salidos del hombre, entraron en los puercos; y el hato se arrojó por un despeñadero en el lago, y se ahogó.

34 Y cuando los que *los* apacentaban, vieron lo que había acontecido, huyeron, y yendo dieron aviso en la ciudad y por los campos.

35 Y salieron a ver lo que había acontecido; y vinieron a Jesús, y hallaron al hombre de quien habían salido los demonios, sentado a los pies de Jesús; vestido, y en su juicio cabal, y tuvieron miedo.

36 Y los que *lo* habían visto, les contaron cómo había sido sanado aquel endemoniado.

37 Entonces toda la multitud de la tierra de los gadarenos alrededor, le rogó que se fuese de ellos; porque tenían gran temor. Y Él, subiendo en la barca, se volvió.

38 Y aquel hombre de quien habían salido los demonios le rogaba que le permitiese estar con Él; mas Jesús le despidió, diciendo:

39 Vuélvete a tu casa, y cuenta cuán grandes cosas ha hecho Dios contigo. Y él se fue, publicando por toda la ciudad cuán grandes cosas había hecho Jesús con él.

40 Y aconteció que cuando Jesús volvió, la multitud le recibió *con gozo*; porque todos le esperaban.

41 Y he aquí un varón llamado Jairo, que era príncipe de la sinagoga, vino, y postrándose a los pies de Jesús, le rogaba que entrase en su casa;

42 porque tenía una hija única, como de doce años, y ella se estaba muriendo. Y yendo, la multitud le apretaba.

43 Y una mujer que tenía flujo de sangre hacía ya doce años, la cual había gastado en médicos todo cuanto tenía, y por ninguno había podido ser curada,

44 vino por detrás y tocó el borde de su manto; y al instante se estancó el flujo de su sangre.

45 Entonces Jesús dijo: ¿Quién me ha tocado? Y negando todos, dijo Pedro y los que estaban con él: Maestro, la multitud te aprieta y oprime, y dices: ¿Quién me ha tocado?

46 Y Jesús dijo: Alguien me ha tocado; porque sé que ha salido poder de mí.

47 Entonces, viendo la mujer que no se había ocultado, vino temblando, y postrándose delante de Él le declaró delante de todo el pueblo por qué causa le había tocado, y cómo al instante había sido sanada.

48 Y Él le dijo: Hija, ten buen ánimo; tu fe te ha salvado; ve en paz.

49 Hablando aún Él, vino uno del príncipe de la sinagoga a decirle: Tu hija ha muerto, no molestes más al Maestro.

50 Y oyéndolo Jesús, le respondió, diciendo: No temas; cree solamente, y será sanada.

51 Y entrado en casa, no dejó entrar a nadie, sino a Pedro, y a Jacobo, y a Juan, y al padre y a la madre de la muchacha.

52 Y lloraban todos, y hacían duelo por ella. Y Él dijo: No lloréis; no está muerta, sino duerme.

53 Y se burlaban de Él, sabiendo que estaba muerta.

54 Mas Él echó fuera a todos, y tomándola de la mano, le habló, diciendo: Muchacha, levántate.

55 Entonces su espíritu volvió, y se levantó en seguida; y Él mandó que le diesen de comer.

56 Y sus padres estaban atónitos; pero Él les mandó que a nadie dijesen lo que había sido hecho.

CAPÍTULO 9

Entonces llamando a sus doce discípulos, les dio poder y autoridad sobre todos los demonios, y para sanar enfermedades.

2 Y los envió a predicar el reino de Dios, y a sanar a los enfermos.

3 Y les dijo: No toméis nada para el camino, ni bordón, ni alforja, ni pan, ni dinero; ni llevéis dos túnicas cada uno.

4 Y en cualquier casa en que entrareis, quedad allí, y de allí salid.

5 Y si algunos no os recibieren, saliendo de aquella ciudad, aun el polvo sacudid de vuestros pies para testimonio contra ellos.

6 Y saliendo, recorrían todas las aldeas, predicando el evangelio y sanando por todas partes.

7 Y oyó Herodes el tetrarca todas las cosas que Él hacía; y estaba perplejo, porque algunos decían: Juan ha resucitado de los muertos;

8 y otros: Elías ha aparecido; y otros: Algún profeta de los antiguos ha resucitado.

9 Y dijo Herodes: A Juan yo decapité; ¿quién, pues, será Éste, de quien yo oigo tales cosas? Y procuraba verle.

10 Y cuando los apóstoles regresaron, le contaron todas las cosas que habían hecho. Y tomándolos, se retiró aparte a un lugar desierto de la ciudad que se llama Betsaida.

11 Y cuando la gente *lo* supo, le siguió; y Él les recibió, y les hablaba del reino de Dios, y sanaba a los que necesitaban ser curados.

12 Y cuando comenzó a declinar el día; vinieron los doce, y le dijeron: Despide la multitud, para que vayan a las aldeas y campos de alrededor, y se alojen y hallen alimentos; porque aquí estamos en lugar desierto.

13 Y Él les dijo: Dadles vosotros de comer. Y dijeron ellos: No tenemos más que cinco panes y dos pescados, a menos que vayamos a comprar alimentos para toda esta multitud.

14 Y eran como cinco mil hombres. Entonces dijo a sus discípulos: Hacedlos sentar en grupos, de cincuenta en cincuenta.

15 Y así lo hicieron, haciéndolos sentar a todos.

16 Y tomando los cinco panes y los dos pescados, mirando al cielo los bendijo, y partió, y dio a sus discípulos para que pusiesen delante de la multitud.

17 Y comieron todos, y se saciaron; y alzaron lo que les sobró, doce cestas de pedazos.

18 Y aconteció que mientras Él oraba aparte, estaban con Él los discípulos; y les preguntó, diciendo: ¿Quién dice la gente que soy yo?

19 Y ellos respondiendo, dijeron: Juan el Bautista; y otros, Elías; y otros, que algún profeta de los antiguos ha resucitado.

20 Y les dijo: ¿Y vosotros, quién decís que soy yo? Entonces respondiendo Simón Pedro, dijo: El Cristo de Dios.

21 Y Él, amonestándoles, *les* mandó que a nadie dijesen esto,

22 diciendo: Es necesario que el Hijo del Hombre padezca muchas cosas, y sea rechazado por los ancianos, y por los príncipes de los sacerdotes y por los escribas, y que sea muerto, y resucite al tercer día.

23 Y decía a todos: Si alguno quiere venir en pos de mí, niéguese a sí mismo, y tome su cruz cada día, y sígame.

24 Porque el que quisiere salvar su vida, la perderá; y cualquiera que perdiere su vida por causa de mí, éste la salvará.

25 Porque ¿qué aprovechará al hombre, si ganare todo el mundo, y se pierde a sí mismo, o se destruye?

26 Porque el que se avergonzare de mí y de mis palabras, de éste se avergonzará el Hijo del Hombre cuando viniere en su gloria, y *en la* del Padre, y de los santos ángeles.

27 Y os digo en verdad, que hay algunos de los que están aquí, que no gustarán la muerte, hasta que vean el reino de Dios.

28 Y aconteció como ocho días después de estas palabras, que tomó a Pedro y a Juan y a Jacobo, y subió al monte a orar.

29 Y entre tanto que oraba, la apariencia de su rostro se hizo otra, y su vestidura *se hizo* blanca y resplandeciente.

30 Y he aquí dos varones que hablaban con Él, los cuales eran Moisés y Elías;

31 que aparecieron con gloria, y hablaban de su partida, la cual Él había de cumplir en Jerusalén.

32 Y Pedro y los que estaban con él, estaban cargados de sueño; y despertando, vieron su gloria, y a los dos varones que estaban con Él.

33 Y aconteció que apartándose ellos de Él, Pedro dijo a Jesús: Maestro, bien es que nos quedemos aquí, y hagamos tres tabernáculos, uno para ti, y uno para Moisés, y uno para Elías; no sabiendo lo que decía.

34 Y diciendo él esto, vino una nube que los cubrió; y tuvieron temor al entrar en la nube.

35 Y vino una voz desde la nube, que decía: Éste es mi Hijo amado; a Él oíd.

36 Y pasada aquella voz, Jesús fue hallado solo; y ellos callaron; y por aquellos días no dijeron nada a nadie de lo que habían visto.

37 Y aconteció que al día siguiente, cuando descendieron del monte, una gran multitud les salió al encuentro.

38 Y he aquí, un hombre de la multitud clamó, diciendo: Maestro, te ruego que veas a mi hijo; porque es mi único hijo;

39 y he aquí un espíritu le toma, y de repente da gritos; y le sacude y le hace echar espuma, e hiriéndole difícilmente se aparta de él.

40 Y rogué a tus discípulos que le echasen fuera, y no pudieron.

41 Y respondiendo Jesús, dijo: ¡Oh generación incrédula y perversa! ¿Hasta cuándo he de estar con vosotros, y os he de soportar? Trae acá tu hijo.

42 Y cuando aún se iba acercando, el demonio le derribó y le sacudió violentamente; mas Jesús reprendió al espíritu inmundo, y sanó al muchacho, y lo devolvió a su padre.

43 Y todos estaban maravillados de la grandeza de Dios. Y admirándose todos de todas las cosas que Jesús hacía, dijo a sus discípulos:

44 Dejad que estas palabras penetren en vuestros oídos, porque el Hijo del Hombre será entregado en manos de hombres.

45 Pero ellos no entendían estas palabras, y les eran encubiertas para que no las entendiesen; y temían preguntarle de estas palabras.

46 Entonces entraron en discusión sobre cuál de ellos sería el más grande.

47 Y Jesús, percibiendo los pensamientos de sus corazones, tomó a un niño, y lo puso junto a sí,

48 y les dijo: Cualquiera que reciba a este niño en mí nombre, a mí me recibe; y cualquiera que me recibe a mí, recibe al que me envió; porque el que es más pequeño entre todos vosotros, ése será grande.

49 Entonces respondiendo Juan, dijo: Maestro, hemos visto a uno que echaba fuera demonios en tu nombre; y se lo prohibimos, porque no sigue con nosotros.

50 Jesús le dijo: No *se lo* prohibáis; porque el que no es contra nosotros, por nosotros es.

51 Y aconteció, que cumpliéndose el tiempo en que había de ser recibido arriba, Él afirmó su rostro para ir a Jerusalén.

52 Y envió mensajeros delante de sí, los cuales fueron y entraron en una aldea de samaritanos, para preparar para Él.

53 Pero no le recibieron, porque su apariencia era como de ir a Jerusalén.

54 Y viendo *esto* sus discípulos Jacobo y Juan, dijeron: Señor, ¿quieres que mandemos que descienda fuego del cielo, y los consuma, así como hizo Elías?

55 Entonces volviéndose Él, los reprendió, diciendo: Vosotros no sabéis de qué espíritu sois;

56 porque el Hijo del Hombre no ha venido para perder las almas de los hombres, sino para salvarlas. Y se fueron a otra aldea.

57 Y aconteció que yendo ellos, uno le dijo en el camino: Señor, te seguiré adondequiera que vayas.

58 Y le dijo Jesús: Las zorras tienen guaridas, y las aves del cielo *tienen* nidos; pero el Hijo del Hombre no tiene donde recostar *su* cabeza.

59 Y dijo a otro: Sígueme. Y él dijo: Señor, déjame que primero vaya y entierre a mi padre.

60 Y Jesús le dijo: Deja que los muertos entierren a sus muertos; y tú, ve y predica el reino de Dios.

61 Entonces también dijo otro: Te seguiré, Señor; pero déjame que me despida primero de los que están en mi casa.

62 Y Jesús le dijo: Ninguno que poniendo su mano en el arado y mira hacia atrás, es apto para el reino de Dios.

CAPÍTULO 10

Después de estas cosas, designó el Señor también a otros setenta, y los envió de dos en dos delante de su faz, a toda ciudad y lugar a donde Él había de venir.

2 Y les decía: La mies a la verdad es mucha, mas los obreros pocos; por tanto, rogad al Señor de la mies que envíe obreros a su mies.

3 Id, he aquí yo os envío como corderos en medio de lobos.

4 No llevéis bolsa, ni alforja, ni calzado; y a nadie saludéis por el camino.

5 En cualquier casa donde entréis, primeramente decid: Paz sea a esta casa.

6 Y si hubiere allí algún hijo de paz, vuestra paz reposará sobre él; y si no, se volverá a vosotros.

7 Y posad en aquella misma casa, comiendo y bebiendo lo que os dieren; porque el obrero digno es de su salario. No os paséis de casa en casa.

8 Y en cualquier ciudad donde entréis y os reciban, comed lo que os pongan delante;

9 Y sanad a los enfermos que en ella haya, y decidles: El reino de Dios se ha acercado a vosotros.

10 Pero en cualquier ciudad donde entréis, y no os reciban, saliendo por sus calles, decid:

11 Aun el polvo que se nos ha pegado de vuestra ciudad, sacudimos contra vosotros: Pero esto sabed, que el reino de Dios se ha acercado a vosotros.

12 Y os digo que será más tolerable *el castigo* para Sodoma en aquel día, que para aquella ciudad.

13 ¡Ay de ti, Corazín! ¡Ay de ti, Betsaida! que si en Tiro y en Sidón se hubieran hecho las maravillas que se han hecho en vosotras, hace mucho tiempo que sentadas en cilicio y ceniza, se habrían arrepentido.

14 Por tanto, en el juicio será más tolerable *el castigo* para Tiro y Sidón que para vosotras.

15 Y tú, Capernaúm, que hasta el cielo eres levantada, hasta el infierno serás arrojada.

16 El que a vosotros oye, a mí me oye; y el que a vosotros desecha, a mí me desecha; y el que a mí me desecha, desecha al que me envió.

17 Y volvieron los setenta con gozo, diciendo: Señor, aun los demonios se nos sujetan en tu nombre.

18 Y Él les dijo: Yo vi a Satanás caer del cielo como un rayo.

19 He aquí os doy potestad de hollar sobre las serpientes y sobre los escorpiones, y sobre toda fuerza del enemigo, y nada en ningún modo os dañará.

20 Mas no os regocijéis en esto de que los espíritus se os sujetan; antes regocijaos de que vuestros nombres están escritos en el cielo.

21 En aquella misma hora Jesús se regocijó en su espíritu, y dijo: Te doy gracias, oh Padre, Señor del cielo y de la tierra, porque escondiste estas cosas de los sabios y entendidos, y las has revelado a los niños. Sí Padre, porque así te agradó.

22 Todas las cosas me son entregadas por mi Padre; y nadie sabe quién es el Hijo sino el Padre; ni quién es el Padre, sino el Hijo, y a quien el Hijo lo quisiere revelar.

23 Y volviéndose a sus discípulos, les dijo en privado: Bienaventurados los ojos que ven lo que vosotros veis:

24 Porque os digo que muchos profetas y reyes desearon ver lo que vosotros veis, y no lo vieron; y oír lo que oís, y no lo oyeron.

25 Y he aquí un doctor de la ley se levantó y dijo, para probarle: Maestro, ¿qué haré para heredar la vida eterna?

26 Y Él le dijo: ¿Qué está escrito en la ley? ¿Cómo lees?

27 Y él respondiendo, dijo: Amarás al Señor tu Dios con todo tu corazón, y con toda tu alma, y con todas tus fuerzas, y con toda tu mente; y a tu prójimo como a ti mismo.

28 Y le dijo: Bien has respondido; haz esto, y vivirás.

29 Pero él, queriendo justificarse a sí mismo, dijo a Jesús: ¿Y quién es mi prójimo?

30 Y respondiendo Jesús, dijo: Un hombre descendía de Jerusalén a Jericó, y cayó en manos de ladrones, los cuales le despojaron; e hiriéndole, se fueron, dejándole medio muerto.

31 Y aconteció, que descendió un sacerdote por aquel camino, y cuando lo vio, pasó por el otro lado.

32 Y asimismo un levita, cuando llegó cerca de aquel lugar y lo vio, pasó por el otro lado.

33 Pero un samaritano, que iba de camino, vino adonde él estaba, y cuando lo vio, tuvo compasión *de él;*

34 y acercándose, vendó sus heridas, echándoles aceite y vino; y poniéndolo sobre su cabalgadura, lo llevó al mesón, y cuidó de él.

35 Y otro día al partir, sacó dos denarios, y *los* dio al mesonero, y le dijo: Cuida de él; y todo lo que de más gastares, yo cuando vuelva te lo pagaré.

36 ¿Quién, pues, de estos tres te parece que fue el prójimo del que cayó en manos de los ladrones?

37 Y él dijo: El que mostró con él misericordia. Entonces Jesús le dijo: Ve, y haz tú lo mismo.

38 Y aconteció que yendo ellos, entró Él en una aldea; y una mujer llamada Marta lo recibió en su casa.

39 Y ésta tenía una hermana que se llamaba María, la cual, sentándose a los pies de Jesús, oía su palabra.

40 Pero Marta se distraía en muchos servicios; y vino a Él, diciendo: Señor, ¿no tienes cuidado que mi hermana me deja servir sola? Dile, pues, que me ayude.

41 Y respondiendo Jesús, le dijo: Marta, Marta, estás afanada y turbada con muchas cosas:

42 Pero una cosa es necesaria; y María ha escogido la buena parte, la cual no le será quitada.

CAPÍTULO 11

Y aconteció que estaba Él orando en cierto lugar, y cuando terminó, uno de sus discípulos le dijo: Señor, enséñanos a orar, como también Juan enseñó a sus discípulos.

2 Y les dijo: Cuando oréis, decid: Padre nuestro que estás en el cielo; santificado sea tu nombre. Venga tu reino. Hágase tu voluntad, como en el cielo, así también en la tierra.

3 El pan nuestro de cada día, dánoslo hoy.

4 Y perdónanos nuestros pecados, porque también nosotros perdonamos a todos los que nos deben. Y no nos metas en tentación, mas líbranos del mal.

5 Y también les dijo: ¿Quién de vosotros tendrá un amigo, e irá a él a media noche, y le dirá: Amigo, préstame tres panes,

6 porque un amigo mío ha venido a mí de camino, y no tengo qué ponerle delante;

7 y él, desde adentro, respondiendo, le dice: No me molestes; la puerta ya está cerrada, y mis niños están conmigo en cama; no puedo levantarme y dártelos?

8 Os digo, que aunque no se levante a dárselos por ser su amigo, no obstante, por su importunidad, se levantará y le dará todo lo que necesite.

9 Y yo os digo: Pedid, y se os dará; buscad, y hallaréis; llamad, y se os abrirá.

10 Porque todo aquel que pide, recibe; y el que busca, halla; y al que llama, se le abrirá.

11 ¿Y quién de vosotros, siendo padre, si su hijo le pide pan, le dará una piedra? ¿O si pescado, en lugar de pescado, le dará una serpiente?

12 ¿O si le pide un huevo, le dará un escorpión?

13 Pues si vosotros, siendo malos, sabéis dar buenas dádivas a vuestros hijos, ¿cuánto más *vuestro* Padre celestial dará el Espíritu Santo a los que se lo pidan?

14 Y estaba Él lanzando un demonio, el cual era mudo; y aconteció que salido fuera el demonio, el mudo habló y la gente se maravillaba:

15 Mas algunos de ellos decían: Por Belcebú, príncipe de los demonios, echa fuera los demonios.

16 Y otros, tentándole, le pedían señal del cielo.

17 Mas Él, conociendo los pensamientos de ellos, les dijo: Todo reino dividido contra sí mismo, es asolado; y una casa *dividida* contra sí misma, cae.

18 Y si también Satanás está dividido contra sí mismo, ¿cómo permanecerá su reino? pues decís que por Belcebú echo yo fuera los demonios.

19 Pues si yo echo fuera los demonios por Belcebú, ¿vuestros hijos por quién *los* echan fuera? Por tanto, ellos serán vuestros jueces.

20 Pero si yo por el dedo de Dios echo fuera los demonios, ciertamente el reino de Dios ha llegado a vosotros.

21 Cuando el hombre fuerte armado guarda su palacio, en paz está lo que posee.

22 Pero cuando viene otro más fuerte que él, y lo vence, le quita todas sus armas en que confiaba, y reparte sus despojos.

23 El que no es conmigo, contra mí es; y el que conmigo no recoge, desparrama.

24 Cuando el espíritu inmundo sale del hombre, anda por lugares secos, buscando reposo; y no hallándolo, dice: Regresaré a mi casa de donde salí.

25 Y viniendo, *la* halla barrida y arreglada.

26 Entonces va, y toma otros siete espíritus peores que él; y entrados, habitan allí; y el postrer *estado* de aquel hombre viene a ser peor que el primero.

27 Y aconteció que diciendo estas cosas, una mujer de entre la multitud, levantando la voz, le dijo: Bienaventurado el vientre que te trajo, y los pechos que mamaste.

28 Y Él dijo: Antes bienaventurados los que oyen la palabra de Dios, y la guardan.

29 Y juntándose la multitud, comenzó a decir: Esta generación es mala: Demandan señal, y señal no le será dada, sino la señal de Jonás el profeta.

30 Porque como Jonás fue señal a los ninivitas, así también lo será el Hijo del Hombre a esta generación.

31 La reina del Sur se levantará en juicio con los hombres de esta generación, y los condenará; porque vino de los fines de la tierra para oír la sabiduría de Salomón; y he aquí uno mayor que Salomón en este lugar.

32 Los hombres de Nínive se levantarán en juicio con esta generación, y la condenarán; porque a la predicación de Jonás se arrepintieron; y he aquí uno mayor que Jonás en este lugar.

33 Nadie pone en oculto el candil encendido, ni debajo del almud, sino en el candelero, para que los que entran vean la luz.

34 La luz del cuerpo es el ojo; así que cuando tu ojo es sencillo, también todo tu cuerpo está lleno de luz; pero cuando *tu ojo* es malo, también tu cuerpo está en tinieblas.

35 Mira pues, que la luz que en ti hay, no sea tinieblas.

36 Así que, si todo tu cuerpo *está* lleno de luz, no teniendo parte alguna de tinieblas, será todo luminoso, como cuando una lámpara con su resplandor te alumbra.

37 Y luego que hubo hablado, le rogó un fariseo que comiese con él; y entrando *Jesús*, se sentó a la mesa.

38 Y el fariseo, cuando *lo* vio, se maravilló de que no se lavó antes de comer.

39 Y el Señor le dijo: Ahora, vosotros los fariseos limpiáis lo de fuera de la copa y del plato; pero por dentro estáis llenos de rapiña y de maldad.

40 Necios, ¿el que hizo lo de fuera, no hizo también lo de dentro?

41 Pero dad limosna de lo que tenéis; y he aquí, todo os es limpio.

42 Mas ¡ay de vosotros, fariseos! que diezmáis la menta, y la ruda, y toda hortaliza; mas el juicio y el amor de Dios pasáis por alto. Esto os era necesario hacer, sin dejar de hacer lo otro.

43 ¡Ay de vosotros, fariseos! que amáis las primeras sillas en las sinagogas, y las salutaciones en las plazas.

44 ¡Ay de vosotros, escribas y fariseos, hipócritas! que sois como sepulcros encubiertos, y los hombres que andan encima no lo saben.

45 Y respondiendo uno de los doctores de la ley, le dice: Maestro, cuando dices esto, también nos afrentas a nosotros.

46 Y Él dijo: ¡Ay de vosotros también, doctores de la ley! que abrumáis a los hombres con cargas pesadas de llevar; mas vosotros ni aun con un dedo las tocáis.

47 ¡Ay de vosotros! que edificáis los sepulcros de los profetas, y los mataron vuestros padres.

48 De cierto dais testimonio que consentís en los hechos de vuestros padres; porque a la verdad ellos los mataron, y vosotros edificáis sus sepulcros.

49 Por tanto, la sabiduría de Dios también dijo: Les enviaré profetas y apóstoles; y de ellos a unos matarán y a otros perseguirán;

50 para que la sangre de todos los profetas, que ha sido derramada desde la fundación del mundo, sea demandada de esta generación;

51 desde la sangre de Abel, hasta la sangre de Zacarías, que murió entre el altar y el templo. De cierto os digo que será demandada de esta generación.

52 ¡Ay de vosotros, doctores de la ley! que habéis quitado la llave de la ciencia; vosotros mismos no entrasteis, y a los que entraban se lo impedisteis.

53 Y diciéndoles estas cosas, los escribas y los fariseos comenzaron a acosarle en gran manera, para provocarle a que hablase de muchas cosas;

54 acechándole, y procurando cazar alguna *palabra* de su boca para acusarle.

CAPÍTULO 12

En esto, juntándose una innumerable multitud, tanto que unos a otros se atropellaban, comenzó a decir a sus discípulos primeramente: Guardaos de la levadura de los fariseos, que es hipocresía.

2 Porque nada hay encubierto, que no haya de ser revelado; ni oculto, que no haya de saberse.

3 Por tanto, lo que dijisteis en tinieblas, a la luz será oído; y lo que hablasteis al oído en las alcobas, será pregonado en las azoteas.

4 Y yo os digo, amigos míos: No temáis a los que matan el cuerpo, y después nada más pueden hacer.

5 Mas os enseñaré a quién debéis temer: Temed a Aquél que después de haber quitado la vida, tiene poder de echar en el infierno: Sí, os digo: A Éste temed.

6 ¿No se venden cinco pajarillos por dos blancas? Y ni uno de ellos está olvidado delante de Dios.

7 Pues aun los cabellos de vuestra cabeza están todos contados. No temáis, pues; de más estima sois vosotros que muchos pajarillos.

8 Y os digo que todo aquel que me confesare delante de los hombres, también el Hijo del Hombre le confesará delante de los ángeles de Dios;

9 pero el que me negare delante de los hombres, será negado delante de los ángeles de Dios.

10 Y todo aquel que dijere palabra contra el Hijo del Hombre, le será perdonado; pero al que blasfemare contra el Espíritu Santo, no le será perdonado.

11 Y cuando os trajeren a las sinagogas, y *ante* los magistrados y potestades, no os preocupéis de cómo o qué habéis de responder, o qué habéis de decir;

12 porque el Espíritu Santo os enseñará en la misma hora lo que debéis decir.

13 Y le dijo uno de la multitud: Maestro, di a mi hermano que parta conmigo la herencia.

14 Mas Él le dijo: Hombre, ¿quién me puso por juez o partidor sobre vosotros?

15 Y les dijo: Mirad, y guardaos de la avaricia; porque la vida del hombre no consiste en la abundancia de los bienes que posee.

16 Y les refirió una parábola, diciendo: La heredad de un hombre rico había producido mucho;

17 y él pensaba dentro de sí, diciendo: ¿Qué haré, porque no tengo dónde almacenar mis frutos?

18 Y dijo: Esto haré; derribaré mis graneros, y los edificaré mayores, y allí almacenaré todos mis frutos y mis bienes;

19 y diré a mi alma: Alma, muchos bienes tienes almacenados para muchos años; repósate, come, bebe, regocíjate.

20 Pero Dios le dijo: Necio, esta noche vienen a pedirte tu alma; y lo que has provisto, ¿de quién será?

21 Así es el que hace para sí tesoro, y no es rico para con Dios.

22 Y dijo a sus discípulos: Por tanto os digo: No os preocupéis por vuestra vida, qué comeréis; ni por el cuerpo, qué vestiréis.

23 La vida es más que la comida, y el cuerpo *más* que el vestido.

24 Considerad los cuervos, que no siembran, ni siegan; que no tienen almacén, ni granero, y Dios los alimenta. ¿Cuánto más sois vosotros de más estima que las aves?

25 ¿Y quién de vosotros podrá con afanarse añadir a su estatura un codo?

26 Pues si no podéis ni aun lo que es menos, ¿por qué os afanáis por lo demás?

27 Considerad los lirios, cómo crecen; no labran, ni hilan; y os digo, que ni aun Salomón con toda su gloria, se vistió como uno de ellos.

28 Y si así viste Dios la hierba, que hoy está en el campo, y mañana es echada en el horno; ¿cuánto más a vosotros, hombres de poca fe?

29 Vosotros, pues, no os afanéis de qué habéis de comer, o qué habéis de beber; ni estéis ansiosos.

30 Porque todas estas cosas buscan las gentes del mundo; pero vuestro Padre sabe que tenéis necesidad de estas cosas.

31 Mas buscad primeramente el reino de Dios, y todas estas cosas os serán añadidas.

32 No temáis, manada pequeña; porque a vuestro Padre le ha placido daros el reino.

33 Vended lo que poseéis, y dad limosna; haceos bolsas que no se envejezcan, tesoro en el cielo que no se agote; donde ladrón no llega, ni polilla corrompe.

34 Porque donde está vuestro tesoro, allí también estará vuestro corazón.

35 Estén ceñidos vuestros lomos, y *vuestras* lámparas encendidas;

36 y vosotros sed semejantes a hombres que esperan cuando su señor ha de volver de las bodas; para que cuando venga y toque, en seguida le abran.

37 Bienaventurados aquellos siervos a quienes el señor, cuando venga, halle velando; de cierto os digo que se ceñirá, y hará que se sienten a la mesa, y vendrá y les servirá.

38 Y si viene a la segunda vigilia, o aunque venga a la tercera vigilia, y *los* halla así, bienaventurados son aquellos siervos.

39 Y esto sabed, que si supiese el padre de familia a qué hora había de venir el ladrón, velaría ciertamente, y no dejaría minar su casa.

40 Vosotros, pues, también, estad apercibidos; porque a la hora que no penséis, el Hijo del Hombre vendrá.

41 Entonces Pedro le dijo: Señor, ¿dices esta parábola a nosotros, o también a todos?

42 Y dijo el Señor: ¿Quién es el mayordomo fiel y prudente, a quien *su* señor pondrá sobre su familia para que a tiempo les dé su ración?

43 Bienaventurado aquel siervo a quien, cuando su señor venga, le halle haciendo así.

44 En verdad os digo que él le pondrá sobre todos sus bienes.

45 Pero si aquel siervo dice en su corazón: Mi señor tarda en venir;

comienza a golpear a los siervos y a las criadas, y a comer y beber y a embriagarse;

46 vendrá el señor de aquel siervo el día que no lo espera, y a la hora que no sabe, y le apartará, y pondrá su parte con los incrédulos.

47 Y aquel siervo que sabía la voluntad de su señor y no se preparó, ni hizo conforme a su voluntad, recibirá muchos azotes.

48 Pero el que sin saberla, hizo cosas dignas de azotes, será azotado poco; porque al que mucho le es dado, mucho le será demandado; y al que encomendaron mucho, más le será pedido.

49 Fuego vine a meter en la tierra; ¿y qué quiero, si ya está encendido?

50 Pero de un bautismo me es necesario ser bautizado; y ¡cómo me angustio hasta que se cumpla!

51 ¿Pensáis que he venido a la tierra para dar paz? Os digo: No, sino disensión.

52 Porque de aquí en adelante cinco en una casa estarán divididos; tres contra dos, y dos contra tres.

53 El padre estará dividido contra el hijo, y el hijo contra el padre; la madre contra la hija, y la hija contra la madre; la suegra contra su nuera, y la nuera contra su suegra.

54 Y decía también a la gente: Cuando veis la nube que sale del poniente, luego decís: Agua viene; y es así.

55 Y cuando sopla el viento del sur, decís: Hará calor; y lo hace.

56 ¡Hipócritas! Sabéis discernir la faz del cielo y de la tierra; ¿y cómo no discernís este tiempo?

57 ¿Y por qué aun de vosotros mismos no juzgáis lo que es justo?

58 Cuando vayas al magistrado con tu adversario, procura en el camino librarte de él; para que no te arrastre al juez, y el juez te entregue al alguacil, y el alguacil te meta en la cárcel.

59 Te digo que no saldrás de allí, hasta que hayas pagado hasta la última blanca.

CAPÍTULO 13

En este mismo tiempo estaban allí unos que le contaban acerca de los galileos, cuya sangre Pilato había mezclado con sus sacrificios.

2 Y respondiendo Jesús, les dijo: ¿Pensáis que estos galileos, porque padecieron tales cosas, eran más pecadores que todos los galileos?

3 Os digo: No, antes si no os arrepentís, todos pereceréis igualmente.

4 O aquellos dieciocho sobre los cuales cayó la torre en Siloé, y los mató, ¿pensáis que ellos eran más pecadores que todos los hombres que habitan en Jerusalén?

5 Os digo: No, antes si no os arrepentís, todos pereceréis igualmente.

6 Dijo también esta parábola: Un *hombre* tenía una higuera plantada en su viña, y vino a buscar fruto en ella, y no lo halló.

7 Y dijo al viñador: He aquí, estos tres años he venido a buscar fruto en esta higuera, y no lo hallo; córtala, ¿para qué ocupa aún la tierra?

8 Él entonces respondiendo, le dijo: Señor, déjala aún este año, hasta que cave a su alrededor, y la estercole.

9 Y si da fruto, *bien*; y si no, la cortarás después.

10 Y enseñaba en una sinagoga en sábado.

11 Y he aquí, había una mujer que tenía un espíritu de enfermedad hacía dieciocho años, y andaba encorvada, y en ninguna manera se podía enderezar.

12 Y cuando Jesús la vio, la llamó y le dijo: Mujer, eres libre de tu enfermedad.

13 Y puso *sus* manos sobre ella; y luego se enderezó, y glorificaba a Dios.

14 Pero el príncipe de la sinagoga respondió indignado porque Jesús había sanado en sábado, y dijo a la gente: Seis días hay en que se debe trabajar; en éstos, pues, venid y sed sanados, y no en día de sábado.

15 Entonces el Señor le respondió y dijo: Hipócrita, cada uno de vosotros, ¿no desata en sábado su buey o *su* asno del pesebre y *lo* lleva a beber?

16 Y esta hija de Abraham, a la que Satanás había atado dieciocho años, ¿no debía ser desatada de esta ligadura en día de sábado?

17 Y diciendo Él estas cosas, se avergonzaban todos sus adversarios. Y todo el pueblo se regocijaba de todas las cosas gloriosas que eran hechas por Él.

18 Y dijo: ¿A qué es semejante el reino de Dios, y a qué lo compararé?

19 Es semejante al grano de mostaza que un hombre tomó y sembró en su huerto; y creció, y se hizo árbol grande, y las aves del cielo anidaron en sus ramas.

20 Y otra vez dijo: ¿A qué compararé el reino de Dios?

21 Es semejante a la levadura que una mujer tomó y escondió en tres medidas de harina, hasta que todo fue leudado.

22 Y pasaba por todas las ciudades y aldeas, enseñando, y avanzando hacia Jerusalén.

23 Y le dijo uno: Señor, ¿son pocos los que serán salvos? Y Él les dijo:

24 Porfiad a entrar por la puerta angosta; porque os digo que muchos procurarán entrar, y no podrán.

25 Después que el Padre de familia se haya levantado y cerrado la puerta, y estando afuera comencéis a tocar la puerta, diciendo: Señor, Señor, ábrenos; y Él respondiendo, os dirá: No os conozco de dónde seáis.

26 Entonces comenzaréis a decir: Delante de ti hemos comido y bebido, y en nuestras plazas enseñaste.

27 Pero Él dirá: Os digo que no os conozco de dónde seáis; apartaos de mí todos vosotros, obradores de maldad.

28 Allí será el lloro y el crujir de dientes, cuando veáis a Abraham, y a Isaac, y a Jacob y a todos los profetas en el reino de Dios, y vosotros excluidos.

29 Y vendrán del oriente y del occidente, del norte y del sur, y se sentarán a la mesa en el reino de Dios.

30 Y he aquí, hay postreros que serán primeros; y primeros que serán postreros.

31 Aquel mismo día vinieron unos fariseos, diciéndole: Sal, y vete de aquí, porque Herodes te quiere matar.

32 Y Él les dijo: Id, y decid a aquella zorra: He aquí, echo fuera demonios y hago sanidades hoy y mañana, y al tercer *día* seré consumado.

33 Sin embargo, es necesario que camine hoy, y mañana, y pasado mañana; porque no es posible que un profeta muera fuera de Jerusalén.

34 ¡Jerusalén, Jerusalén, que matas a los profetas, y apedreas a los que te son enviados! ¡Cuántas veces quise juntar a tus hijos, como la gallina a sus polluelos debajo de sus alas, y no quisiste!

35 He aquí, vuestra casa os es dejada desierta; y de cierto os digo que no me veréis, hasta que venga *el tiempo* en que digáis: Bendito el que viene en el nombre del Señor.

CAPÍTULO 14

Y aconteció un día de sábado, que habiendo entrado para comer pan en casa de un príncipe de los fariseos, ellos le acechaban.

2 Y he aquí un hombre hidrópico estaba delante de Él.

3 Y respondiendo Jesús, habló a los doctores de la ley y a los fariseos, diciendo: ¿Es lícito sanar en sábado?

4 Y ellos callaron. Entonces Él tomándole, le sanó, y le despidió.

5 Y les respondió, diciendo: ¿Quién de vosotros, si su asno o su buey cayere en un pozo, no lo sacará luego en día de sábado?

6 Y no le podían replicar a estas cosas.

7 Y observando cómo escogían los primeros asientos a la mesa, relató una parábola a los convidados, diciéndoles:

8 Cuando seas convidado por alguno a bodas, no te sientes en el primer lugar, no sea que otro más distinguido que tú esté convidado por él,

9 y el que te convidó a ti y a él, venga y te diga: Da lugar a éste; y entonces comiences con vergüenza a tomar el último lugar.

10 Mas cuando seas convidado, ve, y siéntate en el último lugar; para que cuando venga el que te convidó, te diga: Amigo, sube más arriba; entonces tendrás gloria delante de los que se sientan contigo a la mesa.

11 Porque cualquiera que se enaltece, será humillado; y el que se humilla, será enaltecido.

12 Y dijo también al que le había convidado: Cuando haces comida o cena, no llames a tus amigos, ni a tus hermanos, ni a tus parientes, ni a vecinos ricos; no sea que también ellos te vuelvan a convidar, y te sea hecha recompensa.

13 Mas cuando hagas banquete, llama a los pobres, los mancos, los cojos, y a los ciegos;

14 y serás bienaventurado; porque ellos no te pueden recompensar; pues tú serás recompensado en la resurrección de los justos.

15 Y oyendo esto uno de los que estaban sentados con Él a la mesa, le dijo: Bienaventurado el que coma pan en el reino de Dios.

16 Él entonces le dijo: Un hombre hizo una gran cena, y convidó a muchos.

17 Y a la hora de la cena envió a su siervo a decir a los que habían sido convidados: Venid, que ya todo está preparado.

18 Y comenzaron todos a una a excusarse. El primero le dijo: He comprado una hacienda, y necesito ir a verla; te ruego que me excuses.

19 Y el otro dijo: He comprado cinco yuntas de bueyes, y voy a probarlos; te ruego que me excuses.

20 Y el otro dijo: Acabo de casarme, y por tanto no puedo ir.

21 Y vuelto el siervo, hizo saber estas cosas a su señor. Entonces enojado el padre de familia, dijo a su siervo: Ve pronto por las plazas y las calles de la ciudad, y mete acá a los pobres, los mancos, los cojos y los ciegos.

22 Y dijo el siervo: Señor, se ha hecho como mandaste, y aún hay lugar.

23 Y dijo el señor al siervo: Ve por los caminos y por los vallados, y fuérzalos a entrar, para que se llene mi casa.

24 Porque os digo que ninguno de aquellos hombres que fueron convidados, gustará mi cena.

25 Y grandes multitudes iban con Él; y volviéndose, les dijo:

26 Si alguno viene a mí, y no aborrece a su padre, y madre, y esposa, e hijos, y hermanos, y hermanas, y aun también su propia vida, no puede ser mi discípulo.

27 Y cualquiera que no trae su cruz y viene en pos de mí, no puede ser mi discípulo.

28 Porque ¿quién de vosotros, queriendo edificar una torre, no se sienta primero y cuenta el costo, *para ver* si tiene *lo que necesita* para acabarla?

29 No sea que después que haya echado el cimiento, y no pueda acabarla, todos los que lo vean comiencen a burlarse de él,

30 diciendo: Este hombre comenzó a edificar, y no pudo acabar.

31 ¿O qué rey, yendo a hacer guerra contra otro rey, no se sienta primero y consulta si con diez mil puede salir al encuentro del que viene contra él con veinte mil?

32 De otra manera, cuando el otro aún está lejos, le envía una embajada y le pide condiciones de paz.

33 Así, pues, cualquiera de vosotros que no renuncia a todo lo que posee, no puede ser mi discípulo.

34 Buena es la sal; pero si la sal pierde su sabor, ¿con qué será sazonada?

35 No es útil ni para la tierra, ni para el muladar; la arrojan fuera. El que tiene oídos para oír, oiga.

CAPÍTULO 15

Y se acercaban a Él todos los publicanos y pecadores para oírle.

2 Y los fariseos y los escribas murmuraban, diciendo: Éste a los pecadores recibe, y con ellos come.

3 Y Él les relató esta parábola, diciendo:

4 ¿Qué hombre de vosotros, teniendo cien ovejas, si perdiere una de ellas, no deja las noventa y nueve en el desierto, y va tras la que se perdió, hasta encontrarla?

5 Y cuando la encuentra, *la* pone sobre sus hombros, gozoso;

6 y viniendo a casa, reúne a sus amigos y a *sus* vecinos, diciéndoles: Regocijaos conmigo, porque he hallado mi oveja que se había perdido.

7 Os digo que así habrá más gozo en el cielo por un pecador que se arrepiente, que por noventa y nueve

justos, que no necesitan arrepentimiento.

8 ¿O qué mujer que tiene diez
dracmas, si perdiere una dracma, no
enciende el candil, y barre la casa,
y busca con diligencia hasta
encontrarla?

9 Y cuando *la* halla, reúne a *sus*
amigas y a *sus* vecinas, diciendo:
Regocijaos conmigo, porque he
hallado la dracma que había perdido.

10 Así os digo que hay gozo delante
de los ángeles de Dios por un pecador
que se arrepiente.

11 Y dijo: Un hombre tenía dos hijos;

12 y el menor de ellos dijo a *su* padre:
Padre, dame la parte de los bienes
que *me* pertenece. Y *él* les repartió
sus bienes.

13 Y no muchos días después,
juntándolo todo el hijo menor, partió
lejos a una provincia apartada; y allí
desperdició sus bienes viviendo
perdidamente.

14 Y cuando todo lo hubo
malgastado, vino una gran hambre
en aquella provincia, y comenzó a
faltarle.

15 Y fue y se arrimó a uno de los
ciudadanos de aquella tierra, el cual
le envió a su hacienda para que
apacentase puercos.

16 Y deseaba llenar su vientre de las
algarrobas que comían los puercos;
mas nadie le daba.

17 Y volviendo en sí, dijo: ¡Cuántos
jornaleros en casa de mi padre tienen
abundancia de pan, y yo aquí perezco
de hambre!

18 Me levantaré e iré a mi padre, y le
diré: Padre, he pecado contra el cielo
y contra ti;

19 ya no soy digno de ser llamado tu
hijo; hazme como a uno de tus
jornaleros.

20 Y levantándose, vino a su padre.
Y cuando aún estaba lejos, su padre
lo vio, y fue movido a misericordia; y
corrió, y se echó sobre su cuello, y le
besó.

21 Y el hijo le dijo: Padre, he pecado
contra el cielo, y contra ti, y ya no soy
digno de ser llamado tu hijo.

22 Pero el padre dijo a sus siervos:
Traed la mejor vestidura, y vestidle;
y poned un anillo en su mano, y
calzado en *sus* pies;

23 y traed el becerro grueso y
matadlo, y comamos y hagamos
fiesta;

24 porque este mi hijo muerto era,
y ha revivido; se había perdido, y es
hallado. Y comenzaron a regocijarse.

25 Y su hijo mayor estaba en el
campo; el cual cuando vino, y llegó
cerca de la casa, oyó la música y las
danzas;

26 y llamando a uno de los criados,
le preguntó qué era aquello.

27 Y él le dijo: Tu hermano ha
venido; y tu padre ha matado el
becerro grueso, por haberle recibido
sano y salvo.

28 Entonces él se enojó, y no quería
entrar. Salió por tanto su padre, y le
rogaba *que entrase.*

29 Pero él, respondiendo, dijo a *su*
padre: He aquí, tantos años te he
servido, no habiendo desobedecido
jamás tu mandamiento, y nunca me
has dado un cabrito para gozarme
con mis amigos.

30 Pero cuando vino éste, tu hijo,
que ha consumido tus bienes con
rameras, has matado para él el
becerro grueso.

31 Él entonces le dijo: Hijo, tú
siempre estás conmigo, y todo lo que
tengo es tuyo.

32 Mas era necesario hacer fiesta y
gozarnos, porque éste, tu hermano,
muerto era, y ha revivido; se había
perdido, y es hallado.

CAPÍTULO 16

Y dijo también a sus discípulos:
Había un hombre rico, el cual
tenía un mayordomo, y éste fue
acusado ante él de que había disipado
sus bienes.

2 Y le llamó, y le dijo: ¿Qué es esto
que oigo de ti? Da cuenta de tu
mayordomía, porque ya no podrás
ser mayordomo.

3 Entonces el mayordomo dijo
dentro de sí: ¿Qué haré? Porque mi
señor me quita la mayordomía.
Cavar, no puedo; mendigar, me da
vergüenza.

4 Ya sé lo que haré para que cuando
sea quitado de la mayordomía, me
reciban en sus casas.

5 Y llamando a cada uno de los deudores de su señor, dijo al primero: ¿Cuánto debes a mi señor?

6 Y él dijo: Cien barriles de aceite. Y le dijo: Toma tu cuenta, y siéntate presto, y escribe cincuenta.

7 Después dijo a otro: ¿Y tú, cuánto debes? Y él dijo: Cien medidas de trigo. Y él le dijo: Toma tu cuenta, y escribe ochenta.

8 Y alabó el señor al mayordomo injusto por haber hecho astutamente; porque los hijos de este siglo son en su generación más astutos que los hijos de luz.

9 Y yo os digo: Haceos amigos de las riquezas de maldad, para que cuando fallareis, os reciban en las moradas eternas.

10 El que es fiel en lo muy poco, también en lo más es fiel; y el que en lo muy poco es injusto, también en lo más es injusto.

11 Pues si en las riquezas injustas no fuisteis fieles, ¿quién os confiará lo verdadero?

12 Y si en lo ajeno no fuisteis fieles, ¿quién os dará lo que es vuestro?

13 Ningún siervo puede servir a dos señores; porque o aborrecerá al uno y amará al otro, o se apegará al uno y despreciará al otro. No podéis servir a Dios y a las riquezas.

14 Y oían también todas estas cosas los fariseos, los cuales eran avaros, y se burlaban de Él.

15 Y les dijo: Vosotros sois los que os justificáis a vosotros mismos delante de los hombres; pero Dios conoce vuestros corazones; porque lo que los hombres tienen en alta estima, delante de Dios es abominación.

16 La ley y los profetas *fueron* hasta Juan; desde entonces el reino de Dios es predicado, y todos se esfuerzan por entrar en él.

17 Pero es más fácil que pasen el cielo y la tierra, que fallar una tilde de la ley.

18 Cualquiera que repudia a su esposa, y se casa con otra, comete adulterio; y el que se casa con la repudiada del marido, comete adulterio.

19 Había un hombre rico, que se vestía de púrpura y de lino fino, y hacía cada día banquete con esplendidez.

20 Había también un mendigo llamado Lázaro, el cual estaba echado a la puerta de él, lleno de llagas,

21 y deseaba saciarse de las migajas que caían de la mesa del rico; y aun los perros venían y le lamían las llagas.

22 Y aconteció que murió el mendigo, y fue llevado por los ángeles al seno de Abraham. Y murió también el rico, y fue sepultado.

23 Y en el infierno alzó sus ojos, estando en tormentos, y vio a Abraham de lejos, y a Lázaro en su seno.

24 Entonces él, dando voces, dijo: Padre Abraham, ten misericordia de mí, y envía a Lázaro para que moje la punta de su dedo en agua, y refresque mi lengua; porque soy atormentado en esta llama.

25 Y Abraham *le* dijo: Hijo, acuérdate que recibiste tus bienes en tu vida, y Lázaro también males; mas ahora éste es consolado, y tú atormentado.

26 Y además de todo esto, una gran sima está puesta entre nosotros y vosotros, de manera que los que quieran pasar de aquí a vosotros, no puedan, ni de allá pasar acá.

27 Entonces él dijo: Te ruego, pues, padre, que le envíes a la casa de mi padre,

28 porque tengo cinco hermanos, para que les testifique, para que no vengan ellos también a este lugar de tormento.

29 Y Abraham le dijo: A Moisés y a los profetas tienen; óiganlos.

30 Él entonces dijo: No, padre Abraham; mas si alguno va a ellos de entre los muertos, se arrepentirán.

31 Mas Abraham le dijo: Si no oyen a Moisés y a los profetas, tampoco se persuadirán aunque alguno se levante de los muertos.

CAPÍTULO 17

Entonces dijo a los discípulos: Imposible es que no vengan tropiezos; mas ¡ay de aquel por quien vienen!

2 Mejor le fuera si se le atase al cuello una piedra de molino, y se le lanzase

en el mar, que hacer tropezar a uno de estos pequeñitos.

3 Mirad por vosotros mismos. Si tu hermano peca contra ti, repréndele; y si se arrepiente, perdónale.

4 Y si siete veces al día peca contra ti, y siete veces al día vuelve a ti, diciendo: Me arrepiento; perdónale.

5 Y los apóstoles dijeron al Señor: Auméntanos la fe.

6 Y el Señor dijo: Si tuviereis fe como un grano de mostaza, podríais decir a este sicómoro: Desarráigate, y plántate en el mar; y os obedecería.

7 ¿Y quién de vosotros teniendo un siervo que ara o apacienta ganado, al volver él del campo le dice en seguida: Pasa, siéntate a la mesa?

8 ¿No le dice más bien: Adereza qué cene, y cíñete, y sírveme hasta que haya comido y bebido; y después de esto, come y bebe tú?

9 ¿Da gracias al siervo porque hizo lo que le había sido mandado? Pienso que no.

10 Así también vosotros, cuando hubiereis hecho todo lo que os es mandado, decid: Siervos inútiles somos, porque lo que debíamos hacer, hicimos.

11 Y aconteció que yendo Él a Jerusalén, pasó por medio de Samaria y de Galilea.

12 Y entrando en una aldea, le vinieron al encuentro diez hombres leprosos, que se pararon a lo lejos,

13 y alzaron la voz, diciendo: Jesús, Maestro, ten misericordia de nosotros.

14 Y cuando Él *los* vio, les dijo: Id, mostraos a los sacerdotes. Y aconteció que yendo ellos, fueron limpiados.

15 Entonces uno de ellos, viendo que había sido sanado, volvió, glorificando a Dios a gran voz;

16 y se postró sobre *su* rostro a sus pies, dándole gracias; y éste era samaritano.

17 Y respondiendo Jesús, dijo: ¿No son diez los que fueron limpiados? ¿Y los nueve dónde *están*?

18 ¿No hubo quien volviese y diese gloria a Dios sino este extranjero?

19 Y le dijo: Levántate, vete; tu fe te ha salvado.

20 Y preguntándole los fariseos, cuándo había de venir el reino de Dios, respondió y les dijo: El reino de Dios no vendrá con advertencia;

21 ni dirán: Helo aquí, o helo allí; porque he aquí el reino de Dios entre vosotros está.

22 Y dijo a sus discípulos: Tiempo vendrá, cuando desearéis ver uno de los días del Hijo del Hombre, y no *lo* veréis.

23 Y os dirán: Helo aquí, o helo allí. No vayáis tras *ellos*, ni los sigáis.

24 Porque como el relámpago, que resplandeciendo, alumbra de un extremo al otro bajo del cielo, así también será el Hijo del Hombre en su día.

25 Pero primero es necesario que padezca mucho, y sea rechazado por esta generación.

26 Y como fue en los días de Noé, así también será en los días del Hijo del Hombre.

27 Comían, bebían, se casaban y se daban en casamiento, hasta el día en que Noé entró en el arca; y vino el diluvio, y destruyó a todos.

28 Asimismo también como fue en los días de Lot; comían, bebían, compraban, vendían, plantaban, edificaban;

29 pero el día en que Lot salió de Sodoma, llovió del cielo fuego y azufre, y destruyó a todos.

30 Así también será el día en que el Hijo del Hombre se manifieste.

31 En aquel día, el que esté en la azotea, y sus pertenencias en casa, no descienda a tomarlas; y el que esté en el campo, igualmente, no vuelva atrás.

32 Acordaos de la esposa de Lot.

33 Cualquiera que procure salvar su vida, la perderá; y cualquiera que la pierda, la salvará.

34 Os digo que en aquella noche estarán dos en una cama; el uno será tomado, y el otro será dejado.

35 Dos *mujeres* estarán moliendo juntas; la una será tomada, y la otra dejada.

36 Dos estarán en el campo; el uno será tomado, y el otro dejado.

37 Y respondiendo, le dijeron: ¿Dónde, Señor? Y Él les dijo: Donde *esté* el cuerpo, allí también se juntarán las águilas.

Y les dijo también una parábola *sobre* que es necesario orar siempre, y no desmayar,

2 diciendo: Había un juez en una ciudad, el cual ni temía a Dios, ni respetaba a hombre.

3 Había también en aquella ciudad una viuda, la cual venía a él diciendo: Hazme justicia de mi adversario.

4 Y él no quiso por algún tiempo; pero después de esto dijo dentro de sí: Aunque ni temo a Dios, ni tengo respeto a hombre,

5 sin embargo, porque esta viuda me es molesta, le haré justicia, no sea que viniendo, al fin me fastidie.

6 Y dijo el Señor: Oíd lo que dijo el juez injusto.

7 ¿Y no cobrará Dios venganza por sus escogidos, que claman a Él día y noche, aunque sea longánimo para con ellos?

8 Os digo que pronto cobrará venganza por ellos. Pero cuando el Hijo del Hombre venga, ¿hallará fe en la tierra?

9 Y también dijo esta parábola a unos que confiaban en sí mismos como justos, y menospreciaban a los otros:

10 Dos hombres subieron al templo a orar; uno *era* fariseo, y el otro publicano.

11 El fariseo, puesto en pie, oraba consigo mismo de esta manera: Dios, te doy gracias porque no soy como los otros hombres, ladrones, injustos, adúlteros, ni aun como este publicano;

12 ayuno dos veces a la semana, doy diezmos de todo lo que poseo.

13 Mas el publicano, estando lejos, no quería ni siquiera alzar los ojos al cielo, sino que golpeaba su pecho, diciendo: Dios, sé propicio a mí, pecador.

14 Os digo que éste descendió a su casa justificado antes que el otro; porque cualquiera que se enaltece, será humillado; y el que se humilla, será enaltecido.

15 Y también le traían los niños para que los tocase; lo cual viendo los discípulos, les reprendían.

16 Pero Jesús, llamándolos, dijo: Dejad los niños venir a mí, y no se lo impidáis; porque de los tales es el reino de Dios.

17 De cierto os digo, que el que no recibiere el reino de Dios como un niño, no entrará en él.

18 Y le preguntó un príncipe, diciendo: Maestro bueno, ¿qué haré para heredar la vida eterna?

19 Y Jesús le dijo: ¿Por qué me llamas bueno? Nadie *es* bueno sino sólo uno, Dios.

20 Los mandamientos sabes: No cometerás adulterio: No matarás: No hurtarás: No dirás falso testimonio: Honra a tu padre y a tu madre.

21 Y él dijo: Todo esto lo he guardado desde mi juventud.

22 Y cuando Jesús oyó esto, le dijo: Aún te falta una cosa: Vende todo lo que tienes, y da a los pobres, y tendrás tesoro en el cielo; y ven, sígueme.

23 Entonces él, al oír esto, se puso muy triste, porque era muy rico.

24 Y viendo Jesús que se había entristecido mucho, dijo: ¡Cuán difícilmente entrarán en el reino de Dios los que tienen riquezas!

25 Porque es más fácil pasar un camello por el ojo de una aguja, que entrar un rico en el reino de Dios.

26 Y los que oyeron *esto*, dijeron: ¿Quién, entonces, podrá ser salvo?

27 Y Él les dijo: Lo que es imposible con los hombres, es posible con Dios.

28 Entonces Pedro dijo: He aquí, nosotros lo hemos dejado todo, y te hemos seguido.

29 Y Él les dijo: De cierto os digo, que nadie hay que haya dejado casa, o padres, o hermanos, o esposa o hijos, por el reino de Dios,

30 que no haya de recibir mucho más en este tiempo, y en el mundo venidero la vida eterna.

31 Y tomando a los doce, les dijo: He aquí subimos a Jerusalén, y se cumplirán todas las cosas que fueron escritas por los profetas acerca del Hijo del Hombre.

32 Porque será entregado a los gentiles, y será escarnecido, e injuriado, y escupido.

33 Y después que *le* hubieren azotado, le matarán; mas al tercer día resucitará.

34 Pero ellos no entendían nada de estas cosas, y esta palabra les era

encubierta, y no entendían lo que se decía.

35 Y aconteció que acercándose Él a Jericó, un ciego estaba sentado junto al camino mendigando;

36 y oyendo a la multitud que pasaba, preguntó qué era aquello.

37 Y le dijeron que pasaba Jesús de Nazaret.

38 Entonces dio voces, diciendo: ¡Jesús, Hijo de David, ten misericordia de mí!

39 Y los que iban delante, le reprendían para que se callara; pero él gritaba mucho más: ¡Hijo de David, ten misericordia de mí!

40 Jesús entonces, deteniéndose, mandó traerle a sí; y cuando él llegó, le preguntó,

41 diciendo: ¿Qué quieres que te haga? Y él dijo: Señor, que reciba la vista.

42 Y Jesús le dijo: Recibe la vista, tu fe te ha salvado.

43 Y al instante recibió la vista, y le seguía, glorificando a Dios. Y todo el pueblo cuando lo vio, dio alabanza a Dios.

CAPÍTULO 19

Y entrando *Jesús* pasó por Jericó. 2 Y he aquí un varón llamado Zaqueo, que era jefe de los publicanos, y era rico;

3 y procuraba ver quién era Jesús; pero no podía a causa de la multitud, porque era pequeño de estatura.

4 Y corriendo delante, se subió a un árbol sicómoro para verle; porque había de pasar por allí.

5 Y cuando Jesús llegó a aquel lugar, mirando hacia arriba, le vio, y le dijo: Zaqueo, date prisa, desciende, porque hoy es necesario que pose yo en tu casa.

6 Entonces él descendió aprisa, y le recibió gozoso.

7 Y viendo esto, todos murmuraban, diciendo que había entrado a posar con un hombre pecador.

8 Entonces Zaqueo, puesto en pie, dijo al Señor: He aquí, Señor, la mitad de mis bienes doy a los pobres; y si en algo he defraudado a alguno, se lo devuelvo cuadruplicado.

9 Y Jesús le dijo: Hoy ha venido la salvación a esta casa; por cuanto él también es hijo de Abraham.

10 Porque el Hijo del Hombre vino a buscar y a salvar lo que se había perdido.

11 Y oyendo ellos estas cosas, Él prosiguió y dijo una parábola, por cuanto estaba cerca de Jerusalén, y porque ellos pensaban que pronto se manifestaría el reino de Dios.

12 Dijo, pues: Un hombre noble partió a una provincia lejos, para tomar para sí un reino, y volver.

13 Y llamando a diez siervos suyos, les dio diez minas, y les dijo: Negociad entre tanto que vengo.

14 Pero sus ciudadanos le aborrecían, y enviaron tras él una embajada, diciendo: No queremos que éste reine sobre nosotros.

15 Y aconteció que cuando él regresó, después de recibir el reino, mandó llamar ante él a aquellos siervos a los cuales había dado el dinero, para saber lo que había negociado cada uno.

16 Y vino el primero, diciendo: Señor, tu mina ha ganado diez minas.

17 Y él le dijo: Bien, buen siervo; pues que en lo poco has sido fiel, tendrás autoridad sobre diez ciudades.

18 Y vino otro, diciendo: Señor, tu mina ha ganado cinco minas.

19 E igualmente dijo a éste: Tú también sé sobre cinco ciudades.

20 Y vino otro, diciendo: Señor, he aquí tu mina, la cual he tenido guardada en un pañuelo;

21 pues tuve miedo de ti, porque eres hombre severo, que tomas lo que no pusiste, y siegas lo que no sembraste.

22 Entonces él le dijo: Mal siervo, por tu propia boca te juzgo. Sabías que yo era hombre severo, que tomo lo que no puse, y que siego lo que no sembré;

23 ¿por qué, pues, no diste mi dinero al banco, para que al venir yo, lo hubiera recibido con los intereses?

24 Y dijo a los que estaban presentes: Quitadle la mina, y dadla al que tiene diez minas.

25 Y ellos le dijeron: Señor, tiene diez minas.

26 Pues yo os digo que a todo el que tiene le será dado; y al que no tiene, aun lo que tiene le será quitado.

27 Y también a aquellos mis enemigos que no querían que yo reinase sobre ellos, traedlos acá, y matadlos delante de mí.

28 Y dicho esto, iba delante subiendo a Jerusalén.

29 Y aconteció que llegando cerca de Betfagé y de Betania, al monte que se llama de los Olivos, envió dos de sus discípulos,

30 diciendo: Id a la aldea de enfrente; y entrando en ella, hallaréis un pollino atado sobre el cual ningún hombre se ha sentado jamás; desatadlo, y traedlo.

31 Y si alguien os preguntare, ¿por qué lo desatáis? le responderéis así: Porque el Señor lo necesita.

32 Y fueron los que habían sido enviados, y hallaron como él les había dicho.

33 Y cuando desataban el pollino, sus dueños les dijeron: ¿Por qué desatáis el pollino?

34 Y ellos dijeron: Porque el Señor lo necesita.

35 Y lo trajeron a Jesús; y habiendo echado sus mantos sobre el pollino, pusieron a Jesús encima.

36 Y yendo Él, tendían sus mantos por el camino.

37 Y cuando Él llegó ya cerca de la bajada del monte de los Olivos, toda la multitud de los discípulos, gozándose, comenzaron a alabar a Dios a gran voz por todas las maravillas que habían visto,

38 diciendo: ¡Bendito el Rey que viene en el nombre del Señor! paz en el cielo, y gloria en las alturas!

39 Entonces algunos de los fariseos de entre la multitud le dijeron: Maestro, reprende a tus discípulos.

40 Y Él respondiendo, les dijo: Os digo que si éstos callaran, las piedras clamarían.

41 Y cuando llegó cerca de la ciudad, al verla, lloró sobre ella,

42 diciendo: ¡Oh si hubieses conocido, aun tú, a lo menos en este tu día, lo que *toca* a tu paz! Pero ahora está encubierto a tus ojos.

43 Porque vendrán días sobre ti, que tus enemigos te cercarán con vallado, y te pondrán cerco, y de todas partes te pondrán en estrecho,

44 y te derribarán a tierra, y a tus hijos dentro de ti; y no dejarán en ti piedra sobre piedra; por cuanto no conociste el tiempo de tu visitación.

45 Y entrando en el templo, comenzó a echar fuera a todos los que vendían y compraban en él,

46 diciéndoles: Escrito está: Mi casa, es casa de oración; mas vosotros la habéis hecho cueva de ladrones.

47 Y enseñaba cada día en el templo; pero los príncipes de los sacerdotes, y los escribas, y los principales del pueblo procuraban matarle.

48 Y no hallaban qué hacer, porque todo el pueblo estaba muy atento oyéndole.

CAPÍTULO 20

Y aconteció un día, que enseñando Él al pueblo en el templo, y predicando el evangelio, vinieron los príncipes de los sacerdotes y los escribas, con los ancianos,

2 y le hablaron, diciendo: Dinos: ¿Con qué autoridad haces estas cosas? ¿O quién es el que te ha dado esta autoridad?

3 Respondiendo entonces Jesús, les dijo: Os preguntaré yo también una cosa; respondedme:

4 El bautismo de Juan, ¿era del cielo, o de los hombres?

5 Y ellos razonaban entre sí, diciendo: Si decimos, del cielo, dirá: ¿Por qué, pues, no le creísteis?

6 Y si decimos: De los hombres, todo el pueblo nos apedreará; porque están convencidos de que Juan era profeta.

7 Y respondieron que no sabían de dónde *era*.

8 Entonces Jesús les dijo: Yo tampoco os digo con qué autoridad hago estas cosas.

9 Y comenzó a decir al pueblo esta parábola: Un hombre plantó una viña, y la arrendó a labradores, y partió lejos por mucho tiempo.

10 Y al tiempo, envió un siervo a los labradores, para que le diesen del fruto de la viña; pero los labradores, le golpearon, y le enviaron vacío.

11 Y volvió a enviar otro siervo; mas ellos a éste también golpearon, y ultrajándole, le enviaron vacío.

Dad a César lo que es de César

12 Y volvió a enviar un tercer siervo; y ellos también a éste hirieron, y le echaron fuera.

13 Entonces el señor de la viña dijo: ¿Qué haré? Enviaré a mi hijo amado; quizá le respetarán cuando le vean.

14 Pero cuando los labradores lo vieron, razonaron entre sí, diciendo: Éste es el heredero; venid, matémosle, para que la heredad sea nuestra.

15 Y echándole fuera de la viña, le mataron. ¿Qué, pues, les hará el señor de la viña?

16 Vendrá, y destruirá a estos labradores, y dará su viña a otros. Y cuando ellos oyeron *esto*, dijeron: ¡Dios nos libre!

17 Y Él mirándolos, dijo: ¿Qué, pues, es lo que está escrito: La piedra que desecharon los edificadores, ésta vino a ser cabeza del ángulo?

18 Cualquiera que cayere sobre aquella piedra, será quebrantado; pero sobre el que ella cayere, le desmenuzará.

19 Y procuraban los príncipes de los sacerdotes y los escribas echarle mano en aquella hora, porque entendían que contra ellos había dicho esta parábola; pero temieron al pueblo.

20 Y acechándole enviaron espías que se fingiesen justos, para sorprenderle en palabras, y así poder entregarle a la potestad y autoridad del gobernador.

21 Y le preguntaron, diciendo: Maestro, sabemos que dices y enseñas rectamente, y que no haces acepción de personas; sino que enseñas el camino de Dios con verdad.

22 ¿Nos es lícito dar tributo a César, o no?

23 Pero Él, entendiendo la malicia de ellos, les dijo: ¿Por qué me tentáis?

24 Mostradme una moneda. ¿De quién tiene la imagen y la inscripción? Y respondiendo dijeron: De César.

25 Entonces les dijo: Pues dad a César lo que es de César; y a Dios lo que es de Dios.

26 Y no pudieron prenderle en sus palabras delante del pueblo; y maravillados de su respuesta, se callaron.

27 Entonces vinieron unos de los saduceos, los cuales niegan que hay resurrección, y le preguntaron,

28 diciendo: Maestro, Moisés nos escribió: Si el hermano de alguno muriere teniendo esposa, y él muriere sin hijos, que su hermano tome a su esposa, y levante simiente a su hermano.

29 Hubo, pues, siete hermanos; y el primero tomó esposa, y murió sin hijos.

30 Y el segundo la tomó como esposa, el cual también murió sin hijos.

31 Y la tomó el tercero; asimismo también los siete; y murieron sin dejar descendencia.

32 Y a la postre de todos murió también la mujer.

33 En la resurrección, pues, ¿de cuál de ellos será esposa? Porque los siete la tuvieron por esposa.

34 Entonces respondiendo Jesús, les dijo: Los hijos de este mundo se casan, y se dan en casamiento;

35 pero los que fueren tenidos por dignos de aquel mundo y de la resurrección de los muertos, ni se casan, ni se dan en casamiento.

36 Porque no pueden morir ya más; pues son iguales a los ángeles, y son hijos de Dios, siendo hijos de la resurrección.

37 Y que los muertos hayan de resucitar, aun Moisés lo enseñó en el pasaje de la zarza, cuando llama al Señor: Dios de Abraham, y Dios de Isaac, y Dios de Jacob.

38 Porque Él no es Dios de muertos, sino de vivos; porque todos viven para Él.

39 Y respondiéndole unos de los escribas, dijeron: Maestro, bien has dicho.

40 Y ya no se atrevieron a preguntarle nada.

41 Y Él les dijo: ¿Cómo dicen que Cristo es hijo de David?

42 Pues David mismo dice en el libro de los Salmos: Dijo el Señor a mi Señor: Siéntate a mi diestra,

43 Hasta que ponga a tus enemigos por estrado de tus pies.

44 Así que David le llama Señor; ¿cómo entonces es su hijo?

45 Y oyéndole todo el pueblo, dijo a sus discípulos:

46 Guardaos de los escribas, que gustan de andar con ropas largas, y aman las salutaciones en las plazas, y las primeras sillas en las sinagogas, y los primeros asientos en las cenas;

47 que devoran las casas de las viudas, y por pretexto hacen largas oraciones; éstos recibirán mayor condenación.

CAPÍTULO 21

Ylevantando la vista, vio a los ricos que echaban sus ofrendas en el arca de las ofrendas.

2 Y vio también a una viuda pobre, que echaba allí dos blancas.

3 Y dijo: En verdad os digo que esta viuda pobre echó más que todos.

4 Porque todos éstos, de lo que les sobra echaron para las ofrendas de Dios; pero ésta de su pobreza echó todo el sustento que tenía.

5 Y a unos que hablaban del templo, de que estaba adornado de hermosas piedras y dones, dijo:

6 *En cuanto a* estas cosas que veis, días vendrán que no quedará piedra sobre piedra que no sea derribada.

7 Y le preguntaron, diciendo: Maestro, ¿cuándo será esto? ¿Y qué señal *habrá* cuando estas cosas hayan de suceder?

8 Él entonces dijo: Mirad que no seáis engañados; porque vendrán muchos en mi nombre, diciendo: Yo soy *el Cristo*; y: El tiempo está cerca. No vayáis, pues, en pos de ellos.

9 Y cuando oyereis de guerras y sediciones, no os aterréis; porque es necesario que estas cosas acontezcan primero; pero aún no *es* el fin.

10 Entonces les dijo: Se levantará nación contra nación, y reino contra reino;

11 Y habrá grandes terremotos en varios lugares, y hambres y pestilencias; y habrá terror y grandes señales del cielo.

12 Pero antes de todas estas cosas os echarán mano, y *os* perseguirán, y *os* entregarán a las sinagogas y a las cárceles, y os traerán ante reyes y gobernadores por causa de mi nombre.

13 Y esto os será para testimonio.

14 Proponed, pues, en vuestros corazones no pensar antes cómo habéis de responder;

15 porque yo os daré palabra y sabiduría, la cual ninguno de vuestros adversarios podrá resistir ni contradecir.

16 Y seréis entregados aun por vuestros padres, y hermanos, y parientes, y amigos; y matarán a *algunos* de vosotros.

17 Y seréis aborrecidos de todos por causa de mi nombre.

18 Pero ni un cabello de vuestra cabeza perecerá.

19 En vuestra paciencia poseed vuestras almas.

20 Y cuando veáis a Jerusalén rodeada de ejércitos, sabed entonces que su destrucción está cerca.

21 Entonces los que estén en Judea, huyan a los montes; y los que estén en medio de ella, váyanse; y los que estén en los campos, no entren en ella.

22 Porque éstos son días de venganza, para que se cumplan todas las cosas que están escritas.

23 Pero ¡ay de las que estén encintas, y de las que amamanten en aquellos días! porque habrá gran angustia sobre la tierra, e ira sobre este pueblo.

24 Y caerán a filo de espada, y serán llevados cautivos a todas las naciones; y Jerusalén será hollada por los gentiles, hasta que los tiempos de los gentiles sean cumplidos.

25 Entonces habrá señales en el sol, en la luna y en las estrellas; y en la tierra, angustia de naciones en confusión; bramando el mar y las olas;

26 desfalleciendo los hombres a causa del temor y expectación de las cosas que vendrán sobre la tierra; porque las potencias de los cielos serán conmovidas.

27 Y entonces verán al Hijo del Hombre, viniendo en una nube con poder y gran gloria.

28 Y cuando estas cosas comiencen a suceder, erguíos y levantad vuestras cabezas, porque vuestra redención está cerca.

29 Y les dijo una parábola: Mirad la higuera y todos los árboles:

30 Cuando ya brotan, viéndolo, de vosotros mismos sabéis que el verano ya está cerca.

31 Así también vosotros, cuando veáis que suceden estas cosas, sabed que está cerca el reino de Dios.

32 De cierto os digo, que no pasará esta generación hasta que todo esto acontezca.

33 El cielo y la tierra pasarán, mas mis palabras no pasarán.

34 Y mirad por vosotros mismos, que vuestros corazones no sean cargados de glotonería y embriaguez y de los afanes de esta vida, y venga de repente sobre vosotros aquel día.

35 Porque como un lazo vendrá sobre todos los que habitan sobre la faz de toda la tierra.

36 Velad, pues, orando en todo tiempo, que seáis tenidos por dignos de escapar de todas estas cosas que han de venir, y de estar en pie delante del Hijo del Hombre.

37 Y enseñaba de día en el templo; y de noche, saliendo, se estaba en el monte que se llama de los Olivos.

38 Y por la mañana todo el pueblo venía a Él para oírle en el templo.

CAPÍTULO 22

Y se acercaba el día de la fiesta de los panes sin levadura, que es llamada la Pascua.

2 Y los príncipes de los sacerdotes y los escribas buscaban cómo matarle; porque temían al pueblo.

3 Y entró Satanás en Judas, por sobrenombre Iscariote, el cual era uno del número de los doce;

4 y éste fue y habló con los príncipes de los sacerdotes, y con los magistrados, de cómo se lo entregaría.

5 Y ellos se alegraron, y convinieron en darle dinero.

6 Y él prometió, y buscó oportunidad para entregárselo en ausencia del pueblo.

7 Y vino el día de los panes sin levadura, en el cual era necesario sacrificar la pascua.

8 Y envió a Pedro y a Juan, diciendo: Id y preparadnos la pascua para que comamos.

9 Y ellos le dijeron: ¿Dónde quieres que la preparemos?

10 Y Él les dijo: He aquí, cuando entrareis en la ciudad, os encontrará un hombre que lleva un cántaro de agua; seguidle hasta la casa donde entrare,

11 y decid al padre de familia de esa casa: El Maestro te dice: ¿Dónde está el aposento donde he de comer la pascua con mis discípulos?

12 Entonces él os mostrará un gran aposento alto, ya dispuesto; preparad allí.

13 Fueron, pues, y hallaron como les había dicho; y prepararon la pascua.

14 Y cuando llegó la hora, se sentó a la mesa, y con Él los doce apóstoles.

15 Y les dijo: ¡Con cuánto anhelo he deseado comer con vosotros esta pascua antes que padezca!

16 Porque os digo que no comeré más de ella, hasta que se cumpla en el reino de Dios.

17 Y tomando la copa, dio gracias, y dijo: Tomad esto, y repartidlo entre vosotros;

18 porque os digo que no beberé del fruto de la vid, hasta que el reino de Dios venga.

19 Y tomando el pan, dio gracias, y *lo* partió y les dio, diciendo: Esto es mi cuerpo, que por vosotros es dado; haced esto en memoria de mí.

20 De igual manera, después que hubo cenado, *tomó* también la copa, diciendo: Esta copa es el nuevo testamento en mi sangre, que por vosotros es derramada.

21 Mas he aquí, conmigo en la mesa, la mano del que me entrega.

22 Y a la verdad el Hijo del Hombre va, según lo que está determinado; pero ¡ay de aquel hombre por quien Él es entregado!

23 Ellos entonces comenzaron a preguntar entre sí, quién de ellos sería el que había de hacer esto.

24 Y hubo también entre ellos una discusión sobre quién de ellos sería el mayor.

25 Y Él les dijo: Los reyes de los gentiles se enseñorean de ellos; y los que sobre ellos tienen autoridad son llamados bienhechores;

26 pero no así vosotros; antes el que es mayor entre vosotros, sea como el menor; y el que es príncipe, sea como el siervo.

27 Porque, ¿cuál es mayor, el que se sienta a la mesa, o el que sirve? ¿No es el que se sienta a la mesa? Pero yo soy entre vosotros como el que sirve.

28 Mas vosotros sois los que habéis permanecido conmigo en mis pruebas.

29 Yo, pues, os asigno un reino, como mi Padre me lo asignó a mí,

30 para que comáis y bebáis a mi mesa en mi reino, y os sentéis sobre tronos juzgando a las doce tribus de Israel.

31 Dijo también el Señor: Simón, Simón, he aquí Satanás os ha pedido para zarandearos como a trigo;

32 pero yo he rogado por ti, para que tu fe no falte; y tú, una vez vuelto, fortalece a tus hermanos.

33 Y él le dijo: Señor, dispuesto estoy a ir contigo a la cárcel, y aun a la muerte.

34 Y Él le dijo: Pedro, te digo que el gallo no cantará hoy antes que tú hayas negado tres veces que me conoces.

35 Y a ellos dijo: Cuando os envié sin bolsa, y sin alforja, y sin zapatos, ¿os faltó algo? Y ellos dijeron: Nada.

36 Entonces les dijo: Pues ahora, el que tiene bolsa, tómela, y también la alforja, y el que no tiene espada, venda su capa y compre una.

37 Porque os digo que es necesario que se cumpla todavía en mí aquello que está escrito: Y con los malos fue contado; porque lo que concierne a mí, cumplimiento tiene.

38 Entonces ellos dijeron: Señor, he aquí dos espadas. Y Él les dijo: Basta.

39 Y saliendo, se fue, como solía, al monte de los Olivos; y sus discípulos también le siguieron.

40 Y cuando llegó a aquel lugar, les dijo: Orad que no entréis en tentación.

41 Y Él se apartó de ellos como a un tiro de piedra; y puesto de rodillas oró,

42 diciendo: Padre, si quieres, pasa de mí esta copa; pero no se haga mi voluntad, sino la tuya.

43 Y le apareció un ángel del cielo para fortalecerle.

44 Y estando en agonía, oraba más intensamente; y fue su sudor como grandes gotas de sangre que caían hasta la tierra.

45 Y cuando se levantó de la oración, y vino a sus discípulos, los halló durmiendo de tristeza;

46 y les dijo: ¿Por qué dormís? Levantaos, y orad que no entréis en tentación.

47 Y mientras Él aún hablaba, he aquí una turba; y el que se llamaba Judas, uno de los doce, iba delante de ellos; y se acercó a Jesús para besarle.

48 Entonces Jesús le dijo: Judas, ¿con un beso entregas al Hijo del Hombre?

49 Y viendo los que estaban con Él lo que estaba por acontecer, le dijeron: Señor, ¿heriremos a espada?

50 Y uno de ellos hirió a un siervo del sumo sacerdote, y le cortó la oreja derecha.

51 Entonces respondiendo Jesús, dijo: Dejad hasta aquí. Y tocando su oreja, le sanó.

52 Entonces Jesús dijo a los príncipes de los sacerdotes, y a los magistrados del templo, y a los ancianos que habían venido contra Él: ¿Como contra un ladrón habéis salido, con espadas y palos?

53 Habiendo estado con vosotros cada día en el templo, no extendisteis las manos contra mí; pero ésta es vuestra hora, y la potestad de las tinieblas.

54 Y prendiéndole le trajeron, y le metieron en casa del sumo sacerdote. Y Pedro le seguía de lejos.

55 Y habiendo encendido ellos fuego en medio del patio, y sentándose todos alrededor, se sentó también Pedro entre ellos.

56 Pero una criada le vio que estaba sentado al fuego, y observándole, dijo: Éste también con Él estaba.

57 Entonces él lo negó, diciendo: Mujer, no le conozco.

58 Y un poco después, viéndole otro, dijo: Tú también eres de ellos. Y Pedro dijo: Hombre, no soy.

59 Y como una hora después, otro afirmó, diciendo: Verdaderamente éste también estaba con Él, porque es galileo.

60 Y Pedro dijo: Hombre, no sé qué dices. Y al instante, mientras él aún hablando, el gallo cantó.

61 Entonces, vuelto el Señor, miró a

Pedro; y Pedro se acordó de la palabra del Señor como le había dicho: Antes que el gallo cante, me negarás tres veces.

62 Y Pedro, saliendo fuera, lloró amargamente.

63 Y los hombres que custodiaban a Jesús se burlaban de Él y le golpeaban;

64 y vendándole los ojos, le golpeaban el rostro, y le preguntaban, diciendo: Profetiza, ¿quién es el que te golpeó?

65 Y muchas otras blasfemias decían contra Él.

66 Y cuando fue de día, se reunieron los ancianos del pueblo, y los príncipes de los sacerdotes y los escribas, y le trajeron al concilio de ellos, diciendo:

67 ¿Eres tú el Cristo? Dínoslo. Y Él les dijo: Si os lo dijere, no creeréis;

68 y también si os preguntare, no me responderéis, ni me soltaréis.

69 Desde ahora el Hijo del Hombre se sentará a la diestra del poder de Dios.

70 Entonces todos dijeron: ¿Luego eres tú el Hijo de Dios? Y Él les dijo: Vosotros decís que lo soy.

71 Entonces ellos dijeron: ¿Qué más testimonio necesitamos? porque nosotros mismos lo hemos oído de su boca.

CAPÍTULO 23

Levantándose entonces toda la multitud de ellos, le llevaron a Pilato.

2 Y comenzaron a acusarle, diciendo: Hemos hallado que Éste pervierte la nación; y que prohíbe dar tributo a César, diciendo que Él mismo es Cristo, un Rey.

3 Entonces Pilato le preguntó, diciendo: ¿Eres tú el Rey de los judíos? Y respondiendo Él, dijo: Tú lo dices.

4 Y Pilato dijo a los príncipes de los sacerdotes, y a la gente: Ninguna falta hallo en este hombre.

5 Pero ellos porfiaban, diciendo: Alborota al pueblo, enseñando por toda Judea, comenzando desde Galilea hasta aquí.

6 Entonces Pilato, al oír, de Galilea, preguntó si el hombre era galileo.

7 Y luego que supo que era de la jurisdicción de Herodes, le remitió a Herodes, que también estaba en Jerusalén en aquellos días.

8 Y Herodes, viendo a Jesús, se alegró mucho, pues hacía mucho tiempo que quería verle; porque había oído de Él muchas cosas, y tenía esperanza que le vería hacer algún milagro.

9 Y le preguntaba con muchas palabras; pero Él nada le respondió.

10 Y estaban los príncipes de los sacerdotes y los escribas acusándole con gran vehemencia.

11 Mas Herodes con sus soldados le menospreció y escarneció, vistiéndole de una ropa espléndida; y le volvió a enviar a Pilato.

12 Y aquel mismo día Pilato y Herodes se hicieron amigos; pues antes estaban enemistados entre sí.

13 Entonces Pilato, convocando a los príncipes de los sacerdotes, y a los magistrados, y al pueblo,

14 les dijo: Me habéis presentado a Éste como un hombre que pervierte al pueblo; y he aquí, yo, habiéndole interrogado delante de vosotros, no he hallado en este hombre falta alguna de aquellas cosas de que le acusáis.

15 Y ni aun Herodes; porque os remití a él; y he aquí, nada digno de muerte ha hecho.

16 Le castigaré, pues, y le soltaré.

17 Y tenía necesidad de soltarles uno en la fiesta.

18 Pero toda la multitud dio voces a una, diciendo: Fuera con Éste, y suéltanos a Barrabás.

19 (El cual había sido echado en la cárcel por una sedición hecha en la ciudad, y por un homicidio.)

20 Y les habló otra vez Pilato, queriendo soltar a Jesús.

21 Pero ellos volvieron a dar voces diciendo: ¡Crucifícale, crucifícale!

22 Y él les dijo la tercera vez: ¿Por qué? ¿Qué mal ha hecho Éste? No he hallado culpa de muerte en Él; le castigaré, pues, y le soltaré.

23 Pero ellos instaban a grandes voces, pidiendo que fuese crucificado. Y las voces de ellos y de los príncipes de los sacerdotes prevalecieron.

24 Entonces Pilato juzgó que se hiciese lo que ellos pedían;

25 y les soltó a aquél que había sido echado en la cárcel por sedición y homicidio, al cual habían pedido; y entregó a Jesús a la voluntad de ellos.

26 Y llevándole, tomaron a un Simón cireneo, que venía del campo, y le pusieron encima la cruz para que la llevase en pos de Jesús.

27 Y le seguía una gran multitud del pueblo, y de mujeres que le lloraban y lamentaban.

28 Mas Jesús, volviéndose a ellas, les dijo: Hijas de Jerusalén, no lloréis por mí, sino llorad por vosotras mismas y por vuestros hijos.

29 Porque he aquí vendrán días en que dirán: Bienaventuradas las estériles, y los vientres que no engendraron, y los pechos que no amamantaron.

30 Entonces comenzarán a decir a los montes: Caed sobre nosotros; y a los collados: Cubridnos.

31 Porque si en el árbol verde hacen estas cosas, ¿en el seco, qué se hará?

32 Y llevaban también con Él a otros dos, *que eran* malhechores, para ser muertos.

33 Y cuando llegaron al lugar que es llamado El Calvario, le crucificaron allí, y a los malhechores, uno a la derecha y otro a la izquierda.

34 Y Jesús decía: Padre, perdónalos, porque no saben lo que hacen. Y partiendo sus vestiduras, echaron suertes.

35 Y el pueblo estaba mirando; y también los príncipes con ellos se burlaban *de Él*, diciendo: A otros salvó: sálvese a sí mismo, si Él es el Cristo, el escogido de Dios.

36 Y los soldados también le escarnecían, acercándose y presentándole vinagre,

37 y diciendo: Si tú eres el Rey de los judíos, sálvate a ti mismo.

38 Y había también sobre él un título escrito con letras griegas, y latinas, y hebreas: ÉSTE ES EL REY DE LOS JUDÍOS.

39 Y uno de los malhechores que estaban colgados le injuriaba, diciendo: Si tú eres el Cristo, sálvate a ti mismo y a nosotros.

40 Y respondiendo el otro, le reprendió, diciendo: ¿No temes tú a Dios, aun estando en la misma condenación?

41 Y nosotros, a la verdad, justamente *padecemos*; porque recibimos lo que merecieron nuestros hechos; mas Éste ningún mal hizo.

42 Y dijo a Jesús: Señor, acuérdate de mí cuando vengas en tu reino.

43 Entonces Jesús le dijo: De cierto te digo: Hoy estarás conmigo en el paraíso.

44 Y era como la hora sexta, y hubo tinieblas sobre toda la tierra hasta la hora novena.

45 Y el sol se oscureció, y el velo del templo se rasgó por el medio.

46 Entonces Jesús, clamando a gran voz, dijo: Padre, en tus manos encomiendo mi espíritu. Y habiendo dicho esto, entregó el espíritu.

47 Y cuando el centurión vio lo que había acontecido, dio gloria a Dios, diciendo: Verdaderamente este hombre era justo.

48 Y toda la multitud de los que estaban presentes en este espectáculo, viendo lo que había acontecido, se volvían golpeándose el pecho.

49 Y todos sus conocidos, y las mujeres que le habían seguido desde Galilea, estaban lejos mirando estas cosas.

50 Y he aquí *había* un varón llamado José, *el cual era* consejero y un varón bueno y justo

51 (Éste, no había consentido con el consejo ni con los hechos de ellos), de Arimatea, ciudad de los judíos, y quien también esperaba el reino de Dios.

52 Éste fue a Pilato, y pidió el cuerpo de Jesús.

53 Y bajándolo, lo envolvió en una sábana, y lo puso en un sepulcro abierto en una peña, en el cual aún nadie había sido puesto.

54 Y era el día de la preparación; y estaba para comenzar el sábado.

55 Y las mujeres que habían venido con Él desde Galilea, también lo acompañaron, y vieron el sepulcro y cómo fue puesto su cuerpo.

56 Y regresando, prepararon especias aromáticas y ungüentos; y reposaron el sábado, conforme al mandamiento.

CAPÍTULO 24

Y el primer día de la semana, muy de mañana, vinieron al sepulcro trayendo las especias aromáticas que habían preparado, y algunas otras *mujeres* con ellas.

2 Y hallaron removida la piedra del sepulcro.

3 Y entrando, no hallaron el cuerpo del Señor Jesús.

4 Y aconteció que estando ellas perplejas de esto, he aquí se pararon junto a ellas dos varones con vestiduras resplandecientes;

5 y como ellas tuvieron temor, y bajaron el rostro a tierra, ellos les dijeron: ¿Por qué buscáis entre los muertos al que vive?

6 No está aquí, mas ha resucitado. Acordaos de lo que os habló, cuando aún estaba en Galilea,

7 diciendo: Es necesario que el Hijo del Hombre sea entregado en manos de hombres pecadores, y que sea crucificado, y resucite al tercer día.

8 Entonces ellas se acordaron de sus palabras.

9 Y regresando del sepulcro, dijeron todas estas cosas a los once, y a todos los demás.

10 Eran María Magdalena, y Juana, y María la *madre* de Jacobo, y las demás *que estaban* con ellas, quienes dijeron estas cosas a los apóstoles.

11 Pero a ellos les parecían locura las palabras de ellas, y no las creían.

12 Entonces levantándose Pedro, corrió al sepulcro; y asomándose hacia adentro, miró los lienzos puestos solos; y se fue maravillándose en sí mismo de aquello que había acontecido.

13 Y he aquí, el mismo día dos de ellos iban a una aldea llamada Emaús, que estaba *como* a sesenta estadios de Jerusalén.

14 Y conversaban entre sí de todas estas cosas que habían acontecido.

15 Y sucedió que mientras conversaban y discutían entre sí, Jesús mismo se acercó y caminó con ellos.

16 Mas los ojos de ellos estaban embargados, para que no le conociesen.

17 Y les dijo: ¿Qué pláticas son estas que tenéis entre vosotros mientras camináis y estáis tristes?

18 Y respondiendo uno de ellos, que se llamaba Cleofas, le dijo: ¿Eres tú sólo un forastero en Jerusalén, y no has sabido las cosas que en ella han acontecido en estos días?

19 Entonces Él les dijo: ¿Qué cosas? Y ellos le dijeron: De Jesús Nazareno, que fue varón profeta, poderoso en obra y en palabra delante de Dios y de todo el pueblo;

20 y cómo los príncipes de los sacerdotes y nuestros magistrados, le entregaron a condenación de muerte, y le crucificaron.

21 Pero nosotros esperábamos que Él era el que había de redimir a Israel, y además de todo esto, hoy es el tercer día que estas cosas acontecieron.

22 Aunque también unas mujeres de entre nosotros nos han asombrado, las cuales antes del amanecer fueron al sepulcro;

23 y no hallando su cuerpo, vinieron diciendo que también habían visto visión de ángeles, los cuales dijeron que Él vive.

24 Y fueron algunos de los nuestros al sepulcro, y hallaron así como las mujeres habían dicho; pero a Él no lo vieron.

25 Entonces Él les dijo: ¡Oh insensatos, y tardos de corazón para creer todo lo que los profetas han dicho!

26 ¿No era necesario que el Cristo padeciera estas cosas, y que entrara en su gloria?

27 Y comenzando desde Moisés, y de todos los profetas, les declaró en todas las Escrituras lo concerniente a Él.

28 Y llegando a la aldea a donde iban Él hizo como que iba más lejos.

29 Pero ellos le constriñeron diciendo: Quédate con nosotros, porque se hace tarde, y el día ya ha declinado. Entró, pues, a quedarse con ellos.

30 Y aconteció que estando sentado con ellos a la mesa, tomó el pan y *lo* bendijo, y partió, y les dio.

31 Entonces les fueron abiertos los ojos y le reconocieron; mas Él se desapareció de su vista.

32 Y se decían el uno al otro: ¿No ardía nuestro corazón en nosotros, mientras nos hablaba en el camino, y cuando nos abría las Escrituras?

33 Y levantándose en la misma hora, se regresaron a Jerusalén, y hallaron a los once reunidos, y a los que estaban con ellos,

34 que decían: Ha resucitado el Señor verdaderamente, y ha aparecido a Simón.

35 Entonces ellos contaron las cosas que les habían acontecido en el camino, y cómo le habían reconocido al partir el pan.

36 Y mientras ellos hablaban estas cosas, Jesús mismo se puso en medio de ellos, y les dijo: Paz a vosotros.

37 Pero ellos estaban aterrorizados y asustados, y pensaban que veían un espíritu.

38 Y Él les dijo: ¿Por qué estáis turbados, y vienen a vuestros corazones *estos* pensamientos?

39 Mirad mis manos y mis pies, que yo mismo soy; palpadme y ved; porque un espíritu no tiene carne ni huesos, como veis que yo tengo.

40 Y habiendo dicho esto, les mostró las manos y los pies.

41 Y como todavía ellos, de gozo, no lo creían, y estaban maravi-llados, les dijo: ¿Tenéis aquí algo de comer?

42 Entonces ellos le presentaron parte de un pez asado, y un panal de miel.

43 Y Él lo tomó y comió delante de ellos.

44 Y les dijo: Éstas *son* las palabras que os hablé, estando aún con vosotros; que era necesario que se cumpliesen todas las cosas que están escritas de mí en la ley de Moisés, y *en* los profetas, y *en* los Salmos.

45 Entonces les abrió el entendimiento, para que compren-diesen las Escrituras;

46 y les dijo: Así está escrito, y así fue necesario que el Cristo padeciese, y resucitase de los muertos al tercer día;

47 y que se predicase en su nombre el arrepentimiento y la remisión de pecados en todas las naciones, comenzando desde Jerusalén.

48 Y vosotros sois testigos de estas cosas.

49 Y he aquí, yo enviaré sobre vosotros la promesa de mi Padre: mas vosotros quedaos en la ciudad de Jerusalén hasta que seáis investidos con poder de lo alto.

50 Y los condujo fuera hasta Betania, y alzando sus manos, los bendijo.

51 Y aconteció que bendiciéndolos, se separó de ellos y fue llevado arriba al cielo.

52 Y ellos, habiéndole adorado, regresaron a Jerusalén con gran gozo;

53 y estaban siempre en el templo, alabando y bendiciendo a Dios. Amén.

El Santo Evangelio según
JUAN

CAPÍTULO 1

En el principio era el Verbo, y el Verbo era con Dios, y el Verbo era Dios.

2 Éste era en el principio con Dios.

3 Todas las cosas por Él fueron hechas, y sin Él nada de lo que ha sido hecho, fue hecho.

4 En Él estaba la vida, y la vida era la luz de los hombres.

5 Y la luz en las tinieblas res-plandece, mas las tinieblas no la comprendieron.

6 Hubo un hombre enviado de Dios, el cual se llamaba Juan.

7 Éste vino por testimonio, para que diese testimonio de la Luz, para que todos creyesen por él.

8 No era él la Luz, sino para que diese testimonio de la Luz.

9 *Aquél* era la Luz verdadera que alumbra a todo hombre que viene a este mundo.

10 En el mundo estaba, y el mundo por Él fue hecho; pero el mundo no le conoció.

11 A lo suyo vino, y los suyos no le recibieron.

12 Mas a todos los que le recibieron, a los que creen en su nombre, les dio potestad de ser hechos hijos de Dios.

13 Los cuales son engendrados, no de sangre, ni de voluntad de carne, ni de voluntad de varón, sino de Dios.

14 Y el Verbo fue hecho carne, y habitó entre nosotros (y vimos su gloria, gloria como del unigénito del Padre), lleno de gracia y de verdad.

15 Juan dio testimonio de Él, y clamó diciendo: Éste es de quien yo decía: El que viene después de mí, es antes de mí; porque era primero que yo.

16 Y de su plenitud tomamos todos, y gracia por gracia.

17 Porque la ley por Moisés fue dada, *pero* la gracia y la verdad vinieron por Jesucristo.

18 A Dios nadie le vio jamás; el unigénito Hijo, que está en el seno del Padre, Él le ha dado a conocer.

19 Y éste es el testimonio de Juan, cuando los judíos enviaron de Jerusalén sacerdotes y levitas, a preguntarle: ¿Tú, quién eres?

20 Y confesó, y no negó; sino confesó: Yo no soy el Cristo.

21 Y le preguntaron: ¿Qué, pues? ¿Eres tú Elías? Y dijo: No soy. ¿Eres tú el Profeta? Y él respondió: No.

22 Entonces le dijeron: ¿Quién eres? para que demos respuesta a los que nos enviaron. ¿Qué dices de ti mismo?

23 Él dijo: Yo *soy* la voz de uno que clama en el desierto: Enderezad el camino del Señor, como dijo el profeta Isaías.

24 Y los que habían sido enviados eran de los fariseos.

25 Y preguntándole, le dijeron: ¿Por qué, pues, bautizas, si tú no eres el Cristo, ni Elías, ni el Profeta?

26 Juan les respondió, diciendo: Yo bautizo en agua, mas en medio de vosotros está uno a quien vosotros no conocéis.

27 Él es el que viniendo después de mí, es antes de mí; del cual yo no soy digno de desatar la correa del calzado.

28 Estas cosas acontecieron en Betábara, al otro lado del Jordán, donde Juan estaba bautizando.

29 El siguiente día vio Juan a Jesús que venía a él, y dijo: He aquí el Cordero de Dios, que quita el pecado del mundo.

30 Éste es Aquél de quien yo dije: Después de mí viene un varón, el cual es antes de mí; porque era primero que yo.

31 Y yo no le conocía; mas para que fuese manifestado a Israel, por eso vine yo bautizando en agua.

32 Y Juan dio testimonio, diciendo: Vi al Espíritu descender del cielo como paloma, y permanecer sobre Él.

33 y yo no le conocía; pero el que me envió a bautizar en agua, Éste me dijo: Sobre quien veas descender el Espíritu, y que permanece sobre Él, Éste es el que bautiza con el Espíritu Santo.

34 Y yo le vi, y doy testimonio de que Éste es el Hijo de Dios.

35 El siguiente día otra vez estaba Juan, y dos de sus discípulos.

36 Y mirando a Jesús que andaba por allí, dijo: He aquí el Cordero de Dios.

37 Y los dos discípulos le oyeron hablar, y siguieron a Jesús.

38 Entonces volviéndose Jesús, y viendo que le seguían, les dijo: ¿Qué buscáis? Y ellos le dijeron: Rabí (que se dice, si lo interpretares; Maestro), ¿dónde moras?

39 Él les dijo: Venid y ved. Vinieron y vieron dónde moraba; y se quedaron con Él aquel día, porque era como la hora décima.

40 Andrés, hermano de Simón Pedro, era uno de los dos que habían oído a Juan, y le habían seguido.

41 Éste halló primero a su hermano Simón, y le dijo: Hemos hallado al Mesías (que si lo interpretares es, el Cristo).

42 Y le trajo a Jesús. Y mirándole Jesús, dijo: Tú eres Simón hijo de Jonás; tú serás llamado Cefas (que quiere decir, piedra).

43 El siguiente día quiso Jesús ir a Galilea, y halló a Felipe, y le dijo: Sígueme.

44 Y Felipe era de Betsaida, la ciudad de Andrés y de Pedro.

45 Felipe halló a Natanael, y le dijo: Hemos hallado a Aquél de quien

escribió Moisés en la ley, y los profetas: a Jesús de Nazaret, el hijo de José.

46 Y Natanael le dijo: ¿De Nazaret puede salir algo bueno? Felipe le dijo: Ven y ve.

47 Jesús viendo que Natanael venía hacia Él, dijo de él: He aquí un verdadero israelita en quien no hay engaño.

48 Le dijo Natanael: ¿De dónde me conoces? Respondió Jesús y le dijo: Antes que Felipe te llamara, cuando estabas debajo de la higuera, te vi.

49 Respondió Natanael y le dijo: Rabí, tú eres el Hijo de Dios: Tú eres el Rey de Israel.

50 Respondió Jesús y le dijo: ¿Porque te dije: Te vi debajo de la higuera, crees? Cosas mayores que éstas verás.

51 Y le dijo: De cierto, de cierto os digo: De aquí en adelante veréis el cielo abierto, y a los ángeles de Dios subiendo y descendiendo sobre el Hijo del Hombre.

CAPÍTULO 2

Y al tercer día se hicieron unas bodas en Caná de Galilea; y estaba allí la madre de Jesús.

2 Y fueron también invitados a las bodas Jesús y sus discípulos.

3 Y faltando el vino, la madre de Jesús le dijo: No tienen vino.

4 Jesús le dijo: ¿Qué tengo yo contigo, mujer? Aún no ha venido mi hora.

5 Su madre dijo a los siervos: Haced todo lo que Él os dijere.

6 Y estaban allí seis tinajas de piedra para agua, conforme a la purificación de los judíos, y en cada una cabían dos o tres cántaros.

7 Jesús les dijo: Llenad de agua estas tinajas. Y las llenaron hasta arriba.

8 Y les dijo: Sacad ahora, y llevadla al maestresala. Y se *la* llevaron.

9 Y cuando el maestresala probó el agua hecha vino, y no sabía de dónde era (mas lo sabían los siervos que habían sacado el agua), el maestresala llamó al esposo,

10 y le dijo: Todo hombre sirve primero el buen vino, y cuando ya han bebido mucho, entonces el que es inferior, *pero* tú has guardado el buen vino hasta ahora.

11 Este principio de milagros hizo Jesús en Caná de Galilea, y manifestó su gloria; y sus discípulos creyeron en Él.

12 Después de esto descendió a Capernaúm, Él, y su madre, y sus hermanos y sus discípulos; y estuvieron allí no muchos días.

13 Y estaba cerca la pascua de los judíos, y subió Jesús a Jerusalén.

14 Y halló en el templo a los que vendían bueyes y ovejas y palomas, y a los cambistas sentados.

15 Y haciendo un azote de cuerdas, echó fuera del templo a todos, y las ovejas y los bueyes; y desparramó el dinero de los cambistas, y trastornó las mesas;

16 y dijo a los que vendían palomas: Quitad de aquí esto, y no hagáis de la casa de mi Padre una casa de mercado.

17 Entonces se acordaron sus discípulos que está escrito: El celo de tu casa me consumió.

18 Y respondieron los judíos y le dijeron: ¿Qué señal nos muestras, ya que haces esto?

19 Respondió Jesús y les dijo: Destruid este templo, y en tres días lo levantaré.

20 Entonces dijeron los judíos: En cuarenta y seis años fue edificado este templo, ¿y tú lo levantarás en tres días?

21 Pero Él hablaba del templo de su cuerpo.

22 Por tanto, cuando resucitó de los muertos, sus discípulos se acordaron que les había dicho esto; y creyeron la Escritura y la palabra que Jesús había dicho.

23 Y estando en Jerusalén, en la pascua, en el *día* de la fiesta, muchos creyeron en su nombre, viendo los milagros que hacía.

24 Pero Jesús mismo no se fiaba de ellos, porque los conocía a todos.

25 Y no tenía necesidad de que alguien le diese testimonio del hombre, porque Él sabía lo que había en el hombre.

CAPÍTULO 3

Había un hombre de los fariseos que se llamaba Nicodemo, príncipe de los judíos.

2 Éste vino a Jesús de noche y le dijo: Rabí, sabemos que has venido de Dios por maestro; pues nadie puede hacer los milagros que tú haces, si no está Dios con él.

3 Respondió Jesús y le dijo: De cierto, de cierto te digo: El que no naciere otra vez, no puede ver el reino de Dios.

4 Nicodemo le dijo: ¿Cómo puede un hombre nacer siendo viejo? ¿Puede entrar por segunda vez en el vientre de su madre, y nacer?

5 Respondió Jesús: De cierto, de cierto te digo, que el que no naciere de agua y del Espíritu, no puede entrar en el reino de Dios.

6 Lo que es nacido de la carne, carne es, y lo que es nacido del Espíritu, espíritu es.

7 No te maravilles de que te dije: Os es necesario nacer otra vez.

8 El viento sopla de donde quiere, y oyes su sonido, pero no sabes de dónde viene, ni a dónde va; así es todo aquel que es nacido del Espíritu.

9 Respondió Nicodemo, y le dijo: ¿Cómo puede hacerse esto?

10 Respondió Jesús y le dijo: ¿Eres tú maestro de Israel, y no sabes esto?

11 De cierto, de cierto te digo, que lo que sabemos hablamos, y lo que hemos visto testificamos, y no recibís nuestro testimonio.

12 Si os he dicho cosas terrenales, y no creéis, ¿cómo creeréis si os dijere las celestiales?

13 Y nadie subió al cielo, sino el que descendió del cielo, el Hijo del Hombre que está en el cielo.

14 Y como Moisés levantó la serpiente en el desierto, así es necesario que el Hijo del Hombre sea levantado;

15 para que todo aquel que en Él cree, no se pierda, mas tenga vida eterna.

16 Porque de tal manera amó Dios al mundo, que ha dado a su Hijo unigénito, para que todo aquel que en Él cree, no se pierda, mas tenga vida eterna.

17 Porque no envió Dios a su Hijo al mundo para condenar al mundo, sino para que el mundo sea salvo por Él.

18 Él que en Él cree, no es condenado, pero el que no cree, ya es condenado, porque no ha creído en el nombre del unigénito Hijo de Dios.

19 Y ésta es la condenación; que la luz vino al mundo, y los hombres amaron más las tinieblas que la luz, porque sus obras eran malas.

20 Porque todo el que hace lo malo aborrece la luz, y no viene a la luz, para que sus obras no sean reprobadas.

21 Pero el que obra verdad, viene a la luz, para que sea manifiesto que sus obras son hechas en Dios.

22 Después de estas cosas, vino Jesús con sus discípulos a la tierra de Judea; y estuvo allí con ellos, y bautizaba.

23 Y también Juan bautizaba en Enón, junto a Salim, porque allí había mucha agua; y venían, y eran bautizados.

24 Porque Juan no había sido aún puesto en la cárcel.

25 Entonces hubo una discusión entre los discípulos de Juan y los judíos acerca de la purificación.

26 Y vinieron a Juan y le dijeron: Rabí, el que estaba contigo al otro lado del Jordán, de quien tú diste testimonio, he aquí Él bautiza, y todos vienen a Él.

27 Respondió Juan y dijo: No puede el hombre recibir nada si no le es dado del cielo.

28 Vosotros mismos me sois testigos de que dije: Yo no soy el Cristo, sino que soy enviado delante de Él.

29 El que tiene la esposa, es el esposo, mas el amigo del esposo, que está en pie y le oye, se goza grandemente de la voz del esposo. Así pues, este mi gozo es cumplido.

30 Es necesario que Él crezca, y que yo mengüe.

31 El que viene de arriba, sobre todos es; el que es de la tierra, es terrenal, y cosas terrenales habla; el que viene del cielo, sobre todos es.

32 Y lo que ha visto y oído, esto testifica; y nadie recibe su testimonio.

33 El que recibe su testimonio certifica que Dios es veraz.

34 Porque el que Dios envió habla las palabras de Dios, pues Dios no le da el Espíritu por medida.

35 El Padre ama al Hijo y todas las cosas ha dado en su mano.

36 El que cree en el Hijo tiene vida eterna; mas el que es incrédulo al Hijo no verá la vida, sino que la ira de Dios está sobre él.

CAPÍTULO 4

Y cuando el Señor entendió que los fariseos habían oído que Jesús hacía y bautizaba más discípulos que Juan

2 (aunque Jesús no bautizaba, sino sus discípulos),

3 dejó Judea, y se fue otra vez a Galilea.

4 Y le era necesario pasar por Samaria.

5 Vino, pues, a una ciudad de Samaria que se llamaba Sicar, junto a la heredad que Jacob dio a su hijo José;

6 y estaba allí el pozo de Jacob. Entonces Jesús, cansado del camino, se sentó así junto al pozo; y era como la hora sexta.

7 Y vino una mujer de Samaria a sacar agua; y Jesús le dijo: Dame de beber

8 (Pues los discípulos habían ido a la ciudad a comprar de comer).

9 Entonces la mujer samaritana le dijo: ¿Cómo es que tú, siendo judío, me pides a mí de beber, que soy mujer samaritana? Porque los judíos no tienen tratos con los samaritanos.

10 Respondió Jesús y le dijo: Si conocieses el don de Dios, y quién es el que te dice: Dame de beber; tú le pedirías a Él, y Él te daría agua viva.

11 La mujer le dijo: Señor, no tienes con qué sacarla, y el pozo es hondo. ¿De dónde, pues, tienes el agua viva?

12 ¿Eres tú mayor que nuestro padre Jacob, que nos dio este pozo, del cual bebieron él, sus hijos y su ganado?

13 Respondió Jesús y le dijo: Cualquiera que bebiere de esta agua volverá a tener sed,

14 pero el que bebiere del agua que yo le daré, no tendrá sed jamás; sino que el agua que yo le daré será en él una fuente de agua que salte para vida eterna.

15 La mujer le dijo: Señor, dame esa agua, para que yo no tenga sed, ni venga acá a sacarla.

16 Jesús le dijo: Ve, llama a tu marido, y ven acá.

17 Respondió la mujer y dijo: No tengo marido. Jesús le dijo: Bien has dicho: No tengo marido;

18 porque cinco maridos has tenido, y el que ahora tienes no es tu marido; esto has dicho con verdad.

19 La mujer le dijo: Señor, me parece que tú eres profeta.

20 Nuestros padres adoraron en este monte, y vosotros decís que en Jerusalén es el lugar donde se debe adorar.

21 Jesús le dijo: Mujer, créeme que la hora viene cuando ni en este monte ni en Jerusalén adoraréis al Padre.

22 Vosotros adoráis lo que no sabéis; nosotros adoramos lo que sabemos; porque la salvación viene de los judíos.

23 Pero la hora viene, y ahora es, cuando los verdaderos adoradores adorarán al Padre en espíritu y en verdad; pues también el Padre tales *adoradores* busca que le adoren.

24 Dios *es* Espíritu; y los que le adoran, en espíritu y en verdad es necesario que *le* adoren.

25 La mujer le dijo: Sé que el Mesías ha de venir, el que es llamado, el Cristo; cuando Él venga nos declarará todas las cosas.

26 Jesús le dijo: Yo soy, el que habla contigo.

27 Y en esto llegaron sus discípulos, y se maravillaron de que hablaba con la mujer; pero ninguno dijo: ¿Qué preguntas? O: ¿Por qué hablas con ella?

28 Entonces la mujer dejó su cántaro, y fue a la ciudad, y dijo a los hombres:

29 Venid, ved a un hombre que me ha dicho todo lo que he hecho: ¿No será Éste el Cristo?

30 Entonces salieron de la ciudad, y vinieron a Él.

31 Entre tanto, los discípulos le rogaban, diciendo: Rabí, come.

32 Pero Él les dijo: Yo tengo una comida que comer, que vosotros no sabéis.

33 Entonces los discípulos se decían el uno al otro: ¿Le habrá traído alguien de comer?

34 Jesús les dijo: Mi comida es que haga la voluntad del que me envió, y que acabe su obra.

35 ¿No decís vosotros: Aún faltan cuatro meses para que venga la siega? He aquí os digo: Alzad vuestros ojos y mirad los campos, porque *ya* están blancos para la siega.

36 Y el que siega recibe salario, y recoge fruto para vida eterna; para que el que siembra como el que siega juntos se regocijen.

37 Porque en esto es verdadero el dicho: Uno es el que siembra, y otro es el que siega.

38 Yo os he enviado a segar lo que vosotros no labrasteis; otros labraron, y vosotros habéis entrado en sus labores.

39 Y muchos de los samaritanos de aquella ciudad creyeron en Él por la palabra de la mujer, que testificaba *diciendo*: Me ha dicho todo lo que he hecho.

40 Entonces, cuando los samaritanos vinieron a Él, le rogaron que se quedase con ellos; y se quedó allí dos días.

41 Y creyeron muchos más por la palabra de Él.

42 Y decían a la mujer: Ahora creemos, no *sólo* por tu dicho, *sino* porque nosotros mismos *le* hemos oído, y sabemos que verdaderamente Éste es el Cristo, el Salvador del mundo.

43 Y dos días después, salió de allí y se fue a Galilea.

44 Porque Jesús mismo dio testimonio de que el profeta no tiene honra en su propia tierra.

45 Y cuando vino a Galilea, los galileos le recibieron, habiendo visto todas las cosas que Él hizo en Jerusalén en el día de la fiesta; pues también ellos habían ido a la fiesta.

46 Vino, pues, Jesús otra vez a Caná de Galilea, donde había convertido el agua en vino. Y había en Capernaúm un oficial del rey, cuyo hijo estaba enfermo.

47 Éste, cuando oyó que Jesús venía de Judea a Galilea, vino a Él y le rogó que descendiese y sanase a su hijo, porque estaba a punto de morir.

48 Entonces Jesús le dijo: Si no viereis señales y prodigios, no creeréis.

49 El oficial del rey le dijo: Señor, desciende antes que mi hijo muera.

50 Jesús le dijo: Ve, tu hijo vive. Y el hombre creyó la palabra que Jesús le dijo, y se fue.

51 Y cuando ya él descendía, sus siervos salieron a recibirle, y *le* dieron las nuevas, diciendo: Tu hijo vive.

52 Entonces les preguntó a qué hora había comenzado a mejorar. Y le dijeron: Ayer a la hora séptima le dejó la fiebre.

53 Entonces el padre entendió que aquella hora *era* cuando Jesús le dijo: Tu hijo vive; y creyó él, y toda su casa.

54 Éste además *es* el segundo milagro que Jesús hizo, cuando vino de Judea a Galilea.

CAPÍTULO 5

Después de estas cosas había una fiesta de los judíos, y subió Jesús a Jerusalén.

2 Y hay en Jerusalén, a la puerta de las Ovejas, un estanque, que en hebreo es llamado Betesda, el cual tiene cinco pórticos.

3 En éstos yacía gran multitud de enfermos, ciegos, cojos, secos, que esperaban el movimiento del agua.

4 Porque un ángel descendía a cierto tiempo al estanque y agitaba el agua; y el que primero descendía al estanque después del movimiento del agua, quedaba sano de cualquier enfermedad que tuviese.

5 Y estaba allí un hombre que hacía treinta y ocho años que estaba enfermo.

6 Cuando Jesús le vio postrado, y entendió que hacía mucho tiempo que estaba *enfermo*, le dijo: ¿Quieres ser sano?

7 Señor, le respondió el enfermo, no tengo hombre que me meta en el estanque cuando el agua es agitada; pues entre tanto que yo vengo, otro desciende antes que yo.

8 Jesús le dijo: Levántate, toma tu lecho y anda.

9 Y al instante aquel hombre fue sanado, y tomó su lecho, y anduvo. Y era sábado aquel día.

10 Entonces los judíos decían a aquel que había sido sanado: Sábado es; no te es lícito llevar *tu* lecho.

11 Él les respondió: El que me sanó, Él mismo me dijo: Toma tu lecho y anda.

12 Entonces le preguntaron: ¿Quién es el que te dijo: Toma tu lecho y anda?

13 Y el que había sido sanado no sabía quién fuese; porque Jesús se había apartado de la multitud que estaba en *aquel* lugar.

14 Después le halló Jesús en el templo, y le dijo: Mira, has sido sanado; no peques más, no sea que te venga alguna cosa peor.

15 El hombre se fue, y dio aviso a los judíos, que Jesús era el que le había sanado.

16 Y por esta causa los judíos perseguían a Jesús, y procuraban matarle, porque hacía estas cosas en sábado.

17 Y Jesús les respondió: Mi Padre hasta ahora trabaja, y yo trabajo.

18 Por esto, más procuraban los judíos matarle, porque no sólo quebrantaba el sábado, sino que también decía que Dios era su Padre, haciéndose igual a Dios.

19 Respondió entonces Jesús, y les dijo: De cierto, de cierto os digo: No puede el Hijo hacer nada de sí mismo, sino lo que ve hacer al Padre; porque todo lo que Él hace, eso también hace el Hijo igualmente.

20 Porque el Padre ama al Hijo, y le muestra todas las cosas que Él hace; y mayores obras que éstas le mostrará, de manera que vosotros os maravilléis.

21 Porque como el Padre levanta a los muertos, y *les* da vida; así también el Hijo a los que quiere dar vida.

22 Porque el Padre a nadie juzga, sino que todo juicio encomendó al Hijo;

23 para que todos honren al Hijo como honran al Padre. El que no honra al Hijo, no honra al Padre que le envió.

24 De cierto, de cierto os digo: El que oye mi palabra, y cree al que me envió, tiene vida eterna; y no vendrá a condenación, mas ha pasado de muerte a vida.

25 De cierto, de cierto os digo: Vendrá hora, y ahora es, cuando los muertos oirán la voz del Hijo de Dios; y los que oyeren vivirán.

26 Porque como el Padre tiene vida en sí mismo, así también ha dado al Hijo el tener vida en sí mismo;

27 y también le dio autoridad de hacer juicio, por cuanto es el Hijo del Hombre.

28 No os maravilléis de esto; porque viene la hora cuando todos los que están en los sepulcros oirán su voz;

29 y los que hicieron bien, saldrán a resurrección de vida; y los que hicieron mal, a resurrección de condenación.

30 No puedo yo hacer nada de mí mismo; como oigo, juzgo; y mi juicio es justo; porque no busco mi voluntad, sino la voluntad del Padre que me envió.

31 Si yo doy testimonio de mí mismo, mi testimonio no es verdadero.

32 Otro es el que da testimonio de mí; y sé que el testimonio que da de mí es verdadero.

33 Vosotros enviasteis *a preguntar* a Juan, y él dio testimonio de la verdad.

34 Pero yo no recibo el testimonio de hombre; pero digo esto para que vosotros seáis salvos.

35 Él era antorcha que ardía y alumbraba; y vosotros quisisteis regocijaros por un tiempo en su luz.

36 Mas yo tengo mayor testimonio que *el de* Juan; porque las obras que el Padre me dio que cumpliese, las mismas obras que yo hago, dan testimonio de mí, que el Padre me ha enviado.

37 Y el Padre mismo que me envió da testimonio de mí. Vosotros nunca habéis oído su voz, ni habéis visto su parecer,

38 y no tenéis su palabra morando en vosotros; porque al que Él envió, a Éste vosotros no creéis.

39 Escudriñad las Escrituras; porque a vosotros os parece que en ellas tenéis la vida eterna; y ellas son las que dan testimonio de mí.

40 Y no queréis venir a mí para que tengáis vida.

41 Gloria de los hombres no recibo.

42 Pero yo os conozco, que no tenéis amor de Dios en vosotros.

43 Yo he venido en el nombre de mi Padre, y no me recibís; si otro viniere en su propio nombre, a ése recibiréis.

44 ¿Cómo podéis vosotros creer, pues recibís gloria los unos de los otros, y no buscáis la gloria que sólo de Dios *viene*?

45 No penséis que yo os acusaré delante del Padre; hay quien os acusa, Moisés, en quien vosotros confiáis.

46 Porque si hubieseis creído a Moisés, me creeríais a mí; porque de mí escribió él.

47 Pero si no creéis a sus escritos, ¿cómo creeréis a mis palabras?

CAPÍTULO 6

Después de estas cosas, Jesús se fue al otro lado del mar de Galilea, que es de Tiberias.

2 Y le seguía gran multitud, porque veían sus milagros que hacía en los enfermos.

3 Y subió Jesús a un monte, y se sentó allí con sus discípulos.

4 Y estaba cerca la pascua, la fiesta de los judíos.

5 Cuando Jesús alzó sus ojos, y vio una gran multitud que había venido a Él, dijo a Felipe: ¿De dónde compraremos pan para que coman éstos?

6 Pero esto decía para probarle; pues Él sabía lo que iba a hacer.

7 Felipe le respondió: Doscientos denarios de pan no les bastarían para que cada uno de ellos tome un poco.

8 Uno de sus discípulos, Andrés, hermano de Simón Pedro, le dijo:

9 Un muchacho está aquí que tiene cinco panes de cebada y dos pececillos; pero ¿qué es esto entre tantos?

10 Entonces Jesús dijo: Haced recostar los hombres. Y había mucha hierba en aquel lugar; y se recostaron, en número como de cinco mil varones.

11 Y Jesús tomando los panes, habiendo dado gracias, *los* repartió a los discípulos, y los discípulos a los que estaban recostados; y asimismo de los peces, cuanto querían.

12 Y cuando se hubieron saciado, dijo a sus discípulos: Recoged los pedazos que sobraron, para que no se pierda nada.

13 Recogieron, pues, y llenaron doce cestas de pedazos, que de los cinco panes de cebada sobraron a los que habían comido.

14 Entonces aquellos hombres,

cuando vieron el milagro que Jesús había hecho, dijeron: Verdaderamente Éste es el Profeta que había de venir al mundo.

15 Y percibiendo Jesús que habían de venir para tomarle por fuerza y hacerle rey, volvió a retirarse al monte Él solo.

16 Y al anochecer, descendieron sus discípulos al mar;

17 y entrando en una barca, se fueron al otro lado del mar hacia Capernaúm. Y era ya oscuro, y Jesús no había venido a ellos.

18 Y se levantó el mar por un gran viento que soplaba.

19 Y cuando hubieron remado como veinticinco o treinta estadios, vieron a Jesús que andaba sobre el mar y se acercaba a la barca; y tuvieron miedo.

20 Pero Él les dijo: Yo soy, no temáis.

21 Ellos entonces con gusto le recibieron en la barca; y en seguida la barca llegó a la tierra adonde iban.

22 El día siguiente, cuando la gente que estaba al otro lado del mar vio que no había otra barca sino aquella en la que habían entrado sus discípulos, y que Jesús no había entrado con sus discípulos en la barca, sino que sus discípulos se habían ido solos.

23 (Aunque otras barcas habían arribado de Tiberias junto al lugar donde habían comido el pan después de haber dado gracias el Señor.)

24 Cuando vio, pues, la gente que Jesús no estaba allí, ni sus discípulos, ellos también entraron en unas barcas y vinieron a Capernaúm, buscando a Jesús.

25 Y hallándole al otro lado del mar, le dijeron: Rabí, ¿cuándo llegaste acá?

26 Respondió Jesús y les dijo: De cierto, de cierto os digo: Me buscáis, no porque visteis los milagros, sino porque comisteis el pan y os saciasteis.

27 Trabajad, no por la comida que perece, sino por la comida que a vida eterna permanece, la cual el Hijo del Hombre os dará; porque a Éste señaló Dios el Padre.

28 Entonces le dijeron: ¿Qué debemos hacer para realizar las obras de Dios?

29 Respondió Jesús y les dijo: Ésta es la obra de Dios, que creáis en el que Él ha enviado.

30 Entonces le dijeron: ¿Qué señal, pues, haces tú, para que veamos, y te creamos? ¿Qué obra haces?

31 Nuestros padres comieron el maná en el desierto, como está escrito: Pan del cielo les dio a comer.

32 Entonces Jesús les dijo: De cierto, de cierto os digo: No os dio Moisés pan del cielo; mas mi Padre os da el verdadero pan del cielo.

33 Porque el pan de Dios es aquel que descendió del cielo y da vida al mundo.

34 Entonces le dijeron: Señor, danos siempre este pan.

35 Y Jesús les dijo: Yo soy el pan de vida; el que a mí viene, nunca tendrá hambre; y el que en mí cree, no tendrá sed jamás.

36 Mas os he dicho, que aunque me habéis visto, no creéis.

37 Todo lo que el Padre me da, vendrá a mí; y al que a mí viene, yo no le echo fuera.

38 Porque he descendido del cielo, no para hacer mi voluntad, sino la voluntad del que me envió.

39 Y ésta es la voluntad del Padre que me envió: Que de todo lo que me ha dado, no pierda yo nada, sino que lo resucite en el día postrero.

40 Y ésta es la voluntad del que me envió: Que todo aquel que ve al Hijo, y cree en Él, tenga vida eterna; y yo le resucitaré en el día postrero.

41 Y murmuraban de Él los judíos, porque dijo: Yo soy el pan que descendió del cielo.

42 Y decían: ¿No es Éste Jesús, el hijo de José, cuyo padre y madre nosotros conocemos? ¿Cómo, pues, dice Éste: Yo he descendido del cielo?

43 Entonces respondiendo Jesús, les dijo: No murmuréis entre vosotros.

44 Ninguno puede venir a mí, si el Padre que me envió no le trajere; y yo le resucitaré en el día postrero.

45 Escrito está en los profetas: Y serán todos enseñados por Dios. Así que, todo aquel que oyó y aprendió del Padre, viene a mí.

46 No que alguno haya visto al Padre, sino Aquél que vino de Dios, Éste ha visto al Padre.

47 De cierto, de cierto os digo: El que cree en mí tiene vida eterna.

48 Yo soy el pan de vida.

49 Vuestros padres comieron el maná en el desierto, y murieron.

50 Éste es el pan que desciende del cielo, para que el que de él comiere, no muera.

51 Yo soy el pan vivo que descendió del cielo; si alguno comiere de este pan, vivirá para siempre; y el pan que yo daré es mi carne, la cual yo daré por la vida del mundo.

52 Entonces los judíos contendían entre sí, diciendo: ¿Cómo puede Éste darnos a comer *su* carne?

53 Y Jesús les dijo: De cierto, de cierto os digo: Si no coméis la carne del Hijo del Hombre, y bebéis su sangre, no tenéis vida en vosotros.

54 El que come mi carne y bebe mi sangre, tiene vida eterna; y yo le resucitaré en el día postrero.

55 Porque mi carne es verdadera comida, y mi sangre es verdadera bebida.

56 El que come mi carne y bebe mi sangre, en mí permanece, y yo en él.

57 Como me envió el Padre viviente, y yo vivo por el Padre, así el que me come, él también vivirá por mí.

58 Éste es el pan que descendió del cielo: No como vuestros padres que comieron el maná, y murieron; el que come de este pan vivirá eternamente.

59 Estas cosas dijo en la sinagoga, enseñando en Capernaúm.

60 Entonces muchos de sus discípulos al oírlo, dijeron: Dura es esta palabra; ¿quién la puede oír?

61 Y sabiendo Jesús en sí mismo que sus discípulos murmuraban de esto, les dijo: ¿Esto os escandaliza?

62 ¿Pues qué, si viereis al Hijo del Hombre subir adonde estaba primero?

63 El Espíritu es el que da vida; la carne para nada aprovecha; las palabras que yo os he hablado son espíritu y son vida.

64 Mas hay algunos de vosotros que no creen. Porque Jesús sabía desde el principio quiénes eran los que no creían, y quién le iba a entregar.

65 Y dijo: Por eso os he dicho que ninguno puede venir a mí, si no le es dado de mi Padre.

66 Desde entonces muchos de sus discípulos volvieron atrás, y ya no andaban con Él.

67 Entonces Jesús dijo a los doce: ¿Queréis iros vosotros también?

68 Y Simón Pedro le respondió: Señor, ¿a quién iremos? Tú tienes las palabras de vida eterna.

69 Y nosotros creemos, y conocemos que tú eres el Cristo, el Hijo del Dios viviente.

70 Jesús les respondió: ¿No os he escogido yo a vosotros doce, y uno de vosotros es diablo?

71 Y hablaba de Judas Iscariote, *hijo* de Simón, porque éste era el que le iba a entregar, y era uno de los doce.

CAPÍTULO 7

Después de estas cosas, andaba Jesús en Galilea; pues no quería andar en Judea porque los judíos procuraban matarle.

2 Y estaba cerca la fiesta de los judíos, la de los tabernáculos.

3 Entonces sus hermanos le dijeron: Sal de aquí, y vete a Judea, para que también tus discípulos vean las obras que haces.

4 Pues nadie hace algo en secreto cuando procura darse a conocer. Si estas cosas haces, manifiéstate al mundo.

5 Porque ni aun sus hermanos creían en Él.

6 Entonces Jesús les dijo: Mi tiempo aún no ha venido; mas vuestro tiempo siempre está presto.

7 No puede el mundo aborreceros a vosotros, mas a mí me aborrece, porque yo testifico de él, que sus obras son malas.

8 Subid vosotros a esta fiesta; yo no subo todavía a esta fiesta, porque mi tiempo aún no se ha cumplido.

9 Y habiéndoles dicho esto, se quedó en Galilea.

10 Pero cuando sus hermanos habían subido, entonces Él también subió a la fiesta, no abiertamente, sino como en secreto.

11 Y le buscaban los judíos en la fiesta, y decían: ¿Dónde está Aquél?

12 Y había gran murmuración acerca de Él entre el pueblo; porque unos decían: Es bueno; y otros decían: No, sino que engaña al pueblo.

13 Pero ninguno hablaba abiertamente de Él, por miedo a los judíos.

14 Mas a la mitad de la fiesta subió Jesús al templo, y enseñaba.

15 Y se maravillaban los judíos, diciendo: ¿Cómo sabe Éste letras, no habiendo aprendido?

16 Jesús les respondió y dijo: Mi doctrina no es mía, sino de Aquél que me envió.

17 Si alguno quiere hacer su voluntad, conocerá de la doctrina, si es de Dios, o *si* yo hablo de mí mismo.

18 El que habla de sí mismo, su propia gloria busca; pero el que busca la gloria del que le envió, Éste es verdadero, y no hay injusticia en Él.

19 ¿No os dio Moisés la ley, y ninguno de vosotros guarda la ley? ¿Por qué procuráis matarme?

20 Respondió el pueblo, y dijo: Demonio tienes; ¿quién procura matarte?

21 Respondió Jesús y les dijo: Una obra hice, y todos os maravilláis.

22 Por eso Moisés os dio la circuncisión (no porque sea de Moisés, sino de los padres); y en sábado circuncidáis al hombre.

23 Si recibe el hombre la circuncisión en sábado, para que la ley de Moisés no sea quebrantada, ¿os enojáis conmigo porque en sábado sané completamente a un hombre?

24 No juzguéis según la apariencia, mas juzgad justo juicio.

25 Decían entonces unos de Jerusalén: ¿No es Éste a quien buscan para matarle?

26 Mas he aquí, habla públicamente y no le dicen nada: ¿Habrán en verdad reconocido los príncipes que verdaderamente Éste es el Cristo?

27 Pero nosotros sabemos de dónde es Éste; mas cuando venga el Cristo, nadie sabrá de dónde sea.

28 Entonces Jesús, enseñando en el templo, alzó la voz y dijo: Vosotros me conocéis, y sabéis de dónde soy; y no he venido de mí mismo; pero el que me envió es verdadero, a quien vosotros no conocéis.

29 Pero yo le conozco, porque de Él procedo, y Él me envió.

30 Entonces procuraban prenderle; pero ninguno puso mano sobre Él, porque aún no había llegado su hora.

31 Y muchos del pueblo creyeron en Él, y decían: El Cristo, cuando venga, ¿hará más milagros que los que Éste ha hecho?

32 Los fariseos oyeron al pueblo que murmuraba estas cosas; y los príncipes de los sacerdotes y los fariseos enviaron alguaciles para que le prendiesen.

33 Entonces Jesús les dijo: Aún un poco de tiempo estoy con vosotros, y *luego* voy al que me envió.

34 Me buscaréis, y no *me* hallaréis; y donde yo estaré, vosotros no podréis venir.

35 Entonces los judíos dijeron entre sí: ¿A dónde se ha de ir Éste que no le hallemos? ¿Se irá a los dispersos entre los griegos, y enseñará a los griegos?

36 ¿Qué palabra es ésta que dijo: Me buscaréis, y no me hallaréis; y a donde yo estaré, vosotros no podréis venir?

37 En el último día, el gran *día* de la fiesta, Jesús se puso en pie y alzó su voz, diciendo: Si alguno tiene sed, venga a mí y beba.

38 El que cree en mí, como dice la Escritura, de su interior correrán ríos de agua viva.

39 (Esto dijo del Espíritu Santo que habían de recibir los que creyesen en Él; porque el Espíritu Santo aún no había *sido dado*; porque Jesús no había sido aún glorificado.)

40 Entonces muchos del pueblo, oyendo este dicho, decían: Verdaderamente Éste es el Profeta.

41 Otros decían: Éste es el Cristo. Pero algunos decían: ¿De Galilea ha de venir el Cristo?

42 ¿No dice la Escritura que de la simiente de David, y de la aldea de Belén, de donde era David, ha de venir el Cristo?

43 Así que había disensión entre el pueblo a causa de Él.

44 Y algunos de ellos querían prenderle; pero ninguno le echó mano.

45 Y los alguaciles vinieron a los principales sacerdotes y a los fariseos;

y éstos les dijeron: ¿Por qué no le trajisteis?

46 Los alguaciles respondieron: ¡Jamás hombre alguno ha hablado como este hombre!

47 Entonces los fariseos les respondieron: ¿También vosotros habéis sido engañados?

48 ¿Acaso ha creído en Él alguno de los príncipes, o de los fariseos?

49 Pero esta gente que no sabe la ley, maldita es.

50 Les dijo Nicodemo (el que vino a Él de noche, el cual era uno de ellos):

51 ¿Acaso juzga nuestra ley a un hombre, sin antes oírle y saber lo que hace?

52 Respondieron y le dijeron: ¿Eres tú también galileo? Escudriña y ve que de Galilea nunca se ha levantado profeta.

53 Y cada uno se fue a su casa.

CAPÍTULO 8

Y Jesús se fue al monte de los Olivos.

2 Y por la mañana vino otra vez al templo, y todo el pueblo vino a Él; y sentándose, les enseñaba.

3 Entonces los escribas y los fariseos le trajeron a una mujer tomada en adulterio; y poniéndola en medio,

4 le dijeron: Maestro, esta mujer ha sido tomada en el acto mismo de adulterio;

5 y en la ley Moisés nos mandó apedrear a las tales: ¿Tú, pues, qué dices?

6 Mas esto decían tentándole, para poder acusarle. Pero Jesús, inclinado hacia el suelo, escribía en tierra con el dedo, *como si no les oyera.*

7 Y como persistían en preguntarle, se enderezó y les dijo: El que de vosotros esté sin pecado, sea el primero en arrojar la piedra contra ella.

8 Y volviéndose a inclinar hacia el suelo, escribía en tierra.

9 Y oyéndolo ellos, redargüidos por *su* conciencia, salieron uno a uno, comenzando desde los más viejos hasta los postreros; y quedó solo Jesús, y la mujer que estaba en medio.

10 Y enderezándose Jesús, y no viendo a nadie sino a la mujer, le dijo:

Mujer, ¿dónde están los que te acusaban? ¿Ninguno te condenó?

11 Y ella dijo: Ninguno, Señor. Entonces Jesús le dijo: Ni yo te condeno; vete, y no peques más.

12 Y otra vez Jesús les habló, diciendo: Yo soy la luz del mundo; el que me sigue, no andará en tinieblas, mas tendrá la luz de la vida.

13 Entonces los fariseos le dijeron: Tú das testimonio de ti mismo; tu testimonio no es verdadero.

14 Jesús respondió y les dijo: Aunque yo doy testimonio de mí mismo, mi testimonio es verdadero, porque sé de dónde he venido y a dónde voy; pero vosotros no sabéis de dónde vengo ni a dónde voy.

15 Vosotros juzgáis según la carne; yo no juzgo a nadie.

16 Y si yo juzgo, mi juicio es verdadero; porque no soy yo solo, sino yo y el Padre que me envió.

17 También está escrito en vuestra ley que el testimonio de dos hombres es verdadero.

18 Yo soy el que doy testimonio de mí mismo; y el Padre que me envió da testimonio de mí.

19 Entonces le dijeron: ¿Dónde está tu Padre? Respondió Jesús: Ni a mí me conocéis, ni a mi Padre; si a mí me conocieseis, también a mi Padre conoceríais.

20 Estas palabras habló Jesús en el lugar de las ofrendas, enseñando en el templo; y nadie le prendió, porque aún no había llegado su hora.

21 Entonces Jesús les dijo otra vez: Yo me voy, y me buscaréis, y en vuestro pecado moriréis; a donde yo voy, vosotros no podéis venir.

22 Decían entonces los judíos: ¿Se ha de matar a sí mismo, pues dice: A donde yo voy, vosotros no podéis venir?

23 Y les dijo: Vosotros sois de abajo, yo soy de arriba; vosotros sois de este mundo, yo no soy de este mundo.

24 Por eso os dije que moriréis en vuestros pecados; porque si no creéis que yo soy, en vuestros pecados moriréis.

25 Entonces le dijeron: ¿Tú quién eres? Y Jesús les dijo: El *mismo* que os he dicho desde el principio.

26 Muchas cosas tengo que decir y juzgar de vosotros; pero el que me envió, es verdadero; y yo, lo que he oído de Él, esto hablo al mundo.

27 Mas no entendieron que les hablaba del Padre.

28 Entonces Jesús les dijo: Cuando hayáis levantado al Hijo del Hombre, entonces entenderéis que yo soy, y que nada hago de mí mismo; sino que como mi Padre me enseñó, así hablo estas cosas.

29 Y el que me envió, está conmigo; no me ha dejado solo el Padre, porque yo hago siempre lo que le agrada.

30 Hablando Él estas cosas, muchos creyeron en Él.

31 Entonces dijo Jesús a los judíos que habían creído en Él: Si vosotros permanecéis en mi palabra, seréis verdaderamente mis discípulos;

32 y conoceréis la verdad, y la verdad os hará libres.

33 Le respondieron: Simiente de Abraham somos, y jamás fuimos esclavos de nadie. ¿Cómo dices tú: Seréis libres?

34 Jesús les respondió: De cierto, de cierto os digo: Todo aquel que hace pecado, esclavo es del pecado.

35 Y el esclavo no queda en casa para siempre; el Hijo *sí* permanece para siempre.

36 Así que, si el Hijo os libertare, seréis verdaderamente libres.

37 Sé que sois simiente de Abraham, mas procuráis matarme, porque mi palabra no tiene cabida en vosotros.

38 Yo hablo lo que he visto cerca de mi Padre; y vosotros hacéis lo que habéis visto cerca de vuestro padre.

39 Respondieron y le dijeron: Nuestro padre es Abraham. Jesús les dijo: Si fueseis hijos de Abraham, las obras de Abraham haríais.

40 Mas ahora procuráis matarme a mí, hombre que os he hablado la verdad, la cual he oído de Dios; Abraham no hizo esto.

41 Vosotros hacéis las obras de vuestro padre. Le dijeron entonces: Nosotros no somos nacidos de fornicación; un Padre tenemos, *que es* Dios.

42 Jesús entonces les dijo: Si Dios fuese vuestro Padre, ciertamente me

amaríais; porque yo de Dios he salido, y he venido; pues no he venido de mí mismo, sino que Él me envió.

43 ¿Por qué no entendéis mi lenguaje? Porque no podéis escuchar mi palabra.

44 Vosotros sois de *vuestro* padre el diablo, y los deseos de vuestro padre queréis hacer; él ha sido homicida desde el principio, y no permaneció en la verdad porque no hay verdad en él. Cuando habla mentira, de suyo habla, porque es mentiroso y padre de mentira.

45 Y porque yo *os* digo la verdad, no me creéis.

46 ¿Quién de vosotros me redarguye de pecado? Y si digo la verdad, ¿por qué vosotros no me creéis?

47 El que es de Dios, las palabras de Dios oye; por eso no *las* oís vosotros, porque no sois de Dios.

48 Respondieron entonces los judíos, y le dijeron: ¿No decimos bien nosotros, que tú eres samaritano, y que tienes demonio?

49 Respondió Jesús: Yo no tengo demonio, antes honro a mi Padre; y vosotros me deshonráis.

50 Y yo no busco mi gloria, hay quien la busca, y juzga.

51 De cierto, de cierto os digo, si alguno guarda mi palabra, jamás verá muerte.

52 Entonces los judíos le dijeron: Ahora conocemos que tienes demonio. Abraham murió, y los profetas; y tú dices: El que guarda mi palabra, jamás probará muerte.

53 ¿Eres tú mayor que nuestro padre Abraham, el cual murió? También los profetas murieron. ¿Quién te haces a ti mismo?

54 Respondió Jesús: Si yo me glorifico a mí mismo, mi gloria nada es; mi Padre es el que me glorifica; el que vosotros decís que es vuestro Dios.

55 Y vosotros no le conocéis; pero yo le conozco; y si dijere que no le conozco, sería mentiroso como vosotros, pero yo le conozco, y guardo su palabra.

56 Abraham vuestro padre se regocijó de ver mi día; y *lo* vio, y se gozó.

57 Le dijeron entonces los judíos: Aún no tienes cincuenta años, ¿y has visto a Abraham?

58 Jesús les dijo: De cierto, de cierto os digo: Antes que Abraham fuese, yo soy.

59 Entonces tomaron piedras para arrojárselas; pero Jesús se encubrió, y salió del templo atravesando por en medio de ellos, y así pasó.

CAPÍTULO 9

Y pasando *Jesús*, vio a un hombre ciego de nacimiento.

2 Y sus discípulos le preguntaron, diciendo: Rabí, ¿quién pecó, éste o sus padres, para que naciese ciego?

3 Respondió Jesús: No es que haya pecado éste, ni sus padres; sino para que las obras de Dios se manifestasen en él.

4 Me es necesario hacer las obras del que me envió, entre tanto que el día dura; la noche viene, cuando nadie puede obrar.

5 Entre tanto que estoy en el mundo, yo soy la luz del mundo.

6 Habiendo dicho esto, escupió en tierra, e hizo lodo con la saliva, y untó con el lodo los ojos del ciego,

7 y le dijo: Ve, lávate en el estanque de Siloé (que interpretado significa, Enviado). Fue entonces, y se lavó, y regresó viendo.

8 Entonces los vecinos, y los que antes le habían visto que era ciego, decían: ¿No es éste el que se sentaba y mendigaba?

9 Unos decían: Éste es; y otros: A él se parece. Él decía: Yo soy.

10 Y le dijeron: ¿Cómo fueron abiertos tus ojos?

11 Respondió él y dijo: El hombre que se llama Jesús hizo lodo, y me untó los ojos, y me dijo: Ve al estanque de Siloé, y lávate, y fui y me lavé, y recibí la vista.

12 Entonces le dijeron: ¿Dónde está Él? Él dijo: No sé.

13 Llevaron ante los fariseos al que había sido ciego.

14 Y era sábado cuando Jesús hizo el lodo y le abrió los ojos.

15 Volvieron, pues, a preguntarle también los fariseos cómo había recibido la vista. Y él les dijo: Puso lodo sobre mis ojos, y me lavé, y veo.

16 Entonces unos de los fariseos decían: Este hombre no es de Dios, pues no guarda el sábado. Otros decían: ¿Cómo puede un hombre pecador hacer tales milagros? Y había disensión entre ellos.

17 Vuelven a decir al ciego: ¿Tú, qué dices del que abrió tus ojos? Él dijo: Que es profeta.

18 Pero los judíos no creían de que él había sido ciego, y que había recibido la vista, hasta que llamaron a los padres del que había recibido la vista,

19 y les preguntaron, diciendo: ¿Es éste vuestro hijo, el que vosotros decís que nació ciego? ¿Cómo, pues, ve ahora?

20 Respondiendo sus padres, les dijeron: Sabemos que éste es nuestro hijo, y que nació ciego;

21 pero cómo vea ahora, no lo sabemos; o quién le haya abierto los ojos, nosotros no lo sabemos; edad tiene, preguntadle a él; él hablará por sí mismo.

22 Esto dijeron sus padres porque tenían miedo de los judíos; porque los judíos ya habían acordado que si alguno confesase que Él era el Cristo, debía ser expulsado de la sinagoga.

23 Por eso dijeron sus padres: Edad tiene, preguntadle a él.

24 Entonces volvieron a llamar al hombre que había sido ciego, y le dijeron: Da gloria a Dios; nosotros sabemos que este hombre es pecador.

25 *Mas* él respondió y dijo: Si es pecador, no lo sé; una cosa sé, que habiendo yo sido ciego, ahora veo.

26 Y le volvieron a decir: ¿Qué te hizo? ¿Cómo te abrió los ojos?

27 Él les respondió: Ya os lo he dicho antes, y no habéis oído; ¿por qué lo queréis oír otra vez? ¿Queréis también vosotros haceros sus discípulos?

28 Entonces le injuriaron, y dijeron: Tú eres su discípulo; pero nosotros discípulos de Moisés somos.

29 Nosotros sabemos que Dios habló a Moisés; *pero* Éste, no sabemos de dónde sea.

30 Respondió el hombre, y les dijo: Por cierto, cosa maravillosa es ésta, que vosotros no sepáis de dónde sea, y a mí me abrió los ojos.

31 Y sabemos que Dios no oye a los pecadores; pero si alguno es temeroso de Dios y hace su voluntad, a éste oye.

32 Desde el principio del mundo no fue oído que alguno abriese los ojos de uno que nació ciego.

33 Si Éste hombre no fuese de Dios, nada podría hacer.

34 Respondieron y le dijeron: Naciste enteramente en pecado, ¿y tú nos enseñas? Y le expulsaron.

35 Oyó Jesús que le habían expulsado; y hallándole le dijo: ¿Crees tú en el Hijo de Dios?

36 Respondió él y dijo: ¿Quién es, Señor, para que crea en Él?

37 Y Jesús le dijo: Le has visto, y el que habla contigo, Él es.

38 Y él dijo: Creo, Señor; y le adoró.

39 Y dijo Jesús: Para juicio yo he venido a este mundo, para que los que no ven, vean; y los que ven, sean cegados.

40 Entonces *algunos* de los fariseos que estaban con Él, al oír esto, dijeron: ¿Acaso nosotros también somos ciegos?

41 Jesús les dijo: Si fuerais ciegos, no tendríais pecado; pero ahora porque decís: Vemos; vuestro pecado permanece.

CAPÍTULO 10

De cierto, de cierto os digo: El que no entra por la puerta en el redil de las ovejas, sino que sube por otra parte, el tal es ladrón y salteador.

2 Mas el que entra por la puerta, el pastor de las ovejas es.

3 A éste abre el portero, y las ovejas oyen su voz; y a sus ovejas llama por nombre, y las conduce afuera.

4 Y cuando ha sacado sus propias ovejas, va delante de ellas; y las ovejas le siguen, porque conocen su voz.

5 Mas al extraño no seguirán, sino que huirán de él; porque no conocen la voz de los extraños.

6 Esta parábola les dijo Jesús; pero ellos no entendieron qué era lo que les decía.

7 Volvió, pues, Jesús a decirles: De cierto, de cierto os digo: Yo soy la puerta de las ovejas.

8 Todos los que antes de mí vinieron, ladrones son y salteadores; pero no los oyeron las ovejas.

9 Yo soy la puerta; el que por mí entrare, será salvo; y entrará, y saldrá, y hallará pastos.

10 El ladrón no viene sino para hurtar y matar y destruir; yo he venido para que tengan vida, y para que *la* tengan en abundancia.

11 Yo soy el buen pastor; el buen pastor su vida da por las ovejas.

12 Mas el asalariado, y que no es el pastor, de quien no son propias las ovejas, ve venir al lobo y deja las ovejas y huye, y el lobo arrebata las ovejas y las dispersa.

13 Así que el asalariado huye, porque es asalariado, y no tiene cuidado de las ovejas.

14 Yo soy el buen pastor y conozco mis *ovejas*, y las mías me conocen.

15 Como el Padre me conoce, así también yo conozco al Padre; y pongo mi vida por las ovejas.

16 También tengo otras ovejas que no son de este redil; aquéllas también debo traer, y oirán mi voz; y habrá un rebaño, y un pastor.

17 Por eso me ama el Padre, porque yo pongo mi vida, para volverla a tomar.

18 Nadie me la quita, sino que yo la pongo de mí mismo. Tengo poder para ponerla, y tengo poder para volverla a tomar. Este mandamiento recibí de mi Padre.

19 Y volvió a haber disensión entre los judíos por estas palabras.

20 Y muchos de ellos decían: Demonio tiene, y está fuera de sí; ¿por qué le oís?

21 Otros decían: Estas palabras no son de endemoniado: ¿Puede acaso el demonio abrir los ojos de los ciegos?

22 Y *en esos días* se celebraba en Jerusalén la fiesta de la dedicación, y era invierno.

23 Y Jesús andaba en el templo por el pórtico de Salomón.

24 Y le rodearon los judíos y le dijeron: ¿Hasta cuándo nos has de turbar el alma? Si tú eres el Cristo, dínoslo abiertamente.

25 Jesús les respondió: Os lo he dicho, y no creéis; las obras que yo hago en nombre de mi Padre, ellas dan testimonio de mí;

26 pero vosotros no creéis, porque no sois de mis ovejas, como os he dicho.

27 Mis ovejas oyen mi voz, y yo las conozco, y me siguen;

28 y yo les doy vida eterna, y no perecerán jamás, ni nadie las arrebatará de mi mano.

29 Mi Padre que me *las* dio, mayor que todos es, y nadie *las* puede arrebatar de la mano de mi Padre.

30 Yo y *mi* Padre uno somos.

31 Entonces los judíos volvieron a tomar piedras para apedrearle.

32 Les respondió Jesús: Muchas buenas obras os he mostrado de mi Padre, ¿por cuál de esas obras me apedreáis?

33 Le respondieron los judíos, diciendo: Por buena obra no te apedreamos, sino por la blasfemia; y porque tú, siendo hombre, te haces Dios.

34 Jesús les respondió: ¿No está escrito en vuestra ley: Yo dije, dioses sois?

35 Si llamó dioses a aquellos a quienes vino la palabra de Dios (y la Escritura no puede ser quebrantada),

36 ¿a quien el Padre santificó y envió al mundo, vosotros decís: Tú blasfemas, porque dije: Yo soy el Hijo de Dios?

37 Si no hago las obras de mi Padre, no me creáis.

38 Pero si las hago, aunque a mí no me creáis, creed a las obras; para que conozcáis y creáis que el Padre *está* en mí, y yo en Él.

39 Y otra vez procuraron prenderle; pero Él se escapó de sus manos.

40 Y se fue otra vez al otro lado del Jordán, al lugar donde primero Juan bautizaba; y se quedó allí.

41 Y muchos venían a Él, y decían: Juan, a la verdad, ningún milagro hizo, pero todo lo que Juan dijo de Éste, era verdad.

42 Y muchos creyeron en Él allí.

CAPÍTULO 11

Estaba entonces enfermo uno *llamado* Lázaro, de Betania, la aldea de María y de Marta su hermana.

2 (María, cuyo hermano Lázaro estaba enfermo, era la que ungió al Señor con ungüento, y enjugó sus pies con sus cabellos.)

3 Enviaron, pues, sus hermanas a Él, diciendo: Señor, he aquí el que amas está enfermo.

4 Y oyéndolo Jesús, dijo: Esta enfermedad no es para muerte, sino para la gloria de Dios, para que el Hijo de Dios sea glorificado por ella.

5 Y amaba Jesús a Marta, y a su hermana, y a Lázaro.

6 Cuando oyó, pues, que estaba enfermo, se quedó aún dos días en el mismo lugar donde estaba.

7 Luego, después de esto, dijo a *sus* discípulos: Vamos a Judea otra vez.

8 *Sus* discípulos le dijeron: Rabí, ahora procuraban los judíos apedrearte, ¿y otra vez vas allá?

9 Respondió Jesús: ¿No tiene el día doce horas? Si alguien anda de día, no tropieza, porque ve la luz de este mundo.

10 Pero si alguien anda de noche, tropieza, porque no hay luz en él.

11 Estas cosas dijo Él; y después de esto les dijo: Nuestro amigo Lázaro duerme; mas yo voy a despertarle del sueño.

12 Dijeron entonces sus discípulos: Señor, si duerme, sano estará.

13 Pero esto decía Jesús de su muerte; y ellos pensaban que hablaba del reposar del sueño.

14 Y entonces Jesús les dijo claramente: Lázaro ha muerto;

15 y me alegro por vosotros, que yo no haya estado allí, para que creáis; mas vamos a él.

16 Dijo entonces Tomás, llamado el Dídimo, a sus condiscípulos: Vamos también nosotros, para que muramos con él.

17 Vino, pues, Jesús, y halló que hacía ya cuatro días que él *estaba* en el sepulcro.

18 Y Betania estaba cerca de Jerusalén como a quince estadios.

19 Y muchos de los judíos habían venido a Marta y a María, para consolarlas por su hermano.

20 Entonces Marta, cuando oyó que Jesús venía, salió a encontrarle; pero María se quedó sentada en casa.

21 Y Marta dijo a Jesús: Señor, si hubieras estado aquí, mi hermano no habría muerto.

22 Pero también sé ahora que todo lo que pidas a Dios, Dios te lo dará.

23 Jesús le dijo: Tu hermano resucitará.

24 Le dijo Marta: Yo sé que resucitará en la resurrección, en el día postrero.

25 Jesús le dijo: Yo soy la resurrección y la vida; el que cree en mí, aunque esté muerto, vivirá.

26 Y todo aquel que vive y cree en mí, no morirá eternamente. ¿Crees esto?

27 Ella le dijo: Sí, Señor, yo creo que tú eres el Cristo, el Hijo de Dios que había de venir al mundo.

28 Y habiendo dicho esto, fue y llamó en secreto a María su hermana, diciendo: El Maestro está aquí y te llama.

29 Ella, oyéndolo, se levantó aprisa y vino a Él;

30 Porque Jesús aún no había llegado a la aldea, sino que estaba en aquel lugar donde Marta le había encontrado.

31 Entonces los judíos que estaban en casa con ella y la consolaban, cuando vieron que María se levantó aprisa y salió, la siguieron, diciendo: Va al sepulcro a llorar allí.

32 Y cuando María llegó a donde estaba Jesús, al verle, se postró a sus pies, diciéndole: Señor, si hubieras estado aquí, mi hermano no habría muerto.

33 Jesús entonces, al verla llorando, y a los judíos que habían venido con ella, también llorando, se conmovió en espíritu y se turbó,

34 y dijo: ¿Dónde le pusisteis? Le dijeron: Señor, ven y ve.

35 Jesús lloró.

36 Dijeron entonces los judíos: ¡Mirad cuánto le amaba!

37 Y algunos de ellos dijeron: ¿No podía Éste, que abrió los ojos al ciego, hacer también que éste no muriera?

38 Y Jesús, conmoviéndose otra vez en sí mismo, vino al sepulcro. Era una cueva, y tenía una piedra puesta encima.

39 Dijo Jesús: Quitad la piedra. Marta, la hermana del que había muerto, le dijo: Señor, hiede ya, porque es de cuatro días.

40 Jesús le dijo: ¿No te he dicho que si crees, verás la gloria de Dios?

41 Entonces quitaron la piedra de donde el muerto había sido puesto: Y Jesús alzando *sus* ojos, dijo: Padre, gracias te doy que me has oído.

42 Yo sabía que siempre me oyes; pero lo dije por causa de la gente que está alrededor, para que crean que tú me has enviado.

43 Y habiendo dicho esto, clamó a gran voz: ¡Lázaro, ven fuera!

44 Y el que había muerto salió, atadas las manos y los pies con vendas; y su rostro estaba envuelto en un sudario. Jesús les dijo: Desatadle, y dejadle ir.

45 Entonces muchos de los judíos que habían venido a María, y habían visto lo que hizo Jesús, creyeron en Él.

46 Pero algunos de ellos fueron a los fariseos y les dijeron lo que Jesús había hecho.

47 Entonces los príncipes de los sacerdotes y los fariseos reunieron el concilio, y dijeron: ¿Qué haremos? Porque este hombre hace muchos milagros.

48 Si le dejamos así, todos creerán en Él; y vendrán los romanos y nos quitarán nuestro lugar y nuestra nación.

49 Entonces Caifás, uno de ellos, sumo sacerdote aquel año, les dijo: Vosotros no sabéis nada;

50 ni consideráis que nos conviene que un hombre muera por el pueblo, y no que toda la nación perezca.

51 Y esto no lo dijo de sí mismo; sino que como era el sumo sacerdote aquel año, profetizó que Jesús había de morir por la nación;

52 y no solamente por aquella nación, sino también para reunir en uno a los hijos de Dios que estaban dispersos.

53 Así que, desde aquel día consultaban juntos para matarle.

54 Por tanto, Jesús ya no andaba abiertamente entre los judíos, sino que se fue de allí a la tierra que está junto al desierto, a una ciudad llamada Efraín; y se quedó allí con sus discípulos.

55 Y la pascua de los judíos estaba cerca; y muchos de aquella tierra subieron a Jerusalén antes de la pascua, para purificarse.

56 Y buscaban a Jesús, y estando en el templo, se decían unos a otros: ¿Qué os parece? ¿No vendrá a la fiesta?

57 Y los príncipes de los sacerdotes y los fariseos habían dado orden, que si alguno supiese dónde estaba, lo manifestase, para que le prendiesen.

CAPÍTULO 12

Entonces Jesús, seis días antes de la pascua, vino a Betania, donde estaba Lázaro, el que había estado muerto, a quien había resucitado de los muertos.

2 Y le hicieron allí una cena; y Marta servía; y Lázaro era uno de los que estaban sentados a la mesa con Él.

3 Entonces María tomó una libra de ungüento de nardo puro, de mucho precio, y ungió los pies de Jesús, y los enjugó con sus cabellos; y la casa se llenó de la fragancia del ungüento.

4 Entonces dijo uno de sus discípulos, Judas Iscariote, *hijo de* Simón, el que le había de entregar:

5 ¿Por qué no fue este ungüento vendido por trescientos denarios, y dado a los pobres?

6 Y dijo esto, no porque tuviese cuidado de los pobres; sino porque era ladrón, y tenía la bolsa, y traía lo que se echaba en ella.

7 Entonces Jesús dijo: Déjala; para el día de mi sepultura ha guardado esto.

8 Porque a los pobres siempre los tenéis con vosotros, pero a mí no siempre me tenéis.

9 Entonces mucha gente de los judíos supieron que Él estaba allí; y vinieron no solamente por causa de Jesús, sino también por ver a Lázaro, a quien había resucitado de los muertos.

10 Pero los príncipes de los sacerdotes consultaron para matar también a Lázaro.

11 Pues por causa de él, muchos de los judíos se apartaban y creían en Jesús.

12 El siguiente día, mucha gente que había venido a la fiesta, al oír que Jesús venía a Jerusalén,

13 tomaron ramas de palmas, y salieron a recibirle, y aclamaban: ¡Hosanna! ¡Bendito el Rey de Israel, que viene en el nombre del Señor!

14 Y halló Jesús un asnillo, y se montó sobre él; como está escrito:

15 No temas hija de Sión: He aquí tu Rey viene, sentado sobre un pollino de asna.

16 Estas cosas no las entendieron sus discípulos al principio; pero cuando Jesús fue glorificado, entonces se acordaron de que estas cosas estaban escritas de Él, y que le habían hecho estas cosas.

17 Y la gente que estaba con Él cuando llamó a Lázaro del sepulcro, y le resucitó de los muertos, daba testimonio.

18 También por esta causa la gente había venido a recibirle, porque había oído que Él había hecho este milagro.

19 Pero los fariseos dijeron entre sí: ¿Veis que nada ganáis? He aquí el mundo se va tras Él.

20 Y había ciertos griegos de los que habían subido a adorar en la fiesta.

21 Éstos, pues, se acercaron a Felipe, que era de Betsaida de Galilea, y le rogaron, diciendo: Señor, querríamos ver a Jesús.

22 Felipe vino y lo dijo a Andrés; y después Andrés y Felipe lo dijeron a Jesús.

23 Entonces Jesús les respondió, diciendo: Ha llegado la hora en que el Hijo del Hombre ha de ser glorificado.

24 De cierto, de cierto os digo, que si el grano de trigo no cae en la tierra y muere, queda solo; pero si muere, lleva mucho fruto.

25 El que ama su vida, la perderá; y el que aborrece su vida en este mundo, para vida eterna la guardará.

26 Si alguno me sirve, sígame; y donde yo estuviere, allí estará también mi servidor. Si alguno me sirviere, mi Padre le honrará.

27 Ahora está turbada mi alma; ¿y qué diré? ¡Padre, sálvame de esta hora! Mas para esto he venido a esta hora.

28 Padre, glorifica tu nombre. Entonces vino una voz del cielo, que decía: Lo he glorificado, y lo glorificaré otra vez.

29 Y la multitud que estaba presente, y había oído, decía que había sido un trueno. Otros decían: Un ángel le ha hablado.

30 Respondió Jesús y dijo: No ha venido esta voz por causa mía, sino por causa de vosotros.

31 Ahora es el juicio de este mundo; ahora el príncipe de este mundo será echado fuera.

32 Y yo, si fuere levantado de la tierra, a todos atraeré a mí mismo.

33 Y esto decía indicando de qué muerte había de morir.

34 La multitud le respondió: Nosotros hemos oído de la ley, que el Cristo permanece para siempre: ¿Cómo, pues, dices tú que es necesario que el Hijo del Hombre sea levantado? ¿Quién es este Hijo del Hombre?

35 Entonces Jesús les dijo: Aún por un poco está la luz entre vosotros; andad entre tanto que tenéis luz, no sea que os sorprendan las tinieblas; porque el que anda en tinieblas, no sabe a dónde va.

36 Entre tanto que tenéis luz, creed en la luz, para que seáis hijos de luz. Estas cosas habló Jesús, y se fue y se ocultó de ellos.

37 Pero a pesar de que Él había hecho tantos milagros delante de ellos, no creían en Él;

38 para que se cumpliese la palabra del profeta Isaías, que dijo: Señor, ¿quién ha creído a nuestro anuncio? ¿Y a quién se ha revelado el brazo del Señor?

39 Por esto no podían creer; porque en otra ocasión dijo Isaías:

40 Cegó los ojos de ellos, y endureció su corazón; para que no vean con los ojos, ni entiendan con el corazón, y se conviertan, y yo los sane.

41 Estas cosas dijo Isaías cuando vio su gloria, y habló acerca de Él.

42 Con todo eso, aun muchos de los príncipes creyeron en Él; mas por causa de los fariseos no lo confesaban, para no ser expulsados de la sinagoga.

43 Porque amaban más la gloria de los hombres que la gloria de Dios.

44 Jesús clamó y dijo: El que cree en mí, no cree en mí, sino en el que me envió;

45 y el que me ve, ve al que me envió.

46 Yo, la luz, he venido al mundo, para que todo aquel que cree en mí no permanezca en tinieblas.

47 Y si alguno oye mis palabras, y no cree, yo no le juzgo; porque no vine para juzgar al mundo, sino para salvar al mundo.

48 El que me rechaza, y no recibe mis palabras, tiene quien le juzgue; la palabra que he hablado, ésta le juzgará en el día final.

49 Porque yo no he hablado de mí mismo; sino que el Padre que me envió, Él me dio mandamiento de lo que he de decir, y de lo que he de hablar.

50 Y sé que su mandamiento es vida eterna; así que, lo que yo hablo, como el Padre me lo ha dicho, así hablo.

CAPÍTULO 13

Y antes de la fiesta de la pascua, sabiendo Jesús que su hora había llegado para que pasase de este mundo al Padre, como había amado a los suyos que estaban en el mundo, los amó hasta el fin.

2 Y cuando terminó la cena, el diablo habiendo ya puesto en el corazón de Judas Iscariote, *hijo* de Simón, que le entregase;

3 sabiendo Jesús que el Padre le había dado todas las cosas en sus manos, y que había venido de Dios, y a Dios iba,

4 se levantó de la cena, y se quitó su túnica, y tomando una toalla, se ciñó.

5 Luego puso agua en un lebrillo, y comenzó a lavar los pies de los discípulos, y a enjugarlos con la toalla con que estaba ceñido.

6 Entonces vino a Simón Pedro; y Pedro le dijo: Señor, ¿tú me lavas los pies?

7 Respondió Jesús y le dijo: Lo que yo hago, tú no lo entiendes ahora; pero lo entenderás después.

8 Pedro le dijo: No me lavarás los pies jamás. Jesús le respondió: Si no te lavare, no tendrás parte conmigo.

9 Le dijo Simón Pedro: Señor, no sólo mis pies, sino también *mis* manos y *mi* cabeza.

10 Le dijo Jesús: El que ha sido lavado, no necesita sino que lave *sus* pies, porque está todo limpio; y vosotros sois limpios, aunque no todos.

11 Pues Él sabía quién le iba a entregar, por eso dijo: No sois limpios todos.

12 Así que, después que les hubo lavado los pies, y que hubo tomado su túnica, se sentó otra vez, y les dijo: ¿Sabéis lo que os he hecho?

13 Vosotros me llamáis Maestro, y Señor, y decís bien, porque lo soy.

14 Pues si yo, *vuestro* Señor y Maestro, he lavado vuestros pies, vosotros también debéis lavaros los pies los unos a los otros.

15 Porque ejemplo os he dado, para que también vosotros hagáis como yo os he hecho.

16 De cierto, de cierto os digo: El siervo no es mayor que su señor, ni el enviado es mayor que el que le envió.

17 Si sabéis estas cosas, bienaventurados seréis si las hiciereis.

18 No hablo de todos vosotros; yo conozco a los que he escogido; mas para que se cumpla la Escritura: El que come pan conmigo, levantó contra mí su calcañar.

19 Desde ahora os lo digo, antes que suceda, para que cuando suceda, creáis que yo soy.

20 De cierto, de cierto os digo: El que recibe al que yo enviare, a mí me recibe; y el que a mí recibe, recibe al que me envió.

21 Habiendo dicho esto, Jesús se turbó en espíritu, y testificó diciendo: De cierto, de cierto os digo, que uno de vosotros me va a entregar.

22 Entonces los discípulos se miraban unos a otros, dudando de quién hablaba.

23 Y uno de sus discípulos, al cual Jesús amaba, estaba recostado en el pecho de Jesús.

24 A éste, pues, hizo señas Simón Pedro, para que le preguntase quién era aquel de quien hablaba.

25 Él entonces, recostado en el pecho de Jesús, le dijo: Señor, ¿quién es?

26 Respondió Jesús: A quien yo diere el pan mojado, aquél es. Y mojando el pan, lo dio a Judas Iscariote, *el hijo* de Simón.

27 Y tras el bocado Satanás entró en él. Entonces Jesús le dijo: Lo que vas a hacer, hazlo pronto.

28 Pero ninguno de los que estaban a la mesa entendió por qué le dijo esto.

29 Porque algunos pensaban, ya que Judas traía la bolsa, que Jesús le dijo, compra lo que necesitamos para la fiesta; o que diese algo a los pobres.

30 Entonces él, habiendo recibido el bocado, salió en seguida; y era ya noche.

31 Entonces, cuando él hubo salido, Jesús dijo: Ahora es glorificado el Hijo del Hombre, y Dios es glorificado en Él.

32 Si Dios es glorificado en Él, Dios también le glorificará en sí mismo; y en seguida le glorificará.

33 Hijitos, aún un poco estaré con vosotros. Me buscaréis; pero como dije a los judíos, así os digo a vosotros ahora: A donde yo voy, vosotros no podéis venir.

34 Un mandamiento nuevo os doy: Que os améis unos a otros; que como yo os he amado, así también os améis unos a otros.

35 En esto conocerán todos que sois mis discípulos, si tuviereis amor los unos con los otros.

36 Simón Pedro le dijo: Señor, ¿a dónde vas? Jesús le respondió: A donde yo voy, no me puedes seguir ahora, pero me seguirás después.

37 Pedro le dijo: Señor, ¿por qué no te puedo seguir ahora? Mi vida pondré por ti.

38 Jesús le respondió: ¿Tu vida pondrás por mí? De cierto, de cierto te digo: No cantará el gallo, sin que me hayas negado tres veces.

CAPÍTULO 14

No se turbe vuestro corazón; creéis en Dios, creed también en mí.

2 En la casa de mi Padre muchas mansiones hay; si *así no fuera*, yo os lo hubiera dicho. Voy, *pues*, a preparar lugar para vosotros.

3 Y si me fuere y os preparare lugar, vendré otra vez, y os tomaré a mí mismo; para que donde yo estoy, vosotros también estéis.

4 Y sabéis a dónde voy, y sabéis el camino.

5 Le dijo Tomás: Señor, no sabemos a dónde vas, ¿cómo, pues, podemos saber el camino?

6 Jesús le dijo: Yo soy el camino, la verdad y la vida; nadie viene al Padre, sino por mí.

7 Si me conocieseis, también a mi Padre conoceríais; y desde ahora le conocéis, y le habéis visto.

8 Felipe le dijo: Señor, muéstranos al Padre, y nos basta.

9 Jesús le dijo: ¿Tanto tiempo hace que estoy con vosotros, y aún no me has conocido, Felipe? El que me ha visto a mí, ha visto al Padre; ¿cómo, pues, dices tú: Muéstranos al Padre?

10 ¿No crees que yo soy en el Padre, y el Padre en mí? Las palabras que yo os hablo, no las hablo de mí mismo; sino que el Padre que mora en mí, Él hace las obras.

11 Creedme que yo soy en el Padre, y el Padre en mí; de otra manera, creedme por las mismas obras.

12 De cierto, de cierto os digo: El que cree en mí, las obras que yo hago él también las hará; y mayores que éstas hará, porque yo voy a mi Padre.

13 Y todo lo que pidiereis en mi nombre, esto haré; para que el Padre sea glorificado en el Hijo.

14 Si algo pidiereis en mi nombre, yo lo haré.

15 Si me amáis, guardad mis mandamientos;

16 y yo rogaré al Padre, y *Él* os dará otro Consolador, para que esté con vosotros para siempre;

17 el Espíritu de verdad, a quien el mundo no puede recibir, porque no le ve, ni le conoce; pero vosotros le conocéis; porque mora con vosotros, y estará en vosotros.

18 No os dejaré huérfanos; vendré a vosotros.

19 Todavía un poco, y el mundo no me verá más; pero vosotros me veréis; porque yo vivo, vosotros también viviréis.

20 En aquel día vosotros conoceréis que yo *estoy* en mi Padre, y vosotros en mí, y yo en vosotros.

21 El que tiene mis mandamientos, y los guarda, éste es el que me ama; y el que me ama, será amado por

mi Padre, y yo le amaré, y me manifestaré a él.

22 Judas le dijo (no el Iscariote): Señor, ¿cómo es que te manifestarás a nosotros, y no al mundo?

23 Respondió Jesús y le dijo: Si alguno me ama, mis palabras guardará; y mi Padre le amará, y vendremos a él, y haremos con él morada.

24 El que no me ama, no guarda mis palabras; y la palabra que habéis oído no es mía, sino del Padre que me envió.

25 Estas cosas os he hablado estando con vosotros.

26 Mas el Consolador, el Espíritu Santo, a quien el Padre enviará en mi nombre, Él os enseñará todas las cosas, y os recordará todo lo que yo os he dicho.

27 La paz os dejo, mi paz os doy; no como el mundo la da, yo os la doy. No se turbe vuestro corazón, ni tenga miedo.

28 Habéis oído que yo os he dicho: Voy, y vengo a vosotros. Si me amarais, os habríais regocijado, porque he dicho que voy al Padre; porque mi Padre mayor es que yo.

29 Y ahora os lo he dicho antes que acontezca, para que cuando acontezca, creáis.

30 Ya no hablaré mucho con vosotros; porque viene el príncipe de este mundo; y no tiene nada en mí.

31 Mas para que el mundo conozca que yo amo al Padre, y como el Padre me dio mandamiento, así hago. Levantaos, vámonos de aquí.

CAPÍTULO 15

Yo soy la vid verdadera, y mi Padre es el labrador.

2 Todo pámpano que en mí no lleva fruto, lo quita; y todo aquel que lleva fruto, lo limpia, para que lleve más fruto.

3 Ya vosotros sois limpios por la palabra que os he hablado.

4 Permaneced en mí, y yo en vosotros. Como el pámpano no puede llevar fruto de sí mismo, si no permanece en la vid, así tampoco vosotros, si no permanecéis en mí.

5 Yo soy la vid, vosotros los pámpanos; el que permanece en mí, y yo en él, éste lleva mucho fruto; porque sin mí nada podéis hacer.

6 Si alguno no permanece en mí, será echado fuera como pámpano, y se secará; y los recogen, y *los* echan en el fuego, y arden.

7 Si permanecéis en mí, y mis palabras permanecen en vosotros, pediréis todo lo que quisiereis, y os será hecho.

8 En esto es glorificado mi Padre, en que llevéis mucho fruto, y seáis así mis discípulos.

9 Como el Padre me ha amado, así también yo os he amado; permaneced en mi amor.

10 Si guardáis mis mandamientos, permaneceréis en mi amor; como también yo he guardado los mandamientos de mi Padre, y permanezco en su amor.

11 Estas cosas os he hablado, para que mi gozo esté en vosotros, y vuestro gozo sea cumplido.

12 Éste es mi mandamiento: Que os améis unos a otros, como yo os he amado.

13 Nadie tiene mayor amor que éste, que uno ponga su vida por sus amigos.

14 Vosotros sois mis amigos, si hacéis lo que yo os mando.

15 Ya no os llamaré siervos, porque el siervo no sabe lo que hace su señor; mas os he llamado amigos, porque os he dado a conocer todas las cosas que he oído de mi Padre.

16 No me elegisteis vosotros a mí; sino que yo os elegí a vosotros; y os he puesto para que vayáis y llevéis fruto, y vuestro fruto permanezca; para que todo lo que pidiereis al Padre en mi nombre; Él os lo dé.

17 Esto os mando: Que os améis unos a otros.

18 Si el mundo os aborrece, sabed que a mí me aborreció antes que a vosotros.

19 Si fuerais del mundo, el mundo amaría lo suyo; mas porque no sois del mundo, antes yo os elegí del mundo, por eso el mundo os aborrece.

20 Acordaos de la palabra que yo os dije: El siervo no es más que su señor. Si a mí me han perseguido, también a vosotros perseguirán; si han guardado mi palabra, también guardarán la vuestra.

21 Pero todo esto os harán por causa de mi nombre; porque no conocen al que me envió.

22 Si yo no hubiera venido, ni les hubiera hablado, no tendrían pecado, pero ahora no tienen excusa de su pecado.

23 El que me aborrece, también a mi Padre aborrece.

24 Si yo no hubiese hecho entre ellos obras que ningún otro ha hecho, no tendrían pecado; pero ahora también ellos las han visto, y nos han aborrecido a mí y a mi Padre.

25 Pero *esto es* para que se cumpla la palabra que está escrita en su ley: Sin causa me aborrecieron.

26 Pero cuando venga el Consolador, a quien yo os enviaré del Padre, el Espíritu de verdad que procede del Padre, Él dará testimonio de mí.

27 Y vosotros también daréis testimonio, porque habéis estado conmigo desde el principio.

CAPÍTULO 16

Estas cosas os he hablado para que no os escandalicéis.

2 Os echarán de las sinagogas; y aun viene la hora cuando cualquiera que os mate, pensará que rinde servicio a Dios.

3 Y esto os harán, porque no han conocido al Padre, ni a mí.

4 Pero os he dicho esto, para que cuando llegue la hora, os acordéis que yo os lo había dicho; pero esto no os lo dije al principio, porque yo estaba con vosotros.

5 Mas ahora voy al que me envió; y ninguno de vosotros me pregunta: ¿A dónde vas?

6 Antes, porque os he dicho estas cosas, tristeza ha llenado vuestro corazón.

7 Pero yo os digo la verdad: Os es necesario que yo me vaya; porque si yo no me fuere, el Consolador no vendría a vosotros; mas si me fuere, os lo enviaré.

8 Y cuando Él venga, redargüirá al mundo de pecado, y de justicia, y de juicio.

9 De pecado, por cuanto no creen en mí;

10 y de justicia, por cuanto voy a mi Padre y no me veréis más;

11 y de juicio, por cuanto el príncipe de este mundo ya es juzgado.

12 Aún tengo muchas cosas que deciros, mas ahora no las podéis llevar.

13 Pero cuando el Espíritu de verdad venga, Él os guiará a toda verdad; porque no hablará de sí mismo, sino que hablará todo lo que oiga, y os hará saber las cosas que han de venir.

14 Él me glorificará; porque tomará de lo mío, y os lo hará saber.

15 Todo lo que tiene el Padre, es mío; por eso dije que tomará de lo mío, y os lo hará saber.

16 Un poco más, y no me veréis; y otra vez un poco, y me veréis; porque yo voy al Padre.

17 Entonces *algunos* de sus discípulos dijeron entre ellos: ¿Qué es esto que nos dice: Un poco, y no me veréis; y otra vez, un poco, y me veréis, y: Porque yo voy al Padre?

18 Así que decían: ¿Qué es esto que dice: Un poco? No entendemos lo que habla.

19 Y Jesús sabía que le querían preguntar, y les dijo: ¿Preguntáis entre vosotros de esto que dije: Un poco, y no me veréis; y otra vez, un poco, y me veréis?

20 De cierto, de cierto os digo, que vosotros lloraréis y lamentaréis, y el mundo se alegrará; pero aunque vosotros estéis tristes, vuestra tristeza se convertirá en gozo.

21 La mujer cuando da a luz, tiene dolor, porque ha venido su hora; pero después que ha dado a luz un niño, ya no se acuerda de la angustia, por el gozo de que haya nacido un hombre en el mundo.

22 Así vosotros ahora ciertamente tenéis tristeza; pero os volveré a ver, y se gozará vuestro corazón, y nadie os quitará vuestro gozo.

23 En aquel día no me preguntaréis nada. De cierto, de cierto os digo, que todo cuanto pidiereis al Padre en mi nombre, os *lo* dará.

24 Hasta ahora nada habéis pedido en mi nombre; pedid, y recibiréis, para que vuestro gozo sea cumplido.

25 Estas cosas os he hablado en parábolas, pero la hora viene cuando ya no os hablaré en parábolas, sino que claramente os anunciaré del Padre.

26 Aquel día pediréis en mi nombre, y no os digo que yo rogaré al Padre por vosotros;

27 pues el Padre mismo os ama, porque vosotros me habéis amado, y habéis creído que yo salí de Dios.

28 Salí del Padre, y he venido al mundo; otra vez, dejo el mundo y voy al Padre.

29 Sus discípulos le dijeron: He aquí ahora hablas claramente, y ninguna parábola dices.

30 Ahora entendemos que sabes todas las cosas, y no necesitas que nadie te pregunte; por esto creemos que has venido de Dios.

31 Jesús les respondió: ¿Ahora creéis?

32 He aquí la hora viene, y ya ha venido, en que seréis dispersados cada uno a los suyos, y me dejaréis solo; mas no estoy solo, porque el Padre está conmigo.

33 Estas cosas os he hablado para que en mí tengáis paz. En el mundo tendréis aflicción; pero confiad, yo he vencido al mundo.

CAPÍTULO 17

Estas cosas habló Jesús, y levantando los ojos al cielo, dijo: Padre, la hora ha llegado; glorifica a tu Hijo, para que tu Hijo también te glorifique a ti.

2 Como le has dado potestad sobre toda carne, para que dé vida eterna a todos los que le diste.

3 Y ésta es la vida eterna: Que te conozcan a ti, el único Dios verdadero, y a Jesucristo, a quien tú has enviado.

4 Yo te he glorificado en la tierra; he acabado la obra que me diste que hiciese.

5 Y ahora, oh Padre, glorifícame tú contigo mismo, con la gloria que tuve contigo antes que el mundo fuese.

6 He manifestado tu nombre a los hombres que del mundo me diste; tuyos eran, y me los diste, y han guardado tu palabra.

7 Ahora han conocido que todas las cosas que me has dado, son de ti;

8 porque las palabras que me diste, les he dado; y ellos *las* recibieron, y en verdad han conocido que salí de ti, y han creído que tú me enviaste.

9 Yo ruego por ellos; no ruego por el mundo, sino por los que me diste; porque tuyos son.

10 Y todo lo mío es tuyo, y lo tuyo mío; y yo soy glorificado en ellos.

11 Y ya no estoy en el mundo; pero éstos están en el mundo, y yo a ti vengo. Padre Santo, a los que me has dado, guárdalos en tu nombre, para que sean uno, así como nosotros.

12 Cuando estaba con ellos en el mundo, yo los guardaba en tu nombre; a los que me diste yo los guardé; y ninguno de ellos se perdió, sino el hijo de perdición; para que la Escritura se cumpliese.

13 Y ahora vengo a ti, y hablo estas cosas en el mundo, para que tengan mi gozo cumplido en sí mismos.

14 Yo les he dado tu palabra; y el mundo los aborreció, porque no son del mundo, como tampoco yo soy del mundo.

15 No ruego que los quites del mundo, sino que los guardes del mal.

16 No son del mundo, como tampoco yo soy del mundo.

17 Santifícalos en tu verdad: Tu palabra es verdad.

18 Como tú me enviaste al mundo, así yo los he enviado al mundo.

19 Y por ellos yo me santifico a mí mismo, para que también ellos sean santificados en la verdad.

20 Y no ruego solamente por éstos, sino también por los que han de creer en mí por la palabra de ellos.

21 Para que todos sean uno; como tú, oh Padre, en mí, y yo en ti, que también ellos sean uno en nosotros; para que el mundo crea que tú me enviaste.

22 Y la gloria que me diste, yo les he dado; para que sean uno, como nosotros somos uno.

23 Yo en ellos, y tú en mí, para que sean perfeccionados en uno; y para que el mundo conozca que tú me enviaste, y que los has amado como también a mí me has amado.

24 Padre, aquellos que me has dado, quiero que donde yo estoy, también ellos estén conmigo; para que vean mi gloria que me has dado; porque me has amado desde antes de la fundación del mundo.

25 Padre justo, el mundo no te ha conocido, pero yo te he conocido, y éstos han conocido que tú me enviaste.

26 Y yo les he dado a conocer tu nombre, y *lo* daré a conocer *aún*; para que el amor con que me has amado, esté en ellos, y yo en ellos.

CAPÍTULO 18

Cuando Jesús hubo dicho estas palabras, salió con sus discípulos al otro lado del arroyo de Cedrón, donde había un huerto, en el cual Él entró, y sus discípulos.

2 Y también Judas, el que le entregaba, conocía aquel lugar; porque Jesús muchas veces se había reunido allí con sus discípulos.

3 Entonces Judas, tomando una compañía y alguaciles de los principales sacerdotes y de los fariseos, vino allí con linternas y antorchas, y con armas.

4 Pero Jesús, sabiendo todas las cosas que habían de venir sobre Él, salió y les dijo: ¿A quién buscáis?

5 Le respondieron: A Jesús de Nazaret. Jesús les dijo: Yo soy. Y Judas, el que le entregaba, también estaba con ellos.

6 Y cuando Él les dijo: Yo soy, retrocedieron y cayeron a tierra.

7 Entonces les volvió a preguntar: ¿A quién buscáis? Y ellos dijeron: A Jesús de Nazaret.

8 Respondió Jesús: Os he dicho que yo soy; pues si me buscáis a mí, dejad ir a éstos;

9 para que se cumpliese la palabra que había dicho: De los que me diste, no perdí ninguno.

10 Entonces Simón Pedro, que tenía una espada, la sacó, e hirió a un siervo del sumo sacerdote, y le cortó la oreja derecha. Y el siervo se llamaba Malco.

11 Entonces Jesús dijo a Pedro: Mete tu espada en la vaina; la copa que mi Padre me ha dado, ¿no la he de beber?

12 Entonces la compañía y el tribuno y los alguaciles de los judíos, prendieron a Jesús, y le ataron,

13 y le llevaron primero a Anás, porque era suegro de Caifás, que era el sumo sacerdote aquel año.

14 Y Caifás era el que había dado el consejo a los judíos, de que convenía que un hombre muriese por el pueblo.

15 Y Simón Pedro seguía a Jesús, y *también* otro discípulo; y aquel discípulo era conocido del sumo sacerdote, y entró con Jesús al patio del sumo sacerdote.

16 Mas Pedro estaba fuera, a la puerta. Entonces salió aquel discípulo que era conocido del sumo sacerdote, y habló a la criada que guardaba la puerta, y metió dentro a Pedro.

17 Entonces la criada que guardaba la puerta, dijo a Pedro: ¿No eres tú también de los discípulos de este hombre? Él dijo: No soy.

18 Y los siervos y los alguaciles que habían encendido unas brasas, porque hacía frío, estaban de pie y se calentaban; y Pedro *también* estaba con ellos de pie, calentándose.

19 Y el sumo sacerdote preguntó a Jesús acerca de sus discípulos y de su doctrina.

20 Jesús le respondió: Yo manifiestamente he hablado al mundo; yo siempre he enseñado en la sinagoga y en el templo, donde siempre se reúnen los judíos, y nada he hablado en oculto.

21 ¿Por qué me preguntas a mí? Pregunta a los que me han oído, qué les haya yo hablado; he aquí, ellos saben lo que yo he dicho.

22 Y cuando Él hubo dicho esto, uno de los alguaciles que estaba allí, dio una bofetada a Jesús, diciendo: ¿Así respondes al sumo sacerdote?

23 Le respondió Jesús: Si he hablado mal, da testimonio del mal; y si bien, ¿por qué me hieres?

24 Entonces Anás le envió atado a Caifás, el sumo sacerdote.

25 Y estaba Pedro en pie, calentándose. Y le dijeron: ¿No eres tú también *uno* de sus discípulos? Él negó, y dijo: No soy.

26 Uno de los siervos del sumo sacerdote, pariente de aquél a quien Pedro había cortado la oreja, le dijo: ¿No te vi yo en el huerto con Él?

27 Y Pedro negó otra vez; y en seguida cantó el gallo.

28 Y llevaron a Jesús de Caifás al pretorio; y era de mañana; y ellos no entraron al pretorio para no ser contaminados, y así poder comer la pascua.

29 Entonces Pilato salió a ellos, y dijo: ¿Qué acusación traéis contra este hombre?

30 Respondieron y le dijeron: Si Éste no fuera malhechor, no te lo habríamos entregado.

31 Entonces Pilato les dijo: Tomadle vosotros, y juzgadle según vuestra ley. Y los judíos le dijeron: A nosotros no nos es lícito dar muerte a nadie;

32 para que se cumpliese la palabra de Jesús, que había dicho, indicando de qué muerte había de morir.

33 Entonces Pilato entró de nuevo al pretorio, y llamó a Jesús y le dijo: ¿Eres tú el Rey de los judíos?

34 Jesús le respondió: ¿Dices tú esto de ti mismo, o te lo han dicho otros de mí?

35 Pilato respondió: ¿Soy yo judío? Tu nación misma, y los principales sacerdotes, te han entregado a mí. ¿Qué has hecho?

36 Respondió Jesús: Mi reino no es de este mundo; si mi reino fuera de este mundo, mis servidores pelearían para que yo no fuera entregado a los judíos; pero ahora mi reino no es de aquí.

37 Pilato entonces le dijo: ¿Acaso, eres tú rey? Jesús respondió: Tú dices que yo soy rey. Yo para esto he nacido, y para esto he venido al mundo, para dar testimonio de la verdad. Todo aquel que es de la verdad, oye mi voz.

38 Pilato le dijo: ¿Qué es la verdad? Y cuando hubo dicho esto, salió otra vez a los judíos, y les dijo: Ninguna falta hallo en Él.

39 Pero vosotros tenéis la costumbre de que os suelte uno en la pascua: ¿Queréis, pues, que os suelte al Rey de los judíos?

40 Entonces todos dieron voces otra vez, diciendo: No a Éste, sino a Barrabás. Y Barrabás era ladrón.

CAPÍTULO 19

Así que, entonces tomó Pilato a Jesús y le azotó.

2 Y los soldados entretejieron una corona de espinas, y la pusieron sobre su cabeza, y le vistieron de una ropa de púrpura;

3 y decían: ¡Salve, Rey de los judíos! Y le daban de bofetadas.

4 Entonces Pilato salió otra vez, y les dijo: He aquí, os lo traigo fuera, para que entendáis que ninguna falta hallo en Él.

5 Entonces salió Jesús, llevando la corona de espinas y la ropa de púrpura. Y *Pilato* les dijo: ¡He aquí el hombre!

6 Y cuando le vieron los príncipes de los sacerdotes y los alguaciles, dieron voces, diciendo: ¡Crucifícale, crucifícale! Pilato les dijo: Tomadle vosotros, y crucificadle; porque yo no hallo falta en Él.

7 Los judíos respondieron: Nosotros tenemos una ley, y según nuestra ley debe morir, porque se hizo a sí mismo el Hijo de Dios.

8 Y cuando Pilato oyó estas palabras, tuvo más miedo.

9 Y entró otra vez en el pretorio, y dijo a Jesús: ¿De dónde eres tú? Pero Jesús no le dio respuesta.

10 Entonces le dijo Pilato: ¿A mí no me hablas? ¿No sabes que tengo potestad para crucificarte, y que tengo potestad para soltarte?

11 Respondió Jesús: Ninguna potestad tendrías contra mí, si no te fuese dada de arriba; por tanto, el que a ti me ha entregado, mayor pecado tiene.

12 Desde entonces procuraba Pilato soltarle; pero los judíos daban voces, diciendo: Si a Éste sueltas, no eres amigo de César; cualquiera que se hace rey, se declara contra César.

13 Entonces Pilato oyendo este dicho, llevó fuera a Jesús, y se sentó en el tribunal en el lugar que es llamado el Enlosado, y en hebreo, Gabata.

14 Y era la preparación de la pascua, y como la hora sexta. Entonces dijo a los judíos: He aquí vuestro Rey.

15 Pero ellos dieron voces: ¡Fuera, fuera, crucifícale! Pilato les dijo: ¿A

vuestro Rey he de crucificar? Los principales sacerdotes respondieron: No tenemos rey sino a César.

16 Así que entonces lo entregó a ellos para que fuese crucificado. Y tomaron a Jesús, y le llevaron.

17 Y Él, cargando su cruz, salió al lugar llamado de la Calavera, y en hebreo, Gólgota;

18 donde le crucificaron, y con Él a otros dos, uno a cada lado, y Jesús en medio.

19 Y escribió también Pilato un título, que puso sobre la cruz. Y el escrito era: JESÚS DE NAZARET, EL REY DE LOS JUDÍOS.

20 Y muchos de los judíos leyeron este título, porque el lugar donde Jesús fue crucificado estaba cerca de la ciudad, y estaba escrito en hebreo, y *en* griego, y *en* latín.

21 Y los principales sacerdotes de los judíos dijeron a Pilato: No escribas: El Rey de los judíos; sino que Él dijo: Yo soy Rey de los judíos.

22 Pilato respondió: Lo que he escrito, he escrito.

23 Y cuando los soldados hubieron crucificado a Jesús, tomaron sus vestiduras e hicieron cuatro partes, para cada soldado una parte; y también su túnica, y la túnica era sin costura, toda tejida desde arriba.

24 Entonces dijeron entre sí: No la partamos, sino echemos suertes sobre ella, a ver de quién será; para que se cumpliese la Escritura que dice: Repartieron entre sí mis vestiduras, y sobre mi ropa echaron suertes. Esto, pues, hicieron los soldados.

25 Y estaban junto a la cruz de Jesús su madre, y la hermana de su madre, María *esposa* de Cleofas, y María Magdalena.

26 Y cuando Jesús vio a su madre, y al discípulo a quien Él amaba, que estaba presente, dijo a su madre: Mujer, he ahí tu hijo.

27 Después dijo al discípulo: He ahí tu madre. Y desde aquella hora el discípulo la recibió en su casa.

28 Después de esto, sabiendo Jesús que ya todo estaba consumado, para que la Escritura se cumpliese, dijo: Tengo sed.

29 Y estaba allí una vasija llena de vinagre; entonces ellos empaparon en vinagre una esponja, y puesta sobre un hisopo, se la acercaron a la boca.

30 Y cuando Jesús tomó el vinagre, dijo: Consumado es. Y habiendo inclinado la cabeza, entregó el espíritu.

31 Entonces los judíos, por cuanto era *el día de* la preparación, para que los cuerpos no quedasen en la cruz en el sábado (porque era gran día aquel sábado), rogaron a Pilato que se les quebrasen las piernas, y fuesen quitados.

32 Y vinieron los soldados y quebraron las piernas al primero, y al otro que había sido crucificado con Él.

33 Pero cuando llegaron a Jesús, como le vieron ya muerto, no le quebraron las piernas.

34 Pero uno de los soldados le abrió el costado con una lanza, y al instante salió sangre y agua.

35 Y el que lo vio, da testimonio, y su testimonio es verdadero; y él sabe que dice verdad, para que vosotros creáis.

36 Porque estas cosas fueron hechas para que se cumpliese la Escritura: Hueso suyo no será quebrado.

37 Y también otra Escritura dice: Mirarán a Aquél a quien traspasaron.

38 Y después de estas cosas, José de Arimatea, el cual era discípulo de Jesús, aunque secreto por miedo a los judíos, rogó a Pilato que le dejase quitar el cuerpo de Jesús; y Pilato se lo permitió. Entonces vino, y quitó el cuerpo de Jesús.

39 Y vino también Nicodemo, el que antes había venido a Jesús de noche, trayendo un compuesto de mirra y de áloe, como cien libras.

40 Y tomaron el cuerpo de Jesús, y lo envolvieron en lienzos con especias, como es costumbre de los judíos sepultar.

41 Y en el lugar donde había sido crucificado había un huerto; y en el huerto un sepulcro nuevo, en el cual aún no había sido puesto ninguno.

42 Allí, pues, pusieron a Jesús, por causa *del día* de la preparación de los judíos, porque aquel sepulcro estaba cerca.

Y el primer *día* de la semana, de mañana, siendo aún oscuro, María Magdalena vino al sepulcro, y vio quitada la piedra del sepulcro.

2 Entonces corrió, y vino a Simón Pedro, y al otro discípulo, a quien amaba Jesús, y les dijo: Se han llevado del sepulcro al Señor, y no sabemos dónde le han puesto.

3 Pedro entonces salió, y el otro discípulo, y fueron al sepulcro.

4 Y corrían los dos juntos; pero el otro discípulo corrió más aprisa que Pedro, y llegó primero al sepulcro.

5 Y bajándose *a mirar*, vio los lienzos puestos *allí*; mas no entró.

6 Luego llegó Simón Pedro tras él, y entró en el sepulcro, y vio los lienzos puestos *allí*,

7 y el sudario que había estado sobre su cabeza, no puesto con los lienzos, sino envuelto en un lugar aparte.

8 Entonces entró también el otro discípulo, que había llegado primero al sepulcro, y vio, y creyó.

9 Porque aún no habían entendido la Escritura, que era necesario que Él resucitase de los muertos.

10 Entonces los discípulos se volvieron a sus casas.

11 Pero María estaba fuera llorando junto al sepulcro; y llorando se inclinó y miró dentro del sepulcro;

12 y vio dos ángeles en ropas blancas que estaban sentados, el uno a la cabecera, y el otro a los pies, donde el cuerpo de Jesús había sido puesto.

13 Y le dijeron: Mujer, ¿por qué lloras? Ella les dijo: Porque se han llevado a mi Señor, y no sé dónde le han puesto.

14 Y habiendo dicho esto, volteó hacia atrás, y vio a Jesús que estaba allí; mas no sabía que era Jesús.

15 Jesús le dijo: Mujer, ¿por qué lloras? ¿A quién buscas? Ella, pensando que era el hortelano, le dijo: Señor, si tú le has llevado, dime dónde le has puesto, y yo lo llevaré.

16 Jesús le dijo: María. Volviéndose ella, le dijo: ¡Raboni! (que quiere decir, Maestro).

17 Jesús le dijo: No me toques; porque aún no he subido a mi Padre; mas ve a mis hermanos, y diles: Subo a mi Padre y a vuestro Padre, a mi Dios y a vuestro Dios.

18 Vino María Magdalena dando las nuevas a los discípulos de que había visto al Señor, y que Él le había dicho estas cosas.

19 Y el mismo día al anochecer, siendo el primero de la semana, estando las puertas cerradas en donde los discípulos estaban reunidos por miedo a los judíos, vino Jesús, y poniéndose en medio, les dijo: Paz a vosotros.

20 Y habiendo dicho esto, les mostró *sus* manos y su costado. Entonces los discípulos se regocijaron viendo al Señor.

21 Entonces Jesús les dijo otra vez: Paz a vosotros: Como me envió el Padre, así también yo os envío.

22 Y habiendo dicho esto, sopló *en ellos*, y les dijo: Recibid el Espíritu Santo.

23 A quienes remitiereis los pecados, les son remitidos; a quienes se los retuviereis, les son retenidos.

24 Pero Tomás, uno de los doce, llamado Dídimo, no estaba con ellos cuando Jesús vino.

25 Le dijeron, pues, los otros discípulos: Hemos visto al Señor. Y él les dijo: Si no viere en sus manos la señal de los clavos, y metiere mi dedo en el lugar de los clavos, y metiere mi mano en su costado, no creeré.

26 Y ocho días después, estaban otra vez sus discípulos dentro, y con ellos Tomás. *Entonces* vino Jesús, estando las puertas cerradas, y poniéndose en medio, dijo: Paz a vosotros.

27 Entonces dijo a Tomás: Mete tu dedo aquí, y ve mis manos; y da acá tu mano, y métela en mi costado; y no seas incrédulo, sino creyente.

28 Y Tomás respondió, y le dijo: ¡Señor mío, y Dios mío!

29 Jesús le dijo: Tomás, porque me has visto, creíste; bienaventurados los que no vieron, y creyeron.

30 Y ciertamente muchas otras señales hizo Jesús en presencia de sus discípulos, las cuales no están escritas en este libro.

31 Pero éstas se han escrito, para que creáis que Jesús es el Cristo, el Hijo

de Dios; y para que creyendo, tengáis vida en su nombre.

CAPÍTULO 21

Después de estas cosas Jesús se manifestó otra vez a sus discípulos junto al mar de Tiberias; y se manifestó de esta manera.

2 Estaban juntos Simón Pedro, y Tomás llamado el Dídimo, y Natanael, de Caná de Galilea, y los *hijos* de Zebedeo, y otros dos de sus discípulos.

3 Simón Pedro les dijo: A pescar voy: Ellos le dijeron: Nosotros también vamos contigo. Fueron, y luego entraron en una barca; y aquella noche no pescaron nada.

4 Y al amanecer, Jesús se puso a la ribera; mas los discípulos no sabían que era Jesús.

5 Entonces Jesús les dijo: Hijitos, ¿tenéis algo de comer? Le respondieron: No.

6 Y Él les dijo: Echad la red a la derecha de la barca, y hallaréis. Entonces la echaron, y ya no la podían sacar por la multitud de peces.

7 Entonces aquel discípulo, a quien Jesús amaba, dijo a Pedro: ¡Es el Señor! Y cuando Simón Pedro oyó que era el Señor, se ciñó su ropa (porque estaba desnudo), y se echó al mar.

8 Y los otros discípulos vinieron en una barca (porque no estaban lejos de tierra, sino como a doscientos codos), trayendo la red con los peces.

9 Y cuando llegaron a tierra, vieron brasas puestas, y un pez sobre ellas, y pan.

10 Jesús les dijo: Traed de los peces que pescasteis ahora.

11 Simón Pedro subió, y trajo la red a tierra, llena de grandes peces, ciento cincuenta y tres; y siendo tantos, la red no se rompió.

12 Jesús les dijo: Venid, comed. Y ninguno de los discípulos osaba preguntarle: ¿Tú, quién eres? Sabiendo que era el Señor.

13 Entonces vino Jesús, y tomó el pan y les dio; y asimismo del pez.

Tomás duda de la resurrección

14 Ésta era ya la tercera vez que Jesús se manifestaba a sus discípulos, después de haber resucitado de los muertos.

15 Y cuando hubieron comido, Jesús dijo a Simón Pedro: Simón, *hijo* de Jonás, ¿me amas más que éstos? Le respondió: Sí Señor, tú sabes que te amo. Él le dijo: Apacienta mis corderos.

16 Vuelve a decirle la segunda vez: Simón, *hijo* de Jonás, ¿me amas? Le responde: Sí, Señor; tú sabes que te amo. Él le dijo: Apacienta mis ovejas.

17 Le dijo la tercera vez: Simón, *hijo* de Jonás, ¿me amas? Pedro, entristecido de que le dijese la tercera vez: ¿Me amas? Le dijo: Señor, tú sabes todas las cosas; tú sabes que te amo. Jesús le dijo: Apacienta mis ovejas.

18 De cierto, de cierto te digo: Cuando eras más joven, te ceñías e ibas a donde querías; pero cuando ya seas viejo, extenderás tus manos, y te ceñirá otro, y te llevará a donde no quieras.

19 Esto dijo, dando a entender con qué muerte había de glorificar a Dios. Y dicho esto, le dijo: Sígueme.

20 Entonces Pedro, volviéndose, ve a aquel discípulo al cual Jesús amaba, que los seguía, el que también se había recostado en su pecho en la cena, y le había dicho: Señor, ¿quién es el que te va a entregar?

21 Cuando Pedro lo vio, dijo a Jesús: Señor, ¿y éste qué?

22 Jesús le dijo: Si quiero que él quede hasta que yo venga, ¿qué a ti? Tú sígueme.

23 Salió entonces este dicho entre los hermanos, que aquel discípulo no moriría. Pero Jesús no le dijo: No morirá; sino: Si quiero que él quede hasta que yo venga, ¿qué a ti?

24 Éste es el discípulo que da testimonio de estas cosas, y escribió estas cosas; y sabemos que su testimonio es verdadero.

25 Y hay también muchas otras cosas que Jesús hizo, las cuales si se escribiesen una por una, pienso que ni aun en el mundo cabrían los libros que se habrían de escribir. Amén.

LOS HECHOS
De Los Apóstoles

CAPÍTULO 1

En el primer tratado, oh Teófilo, he hablado de todas las cosas que Jesús comenzó a hacer y a enseñar,

2 hasta el día en que fue recibido arriba, después de haber dado mandamientos por el Espíritu Santo a los apóstoles que Él había escogido;

3 a quienes también, después de haber padecido, se presentó vivo con muchas pruebas indubitables, siendo visto de ellos por cuarenta días, y hablándoles acerca del reino de Dios.

4 Y estando reunido con ellos, les mandó que no se fuesen de Jerusalén, sino que esperasen la promesa del Padre, la cual, *les dijo*, oísteis de mí.

5 Porque Juan a la verdad bautizó en agua, mas vosotros seréis bautizados con el Espíritu Santo no muchos días después de estos.

6 Entonces los que se habían reunido le preguntaron, diciendo: Señor, ¿restaurarás el reino a Israel en este tiempo?

7 Y Él les dijo: No toca a vosotros saber los tiempos o las sazones, que el Padre puso en su sola potestad;

8 pero recibiréis poder cuando haya venido sobre vosotros el Espíritu Santo; y me seréis testigos, a la vez, en Jerusalén, en toda Judea, en Samaria, y hasta lo último de la tierra.

9 Y habiendo dicho estas cosas, viéndolo ellos, fue alzado; y una nube lo recibió, y lo encubrió de sus ojos.

10 Y estando ellos con los ojos puestos en el cielo, entre tanto que Él se iba, he aquí dos varones en vestiduras blancas se pusieron junto a ellos;

11 los cuales también les dijeron: Varones galileos, ¿qué estáis mirando al cielo? Este mismo Jesús que ha sido tomado de vosotros al cielo, así vendrá como le habéis visto ir al cielo.

12 Entonces se volvieron a Jerusalén desde el monte que se llama del Olivar, el cual está cerca de Jerusalén camino de un sábado.

13 Y entrados, subieron al aposento alto, donde moraban Pedro y Jacobo, y Juan y Andrés, Felipe y Tomás, Bartolomé y Mateo, Jacobo *hijo* de Alfeo, y Simón Zelotes, y Judas *hermano* de Jacobo.

14 Todos éstos perseveraban unánimes en oración y ruego, con las mujeres, y con María la madre de Jesús, y con sus hermanos.

15 Y en aquellos días Pedro se levantó en medio de los discípulos (el número de las personas allí reunidas, era como de ciento veinte), y dijo:

16 Varones hermanos, era necesario que se cumpliese la Escritura la cual el Espíritu Santo habló antes por boca de David acerca de Judas, que fue guía de los que prendieron a Jesús.

17 Porque él era contado con nosotros y tuvo parte en este ministerio.

18 Éste, pues, adquirió un campo con el salario de su iniquidad, y cayendo rostro abajo, se reventó por la mitad, y todas sus entrañas se derramaron.

19 Y fue notorio a todos los moradores de Jerusalén; de tal manera que aquel campo es llamado en su propia lengua, Acéldama, que significa, campo de sangre.

20 Porque está escrito en el libro de los Salmos: Sea hecha desierta su habitación, y no haya quien more en ella; y: Tome otro su obispado.

21 Por tanto, es necesario que de estos hombres que han estado junto con nosotros todo el tiempo que el Señor Jesús entraba y salía entre nosotros,

22 comenzando desde el bautismo de Juan hasta el día que fue recibido arriba de entre nosotros, uno sea hecho testigo con nosotros de su resurrección.

23 Y señalaron a dos; a José, llamado Barsabás, que tenía por sobrenombre Justo, y a Matías.

24 Y orando, dijeron: Tú, Señor, que conoces los corazones de todos, muestra cuál de estos dos has escogido

25 para que tome el oficio de este ministerio y apostolado, del cual cayó Judas por transgresión, para irse a su propio lugar.

26 Y les echaron suertes, y la suerte cayó sobre Matías; y fue contado con los once apóstoles.

CAPÍTULO 2

Y cuando llegó el día de Pentecostés, estaban todos unánimes en un mismo lugar.

2 Y de repente vino un estruendo del cielo como de un viento recio que corría, el cual llenó toda la casa donde estaban sentados;

3 y se les aparecieron lenguas repartidas, como de fuego, asentándose sobre cada uno de ellos.

4 Y fueron todos llenos del Espíritu Santo, y comenzaron a hablar en otras lenguas, según el Espíritu les daba que hablasen.

5 Moraban entonces en Jerusalén judíos, varones piadosos, de todas las naciones debajo del cielo.

6 Y cuando esto fue divulgado, se juntó la multitud; y estaban confusos, porque cada uno les oía hablar en su propia lengua.

7 Y todos estaban atónitos y maravillados, diciéndose unos a otros: Mirad, ¿no son galileos todos estos que hablan?

8 ¿Cómo, pues, les oímos nosotros hablar cada uno en nuestra lengua en la que hemos nacido?

9 Partos y medos, y elamitas, y los que habitamos en Mesopotamia, en Judea y en Capadocia, en el Ponto y en Asia,

10 en Frigia y Panfilia, en Egipto y en las partes de Libia que está más allá de Cirene, y romanos extranjeros, tanto judíos como prosélitos,

11 cretenses y árabes, les oímos hablar en nuestras lenguas las maravillas de Dios.

12 Y estaban todos atónitos y perplejos, diciéndose unos a otros: ¿Qué significa esto?

13 Mas otros, burlándose, decían: Están llenos de mosto.

14 Entonces Pedro, poniéndose en pie con los once, alzó su voz, y les habló diciendo: Varones judíos, y todos los que habitáis en Jerusalén, esto os sea notorio, y oíd mis palabras.

15 Porque éstos no están borrachos, como vosotros pensáis, siendo *apenas* la hora tercera del día.

16 Mas esto es lo que fue dicho por el profeta Joel:

17 Y será que en los postreros días, dice Dios: Derramaré de mi Espíritu sobre toda carne; y vuestros hijos y vuestras hijas profetizarán; y vuestros jóvenes verán visiones; y vuestros ancianos soñarán sueños:

18 Y de cierto sobre mis siervos y sobre mis siervas derramaré de mi Espíritu en aquellos días, y profetizarán.

19 Y mostraré prodigios arriba en el cielo; y señales abajo en la tierra; sangre y fuego, y vapor de humo:

20 El sol se tornará en tinieblas; y la luna en sangre; antes que venga el día del Señor; grande y memorable;

21 Y sucederá que todo aquel que invocare el nombre del Señor, será salvo.

22 Varones israelitas, oíd estas palabras: Jesús Nazareno, varón aprobado de Dios entre vosotros con milagros y prodigios, y señales que Dios hizo en medio de vosotros, por medio de Él como también vosotros sabéis.

23 A Éste, entregado por determinado consejo y presciencia de Dios, prendisteis y matasteis por manos de los inicuos, crucificándole;

24 a quien Dios resucitó, habiendo soltado los dolores de la muerte, por cuanto era imposible ser retenido por ella.

25 Porque David dice de Él: Veía al Señor siempre delante de mí; porque está a mi diestra, no seré conmovido.

26 Por lo cual mi corazón se alegró, y se gozó mi lengua; y aun mi carne descansará en esperanza;

27 Porque no dejarás mi alma en el infierno, ni permitirás que tu Santo vea corrupción.

28 Me hiciste conocer los caminos de la vida; me llenarás de gozo con tu presencia.

29 Varones hermanos, permitidme hablaros libremente del patriarca David, que murió, y fue sepultado, y

su sepulcro está con nosotros hasta el día de hoy.

30 Pero siendo profeta, y sabiendo que con juramento Dios le había jurado que del fruto de sus lomos, en cuanto a la carne, levantaría al Cristo que se sentaría sobre su trono;

31 viéndolo antes, habló de la resurrección de Cristo, que su alma no fue dejada en el infierno, ni su carne vio corrupción.

32 A este Jesús resucitó Dios, de lo cual todos nosotros somos testigos.

33 Así que, exaltado por la diestra de Dios, y habiendo recibido del Padre la promesa del Espíritu Santo, ha derramado esto que ahora vosotros veis y oís.

34 Porque David no subió a los cielos; pero él mismo dice: Dijo el Señor a mi Señor: Siéntate a mi diestra,

35 hasta que ponga a tus enemigos por estrado de tus pies.

36 Sepa, pues, ciertísimamente toda la casa de Israel, que a este Jesús que vosotros crucificasteis, Dios le ha hecho Señor y Cristo.

37 Y al oír esto, se compungieron de corazón, y dijeron a Pedro y a los otros apóstoles: Varones hermanos, ¿qué haremos?

38 Entonces Pedro les dijo: Arrepentíos, y bautícese cada uno de vosotros en el nombre de Jesucristo para perdón de los pecados; y recibiréis el don del Espíritu Santo.

39 Porque para vosotros es la promesa, y para vuestros hijos, y para todos los que están lejos; para cuantos el Señor nuestro Dios llamare.

40 Y con otras muchas palabras testificaba y exhortaba, diciendo: Sed salvos de esta perversa generación.

41 Así que, los que con gozo recibieron su palabra, fueron bautizados; y aquel día fueron añadidas a ellos como tres mil almas.

42 Y perseveraban en la doctrina de los apóstoles, y en la comunión, y en el partimiento del pan, y en las oraciones.

43 Y vino temor sobre toda persona: y muchas maravillas y señales eran hechas por los apóstoles.

44 Y todos los que habían creído estaban juntos; y tenían en común todas las cosas;

45 y vendían sus propiedades y sus bienes, y lo repartían a todos, según cada uno tenía necesidad.

46 Y perseverando unánimes cada día en el templo, y partiendo el pan en las casas, comían juntos con alegría y sencillez de corazón,

47 alabando a Dios, y teniendo favor con todo el pueblo. Y el Señor añadía cada día a la iglesia los que eran salvos.

CAPÍTULO 3

Y Pedro y Juan subían juntos al templo a la hora novena, la de la oración.

2 Y un hombre que era cojo desde el vientre de su madre, era traído; al cual ponían cada día a la puerta del templo que se llama la Hermosa, para que pidiese limosna de los que entraban en el templo.

3 Éste, como vio a Pedro y a Juan que iban a entrar en el templo, les rogaba que le diesen limosna.

4 Y Pedro, con Juan, fijando en él los ojos, le dijo: Míranos.

5 Entonces él les estuvo atento, esperando recibir de ellos algo.

6 Y Pedro le dijo: No tengo plata ni oro; mas lo que tengo te doy: En el nombre de Jesucristo de Nazaret, levántate y anda.

7 Y tomándole por la mano derecha le levantó; y al instante fueron afirmados sus pies y tobillos;

8 y saltando, se puso en pie, y anduvo; y entró con ellos en el templo, andando, y saltando, y alabando a Dios.

9 Y todo el pueblo le vio andar y alabar a Dios.

10 Y sabían que él era el que se sentaba a pedir limosna a la puerta del templo, la Hermosa; y fueron llenos de asombro y admiración por lo que le había sucedido.

11 Y teniendo asidos a Pedro y a Juan el cojo que había sido sanado, todo el pueblo, atónito, concurrió a ellos al pórtico que se llama de Salomón.

12 Y viendo esto Pedro, respondió al pueblo: Varones israelitas, ¿por qué os maravilláis de esto? ¿o por qué

ponéis los ojos en nosotros, como si por nuestro poder o piedad hubiésemos hecho andar a éste?

13 El Dios de Abraham, de Isaac y de Jacob; el Dios de nuestros padres ha glorificado a su Hijo Jesús, a quien vosotros entregasteis, y negasteis delante de Pilato, cuando éste había determinado dejarle en libertad.

14 Mas vosotros al Santo y al Justo negasteis, y pedisteis que se os diese un hombre homicida;

15 y matasteis al Autor de la vida, a quien Dios resucitó de los muertos; de lo cual nosotros somos testigos.

16 Y por la fe en su nombre, a éste, que vosotros veis y conocéis, en su nombre le ha confirmado: Así que, la fe que por Él es, le ha dado esta completa sanidad en presencia de todos vosotros.

17 Y ahora, hermanos, yo sé que por ignorancia lo habéis hecho, como también vuestros príncipes.

18 Pero Dios ha cumplido así lo que había antes anunciado por boca de todos sus profetas, que Cristo había de padecer.

19 Así que, arrepentíos y convertíos, para que sean borrados vuestros pecados; para que vengan tiempos de refrigerio de la presencia del Señor,

20 y Él envíe a Jesucristo, que os fue antes predicado;

21 a quien ciertamente es necesario que el cielo reciba hasta los tiempos de la restauración de todas las cosas, de que habló Dios por boca de todos sus santos profetas que han sido desde el principio del mundo.

22 Porque Moisés en verdad dijo a los padres: El Señor vuestro Dios os levantará Profeta de vuestros hermanos, como yo; a Él oiréis en todas las cosas que os hablare.

23 Y será, que toda alma que no oyere a aquel Profeta, será desarraigada del pueblo.

24 Sí, y todos los profetas desde Samuel y en adelante, cuantos han hablado, también han predicho estos días.

25 Vosotros sois los hijos de los profetas, y del pacto que Dios hizo con nuestros padres, diciendo a Abraham: Y en tu simiente serán benditas todas las familias de la tierra.

26 A vosotros primeramente, Dios, habiendo resucitado a su Hijo Jesús, le envió para que os bendijese, al convertirse cada uno de su maldad.

CAPÍTULO 4

Y hablando ellos al pueblo, los sacerdotes y el magistrado del templo y los saduceos, vinieron sobre ellos,

2 resentidos de que enseñasen al pueblo, y predicasen en Jesús la resurrección de los muertos.

3 Y les echaron mano, y los pusieron en la cárcel hasta el día siguiente; porque era ya tarde.

4 Pero muchos de los que habían oído la palabra creyeron; y el número de los varones era como cinco mil.

5 Y aconteció que al día siguiente se reunieron en Jerusalén los príncipes de ellos, y los ancianos y los escribas;

6 y Anás, el sumo sacerdote, y Caifás y Juan y Alejandro, y todos los que eran del linaje sacerdotal;

7 Y poniéndoles en medio, les preguntaron: ¿Con qué poder, o en qué nombre, habéis hecho vosotros esto?

8 Entonces Pedro, lleno del Espíritu Santo, les dijo: Príncipes del pueblo, y ancianos de Israel:

9 Puesto que hoy se nos interroga acerca del beneficio hecho a un hombre enfermo, de qué manera éste haya sido sanado;

10 sea notorio a todos vosotros, y a todo el pueblo de Israel, que por el nombre de Jesucristo de Nazaret, al que vosotros crucificasteis y a quien Dios resucitó de los muertos, por Él este hombre está en vuestra presencia sano.

11 Este *Jesús* es la piedra reprobada de vosotros los edificadores, la cual ha venido a ser cabeza del ángulo.

12 Y en ningún otro hay salvación; porque no hay otro nombre bajo del cielo, dado a los hombres, en que debamos ser salvos.

13 Entonces viendo el denuedo de Pedro y de Juan, y sabiendo que eran hombres sin letras e ignorantes, se maravillaban; y les reconocían que habían estado con Jesús.

14 Y viendo al hombre que había sido sanado, que estaba de pie con ellos, no podían decir nada en contra.

15 Y habiendo ordenado que salieran del concilio, deliberaban entre sí,

16 diciendo: ¿Qué haremos con estos hombres? Porque de cierto, un milagro notable ha sido hecho por ellos, manifiesto a todos los que moran en Jerusalén, y no lo podemos negar.

17 Sin embargo para que no se divulgue más por el pueblo, amenacémosles, para que no hablen de aquí en adelante a hombre alguno en este nombre.

18 Y llamándolos, les intimaron que en ninguna manera hablasen ni enseñasen en el nombre de Jesús.

19 Mas Pedro y Juan, respondiendo, les dijeron: Juzgad si es justo delante de Dios obedecer a vosotros antes que a Dios:

20 Porque no podemos dejar de decir lo que hemos visto y oído.

21 y después de amenazarles más, y no hallando nada de qué castigarles, les dejaron ir por causa del pueblo; porque todos glorificaban a Dios por lo que había sido hecho.

22 Porque el hombre en quien había sido hecho este milagro de sanidad, tenía más de cuarenta años.

23 Y puestos en libertad, vinieron a los suyos y contaron todo lo que los príncipes de los sacerdotes y los ancianos les habían dicho.

24 Y ellos, habiéndolo oído, alzaron unánimes la voz a Dios, y dijeron: Señor, tú *eres* Dios, que hiciste el cielo y la tierra, el mar y todo lo que en ellos hay;

25 y que por boca de David, tu siervo, dijiste: ¿Por qué se amotinan las gentes, y los pueblos piensan cosas vanas?

26 Se levantaron los reyes de la tierra, y los príncipes se juntaron en uno contra el Señor, y contra su Cristo.

27 Pues verdaderamente se juntaron contra tu santo Hijo Jesús, a quien tú ungiste, Herodes y Poncio Pilato, con los gentiles y el pueblo de Israel,

28 para hacer lo que tu mano y tu consejo habían predeterminado que se hiciese.

29 Y ahora, Señor, mira sus amenazas, y concede a tus siervos que con todo denuedo hablen tu palabra;

30 y extiende tu mano para que sanidades, y milagros y prodigios sean hechos por el nombre de tu santo Hijo Jesús.

31 Y cuando hubieron orado, el lugar en que estaban congregados tembló; y todos fueron llenos del Espíritu Santo, y hablaron la palabra de Dios con denuedo.

32 Y la multitud de los que habían creído era de un corazón y un alma; y ninguno decía ser suyo propio lo que poseía, sino que tenían todas las cosas en común.

33 Y con gran poder los apóstoles daban testimonio de la resurrección del Señor Jesús; y abundante gracia había sobre todos ellos.

34 Y ningún necesitado había entre ellos; porque todos los que poseían heredades o casas, las vendían, y traían el precio de lo vendido,

35 y *lo* ponían a los pies de los apóstoles; y se repartía a cada uno según su necesidad.

36 Entonces José, a quien los apóstoles pusieron por sobrenombre Bernabé (que interpretado es, hijo de consolación), levita, natural de Chipre,

37 teniendo una heredad, *la* vendió, y trajo el precio y lo puso a los pies de los apóstoles.

CAPÍTULO 5

Pero un varón llamado Ananías, con Safira su esposa, vendió una heredad,

2 y retuvo *parte* del precio, sabiéndolo también su esposa; y trayendo una parte, la puso a los pies de los apóstoles.

3 Y dijo Pedro: Ananías, ¿por qué ha llenado Satanás tu corazón para que mintieses al Espíritu Santo, y defraudases del precio de la heredad?

4 Reteniéndola, ¿no se te quedaba a ti? y vendida, ¿no estaba en tu poder? ¿Por qué pusiste esto en tu corazón? No has mentido a los hombres, sino a Dios.

5 Entonces Ananías, oyendo estas palabras, cayó y expiró. Y vino gran temor sobre todos los que lo oyeron.

6 Y levantándose los jóvenes, lo envolvieron, y sacándolo, lo sepultaron.

7 Y pasado un lapso como de tres horas, entró también su esposa, no sabiendo lo que había acontecido.

8 Entonces Pedro le dijo: Dime, ¿vendisteis en tanto la heredad? Y ella dijo: Sí, en tanto.

9 Y Pedro le dijo: ¿Por qué os pusisteis de acuerdo para tentar al Espíritu del Señor? He aquí a la puerta los pies de los que han sepultado a tu marido, y te sacarán a ti.

10 Y al instante cayó a los pies de él, y expiró; y entrando los jóvenes, la hallaron muerta; y la sacaron, y la sepultaron junto a su marido.

11 Y vino gran temor sobre toda la iglesia, y sobre todos los que oyeron estas cosas.

12 Y por mano de los apóstoles eran hechos muchos milagros y prodigios en el pueblo; y estaban todos unánimes en el pórtico de Salomón.

13 Y de los demás, ninguno osaba juntarse con ellos; pero el pueblo los alababa grandemente.

14 Y más creyentes se añadían al Señor, multitudes, así de hombres como de mujeres;

15 tanto que sacaban los enfermos a las calles, y los ponían en camas y en lechos, para que al pasar Pedro, a lo menos su sombra cayese sobre alguno de ellos.

16 Y aun de las ciudades vecinas muchos venían a Jerusalén, trayendo enfermos y atormentados de espíritus inmundos; y todos eran sanados.

17 Entonces se levantó el sumo sacerdote y todos los que estaban con él, que es la secta de los saduceos, y se llenaron de celos;

18 y echaron mano a los apóstoles y los pusieron en la cárcel pública.

19 Mas el ángel del Señor abrió de noche las puertas de la cárcel, y sacándolos, dijo:

20 Id, y puestos en pie en el templo, hablad al pueblo todas las palabras de esta vida.

21 Y habiendo oído *esto*, entraron de mañana en el templo, y enseñaban. Entre tanto, vinieron el sumo sacerdote y los que estaban con él, y convocaron al concilio y a todos los ancianos de los hijos de Israel, y enviaron a la cárcel para que fuesen traídos.

22 Pero cuando llegaron los oficiales, y no los hallaron en la cárcel, volvieron y dieron aviso,

23 diciendo: De cierto, la cárcel hemos hallado cerrada con toda seguridad, y los guardas afuera de pie ante las puertas; pero cuando abrimos, a nadie hallamos dentro.

24 Y cuando oyeron estas palabras el sumo sacerdote y el magistrado del templo y los príncipes de los sacerdotes, dudaban en qué vendría a parar aquello.

25 Y viniendo uno, les dio la noticia, diciendo: He aquí, los varones que echasteis en la cárcel están en el templo, y enseñan al pueblo.

26 Entonces fue el magistrado con los oficiales, y los trajo sin violencia; porque temían ser apedreados por el pueblo.

27 Y cuando los trajeron, los presentaron ante el concilio, y el sumo sacerdote les preguntó,

28 diciendo: ¿No os ordenamos rigurosamente, que no enseñaseis en este nombre? Y he aquí, habéis llenado a Jerusalén con vuestra doctrina, y queréis echar sobre nosotros la sangre de este hombre.

29 Respondiendo Pedro y los apóstoles, dijeron: Es necesario obedecer a Dios antes que a los hombres.

30 El Dios de nuestros padres resucitó a Jesús, al cual vosotros matasteis colgándole en un madero.

31 A Éste, Dios ha exaltado con su diestra por Príncipe y Salvador, para dar a Israel arrepentimiento y perdón de pecados.

32 Y nosotros somos testigos suyos de estas cosas, y también el Espíritu Santo, el cual ha dado Dios a los que le obedecen.

33 Ellos, oyendo *esto*, se enfurecieron, y tomaron consejo para matarlos.

34 Entonces levantándose en el concilio un fariseo llamado Gamaliel, doctor de la ley, honorable ante todo el pueblo, mandó que hiciesen sacar por un momento a los apóstoles,

35 y les dijo: Varones israelitas, mirad por vosotros lo que vais a hacer acerca de estos hombres.

36 Porque antes de estos días se levantó Teudas, diciendo que era alguien; al que se agregó un número de como cuatrocientos hombres; el cual fue muerto, y todos los que le obedecían fueron dispersados y reducidos a nada.

37 Después de éste, se levantó Judas el galileo, en los días del empadronamiento, y llevó en pos de sí a mucho pueblo. Este también pereció; y todos los que le obedecían fueron dispersados.

38 Y ahora os digo: Apartaos de estos hombres, y dejadlos; porque si este consejo o esta obra es de los hombres, se desvanecerá;

39 pero si es de Dios, no la podréis deshacer; no seáis tal vez hallados luchando contra Dios.

40 Y convinieron con él; y llamando a los apóstoles, después de azotarlos, *les* intimaron que no hablasen en el nombre de Jesús, y *los* dejaron libres.

41 Y ellos partieron de la presencia del concilio, gozosos de haber sido tenidos por dignos de padecer afrenta por su Nombre.

42 Y todos los días, en el templo y por las casas, no cesaban de enseñar y predicar a Jesucristo.

CAPÍTULO 6

Y en aquellos días, multiplicándose el número de los discípulos, hubo murmuración de los griegos contra los hebreos, de que sus viudas eran desatendidas en el ministerio cotidiano.

2 Entonces los doce convocaron a la multitud de los discípulos, y dijeron: No es justo que nosotros dejemos la palabra de Dios, para servir a las mesas.

3 Buscad, pues, hermanos, de entre vosotros a siete varones de buen testimonio, llenos del Espíritu Santo y de sabiduría, a quienes pongamos sobre este trabajo.

4 Y nosotros persistiremos en la oración, y en el ministerio de la palabra.

5 Y lo dicho agradó a toda la multitud; y eligieron a Esteban, varón lleno de fe y del Espíritu Santo, y a Felipe, y a Prócoro, y a Nicanor, y a Timón, y a Parmenas, y a Nicolás, un prosélito de Antioquía.

6 A éstos presentaron delante de los apóstoles, quienes orando, les impusieron las manos.

7 Y crecía la palabra de Dios, y el número de los discípulos se multiplicaba grandemente en Jerusalén; y una gran multitud de los sacerdotes obedecía a la fe.

8 Y Esteban, lleno de fe y de poder, hacía grandes prodigios y milagros entre el pueblo.

9 Entonces se levantaron unos de la sinagoga que se llama de los libertinos, y cireneos, y alejandrinos, y de los de Cilicia, y de Asia, disputando con Esteban.

10 Pero no podían resistir a la sabiduría y al Espíritu con que hablaba.

11 Entonces sobornaron a *unos* hombres que dijeron: Le hemos oído hablar palabras blasfemas contra Moisés y *contra* Dios.

12 Y alborotaron al pueblo, y a los ancianos y a los escribas; y tomándole, le trajeron al concilio.

13 Y pusieron testigos falsos, que decían: Este hombre no cesa de hablar palabras blasfemas en contra de este lugar santo y de la ley;

14 Pues le hemos oído decir que este Jesús de Nazaret destruirá este lugar, y cambiará las costumbres que nos dio Moisés.

15 Entonces todos los que estaban sentados en el concilio, puestos los ojos en él, vieron su rostro como el rostro de un ángel.

CAPÍTULO 7

Entonces el sumo sacerdote dijo: ¿Es esto así?

2 Y él dijo: Varones hermanos y padres, oíd: El Dios de gloria apareció a nuestro padre Abraham, estando en Mesopotamia, antes que morase en Harán,

3 y le dijo: Sal de tu tierra y de tu parentela, y ven a la tierra que te mostraré.

4 Entonces salió de la tierra de los caldeos, y habitó en Harán: y de allí, muerto su padre, Él le trasladó a esta tierra, en la cual vosotros habitáis ahora.

5 Y no le dio herencia en ella, ni siquiera para asentar un pie; mas le prometió que se la daría en posesión a él, y a su simiente después de él, cuando él aún no tenía hijo.

6 Y le dijo Dios así: Que su simiente sería extranjera en tierra ajena, y que los reducirían a servidumbre y los maltratarían por cuatrocientos años.

7 Mas yo juzgaré, dijo Dios, a la nación a la cual serán siervos; y después de esto saldrán y me servirán en este lugar.

8 Y le dio el pacto de la circuncisión; y así *Abraham* engendró a Isaac y le circuncidó al octavo día; e Isaac a Jacob, y Jacob a los doce patriarcas.

9 Y los patriarcas, movidos de envidia, vendieron a José para Egipto; pero Dios estaba con él,

10 y le libró de todas sus aflicciones, y le dio gracia y sabiduría en la presencia de Faraón, rey de Egipto, el cual le puso por gobernador sobre Egipto y sobre toda su casa.

11 Vino entonces hambre en toda la tierra de Egipto y de Canaán, y grande aflicción; y nuestros padres no hallaban alimentos.

12 Y cuando Jacob oyó que había trigo en Egipto, envió a nuestros padres la primera vez.

13 Y en la segunda, José se dio a conocer a sus hermanos, y el linaje de José fue dado a conocer a Faraón.

14 Y enviando José, hizo venir a su padre Jacob, y a toda su parentela, en número de setenta y cinco almas.

15 Así descendió Jacob a Egipto, donde murió él y nuestros padres;

16 y fueron trasladados a Siquem, y puestos en el sepulcro que compró Abraham a precio de dinero de los hijos de Hamor de Siquem.

17 Pero cuando se acercaba el tiempo de la promesa que Dios había jurado a Abraham, el pueblo creció y se multiplicó en Egipto,

18 hasta que se levantó otro rey que no conocía a José.

19 Éste, usando de astucia con nuestro linaje, maltrató a nuestros padres, echando a la muerte a sus niños para que no viviesen.

20 En aquel mismo tiempo nació Moisés, y fue hermoso a Dios; y fue criado tres meses en casa de su padre.

21 Pero siendo expuesto *a la muerte*, la hija de Faraón le tomó, y le crió como a hijo suyo.

22 Y Moisés fue instruido en toda la sabiduría de los egipcios; y era poderoso en palabras y en hechos.

23 Y cuando cumplió la edad de cuarenta años, le vino a su corazón el visitar a sus hermanos, los hijos de Israel.

24 Y viendo a uno que era maltratado, lo defendió, y matando al egipcio, vengó al oprimido.

25 Pues él pensaba que sus hermanos entendían que Dios les había de dar libertad por su mano; pero ellos no lo habían entendido.

26 Y al día siguiente, riñendo ellos, se les mostró, y los ponía en paz, diciendo: Varones, hermanos sois, ¿por qué os maltratáis el uno al otro?

27 Entonces el que maltrataba a su prójimo, le empujó, diciendo: ¿Quién te ha puesto por príncipe y juez sobre nosotros?

28 ¿Quieres tú matarme, como mataste ayer al egipcio?

29 Al *oír* esta palabra, Moisés huyó, y se hizo extranjero en tierra de Madián, donde engendró dos hijos.

30 Y pasados cuarenta años, el Ángel del Señor le apareció en el desierto del monte Sinaí, en una llama de fuego en una zarza.

31 Y mirándolo Moisés, se maravilló de la visión; y acercándose para observar, vino a él la voz del Señor,

32 *diciendo*: Yo *soy* el Dios de tus padres, el Dios de Abraham, y el Dios de Isaac, y el Dios de Jacob. Y Moisés, temblando, no se atrevía a mirar.

33 Entonces le dijo el Señor: Quita las sandalias de tus pies, porque el lugar en que estás tierra santa es.

34 Ciertamente, he visto la aflicción de mi pueblo que está en Egipto, y he oído su gemido, y he descendido para librarlos. Ahora, pues, ven, te enviaré a Egipto.

35 A este Moisés, a quien habían rechazado, diciendo: ¿Quién te ha puesto por príncipe y juez?, a éste

envió Dios por príncipe y libertador por mano del Ángel que le apareció en la zarza.

36 Éste los sacó, habiendo hecho prodigios y señales en la tierra de Egipto, y en el Mar Rojo, y en el desierto por cuarenta años.

37 Este es aquel Moisés que dijo a los hijos de Israel: Profeta os levantará el Señor Dios vuestro de entre vuestros hermanos, como yo; a Él oiréis.

38 Éste es aquél que estuvo en la iglesia en el desierto con el Ángel que le hablaba en el monte Sinaí, y con nuestros padres; y recibió los oráculos de vida para dárnoslos:

39 Al cual nuestros padres no quisieron obedecer; antes le desecharon, y en sus corazones se volvieron a Egipto,

40 diciendo a Aarón: Haznos dioses que vayan delante de nosotros; porque a este Moisés, que nos sacó de la tierra de Egipto, no sabemos qué le haya acontecido.

41 Y en aquellos días hicieron un becerro, y ofrecieron sacrificio al ídolo, y se regocijaron en la obra de sus manos.

42 Entonces Dios se apartó, y los entregó a que sirviesen al ejército del cielo; como está escrito en el libro de los profetas: ¿Acaso me ofrecisteis víctimas y sacrificios en el desierto por cuarenta años, oh casa de Israel?

43 Antes, trajisteis el tabernáculo de Moloc, y la estrella de vuestro dios Remfán: Figuras que os hicisteis para adorarlas: Os transportaré, pues, más allá de Babilonia.

44 Nuestros padres tuvieron el tabernáculo del testimonio en el desierto, tal como Él lo había ordenado cuando dijo a Moisés que lo hiciese según el modelo que había visto.

45 El cual también nuestros padres introdujeron con Jesús en la posesión de los gentiles, a los cuales Dios echó de la presencia de nuestros padres, hasta los días de David;

46 el cual halló gracia delante de Dios, y pidió hacer tabernáculo para el Dios de Jacob.

47 Pero Salomón le edificó casa.

48 Si bien el Altísimo no habita en templos hechos de mano; como dice el profeta:

49 El cielo *es* mi trono, y la tierra *es* el estrado de mis pies. ¿Qué casa me edificaréis? dice el Señor: ¿O cuál es el lugar de mi reposo?

50 ¿No hizo mi mano todas estas cosas?

51 Duros de cerviz, e incircuncisos de corazón y de oídos, vosotros resistís siempre al Espíritu Santo; como vuestros padres, así también vosotros.

52 ¿A cuál de los profetas no persiguieron vuestros padres? Y mataron a los que antes anunciaron la venida del Justo, de quien vosotros ahora habéis sido entregadores y matadores;

53 que recibisteis la ley por disposición de ángeles, y no la guardasteis.

54 Cuando oyeron estas cosas, se enfurecieron en sus corazones, y crujían los dientes contra él.

55 Pero él, lleno del Espíritu Santo, puestos los ojos en el cielo, vio la gloria de Dios, y a Jesús en pie a la diestra de Dios,

56 y dijo: He aquí, veo los cielos abiertos, y al Hijo del Hombre en pie a la diestra de Dios.

57 Entonces ellos gritaron a gran voz, y tapándose sus oídos arremetieron a una contra él.

58 Y echándole fuera de la ciudad, le apedrearon; y los testigos pusieron sus vestiduras a los pies de un joven que se llamaba Saulo.

59 Y apedrearon a Esteban, mientras él invocaba *a Dios* y decía: Señor Jesús, recibe mi espíritu.

60 Y arrodillándose, clamó a gran voz: Señor, no les tomes en cuenta este pecado. Y habiendo dicho esto, durmió.

CAPÍTULO 8

Y Saulo consentía en su muerte. Y en aquel tiempo fue hecha una gran persecución contra la iglesia que estaba en Jerusalén; y todos fueron esparcidos por las tierras de Judea y de Samaria, salvo los apóstoles.

2 Y unos varones piadosos llevaron a *enterrar* a Esteban, e hicieron gran lamentación por él.

3 Y Saulo asolaba la iglesia entrando de casa en casa, y arrastrando a hombres y a mujeres *los* entregaba en la cárcel.

4 Pero los que fueron esparcidos, iban por todas partes predicando la palabra.

5 Entonces Felipe descendió a la ciudad de Samaria, y les predicaba a Cristo.

6 Y el pueblo, unánime, escuchaba atentamente las cosas que decía Felipe, oyendo y viendo los milagros que hacía.

7 Porque espíritus inmundos, dando grandes voces, salían de muchos poseídos; y muchos paralíticos y cojos eran sanados.

8 Y había gran gozo en aquella ciudad.

9 Pero había un hombre llamado Simón, el cual había ejercido la magia en aquella ciudad, y había engañado a la gente de Samaria, diciéndose ser algún grande.

10 A éste oían atentamente todos, desde el más pequeño hasta el más grande, diciendo: Éste es el gran poder de Dios.

11 Y le estaban atentos, porque con sus artes mágicas los había hechizado mucho tiempo.

12 Pero cuando creyeron a Felipe, que les predicaba acerca del reino de Dios y el nombre de Jesucristo, fueron bautizados, así hombres como mujeres.

13 Entonces Simón mismo también creyó, y cuando fue bautizado, permaneció con Felipe, y viendo las maravillas y grandes milagros que se hacían, estaba atónito.

14 Y los apóstoles que estaban en Jerusalén, habiendo oído que Samaria había recibido la palabra de Dios, les enviaron a Pedro y a Juan;

15 quienes habiendo descendido, oraron por ellos para que recibiesen el Espíritu Santo;

16 porque aún no había descendido sobre ninguno de ellos, sino que solamente habían sido bautizados en el nombre del Señor Jesús.

17 Entonces les impusieron las manos, y recibieron el Espíritu Santo.

18 Y cuando vio Simón que por la imposición de las manos de los apóstoles se daba el Espíritu Santo, les ofreció dinero,

19 diciendo: Dadme también a mí este poder, para que cualquiera a quien yo impusiere las manos, reciba el Espíritu Santo.

20 Entonces Pedro le dijo: Tu dinero perezca contigo, porque has pensado que el don de Dios se adquiere con dinero.

21 No tienes tú ni parte ni suerte en este asunto; porque tu corazón no es recto delante de Dios.

22 Arrepiéntete, pues, de esta tu maldad, y ruega a Dios, si quizás te sea perdonado el pensamiento de tu corazón.

23 Porque en hiel de amargura y en prisión de maldad veo que estás.

24 Respondiendo entonces Simón, dijo: Rogad vosotros por mí al Señor, que ninguna de estas cosas que habéis dicho, venga sobre mí.

25 Y ellos, habiendo testificado y predicado la palabra del Señor, se volvieron a Jerusalén, y en muchas aldeas de los samaritanos predicaron el evangelio.

26 Y el ángel del Señor habló a Felipe, diciendo: Levántate y ve hacia el sur, al camino que desciende de Jerusalén a Gaza, el cual es desierto.

27 Entonces él se levantó, y fue. Y he aquí un etíope, eunuco, hombre de gran autoridad bajo Candace reina de los etíopes, el cual estaba a cargo de todos sus tesoros, y había venido a Jerusalén para adorar,

28 regresaba, y sentado en su carro, leía el profeta Isaías.

29 Y el Espíritu dijo a Felipe: Acércate y júntate a este carro.

30 Y corriendo Felipe *hacia él*, le oyó que leía el profeta Isaías, y *le* dijo: ¿Entiendes lo que lees?

31 Y dijo: ¿Cómo podré, a no ser que alguien me enseñe? Y rogó a Felipe que subiese y se sentase con él.

32 Y el lugar de la Escritura que leía era éste: Como oveja fue llevado al matadero; y como cordero mudo delante del trasquilador, así no abrió su boca.

33 En su humillación su juicio fue quitado: Mas su generación, ¿quién la contará? Porque es quitada de la tierra su vida.

34 Y respondiendo el eunuco a Felipe, dijo: Te ruego ¿de quién dice el profeta esto? ¿De sí mismo, o de algún otro?

35 Entonces Felipe, abriendo su boca, y comenzando desde esta Escritura, le predicó el evangelio de Jesús.

36 Y yendo por el camino, llegaron a cierta agua; y dijo el eunuco: He aquí agua; ¿qué impide que yo sea bautizado?

37 Y Felipe dijo: Si crees de todo corazón, bien puedes. Y él respondiendo, dijo: Creo que Jesucristo es el Hijo de Dios.

38 Y mandó detener el carro; y descendieron ambos al agua, Felipe y el eunuco; y le bautizó.

39 Y cuando subieron del agua, el Espíritu del Señor arrebató a Felipe; y el eunuco no le vio más, y gozoso, siguió su camino.

40 Pero Felipe se halló en Azoto; y pasando, predicaba el evangelio en todas las ciudades, hasta que llegó a Cesarea.

CAPÍTULO 9

Y Saulo, respirando aún amenazas y muerte contra los discípulos del Señor, fue al sumo sacerdote,

2 y pidió de él cartas para las sinagogas de Damasco, para que si hallase algunos de este Camino, ya fuesen hombres o mujeres, los trajese presos a Jerusalén.

3 Y yendo él por el camino, al acercarse a Damasco, súbitamente le cercó un resplandor de luz del cielo;

4 y cayendo en tierra, oyó una voz que le decía: Saulo, Saulo, ¿por qué me persigues?

5 Y él dijo: ¿Quién eres, Señor? Y el Señor dijo: Yo soy Jesús a quien tú persigues; dura cosa te es dar coces contra los aguijones.

6 Y él, temblando y temeroso, dijo: Señor, ¿qué quieres que yo haga? Y el Señor le *dijo*: Levántate y entra en la ciudad, y se te dirá lo que debes hacer.

7 Y los hombres que iban con Saulo, se pararon atónitos, oyendo a la verdad la voz, pero sin ver a nadie:

8 Entonces Saulo se levantó de tierra, y abriendo los ojos, no veía a nadie;

así que, llevándole de la mano, lo trajeron a Damasco.

9 Y estuvo tres días sin ver, y no comió ni bebió.

10 Y había un discípulo en Damasco llamado Ananías, al cual el Señor dijo en visión: Ananías. Y él respondió: Heme aquí, Señor.

11 Y el Señor le *dijo*: Levántate, y ve a la calle que se llama Derecha, y busca en casa de Judas a uno llamado Saulo, de Tarso; porque he aquí, él ora;

12 y ha visto en visión a un varón llamado Ananías, que entra y pone *sus* manos sobre él, para que recobre la vista.

13 Entonces Ananías respondió: Señor, he oído de muchos acerca de este hombre, de cuántos males ha hecho a tus santos en Jerusalén;

14 y aun aquí tiene autoridad de los príncipes de los sacerdotes para prender a todos los que invocan tu nombre.

15 Y le dijo el Señor: Ve; porque instrumento escogido me es éste, para que lleve mi nombre en presencia de los gentiles, y de reyes, y de los hijos de Israel;

16 porque yo le mostraré cuánto le es necesario padecer por mi nombre.

17 Y Ananías fue y entró en la casa, y poniendo sobre él las manos, dijo: Hermano Saulo, el Señor Jesús, que te apareció en el camino por donde venías, me ha enviado para que recobres la vista y seas lleno del Espíritu Santo.

18 Y al momento le cayeron de los ojos como escamas, y al instante recobró la vista; y levantándose, fue bautizado.

19 Y habiendo tomado alimento, recobró fuerzas. Y estuvo Saulo por algunos días con los discípulos que estaban en Damasco.

20 Y luego predicaba a Cristo en las sinagogas, *diciendo* que Éste es el Hijo de Dios.

21 Y todos los que le oían estaban atónitos, y decían: ¿No es éste el que asolaba en Jerusalén a los que invocaban este nombre, y a eso vino acá, para llevarlos presos ante los príncipes de los sacerdotes?

22 Pero Saulo mucho más se esforzaba, y confundía a los judíos que moraban en Damasco, demostrando que Éste, es el Cristo.

23 Y después de muchos días, los judíos tomaron entre sí consejo para matarle;

24 pero sus asechanzas fueron entendidas de Saulo. Y ellos guardaban las puertas de día y de noche para matarle.

25 Entonces los discípulos, tomándole de noche, le bajaron por el muro en una canasta.

26 Y cuando Saulo vino a Jerusalén, intentó juntarse con los discípulos; pero todos le tenían miedo, no creyendo que él era discípulo.

27 Entonces Bernabé, tomándole, le trajo a los apóstoles, y les contó cómo había visto al Señor en el camino, y que Él le había hablado, y cómo en Damasco había predicado con denuedo en el nombre de Jesús.

28 Y estaba con ellos, entrando y saliendo en Jerusalén;

29 y hablaba con denuedo en el nombre del Señor Jesús; y disputaba con los griegos; pero éstos procuraban matarle.

30 Y cuando lo supieron los hermanos, le trajeron hasta Cesarea, y le enviaron a Tarso.

31 Entonces las iglesias tenían paz por toda Judea, y Galilea, y Samaria, y eran edificadas, andando en el temor del Señor; y en el consuelo del Espíritu Santo se multiplicaban.

32 Y aconteció que Pedro, visitando a todos, vino también a los santos que habitaban en Lida.

33 Y halló allí a cierto hombre llamado Eneas, que hacía ocho años que estaba en cama, pues era paralítico.

34 Y Pedro le dijo: Eneas, Jesucristo te sana; levántate, y haz tu cama. Y al instante se levantó.

35 Y le vieron todos los que habitaban en Lida y en Sarón, los cuales se convirtieron al Señor.

36 Había entonces en Jope una discípula llamada Tabita, que interpretado quiere decir, Dorcas. Ésta era llena de buenas obras y de limosnas que hacía.

37 Y aconteció en aquellos días que enfermando, murió; la cual, después

de lavada, la pusieron en un aposento alto.

38 Y como Lida estaba cerca de Jope, los discípulos, oyendo que Pedro estaba allí, le enviaron dos hombres, rogándole que no se detuviese en venir a ellos.

39 Pedro entonces levantándose, fue con ellos. Y cuando llegó, le llevaron al aposento alto, y todas las viudas le rodearon, llorando y mostrando las túnicas y los vestidos que Dorcas hacía cuando estaba con ellas.

40 Entonces, sacando a todos, Pedro se puso de rodillas y oró; y volviéndose al cuerpo, dijo: Tabita, levántate. Y ella abrió sus ojos, y viendo a Pedro, se incorporó.

41 Y él, dándole la mano, la levantó; y llamando a los santos y a las viudas, la presentó viva.

42 Esto fue notorio por toda Jope; y muchos creyeron en el Señor.

43 Y aconteció que se quedó muchos días en Jope, en casa de un cierto Simón, curtidor.

CAPÍTULO 10

Y había un varón en Cesarea llamado Cornelio, centurión de la compañía llamada la Italiana,

2 piadoso y temeroso de Dios con toda su casa, que daba muchas limosnas al pueblo y oraba a Dios siempre.

3 Éste vio claramente en visión, como a la hora novena del día, al Ángel de Dios que entraba a *donde* él *estaba* y le decía: Cornelio.

4 Y mirándole, tuvo miedo, y dijo: ¿Qué es, Señor? Y le dijo: Tus oraciones y tus limosnas han subido como un memorial delante de Dios.

5 Envía, pues, ahora hombres a Jope, y haz venir a Simón, que tiene por sobrenombre Pedro.

6 Éste posa en casa de cierto Simón, curtidor, que tiene su casa junto al mar; él te dirá lo que debes hacer.

7 Y cuando se fue el Ángel que habló con Cornelio, *éste* llamó dos de sus criados, y a un devoto soldado de los que continuamente le asistían;

8 a los cuales, después de contarles todo, los envió a Jope.

9 Y al día siguiente, yendo ellos de camino, y llegando cerca de la ciudad, Pedro subió a la azotea a orar, cerca de la hora sexta;

10 y le vino una gran hambre, y quiso comer; pero mientras ellos preparaban, le sobrevino un éxtasis;

11 y vio el cielo abierto, y un vaso que descendía hacia él, como un gran lienzo atado de los cuatro cabos, y era bajado a la tierra;

12 en el cual había de toda clase de cuadrúpedos terrestres, y fieras, y reptiles, y aves del cielo.

13 Y le vino una voz: Levántate, Pedro, mata y come.

14 Entonces Pedro dijo: Señor, no; porque ninguna cosa común o inmunda he comido jamás.

15 Y le habló la voz la segunda vez: Lo que Dios limpió, no lo llames tú común.

16 Y esto fue hecho tres veces; y el vaso volvió a ser recogido en el cielo.

17 Y mientras Pedro dudaba dentro de sí qué sería la visión que había visto, he aquí, los hombres que habían sido enviados por Cornelio, que, preguntando por la casa de Simón, llegaron a la puerta.

18 Y llamando, preguntaron si Simón que tenía por sobrenombre Pedro, posaba allí.

19 Y mientras Pedro pensaba en la visión, el Espíritu le dijo: He aquí, tres hombres te buscan.

20 Levántate, pues, y desciende, y no dudes de ir con ellos; porque yo los he enviado.

21 Entonces Pedro, descendiendo a los hombres que le eran enviados por Cornelio, dijo: He aquí, yo soy el que buscáis; ¿cuál *es* la causa por la que habéis venido?

22 Y ellos dijeron: Cornelio, el centurión, varón justo y temeroso de Dios, y de buen testimonio en toda la nación de los judíos, fue avisado de Dios por un santo Ángel, de hacerte venir a su casa, y oír de ti palabras.

23 Entonces los invitó a entrar y los hospedó. Y al día siguiente Pedro se fue con ellos; y lo acompañaron algunos de los hermanos de Jope.

24 Y al otro día entraron en Cesarea. Y Cornelio los estaba esperando, habiendo convocado a sus parientes y amigos más íntimos.

25 Y cuando Pedro entraba, Cornelio salió a recibirle; y postrándose a sus pies, *le* adoró.

26 Mas Pedro le levantó, diciendo: Levántate; yo mismo también soy hombre.

27 Y hablando con él, entró, y halló a muchos que se habían reunido.

28 Y les dijo: Vosotros sabéis que es abominable a un varón judío juntarse o acercarse a extranjero; pero Dios me ha mostrado que a ningún hombre llame común o inmundo;

29 por lo cual, al ser llamado, vine sin objetar. Así que pregunto: ¿Por qué causa me habéis hecho venir?

30 Entonces Cornelio dijo: Hace cuatro días que a esta hora yo estaba en ayuno; y a la hora novena yo oraba en mi casa, y he aquí un varón se puso delante de mí en vestidura resplandeciente,

31 y dijo: Cornelio, tu oración es oída, y tus limosnas han venido en memoria delante de Dios.

32 Envía, pues, a Jope, y haz venir a un Simón, que tiene por sobrenombre Pedro; éste posa en casa de Simón, curtidor, junto al mar; el cual cuando venga, te hablará.

33 Así que en seguida envié por ti; y tú has hecho bien en venir. Ahora, pues, todos nosotros estamos aquí en la presencia de Dios, para oír todo lo que Dios te ha encomendado.

34 Entonces Pedro, abriendo *su* boca, dijo: A la verdad entiendo que Dios no hace acepción de personas;

35 sino que en toda nación, del que le teme y hace justicia, Él se agrada.

36 La palabra que *Dios* envió a los hijos de Israel, predicando la paz por Jesucristo; Éste es Señor de todos;

37 Palabra que, vosotros sabéis, fue publicada por toda Judea; comenzando desde Galilea después del bautismo que Juan predicó;

38 cómo Dios ungió a Jesús de Nazaret con el Espíritu Santo y con poder; el cual anduvo haciendo el bien, y sanando a todos los oprimidos del diablo; porque Dios estaba con Él.

39 Y nosotros somos testigos de todas las cosas que hizo en la tierra

de Judea y en Jerusalén; al cual mataron colgándole en un madero.

40 A Éste Dios resucitó al tercer día, y lo manifestó abiertamente,

41 no a todo el pueblo, sino a los testigos que Dios antes había escogido, a nosotros que comimos y bebimos con Él después que resucitó de los muertos.

42 Y nos mandó que predicásemos al pueblo, y testificásemos que Él es el que Dios ha puesto por Juez de vivos y muertos.

43 De Éste dan testimonio todos los profetas, de que todos los que en Él creyeren, recibirán perdón de pecados por su nombre.

44 Mientras aún hablaba Pedro estas palabras, el Espíritu Santo cayó sobre todos los que oían la palabra.

45 Y los creyentes de la circuncisión, que habían venido con Pedro, estaban asombrados de que también sobre los gentiles se derramase el don del Espíritu Santo.

46 Porque los oían hablar en lenguas y magnificar a Dios. Entonces respondió Pedro:

47 ¿Puede alguno impedir el agua, para que no sean bautizados éstos que han recibido el Espíritu Santo también como nosotros?

48 Y les mandó que fueran bautizados en el nombre del Señor. Entonces le rogaron que se quedase por algunos días.

CAPÍTULO 11

Y los apóstoles y los hermanos que estaban en Judea, oyeron que también los gentiles habían recibido la palabra de Dios.

2 Y cuando Pedro subió a Jerusalén, los que eran de la circuncisión contendían con él,

3 diciendo: ¿Por qué has entrado a hombres incircuncisos, y has comido con ellos?

4 Entonces comenzó Pedro a narrarles por orden *lo sucedido*, diciendo:

5 Estaba yo en la ciudad de Jope orando, y vi en éxtasis una visión; un vaso, como un gran lienzo, que descendía, que por los cuatro cabos era bajado del cielo, y venía hasta mí.

6 En el cual al fijar los ojos, consideré y vi cuadrúpedos terrestres, y fieras, y reptiles, y aves del cielo.

7 Y oí una voz que me decía: Levántate, Pedro, mata y come.

8 Y dije: Señor, no; porque ninguna cosa común o inmunda entró jamás en mi boca.

9 Entonces la voz me respondió del cielo por segunda vez: Lo que Dios limpió, no lo llames tú común.

10 Y esto fue hecho tres veces; y volvió todo a ser llevado arriba al cielo.

11 Y he aquí, en seguida vinieron tres hombres a la casa donde yo estaba, enviados a mí de Cesarea.

12 Y el Espíritu me dijo que fuese con ellos sin dudar. Y estos seis hermanos también me acompañaron, y entramos en casa de un varón,

13 el cual nos contó cómo había visto en su casa al Ángel, que se puso en pie, y le dijo: Envía hombres a Jope, y haz venir a Simón, que tiene por sobrenombre Pedro;

14 el cual te hablará palabras por las cuales serás salvo tú, y toda tu casa.

15 Y cuando comencé a hablar, cayó el Espíritu Santo sobre ellos, como sobre nosotros al principio.

16 Entonces me acordé de la palabra del Señor, cuando dijo: Juan ciertamente bautizó en agua, mas vosotros seréis bautizados con el Espíritu Santo.

17 Así que, si Dios les dio el mismo don también como a nosotros que hemos creído en el Señor Jesucristo, ¿quién era yo que pudiese estorbar a Dios?

18 Entonces, oídas estas cosas, callaron, y glorificaron a Dios, diciendo: De manera que también a los gentiles ha concedido Dios arrepentimiento para vida.

19 Y los que habían sido esparcidos por causa de la persecución que se levantó con motivo de Esteban, anduvieron hasta Fenicia, y Chipre, y Antioquía, no predicando a nadie la palabra, sino sólo a los judíos.

20 Y de ellos había unos varones de Chipre y de Cirene, los cuales, cuando entraron en Antioquía, hablaron a los griegos, predicando el evangelio del Señor Jesús.

21 Y la mano del Señor estaba con ellos; y gran número creyó y se convirtió al Señor.

22 Y la noticia de estas cosas llegó a oídos de la iglesia que estaba en Jerusalén; y enviaron a Bernabé que fuese hasta Antioquía.

23 El cual, cuando llegó y vio la gracia de Dios, se regocijó, y exhortó a todos a que con propósito de corazón permaneciesen en el Señor.

24 Porque era varón bueno, y lleno del Espíritu Santo y de fe; y mucha gente fue añadida al Señor.

25 Y Bernabé partió a Tarso a buscar a Saulo;

26 y hallándole, le trajo a Antioquía. Y sucedió que por todo un año se congregaron allí con la iglesia, y enseñaron a mucha gente; y los discípulos fueron llamados cristianos por primera vez en Antioquía.

27 Y en aquellos días descendieron unos profetas de Jerusalén a Antioquía.

28 Y levantándose uno de ellos, llamado Agabo, daba a entender por el Espíritu, que había de haber una gran hambre en toda la tierra; lo cual sucedió en tiempo de Claudio César.

29 Entonces los discípulos, cada uno conforme a lo que tenía, determinaron enviar ayuda a los hermanos que habitaban en Judea:

30 Lo cual también hicieron, enviándolo a los ancianos por mano de Bernabé y de Saulo.

CAPÍTULO 12

Y en el mismo tiempo el rey Herodes echó mano a algunos de la iglesia para maltratarlos.

2 Y mató a espada a Jacobo, hermano de Juan.

3 Y viendo que había agradado a los judíos, procedió para prender también a Pedro. Eran entonces los días de los panes sin levadura.

4 Y habiéndole prendido, le puso en la cárcel, entregándole a cuatro cuadrillas de soldados para que le guardasen; queriendo sacarle al pueblo después de la pascua.

5 Así que, Pedro era guardado en la cárcel; pero la iglesia hacía sin cesar oración a Dios por él.

6 Y cuando Herodes había de sacarle, aquella misma noche estaba Pedro durmiendo entre dos soldados, sujeto con dos cadenas, y los guardas delante de la puerta guardaban la cárcel.

7 Y he aquí, el ángel del Señor vino, y una luz resplandeció en la cárcel; y golpeando a Pedro en el costado, le despertó, diciendo: Levántate pronto. Y las cadenas se le cayeron de las manos.

8 Y le dijo el ángel: Cíñete, y átate tus sandalias. Y lo hizo así. Y le dijo: Envuélvete en tu manto, y sígueme.

9 Y saliendo, le seguía; y no sabía que era verdad lo que hacía el ángel, sino que pensaba que veía visión.

10 Y cuando pasaron la primera y la segunda guardia, llegaron a la puerta de hierro que conduce a la ciudad, la cual se les abrió por sí misma; y salieron y pasaron una calle, y en seguida el ángel se apartó de él.

11 Entonces Pedro, volviendo en sí, dijo: Ahora entiendo en verdad que el Señor ha enviado su ángel, y me ha librado de la mano de Herodes, y de todo lo que el pueblo de los judíos esperaba.

12 Y habiendo considerado *esto*, llegó a casa de María la madre de Juan, el que tenía por sobrenombre Marcos, donde muchos estaban reunidos orando.

13 Y tocando Pedro a la puerta del patio, salió a escuchar una muchacha, llamada Rode,

14 la cual, cuando reconoció la voz de Pedro, de gozo no abrió la puerta, sino que corrió adentro, y dio la nueva de que Pedro estaba a la puerta.

15 Y ellos le dijeron: Estás loca. Pero ella afirmaba que así era. Entonces ellos decían: Es su ángel.

16 Mas Pedro persistía en llamar; y cuando abrieron, le vieron, y se quedaron maravillados.

17 Pero él haciéndoles con la mano señal de que callasen, les contó cómo el Señor le había sacado de la cárcel. Y dijo: Haced saber esto a Jacobo y a los hermanos. Y salió, y se fue a otro lugar.

18 Y luego que fue de día, hubo no poco alboroto entre los soldados sobre qué había sido de Pedro.

19 Y cuando Herodes le buscó y no le halló, habiendo interrogado a los guardas, ordenó que *éstos* fueran llevados a la muerte. Y él descendió de Judea a Cesarea, y se quedó allí.

20 Y Herodes estaba enojado contra los de Tiro y de Sidón; pero ellos vinieron de acuerdo ante él, y habiendo persuadido a Blasto, que era camarero del rey, pedían paz; porque el territorio de ellos era abastecido por el del rey.

21 Y un día señalado, Herodes vestido de ropa real, se sentó en su trono, y les arengó.

22 Y el pueblo aclamaba, *diciendo*: ¡Voz de un dios, y no de hombre!

23 Y al instante el ángel del Señor le hirió, por cuanto no dio la gloria a Dios; y expiró comido de gusanos.

24 Mas la palabra de Dios crecía y se multiplicaba.

25 Y Bernabé y Saulo, habiendo cumplido su ministerio, regresaron de Jerusalén llevando consigo a Juan, el que tenía por sobrenombre Marcos.

CAPÍTULO 13

Había entonces en la iglesia que estaba en Antioquía ciertos profetas y maestros; Bernabé, y Simón el que se llamaba Niger, y Lucio cireneo, y Manahén, que había sido criado con Herodes el tetrarca, y Saulo.

2 Ministrando éstos al Señor, y ayunando, dijo el Espíritu Santo: Separadme a Bernabé y a Saulo para la obra para la cual los he llamado.

3 Y habiendo ayunado y orado, les impusieron las manos, y los enviaron.

4 Así que ellos, enviados por el Espíritu Santo, descendieron a Seleucia; y de allí navegaron a Chipre.

5 Y llegados a Salamina, predicaban la palabra de Dios en las sinagogas de los judíos; y tenían también a Juan en el ministerio.

6 Y habiendo atravesado la isla hasta Pafos, hallaron a un hombre hechicero, falso profeta, judío, llamado Barjesús;

7 el cual estaba con el procónsul Sergio Paulo, varón prudente. Éste, llamando a Bernabé y a Saulo, deseaba oír la palabra de Dios.

8 Mas les resistía Elimas, el hechicero (que así se interpreta su nombre), procurando apartar de la fe al procónsul.

9 Entonces Saulo, que también es Pablo, lleno del Espíritu Santo, fijando sus ojos en él,

10 dijo: Oh, lleno de todo engaño y de toda maldad, hijo del diablo, enemigo de toda justicia: ¿No cesarás de torcer los caminos rectos del Señor?

11 Ahora pues, he aquí la mano del Señor es contra ti, y serás ciego, y no verás el sol por un tiempo. Y al instante cayeron sobre él oscuridad y tinieblas; y andando alrededor, buscaba quién le condujese de la mano.

12 Entonces el procónsul, viendo lo que había sido hecho, creyó, maravillado de la doctrina del Señor.

13 Y zarpando de Pafos, Pablo y sus compañeros arribaron a Perge de Panfilia. Y Juan, apartándose de ellos, se regresó a Jerusalén.

14 Y ellos pasando de Perge, llegaron a Antioquía de Pisidia, y entrando en la sinagoga un día de sábado, se sentaron.

15 Y después de la lectura de la ley y de los profetas, los príncipes de la sinagoga enviaron a ellos, diciendo: Varones hermanos, si tenéis alguna palabra de exhortación para el pueblo, hablad.

16 Entonces Pablo, levantándose, hecha señal de silencio con la mano, dijo: Varones israelitas, y los que teméis a Dios, oíd:

17 El Dios de este pueblo de Israel escogió a nuestros padres, y enalteció al pueblo, siendo ellos extranjeros en la tierra de Egipto, y con brazo levantado los sacó de ella.

18 Y por un tiempo como de cuarenta años soportó sus costumbres en el desierto,

19 y habiendo destruido siete naciones en la tierra de Canaán, les repartió por herencia sus tierras.

20 Y después de esto, como por cuatrocientos cincuenta años, les dio jueces hasta el profeta Samuel.

21 Luego demandaron rey; y Dios les dio a Saúl, hijo de Cis, varón de la tribu de Benjamín, por cuarenta años.

22 Y quitado éste, les levantó por rey a David, del cual dio también testimonio, diciendo: He hallado a David, *hijo* de Isaí, varón conforme a mi corazón, el cual hará toda mi voluntad.

23 De la simiente de éste, conforme a la promesa, Dios levantó a Jesús por Salvador a Israel;

24 predicando Juan, antes de su venida, el bautismo de arrepentimiento a todo el pueblo de Israel.

25 Y cuando Juan terminaba su carrera, dijo: ¿Quién pensáis que soy yo? No soy yo *Él*. Mas, he aquí, viene tras mí uno de quien no soy digno de desatar el calzado de sus pies.

26 Varones hermanos, hijos del linaje de Abraham, y los que entre vosotros temen a Dios, a vosotros es enviada la palabra de esta salvación.

27 Pues los que habitaban en Jerusalén, y sus príncipes, no conociendo a Éste, ni las palabras de los profetas que se leen todos los sábados, al condenarle, las cumplieron.

28 Y aunque no hallaron en Él causa de muerte, pidieron a Pilato que se le matase.

29 Y habiendo cumplido todas las cosas que de Él estaban escritas, quitándole del madero, le pusieron en el sepulcro.

30 Pero Dios le resucitó de los muertos.

31 Y Él fue visto muchos días por los que habían subido juntamente con Él de Galilea a Jerusalén, los cuales son sus testigos al pueblo.

32 Y nosotros os anunciamos el evangelio de aquella promesa que fue hecha a los padres,

33 la cual Dios ha cumplido a los hijos de ellos, a nosotros; resucitando a Jesús; como también en el salmo segundo está escrito: Mi Hijo eres tú, yo te he engendrado hoy.

34 Y que le resucitó de los muertos para nunca más volver a corrupción, lo dijo así: Os daré las misericordias fieles de David.

35 Por eso dice también en otro *salmo*: No permitirás que tu Santo vea corrupción.

36 Porque a la verdad David, habiendo servido a su propia generación por la voluntad de Dios, durmió, y fue reunido con sus padres, y vio corrupción.

37 Mas Aquél a quien Dios resucitó, no vio corrupción.

38 Os sea, pues, notorio, varones hermanos, que por Éste os es predicado el perdón de pecados,

39 y por Él, todos los que creen, son justificados de todas las cosas que no pudieron ser justificados por la ley de Moisés.

40 Mirad, pues, que no venga sobre vosotros lo que está dicho en los profetas:

41 Mirad, oh menospreciadores, y asombraos, y pereced: Porque yo hago una obra en vuestros días, obra que no creeréis, aunque alguien os la contare.

42 Y cuando los judíos salieron de la sinagoga, los gentiles les rogaron que el sábado siguiente les predicasen estas palabras.

43 Y despedida la congregación, muchos de los judíos y de los religiosos prosélitos siguieron a Pablo y a Bernabé; quienes hablándoles, les persuadían a que permaneciesen en la gracia de Dios.

44 Y el sábado siguiente se reunió casi toda la ciudad para oír la palabra de Dios.

45 Pero cuando los judíos vieron las multitudes, se llenaron de celos, y se oponían a lo que Pablo decía, contradiciendo y blasfemando.

46 Entonces Pablo y Bernabé, tomando denuedo, dijeron: A vosotros a la verdad era necesario que se os hablase primero la palabra de Dios; mas ya que la desecháis, y os juzgáis indignos de la vida eterna, he aquí, nos volvemos a los gentiles.

47 Porque así nos ha mandado el Señor, *diciendo*: Te he puesto por luz de los gentiles, para que seas por salvación hasta lo último de la tierra.

48 Y los gentiles oyendo esto, se regocijaban y glorificaban la palabra del Señor; y creyeron todos los que estaban ordenados para vida eterna.

49 Y la palabra del Señor era publicada por toda aquella región.

50 Mas los judíos instigaron a mujeres piadosas y honorables, y a los principales de la ciudad, y levantaron persecución contra Pablo y Bernabé, y los echaron de sus términos.

51 Ellos entonces sacudiendo contra ellos el polvo de sus pies, se fueron a Iconio.

52 Y los discípulos estaban llenos de gozo y del Espíritu Santo.

CAPÍTULO 14

Y aconteció en Iconio que entraron juntos en la sinagoga de los judíos, y hablaron de tal manera que creyó una gran multitud así de judíos, como de griegos.

2 Pero los judíos que fueron incrédulos, incitaron y corrompieron los ánimos de los gentiles contra los hermanos.

3 Con todo eso, ellos se detuvieron allí mucho tiempo, hablando con denuedo en el Señor, el cual daba testimonio a la palabra de su gracia, concediendo que señales y milagros fuesen hechos por las manos de ellos.

4 Pero la gente de la ciudad estaba dividida; y unos estaban con los judíos, y otros con los apóstoles.

5 Y cuando los judíos y los gentiles, juntamente con sus príncipes, se arrojaron para afrentarlos y apedrearlos,

6 entendiéndolo ellos, huyeron a Listra y Derbe, ciudades de Licaonia, y por toda la tierra de alrededor.

7 Y allí predicaban el evangelio.

8 Y en Listra se hallaba sentado cierto hombre, imposibilitado de sus pies, cojo desde el vientre de su madre, que jamás había andado.

9 Éste oyó hablar a Pablo; el cual, fijando sus ojos en él, y viendo que tenía fe para ser sanado,

10 dijo a gran voz: Levántate derecho sobre tus pies. Y él saltó, y anduvo.

11 Y cuando la gente vio lo que Pablo había hecho, alzó su voz, diciendo en lengua licaónica: Los dioses en semejanza de hombres han descendido a nosotros.

12 Y a Bernabé llamaban Júpiter, y a Pablo, Mercurio, porque éste era el que llevaba la palabra.

13 Entonces el sacerdote de Júpiter, que estaba delante de la ciudad de ellos, trayendo toros y guirnaldas delante de las puertas, quería ofrecer sacrificio con el pueblo.

14 Y cuando lo oyeron los apóstoles Bernabé y Pablo, rasgando sus ropas, corrieron hacia la multitud, dando voces,

15 y diciendo: Varones, ¿por qué hacéis esto? Nosotros también somos hombres semejantes a vosotros, y os predicamos que de estas vanidades os convirtáis al Dios vivo, que hizo el cielo y la tierra, y el mar, y todo cuanto en ellos hay.

16 El cual en las edades pasadas dejó a todas las gentes andar en sus propios caminos;

17 si bien no se dejó a sí mismo sin testimonio, haciendo bien, dándonos lluvias del cielo y tiempos fructíferos, llenando de sustento y de alegría nuestros corazones.

18 Y diciendo estas cosas, apenas hicieron desistir al pueblo, para que no les ofreciesen sacrificio.

19 Entonces vinieron ciertos judíos de Antioquía y de Iconio, que persuadieron a la multitud, y habiendo apedreado a Pablo, le arrastraron fuera de la ciudad, pensando que estaba muerto.

20 Mas rodeándole los discípulos, se levantó y entró en la ciudad, y al siguiente día, partió con Bernabé para Derbe.

21 Y habiendo predicado el evangelio a aquella ciudad, y después de enseñar a muchos, volvieron a Listra, y a Iconio, y a Antioquía,

22 confirmando el alma de los discípulos, exhortándoles a que permaneciesen en la fe; y *diciéndoles* que es necesario que a través de muchas tribulaciones entremos en el reino de Dios.

23 Y cuando les ordenaron ancianos en cada iglesia, habiendo orado con ayunos, los encomendaron al Señor en quien habían creído.

24 Y habiendo pasado por Pisidia vinieron a Panfilia.

25 Y después de predicar la palabra en Perge, descendieron a Atalia.

26 Y de allí navegaron a Antioquía, donde habían sido encomendados a

la gracia de Dios para la obra que habían cumplido.

27 Y habiendo llegado, reuniendo la iglesia, relataron todo lo que había hecho Dios con ellos, y de cómo había abierto la puerta de la fe a los gentiles.

28 Y se quedaron allí mucho tiempo con los discípulos.

CAPÍTULO 15

Entonces algunos que venían de Judea enseñaban a los hermanos, *diciendo*: Si no os circuncidáis conforme a la costumbre de Moisés, no podéis ser salvos.

2 Así que, cuando Pablo y Bernabé tuvieron una disensión y contienda no pequeña con ellos, determinaron que Pablo y Bernabé, y algunos otros de ellos, subiesen a Jerusalén, a los apóstoles y a los ancianos, para tratar esta cuestión.

3 Ellos, pues, siendo encaminados por la iglesia, pasaron por Fenicia y Samaria, contando la conversión de los gentiles; y causaban gran gozo a todos los hermanos.

4 Y cuando llegaron a Jerusalén, fueron recibidos por la iglesia y los apóstoles y los ancianos, y les contaron todas las cosas que Dios había hecho con ellos.

5 Pero algunos de la secta de los fariseos, que habían creído, se levantaron, diciendo que era necesario circuncidarlos y mandarles que guardasen la ley de Moisés.

6 Y se reunieron los apóstoles y los ancianos para considerar este asunto.

7 Y después de mucha discusión, Pedro se levantó y les dijo: Varones hermanos, vosotros sabéis cómo ya hace algún tiempo que Dios escogió entre nosotros, que los gentiles oyesen por mi boca la palabra del evangelio, y creyesen.

8 Y Dios, que conoce los corazones, les dio testimonio, dándoles el Espíritu Santo también como a nosotros;

9 y ninguna diferencia hizo entre nosotros y ellos, purificando por la fe sus corazones.

10 Ahora, pues, ¿por qué tentáis a Dios, poniendo sobre la cerviz de los discípulos un yugo que ni nuestros padres ni nosotros hemos podido llevar?

11 Antes creemos que por la gracia del Señor Jesucristo somos salvos, del mismo modo que ellos.

12 Entonces toda la multitud calló, y oyeron a Bernabé y a Pablo, que contaban cuántos milagros y maravillas había hecho Dios por medio de ellos entre los gentiles.

13 Y después que hubieron callado, Jacobo respondió, diciendo: Varones hermanos, oídme.

14 Simón ha contado cómo Dios visitó por primera vez a los gentiles, para tomar de ellos pueblo para su nombre.

15 Y con esto concuerdan las palabras de los profetas, como está escrito:

16 Después de esto volveré, y reedificaré el tabernáculo de David, que está caído; y repararé sus ruinas, y lo volveré a levantar:

17 Para que el resto de los hombres busque al Señor, y todos los gentiles sobre los cuales es invocado mi nombre, dice el Señor, que hace todas estas cosas.

18 Conocidas son a Dios todas sus obras desde la eternidad.

19 Por lo cual yo juzgo, que no se moleste a los que de los gentiles se convierten a Dios;

20 sino que les escribamos que se abstengan de las contaminaciones de los ídolos, y de fornicación, y de estrangulado y de sangre.

21 Porque Moisés desde los tiempos antiguos tiene en cada ciudad quien lo predique en las sinagogas, donde es leído cada sábado.

22 Entonces pareció bien a los apóstoles y a los ancianos, con toda la iglesia, elegir varones de ellos, y enviarlos a Antioquía con Pablo y Bernabé; a Judas que tenía por sobrenombre Barsabás, y a Silas, varones principales entre los hermanos,

23 y escribir por mano de ellos, de esta manera: Los apóstoles y los ancianos y los hermanos: A los hermanos que son de los gentiles que están en Antioquía, y en Siria, y en Cilicia, saludos.

24 Por cuanto hemos oído que algunos que han salido de nosotros,

os han inquietado con palabras, turbando vuestras almas, mandando circuncidaros y guardar la ley, a los cuales no dimos *tal* mandato,

25 nos ha parecido bien, congregados en uno, elegir varones, y enviarlos a vosotros con nuestros amados Bernabé y Pablo,

26 hombres que han expuesto sus vidas por el nombre de nuestro Señor Jesucristo.

27 Así que enviamos a Judas y a Silas, los cuales también por palabra os harán saber lo mismo.

28 Pues ha parecido bien al Espíritu Santo, y a nosotros, no imponeros ninguna carga más que estas cosas necesarias.

29 Que os abstengáis de lo sacrificado a ídolos, y de sangre, y de estrangulado y de fornicación; de las cuales cosas si os guardareis, bien haréis. Pasadlo bien.

30 Así que cuando ellos fueron despedidos, vinieron a Antioquía; y reuniendo a la multitud, entregaron la carta;

31 la cual habiendo leído, se gozaron por la consolación.

32 Y Judas y Silas, siendo también profetas, exhortaron y confirmaron a los hermanos con abundancia de palabras.

33 Y después de pasar *allí* algún tiempo, fueron enviados de los hermanos a los apóstoles en paz.

34 Mas a Silas le pareció bien el quedarse allí aún.

35 Y Pablo y Bernabé se quedaron en Antioquía, enseñando y predicando la palabra del Señor, también con muchos otros.

36 Y después de algunos días, Pablo dijo a Bernabé: Volvamos y visitemos a nuestros hermanos en todas las ciudades en que hemos predicado la palabra del Señor, *para ver* cómo están.

37 Y Bernabé quería que llevasen consigo a Juan, el que tenía por sobrenombre Marcos;

38 pero a Pablo no le parecía bien llevar consigo al que se había apartado de ellos desde Panfilia, y no había ido con ellos a la obra.

39 Y hubo tal contención entre ellos, que se apartaron el uno del otro; y

Bernabé tomando a Marcos, navegó a Chipre,

40 y Pablo, escogiendo a Silas, partió encomendado por los hermanos a la gracia de Dios,

41 y pasó por Siria y Cilicia, confirmando a las iglesias.

CAPÍTULO 16

Después llegó a Derbe y a Listra; y he aquí, estaba allí cierto discípulo llamado Timoteo, hijo de una mujer judía creyente, pero su padre *era* griego.

2 De éste daban buen testimonio los hermanos que estaban en Listra y en Iconio.

3 Éste quiso Pablo que fuese con él; y tomándole, le circuncidó por causa de los judíos que había en aquellos lugares; porque todos sabían que su padre era griego.

4 Y como pasaban por las ciudades, les entregaban los decretos que habían sido ordenados por los apóstoles y los ancianos que estaban en Jerusalén para que los guardasen.

5 Así que las iglesias eran confirmadas en la fe, y aumentaban en número cada día.

6 Y pasando a Frigia y a la provincia de Galacia, les fue prohibido por el Espíritu Santo predicar la palabra en Asia.

7 Y cuando llegaron a Misia, intentaron ir a Bitinia; pero el Espíritu no se lo permitió.

8 Y pasando por Misia, descendieron a Troas.

9 Y de noche apareció a Pablo una visión: Un varón macedonio estaba en pie, y le rogaba, diciendo: Pasa a Macedonia y ayúdanos.

10 Y cuando él vio la visión, inmediatamente procuramos ir a Macedonia, dando por cierto que el Señor nos llamaba para que les predicásemos el evangelio.

11 Zarpando, pues, de Troas, fuimos rumbo directo a Samotracia, y al *día* siguiente a Neápolis;

12 y de allí a Filipos, que es la ciudad principal de la provincia de Macedonia, y una colonia; y estuvimos en aquella ciudad algunos días.

13 Y el día sábado salimos de la ciudad, junto al río, donde solían hacer oración; y sentándonos, hablamos a las mujeres que se habían reunido.

14 Y una mujer llamada Lidia, que vendía púrpura en la ciudad de Tiatira, temerosa de Dios, estaba oyendo; el corazón de la cual abrió el Señor para que estuviese atenta a lo que Pablo decía.

15 Y cuando fue bautizada, ella, y su familia, nos rogó, diciendo: Si habéis juzgado que yo sea fiel al Señor, entrad en mi casa; y nos constriñó a quedarnos.

16 Y aconteció que yendo nosotros a la oración, nos salió al encuentro una muchacha que tenía espíritu de adivinación, la cual daba grande ganancia a sus amos, adivinando.

17 Esta, siguiendo a Pablo y a nosotros, daba voces, diciendo: Estos hombres son siervos del Dios Altísimo, los cuales nos enseñan el camino de salvación.

18 Y esto lo hizo por muchos días; pero desagradando a Pablo, éste se volvió y dijo al espíritu: Te mando en el nombre de Jesucristo, que salgas de ella. Y salió en la misma hora.

19 Y viendo sus amos que había salido la esperanza de su ganancia, prendieron a Pablo y a Silas, y los trajeron al foro, ante las autoridades;

20 y presentándolos ante los magistrados, dijeron: Estos hombres, siendo judíos, alborotan nuestra ciudad,

21 y predican costumbres, las cuales no nos es lícito recibir ni hacer, pues somos romanos.

22 Y se agolpó el pueblo contra ellos; los magistrados, rasgándoles sus ropas, mandaron azotarles con varas.

23 Y después de haberles herido de muchos azotes, los echaron en la cárcel, mandando al carcelero que los guardase con seguridad.

24 El cual, habiendo recibido este mandato, los metió en el calabozo de más adentro; y les apretó los pies en cepo.

25 Pero a media noche, Pablo y Silas oraban y cantaban himnos a Dios; y los presos los oían.

26 Y repentinamente hubo un gran terremoto, de tal manera que los cimientos de la cárcel fueron sacudidos; y al instante se abrieron todas las puertas, y las cadenas de todos se soltaron.

27 Y despertando el carcelero, como vio abiertas las puertas de la cárcel, sacó su espada y se quería matar, pensando que los presos se habían escapado.

28 Mas Pablo clamó a gran voz, diciendo: No te hagas ningún daño, pues todos estamos aquí.

29 Él entonces, pidiendo luz, entró corriendo, y temblando, se derribó a los pies de Pablo y de Silas;

30 y sacándolos, les dijo: Señores, ¿qué debo hacer para ser salvo?

31 Y ellos dijeron: Cree en el Señor Jesucristo, y serás salvo tú, y tu casa.

32 Y le hablaron la palabra del Señor, y a todos los que estaban en su casa.

33 Y él, tomándolos en aquella misma hora de la noche, les lavó las heridas; y enseguida fue bautizado él, y todos los suyos.

34 Y llevándolos a su casa, les puso la mesa; y se regocijó de haber creído en Dios con toda su casa.

35 Y cuando fue de día, los magistrados enviaron alguaciles, diciendo: Deja ir a aquellos hombres.

36 Y el carcelero hizo saber estas palabras a Pablo: Los magistrados han enviado a decir que se os suelte; así que ahora salid, e id en paz.

37 Entonces Pablo les dijo: Nos azotaron públicamente sin ser condenados; siendo hombres romanos, nos echaron en la cárcel; ¿y ahora nos echan secretamente? No, de cierto, sino dejad que vengan ellos mismos y nos saquen.

38 Y los alguaciles dijeron estas palabras a los magistrados, los cuales tuvieron miedo al oír que eran romanos.

39 Y viniendo, les rogaron; y sacándolos, les pidieron que salieran de la ciudad.

40 Y saliendo de la cárcel, entraron en casa de Lidia; y habiendo visto a los hermanos, los consolaron, y se fueron.

CAPÍTULO 17

Y pasando por Amfípolis y Apolonia, llegaron a Tesalónica, donde había una sinagoga de los judíos.

2 Y Pablo, como acostumbraba, fue a ellos, y por tres sábados disputó con ellos de las Escrituras,

3 enseñando y exponiendo que era necesario que el Cristo padeciese y resucitase de los muertos; y que este Jesús, a quien yo os predico, *decía él*, es el Cristo.

4 Y algunos de ellos creyeron y se juntaron con Pablo y con Silas; y de los griegos piadosos gran multitud, y mujeres nobles no pocas.

5 Pero los judíos que no eran creyentes, llenos de envidia, tomaron consigo a unos hombres perversos, de lo peor, y juntando una turba, alborotaron la ciudad; y asaltando la casa de Jasón, procuraban sacarlos al pueblo.

6 Y al no hallarlos, trajeron a Jasón y a algunos hermanos ante los gobernadores de la ciudad, gritando: Estos que han trastornado al mundo también han venido acá;

7 a los cuales Jasón ha recibido; y todos éstos, hacen contrario a los decretos de César, diciendo que hay otro rey, Jesús.

8 Y el pueblo y los magistrados de la ciudad se alborotaron al oír estas cosas.

9 Mas habiendo obtenido fianza de Jasón y de los demás, los soltaron.

10 Y de inmediato los hermanos, enviaron de noche a Pablo y a Silas a Berea; los cuales, habiendo llegado, entraron en la sinagoga de los judíos.

11 Y éstos eran más nobles que los que estaban en Tesalónica, pues recibieron la palabra con toda solicitud, escudriñando cada día las Escrituras para ver si estas cosas eran así.

12 Así que creyeron muchos de ellos; y mujeres griegas distinguidas, y no pocos hombres.

13 Pero cuando los judíos de Tesalónica supieron que también en Berea era predicada la palabra de Dios por Pablo, fueron también allá y alborotaron al pueblo.

14 Entonces los hermanos, inmediatamente enviaron a Pablo que fuese hacia el mar; y Silas y Timoteo se quedaron allí.

15 Y los que conducían a Pablo, le llevaron hasta Atenas; y habiendo recibido mandamiento para Silas y Timoteo, de que viniesen a él tan pronto como pudiesen, partieron.

16 Y mientras Pablo los esperaba en Atenas, su espíritu se enardecía en él, viendo la ciudad entregada a la idolatría.

17 Así que, disputaba en la sinagoga con los judíos, y los religiosos; y en la plaza cada día con los que concurrían.

18 Y ciertos filósofos de los epicúreos y de los estoicos, disputaban con él; y unos decían: ¿Qué querrá decir este palabrero? Y otros: Parece que es predicador de dioses extraños; porque les predicaba a Jesús y la resurrección.

19 Y tomándole, le trajeron al Areópago, diciendo: ¿Podremos saber qué es esta nueva doctrina de que hablas?

20 Pues traes a nuestros oídos ciertas cosas extrañas; queremos, pues, saber qué significan estas cosas.

21 (Porque todos los atenienses y los extranjeros que estaban allí, no se interesaban en ninguna otra cosa, sino en decir o en oír algo nuevo.)

22 Entonces Pablo, puesto en pie en medio del Areópago, dijo: Varones atenienses, en todo veo que sois muy supersticiosos;

23 porque pasando y mirando vuestros santuarios, hallé también un altar en el cual estaba esta inscripción: AL DIOS NO CONOCIDO. Aquél, pues, que vosotros adoráis sin conocerle, a Éste yo os anuncio.

24 El Dios que hizo el mundo y todas las cosas que en él hay; Éste, siendo Señor del cielo y de la tierra, no habita en templos hechos de manos

25 ni es honrado por manos de hombres, como si necesitase algo, pues Él a todos da vida y aliento, y todas las cosas.

26 Y de una sangre ha hecho todo el linaje de los hombres, para que habiten sobre toda la faz de la tierra;

y les ha prefijado el orden de los tiempos, y los términos de su habitación;

27 para que busquen al Señor, si en alguna manera, palpando, le hallen; si bien no está lejos de cada uno de nosotros.

28 Porque en Él vivimos, y nos movemos, y somos; como también algunos de vuestros poetas han dicho: Porque también nosotros somos linaje suyo.

29 Siendo, pues, linaje de Dios, no debemos pensar que la Divinidad sea semejante a oro, o plata, o piedra, escultura de arte e imaginación de hombres.

30 Pero Dios, habiendo pasado por alto los tiempos de esta ignorancia, ahora demanda a todos los hombres en todo lugar, que se arrepientan;

31 por cuanto ha establecido un día en el cual juzgará al mundo con justicia, por *Aquel* varón a quien Él designó; dando fe a todos con haberle resucitado de los muertos.

32 Y cuando oyeron de la resurrección de los muertos, unos se burlaban, y otros decían: Te oiremos acerca de esto en otra ocasión.

33 Y así Pablo salió de en medio de ellos.

34 Mas algunos creyeron y se unieron a él; entre los cuales estaba Dionisio el areopagita, y una mujer llamada Dámaris, y otros con ellos.

CAPÍTULO 18

Después de estas cosas, Pablo partió de Atenas y vino a Corinto.

2 Y halló a un judío llamado Aquila, natural del Ponto, que recién había venido de Italia con Priscila su esposa (porque Claudio había mandado que todos los judíos saliesen de Roma), y vino a ellos.

3 Y como él era del mismo oficio, se quedó con ellos, y trabajaba; pues el oficio de ellos era hacer tiendas.

4 Y disputaba en la sinagoga todos los sábados, y persuadía a judíos y a griegos.

5 Y cuando Silas y Timoteo vinieron de Macedonia, Pablo, constreñido en espíritu, testificaba a los judíos que Jesús era el Cristo.

6 Mas oponiéndose y blasfemando ellos, sacudiéndose él sus ropas, les dijo: Vuestra sangre sea sobre vuestra cabeza; yo limpio *estoy*; desde ahora me iré a los gentiles.

7 Y partiendo de allí, entró en casa de uno llamado Justo, temeroso de Dios, cuya casa estaba junto a la sinagoga.

8 Y Crispo, el principal de la sinagoga, creyó en el Señor con toda su casa; y muchos de los corintios al oír, creían y eran bautizados.

9 Entonces el Señor en una visión de noche, dijo a Pablo: No temas, sino habla, y no calles;

10 porque yo estoy contigo, y nadie vendrá sobre ti para dañarte; porque yo tengo mucho pueblo en esta ciudad.

11 Y se detuvo allí un año y seis meses, enseñándoles la palabra de Dios.

12 Y siendo Galión procónsul de Acaya, los judíos se levantaron de común acuerdo contra Pablo, y le llevaron al tribunal,

13 diciendo: Éste persuade a los hombres a adorar a Dios contrario a la ley.

14 Y cuando Pablo estaba por abrir su boca, Galión dijo a los judíos: Si se tratara de algún agravio o algún crimen enorme, oh judíos, conforme a derecho yo os toleraría.

15 Pero si son cuestiones de palabras, y de nombres, y de vuestra ley, vedlo vosotros; porque yo no quiero ser juez de estas cosas.

16 Y los echó del tribunal.

17 Entonces todos los griegos, tomando a Sóstenes, principal de la sinagoga, le golpeaban delante del tribunal; mas a Galión nada se le daba de ello.

18 Y Pablo, habiéndose detenido aún muchos días allí, despidiéndose de los hermanos, navegó a Siria, y con él Priscila y Aquila, habiéndose rapado la cabeza en Cencrea, porque tenía voto.

19 Y llegó a Éfeso, y los dejó allí. Mas él entrando en la sinagoga disputaba con los judíos,

20 los cuales le rogaban que se quedase con ellos por más tiempo; pero él no accedió;

21 sino que se despidió de ellos, diciendo: Es necesario que en todo caso yo guarde la fiesta que viene, en Jerusalén; mas otra vez volveré a vosotros, si Dios quiere. Y zarpó de Éfeso.

22 Y habiendo arribado a Cesarea, subió para saludar a la iglesia, y *luego* descendió a Antioquía.

23 Y después de pasar allí algún tiempo, partió, andando por orden la provincia de Galacia y de Frigia, confirmando a todos los discípulos.

24 Y cierto judío llamado Apolos, natural de Alejandría, varón elocuente, poderoso en las Escrituras, vino a Éfeso.

25 Éste había sido instruido en el camino del Señor; y siendo ferviente de espíritu, hablaba y enseñaba diligentemente lo concerniente al Señor, *aunque* sólo conocía el bautismo de Juan.

26 Y comenzó a hablar con denuedo en la sinagoga; y cuando Aquila y Priscila le oyeron, le tomaron *aparte* y le expusieron con más exactitud el camino de Dios.

27 Y queriendo él pasar a Acaya, los hermanos escribieron, exhortando a los discípulos que le recibiesen; y cuando él llegó, ayudó mucho a los que por la gracia habían creído.

28 Porque con gran vehemencia convencía públicamente a los judíos, demostrando por las Escrituras que Jesús era el Cristo.

CAPÍTULO 19

Y aconteció que mientras Apolos estaba en Corinto, Pablo, habiendo pasado por las regiones superiores, vino a Éfeso, y hallando a ciertos discípulos,

2 les dijo: ¿Recibisteis el Espíritu Santo cuando creísteis? Y ellos le dijeron: Ni siquiera hemos oído que hay Espíritu Santo.

3 Entonces les dijo: ¿En qué, pues, fuisteis bautizados? Y ellos dijeron: En el bautismo de Juan.

4 Y Pablo *les* dijo: Juan bautizó con el bautismo de arrepentimiento, diciendo al pueblo que creyesen en Aquél que vendría después de él, esto es, en Cristo Jesús.

5 Cuando oyeron *esto*, fueron bautizados en el nombre del Señor Jesús.

6 Y habiéndoles impuesto Pablo las manos, vino sobre ellos el Espíritu Santo; y hablaban en lenguas, y profetizaban.

7 Y eran por todos unos doce varones.

8 Y entrando en la sinagoga, habló con denuedo por espacio de tres meses, disputando y persuadiendo acerca del reino de Dios.

9 Pero cuando algunos se endurecieron y no creyeron, sino que maldijeron el Camino delante de la multitud, él se apartó de ellos y apartó a los discípulos, disputando cada día en la escuela de un *tal* Tyrano.

10 Y esto fue hecho por espacio de dos años; de manera que todos los que habitaban en Asia, judíos y griegos, oyeron la palabra del Señor Jesús.

11 Y hacía Dios milagros incomparables por mano de Pablo;

12 de tal manera que aun los pañuelos o delantales de su cuerpo eran llevados a los enfermos, y las enfermedades se iban de ellos, y los malos espíritus salían de ellos.

13 Pero algunos de los judíos, vagabundos exorcistas, intentaron invocar el nombre del Señor Jesús sobre los que tenían espíritus malos, diciendo: Os conjuramos por Jesús, el que Pablo predica.

14 Y había siete hijos de un tal Sceva, judío, príncipe de los sacerdotes, que hacían esto.

15 Y respondiendo el espíritu malo, dijo: A Jesús conozco, y sé quién es Pablo; pero vosotros, ¿quiénes sois?

16 Y el hombre en quien estaba el espíritu malo saltó sobre ellos, y dominándolos, prevaleció contra ellos, de tal manera que huyeron de aquella casa, desnudos y heridos.

17 Y esto fue notorio a todos los que habitaban en Éfeso, así judíos como griegos; y cayó temor sobre todos ellos, y el nombre del Señor Jesús era magnificado.

18 Y muchos de los que habían creído venían, confesando, y dando cuenta de sus hechos.

19 Asimismo muchos de los que habían practicado la magia, trajeron sus libros, y los quemaron delante de todos; y contando el precio de ellos, se halló ser cincuenta mil *piezas* de plata.

20 Así crecía poderosamente la palabra del Señor, y prevalecía.

21 Y pasadas estas cosas, Pablo se propuso en espíritu ir a Jerusalén después de recorrer Macedonia y Acaya, diciendo: Después que haya estado allí, me será necesario ver también a Roma.

22 Y enviando a Macedonia a dos de los que le ayudaban, Timoteo y Erasto, él se quedó por algún tiempo en Asia.

23 Y en aquel tiempo hubo un alboroto no pequeño acerca del Camino.

24 Porque un platero llamado Demetrio, que hacía de plata templecillos de Diana, daba a los artífices no poca ganancia;

25 a los cuales, reunidos con los obreros del mismo oficio, dijo: Varones, sabéis que de este oficio obtenemos nuestra riqueza;

26 y veis y oís que este Pablo, no solamente en Éfeso, sino en casi toda Asia, ha persuadido y apartado a muchas gentes, diciendo que no son dioses los que se hacen con las manos.

27 Y no solamente hay peligro de que este negocio se nos deshaga, sino también que el templo de la gran diosa Diana sea despreciado, y venga a ser destruida su majestad, la cual adora toda Asia y el mundo.

28 Y oyendo *esto*, se llenaron de ira, y gritaron, diciendo: ¡Grande es Diana de los efesios!

29 Y toda la ciudad se llenó de confusión; y arrebatando a Gayo y a Aristarco, macedonios, compañeros de Pablo, a una se abalanzaron al teatro.

30 Y queriendo Pablo salir al pueblo, los discípulos no le dejaron.

31 También algunos de los principales de Asia, que eran sus amigos, enviaron a él rogándole que no se presentase en el teatro.

32 Unos, pues, gritaban una cosa, y otros otra; porque la concurrencia estaba confusa, y la mayoría de ellos no sabían por qué se habían reunido.

33 Y sacaron de entre la multitud a Alejandro, empujándole los judíos. Entonces Alejandro, haciendo señal con la mano, quería hablar en su defensa ante el pueblo.

34 Pero cuando supieron que era judío, todos a una voz gritaron casi por dos horas: ¡Grande es Diana de los efesios!

35 Entonces el escribano, cuando hubo apaciguado a la multitud, dijo: Varones efesios ¿qué hombre hay que no sepa que la ciudad de los efesios es adoradora de la gran diosa Diana, y de la *imagen* caída de Júpiter?

36 Y ya que esto no puede ser contradicho, conviene que os apacigüéis, y que nada hagáis precipitadamente;

37 pues habéis traído a estos hombres, sin ser sacrílegos, ni blasfemadores de vuestra diosa.

38 Que si Demetrio y los artífices que están con él tienen pleito contra alguno, audiencias se hacen, y procónsules hay; acúsense unos a otros.

39 Y si demandáis alguna otra cosa, en legítima asamblea se puede decidir.

40 Porque estamos en peligro de ser acusados de sedición por esto de hoy, no habiendo ninguna causa por la cual podamos dar razón de este concurso.

41 Y habiendo dicho esto, despidió la asamblea.

CAPÍTULO 20

Y después que cesó el alboroto, Pablo llamó a los discípulos, y abrazándoles, se despidió, y partió para ir a Macedonia.

2 Y habiendo recorrido aquellas regiones, después de exhortarles con abundancia de palabras, vino a Grecia.

3 Y estuvo allí tres meses. Y cuando los judíos le pusieron acechanza, estando él por navegar a Siria, decidió regresarse por Macedonia.

4 Y le acompañaron hasta Asia, Sópater de Berea, y de los tesalonicenses, Aristarco y Segundo, y Gayo de Derbe, y Timoteo; y de Asia, Tíquico y Trófimo.

5 Éstos, habiéndose adelantado, nos esperaron en Troas.

6 Y nosotros, pasados los días de los panes sin levadura, navegamos de Filipos, y en cinco días vinimos a ellos a Troas, donde estuvimos siete días.

7 Y el primer *día* de la semana, reuniéndose los discípulos para partir el pan, Pablo les predicaba; y habiendo de partir al día siguiente, alargó su discurso hasta la media noche.

8 Y había muchas lámparas en el aposento alto donde estaban reunidos.

9 Y un joven llamado Eutico, que estaba sentado en una ventana, cayó en un sueño profundo; y como Pablo predicaba largamente, se quedó dormido y cayó del tercer piso abajo, y fue levantado muerto.

10 Entonces descendió Pablo y se derribó sobre él, y abrazándole, dijo: No os turbéis, que su vida está en él.

11 Y cuando subió otra vez, y hubo partido el pan y comido, habló largamente hasta el alba, y así partió.

12 Y trajeron al joven vivo, y fueron consolados no poco.

13 Y nosotros, adelantándonos a tomar la nave, navegamos a Asón, para recoger allí a Pablo; pues él así lo había determinado, queriendo él ir por tierra.

14 Y cuando se encontró con nosotros en Asón, tomándolo a bordo, vinimos a Mitilene.

15 Y navegando de allí, al *día* siguiente llegamos delante de Quíos, y al otro *día* tomamos puerto en Samos; y habiendo reposado en Trogilio, al *día* siguiente llegamos a Mileto.

16 Porque Pablo había determinado navegar adelante de Éfeso, por no detenerse en Asia; pues se apresuraba para, si le fuese posible, estar en Jerusalén el día de Pentecostés.

17 Y desde Mileto envió a Éfeso, e hizo llamar a los ancianos de la iglesia.

18 Y cuando vinieron a él, les dijo: Vosotros sabéis cómo me he conducido entre vosotros todo el tiempo, desde el primer día que entré en Asia;

19 sirviendo al Señor con toda humildad, y con muchas lágrimas, y pruebas que me han venido por las asechanzas de los judíos;

20 y cómo nada que *os* fuese útil he rehuido de anunciaros y enseñaros, públicamente y por las casas,

21 testificando a los judíos y a los griegos arrepentimiento para con Dios, y la fe en nuestro Señor Jesucristo.

22 Y he aquí, ahora, ligado yo en espíritu, voy a Jerusalén, sin saber lo que allá me ha de acontecer;

23 salvo que el Espíritu Santo por todas las ciudades me da testimonio, diciendo que prisiones y tribulaciones me esperan.

24 Pero de ninguna cosa hago caso, ni estimo mi vida preciosa para mí mismo; con tal que acabe mi carrera con gozo, y el ministerio que recibí del Señor Jesús, para dar testimonio del evangelio de la gracia de Dios.

25 Y ahora, he aquí, yo sé que ninguno de vosotros, entre quienes he pasado predicando el reino de Dios, verá más mi rostro.

26 Por tanto, yo os protesto en el día de hoy, que estoy limpio de la sangre de todos;

27 porque no he rehuido anunciaros todo el consejo de Dios.

28 Por tanto, mirad por vosotros, y por todo el rebaño en que el Espíritu Santo os ha puesto por obispos, para apacentar la iglesia de Dios, la cual Él compró con su propia sangre.

29 Porque yo sé esto, que después de mi partida entrarán en medio de vosotros lobos rapaces, que no perdonarán al rebaño.

30 Y de vosotros mismos se levantarán hombres que hablen cosas perversas, para llevar discípulos tras sí.

31 Por tanto, velad, acordándoos que por tres años, de noche y de día, no he cesado de amonestar con lágrimas a cada uno.

32 Y ahora, hermanos, os encomiendo a Dios y a la palabra de su gracia, la cual es poderosa para sobreedificaros, y daros herencia con todos los santificados.

33 No he codiciado plata, u oro, o vestidura de nadie.

34 Antes vosotros sabéis que para lo que me ha sido necesario, y para los que están conmigo, estas manos me han servido.

35 En todo os he enseñado que trabajando así, es necesario sobrellevar a los débiles, y recordar las palabras del Señor Jesús, que dijo: Más bienaventurado es dar que recibir.

36 Y habiendo dicho estas cosas, se puso de rodillas, y oró con todos ellos.

37 Entonces hubo gran llanto de todos; y echándose sobre el cuello de Pablo, le besaban,

38 entristeciéndose sobre todo por las palabras que había dicho, de que ya no volverían a ver su rostro. Y le acompañaron hasta el barco.

CAPÍTULO 21

Y aconteció que después de separarnos de ellos, zarpamos y vinimos camino directo a Cos, y al *día* siguiente a Rodas, y de allí a Pátara.

2 Y hallando un barco que pasaba a Fenicia, nos embarcamos, y zarpamos.

3 Y cuando avistamos a Chipre, dejándola a mano izquierda, navegamos a Siria, y arribamos a Tiro; porque el barco había de descargar allí su cargamento.

4 Y hallados los discípulos, nos quedamos allí siete días; y ellos decían a Pablo por el Espíritu, que no subiese a Jerusalén.

5 Y cuando cumplimos aquellos días, partimos, y nos encaminaron todos, con sus esposas e hijos, hasta fuera de la ciudad; y puestos de rodillas en la ribera, oramos.

6 Y abrazándonos unos a otros, subimos al barco, y ellos se volvieron a sus casas.

7 Y nosotros, cumplida la navegación, vinimos de Tiro a Tolemaida; y habiendo saludado a los hermanos, nos quedamos con ellos un día.

8 Y al día siguiente, partiendo Pablo y los que con él estábamos, vinimos a Cesarea; y entrando en casa de Felipe el evangelista, que era uno de los siete, posamos con él.

9 Y éste tenía cuatro hijas vírgenes que profetizaban.

10 Y deteniéndonos *allí* por muchos días, descendió de Judea un profeta llamado Agabo.

11 Y cuando él vino a nosotros, tomó el cinto de Pablo, y atándose los pies y las manos, dijo: Esto dice el Espíritu Santo: Así atarán los judíos en Jerusalén al varón de quien es este cinto, y *le* entregarán en manos de los gentiles.

12 Y cuando oímos esto, le rogamos nosotros y los de aquel lugar, que no subiese a Jerusalén.

13 Entonces Pablo respondió: ¿Qué hacéis llorando y quebrantándome el corazón? Porque yo estoy dispuesto no sólo a ser atado, sino aun a morir en Jerusalén por el nombre del Señor Jesús.

14 Y como no le pudimos persuadir, desistimos, diciendo: Hágase la voluntad del Señor.

15 Y después de estos días, tomando nuestro bagaje, subimos a Jerusalén.

16 Y vinieron también con nosotros de Cesarea algunos de los discípulos, trayendo consigo a un Mnasón, de Chipre, un discípulo antiguo, con quien nos hospedaríamos.

17 Y cuando llegamos a Jerusalén, los hermanos nos recibieron con gozo.

18 Y al día siguiente Pablo entró con nosotros a *ver a* Jacobo, y todos los ancianos estaban presentes;

19 y después de saludarlos, les contó una por una las cosas que Dios había hecho entre los gentiles por su ministerio.

20 Y cuando ellos lo oyeron, glorificaron al Señor, y le dijeron: Ya ves, hermano, cuántos millares de judíos hay que han creído; y todos son celosos de la ley.

21 Y están informados acerca de ti, que enseñas a todos los judíos que están entre los gentiles a apartarse de Moisés, diciéndoles que no deben circuncidar a sus hijos, ni andar según las costumbres.

22 ¿Qué hay, pues? La multitud se reunirá de cierto; porque oirán que has venido.

23 Haz, pues, esto que te decimos: Hay entre nosotros cuatro hombres que tienen voto sobre sí:

24 Tómalos contigo, y purifícate con ellos, y paga con ellos para que rasuren sus cabezas, y todos entenderán que no hay nada de lo que fueron informados acerca de ti; sino que tú también andas ordenadamente, y guardas la ley.

25 Pero en cuanto a los gentiles que han creído, nosotros hemos escrito y acordado que no guarden nada de esto; solamente que se abstengan de lo que fue sacrificado a los ídolos, y de sangre, y de estrangulado y de fornicación.

26 Entonces Pablo tomó consigo aquellos hombres, y al día siguiente, habiéndose purificado con ellos, entró en el templo para anunciar el cumplimiento de los días de la purificación, hasta que una ofrenda fuese ofrecida por cada uno de ellos.

27 Y cuando estaban por cumplirse los siete días, los judíos de Asia, al verle en el templo, alborotaron a todo el pueblo y le echaron mano,

28 dando voces: ¡Varones israelitas, ayudad! Éste es el hombre que por todas partes enseña a todos contra el pueblo, y la ley, y este lugar; y además ha metido a griegos en el templo, y ha profanado este santo lugar.

29 (Porque antes habían visto con él en la ciudad a Trófimo, efesio, al cual pensaban que Pablo había metido en el templo.)

30 Así que toda la ciudad se agitó, y se agolpó el pueblo; y tomando a Pablo, lo arrastraron fuera del templo, y en seguida cerraron las puertas.

31 Y cuando iban a matarle, fue dado aviso al tribuno de la compañía, que toda la ciudad de Jerusalén estaba alborotada.

32 Éste, de inmediato tomó soldados y centuriones, y bajó corriendo hacia ellos. Y cuando ellos vieron al tribuno y a los soldados, cesaron de golpear a Pablo.

33 Entonces llegando el tribuno, le prendió, y le mandó atar con dos cadenas; y preguntó quién era, y qué había hecho.

34 Pero entre la multitud, unos gritaban una cosa, y otros otra; y como no podía entender nada de cierto a causa del alboroto, le mandó llevar a la fortaleza.

35 Y cuando llegó a las gradas, aconteció que fue llevado en vilo por los soldados a causa de la violencia del pueblo;

36 porque la multitud del pueblo venía detrás, gritando: ¡Fuera con él!

37 Y cuando estaban por meter a Pablo en la fortaleza, dijo al tribuno: ¿Me permites decirte algo? Y él dijo: ¿Sabes griego?

38 ¿No eres tú aquel egipcio que levantaste una sedición antes de estos días, y sacaste al desierto cuatro mil hombres sicarios?

39 Entonces Pablo *le* dijo: Yo de cierto soy hombre judío, de Tarso, ciudadano de una ciudad no insignificante de Cilicia; y te ruego que me permitas hablar al pueblo.

40 Y cuando él se lo permitió, Pablo estando en pie en las gradas, hizo señal con la mano al pueblo, y hecho gran silencio, habló en lengua hebrea, diciendo:

CAPÍTULO 22

Varones hermanos y padres, oíd mi defensa que *hago* ahora ante vosotros.

2 Y cuando oyeron que les hablaba en lengua hebrea, guardaron más silencio. Y *les* dijo:

3 Yo de cierto soy hombre judío, nacido en Tarso de Cilicia, pero criado en esta ciudad, educado a los pies de Gamaliel, estrictamente conforme a la ley de nuestros padres, siendo celoso de Dios, como hoy lo sois todos vosotros.

4 Y perseguí este Camino hasta la muerte, prendiendo y entregando en cárceles así hombres como mujeres;

5 como también el sumo sacerdote me es testigo, y todos los ancianos; de los cuales también recibí cartas para con los hermanos; e iba a Damasco para traer presos a Jerusalén a los que estuviesen allí, para que fuesen castigados.

6 Y aconteció que cuando hacía mi jornada, y llegaba cerca de Damasco, como a mediodía, repentinamente resplandeció del cielo una gran luz que me rodeó;

7 y caí al suelo, y oí una voz que me decía: Saulo, Saulo, ¿por qué me persigues?

8 Yo entonces respondí: ¿Quién eres, Señor? Y me dijo: Yo soy Jesús de Nazaret, a quién tú persigues.

9 Y los que estaban conmigo vieron a la verdad la luz, y se espantaron; mas no oyeron la voz del que hablaba conmigo.

10 Y dije: ¿Qué haré, Señor? Y el Señor me dijo: Levántate y ve a Damasco, y allí se te dirá todo lo que está ordenado que hagas.

11 Y como yo no podía ver a causa de la gloria de aquella luz, llevado de la mano por los que estaban conmigo, vine a Damasco.

12 Entonces un Ananías, varón piadoso conforme a la ley, que tenía buen testimonio de todos los judíos que moraban allí,

13 vino a mí, y acercándose, me dijo: Hermano Saulo, recibe la vista. Y yo en aquella hora le miré.

14 Y él dijo: El Dios de nuestros padres te ha escogido, para que conozcas su voluntad, y veas al Justo, y oigas la voz de su boca.

15 Porque serás testigo suyo ante todos los hombres de lo que has visto y oído.

16 Ahora, pues, ¿por qué te detienes? Levántate y sé bautizado; y lava tus pecados invocando el nombre del Señor.

17 Y me aconteció, que vuelto a Jerusalén, mientras oraba en el templo, fui arrebatado en éxtasis.

18 Y le vi que me decía: Date prisa, y sal cuanto antes de Jerusalén; porque no recibirán tu testimonio acerca de mí.

19 Y yo dije: Señor, ellos saben que yo encarcelaba, y azotaba por las sinagogas a los que creían en ti;

20 y cuando se derramaba la sangre de Esteban tu mártir, yo también estaba presente, y consentía en su muerte, y guardaba las ropas de los que le mataban.

21 Y me dijo: Ve, porque yo te enviaré lejos, a los gentiles.

22 Y le oyeron hasta esta palabra; *entonces* alzaron la voz, diciendo: Quita de la tierra a tal *hombre*, porque no conviene que viva.

23 Y como ellos daban voces y arrojaban *sus* ropas y echaban polvo al aire,

24 el tribuno mandó que le llevasen a la fortaleza, y ordenó que fuese interrogado con azotes, para saber por qué causa clamaban así contra él.

25 Y cuando le ataron con correas, Pablo dijo al centurión que estaba presente: ¿Os es lícito azotar a un hombre romano sin ser condenado?

26 Y cuando el centurión oyó esto, fue y dio aviso al tribuno, diciendo: Mira bien qué vas a hacer; porque este hombre es romano.

27 Entonces vino el tribuno y le dijo: Dime, ¿eres tú romano? Él dijo: Sí.

28 Y respondió el tribuno: Yo con grande suma alcancé esta ciudadanía. Entonces Pablo dijo: Pero yo *la tengo* de nacimiento.

29 Así que, en seguida se apartaron de él los que le iban a interrogar; y el tribuno, al saber que era romano, también tuvo temor por haberle atado.

30 Y al día siguiente, queriendo saber de cierto la causa por la que era acusado de los judíos, le soltó de las cadenas, y mandó venir a los príncipes de los sacerdotes y a todo su concilio; y sacando a Pablo, le presentó delante de ellos.

CAPÍTULO 23

Entonces Pablo, mirando fijamente al concilio, dijo: Varones hermanos, yo con toda buena conciencia he vivido delante de Dios hasta el día de hoy.

2 Y el sumo sacerdote Ananías, mandó a los que estaban delante de él, que le golpeasen en la boca.

3 Entonces Pablo le dijo: Dios te golpeará a ti, pared blanqueada: ¿Pues tú estás sentado para juzgarme conforme a la ley, y contra la ley me mandas golpear?

4 Y los que estaban presentes dijeron: ¿Al sumo sacerdote de Dios insultas?

5 Y Pablo dijo: No sabía, hermanos, que era el sumo sacerdote; pues escrito está: No maldecirás al príncipe de tu pueblo.

6 Y cuando Pablo percibió que una parte era de saduceos, y la otra de fariseos, alzó la voz en el concilio: Varones hermanos, yo siendo fariseo, hijo de fariseo; de la esperanza y de la resurrección de los muertos soy juzgado.

7 Y cuando hubo dicho esto, se levantó una disensión entre los fariseos y los saduceos, y la multitud se dividió.

8 Porque los saduceos dicen que no hay resurrección, ni ángel, ni espíritu; pero los fariseos profesan estas cosas.

9 Y se levantó un gran vocerío; y levantándose los escribas de la parte de los fariseos, contendían diciendo: Ningún mal hallamos en este hombre; que si un espíritu le ha hablado, o un ángel, no peleemos contra Dios.

10 Y como hubo gran disensión, el tribuno, teniendo temor de que Pablo fuera despedazado por ellos, ordenó a los soldados que bajaran y lo arrebataran de en medio de ellos y lo llevaran a la fortaleza.

11 Y a la noche siguiente, se le presentó el Señor, y le dijo: Ten ánimo, Pablo; pues como has testificado de mí en Jerusalén, así es necesario que testifiques también en Roma.

12 Y cuando fue de día, algunos de los judíos se juntaron, e hicieron voto bajo maldición, diciendo que no comerían ni beberían hasta que hubiesen dado muerte a Pablo.

13 Y eran más de cuarenta los que habían hecho esta conjura;

14 los cuales vinieron a los príncipes de los sacerdotes y a los ancianos, y dijeron: Nosotros hemos hecho voto bajo maldición, que no hemos de gustar nada hasta que hayamos dado muerte a Pablo.

15 Ahora, pues, vosotros, con el concilio, pedid al tribuno que le traiga mañana ante vosotros, como que queréis inquirir acerca de él alguna cosa más cierta; y nosotros estaremos apercibidos para matarle antes que él llegue.

16 Pero cuando el hijo de la hermana de Pablo oyó de la asechanza, fue y entró en la fortaleza, y dio aviso a Pablo.

17 Y Pablo, llamando a uno de los centuriones, dijo: Lleva a este joven al tribuno, porque tiene algo que decirle.

18 Entonces él le tomó y le llevó al tribuno, y dijo: El preso Pablo, llamándome, me rogó que trajese a ti a este joven, porque tiene algo que decirte.

19 Y el tribuno, tomándole de la mano y retirándose aparte, le preguntó: ¿Qué es lo que tienes que decirme?

20 Y él dijo: Los judíos han concertado rogarte que mañana lleves a Pablo ante el concilio, como que van a inquirir de él alguna cosa más cierta.

21 Pero tú no les creas; porque más de cuarenta hombres de ellos le acechan, los cuales han hecho voto bajo maldición, de no comer ni beber hasta que le hayan dado muerte; y ahora están apercibidos esperando de ti promesa.

22 Entonces el tribuno despidió al joven, mandándole que a nadie dijese que le había dado aviso de esto.

23 Y llamando a dos centuriones, *les* dijo: Preparad para la hora tercera de la noche doscientos soldados, y setenta de a caballo y doscientos lanceros, para que vayan hasta Cesarea.

24 y provéanles cabalgaduras en que poniendo a Pablo, lo lleven a salvo a Félix el gobernador.

25 Y escribió una carta de esta manera:

26 Claudio Lisias al excelentísimo gobernador Félix: Salud.

27 A este hombre, aprehendido por los judíos, y que iban ellos a matar, libré yo acudiendo con la tropa, habiendo entendido que era romano.

28 Y queriendo saber la causa por qué le acusaban, le llevé ante el concilio de ellos;

29 y hallé que le acusaban de cuestiones de la ley de ellos, pero que ninguna acusación tenía digna de muerte o de prisión.

30 Y cuando me fue dicho de como los judíos asechaban a este hombre, al punto le he enviado a ti, mandando también a los acusadores que digan delante de ti lo que tienen contra él. Pásalo bien.

31 Entonces los soldados, tomando a Pablo como les era mandado, le llevaron de noche a Antípatris.

32 Y al día siguiente, dejando a los de a caballo que fuesen con él, regresaron a la fortaleza.

33 Los cuales, como llegaron a Cesarea, y dieron la carta al gobernador, presentaron también a Pablo delante de él.

34 Y cuando el gobernador leyó *la carta*, preguntó de qué provincia era. Y cuando entendió que era de Cilicia,

35 dijo: Te oiré cuando vengan tus acusadores. Y mandó que le guardasen en el pretorio de Herodes.

CAPÍTULO 24

Y cinco días después el sumo sacerdote Ananías, descendió con algunos de los ancianos y un cierto orador llamado Tértulo, y comparecieron ante el gobernador contra Pablo.

2 Y cuando éste fue llamado, Tértulo comenzó a acusarle, diciendo: Debido a ti gozamos de gran quietud, y muchas cosas son bien gobernadas en la nación por tu providencia;

3 en todo tiempo y en todo lugar lo recibimos con toda gratitud, oh excelentísimo Félix.

4 Pero por no serte muy tedioso, te ruego que nos oigas brevemente conforme a tu gentileza.

5 Pues hemos hallado que este hombre es pestilencial, y levantador de sediciones entre todos los judíos por todo el mundo, y cabecilla de la secta de los nazarenos.

6 Quien también intentó profanar el templo; y prendiéndole, le quisimos juzgar conforme a nuestra ley.

7 Pero interviniendo el tribuno Lisias, con gran violencia le quitó de nuestras manos,

8 mandando a sus acusadores que viniesen a ti. Tú mismo, al interrogarle, podrás enterarte de todas estas cosas de que le acusamos.

9 Y asentían también los judíos, diciendo ser así estas cosas.

10 Y habiéndole hecho señal el gobernador para que hablase, Pablo respondió: Porque sé que desde hace muchos años eres juez de esta nación, de buen ánimo haré mi defensa.

11 Porque tú puedes verificar que no hace más de doce días yo subí a adorar a Jerusalén;

12 y no me hallaron en el templo disputando con alguno, ni alborotando al pueblo, ni en las sinagogas, ni en la ciudad;

13 ni pueden probar las cosas de que ahora me acusan.

14 Pero te confieso esto, que conforme al Camino que ellos llaman herejía, así sirvo al Dios de mis padres, creyendo todas las cosas que en la ley y en los profetas están escritas;

15 teniendo esperanza en Dios que ha de haber resurrección de los muertos, así de justos como de injustos, la cual también ellos esperan.

16 Y por esto yo procuro tener siempre una conciencia sin ofensa ante Dios y ante los hombres.

17 Mas pasados muchos años, vine a hacer limosnas a mi nación, y ofrendas.

18 Y en esto, unos judíos de Asia me hallaron purificado en el templo no con multitud ni con alboroto;

19 los cuales debían haber comparecido ante ti, y acusar, si contra mí tenían algo.

20 O digan estos mismos si hallaron en mí alguna cosa mal hecha, cuando comparecí ante el concilio,

21 a no ser por aquella voz, que clamé estando entre ellos: Acerca de la resurrección de los muertos soy juzgado hoy por vosotros.

22 Entonces Félix, oídas estas cosas, teniendo mejor conocimiento de *este* Camino, les puso dilación, diciendo: Cuando descendiere el tribuno Lisias acabaré de conocer de vuestro asunto.

23 Y mandó al centurión que se guardase a Pablo, y que tuviese libertades; y que no impidiesen a ninguno de los suyos servirle o venir a él.

24 Y algunos días después, viniendo Félix con Drusila, su esposa, la cual era judía, llamó a Pablo, y le oyó acerca de la fe en Cristo.

25 Y disertando él de la justicia, del dominio propio y del juicio venidero, Félix, se espantó, y dijo: Vete ahora, y cuando tenga oportunidad te llamaré.

26 Esperando también con esto, que de parte de Pablo le sería dado dinero para que le soltase; por lo cual, haciéndole venir muchas veces, hablaba con él.

27 Pero al cabo de dos años recibió Félix por sucesor a Porcio Festo; y queriendo Félix congraciarse con los judíos, dejó preso a Pablo.

CAPÍTULO 25

Festo, pues, entrado en la provincia, tres días después subió de Cesarea a Jerusalén.

2 Entonces el sumo sacerdote y los principales de los judíos se presentaron ante él contra Pablo; y le rogaron,

3 pidiendo favor contra él, que le hiciese traer a Jerusalén, poniendo ellos asechanza para matarle en el camino.

4 Pero Festo respondió que Pablo estuviese guardado en Cesarea, y que él mismo iría *allá* en breve.

5 Los que de vosotros puedan, dijo, desciendan conmigo, y si hay algún crimen en este varón, acúsenle.

6 Y deteniéndose entre ellos más de diez días, descendió a Cesarea; y el día siguiente se sentó en el tribunal, y mandó que trajesen a Pablo.

7 Y cuando éste llegó, le rodearon los judíos que habían venido de Jerusalén, presentando contra Pablo muchas y graves acusaciones, las cuales no podían probar;

8 alegando él en su defensa: Ni contra la ley de los judíos, ni contra el templo, ni contra César he pecado en nada.

9 Pero Festo, queriendo congraciarse con los judíos, respondió a Pablo, y dijo: ¿Quieres subir a Jerusalén, y allá ser juzgado de estas cosas delante de mí?

10 Y Pablo dijo: Ante el tribunal de César estoy, donde debo ser juzgado. A los judíos no les he hecho ningún agravio, como tú sabes muy bien.

11 Porque si algún agravio, o alguna cosa digna de muerte he hecho, no rehúso morir; pero si nada hay de las cosas de que éstos me acusan, nadie puede entregarme a ellos. A César apelo.

12 Entonces Festo, habiendo hablado con el consejo, respondió: A César has apelado; a César irás.

13 Y pasados algunos días, el rey Agripa y Bernice vinieron a Cesarea a saludar a Festo.

14 Y como estuvieron allí muchos días, Festo declaró al rey la causa de Pablo, diciendo: Un hombre ha sido dejado preso por Félix,

15 acerca del cual, cuando estuve en Jerusalén, comparecieron ante mí los príncipes de los sacerdotes y los ancianos de los judíos, pidiendo juicio contra él.

16 A los cuales respondí: No es costumbre de los romanos entregar alguno a la muerte antes que el acusado tenga presentes a sus acusadores, y tenga oportunidad de defenderse de la acusación.

17 Así que, habiendo venido ellos juntos acá, sin ninguna dilación, al día siguiente, sentado en el tribunal, mandé traer al hombre.

18 Y estando presentes los acusadores, ningún cargo presentaron de los que yo suponía.

19 sino que tenían contra él ciertas cuestiones acerca de su superstición, y de un cierto Jesús, ya muerto, el cual Pablo afirmaba estar vivo.

20 Y yo, dudando en cuestión semejante, le pregunté si quería ir a Jerusalén y allá ser juzgado de estas cosas.

21 Pero como Pablo apeló para ser reservado para la audiencia de Augusto, mandé que le guardasen hasta que le enviara a César.

22 Entonces Agripa dijo a Festo: Yo también quisiera oír a ese hombre. Y él dijo: Mañana le oirás.

23 Y al otro día, viniendo Agripa y Bernice con mucha pompa, y entrando en la audiencia con los tribunos y principales hombres de la ciudad, por mandato de Festo fue traído Pablo.

24 Entonces Festo dijo: Rey Agripa, y todos los varones aquí presentes con nosotros; veis a este hombre, del

cual toda la multitud de los judíos me ha demandado en Jerusalén y aquí, dando voces que no debe vivir más;

25 pero yo, hallando que ninguna cosa digna de muerte ha hecho, y como él mismo apeló a Augusto, he determinado enviarle *a él*.

26 Del cual no tengo cosa cierta que escribir a mi señor; por lo que le he traído ante vosotros, y mayormente ante ti, oh rey Agripa, para que después de examinarle, tenga yo qué escribir.

27 Porque me parece fuera de razón enviar un preso, y no informar de los cargos que haya en su contra.

CAPÍTULO 26

Entonces Agripa dijo a Pablo: Se te permite hablar por ti mismo. Pablo entonces, extendiendo la mano, comenzó *así* su defensa:

2 Me tengo por dichoso, oh rey Agripa, de que hoy haya de defenderme delante de ti acerca de todas las cosas de que soy acusado por los judíos;

3 Mayormente *sabiendo* que tú eres conocedor de todas las costumbres y cuestiones que hay entre los judíos; por lo cual te ruego que me oigas con paciencia.

4 Mi vida, pues, desde mi juventud, la cual desde el principio pasé en mi nación, en Jerusalén, la conocen todos los judíos;

5 los cuales saben que yo desde el principio, si quieren testificarlo, conforme a la más estricta secta de nuestra religión, he vivido fariseo.

6 Y ahora, por la esperanza de la promesa que hizo Dios a nuestros padres, comparezco y soy juzgado;

7 *promesa* a la cual nuestras doce tribus, sirviendo constantemente de día y de noche, esperan han de llegar. Por esta esperanza, oh rey Agripa, soy acusado por los judíos.

8 ¿Por qué se juzga entre vosotros cosa increíble que Dios resucite a los muertos?

9 Yo ciertamente había pensando dentro de mí, que era mi deber hacer muchas cosas contra el nombre de Jesús de Nazaret;

10 lo cual también hice en Jerusalén, y yo encerré en cárceles a muchos de los santos, habiendo recibido autoridad de los príncipes de los sacerdotes; y cuando los mataron, yo di mi voto.

11 Y muchas veces, castigándolos por todas las sinagogas, los forcé a blasfemar; y enfurecido sobremanera contra ellos, los perseguí hasta en las ciudades extranjeras.

12 Y ocupado en ello, yendo a Damasco con autoridad y comisión de los príncipes de los sacerdotes,

13 al mediodía, oh rey, yendo en el camino vi una luz del cielo, que sobrepasaba el resplandor del sol, iluminando en derredor de mí y de los que iban conmigo.

14 Y habiendo caído todos nosotros en tierra, oí una voz que me hablaba, y decía en lengua hebrea: Saulo, Saulo, ¿por qué me persigues? Dura cosa te es dar coces contra los aguijones.

15 Yo entonces dije: ¿Quién eres, Señor? Y Él dijo: Yo soy Jesús, a quien tú persigues.

16 Pero levántate, y ponte sobre tus pies; porque para esto te he aparecido, para ponerte por ministro y testigo de las cosas que has visto, y de aquellas en que me apareceré a ti,

17 librándote de este pueblo y *de* los gentiles, a los cuales ahora te envío,

18 para que abras sus ojos, para que se conviertan de las tinieblas a la luz, y de la potestad de Satanás a Dios; para que reciban, por la fe que es en mí, perdón de pecados y herencia entre los santificados.

19 Por lo cual, oh rey Agripa, no fui rebelde a la visión celestial,

20 sino que anuncié primeramente a los que están en Damasco, y Jerusalén, y por toda la tierra de Judea, y a los gentiles, que se arrepintiesen y se convirtiesen a Dios, haciendo obras dignas de arrepentimiento.

21 Por causa de esto los judíos, prendiéndome en el templo, intentaron matarme.

22 Pero habiendo obtenido auxilio de Dios, persevero hasta el día de hoy, dando testimonio a pequeños y a grandes, no diciendo nada fuera de

las cosas que los profetas y Moisés dijeron que habían de venir.

23 Que Cristo había de padecer, y ser el primero de la resurrección de los muertos, para anunciar luz al pueblo y a los gentiles.

24 Y diciendo él estas cosas en su defensa, Festo a gran voz dijo: Estás loco, Pablo; las muchas letras te vuelven loco.

25 Pero él dijo: No estoy loco, excelentísimo Festo, sino que hablo palabras de verdad y de cordura.

26 Pues el rey sabe estas cosas, delante del cual también hablo confiadamente. Pues estoy seguro que no ignora nada de esto; pues no se ha hecho esto en algún rincón.

27 ¿Crees, oh rey Agripa, a los profetas? Yo sé que crees.

28 Entonces Agripa dijo a Pablo: Por poco me persuades a ser cristiano.

29 Y Pablo dijo: ¡Quisiera Dios, que por poco o por mucho, no solamente tú, sino también todos los que hoy me oyen, fueseis hechos tales cual yo soy, excepto estas cadenas!

30 Y cuando hubo dicho esto, se levantó el rey, y el gobernador, y Bernice, y los que estaban sentados con ellos;

31 Y cuando se retiraron aparte, hablaban entre sí, diciendo: Ninguna cosa digna de muerte ni de prisión, hace este hombre.

32 Y Agripa dijo a Festo: Podía este hombre ser puesto en libertad, si no hubiera apelado a César.

CAPÍTULO 27

Y cuando fue determinado que habíamos de navegar para Italia, entregaron a Pablo y a algunos otros presos a un centurión llamado Julio, de la compañía Augusta.

2 Y embarcándonos en una nave adrumentina, queriendo navegar junto a las costas de Asia, zarpamos, estando con nosotros Aristarco, macedonio de Tesalónica.

3 Y al otro día llegamos a Sidón; y Julio, tratando humanamente a Pablo, le permitió que fuese a sus amigos, para ser asistido por ellos.

4 Y haciéndonos a la vela desde allí, navegamos a sotavento de Chipre, porque los vientos eran contrarios.

5 Y habiendo pasado el mar de Cilicia y Panfilia, arribamos a Mira, *ciudad* de Licia.

6 Y hallando allí el centurión una nave de Alejandría que navegaba a Italia, nos embarcó en ella.

7 Y navegando muchos días despacio, y habiendo apenas llegado delante de Gnido, no dejándonos el viento, navegamos a sotavento de Creta, junto a Salmón.

8 Y costeándola difícilmente, llegamos a un lugar que llaman Buenos Puertos, cerca del cual estaba la ciudad de Lasea.

9 Y pasado mucho tiempo, y siendo ya peligrosa la navegación, habiendo ya pasado el ayuno, Pablo *les* amonestaba,

10 diciéndoles: Varones, veo que con perjuicio y mucho daño habrá de ser la navegación, no sólo del cargamento y de la nave, sino también de nuestras vidas.

11 Pero el centurión creía más al piloto y al patrón de la nave, que a lo que Pablo decía.

12 Y porque el puerto era incómodo para invernar, la mayoría acordaron zarpar también de allí, por si pudiesen arribar a Fenice, *que es* un puerto de Creta que mira hacia el nordeste y sudeste, e invernar allí.

13 Y soplando una suave brisa del sur, pareciéndoles que ya tenían lo que deseaban, izando velas, iban costeando Creta.

14 Pero no mucho después se levantó en su contra un viento tempestuoso, que se llama Euroclidón.

15 Y siendo arrebatada la nave, y no pudiendo resistir contra el viento, resignados, dejamos *la nave* a la deriva.

16 Y corriendo a sotavento de una pequeña isla que se llama Clauda, apenas pudimos salvar el esquife;

17 el cual subido a bordo, usaban de refuerzos, ciñendo la nave; y teniendo temor de que diesen en la Sirte, arriando velas, quedaron a la deriva.

18 Y siendo azotados por una vehemente tempestad, al día siguiente alijaron la nave;

19 y al tercer día nosotros con nuestras manos arrojamos los aparejos de la nave.

20 Y no apareciendo ni sol ni estrellas por muchos días, siendo azotados por una tempestad no pequeña, ya habíamos perdido toda esperanza de salvarnos.

21 Entonces Pablo, como hacía ya mucho que no comíamos, puesto en pie en medio de ellos, dijo: Señores, debían por cierto haberme oído, y no haber zarpado de Creta, para recibir este daño y pérdida.

22 Mas ahora os exhorto a que tengáis buen ánimo; porque no habrá ninguna pérdida de vida entre vosotros, sino solamente de la nave.

23 Pues esta noche ha estado conmigo el Ángel del Dios de quien soy y a quien sirvo,

24 diciendo: Pablo, no temas; es necesario que comparezcas ante César; y he aquí, Dios te ha dado todos los que navegan contigo.

25 Por tanto, oh varones, tened buen ánimo; porque yo confío en Dios que será así como se me ha dicho.

26 Si bien, es necesario que demos en una isla.

27 Y venida la decimacuarta noche, y siendo llevados a la deriva por el mar Adriático, los marineros a la media noche presintieron que estaban cerca de alguna tierra;

28 y echando la sonda, hallaron veinte brazas, y pasando un poco más adelante, volviendo a echar la sonda, hallaron quince brazas.

29 Y temiendo dar en escollos, echaron cuatro anclas de la popa; y ansiaban que se hiciese de día.

30 Entonces como los marineros estaban por huir de la nave, habiendo echado el esquife al mar, aparentando como que querían largar las anclas de proa,

31 Pablo dijo al centurión y a los soldados: Si éstos no permanecen en la nave, vosotros no podéis salvaros.

32 Entonces los soldados cortaron las cuerdas del esquife y dejaron que se perdiera.

33 Y cuando comenzaba a amanecer, Pablo exhortaba a todos que comiesen, diciendo: Éste es el decimocuarto día que veláis y permanecéis en ayunas, sin comer nada.

34 Por tanto, os ruego que comáis por vuestra salud; pues ni aun un cabello de la cabeza de ninguno de vosotros perecerá.

35 Y habiendo dicho esto, tomó el pan y dio gracias a Dios en presencia de todos, y partiéndolo, comenzó a comer.

36 Entonces todos, teniendo ya mejor ánimo, comieron también.

37 Y era el total de los que estábamos en la nave doscientas setenta y seis almas.

38 Y ya saciados de comida, aligeraron la nave, echando el trigo al mar.

39 Y cuando se hizo de día, no reconocían la tierra; mas veían una bahía que tenía playa, en la cual acordaron encallar, si pudiesen, la nave.

40 Y alzando las anclas, se dejaron al mar; y soltando las amarras del timón y alzando al viento la vela de proa, se dirigieron hacia la playa.

41 Mas dando en un lugar de dos mares, hicieron encallar la nave; y la proa, hincada, quedó inmóvil, y la popa se abría con la violencia de las olas.

42 Entonces los soldados acordaron matar a los presos, para que ninguno se fugase nadando.

43 Pero el centurión, queriendo salvar a Pablo, estorbó este acuerdo, y mandó que los que pudiesen nadar, *fuesen* los primeros en echarse *al mar*, y saliesen a tierra;

44 y los demás, parte en tablas, parte en cosas de la nave. Y así aconteció que todos se salvaron saliendo a tierra.

CAPÍTULO 28

Y ya a salvo, entonces supieron que la isla se llamaba Melita.

2 Y los bárbaros nos mostraron no poca humanidad; pues encendiendo un fuego, nos recibieron a todos, a causa de la lluvia que caía, y del frío.

3 Entonces, habiendo recogido Pablo algunos sarmientos, y poniéndolos en el fuego, una víbora, huyendo del calor, le acometió a la mano.

4 Y como los bárbaros vieron la serpiente *venenosa* colgando de su mano, se decían unos a otros: Ciertamente este hombre es homicida, a quien, escapado del mar, la justicia no deja vivir.

5 Mas él, sacudiendo la víbora en el fuego, ningún mal padeció.

6 Y ellos estaban esperando cuándo se había de hinchar, o caer muerto de repente; mas habiendo esperado mucho, y viendo que ningún mal le venía, cambiaron de parecer y dijeron que era un dios.

7 En aquellos lugares había heredades del hombre principal de la isla, llamado Publio, quien nos recibió y nos hospedó amigablemente tres días.

8 Y aconteció que el padre de Publio estaba en cama, enfermo de fiebre y de disentería; al cual Pablo entró *a ver*, y después de haber orado, puso sobre él las manos, y le sanó.

9 Y hecho esto, también otros que en la isla tenían enfermedades, venían, y eran sanados;

10 los cuales también nos honraron con mucho aprecio; y cuando zarpamos, nos cargaron de las cosas necesarias.

11 Y después de tres meses, navegamos en una nave de Alejandría que había invernado en la isla, la cual tenía por insignia a Cástor y Pólux.

12 Y llegados a Siracusa, estuvimos allí tres días.

13 De allí, costeando alrededor, llegamos a Regio; y después de un día, soplando el viento del sur, vinimos al segundo día a Puteoli,

14 donde hallando hermanos, nos rogaron que nos quedásemos con ellos siete días. Y así, nos fuimos a Roma,

15 de donde, oyendo de nosotros los hermanos, salieron a recibirnos hasta el foro de Apio y Las Tres Tabernas; y al verlos, Pablo dio gracias a Dios y cobró aliento.

16 Y cuando llegamos a Roma, el centurión entregó los presos al prefecto de la guardia, mas a Pablo le fue permitido estar aparte, con un soldado que le guardase.

17 Y aconteció que tres días después, Pablo convocó a los principales de los judíos; a los cuales, luego que estuvieron reunidos, les dijo: Yo, varones hermanos, no habiendo hecho nada contra el pueblo, ni *contra* las costumbres de nuestros padres, he sido entregado preso desde Jerusalén en manos de los romanos;

18 los cuales, habiéndome interrogado, me querían soltar; por no haber en mí ninguna causa de muerte.

19 Pero oponiéndose los judíos, me vi obligado a apelar a César; no que tenga de qué acusar a mi nación.

20 Así que por esta causa os he llamado para veros y hablaros; porque por la esperanza de Israel estoy rodeado de esta cadena.

21 Entonces ellos le dijeron: Nosotros ni hemos recibido de Judea cartas acerca de ti, ni ha venido alguno de los hermanos que haya denunciado o hablado algún mal de ti.

22 Pero queremos oír de ti lo que piensas; porque de esta secta nos es notorio que en todas partes se habla contra ella.

23 Y habiéndole señalado un día, vinieron a él muchos a la posada, a los cuales declaraba y testificaba el reino de Dios desde la mañana hasta la tarde, persuadiéndoles acerca de Jesús, tanto por la ley de Moisés como por los profetas.

24 Y algunos asentían a lo que se decía, pero algunos no creían.

25 Y como no estuvieron de acuerdo entre sí, partiendo ellos, les dijo Pablo esta palabra: Bien habló el Espíritu Santo por el profeta Isaías a nuestros padres,

26 diciendo: Ve a este pueblo, y diles: De oído oiréis, y no entenderéis; Y viendo veréis, y no percibiréis:

27 Porque el corazón de este pueblo se ha engrosado, y de los oídos oyen pesadamente, y han cerrado sus ojos; para que no vean con los ojos, y oigan con los oídos, y entiendan de corazón, y se conviertan, y yo los sane.

28 Os sea, pues, notorio, que a los gentiles es enviada esta salvación de Dios; y ellos oirán.

29 Y habiendo dicho esto, los judíos salieron, teniendo gran discusión entre sí.

30 Y Pablo, se quedó dos años enteros en su casa de alquiler, y recibía a todos los que a él venían,

31 predicando el reino de Dios y enseñando acerca del Señor Jesucristo, con toda confianza y sin impedimento.

Epístola Del Apóstol Pablo A Los
ROMANOS

CAPÍTULO 1

Pablo, siervo de Jesucristo, llamado *a ser* apóstol, apartado para el evangelio de Dios,

2 que Él había prometido antes por sus profetas en las Santas Escrituras,

3 tocante a su Hijo Jesucristo, nuestro Señor, que fue hecho de la simiente de David según la carne,

4 y que fue declarado *ser* el Hijo de Dios con poder, según el Espíritu de santidad, por la resurrección de entre los muertos,

5 por quien recibimos la gracia y el apostolado, para obediencia de la fe en todas las naciones, por su nombre;

6 entre los cuales estáis también vosotros, los llamados de Jesucristo.

7 A todos los que estáis en Roma, amados de Dios, llamados *a ser* santos. Gracia y paz a vosotros, de Dios nuestro Padre y del Señor Jesucristo.

8 Primeramente doy gracias a mi Dios mediante Jesucristo acerca de todos vosotros, de que en todo el mundo se habla de vuestra fe.

9 Porque testigo me es Dios, a quien sirvo en mi espíritu en el evangelio de su Hijo, que sin cesar hago mención de vosotros siempre en mis oraciones,

10 rogando que de alguna manera ahora al fin, por la voluntad de Dios, haya de tener próspero viaje para ir a vosotros.

11 Porque deseo veros, para impartiros algún don espiritual, para que seáis afirmados,

12 esto es, para que sea yo confortado juntamente con vosotros por la fe mutua, mía y vuestra.

13 Mas no quiero, hermanos, que ignoréis que muchas veces me he propuesto ir a vosotros (pero hasta ahora he sido estorbado) para tener algún fruto también entre vosotros, así como entre los otros gentiles.

14 A griegos y a bárbaros; a sabios y a no sabios soy deudor.

15 Así que, en cuanto a mí, presto estoy a predicar el evangelio también a vosotros que estáis en Roma.

16 Porque no me avergüenzo del evangelio de Cristo; porque es el poder de Dios para salvación a todo aquel que cree; al judío primeramente, y también al griego.

17 Porque en él la justicia de Dios es revelada de fe en fe, como está escrito: Mas el justo por la fe vivirá.

18 Porque la ira de Dios se revela desde el cielo contra toda impiedad e injusticia de los hombres, que con injusticia detienen la verdad;

19 porque lo que de Dios se conoce les es manifiesto; porque Dios se lo manifestó.

20 Porque las cosas invisibles de Él, su eterno poder y Divinidad, son claramente visibles desde la creación del mundo, siendo entendidas por las cosas que son hechas; así que no tienen excusa.

21 Porque habiendo conocido a Dios, no *le* glorificaron como a Dios, ni le dieron gracias; antes se envanecieron en sus discursos, y su necio corazón fue entenebrecido.

22 Profesando ser sabios, se hicieron necios,

23 y cambiaron la gloria del Dios incorruptible, en semejanza de imagen de hombre corruptible, y de aves, y de cuadrúpedos, y de reptiles.

24 Por lo cual también Dios los entregó a la inmundicia, a las concupiscencias de sus corazones, a que deshonrasen entre sí sus propios cuerpos,

25 ya que cambiaron la verdad de Dios por la mentira, adorando y sirviendo a la criatura antes que al Creador, el cual es bendito por siempre. Amén.

26 Por esto Dios los entregó a pasiones vergonzosas; pues aun sus mujeres cambiaron el uso natural por el que es contra naturaleza;

27 y de la misma manera también los hombres, dejando el uso natural de la mujer, se encendieron en su lascivia unos con otros, cometiendo cosas nefandas hombres con hombres, recibiendo en sí mismos la recompensa que convino a su extravío.

28 Y como no les pareció retener a Dios en *su* conocimiento, Dios los entregó a una mente reprobada, para hacer lo que no conviene;

29 estando atestados de toda iniquidad, fornicación, malicia, avaricia, maldad; llenos de envidias, homicidios, contiendas, engaños, malignidades;

30 murmuradores, detractores, aborrecedores de Dios, injuriosos, soberbios, altivos, inventores de males, desobedientes a los padres;

31 necios, desleales, sin afecto natural, implacables, sin misericordia;

32 quienes conociendo el juicio de Dios, que los que hacen tales cosas son dignos de muerte, no sólo las hacen, sino que aun consienten a los que las hacen.

CAPÍTULO 2

Por lo cual eres inexcusable, oh hombre, quienquiera que seas tú que juzgas; porque en lo que juzgas a otro, te condenas a ti mismo; porque tú que juzgas haces lo mismo.

2 Pero sabemos que el juicio de Dios contra los que hacen tales cosas es según verdad.

3 ¿Y piensas esto, oh hombre, que juzgas a los que hacen tales cosas y haces lo mismo, que tú escaparás del juicio de Dios?

4 ¿O menosprecias las riquezas de su benignidad, y paciencia y longanimidad, ignorando que la bondad de Dios te guía al arrepentimiento?

5 Mas por tu dureza, y tu corazón no arrepentido, atesoras ira para ti mismo, para el día de la ira y de la manifestación del justo juicio de Dios,

6 el cual pagará a cada uno conforme a sus obras:

7 A los que, perseverando en bien hacer, buscan gloria y honra e inmortalidad, vida eterna.

8 Pero indignación e ira, a los que son contenciosos y no obedecen a la verdad, antes obedecen a la injusticia.

9 Tribulación y angustia sobre todo ser humano que hace lo malo, el judío primeramente, y también el griego.

10 Pero gloria y honra y paz a todo el que hace lo bueno, al judío primeramente, y también al griego.

11 Porque no hay acepción de personas para con Dios.

12 Porque todos los que sin ley pecaron, sin ley también perecerán, y todos los que en la ley pecaron, por la ley serán juzgados.

13 Porque no *son* los oidores de la ley los justos para con Dios, sino los hacedores de la ley serán justificados.

14 Porque cuando los gentiles que no tienen ley, hacen por naturaleza lo que es de la ley, éstos, no teniendo ley, son ley a sí mismos,

15 mostrando ellos, la obra de la ley escrita en sus corazones, dando testimonio su conciencia y *sus* pensamientos, acusándose o aun excusándose unos a otros,

16 en el día en que Dios juzgará por Jesucristo, los secretos de los hombres, conforme a mi evangelio.

17 He aquí, tú tienes el sobrenombre de judío, y te apoyas en la ley, y te glorías en Dios,

18 y conoces *su* voluntad, y apruebas lo mejor; siendo instruido por la ley;

19 y confías en que eres guía de los ciegos, luz de los que están en tinieblas,

20 instructor de los ignorantes, maestro de niños, que tienes la forma del conocimiento, y de la verdad en la ley.

21 Tú, pues, que enseñas a otro, ¿no te enseñas a ti mismo? Tú que predicas que no se ha de hurtar, ¿hurtas?

22 Tú que dices que no se ha de adulterar, ¿adulteras? Tú que abominas a los ídolos, ¿cometes sacrilegio?

23 Tú que te jactas de la ley, ¿con infracción de la ley deshonras a Dios?

24 Porque el nombre de Dios es blasfemado entre los gentiles por causa de vosotros, como está escrito.

25 Pues la circuncisión ciertamente aprovecha si guardas la ley; pero si eres transgresor de la ley, tu circuncisión es hecha incircuncisión.

26 De manera que si el incircunciso guarda la justicia de la ley, ¿no será su incircuncisión contada como circuncisión?

27 Así que el que es incircunciso por naturaleza, si cumple la ley, ¿no te juzgará a ti que con la letra y la circuncisión eres transgresor de la ley?

28 Porque no es judío el que lo es por fuera; ni *es* la circuncisión la que se hace exteriormente en la carne;

29 sino que *es* judío el que lo es en el interior; y la circuncisión *es la* del corazón, en espíritu, no en letra; cuya alabanza no *es* de los hombres, sino de Dios.

CAPÍTULO 3

1 ¿Qué ventaja, pues, tiene el judío? ¿O de qué aprovecha la circuncisión?

2 Mucho, en todas maneras. Primero, porque ciertamente a ellos les ha sido confiada la palabra de Dios.

3 ¿Y qué si algunos de ellos no han creído? ¿La incredulidad de ellos hará nula la fe de Dios?

4 ¡En ninguna manera! Antes bien, sea Dios veraz, y todo hombre mentiroso; como está escrito: Para que seas justificado en tus palabras, y venzas cuando seas juzgado.

5 Y si nuestra injusticia encarece la justicia de Dios, ¿qué diremos? ¿*Será* injusto Dios que da castigo? (Hablo como hombre.)

6 ¡En ninguna manera! De otro modo, ¿cómo juzgaría Dios al mundo?

7 Pero si por mi mentira la verdad de Dios abundó para su gloria, ¿por qué aún soy juzgado como pecador?

8 ¿Y por qué no decir (como somos difamados, y algunos afirman que decimos): Hagamos males para que vengan bienes? La condenación de los cuales es justa.

9 ¿Qué, pues? ¿Somos mejores *que ellos*? En ninguna manera; porque ya hemos acusado a judíos y a gentiles, que todos están bajo pecado.

10 Como está escrito: No hay justo, ni aun uno.

11 No hay quien entienda, no hay quien busque a Dios.

12 Todos se desviaron del camino, a una se hicieron inútiles; no hay quien haga lo bueno, no hay ni siquiera uno.

13 Sepulcro abierto es su garganta; con su lengua engañan, veneno de áspides hay debajo de sus labios;

14 cuya boca *está* llena de maldición y de amargura;

15 sus pies, prestos para derramar sangre;

16 destrucción y miseria *hay* en sus caminos;

17 y el camino de paz no han conocido.

18 No hay temor de Dios delante de sus ojos.

19 Pero sabemos que todo lo que la ley dice, a los que están bajo la ley lo dice; para que toda boca se tape, y todo el mundo sea hallado culpable delante de Dios.

20 Por tanto, por las obras de la ley ninguna carne será justificada delante de Él; pues por la ley es el conocimiento del pecado.

21 Mas ahora, aparte de la ley, la justicia de Dios es manifestada, siendo testificada por la ley y los profetas;

22 la justicia de Dios *que es* por la fe de Jesucristo para todos, y sobre todos los que creen; porque no hay diferencia;

23 por cuanto todos pecaron, y están destituidos de la gloria de Dios;

24 siendo justificados gratuitamente por su gracia mediante la redención que es en Cristo Jesús;

25 a quien Dios ha puesto en propiciación por medio de la fe en su sangre, para manifestar su justicia por la remisión de los pecados pasados, en la paciencia de Dios,

26 para manifestar su justicia en este tiempo; para que Él sea justo, y el que justifica al que cree en Jesús.

27 ¿Dónde, pues, *está* la jactancia? Queda excluida. ¿Por cuál ley? ¿De las obras? No, sino por la ley de la fe.

28 Concluimos, pues, que el hombre es justificado por fe sin las obras de la ley.

29 ¿*Es Dios* solamente Dios de los judíos? ¿No *lo es* también de los gentiles? Ciertamente, también de los gentiles.

30 Porque uno es Dios, el cual justificará por la fe *a los de* la circuncisión, y por medio de la fe, *a los de* la incircuncisión.

31 ¿Entonces invalidamos la ley por la fe? ¡En ninguna manera! Antes bien, confirmamos la ley.

CAPÍTULO 4

¿Qué, pues, diremos que halló Abraham, nuestro padre según la carne?

2 Porque si Abraham fue justificado por las obras, tiene de qué gloriarse; pero no delante de Dios.

3 Porque ¿qué dice la Escritura? Creyó Abraham a Dios, y le fue contado por justicia.

4 Ahora bien, al que obra no se le cuenta el salario como gracia, sino como deuda.

5 Pero al que no obra, pero cree en Aquél que justifica al impío, su fe le es contada por justicia.

6 Como David también describe la bienaventuranza del hombre a quien Dios atribuye justicia sin las obras,

7 *diciendo*: Bienaventurados aquellos cuyas iniquidades son perdonadas, y cuyos pecados son cubiertos.

8 Bienaventurado el varón a quien el Señor no imputará pecado.

9 ¿Es, pues, esta bienaventuranza *solamente* para *los de* la circuncisión, o también *para los de* la incircuncisión? Porque decimos que a Abraham le fue contada la fe por justicia.

10 ¿Cómo, pues, le fue contada? ¿Estando él en la circuncisión, o en la incircuncisión? No en la circuncisión, sino en la incircuncisión.

11 Y recibió la señal de la circuncisión, el sello de la justicia de la fe que tuvo siendo *aún* incircunciso; para que fuese padre de todos los creyentes no circuncidados; a fin de que también a ellos les sea imputada la justicia;

12 y padre de la circuncisión, a los que son, no sólo de la circuncisión sino que también siguen las pisadas de la fe que tuvo nuestro padre Abraham antes de ser circuncidado.

13 Porque la promesa de que él sería heredero del mundo, no *fue dada* a Abraham o a su simiente por la ley, sino por la justicia de la fe.

14 Porque si los que son de la ley *son* los herederos, vana es la fe, y anulada es la promesa.

15 Porque la ley produce ira; pero donde no hay ley, tampoco *hay* transgresión.

16 Por tanto, *es* por la fe, para que *sea* por gracia; a fin de que la promesa sea firme a toda simiente; no sólo al que es de la ley, sino también al que es de la fe de Abraham, quien es el padre de todos nosotros

17 (como está escrito: Padre de muchas naciones, te he hecho) delante de Dios, a quien creyó; el cual da vida a los muertos, y llama las cosas que no son, como si fuesen.

18 El cual creyó en esperanza contra esperanza, para venir a ser padre de muchas naciones, conforme a lo que le había sido dicho: Así será tu simiente.

19 Y no se debilitó en la fe, ni consideró su cuerpo ya muerto (siendo ya como de cien años), ni la matriz muerta de Sara.

20 Tampoco dudó, por incredulidad, de la promesa de Dios, sino que se fortaleció en fe, dando gloria a Dios,

21 plenamente convencido que todo lo que Él había prometido, era también poderoso para hacerlo;

22 por lo cual también le fue imputado por justicia.

23 Y que le fue imputado, no fue escrito solamente por causa de él,

24 sino también por nosotros, a quienes será imputado, esto es, a los que creemos en el que levantó de los muertos a Jesús nuestro Señor;

25 el cual fue entregado por nuestras transgresiones, y resucitado para nuestra justificación.

CAPÍTULO 5

Justificados, pues, por la fe, tenemos paz para con Dios por medio de nuestro Señor Jesucristo,

2 por quien también tenemos entrada por la fe a esta gracia en la cual estamos firmes, y nos gloriamos en la esperanza de la gloria de Dios.

3 Y no sólo *esto*, sino que también nos gloriamos en las tribulaciones, sabiendo que la tribulación produce paciencia;

4 y la paciencia, prueba; y la prueba, esperanza;

5 y la esperanza no avergüenza; porque el amor de Dios ha sido derramado en nuestros corazones por el Espíritu Santo que nos es dado.

6 Porque Cristo, cuando aún éramos débiles, a su tiempo murió por los impíos.

7 Porque apenas morirá alguno por un justo; con todo pudiera ser que alguno osara morir por el bueno.

8 Mas Dios encarece su amor para con nosotros, en que siendo aún pecadores, Cristo murió por nosotros.

9 Mucho más ahora, estando ya justificados en su sangre, por Él seremos salvos de la ira.

10 Porque si siendo enemigos, fuimos reconciliados con Dios por la muerte de su Hijo; mucho más, estando reconciliados, seremos salvos por su vida.

11 Y no sólo *esto*, sino que también nos gloriamos en Dios por nuestro Señor Jesucristo, por quien hemos recibido ahora la reconciliación.

12 Por tanto, como el pecado entró en el mundo por un hombre, y por el pecado la muerte, y así la muerte pasó a todos los hombres, por cuanto todos pecaron.

13 Porque antes de la ley, el pecado estaba en el mundo; pero no se imputa pecado no habiendo ley.

14 No obstante, reinó la muerte desde Adán hasta Moisés, aun en los que no pecaron a la manera de la transgresión de Adán; el cual es figura del que había de venir.

15 Así también *fue* el don, mas no como el pecado. Porque si por el pecado de uno muchos murieron, mucho más la gracia de Dios abundó para muchos, y el don de gracia por un hombre, Jesucristo.

16 Y el don, no *fue* como por uno que pecó; porque ciertamente el juicio vino por uno para condenación, mas el don *es* de muchos pecados para justificación.

17 Porque si por un pecado reinó la muerte, por uno; mucho más los que reciben la gracia abundante y el don de la justicia reinarán en vida por uno, Jesucristo.

18 Así que, como por el pecado de uno *vino* la condenación a todos los hombres, así también, por la justicia de uno, *vino la gracia* a todos los hombres para justificación de vida.

19 Porque como por la desobediencia de un hombre muchos fueron constituidos pecadores, así también por la obediencia de uno, muchos serán constituidos justos.

20 Y la ley entró para que el pecado abundase; pero cuando el pecado abundó, sobreabundó la gracia;

21 para que así como el pecado reinó para muerte, así también la gracia reine por la justicia para vida eterna, por Jesucristo, nuestro Señor.

CAPÍTULO 6

¿Qué, pues, diremos? ¿Perseveraremos en el pecado para que la gracia abunde?

2 ¡En ninguna manera! Porque los que somos muertos al pecado, ¿cómo viviremos aún en él?

3 ¿O no sabéis que todos los que hemos sido bautizados en Cristo Jesús, hemos sido bautizados en su muerte?

4 Porque somos sepultados con Él en la muerte por el bautismo; para que como Cristo resucitó de los muertos por la gloria del Padre, así también nosotros andemos en novedad de vida.

5 Porque si fuimos plantados juntamente *con Él* en la semejanza de su muerte, también lo seremos *en la semejanza* de su resurrección;

6 sabiendo esto, que nuestro viejo hombre fue crucificado con Él, para que el cuerpo de pecado fuera destruido, a fin de que no sirvamos más al pecado.

7 Porque el que ha muerto, libre es del pecado.

8 Y si morimos con Cristo, creemos que también viviremos con Él;

9 sabiendo que Cristo, habiendo resucitado de los muertos, ya no muere; la muerte ya no tiene dominio sobre Él.

10 Porque en cuanto murió, al pecado murió una vez; pero en cuanto vive, para Dios vive.

11 Así también vosotros consideraos en verdad muertos al pecado, pero vivos para Dios en Cristo Jesús, Señor nuestro.

12 No reine, pues, el pecado en vuestro cuerpo mortal, para que le obedezcáis en sus concupiscencias;

13 ni tampoco presentéis vuestros miembros al pecado *como* instrumentos de iniquidad; sino presentaos vosotros mismos a Dios como vivos de entre los muertos, y vuestros miembros a Dios *como* instrumentos de justicia.

14 Porque el pecado no se enseñoreará de vosotros; pues no estáis bajo la ley, sino bajo la gracia.

15 ¿Qué, pues? ¿Pecaremos porque no estamos bajo la ley, sino bajo la gracia? ¡En ninguna manera!

16 ¿No sabéis que si os sometéis a alguien como esclavos para obedecerle, sois esclavos de aquel a quien obedecéis; ya sea del pecado para muerte, o de la obediencia para justicia?

17 Mas a Dios gracias, que aunque fuisteis esclavos del pecado, habéis obedecido de corazón a aquella forma de doctrina a la cual fuisteis entregados;

18 y libertados del pecado, vinisteis a ser siervos de la justicia.

19 Hablo humanamente, por causa de la debilidad de vuestra carne; que así como presentasteis vuestros miembros como siervos a la inmundicia y a la iniquidad, así ahora presentéis vuestros miembros como siervos a la justicia y a la santidad.

20 Porque cuando erais esclavos del pecado, libres erais de la justicia.

21 ¿Qué fruto teníais entonces en aquellas cosas de las que ahora os avergonzáis? Porque el fin de ellas es muerte.

22 Mas ahora, libertados del pecado, y hechos siervos de Dios, tenéis por vuestro fruto la santidad, y por fin la vida eterna.

23 Porque la paga del pecado *es* muerte; mas el don de Dios *es* vida eterna en Cristo Jesús Señor nuestro.

CAPÍTULO 7

¿Acaso ignoráis, hermanos (pues hablo a aquellos que conocen la ley), que la ley se enseñorea del hombre entre tanto que éste vive?

2 Porque la mujer que tiene marido está ligada por la ley a *su* marido mientras él vive; mas si el marido muere, ella queda libre de la ley del marido.

3 Así que, si viviendo *su* marido, se casa con otro hombre, será llamada adúltera; pero si su marido muere, ella queda libre de la ley, y si se casa con otro hombre no será adúltera.

4 Así también vosotros mis hermanos, habéis muerto a la ley por el cuerpo de Cristo; para que seáis de otro, de Aquél que resucitó de entre los muertos, a fin de que llevemos fruto para Dios.

5 Porque cuando estábamos en la carne, la influencia del pecado, que era por la ley, obraba en nuestros miembros llevando fruto para muerte;

6 pero ahora somos libres de la ley, habiendo muerto a lo que nos tenía sujetos, para que sirvamos en novedad de espíritu, y no *en* lo antiguo de la letra.

7 ¿Qué diremos entonces? ¿*Es* pecado la ley? ¡En ninguna manera! Al contrario, yo no hubiera conocido el pecado a no ser por la ley: Porque no conociera la codicia si la ley no dijera: No codiciarás.

8 Pero el pecado, tomando ocasión por el mandamiento, produjo en mí toda codicia. Porque sin la ley el pecado *estaba* muerto.

CAPÍTULO 8

9 Y antes yo vivía sin ley, pero cuando vino el mandamiento, el pecado revivió y yo morí.

10 Y el mandamiento que *era* para vida, yo encontré *que era* para muerte.

11 Porque el pecado, tomando ocasión por el mandamiento, me engañó, y por él *me* mató.

12 De manera que la ley a la verdad *es* santa, y el mandamiento *es* santo, y justo, y bueno.

13 ¿Entonces lo que es bueno, vino a ser muerte para mí? ¡En ninguna manera! Pero el pecado, para mostrarse pecado, obró muerte en mí por lo que es bueno, a fin de que por el mandamiento, el pecado llegase a ser sobremanera pecaminoso.

14 Porque sabemos que la ley es espiritual; pero yo soy carnal, vendido bajo pecado.

15 Pues lo que hago, no lo entiendo, pues no hago lo que quiero; sino lo que aborrezco, eso hago.

16 Y si lo que no quiero, eso hago, apruebo que la ley es buena.

17 De manera que ya no soy yo quien lo hace, sino el pecado que mora en mí.

18 Y yo sé que en mí (esto es en mi carne) no mora el bien; pues el querer está en mí, pero el hacer el bien no.

19 Porque no hago el bien que quiero, sino el mal que no quiero, éste hago.

20 Y si hago lo que no quiero, ya no soy yo quien lo hace, sino el pecado que mora en mí.

21 Hallo, pues, esta ley, que cuando quiero hacer el bien, el mal está en mí.

22 Porque según el hombre interior me deleito en la ley de Dios;

23 mas veo otra ley en mis miembros, que se rebela contra la ley de mi mente, y me lleva cautivo a la ley del pecado que está en mis miembros.

24 ¡Miserable hombre de mí! ¿Quién me librará de este cuerpo de muerte?

25 Gracias doy a Dios por Jesucristo nuestro Señor: Así que, yo mismo con la mente sirvo a la ley de Dios; mas con la carne a la ley del pecado.

CAPÍTULO 8

Ahora, pues, ninguna condenación *hay* para los que están en Cristo Jesús, los que no andan conforme a la carne, sino conforme al Espíritu.

2 Porque la ley del Espíritu de vida en Cristo Jesús me ha librado de la ley del pecado y de la muerte.

3 Porque lo que era imposible para la ley, por cuanto era débil por la carne, Dios, enviando a su Hijo en semejanza de carne de pecado y a causa del pecado, condenó al pecado en la carne;

4 para que la justicia de la ley se cumpliese en nosotros, que no andamos conforme a la carne, sino conforme al Espíritu.

5 Porque los que son de la carne, en las cosas de la carne piensan; pero los que son del Espíritu, en las cosas del Espíritu.

6 Porque la mente carnal *es* muerte, pero la mente espiritual, *es* vida y paz.

7 Porque la mente carnal *es* enemistad contra Dios; porque no se sujeta a la ley de Dios, ni tampoco puede.

8 Así que, los que están en la carne no pueden agradar a Dios.

9 Mas vosotros no estáis en la carne, sino en el Espíritu, si es que el Espíritu de Dios mora en vosotros. Y si alguno no tiene el Espíritu de Cristo, el tal no es de Él.

10 Y si Cristo *está* en vosotros, el cuerpo a la verdad *está* muerto a causa del pecado pero el Espíritu vive a causa de la justicia.

11 Y si el Espíritu de Aquél que levantó de los muertos a Jesús mora en vosotros, el que levantó a Cristo de entre los muertos, vivificará también vuestros cuerpos mortales por su Espíritu que mora en vosotros.

12 Así que, hermanos, deudores somos, no a la carne, para que vivamos conforme a la carne.

13 Porque si vivís conforme a la carne, moriréis, mas si por el Espíritu hacéis morir las obras de la carne, viviréis.

14 Porque todos los que son guiados por el Espíritu de Dios, los tales son hijos de Dios.

15 Porque no habéis recibido el espíritu de servidumbre para estar otra vez en temor, sino que habéis recibido el Espíritu de adopción, por el cual clamamos: Abba Padre.

16 El Espíritu mismo da testimonio a nuestro espíritu que somos hijos de Dios.

17 Y si hijos, también herederos; herederos de Dios, y coherederos con Cristo; si es que padecemos juntamente *con Él,* para que juntamente *con Él* seamos también glorificados.

18 Pues tengo por cierto que las aflicciones del tiempo presente no *son* dignas de comparar con la gloria que en nosotros ha de ser manifestada.

19 Porque el anhelo ardiente de las criaturas, espera la manifestación de los hijos de Dios.

20 Porque las criaturas fueron sujetadas a vanidad, no voluntariamente, sino por causa de Aquél que las sujetó en esperanza,

21 porque las mismas criaturas serán libradas de la servidumbre de corrupción, en la libertad gloriosa de los hijos de Dios.

22 Porque sabemos que toda la creación gime a una, y está en dolores de parto hasta ahora;

23 y no sólo *ella,* sino que también nosotros que tenemos las primicias del Espíritu, nosotros también gemimos dentro de nosotros mismos, esperando la adopción, *esto es,* la redención de nuestro cuerpo.

24 Porque en esperanza somos salvos; mas la esperanza que se ve no es esperanza, pues lo que uno ve ¿por qué esperarlo aún?

25 Mas si lo que no vemos esperamos, con paciencia lo esperamos.

26 Y de la misma manera, también el Espíritu nos ayuda en nuestra debilidad; pues qué hemos de pedir como conviene, no lo sabemos; pero el Espíritu mismo intercede por nosotros con gemidos indecibles.

27 Y el que escudriña los corazones sabe cuál es la intención del Espíritu, porque conforme a la voluntad de Dios intercede por los santos.

28 Y sabemos que todas las cosas ayudan a bien, a los que aman a Dios, a los que conforme a *su* propósito son llamados.

29 Porque a los que antes conoció, también los predestinó *para que fuesen* hechos conforme a la imagen de su Hijo, para que Él sea el primogénito entre muchos hermanos.

30 Y a los que predestinó, a éstos también llamó; y a los que llamó, a éstos también justificó; y a los que justificó, a éstos también glorificó.

31 ¿Qué, pues, diremos a esto? Si Dios por nosotros, ¿quién contra nosotros?

32 El que no escatimó ni a su propio Hijo, sino que lo entregó por todos nosotros, ¿cómo no nos dará también con Él todas las cosas?

33 ¿Quién acusará a los escogidos de Dios? Dios *es el* que justifica.

34 ¿Quién *es* el que condenará? Cristo es el que murió, y más aun, el que también resucitó, el que además está a la diestra de Dios, el que también intercede por nosotros.

35 ¿Quién nos separará del amor de Cristo? ¿Tribulación, o angustia, o persecución, o hambre, o desnudez, o peligro, o espada?

36 Como está escrito: Por causa de ti somos muertos todo el tiempo; somos contados como ovejas de matadero.

37 Antes, en todas estas cosas somos más que vencedores por medio de Aquél que nos amó.

38 Por lo cual estoy seguro que ni la muerte, ni la vida, ni ángeles, ni principados, ni potestades, ni lo presente, ni lo por venir,

39 ni lo alto, ni lo profundo, ni ninguna otra criatura nos podrá separar del amor de Dios que es en Cristo Jesús Señor nuestro.

CAPÍTULO 9

Digo la verdad en Cristo, no miento, y mi conciencia me da testimonio en el Espíritu Santo.

2 Que tengo gran tristeza y continuo dolor en mi corazón.

3 Porque deseara yo mismo ser anatema, separado de Cristo, por mis

hermanos, los que son mis parientes según la carne,

4 que son israelitas, de los cuales *es* la adopción, y la gloria, y el pacto, y el dar de la ley, y el servicio a Dios y las promesas;

5 de quienes *son* los padres, y de los cuales *vino* Cristo según la carne, el cual es Dios sobre todas las cosas, bendito por siempre. Amén.

6 No como si la palabra de Dios haya fallado; porque no todos los que *son* de Israel son israelitas;

7 ni por ser simiente de Abraham, *son* todos hijos; sino que: En Isaac te será llamada descendencia.

8 Esto es: No los que son hijos según la carne son los hijos de Dios, sino los *que son* hijos de la promesa son contados por simiente.

9 Porque la palabra de la promesa *es* ésta: A este tiempo vendré, y Sara tendrá un hijo.

10 Y no sólo *esto*, sino que también cuando Rebeca concibió de uno, de Isaac nuestro padre

11 (aunque aún no habían nacido *sus hijos*, ni habían hecho bien ni mal, para que el propósito de Dios conforme a la elección permaneciese, no por las obras de la ley sino por el que llama),

12 le fue dicho a ella: El mayor servirá al menor.

13 Como está escrito: A Jacob amé; mas a Esaú aborrecí.

14 ¿Qué, pues, diremos? ¿*Que hay* injusticia en Dios? ¡En ninguna manera!

15 Porque a Moisés dice: Tendré misericordia del que yo tenga misericordia, y me compadeceré del que yo me compadezca.

16 Así que no *es* del que quiere, ni del que corre, sino de Dios que tiene misericordia.

17 Porque la Escritura dice a Faraón: Para esto mismo te he levantado, para mostrar en ti mi poder, y que mi nombre sea predicado por toda la tierra.

18 De manera que del que quiere tiene misericordia; y al que quiere *endurecer*, endurece.

19 Me dirás entonces: ¿Por qué, pues, inculpa? porque, ¿quién ha resistido a su voluntad?

20 Mas antes, oh hombre, ¿quién eres tú, para que alterques contra Dios? ¿Dirá lo formado al que lo formó: Por qué me has hecho así?

21 ¿O no tiene potestad el alfarero sobre el barro, para hacer de la misma masa un vaso para honra y otro para deshonra?

22 ¿*Y qué* si Dios, queriendo mostrar *su* ira y hacer notorio su poder, soportó con mucha paciencia los vasos de ira, preparados para destrucción;

23 y para hacer notorias las riquezas de su gloria para con los vasos de misericordia que Él preparó de antemano para gloria,

24 a los cuales también ha llamado, aun a nosotros, no sólo de los judíos, sino también de los gentiles?

25 Como también en Oseas dice: Llamaré pueblo mío al que no era mi pueblo, y a la no amada, amada.

26 Y acontecerá que en el lugar donde les fue dicho: Vosotros no *sois* mi pueblo, allí serán llamados hijos del Dios viviente.

27 También Isaías clama tocante a Israel: Aunque el número de los hijos de Israel sea como la arena del mar, un remanente será salvo.

28 Porque Él consumará la obra, y la acortará en justicia, porque obra abreviada hará el Señor sobre la tierra.

29 Y como antes dijo Isaías: Si el Señor de los ejércitos no nos hubiera dejado simiente, como Sodoma habríamos venido a ser, y a Gomorra seríamos semejantes.

30 ¿Qué, pues, diremos? Que los gentiles, que no procuraban la justicia han alcanzado la justicia, es decir, la justicia que es por la fe;

31 pero Israel, que procuraba la ley de la justicia, no ha alcanzado la ley de la justicia.

32 ¿Por qué? Porque no *la procuraron* por fe, sino como por las obras de la ley, por lo cual tropezaron en la piedra de tropiezo,

33 como está escrito: He aquí pongo en Sión piedra de tropiezo, y roca de caída; y todo aquel que en Él creyere, no será avergonzado.

CAPÍTULO 10

Hermanos, ciertamente el deseo de mi corazón, y mi oración a Dios por Israel, es para su salvación.

2 Porque yo les doy testimonio de que tienen celo de Dios, pero no conforme a ciencia.

3 Porque ignorando la justicia de Dios, y procurando establecer su propia justicia, no se han sujetado a la justicia de Dios.

4 Porque el fin de la ley *es* Cristo, para justicia a todo aquel que cree.

5 Porque Moisés describe la justicia que es por la ley: El hombre que hiciere estas cosas, vivirá por ellas.

6 Pero la justicia que es por la fe dice así: No digas en tu corazón: ¿Quién subirá al cielo? (esto es, para traer abajo a Cristo.)

7 O, ¿quién descenderá al abismo? (esto es, para volver a subir a Cristo de los muertos.)

8 Mas ¿qué dice? Cerca de ti está la palabra, en tu boca y en tu corazón. Ésta es la palabra de fe la cual predicamos:

9 Que si confesares con tu boca al Señor Jesús, y creyeres en tu corazón que Dios le levantó de los muertos, serás salvo.

10 Porque con el corazón se cree para justicia, mas con la boca se hace confesión para salvación.

11 Porque la Escritura dice: Todo aquel que en Él creyere, no será avergonzado.

12 Porque no hay diferencia entre judío y griego; porque el mismo que es Señor de todos, es rico para con todos los que le invocan.

13 Porque todo aquel que invocare el nombre del Señor, será salvo.

14 ¿Cómo, pues, invocarán a aquel en el cual no han creído? ¿Y cómo creerán en aquel de quien no han oído? ¿Y cómo oirán sin haber quien les predique?

15 ¿Y cómo predicarán si no fueren enviados? Como está escrito: ¡Cuán hermosos son los pies de los que anuncian el evangelio de la paz, que predican el evangelio de los bienes!

16 Mas no todos obedecieron al evangelio, pues Isaías dice: Señor, ¿quién ha creído a nuestro anuncio?

17 Así que la fe *viene* por el oír, y el oír, por la palabra de Dios.

18 Mas digo: ¿No han oído? Antes bien, por toda la tierra ha salido la voz de ellos, y sus palabras hasta los confines de la tierra.

19 Mas digo: ¿No lo sabe Israel? Primeramente Moisés dice: Yo os provocaré a celos con *los que* no *son* mi pueblo; Con gente insensata os provocaré a ira.

20 También Isaías dice osadamente: Fui hallado de los que no me buscaban: Me manifesté a los que no preguntaban por mí.

21 Pero acerca de Israel dice: Todo el día extendí mis manos a un pueblo rebelde y contradictor.

CAPÍTULO 11

Digo, pues: ¿Ha desechado Dios a su pueblo? ¡En ninguna manera! Porque también yo soy israelita, de la simiente de Abraham, *de* la tribu de Benjamín.

2 Dios no ha desechado a su pueblo, al cual antes conoció. ¿O no sabéis qué dice la Escritura de Elías, cómo hablando con Dios contra Israel dice:

3 Señor, a tus profetas han dado muerte, y tus altares han destruido, y sólo yo he quedado, y traman contra mi vida?

4 Pero, ¿qué le dice la respuesta divina? Me he reservado siete mil varones, que no han doblado la rodilla ante Baal.

5 Así también aun en este tiempo ha quedado un remanente escogido según la elección de gracia.

6 Y si por gracia, ya no *es* por obras, de otra manera la gracia ya no es gracia. Y si por obras, ya no es gracia; de otra manera la obra ya no es obra.

7 ¿Qué entonces? Lo que buscaba Israel no lo ha alcanzado, pero los elegidos lo han alcanzado, y los demás fueron cegados.

8 Como está escrito: Dios les dio espíritu de somnolencia, ojos que no vean; oídos que no oigan hasta el día de hoy.

9 Y David dice: Séales vuelta su mesa en trampa y en red, y en tropezadero y retribución:

10 Sus ojos sean oscurecidos para que no vean, y agóbiales su espalda siempre.

11 Digo, pues: ¿Han tropezado para que cayesen? ¡En ninguna manera! Mas por su caída vino la salvación a los gentiles, para provocarles a celos.

12 Y si la caída de ellos es la riqueza del mundo, y el menoscabo de ellos, la riqueza de los gentiles, ¿cuánto más la plenitud de ellos?

13 Porque a vosotros hablo, gentiles. Por cuanto yo soy apóstol de los gentiles, mi ministerio honro,

14 por si de alguna manera provocase a celos a *los que son de* mi carne, e hiciese salvos a algunos de ellos.

15 Porque si el rechazamiento de ellos es la reconciliación del mundo, ¿qué *será* el recibimiento *de ellos*, sino vida de entre los muertos?

16 Porque si el primer fruto *es* santo, también lo *es* la masa, y si la raíz *es* santa, también *lo son* las ramas.

17 Y si algunas de las ramas fueron quebradas, y tú, siendo olivo silvestre fuiste injertado entre ellas, y fuiste hecho partícipe con ellas de la raíz y de la savia del olivo;

18 no te jactes contra las ramas. Y si te jactas, *sabe que* no sustentas tú a la raíz, sino la raíz a ti.

19 Dirás entonces: Las ramas fueron quebradas para que yo fuese injertado.

20 Bien; por su incredulidad fueron quebradas, mas tú por la fe estás en pie. No te enaltezcas, antes teme.

21 Porque si Dios no perdonó a las ramas naturales, *mira,* no sea que a ti tampoco te perdone.

22 Mira, pues, la bondad y la severidad de Dios; la severidad ciertamente en los que cayeron; mas la bondad para contigo, si permaneciereis en *su* bondad; pues de otra manera tú también serás cortado.

23 Y aun ellos, si no permanecen en incredulidad, serán injertados, pues poderoso es Dios para volverlos a injertar.

24 Porque si tú fuiste cortado del que por naturaleza es olivo silvestre, y contra naturaleza fuiste injertado en el buen olivo, ¿cuánto más éstos, que son las *ramas* naturales, serán injertados en su propio olivo?

25 Porque no quiero, hermanos, que ignoréis este misterio, para que no seáis arrogantes en vosotros mismos, que en parte el endurecimiento ha acontecido a Israel, hasta que haya entrado la plenitud de los gentiles;

26 y así todo Israel será salvo; como está escrito: De Sión vendrá el Libertador, que quitará de Jacob la impiedad.

27 Y éste *es* mi pacto con ellos, cuando yo quite sus pecados.

28 Así que, en cuanto al evangelio, *son* enemigos por causa de vosotros; mas en cuanto a la elección, *son* muy amados por causa de los padres.

29 Porque sin arrepentimiento *son* los dones y el llamamiento de Dios.

30 Porque como también vosotros en otro tiempo no creísteis a Dios, mas ahora habéis alcanzado misericordia por la incredulidad de ellos;

31 así también éstos ahora no han creído, para que por la misericordia de vosotros, ellos también alcancen misericordia.

32 Porque Dios encerró a todos en incredulidad, para tener misericordia de todos.

33 ¡Oh profundidad de las riquezas de la sabiduría y del conocimiento de Dios! ¡Cuán insondables *son* sus juicios, e inescrutables sus caminos!

34 Porque, ¿quién entendió la mente del Señor? ¿O quién fue su consejero?

35 ¿O quién le dio a Él primero, para que le sea recompensado?

36 Porque de Él, y por Él, y para Él, *son* todas las cosas. A Él *sea* la gloria por siempre. Amén.

CAPÍTULO 12

P or tanto, os ruego hermanos por las misericordias de Dios, que presentéis vuestros cuerpos en sacrificio vivo, santo, agradable a Dios, *que es* vuestro servicio racional.

2 Y no os conforméis a este mundo; mas transformaos por la renovación de vuestra mente, para que comprobéis cuál *sea* la buena voluntad de Dios, agradable y perfecta.

3 Digo, pues, por la gracia que me ha sido dada, a cada cual que está entre vosotros, que no tenga más alto concepto *de sí*, que el que debe tener, sino que piense de sí con mesura, conforme a la medida de la fe que Dios repartió a cada uno.

4 Porque de la manera que en un cuerpo tenemos muchos miembros, mas no todos los miembros tienen la misma función;

5 así nosotros, *siendo* muchos, somos un cuerpo en Cristo, y todos miembros los unos de los otros.

6 Teniendo, pues, diversidad de dones según la gracia que nos es dada, si profecía, *profeticemos* conforme a la medida de la fe;

7 o si ministerio, *usémoslo* en ministrar; el que enseña, en la enseñanza;

8 el que exhorta, en la exhortación; el que da, *hágalo* con sencillez; el que preside, con diligencia; el que hace misericordia, con alegría.

9 El amor sea sin fingimiento. Aborreced lo malo, apegaos a lo bueno.

10 Amaos los unos a los otros con amor fraternal, en cuanto a honra, prefiriéndoos los unos a los otros.

11 Diligentes, no perezosos; fervientes en espíritu, sirviendo al Señor.

12 Gozosos en la esperanza, sufridos en la tribulación, constantes en la oración.

13 Compartiendo para las necesidades de los santos; dados a la hospitalidad.

14 Bendecid a los que os persiguen; bendecid, y no maldigáis.

15 Gozaos con los que se gozan; y llorad con los que lloran.

16 Unánimes entre vosotros, no altivos; condescended para con los humildes. No seáis sabios en vuestra propia opinión.

17 No paguéis a nadie mal por mal; procurad lo bueno delante de todos los hombres.

18 Si fuere posible, en cuanto esté en vosotros, vivid en paz con todos los hombres.

19 Amados, no os venguéis vosotros mismos, antes, dad lugar a la ira; porque escrito está: Mía *es* la venganza, yo pagaré, dice el Señor.

20 Así que si tu enemigo tuviere hambre, dale de comer, y si tuviere sed, dale de beber; pues haciendo esto, ascuas de fuego amontonarás sobre su cabeza.

21 No seas vencido de lo malo, mas vence con el bien el mal.

CAPÍTULO 13

Toda alma sométase a las potestades superiores; porque no hay potestad sino de Dios; y las potestades que hay, de Dios son ordenadas.

2 Así que, el que se opone a la potestad, se opone a la ordenanza de Dios; y los que resisten recibirán para sí condenación.

3 Porque los magistrados no están para atemorizar las buenas obras, sino las malas. ¿Quieres, pues, no temer la potestad? Haz lo bueno, y tendrás alabanza de ella.

4 Porque es ministro de Dios para tu bien. Pero si haces lo malo, teme; pues no en vano lleva la espada; porque es ministro de Dios, vengador para ejecutar la ira sobre el que hace lo malo.

5 Por tanto, es necesario que os sujetéis, no sólo por la ira, sino también por causa de la conciencia.

6 Pues por esto también pagáis los impuestos; porque son ministros de Dios que atienden continuamente a esto mismo.

7 Pagad, pues, a todos lo que debéis; al que tributo, tributo; al que impuesto, impuesto; al que temor, temor; al que honra, honra.

8 No debáis a nadie nada, sino amaos unos a otros, porque el que ama a su prójimo, ha cumplido la ley.

9 Porque: No cometerás adulterio: No matarás: No hurtarás: No dirás falso testimonio: No codiciarás: Y cualquier otro mandamiento, se resume en esta frase: Amarás a tu prójimo como a ti mismo.

10 El amor no hace mal al prójimo; así que el amor *es* el cumplimiento de la ley.

11 Y esto, conociendo el tiempo, que ya *es* hora de despertarnos del sueño; porque ahora *está* más cerca nuestra salvación que cuando creímos.

12 La noche está avanzada, y el día está por llegar; desechemos, pues, las obras de las tinieblas, y vistámonos las armas de luz.

13 Andemos honestamente, como de día; no en desenfrenos y borracheras; no en lujurias y lascivias, ni en contiendas y envidias.

14 Mas vestíos del Señor Jesucristo, y no proveáis para *satisfacer* los deseos de la carne.

CAPÍTULO 14

Recibid al débil en la fe, *pero no* para contender sobre opiniones.

2 Porque uno cree que se ha de comer de todo, otro, que es débil, come legumbres.

3 El que come, no menosprecie al que no come, y el que no come, no juzgue al que come; porque Dios le ha recibido.

4 ¿Tú quién eres, que juzgas al siervo ajeno? Para su propio señor está en pie, o cae; pero estará firme, que poderoso es Dios para hacerle estar firme.

5 Uno hace diferencia entre un día y otro; otro juzga *iguales* todos los días. Cada uno esté plenamente seguro en su propia mente.

6 El que hace caso del día, para el Señor lo hace; y el que no hace caso del día, para el Señor no lo hace. El que come, para el Señor come, porque da gracias a Dios; y el que no come, para el Señor no come, y da gracias a Dios.

7 Porque ninguno de nosotros vive para sí, y ninguno muere para sí.

8 Pues si vivimos, para el Señor vivimos; y si morimos, para el Señor morimos. Así que, ya sea que vivamos, o que muramos, del Señor somos.

9 Porque Cristo para esto murió, y resucitó, y volvió a vivir, para ser Señor así de los muertos, como de los que viven.

10 Pero tú, ¿por qué juzgas a tu hermano? O tú también, ¿por qué menosprecias a tu hermano? Porque todos compareceremos ante el tribunal de Cristo.

11 Porque escrito está: Vivo yo, dice el Señor, que ante mí toda rodilla se doblará, y toda lengua confesará a Dios.

12 De manera que cada uno de nosotros dará cuenta a Dios de sí.

13 Por tanto, ya no nos juzguemos los unos a los otros, antes bien, juzgad esto; que nadie ponga tropiezo u ocasión de caer al hermano.

14 Yo sé, y confío en el Señor Jesús, que nada *es* inmundo en sí mismo, mas para aquel que piensa ser inmunda alguna cosa, para él *es* inmunda.

15 Mas si por causa de *tu* comida, tu hermano es contristado, ya no andas conforme al amor. No destruyas con tu comida a aquel por el cual Cristo murió.

16 No sea, pues, difamado vuestro bien:

17 Porque el reino de Dios no es comida ni bebida; sino justicia, y paz, y gozo en el Espíritu Santo.

18 Porque el que en estas cosas sirve a Cristo, agrada a Dios, y es aprobado por los hombres.

19 Así que, sigamos lo que ayuda a la paz y a la edificación de los unos a los otros.

20 No destruyas la obra de Dios por causa de la comida. Todas las cosas a la verdad *son* limpias; mas malo *es* al hombre hacer tropezar con lo que come.

21 Bueno *es* no comer carne, ni beber vino, ni *nada* en que tu hermano tropiece, o se ofenda, o sea debilitado.

22 ¿Tienes tú fe? Tenla para contigo delante de Dios. Bienaventurado el que no se condena a sí mismo con lo que aprueba.

23 Pero el que duda, si come, se condena, porque *come* sin fe, y todo lo que no es de fe, es pecado.

CAPÍTULO 15

Así que, los que somos fuertes debemos sobrellevar las flaquezas de los débiles, y no agradarnos a nosotros mismos.

2 Cada uno de nosotros agrade a *su* prójimo para *su* bien, para edificación.

3 Porque ni aun Cristo se agradó a sí

mismo; antes bien, como está escrito;
Los vituperios de los que te
vituperaban, cayeron sobre mí.

4 Porque las cosas que antes fueron
escritas, para nuestra enseñanza
fueron escritas; para que por la
paciencia y consolación de las
Escrituras, tengamos esperanza.

5 Mas el Dios de la paciencia y de la
consolación os dé que entre vosotros
seáis de un mismo sentir según Cristo
Jesús;

6 para que unánimes, y a una voz
glorifiquéis al Dios y Padre de
nuestro Señor Jesucristo.

7 Por tanto, recibíos los unos a los
otros, como también Cristo nos
recibió para gloria de Dios.

8 Digo, pues, que Cristo Jesús fue
ministro de la circuncisión por la
verdad de Dios, para confirmar las
promesas *hechas* a los padres,

9 y para que los gentiles glorifiquen
a Dios por *su* misericordia, como está
escrito: Por tanto, yo te confesaré
entre los gentiles, y cantaré a tu
nombre.

10 Y otra vez dice: Regocijaos,
gentiles, con su pueblo.

11 Y otra vez: Alabad al Señor todos
los gentiles, y dadle gloria todos los
pueblos.

12 Y otra vez Isaías dice: Saldrá raíz
de Isaí, y el que se levantará para
reinar sobre los gentiles: Los gentiles
esperarán en Él.

13 Y el Dios de esperanza os llene de
todo gozo y paz en el creer, para que
abundéis en esperanza por el poder
del Espíritu Santo.

14 Y también yo mismo tengo
confianza de vosotros, hermanos
míos, que también vosotros estáis
llenos de bondad, llenos de todo
conocimiento, de manera que podéis
amonestaros los unos a los otros.

15 Mas hermanos, os he escrito en
parte osadamente, como recor-
dándoos; por la gracia que de Dios
me es dada,

16 para ser ministro de Jesucristo a
los gentiles, ministrando el evangelio
de Dios, para que la ofrenda de los
gentiles sea acepta, santificada por
el Espíritu Santo.

17 Tengo, pues, de qué gloriarme en
Cristo Jesús en lo que a Dios toca.

18 Porque no osaría hablar de alguna
cosa que Cristo no haya hecho por
mí, para hacer obedientes a los
gentiles, con palabra y con obra,

19 con potencia de milagros y
prodigios, por el poder del Espíritu
de Dios; de manera que desde
Jerusalén, y los alrededores hasta
Ilírico, todo lo he llenado del
evangelio de Cristo.

20 Y de esta manera me esforcé a
predicar el evangelio, no donde
Cristo fuese ya nombrado, para no
edificar sobre fundamento ajeno,

21 sino, como está escrito: Aquellos
a los que no se habló de Él, verán; Y
los que no han oído, entenderán.

22 Por esta causa muchas veces he
sido impedido de venir a vosotros.

23 Mas ahora, no teniendo más lugar
en estas regiones, y deseando ir a
vosotros por ya muchos años,

24 cuando partiere para España, iré
a vosotros, porque espero veros en mi
jornada, y que seré encaminado por
vosotros hacia allá, si en parte
primero hubiere disfrutado de
vuestra *compañía.*

25 Mas ahora voy a Jerusalén para
ministrar a los santos.

26 Porque los de Macedonia y Acaya
tuvieron a bien hacer una contribución para los santos pobres que están
en Jerusalén.

27 Pues les pareció bueno, y son
deudores a ellos; porque si los
gentiles han sido hechos partícipes
de sus bienes espirituales, deben
también ellos servirles en los
carnales.

28 Así que, cuando haya cumplido
esto, y les haya entregado este fruto,
pasaré entre vosotros rumbo a
España.

29 Y estoy seguro que cuando venga
a vosotros, vendré en plenitud de
bendición del evangelio de Cristo.

30 Y os ruego hermanos, por nuestro
Señor Jesucristo, y por el amor del
Espíritu, que os esforcéis conmigo en
oración por mí a Dios;

31 Para que sea librado de los
incrédulos que están en Judea, y *la
ofrenda* de mi servicio la cual *traigo*
para Jerusalén sea acepta a los santos;

32 para que con gozo llegue a
vosotros por la voluntad de Dios, y

que sea recreado juntamente con vosotros.

33 Y el Dios de paz *sea* con todos vosotros. Amén.

CAPÍTULO 16

Y os encomiendo a nuestra hermana Febe, la cual es sierva de la iglesia que está en Cencrea;

2 que la recibáis en el Señor, como es digno de los santos, y que la ayudéis en cualquier cosa que necesite de vosotros, porque ella ha ayudado a muchos, y a mí mismo también.

3 Saludad a Priscila y a Aquila, mis colaboradores en Cristo Jesús;

4 que pusieron sus cuellos por mi vida; a los cuales doy gracias, no sólo yo, sino también todas las iglesias de los gentiles.

5 *Saludad* también a la iglesia que está en su casa. Saludad a Epeneto, amado mío, que es de los primeros frutos de Acaya para Cristo.

6 Saludad a María, la cual ha trabajado mucho por nosotros.

7 Saludad a Andrónico y a Junia, mis parientes y mis compañeros de prisiones, que son insignes entre los apóstoles; y que también fueron antes de mí en Cristo.

8 Saludad a Amplias, amado mío en el Señor.

9 Saludad a Urbano, nuestro ayudador en Cristo, y a Estaquis, amado mío.

10 Saludad a Apeles, aprobado en Cristo. Saludad a los de *la casa de* Aristóbulo.

11 Saludad a Herodión, mi pariente. Saludad a los *de la casa* de Narciso, que están en el Señor.

12 Saludad a Trifena y a Trifosa, las cuales trabajan en el Señor. Saludad a la amada Pérsida, la cual ha trabajado mucho en el Señor.

13 Saludad a Rufo, escogido en el Señor, y a su madre y mía.

14 Saludad a Asíncrito, a Flegonte, a Hermas, a Patrobas, a Hermes, y a los hermanos que están con ellos.

15 Saludad a Filólogo y a Julia, a Nereo y a su hermana, y a Olimpas, y a todos los santos que están con ellos.

16 Saludaos unos a otros con ósculo santo. Os saludan las iglesias de Cristo.

17 Y os ruego hermanos, que señaléis a aquellos que causan divisiones y escándalos en contra de la doctrina que vosotros habéis aprendido; y que os apartéis de ellos.

18 Porque los tales, no sirven a nuestro Señor Jesucristo, sino a sus propios vientres; y con palabras suaves y lisonjas engañan los corazones de los simples.

19 Porque vuestra obediencia ha venido a ser notoria a todos. Así que me gozo de vosotros; mas quiero que seáis sabios para el bien, y simples para el mal.

20 Y el Dios de paz aplastará en breve a Satanás bajo vuestros pies. La gracia de nuestro Señor Jesucristo *sea* con vosotros. Amén.

21 Os saludan Timoteo mi colaborador, y Lucio y Jasón, y Sosípater, mis parientes.

22 Yo Tercio, que escribí *esta* epístola, os saludo en el Señor.

23 Os saluda Gayo, hospedador mío y de toda la iglesia. Os saluda Erasto, tesorero de la ciudad, y el hermano Cuarto.

24 La gracia de nuestro Señor Jesucristo *sea* con todos vosotros. Amén.

25 Y al que tiene poder para confirmaros según mi evangelio y la predicación de Jesucristo, según la revelación del misterio encubierto desde tiempos eternos,

26 pero ahora es hecho manifiesto, y por las Escrituras de los profetas, según el mandamiento del Dios eterno, dado a conocer a todas las naciones para obediencia de la fe.

27 Al solo Dios sabio, *sea* gloria por Jesucristo para siempre. Amén.

Epístola del apóstol Pablo a los romanos. Escrita desde Corinto por mano de Tercio, y enviada con Febe, sierva de la iglesia en Cencrea.

Primera Epístola Del Apóstol Pablo A
LOS CORINTIOS

CAPÍTULO 1

Pablo, llamado a ser apóstol de Jesucristo por la voluntad de Dios, y *nuestro* hermano Sóstenes,

2 a la iglesia de Dios que está en Corinto, a los santificados en Cristo Jesús, llamados *a ser* santos, con todos los que en todo lugar invocan el nombre de nuestro Señor Jesucristo, *Señor* de ellos y nuestro.

3 Gracia y paz *sean* a vosotros, de Dios nuestro Padre, y del Señor Jesucristo.

4 Doy gracias a mi Dios siempre por vosotros, por la gracia de Dios que os es dada en Cristo Jesús;

5 porque en todas las cosas sois enriquecidos en Él, en toda palabra y *en* todo conocimiento;

6 así como el testimonio de Cristo ha sido confirmado en vosotros:

7 De manera que nada os falta en ningún don; esperando la venida de nuestro Señor Jesucristo;

8 el cual también os confirmará hasta el fin, *para que seáis* irreprensibles en el día de nuestro Señor Jesucristo.

9 Fiel es Dios, por el cual fuisteis llamados a la comunión de su Hijo Jesucristo nuestro Señor.

10 Os ruego, pues, hermanos, por el nombre de nuestro Señor Jesucristo, que todos habléis una misma cosa, y que no haya entre vosotros divisiones, sino que seáis perfectamente unidos en una misma mente y en un mismo parecer.

11 Porque me ha sido dicho de vosotros, hermanos míos, por los que *son de la casa* de Cloé, que hay entre vosotros contiendas.

12 Digo esto ahora, porque cada uno de vosotros dice: Yo soy de Pablo; y yo de Apolos; y yo de Cefas; y yo de Cristo.

13 ¿Está dividido Cristo? ¿Fue crucificado Pablo por vosotros? ¿O fuisteis bautizados en el nombre de Pablo?

14 Doy gracias a Dios que a ninguno de vosotros he bautizado, sino a Crispo y a Gayo,

15 para que ninguno diga que yo he bautizado en mi nombre.

16 Y también bauticé a la familia de Estéfanas; mas no sé si bauticé a algún otro.

17 Porque no me envió Cristo a bautizar, sino a predicar el evangelio; no con sabiduría de palabras, para que no se haga vana la cruz de Cristo.

18 Porque la predicación de la cruz es locura a los que se pierden; pero a nosotros los salvos, es poder de Dios.

19 Porque está escrito: Destruiré la sabiduría de los sabios, y desecharé la inteligencia de los entendidos.

20 ¿Dónde *está* el sabio? ¿Dónde *está* el escriba? ¿Dónde *está* el disputador de este mundo? ¿No ha enloquecido Dios la sabiduría del mundo?

21 Y ya que en la sabiduría de Dios, el mundo no conoció a Dios por medio de la sabiduría; agradó a Dios salvar a los creyentes por la locura de la predicación.

22 Porque los judíos piden señal, y los griegos buscan sabiduría;

23 pero nosotros predicamos a Cristo crucificado, para los judíos ciertamente tropezadero, y para los griegos locura;

24 mas para los llamados, así judíos como griegos, Cristo poder de Dios, y sabiduría de Dios.

25 Porque lo insensato de Dios es más sabio que los hombres; y lo débil de Dios es más fuerte que los hombres.

26 Pues mirad, hermanos, vuestro llamamiento, que no muchos sabios según la carne, no muchos poderosos, no muchos nobles *son llamados*.

27 Antes lo necio del mundo escogió Dios para avergonzar a los sabios; y lo débil del mundo escogió Dios para avergonzar a lo fuerte;

28 y lo vil del mundo y lo menospreciado escogió Dios, y lo que no es, para deshacer lo que es;

29 para que ninguna carne se jacte en su presencia.

30 Mas por Él estáis vosotros en Cristo Jesús, el cual de Dios nos es hecho sabiduría, y justificación, y santificación y redención;

31 para que, como está escrito: El que se gloría, gloríese en el Señor.

CAPÍTULO 2

Así que, hermanos, cuando fui a vosotros para predicaros el testimonio de Dios, no fui con excelencia de palabras o de sabiduría.

2 Pues me propuse no saber otra cosa entre vosotros, sino a Jesucristo, y a Éste crucificado.

3 Y estuve con vosotros en flaqueza, y mucho temor y temblor;

4 y mi palabra y mi predicación no *fue* con palabras persuasivas de humana sabiduría, sino con demostración del Espíritu y de poder;

5 para que vuestra fe no esté fundada en la sabiduría de los hombres, sino en el poder de Dios.

6 Pero hablamos sabiduría entre perfectos; y sabiduría, no de este mundo, ni de los príncipes de este mundo, que se desvanece.

7 Mas hablamos sabiduría de Dios en misterio, la *sabiduría* encubierta, la cual Dios predestinó antes de los siglos para nuestra gloria;

8 la que ninguno de los príncipes de este mundo conoció; porque si la hubieran conocido, nunca hubieran crucificado al Señor de gloria.

9 Antes, como está escrito: Ojo no ha visto, ni oído ha escuchado, ni han subido en corazón de hombre, las cosas que Dios ha preparado para los que le aman.

10 Pero Dios nos *las* reveló a nosotros por su Espíritu; porque el Espíritu todo lo escudriña, aun lo profundo de Dios.

11 Porque ¿quién de los hombres sabe las cosas del hombre, sino el espíritu del hombre que está en él? Así tampoco nadie conoce las cosas de Dios, sino el Espíritu de Dios.

12 Y nosotros hemos recibido, no el espíritu del mundo, sino el Espíritu que es de Dios, para que conozcamos lo que Dios nos ha dado;

13 lo cual también hablamos, no con palabras que enseña la humana sabiduría, sino con las que enseña el Espíritu Santo, acomodando lo espiritual a lo espiritual.

14 Pero el hombre natural no percibe las cosas que son del Espíritu de Dios, porque para él son locura; y no las puede entender, porque se han de discernir espiritualmente.

15 Pero el que es espiritual juzga todas las cosas; mas él no es juzgado por nadie.

16 Porque ¿quién conoció la mente del Señor, para que le instruyese? Mas nosotros tenemos la mente de Cristo.

CAPÍTULO 3

De manera que yo, hermanos, no pude hablaros como a espirituales, sino como a carnales, como a niños en Cristo.

2 Os di a beber leche, y no carne; porque aún no podíais *digerirla*, ni aún ahora podéis;

3 porque aún sois carnales; pues habiendo entre vosotros celos, y contiendas, y divisiones, ¿no sois carnales, y andáis como hombres?

4 Porque cuando uno dice: Yo soy de Pablo; y otro: Yo de Apolos; ¿no sois carnales?

5 ¿Qué, pues, es Pablo, y qué es Apolos? Sino ministros por los cuales habéis creído, y eso según lo que a cada uno ha concedido el Señor.

6 Yo planté, Apolos regó; pero el crecimiento lo ha dado Dios.

7 Así que, ni el que planta es algo, ni el que riega; sino Dios, que da el crecimiento.

8 Y el que planta y el que riega son una misma cosa; aunque cada uno recibirá su recompensa conforme a su labor.

9 Porque nosotros, colaboradores somos de Dios; y vosotros *sois* labranza de Dios, edificio de Dios.

10 Conforme a la gracia de Dios que me es dada, yo como perito arquitecto puse el fundamento, y otro edifica encima; pero cada uno mire cómo sobreedifica.

11 Porque nadie puede poner otro fundamento que el que está puesto, el cual es Jesucristo.

12 Y si alguno edificare sobre este fundamento oro, plata, piedras preciosas, madera, heno, hojarasca;

13 la obra de cada uno se hará manifiesta; porque el día la declarará; porque por el fuego será revelada; y la obra de cada uno cuál sea, el fuego la probará.

14 Si permaneciere la obra de alguno que sobreedificó, recibirá recompensa.

15 Si la obra de alguno fuere quemada, sufrirá pérdida; si bien él mismo será salvo, aunque así como por fuego.

16 ¿No sabéis que sois templo de Dios, y *que* el Espíritu de Dios mora en vosotros?

17 Si alguno destruye el templo de Dios, Dios le destruirá a él; porque el templo de Dios, el cual sois vosotros, santo es.

18 Nadie se engañe a sí mismo; si alguno entre vosotros se cree ser sabio en este mundo, hágase ignorante, para que llegue a ser sabio.

19 Porque la sabiduría de este mundo insensatez es *para* con Dios; pues escrito está: Él prende a los sabios en la astucia de ellos.

20 Y otra vez: El Señor conoce los pensamientos de los sabios, que son vanos.

21 Así que, ninguno se gloríe en los hombres; porque todo es vuestro,

22 sea Pablo, sea Apolos, sea Cefas, sea el mundo, sea la vida, sea la muerte, sea lo presente, sea lo por venir; todo es vuestro,

23 y vosotros sois de Cristo, y Cristo de Dios.

CAPÍTULO 4

Téngannos los hombres por ministros de Cristo, y administradores de los misterios de Dios.

2 Ahora bien, se requiere de los administradores, que cada uno sea hallado fiel.

3 Yo en muy poco tengo el ser juzgado por vosotros, o por juicio humano; y ni aun yo mismo me juzgo.

4 Porque de nada tengo mala conciencia, mas no por eso soy justificado; pero el que me juzga es el Señor.

5 Así que, no juzguéis nada antes de tiempo, hasta que venga el Señor, el cual también traerá a luz lo encubierto de las tinieblas, y manifestará las intenciones de los corazones; y entonces cada uno tendrá de Dios la alabanza.

6 Pero esto, hermanos, lo he transferido por ejemplo en mí y en Apolos por amor de vosotros; para que en nosotros aprendáis a no pensar más de lo que está escrito, para que ninguno de vosotros se envanezca, por causa de uno contra otro.

7 Porque ¿quién te distingue? ¿O qué tienes que no hayas recibido? Y si lo recibiste, ¿por qué te glorías como si no lo hubieras recibido?

8 Ya estáis saciados, ya estáis ricos, sin nosotros reináis: Y quisiera Dios que reinaseis, para que nosotros reinásemos también con vosotros.

9 Porque pienso que Dios nos ha puesto a nosotros los apóstoles como postreros, como a sentenciados a muerte; porque somos hechos espectáculo al mundo, y a los ángeles, y a los hombres.

10 Nosotros *somos* insensatos por amor de Cristo, mas vosotros *sois* sabios en Cristo; nosotros débiles, mas vosotros fuertes; vosotros honorables, mas nosotros despreciados.

11 Hasta esta hora padecemos hambre, y tenemos sed, y estamos desnudos, y somos abofeteados, y no tenemos morada fija.

12 Y trabajamos obrando con nuestras manos; siendo maldecidos, bendecimos; siendo perseguidos, lo sufrimos;

13 siendo difamados, rogamos; hemos venido a ser como la escoria del mundo, el desecho de todos hasta ahora.

14 No escribo esto para avergonzaros, sino que os amonesto como a hijos míos amados.

15 Porque aunque tengáis diez mil ayos en Cristo, no *tenéis* muchos padres; pues en Cristo Jesús yo os engendré por medio del evangelio.

16 Por tanto, os ruego que seáis seguidores de mí.

17 Por esta causa os envié a Timoteo, que es mi hijo amado y fiel en el Señor, el cual os recordará de mis caminos cuáles sean en Cristo, de la manera que enseño en todas partes en todas las iglesias.

18 Pero algunos están envanecidos, como si nunca hubiese yo de ir a vosotros.

19 Pero iré pronto a vosotros, si el Señor quiere; y conoceré, no las palabras de los que andan envanecidos, sino el poder.

20 Porque el reino de Dios no *consiste* en palabras, sino en poder.

21 ¿Qué queréis? ¿Iré a vosotros con vara, o con amor y espíritu de mansedumbre?

CAPÍTULO 5

Se oye por todas partes *que hay* entre vosotros fornicación, y tal fornicación cual ni aun se nombra entre los gentiles; tanto que alguno tiene la esposa de su padre.

2 Y vosotros estáis envanecidos, en vez de haberos entristecido, para que el que cometió tal acción fuese quitado de entre vosotros.

3 Porque yo ciertamente, como ausente en cuerpo, mas presente en espíritu, ya le he juzgado como si estuviera presente al que tal acción ha cometido.

4 En el nombre de nuestro Señor Jesucristo, congregados vosotros y mi espíritu, con el poder de nuestro Señor Jesucristo,

5 el tal sea entregado a Satanás para la destrucción de la carne, para que el espíritu sea salvo en el día del Señor Jesús.

6 No *es* buena vuestra jactancia. ¿No sabéis que un poco de levadura leuda toda la masa?

7 Limpiaos, pues, de la vieja levadura, para que seáis nueva masa, como sois sin levadura; porque Cristo, nuestra pascua, ya fue sacrificado por nosotros.

8 Así que celebremos la fiesta, no con la vieja levadura, ni con la levadura de malicia y de maldad, sino con panes sin levadura, de sinceridad y de verdad.

9 Os he escrito por carta, que no os asociéis con los fornicarios;

10 mas no del todo con los fornicarios de este mundo, o con los avaros, o con los ladrones, o con los idólatras; pues entonces os sería necesario salir del mundo.

11 Mas ahora os he escrito, que no os asociéis con ninguno que, llamándose hermano, sea fornicario, o avaro, o idólatra, o maldiciente, o borracho, o ladrón, con el tal ni aun comáis.

12 Porque ¿qué me va a mí en juzgar a los que están fuera? ¿No juzgáis vosotros a los que están dentro?

13 Porque a los que están fuera, Dios juzgará. Quitad, pues, a ese perverso de entre vosotros.

CAPÍTULO 6

¿Osa alguno de vosotros, teniendo algo contra otro, ir a juicio delante de los injustos, y no delante de los santos?

2 ¿O no sabéis que los santos han de juzgar al mundo? Y si el mundo ha de ser juzgado por vosotros, ¿sois indignos de juzgar las cosas más pequeñas?

3 ¿O no sabéis que hemos de juzgar ángeles? ¿Cuánto más las cosas de esta vida?

4 Por tanto, si tenéis juicios de cosas de esta vida, poned para juzgar a los que son de menor estima en la iglesia.

5 Para vuestra vergüenza lo digo. ¿Será así, que no haya entre vosotros sabio, ni siquiera uno que pueda juzgar entre sus hermanos?

6 Sino que el hermano con el hermano pleitea en juicio, y esto ante los incrédulos.

7 Así que, por cierto es ya una falta en vosotros que tengáis pleitos entre vosotros mismos. ¿Por qué no sufrís más bien el agravio? ¿Por qué no *sufrís* más bien el ser defraudados?

8 Mas vosotros hacéis la injuria, y defraudáis, y esto a *vuestros* hermanos.

9 ¿No sabéis que los injustos no heredarán el reino de Dios? No os engañéis: Ni los fornicarios, ni los idólatras, ni los adúlteros, ni los

afeminados, ni los que se echan con varones,

10 ni los ladrones, ni los avaros, ni los borrachos, ni los maldicientes, ni los estafadores, heredarán el reino de Dios.

11 Y esto erais algunos de vosotros; mas ya sois lavados, ya sois santificados, ya sois justificados en el nombre del Señor Jesús, y por el Espíritu de nuestro Dios.

12 Todas las cosas me son lícitas, pero no todas convienen; todas las cosas me son lícitas, pero yo no me dejaré dominar por ninguna.

13 Los alimentos son para el vientre, y el vientre para los alimentos; pero tanto al uno como a los otros destruirá Dios. Pero el cuerpo no es para la fornicación, sino para el Señor; y el Señor para el cuerpo.

14 Y Dios, que resucitó al Señor, también a nosotros nos resucitará con su poder.

15 ¿No sabéis que vuestros cuerpos son miembros de Cristo? ¿Tomaré, acaso, los miembros de Cristo, y los haré miembros de una ramera? ¡Dios me libre!

16 ¿O no sabéis que el que se une con una ramera, es hecho un cuerpo con ella? Porque dice: Los dos serán una sola carne.

17 Pero el que se une al Señor, un espíritu es.

18 Huid de la fornicación. Todo pecado que el hombre comete, está fuera del cuerpo; mas el que fornica, contra su propio cuerpo peca.

19 ¿O ignoráis que vuestro cuerpo es templo del Espíritu Santo *que está* en vosotros, el cual tenéis de Dios, y que no sois vuestros?

20 Porque comprados sois por precio; glorificad, pues, a Dios en vuestro cuerpo y en vuestro espíritu, los cuales son de Dios.

CAPÍTULO 7

En cuanto a las cosas de que me escribisteis, bueno *es* al hombre no tocar mujer.

2 Mas para *evitar* fornicaciones, cada varón tenga su propia esposa, y cada mujer tenga su propio marido.

3 El marido pague a su esposa la debida benevolencia; y asimismo la esposa a su marido.

4 La esposa no tiene potestad de su propio cuerpo, sino el marido; e igualmente tampoco el marido tiene potestad de su propio cuerpo, sino la esposa.

5 No os defraudéis el uno al otro, a no ser por algún tiempo de *mutuo* consentimiento, para ocuparos en ayuno y oración; y volved a juntaros en uno, para que no os tiente Satanás a causa de vuestra incontinencia.

6 Pero esto digo por permisión, no por mandamiento.

7 Quisiera más bien que todos los hombres fuesen como yo; pero cada uno tiene su propio don de Dios; uno de una manera, y otro de otra.

8 Digo, pues, a los solteros y a las viudas, que bueno les sería si se quedasen como yo,

9 pero si no pueden contenerse, cásense; que mejor es casarse que quemarse.

10 Y a los casados mando, no yo, sino el Señor: Que la esposa no se separe de *su* marido;

11 y si se separa, que se quede sin casar, o reconcíliese con *su* marido; y que el marido no abandone a *su* esposa.

12 Y a los demás yo digo, no el Señor: Si algún hermano tiene esposa no creyente, y ella consiente en habitar con él, no la despida.

13 Y la mujer que tiene marido no creyente, y él consiente en habitar con ella, no lo deje.

14 Porque el marido no creyente es santificado en la esposa, y la esposa no creyente en el marido; pues de otra manera vuestros hijos serían inmundos; mas ahora son santos.

15 Pero si el no creyente se separa, sepárese. En tales casos el hermano o la hermana no están sujetos a servidumbre; antes a paz nos llamó Dios.

16 Porque ¿de dónde sabes, oh esposa, si harás salvo a *tu* marido? ¿O de dónde sabes, oh marido, si quizá harás salva a *tu* esposa?

17 Pero cada uno como Dios le repartió, y como el Señor llamó a cada uno, así ande. Y así ordeno en todas las iglesias.

18 ¿Es llamado alguno siendo circunciso? Quédese circunciso. ¿Es llamado alguno incircunciso? Que no se circuncide.

19 La circuncisión nada es, y la incircuncisión nada es, sino el guardar los mandamientos de Dios.

20 Cada uno quédese en el llamamiento en que fue llamado.

21 ¿Eres llamado *siendo* siervo? No te dé cuidado; pero si puedes hacerte libre, procúralo más.

22 Porque el que en el Señor es llamado *siendo* siervo, liberto es del Señor; asimismo también el que es llamado *siendo* libre, siervo es de Cristo.

23 Por precio sois comprados; no os hagáis siervos de los hombres.

24 Cada uno, hermanos, en lo que es llamado, en ello permanezca con Dios.

25 En cuanto a las vírgenes no tengo mandamiento del Señor; mas doy mi parecer, como quien ha alcanzado misericordia del Señor para ser fiel.

26 Tengo, pues, esto por bueno a causa de la necesidad que apremia; que bueno *es* al hombre quedarse así.

27 ¿Estás ligado a esposa? No procures soltarte. ¿Estás libre de esposa? No procures esposa.

28 Mas también si te casas, no pecaste; y si la virgen se casa, no pecó; pero aflicción de carne tendrán los tales; pero yo os dejo.

29 Pero esto digo, hermanos, que el tiempo *es* corto; resta, pues, que los que tienen esposa sean como si no la tuviesen,

30 y los que lloran, como si no llorasen; y los que se regocijan, como si no se regocijasen; y los que compran, como si no poseyesen;

31 y los que disfrutan de este mundo, como no abusando de ello; porque la apariencia de este mundo se pasa.

32 Quisiera, pues, que estuvieseis sin afán. El soltero tiene cuidado de las cosas que son del Señor, de cómo ha de agradar al Señor;

33 pero el casado tiene cuidado de las cosas del mundo, de cómo ha de agradar a su esposa.

34 También hay diferencia entre la casada y la virgen. La soltera tiene cuidado de las cosas del Señor, para ser santa así en cuerpo como en espíritu; mas la casada tiene cuidado de las cosas del mundo, de cómo ha de agradar a su marido.

35 Y esto digo para vuestro provecho; no para tenderos lazo, sino para lo honesto y decente, y para que sin impedimento os acerquéis al Señor.

36 Pero si alguno considera que se va a comportar indecorosamente hacia su virgen y si ella pasa ya la flor de la edad, y necesita así hacerlo, haga lo que quiera, no peca. Cásense.

37 Pero el que está firme en su corazón, y no tiene necesidad, sino que tiene potestad sobre su propia voluntad, y determinó en su corazón el conservarla virgen, bien hace.

38 Así que el que la da en casamiento, bien hace; y el que no la da en casamiento hace mejor.

39 La esposa está atada a la ley mientras vive su marido; pero si su marido muere, libre es; cásese con quien quiera, con tal *que sea* en el Señor.

40 Pero a mi parecer, será más dichosa si se queda así; y pienso que también yo tengo el Espíritu de Dios.

CAPÍTULO 8

Y en cuanto a lo sacrificado a los ídolos, sabemos que todos tenemos conocimiento. El conocimiento envanece, mas el amor edifica.

2 Y si alguno piensa que sabe algo, aún no sabe nada como debe saber.

3 Pero si alguno ama a Dios, el tal es conocido de Él.

4 Y en cuanto a comer de aquello que es sacrificado a los ídolos, sabemos que el ídolo nada es en el mundo, y que no *hay* más que un solo Dios.

5 Porque aunque haya algunos que se llamen dioses, ya sea en el cielo, o en la tierra (como hay muchos dioses y muchos señores),

6 mas para nosotros *sólo hay* un Dios, el Padre, de quien *son* todas las cosas, y nosotros en Él; y un Señor, Jesucristo, por el cual *son* todas las cosas, y nosotros por Él.

7 Pero no en todos *hay* este conocimiento; porque algunos con conciencia del ídolo hasta ahora,

comen como sacrificado a ídolos; y su conciencia, siendo débil, se contamina.

8 Si bien el alimento no nos hace más aceptos a Dios; pues ni porque comamos, seremos más; ni porque no comamos, seremos menos.

9 Mas mirad que esta vuestra libertad de ninguna manera venga a ser tropezadero a los que son débiles.

10 Porque si te ve alguno a ti, que tienes conocimiento, sentado a la mesa en el templo de los ídolos, la conciencia de aquel que es débil, ¿no será incitada a comer de lo sacrificado a los ídolos?

11 Y por tu conocimiento se perderá el hermano débil por el cual Cristo murió.

12 De esta manera, pues, pecando contra los hermanos, e hiriendo su débil conciencia, contra Cristo pecáis.

13 Por lo cual, si la comida hace tropezar a mi hermano, jamás comeré carne para no ser tropiezo a mi hermano.

CAPÍTULO 9

¿No soy apóstol? ¿No soy libre? ¿No he visto a Jesucristo nuestro Señor? ¿No sois vosotros mi obra en el Señor?

2 Si para otros no soy apóstol, para vosotros ciertamente lo soy; porque el sello de mi apostolado sois vosotros en el Señor.

3 Ésta es mi respuesta a los que me preguntan.

4 ¿Acaso no tenemos derecho a comer y beber?

5 ¿No tenemos derecho de traer con nosotros una hermana, una esposa, como también los otros apóstoles, y los hermanos del Señor, y Cefas?

6 ¿O sólo yo y Bernabé no tenemos derecho a no trabajar?

7 ¿Quién jamás fue a la guerra a sus propias expensas? ¿Quién planta viña, y no come de su fruto? ¿O quién apacienta el rebaño, y no se alimenta de la leche del rebaño?

8 ¿Digo esto como hombre? ¿No dice esto también la ley?

9 Porque en la ley de Moisés está escrito: No pondrás bozal al buey que

trilla. ¿Tiene Dios cuidado de los bueyes?

10 ¿O lo dice enteramente por nosotros? Sí, ciertamente por nosotros está escrito; porque con esperanza ha de arar el que ara; y el que trilla, con esperanza de participar de lo que espera.

11 Si nosotros sembramos en vosotros lo espiritual, ¿es gran cosa si cosechamos de vosotros lo material?

12 Si otros participan de este derecho sobre vosotros, ¿por qué no nosotros? Pero no hemos usado de este derecho; antes todo lo sufrimos, por no poner ningún obstáculo al evangelio de Cristo.

13 ¿No sabéis que los que ministran en las cosas sagradas, comen del templo; y que los que sirven al altar, del altar participan?

14 Así también ordenó el Señor que los que predican el evangelio, vivan del evangelio.

15 Pero yo de nada de esto me he aprovechado; ni tampoco he escrito esto para que se haga así conmigo; porque prefiero morir, antes que nadie haga vana esta mi gloria.

16 Porque aunque predico el evangelio, no tengo de qué gloriarme porque me es impuesta necesidad; y ¡ay de mí si no predico el evangelio!

17 Por lo cual, si lo hago de voluntad, recompensa tendré; mas si por fuerza, la dispensación *del evangelio* me ha sido encomendada.

18 ¿Cuál, pues, es mi galardón? Que predicando el evangelio, presente gratuitamente el evangelio de Cristo, para no abusar de mi potestad en el evangelio.

19 Por lo cual, siendo libre para con todos, me he hecho siervo de todos para ganar a más.

20 Me he hecho a los judíos como judío, para ganar a los judíos; a los que están bajo la ley, como bajo la ley, para ganar a los que están bajo la ley;

21 a los que están sin ley, como si yo estuviera sin ley (no estando yo sin ley a Dios, mas bajo la ley a Cristo), para ganar a los que están sin ley.

22 A los débiles, me he hecho como débil, para ganar a los débiles: A

todos me he hecho todo, para que de todos modos salve a algunos.

23 Y esto hago por causa del evangelio, para hacerme copartícipe de él.

24 ¿No sabéis que los que corren en el estadio, todos a la verdad corren, mas *sólo* uno se lleva el premio? Corred de tal manera que lo obtengáis.

25 Y todo aquel que lucha, de todo se abstiene; y ellos, a la verdad, para recibir una corona corruptible; pero nosotros, una incorruptible.

26 Así que, yo de esta manera corro, no como a la ventura; de esta manera peleo, no como quien golpea el aire,

27 sino que sujeto mi cuerpo, y lo pongo en servidumbre; no sea que habiendo predicado a otros, yo mismo venga a ser reprobado.

CAPÍTULO 10

Mas no quiero, hermanos, que ignoréis que nuestros padres todos estuvieron bajo la nube, y todos pasaron a través del mar;

2 y todos en Moisés fueron bautizados en la nube y en el mar;

3 y todos comieron el mismo alimento espiritual;

4 y todos bebieron la misma bebida espiritual; porque bebían de la Roca espiritual que los seguía, y la Roca era Cristo.

5 Pero Dios no se agradó de muchos de ellos; por lo cual quedaron postrados en el desierto.

6 Pero estas cosas fueron ejemplo para nosotros, a fin de que no codiciemos cosas malas, como ellos codiciaron.

7 Ni seáis idólatras, como algunos de ellos, según está escrito: Se sentó el pueblo a comer y a beber, y se levantaron a jugar.

8 Ni forniquemos, como algunos de ellos fornicaron, y cayeron en un día veintitrés mil.

9 Ni tentemos a Cristo, como también algunos de ellos *le* tentaron, y perecieron por las serpientes.

10 Ni murmuréis, como algunos de ellos murmuraron, y fueron destruidos por el destructor.

11 Y todas estas cosas les acontecieron como ejemplo; y están escritas para amonestarnos a nosotros, sobre quienes los fines de los siglos han venido.

12 Así que, el que piensa estar firme, mire que no caiga.

13 No os ha tomado tentación, sino humana; mas fiel *es* Dios, que no os dejará ser tentados más de lo que podéis *soportar*; sino que con la tentación dará también la salida, para que podáis resistir.

14 Por tanto, amados míos, huid de la idolatría.

15 Como a sabios hablo; juzgad vosotros lo que digo.

16 La copa de bendición que bendecimos, ¿no es la comunión de la sangre de Cristo? El pan que partimos, ¿no es la comunión del cuerpo de Cristo?

17 Porque nosotros, *siendo* muchos somos un solo pan, y un solo cuerpo; pues todos participamos de aquel mismo pan.

18 Mirad a Israel según la carne; los que comen de los sacrificios, ¿no son partícipes del altar?

19 ¿Qué digo, pues? ¿Que el ídolo es algo, o que sea algo lo que es sacrificado a los ídolos?

20 Antes *digo* que lo que los gentiles sacrifican, a los demonios lo sacrifican, y no a Dios; y no quiero que vosotros os hagáis partícipes con los demonios.

21 No podéis beber la copa del Señor, y la copa de los demonios; no podéis participar de la mesa del Señor, y de la mesa de los demonios.

22 ¿Provocaremos a celos al Señor? ¿Somos más fuertes que Él?

23 Todo me es lícito, pero no todo conviene; todo me es lícito, pero no todo edifica.

24 Ninguno busque su propio bien, sino el del otro.

25 De todo lo que se vende en la carnicería, comed, sin preguntar nada por causa de la conciencia;

26 porque del Señor *es* la tierra y su plenitud.

27 Si algún no creyente os convida, y queréis ir, de todo lo que se os ponga delante comed, sin preguntar nada por causa de la conciencia.

28 Pero si alguien os dice: Esto fue

sacrificado a los ídolos; no lo comáis, por causa de aquel que lo declaró, y por causa de la conciencia; porque del Señor *es* la tierra y su plenitud.

29 La conciencia, digo, no la tuya, sino la del otro. Pues ¿por qué se ha de juzgar mi libertad por la conciencia de otro?

30 Y si yo con agradecimiento participo, ¿por qué he de ser difamado por lo que doy gracias?

31 Si pues coméis, o bebéis, o hacéis otra cosa, hacedlo todo para la gloria de Dios.

32 No seáis ofensa, ni a judíos, ni a gentiles, ni a la iglesia de Dios;

33 Como también yo en todas las cosas agrado a todos, no procurando mi propio beneficio, sino el de muchos, para que sean salvos.

CAPÍTULO 11

Sed seguidores de mí, así como yo de Cristo.

2 Y os alabo, hermanos, porque en todo os acordáis de mí, y retenéis las ordenanzas tal como os *las* entregué.

3 Mas quiero que sepáis que Cristo es la cabeza de todo varón; y el varón *es* la cabeza de la mujer; y Dios la cabeza de Cristo.

4 Todo varón que ora o profetiza cubierta la cabeza, deshonra su cabeza.

5 Mas toda mujer que ora o profetiza no cubierta su cabeza, deshonra su cabeza; porque lo mismo es que si se rapase.

6 Porque si la mujer no se cubre, que se corte también el cabello; y si le es vergonzoso a la mujer trasquilarse o raparse, cúbrase.

7 Pero el varón no debe cubrir *su* cabeza, ya que él es la imagen y gloria de Dios; pero la mujer es la gloria del varón.

8 Porque el varón no procede de la mujer, sino la mujer del varón.

9 Porque tampoco el varón fue creado por causa de la mujer, sino la mujer por causa del varón.

10 Por lo cual, la mujer debe tener *señal* de autoridad sobre su cabeza, por causa de los ángeles.

11 Mas en el Señor, ni el varón es sin la mujer, ni la mujer sin el varón.

12 Porque así como la mujer *procede* del varón, también el varón *nace* por causa de la mujer; pero todo procede de Dios.

13 Juzgad vosotros mismos: ¿Es propio que la mujer ore a Dios sin cubrirse?

14 La naturaleza misma ¿no os enseña que es deshonroso al varón traer el cabello largo?

15 Pero si una mujer tiene cabello largo, le es honroso; porque en lugar de velo le es dado el cabello.

16 Con todo, si alguno quiere ser contencioso, nosotros no tenemos tal costumbre, ni las iglesias de Dios.

17 Pero en esto que os declaro, no *os* alabo; porque os reunís no para lo mejor, sino para lo peor.

18 Pues en primer lugar, cuando os reunís en la iglesia, oigo que hay entre vosotros divisiones; y en parte lo creo.

19 Porque es necesario que también entre vosotros haya herejías, para que los que son aprobados se manifiesten entre vosotros.

20 Así que cuando vosotros os reunís en un lugar, *esto* no es comer la cena del Señor.

21 Pues al comer, cada uno se adelanta a tomar su propia cena; y uno tiene hambre, y otro está embriagado.

22 ¿Acaso no tenéis casas en que comáis y bebáis? ¿O menospreciáis la iglesia de Dios y avergonzáis a los que no tienen? ¿Qué os diré? ¿Os alabaré en esto? No *os* alabo.

23 Porque yo recibí del Señor lo que también os he enseñado: Que el Señor Jesús, la noche que fue entregado, tomó pan;

24 y habiendo dado gracias, lo partió, y dijo: Tomad, comed; esto es mi cuerpo que por vosotros es partido; haced esto en memoria de mí.

25 Asimismo *tomó* también la copa, después de haber cenado, diciendo: Esta copa es el nuevo testamento en mi sangre; haced esto todas las veces que *la* bebiereis, en memoria de mí.

26 Porque todas las veces que comiereis este pan, y bebiereis esta copa, la muerte del Señor anunciáis hasta que Él venga.

27 De manera que cualquiera que comiere este pan, o bebiere la copa del Señor indignamente, será culpado del cuerpo y de la sangre del Señor.

28 Por tanto, examínese cada uno a sí mismo, y coma así del pan, y beba de la copa.

29 Porque el que come y bebe indignamente, come y bebe juicio para sí, no discerniendo el cuerpo del Señor.

30 Por lo cual *hay* muchos debilitados y enfermos entre vosotros; y muchos duermen.

31 Que si nos juzgásemos a nosotros mismos, no seríamos juzgados.

32 Mas siendo juzgados, somos castigados por el Señor, para que no seamos condenados con el mundo.

33 Así que, hermanos míos, cuando os reunís a comer, esperaos unos a otros.

34 Y si alguno tuviere hambre, coma en su casa; para que no os reunáis para condenación. Y las demás cosas las pondré en orden cuando yo fuere.

CAPÍTULO 12

Y en cuanto a los *dones* espirituales, no quiero hermanos, que ignoréis.

2 Sabéis que vosotros erais gentiles, llevados, como se os llevaba, a los ídolos mudos.

3 Por tanto, os hago saber que nadie que hable por el Espíritu de Dios, llama anatema a Jesús; y nadie puede llamar a Jesús Señor, sino por el Espíritu Santo.

4 Ahora bien, hay diversidad de dones; pero el mismo Espíritu *es*.

5 Y hay diversidad de ministerios; pero el mismo Señor *es*.

6 Y hay diversidad de operaciones; pero es el mismo Dios el que hace todas las cosas en todos.

7 Pero a cada uno le es dada manifestación del Espíritu para provecho.

8 Porque a la verdad, a éste es dada por el Espíritu palabra de sabiduría; a otro, palabra de conocimiento por el mismo Espíritu;

9 a otro, fe por el mismo Espíritu, y a otro, dones de sanidades por el mismo Espíritu;

10 a otro, el hacer milagros, y a otro, profecía; a otro, discernimiento de espíritus; a otro, *diversos* géneros de lenguas; y a otro, interpretación de lenguas.

11 Pero todas estas cosas las hace uno y el mismo Espíritu, repartiendo en particular a cada uno como Él quiere.

12 Porque así como el cuerpo es uno, y tiene muchos miembros, pero todos los miembros del cuerpo, siendo muchos, son un solo cuerpo, así también Cristo.

13 Porque por un solo Espíritu somos todos bautizados en un cuerpo, ya *sean* judíos o gentiles, ya *sean* siervos o libres; y todos hemos bebido de un mismo Espíritu.

14 Porque el cuerpo no es un solo miembro, sino muchos.

15 Si dijere el pie: Porque no soy mano, no soy del cuerpo; ¿por eso no será del cuerpo?

16 Y si dijere la oreja: Porque no soy ojo, no soy del cuerpo; ¿por eso no será del cuerpo?

17 Si todo el cuerpo *fuese* ojo, ¿dónde *estaría* el oído? Si todo *fuese* oído, ¿dónde *estaría* el olfato?

18 Mas ahora Dios ha colocado los miembros cada uno de ellos en el cuerpo, como Él quiso.

19 Que si todos fueran un solo miembro, ¿dónde estaría el cuerpo?

20 Mas ahora *son* muchos los miembros, pero un solo cuerpo.

21 Y el ojo no puede decir a la mano: No te necesito: Ni tampoco la cabeza a los pies: No tengo necesidad de vosotros.

22 Antes bien, los miembros del cuerpo que parecen más débiles, son *los más* necesarios;

23 y los *miembros* del cuerpo que estimamos menos dignos, a éstos vestimos más dignamente; y los que en nosotros son menos decorosos, son tratados con mucho más decoro.

24 Porque los *miembros* que en nosotros son más decorosos, no tienen necesidad; pero Dios ordenó el cuerpo, dando más abundante honor al que le faltaba;

25 para que no haya desavenencia en el cuerpo, sino que los miembros todos se preocupen los unos por los otros.

26 Y si un miembro padece, todos los miembros se duelen con él; o si un miembro es honrado, todos los miembros con él se regocijan.

27 Vosotros, pues, sois el cuerpo de Cristo, y miembros en particular.

28 Y a unos puso Dios en la iglesia, primeramente apóstoles, lo segundo profetas, lo tercero maestros; luego milagros; después dones de sanidades, ayudas, gobernaciones, diversidad de lenguas.

29 ¿Son todos apóstoles? ¿Son todos profetas? ¿Todos maestros? ¿Hacen todos milagros?

30 ¿Tienen todos dones de sanidad? ¿Todos hablan lenguas? ¿Interpretan todos?

31 Procurad, pues, los dones mejores; mas yo os muestro un camino aun más excelente.

CAPÍTULO 13

Si yo hablase lenguas humanas y angélicas, y no tengo caridad, vengo a ser como metal que resuena, o címbalo que retiñe.

2 Y si tuviese el don de profecía, y entendiese todos los misterios y toda ciencia; y si tuviese toda la fe, de tal manera que trasladase las montes, y no tengo caridad, nada soy.

3 Y si repartiese todos mis bienes para dar de comer a los pobres, y si entregase mi cuerpo para ser quemado, y no tengo caridad, de nada me sirve.

4 La caridad es sufrida, es benigna; La caridad no tiene envidia, la caridad no es jactanciosa, no se envanece;

5 no hace nada indebido, no busca lo suyo, no se irrita, no piensa el mal;

6 no se goza en la injusticia, mas se goza en la verdad;

7 todo lo sufre, todo lo cree, todo lo espera, todo lo soporta.

8 La caridad nunca deja de ser; mas las profecías se acabarán, y cesarán las lenguas, y la ciencia acabará.

9 Porque en parte conocemos, y en parte profetizamos;

10 mas cuando venga lo que es perfecto, entonces lo que es en parte se acabará.

11 Cuando yo era niño, hablaba como niño, pensaba como niño, juzgaba como niño, mas cuando ya fui hombre hecho, dejé lo que era de niño.

12 Y ahora vemos por espejo, oscuramente; mas entonces veremos cara a cara; ahora conozco en parte; mas entonces conoceré como soy conocido.

13 Y ahora permanecen la fe la esperanza y la caridad, estas tres; pero la mayor de ellas es la caridad.

CAPÍTULO 14

Seguid la caridad; y desead los dones espirituales, mas sobre todo que profeticéis.

2 Porque el que habla en lengua desconocida, no habla a los hombres, sino a Dios; pues nadie le entiende, aunque en espíritu hable misterios.

3 Mas el que profetiza, habla a los hombres para edificación, y exhortación, y consolación.

4 El que habla en lengua desconocida, a sí mismo se edifica; pero el que profetiza, edifica a la iglesia.

5 Yo quisiera que todos vosotros hablaseis en lenguas, pero más que profetizaseis; porque mayor es el que profetiza que el que habla en lenguas, a no ser que las interprete para que la iglesia reciba edificación.

6 Ahora pues, hermanos, si yo vengo a vosotros hablando en lenguas, ¿qué os aprovechará, si no os hablo, o con revelación, o con ciencia, o con profecía, o con doctrina?

7 Y aun las cosas inanimadas que hacen sonidos, ya sea la flauta, o el arpa; si no dieren distinción de sonidos, ¿cómo se sabrá lo que se toca con la flauta o con el arpa?

8 Y si la trompeta da un sonido incierto, ¿quién se preparará para la batalla?

9 Así también vosotros, si por la lengua no habláis palabra bien entendible, ¿cómo se sabrá lo que se dice? Pues hablaréis al aire.

10 Hay, por ejemplo, tantas clases de idiomas en el mundo, y ninguno de ellos carece de significado.

11 Pero si yo ignoro el significado de lo que se dice, seré extranjero al que

habla, y el que habla *será* extranjero para mí.

12 Así también vosotros; pues que anheláis *dones* espirituales, procurad abundar en ellos para la edificación de la iglesia.

13 Por lo cual, el que habla en lengua *desconocida*, pida en oración que pueda interpretar.

14 Porque si yo oro en lengua *desconocida*, mi espíritu ora, pero mi entendimiento queda sin fruto.

15 ¿Qué hay entonces? Oraré con el espíritu, pero oraré también con el entendimiento; cantaré con el espíritu, pero cantaré también con el entendimiento.

16 De otra manera, si bendices *sólo* con el espíritu, el que ocupa el lugar de un simple oyente, ¿cómo dirá amén a tu acción de gracias? pues no sabe lo que has dicho.

17 Porque tú, a la verdad, bien das gracias; pero el otro no es edificado.

18 Doy gracias a mi Dios que hablo en lenguas más que todos vosotros;

19 pero en la iglesia prefiero hablar cinco palabras con mi entendimiento, para enseñar también a otros, que diez mil palabras en lengua *desconocida*.

20 Hermanos, no seáis niños en el entendimiento; sino sed niños en la malicia, pero hombres en el entendimiento.

21 En la ley está escrito: En otras lenguas y con otros labios hablaré a este pueblo; y ni aun así me oirán, dice el Señor.

22 Así que, las lenguas son por señal, no a los creyentes, sino a los incrédulos; mas la profecía, no a los incrédulos, sino a los creyentes.

23 De manera que, si toda la iglesia se reúne en un lugar, y todos hablan en lenguas, y entran indoctos o incrédulos, ¿no dirán que estáis locos?

24 Pero si todos profetizan, y entra algún incrédulo o indocto, por todos es convencido, por todos es juzgado;

25 y de esta manera los secretos de su corazón se hacen manifiestos; y así, postrándose sobre el rostro, adorará a Dios, declarando que en verdad Dios está en vosotros.

26 ¿Qué hay, pues, hermanos?

Cuando os reunís, cada uno de vosotros tiene salmo, tiene doctrina, tiene lengua, tiene revelación, tiene interpretación: Hágase todo para edificación.

27 Si alguno habla en lengua *desconocida*, sea esto por dos, o a lo más tres, y por turno; y uno interprete.

28 Pero si no hay intérprete, calle en la iglesia, y hable a sí mismo y a Dios.

29 Asimismo, los profetas hablen dos o tres, y los demás juzguen.

30 Y si *algo* le es revelado a otro que está sentado, calle el primero.

31 Porque podéis profetizar todos uno por uno, para que todos aprendan, y todos sean exhortados.

32 Y los espíritus de los profetas están sujetos a los profetas;

33 porque Dios no es *autor* de confusión, sino de paz; como en todas las iglesias de los santos.

34 Vuestras mujeres callen en las iglesias; porque no les es permitido hablar, sino que estén sujetas, como también la ley lo dice.

35 Y si quieren aprender alguna cosa, pregunten en casa a sus maridos; porque vergonzoso es que una mujer hable en la iglesia.

36 ¿Acaso ha salido de vosotros la palabra de Dios? ¿O solamente a vosotros ha llegado?

37 Si alguno se cree profeta, o espiritual, reconozca que lo que os escribo, son mandamientos del Señor.

38 Mas si alguno es ignorante, sea ignorante.

39 Así que, hermanos, procurad profetizar, y no impidáis el hablar lenguas.

40 Pero hágase todo decentemente y con orden.

CAPÍTULO 15

Además os declaro, hermanos, el evangelio que os he predicado, el cual también recibisteis, en el cual estáis firmes;

2 por el cual asimismo sois salvos, si retenéis la palabra que os he predicado, si no habéis creído en vano.

3 Porque primeramente os he entregado lo que asimismo recibí: Que Cristo murió por nuestros pecados conforme a las Escrituras;

4 y que fue sepultado, y que resucitó al tercer día, conforme a las Escrituras;

5 y que fue visto por Cefas, y después por los doce.

6 Y después, fue visto por más de quinientos hermanos a la vez; de los cuales muchos viven aún, y otros ya duermen.

7 Después fue visto por Jacobo; luego por todos los apóstoles.

8 Y al último de todos, como por un nacido a destiempo, Él fue visto también por mí.

9 Porque yo soy el más pequeño de los apóstoles, que no soy digno de ser llamado apóstol, porque perseguí la iglesia de Dios.

10 Mas por la gracia de Dios soy lo que soy; y su gracia no ha sido en vano para conmigo; antes he trabajado más que todos ellos; pero no yo, sino la gracia de Dios que ha sido conmigo.

11 Así que, ya *sea* yo o ellos, así predicamos, y así habéis creído.

12 Y si se predica que Cristo resucitó de los muertos, ¿cómo dicen algunos entre vosotros que no hay resurrección de muertos?

13 Porque si no hay resurrección de muertos, Cristo tampoco resucitó.

14 Y si Cristo no resucitó, vana *es* entonces nuestra predicación, vana *es* también vuestra fe.

15 Y además somos hallados falsos testigos de Dios; porque hemos testificado de Dios, que Él resucitó a Cristo; al cual no resucitó, si en verdad los muertos no resucitan.

16 Porque si los muertos no resucitan, tampoco Cristo resucitó.

17 Y si Cristo no resucitó, vana es vuestra fe; aún estáis en vuestros pecados.

18 Entonces también los que durmieron en Cristo perecieron.

19 Si sólo en esta vida esperamos en Cristo, somos los más miserables de todos los hombres.

20 Mas ahora Cristo ha resucitado de los muertos; primicias de los que durmieron es hecho.

21 Y por cuanto la muerte *entró* por un hombre, también por un hombre la resurrección de los muertos.

22 Porque así como en Adán todos mueren, así también en Cristo todos serán vivificados.

23 Mas cada uno en su debido orden: Cristo las primicias; luego los que son de Cristo, en su venida.

24 Luego *vendrá* el fin; cuando haya entregado el reino al Dios y Padre, cuando haya abatido todo dominio y toda autoridad y poder.

25 Porque es menester que Él reine, hasta que haya puesto a todos sus enemigos debajo de sus pies.

26 Y el postrer enemigo que *será* destruido es la muerte.

27 Porque todas las cosas sujetó debajo de sus pies. Pero cuando dice: Todas las cosas son sujetadas a Él, claramente se exceptúa a Aquél que sujetó a Él todas las cosas.

28 Y cuando todas las cosas le estén sujetas, entonces también el Hijo mismo se sujetará a Aquél que sujetó a Él todas las cosas, para que Dios sea todo en todos.

29 De otro modo, ¿qué harán los que se bautizan por los muertos, si en ninguna manera los muertos resucitan? ¿Por qué, pues, se bautizan por los muertos?

30 ¿Y por qué nosotros peligramos a toda hora?

31 Os aseguro por la gloria que de vosotros tengo en Cristo Jesús Señor nuestro, que cada día muero.

32 Si como hombre batallé en Éfeso contra bestias, ¿qué me aprovecha? Si los muertos no resucitan, comamos y bebamos, que mañana moriremos.

33 No os engañéis; las malas conversaciones corrompen las buenas costumbres.

34 Despertad a justicia, y no pequéis; porque algunos no conocen a Dios; para vergüenza vuestra lo digo.

35 Pero dirá alguno: ¿Cómo resucitarán los muertos? ¿Con qué cuerpo vendrán?

36 Necio, lo que tú siembras no revive, si antes no muere.

37 Y lo que siembras, no siembras el cuerpo que ha de ser, sino el grano desnudo, ya sea de trigo o de otro grano;

38 pero Dios le da el cuerpo como Él quiere, y a cada semilla su propio cuerpo.

39 No toda carne *es* la misma carne; pues una carne *es* la de los hombres, y otra carne la de los animales, y otra la de los peces, y otra la de las aves.

40 También *hay* cuerpos celestiales, y cuerpos terrenales; pero una *es* la gloria de los celestiales, y otra la de los terrenales.

41 Una *es* la gloria del sol, y otra la gloria de la luna, y otra la gloria de las estrellas; porque una estrella *es* diferente de *otra* estrella en gloria.

42 Así también *es* la resurrección de los muertos. Se siembra en corrupción, se levantará en incorrupción;

43 se siembra en deshonra, se levantará en gloria; se siembra en flaqueza, se levantará en poder;

44 se siembra cuerpo natural, resucitará cuerpo espiritual. Hay cuerpo natural, y hay cuerpo espiritual.

45 Y así está escrito: El primer hombre Adán fue hecho un alma viviente; el postrer Adán, un espíritu vivificante.

46 Mas lo espiritual no *es* primero, sino lo natural; luego lo espiritual.

47 El primer hombre, *es* de la tierra, terrenal; el segundo hombre *que es* el Señor, es del cielo.

48 Cual el terrenal, tales también los terrenales; y cual el celestial, tales también los celestiales.

49 Y así como hemos llevado la imagen del terrenal, llevaremos también la imagen del celestial.

50 Mas esto digo, hermanos; que la carne y la sangre no pueden heredar el reino de Dios; ni la corrupción hereda la incorrupción.

51 He aquí, os digo un misterio: No todos dormiremos, pero todos seremos transformados.

52 En un momento, en un abrir y cerrar de ojos, a la final trompeta; porque se tocará la trompeta, y los muertos serán resucitados sin corrupción, y nosotros seremos transformados.

53 Porque es necesario que esto corruptible se vista de incorrupción, y esto mortal se vista de inmortalidad.

54 Y cuando esto corruptible se haya vestido de incorrupción, y esto mortal se haya vestido de inmortalidad, entonces se cumplirá la palabra que está escrita: Sorbida es la muerte en victoria.

55 ¿Dónde *está*, oh muerte, tu aguijón? ¿Dónde, oh sepulcro, tu victoria?

56 El aguijón de la muerte *es* el pecado, y el poder del pecado es la ley.

57 Mas gracias *sean* dadas a Dios, que nos da la victoria por medio de nuestro Señor Jesucristo.

58 Así que, hermanos míos amados, estad firmes y constantes, creciendo en la obra del Señor siempre, sabiendo que vuestro trabajo en el Señor no es en vano.

CAPÍTULO 16

En cuanto a la ofrenda para los santos, haced vosotros también de la manera que ordené en las iglesias de Galacia.

2 Cada primer *día* de la semana cada uno de vosotros ponga aparte algo, atesorándolo, conforme *Dios le* haya prosperado; para que cuando yo llegue, no se recojan entonces ofrendas.

3 Y cuando yo haya llegado, enviaré a los que vosotros hayáis aprobdo por cartas, para que lleven vuestra liberalidad a Jerusalén.

4 Y si es preciso que yo también vaya, irán conmigo.

5 Y vendré a vosotros, cuando hubiere pasado por Macedonia, porque por Macedonia tengo que pasar.

6 Y podrá ser que me quede y pase el invierno con vosotros, para que vosotros me encaminéis a donde haya de ir.

7 Porque no quiero ahora veros de paso; pues espero estar con vosotros algún tiempo, si el Señor lo permite.

8 Pero me quedaré en Éfeso hasta Pentecostés;

9 porque se me ha abierto puerta grande y eficaz, y muchos *son* los adversarios.

10 Y si llega Timoteo, mirad que esté con vosotros sin temor; porque como yo, también él hace la obra del Señor.

11 Por tanto, nadie le tenga en poco; sino encaminadle en paz, para que venga a mí; porque le espero con los hermanos.

12 En cuanto a *nuestro* hermano Apolos; mucho le rogué que fuese a vosotros con los hermanos; mas en ninguna manera tuvo voluntad de ir por ahora; pero irá cuando tuviere oportunidad.

13 Velad, estad firmes en la fe; portaos varonilmente, esforzaos.

14 Todas vuestras cosas sean hechas con amor.

15 Hermanos, ya conocéis a la familia de Estéfanas, que son las primicias de Acaya, y *que* se han hecho adictos al ministerio de los santos,

16 os ruego que os sujetéis a los tales, y a todos los que con *nosotros* ayudan y trabajan.

17 Me gozo de la venida de Estéfanas y de Fortunato y de Acaico; porque lo que de vosotros faltaba, ellos lo suplieron.

18 Porque recrearon mi espíritu y el vuestro; reconoced, pues, a los tales.

19 Las iglesias de Asia os saludan. Aquila y Priscila, con la iglesia que está en su casa, os saludan mucho en el Señor.

20 Os saludan todos los hermanos. Saludaos los unos a los otros con ósculo santo.

21 La salutación de Pablo, de mi propia mano.

22 El que no amare al Señor Jesucristo, sea anatema. Maranata.

23 La gracia del Señor Jesucristo *sea* con vosotros.

24 Mi amor en Cristo Jesús *sea* con todos vosotros. Amén.

Segunda Epístola Del Apóstol Pablo A
LOS CORINTIOS

CAPÍTULO 1

Pablo, apóstol de Jesucristo por la voluntad de Dios, y *nuestro* hermano Timoteo, a la iglesia de Dios que está en Corinto, con todos los santos que están por toda Acaya:

2 Gracia *sea* a vosotros, y paz de Dios nuestro Padre, y del Señor Jesucristo.

3 Bendito *sea* el Dios y Padre de nuestro Señor Jesucristo, el Padre de misericordias, y el Dios de toda consolación,

4 el cual nos consuela en todas nuestras tribulaciones, para que podamos nosotros consolar a los que están en cualquier angustia, con la consolación con que nosotros mismos somos consolados de Dios.

5 Porque de la manera que abundan en nosotros las aflicciones de Cristo, así abunda también por Cristo nuestra consolación.

6 Pues si somos atribulados, *es* por vuestra consolación y salvación; la cual es eficaz para soportar las mismas aflicciones que nosotros también padecemos; o si somos consolados, *es* por vuestra consolación y salvación.

7 Y nuestra esperanza de vosotros *es* firme; sabiendo que como sois partícipes de las aflicciones, así también *lo seréis* de la consolación.

8 Porque hermanos, no queremos que ignoréis acerca de nuestra tribulación que nos aconteció en Asia; que en sobremanera fuimos cargados sobre nuestras fuerzas, de tal manera que perdimos la esperanza aun de seguir con vida.

9 Pero tuvimos en nosotros mismos sentencia de muerte, para que no confiásemos en nosotros mismos, sino en Dios que resucita a los muertos;

10 el cual nos libró, y nos libra; y en quien confiamos que aún nos librará de tan grande muerte;

11 ayudándonos vosotros también con oración por nosotros, para que por el don *concedido* a nosotros por medio de muchas personas, por muchas sean dadas gracias en nuestro favor.

12 Porque ésta es nuestra gloria; el testimonio de nuestra conciencia, que con simplicidad y sinceridad de Dios, no con sabiduría carnal, sino por la gracia de Dios, nos hemos

conducido en el mundo, y más abundantemente con vosotros.

13 Porque no os escribimos otras cosas de las que leéis, o también reconocéis; y espero que aun hasta el fin las reconoceréis;

14 como también en parte nos habéis reconocido, que somos vuestra gloria, así como también vosotros *seréis* la nuestra en el día del Señor Jesús.

15 Y con esta confianza quise ir primero a vosotros, para que tuvieseis una segunda gracia;

16 y de vosotros pasar a Macedonia, y de Macedonia venir otra vez a vosotros, y ser encaminado de vosotros a Judea.

17 Así que, cuando me propuse esto, ¿usé quizá de ligereza? ¿O lo que me propongo, me propongo según la carne, para que haya en mí Sí, Sí, y No, No?

18 Pero *como* Dios *es* fiel, nuestra palabra para con vosotros no fue Sí y No.

19 Porque el Hijo de Dios, Jesucristo, que entre vosotros ha sido predicado por nosotros, por mí y Silvano y Timoteo, no ha sido Sí y No; mas ha sido Sí en Él.

20 Porque todas las promesas de Dios *son* Sí en Él, y Amén en Él, por medio de nosotros, para la gloria de Dios.

21 Y el que nos confirma con vosotros en Cristo, y *el que* nos ungió, *es* Dios;

22 el cual también nos ha sellado, y nos ha dado las arras del Espíritu en nuestros corazones.

23 Mas yo invoco a Dios por testigo sobre mi alma, que por ser indulgente con vosotros no he pasado todavía a Corinto.

24 No que tengamos dominio sobre vuestra fe, mas somos ayudadores de vuestro gozo; porque por la fe estáis firmes.

CAPÍTULO 2

Esto, pues, determiné para conmigo, no venir otra vez a vosotros con tristeza.

2 Porque si yo os contristo, ¿quién será luego el que me alegrará, sino aquel a quien yo contristare?

3 Y esto mismo os escribí, para que cuando viniere no tenga tristeza de aquellos de quienes me debiera alegrar; confiando en vosotros todos que mi gozo es el de todos vosotros.

4 Porque por la mucha tribulación y angustia del corazón os escribí con muchas lágrimas; no para que fueseis contristados, sino para que supieseis cuán grande amor tengo para con vosotros.

5 Que si alguno ha causado tristeza, no me ha entristecido a mí sino en parte; para no sobrecargaros a todos vosotros.

6 Bástele al tal el castigo que *le fue impuesto* por muchos;

7 así que, al contrario, vosotros más bien debierais perdonarle y consolarle, para que el tal no sea consumido de demasiada tristeza.

8 Por lo cual os ruego que confirméis *vuestro* amor para con él.

9 Porque también por este fin os escribí, para saber la prueba de si vosotros sois obedientes en todo.

10 Y al que vosotros perdonareis algo, yo también; porque si algo he perdonado, a quien lo he perdonado, por vosotros *lo he hecho* en la persona de Cristo;

11 para que no nos gane Satanás; pues no ignoramos sus maquinaciones.

12 Y cuando vine a Troas para *predicar* el evangelio de Cristo, y una puerta me fue abierta en el Señor,

13 no tuve reposo en mi espíritu, por no haber hallado a Tito mi hermano; mas despidiéndome de ellos, partí para Macedonia.

14 Mas a Dios gracias, el cual hace que siempre triunfemos en Cristo, y manifiesta la fragancia de su conocimiento por nosotros en todo lugar.

15 Porque para Dios somos de Cristo grata fragancia en los que son salvos, y en los que se pierden;

16 a éstos ciertamente olor de muerte para muerte; y a aquéllos fragancia de vida para vida. Y para estas cosas, ¿quién es suficiente?

17 Porque no somos como muchos que adulteran la palabra de Dios; antes con sinceridad, como de parte de Dios, delante de Dios hablamos en Cristo.

CAPÍTULO 3

¿Comenzamos otra vez a recomendarnos a nosotros mismos? ¿O tenemos necesidad como algunos, de cartas de recomendación para vosotros, o de recomendación de vosotros?

2 Nuestra carta sois vosotros, escrita en nuestros corazones, sabida y leída de todos los hombres;

3 *siendo* manifiesto que sois carta de Cristo ministrada por nosotros, escrita no con tinta, sino con el Espíritu del Dios vivo; no en tablas de piedra, sino en tablas de carne del corazón.

4 Y tal confianza tenemos mediante Cristo para con Dios;

5 no que seamos suficientes de nosotros mismos para pensar algo como de nosotros mismos, sino que nuestra suficiencia viene de Dios;

6 el cual también nos ha hecho ministros suficientes del nuevo testamento; no de la letra, sino del espíritu; porque la letra mata, mas el espíritu vivifica.

7 Y si el ministerio de muerte escrito y grabado en piedras fue glorioso, tanto que los hijos de Israel no podían fijar los ojos en el rostro de Moisés a causa de la gloria de su parecer, la cual había de fenecer,

8 ¿cómo no será más glorioso el ministerio del espíritu?

9 Porque si el ministerio de condenación fue glorioso, mucho más abundará en gloria el ministerio de la justificación.

10 Porque aun lo que fue glorioso, no es glorioso en este respecto, en comparación a la gloria más excelente.

11 Porque si lo que perece *fue* glorioso, mucho más glorioso *será* lo que permanece.

12 Así que, teniendo tal esperanza, hablamos con mucha confianza;

13 y no como Moisés, *que* ponía un velo sobre su rostro, para que los hijos de Israel no pusiesen los ojos en el fin de aquello que había de ser abolido.

14 Pero sus mentes fueron cegadas; porque hasta el día de hoy cuando leen el antiguo testamento, permanece sin ser quitado el mismo velo, el cual Cristo abolió.

15 Y aun hasta el día de hoy, cuando Moisés es leído, el velo está puesto sobre el corazón de ellos.

16 Pero cuando se conviertan al Señor, el velo será quitado.

17 Porque el Señor es el Espíritu; y donde *está* el Espíritu del Señor, allí *hay* libertad.

18 Por tanto, nosotros todos, mirando con cara descubierta como en un espejo la gloria del Señor, somos transformados en la misma imagen, de gloria en gloria, como por el Espíritu del Señor.

CAPÍTULO 4

Por tanto, teniendo nosotros este ministerio según la misericordia que hemos recibido, no desmayamos;

2 antes bien hemos renunciado a lo oculto y deshonesto, no andando con astucia, ni usando la palabra de Dios con engaño; sino que por la manifestación de la verdad nos recomendamos a la conciencia de todo hombre delante de Dios.

3 Que si nuestro evangelio está aún encubierto, para los que se pierden está encubierto;

4 en los cuales el dios de este mundo cegó la mente de los incrédulos, para que no les resplandezca la luz del glorioso evangelio de Cristo, el cual es la imagen de Dios.

5 Porque no nos predicamos a nosotros mismos, sino a Jesucristo el Señor; y nosotros vuestros siervos por Jesús.

6 Porque Dios, que mandó que de las tinieblas resplandeciese la luz, es el que resplandeció en nuestros corazones, para iluminación del conocimiento de la gloria de Dios en la faz de Jesucristo.

7 Pero tenemos este tesoro en vasos de barro, para que la excelencia del poder sea de Dios, y no de nosotros;

8 que *estamos* atribulados en todo, pero no angustiados; en apuros, pero no desesperados;

9 perseguidos, pero no desamparados; derribados, pero no destruidos;

10 llevando siempre por todas partes en el cuerpo la muerte del Señor Jesús, para que también la vida de Jesús se manifieste en nuestros cuerpos.

11 Porque nosotros que vivimos, siempre estamos entregados a muerte por Jesús, para que también la vida de Jesús sea manifestada en nuestra carne mortal.

12 De manera que la muerte obra en nosotros, y en vosotros la vida.

13 Pero teniendo el mismo espíritu de fe, conforme a lo que está escrito: Creí, por lo cual también hablé; nosotros también creemos, por lo cual también hablamos;

14 sabiendo que el que resucitó al Señor Jesús, a nosotros también nos resucitará por Jesús, y nos presentará con vosotros.

15 Porque todas las cosas *son hechas* por amor a vosotros, para que la abundante gracia, mediante la acción de gracias de muchos, redunde para la gloria de Dios.

16 Por tanto, no desmayamos; antes aunque este nuestro hombre exterior se va desgastando, el interior no obstante se renueva de día en día.

17 Porque nuestra leve aflicción, la cual es momentánea, produce en nosotros un inmensurable y eterno peso de gloria;

18 no mirando nosotros a las cosas que se ven, sino a las que no se ven; porque las cosas que se ven *son* temporales, mas las que no se ven *son* eternas.

CAPÍTULO 5

Porque sabemos que si nuestra casa terrenal, *este* tabernáculo, se deshiciere, tenemos de Dios un edificio, una casa no hecha de manos, eterna, en los cielos.

2 Y por esto también gemimos, deseando ser revestidos de aquella nuestra habitación celestial;

3 y si así estamos vestidos, no seremos hallados desnudos.

4 Porque nosotros que estamos en *este* tabernáculo gemimos con angustia; porque no quisiéramos ser desnudados, sino revestidos, para que lo mortal sea absorbido por la vida.

5 Mas el que nos hizo para esto mismo *es* Dios, el cual también nos ha dado las arras del Espíritu.

6 Por tanto *vivimos* confiados siempre, sabiendo que entre tanto que estamos en el cuerpo, ausentes estamos del Señor

7 (porque por fe andamos, no por vista):

8 Estamos confiados, y más quisiéramos estar ausentes del cuerpo, y presentes con el Señor.

9 Por tanto procuramos también, o presentes, o ausentes, serle agradables.

10 Porque es menester que todos nosotros comparezcamos ante el tribunal de Cristo, para que cada uno reciba según lo que haya hecho mientras estaba en el cuerpo, *ya sea* bueno o *sea* malo.

11 Conociendo, pues, el temor del Señor, persuadimos a los hombres, mas a Dios somos manifiestos; y espero que también en vuestras conciencias seamos manifiestos.

12 Pues no nos recomendamos otra vez a vosotros, sino os damos ocasión de gloriaros por nosotros, para que tengáis qué *responder* a los que se glorían en la apariencia y no en el corazón.

13 Porque si estamos locos, *es* para Dios; y si somos cuerdos, *es* para vosotros.

14 Porque el amor de Cristo nos constriñe, pensando esto: Que si uno murió por todos, luego todos murieron;

15 y por todos murió, para que los que viven, ya no vivan para sí, sino para Aquél que murió y resucitó por ellos.

16 De manera que nosotros de aquí en adelante a nadie conocemos según la carne; y aun si a Cristo conocimos según la carne, ahora ya no le conocemos *así*.

17 De modo que si alguno *está* en Cristo, nueva criatura *es*; las cosas viejas pasaron; he aquí todas son hechas nuevas.

18 Y todo esto *proviene* de Dios, quien nos reconcilió consigo mismo por Jesucristo; y nos dio el ministerio de la reconciliación.

19 De manera que Dios estaba en

Cristo reconciliando consigo al mundo, no imputándole sus pecados, y nos encomendó a nosotros la palabra de la reconciliación.

20 Así que, somos embajadores de Cristo, como si Dios rogase por medio de nosotros; os rogamos en nombre de Cristo: Reconciliaos con Dios.

21 Al que no conoció pecado, lo hizo pecado por nosotros, para que nosotros fuésemos hechos justicia de Dios en Él.

CAPÍTULO 6

Así, pues, nosotros, como *sus* colaboradores, os exhortamos también a que no recibáis en vano la gracia de Dios.

2 Porque dice: En tiempo aceptable te he oído, y en día de salvación te he socorrido. He aquí ahora el tiempo aceptable, he aquí ahora el día de salvación.

3 No dando a nadie ninguna ocasión de tropiezo, para que el ministerio no sea vituperado;

4 antes, aprobándonos en todo como ministros de Dios, en mucha paciencia, en tribulaciones, en necesidades, en angustias;

5 en azotes, en cárceles, en tumultos, en trabajos, en vigilias, en ayunos;

6 en pureza, en ciencia, en longanimidad, en bondad, en el Espíritu Santo, en amor no fingido;

7 en palabra de verdad, en poder de Dios, con armas de justicia a derecha e izquierda;

8 por honra y por deshonra, por mala fama, y por buena fama; como engañadores, pero veraces;

9 como desconocidos, pero bien conocidos; como moribundos, mas he aquí vivimos; como castigados, mas no muertos;

10 como entristecidos, mas siempre gozosos; como pobres, mas enriqueciendo a muchos; como no teniendo nada, mas poseyéndolo todo.

11 Nuestra boca está abierta a vosotros, oh corintios; nuestro corazón se ha ensanchado.

12 No estáis estrechos en nosotros, mas estáis estrechos en vuestras propias entrañas.

No os unáis en yugo desigual

13 Pues, para corresponder del mismo modo (como a hijos hablo), ensanchaos también vosotros.

14 No os unáis en yugo desigual con los incrédulos; porque ¿qué compañerismo tiene la justicia con la injusticia? ¿Y qué comunión la luz con las tinieblas?

15 ¿Y qué concordia Cristo con Belial? ¿O qué parte el creyente con el incrédulo?

16 ¿Y qué concierto tiene el templo de Dios con los ídolos? Porque vosotros sois el templo del Dios viviente, como Dios dijo: Habitaré y andaré entre ellos; y seré su Dios, y ellos serán mi pueblo.

17 Por lo cual salid de en medio de ellos, y apartaos, dice el Señor, y no toquéis lo inmundo; y yo os recibiré,

18 y seré Padre a vosotros, y vosotros me seréis hijos e hijas, dice el Señor Todopoderoso.

CAPÍTULO 7

Así que, amados, teniendo tales promesas, limpiémonos de toda inmundicia de la carne y del espíritu, perfeccionando la santidad en el temor de Dios.

2 Admitidnos; a nadie hemos dañado, a nadie hemos corrompido, a nadie hemos defraudado.

3 No lo digo para condenaros; porque ya he dicho antes, que estáis en nuestros corazones, para morir y para vivir *juntamente*.

4 Grande *es* mi franqueza para con vosotros; grande *es* mi gloria de vosotros; lleno estoy de consolación, sobreabundo de gozo en todas nuestras tribulaciones.

5 Porque cuando vinimos a Macedonia, ningún reposo tuvo nuestra carne; antes en todo fuimos atribulados; de fuera, contiendas; de dentro, temores.

6 Mas Dios, que consuela a los abatidos, nos consoló con la venida de Tito;

7 y no sólo con su venida, sino también con la consolación con que él fue consolado de vosotros, haciéndonos saber vuestro gran deseo, vuestro llanto, vuestro celo por mí, para que así yo más me regocijara.

8 Porque aunque os contristé con la carta, no me arrepiento, bien que me arrepentí; porque veo que aquella carta, aunque por un poco de tiempo, os contristó.

9 Ahora me gozo, no porque hayáis sido contristados, sino porque fuisteis contristados para arrepentimiento; porque habéis sido contristados según Dios, para que ninguna pérdida padecieseis por nosotros.

10 Porque la tristeza que es según Dios produce arrepentimiento para salvación, de que no hay que arrepentirse; mas la tristeza del mundo produce muerte.

11 Porque he aquí, esto mismo que os contristó según Dios, ¡cuánta solicitud ha obrado en vosotros, y qué defensa, y qué indignación, y qué temor, y qué gran deseo, y qué celo, y aun vindicación! En todo os habéis mostrado limpios en este asunto.

12 Así que, aunque os escribí, no fue por causa del que hizo la injuria, ni por causa del que padeció la injuria, sino para que os fuese manifiesta nuestra solicitud que tenemos por vosotros delante de Dios.

13 Por tanto, tomamos consolación de vuestra consolación; pero mucho más nos gozamos por el gozo de Tito, de que haya sido recreado su espíritu por todos vosotros.

14 Que si de algo me he gloriado con él acerca de vosotros, no me avergüenzo; pues como os hemos hablado todo con verdad, así también nuestra gloria delante de Tito fue hallada verdadera.

15 Y su entrañable afecto es más abundante para con vosotros, cuando se acuerda de la obediencia de todos vosotros, de cómo lo recibisteis con temor y temblor.

16 Me gozo de que en todo tengo confianza en vosotros.

CAPÍTULO 8

A simismo, hermanos, os hacemos saber la gracia de Dios que ha sido dada a las iglesias de Macedonia;

2 que en grande prueba de tribulación, la abundancia de su gozo y su profunda pobreza abundaron en riquezas de su generosidad.

3 Porque de su voluntad *han dado* conforme a *sus* fuerzas, yo testifico, y aun más allá de *sus* fuerzas;

4 pidiéndonos con muchos ruegos que aceptásemos la ofrenda y la comunicación del servicio para los santos.

5 Y *esto hicieron,* no como lo esperábamos, sino que primero se dieron a sí mismos al Señor, y a nosotros por la voluntad de Dios.

6 De manera que exhortamos a Tito, que como comenzó, así también acabe esta gracia entre vosotros también.

7 Por tanto, como en todo abundáis, *en* fe, y *en* palabra, y *en* ciencia, y *en* toda solicitud, y *en* vuestro amor para con nosotros, *mirad* que también abundéis en esta gracia.

8 No hablo como quien manda, sino por causa de la diligencia de otros, y para probar la sinceridad de vuestro amor.

9 Porque ya conocéis la gracia de nuestro Señor Jesucristo, que por amor de vosotros, siendo rico se hizo pobre; para que vosotros con su pobreza fueseis enriquecidos.

10 Y en esto doy *mi* consejo; porque esto os conviene a vosotros, que comenzasteis antes, no sólo a hacerlo, sino también a quererlo, desde el año pasado.

11 Ahora, pues, llevad también a cabo el hecho, para que como *estuvisteis* prestos a querer, así también *lo estéis* en cumplir conforme a lo que tenéis.

12 Porque si primero hay la disposición, *será* acepta según lo que uno tiene, no según lo que no tiene.

13 Pero no digo esto para que haya abundancia para otros, y para vosotros escasez;

14 sino para que con igualdad, ahora en este tiempo, vuestra abundancia *supla* lo que a ellos falta, para que también la abundancia de ellos *supla* lo que a vosotros falta, de modo que haya igualdad;

15 como está escrito: El que *recogió* mucho, no tuvo más; y el que poco, no tuvo menos.

16 Mas gracias *sean* dadas a Dios, que puso en el corazón de Tito la misma solicitud por vosotros.

17 Pues a la verdad aceptó la exhortación; y estando también muy solícito, de su voluntad partió para ir a vosotros.

18 Y enviamos juntamente con él al hermano cuya alabanza en el evangelio es por todas las iglesias;

19 y no sólo esto, sino también fue escogido por las iglesias para viajar con nosotros con esta gracia, que es administrada por nosotros para gloria del Señor mismo, y *para demostrar* vuestra buena disposición;

20 evitando que nadie nos difame en esta abundancia que administramos;

21 procurando hacer lo honesto, no sólo delante del Señor, sino también delante de los hombres.

22 Y enviamos con ellos a nuestro hermano, la diligencia del cual hemos comprobado muchas veces en muchas cosas, y ahora mucho más diligente por la mucha confianza que *tengo* en vosotros.

23 Si *alguno preguntare* acerca de Tito, *él es* mi compañero y colaborador para con vosotros; o *acerca* de nuestros hermanos; ellos *son* mensajeros de las iglesias, y la gloria de Cristo.

24 Mostrad, pues, para con ellos y ante las iglesias la prueba de vuestro amor, y de nuestro gloriarnos acerca de vosotros.

CAPÍTULO 9

Pero en cuanto a la suministración para los santos, por demás me es escribiros;

2 pues conozco vuestra buena disposición, de la cual me glorío entre los de Macedonia, que Acaya está preparada desde el año pasado; y vuestro celo ha estimulado a muchos.

3 Mas he enviado a los hermanos, para que nuestra gloria de vosotros no sea vana en esta parte; para que, como lo he dicho, estéis preparados;

4 no sea que si vinieren conmigo los de Macedonia, y os hallaren desprevenidos, nos avergoncemos nosotros, por no decir vosotros, de este firme gloriar.

5 Por tanto, consideré necesario exhortar a los hermanos a que fuesen antes a vosotros, y preparasen primero vuestra bendición antes prometida para que esté preparada como de bendición, y no como de mezquindad.

6 Pero *esto digo*: El que siembra escasamente, también segará escasamente; y el que siembra abundantemente, abundantemente también segará.

7 Cada uno *dé* como propuso en su corazón; no con tristeza, o por necesidad, porque Dios ama al dador alegre.

8 Y poderoso es Dios para hacer que abunde en vosotros toda gracia; a fin de que, teniendo siempre toda suficiencia en todas las cosas, abundéis para toda buena obra;

9 como está escrito: Esparció, dio a los pobres: Su justicia permanece para siempre.

10 Y el que da semilla al que siembra, también dará pan para comer, y multiplicará vuestra sementera, y aumentará los frutos de vuestra justicia;

11 para que enriquecidos en todo abundéis en toda liberalidad, la cual produce por medio de nosotros agradecimiento a Dios.

12 Porque la suministración de este servicio, suple no sólo lo que a los santos falta, sino también abunda en muchas acciones de gracias a Dios;

13 Pues por la experiencia de esta suministración glorifican a Dios por la obediencia que profesáis al evangelio de Cristo, y por *vuestra* liberal contribución para ellos y para todos;

14 y por la oración de ellos a favor vuestro, los cuales os quieren a causa de la supereminente gracia de Dios en vosotros.

15 Gracias a Dios por su don inefable.

CAPÍTULO 10

Yyo, Pablo mismo, os ruego por la mansedumbre y bondad de Cristo; yo que estando presente soy humilde entre vosotros, mas ausente soy osado para con vosotros;

2 ruego, pues, que cuando estuviere presente, no tenga que ser atrevido con la confianza con que pienso ser

osado contra algunos, que nos tienen como si anduviésemos según la carne.

3 Pues aunque andamos en la carne, no militamos según la carne;

4 porque las armas de nuestra milicia no *son* carnales, sino poderosas en Dios para la destrucción de fortalezas;

5 derribando argumentos y toda altivez que se levanta contra el conocimiento de Dios, y trayendo cautivo todo pensamiento a la obediencia de Cristo;

6 y estando prestos para castigar toda desobediencia, cuando vuestra obediencia fuere perfecta.

7 ¿Miráis las cosas según la apariencia? Si alguno está confiado en sí mismo que es de Cristo, esto también piense por sí mismo, que como él es de Cristo, así también nosotros *somos* de Cristo.

8 Porque aunque me gloríe algo más de nuestra autoridad, la cual el Señor nos dio para edificación y no para vuestra destrucción, no me avergonzaré;

9 para que no parezca como que os quiero amedrentar por cartas.

10 Porque a la verdad, dicen: *Sus* cartas son gravosas y fuertes; mas *su* presencia corporal *es* débil, y *su* palabra *es* menospreciable.

11 Esto piense el tal, que como somos en la palabra por carta estando ausentes, tales *seremos* también de hecho estando presentes.

12 Porque no osamos contarnos, o compararnos con algunos que se alaban a sí mismos; mas ellos, midiéndose a sí mismos por sí mismos, y comparándose consigo mismos, no son sabios.

13 Mas nosotros, no nos gloriaremos desmedidamente, sino conforme a la medida de la regla que Dios nos dio por medida, para llegar aun hasta vosotros.

14 Porque no nos extendemos más *de nuestra medida*, como si no alcanzásemos hasta vosotros; porque también hasta vosotros hemos llegado con el evangelio de Cristo.

15 No gloriándonos desmedidamente en trabajos ajenos; mas teniendo esperanza de que cuando vuestra fe crezca, seremos mucho más engrandecidos entre vosotros, conforme a nuestra regla.

16 Para predicar el evangelio en *las regiones* más allá de vosotros, sin entrar en el campo de otro para gloriarnos en lo que ya estaba preparado.

17 Mas el que se gloría, gloríese en el Señor.

18 Porque no el que se alaba a sí mismo, es aprobado; sino el que el Señor alaba.

CAPÍTULO 11

• Quiera Dios que toleraseis un poco mi locura! En verdad, toleradme.

2 Porque os celo con celo de Dios; porque os he desposado a un esposo, para presentaros *como* una virgen pura a Cristo.

3 Mas temo que en alguna manera, como la serpiente engañó a Eva con su astucia, así sean corrompidas vuestras mentes, de la simplicidad que es en Cristo.

4 Porque si alguno viene y predica otro Jesús que el que os hemos predicado, o recibís otro espíritu del que habéis recibido, u otro evangelio del que habéis aceptado, bien lo toleráis.

5 Mas yo pienso que en nada he sido inferior a aquellos grandes apóstoles.

6 Porque aunque *soy* rudo en la palabra, no así en el conocimiento; y en todo hemos sido enteramente manifiestos entre vosotros.

7 ¿Acaso pequé humillándome a mí mismo (para que vosotros fueseis ensalzados), porque os he predicado el evangelio de Dios de balde?

8 He despojado a otras iglesias, tomando salario *de ellas*, para serviros a vosotros.

9 Y estando con vosotros y teniendo necesidad, a ninguno fui carga; porque lo que me faltaba, lo suplieron los hermanos que vinieron de Macedonia; y en todo me guardé de seros carga, y *me* guardaré.

10 Como la verdad de Cristo está en mí; nadie me impedirá esta gloria en las regiones de Acaya.

11 ¿Por qué? ¿Porque no os amo? Dios lo sabe.

12 Mas lo que hago, haré aún, para cortar la ocasión de aquellos que la desean, a fin de que en aquello que se glorían, sean hallados semejantes a nosotros.

13 Porque éstos *son* falsos apóstoles, obreros fraudulentos, disfrazándose como apóstoles de Cristo.

14 Y no es de maravillarse, porque el mismo Satanás se disfraza como ángel de luz.

15 Así que, no *es* gran cosa si también sus ministros se disfrazan como ministros de justicia; cuyo fin será conforme a sus obras.

16 Otra vez digo: Que nadie me tenga por loco; de otra manera, recibidme aun como a loco, para que me gloríe yo un poquito.

17 Lo que hablo, no lo hablo según el Señor, sino como en locura, con esta confianza de gloria.

18 Puesto que muchos se glorían según la carne, también yo me gloriaré.

19 Porque de buena gana toleráis a los necios, siendo vosotros sabios;

20 Porque toleráis si alguno os pone en servidumbre, si alguno *os* devora, si alguno toma *de vosotros*, si alguno se ensalza, si alguno os hiere en la cara.

21 Lo digo en cuanto a la afrenta, como si nosotros hubiésemos sido débiles. Pero en lo que otro tuviere osadía (hablo con locura), también yo tengo osadía.

22 ¿Son hebreos? Yo también. ¿Son israelitas? Yo también. ¿Son simiente de Abraham? También yo.

23 ¿Son ministros de Cristo? (como poco sabio hablo) Yo más; en trabajos más abundante; en azotes sin medida; en cárceles más; en *peligros de* muerte muchas veces.

24 De los judíos cinco veces he recibido cuarenta *azotes* menos uno.

25 Tres veces fui azotado con varas; una vez apedreado; tres veces padecí naufragio; una noche y un día estuve en las profundidades;

26 en jornadas muchas veces; peligros de ríos, peligros de ladrones, peligros de los de mi nación, peligros entre los gentiles, peligros en la ciudad, peligros en el desierto, peligros en el mar, peligros entre falsos hermanos;

27 en trabajo y fatiga, en muchas vigilias, en hambre y sed, en muchos ayunos, en frío y en desnudez.

28 Además de esto, lo que sobre mí se agolpa cada día, la carga de todas las iglesias.

29 ¿Quién enferma, y yo no enfermo? ¿A quién se le hace caer, y yo no me enfurezco?

30 Si es necesario gloriarme, me gloriaré en mis flaquezas.

31 El Dios y Padre de nuestro Señor Jesucristo, que es bendito por siempre, sabe que no miento.

32 En Damasco, el gobernador bajo el rey Aretas guardaba la ciudad de los damascenos para prenderme;

33 y fui descolgado del muro en un canasto por una ventana, y escapé de sus manos.

CAPÍTULO 12

Ciertamente no me conviene gloriarme; mas vendré a las visiones y a las revelaciones del Señor.

2 Conozco a un hombre en Cristo, que hace catorce años (si en el cuerpo, no lo sé; si fuera del cuerpo, no lo sé: Dios lo sabe) fue arrebatado hasta el tercer cielo.

3 Y conozco al tal hombre (si en el cuerpo, o fuera del cuerpo, no lo sé; Dios lo sabe),

4 que fue arrebatado al paraíso, donde oyó palabras inefables, que al hombre no le es lícito expresar.

5 De tal hombre me gloriaré, mas de mí mismo no me gloriaré, sino en mis debilidades.

6 Por lo cual si quisiera gloriarme, no sería insensato; porque diría verdad; pero lo dejo, para que nadie piense de mí más de lo que en mí ve, u oye de mí.

7 Y para que no me enaltezca desmedidamente por la grandeza de las revelaciones, me es dado un aguijón en mi carne, un mensajero de Satanás que me abofetee, para que no me enaltezca sobremanera.

8 Por lo cual tres veces he rogado al Señor, que *lo* quite de mí.

9 Y me ha dicho: Bástate mi gracia; porque mi poder se perfecciona en la debilidad. Por tanto, de buena gana

me gloriaré más bien en mis debilidades, para que habite en mí el poder de Cristo.

10 Por lo cual me gozo en las debilidades, en afrentas, en necesidades, en persecuciones, en angustias por *amor a* Cristo; porque cuando soy débil, entonces soy poderoso.

11 Me he hecho un necio al gloriarme; vosotros me obligasteis; pues yo debía de ser alabado por vosotros; porque en nada soy menos que aquellos grandes apóstoles, aunque nada soy.

12 Ciertamente las señales de apóstol han sido hechas entre vosotros en toda paciencia, en señales, y en maravillas y prodigios.

13 Porque ¿qué hay en que hayáis sido menos que las otras iglesias, sino en que yo mismo no os he sido carga? Perdonadme este agravio.

14 He aquí estoy preparado para ir a vosotros la tercera vez, y no os seré gravoso; porque no busco lo vuestro, sino a vosotros: porque no han de atesorar los hijos para los padres, sino los padres para los hijos.

15 Y yo de buena gana gastaré y seré desgastado por vuestras almas, aunque amándoos más, sea amado menos.

16 mas sea así: Yo no fui carga a vosotros; sino que, como soy astuto, os he tomado con engaño.

17 ¿Acaso os he engañado por alguno de los que os he enviado?

18 Rogué a Tito, y envié con *él* un hermano. ¿Os engañó quizá Tito? ¿No hemos procedido con el mismo espíritu, y en las mismas pisadas?

19 ¿Pensáis aún que nos excusamos con vosotros? Delante de Dios en Cristo hablamos; mas todo *lo hacemos*, muy amados, para vuestra edificación.

20 Pues temo que cuando llegare, no os halle tales como quiero, y yo sea hallado de vosotros cual no queréis; que *haya* entre vosotros contiendas, envidias, iras, disensiones, insidias, murmuraciones, presunciones, desórdenes.

21 No sea que cuando volviere, mi Dios me humille entre vosotros, y haya de llorar por muchos de los que antes han pecado, y no se han arrepentido de la inmundicia y fornicación, y la lascivia que han cometido.

CAPÍTULO 13

Ésta *es* la tercera *vez* que voy a vosotros. Por boca de dos o de tres testigos toda palabra será establecida.

2 Os he dicho antes, y ahora os digo otra vez como si estuviera presente, y ahora ausente lo escribo a los que antes pecaron, y a todos los demás, que si vengo otra vez, no seré indulgente;

3 pues que buscáis una prueba de que Cristo habla en mí, el cual no es débil para con vosotros, antes es poderoso en vosotros.

4 Porque aunque fue crucificado en flaqueza, sin embargo vive por el poder de Dios. Pues también nosotros somos débiles en Él, mas viviremos con Él por el poder de Dios para con vosotros.

5 Examinaos a vosotros mismos si estáis en la fe; probaos a vosotros mismos. ¿No os conocéis a vosotros mismos, que Jesucristo está en vosotros, a menos que seáis reprobados?

6 Pero confío que sabréis que nosotros no somos reprobados.

7 Y oro a Dios que ninguna cosa mala hagáis; no para que nosotros aparezcamos aprobados, sino para que vosotros hagáis lo que es bueno, aunque nosotros seamos como reprobados.

8 Porque nada podemos contra la verdad, sino por la verdad.

9 Por lo cual nos gozamos en que seamos débiles, y que vosotros seáis fuertes; y aun deseamos vuestra perfección.

10 Por tanto os escribo esto estando ausente, no sea que estando presente os trate con dureza, conforme a la potestad que el Señor me ha dado para edificación, y no para destrucción.

11 Finalmente, hermanos, gozaos, sed perfectos, tened consolación, sed de una misma mente, tened paz; y el Dios de amor y paz será con vosotros.

12 Saludaos los unos a los otros con ósculo santo.

13 Todos los santos os saludan.

14 La gracia del Señor Jesucristo, y

el amor de Dios, y la comunión del Espíritu Santo *sea* con todos vosotros. Amén.

Epístola Del Apóstol Pablo A Los
GÁLATAS

CAPÍTULO 1

Pablo, apóstol (no de hombres ni por hombre, sino por Jesucristo, y por Dios el Padre que le resucitó de entre los muertos),

2 y todos los hermanos que están conmigo, a las iglesias de Galacia:

3 Gracia *sea* a vosotros, y paz de Dios el Padre y *de* nuestro Señor Jesucristo,

4 el cual se dio a sí mismo por nuestros pecados para librarnos de este presente mundo malo, conforme a la voluntad de Dios y Padre nuestro;

5 al cual *sea* gloria por siempre y siempre: Amén.

6 Estoy maravillado de que tan pronto os hayáis traspasado del que os llamó a la gracia de Cristo, a otro evangelio;

7 No que haya otro, sino que hay algunos que os perturban, y quieren pervertir el evangelio de Cristo.

8 Mas si aun nosotros, o un ángel del cielo os predicare otro evangelio del que os hemos predicado, sea anatema.

9 Como antes hemos dicho, así ahora digo otra vez: Si alguno os predicare otro evangelio del que habéis recibido, sea anatema.

10 Qué, ¿persuado yo ahora a los hombres, o a Dios? ¿Acaso busco agradar a los hombres? Pues si todavía agradara a los hombres, no sería siervo de Cristo.

11 Mas os hago saber, hermanos, que el evangelio predicado por mí, no es según hombre;

12 pues yo ni lo recibí de hombre, ni tampoco me fue enseñado, sino por revelación de Jesucristo.

13 Porque ya habéis oído acerca de mi conducta en otro tiempo en el judaísmo, que perseguía sobremanera a la iglesia de Dios, y la asolaba;

14 y que adelantaba en el judaísmo sobre muchos de mis contemporáneos en mi nación, siendo mucho más celoso de las tradiciones de mis padres.

15 Mas cuando agradó a Dios, que me apartó desde el vientre de mi madre, y *me* llamó por su gracia,

16 revelar a su Hijo en mí, para que yo le predicase entre los gentiles; no consulté en seguida con carne y sangre;

17 ni subí a Jerusalén a los que eran apóstoles antes que yo; sino que fui a Arabia, y volví de nuevo a Damasco.

18 Después, pasados tres años, subí a Jerusalén a ver a Pedro, y permanecí con él quince días,

19 mas no vi a ningún otro de los apóstoles, sino a Jacobo el hermano del Señor.

20 Y en esto que os escribo, he aquí delante de Dios que no miento.

21 Después fui a las regiones de Siria y de Cilicia,

22 y no era conocido de vista a las iglesias de Judea, que eran en Cristo;

23 solamente habían oído *decir*: Aquel que antes nos perseguía, ahora predica la fe que en otro tiempo asolaba.

24 Y glorificaban a Dios en mí.

CAPÍTULO 2

Después, pasados catorce años, subí otra vez a Jerusalén con Bernabé, llevando también conmigo a Tito.

2 Y subí por revelación, y les comuniqué el evangelio que predico entre los gentiles, pero en particular a los que tenían *cierta* reputación, para no correr, o haber corrido en vano.

3 Mas ni aun Tito, que estaba conmigo, siendo griego, fue obligado a circuncidarse;

4 y esto a pesar de falsos hermanos introducidos a escondidas, que entraron secretamente para espiar nuestra libertad que tenemos en Cristo Jesús, para traernos a servidumbre;

5 a los cuales ni aun por un instante accedimos a someternos, para que la verdad del evangelio permaneciese con vosotros.

6 Pero de aquellos que parecían ser algo (lo que hayan sido, no me importa: Dios no hace acepción de personas); a mí, pues, los que parecían ser algo nada me comunicaron.

7 Antes por el contrario; cuando vieron que el evangelio de la incircuncisión me había sido encomendado, como a Pedro el de la circuncisión

8 (Porque el que fue poderoso en Pedro para el apostolado de la circuncisión, fue poderoso también en mí para con los gentiles);

9 y cuando Jacobo, Cefas, y Juan, que parecían ser columnas, percibieron la gracia que me fue dada, nos dieron a mí y a Bernabé las diestras de compañerismo, para que nosotros fuésemos a los gentiles, y ellos a la circuncisión.

10 Solamente nos pidieron que nos acordásemos de los pobres, lo cual también fui solícito en hacer.

11 Pero cuando Pedro vino a Antioquía, le resistí en su cara, porque era de condenar.

12 Porque antes que viniesen unos de parte de Jacobo, él comía con los gentiles, mas cuando vinieron, se retraía y se apartaba, teniendo miedo de los que eran de la circuncisión.

13 Y otros judíos también disimulaban con él; de tal manera que también Bernabé fue llevado con su simulación.

14 Pero cuando vi que no andaban rectamente conforme a la verdad del evangelio, dije a Pedro delante de todos: Si tú, siendo judío, vives como los gentiles y no como los judíos, ¿por qué obligas a los gentiles a judaizar?

15 Nosotros, somos judíos naturales, y no pecadores de los gentiles;

16 sabiendo que el hombre no es justificado por las obras de la ley, sino por la fe de Jesucristo, nosotros también hemos creído en Jesucristo, para ser justificados por la fe de Cristo y no por las obras de la ley, por cuanto por las obras de la ley ninguna carne será justificada.

17 Y si buscando ser justificados en Cristo, también nosotros somos hallados pecadores, ¿es por eso Cristo ministro de pecado? ¡En ninguna manera!

18 Porque si las cosas que destruí, las mismas vuelvo a edificar, transgresor me hago.

19 Porque yo por la ley soy muerto a la ley, a fin de que viva para Dios.

20 Con Cristo estoy juntamente crucificado; mas vivo, ya no yo, sino que Cristo vive en mí; y lo que ahora vivo en la carne, lo vivo en la fe del Hijo de Dios, el cual me amó y se entregó a sí mismo por mí.

21 No desecho la gracia de Dios, porque si por la ley fuese la justicia, entonces Cristo murió en vano.

CAPÍTULO 3

1 Oh gálatas insensatos! ¿Quién os fascinó para no obedecer a la verdad, ante cuyos ojos Jesucristo fue ya descrito entre vosotros como crucificado?

2 Esto solo quiero saber de vosotros: ¿Recibisteis el Espíritu por las obras de la ley, o por el oír de la fe?

3 ¿Tan necios sois, habiendo comenzado en el Espíritu, ahora os perfeccionáis por la carne?

4 ¿Tantas cosas habéis padecido en vano? si en verdad fue en vano.

5 Aquél, pues, que os suministra el Espíritu, y hace milagros entre vosotros ¿lo hace por las obras de la ley, o por el oír de la fe?

6 Así como Abraham creyó a Dios, y le fue contado por justicia.

7 Sabed, por tanto, que los que son de la fe, éstos son hijos de Abraham.

8 Y la Escritura, previendo que Dios había de justificar por la fe a los gentiles, predicó antes el evangelio a Abraham, diciendo: En ti serán bendecidas todas las naciones.

9 Así también los de la fe, son bendecidos con el creyente Abraham.

10 Porque todos los que son de las obras de la ley están bajo maldición. Porque escrito está: Maldito todo aquel que no permaneciere en todas las cosas que están escritas en el libro de la ley, para hacerlas.

11 Y que por la ley ninguno se justifica para con Dios, *es* evidente; porque: El justo por la fe vivirá,

12 y la ley no es de fe, sino que *dice*: El hombre que los hiciere, vivirá en ellas.

13 Cristo nos redimió de la maldición de la ley, hecho por nosotros maldición (porque escrito está: Maldito todo aquel que es colgado en un madero),

14 a fin de que la bendición de Abraham viniese sobre los gentiles a través de Jesucristo; para que por la fe recibamos la promesa del Espíritu.

15 Hermanos, hablo como hombre: Un pacto, aunque *sea* de hombre, *si fuere* confirmado, nadie lo anula, o le añade.

16 Ahora bien, a Abraham fueron hechas las promesas, y a su simiente. No dice: Y a las simientes, como de muchos; sino como de uno: Y a tu simiente, el cual es Cristo.

17 Y esto digo: El pacto antes confirmado por Dios en Cristo, la ley que vino cuatrocientos treinta años después, no le anula, para invalidar la promesa.

18 Porque si la herencia *fuese* por la ley, ya no *sería* por la promesa: Mas Dios la dio a Abraham por la promesa.

19 ¿Para qué entonces, *sirve* la ley? Fue añadida por causa de las transgresiones, hasta que viniese la simiente a quien fue hecha la promesa, *y fue* ordenada por ángeles en mano de un mediador.

20 Ahora bien, un mediador no es de uno solo, pero Dios es uno.

21 ¿Luego la ley es contraria a las promesas de Dios? ¡En ninguna manera! Porque si se hubiera dado una ley que pudiera vivificar, la justicia verdaderamente habría sido por la ley.

22 Mas la Escritura encerró todo bajo pecado, para que la promesa por la fe de Jesucristo, fuese dada a los que creen.

23 Pero antes que viniese la fe, estábamos guardados bajo la ley, encerrados para aquella fe que había de ser revelada.

24 De manera que la ley fue nuestro ayo *para traernos* a Cristo, para que fuésemos justificados por la fe.

25 Mas venida la fe, ya no estamos bajo ayo,

26 porque todos sois hijos de Dios por la fe en Cristo Jesús,

27 porque todos los que habéis sido bautizados en Cristo, de Cristo estáis revestidos.

28 Ya no hay judío ni griego; no hay esclavo ni libre; no hay varón ni mujer; porque todos vosotros sois uno en Cristo Jesús.

29 Y si vosotros *sois* de Cristo, entonces simiente de Abraham sois, y herederos conforme a la promesa.

CAPÍTULO 4

Además digo: Entre tanto que el heredero es niño, en nada difiere del siervo, aunque es señor de todo;

2 mas está bajo tutores y mayordomos hasta el tiempo señalado por el padre.

3 Así también nosotros, cuando éramos niños, estábamos en esclavitud bajo los rudimentos del mundo.

4 Mas venido el cumplimiento del tiempo, Dios envió a su Hijo, hecho de mujer, hecho bajo la ley,

5 para que redimiese a los que estaban bajo la ley, a fin de que recibiésemos la adopción de hijos.

6 Y por cuanto sois hijos, Dios envió el Espíritu de su Hijo a vuestros corazones, el cual clama: Abba, Padre.

7 Así que ya no eres siervo, sino hijo; y si hijo, también heredero de Dios por Cristo.

8 Mas entonces, no conociendo a Dios, servíais a los que por naturaleza no son dioses.

9 Mas ahora, conociendo a Dios, o más bien, siendo conocidos por Dios, ¿cómo es que os volvéis de nuevo a los débiles y pobres rudimentos, a los cuales os queréis volver a esclavizar?

10 Guardáis los días, los meses, los tiempos y los años.

11 Me temo de vosotros, que haya trabajado en vano con vosotros.

12 Os ruego, hermanos, que seáis como yo; porque yo *soy* como vosotros: Ningún agravio me habéis hecho.

13 Vosotros sabéis que en flaqueza de la carne os prediqué el evangelio al principio,

14 y no desechasteis ni menospreciasteis mi prueba que estaba en mi carne, antes me recibisteis como a un ángel de Dios, como a Cristo Jesús.

15 ¿Dónde está entonces vuestra bienaventuranza? Porque yo os doy testimonio de que si *hubiese sido* posible, os hubierais sacado vuestros propios ojos para dármelos.

16 ¿Me he hecho, pues, vuestro enemigo, porque os digo la verdad?

17 Ellos tienen celo de vosotros, *mas* no para bien; antes, os quieren apartar para que vosotros tengáis celo por ellos.

18 Bueno *es* ser celoso en lo bueno siempre, y no solamente cuando estoy presente con vosotros.

19 Hijitos míos, por quienes vuelvo a sufrir dolores de parto, hasta que Cristo sea formado en vosotros,

20 quisiera estar ahora presente con vosotros y cambiar mi voz; porque estoy perplejo de vosotros.

21 Decidme, los que queréis estar bajo la ley; ¿no habéis oído la ley?

22 Porque está escrito que Abraham tuvo dos hijos; uno de la sierva, y otro de la libre.

23 Pero el de la sierva nació según la carne; mas el de la libre *lo fue* por la promesa.

24 Lo cual es una alegoría; porque éstos son los dos pactos; el uno del monte Sinaí, el cual engendra para servidumbre; el cual es Agar.

25 Porque Agar es el monte Sinaí en Arabia, que corresponde a la que ahora es Jerusalén, y está en servidumbre con sus hijos.

26 Mas la Jerusalén de arriba es libre; la cual es la madre de todos nosotros.

27 Porque está escrito: Alégrate estéril, tú que no das a luz: Prorrumpe en júbilo y clama, tú que no tienes dolores de parto, porque más son los hijos de la dejada, que de la que tiene marido.

28 Así que, hermanos, nosotros, como Isaac, somos hijos de la promesa.

29 Pero como entonces el que nació según la carne, perseguía al que *nació* según el Espíritu; así también *es* ahora.

30 Mas ¿qué dice la Escritura? Echa fuera a la sierva y a su hijo; porque el hijo de la sierva no será heredero con el hijo de la libre.

31 Así que, hermanos, no somos hijos de la sierva, sino de la libre.

CAPÍTULO 5

Estad, pues, firmes en la libertad con que Cristo nos hizo libres; y no os sujetéis de nuevo al yugo de esclavitud.

2 He aquí, yo Pablo os digo que si os circuncidáis, de nada os aprovechará Cristo.

3 Y otra vez testifico a todo hombre que se circuncidare, que está obligado a guardar toda la ley.

4 Cristo ha venido a ser sin efecto para vosotros los que por la ley os justificáis; de la gracia habéis caído.

5 Mas nosotros por el Espíritu aguardamos la esperanza de la justicia por fe.

6 Porque en Jesucristo ni la circuncisión vale algo, ni la incircuncisión, sino la fe que obra por amor.

7 Vosotros corríais bien; ¿quién os estorbó para que no obedezcáis a la verdad?

8 Esta persuasión no *viene* de Aquél que os llama.

9 Un poco de levadura leuda toda la masa.

10 Yo confío de vosotros en el Señor, que no pensaréis ninguna otra cosa; mas el que os perturba, llevará el juicio, quienquiera que él sea.

11 Y yo, hermanos, si aún predico la circuncisión, ¿por qué padezco persecución todavía? Entonces ha cesado la ofensa de la cruz.

12 ¡Oh que fuesen también cortados los que os perturban!

13 Porque vosotros, hermanos, a libertad habéis sido llamados; solamente que no *uséis* la libertad como ocasión para la carne, sino por amor servíos los unos a los otros.

14 Porque toda la ley en una palabra se cumple, en ésta: Amarás a tu prójimo como a ti mismo.

15 Mas si os mordéis y devoráis los unos a los otros, mirad que no os consumáis los unos a los otros.

16 Digo, pues: Andad en el Espíritu; y no satisfagáis la concupiscencia de la carne.

17 Porque la carne codicia contra el Espíritu, y el Espíritu contra la carne; y éstos se oponen entre sí, para que no podáis hacer lo que quisiereis.

18 Mas si sois guiados por el Espíritu, no estáis bajo la ley.

19 Y manifiestas son las obras de la carne, que son: Adulterio, fornicación, inmundicia, lascivia,

20 idolatría, hechicerías, enemistades, pleitos, celos, iras, contiendas, disensiones, herejías,

21 envidias, homicidios, borracheras, desenfrenos y cosas semejantes a estas; de las cuales os denuncio, como también ya os denuncié, que los que hacen tales cosas no heredarán el reino de Dios.

22 Mas el fruto del Espíritu es amor, gozo, paz, paciencia, benignidad, bondad, fe,

23 mansedumbre, templanza; contra tales cosas no hay ley.

24 Pero los que son de Cristo han crucificado la carne con sus pasiones y concupiscencias.

25 Si vivimos en el Espíritu, andemos también en el Espíritu.

26 No nos hagamos vanagloriosos, irritándonos unos a otros, envidiándonos unos a otros.

CAPÍTULO 6

Hermanos, si alguno fuere tomado en alguna falta, vosotros que sois espirituales, restaurad al tal en espíritu de mansedumbre, considerándote a ti mismo, no sea que tú también seas tentado.

2 Sobrellevad los unos las cargas de los otros, y cumplid así la ley de Cristo.

3 Porque si alguno piensa de sí que es algo, no siendo nada, a sí mismo se engaña.

4 Así que, cada uno examine su propia obra, y entonces tendrá de qué gloriarse, sólo en sí mismo, y no en otro,

5 porque cada uno llevará su propia carga.

6 El que es enseñado en la palabra, comunique en todos sus bienes al que lo instruye.

7 No os engañéis; Dios no *puede* ser burlado; pues todo lo que el hombre sembrare, eso también segará.

8 Porque el que siembra para su carne, de la carne segará corrupción; mas el que siembra para el Espíritu, del Espíritu segará vida eterna.

9 No nos cansemos, pues, de hacer el bien, porque a su tiempo segaremos, si no desmayamos.

10 Así que, según tengamos oportunidad, hagamos bien a todos; y mayormente a los de la familia de la fe.

11 Mirad cuán grandes letras os he escrito con mi propia mano.

12 Todos los que quieren agradar en la carne, éstos os constriñen a que os circuncidéis; solamente para no sufrir persecución por la cruz de Cristo.

13 Porque ni aun los mismos que se circuncidan guardan la ley, sino que quieren que vosotros seáis circuncidados, para gloriarse en vuestra carne.

14 Mas lejos esté de mí gloriarme, salvo en la cruz de nuestro Señor Jesucristo, por el cual el mundo me es crucificado a mí, y yo al mundo.

15 Porque en Cristo Jesús ni la circuncisión vale nada, ni la incircuncisión, sino una nueva criatura.

16 Y a todos los que anduvieren conforme a esta regla, paz y misericordia *sea* sobre ellos, y sobre el Israel de Dios.

17 De aquí en adelante nadie me cause molestias; porque yo llevo en mi cuerpo las marcas del Señor Jesús.

18 Hermanos, la gracia de nuestro Señor Jesucristo *sea* con vuestro espíritu. Amén.

Epístola Del Apóstol Pablo A Los
EFESIOS

CAPÍTULO 1

Pablo, apóstol de Jesucristo por la voluntad de Dios, a los santos que están en Éfeso, y a los fieles en Cristo Jesús.

2 Gracia *sea* a vosotros, y paz de Dios nuestro Padre y del Señor Jesucristo.

3 Bendito *sea* el Dios y Padre de nuestro Señor Jesucristo, el cual nos ha bendecido con toda bendición espiritual en *los lugares* celestiales en Cristo,

4 según nos escogió en Él antes de la fundación del mundo, para que fuésemos santos y sin mancha delante de Él, en amor,

5 habiéndonos predestinado para ser adoptados hijos suyos por medio de Jesucristo, según el beneplácito de su voluntad,

6 para alabanza de la gloria de su gracia, en la cual nos hizo aceptos en el Amado,

7 en quien tenemos redención por su sangre, la remisión de pecados, según las riquezas de su gracia,

8 que sobreabundó para con nosotros en toda sabiduría e inteligencia;

9 dándonos a conocer el misterio de su voluntad, según su beneplácito, el cual se había propuesto en sí mismo;

10 que en la dispensación del cumplimiento de los tiempos, había de reunir todas las cosas en Cristo, así las que están en el cielo, como las que están en la tierra, *aun* en Él.

11 En quien también obtuvimos herencia, habiendo sido predestinados conforme al propósito de Aquél que hace todas las cosas según el consejo de su voluntad;

12 para que seamos para alabanza de su gloria, nosotros quienes primero confiamos en Cristo.

13 En el cual también *confiasteis* vosotros, habiendo oído la palabra de verdad, el evangelio de vuestra salvación; en quien también, desde que creísteis, fuisteis sellados con el Espíritu Santo de la promesa,

14 que es las arras de nuestra herencia hasta la redención de la posesión adquirida, para alabanza de su gloria.

15 Por lo cual también yo, habiendo oído de vuestra fe en el Señor Jesús, y amor para con todos los santos,

16 no ceso de dar gracias por vosotros, haciendo mención de vosotros en mis oraciones,

17 para que el Dios de nuestro Señor Jesucristo, el Padre de gloria, os dé espíritu de sabiduría y de revelación en el conocimiento de Él;

18 alumbrando los ojos de vuestro entendimiento, para que sepáis cuál es la esperanza de su llamamiento, y cuáles las riquezas de la gloria de su herencia en los santos;

19 y cuál la supereminente grandeza de su poder para con nosotros los que creemos, según la operación del poder de su fortaleza,

20 la cual operó en Cristo, resucitándole de los muertos, y sentándole a su diestra en los *lugares* celestiales,

21 sobre todo principado y potestad y potencia y señorío, y *sobre* todo nombre que se nombra, no sólo en este mundo, sino también en el venidero;

22 y sometió todas las cosas bajo sus pies, y lo dio por cabeza sobre todas las cosas a la iglesia,

23 la cual es su cuerpo, la plenitud de Aquél que todo lo llena en todo.

CAPÍTULO 2

Y Él os dio vida a vosotros, que estabais muertos en vuestros delitos y pecados,

2 en los cuales anduvisteis en otro tiempo, conforme a la corriente de este mundo, conforme al príncipe de la potestad del aire, el espíritu que ahora opera en los hijos de desobediencia;

3 entre los cuales también todos nosotros vivimos en otro tiempo; en las concupiscencias de nuestra carne,

haciendo la voluntad de la carne y de los pensamientos, y éramos por naturaleza hijos de ira, lo mismo que los demás.

4 Pero Dios, que es rico en misericordia, por su gran amor con que nos amó,

5 aun estando nosotros muertos en pecados, nos dio vida juntamente con Cristo (por gracia sois salvos),

6 y juntamente *con Él nos* resucitó, y asimismo *nos* hizo sentar con Él, en *lugares* celestiales en Cristo Jesús;

7 para mostrar en las edades venideras las abundantes riquezas de su gracia, en *su* bondad para con nosotros en Cristo Jesús.

8 Porque por gracia sois salvos por medio de la fe, y esto no de vosotros; *pues es* don de Dios;

9 no por obras, para que nadie se gloríe.

10 Porque somos hechura suya, creados en Cristo Jesús para buenas obras, las cuales Dios preparó de antemano para que anduviésemos en ellas.

11 Por tanto, acordaos que en otro tiempo vosotros, los gentiles en la carne, erais llamados incircuncisión por la que es llamada circuncisión hecha por mano en la carne;

12 que en aquel tiempo estabais sin Cristo, alejados de la ciudadanía de Israel y extranjeros a los pactos de la promesa, sin esperanza y sin Dios en el mundo.

13 Pero ahora en Cristo Jesús, vosotros que en otro tiempo estabais lejos, habéis sido hechos cercanos por la sangre de Cristo.

14 Porque Él es nuestra paz, que de ambos hizo uno, derribando la pared intermedia de separación;

15 aboliendo en su carne las enemistades, la ley de los mandamientos *contenidos* en ordenanzas, para hacer en sí mismo de los dos un nuevo hombre, haciendo *así* la paz;

16 y reconciliar con Dios a ambos en un cuerpo mediante la cruz, matando en sí mismo las enemistades.

17 Y vino, y predicó la paz a vosotros que estabais lejos, y a los que estaban cerca;

18 porque por medio de Él ambos tenemos entrada por un mismo Espíritu al Padre.

19 Así que ya no sois extranjeros ni advenedizos, sino conciudadanos de los santos, y de la familia de Dios;

20 edificados sobre el fundamento de los apóstoles y profetas, siendo la principal piedra del ángulo Jesucristo mismo,

21 en quien todo el edificio, bien coordinado, va creciendo para ser un templo santo en el Señor;

22 en quien también vosotros sois juntamente edificados, para morada de Dios en el Espíritu.

CAPÍTULO 3

Por esta causa yo Pablo, prisionero de Jesucristo por vosotros los gentiles,

2 si es que habéis oído de la dispensación de la gracia de Dios que me ha sido dada para con vosotros;

3 que por revelación me hizo conocer el misterio, como antes escribí en breve,

4 leyendo lo cual, podéis entender mi conocimiento en el misterio de Cristo,

5 *misterio* que en otras edades no se dio a conocer a los hijos de los hombres, como ahora es revelado a sus santos apóstoles y profetas por el Espíritu;

6 que los gentiles sean coherederos y miembros del mismo cuerpo, y copartícipes de su promesa en Cristo por el evangelio,

7 del cual yo fui hecho ministro según el don de la gracia de Dios dado a mí por la operación de su poder.

8 A mí, que soy menos que el más pequeño de todos los santos, me es dada esta gracia de predicar entre los gentiles el evangelio de las inescrutables riquezas de Cristo;

9 y de aclarar a todos cuál *es* la comunión del misterio escondido desde el principio del mundo en Dios, que creó todas las cosas por Jesucristo;

10 para que la multiforme sabiduría de Dios sea dada a conocer por la iglesia a los principados y potestades en los *lugares* celestiales,

11 conforme al propósito eterno que hizo en Cristo Jesús Señor nuestro;

12 en quien tenemos seguridad y acceso con confianza por medio de la fe de Él.

13 Por lo cual pido que no desmayéis a causa de mis tribulaciones por vosotros, las cuales son vuestra gloria.

14 Por esta causa doblo mis rodillas ante el Padre de nuestro Señor Jesucristo,

15 de quien es nombrada toda la familia en el cielo y en la tierra,

16 para que os dé, conforme a las riquezas de su gloria, el ser fortalecidos con poder en el hombre interior por su Espíritu;

17 que habite Cristo por la fe en vuestros corazones; para que, arraigados y fundados en amor,

18 podáis comprender con todos los santos cuál *sea* la anchura, la longitud, la profundidad y la altura;

19 y de conocer el amor de Cristo, que excede a todo conocimiento; para que seáis llenos de toda la plenitud de Dios.

20 Y a Aquél que es poderoso para hacer todas las cosas mucho más abundantemente de lo que pedimos, o entendemos, según el poder que opera en nosotros,

21 a Él *sea* gloria en la iglesia en Cristo Jesús, por todas las edades, por siempre jamás. Amén.

CAPÍTULO 4

Yo pues, preso en el Señor, os ruego que andéis como es digno del llamamiento con que sois llamados;

2 con toda humildad y mansedumbre, con paciencia soportándoos los unos a los otros en amor,

3 solícitos en guardar la unidad del Espíritu en el vínculo de la paz.

4 Un cuerpo, y un Espíritu, como sois también llamados en una misma esperanza de vuestro llamamiento.

5 Un Señor, una fe, un bautismo,

6 un Dios y Padre de todos, el cual *es* sobre todo, y por todo, y en todos vosotros.

7 Pero a cada uno de nosotros es dada la gracia conforme a la medida del don de Cristo.

8 Por lo cual dice: Subiendo a lo alto, llevó cautiva la cautividad, y dio dones a los hombres.

9 (Ahora, que Él subió, ¿qué es, sino que también había descendido primero a las partes más bajas de la tierra?

10 El que descendió, es el mismo que también subió sobre todos los cielos para llenar todas las cosas).

11 Y Él mismo dio a unos, apóstoles; y a unos, profetas; y a unos, evangelistas; y a unos, pastores y maestros;

12 a fin de perfeccionar a los santos para la obra del ministerio, para la edificación del cuerpo de Cristo;

13 hasta que todos lleguemos en la unidad de la fe y del conocimiento del Hijo de Dios, a un varón perfecto, a la medida de la estatura de la plenitud de Cristo;

14 para que ya no seamos niños fluctuantes, llevados por doquiera de todo viento de doctrina, por estratagema de hombres que para engañar emplean con astucia las artimañas del error.

15 Antes hablando la verdad en amor, crezcamos en todas las cosas, en Aquél que es la cabeza, *en* Cristo;

16 de quien todo el cuerpo bien ligado entre sí, y unido por lo que cada coyuntura suple, conforme a la eficacia y medida de cada miembro, hace que el cuerpo crezca para la edificación de sí mismo en amor.

17 Esto, pues, digo y requiero en el Señor; que ya no andéis como los otros gentiles, que andan en la vanidad de su mente,

18 teniendo el entendimiento entenebrecido, ajenos a la vida de Dios por la ignorancia que en ellos hay, por la dureza de su corazón;

19 los cuales habiendo perdido toda sensibilidad, se entregaron a la lascivia para con avidez cometer toda clase de impureza.

20 Pero vosotros no habéis aprendido así a Cristo;

21 si es que le habéis oído, y habéis sido por Él enseñados de cómo la verdad está en Jesús.

22 En cuanto a la pasada manera de vivir, despojaos del viejo hombre, que está viciado conforme a las concupiscencias engañosas;

23 y renovaos en el espíritu de vuestra mente,

24 y vestíos del nuevo hombre, que es creado según Dios, en justicia y en santidad verdadera.

25 Por lo cual, desechando la mentira, hablad verdad cada uno con su prójimo; porque somos miembros los unos de los otros.

26 Airaos, pero no pequéis: No se ponga el sol sobre vuestro enojo;

27 ni deis lugar al diablo.

28 El que hurtaba, no hurte más; antes trabaje, haciendo con *sus* manos lo que es bueno, para que tenga qué compartir con el que padeciere necesidad.

29 Ninguna palabra corrompida salga de vuestra boca; sino la que sea buena y sirva para edificación, para que dé gracia a los oyentes.

30 Y no contristéis al Espíritu Santo de Dios, con el cual estáis sellados para el día de la redención.

31 Toda amargura, y enojo, e ira, y gritería, y maledicencia, y toda malicia, sea quitada de entre vosotros;

32 y sed benignos unos con otros, misericordiosos, perdonándoos unos a otros, como también Dios en Cristo os perdonó.

CAPÍTULO 5

Sed, pues, seguidores de Dios como hijos amados;

2 y andad en amor, como también Cristo nos amó, y se entregó a sí mismo por nosotros a Dios, ofrenda y sacrificio de dulce fragancia.

3 Pero fornicación y toda inmundicia, o avaricia, ni aun se nombre entre vosotros como conviene a santos;

4 ni palabras obscenas, ni necedades, ni truhanerías, que no convienen; sino antes bien acciones de gracias.

5 Porque sabéis esto, que ningún fornicario, o inmundo, o avaro, que es idólatra, tiene herencia en el reino de Cristo y de Dios.

6 Nadie os engañe con palabras vanas; porque por estas cosas viene la ira de Dios sobre los hijos de desobediencia.

7 No seáis, pues, partícipes con ellos.

8 Porque en otro tiempo erais tinieblas, mas ahora *sois* luz en el Señor: Andad como hijos de luz

9 (porque el fruto del Espíritu *es* en toda bondad, justicia y verdad),

10 aprobando lo que es agradable al Señor,

11 y no participéis con las obras infructuosas de las tinieblas, sino antes reprobadlas.

12 Porque vergonzoso es aun hablar de lo que ellos hacen en oculto.

13 Pero todas las cosas que son reprobadas, son hechas manifiestas por la luz, porque lo que manifiesta todo, es la luz.

14 Por lo cual dice: Despiértate, tú que duermes, y levántate de los muertos, y te alumbrará Cristo.

15 Mirad, pues, que andéis con diligencia; no como necios, sino como sabios,

16 redimiendo el tiempo, porque los días son malos.

17 Por tanto, no seáis insensatos, sino entendidos de cuál *sea* la voluntad del Señor.

18 Y no os embriaguéis con vino, en lo cual hay disolución; mas sed llenos del Espíritu;

19 hablando entre vosotros con salmos, e himnos, y cánticos espirituales, cantando y alabando al Señor en vuestros corazones.

20 Dando gracias siempre por todas las cosas a Dios y al Padre en el nombre de nuestro Señor Jesucristo.

21 Sujetaos los unos a los otros en el temor de Dios.

22 Las casadas estén sujetas a sus propios maridos, como al Señor.

23 Porque el marido es cabeza de la esposa, así como Cristo es cabeza de la iglesia; y Él es el Salvador del cuerpo.

24 Así que, como la iglesia está sujeta a Cristo, así también las casadas *lo estén* a sus propios maridos en todo.

25 Maridos, amad a vuestras esposas, así como Cristo amó a la iglesia, y se entregó a sí mismo por ella;

26 para santificarla limpiándola en el lavamiento del agua por la palabra,

27 para presentársela gloriosa para sí, una iglesia que no tuviese mancha

ni arruga, ni cosa semejante; sino que fuese santa y sin mancha.

28 Así los maridos deben amar a sus esposas como a sus propios cuerpos. El que ama a su esposa, a sí mismo se ama.

29 Porque ninguno aborreció jamás a su propia carne, antes la sustenta y la cuida, como también el Señor a la iglesia;

30 porque somos miembros de su cuerpo, de su carne y de sus huesos.

31 Por esto, dejará el hombre a su padre y a su madre, y se unirá a su esposa, y los dos serán una sola carne.

32 Este misterio grande es; mas yo hablo en cuanto a Cristo y a la iglesia.

33 Por lo demás, cada uno de vosotros en particular, ame también a su esposa como a sí mismo; y la esposa reverencie *a su* marido.

CAPÍTULO 6

Hijos, obedeced en el Señor a vuestros padres; porque esto es justo.

2 Honra a tu padre y a tu madre, que es el primer mandamiento con promesa,

3 para que te vaya bien, y seas de larga vida sobre la tierra.

4 Y vosotros padres, no provoquéis a ira a vuestros hijos; sino criadlos en disciplina y amonestación del Señor.

5 Siervos, obedeced a *vuestros* amos según la carne con temor y temblor, con sencillez de vuestro corazón, como a Cristo.

6 No sirviendo al ojo, como los que agradan a los hombres; sino como siervos de Cristo, haciendo la voluntad de Dios de corazón.

7 Sirviendo con buena voluntad, como al Señor, y no a los hombres;

8 sabiendo que el bien que cada uno hiciere, esto recibirá del Señor, *sea* siervo o *sea* libre.

9 Y vosotros, amos, haced con ellos lo mismo, dejando las amenazas, sabiendo que vuestro Señor también está en el cielo; y para Él no hay acepción de personas.

10 Por lo demás, hermanos míos, fortaleceos en el Señor, y en el poder de su fortaleza.

11 Vestíos de toda la armadura de Dios, para que podáis estar firmes contra las asechanzas del diablo;

12 porque no tenemos lucha contra sangre y carne, sino contra principados, contra potestades, contra los gobernadores de las tinieblas de este mundo, contra malicias espirituales en las alturas.

13 Por tanto, tomad toda la armadura de Dios, para que podáis resistir en el día malo, y habiendo acabado todo, estar firmes.

14 Estad, pues, firmes, ceñidos vuestros lomos de verdad, y vestidos de la coraza de justicia;

15 y calzados vuestros pies con el apresto del evangelio de paz.

16 Sobre todo, tomad el escudo de la fe, con que podáis apagar todos los dardos de fuego del maligno;

17 y tomad el yelmo de la salvación, y la espada del Espíritu, que es la palabra de Dios;

18 orando en todo tiempo, con toda oración y súplica en el Espíritu, y velando en ello con toda perseverancia y súplica por todos los santos;

19 y por mí, para que al abrir mi boca me sea dada palabra para dar a conocer con denuedo el misterio del evangelio;

20 por el cual soy embajador en cadenas; para que en ellas hable osadamente, como debo hablar.

21 Y para que también vosotros sepáis mis asuntos, *y* lo que hago; todo os lo hará saber Tíquico, hermano amado y fiel ministro en el Señor,

22 el cual envié a vosotros para esto mismo, para que sepáis lo tocante a nosotros, y que consuele vuestros corazones.

23 Paz *sea* a los hermanos, y amor con fe, de Dios el Padre, y del Señor Jesucristo.

24 La gracia *sea* con todos los que aman a nuestro Señor Jesucristo en sinceridad. Amén.

Epístola Del Apóstol Pablo A Los
FILIPENSES

CAPÍTULO 1

Pablo y Timoteo, siervos de Jesucristo, a todos los santos en Cristo Jesús que están en Filipos, con los obispos y diáconos.

2 Gracia *sea* a vosotros, y paz de Dios nuestro Padre y del Señor Jesucristo.

3 Doy gracias a mi Dios siempre que me acuerdo de vosotros,

4 siempre en todas mis oraciones, suplicando con gozo por todos vosotros,

5 por vuestra comunión en el evangelio, desde el primer día hasta ahora;

6 estando confiado de esto, que el que comenzó en vosotros la buena obra, la perfeccionará hasta el día de Jesucristo.

7 Como me es justo sentir esto de todos vosotros, por cuanto os tengo en mi corazón; y en mis prisiones, como en la defensa y confirmación del evangelio, todos vosotros sois partícipes de mi gracia.

8 Porque Dios me es testigo de cuánto os amo a todos vosotros entrañablemente en Jesucristo.

9 Y esto pido en oración, que vuestro amor abunde aún más y más en conocimiento y *en* todo discernimiento;

10 para que aprobéis lo mejor, a fin de que seáis sinceros e irreprensibles para el día de Cristo;

11 llenos de frutos de justicia, que son por Jesucristo, para gloria y alabanza de Dios.

12 Mas quiero que sepáis, hermanos, que las cosas que me *han sucedido*, han redundado más bien para el progreso del evangelio;

13 de tal manera que mis prisiones en Cristo se han hecho notorias en todo el pretorio, y en todos los demás *lugares*.

14 Y muchos de los hermanos en el Señor, tomando ánimo con mis prisiones, se atreven mucho más a hablar la palabra sin temor.

15 Algunos, a la verdad, predican a Cristo por envidia y contienda; y otros también de buena voluntad.

16 Los unos predican a Cristo por contención, no sinceramente, pensando añadir aflicción a mis prisiones;

17 pero los otros por amor, sabiendo que estoy puesto para la defensa del evangelio.

18 ¿Qué, pues? Que no obstante, de todas maneras, o por pretexto o por verdad, Cristo es predicado; y en esto me gozo, y me gozaré aún.

19 Porque sé que por vuestra oración y la suministración del Espíritu de Jesucristo, esto se tornará para mi liberación,

20 conforme a mi expectación y esperanza, que en nada seré avergonzado; antes con toda confianza, como siempre, así también ahora, Cristo será magnificado en mi cuerpo, o por vida, o por muerte.

21 Porque para mí el vivir *es* Cristo, y el morir *es* ganancia.

22 Mas si vivo en la carne, éste *es* el fruto de mi trabajo; no sé entonces qué escoger.

23 Porque de ambas cosas estoy puesto en estrecho, teniendo deseo de partir y estar con Cristo, lo cual es muchísimo mejor;

24 pero quedar en la carne *es* más necesario por causa de vosotros.

25 Y confiado en esto, sé que quedaré y permaneceré con todos vosotros, para vuestro provecho y gozo de la fe,

26 para que abunde vuestro regocijo por mí en Jesucristo por mi presencia otra vez entre vosotros.

27 Solamente que os comportéis como es digno del evangelio de Cristo; para que, ya sea que vaya a veros, o que esté ausente, oiga de vosotros que estáis firmes en un mismo espíritu, unánimes combatiendo juntos por la fe del evangelio;

28 y en nada intimidados por los que se oponen; que a ellos ciertamente es indicio de perdición, pero a vosotros de salvación, y esto de Dios.

29 Porque a vosotros es concedido por Cristo, no sólo que creáis en Él, sino también que padezcáis por Él,

30 teniendo el mismo conflicto que visteis en mí, y ahora oís *está* en mí.

CAPÍTULO 2

Por tanto, si *hay* alguna consolación en Cristo, si algún refrigerio de amor, si alguna comunión del Espíritu, si algún afecto entrañable y misericordias,

2 completad mi gozo, que sintáis lo mismo, teniendo el mismo amor, unánimes, sintiendo una misma cosa.

3 Nada *hagáis* por contienda o vanagloria; antes bien con humildad, estimándoos unos a otros como superiores a sí mismos,

4 no mirando cada uno a lo suyo propio, sino cada cual también por lo de los demás.

5 Haya, pues, en vosotros este sentir que hubo también en Cristo Jesús;

6 el cual, siendo en forma de Dios, no tuvo por usurpación el ser igual a Dios;

7 sino que se despojó a sí mismo, tomando forma de siervo, hecho semejante a los hombres;

8 y hallado en la condición de hombre, se humilló a sí mismo, haciéndose obediente hasta la muerte, y muerte de cruz.

9 Por lo cual Dios también le exaltó hasta lo sumo, y le dio un nombre que es sobre todo nombre;

10 para que al nombre de Jesús, se doble toda rodilla; de los que están en el cielo, y en la tierra, y debajo de la tierra,

11 y toda lengua confiese que Jesucristo es el Señor, para la gloria de Dios Padre.

12 Por tanto, amados míos, como siempre habéis obedecido, no como en mi presencia solamente, sino mucho más ahora en mi ausencia, ocupaos en vuestra salvación, con temor y temblor,

13 porque es Dios el que en vosotros obra así el querer como el hacer, por *su* buena voluntad.

14 Haced todo sin murmuraciones ni contiendas,

15 para que seáis irreprensibles y sencillos, hijos de Dios, sin mancha, en medio de una generación torcida y perversa, en la cual resplandecéis como luminares en el mundo;

16 reteniendo la palabra de vida, para que en el día de Cristo yo pueda gloriarme de que no he corrido en vano, ni en vano he trabajado.

17 Y aunque sea ofrecido sobre el sacrificio y servicio de vuestra fe, me gozo y regocijo con todos vosotros.

18 Y asimismo gozaos también vosotros, y regocijaos conmigo.

19 Mas espero en el Señor Jesús enviaros pronto a Timoteo, para que yo también esté de buen ánimo, al saber vuestro estado;

20 porque a ninguno tengo del mismo ánimo, que sinceramente se interese por vosotros.

21 Porque todos buscan lo suyo propio, no lo que es de Cristo Jesús.

22 Mas vosotros conocéis su probidad, que como hijo a padre, ha servido conmigo en el evangelio.

23 Así que a éste espero enviaros, tan pronto vea cómo van las cosas conmigo,

24 y confío en el Señor que yo también iré pronto *a vosotros*.

25 Mas consideré necesario enviaros a Epafrodito, mi hermano, y colaborador y compañero de milicia, y vuestro mensajero, y ministrador de mis necesidades;

26 porque él tenía gran deseo de veros a todos vosotros, y estaba muy apesadumbrado porque habíais oído que estuvo enfermo.

27 Pues en verdad estuvo enfermo, cercano a la muerte; mas Dios tuvo misericordia de él, y no sólo de él, sino también de mí, para que yo no tuviese tristeza sobre tristeza.

28 Así que le envío con mayor diligencia, para que al verle otra vez, os regocijéis, y yo esté con menos tristeza.

29 Recibidle, pues, en el Señor, con todo regocijo; y tened en estima a los que son como él;

30 porque por la obra de Cristo estuvo cercano a la muerte, exponiendo su vida para suplir lo que os faltaba en vuestro servicio hacia mí.

CAPÍTULO 3

Finalmente, hermanos míos, regocijaos en el Señor. A la verdad, el escribiros las mismas cosas a mí no me es gravoso, y para vosotros es seguro.

2 Guardaos de los perros, guardaos de los malos obreros, guardaos de la concisión.

3 Porque nosotros somos la circuncisión, los que en espíritu adoramos a Dios y nos gloriamos en Cristo Jesús, no teniendo confianza en la carne.

4 Aunque yo tengo también de qué confiar en la carne, si alguno piensa que tiene de qué confiar en la carne, yo más;

5 circuncidado al octavo día, del linaje de Israel, de la tribu de Benjamín, hebreo de hebreos, en cuanto a la ley, fariseo;

6 en cuanto a celo, perseguidor de la iglesia; en cuanto a la justicia que es en la ley, irreprensible.

7 Pero cuantas cosas eran para mí ganancia, las he estimado como pérdida por amor a Cristo.

8 Y ciertamente, aun estimo todas las cosas como pérdida por la excelencia del conocimiento de Cristo Jesús, mi Señor, por el cual lo he perdido todo, y lo tengo por estiércol, para ganar a Cristo,

9 y ser hallado en Él, no teniendo mi propia justicia, que es de la ley, sino la que es por la fe de Cristo, la justicia que es de Dios por la fe;

10 a fin de conocerle, y el poder de su resurrección, y la participación de sus padecimientos, en conformidad a su muerte;

11 si en alguna manera llegase a la resurrección de los muertos.

12 No que lo haya ya alcanzado, ni que ya sea perfecto, mas prosigo para ver si alcanzo aquello para lo cual también fui alcanzado por Cristo Jesús.

13 Hermanos, yo mismo no pretendo haberlo ya alcanzado; pero una cosa

hago: olvidando ciertamente lo que queda atrás, y extendiéndome a lo que está adelante,

14 prosigo al blanco, al premio del supremo llamamiento de Dios en Cristo Jesús.

15 Así que, todos los que somos perfectos, esto mismo sintamos; y si otra cosa sentís, esto también os lo revelará Dios.

16 Pero en aquello a que hemos llegado, andemos por una misma regla, sintamos una misma cosa.

17 Hermanos, seguid mi ejemplo, y señalad a los que así anduvieren, como nos tenéis por ejemplo.

18 Porque muchos andan, de los cuales os he dicho muchas veces, y aun ahora lo digo llorando, que son enemigos de la cruz de Cristo;

19 cuyo fin será destrucción, cuyo dios es su vientre, y cuya gloria es su vergüenza, que sólo piensan en lo terrenal.

20 Mas nuestra ciudadanía está en el cielo, de donde también esperamos al Salvador, el Señor Jesucristo;

21 el cual transformará nuestro cuerpo vil, para que sea semejante a su cuerpo glorioso, según el poder con el cual puede también sujetar a sí todas las cosas.

CAPÍTULO 4

Así que, hermanos míos amados y deseados, gozo y corona mía, estad así firmes en el Señor, amados.

2 A Euodias ruego, y ruego a Síntique, que sean de un mismo sentir en el Señor.

3 Y te ruego también a ti, fiel compañero, ayuda a aquellas mujeres que trabajaron juntamente conmigo en el evangelio, con Clemente también, y los otros de mis colaboradores, cuyos nombres están en el libro de la vida.

4 Regocijaos en el Señor siempre: Otra vez digo: Regocijaos.

5 Vuestra modestia sea conocida de todos los hombres. El Señor está cerca.

6 Por nada estéis afanosos, sino sean conocidas vuestras peticiones delante de Dios en toda oración y súplica, con acción de gracias.

7 Y la paz de Dios que sobrepasa todo entendimiento, guardará vuestros corazones y vuestras mentes en Cristo Jesús.

8 Por lo demás, hermanos, todo lo que es verdadero, todo lo honesto, todo lo justo, todo lo puro, todo lo amable, todo lo que es de buen nombre, si *hay* virtud alguna, si alguna alabanza, en esto pensad.

9 Lo que aprendisteis y recibisteis y oísteis y visteis en mí, esto haced; y el Dios de paz será con vosotros.

10 Mas en gran manera me regocijé en el Señor de que ya al fin ha reflorecido vuestro cuidado de mí, de lo cual también estabais solícitos, pero os faltaba la oportunidad.

11 No lo digo porque tenga escasez; pues he aprendido a contentarme, cualquiera que sea mi situación.

12 Sé tener escasez, y sé tener abundancia; en todo y por todo estoy enseñado, así para hartura, como para hambre; para tener abundancia, como para padecer necesidad.

13 Todo lo puedo en Cristo que me fortalece.

14 Sin embargo, bien hicisteis al comunicar conmigo en mi aflicción.

15 Y sabéis también vosotros, oh filipenses, que al principio del evangelio, cuando partí de Macedonia, ninguna iglesia comunicó conmigo en el asunto de dar y recibir, sino vosotros solos,

16 pues aun a Tesalónica me enviasteis lo necesario una y otra vez.

17 No es que busque dádivas, sino que busco fruto que abunde a vuestra cuenta.

18 Pero todo lo he recibido, y tengo abundancia; estoy lleno, habiendo recibido de Epafrodito lo que enviasteis; perfume de dulce fragancia, sacrificio acepto, agradable a Dios.

19 Mi Dios, pues, suplirá todo lo que os falte, conforme a sus riquezas en gloria en Cristo Jesús.

20 Y al Dios y Padre nuestro *sea* gloria por siempre jamás. Amén.

21 Saludad a todos los santos en Cristo Jesús. Los hermanos que están conmigo os saludan.

22 Todos los santos os saludan, y mayormente los que son de la casa de César.

23 La gracia de nuestro Señor Jesucristo *sea* con todos vosotros. Amén.

Epístola Del Apóstol Pablo A Los
COLOSENSES

CAPÍTULO 1

Pablo, apóstol de Jesucristo por la voluntad de Dios, y *nuestro* hermano Timoteo,

2 a los santos y fieles hermanos en Cristo que están en Colosas: Gracia y paz *sean* a vosotros, de Dios nuestro Padre y del Señor Jesucristo.

3 Damos gracias al Dios y Padre de nuestro Señor Jesucristo, orando siempre por vosotros,

4 habiendo oído de vuestra fe en Cristo Jesús, y del amor *que tenéis* a todos los santos,

5 por la esperanza que os está guardada en el cielo, de la cual habéis oído por la palabra verdadera del evangelio,

6 el cual ha llegado hasta vosotros, así como a todo el mundo; y lleva fruto, como también en vosotros, desde el día que oísteis y conocisteis la gracia de Dios en verdad,

7 como lo habéis aprendido de Epafras, nuestro amado consiervo, el cual por vosotros es un fiel ministro de Cristo,

8 quien también nos ha declarado vuestro amor en el Espíritu.

9 Por lo cual también nosotros, desde el día que *lo* oímos, no cesamos de orar por vosotros, y de pedir que seáis llenos del conocimiento de su voluntad en toda sabiduría y entendimiento espiritual;

10 para que andéis como es digno del Señor, agradándole en todo, llevando

fruto en toda buena obra y creciendo en el conocimiento de Dios;

11 fortalecidos con todo poder, conforme a la potencia de su gloria, para toda paciencia y longanimidad con gozo;

12 dando gracias al Padre que nos hizo aptos para participar de la herencia de los santos en luz;

13 el cual nos ha librado de la potestad de las tinieblas, y trasladado al reino de su amado Hijo;

14 en quien tenemos redención por su sangre, el perdón de pecados.

15 El cual es la imagen del Dios invisible, el primogénito de toda criatura.

16 Porque por Él fueron creadas todas las cosas, las que hay en el cielo y las que hay en la tierra, visibles e invisibles; sean tronos, sean dominios, sean principados, sean potestades; todo fue creado por Él y para Él.

17 Y Él es antes de todas las cosas, y todas las cosas por Él subsisten;

18 y Él es la cabeza del cuerpo, que es la iglesia; el que es el principio, el primogénito de entre los muertos, para que en todo tenga la preeminencia,

19 por cuanto agradó *al Padre* que en Él habitase toda plenitud,

20 y por medio de Él reconciliar todas las cosas consigo; así las que *están* en la tierra como las que *están* en el cielo, haciendo la paz mediante la sangre de su cruz.

21 Y también a vosotros, que erais en otro tiempo extraños y enemigos en *vuestra* mente por las malas obras, ahora *os* ha reconciliado

22 en su cuerpo de carne, mediante la muerte; para presentaros santos y sin mancha e irreprensibles delante de Él;

23 si en verdad permanecéis fundados y firmes en la fe, y sin moveros de la esperanza del evangelio que habéis oído, el cual es predicado a toda criatura que está debajo del cielo; del cual yo Pablo fui hecho ministro.

24 Que ahora me regocijo en lo que padezco por vosotros, y cumplo en mi carne lo que falta de las aflicciones de Cristo por su cuerpo, que es la iglesia,

25 de la cual fui hecho ministro, según la dispensación de Dios que me fue dada para con vosotros, para cumplir la palabra de Dios,

26 el misterio que había estado oculto desde los siglos y por generaciones, pero que ahora ha sido manifestado a sus santos,

27 a quienes Dios quiso dar a conocer las riquezas de la gloria de este misterio entre los gentiles; que es Cristo en vosotros, la esperanza de gloria.

28 A quien nosotros predicamos, amonestando a todo hombre, y enseñando a todo hombre en toda sabiduría, a fin de presentar perfecto en Cristo Jesús a todo hombre.

29 Por lo cual también trabajo, luchando según su poder, el cual obra poderosamente en mí.

CAPÍTULO 2

Mas quiero que sepáis cuán grande lucha sostengo por vosotros, y *por* los que están en Laodicea, y *por* todos los que nunca han visto mi rostro en la carne,

2 para que sean consolados sus corazones, unidos en amor, hasta alcanzar todas las riquezas de la plena seguridad del entendimiento; a fin de conocer el misterio de Dios, y del Padre, y de Cristo,

3 en quien están escondidos todos los tesoros de sabiduría y conocimiento.

4 Y esto digo para que nadie os engañe con palabras persuasivas.

5 Porque aunque esté ausente en la carne, no obstante en espíritu estoy con vosotros, gozándome y mirando vuestro orden y la firmeza de vuestra fe en Cristo.

6 Por tanto, de la manera que habéis recibido al Señor Jesucristo, andad en Él;

7 arraigados y sobreedificados en Él, y confirmados en la fe, así como habéis sido enseñados, abundando en ella con acciones de gracias.

8 Mirad que nadie os engañe por medio de filosofías y vanas sutilezas, según las tradiciones de los hombres, conforme a los rudimentos del mundo, y no según Cristo.

9 Porque en Él habita corporalmente toda la plenitud de la Deidad,

10 y vosotros estáis completos en Él, el cual es la cabeza de todo principado y potestad.

11 En quien también sois circuncidados de circuncisión no hecha de mano, en el despojamiento del cuerpo del pecado de la carne, en la circuncisión de Cristo.

12 Sepultados con Él en el bautismo, en el cual también sois resucitados con Él, mediante la fe en el poder de Dios que le levantó de los muertos.

13 Y a vosotros, estando muertos en pecados y en la incircuncisión de vuestra carne, os dio vida juntamente con Él; perdonándoos todos los pecados,

14 cancelando el manuscrito de las ordenanzas que había contra nosotros, que nos era contrario, quitándolo de en medio y clavándolo en la cruz;

15 y despojando a los principados y a las potestades, los exhibió públicamente, triunfando sobre ellos en sí mismo.

16 Por tanto, nadie os juzgue en comida o en bebida, o respecto a días de fiesta o de luna nueva, o de sábados;

17 que son la sombra de lo por venir; mas el cuerpo *es* de Cristo.

18 Nadie os prive de vuestra recompensa, afectando humildad y adoración a los ángeles, entremetiéndose en lo que no ha visto, vanamente hinchado por su propia mente carnal,

19 y no asiéndose de la Cabeza, de la cual todo el cuerpo, nutrido y enlazado por las coyunturas y los ligamentos, crece con el crecimiento de Dios.

20 Si habéis muerto con Cristo en cuanto a los rudimentos del mundo, ¿por qué, entonces, como si vivieseis en el mundo, os sometéis a ordenanzas

21 *tales como*: No toques, no gustes, no manejes

22 (todas las cuales habrán de perecer con el uso), según mandamientos y doctrinas de hombres?

23 Tales cosas tienen a la verdad cierta apariencia de sabiduría en adoración voluntaria, en humildad, y en duro trato del cuerpo, pero no tienen ningún valor para la satisfacción de la carne.

CAPÍTULO 3

Si, pues, habéis resucitado con Cristo, buscad las cosas de arriba, donde está Cristo sentado a la diestra de Dios.

2 Poned vuestra mira en las cosas de arriba, no en las de la tierra.

3 Porque muertos sois, y vuestra vida está escondida con Cristo en Dios.

4 Cuando Cristo, nuestra vida, se manifieste, entonces vosotros también seréis manifestados con Él en gloria.

5 Haced morir, pues, vuestros miembros que están en la tierra; fornicación, impureza, pasiones desordenadas, mala concupiscencia y avaricia, que es idolatría;

6 cosas por las cuales viene la ira de Dios sobre los hijos de desobediencia;

7 en las cuales también vosotros anduvisteis en otro tiempo cuando vivíais en ellas.

8 Mas ahora dejad también vosotros todas estas cosas; ira, enojo, malicia, blasfemia, palabras sucias de vuestra boca.

9 No mintáis los unos a los otros, habiéndoos despojado del viejo hombre con sus hechos;

10 y vestíos del nuevo, el cual se va renovando en el conocimiento conforme a la imagen del que lo creó.

11 donde no hay griego ni judío, circuncisión ni incircuncisión, bárbaro ni escita, siervo ni libre; sino que Cristo *es* el todo, y en todos.

12 Vestíos, pues, como escogidos de Dios, santos y amados, de entrañas de misericordia, de benignidad, de humildad, de mansedumbre, de longanimidad;

13 soportándoos unos a otros, y perdonándoos unos a otros. Si alguno tuviere queja contra otro, de la manera que Cristo os perdonó, así también *hacedlo* vosotros.

14 Y sobre todas estas cosas, *vestíos* de amor que es el vínculo de perfección.

15 Y la paz de Dios reine en vuestros corazones; a la que asimismo sois llamados en un cuerpo; y sed agradecidos.

16 La palabra de Cristo more en abundancia en vosotros en toda sabiduría; enseñándoos y exhortándoos unos a otros con salmos, e himnos, y cánticos espirituales, cantando con gracia en vuestros corazones al Señor.

17 Y todo lo que hacéis, sea de palabra o de hecho, *hacedlo* todo en el nombre del Señor Jesús, dando gracias al Dios y Padre por medio de Él.

18 Casadas, estad sujetas a vuestros maridos, como conviene en el Señor.

19 Maridos, amad *a vuestras* esposas, y no seáis amargos para con ellas.

20 Hijos, obedeced *a vuestros* padres en todo; porque esto agrada al Señor.

21 Padres, no provoquéis *a ira* a vuestros hijos, para que no se desanimen.

22 Siervos, obedeced en todo *a vuestros* amos según la carne, no sirviendo al ojo, como los que agradan a los hombres, sino con sencillez de corazón, temiendo a Dios.

23 Y todo lo que hagáis, hacedlo de corazón, como para el Señor y no para los hombres;

24 sabiendo que del Señor recibiréis la recompensa de la herencia; porque a Cristo el Señor servís.

25 Mas el que hace lo malo, recibirá el mal que hiciere, y no hay acepción de personas.

CAPÍTULO 4

Amos, tratad a *vuestros* siervos como es justo y recto, sabiendo que vosotros también tenéis un Amo en el cielo.

2 Perseverad en la oración, velando en ella con acción de gracias;

3 orando juntamente también por nosotros, que Dios nos abra la puerta de la palabra, para que hablemos el misterio de Cristo, por el cual estoy también preso;

4 para que lo manifieste como debo hablar.

5 Andad sabiamente para con los de afuera, redimiendo el tiempo.

6 *Sea* vuestra palabra siempre con gracia, sazonada con sal, para que sepáis cómo debéis responder a cada uno.

7 Todos mis asuntos os hará saber Tíquico, amado hermano y fiel ministro y consiervo en el Señor;

8 al cual os he enviado para esto mismo, para que conozca vuestro estado, y conforte vuestros corazones,

9 con Onésimo, fiel y amado hermano, el cual es *uno* de vosotros. Todo lo que acá acontece, os lo harán saber.

10 Aristarco, mi compañero de prisiones, os saluda, y Marcos el sobrino de Bernabé, acerca del cual recibisteis mandamientos; si viniere a vosotros, recibidle;

11 y Jesús, que es llamado Justo; que son de la circuncisión. Sólo éstos son *mis* colaboradores en el reino de Dios; y me han sido consuelo.

12 Os saluda Epafras, el cual es *uno* de vosotros, siervo de Cristo; siempre esforzándose por vosotros en oración, para que estéis firmes, perfectos y completos en toda la voluntad de Dios.

13 Porque yo doy testimonio de él, que tiene gran celo por vosotros, y por los *que están* en Laodicea, y por los *que están* en Hierápolis.

14 Os saluda Lucas, el médico amado, y Demas.

15 Saludad a los hermanos que están en Laodicea, y a Ninfas, y a la iglesia que está en su casa.

16 Y cuando esta epístola haya sido leída entre vosotros, haced que también se lea en la iglesia de los laodicenses; y que la *epístola* de Laodicea la leáis también vosotros.

17 Y decid a Arquipo: Mira que cumplas el ministerio que recibiste en el Señor.

18 Las salutaciones de mi mano, de Pablo. Acordaos de mis prisiones. La gracia *sea* con vosotros. Amén.

Primera Epístola del Apóstol Pablo A
LOS TESALONICENSES

CAPÍTULO 1

Pablo, y Silvano, y Timoteo, a la iglesia de los tesalonicenses que es en Dios Padre y en el Señor Jesucristo: Gracia y paz *sean* a vosotros, de Dios nuestro Padre y del Señor Jesucristo.

2 Damos siempre gracias a Dios por todos vosotros, haciendo mención de vosotros en nuestras oraciones;

3 recordando sin cesar vuestra obra de fe, y trabajo de amor y paciencia en la esperanza en nuestro Señor Jesucristo, delante del Dios y Padre nuestro.

4 Sabiendo, hermanos amados de Dios, vuestra elección;

5 porque nuestro evangelio llegó a vosotros no sólo en palabra, sino también en poder, y en el Espíritu Santo, y en plena certidumbre; como bien sabéis qué clase de hombres fuimos entre vosotros por amor a vosotros.

6 Y vosotros vinisteis a ser seguidores de nosotros y del Señor, recibiendo la palabra en medio de mucha tribulación, con gozo del Espíritu Santo;

7 de tal manera que habéis sido ejemplo a todos los que han creído en Macedonia y Acaya.

8 Porque partiendo de vosotros ha resonado la palabra del Señor; no sólo en Macedonia y Acaya, sino que también en todo lugar vuestra fe en Dios se ha extendido, de modo que nosotros no tenemos necesidad de hablar nada;

9 porque ellos mismos cuentan de nosotros de qué manera nos recibisteis; y de cómo os convertisteis de los ídolos a Dios, para servir al Dios vivo y verdadero,

10 y esperar del cielo a su Hijo, al cual resucitó de los muertos; a Jesús, el cual nos libró de la ira que ha de venir.

CAPÍTULO 2

Porque, hermanos, vosotros mismos sabéis que nuestra entrada a vosotros no fue en vano;

2 pues aun habiendo antes padecido y sido afrentados en Filipos, como sabéis, tuvimos denuedo en nuestro Dios para anunciaros el evangelio de Dios en medio de gran oposición.

3 Porque nuestra exhortación no fue de error ni de impureza, ni por engaño;

4 sino según fuimos aprobados por Dios para que se nos encargase el evangelio, así hablamos; no como los que agradan a los hombres, sino a Dios, el cual prueba nuestros corazones.

5 Porque nunca usamos de palabras lisonjeras, como sabéis; ni encubrimos avaricia; Dios es testigo;

6 ni buscamos gloria de los hombres, ni de vosotros, ni de otros, aunque podíamos seros carga como apóstoles de Cristo.

7 Antes fuimos tiernos entre vosotros, como nodriza que trata con ternura a sus hijos.

8 Tan grande es nuestro afecto por vosotros, que hubiéramos querido entregaros no sólo el evangelio de Dios, sino aun nuestras almas; porque nos erais muy amados.

9 Porque os acordáis, hermanos, de nuestro trabajo y fatiga; que trabajando noche y día, para no ser carga a ninguno de vosotros, os predicamos el evangelio de Dios.

10 Vosotros sois testigos, y Dios, de cuán santa y justa e irreprensiblemente nos condujimos con vosotros que creísteis;

11 así como sabéis de qué manera exhortábamos y confortábamos a cada uno de vosotros, como el padre a sus hijos,

12 y os encargábamos que anduvieseis como es digno de Dios, que os llamó a su reino y gloria.

13 Por lo cual nosotros también sin cesar damos gracias a Dios, porque cuando recibisteis la palabra de Dios que oísteis de nosotros, la recibisteis no como palabra de hombres, sino como es en verdad, la palabra de Dios, la cual también obra eficazmente en vosotros los que creéis.

14 Porque vosotros, hermanos, habéis seguido el ejemplo de las iglesias de Dios en Cristo Jesús que están en Judea; pues vosotros también habéis padecido las mismas cosas de los de vuestra propia nación, como también ellos de los judíos;

15 los cuales mataron al Señor Jesús y a sus propios profetas, y a nosotros nos han perseguido; y no agradan a Dios, y se oponen a todos los hombres;

16 impidiéndonos hablar a los gentiles para que éstos sean salvos; colmando siempre la medida de sus pecados, pues vino sobre ellos la ira hasta el extremo.

17 Mas nosotros, hermanos, separados de vosotros por un poco de tiempo, de vista, no de corazón, tanto más procuramos con mucho deseo ver vuestro rostro.

18 Por lo cual quisimos ir a vosotros, yo Pablo a la verdad, una y otra vez; mas Satanás nos estorbó.

19 Porque ¿cuál es nuestra esperanza, o gozo, o corona de gloria? ¿No *lo sois*, pues, vosotros, delante de nuestro Señor Jesucristo en su venida?

20 Porque vosotros sois nuestra gloria, y gozo.

CAPÍTULO 3

Por lo cual, no pudiendo soportarlo más, nos pareció bien, quedarnos solos en Atenas,

2 y enviamos a Timoteo, nuestro hermano, y ministro de Dios, y colaborador nuestro en el evangelio de Cristo, a confirmaros y exhortaros en cuanto a vuestra fe,

3 para que nadie se inquiete por estas tribulaciones; porque vosotros sabéis que nosotros estamos puestos para esto.

4 Porque aun estando con vosotros, os predecíamos que habíamos de padecer tribulaciones, como ha acontecido y lo sabéis.

5 Por lo cual, también yo, no pudiendo esperar más, he enviado a reconocer vuestra fe, no sea que os haya tentado el tentador, y que nuestro trabajo haya sido en vano.

6 Pero ahora que Timoteo vino de vosotros a nosotros, y nos trajo las buenas nuevas de vuestra fe y amor, y que siempre tenéis gratos recuerdos de nosotros, deseando vernos, como también nosotros a vosotros;

7 por ello, hermanos, fuimos confortados de vosotros en toda nuestra aflicción y angustia por vuestra fe;

8 porque ahora vivimos, si vosotros estáis firmes en el Señor.

9 Por lo cual, ¿qué acción de gracias podremos dar a Dios por vosotros, por todo el gozo con que nos gozamos a causa de vosotros delante de nuestro Dios,

10 orando de noche y de día con gran solicitud, que veamos vuestro rostro, y que completemos lo que falta a vuestra fe?

11 Mas el mismo Dios y Padre nuestro, y nuestro Señor Jesucristo, dirija nuestro camino a vosotros.

12 Y el Señor os haga crecer y abundar en amor unos para con otros y para con todos, como también *lo hacemos* nosotros para con vosotros;

13 para que sean afirmados vuestros corazones en santidad, irreprensibles delante de Dios y Padre nuestro, para la venida de nuestro Señor Jesucristo con todos sus santos.

CAPÍTULO 4

Además os rogamos hermanos y exhortamos en el Señor Jesús que de la manera que fuisteis enseñados de nosotros de cómo debéis conduciros y agradar a Dios, así abundéis más y más.

2 Porque ya sabéis qué mandamientos os dimos por el Señor Jesús.

3 Porque ésta es la voluntad de Dios, vuestra santificación; que os abstengáis de fornicación;

4 que cada uno de vosotros sepa tener su vaso en santificación y honor;

5 no en pasión de concupiscencia, como los gentiles que no conocen a Dios.

6 Que ninguno agravie ni tome ventaja de su hermano, en nada; porque el Señor es vengador de todo esto, como ya os hemos dicho y protestado.

7 Porque no nos ha llamado Dios a inmundicia, sino a santificación.

8 Así que, el que menosprecia, no menosprecia a hombre, sino a Dios, el cual también nos dio su Espíritu Santo.

9 Pero acerca del amor fraternal no tenéis necesidad de que os escriba; porque vosotros mismos habéis aprendido de Dios que os améis unos a otros;

10 y a la verdad lo hacéis así con todos los hermanos que están por toda Macedonia. Pero os rogamos, hermanos, que abundéis *en ello* más y más;

11 y que procuréis tener quietud, y ocuparos en vuestros propios negocios, y trabajar con vuestras manos de la manera que os hemos mandado;

12 a fin de que andéis honestamente para con los de afuera, y no tengáis necesidad de nada.

13 Mas no quiero, hermanos, que ignoréis acerca de los que duermen, para que no os entristezcáis como los otros que no tienen esperanza.

14 Porque si creemos que Jesús murió y resucitó, así también traerá Dios con Él a los que durmieron en Jesús.

15 Por lo cual, os decimos esto por palabra del Señor; que nosotros que vivimos, que habremos quedado hasta la venida del Señor, no precederemos a los que durmieron.

16 Porque el Señor mismo con aclamación, con voz de arcángel, y con trompeta de Dios, descenderá del cielo; y los muertos en Cristo resucitarán primero.

17 Luego nosotros los que vivimos, los que hayamos quedado, juntamente con ellos seremos arrebatados en las nubes para recibir al Señor en el aire, y así estaremos siempre con el Señor.

18 Por tanto, consolaos unos a otros con estas palabras.

CAPÍTULO 5

Pero acerca de los tiempos y de los momentos, no tenéis necesidad, hermanos, de que yo os escriba.

2 Porque vosotros sabéis perfectamente que el día del Señor vendrá como ladrón en la noche,

3 que cuando digan: Paz y seguridad, entonces vendrá sobre ellos destrucción repentina, como los dolores a la mujer que da a luz; y no escaparán.

4 Mas vosotros, hermanos, no estáis en tinieblas, para que aquel día os sorprenda como ladrón.

5 Porque todos vosotros sois hijos de luz, e hijos del día; no somos de la noche, ni de las tinieblas.

6 Por tanto, no durmamos como los demás; antes velemos y seamos sobrios.

7 Porque los que duermen, de noche duermen; y los que se embriagan, de noche se embriagan.

8 Pero nosotros, que somos del día, seamos sobrios, vestidos de la coraza de fe y amor, y de la esperanza de salvación, como un yelmo;

9 Porque no nos ha puesto Dios para ira, sino para obtener salvación por nuestro Señor Jesucristo;

10 quien murió por nosotros, para que ya sea que velemos, o que durmamos, vivamos juntamente con Él.

11 Por lo cual, consolaos unos a otros, y edificaos unos a otros, así como lo hacéis.

12 Y os rogamos, hermanos, que reconozcáis a los que trabajan entre vosotros, y os presiden en el Señor, y os amonestan;

13 y que los tengáis en mucha estima y amor por causa de su obra. Tened paz entre vosotros.

14 También os exhortamos, hermanos, que amonestéis a los que andan desordenadamente, que conforteis a los de poco ánimo, que soportéis a los débiles, que seáis pacientes para con todos.

15 Mirad que ninguno pague a otro mal por mal; antes seguid lo bueno siempre unos para con otros, y para con todos.

16 Estad siempre gozosos.

17 Orad sin cesar.

18 Dad gracias en todo; porque ésta es la voluntad de Dios para con vosotros en Cristo Jesús.

19 No apaguéis el Espíritu.

20 No menospreciéis las profecías.

21 Examinadlo todo; retened lo bueno.

22 Absteneos de toda apariencia de mal.

23 Y el mismo Dios de paz os santifique enteramente; y *ruego a Dios que* todo vuestro espíritu y alma y cuerpo sean guardados irreprensibles para la venida de nuestro Señor Jesucristo.

24 Fiel es el que os llama; el cual también lo hará.

25 Hermanos, orad por nosotros.

26 Saludad a todos los hermanos con ósculo santo.

27 Os conjuro por el Señor, que esta carta sea leída a todos los santos hermanos.

28 La gracia de nuestro Señor Jesucristo *sea* con vosotros. Amén.

Segunda Epístola del Apóstol Pablo A
LOS TESALONICENSES

CAPÍTULO 1

Pablo, y Silvano, y Timoteo, a la iglesia de los tesalonicenses en Dios nuestro Padre y en el Señor Jesucristo:

2 Gracia y paz a vosotros, de Dios nuestro Padre y del Señor Jesucristo.

3 Debemos siempre dar gracias a Dios por vosotros, hermanos, como es digno, por cuanto vuestra fe va creciendo sobremanera, y el amor de cada uno de vosotros, abunda más y más de unos para con otros;

4 tanto, que nosotros mismos nos gloriamos de vosotros en las iglesias de Dios, de vuestra paciencia y fe en todas vuestras persecuciones y tribulaciones que sufrís.

5 *Lo que es* una muestra evidente del justo juicio de Dios, para que seáis tenidos por dignos del reino de Dios, por el cual asimismo padecéis.

6 Porque es justo para con Dios pagar con tribulación a los que os atribulan,

7 y a vosotros, que sois atribulados, *daros* reposo con nosotros, cuando sea revelado del cielo el Señor Jesús con sus ángeles poderosos,

8 en llama de fuego, para cobrar venganza de los que no conocen a Dios, y no obedecen al evangelio de nuestro Señor Jesucristo;

9 los cuales serán castigados con eterna perdición excluidos de la presencia del Señor, y de la gloria de su poder,

10 cuando viniere para ser glorificado en sus santos, y para ser admirado en aquel día en todos los que creen (porque nuestro testimonio ha sido creído entre vosotros).

11 Por lo cual asimismo oramos siempre por vosotros, que nuestro Dios os tenga por dignos de *este* llamamiento, y cumpla todo buen deseo de su bondad, y la obra de fe con poder,

12 para que el nombre de nuestro Señor Jesucristo sea glorificado en vosotros, y vosotros en Él, por la gracia de nuestro Dios y del Señor Jesucristo.

CAPÍTULO 2

Os rogamos, pues, hermanos, en cuanto a la venida de nuestro Señor Jesucristo, y nuestra reunión con Él,

2 que no seáis prestamente movidos de vuestro pensar, ni seáis conturbados ni por espíritu, ni por palabra, ni por carta como nuestra, como que el día de Cristo está cerca.

3 Nadie os engañe en ninguna manera; porque no vendrá sin que antes venga la apostasía, y sea revelado el hombre de pecado, el hijo de perdición,

4 el cual se opone y se exalta contra todo lo que se llama Dios o es

adorado; tanto que como Dios se sienta en el templo de Dios, haciéndose pasar por Dios.

5 ¿No os acordáis que cuando estaba todavía con vosotros, os decía esto?

6 Y ahora vosotros sabéis lo que lo detiene, para que sea revelado en su tiempo.

7 Porque el misterio de iniquidad ya opera; sólo espera hasta que sea quitado de en medio el que ahora lo detiene.

8 Y entonces será revelado aquel inicuo, al cual el Señor matará con el espíritu de su boca, y destruirá con el resplandor de su venida;

9 aquel *inicuo*, cuya venida será según la operación de Satanás, con todo poder y señales, y prodigios mentirosos,

10 y con todo engaño de iniquidad en los que perecen; por cuanto no recibieron el amor de la verdad para ser salvos.

11 Y por causa de esto Dios les envía un poder engañoso, para que crean la mentira;

12 para que sean condenados todos los que no creyeron a la verdad, antes se complacieron en la injusticia.

13 Mas nosotros debemos siempre dar gracias a Dios por vosotros, hermanos amados del Señor, de que Dios os haya escogido desde el principio para salvación, por la santificación del Espíritu y la fe en la verdad,

14 a lo cual os llamó por nuestro evangelio, para alcanzar la gloria de nuestro Señor Jesucristo.

15 Así que, hermanos, estad firmes, y retened la doctrina que os ha sido enseñada, sea por palabra, o por carta nuestra.

16 Y el mismo Jesucristo Señor nuestro, y el Dios y Padre nuestro, el cual nos amó, y nos dio consolación eterna, y buena esperanza por gracia,

17 consuele vuestros corazones, y os confirme en toda buena palabra y obra.

CAPÍTULO 3

Finalmente, hermanos, orad por nosotros, para que la palabra del Señor corra y sea glorificada así como entre vosotros;

2 y que seamos librados de hombres malos y perversos; porque no es de todos la fe.

3 Mas fiel es el Señor, que os confirmará y guardará del mal.

4 Y confiamos en el Señor tocante a vosotros, en que hacéis y haréis lo que os hemos mandado.

5 Y el Señor dirija vuestros corazones en el amor de Dios, y en la paciencia de Cristo.

6 Ahora os mandamos, hermanos, en el nombre de nuestro Señor Jesucristo, que os apartéis de todo hermano que anduviere desordenadamente, y no conforme a la doctrina que recibió de nosotros:

7 Porque vosotros mismos sabéis cómo debéis seguir nuestro ejemplo; porque no anduvimos desordenadamente entre vosotros,

8 ni comimos de balde el pan de ninguno; sino que trabajamos con afán y fatiga día y noche, para no ser carga a ninguno de vosotros;

9 no porque no tuviésemos potestad, sino por daros en nosotros un ejemplo a seguir.

10 Porque aun cuando estábamos con vosotros, os mandábamos esto: Si alguno no quiere trabajar, tampoco coma.

11 Porque oímos que hay algunos de entre vosotros que andan desordenadamente, no trabajando en nada, sino ocupados en curiosear.

12 Y a los tales requerimos y exhortamos por nuestro Señor Jesucristo, que trabajando calladamente, coman su propio pan.

13 Y vosotros, hermanos, no os canséis de hacer bien.

14 Y si alguno no obedeciere a nuestra palabra por esta epístola, señalad al tal, y no os juntéis con él, para que se avergüence.

15 Mas no lo tengáis como a enemigo, sino amonestadle como a hermano.

16 Y el mismo Señor de paz os dé siempre paz en toda manera. El Señor sea con todos vosotros.

17 La salutación de mi propia mano, de Pablo, que es mi signo en toda epístola: Así escribo.

18 La gracia de nuestro Señor Jesucristo *sea* con todos vosotros. Amén.

Primera Epístola del Apóstol Pablo A
TIMOTEO

CAPÍTULO 1

Pablo, apóstol de Jesucristo por mandato de Dios nuestro Salvador, y del Señor Jesucristo, nuestra esperanza,

2 a Timoteo, *mi* verdadero hijo en la fe: Gracia, misericordia y paz, de Dios nuestro Padre y de Cristo Jesús nuestro Señor.

3 Como te rogué que te quedases en Éfeso, cuando partí para Macedonia, para que exhortases a algunos que no enseñen diferente doctrina,

4 ni presten atención a fábulas y genealogías sin término, que acarrean disputas en vez de edificación de Dios que es en la fe; *así te encargo ahora.*

5 Pues el fin del mandamiento es el amor de corazón puro, y de buena conciencia, y *de* fe no fingida,

6 de lo cual desviándose algunos, se apartaron a vanas palabrerías;

7 queriendo ser doctores de la ley, sin entender ni lo que hablan, ni lo que afirman.

8 Pero sabemos que la ley *es* buena, si uno la usa legítimamente;

9 sabiendo esto, que la ley no es puesta para el justo, sino para los injustos y desobedientes, para los impíos y pecadores, para los malos y profanos, para los parricidas y matricidas, para los homicidas,

10 para los fornicarios, para los sodomitas, para los secuestradores, para los mentirosos y perjuros, y para cualquier otra cosa que sea contraria a la sana doctrina;

11 según el glorioso evangelio del Dios bendito, que a mí me ha sido encomendado.

12 Y doy gracias al que me fortaleció, a Cristo Jesús nuestro Señor; porque me tuvo por fiel, poniéndome en el ministerio;

13 habiendo yo sido antes blasfemo, y perseguidor e injuriador; mas fui recibido a misericordia porque lo hice por ignorancia, en incredulidad.

14 Pero la gracia de nuestro Señor fue más abundante con la fe y el amor que es en Cristo Jesús.

15 Palabra fiel y digna de ser recibida por todos; que Cristo Jesús vino al mundo para salvar a los pecadores, de los cuales yo soy el primero.

16 Mas por esto fui recibido a misericordia, para que Jesucristo mostrase en mí el primero, toda su clemencia, para ejemplo de los que habrían de creer en Él para vida eterna.

17 Por tanto, al Rey eterno, inmortal, invisible, al único sabio Dios, *sea* honor y gloria por siempre jamás. Amén.

18 Este mandamiento, hijo Timoteo, te encargo, para que conforme a las pasadas profecías acerca de ti, milites por ellas la buena milicia;

19 reteniendo la fe y buena conciencia, la cual desechando algunos, naufragaron en cuanto a la fe.

20 De los cuales son Himeneo y Alejandro, los cuales entregué a Satanás, para que aprendan a no blasfemar.

CAPÍTULO 2

Exhorto, pues, ante todo, que se hagan súplicas, oraciones, intercesiones y acciones de gracias, por todos los hombres;

2 por los reyes y *por* todos los que están en eminencia, para que vivamos quieta y reposadamente en toda piedad y honestidad.

3 Porque esto *es* bueno y agradable delante de Dios nuestro Salvador,

4 el cual quiere que todos los hombres sean salvos, y vengan al conocimiento de la verdad.

5 Porque *hay* un solo Dios, y un solo mediador entre Dios y los hombres, Jesucristo hombre;

6 el cual se dio a sí mismo en rescate por todos, para testimonio a su debido tiempo.

7 Para lo cual yo soy ordenado predicador y apóstol (digo verdad en Cristo, no miento), maestro de los gentiles en fe y verdad.

8 Quiero, pues, que los hombres oren en todo lugar, levantando manos santas, sin ira ni contienda.

9 Asimismo también, que las mujeres se adornen con atavío decoroso, con vergüenza y modestia; no con cabellos encrespados, u oro, o perlas, o vestidos costosos;

10 sino con buenas obras, como corresponde a mujeres que profesan piedad.

11 La mujer aprenda en silencio, con toda sujeción.

12 Porque no permito a la mujer enseñar, ni usurpar autoridad sobre el varón, sino estar en silencio.

13 Porque Adán fue formado primero, después Eva;

14 y Adán no fue engañado, sino que la mujer, al ser engañada, cayó en transgresión:

15 Pero será salva engendrando hijos, si permanecieren en fe y amor y santidad, con modestia.

CAPÍTULO 3

Palabra fiel: Si alguno anhela obispado, buena obra desea.

2 Pero es necesario que el obispo sea irreprensible, marido de una sola esposa, vigilante, templado, decoroso, hospedador, apto para enseñar;

3 no dado al vino, no rencilloso, no codicioso de ganancias deshonestas, sino moderado, apacible, ajeno de avaricia;

4 que gobierne bien su propia casa, que tenga sus hijos en sujeción con toda honestidad

5 (Porque el que no sabe gobernar su propia casa, ¿cómo cuidará de la iglesia de Dios?).

6 No un neófito, no sea que envaneciéndose caiga en condenación del diablo.

7 También es necesario que tenga buen testimonio de los de afuera, para que no caiga en descrédito y en lazo del diablo.

8 Los diáconos asimismo *deben ser* honestos, sin doblez, no dados a

mucho vino, no amadores de ganancias deshonestas;

9 que tengan el misterio de la fe con limpia conciencia.

10 Y éstos también sean primero puestos a prueba; y luego ejerzan el diaconado, si fueren irreprensibles.

11 Sus esposas asimismo *sean* honestas, no calumniadoras, *sino* sobrias, fieles en todo.

12 Los diáconos sean maridos de una sola esposa, que gobiernen bien sus hijos y sus casas.

13 Porque los que ejercen bien el diaconado, adquieren para sí un grado honroso, y mucha confianza en la fe que es en Cristo Jesús.

14 Esto te escribo, con la esperanza que vendré pronto a ti,

15 para que si tardo, sepas cómo debes conducirte en la casa de Dios, que es la iglesia del Dios viviente, columna y apoyo de la verdad.

16 Y sin contradicción, grande es el misterio de la piedad: Dios fue manifestado en carne, justificado en el Espíritu, visto de los ángeles, predicado a los gentiles, creído en el mundo, recibido arriba en gloria.

CAPÍTULO 4

Pero el Espíritu dice expresamente que en los postreros tiempos algunos apostatarán de la fe, escuchando a espíritus engañadores y a doctrinas de demonios;

2 que con hipocresía hablarán mentiras; teniendo cauterizada su conciencia;

3 prohibirán casarse, y *mandarán* abstenerse de alimentos que Dios creó para que con acción de gracias participasen de ellos los creyentes que han conocido la verdad.

4 Porque todo lo que Dios creó es bueno, y nada es de desecharse, si se toma con acción de gracias;

5 porque por la palabra de Dios y por la oración es santificado.

6 Si esto propusieres a los hermanos, serás buen ministro de Jesucristo, nutrido en las palabras de la fe y de la buena doctrina, la cual has alcanzado.

7 Mas desecha las fábulas profanas y de viejas, y ejercítate para la piedad;

8 porque el ejercicio corporal para poco es provechoso; mas la piedad para todo aprovecha, pues tiene promesa de la vida presente y de la venidera.

9 Palabra fiel *es* ésta, y digna de ser recibida por todos.

10 Que por esto también trabajamos y sufrimos oprobios, porque esperamos en el Dios viviente, el cual es el Salvador de todos los hombres, mayormente de los que creen.

11 Esto manda y enseña.

12 Ninguno tenga en poco tu juventud; sino sé ejemplo de los creyentes en palabra, en conversación, en caridad, en espíritu, en fe, en pureza.

13 Entre tanto que vengo, ocúpate en la lectura, la exhortación y la enseñanza.

14 No descuides el don que está en ti, que te fue dado por profecía con la imposición de las manos del presbiterio.

15 Medita en estas cosas; ocúpate en ellas; para que tu aprovechamiento sea manifiesto a todos.

16 Ten cuidado de ti mismo y de la doctrina; persiste en ello; pues haciendo esto, te salvarás a ti mismo y a los que te oyeren.

CAPÍTULO 5

No reprendas al anciano, sino exhórtale como a padre; a los más jóvenes, como a hermanos;

2 a las ancianas, como a madres; a las jovencitas, como a hermanas, con toda pureza.

3 Honra a las viudas que en verdad son viudas.

4 Pero si alguna viuda tuviere hijos, o nietos, aprendan éstos primero a ser piadosos en casa, y a recompensar a sus padres; porque esto es bueno y agradable delante de Dios.

5 Y la que en verdad es viuda y sola, confíe en Dios, y permanezca en súplicas y oraciones noche y día.

6 Mas la que vive en placeres, viviendo está muerta.

7 Manda también estas cosas, para que sean irreprensibles.

8 Y si alguno no provee para los suyos, y mayormente para los de su

Mandamientos sobre las viudas

casa, ha negado la fe, y es peor que un incrédulo.

9 Sea puesta en la lista, la viuda no menor de sesenta años, que haya sido esposa de un solo marido.

10 Que tenga testimonio de buenas obras; si crió hijos; si ha ejercitado la hospitalidad; si ha lavado los pies de los santos; si ha socorrido a los afligidos; si ha seguido toda buena obra.

11 Pero viudas más jóvenes no admitas; porque cuando, *atraídas de sus* concupiscencias, se rebelan contra Cristo, quieren casarse

12 incurriendo en condenación, por haber abandonado la primera fe.

13 Y así también aprenden *a ser* ociosas, andando de casa en casa; y no solamente ociosas, sino también chismosas e indiscretas, hablando cosas que no debieran.

14 Quiero, pues, que las mujeres jóvenes se casen, engendren hijos, gobiernen su casa; que ninguna ocasión den al adversario para decir mal.

15 Porque ya algunas han vuelto atrás en pos de Satanás.

16 Si alguno, o alguna de los creyentes tiene viudas, manténgalas, y no sea gravada la iglesia; a fin de que pueda ayudar a las que en verdad son viudas.

17 Los ancianos que gobiernan bien, sean tenidos por dignos de doble honor; mayormente los que trabajan en predicar y en enseñar.

18 Porque la Escritura dice: No pondrás bozal al buey que trilla. Y: Digno *es* el obrero de su jornal.

19 Contra un anciano no recibas acusación sino ante dos o tres testigos.

20 A los que pecaren, repréndelos delante de todos, para que los otros también teman.

21 *Te* exhorto delante de Dios y del Señor Jesucristo, y de sus ángeles escogidos, a que guardes estas cosas sin prejuicios, que nada hagas con parcialidad.

22 No impongas con ligereza las manos a ninguno, ni participes en pecados ajenos; consérvate puro.

23 Ya no bebas agua, sino usa de un poco de vino por causa de tu

estómago y de tus frecuentes enfermedades.

24 Los pecados de algunos hombres se manifiestan antes que vengan ellos a juicio; mas a otros les vienen después.

25 Asimismo también las buenas obras *de algunos*, de antemano son manifiestas; y las que son de otra manera, no pueden ocultarse.

CAPÍTULO 6

Todos los que están bajo yugo de servidumbre, tengan a sus señores por dignos de toda honra, para que no sea blasfemado el nombre de Dios y *su* doctrina.

2 Y los que tienen amos creyentes, no *los* tengan en menos por ser hermanos; sino sírvanles mejor, por cuanto son fieles y amados, y partícipes de los bienes. Esto enseña y exhorta.

3 Si alguno enseña otra cosa, y no asiente a las sanas palabras de nuestro Señor Jesucristo, y a la doctrina que es conforme a la piedad,

4 está envanecido, nada sabe, y enloquece acerca de cuestiones y contiendas de palabras, de las cuales nacen envidias, pleitos, maledicencias, malas sospechas,

5 disputas perversas de hombres de mente corrompida, y privados de la verdad, que tienen la piedad por ganancia; apártate de los tales.

6 Pero gran ganancia es la piedad con contentamiento.

7 Porque nada hemos traído a *este* mundo, y sin duda nada podremos sacar.

8 Así que, teniendo sustento y abrigo, estemos contentos con esto.

9 Porque los que quieren enriquecerse, caen en tentación y lazo, y en muchas codicias necias y dañosas, que hunden a los hombres en perdición y muerte.

10 Porque el amor al dinero es la raíz de todos los males; el cual codiciando algunos, se extraviaron de la fe, y se traspasaron con muchos dolores.

11 Mas tú, oh hombre de Dios, huye de estas cosas, y sigue la justicia, la piedad, la fe, el amor, la paciencia, la mansedumbre.

12 Pelea la buena batalla de la fe; echa mano de la vida eterna, a la cual asimismo eres llamado, habiendo hecho buena profesión delante de muchos testigos.

13 Te mando delante de Dios, que da vida a todas las cosas, y de Cristo Jesús, que testificó la buena profesión delante de Poncio Pilato,

14 que guardes *este* mandamiento sin mácula ni reprensión, hasta la aparición de nuestro Señor Jesucristo:

15 La cual a su tiempo mostrará el Bendito y solo Soberano, Rey de reyes, y Señor de señores;

16 el único que tiene inmortalidad, y habita en luz inaccesible; a quien ningún hombre ha visto ni puede ver. A Él *sea* honra y poder sempiterno. Amén.

17 A los ricos de este mundo manda que no sean altivos, ni pongan la esperanza en las riquezas inciertas, sino en el Dios vivo, quien nos da todas las cosas en abundancia para que las disfrutemos.

18 Que hagan bien, que sean ricos en buenas obras, generosos, que con facilidad comuniquen;

19 atesorando para sí buen fundamento para lo por venir; que echen mano de la vida eterna.

20 Oh Timoteo, guarda lo que se te ha encomendado, evitando las profanas y vanas discusiones, y los argumentos de la falsamente llamada ciencia;

21 la cual profesando algunos, han errado en cuanto a la fe. La gracia *sea* contigo. Amén.

Segunda Epístola del Apóstol Pablo A
TIMOTEO

CAPÍTULO 1

Pablo, apóstol de Jesucristo por la voluntad de Dios, según la promesa de la vida que es en Cristo Jesús;

2 a Timoteo, *mi* amado hijo: Gracia, misericordia, y paz de Dios el Padre y de Jesucristo nuestro Señor.

3 Doy gracias a Dios, a quien sirvo desde *mis* mayores con limpia conciencia, de que sin cesar me acuerdo de ti en mis oraciones noche y día;

4 acordándome de tus lágrimas, deseando verte para llenarme de gozo;

5 trayendo a la memoria la fe no fingida que hay en ti, la cual residió primero en tu abuela Loida, y en tu madre Eunice; y estoy seguro que en ti también.

6 Por lo cual te aconsejo que avives el don de Dios que está en ti por la imposición de mis manos.

7 Porque no nos ha dado Dios un espíritu de temor, sino de poder y de amor y de templanza.

8 Por tanto, no te avergüences del testimonio de nuestro Señor, ni de mí, preso suyo; antes sé partícipe de las aflicciones del evangelio según el poder de Dios,

9 quien nos salvó y llamó con llamamiento santo, no conforme a nuestras obras, sino según su propósito y gracia, la cual nos fue dada en Cristo Jesús desde antes del principio de los siglos;

10 mas ahora es manifestada por la aparición de nuestro Salvador Jesucristo, el cual quitó la muerte, y sacó a luz la vida y la inmortalidad por el evangelio;

11 del cual yo soy puesto predicador, y apóstol, y maestro de los gentiles.

12 Por cuya causa asimismo padezco estas cosas; mas no me avergüenzo; porque yo sé a quien he creído, y estoy seguro que es poderoso para guardar mi depósito para aquel día.

13 Retén la forma de las sanas palabras que de mí oíste, en fe y amor que es en Cristo Jesús.

14 Guarda el buen depósito por el Espíritu Santo que mora en nosotros.

15 Ya sabes esto, que me han dado la espalda todos los que están en Asia, de los cuales son Figelo y Hermógenes.

16 Dé el Señor misericordia a la casa de Onesíforo; que muchas veces me dio refrigerio, y no se avergonzó de mis cadenas;

17 antes, estando él en Roma, me buscó diligentemente, y *me* halló.

18 Déle el Señor que halle misericordia cerca del Señor en aquel día. Y cuánto me ayudó en Éfeso, tú lo sabes muy bien.

CAPÍTULO 2

Tú, pues, hijo mío, esfuérzate en la gracia que es en Cristo Jesús.

2 Y lo que has oído de mí ante muchos testigos, esto encarga a hombres fieles que sean idóneos para enseñar también a otros.

3 Tú, pues, sufre aflicciones como fiel soldado de Jesucristo.

4 Ninguno que milita se enreda en los negocios de *esta* vida; a fin de agradar a aquel que lo escogió por soldado.

5 Y también el que lucha como atleta, no es coronado si no lucha legítimamente.

6 El labrador que trabaja, debe ser el primero en participar de los frutos.

7 Considera lo que digo; y el Señor te dé entendimiento en todo.

8 Acuérdate que Jesucristo, de la simiente de David, resucitó de los muertos conforme a mi evangelio;

9 por el cual sufro aflicciones, hasta prisiones a modo de malhechor; mas la palabra de Dios no está presa.

10 Por tanto, todo lo sufro por amor de los escogidos, para que ellos también obtengan la salvación que es en Cristo Jesús con gloria eterna.

11 Palabra fiel *es ésta*: Que si somos muertos con *Él*, también viviremos con *Él*:

12 Si sufrimos, también reinaremos con *Él*; si lo negáremos, *Él* también nos negará:

13 Si fuéremos infieles, *Él* permanece fiel; *Él* no puede negarse a sí mismo.

14 Recuérdales esto, y exhórtales delante del Señor a que no contiendan sobre palabras, lo cual para nada aprovecha, antes perjudica a los oyentes.

15 Estudia con diligencia para presentarte a Dios aprobado, como obrero que no tiene de qué avergonzarse, que traza bien la palabra de verdad.

16 Mas evita profanas y vanas palabrerías; porque irán en aumento para mayor impiedad.

17 Y la palabra de ellos carcomerá como gangrena; de los cuales son Himeneo y Fileto;

18 que se han descaminado de la verdad, diciendo que la resurrección ya pasó, y trastornan la fe de algunos.

19 Mas el fundamento de Dios está firme, teniendo este sello: Conoce el Señor a los que son suyos; y: Apártese de iniquidad todo aquel que invoca el nombre de Cristo.

20 Pero en una casa grande, no sólo hay vasos de oro y de plata, sino también de madera y de barro; y asimismo unos para honra, y otros para deshonra.

21 Así que, si alguno se limpiare de estas cosas, será vaso para honra, santificado, y útil al Señor, y preparado para toda buena obra.

22 Huye también de las concupiscencias juveniles; y sigue la justicia, la fe, la caridad, la paz, con los que invocan al Señor de corazón puro.

23 Pero evita las cuestiones necias e insensatas, sabiendo que engendran contiendas.

24 Porque el siervo del Señor no debe ser contencioso, sino afable para con todos, apto para enseñar, sufrido;

25 que con mansedumbre corrija a los que se oponen; si quizá Dios les dé que se arrepientan para conocer la verdad,

26 y se zafen del lazo del diablo, en que están cautivos por él, a su voluntad.

CAPÍTULO 3

Sabe también esto; que en los postreros días vendrán tiempos peligrosos:

2 Porque habrá hombres amadores de sí mismos, avaros, vanagloriosos, soberbios, blasfemos, desobedientes a sus padres, malagradecidos, sin santidad,

3 sin afecto natural, desleales, calumniadores, incontinentes, crueles, aborrecedores de los que son buenos,

4 traidores, impulsivos, vanidosos, amadores de placeres más que amadores de Dios;

5 teniendo apariencia de piedad, mas negando la eficacia de ella; a éstos evita.

6 Porque de éstos son los que se entran por las casas, y llevan cautivas las mujercillas cargadas de pecados, llevadas de diversas concupiscencias,

7 que siempre están aprendiendo, y nunca pueden llegar al conocimiento de la verdad.

8 Y de la manera que Janes y Jambres resistieron a Moisés, así también éstos resisten a la verdad; hombres corruptos de entendimiento, réprobos en cuanto a la fe.

9 Mas no llegarán muy lejos; porque su insensatez será manifiesta a todos, como también lo fue la de aquéllos.

10 Pero tú has conocido mi doctrina, conducta, propósito, fe, longanimidad, caridad, paciencia,

11 persecuciones, aflicciones, como las que me sobrevinieron en Antioquía, en Iconio, en Listra, persecuciones que he sufrido; pero de todas *ellas* me ha librado el Señor.

12 Y también todos los que quieren vivir piadosamente en Cristo Jesús, padecerán persecución.

13 Mas los malos hombres y los engañadores irán de mal en peor, engañando y siendo engañados.

14 Pero persiste tú en lo que has aprendido y te persuadiste, sabiendo de quién has aprendido;

15 y que desde la niñez has sabido las Sagradas Escrituras, las cuales te

pueden hacer sabio para la salvación por la fe que es en Cristo Jesús.

16 Toda Escritura *es* dada por inspiración de Dios, y *es* útil para enseñar, para redargüir, para corregir, para instruir en justicia,

17 para que el hombre de Dios sea perfecto, enteramente preparado para toda buena obra.

CAPÍTULO 4

Te requiero, pues, delante de Dios, y del Señor Jesucristo, que ha de juzgar a los vivos y a los muertos en su manifestación y en su reino:

2 Predica la palabra; insta a tiempo y fuera de tiempo; redarguye, reprende; exhorta con toda paciencia y doctrina.

3 Porque vendrá tiempo cuando no sufrirán la sana doctrina; antes, teniendo comezón de oír, se amontonarán maestros conforme a sus propias concupiscencias,

4 y apartarán de la verdad *sus* oídos y se volverán a las fábulas.

5 Pero tú vela en todo, soporta las aflicciones, haz la obra de evangelista, cumple tu ministerio.

6 Porque yo ya estoy para ser sacrificado, y el tiempo de mi partida está cercano.

7 He peleado la buena batalla, he acabado *mi* carrera, he guardado la fe.

8 Por lo demás, me está guardada la corona de justicia, la cual me dará el Señor, juez justo, en aquel día; y no sólo a mí, sino también a todos los que aman su venida.

9 Procura venir pronto a mí;

10 porque Demas me ha desamparado, amando este mundo presente, y se ha ido a Tesalónica; Crescente a Galacia, Tito a Dalmacia.

11 Sólo Lucas está conmigo. Toma a Marcos y tráele contigo; porque me es útil para el ministerio.

12 A Tíquico envié a Éfeso.

13 Trae, cuando vinieres, el capote que dejé en Troas con Carpo; y los libros, mayormente los pergaminos.

14 Alejandro el calderero me ha causado muchos males; el Señor le pague conforme a sus hechos.

15 Guárdate tú también de él; pues en gran manera ha resistido a nuestras palabras.

16 En mi primera defensa ninguno estuvo a mi lado, antes todos me desampararon; *ruego a Dios* que no les sea imputado.

17 Pero el Señor estuvo a mi lado, y me esforzó, para que por mí fuese cumplida la predicación, y todos los gentiles oyesen; y fui librado de la boca del león.

18 Y el Señor me librará de toda obra mala, y *me* preservará para su reino celestial. A Él *sea* gloria por siempre jamás. Amén.

19 Saluda a Prisca y a Aquila, y a la casa de Onesíforo.

20 Erasto se quedó en Corinto; y a Trófimo dejé en Mileto enfermo.

21 Procura venir antes del invierno. Eubulo te saluda, y Pudente, y Lino, y Claudia, y todos los hermanos.

22 El Señor Jesucristo *sea* con tu espíritu. La gracia *sea* con vosotros. Amén.

Epístola del Apóstol Pablo A
TITO

CAPÍTULO 1

Pablo, siervo de Dios, y apóstol de Jesucristo, conforme a la fe de los escogidos de Dios y el conocimiento de la verdad que es según la piedad,

2 en la esperanza de la vida eterna, la cual Dios, que no puede mentir, prometió desde antes del principio de los siglos,

3 y manifestó a sus tiempos su palabra por medio de la predicación que me es encomendada por mandamiento de Dios nuestro Salvador,

4 a Tito, *mi* verdadero hijo en la común fe: Gracia, misericordia y paz, de Dios Padre y del Señor Jesucristo nuestro Salvador.

5 Por esta causa te dejé en Creta, para

que corrigieses lo deficiente, y ordenases ancianos en cada ciudad, así como yo te mandé;

6 el que fuere irreprensible, marido de una esposa, que tenga hijos fieles, que no estén acusados de disolución, o rebeldía.

7 Porque es necesario que el obispo sea irreprensible, como administrador de Dios; no arrogante, no iracundo, no dado al vino, no pendenciero, no codicioso de ganancias deshonestas;

8 sino hospitalario, amante de lo bueno, sobrio, justo, santo, templado;

9 retenedor de la palabra fiel como le ha sido enseñada, para que también pueda exhortar con sana doctrina, y convencer a los que contradicen.

10 Porque hay muchos contumaces, y habladores de vanidad y engañadores, mayormente los que son de la circuncisión,

11 a los cuales es preciso tapar la boca, que trastornan casas enteras, enseñando por ganancia deshonesta lo que no conviene.

12 Aun uno de ellos; su propio profeta, dijo: Los cretenses, siempre mentirosos, malas bestias, vientres perezosos.

13 Este testimonio es verdadero; por tanto, repréndelos duramente, para que sean sanos en la fe,

14 no atendiendo a fábulas judaicas, y a mandamientos de hombres que se apartan de la verdad.

15 Todas las cosas son puras para los puros; mas para los corrompidos e incrédulos nada es puro; pues aun su mente y su conciencia están corrompidas.

16 Profesan conocer a Dios, mas con sus hechos lo niegan; siendo abominables y rebeldes, y reprobados para toda buena obra.

CAPÍTULO 2

Pero tú habla lo que armoniza con la sana doctrina.

2 Que los ancianos sean sobrios, honestos, templados, sanos en la fe, en la caridad, en la paciencia.

3 Las ancianas asimismo, sean de un porte santo, no calumniadoras, no dadas a mucho vino, maestras de honestidad;

4 que enseñen a las mujeres jóvenes a ser prudentes, a que amen a sus maridos, a que amen a sus hijos;

5 a ser discretas, castas, cuidadosas de su casa, buenas, sujetas a sus maridos; para que la palabra de Dios no sea blasfemada.

6 Exhorta asimismo a los jóvenes a que sean prudentes;

7 presentándote tú en todo como ejemplo de buenas obras; en doctrina, mostrando integridad, honestidad, sinceridad,

8 palabra sana e irreprochable; para que el adversario se avergüence, y no tenga nada malo que decir de vosotros.

9 Exhorta a los siervos a ser obedientes a sus amos, y a que les agraden en todo; que no sean respondones;

10 no defraudando, sino mostrando toda buena lealtad; para que en todo adornen la doctrina de Dios nuestro Salvador.

11 Porque la gracia de Dios que trae salvación se ha manifestado a todos los hombres,

12 enseñándonos que, renunciando a la impiedad y a las concupiscencias mundanas, vivamos en este presente mundo, sobria, justa y piadosamente.

13 Aguardando aquella esperanza bienaventurada, y la manifestación gloriosa de nuestro gran Dios y Salvador Jesucristo,

14 quien se dio a sí mismo por nosotros para redimirnos de toda iniquidad, y purificar para sí un pueblo peculiar, celoso de buenas obras.

15 Estas cosas habla y exhorta, y reprende con toda autoridad. Nadie te menosprecie.

CAPÍTULO 3

Recuérdales que se sujeten a los principados y potestades, que obedezcan a los magistrados, que estén dispuestos para toda buena obra.

2 Que no hablen mal de nadie, que no sean pendencieros, *sino* amables, mostrando toda mansedumbre para con todos los hombres.

3 Porque nosotros también éramos en otro tiempo insensatos, rebeldes, extraviados, esclavos de concupiscencias y diversos placeres, viviendo en malicia y envidia, aborrecibles, aborreciéndonos unos a otros.

4 Pero cuando se manifestó la bondad de Dios nuestro Salvador, y su amor para con los hombres,

5 nos salvó, no por obras de justicia que nosotros hayamos hecho, sino por su misericordia, por el lavamiento de la regeneración y de la renovación del Espíritu Santo;

6 el cual derramó en nosotros abundantemente por Jesucristo nuestro Salvador,

7 para que justificados por su gracia, viniésemos a ser herederos conforme a la esperanza de la vida eterna.

8 Palabra fiel *es ésta*, y estas cosas quiero que afirmes constantemente, para que los que creen en Dios procuren ocuparse en buenas obras. Estas cosas son buenas y útiles a los hombres.

9 Pero evita las cuestiones necias, y genealogías, y contenciones y discusiones acerca de la ley; porque son vanas y sin provecho.

10 Al hombre hereje, después de una y otra amonestación, deséchalo,

11 sabiendo que el tal se ha pervertido, y peca, siendo condenado por su propio juicio.

12 Cuando enviare a ti a Artemas o a Tíquico, apresúrate a venir a mí a Nicópolis; porque allí he determinado pasar el invierno.

13 A Zenas doctor de la ley, y a Apolos, encamínales con solicitud, de modo que nada les falte.

14 Y aprendan también los nuestros a ocuparse en buenas obras para los casos de necesidad, para que no sean sin fruto.

15 Todos los que están conmigo te saludan. Saluda a los que nos aman en la fe. La gracia *sea* con todos vosotros. Amén.

Epístola del Apóstol Pablo A
FILEMÓN

Pablo, prisionero de Jesucristo, y *nuestro* hermano Timoteo, a Filemón, amado, y colaborador nuestro,

2 y a *nuestra* amada Apia, y a Arquipo, nuestro compañero de milicia, y a la iglesia que está en tu casa.

3 Gracia a vosotros, y paz de Dios nuestro Padre y del Señor Jesucristo.

4 Doy gracias a mi Dios, haciendo siempre mención de ti en mis oraciones,

5 oyendo de tu amor, y de la fe que tienes hacia el Señor Jesús, y para con todos los santos;

6 para que la comunicación de tu fe sea eficaz en el reconocimiento de todo el bien que está en vosotros en Cristo Jesús.

7 Porque tenemos gran gozo y consolación en tu amor, de que por ti, oh hermano, han sido recreadas las entrañas de los santos.

8 Por lo cual, aunque tengo mucha resolución en Cristo para mandarte lo que conviene,

9 más bien *te* ruego por amor, siendo como soy, Pablo ya anciano, y ahora además, prisionero de Jesucristo.

10 Te ruego por mi hijo Onésimo, a quien engendré en mis prisiones,

11 el cual en otro tiempo te fue inútil, mas ahora a ti y a mí nos es útil,

12 el cual vuelvo a enviarte; tú, pues, recíbele como a mis entrañas.

13 Yo quería retenerle conmigo, para que en lugar tuyo me sirviese en las prisiones del evangelio;

14 pero nada quise hacer sin tu consentimiento; para que tu favor no fuese como de necesidad, sino voluntario.

15 Porque quizá para esto se apartó *de ti* por algún tiempo, para que le recibieses para siempre;

16 no ya como siervo, sino *como* más que siervo, *como* hermano amado,

mayormente para mí, pero cuánto más para ti, tanto en la carne como en el Señor.

17 Así que, si me tienes por compañero, recíbele como a mí mismo.

18 Y si en algo se dañó, o te debe, cárgalo a mi cuenta.

19 Yo Pablo *lo* escribí de mi propia mano, yo *lo* pagaré; por no decirte que aun tú mismo te me debes además.

20 Sí, hermano, góceme yo de ti en el Señor; recrea mis entrañas en el Señor.

21 Te he escrito confiando en tu obediencia, sabiendo que harás aun más de lo que te digo.

22 Y asimismo prepárame también alojamiento; porque espero que por vuestras oraciones os seré concedido.

23 Te saludan Epafras, mi compañero en la prisión por Cristo Jesús,

24 Marcos, Aristarco, Demas, Lucas, mis colaboradores.

25 La gracia de nuestro Señor Jesucristo *sea* con vuestro espíritu. Amén.

Epístola del Apóstol Pablo A Los
HEBREOS

CAPÍTULO 1

Dios, habiendo hablado muchas veces y en muchas maneras en otro tiempo a los padres por los profetas,

2 en estos postreros días nos ha hablado por *su* Hijo, a quien constituyó heredero de todo, por quien asimismo hizo el universo;

3 el cual, siendo el resplandor de *su* gloria, y la imagen misma de su sustancia, y quien sustenta todas las cosas con la palabra de su poder, habiendo hecho la expiación de nuestros pecados por sí mismo, se sentó a la diestra de la Majestad en las alturas,

4 hecho tanto más superior que los ángeles, cuanto heredó más excelente nombre que ellos.

5 Porque ¿a cuál de los ángeles dijo Dios jamás: Mi Hijo eres tú, yo te he engendrado hoy, y otra vez: Yo seré a Él Padre, y Él me será a mí Hijo?

6 Y otra vez, cuando introduce al Primogénito en el mundo, dice: Y adórenle todos los ángeles de Dios.

7 Y ciertamente de los ángeles dice: El que hace a sus ángeles espíritus, y a sus ministros llama de fuego.

8 Mas al Hijo *dice*: Tu trono, oh Dios, por siempre jamás: Cetro de equidad es el cetro de tu reino.

9 Has amado la justicia, y aborrecido la maldad; por tanto Dios, el Dios tuyo, te ha ungido con óleo de alegría más que a tus compañeros.

10 Y: Tú, Señor, en el principio fundaste la tierra, y los cielos son obra de tus manos:

11 Ellos perecerán, mas tú permaneces; y todos ellos se envejecerán como una vestidura;

12 y como un manto los envolverás, y serán mudados; pero tú eres el mismo, y tus años no acabarán.

13 Y, ¿a cuál de los ángeles dijo jamás: Siéntate a mi diestra, hasta que ponga a tus enemigos por estrado de tus pies?

14 ¿No son todos espíritus ministradores, enviados para servicio a favor de los que serán herederos de salvación?

CAPÍTULO 2

Por tanto, es necesario que con más diligencia atendamos a las cosas que hemos oído, no sea que nos deslicemos.

2 Porque si la palabra dicha por los ángeles fue firme, y toda transgresión y desobediencia recibió justa retribución,

3 ¿cómo escaparemos nosotros, si tuviéremos en poco una salvación tan grande? La cual, habiendo sido publicada primeramente por el Señor, nos fue confirmada por los que *le* oyeron;

4 testificando Dios juntamente con ellos, con señales y prodigios y diversos milagros, y dones del Espíritu Santo según su voluntad.

5 Porque no sujetó a los ángeles el mundo venidero, del cual hablamos;

6 pero alguien testificó en cierto lugar, diciendo: ¿Qué es el hombre, para que te acuerdes de él, o el hijo del hombre, para que le visites?

7 Le hiciste un poco menor que los ángeles, le coronaste de gloria y de honra, y le pusiste sobre las obras de tus manos.

8 Todo lo sujetaste bajo sus pies. Porque en cuanto le sujetó todas las cosas, nada dejó que no sea sujeto a Él; mas aún no vemos que todas las cosas le sean sujetas.

9 Pero vemos a Jesús coronado de gloria y de honra, el cual fue hecho un poco menor que los ángeles, por el padecimiento de su muerte, para que por la gracia de Dios gustase la muerte por todos.

10 Porque le era preciso a Aquél por cuya causa *son* todas las cosas y por quien todas las cosas subsisten, habiendo de llevar a la gloria a muchos hijos, perfeccionar por aflicciones al autor de la salvación de ellos.

11 Porque el que santifica y los que son santificados, de uno *son* todos; por lo cual no se avergüenza de llamarlos hermanos,

12 diciendo: Anunciaré tu nombre a mis hermanos, en medio de la iglesia te alabaré.

13 Y otra vez: Yo en Él pondré mi confianza. Y otra vez: He aquí, yo y los hijos que Dios me dio.

14 Así que, por cuanto los hijos participaron de carne y sangre, Él también participó de lo mismo, para destruir por medio de la muerte al que tenía el imperio de la muerte, esto es, al diablo,

15 y librar a los que por el temor de la muerte estaban durante toda la vida sujetos a servidumbre.

16 Porque ciertamente no tomó *para sí la naturaleza de* los ángeles, sino que tomó la de la simiente de Abraham.

17 Por cuanto le era preciso ser en todo semejante a *sus* hermanos, para venir a ser misericordioso y fiel Sumo Sacerdote en lo que a Dios se refiere, para expiar los pecados del pueblo.

18 Porque en cuanto Él mismo padeció siendo tentado, es poderoso para socorrer a los que son tentados.

CAPÍTULO 3

Por tanto, hermanos santos, participantes del llamamiento celestial, considerad al Apóstol y Sumo Sacerdote de nuestra profesión, Cristo Jesús;

2 el cual fue fiel al que le constituyó, como también *lo fue* Moisés sobre toda su casa.

3 Porque de tanto mayor gloria que Moisés Éste es estimado digno, cuanto tiene mayor dignidad que la casa el que la edificó.

4 Porque toda casa es edificada por alguno; mas el que creó todas las cosas es Dios.

5 Y Moisés a la verdad *fue* fiel sobre toda su casa, como siervo, para testimonio de lo que después se había de decir;

6 pero Cristo, como hijo sobre su casa; la cual casa somos nosotros, si retenemos firme hasta el fin la confianza y la gloria de la esperanza.

7 Por lo cual, como dice el Espíritu Santo: Si oyereis hoy su voz,

8 no endurezcáis vuestros corazones, como en la provocación, en el día de la tentación en el desierto,

9 donde me tentaron vuestros padres; me probaron, y vieron mis obras cuarenta años.

10 A causa de lo cual me disgusté con aquella generación, y dije: Siempre divagan ellos de corazón, y no han conocido mis caminos.

11 Así que, juré yo en mi ira: No entrarán en mi reposo.

12 Mirad, hermanos, que en ninguno de vosotros haya corazón malo de incredulidad para apartarse del Dios vivo;

13 antes exhortaos los unos a los otros cada día, entre tanto que se dice: Hoy; para que ninguno de vosotros se endurezca por el engaño del pecado.

14 Porque somos hechos participantes de Cristo, si retenemos firme hasta el fin el principio de nuestra confianza;

15 entre tanto que se dice: Si oyereis hoy su voz, no endurezcáis vuestros corazones, como en la provocación.

16 Porque algunos de los que habían salido de Egipto con Moisés, habiendo oído, provocaron, aunque no todos.

17 Mas ¿con quiénes estuvo enojado cuarenta años? ¿No fue con los que pecaron, cuyos cuerpos cayeron en el desierto?

18 ¿Y a quiénes juró que no entrarían en su reposo, sino a aquellos que no creyeron?

19 Y vemos que no pudieron entrar a causa de incredulidad.

CAPÍTULO 4

Temamos, pues, que quedando aún la promesa de entrar en su reposo, alguno de vosotros parezca no haberlo alcanzado.

2 Porque también a nosotros se nos ha predicado el evangelio como a ellos; pero no les aprovechó la palabra predicada a los que la oyeron al no mezclarla con fe.

3 Pero nosotros que hemos creído entramos en el reposo, de la manera que Él dijo: Por tanto juré en mi ira: No entrarán en mi reposo; aunque sus obras fueron acabadas desde el principio del mundo.

4 Porque en cierto lugar dijo así del séptimo día: Y reposó Dios de todas sus obras en el séptimo día.

5 Y otra vez aquí: No entrarán en mi reposo.

6 Así que, puesto que falta que algunos entren en él, y aquellos a quienes primero fue predicado no entraron por causa de incredulidad,

7 otra vez determina un cierto día, diciendo por medio de David: Hoy, después de tanto tiempo; como está dicho: Si oyereis hoy su voz, no endurezcáis vuestros corazones.

8 Porque si Jesús les hubiera dado el reposo, no hablaría después de otro día.

9 Por tanto, queda un reposo para el pueblo de Dios.

10 Porque el que ha entrado en su reposo, también ha reposado de sus obras, como Dios de las suyas.

11 Procuremos, pues, entrar en aquel reposo; que ninguno caiga en semejante ejemplo de incredulidad.

12 Porque la palabra de Dios *es* viva y eficaz, y más penetrante que toda espada de dos filos, y penetra hasta partir el alma y el espíritu, y las coyunturas y los tuétanos, y discierne los pensamientos y las intenciones del corazón.

13 Y no hay cosa creada que no sea manifiesta en su presencia; antes todas las cosas *están* desnudas y abiertas a los ojos de Aquél a quien tenemos que dar cuenta.

14 Por tanto, teniendo un gran Sumo Sacerdote, que traspasó los cielos, Jesús el Hijo de Dios, retengamos *nuestra* profesión.

15 Porque no tenemos un Sumo Sacerdote que no pueda compadecerse de nuestras flaquezas; sino *uno* que fue tentado en todo según nuestra semejanza, *pero* sin pecado.

16 Acerquémonos, pues, confiadamente al trono de la gracia, para alcanzar misericordia y hallar gracia para el oportuno socorro.

CAPÍTULO 5

Porque todo sumo sacerdote tomado de entre los hombres, es constituido a favor de los hombres en lo que a Dios se refiere, para que presente también ofrendas y sacrificios por los pecados;

2 que pueda compadecerse de los ignorantes y extraviados, puesto que él también está rodeado de flaqueza;

3 y por causa de ella debe ofrecer por los pecados, tanto por el pueblo, como también por sí mismo.

4 Y nadie toma para sí esta honra, sino el que es llamado de Dios, como *lo fue* Aarón.

5 Así también Cristo no se glorificó a sí mismo haciéndose Sumo Sacerdote, sino el que le dijo: Tú eres mi Hijo, yo te he engendrado hoy;

6 como también dice en otro lugar: Tú eres sacerdote para siempre, según el orden de Melquisedec.

7 El cual en los días de su carne, habiendo ofrecido ruegos y súplicas con gran clamor y lágrimas al que le podía librar de la muerte, fue oído por su temor reverente.

8 Y aunque era Hijo, por lo que padeció aprendió la obediencia;

9 y habiendo sido hecho perfecto, vino a ser autor de eterna salvación a todos los que le obedecen;

10 y fue llamado de Dios Sumo Sacerdote según el orden de Melquisedec.

11 Del cual tenemos mucho que decir, y difícil de describir, por cuanto sois tardos para oír.

12 Porque debiendo ser ya maestros, por causa del tiempo, tenéis necesidad de que se os vuelva enseñar cuáles son los primeros rudimentos de las palabras de Dios; y habéis llegado a ser tales que tenéis necesidad de leche, y no de alimento sólido.

13 Y todo el que participa de la leche es inhábil en la palabra de la justicia, porque es niño;

14 mas el alimento sólido es para los que han alcanzado madurez, para los que por el uso tienen los sentidos ejercitados en el discernimiento del bien y el mal.

CAPÍTULO 6

Por tanto, dejando los rudimentos de la doctrina de Cristo, vamos adelante a la perfección; no echando otra vez el fundamento del arrepentimiento de obras muertas, y de la fe en Dios,

2 de la doctrina de bautismos, y de la imposición de manos, y de la resurrección de los muertos, y del juicio eterno.

3 Y esto haremos a la verdad, si Dios lo permite.

4 Porque *es* imposible que los que una vez fueron iluminados y gustaron el don celestial, y fueron hechos partícipes del Espíritu Santo,

5 y asimismo gustaron la buena palabra de Dios, y los poderes del mundo venidero,

6 y recayeron, sean otra vez renovados para arrepentimiento, crucificando de nuevo para sí mismos al Hijo de Dios y exponiéndole a vituperio.

7 Porque la tierra que bebe la lluvia que muchas veces cae sobre ella, y produce hierba provechosa a aquellos por los cuales es labrada, recibe bendición de Dios;

8 pero la que produce espinos y abrojos es reprobada, y cercana a ser maldecida; y su fin es el ser quemada.

9 Pero en cuanto a vosotros, oh amados, estamos persuadidos de cosas mejores y que acompañan la salvación, aunque hablamos así.

10 Porque Dios no es injusto para olvidar vuestra obra y el trabajo de amor que habéis mostrado a su nombre, habiendo ministrado a los santos y ministrándoles aún.

11 Y deseamos que cada uno de vosotros muestre la misma diligencia hasta el fin, para la plena certeza de la esperanza:

12 Que no os hagáis perezosos, sino que sigáis el ejemplo de aquellos que por la fe y la paciencia heredan las promesas.

13 Porque cuando Dios hizo la promesa a Abraham, no pudiendo jurar por otro mayor, juró por sí mismo,

14 diciendo: Ciertamente bendiciendo te bendeciré, y multiplicando te multiplicaré.

15 Y así, esperando con paciencia, alcanzó la promesa.

16 Porque los hombres ciertamente juran por el *que es* mayor; y el juramento para confirmación es para ellos el fin de toda controversia.

17 Por lo cual, queriendo Dios mostrar más abundantemente a los herederos de la promesa la inmutabilidad de su consejo, lo confirmó con juramento;

18 para que por dos cosas inmutables, en las cuales, *es* imposible que Dios mienta, tengamos un fortísimo consuelo, los que nos hemos refugiado asiéndonos de la esperanza puesta delante de nosotros.

19 La cual tenemos como ancla del alma, segura y firme, y que penetra hasta dentro del velo;

20 donde entró por nosotros Jesús, *nuestro* precursor, hecho Sumo

Sacerdote para siempre según el orden de Melquisedec.

CAPÍTULO 7

Porque este Melquisedec, rey de Salem, sacerdote del Dios Altísimo, el cual salió a recibir a Abraham que volvía de la matanza de los reyes, y le bendijo,

2 a quien asimismo dio Abraham los diezmos de todo; *cuyo nombre* significa primeramente Rey de justicia, y luego también Rey de Salem, que es, Rey de paz;

3 sin padre, sin madre, sin genealogía; que ni tiene principio de días, ni fin de vida, sino hecho semejante al Hijo de Dios, permanece sacerdote para siempre.

4 Considerad, pues, cuán grande era Éste, a quien aun Abraham el patriarca dio el diezmo de los despojos.

5 Y ciertamente los que de entre los hijos de Leví reciben el sacerdocio, tienen mandamiento de tomar del pueblo los diezmos según la ley, es a saber, de sus hermanos aunque también éstos hayan salido de los lomos de Abraham.

6 Mas Aquél cuya genealogía no es contada entre ellos, tomó de Abraham los diezmos, y bendijo al que tenía las promesas.

7 Y sin contradicción alguna, el menor es bendecido por el mayor.

8 Y aquí ciertamente los hombres mortales toman los diezmos; pero allí, uno de quien se da testimonio de que vive.

9 Y por decirlo así, también Leví, que recibe los diezmos, pagó diezmos en Abraham;

10 porque aún estaba en los lomos de su padre cuando Melquisedec le salió al encuentro.

11 Así que, si la perfección fuera por el sacerdocio levítico (porque bajo él recibió el pueblo la ley) ¿qué necesidad había aún de que se levantase otro sacerdote según el orden de Melquisedec, y que no fuese llamado según el orden de Aarón?

12 Pues mudado el sacerdocio, necesario es que se haga también mudanza de la ley;

13 porque Aquél de quien se dicen estas cosas, de otra tribu es, de la cual nadie atendió al altar.

14 Porque manifiesto *es* que nuestro Señor nació de Judá, de cuya tribu nada habló Moisés tocante al sacerdocio.

15 Y aun es mucho más manifiesto, si a semejanza de Melquisedec se levanta un sacerdote diferente;

16 el cual no es hecho conforme a la ley del mandamiento carnal, sino según el poder de una vida que no tiene fin.

17 Porque Él testifica: Tú eres sacerdote para siempre, según el orden de Melquisedec.

18 Porque ciertamente el mandamiento precedente es abrogado por su debilidad e ineficacia.

19 Porque la ley nada perfeccionó; mas *lo hizo* la introducción de mejor esperanza, por la cual nos acercamos a Dios.

20 Y tanto más en cuanto no sin juramento *fue hecho Él sacerdote*;

21 porque los otros ciertamente sin juramento fueron hechos sacerdotes; pero Éste, con juramento por Aquél que le dijo: Juró el Señor, y no se arrepentirá: Tú *eres* sacerdote para siempre según el orden de Melquisedec.

22 Por tanto, Jesús es hecho fiador de un mejor testamento.

23 Y los otros ciertamente fueron muchos sacerdotes, ya que por causa de la muerte no podían permanecer;

24 mas Éste, por cuanto permanece para siempre, tiene un sacerdocio inmutable;

25 por lo cual puede también salvar perpetuamente a los que por Él se acercan a Dios, viviendo siempre para interceder por ellos.

26 Porque tal Sumo Sacerdote nos convenía; santo, inocente, limpio, apartado de los pecadores, y hecho más sublime que los cielos;

27 el cual no tuviese necesidad cada día, como los otros sumos sacerdotes, de ofrecer primero sacrificios por sus propios pecados, y luego por los del pueblo; porque esto lo hizo una sola vez, ofreciéndose a sí mismo.

28 Porque la ley constituye sumos sacerdotes a hombres débiles; mas la

palabra del juramento, posterior a la ley, *constituye* al Hijo, quien es perfecto para siempre.

CAPÍTULO 8

Así que, la suma de lo que hemos dicho *es*: Tenemos tal Sumo Sacerdote el cual está sentado a la diestra del trono de la Majestad en los cielos;

2 ministro del santuario, y del verdadero tabernáculo que el Señor levantó, y no el hombre.

3 Porque todo sumo sacerdote es constituido para presentar ofrendas y sacrificios; por lo cual *es* necesario que también Éste tuviese algo que ofrecer.

4 Porque si Él estuviese sobre la tierra, ni siquiera sería sacerdote, habiendo aún sacerdotes que presentan ofrendas según la ley;

5 los cuales sirven de ejemplo y sombra de las cosas celestiales, como fue advertido por Dios a Moisés cuando estaba por comenzar el tabernáculo: Mira, dice, haz todas las cosas conforme al modelo que te ha sido mostrado en el monte.

6 Mas ahora tanto mejor ministerio es el suyo, por cuanto Él es el mediador de un mejor testamento, que ha sido establecido sobre mejores promesas.

7 Porque si aquel primer *pacto* hubiera sido sin falta, no se hubiera procurado lugar para el segundo.

8 Porque hallando falta en ellos, dice: He aquí vienen días, dice el Señor, cuando estableceré con la casa de Israel y con la casa de Judá un nuevo pacto;

9 No como el pacto que hice con sus padres. El día que los tomé por la mano para sacarlos de la tierra de Egipto: Porque ellos no permanecieron en mi pacto, y yo los desatendí, dice el Señor.

10 Porque éste es el pacto que haré con la casa de Israel, después de aquellos días, dice el Señor: Pondré mis leyes en sus mentes, y sobre sus corazones las escribiré; y seré a ellos por Dios, y ellos me serán a mí por pueblo:

11 Y ninguno enseñará a su prójimo, ni ninguno a su hermano, diciendo: Conoce al Señor: Porque todos me conocerán, desde el menor de ellos hasta el mayor.

12 Porque seré propicio a sus injusticias, y de sus pecados y de sus iniquidades no me acordaré más.

13 Y al decir: Nuevo pacto, da por viejo al primero; y lo que es dado por viejo y se envejece, cerca está a desvanecerse.

CAPÍTULO 9

Ahora bien, el primer *pacto* tenía en verdad ordenanzas de servicio a Dios y un santuario terrenal.

2 Porque el tabernáculo fue edificado *así*; la primera *parte*, en donde estaba el candelero, y la mesa, y los panes de la proposición; el cual es llamado el Santuario.

3 Y tras el segundo velo estaba *la parte* del tabernáculo que es llamado el Lugar Santísimo;

4 el cual tenía el incensario de oro, y el arca del pacto cubierta de todas partes alrededor de oro; en la que estaba una urna de oro que contenía el maná, y la vara de Aarón que reverdeció, y las tablas del pacto;

5 y sobre ella los querubines de gloria que cubrían con su sombra el propiciatorio; cosas de las cuales no podemos ahora hablar en particular.

6 Y cuando estas cosas fueron así ordenadas, los sacerdotes siempre entraban en la primera *parte* del tabernáculo para hacer los oficios del servicio a Dios;

7 pero en la segunda *parte*, sólo el sumo sacerdote una vez al año, no sin sangre, la cual ofrecía por sí mismo, y por los pecados de ignorancia del pueblo.

8 Dando en esto a entender el Espíritu Santo, que aún no estaba descubierto el camino al lugar santísimo, entre tanto que el primer tabernáculo estuviese en pie.

9 Lo cual era figura de aquel tiempo presente, en el cual se presentaban ofrendas y sacrificios que no podían hacer perfecto, en cuanto a la conciencia, al que servía con ellos;

10 ya que *consistía* sólo en comidas y bebidas, y en diversos lavamientos

y ordenanzas acerca de la carne, *que les fueron* impuestas hasta el tiempo de la restauración.

11 Mas estando ya presente Cristo, Sumo Sacerdote de los bienes que habían de venir, por el más amplio y más perfecto tabernáculo, no hecho de manos, es a saber, no de esta creación;

12 y no por sangre de machos cabríos ni de becerros, sino por su propia sangre, entró una sola vez en el lugar santísimo, habiendo obtenido eterna redención.

13 Porque si la sangre de los toros y de los machos cabríos, y las cenizas de una becerra, rociadas a los inmundos santifican para la purificación de la carne,

14 ¿cuánto más la sangre de Cristo, el cual mediante el Espíritu eterno se ofreció a sí mismo sin mancha a Dios, limpiará vuestras conciencias de obras muertas para que sirváis al Dios vivo?

15 Y por causa de esto Él es el mediador del nuevo testamento, para que interviniendo muerte para la redención de las transgresiones que había bajo el primer testamento, los llamados reciban la promesa de la herencia eterna.

16 Porque donde hay testamento, necesario es que intervenga muerte del testador.

17 Porque el testamento con la muerte es confirmado; de otra manera no tiene validez entre tanto que el testador vive.

18 De donde ni aun el primer *testamento* fue consagrado sin sangre.

19 Porque habiendo hablado Moisés todos los mandamientos de la ley a todo el pueblo, tomando la sangre de los becerros y de los machos cabríos, con agua, y lana de grana, e hisopo, roció al mismo libro, y también a todo el pueblo,

20 diciendo: Ésta es la sangre del testamento que Dios os ha mandado.

21 Y además de esto roció también con sangre el tabernáculo y todos los vasos del ministerio.

22 Y casi todo es purificado según la ley con sangre; y sin derramamiento de sangre no hay remisión.

23 Fue, pues, necesario que las figuras de las cosas celestiales fuesen purificadas con estas cosas; pero las cosas celestiales mismas, con mejores sacrificios que éstos.

24 Porque no entró Cristo en el santuario hecho de mano, figura del verdadero, sino en el mismo cielo para presentarse ahora por nosotros en la presencia de Dios.

25 Y no para ofrecerse muchas veces a sí mismo, como entra el sumo sacerdote en el lugar santísimo cada año con sangre ajena;

26 de otra manera le hubiera sido necesario padecer muchas veces desde el principio del mundo; pero ahora en la consumación de los siglos, se presentó una sola vez por el sacrificio de sí mismo para quitar el pecado.

27 Y de la manera que está establecido a los hombres que mueran una sola vez, y después de esto el juicio;

28 Así también Cristo fue ofrecido una sola vez, para llevar los pecados de muchos; y aparecerá por segunda vez, sin *relación con el* pecado, para salvación de los que le esperan.

CAPÍTULO 10

Porque la ley, teniendo la sombra de los bienes venideros, no la imagen misma de las cosas, nunca puede, por los mismos sacrificios que se ofrecen continuamente cada año, hacer perfectos a los que se acercan.

2 De otra manera cesarían de ofrecerse, ya que los adoradores, limpios una vez, no tendrían más conciencia de pecado.

3 Pero en estos *sacrificios* cada año se hace memoria de los pecados.

4 Porque la sangre de los toros y de los machos cabríos no puede quitar los pecados.

5 Por lo cual, entrando en el mundo, dice: Sacrificio y ofrenda no quisiste; Mas me preparaste cuerpo:

6 Holocaustos y *sacrificios* por el pecado no te agradaron.

7 Entonces dije: He aquí que vengo (en la cabecera del libro está escrito de mí) para hacer, oh Dios, tu voluntad.

8 Diciendo arriba: Sacrificio y ofrenda, y holocaustos y *expiaciones* por el pecado no quisiste, ni te agradaron (cuyas cosas se ofrecen según la ley).

9 Entonces dijo: He aquí que vengo para hacer, oh Dios, tu voluntad. Quita lo primero, para establecer lo postrero.

10 En esa voluntad nosotros somos santificados, mediante la ofrenda del cuerpo de Jesucristo hecha una sola vez.

11 Y ciertamente todo sacerdote se presenta cada día ministrando y ofreciendo muchas veces los mismos sacrificios, que nunca pueden quitar los pecados.

12 Pero Éste, habiendo ofrecido por los pecados un solo sacrificio para siempre, se ha sentado a la diestra de Dios,

13 de aquí en adelante esperando hasta que sus enemigos sean puestos por estrado de sus pies.

14 Porque con una sola ofrenda hizo perfectos para siempre a los santificados.

15 Y el Espíritu Santo también nos da testimonio; porque después que había dicho:

16 Éste es el pacto que haré con ellos: Después de aquellos días, dice el Señor: Daré mis leyes en sus corazones, y en sus mentes las escribiré;

17 y nunca más me acordaré de sus pecados e iniquidades.

18 Pues donde hay remisión de éstos, no hay más ofrenda por el pecado.

19 Así que, hermanos, teniendo libertad para entrar en el lugar santísimo por la sangre de Jesús,

20 por el camino nuevo y vivo que Él nos consagró a través del velo, esto es, por su carne;

21 y *teniendo* un gran sacerdote sobre la casa de Dios,

22 acerquémonos con corazón sincero, en plena certidumbre de fe, purificados los corazones de mala conciencia, y lavados los cuerpos con agua pura.

23 Mantengamos firme, sin fluctuar, la profesión de nuestra fe; que fiel es el que prometió;

24 y considerémonos unos a otros para provocarnos al amor y a las buenas obras;

25 no dejando nuestra congregación, como algunos tienen por costumbre, sino exhortándonos *unos a otros*; y tanto más, cuanto veis que aquel día se acerca.

26 Porque si pecáremos voluntariamente después de haber recibido el conocimiento de la verdad, ya no queda más sacrificio por el pecado,

27 sino una horrenda expectación de juicio y hervor de fuego que ha de devorar a los adversarios.

28 El que menospreciare la ley de Moisés, por el testimonio de dos o de tres testigos muere sin ninguna misericordia.

29 ¿De cuánto mayor castigo pensáis que será digno, el que pisoteare al Hijo de Dios, y tuviere por inmunda la sangre del pacto en la cual fue santificado, e hiciere afrenta al Espíritu de gracia?

30 Pues conocemos al que dijo: Mía es la venganza, yo daré el pago, dice el Señor. Y otra vez: El Señor juzgará a su pueblo.

31 Horrenda cosa *es* caer en manos del Dios vivo.

32 Pero traed a la memoria los días pasados, en los cuales, después de haber sido iluminados, sufristeis gran combate de aflicciones;

33 por una parte, ciertamente, con vituperios y tribulaciones fuisteis hechos espectáculo; y por otra parte fuisteis hechos compañeros de los que han estado en igual situación.

34 Y os compadecisteis de mí en mis cadenas, y el despojo de vuestros bienes padecisteis con gozo, sabiendo en vosotros que tenéis una mejor y perdurable sustancia en los cielos.

35 No perdáis, pues, vuestra confianza, que tiene grande galardón;

36 porque la paciencia os es necesaria; para que habiendo hecho la voluntad de Dios, obtengáis la promesa.

37 Porque aún un poco de tiempo, y el que ha de venir vendrá, y no tardará.

38 Mas el justo vivirá por fe; y si retrocediere, no agradará a mi alma.

39 Pero nosotros no somos de los que retroceden para perdición, sino de los que creen para salvación del alma.

CAPÍTULO 11

Es, pues, la fe, la sustancia de las cosas que se esperan, la demostración de lo que no se ve.

2 Porque por ella alcanzaron buen testimonio los antiguos.

3 Por fe entendemos haber sido constituido el universo por la palabra de Dios, de manera que lo que se ve, fue hecho de lo que no se veía.

4 Por fe Abel ofreció a Dios más excelente sacrificio que Caín, por lo cual alcanzó testimonio de que era justo, dando Dios testimonio de sus ofrendas; y muerto, aún habla por ella.

5 Por fe Enoc fue traspuesto para no ver muerte, y no fue hallado, porque lo traspuso Dios. Y antes que fuese traspuesto, tuvo testimonio de haber agradado a Dios.

6 Pero sin fe *es* imposible agradar *a* Dios; porque es necesario que el que a Dios se acerca, crea que le hay, y que es galardonador de los que le buscan.

7 Por fe Noé, siendo advertido por Dios de cosas que aún no se veían, con temor preparó el arca en que su casa se salvase; y por esa *fe* condenó al mundo, y fue hecho heredero de la justicia que es por la fe.

8 Por fe Abraham, siendo llamado, obedeció para salir al lugar que había de recibir por herencia; y salió sin saber a dónde iba.

9 Por fe habitó en la tierra prometida como *en* tierra ajena, morando en tiendas con Isaac y Jacob, coherederos de la misma promesa:

10 Porque esperaba la ciudad que tiene fundamentos, cuyo artífice y hacedor *es* Dios.

11 Por fe también Sara misma, recibió fuerza para concebir simiente; y dio a luz aun fuera del tiempo de la edad, porque creyó ser fiel el que lo había prometido.

12 Por lo cual también, de uno, y éste ya casi muerto, salieron como las estrellas del cielo en multitud, y como la arena innumerable que está a la orilla del mar.

13 Conforme a la fe murieron todos éstos sin haber recibido las promesas, sino mirándolas de lejos, y creyéndolas, y saludándolas, y confesando que eran extranjeros y peregrinos sobre la tierra.

14 Porque los que esto dicen, claramente dan a entender que buscan una patria.

15 Que si hubiesen estado pensando en aquella de donde salieron, ciertamente tenían tiempo para volverse.

16 Pero ahora anhelaban una mejor *patria*, esto es, la celestial; por lo cual Dios no se avergüenza de llamarse Dios de ellos; porque les había preparado una ciudad.

17 Por fe Abraham cuando fue probado, ofreció a Isaac, y él que había recibido las promesas, ofreció a su *hijo* unigénito,

18 habiéndole sido dicho: En Isaac te será llamada simiente;

19 pensando que aun de los muertos es Dios poderoso para levantar; de donde también le volvió a recibir por figura.

20 Por fe Isaac bendijo a Jacob y a Esaú acerca de cosas que habían de venir.

21 Por fe Jacob, al morir, bendijo a cada uno de los hijos de José, y adoró *apoyándose* sobre el extremo de su bordón.

22 Por fe José, al morir, hizo mención del éxodo de los hijos de Israel; y dio mandamiento acerca de sus huesos.

23 Por fe Moisés, cuando nació, fue escondido de sus padres por tres meses, porque vieron *que era* niño hermoso; y no temieron el edicto del rey.

24 Por fe Moisés, hecho ya grande, rehusó ser llamado hijo de la hija de Faraón;

25 escogiendo antes ser afligido con el pueblo de Dios, que gozar de los placeres temporales de pecado.

26 Teniendo por mayores riquezas el vituperio de Cristo que los tesoros en Egipto; porque tenía puesta su mirada en el galardón.

27 Por fe dejó a Egipto, no temiendo la ira del rey; porque se sostuvo como viendo al Invisible.

28 Por fe celebró la pascua y el rociamiento de la sangre, para que el que mataba a los primogénitos no los tocase a ellos.

29 Por fe pasaron por el Mar Rojo como por tierra seca; lo cual probando los egipcios, fueron ahogados.

30 Por fe cayeron los muros de Jericó después de rodearlos siete días.

31 Por fe Rahab la ramera no pereció juntamente con los incrédulos, habiendo recibido a los espías en paz.

32 ¿Y qué más digo? Porque el tiempo me faltaría contando de Gedeón, y de Barac, y de Sansón, y de Jefté; así como de David, y de Samuel y de los profetas;

33 que por fe conquistaron reinos, hicieron justicia, alcanzaron promesas, taparon bocas de leones,

34 apagaron fuegos impetuosos, evitaron filo de espada, sacaron fuerzas de flaqueza, fueron hechos fuertes en batallas, hicieron huir ejércitos extranjeros.

35 Las mujeres recibieron sus muertos por resurrección; mas otros fueron torturados, no aceptando el rescate, a fin de obtener mejor resurrección.

36 Otros experimentaron vituperios y azotes; y a más de esto cadenas y cárceles.

37 Fueron apedreados, aserrados, probados, muertos a espada; anduvieron de acá para allá cubiertos de pieles de ovejas y pieles de cabras, pobres, angustiados, maltratados;

38 de los cuales el mundo no era digno; errantes por los desiertos, por los montes, por las cuevas y por las cavernas de la tierra.

39 Y todos éstos, aunque obtuvieron buen testimonio mediante la fe, no recibieron la promesa;

40 proveyendo Dios alguna cosa mejor para nosotros, para que no fuesen ellos perfeccionados sin nosotros.

CAPÍTULO 12

Por tanto, nosotros también, teniendo en derredor nuestro tan grande nube de testigos, despojémonos de todo peso, y del pecado que nos asedia, y corramos con paciencia la carrera que tenemos por delante,

2 puestos los ojos en Jesús, el autor y consumador de la fe, el cual, por el gozo puesto delante de Él sufrió la cruz, menospreciando la vergüenza, y se sentó a la diestra del trono de Dios.

3 Considerad, pues, a Aquél que sufrió tal contradicción de pecadores contra sí mismo, para que no os fatiguéis ni desmayen vuestras almas.

4 Porque aún no habéis resistido hasta la sangre, combatiendo contra el pecado.

5 ¿Y habéis ya olvidado la exhortación que como a hijos se os dirige? Hijo mío, no menosprecies la corrección del Señor, ni desmayes cuando eres de Él reprendido.

6 Porque el Señor al que ama castiga, y azota a todo el que recibe por hijo.

7 Si soportáis el castigo, Dios os trata como a hijos; porque ¿qué hijo es aquel a quien el padre no castiga?

8 Pero si estáis sin castigo, del cual todos son hechos partícipes, entonces sois bastardos, y no hijos.

9 Por otra parte, tuvimos a los padres de nuestra carne que nos disciplinaban, y los reverenciábamos. ¿Por qué no obedeceremos mucho mejor al Padre de los espíritus, y viviremos?

10 Y aquéllos, a la verdad, por pocos días nos castigaban como a ellos les parecía, mas Éste para lo que nos es provechoso, a fin de que participemos de su santidad.

11 A la verdad ningún castigo al presente parece ser causa de gozo, sino de tristeza; pero después da fruto apacible de justicia a los que por él son ejercitados.

12 Por lo cual alzad las manos caídas y las rodillas paralizadas;

13 y haced sendas derechas para vuestros pies, para que lo cojo no se salga del camino, antes sea sanado.

14 Seguid la paz con todos, y la santidad, sin la cual nadie verá al Señor.

15 Mirando bien que ninguno se aparte de la gracia de Dios; no sea que brotando alguna raíz de amargura, os perturbe, y por ella muchos sean contaminados;

16 que ninguno sea fornicario, o profano, como Esaú, que por un bocado vendió su primogenitura.

17 Porque ya sabéis que aun después, deseando heredar la bendición, fue rechazado, y no halló lugar de arrepentimiento, aunque la procuró con lágrimas.

18 Porque no os habéis acercado al monte que se podía tocar, que ardía con fuego, y al turbión, y a la oscuridad, y a la tempestad,

19 y al sonido de la trompeta, y a la voz que les hablaba, la cual los que la oyeron rogaron que no se les hablase más;

20 porque no podían soportar lo que se mandaba: Si aun una bestia tocare al monte, será apedreada, o pasada con dardo.

21 Y tan terrible era lo que se veía, que Moisés dijo: Estoy espantado y temblando;

22 sino que os habéis acercado al monte de Sión, y a la ciudad del Dios vivo, la Jerusalén celestial, y a una compañía innumerable de ángeles,

23 a la congregación general e iglesia de los primogénitos que están inscritos en el cielo, y a Dios el Juez de todos, y a los espíritus de los justos hechos perfectos,

24 y a Jesús el Mediador del nuevo pacto, y a la sangre del rociamiento que habla mejor que la de Abel.

25 Mirad que no desechéis al que habla. Porque si no escaparon aquellos que desecharon al que hablaba en la tierra, mucho menos nosotros, si desecháramos al que *habla* desde el cielo.

26 La voz del cual conmovió entonces la tierra; pero ahora ha prometido, diciendo: Aun una vez, y yo conmoveré no solamente la tierra, sino también el cielo.

27 Y esta expresión: Aun una vez, significa la remoción de las cosas movibles, como de cosas hechas, para que permanezcan las que no pueden ser removidas.

28 Así que, recibiendo nosotros un reino inconmovible, tengamos gracia, por la cual sirvamos a Dios agradándole con temor y reverencia;

29 porque nuestro Dios es fuego consumidor.

CAPÍTULO 13

Permanezca el amor fraternal. 2 No os olvidéis de la hospitalidad, porque por ella algunos, sin saberlo, hospedaron ángeles.

3 Acordaos de los presos, como presos juntamente con ellos; y de los afligidos, como que también vosotros mismos estáis en el cuerpo.

4 Honroso es en todo el matrimonio, y el lecho sin mancilla; mas a los fornicarios y a los adúlteros juzgará Dios.

5 Sean vuestras costumbres sin avaricia; contentos con lo que tenéis; porque Él dijo: No te dejaré ni te desampararé.

6 De manera que podemos decir confiadamente: El Señor es mi ayudador; y: No temeré lo que me pueda hacer el hombre.

7 Acordaos de vuestros pastores, que os hablaron la palabra de Dios, y seguid el ejemplo de su fe, considerando cuál haya sido el éxito de su conducta.

8 Jesucristo es el mismo ayer, y hoy, y por siempre.

9 No seáis llevados de acá para allá por doctrinas diversas y extrañas; porque buena cosa es afirmar el corazón con la gracia, no con viandas, que nunca aprovecharon a los que se han ocupado en ellas.

10 Tenemos un altar, del cual no tienen derecho de comer los que sirven al tabernáculo.

11 Porque los cuerpos de aquellos animales, cuya sangre a causa del pecado es introducida en el santuario por el sumo sacerdote, son quemados fuera del campamento.

12 Por lo cual también Jesús, para santificar al pueblo con su propia sangre, padeció fuera de la puerta.

13 Salgamos, pues, a Él, fuera del campamento, llevando su vituperio.

14 Porque no tenemos aquí ciudad permanente, mas buscamos la por venir.

15 Así que, por medio de Él ofrezcamos siempre a Dios sacrificio de alabanza, es decir, el fruto de *nuestros* labios dando gracias a su nombre.

16 Y de hacer bien y de la comunicación no os olvidéis; porque de tales sacrificios se agrada Dios.

17 Obedeced a vuestros pastores, y sujetaos *a ellos*; porque ellos velan por vuestras almas, como quienes han de dar cuenta; para que lo hagan con alegría, y no gimiendo; porque esto no os es provechoso.

18 Orad por nosotros; porque confiamos que tenemos buena conciencia; deseando conducirnos en todo con honestidad.

19 Y más os ruego que lo hagáis así, para que yo os sea restituido más pronto.

20 Y el Dios de paz que resucitó de entre los muertos a nuestro Señor Jesucristo, el gran pastor de las ovejas, por la sangre del pacto eterno,

21 os haga perfectos para toda obra buena para que hagáis su voluntad, haciendo Él en vosotros lo que es agradable delante de Él por Jesucristo; al cual *sea* gloria para siempre jamás. Amén.

22 Y os ruego, hermanos, que soportéis la palabra de exhortación; pues os he escrito brevemente.

23 Sabed que nuestro hermano Timoteo ha sido puesto en libertad; con el cual, si viniere pronto, iré a veros.

24 Saludad a todos vuestros pastores, y a todos los santos. Los de Italia os saludan.

25 La gracia *sea* con todos vosotros. Amén.

Epístola Universal De
SANTIAGO

CAPÍTULO 1

Jacobo, siervo de Dios y del Señor Jesucristo, a las doce tribus que están esparcidas, salud.

2 Hermanos míos, tened por sumo gozo cuando cayereis en diversas pruebas;

3 sabiendo que la prueba de vuestra fe produce paciencia.

4 Mas tenga la paciencia su obra perfecta, para que seáis perfectos y cabales, y que nada os falte.

5 Si alguno de vosotros tiene falta de sabiduría, pídala a Dios, el cual da a todos abundantemente y sin reproche, y le será dada.

6 Pero pida en fe, no dudando nada; porque el que duda es semejante a la onda del mar, que es llevada por el viento y echada de una parte a otra.

7 No piense, pues, el tal hombre que recibirá cosa alguna del Señor.

8 El hombre de doble ánimo, es inconstante en todos sus caminos.

9 El hermano que es de humilde condición, regocíjese en su exaltación;

10 mas el que es rico, en su humillación; porque él pasará como la flor de la hierba.

11 Porque apenas se levanta el sol con ardor, y la hierba se seca, y la flor se cae, y perece su hermosa apariencia; así también se marchitará el rico en todos sus caminos.

12 Bienaventurado el varón que soporta la tentación; porque cuando hubiere sido probado, recibirá la corona de vida, que el Señor ha prometido a los que le aman.

13 Cuando uno es tentado, no diga que es tentado de parte de Dios; porque Dios no puede ser tentado con el mal, ni Él tienta a nadie;

14 sino que cada uno es tentado cuando de su propia concupiscencia es atraído, y seducido.

15 Y la concupiscencia, cuando ha concebido, da a luz el pecado; y el pecado, siendo consumado, engendra muerte.

16 Amados hermanos míos, no erréis.

17 Toda buena dádiva y todo don perfecto desciende de lo alto, del Padre de las luces, en el cual no hay mudanza, ni sombra de variación.

18 Él, de su voluntad nos ha engendrado por la palabra de verdad, para que seamos primicias de sus criaturas.

19 Por esto, mis amados hermanos, todo hombre sea presto para oír, tardo para hablar, tardo para airarse;

20 porque la ira del hombre no obra la justicia de Dios.

21 Por lo cual, dejad toda inmundicia y superfluidad de malicia, y recibid con mansedumbre la palabra implantada, la cual puede salvar vuestras almas.

22 Mas sed hacedores de la palabra, y no solamente oidores, engañándoos a vosotros mismos.

23 Porque si alguno es oidor de la palabra, y no hacedor, éste es semejante al hombre que considera en un espejo su rostro natural.

24 Porque él se considera a sí mismo, y se va, y luego se olvida cómo era.

25 Mas el que mira atentamente en la perfecta ley de la libertad, y persevera en ella, no siendo oidor olvidadizo, sino hacedor de la obra, éste será bienaventurado en lo que hace.

26 Si alguno parece ser religioso entre vosotros, y no refrena su lengua, sino que engaña su corazón, la religión del tal es vana.

27 La religión pura y sin mácula delante de Dios y Padre es ésta: Visitar a los huérfanos y a las viudas en sus tribulaciones, y guardarse sin mancha del mundo.

CAPÍTULO 2

Hermanos míos, no tengáis la fe de nuestro glorioso Señor Jesucristo, en acepción de personas.

2 Porque si en vuestra congregación entra un hombre con anillo de oro, con ropa fina, y también entra un pobre vestido en harapos,

3 y miráis con agrado al que trae ropa fina, y le decís: Siéntate tú aquí en buen lugar; y dijeres al pobre: Estate tú allí en pie, o siéntate aquí bajo mi estrado;

4 ¿no sois parciales en vosotros mismos, y venís a ser jueces de malos pensamientos?

5 Hermanos míos amados, oíd: ¿No ha escogido Dios a los pobres de este mundo, ricos en fe y herederos del reino que ha prometido a los que le aman?

6 Pero vosotros habéis menospreciado al pobre. ¿No os oprimen los ricos, y os arrastran a los juzgados?

7 ¿No blasfeman ellos el buen nombre por el cual sois llamados?

8 Si en verdad cumplís la ley real, conforme a la Escritura: Amarás a tu prójimo como a ti mismo, bien hacéis;

9 pero si hacéis acepción de personas, cometéis pecado, y sois convictos por la ley como transgresores.

10 Porque cualquiera que guardare toda la ley, pero ofendiere en un punto, se hace culpable de todos.

11 Porque el que dijo: No cometerás adulterio, también dijo: No matarás. Ahora bien, si no cometes adulterio, pero matas, ya te has hecho transgresor de la ley.

12 Así hablad, y así haced, como los que habéis de ser juzgados por la ley de la libertad.

13 Porque juicio sin misericordia se hará con aquel que no hiciere misericordia; y la misericordia se gloría contra el juicio.

14 Hermanos míos, ¿qué aprovechará si alguno dice que tiene fe, y no tiene obras? ¿Podrá la fe salvarle?

15 Y si el hermano o la hermana están desnudos, y tienen necesidad del mantenimiento de cada día,

16 y alguno de vosotros les dice: Id en paz, calentaos y saciaos; pero no les da lo que necesitan para el cuerpo, ¿de qué aprovechará?

17 Así también la fe, si no tiene obras, es muerta en sí misma.

18 Pero alguno dirá: Tú tienes fe, y yo tengo obras; muéstrame tu fe sin tus obras, y yo te mostraré mi fe por mis obras.

19 Tú crees que hay un Dios; bien haces; también los demonios creen y tiemblan.

20 ¿Mas quieres saber, oh hombre vano, que la fe sin obras es muerta?

21 ¿No fue justificado por las obras, Abraham nuestro padre, cuando ofreció a su hijo Isaac sobre el altar?

22 ¿No ves que la fe actuó con sus obras, y que la fe fue perfeccionada por las obras?

23 Y se cumplió la Escritura que dice: Abraham creyó a Dios, y le fue imputado por justicia, y fue llamado: Amigo de Dios.

24 Vosotros veis, pues, que el hombre es justificado por las obras, y no solamente por la fe.

25 Asimismo también Rahab la

ramera, ¿no fue justificada por obras, cuando recibió a los mensajeros y los envió por otro camino?

26 Porque como el cuerpo sin el espíritu está muerto, así también la fe sin obras está muerta.

CAPÍTULO 3

Hermanos míos, no os hagáis muchos maestros, sabiendo que recibiremos mayor condenación.

2 Porque todos ofendemos en muchas cosas. Si alguno no ofende en palabra, éste es varón perfecto, capaz también de refrenar todo el cuerpo.

3 He aquí nosotros ponemos frenos en la boca de los caballos para que nos obedezcan, y gobernamos todo su cuerpo.

4 Mirad también las naves; aunque tan grandes, y llevadas de impetuosos vientos, son gobernadas con un muy pequeño timón por donde quiere el que las gobierna.

5 Así también la lengua es un miembro muy pequeño, pero se jacta de grandes cosas. He aquí, un pequeño fuego, ¡cuán grande bosque enciende!

6 Y la lengua es un fuego, un mundo de maldad. Así es la lengua entre nuestros miembros; contamina todo el cuerpo, e inflama la rueda de la creación, y es inflamada del infierno.

7 Porque toda naturaleza de bestias, y de aves, y de serpientes, y de seres del mar se doma, y ha sido domada por la naturaleza humana;

8 pero ningún hombre puede domar la lengua; *que es un* mal sin freno, llena de veneno mortal.

9 Con ella bendecimos al Dios y Padre; y con ella maldecimos a los hombres, que son hechos a la semejanza de Dios.

10 De una misma boca proceden maldición y bendición. Hermanos míos, esto no debe ser así.

11 ¿Echa alguna fuente por una misma abertura agua dulce y amarga?

12 Hermanos míos, ¿puede la higuera producir aceitunas; o la vid higos? Así ninguna fuente puede dar agua salada y dulce.

13 ¿Quién es sabio y entendido entre vosotros? Muestre por buena conducta sus obras en mansedumbre de sabiduría.

14 Pero si tenéis celos amargos y contención en vuestro corazón, no os jactéis, ni seáis mentirosos contra la verdad.

15 Esta sabiduría no es la que desciende de lo alto, sino terrenal, animal, diabólica.

16 Porque donde hay celos y contención, allí hay confusión y toda obra perversa.

17 Mas la sabiduría que es de lo alto, primeramente es pura, luego pacífica, modesta, benigna, llena de misericordia y de buenos frutos, imparcial y sin hipocresía.

18 Y el fruto de justicia se siembra en paz para aquellos que hacen paz.

CAPÍTULO 4

¿De dónde vienen las guerras y los pleitos entre vosotros? ¿No es de vuestras concupiscencias, las cuales combaten en vuestros miembros?

2 Codiciáis, y no tenéis; matáis y ardéis de envidia, y no podéis alcanzar, combatís y guerreáis, y no tenéis porque no pedís.

3 Pedís, y no recibís, porque pedís mal, para gastar en vuestros deleites.

4 Adúlteros y adúlteras, ¿no sabéis que la amistad del mundo es enemistad contra Dios? Cualquiera, pues, que quisiere ser amigo del mundo, se constituye enemigo de Dios.

5 ¿Pensáis que la Escritura dice en vano: El espíritu que mora en nosotros, codicia para envidia?

6 Mas Él da mayor gracia. Por esto dice: Dios resiste a los soberbios, y da gracia a los humildes.

7 Someteos, pues, a Dios. Resistid al diablo, y huirá de vosotros.

8 Acercaos a Dios, y Él se acercará a vosotros. Pecadores, limpiad vuestras manos; y vosotros de doble ánimo, purificad vuestros corazones.

9 Afligíos, y lamentad, y llorad. Vuestra risa se convierta en lloro, y *vuestro* gozo en tristeza.

10 Humillaos delante del Señor, y Él os exaltará.

11 Hermanos, no habléis mal los unos de los otros. El que habla mal de su hermano, y juzga a su hermano, este tal habla mal de la ley, y juzga la ley; pero si tú juzgas a la ley, no eres hacedor de la ley, sino juez.

12 Uno es el dador de la ley, que puede salvar y perder, ¿quién eres tú que juzgas a otro?

13 ¡Vamos ahora! los que decís: Hoy o mañana iremos a tal ciudad, y estaremos allá un año, compraremos y venderemos, y ganaremos;

14 cuando no sabéis lo que *será* mañana. Porque, ¿qué es vuestra vida? Ciertamente es un vapor que aparece por un poco de tiempo, y luego se desvanece.

15 En lugar de lo cual *deberíais* decir: Si el Señor quisiere, y si viviéremos, haremos esto o aquello.

16 Mas ahora os jactáis en vuestras soberbias. Toda jactancia semejante es mala.

17 Así que, al que sabe hacer lo bueno, y no lo hace, le es pecado.

CAPÍTULO 5

1 ¡Vamos ahora, ricos! Llorad y aullad por vuestras miserias que os vendrán.

2 Vuestras riquezas están podridas; y vuestras ropas están comidas de polilla.

3 Vuestro oro y plata están corroídos, y su óxido testificará contra vosotros, y comerá vuestra carne como fuego. Habéis acumulado tesoro para los días postreros.

4 He aquí, clama el jornal de los obreros que han segado vuestros campos, el cual por engaño no les ha sido pagado de vosotros; y los clamores de los que habían segado, han entrado en los oídos del Señor de los ejércitos.

5 Habéis vivido en placeres sobre la tierra, y habéis sido disolutos; habéis engrosado vuestros corazones como en día de matanza.

6 Habéis condenado y dado muerte al justo; y él no os resiste.

7 Por tanto, hermanos, tened paciencia hasta la venida del Señor. Mirad cómo el labrador espera el precioso fruto de la tierra, aguardando con paciencia, hasta que reciba la lluvia temprana y tardía.

8 Tened paciencia también vosotros; afirmad vuestros corazones; porque la venida del Señor se acerca.

9 Hermanos, no os quejéis unos contra otros, para que no seáis condenados; he aquí el Juez está a la puerta.

10 Hermanos míos, tomad por ejemplo de aflicción y de paciencia a los profetas que han hablado en el nombre del Señor.

11 He aquí, tenemos por bienaventurados a los que sufren. Habéis oído de la paciencia de Job, y habéis visto el fin del Señor; que el Señor es muy misericordioso y compasivo.

12 Mas por sobre todas las cosas, mis hermanos; no juréis, ni por el cielo, ni por la tierra, ni por ningún otro juramento; sino que vuestro sí sea sí, y vuestro no, sea no; para que no caigáis en condenación.

13 ¿Está alguno afligido entre vosotros? Haga oración. ¿Está alguno alegre? Cante salmos.

14 ¿Está alguno enfermo entre vosotros? Llame a los ancianos de la iglesia, y oren por él, ungiéndole con aceite en el nombre del Señor.

15 Y la oración de fe sanará al enfermo, y el Señor lo levantará; y si hubiere cometido pecados, le serán perdonados.

16 Confesaos vuestras faltas unos a otros, y rogad los unos por los otros, para que seáis sanados. La oración eficaz del justo, puede mucho.

17 Elías era hombre sujeto a pasiones semejantes a las nuestras, y oró fervientemente que no lloviese, y no llovió sobre la tierra por tres años y seis meses.

18 Y otra vez oró, y el cielo dio lluvia, y la tierra produjo su fruto.

19 Hermanos, si alguno de vosotros errare de la verdad, y alguno le convirtiere,

20 sepa que el que haga volver al pecador del error de su camino, salvará de muerte un alma, y cubrirá multitud de pecados.

Primera Epístola del Apóstol
PEDRO

CAPÍTULO 1

Pedro, apóstol de Jesucristo, a los expatriados esparcidos por todo Ponto, Galacia, Capadocia, Asia y Bitinia,

2 elegidos según la presciencia de Dios Padre en santificación del Espíritu, para obedecer y ser rociados con la sangre de Jesucristo: Gracia y paz os sean multiplicadas.

3 Bendito *sea* el Dios y Padre de nuestro Señor Jesucristo, que según su grande misericordia nos hizo renacer para una esperanza viva, por la resurrección de Jesucristo de los muertos;

4 para una herencia incorruptible, incontaminada e inmarcesible, reservada en el cielo para vosotros,

5 que sois guardados por el poder de Dios mediante la fe, para la salvación que está lista para ser manifestada en el tiempo postrero.

6 En lo cual vosotros mucho os alegráis, aunque al presente por un poco de tiempo, si es necesario, estéis afligidos por diversas pruebas,

7 para que la prueba de vuestra fe, mucho más preciosa que el oro que perece, aunque sea probado con fuego, sea hallada en alabanza, gloria y honra, en la manifestación de Jesucristo,

8 a quien amáis sin haberle visto; en quien creyendo, aunque al presente no le veáis, os alegráis con gozo inefable y glorioso;

9 obteniendo el fin de vuestra fe, *que es* la salvación de *vuestras* almas.

10 Acerca de esta salvación inquirieron y diligentemente indagaron los profetas que profetizaron de la gracia *que había de venir* a vosotros,

11 escudriñando cuándo o en qué punto de tiempo indicaba el Espíritu de Cristo que estaba en ellos, cuando prenunciaba los sufrimientos de Cristo, y las glorias después de ellos.

12 A los cuales fue revelado, que no para sí mismos, sino para nosotros, administraban las cosas que ahora os son anunciadas por los que os han predicado el evangelio por el Espíritu Santo enviado del cielo; cosas en las cuales desean mirar los ángeles.

13 Por lo cual, ceñid los lomos de vuestro entendimiento, sed sobrios, esperad por completo en la gracia que se os traerá en la manifestación de Jesucristo;

14 Como hijos obedientes, no os conforméis a las concupiscencias que antes teníais estando en vuestra ignorancia;

15 sino que, así como Aquél que os llamó es santo, así también vosotros sed santos en toda *vuestra* manera de vivir;

16 porque escrito está: Sed santos, porque yo soy santo.

17 Y si invocáis al Padre, que sin acepción de personas juzga según la obra de cada uno, conducíos en temor todo el tiempo de vuestra peregrinación;

18 sabiendo que fuisteis redimidos de vuestra vana manera de vivir, la cual recibisteis por tradición de vuestros padres, no con cosas corruptibles, *como* oro o plata;

19 sino con la sangre preciosa de Cristo, como de un cordero sin mancha y sin contaminación,

20 ya preordinado desde antes de la fundación del mundo, pero manifestado en los postreros tiempos por amor a vosotros,

21 quienes por Él creéis en Dios, el cual le resucitó de los muertos, y le ha dado gloria, para que vuestra fe y esperanza sean en Dios.

22 Habiendo purificado vuestras almas en la obediencia de la verdad, mediante el Espíritu, para el amor fraternal no fingido, amaos unos a otros entrañablemente, de corazón puro;

23 siendo renacidos, no de simiente corruptible, sino de incorruptible, por la palabra de Dios que vive y permanece para siempre.

24 Porque toda carne *es* como la hierba, y toda la gloria del hombre como la flor de la hierba. La hierba se seca, y la flor se cae;

25 mas la palabra del Señor permanece para siempre. Y ésta es la palabra que por el evangelio os ha sido predicada.

CAPÍTULO 2

Desechando, pues, toda malicia, y todo engaño, e hipocresía, y envidia, y toda maledicencia,

2 desead, como niños recién nacidos, la leche no adulterada de la palabra, para que por ella crezcáis;

3 si es que habéis gustado la benignidad del Señor;

4 al cual acercándoos, piedra viva, desechada ciertamente por los hombres, mas escogida y preciosa para Dios.

5 Vosotros también, como piedras vivas, sois edificados como casa espiritual y sacerdocio santo, para ofrecer sacrificios espirituales, agradables a Dios por Jesucristo.

6 Por lo cual también contiene la Escritura: He aquí, pongo en Sión la principal piedra del ángulo, escogida, preciosa; Y el que creyere en Él, no será avergonzado.

7 Para vosotros, pues, los que creéis; Él *es* precioso; mas para los desobedientes, la piedra que los edificadores desecharon; ésta fue hecha la cabeza del ángulo;

8 Y: Piedra de tropiezo, y roca de escándalo *a los* que tropiezan en la palabra, siendo desobedientes; para lo cual fueron también ordenados.

9 Mas vosotros *sois* linaje escogido, real sacerdocio, nación santa, pueblo adquirido; para que anunciéis las virtudes de Aquel que os llamó de las tinieblas a su luz admirable.

10 Vosotros, que en tiempo pasado no *erais* pueblo, mas ahora *sois* el pueblo de Dios; que no habíais alcanzado misericordia, pero ahora habéis alcanzado misericordia.

11 Amados, yo *os* ruego como a extranjeros y peregrinos, que os abstengáis de las concupiscencias carnales que batallan contra el alma;

12 manteniendo vuestra honesta manera de vivir entre los gentiles; para que, en lo que ellos murmuran de vosotros como de malhechores, al ver *vuestras* buenas obras, glorifiquen a Dios en el día de la visitación.

13 Sujetaos a toda ordenación humana por causa del Señor; ya sea al rey, como a superior,

14 ya a los gobernadores, como por Él enviados para castigo de los malhechores y alabanza de los que hacen bien.

15 Porque ésta es la voluntad de Dios; que haciendo el bien, hagáis callar la ignorancia de los hombres vanos.

16 Como libres, mas no usando la libertad para cobertura de malicia, sino como siervos de Dios.

17 Honrad a todos. Amad la hermandad. Temed a Dios. Honrad al rey.

18 Siervos, sujetaos con todo temor a vuestros amos; no solamente a los buenos y amables, sino también a los que son severos.

19 Porque esto *es* loable, si alguno a causa de la conciencia delante de Dios, sufre molestias padeciendo injustamente.

20 Porque ¿qué gloria *es*, si pecando vosotros sois abofeteados, y lo sufrís? Pero si haciendo bien sois afligidos, y lo sufrís, esto ciertamente es agradable delante de Dios.

21 Porque para esto fuisteis llamados; pues que también Cristo padeció por nosotros, dejándonos ejemplo, para que vosotros sigáis sus pisadas:

22 El cual no hizo pecado; ni fue hallado engaño en su boca:

23 Quien cuando le maldecían no respondía con maldición; cuando padecía, no amenazaba, sino que *se* encomendaba a Aquél que juzga justamente:

24 Quien llevó Él mismo nuestros pecados en su cuerpo sobre el madero, para que nosotros, siendo muertos a los pecados, vivamos a la justicia; por las heridas del cual habéis sido sanados.

25 Porque vosotros erais como ovejas descarriadas; mas ahora habéis vuelto al Pastor y Obispo de vuestras almas.

CAPÍTULO 3

Asimismo vosotras, esposas, sujetaos a vuestros propios maridos; para que también los que no creen a la palabra, sean ganados sin palabra por la conducta de sus esposas,

2 al observar ellos vuestra casta conducta *que es* en temor.

3 Que *vuestro* adorno no sea exterior, con encrespamiento del cabello y atavío de oro, ni vestidos costosos;

4 sino el del hombre interior, el del corazón, en incorruptible ornato de espíritu humilde y apacible, lo cual es de grande estima delante de Dios.

5 Porque así también se ataviaban en el tiempo antiguo aquellas santas mujeres que esperaban en Dios, siendo sujetas a sus maridos;

6 como Sara obedecía a Abraham, llamándole señor; de la cual vosotras sois hechas hijas, haciendo el bien, y no teniendo temor de ninguna amenaza.

7 Asimismo, vosotros, maridos, habitad con *ellas* sabiamente, dando honor a la esposa como a vaso más frágil, y como a coherederas de la gracia de vida; para que vuestras oraciones no sean estorbadas.

8 Finalmente, *sed* todos de un mismo sentir, compasivos, amándoos fraternalmente, misericordiosos, amigables;

9 no devolviendo mal por mal, ni maldición por maldición, sino por el contrario, bendiciendo; sabiendo que vosotros sois llamados para que heredaseis bendición.

10 Porque el que quiera amar la vida, y ver días buenos, refrene su lengua de mal, y sus labios no hablen engaño;

11 apártese del mal, y haga el bien; busque la paz, y sígala.

12 Porque los ojos del Señor *están* sobre los justos, y sus oídos *atentos* a sus oraciones: Pero el rostro del Señor está contra aquellos que hacen el mal.

13 ¿Y quién es aquel que os podrá dañar, si vosotros seguís el bien?

14 Mas también si alguna cosa padecéis por la justicia, *sois* bienaventurados. Por tanto, no os amedrentéis por temor de ellos, ni seáis turbados;

15 sino santificad al Señor Dios en vuestros corazones, y *estad* siempre preparados para responder con mansedumbre y temor a todo el que os demande razón de la esperanza que hay en vosotros;

16 teniendo buena conciencia, para que en lo que murmuran de vosotros como de malhechores, sean avergonzados los que calumnian vuestra buena conducta en Cristo.

17 Porque mejor *es* que padezcáis haciendo el bien, si la voluntad de Dios así lo quiere, que haciendo el mal.

18 Porque también Cristo padeció una sola vez por los pecados, el justo por los injustos, para llevarnos a Dios, siendo a la verdad muerto en la carne, pero vivificado por el Espíritu;

19 en el cual también fue y predicó a los espíritus encarcelados;

20 los cuales en tiempo pasado fueron desobedientes, cuando una vez esperaba la paciencia de Dios en los días de Noé, mientras se aparejaba el arca; en la cual pocas, es decir, ocho almas fueron salvadas por agua.

21 A la figura de lo cual el bautismo que ahora corresponde nos salva (no quitando las inmundicias de la carne, sino como testimonio de una buena conciencia delante de Dios) por la resurrección de Jesucristo,

22 el cual habiendo subido al cielo, está a la diestra de Dios; estando sujetos a Él, ángeles, autoridades y potestades.

CAPÍTULO 4

Puesto que Cristo ha padecido por nosotros en la carne, vosotros también armaos del mismo pensamiento; porque el que ha padecido en la carne, cesó de pecado;

2 para que ya el tiempo que queda en la carne, viva, no en las concupiscencias de los hombres, sino en la voluntad de Dios.

3 Baste ya el tiempo pasado de *nuestra* vida para haber hecho la

voluntad de los gentiles, andando en lascivias, concupiscencias, embriagueces, desenfrenos, banquetes y abominables idolatrías.

4 En lo cual les parece cosa extraña que vosotros no corráis con *ellos* en el mismo desenfreno de disolución, y *os* ultrajan;

5 *pero* ellos darán cuenta al que está preparado para juzgar a los vivos y a los muertos.

6 Porque por esto también ha sido predicado el evangelio a los muertos; para que sean juzgados en la carne según los hombres, pero vivan en el espíritu según Dios.

7 Mas el fin de todas las cosas se acerca; sed, pues, sobrios, y velad en oración.

8 Y sobre todo, tened entre vosotros ferviente amor; porque el amor cubrirá multitud de pecados.

9 Hospedaos los unos a los otros sin murmuraciones.

10 Cada uno según el don que ha recibido, minístrelo a los otros, como buenos administradores de la multiforme gracia de Dios.

11 Si alguno habla, *hable* conforme a la palabra de Dios; si alguno ministra, *ministre* conforme al poder que Dios da; para que en todo Dios sea glorificado por Jesucristo, al cual sea gloria e imperio para siempre jamás. Amén.

12 Amados, no os extrañéis acerca de la prueba de fuego la cual se hace para probaros, como si alguna cosa extraña os aconteciese;

13 antes bien regocijaos en que sois participantes de los padecimientos de Cristo; para que cuando su gloria sea revelada, os regocijéis con gran alegría.

14 Si sois vituperados por el nombre de Cristo, *sois* bienaventurados; porque el Espíritu de gloria y de Dios reposa sobre vosotros. Cierto según ellos, Él es blasfemado, mas según vosotros Él es glorificado.

15 Así que, ninguno de vosotros padezca como homicida, o ladrón, o malhechor, o por entremeterse en asuntos ajenos.

16 Pero si *alguno padece* como cristiano, no se avergüence; antes glorifique a Dios por ello.

17 Porque *es* tiempo de que el juicio comience por la casa de Dios; y si primero *comienza* por nosotros, ¿cuál *será* el fin de aquellos que no obedecen al evangelio de Dios?

18 Y si el justo con dificultad es salvo; ¿en dónde aparecerá el impío y el pecador?

19 Por tanto, los que padecen según la voluntad de Dios, encomienden *a Él* sus almas, como a fiel Creador, haciendo el bien.

CAPÍTULO 5

Ruego a los ancianos que están entre vosotros, yo anciano también con ellos, y testigo de los padecimientos de Cristo, que soy también participante de la gloria que ha de ser revelada:

2 Apacentad la grey de Dios que está entre vosotros, cuidando de ella, no por fuerza, sino voluntariamente; no por ganancia deshonesta, sino de ánimo pronto;

3 y no como teniendo señorío sobre la heredad *de Dios*, sino siendo ejemplos de la grey.

4 Y cuando apareciere el Príncipe de los pastores, vosotros recibiréis la corona incorruptible de gloria.

5 Igualmente, jóvenes, sujetaos a los ancianos; y todos sujetaos unos a otros, y vestíos de humildad; porque Dios resiste a los soberbios, y da gracia a los humildes.

6 Humillaos, pues, bajo la poderosa mano de Dios, para que Él os exalte cuando fuere tiempo;

7 echando toda vuestra ansiedad sobre Él, porque Él tiene cuidado de vosotros.

8 Sed sobrios, y velad; porque vuestro adversario el diablo, cual león rugiente, anda alrededor buscando a quien devorar;

9 al cual resistid firmes en la fe, sabiendo que las mismas aflicciones han de ser cumplidas en vuestros hermanos que están en el mundo.

10 Y el Dios de toda gracia, que nos ha llamado a su gloria eterna por Cristo Jesús, después que hubiereis padecido un poco de tiempo, Él mismo os perfeccione, afirme, corrobore y establezca.

11 A Él *sea* gloria e imperio para siempre. Amén.

12 Os he escrito por conducto de Silvano, a quien considero un hermano fiel a vosotros, exhortándoos, y testificando que ésta es la verdadera gracia de Dios, en la cual estáis.

13 La *iglesia que está* en Babilonia, juntamente elegida con *vosotros*, os saluda, y Marcos mi hijo.

14 Saludaos unos a otros con ósculo de amor. Paz a todos vosotros los que estáis en Cristo Jesús. Amén.

Segunda Epístola del Apóstol
PEDRO

CAPÍTULO 1

Simón Pedro, siervo y apóstol de Jesucristo, a los que habéis alcanzado fe igualmente preciosa con nosotros por la justicia de nuestro Dios y Salvador Jesucristo.

2 Gracia y paz os sean multiplicadas en el conocimiento de Dios, y de Jesús nuestro Señor.

3 Como todas las cosas que *pertenecen* a la vida y a la piedad nos han sido dadas por su divino poder, mediante el conocimiento de Aquél que nos ha llamado a gloria y virtud;

4 por medio de las cuales nos ha dado preciosas y grandísimas promesas, para que por ellas fuésemos hechos participantes de la naturaleza divina, habiendo huido de la corrupción que hay en el mundo por la concupiscencia.

5 Vosotros también, poniendo toda diligencia en esto mismo, añadid a vuestra fe, virtud, y a la virtud, conocimiento;

6 y al conocimiento, templanza, y a la templanza, paciencia, y a la paciencia, piedad;

7 y a la piedad, amor fraternal, y al amor fraternal, caridad.

8 Porque si en vosotros hay estas cosas, y abundan, no *os* dejarán *estar* ociosos, ni estériles en cuanto al conocimiento de nuestro Señor Jesucristo.

9 Pero el que no tiene estas cosas tiene la vista muy corta, es ciego, y se ha olvidado que fue purificado de sus antiguos pecados.

10 Por lo cual, hermanos, procurad tanto más hacer firme vuestro llamamiento y elección; porque haciendo estas cosas, no caeréis jamás.

11 Porque de esta manera os será abundantemente administrada la entrada en el reino eterno de nuestro Señor y Salvador Jesucristo.

12 Por esto, yo no dejaré de recordaros siempre estas cosas, aunque vosotros *las* sepáis, y estéis afirmados en la verdad presente.

13 Porque tengo por justo, en tanto que estoy en este tabernáculo, el incitaros con amonestación;

14 sabiendo que en breve debo dejar mi tabernáculo, como nuestro Señor Jesucristo me ha declarado.

15 También yo procuraré con diligencia, que después de mi muerte, vosotros podáis en todo momento tener memoria de estas cosas.

16 Porque no os hemos dado a conocer el poder y la venida de nuestro Señor Jesucristo, siguiendo fábulas artificiosas; sino como habiendo visto con nuestros propios ojos su majestad.

17 Porque Él recibió de Dios Padre honor y gloria, cuando le fue enviada desde la magnífica gloria una gran voz *que decía*: Éste es mi Hijo amado, en el cual tengo contentamiento.

18 Y nosotros oímos esta voz enviada del cielo, cuando estábamos con Él en el monte santo.

19 Tenemos además la palabra profética más segura, a la cual hacéis bien de estar atentos como a una lámpara que alumbra en lugar oscuro hasta que el día esclarezca, y la estrella de la mañana salga en vuestros corazones;

20 entendiendo primero esto, que

ninguna profecía de la Escritura es de interpretación privada;

21 porque la profecía no vino en tiempo pasado por la voluntad del hombre; sino que los santos hombres de Dios hablaron *siendo* guiados por el Espíritu Santo.

CAPÍTULO 2

Pero hubo también falsos profetas entre el pueblo, como habrá entre vosotros falsos maestros, que introducirán encubiertamente herejías destructoras, y aun negarán al Señor que los rescató, atrayendo sobre sí mismos destrucción repentina.

2 Y muchos seguirán sus caminos perniciosos, y por causa de ellos el camino de la verdad será blasfemado;

3 y por avaricia harán mercadería de vosotros con palabras fingidas, sobre los cuales la condenación ya de largo tiempo no se tarda, y su perdición no se duerme.

4 Porque si Dios no perdonó a los ángeles que pecaron, sino que *los* arrojó al infierno y *los* entregó a prisiones de oscuridad, a ser reservados para el juicio;

5 y si no perdonó al mundo antiguo, sino que guardó a Noé, la octava *persona*, pregonero de justicia, trayendo el diluvio sobre el mundo de los impíos;

6 y si condenó por destrucción las ciudades de Sodoma y de Gomorra, tornándolas en ceniza, y poniéndolas por ejemplo a los que habían de vivir impíamente,

7 y libró al justo Lot, abrumado por la nefanda conducta de los malvados

8 (porque este justo, morando entre ellos, afligía cada día *su* alma justa, viendo y oyendo los hechos inicuos de ellos).

9 Sabe el Señor librar de tentación a los piadosos, y reservar a los injustos para ser castigados en el día del juicio;

10 y principalmente a aquellos que siguen la carne en la concupiscencia de inmundicia, y menosprecian todo gobierno. Atrevidos, contumaces, que no temen decir mal de las potestades superiores.

11 Mientras que los ángeles, que son mayores en fuerza y en potencia, no pronuncian juicio de maldición contra ellas delante del Señor.

12 Pero éstos, como bestias brutas naturalmente nacidas para presa y destrucción, hablan mal de cosas que no entienden, y perecerán en su propia corrupción,

13 y recibirán la recompensa de su injusticia, ya que tienen por delicia el gozar del placer en pleno día. *Éstos son* suciedades y manchas, quienes aun mientras comen con vosotros, se recrean en sus engaños.

14 Tienen los ojos llenos de adulterio, y no pueden dejar de pecar. Seducen a las almas inestables, tienen un corazón ejercitado en la codicia; *son* hijos de maldición.

15 Han dejado el camino recto, y se han extraviado, siguiendo el camino de Balaam, hijo de Bosor, el cual amó la paga de la maldad.

16 Mas fue reprendido por su iniquidad; una asna muda, hablando con voz de hombre, refrenó la locura del profeta.

17 Éstos son fuentes sin agua, y nubes empujadas por la tempestad; para los cuales está guardada la oscuridad de las tinieblas para siempre.

18 Porque hablando *palabras* arrogantes de vanidad, seducen con las concupiscencias de la carne *mediante* lascivias a los que verdaderamente habían escapado de los que viven en error;

19 prometiéndoles libertad, siendo ellos mismos esclavos de corrupción. Porque el que es vencido de alguno, es hecho esclavo de aquel que lo venció.

20 Porque si habiendo ellos escapado de las contaminaciones del mundo, por el conocimiento del Señor y Salvador Jesucristo, y otra vez se enredan en ellas y son vencidos, su postrimería viene a ser peor que su principio.

21 Porque mejor les hubiera sido no haber conocido el camino de la justicia, que después de haberlo conocido, tornarse atrás del santo mandamiento que les fue dado.

22 Pero les ha acontecido lo del verdadero proverbio: El perro volvió

a su vómito, y la puerca lavada a revolcarse en el cieno.

CAPÍTULO 3

Carísimos, esta segunda carta escribo ahora a vosotros; en la cual despierto vuestro sincero entendimiento, por recordatorio;

2 para que tengáis memoria de las palabras que antes han sido dichas por los santos profetas, y del mandamiento de nosotros los apóstoles del Señor y Salvador;

3 sabiendo primero esto, que en los postreros días vendrán burladores, andando según sus propias concupiscencias,

4 y diciendo: ¿Dónde está la promesa de su venida? Porque desde que los padres durmieron, todas las cosas permanecen así como *estaban* desde el principio de la creación.

5 Porque ellos ignoran voluntariamente esto; que por la palabra de Dios fueron *creados* los cielos en el tiempo antiguo, y la tierra, que por agua y en agua está asentada;

6 por lo cual el mundo de entonces pereció anegado en agua.

7 Pero los cielos que son ahora, y la tierra, son reservados por la misma palabra, guardados para el fuego en el día del juicio y de la perdición de los hombres impíos.

8 Mas, amados, no ignoréis esto: Que un día delante del Señor *es* como mil años, y mil años como un día.

9 El Señor no tarda su promesa, como algunos la tienen por tardanza; sino que es paciente para con nosotros, no queriendo que ninguno perezca, sino que todos vengan al arrepentimiento.

10 Pero el día del Señor vendrá como ladrón en la noche; en el cual los cielos pasarán con grande estruendo, y los elementos ardiendo serán deshechos, y la tierra y las obras que en ella hay serán quemadas.

11 Puesto que todas estas cosas han de ser deshechas, ¿cómo no debéis vosotros de conduciros en santa y piadosa manera de vivir?

12 Esperando y apresurándoos para la venida del día de Dios, en el cual los cielos, siendo encendidos, serán deshechos, y los elementos siendo quemados, se fundirán.

13 Pero nosotros esperamos según su promesa, cielos nuevos y tierra nueva, en los cuales mora la justicia.

14 Por lo cual, amados, estando en espera de estas cosas, procurad con diligencia que seáis hallados de Él en paz, sin mácula y sin represión.

15 Y considerad la paciencia de nuestro Señor por salvación; como también nuestro amado hermano Pablo, según la sabiduría que le ha sido dada, os ha escrito,

16 como también en todas sus epístolas, hablando en ellas de estas cosas; entre las cuales hay algunas difíciles de entender, las cuales los indoctos e inconstantes tuercen, como también las otras Escrituras, para su propia perdición.

17 Así que vosotros, amados, sabiéndolo de antemano, guardaos, no sea que siendo desviados con el error de los inicuos, caigáis de vuestra firmeza.

18 Mas creced en la gracia y *en* el conocimiento de nuestro Señor y Salvador Jesucristo. A Él *sea* gloria ahora y para siempre. Amén.

Primera Epístola del Apóstol
JUAN

CAPÍTULO 1

Lo que era desde el principio, lo que hemos oído, lo que hemos visto con nuestros ojos, lo que hemos contemplado y palparon nuestras manos, tocante al Verbo de vida

2 (porque la vida fue manifestada, y la vimos, y testificamos, y os anunciamos aquella vida eterna, la cual estaba con el Padre, y se nos manifestó).

3 Lo que hemos visto y oído, eso os anunciamos, para que también vosotros tengáis comunión con nosotros; y nuestra comunión verdaderamente *es* con el Padre, y con su Hijo Jesucristo.

4 Y estas cosas os escribimos, para que vuestro gozo sea cumplido.

5 Y éste es el mensaje que oímos de Él, y os anunciamos; que Dios es luz, y en Él no hay ningunas tinieblas.

6 Si decimos que tenemos comunión con Él, y andamos en tinieblas, mentimos, y no practicamos la verdad;

7 mas si andamos en luz, como Él está en luz, tenemos comunión unos con otros, y la sangre de Jesucristo su Hijo nos limpia de todo pecado.

8 Si decimos que no tenemos pecado, nos engañamos a nosotros mismos, y la verdad no está en nosotros.

9 Si confesamos nuestros pecados, Él es fiel y justo para perdonar *nuestros* pecados, y limpiarnos de toda maldad.

10 Si decimos que no hemos pecado, le hacemos a Él mentiroso, y su palabra no está en nosotros.

CAPÍTULO 2

Hijitos míos, estas cosas os escribo para que no pequéis; y si alguno hubiere pecado, abogado tenemos para con el Padre, a Jesucristo el justo.

2 Y Él es la propiciación por nuestros pecados; y no solamente por los nuestros, sino también por *los de* todo el mundo.

3 Y en esto sabemos que nosotros le conocemos, si guardamos sus mandamientos.

4 El que dice: Yo le conozco, y no guarda sus mandamientos, *el tal* es mentiroso, y la verdad no está en él;

5 pero el que guarda su palabra, verdaderamente el amor de Dios se ha perfeccionado en él; por esto sabemos que estamos en Él.

6 El que dice que permanece en Él, debe andar como Él anduvo.

7 Hermanos, no os escribo un mandamiento nuevo, sino el mandamiento antiguo que habéis tenido desde el principio; el mandamiento antiguo es la palabra que habéis oído desde el principio.

8 Otra vez, os escribo un mandamiento nuevo, que es verdadero en Él y en vosotros; porque las tinieblas han pasado, y la luz verdadera ya alumbra.

9 El que dice que está en luz, y aborrece a su hermano, está todavía en tinieblas.

10 El que ama a su hermano, está en luz, y no hay tropiezo en él.

11 Pero el que aborrece a su hermano, está en tinieblas, y anda en tinieblas, y no sabe a dónde va; porque las tinieblas le han cegado sus ojos.

12 Os escribo a vosotros, hijitos, porque vuestros pecados os son perdonados por su nombre.

13 Os escribo a vosotros, padres, porque habéis conocido a Aquél *que es* desde el principio. Os escribo a vosotros, jóvenes, porque habéis vencido al maligno. Os escribo a vosotros, hijitos, porque habéis conocido al Padre.

14 Os he escrito a vosotros, padres, porque habéis conocido al *que es* desde el principio. Os he escrito a vosotros, jóvenes, porque sois fuertes, y la palabra de Dios mora en

vosotros, y habéis vencido al maligno.

15 No améis al mundo, ni las cosas *que están* en el mundo. Si alguno ama al mundo, el amor del Padre no está en él.

16 Porque todo lo que *hay* en el mundo, la concupiscencia de la carne, y la concupiscencia de los ojos, y la soberbia de la vida, no es del Padre, sino del mundo.

17 Y el mundo pasa, y su concupiscencia, pero el que hace la voluntad de Dios, permanece para siempre.

18 Hijitos, ya es el último tiempo; y como vosotros habéis oído que el anticristo ha de venir, así también al presente hay muchos anticristos; por lo cual sabemos que es el último tiempo.

19 Salieron de nosotros, pero no eran de nosotros; porque si hubiesen sido de nosotros, habrían permanecido con nosotros; pero *salieron* para que se manifestase que no todos son de nosotros.

20 Mas vosotros tenéis la unción del Santo, y conocéis todas las cosas.

21 No os he escrito porque ignoréis la verdad, sino porque la conocéis, y porque ninguna mentira es de la verdad.

22 ¿Quién es mentiroso, sino el que niega que Jesús es el Cristo? Éste es anticristo, que niega al Padre y al Hijo.

23 Todo aquel que niega al Hijo, tampoco tiene al Padre. El que confiesa al Hijo tiene también al Padre.

24 Lo que habéis oído desde el principio, permanezca, pues, en vosotros. Si lo que oísteis desde el principio permaneciere en vosotros, también vosotros permaneceréis en el Hijo y en el Padre.

25 Y ésta es la promesa que Él nos hizo; la vida eterna.

26 Os he escrito esto acerca de los que os engañan.

27 Pero la unción que vosotros habéis recibido de Él permanece en vosotros, y no tenéis necesidad de que alguien os enseñe; sino que como la unción misma os enseña acerca de todas las cosas, y es verdadera, y no

es mentira, y así como os ha enseñado, vosotros permaneceréis en Él.

28 Y ahora, hijitos, permaneced en Él; para que cuando Él apareciere, tengamos confianza, y no seamos avergonzados delante de Él en su venida.

29 Si sabéis que Él es justo, sabed también que todo el que hace justicia es nacido de Él.

CAPÍTULO 3

Mirad cuál amor nos ha dado el Padre, que seamos llamados hijos de Dios; por esto el mundo no nos conoce, porque no le conoció a Él.

2 Amados, ahora somos hijos de Dios, y aún no se ha manifestado lo que hemos de ser; pero sabemos que cuando Él apareciere, seremos semejantes a Él, porque le veremos como Él es.

3 Y cualquiera que tiene esta esperanza en Él, se purifica a sí mismo, así como Él es puro.

4 Cualquiera que comete pecado, traspasa también la ley; pues el pecado es transgresión de la ley.

5 Y sabéis que Él apareció para quitar nuestros pecados, y no hay pecado en Él.

6 Todo aquel que permanece en Él, no peca; todo aquel que peca, no le ha visto, ni le ha conocido.

7 Hijitos, nadie os engañe; el que hace justicia, es justo, como también Él es justo.

8 El que hace pecado, es del diablo; porque el diablo peca desde el principio. Para esto apareció el Hijo de Dios, para deshacer las obras del diablo.

9 Todo aquel que es nacido de Dios, no peca, porque su simiente permanece en él; y no puede pecar, porque es nacido de Dios.

10 En esto son manifiestos los hijos de Dios, y los hijos del diablo; todo el que no hace justicia, y que no ama a su hermano, no es de Dios.

11 Porque, éste es el mensaje que habéis oído desde el principio: Que nos amemos unos a otros.

12 No como Caín, *que* era del

maligno, y mató a su hermano. ¿Y por qué causa le mató? Porque sus obras eran malas, y las de su hermano justas.

13 Hermanos míos, no os maravilléis si el mundo os aborrece.

14 Nosotros sabemos que hemos pasado de muerte a vida, en que amamos a los hermanos. El que no ama a *su* hermano, permanece en muerte.

15 Todo aquel que aborrece a su hermano, es homicida; y sabéis que ningún homicida tiene vida eterna morando en sí.

16 En esto conocemos el amor *de Dios*, en que Él puso su vida por nosotros; también nosotros debemos poner *nuestras* vidas por los hermanos.

17 Pero el que tiene bienes de este mundo, y ve a su hermano tener necesidad, y le cierra sus entrañas, ¿cómo mora el amor de Dios en él?

18 Hijitos míos, no amemos de palabra ni de lengua, sino de hecho y en verdad.

19 Y en esto conocemos que somos de la verdad, y aseguraremos nuestros corazones delante de Él.

20 Porque si nuestro corazón nos reprende, mayor es Dios que nuestro corazón, y *Él* conoce todas las cosas.

21 Amados, si nuestro corazón no nos reprende, confianza tenemos para con Dios;

22 y cualquier cosa que pidamos, la recibiremos de Él, porque guardamos sus mandamientos y hacemos las cosas que son agradables delante de Él.

23 Y éste es su mandamiento: Que creamos en el nombre de su Hijo Jesucristo, y nos amemos unos a otros como nos lo ha mandado.

24 Y el que guarda sus mandamientos, permanece en Él, y Él en él. Y en esto sabemos que Él permanece en nosotros, por el Espíritu que nos ha dado.

CAPÍTULO 4

Amados, no creáis a todo espíritu, sino probad los espíritus si son de Dios; porque muchos falsos profetas han salido por el mundo.

2 En esto conoced el Espíritu de Dios: Todo espíritu que confiesa que Jesucristo ha venido en carne, es de Dios;

3 y todo espíritu que no confiesa que Jesucristo ha venido en carne, no es de Dios; y éste es el *espíritu* del anticristo, del cual vosotros habéis oído que ha de venir, y que ahora ya está en el mundo.

4 Hijitos, vosotros sois de Dios, y los habéis vencido; porque mayor es el que está en vosotros, que el que está en el mundo.

5 Ellos son del mundo; por eso hablan del mundo, y el mundo los oye.

6 Nosotros somos de Dios; el que conoce a Dios, nos oye; el que no es de Dios, no nos oye. En esto conocemos el espíritu de verdad y el espíritu de error.

7 Amados, amémonos unos a otros; porque el amor es de Dios. Todo el que ama, es nacido de Dios, y conoce a Dios.

8 El que no ama no conoce a Dios, porque Dios es amor.

9 En esto se mostró el amor de Dios para con nosotros, en que Dios envió a su Hijo unigénito al mundo, para que vivamos por Él.

10 En esto consiste el amor; no en que nosotros hayamos amado a Dios, sino que Él nos amó a nosotros, y envió a su Hijo en propiciación por nuestros pecados.

11 Amados, si Dios así nos ha amado, debemos también nosotros amarnos unos a otros.

12 A Dios nadie le vio jamás. Si nos amamos unos a otros, Dios permanece en nosotros, y su amor se perfecciona en nosotros.

13 En esto conocemos que permanecemos en Él, y Él en nosotros, en que nos ha dado de su Espíritu.

14 Y nosotros hemos visto y testificamos que el Padre ha enviado al Hijo *para ser* el Salvador del mundo.

15 Todo aquel que confiese que Jesús es el Hijo de Dios, Dios permanece en él, y él en Dios.

16 Y nosotros hemos conocido y creído el amor que Dios tiene para

con nosotros. Dios es amor; y el que permanece en amor, permanece en Dios, y Dios en él.

17 En esto es perfeccionado el amor en nosotros, para que tengamos confianza en el día del juicio; pues como Él es, así somos nosotros en este mundo.

18 En el amor no hay temor; mas el perfecto amor echa fuera el temor, porque el temor conlleva castigo. Y el que teme no ha sido perfeccionado en el amor.

19 Nosotros le amamos a Él, porque Él nos amó primero.

20 Si alguno dice: Yo amo a Dios, y aborrece a su hermano, es mentiroso; porque el que no ama a su hermano a quien ha visto, ¿cómo puede amar a Dios a quien no ha visto?

21 Y nosotros tenemos este mandamiento de Él: Que el que ama a Dios, ame también a su hermano.

CAPÍTULO 5

Todo aquel que cree que Jesús es el Cristo, es nacido de Dios; y todo aquel que ama al que engendró, ama también al que es engendrado por Él.

2 En esto conocemos que amamos a los hijos de Dios, cuando amamos a Dios y guardamos sus mandamientos.

3 Porque éste es el amor de Dios, que guardemos sus mandamientos; y sus mandamientos no son gravosos.

4 Porque todo lo que es nacido de Dios vence al mundo; y ésta es la victoria que ha vencido al mundo, nuestra fe.

5 ¿Quién es el que vence al mundo, sino el que cree que Jesús es el Hijo de Dios?

6 Éste es el que vino mediante agua y sangre, Jesucristo; no mediante agua solamente, sino mediante agua y sangre. Y el Espíritu es el que da testimonio; porque el Espíritu es la verdad.

7 Porque tres son los que dan testimonio en el cielo, el Padre, el Verbo y el Espíritu Santo; y estos tres son uno.

8 Y tres son los que dan testimonio en la tierra; el Espíritu, el agua, y la sangre; y estos tres concuerdan en uno.

9 Si recibimos el testimonio de los hombres, el testimonio de Dios es mayor; porque éste es el testimonio de Dios que Él ha dado acerca de su Hijo.

10 El que cree en el Hijo de Dios, tiene el testimonio en sí mismo; el que no cree a Dios, le ha hecho mentiroso; porque no ha creído en el testimonio que Dios ha dado de su Hijo.

11 Y éste es el testimonio: Que Dios nos ha dado vida eterna; y esta vida está en su Hijo.

12 El que tiene al Hijo, tiene la vida; el que no tiene al Hijo de Dios, no tiene la vida.

13 Estas cosas os he escrito a vosotros que creéis en el nombre del Hijo de Dios, para que sepáis que tenéis vida eterna, y para que creáis en el nombre del Hijo de Dios.

14 Y ésta es la confianza que tenemos en Él, que si pedimos alguna cosa conforme a su voluntad, Él nos oye.

15 Y si sabemos que Él nos oye en cualquier cosa que pidamos, sabemos que tenemos las peticiones que le hayamos hecho.

16 Si alguno ve a su hermano cometer pecado no de muerte, pedirá, y *Dios* le dará vida; digo a los que pecan no de muerte. Hay pecado de muerte, por el cual yo no digo que se pida.

17 Toda maldad es pecado; mas hay pecado no de muerte.

18 Sabemos que cualquiera que es nacido de Dios, no peca, porque el que es engendrado de Dios, se guarda a sí mismo, y el maligno no le toca.

19 Sabemos que somos de Dios, y el mundo entero yace en maldad.

20 Y sabemos que el Hijo de Dios ha venido, y nos ha dado entendimiento para conocer al que es verdadero; y estamos en el verdadero, en su Hijo Jesucristo. Éste es el verdadero Dios, y la vida eterna.

21 Hijitos, guardaos de los ídolos. Amén.

Segunda Epístola del Apóstol
JUAN

El anciano a la señora elegida y a sus hijos, a quienes yo amo en la verdad; y no sólo yo, sino también todos los que han conocido la verdad,

2 por causa de la verdad que mora en nosotros, y estará para siempre con nosotros.

3 Gracia sea con vosotros, misericordia y paz, de Dios Padre y del Señor Jesucristo, Hijo del Padre, en verdad y en amor.

4 Mucho me regocijé porque he hallado de tus hijos, que andan en la verdad, tal como nosotros hemos recibido el mandamiento del Padre.

5 Y ahora te ruego, señora, no como escribiéndote un mandamiento nuevo, sino aquel que hemos tenido desde el principio, que nos amemos unos a otros.

6 Y este es el amor, que andemos según sus mandamientos. Éste es el mandamiento: Que andéis en él, como vosotros habéis oído desde el principio.

7 Porque muchos engañadores han entrado en el mundo, los cuales no confiesan que Jesucristo ha venido en carne. El que tal *hace* es engañador y anticristo.

8 Mirad por vosotros mismos, para que no perdamos aquello por lo que hemos trabajado, sino que recibamos galardón completo.

9 Cualquiera que se rebela, y no persevera en la doctrina de Cristo, no tiene a Dios; el que persevera en la doctrina de Cristo, el tal tiene al Padre y al Hijo.

10 Si alguno viene a vosotros y no trae esta doctrina, no lo recibáis en *vuestra* casa, ni le digáis: Bienvenido.

11 Porque el que le dice: Bienvenido, participa de sus malas obras.

12 Aunque tengo muchas cosas que escribiros, no he querido *hacerlo* por medio de papel y tinta, pues espero ir a vosotros y hablar cara a cara, para que nuestro gozo sea cumplido.

13 Los hijos de tu hermana elegida te saludan. Amén.

Tercera Epístola del Apóstol
JUAN

El anciano al muy amado Gayo, a quien yo amo en la verdad.

2 Amado, mi oración es que tú seas prosperado en todas las cosas, y que tengas salud, así como prospera tu alma.

3 Pues mucho me regocijé cuando vinieron los hermanos y dieron testimonio de la verdad que está en ti, y de cómo tú andas en la verdad.

4 No tengo mayor gozo que el oír que mis hijos andan en la verdad.

5 Amado, fielmente haces todo lo que haces para con los hermanos, y con los extranjeros,

6 los cuales han dado testimonio de tu amor en presencia de la iglesia; a los cuales si encaminares en su jornada, como es digno según Dios, harás bien.

7 Porque ellos partieron por amor a su nombre, no tomando nada de los gentiles.

8 Nosotros, pues, debemos recibir a los tales, para que seamos cooperadores con la verdad.

9 Yo he escrito a la iglesia; mas Diótrefes, que ama tener la preeminencia entre ellos, no nos recibe.

10 Por esta causa, si yo viniere, recordaré las obras que hace parloteando con palabras maliciosas contra nosotros; y no contento con estas cosas, no recibe a los hermanos, y a los que quieren recibirlos se los impide, y *los* expulsa de la iglesia.

11 Amado, no sigas lo malo, sino lo bueno. El que hace lo bueno es de Dios; mas el que hace lo malo, no ha visto a Dios.

12 Todos dan testimonio de Demetrio, y aun la misma verdad; y también nosotros damos testimonio; y vosotros sabéis que nuestro testimonio es verdadero.

13 Yo tenía muchas cosas que escribirte, pero no quiero escribírtelas con tinta y pluma,

14 porque espero verte en breve, y hablaremos cara a cara. La paz *sea* contigo. Los amigos te saludan. Saluda tú a los amigos por nombre.

Epístola de
JUDAS

Judas, siervo de Jesucristo, y hermano de Jacobo, a los llamados, santificados en Dios el Padre, y preservados en Jesucristo:

2 Misericordia y paz y amor os sean multiplicados.

3 Amados, por la gran solicitud que tenía de escribiros tocante a la común salvación, me ha sido necesario escribiros exhortándoos a que contendáis ardientemente por la fe que ha sido una vez dada a los santos.

4 Porque ciertos hombres han entrado encubiertamente, los cuales desde antes fueron ordenados para esta condenación, hombres impíos, que cambian la gracia de nuestro Dios en libertinaje, negando al único Señor Dios, y a nuestro Señor Jesucristo.

5 Quiero, pues, recordaros, ya que una vez lo habéis sabido, que el Señor, habiendo salvado al pueblo sacándolo de la tierra de Egipto, después destruyó a los que no creyeron.

6 Y a los ángeles que no guardaron su dignidad, sino que dejaron su propia habitación, los ha reservado bajo oscuridad en cadenas eternas para el juicio del gran día.

7 Como Sodoma y Gomorra, y las ciudades vecinas, las cuales de la misma manera que ellos, habiéndose dado a la fornicación e ido en pos de carne extraña, fueron puestas por ejemplo; sufriendo el castigo del fuego eterno.

8 De la misma manera también estos soñadores mancillan la carne, rechazan la autoridad y maldicen a las potestades superiores.

9 Pero cuando el arcángel Miguel contendía con el diablo, disputando acerca del cuerpo de Moisés, no se atrevió a usar juicio de maldición contra él, sino que dijo: El Señor te reprenda.

10 Pero éstos maldicen las cosas que no conocen; y en las que por naturaleza conocen, se corrompen como bestias brutas.

11 ¡Ay de ellos! porque han seguido el camino de Caín, y por recompensa, se lanzaron en el error de Balaam, y perecieron en la contradicción de Coré.

12 Éstos son manchas en vuestros ágapes, que banquetean con vosotros, apacentándose a sí mismos sin temor; *son* nubes sin agua, las cuales son llevadas de acá para allá por los vientos; árboles otoñales, sin fruto, dos veces muertos y desarraigados;

13 fieras ondas del mar, que espuman su propia vergüenza; estrellas erráticas, a las cuales está reservada la oscuridad de las tinieblas para siempre.

14 De éstos también profetizó Enoc, séptimo desde Adán, diciendo: He aquí, el Señor viene con decenas de millares de sus santos,

15 para ejecutar juicio contra todos, y convencer a todos los impíos de entre ellos, de todas sus obras impías que han cometido impíamente, y de toda *palabra* dura que los pecadores impíos han hablado contra Él.

16 Éstos son murmuradores, querellosos, andando según sus concupiscencias; y su boca habla *palabras* infladas, adulando a las personas para sacar provecho.

17 Pero vosotros, amados, acordaos de las palabras que antes fueron dichas por los apóstoles de nuestro Señor Jesucristo;

18 de que os decían: En el postrer tiempo habrá burladores, que andarán según sus malvadas concupiscencias.

19 Éstos son los que se separan a sí mismos, sensuales, no teniendo el Espíritu.

20 Pero vosotros, amados, edificándoos sobre vuestra santísima fe, orando en el Espíritu Santo,

21 conservaos en el amor de Dios, esperando la misericordia de nuestro Señor Jesucristo para vida eterna.

22 Y de algunos tened compasión, haciendo diferencia.

23 Y a otros salvad con temor, arrebatándolos del fuego; aborreciendo incluso la ropa que es contaminada por su carne.

24 Y a Aquél que es poderoso para guardaros sin caída, y presentaros sin mancha delante de su gloria con gran alegría,

25 al único sabio Dios Salvador nuestro, *sea* gloria y majestad, dominio y potestad, ahora y siempre. Amén.

APOCALIPSIS
Revelación a Juan El Teólogo

CAPÍTULO 1

La revelación de Jesucristo, que Dios le dio, para manifestar a sus siervos las cosas que deben acontecer pronto; y la declaró enviándola por su ángel a Juan su siervo,

2 el cual ha dado testimonio de la palabra de Dios y del testimonio de Jesucristo, y de todas las cosas que él vio.

3 Bienaventurado el que lee, y los que oyen las palabras de esta profecía, y guardan las cosas en ella escritas; porque el tiempo *está* cerca.

4 Juan, a las siete iglesias que están en Asia: Gracia *sea* a vosotros, y paz del que es y que era y que ha de venir, y de los siete Espíritus que están delante de su trono;

5 y de Jesucristo, el testigo fiel, el primogénito de los muertos y príncipe de los reyes de la tierra. Al que nos amó y nos lavó de nuestros pecados con su propia sangre,

6 y nos hizo reyes y sacerdotes para Dios y su Padre; a Él *sea* la gloria y el poder por siempre jamás. Amén.

7 He aquí que viene con las nubes, y todo ojo le verá, y los que le traspasaron, y todos los linajes de la tierra harán lamentación a causa de Él. Así sea. Amén.

8 Yo soy el Alfa y la Omega, el principio y el fin, dice el Señor, el que es y que era y que ha de venir, el Todopoderoso.

9 Yo Juan, que también *soy* vuestro hermano y compañero en la tribulación y en el reino y en la paciencia de Jesucristo, estaba en la isla que es llamada Patmos, por la palabra de Dios y por el testimonio de Jesucristo.

10 Yo fui en el Espíritu en el día del Señor, y oí detrás de mí una gran voz, como de trompeta,

11 que decía: Yo soy el Alfa y la Omega, el primero y el último. Escribe en un libro lo que ves, y envíalo a las siete iglesias que están en Asia; a Éfeso, y a Esmirna, y a Pérgamo, y a Tiatira, y a Sardis, y a Filadelfia, y a Laodicea.

12 Y me volví para ver la voz que hablaba conmigo; y vuelto, vi siete candeleros de oro;

13 y en medio de los siete candeleros, a *uno* semejante al Hijo del Hombre, vestido de una ropa que llegaba hasta los pies, y ceñido por el pecho con un cinto de oro.

14 Su cabeza y *sus* cabellos *eran* blancos como la lana, tan blancos como la nieve; y sus ojos *eran* como llama de fuego;

15 y sus pies semejantes al latón fino, ardientes como en un horno; y su voz como el ruido de muchas aguas.

16 Y tenía en su diestra siete estrellas; y de su boca salía una espada aguda de dos filos, y su rostro *era* como el sol cuando resplandece en su fuerza.

17 Y cuando le vi, caí como muerto a sus pies. Y Él puso su diestra sobre mí, diciéndome: No temas; yo soy el primero y el último;

18 y el que vivo, y estuve muerto; y he aquí que vivo para siempre, amén. Y tengo las llaves de la muerte y del infierno.

19 Escribe las cosas que has visto, y las que son, y las que han de ser después de éstas.

20 El misterio de las siete estrellas que viste en mi diestra, y de los siete candeleros de oro. Las siete estrellas son los ángeles de las siete iglesias; y los siete candeleros que viste, son las siete iglesias.

CAPÍTULO 2

Escribe al ángel de la iglesia de ÉFESO: El que tiene las siete estrellas en su diestra, el que anda en medio de los siete candeleros de oro, dice estas cosas:

2 Yo conozco tus obras, y tu trabajo, y tu paciencia; y que no puedes soportar a los malos, y has probado a los que se dicen ser apóstoles y no lo son, y los has hallado mentirosos;

3 y has sufrido, y tienes paciencia, y has trabajado por mi nombre y no has desmayado.

4 Pero tengo contra ti, que has dejado tu primer amor.

5 Recuerda, por tanto, de dónde has caído, y arrepiéntete, y haz las primeras obras; pues si no, vendré pronto a ti, y quitaré tu candelero de su lugar, si no te hubieres arrepentido.

6 Pero tienes esto, que aborreces las obras de los nicolaítas; las cuales yo también aborrezco.

7 El que tiene oído, oiga lo que el Espíritu dice a las iglesias. Al que venciere, le daré a comer del árbol de la vida, el cual está en medio del paraíso de Dios.

8 Y escribe al ángel de la iglesia en ESMIRNA: El primero y el postrero, que estuvo muerto y vive, dice estas cosas:

9 Yo conozco tus obras, y tu tribulación, y tu pobreza (pero tú eres rico), y la blasfemia de los que se dicen ser judíos, y no lo son, mas *son* sinagoga de Satanás.

10 No tengas ningún temor de las cosas que has de padecer. He aquí, el diablo echará a *algunos* de vosotros a la cárcel, para que seáis probados; y tendréis tribulación de diez días.

Sé fiel hasta la muerte, y yo te daré la corona de la vida.

11 El que tiene oído, oiga lo que el Espíritu dice a las iglesias. El que venciere no recibirá daño de la muerte segunda.

12 Y escribe al ángel de la iglesia en PÉRGAMO: El que tiene la espada aguda de dos filos, dice estas cosas:

13 Yo conozco tus obras, y dónde moras, donde *está* la silla de Satanás; y retienes mi nombre, y no has negado mi fe, ni aun en los días en que Antipas *fue* mi fiel mártir, el cual fue muerto entre vosotros, donde Satanás mora.

14 Pero tengo unas pocas cosas contra ti; que tú tienes ahí a los que retienen la doctrina de Balaam, el cual enseñaba a Balac a poner tropiezo delante de los hijos de Israel, a comer de cosas sacrificadas a los ídolos, y a cometer fornicación.

15 Así también tú tienes a los que retienen la doctrina de los nicolaítas, la cual yo aborrezco.

16 Arrepiéntete, porque si no, vendré pronto a ti, y pelearé contra ellos con la espada de mi boca.

17 El que tiene oído, oiga lo que el Espíritu dice a las iglesias. Al que venciere, daré a comer del maná escondido, y le daré una piedrecita blanca, y en la piedrecita un nombre nuevo escrito, el cual ninguno conoce sino aquel que lo recibe.

18 Y escribe al ángel de la iglesia en TIATIRA: El Hijo de Dios, que tiene sus ojos como llama de fuego, y sus pies semejantes al latón fino, dice estas cosas:

19 Yo conozco tus obras, y caridad, y servicio, y fe, y tu paciencia, y *que tus obras* postreras *son* más que las primeras.

20 Pero tengo unas pocas cosas contra ti; porque permites a esa mujer Jezabel, que se dice profetisa, enseñar y seducir a mis siervos a fornicar y a comer cosas sacrificadas a los ídolos.

21 Y le he dado tiempo para que se arrepienta de su fornicación; y no se ha arrepentido.

22 He aquí, yo la arrojaré en cama, y a los que adulteran con ella, en muy

grande tribulación, si no se arrepienten de sus obras.

23 Y heriré a sus hijos con muerte; y todas las iglesias sabrán que yo soy el que escudriño los riñones y los corazones; y daré a cada uno de vosotros según sus obras.

24 Pero a vosotros digo, y a los demás en Tiatira, a cuantos no tienen esta doctrina, y no han conocido lo que ellos llaman las profundidades de Satanás. No pondré sobre vosotros otra carga.

25 Pero lo que tenéis, retenedlo hasta que yo venga.

26 Y al que venciere y guardare mis obras hasta el fin, yo le daré potestad sobre las naciones;

27 y las regirá con vara de hierro, y serán quebradas como vaso de alfarero; como también yo he recibido de mi Padre;

28 y le daré la estrella de la mañana.

29 El que tiene oído, oiga lo que el Espíritu dice a las iglesias.

CAPÍTULO 3

Y escribe al ángel de la iglesia en SARDIS: El que tiene los siete Espíritus de Dios, y las siete estrellas, dice estas cosas: Yo conozco tus obras, que tienes nombre de que vives, y estás muerto.

2 Sé vigilante, y afirma las otras cosas que están para morir; porque no he hallado tus obras perfectas delante de Dios.

3 Acuérdate, pues, de lo que has recibido y oído, y guárdalo, y arrepiéntete. Pues si no velares, vendré sobre ti como ladrón, y no sabrás a qué hora vendré sobre ti.

4 Pero aún tienes unas pocas personas en Sardis que no han contaminado sus vestiduras; y andarán conmigo en vestiduras blancas; porque son dignas.

5 El que venciere será vestido de vestiduras blancas; y no borraré su nombre del libro de la vida, y confesaré su nombre delante de mi Padre, y delante de sus ángeles.

6 El que tiene oído, oiga lo que el Espíritu dice a las iglesias.

7 Y escribe al ángel de la iglesia en FILADELFIA: El Santo, el Verdadero, el que tiene la llave de David, el que abre y ninguno cierra, y cierra y ninguno abre, dice estas cosas:

8 Yo conozco tus obras: he aquí, he dado una puerta abierta delante de ti, la cual ninguno puede cerrar; porque aún tienes un poco de fuerza, y has guardado mi palabra, y no has negado mi nombre.

9 He aquí, yo entrego de la sinagoga de Satanás a los que se dicen ser judíos y no lo son, sino que mienten; he aquí, yo haré que vengan y adoren delante de tus pies, y que reconozcan que yo te he amado.

10 Por cuanto has guardado la palabra de mi paciencia, yo también te guardaré de la hora de la prueba que ha de venir sobre todo el mundo, para probar a los que moran sobre la tierra.

11 He aquí, yo vengo pronto; retén lo que tienes, para que ninguno tome tu corona.

12 Al que venciere, yo lo haré columna en el templo de mi Dios, y nunca más saldrá de allí; y escribiré sobre él el nombre de mi Dios, y el nombre de la ciudad de mi Dios, la nueva Jerusalén, la cual desciende del cielo, de mi Dios, y mi nombre nuevo.

13 El que tiene oído, oiga lo que el Espíritu dice a las iglesias.

14 Y escribe al ángel de la iglesia de los LAODICENSES: Estas cosas dice el Amén, el testigo fiel y verdadero, el principio de la creación de Dios:

15 Yo conozco tus obras, que ni eres frío, ni caliente. ¡Quisiera que fueses frío o caliente!

16 Mas porque eres tibio, y no frío ni caliente, te vomitaré de mi boca.

17 Porque tú dices: Yo soy rico, y estoy enriquecido, y no tengo necesidad de nada; y no conoces que tú eres un desventurado, y miserable, y pobre, y ciego, y desnudo.

18 Yo te aconsejo que de mí compres oro refinado en fuego, para que seas rico, y vestiduras blancas para que te vistas, y no se descubra la vergüenza de tu desnudez; y unge tus ojos con colirio, para que veas.

19 Yo reprendo y castigo a todos los que amo; sé, pues, celoso, y arrepiéntete.

20 He aquí, yo estoy a la puerta y llamo; si alguno oye mi voz y abre la puerta, entraré a él, y cenaré con él, y él conmigo.

21 Al que venciere, yo le daré que se siente conmigo en mi trono; así como también yo he vencido, y me he sentado con mi Padre en su trono.

22 El que tiene oído, oiga lo que el Espíritu dice a las iglesias.

CAPÍTULO 4

Después de estas cosas miré, y he aquí una puerta abierta en el cielo; y la primera voz que oí, *era* como de trompeta que hablaba conmigo, diciendo: Sube acá, y yo te mostraré las cosas que han de ser después de éstas.

2 Y al instante estaba yo en el Espíritu; y he aquí, un trono que estaba puesto en el cielo, y *uno* sentado sobre el trono.

3 Y el parecer del que estaba sentado era semejante al jaspe y a la piedra de sardonia; y *había* alrededor del trono un arco iris, semejante en aspecto a la esmeralda.

4 Y alrededor del trono *había* veinticuatro sillas; y vi sobre las sillas veinticuatro ancianos sentados, vestidos de ropas blancas; y tenían sobre sus cabezas coronas de oro.

5 Y del trono salían relámpagos y truenos y voces; y delante del trono ardían siete lámparas de fuego, las cuales son los siete Espíritus de Dios.

6 Y delante del trono *había* un mar de vidrio semejante al cristal; y en medio del trono, y alrededor del trono, cuatro seres vivientes llenos de ojos delante y detrás.

7 Y el primer ser viviente era semejante a un león; y el segundo ser viviente *era* semejante a un becerro; y el tercer ser viviente tenía la cara como de hombre; y el cuarto ser viviente *era* semejante a un águila volando.

8 Y los cuatro seres vivientes tenían cada uno seis alas alrededor, y por dentro estaban llenos de ojos; y no reposaban día y noche, diciendo: Santo, santo, santo, Señor Dios Todopoderoso, que era, y que es, y ꞏe ha de venir.

9 Y cuando aquellos seres vivientes dan gloria y honra y gracias al que está sentado en el trono, al que vive para siempre jamás,

10 los veinticuatro ancianos se postran delante del que está sentado en el trono, y adoran al que vive para siempre jamás, y echan sus coronas delante del trono, diciendo:

11 Señor, digno eres de recibir la gloria y la honra y el poder; porque tú creaste todas las cosas, y por tu placer existen y fueron creadas.

CAPÍTULO 5

Y vi en la mano derecha del que estaba sentado sobre el trono un libro escrito por dentro y por atrás, sellado con siete sellos.

2 Y vi a un ángel fuerte proclamando en alta voz: ¿Quién es digno de abrir el libro, y de desatar sus sellos?

3 Y ninguno, ni en el cielo ni en la tierra ni debajo de la tierra, podía abrir el libro, ni aun mirarlo.

4 Y yo lloraba mucho, porque ninguno fue hallado digno de abrir el libro, ni de leerlo, ni de mirarlo.

5 Y uno de los ancianos me dijo: No llores; he aquí el León de la tribu de Judá, la raíz de David, que ha vencido para abrir el libro y desatar sus siete sellos.

6 Y miré; y, he aquí, en medio del trono y de los cuatro seres vivientes, y en medio de los ancianos, estaba en pie un Cordero como inmolado, que tenía siete cuernos, y siete ojos, que son los siete Espíritus de Dios enviados a toda la tierra.

7 Y Él vino, y tomó el libro de la mano derecha de Aquél que estaba sentado en el trono.

8 Y cuando hubo tomado el libro, los cuatro seres vivientes y los veinticuatro ancianos se postraron delante del Cordero, teniendo cada uno arpas, y tazones de oro llenos de perfumes, que son las oraciones de los santos.

9 Y cantaban un cántico nuevo, diciendo: Digno eres de tomar el libro y de abrir sus sellos; porque tú fuiste inmolado, y nos has redimido para Dios con tu sangre, de todo linaje y lengua y pueblo y nación;

10 y nos has hecho para nuestro Dios

reyes y sacerdotes, y reinaremos sobre la tierra.

11 Y miré, y oí la voz de muchos ángeles alrededor del trono, y de los seres vivientes, y de los ancianos; y el número de ellos era millones de millones,

12 que decían en alta voz: El Cordero que fue inmolado es digno de recibir el poder, las riquezas, la sabiduría, la fortaleza, el honor, la gloria y la alabanza.

13 Y oí a toda criatura que está en el cielo, y sobre la tierra, y debajo de la tierra, y que está en el mar, y todas las cosas que en ellos hay, diciendo: Al que está sentado en el trono, y al Cordero, *sea* la alabanza, y la honra, y la gloria y el poder, por siempre jamás.

14 Y los cuatro seres vivientes decían: Amén. Y los veinticuatro ancianos se postraron, y adoraron al que vive por siempre jamás.

CAPÍTULO 6

Y vi cuando el Cordero abrió uno de los sellos, y oí a uno de los cuatro seres vivientes, como con voz de trueno, diciendo: Ven y mira.

2 Y miré, y he aquí un caballo blanco; y el que estaba sentado sobre él tenía un arco; y le fue dada una corona, y salió venciendo, y para vencer.

3 Y cuando Él abrió el segundo sello, oí al segundo ser viviente decir: Ven y mira.

4 Y salió otro caballo, bermejo; y al que estaba sentado sobre él le fue dado *poder* de quitar la paz de la tierra, y que se matasen unos a otros; y le fue dada una grande espada.

5 Y cuando abrió el tercer sello, oí al tercer ser viviente, que decía: Ven y mira. Y miré, y he aquí un caballo negro; y el que estaba sentado sobre él tenía una balanza en su mano.

6 Y oí una voz en medio de los cuatro seres vivientes, que decía: Una medida de trigo por un denario, y tres medidas de cebada por un denario; y no hagas daño al vino ni al aceite.

7 Y cuando abrió el cuarto sello, oí la voz del cuarto ser viviente, que decía: Ven y mira.

8 Y miré, y he aquí un caballo pálido;

y el que estaba sentado sobre él tenía por nombre Muerte; y el infierno le seguía. Y le fue dada potestad sobre la cuarta parte de la tierra, para matar con espada, con hambre, con mortandad, y con las fieras de la tierra.

9 Y cuando abrió el quinto sello, vi debajo del altar las almas de los que habían sido muertos por causa de la palabra de Dios y por el testimonio que ellos tenían.

10 Y clamaban en alta voz diciendo: ¿Hasta cuándo, Señor, santo y verdadero, no juzgas y vengas nuestra sangre de los que moran en la tierra?

11 Y les fueron dadas vestiduras blancas a cada uno de ellos, y les fue dicho que reposasen todavía un poco de tiempo, hasta que se completaran sus consiervos y sus hermanos, que también habían de ser muertos como ellos.

12 Y miré cuando Él abrió el sexto sello, y he aquí fue hecho un gran terremoto; y el sol se puso negro como un saco de cilicio, y la luna se volvió como sangre;

13 y las estrellas del cielo cayeron sobre la tierra, como caen los higos verdes de la higuera cuando es sacudida por un fuerte viento.

14 Y el cielo se apartó como un pergamino que es enrollado; y toda montaña y *toda* isla fue movida de su lugar.

15 Y los reyes de la tierra, y los magistrados, y los ricos, y los capitanes, y los poderosos, y todo siervo y todo libre, se escondieron en las cuevas y entre las peñas de las montañas;

16 y decían a las montañas y a las peñas: Caed sobre nosotros, y escondednos del rostro de Aquél que está sentado sobre el trono, y de la ira del Cordero;

17 porque el gran día de su ira ha llegado; ¿y quién podrá sostenerse en pie?

CAPÍTULO 7

Y después de estas cosas vi cuatro ángeles en pie sobre los cuatro ángulos de la tierra, deteniendo los cuatro vientos de la tierra, para que no soplase viento sobre la tierra, ni sobre el mar, ni sobre ningún árbol.

2 Y vi otro ángel que subía de donde nace el sol, teniendo el sello del Dios viviente. Y clamó con gran voz a los cuatro ángeles, a los cuales era dado hacer daño a la tierra y al mar,

3 diciendo: No hagáis daño a la tierra, ni al mar, ni a los árboles, hasta que hayamos sellado a los siervos de nuestro Dios en sus frentes.

4 Y oí el número de los sellados; ciento cuarenta y cuatro mil sellados de todas las tribus de los hijos de Israel.

5 De la tribu de Judá, doce mil sellados. De la tribu de Rubén, doce mil sellados. De la tribu de Gad, doce mil sellados.

6 De la tribu de Aser, doce mil sellados. De la tribu de Neftalí, doce mil sellados. De la tribu de Manasés, doce mil sellados.

7 De la tribu de Simeón, doce mil sellados. De la tribu de Leví, doce mil sellados. De la tribu de Isacar, doce mil sellados.

8 De la tribu de Zabulón, doce mil sellados. De la tribu de José, doce mil sellados. De la tribu de Benjamín, doce mil sellados.

9 Después de estas cosas miré, y he aquí una gran multitud, la cual ninguno podía contar, de todas las naciones y tribus y pueblos y lenguas, que estaban delante del trono y en la presencia del Cordero, vestidos de ropas blancas, y palmas en sus manos;

10 y aclamaban en alta voz, diciendo: Salvación a nuestro Dios que está sentado sobre el trono, y al Cordero.

11 Y todos los ángeles estaban en pie alrededor del trono, y de los ancianos y de los cuatro seres vivientes; y se postraron sobre sus rostros delante del trono, y adoraron a Dios,

12 diciendo: Amén: La alabanza y la gloria y la sabiduría y la acción de gracias y la honra y el poder y la fortaleza, *sean* a nuestro Dios por siempre jamás. Amén.

13 Y respondió uno de los ancianos, diciéndome: Estos que están vestidos de ropas blancas, ¿quiénes son, y de dónde han venido?

14 Y yo le dije: Señor, tú lo sabes. Y él me dijo: Éstos son los que han salido de gran tribulación, y han lavado sus ropas, y las han emblanquecido en la sangre del Cordero.

15 Por esto están delante del trono de Dios, y le sirven día y noche en su templo; y el que está sentado sobre el trono extenderá su tabernáculo sobre ellos.

16 No tendrán más hambre, ni sed; y el sol no caerá más sobre ellos, ni ningún calor;

17 porque el Cordero que está en medio del trono los pastoreará, y los guiará a fuentes vivas de aguas: Y Dios enjugará toda lágrima de los ojos de ellos.

CAPÍTULO 8

Y cuando abrió el séptimo sello, fue hecho silencio en el cielo como por media hora.

2 Y vi los siete ángeles que estaban en pie delante de Dios; y les fueron dadas siete trompetas.

3 Y otro ángel vino y se puso en pie delante del altar, teniendo un incensario de oro; y le fue dado mucho incienso para que lo ofreciese con las oraciones de todos los santos sobre el altar de oro que estaba delante del trono.

4 Y el humo del incienso subió de la mano del ángel delante de Dios con las oraciones de los santos.

5 Y el ángel tomó el incensario, y lo llenó del fuego del altar, y lo arrojó a la tierra; y hubo voces, y truenos, y relámpagos, y terremotos.

6 Y los siete ángeles que tenían las siete trompetas se aprestaron para tocarlas.

7 Y el primer ángel tocó la trompeta, y hubo granizo y fuego mezclados con sangre, y fueron arrojados sobre la tierra; y la tercera parte de los árboles fue quemada, y toda la hierba verde fue quemada.

8 Y el segundo ángel tocó la trompeta, y como una gran montaña ardiendo con fuego fue lanzada en el mar; y la tercera parte del mar se convirtió en sangre.

9 Y murió la tercera parte de las criaturas que estaban en el mar, las cuales tenían vida; y la tercera parte de los navíos fue destruida.

10 Y el tercer ángel tocó la trompeta, y cayó del cielo una grande estrella, ardiendo como una antorcha, y cayó sobre la tercera parte de los ríos, y sobre las fuentes de las aguas.

11 Y el nombre de la estrella se dice Ajenjo. Y la tercera parte de las aguas fue tornada en ajenjo; y muchos hombres murieron por las aguas, porque fueron hechas amargas.

12 Y el cuarto ángel tocó la trompeta, y fue herida la tercera parte del sol, y la tercera parte de la luna, y la tercera parte de las estrellas; de tal manera que se oscureció la tercera parte de ellos, y no alumbraba la tercera parte del día, y lo mismo de la noche.

13 Y miré, y oí un ángel volar por medio del cielo, diciendo en alta voz: ¡Ay, ay, ay de los que moran en la tierra! A causa de los otros sonidos de trompeta de los tres ángeles que están por tocar.

CAPÍTULO 9

Y el quinto ángel tocó la trompeta, y vi una estrella que cayó del cielo a la tierra; y le fue dada la llave del pozo del abismo.

2 Y abrió el pozo del abismo, y subió humo del pozo como el humo de un gran horno; y se oscureció el sol y el aire por el humo del pozo.

3 Y del humo salieron langostas sobre la tierra; y les fue dado poder, como tienen poder los escorpiones de la tierra.

4 Y les fue mandado que no hiciesen daño a la hierba de la tierra, ni a ninguna cosa verde, ni a ningún árbol, sino solamente a los hombres que no tienen el sello de Dios en sus frentes.

5 Y les fue dado que no los matasen, sino que los atormentasen cinco meses; y su tormento era como tormento de escorpión, cuando hiere al hombre.

6 Y en aquellos días los hombres buscarán la muerte, y no la hallarán; y desearán morir, pero la muerte huirá de ellos.

7 Y el parecer de las langostas era semejante a caballos preparados para la guerra; y sobre sus cabezas tenían como coronas semejantes al oro; y sus caras eran como caras de hombres;

8 y tenían cabello como cabello de mujer; y sus dientes eran como dientes de leones;

9 y tenían corazas como corazas de hierro; y el ruido de sus alas era como el estruendo de muchos carros de caballos corriendo a la batalla.

10 Y tenían colas como de escorpiones, y tenían en sus colas aguijones, y el poder de hacer daño a los hombres cinco meses.

11 Y tenían por rey sobre ellos al ángel del abismo, cuyo nombre en hebreo es Abadón, y en griego, Apolyón.

12 El primer ay es pasado; he aquí, vienen aún dos ayes más después de estas cosas.

13 Y el sexto ángel tocó la trompeta; y oí una voz de los cuatro cuernos del altar de oro que estaba delante de Dios,

14 diciendo al sexto ángel que tenía la trompeta: Desata los cuatro ángeles que están atados en el gran río Éufrates.

15 Y fueron desatados los cuatro ángeles que estaban preparado para la hora, y el día, y el mes y el año, para matar la tercera parte de los hombres.

16 Y el número del ejército de los de a caballo era doscientos millones. Y oí el número de ellos.

17 Y así vi en visión los caballos y a los que sobre ellos estaban sentados, los cuales tenían corazas de fuego, de jacinto, y de azufre. Y las cabezas de los caballos eran como cabezas de leones; y de la boca de ellos salía fuego y humo y azufre.

18 Por estas tres plagas fue muerta la tercera parte de los hombres; por el fuego, y por el humo, y por el azufre que salía de su boca.

19 Porque su poder está en su boca y en sus colas; porque sus colas eran semejantes a serpientes, y tenían cabezas, y con ellas dañan.

20 Y los otros hombres que no fueron muertos con estas plagas, ni aun así se arrepintieron de las obras de sus manos, para que no adorasen a los demonios, y a las imágenes de oro, y plata, y bronce, y piedra, y de madera; las cuales no pueden ver, ni oír, ni andar,

21 y no se arrepintieron de sus homicidios, ni de sus hechicerías, ni de su fornicación, ni de sus hurtos.

Y vi otro ángel fuerte descender del cielo, envuelto en una nube, y un arco iris sobre su cabeza; y su rostro era como el sol, y sus pies como columnas de fuego.

2 Y tenía en su mano un librito abierto; y puso su pie derecho sobre el mar, y el izquierdo sobre la tierra;

3 y clamó con gran voz, como *cuando* un león ruge; y cuando hubo clamado, siete truenos emitieron sus voces.

4 Y cuando los siete truenos hubieron emitido sus voces, yo iba a escribir; y oí una voz del cielo que me decía: Sella las cosas que los siete truenos han dicho, y no las escribas.

5 Y el ángel que vi en pie sobre el mar y sobre la tierra, levantó su mano al cielo,

6 y juró por el que vive para siempre jamás, que creó el cielo y las cosas que están en él, y la tierra y las cosas que están en ella, y el mar y las cosas que están en él, que el tiempo no sería más.

7 Pero en los días de la voz del séptimo ángel, cuando él comience a tocar la trompeta, el misterio de Dios será consumado, como Él lo anunció a sus siervos los profetas.

8 Y la voz que oí del cielo habló otra vez conmigo, y dijo: Ve y toma el librito que está abierto en la mano del ángel que está en pie sobre el mar y sobre la tierra.

9 Y fui al ángel, y le dije: Dame el librito; y él me dijo: Toma, y cómetelo; y te amargará tu vientre, pero en tu boca será dulce como la miel.

10 Y tomé el librito de la mano del ángel, y lo comí; y en mi boca fue dulce como la miel; y cuando lo hube comido, amargó mi vientre.

11 Y él me dijo: Es necesario que profetices otra vez ante muchos pueblos, y naciones, y lenguas, y reyes.

CAPÍTULO 11

Y me fue dada una caña semejante a una vara, y el ángel se puso en pie diciendo: Levántate, y mide el templo de Dios, y el altar, y a los que adoran en él.

2 Pero el patio que está fuera del templo, déjalo aparte, y no lo midas, porque es dado a los gentiles; y ellos hollarán la ciudad santa cuarenta y dos meses.

3 Y daré *potestad* a mis dos testigos, y ellos profetizarán por mil doscientos sesenta días, vestidos de cilicio.

4 Éstos son los dos olivos, y los dos candeleros que están en pie delante del Dios de la tierra.

5 Y si alguno quisiere dañarles, sale fuego de la boca de ellos, y devora a sus enemigos; y si alguno quisiere hacerles daño, debe morir él de la misma manera.

6 Éstos tienen potestad de cerrar el cielo, para que no llueva en los días de su profecía, y tienen potestad sobre las aguas para tornarlas en sangre, y para herir la tierra con toda plaga cuantas veces quisieren.

7 Y cuando ellos hubieren acabado su testimonio, la bestia que sube del abismo hará guerra contra ellos, y los vencerá, y los matará.

8 Y sus cadáveres *yacerán* en la plaza de la gran ciudad, que espiritualmente es llamada Sodoma y Egipto, donde también nuestro Señor fue crucificado.

9 Y los de los pueblos, y tribus, y lenguas, y naciones verán los cadáveres de ellos por tres días y medio, y no permitirán que sus cadáveres sean puestos en sepulcros.

10 Y los moradores de la tierra se regocijarán sobre ellos, y se alegrarán, y se enviarán dones unos a otros; porque estos dos profetas han atormentado a los que moran sobre la tierra.

11 Y después de tres días y medio el Espíritu de vida enviado de Dios, entró en ellos, y se alzaron sobre sus pies, y vino gran temor sobre los que los vieron.

12 Y oyeron una gran voz del cielo, que les decía: Subid acá. Y subieron al cielo en una nube, y sus enemigos los vieron.

13 Y en aquella hora fue hecho gran terremoto, y la décima parte de la ciudad se derrumbó, y siete mil hombres murieron en el terremoto;

y los demás se espantaron, y dieron gloria al Dios del cielo.

14 El segundo ay es pasado; he aquí, el tercer ay viene pronto.

15 Y el séptimo ángel tocó la trompeta; y fueron hechas grandes voces en el cielo, que decían: Los reinos de este mundo han venido a ser de nuestro Señor, y de su Cristo; y reinará para siempre jamás.

16 Y los veinticuatro ancianos que estaban sentados delante de Dios en sus sillas, se postraron sobre sus rostros, y adoraron a Dios,

17 Diciendo: Te damos gracias, oh Señor Dios Todopoderoso, que eres y que eras y que has de venir, porque has tomado tu gran poder, y has reinado.

18 Y se han airado las naciones, y tu ira ha venido, y el tiempo para que los muertos sean juzgados, y para que des el galardón a tus siervos los profetas, y a los santos, y a los que temen tu nombre, pequeños y grandes, y para que destruyas los que destruyen la tierra.

19 Y el templo de Dios fue abierto en el cielo, y el arca de su pacto fue vista en su templo. Y hubo relámpagos, y voces, y truenos, y un terremoto, y grande granizo.

CAPÍTULO 12

Y apareció en el cielo una gran señal; una mujer vestida del sol, y la luna debajo de sus pies, y sobre su cabeza una corona de doce estrellas.

2 Y estando embarazada, clamaba con dolores de parto, y angustia por dar a luz.

3 Y fue vista otra señal en el cielo; y he aquí un gran dragón bermejo, que tenía siete cabezas y diez cuernos, y en sus cabezas siete diademas.

4 Y su cola arrastró la tercera parte de las estrellas del cielo, y las arrojó sobre la tierra. Y el dragón se paró delante de la mujer que estaba para dar a luz, a fin de devorar a su hijo tan pronto como naciese.

5 Y ella dio a luz un hijo varón, el cual había de regir todas las naciones con vara de hierro; y su hijo fue arrebatado para Dios y para su trono.

6 Y la mujer huyó al desierto, donde tiene lugar preparado por Dios, para que allí la sustenten mil doscientos sesenta días.

7 Y hubo una *gran* batalla en el cielo: Miguel y sus ángeles luchaban contra el dragón; y luchaban el dragón y sus ángeles,

8 pero no prevalecieron, ni fue hallado ya el lugar de ellos en el cielo.

9 Y fue lanzado fuera aquel gran dragón, la serpiente antigua, llamada Diablo y Satanás, el cual engaña a todo el mundo; fue arrojado en tierra, y sus ángeles fueron arrojados con él.

10 Y oí una gran voz en el cielo que decía: Ahora ha venido la salvación, y el poder, y el reino de nuestro Dios, y la potestad de su Cristo; porque el acusador de nuestros hermanos ha sido derribado, el cual los acusaba delante de nuestro Dios día y noche.

11 Y ellos le han vencido por la sangre del Cordero, y por la palabra de su testimonio; y no han amado sus vidas hasta la muerte.

12 Por lo cual alegraos, cielos, y los que moráis en ellos. ¡Ay de los moradores de la tierra y del mar! porque el diablo ha descendido a vosotros, teniendo grande ira, sabiendo que le queda poco tiempo.

13 Y cuando vio el dragón que había sido arrojado a la tierra, persiguió a la mujer que había dado a luz al *hijo* varón.

14 Y fueron dadas a la mujer dos alas de grande águila, para que de la presencia de la serpiente volase al desierto, a su lugar, donde es sustentada por un tiempo, y tiempos, y la mitad de un tiempo.

15 Y la serpiente echó de su boca, tras la mujer, agua como un río, a fin de hacer que fuese arrastrada por el río.

16 Pero la tierra ayudó a la mujer, pues la tierra abrió su boca, y sorbió el río que el dragón había echado de su boca.

17 Entonces el dragón se enfureció contra la mujer; y se fue a hacer guerra contra el remanente de la simiente de ella, los cuales guardan los mandamientos de Dios, y tienen el testimonio de Jesucristo.

CAPÍTULO 13

Y me paré sobre la arena del mar, y vi subir del mar una bestia que tenía siete cabezas y diez cuernos; y sobre sus cuernos diez diademas; y sobre sus cabezas un nombre de blasfemia.

2 Y la bestia que vi, era semejante a un leopardo, y sus pies como de oso, y su boca como boca de león. Y el dragón le dio su poder y su trono, y grande autoridad.

3 Y vi una de sus cabezas como herida de muerte, y su herida de muerte fue sanada; y se maravilló toda la tierra en pos de la bestia.

4 Y adoraron al dragón que había dado autoridad a la bestia, y adoraron a la bestia, diciendo: ¿Quién es semejante a la bestia, y quién podrá luchar contra ella?

5 Y le fue dada boca que hablaba grandes cosas y blasfemias; y le fue dada potestad de actuar cuarenta y dos meses.

6 Y abrió su boca en blasfemias contra Dios, para blasfemar su nombre y su tabernáculo, y a los que moran en el cielo.

7 Y le fue dado hacer guerra contra los santos, y vencerlos. También le fue dado poder sobre toda tribu, y lengua y nación.

8 Y le adorarán todos los moradores de la tierra cuyos nombres no están escritos en el libro de la vida del Cordero, el cual fue inmolado desde la fundación del mundo.

9 Si alguno tiene oído, oiga.

10 El que lleva en cautividad, irá en cautividad; el que a espada matare, a espada debe ser muerto. Aquí está la paciencia y la fe de los santos.

11 Después vi otra bestia que subía de la tierra; y tenía dos cuernos semejantes a los de un cordero, pero hablaba como un dragón.

12 Y ejerce todo el poder de la primera bestia en presencia de ella; y hace a la tierra y a los moradores de ella adorar la primera bestia, cuya herida de muerte fue sanada.

13 Y hace grandes señales, de tal manera que aun hace descender fuego del cielo a la tierra delante de los hombres.

14 Y engaña a los moradores de la tierra con las señales que le ha sido dado hacer en presencia de la bestia, mandando a los moradores de la tierra que le hagan imagen a la bestia que tiene la herida de espada, y vivió.

15 Y le fue dado que diese vida a la imagen de la bestia, para que la imagen de la bestia hablase; e hiciese que todos los que no adorasen la imagen de la bestia fuesen muertos.

16 Y hace que a todos, pequeños y grandes, ricos y pobres, libres y siervos, se les ponga una marca en su mano derecha, o en su frente;

17 y que ninguno pueda comprar o vender, sino el que tenga la marca, o el nombre de la bestia, o el número de su nombre.

18 Aquí hay sabiduría. El que tiene entendimiento, cuente el número de la bestia; porque es el número del hombre; y su número *es* seiscientos sesenta y seis.

CAPÍTULO 14

Y miré, y he aquí un Cordero estaba en pie sobre el monte de Sión, y con Él ciento cuarenta y cuatro mil, que tenían el nombre de su Padre escrito en sus frentes.

2 Y oí una voz del cielo como estruendo de muchas aguas, y como sonido de un gran trueno; y oí una voz de tañedores de arpas que tañían con sus arpas.

3 Y cantaban como un cántico nuevo delante del trono, y delante de los cuatro seres vivientes, y de los ancianos; y ninguno podía aprender el cántico sino aquellos ciento cuarenta y cuatro mil, los cuales fueron redimidos de entre los de la tierra.

4 Éstos son los que no fueron contaminados con mujeres; porque son vírgenes. Éstos son los que siguen al Cordero por dondequiera que Él va. Éstos fueron redimidos de entre los hombres por primicias para Dios y para el Cordero.

5 Y en sus bocas no fue hallado engaño; porque ellos son sin mácula delante del trono de Dios.

6 Y vi otro ángel volar en medio del cielo, que tenía el evangelio eterno,

para predicarlo a los moradores de la tierra, y a toda nación y tribu y lengua y pueblo,

7 diciendo en alta voz: Temed a Dios, y dadle gloria; porque la hora de su juicio ha venido; y adorad a Aquél que hizo el cielo y la tierra, y el mar y las fuentes de las aguas.

8 Y otro ángel le siguió, diciendo: Ha caído, ha caído Babilonia, aquella gran ciudad, porque ella ha dado a beber a todas las naciones del vino de la ira de su fornicación.

9 Y el tercer ángel los siguió, diciendo en alta voz: Si alguno adora a la bestia y a su imagen, y recibe la marca en su frente, o en su mano,

10 él también beberá del vino de la ira de Dios, el cual es vaciado puro en el cáliz de su ira; y será atormentado con fuego y azufre delante de los santos ángeles, y delante del Cordero.

11 Y el humo del tormento de ellos sube para siempre jamás; y los que adoran a la bestia y a su imagen no tienen reposo *ni de* día ni *de* noche, ni cualquiera que reciba la marca de su nombre.

12 Aquí está la paciencia de los santos; aquí *están* los que guardan los mandamientos de Dios y la fe de Jesús.

13 Y oí una voz del cielo que me decía: Escribe: Bienaventurados de aquí en adelante los muertos que mueren en el Señor. Sí, dice el Espíritu, porque descansan de sus trabajos; pero sus obras con ellos continúan.

14 Y miré, y he aquí una nube blanca; y sobre la nube uno sentado semejante al Hijo del Hombre, que tenía en su cabeza una corona de oro, y en su mano una hoz aguda.

15 Y otro ángel salió del templo, clamando en alta voz al que estaba sentado sobre la nube: Mete tu hoz, y siega; porque la hora de segar te es venida, porque la mies de la tierra está madura.

16 Y el que estaba sentado sobre la nube metió su hoz en la tierra, y la tierra fue segada.

17 Y salió otro ángel del templo que está en el cielo, teniendo también una hoz aguda.

18 Y otro ángel salió del altar, el cual tenía poder sobre el fuego, y clamó con gran voz al que tenía la hoz aguda, diciendo: Mete tu hoz aguda, y vendimia los racimos de la tierra, porque sus uvas están maduras.

19 Y el ángel metió su hoz aguda en la tierra, y vendimió la viña de la tierra, y la echó en el gran lagar de la ira de Dios.

20 Y el lagar fue hollado fuera de la ciudad, y del lagar salió sangre hasta los frenos de los caballos por mil seiscientos estadios.

CAPÍTULO 15

Y vi en el cielo otra señal, grande y admirable; siete ángeles que tenían las siete plagas postreras; porque en ellas es consumada la ira de Dios.

2 Y vi como un mar de vidrio mezclado con fuego; y los que habían alcanzado la victoria sobre la bestia, y sobre su imagen, y sobre su marca, y sobre el número de su nombre, en pie sobre el mar de vidrio, teniendo las arpas de Dios.

3 Y cantan el cántico de Moisés siervo de Dios, y el cántico del Cordero, diciendo: Grandes y maravillosas son tus obras, Señor Dios Todopoderoso; justos y verdaderos son tus caminos, Rey de los santos.

4 ¿Quién no te temerá, oh Señor, y glorificará tu nombre? pues sólo tú eres santo; por lo cual todas las naciones vendrán, y adorarán delante de ti, porque tus juicios se han manifestado.

5 Y después de estas cosas miré, y he aquí el templo del tabernáculo del testimonio fue abierto en el cielo;

6 y salieron del templo los siete ángeles, que tenían las siete plagas, vestidos de un lino puro y resplandeciente, y ceñidos alrededor del pecho con cintos de oro.

7 Y uno de los cuatro seres vivientes dio a los siete ángeles siete copas de oro, llenas de la ira de Dios, que vive por siempre jamás.

8 Y el templo se llenó de humo de la gloria de Dios, y de su poder; y nadie

podía entrar en el templo, hasta que fuesen consumadas las siete plagas de los siete ángeles.

CAPÍTULO 16

Y oí una gran voz que decía desde el templo a los siete ángeles: Id, y derramad las copas de la ira de Dios sobre la tierra.

2 Y fue el primero, y derramó su copa sobre la tierra; y vino una pestilente y maligna úlcera *sobre* los hombres que tenían la marca de la bestia y que adoraban su imagen.

3 Y el segundo ángel derramó su copa sobre el mar, y éste se convirtió en sangre como de muerto; y murió todo ser viviente en el mar.

4 Y el tercer ángel derramó su copa sobre los ríos, y sobre las fuentes de las aguas, y se tornaron en sangre.

5 Y oí al ángel de las aguas, que decía: Justo eres tú, oh Señor, que eres y que eras, y serás, porque has juzgado así.

6 Por cuanto ellos derramaron la sangre de santos y de profetas, y tú les has dado a beber sangre; pues lo merecen.

7 Y oí a otro que desde el altar decía: Ciertamente, Señor Dios Todopoderoso, tus juicios *son* verdaderos y justos.

8 Y el cuarto ángel derramó su copa sobre el sol; y le fue dado quemar a los hombres con fuego.

9 Y los hombres se quemaron con el gran calor, y blasfemaron el nombre de Dios, que tiene potestad sobre estas plagas, y no se arrepintieron para darle gloria.

10 Y el quinto ángel derramó su copa sobre la silla de la bestia; y su reino se cubrió de tinieblas, y se mordían sus lenguas de dolor;

11 y blasfemaron contra el Dios del cielo por causa de sus dolores, y por sus plagas, y no se arrepintieron de sus obras.

12 Y el sexto ángel derramó su copa sobre el gran río Éufrates; y el agua de éste se secó, para que fuese preparado el camino de los reyes del oriente.

13 Y vi *salir* de la boca del dragón, y de la boca de la bestia, y de la boca del falso profeta, tres espíritus inmundos a manera de ranas;

14 porque son espíritus de demonios, haciendo milagros, *que* van a los reyes de la tierra y a todo el mundo, para congregarlos para la batalla de aquel gran día del Dios Todopoderoso.

15 He aquí, yo vengo como ladrón. Bienaventurado el que vela, y guarda sus vestiduras, para que no ande desnudo, y vean su vergüenza.

16 Y los congregó en el lugar que en hebreo es llamado Armagedón.

17 Y el séptimo ángel derramó su copa por el aire; y salió una gran voz del templo del cielo, del trono, diciendo: ¡Hecho está!

18 Y hubo voces, y relámpagos y truenos; y hubo un gran temblor, un terremoto tan grande, cual no hubo jamás desde que los hombres han estado sobre la tierra.

19 Y la gran ciudad fue partida en tres partes, y las ciudades de las naciones cayeron; y la gran Babilonia vino en memoria delante de Dios, para darle el cáliz del vino del furor de su ira.

20 Y toda isla huyó, y los montes no fueron hallados.

21 Y cayó del cielo sobre los hombres un grande granizo como del peso de un talento: y los hombres blasfemaron a Dios por la plaga del granizo; porque su plaga fue muy grande.

CAPÍTULO 17

Y vino uno de los siete ángeles que tenían las siete copas, y habló conmigo, diciéndome: Ven acá, y te mostraré la condenación de la gran ramera, la cual está sentada sobre muchas aguas;

2 con la cual han fornicado los reyes de la tierra, y los que moran en la tierra se han embriagado con el vino de su fornicación.

3 Y me llevó en el Espíritu al desierto; y vi una mujer sentada sobre una bestia escarlata llena de nombres de blasfemia y que tenía siete cabezas y diez cuernos.

4 Y la mujer estaba vestida de púrpura y de escarlata, y adornada con oro, piedras preciosas y perlas, y

tenía en su mano un cáliz de oro lleno de abominaciones y de la suciedad de su fornicación;

5 y en su frente un nombre escrito: MISTERIO, BABILONIA LA GRANDE, LA MADRE DE LAS RAMERAS Y DE LAS ABOMINACIONES DE LA TIERRA.

6 Y vi a la mujer embriagada de la sangre de los santos, y de la sangre de los mártires de Jesús; y cuando la vi, quedé maravillado con gran asombro.

7 Y el ángel me dijo: ¿Por qué te maravillas? Yo te diré el misterio de la mujer, y de la bestia que la trae, la cual tiene siete cabezas y diez cuernos.

8 La bestia que has visto, era, y no es; y ha de subir del abismo, y ha de ir a perdición; y los moradores de la tierra, cuyos nombres no están escritos en el libro de la vida desde la fundación del mundo, se maravillarán cuando vean la bestia, que era y no es, aunque es.

9 Aquí hay mente que tiene sabiduría. Las siete cabezas son siete montes, sobre los cuales se sienta la mujer.

10 Y son siete reyes. Cinco son caídos; uno es, el otro aún no ha venido; y cuando viniere, es necesario que dure breve tiempo.

11 Y la bestia que era, y no es, es también el octavo, y es de los siete, y va a perdición.

12 Y los diez cuernos que has visto, son diez reyes, que aún no han recibido reino; mas recibirán potestad por una hora como reyes con la bestia.

13 Éstos tienen un mismo propósito, y darán su poder y autoridad a la bestia.

14 Ellos pelearán contra el Cordero, y el Cordero los vencerá, porque Él es Señor de señores y Rey de reyes; y los que están con Él *son* llamados, y elegidos, y fieles.

15 Y me dijo: Las aguas que viste, donde se sienta la ramera, son pueblos y multitudes y naciones y lenguas.

16 Y los diez cuernos que viste en la bestia, éstos aborrecerán a la ramera, y la harán desolada y desnuda; y

comerán sus carnes, y la quemarán con fuego;

17 porque Dios ha puesto en sus corazones ejecutar su voluntad, y el ponerse de acuerdo, y dar su reino a la bestia, hasta que sean cumplidas las palabras de Dios.

18 Y la mujer que has visto, es la gran ciudad que tiene reino sobre los reyes de la tierra.

CAPÍTULO 18

Y después de estas cosas vi otro ángel descender del cielo teniendo gran poder; y la tierra fue alumbrada de su gloria.

2 Y clamó fuertemente en alta voz, diciendo: ¡Caída es, caída es Babilonia la grande! Y es hecha habitación de demonios, y guarida de todo espíritu inmundo, y albergue de toda ave inmunda y aborrecible.

3 Porque todas las naciones han bebido del vino del furor de su fornicación; y los reyes de la tierra han fornicado con ella, y los mercaderes de la tierra se han enriquecido de la abundancia de sus deleites.

4 Y oí otra voz del cielo, que decía: Salid de ella, pueblo mío, para que no seáis partícipes de sus pecados, y para que no recibáis de sus plagas;

5 porque sus pecados han llegado hasta el cielo, y Dios se ha acordado de las maldades de ella.

6 Dadle como ella os ha dado, y pagadle al doble según sus obras; en la copa que ella os preparó, preparadle el doble.

7 Cuanto ella se ha glorificado, y ha vivido en deleites, tanto dadle de tormento y llanto; porque dice en su corazón: Yo estoy sentada *como* reina, y no soy viuda, y no veré llanto.

8 Por lo cual en un día vendrán sus plagas, muerte, llanto y hambre, y será quemada con fuego; porque poderoso es el Señor Dios que la juzga.

9 Y llorarán y se lamentarán sobre ella los reyes de la tierra, los cuales han fornicado con ella, y han vivido en deleites, cuando ellos vieren el humo de su incendio,

10 parándose lejos por el temor de su tormento, diciendo: ¡Ay, ay, de la

gran ciudad de Babilonia, la ciudad poderosa; porque en una hora vino tu juicio!

11 Y los mercaderes de la tierra llorarán y se lamentarán sobre ella, porque ninguno compra más sus mercaderías;

12 mercadería de oro, y plata, y piedras preciosas, y perlas, y lino fino, y púrpura, y seda, y escarlata, y toda madera olorosa, y todo artículo de marfil, y todo artículo de madera preciosa, y de bronce, y de hierro, y de mármol;

13 y canela, y aromas, y ungüentos, e incienso, y vino, y aceite; y flor de harina y trigo, y bestias, y ovejas; y caballos, y carros, y esclavos, y almas de hombres.

14 Y los frutos codiciados de tu alma se han ido de ti; y todas las cosas suntuosas y espléndidas se han ido de ti, y nunca más las hallarás.

15 Los mercaderes de estas cosas, que se han enriquecido por ella, se pararán lejos por el temor de su tormento, llorando y lamentando,

16 y diciendo: ¡Ay, ay, de aquella gran ciudad, que estaba vestida de lino fino y de púrpura y de escarlata, y adornada con oro y piedras preciosas y perlas!

17 Porque en una hora ha sido desolada tanta riqueza. Y todo timonel, y todos los que navegan en barcos, y marineros, y todos los que trabajan en el mar, se pararon lejos;

18 y viendo el humo de su incendio, dieron voces, diciendo: ¿Qué *ciudad era* semejante a esta gran ciudad?

19 Y echaron polvo sobre sus cabezas; y dieron voces, llorando y lamentando, diciendo: ¡Ay, ay, de aquella gran ciudad, en la cual todos los que tenían navíos en el mar se habían enriquecido de sus riquezas; porque en una hora ha sido desolada!

20 Alégrate sobre ella, cielo, y *vosotros*, santos apóstoles y profetas; porque Dios os ha vengado en ella.

21 Y un ángel fuerte tomó una piedra como una gran piedra de molino, y la arrojó en el mar, diciendo: Con esta violencia será derribada Babilonia, aquella gran ciudad, y nunca más será hallada.

22 Y voz de arpistas, y de músicos, y de flautistas, y de trompetistas, no se oirá más en ti; y ningún artífice de cualquier oficio, no se hallará más en ti; y el ruido de la piedra de molino no se oirá más en ti.

23 Y luz de candelero no alumbrará más en ti; y voz de desposado y de desposada no se oirá más en ti; porque tus mercaderes eran los magnates de la tierra; porque por tus hechicerías fueron engañadas todas las naciones.

24 Y en ella fue hallada la sangre de los profetas y de los santos, y de todos los que han sido muertos en la tierra.

CAPÍTULO 19

Y después de estas cosas oí una gran voz de gran multitud en el cielo, que decía: ¡Aleluya! Salvación y honra y gloria y poder al Señor nuestro Dios.

2 Porque sus juicios *son* justos y verdaderos; porque Él ha juzgado a la gran ramera, que ha corrompido la tierra con su fornicación, y ha vengado la sangre de sus siervos de la mano de ella.

3 Y otra vez dijeron: ¡Aleluya! Y su humo subió para siempre jamás.

4 Y los veinticuatro ancianos y los cuatro seres vivientes se postraron en tierra, y adoraron a Dios que estaba sentado sobre el trono, diciendo: Amén: Aleluya.

5 Y salió una voz del trono, que decía: Load a nuestro Dios todos sus siervos, y los que le teméis, así pequeños como grandes.

6 Y oí como la voz de una gran multitud, y como el estruendo de muchas aguas, y como la voz de grandes truenos, diciendo: ¡Aleluya, porque reina el Señor Dios Todopoderoso!

7 Gocémonos y alegrémonos y démosle gloria; porque han venido las bodas del Cordero, y su esposa se ha preparado.

8 Y a ella se le ha concedido que se vista de lino fino, limpio y resplandeciente; porque el lino fino es la justicia de los santos.

9 Y él me dijo: Escribe: Bienaventurados los que son llamados a la cena

de las bodas del Cordero. Y me dijo: Éstas son palabras verdaderas de Dios.

10 Y yo me postré a sus pies para adorarle. Y él me dijo: Mira, no *lo hagas*; yo soy consiervo tuyo, y de tus hermanos que tienen el testimonio de Jesús. Adora a Dios; porque el testimonio de Jesús es el espíritu de la profecía.

11 Y vi el cielo abierto; y he aquí un caballo blanco, y el que estaba sentado sobre él, era llamado Fiel y Verdadero, y en justicia juzga y pelea.

12 Y sus ojos *eran* como llama de fuego, y *había* en su cabeza muchas coronas; y tenía un nombre escrito que ninguno conocía sino Él mismo.

13 Y estaba vestido de una ropa teñida en sangre; y su nombre es llamado EL VERBO DE DIOS.

14 Y los ejércitos que están en el cielo le seguían en caballos blancos, vestidos de lino fino, blanco y limpio.

15 Y de su boca sale una espada aguda, para herir con ella a las naciones; y Él las regirá con vara de hierro; y Él pisa el lagar del vino del furor y de la ira del Dios Todopoderoso.

16 Y en su vestidura y en su muslo tiene escrito este nombre: REY DE REYES Y SEÑOR DE SEÑORES.

17 Y vi a un ángel que estaba en pie en el sol, y clamó a gran voz, diciendo a todas las aves que volaban por medio del cielo: Venid, y congregaos a la cena del gran Dios,

18 para que comáis carnes de reyes, y carnes de capitanes, y carnes de fuertes, y carnes de caballos, y de los que están sentados sobre ellos; y carnes de todos, libres y siervos, pequeños y grandes.

19 Y vi a la bestia, a los reyes de la tierra y a sus ejércitos, reunidos para hacer guerra contra el que estaba sentado sobre el caballo, y contra su ejército.

20 Y la bestia fue apresada, y con ella el falso profeta que había hecho los milagros delante de ella, con los cuales había engañado a los que recibieron la marca de la bestia, y habían adorado su imagen. Estos dos fueron lanzados vivos dentro de un lago de fuego ardiendo con azufre.

21 Y los demás fueron muertos con la espada que salía de la boca del que estaba sentado sobre el caballo, y todas las aves fueron saciadas de las carnes de ellos.

CAPÍTULO 20

Y vi a un ángel descender del cielo, que tenía la llave del abismo, y una cadena grande en su mano.

2 Y prendió al dragón, aquella serpiente antigua, que es el Diablo y Satanás, y le ató por mil años;

3 y lo arrojó al abismo, y lo encerró, y puso sello sobre él, para que no engañase más a las naciones, hasta que los mil años fuesen cumplidos; y después de esto es necesario que sea desatado un poco de tiempo.

4 Y vi tronos, y *a los que* se sentaron sobre ellos les fue dado juicio; y *vi* las almas de los decapitados por el testimonio de Jesús, y por la palabra de Dios, y que no habían adorado la bestia, ni a su imagen, y que no recibieron la marca en sus frentes ni en sus manos, y vivieron y reinaron con Cristo mil años.

5 Mas los otros muertos no volvieron a vivir hasta que se cumplieron mil años. Ésta *es* la primera resurrección.

6 Bienaventurado y santo el que tiene parte en la primera resurrección; la segunda muerte no tiene potestad sobre éstos; sino que serán sacerdotes de Dios y de Cristo, y reinarán con Él mil años.

7 Y cuando los mil años fueren cumplidos, Satanás será suelto de su prisión,

8 y saldrá para engañar a las naciones que están sobre los cuatro ángulos de la tierra, Gog y Magog, a fin de reunirlos para la batalla; el número de los cuales *es* como la arena del mar.

9 Y subieron sobre la anchura de la tierra, y rodearon el campamento de los santos, y la ciudad amada; y de Dios descendió fuego del cielo, y los devoró.

10 Y el diablo que los engañaba, fue lanzado en el lago de fuego y azufre, donde está la bestia y el falso profeta; y serán atormentados día y noche por siempre jamás.

11 Y vi un gran trono blanco y al que estaba sentado sobre él, de delante

del cual huyeron la tierra y el cielo; y no fue hallado lugar para ellos.

12 Y vi los muertos, grandes y pequeños, de pie ante Dios; y los libros fueron abiertos; y otro libro fue abierto, el cual es *el libro* de la vida; y fueron juzgados los muertos por las cosas que estaban escritas en los libros, según sus obras.

13 Y el mar dio los muertos que estaban en él; y la muerte y el infierno dieron los muertos que estaban en ellos; y fueron juzgados cada uno según sus obras.

14 Y la muerte y el infierno fueron lanzados en el lago de fuego. Ésta es la muerte segunda.

15 Y el que no fue hallado escrito en el libro de la vida fue lanzado en el lago de fuego.

CAPÍTULO 21

Y vi un cielo nuevo y una tierra nueva; porque el primer cielo y la primera tierra habían pasado, y el mar no existía ya más.

2 Y yo Juan vi la ciudad santa, la nueva Jerusalén, que descendía de Dios, del cielo, dispuesta como una novia ataviada para su marido.

3 Y oí una gran voz del cielo que decía: He aquí el tabernáculo de Dios con los hombres, y Él morará con ellos; y ellos serán su pueblo, y Dios mismo estará con ellos, y *será* su Dios.

4 Y enjugará Dios toda lágrima de los ojos de ellos; y ya no habrá muerte; ni habrá más llanto, ni clamor, ni dolor; porque las primeras cosas pasaron.

5 Y el que estaba sentado en el trono dijo: He aquí, yo hago nuevas todas las cosas. Y me dijo: Escribe; porque estas palabras son fieles y verdaderas.

6 Y me dijo: Hecho es. Yo soy el Alfa y la Omega, el principio y el fin. Al que tuviere sed, yo le daré de la fuente del agua de vida gratuitamente.

7 El que venciere, heredará todas las cosas; y yo seré su Dios, y él será mi hijo.

8 Pero los temerosos e incrédulos, los abominables y homicidas, los fornicarios y hechiceros, los idólatras y todos los mentirosos tendrán su parte en el lago que arde con fuego y azufre, que es la muerte segunda.

9 Y vino a mí uno de los siete ángeles que tenían las siete copas llenas de las siete plagas postreras, y habló conmigo, diciendo: Ven acá, yo te mostraré la desposada, la esposa del Cordero.

10 Y me llevó en el Espíritu a un monte grande y alto, y me mostró la gran ciudad santa de Jerusalén, que descendía del cielo de Dios,

11 teniendo la gloria de Dios; y su luz era semejante a una piedra preciosísima, como piedra de jaspe, diáfana como el cristal.

12 Y tenía un muro grande y alto, y tenía doce puertas; y a las puertas, doce ángeles, y nombres escritos en ellas, que son *los nombres* de las doce tribus de los hijos de Israel.

13 Al oriente tres puertas; al norte tres puertas; al sur tres puertas; al poniente tres puertas.

14 Y el muro de la ciudad tenía doce fundamentos, y en ellos los nombres de los doce apóstoles del Cordero.

15 Y el que hablaba conmigo, tenía una caña de oro para medir la ciudad, y sus puertas, y su muro.

16 Y la ciudad está situada y puesta en cuadro, y su longitud es tanta como su anchura; y él midió la ciudad con la caña, doce mil estadios: La longitud y la altura y la anchura de ella son iguales.

17 Y midió su muro, ciento cuarenta y cuatro codos de medida de hombre, la cual es de ángel.

18 Y el material de su muro era *de* jaspe; y la ciudad *era* de oro puro, semejante al vidrio limpio.

19 y los fundamentos del muro de la ciudad estaban adornados de toda piedra preciosa. El primer fundamento era jaspe; el segundo, zafiro; el tercero, calcedonia; el cuarto, esmeralda;

20 el quinto, ónice; el sexto, sardio; el séptimo, crisólito; el octavo, berilo; el noveno, topacio; el décimo, crisopraso; el undécimo, jacinto; el duodécimo, amatista.

21 Y las doce puertas *eran* doce perlas; cada una de las puertas era de

una perla. Y la plaza de la ciudad *era* de oro puro, como vidrio transparente.

22 Y no vi templo en ella; porque el Señor Dios Todopoderoso y el Cordero son el templo de ella.

23 Y la ciudad no tenía necesidad de sol ni de luna para que resplandezcan en ella; porque la gloria de Dios la iluminaba, y el Cordero *es* su luz.

24 Y las naciones de los que hubieren sido salvos andarán en la luz de ella; y los reyes de la tierra traerán su gloria y honor a ella.

25 Y sus puertas nunca serán cerradas de día, pues allí no habrá noche.

26 Y traerán la gloria y la honra de las naciones a ella.

27 Y no entrará en ella ninguna cosa inmunda, o que hace abominación o mentira; sino sólo aquellos que están escritos en el libro de la vida del Cordero.

CAPÍTULO 22

Y me mostró un río puro de agua de vida, límpido como el cristal, que provenía del trono de Dios y del Cordero.

2 En el medio de la calle de ella, y de uno y de otro lado del río, estaba el árbol de la vida, que lleva doce frutos, dando cada mes su fruto; y las hojas del árbol *eran* para la sanidad de las naciones.

3 Y no habrá más maldición; y el trono de Dios y del Cordero estará en ella, y sus siervos le servirán;

4 y verán su rostro, y su nombre estará en sus frentes.

5 Y allí no habrá más noche; y no tienen necesidad de lámpara, ni de luz de sol, porque el Señor Dios los alumbrará; y reinarán por siempre jamás.

6 Y me dijo: Estas palabras son fieles y verdaderas. Y el Señor Dios de los santos profetas ha enviado su ángel, para mostrar a sus siervos las cosas que deben acontecer en breve.

7 He aquí, yo vengo pronto. Bienaventurado el que guarda las palabras de la profecía de este libro.

8 Y yo Juan vi y oí estas cosas. Y después que *las* hube oído y visto,

me postré para adorar a los pies del ángel que me mostraba estas cosas.

9 Y él me dijo: Mira que no *lo hagas*; porque yo soy consiervo tuyo, y de tus hermanos los profetas, y de los que guardan las palabras de este libro. Adora a Dios.

10 Y me dijo: No selles las palabras de la profecía de este libro, porque el tiempo está cerca.

11 El que es injusto, sea injusto todavía; y el que es sucio, ensúciese todavía; y el que es justo, sea justo todavía; y el que es santo, santifíquese todavía.

12 Y he aquí, yo vengo pronto, y mi galardón conmigo, para recompensar a cada uno según fuere su obra.

13 Yo soy el Alfa y la Omega, el principio y el fin, el primero y el postrero.

14 Bienaventurados los que guardan sus mandamientos, para tener derecho al árbol de la vida, y poder entrar por las puertas en la ciudad.

15 Mas los perros estarán afuera, y los hechiceros, y los disolutos, y los homicidas, y los idólatras, y cualquiera que ama y hace mentira.

16 Yo Jesús he enviado mi ángel para daros testimonio de estas cosas en las iglesias. Yo soy la raíz y el linaje de David, y la estrella resplandeciente de la mañana.

17 Y el Espíritu y la esposa dicen: Ven. Y el que oye, diga: Ven. Y el que tiene sed, venga; y el que quiere, tome del agua de la vida gratuitamente.

18 Porque yo testifico a cualquiera que oye las palabras de la profecía de este libro: Si alguno añadiere a estas cosas, Dios añadirá sobre él las plagas que están escritas en este libro.

19 Y si alguno quitare de las palabras del libro de esta profecía, Dios quitará su parte del libro de la vida, y de la santa ciudad, y de las cosas que están escritas en este libro.

20 El que da testimonio de estas cosas, dice: Ciertamente vengo en breve. Amén. así sea. Ven: Señor Jesús.

21 La gracia de nuestro Señor Jesucristo *sea* con todos vosotros. Amén.

FIN DE LAS SAGRADAS ESCRITURAS

A

A TIRO DE PIEDRA, medida de la época, Luc. 22:41.

AARÓN (incierto), hijo de Amram y Jocabed, de la tribu de Leví, Éxo. 6:20.
su matrimonio y sus hijos, Éxo. 6:23.
nombrado para ayudar a Moisés, Éxo. 4:14, 27.
cumple su comisión, Éxo. 5-12; 16:33-34; 17:12.
es elegido sumo sacerdote, Éxo. 28.
es consagrado, Éxo. 29; Lev. 8:6-12.
sus primeras ofrendas, Lev. 9.
no debía estar de duelo por sus hijos, Lev. 10:6.
su pecado al hacer el becerro de oro, Éxo. 32.
perdonado por intercesión de Moisés, Deu. 9:20.
murmura contra Moisés, Núm. 12.
hace cesar la mortandad, Núm. 16:41, 48.
su vara florece, Núm. 17:8.
es excluido de la tierra prometida, Núm. 20:12.
su edad, muerte y sepultura, Núm. 20:23-29; 33:39; Deu. 10:6.
sus descendientes, 1 Cr. 6:49-53.
su sacerdocio inferior al de Cristo, Heb. 5:7, &c. Véase Sal. 77:20; 99:6; 106: 16, &c.

ABADÓN, (del hebreo: *Ángel destructor*), Ap. 9:11.

ABANA, (y Farfar) ríos de la ciudad de Damasco, 2 Rey. 5:12.

ABANDONO, Dios promete no abandonar, Jos. 1:5.
el de los amigos, Sal. 38:11.
el Hijo de Dios abandonado, Mat. 27:46; Jn. 16:32; Sal. 22:1.
el apóstol Pablo, desamparado por todos en su primera defensa en Roma, 2 Tim. 4:16-17.

ABARIM, montes de Moab, Núm. 27:12; Deu. 32:49.

ABATIMIENTO, (el), Dios ayuda en, Sal. 136:23.
una palabra a tiempo, disipa el, Pro. 12:25.
la fe en Dios quita el, Isa. 40:21-31.
tiempo de abatimiento, 2 Rey. 6:24-31.
pedido de misericordia, Est. 7:7.
rostro contra la pared, Isa. 38:2.
recurren al canibalismo, Lam. 2:20.
abatimiento real, Dan. 4:33.
Dios consuela a los abatidos, 2 Cor. 7:6.

ABATIR, Job 40:11.
destrucción de la tropa egipcia, Éxo. 15:4.
orgullo abatido, Sal. 101:5 Pro. 15:25; 29:23; Isa. 2:12.
reyes derrotados, Luc. 1:52.
Véase **HUMILLAR.**

ABBA, (Padre), Mar. 14:36; Rom. 8:15; Gál. 4:6.

ABDÍAS, mayordomo de Acab, preserva a los profetas y los alimenta, &c (1 Rey. 18:3).
——, profeta, predice la caída de Edom, Abd. 1, y la salvación de Israel, Abd. 17.

ABDÓN, juez de Israel, hijo de Hilel, piratonita, Jue. 12:13.

——, hijo de Micaía, 2 Cr. 34:20.
——, ciudad, Jos. 21:30; 1 Cr. 6:74.

ABED-NEGO, nombre dado a Azarías por el príncipe de los eunucos, Dan. 1:7; 2:49; 3:12). Véase Isa. 43:2.

ABEJA, enjambre en cuerpo de león muerto, Jue. 14:8.
enemigos rodean como abejas, Sal. 118:12.
silbará a las abejas, Isa. 7:18.

ABEL, su nacimiento, ofrenda, muerte, Gén. 4. hermano de Caín, Gén. 4:8-9.
su hermano Set lo sustituye, Gén. 4:25.
justo, Mat. 23:35; Heb. 11:4; 1 Jn. 3:12.
sangre de, Luc. 11:51; Heb. 12:24.
fe de, Heb. 11:4.
——, lugar (de Palestina), 2 Sam. 20:14-15, 18.
——, gran piedra de Abel, sobre la cual pusieron el arca de Jehová, 1 Sam. 6:18.

ABÍA, la esposa de Hezrón y madre de Asur, l Cr. 2:24.
——, madre de Ezequías, 2 Cr. 29:1.

ABÍAS, hijo de Jeroboam, 1 Rey. 14:1
su muerte predicha por Ahías, 1 Rey. 14:12.
——, nieto de Salomón, hijo de Roboam, 1 Cr. 3:10.
——, segundo hijo del profeta Samuel y juez en Beerseba, 1 Sam. 8:2.

ABIATAR, sumo sacerote, Mar. 2:26.
escapa de la matanza de los sacerdotes ordenada por el rey Saúl, 1 Sam. 22:20.
fiel al rey David, 1 Sam. 23:6, 30:7; 2 Sam. 15:24; Mar. 2:26.
era opuesto a Salomón, 1 Rey. 1:19.
echado del sacerdocio, 1 Rey. 2:26-27.
sustituido por Sadoc, 1 Rey. 2:35.
fue sacerdote junto con Sadoc, 1 Rey. 4:4; 1 Cr. 15:11, 18:16.

ABIB, primer mes del año judío, en él se celebraba la pascua, Éxo. 13:4, 23:15, 34:18; Deu. 16:1.

ABIEL, padre de Cis (padre del rey Saúl), 1 Sam. 9:1, 14:51.
——, uno de los valientes de los ejércitos del rey David, 1 Cr. 11:26-32.

ABIEZER, uno de los valientes del rey David, 2 Sam. 23:27; 1 Cr. 11:28, 27:12.

ABIGAÍL, sus virtudes, 1 Sam. 25:3.
intercede ante David por Nabal, 1 Sam. 25:24.
al morir Nabal, David envía por ella y la toma por esposa, 1 Sam. 25:40-42.
es hecha cautiva, 1 Sam. 30:5, y rescatada, 18.
madre de Quileab, 2 Sam. 3:3, conocido también como Daniel, 1 Cr. 3:1.
——, hermana del rey David, 1 Cr. 2:13-16; 2 Sam. 17:25.

ABIMELEC, rey de los filisteos en Gerar, Gén. 26:1.
reclama a Abraham, por negar éste que Sara fuera su esposa, Gén. 20:9.
reclama a Isaac, por negar éste que Rebeca fuera su esposa, Gén. 26:7-10.
su alianza con Isaac, Gén. 26:27-31.
——, hijo de Gedeón, Jue. 8:30-31.
su crueldad, Jue. 9:5, 48.
muerto por una mujer, Jue. 9:53; 2 Sam. 11:21.

—— (o Ahimelec), un sacerdote, 2 Sam. 8:17; 1 Cr. 18:16.

ABINADAB, recibe el arca devuelta por los filisteos, 1 Sam. 7:1; 2 Sam. 6:3.

——, hijo del rey Saúl, 1 Sam. 31:2; 1 Cr. 8:33.

ABIRAM, se rebela contra Moisés, Núm. 16. su castigo, Núm. 16:31, 26:10.

ABISAG, es llevada a palacio para darle calor al ya viejo rey David, 1 Rey. 1:3.

Adonías pierde la vida por haberla pretendido por esposa, 1 Rey. 2:13-25.

ABISAÍ, hijo de Sarvia, hermano de Joab y Asael, 1 Sam. 26:6.

es disuadido por David para que no matara al rey Saúl, 1 Sam. 26:8.

pide a David autorización para cortarle la cabeza a Simeí, 2 Sam. 16:7-9, 19:21.

da muerte Isbibenob, el gigante filisteo que intentó matar a David, 2 Sam. 21:17.

da muerte a Abner, vengando a Asael su hermano, 2 Sam. 3:30.

de los valientes de David, mató a trescientos con su lanza, 2 Sam. 23:18;

el principal de los tres que expusieron su vida para traerle agua a David 1Cr. 11:15-20

hirió en el valle de la sal a dieciocho mil edomitas, 1 Cr. 11:20; 18:12.

ABIÚ, hijo de Aarón y hermano de Nadab, Núm. 3:2.

él y Nadab su hermano mueren por ofrecer fuego extraño a Jehová, Lev. 10:1-2; Núm. 3:4.

muere sin hijos, 1 Cr. 24:2.

ABNER, general de Saúl; 1 Sam. 14:50; 17:55. reprendido por David, 1.S. 26:7, 14-16.

al principio se hace partidario de Isboset, 2 Sam. 2:8.

pero se rebela y se pasa al partido de David, 2 Sam. 3:8.

muerto a traición por Joab, 2 Sam. 3:27. David se lamenta por él, 2 Sam. 3:31.

ABOGADO (intercesor o mediador), oficio de Cristo, 1 Jn. 2:1-2, Heb. 9:15, 12:24.

abogado ante el trono de Dios, Job 16:21. intercesor en el cielo, Job 16:21.

intercesores que fracasan (Moisés y Samuel), Jer. 15:1.

Dios, nuestro abogado y redentor, Lam. 3:58.

el Espíritu Santo intercede por nosotros, con gemidos que no se pueden expresar, Rom. 8:26.

intercesión de Pablo por Onésimo, Flm. 8-12.

ABOMINACIÓN, de asolamiento, predicha, Dan. 9:27, 11:31, 12:11; Mat. 24:15; Mar. 13:14.

ABOMINACIONES, sacrificios paganos, Éxo. 8:26.

objetos y prácticas abominables, Deu. 7:25; 18:12; 25:16; Pro. 6:16-19; 12:22; 21:27; Luc. 16:15.

estilo de vida pagano, Deu. 18:9-12. oración que Dios detesta, Pro. 28:9. personas fornicarias, Jer. 3:1-3. la belleza hecha abominable, Eze. 16:25.

abominación desoladora, Dan. 9:27; 12:11; Mat. 24:15; Mar. 13:14.

tendrá castigo, Am. 1:3 6, 9, 11,13; 2:1, 4,6.

ABORTO. aborto accidental, Éxo. 21:22-25.

ABRAHAM O ABRAM, nace, Gén. 11:27. llamamiento, Gén. 12:1.

se traslada a Canaán, Gén. 12:5.

va a Egipto, Gén. 12:10.

niega a su esposa, Gén. 12:14; 20:2.

diferencias con Lot, Gén. 13:7, 11.

recibe la promesa, Gén 3:14-15; 15:5.

rescata a Lot, Gén. 14:14-16.

bendecido por Melquisedec, Gén. 14:19; Heb. 7:1.

su fe y su sacrificio, Gén. 15.

pacto de Dios con él, Gén. 15:18; 17.

él y su familia son circuncidados, Gén. 17.

es visitado por ángeles, Gén. 18.

intercede por Sodoma, Gén. 18:23.

despide a Agar y a Ismael, Gén. 21:14.

su obediencia en ofrecer a Isaac, Gén. 22.

compra lugar para sepultar a Sara, Gén. 23.

provee una esposa para Isaac, Gén. 24.

su muerte y sepultura, Gén. 25:7.

testimonios en abono de su fe y sus obras, Isa. 41:8; 52:2; Jn. 8:31-56; Hch. 7:2; Rom. 4; Gál. 3:6; Heb. 11:8; Stg. 2:21, &c.

referencias a, Mat. 3:9; 8:11; 22:32; Luc. 1:73; 13:28; 16:23; Jn. 8:33, 56, 58; Hch. 7:2; Gál. 3:7; 4:22; Heb. 7:1.

ABRAZO, se daba en señal de reconciliación, bienvenida, etc. Gén. 29:13; 33:4.

Israel abraza a sus nietos, Gén. 48:10.

el padre y el hijo pródigo, Luc. 15:20.

ABSALÓN, hijo de David, 2 Sam. 3:3.

su parecer, 2 Sam. 14:25, 26.

mata a Amnón, 2 Sam. 13:28.

su conspiración, 2 Sam. 15-17.

su muerte, 2 Sam. 18:9-14.

David se lamenta por él, 2 Sam. 18:33; 19:1.

——, columna de, 2 Sam. 18:18.

ABUELOS(AS), su deseo de tener cerca a los nietos, Gén. 31:22-29.

es para el hombre una bendición vivir hasta ver los hijos de los hijos, Sal. 128:5-6, Job 42:16-17.

los nietos son corona de los, Pro. 17:6.

Loida, abuela que transmitió la fe, 2 Tim. 1:5.

ABUNDANCIA, don de Dios Gén. 27:28; Deu. 16:10; 28:11; Sal. 65; 68:9; 104:10; 144:13; Jl. 2:26; Hch. 14:17, &c.

predicha por Eliseo, 2 Rey. 7:1, y cumplida, 2 Rey. 7:16.

la abundancia en Egipto, Gén. 41:47-49.

el pueblo de Dios, da sobreabundantemente al Señor, hasta que es impedido por Moisés para ofrendar más, Éxo. 36:2-7.

abundancia prometida al andar en los caminos de Dios, Deu. 30:1-16.

castigo por no servir a Dios a causa de poner los ojos en la abundancia de todas las cosas, Deu. 28:47-68.

aceite multiplicado milagrosamente en abundancia, al obedecer al mandato del varón de Dios, 2 Rey. 4:1-7.

Dios nos colma de bendiciones todos los días, Sal. 68:19.

Dios es grande en misericordia y bondad, Sal. 86:15.

cuando los bienes se aumentan, se aumentan también sus comedores, Ecl. 5:11.

ACAB, rey de Israel, su mal reinado, 1 Rey. 16:29.

se casa con Jezabel; su idolatría, 1 Rey. 16:31.

se ve con Elías, 1 Rey. 18:17.

en la guerra con los Sirios, 1 Rey. 20:13.

se le reprueba el que haya soltado a Benadad, 1 Rey. 20:42; y por haber tomado la viña de Nabot, 1 Rey. 21:17.

su arrepentimiento, 1 Rey. 21:27.

engañado por falsos profetas, 1 Rey. 22:6.

muerto por los Sirios, 1 Rey. 22:34; 2 Cr. 18. Véase Miq. 6:16.

———, un falso profeta, reprobado, Jer. 29:21.

ACAICO visita a Pablo, 1 Cor. 16:17.

ACÁN, su delito y su castigo, Jos. 7; 22:20; 1 Cr. 2:7.

ACAYA, el evangelio es predicado en, Hch. 18; 19:21; Rom. 15:26-27; 2 Cor. 9:2; 11:10.

ACAZ, rey de Judá, su mal reinado, 2 Rey. 16.

profana el templo, 2 Rey. 16:10.

Isaías es enviado a él a la hora de su angustia, Isa. 7.

rehúsa una señal del cielo, Isa. 7:12.

ACCESO, Dios está cercano en la oración, Deu. 4:7.

los que tienen acceso, Sal. 24:3-4

Jesús es la puerta de acceso a la salvación, Jn. 10:9.

acceso a Dios, Rom. 5:1-2; Efe. 2:18; 3:12.

mediador entre Dios y los hombres, 1 Tim. 2:5.

sin temor, con confianza, Heb. 4:16.

ANTE DIOS:

es por medio de Cristo, Jn. 10:7; 9; 14:6; Rom. 6:2; Efe. 2:13; 3:12; Heb. 7:19, 25; 10:19; 1 Ped. 3:18.

es por medio del Espíritu Santo, Efe. 2:18.

se obtiene por la fe, Hch. 14:27; Rom. 5:2; Efe. 3:12; Heb. 11:6.

sigue a la reconciliación con Dios, Col. 1:21-22.

en la oración, Deu. 4:7; Mat. 6:6; 1 Ped. 1:17. Véase **ORACIÓN**.

en su templo, Sal. 15:1; 27:4; 43:3; 65:4.

para obtener misericordia y gracia, Heb. 4:16.

un privilegio de los santos, Deu. 4:7; Sal. 15; 23:6; 24:3, 4.

los santos tienen, con confianza, Efe. 3:12; Heb. 4:16; 10:19, 22.

otorgado a los pecadores contritos, Ose. 14:2; Jl. 2:12.

ACCIÓN DE GRACIAS.

frutos consagrados, Lev. 19:24; Deu. 26:10; Pro. 3:9-10.

agradecimiento, Deu. 8:10.

oración de gratitud, 2 Sam. 7:18-29.

cántico de alabanza, 2 Sam. 22:1-51 Sal. 98:1.

gratitud por fidelidad y bondad divinas, 1 Rey. 8:14-21.

cánticos de gratitud, Sal. 9:11 33:2.

sacrificio de alabanza, Sal. 50:23.

misericordia eterna, Sal. 106:1.

no dan gloria a Dios por cosechas, Jer. 5:24.

gratitud por sabiduría, Dan. 2:19-23.

agradecimiento por provisión, Jl. 2:26.

debemos dar gracias antes de comer, Jn. 6:11.

es la clave de respuesta a oraciones, Flp. 4:6.

abundar en acciones de gracia, Col. 2:6-7.

debemos dar gracias en todo, 1 Tes. 5:18.

ACEITE, de oliva, usado como combustible, Éxo. 27:20-21; Lev. 24:2-4. Véase Mat. 25:1-13.

para ungir el cuerpo, Sal. 23:5; 104:15; Luc. 7:46.

el sagrado, Éxo. 30:22-33; 37:29.

para ungir reyes, sacerdotes, etc., Éxo. 29:7; 1 Sam. 10:1; 1 Rey. 19:16.

con ofrendas de presente, Lev. 2:1, &c.

aumentado milagrosamente, 1 Rey. 17:12-16; 2 Rey. 4:1-6.

ACOR, valle de, Acán fue muerto allí, Jos. 7:26. Véase Isa. 65:10; Ose. 2:15.

ACREEDOR (el), leyes y costumbres con respecto a, Éxo. 22:25, &c; Deu. 15:2, &c; 23:20; 24:10, &c; Neh. 5:2, &c; Eze. 18:7, 12 &c

parábola del, Luc. 7:41.

parábola de los dos acreedores, Mat. 18:28.

ACUERDO, acuerdo unánime, Jos. 24:22.

quitarse el zapato sellaba un acuerdo, Rut. 4:7.

apoyo a la maldad de esposas, Jer. 44:15-19.

para traicionar a Cristo, Mat. 26:14-16.

Ananías y Safira en acuerdo, Hch. 5:1-11.

de acuerdo con el Espíritu Santo, Hch. 15:28.

aprobación de prácticas impías, Rom. 1:32.

cristianos en un mismo sentir, Flp. 4:2.

dos de acuerdo, Am. 3:3.

ACUMULAR, Dios da al pecador el trabajo de acumular para darlo al que le agrada a Él, Ecl. 2:26.

ACUSACIÓN, penalidad por una acusación falsa, Deu. 19:16-19.

acusaciones contra Jesús, Mat. 26:60-65; Mar. 14:56; 15:2-26; Luc. 23:2-3, 38; Jn. 8:12-13; 18:30, 33; 19:12,19-22.

Satanás el acusador, Zac. 3:1-2.

se necesitaban dos o tres testigos para una, 1 Tim. 5:19.

ADÁN, creado a la imagen de Dios y bendecido, Gén. 1:27; 2:7.

formado primero que Eva, Gén. 2:18, 22; 1 Cor. 11:8-9; 1 Tim. 2:13.

llamado hijo de Dios, Luc. 3:38.

pone nombre a los animales, Gén. 2:19, 20.

de una de sus costillas, Dios crea a la mujer, Gén. 2:21-23.

su desobediencia y su sentencia, Gén. 3.

su edad y muerte; Gén. 5:5. Véase Rom. 5:14; 1 Cor. 15:22, 45; 1 Tim. 2:13.

el postrero, Cristo, un espíritu vivificante, 1 Cor. 15:45.

en Adán todos mueren, pero en Cristo todos serán vivificados, 1 Cor. 15:22.

ADAR, mes duodécimo, Esd. 6:15; Est. 3:7, 13; 8:12.

ADINO, valiente de David, mató a ochocientos hombres en una ocasión, 2 Sam. 23:8.

ADIVINACIÓN, prohibida, Lev. 19:26; 20:27; Deu. 18:10; Jer. 27:9; 29:8; Eze. 12:24; Zac. 10:2.

practicada por Saúl, 1 Sam. 28:7.

por Israel, 2 Rey. 17:17.

por Nabucodonosor, Eze. 21:21.

ADIVINO, o agorero, Isa. 2:6; Dan. 2:27; 5:7, 11; Miq. 5:12; Hch. 16:16.

ADMIRABLE, dictado (título dignatario) profético de Cristo, Isa. 9:6. Véase Jue. 13:18.

ADONÍAS, cuarto hijo de David, 2 Sam. 3:4.

su conspiración, 1 Rey. 1:5, petición, 1 Rey. 2:13 y muerte, 1 Rey. 2:25.

——, otros del mismo nombre, 2 Cr. 17:8; Neh. 10:16.

ADONIRAM, o **ADORAM**, recaudador del tributo, 2 Sam. 20:24; 1 Rey. 4:6; 5:14.

es apedreado, 1 Rey. 12:18; 2 Cr. 10:18.

——, hijo de Tou, rey de Hamat, 1 Cr. 18:9, 10.

ADOPCIÓN (la); explicada, 2 Cor. 6:18.

es de acuerdo con la promesa, Rom. 9:8; Gál. 3:29.

es por la fe, Gál. 3:7, 26.

es por la gracia de Dios, Eze. 16:3-6; Rom. 4:16, 17; Efe. 1:5, 6, 11.

es por medio de Cristo, Jn. 1:12; Gál. 4:4, 5; Efe. 1:5: Rom. 2:10, 13.

los santos, predestinados para, Rom. 8:29; Efe. 1:5, 11.

la de los gentiles, predicha, Ose. 2:23; Rom. 9:24-26; Efe. 3:6.

los adoptados son juntados en uno por Cristo, Jn. 11:52.

el nuevo nacimiento tiene relación con, Jn. 1:12, 13.

el Espíritu Santo es testigo de, Rom. 8:16.

el ser guiado por el Espíritu es prueba de, Rom. 8:14.

los santos reciben el Espíritu de, Rom. 8:15; Gál. 4:6.

un privilegio de los santos, Jn. 1:12; 1 Jn. 3:1.

los santos llegan a ser hermanos de Cristo por, Jn. 20:17; Heb. 2:11, 12.

los santos aguardan la consumación final de, Rom. 8:19, 23; 1 Jn. 3:2.

somete a los santos a la disciplina paternal de Dios, Deu. 8:5; 2 Sam. 7:14; Pro. 3:11, 12; Heb. 12:5-11.

Dios es longánimo y misericordioso para con los que participan de, Jer. 31:1, 9, 20.

debe conducir a la santidad, 2 Cor. 6:17,

18, con 2 Cor. 7:1; Flp. 2:15; 1 Jn. 3:2, 3.

seguridad de que gozan los que reciben la adopción, Pro. 14:26.

confiere un nuevo nombre, Núm. 6:27; Isa. 62:2; Hch. 15:17.

da derecho a una herencia, Mat. 13:43; Rom. 8:17; Gál. 3:29; 4:7; Efe. 3:6.

debe pedirse en la oración, Isa. 63:16; Mat. 6:9.

ADORNOS, de la persona, Gén. 24:22; Isa. 3:18, Jer.' 2:32. Véase 1 Ped. 3:3; Pro. 1:9; 4:9; 25:12.

ADRAMELEC, hijo de Senaquerib, rey de Asiria, asesina a su padre, 2 Rey. 19:36-37; Isa. 37:38.

——, un ídolo, 2 Rey. 17:31.

ADRIÁTICO, el Mar, Naufragio del apóstol Pablo, Hch. 27:27.

ADULAM, ciudad, Jos. 12:15; 15:35; 2 Cr. 11:7; Neh. 11:30; Miq. 1:15.

——, cueva de, David permanece en esta cueva, 1 Sam. 22:1; 1 Cr. 11:15.

ADULTERIO, prohibido, Éxo. 20:14; Lev. 20:10; Deu. 5:18; Mat. 5:27; 19:18; Mar. 10:11; Rom. 13:9; 1 Cor. 6:9; Gál. 5:19.

males del, Pro. 6:26-32; Ose. 1:2.

desagradable ante los ojos de Jehová, 2 Sam. 11:27.

Dios juzgará a los que cometen, Heb. 13:4; Mal. 3:5.

cualquiera que mira a una mujer para codiciarla, comete, Mat. 5:27-28.

el que repudia a su esposa para unirse a otra mujer, salvo por causa de fornicación, comete, Mat. 19:9; 5:32.

impide que Dios acepte nuestros presentes, Mal. 2:13-16.

evitarlo, es un compromiso mutuo para toda la vida, Ose. 3:3

es una manifestación de las obras de la carne, Gál. 5:19.

no heredarán el reino de Dios los que cometen, 1 Cor. 6:9, 10.

proviene de dentro del corazón del hombre, Mat. 15:19; Mar. 7:21-23.

se comete solo en caso de que la pareja aún viva, y se junte con otra, Rom. 7:3.

solo el cónyuge tiene potestad sobre el cuerpo de su respectiva pareja, 1 Cor. 7:4.

lo que el Señor manda a la esposa y al marido, para evitar, 1 Cor. 7:10-11.

permitido en la ley mosaica por la dureza del corazón del hombre, Mat. 19:8-9; Mar. 10:2-12.

uno de los 10 mandamientos, Éxo. 20:14.

castigo por cometer, Lev. 20:10.

el adúltero lo comete en lo oculto, Job 24:15; Pro. 7:18-27.

corrompe el alma del hombre, Pro. 6:32.

contamina, Lev. 18:20.

no se perdona, aunque se multipliquen los dones, Pro. 6:34-35.

no es sabio el que comete, Pro. 7:6-23.

comparación entre una ramera y una adúltera (semejanza de Israel), Eze. 16:32-34.

ejemplos de: sodomitas, Gén. 19:5-8. Lot, Gén. 19:31-38. Siquem, Gén. 34:2.

Rubén, Gén. 35:22. Judá, Gén. 38:1-24. La esposa de Potifar, Gén. 39:7-12. Sansón, Jue. 16:1. Los hijos de Elí, 1 Sam. 2:22. David y la esposa de Urías, 2 Sam. 11:1-5. Absalón y las concubinas de su padre, 2 Sam. 16:22. Israelitas, Jer. 5:7-9; 29:23; Eze. 22:9-11; 33:26. El rey Herodes, Mar. 6:17,18. La mujer samaritana, Jn. 4:18. La mujer adúltera, Jn. 8:3-11. Corintios, 1 Cor. 5:1. Gentiles, Efe. 4:17-19; 1 Ped. 4:3.

—— espiritual, Jer. 3; 13:27; Eze. 16:23; Ose. 1:2; Ap. 2:22.

ADVERSARIO, debemos conciliarnos con nuestros adversarios antes que el problema sea mas grave, Mat. 5:25; Luc. 12:58; Job 22:21.

levantados por Jehová, 1 Rey. 11:14, 23. Amán, Est. 7:6.

no debemos dar ocasión al, 1 Tim 5:14; Tit. 2:8.

——, el Ángel de Jehová, Núm. 22:22.

——, Job llama adversario a Jehová, Job 31:35.

——, Satán, Zac. 3:1; 1 Ped. 5:8.

debe resistírsele al, Mat. 4:1-11; Efe. 4:27; Stg. 4:7; 1 Ped. 5:8.

AFECTO, ejemplos de, Gén. 42:38; Éxo. 32:32; 1 Sam. 20:41-42; 2 Sam. 18:33; 2 Cor. 12:15; Flp. 2:17; 1 Tes. 3:8-12.

AFLICCIONES (las):

son ordenadas por Dios, 2 Rey. 6:33; Job 5:6, 18; Sal. 66:11; Am. 3:6; Miq. 6:9.

Dios las distribuye según su parecer, Job 11:10; Isa. 10:15; 45:7.

Dios dispone la medida de, Sal. 80:5; Isa. 9:1; Jer. 46:28.

Dios determina la continuación de, Gén. 15:13, 14; Núm. 14:33; Isa. 10:25; Jer. 29:10.

Dios no las envía por que así lo desee su corazón, Lam. 3:33, 36.

el hombre es nacido para, Job 5:6, 7; 14:1.

los santos destinados para, 1 Tes. 3:3.

son consecuencia de la caída, Gén. 3:16-19.

el pecado produce, Job 4:8; 20:11; Pro. 1:31.

el pecado es castigado con, 2 Sam. 12:14; Sal. 89:30-32; Isa. 57:17; Hch. 13:10, 11.

a menudo severas, Job 16:7-16; Sal. 42:7; 66:12; Jon. 2:3; Ap. 7:14.

siempre son menores que nuestros merecimientos, Esd. 9:13; Sal. 103:10.

los santos deben esperar tener, Jn. 15:20-21; Hch. 14:22.

de los santos, son comparativamente ligeras, Hch. 20:23, 24; Rom. 8:18; 2 Cor. 4:17.

de los santos, son pasajeras, Sal. 30:5; 103:9; Isa. 54:7, 8; Jn. 16:20; 1 Ped. 1:6; 5:10.

los santos tienen gozo en medio de, Job 5:17; Stg. 5:11.

de los santos terminan en gozo y bienaventuranza, Sal. 126:5, 6; Isa. 61:2, 3; Mat. 5:4; 1 Ped. 4:13, 14.

a menudo, provienen de la profesión del evangelio, Mat. 24:9; Jn. 15:21; 2 Tim.

3:11

AFLICCIONES (las) se convierten en un bien:

en cuanto promueven la gloria de Dios, Jn. 9:1-3; 11:3, 4; 21:18, 19.

en cuanto ponen de manifiesto el poder y fidelidad de Dios, Sal. 34:19, 20; 2 Cor. 4:8-11.

en cuanto nos obligan a buscar a Dios, Deu. 4:30, 31; Neh. 1:8, 9; Sal. 78:34; Isa. 10:20, 21; Ose. 2:6, 7.

en cuanto nos guardan de apartarnos otra vez de Dios, Job 34:31, 32; Isa. 10:20; Eze. 14:10, 11.

en cuanto nos mueven a acudir a Dios por medio de la oración, Jue. 4:3; Jer. 31:18; Lam. 2:17-19; Ose. 5:14, 15; Jon. 2:l.

en cuanto someten a prueba nuestra sinceridad y la ponen de manifiesto, Job 23:10; Sal. 66:10; Pro. 17:3.

en cuanto someten a prueba nuestra fe y nuestra obediencia, Gén. 22:1,2, con Heb. 11:17; Éxo. 15:23-25; Deu. 8:2, 16; 1 Ped. 1:7; Ap. 2:10.

en cuanto nos hacen humildes, Deu. 8:3, 16; 2 Cr. 7:13, 14; Lam. 3:19, 20; 2 Cor. 12:7.

ejemplificadas: los hermanos de José, Gén. 42:21. José, Gén. 45:5, 7, 8. Israel, Deu. 8:2-5. Josías, 2 Rey. 22:1-19. Ezequías, 2 Cr. 32:25, 26. Manasés, 2 Cr. 33:1-12. Jonás, Jon. 2:7. El hijo pródigo, Luc. 15:11-21.

AFLICCIONES (las), de los malos:

Dios es glorificado en, Éxo. 14:4; Eze. 38:22, 23.

son repetidas, Deu. 31:17; Job 20:5; 21:17; Sal. 32:10.

son continuas, Job 15:20; Ecl. 2:23; Isa. 32:10.

son a menudo repentinas, Sal. 73:19; Pro. 6:15; Isa. 30:13; Ap. 18:10.

son enviadas a menudo por vía de juicio, Job 21:17; Sal. 107:17; Jer:30:15.

son para escarmiento de los demás, Sal. 64:7-9; Sof. 3:6, 7; 1 Cor. 10:5, 11; 2 Ped. 2: 6.

son ineficaces para producir su conversión, Éxo. 9:30; Isa. 9:13; Jer. 2:30; Hag. 2:17.

la persecución de los santos, causa de, Deu. 30:7 Sal. 55:19 Zac. 2:9 2 Tes. 1:6

AGABO, profeta, predijo una gran hambre en toda la tierra, Hch. 11:28.

predice la entrega de Pablo por los judíos en Jerusalén, Hch. 21:10-11.

AGAG, rey de Amalec, hecho prisionero por Saúl y éste le perdona la vida, 1 Sam. 15:8, 9, 20.

es cortado en pedazos por Samuel delante de Jehová en Gilgal, 1 Sam. 15:32, 33.

AGAR, madre de Ismael, Gén. 16:15; Gál. 4:24

consolada por un ángel, Gén. 16:9.

despedida por Abraham con su hijo, Gén:21:14. Véase Gál. 4:22; Sal. 83:6.

AGARENOS (los), Sal. 83:6.

conquistados por los rubenitas, 1 Cr. 5:10-22.

AGOREROS (Véase **ASTRÓLOGOS, CONTEMPLADORES DE LAS ESTRELLAS**), Isa. 47:13.

——, Lev. 19:26; Deu. 18:10, 14; 2 Rey. 21:6; Gál. 4:10, 11.

AGONÍA, de Cristo en el jardín, Mat. 26.36-38; Mar. 14:32-36; Luc. 22:44.

AGRICULTURA (la), el primer oficio del hombre, Gén. 2:15 3:23.

tarea laboriosa después de la caída del hombre, Gén. 3:17-19.

labradores ancestrales, Gén. 4:2; 9:20; 1 Rey. 19:19; 1 Cr. 27:26; 2 Cr. 26:10.

no cesará mientras la tierra permanezca, Gen. 8:22.

Jehová da al justo la lluvia a su tiempo, Deu. 11:14-15.

la tierra es otorgada a los hijos de los hombres, Sal. 115:16.

el que labra la tierra será saciado, Pro. 12:11; 28:19.

aunque la cosecha falle, confíe en el Señor, Hab. 3:17-19.

parábola del sembrador, Mat. 13:1-23; Luc. 8:4-15.

el milagro del crecimiento, Mar. 4:26-29.

lo que se siembra, se cosecha, Gál. 6:7-10.

el labrador que trabaja debe ser el primero en participar de los frutos, 2 Tim. 2:6.

el agricultor debe ser paciente, Stg. 5:7

para el sustento de todos, incluyendo a los reyes, Ecl. 5:9.

LEYES CON RESPECTO A:

descanso durante los años de reposo y de jubileo, Éxo. 23:10, 11; Lev. 25:4-12.

el sábado debe guardarse durante la cosecha, Éxo. 34:21.

se pagaba restitución cuando el ganado se entre en labranza ajena, Éxo. 22:5.

los frutos de los primeros años no se comían, Lev. 19:23-25.

los plantadores de viñas que no habían gozado de ella, estaban exentos de ir a la guerra, Deu. 20:6.

frutos perdidos a causa del pecado, Isa. 5:10; 7:23; Jer. 12:13-17; Jl. 1:10-11.

INSTRUMENTOS DE TRABAJO:

el arado, 1 Sam. 13:20.

los trillos, 2 Sam. 12:31.

el azadón, 1 Sam. 13:20; Isa. 7:25.

la hoz, Deu. 16:9; 23:25; 1 Sam. 13:20.

la podadera, Isa. 18:5.

el tridente, 1 Sam. 13:21.

el hacha, 1 Sam. 13:20.

el trillo lleno de dientes, Isa. 41:15.

el palo o mayal (instrumento usado para desgranar), Isa. 28:27.

la rueda de carreta, 1 Sam. 6:7; Isa. 28:27-28.

la pala, Isa. 30:24.

el harnero o criba, Am. 9:9.

el aventador (instrumento para aventar y limpiar los granos), Mat. 3:12.

símil del cultivo de la iglesia, 1 Cor. 3:9; y

del corazón, Jer. 4:3; Ose. 10:12.

AGRIPA, defensa de Pablo ante, Hch. 25:22; 26.

por poco es persuadido por Pablo a ser cristiano, Hch. 26:28.

su dictamen respecto a Pablo, Hch. 26:30-32.

AGUA, formada, Gén. 1:2, 6, 9.

diluvio de, vertido sobre la tierra, Gén. 7:1.

provista milagrosamente, Gén. 21:19; Éxo. 15:23-25; 17:6; Núm. 20:7-13; Jue. 15:18-19; 2 Rey. 3:16-23.

dividida en el Mar Rojo, Éxo. 14:21; 15:8; Jos. 4:23; Neh. 9:11; Sal. 66:6; 74:13; 106:9; 114:3, 5; Isa. 63:12-13.

y en el Jordán, Jos. 3:14; 4:23; 2 Rey. 2:8, 14; Sal. 66:6; 114:3, 5; Isa. 63:12-13.

Eliseo hace flotar el hierro en, 2 Rey. 6:6.

Cristo camina sobre el, Mat. 14:25; Mar. 6:48; Jn. 6:19.

usada en el juicio de los celos, Núm. 5:17.

en el bautismo, Mat. 3:11; Hch. 8:36; 10:47.

convertida en vino, Jn. 2:3.

convertida en sangre, Éxo. 7:19-20; Sal. 78:44; 105:29; Ap. 16:6.

virtudes curativas comunicadas a, 2 Rey. 5:14; Jn. 5:4; 9:7.

las de Jericó, sanadas, 2 Rey. 2:18-19;

visión de las aguas medicinales, Eze. 47.

AGUARDAR A DIOS:

como Dios de la providencia, Jer. 14:22.

como Dios de la salvación, Sal. 25:5.

como Dador de todas las bendiciones que cubren nuestras necesidades, Sal. 104:27, 28; 145:15.

AGUARDAR A DIOS: PARA OBTENER:

la salvación, Gén. 49:18; Sal. 62:1, 2.

dirección y conocimiento, Sal. 25:5.

protección, Sal. 33:20; 59:9, 10.

el cumplimiento de su palabra, Hab. 2:3.

el cumplimiento de sus promesas, Hch. 1:4.

la esperanza de la justicia por medio de la fe, Gál. 5:5.

la venida de Cristo, 1 Cor. 1:7; 1 Tes. 1:10.

es bueno, Sal. 52:9.

Dios nos manda, Sof. 3:8.

exhortaciones e incentivos para, Sal. 27:14; 31:24; 37:7; Ose. 12:6.

AGÜEROS, prohibidos; Lev. 19:26; Deu. 18:9; Isa. 47:9. Véase **ADIVINÁCIÓN**.

AGUIJÓN, las palabras de los sabios son como, Ecl. 12:11.

aquello a lo que no renunciamos de nuestra vida pasada, serán por, Núm. 33:55.

dura cosa es dar coces contra el aguijón, Hch. 9:5; 26:14.

de la muerte es el pecado, 1 Cor. 15:55-56.

en la resurrección de los santos el aguijón de

la muerte ya no será, 1 Cor. 15:54-55.

aguijones en nuestra carne, 2 Cor. 12:7.

ÁGUILA (el), ave inmunda, Lev. 11:13.

se rejuvenece, Sal. 103:5.

pone su nido en la cumbre de la peña, en lugar seguro, Job 39:27, 29.

ligera, rápida, 2 Sam. 1:23; Hab. 1:8; Jer. 4:13; Lam. 4:19; Job 9:26.

símil de la soberbia, Jer. 49:16; Abd. 1:3, 4.

ave de rapiña, Job 29:30; Mat. 24:28; Luc. 17:37.

descrita, Job 9:26; 39:27-30; Abd. 4.

vista en visiones, Eze. 1:10; 17:3; Ap. 4:7.

los que esperan en Jehová, volarán con poder como el, Isa. 40:30-31.

AGUR, su declaración y oración, Pro. 30.

AHÍAS, profetiza contra Salomón, 1 Rey. 11:29-31, y contra Jeroboam, 1 Rey. 14:7-11.

predice la muerte de Abías, el hijo de Jeroboam, 1 Rey. 14:12.

AHIMAAS, sirve a David, 2 Sam. 15:27; 17:17; 18:19.

AHIMELEC, sumo sacerdote; por haber auxiliado a David (1 Sam. 21) es muerto por Doeg por mandato de Saúl 1 Sam. 22.

AHINOAM, esposa de David, 1 Sam. 25:43; 27:3; 2 Sam. 2:2.

hecha cautiva en Siclag, 1 Sam. 30:5.

madre de Amnón, 2 Sam. 3:2.

AHÍO, hijo de Abinadab, ayuda a guiar el carro que llevaba el arca de Dios, 2 Sam. 6:3-4.

AHITOB, 1 Sam. 14:3; 22:9.

AHITOFEL, la traición de, 2 Sam. 15:31; 16:20.

su deshonra y su suicidio, 2 Sam. 17:1,23, Véase Sal. 41:9; 55:12; 109.

AHOLA y AHOLIBA, como semejanza de Samaria y Jerusalén, Eze. 23.

AJALÓN. Dios detiene el Sol y la Luna en el valle de, atendiendo a la voz de un hombre, Jos. 10:12.

Israel hiere allí a los filisteos y peca contra Jehová al comer con sangre, 1 Sam. 14:31-33.

Saúl edifica ahí su primer altar a Jehová, 1 Sam. 14:33-35.

ciudad fortificada en Judá y en Benjamín, 2 Cr. 11:10.

allí habitaban los amorreos, Jue. 1:35.

eran ciudades fortificadas, 2 Cr. 11:10.

estaba en la tierra de Zabulón, Jue. 12:12.

tomada por los filisteos en tiempos del rey Acaz, 2 Cr. 28:16-19.

AJENJO, una hierba amarga, Pro. 5:4; Ose. 10:4; Ap. 8:11.

——, (o cicuta), una hierba ponzoñosa, Deu. 29:18; Am. 6:12.

——, en sentido figurado, Deu. 29:18; Pro. 5:4; Lam. 3:15.

una estrella llamada así. Ap. 8:11.

ALABANZA:

Dios es digno de, 2 Sam. 22:4; Sal. 18:3; Ap. 4:11.

Cristo es digno de, Ap. 5:9, 12.

Dios es glorificado por, Sal. 22:23; 50:23.

tributada a Cristo, Mat. 21:9-11; Mar. 11:8-10; Luc. 19:35-38; Jn. 12:13.

aceptable por medio de Cristo, Heb. 13:15; 1 Ped. 2:5.

SE DEBE DAR A DIOS A CAUSA DE:

su majestad, Sal. 96:1, 6; Isa. 24:14.

de su gloria, Sal. 138:5; Eze. 3:12.

de su grandeza, 1 Cr. 16:25; Sal. 145:3.

de su santidad, Éxo. 15:11; Isa. 6:3.

de su sabiduría, Dan. 2:20; Jud. 25.

de su poder, Sal. 21:13.

de su bondad, Sal. 107:8; 118:1; 136:1; Jer. 33:11.

de su misericordia, 2 Cr. 20:21; Sal. 89:1; 118:1-4; 136.

de su misericordia y verdad, Sal. 138:2.

de su fidelidad y verdad, Sal. 25:1.

de la salvación divina, Sal. 18:46-49; Isa. 35:10; 61:10; Luc. 1:68-69.

de sus maravillas, Sal. 89:5; 150:2; Isa. 25:1.

la ayuda de su presencia, Sal. 42:5.

de su juicio, Sal. 101:1.

de su consejo, Sal. 16:7; Jer. 32:19.

del cumplimiento de sus promesas, 1 Rey. 8:56.

del perdón del pecado, Sal. 103:1-3; Ose. 14:2.

de la salud espiritual, Sal. 103:3.

de la preservación constante, Sal. 71:6-8.

del libramiento, Sal. 40:1-3; 124:6.

de la protección, Sal. 28:7; 59:17.

de que oye la voz de nuestros ruegos, Sal. 28:6; 118:21.

de todas las bendiciones espirituales, Sal. 103:2; Efe. 1:3.

de todas las bendiciones temporales, Sal. 104:27; 136:25-26.

de la continuación de las bendiciones, Sal. 68:19.

ES OBLIGATORIA DE PARTE DE:

los ángeles, Sal. 103:20; 148:2.

de los santos, Sal. 30:4; 149:5.

de los Gentiles, Sal. 117:1, con Rom. 15:11.

de los niños, Sal. 8:2, con Mat. 21:16.

de los grandes y de los humildes, Sal. 148:1, 11.

de los jóvenes y de los viejos, Sal. 148:1, 12.

de los pequeños y de los grandes, Ap. 19:5.

de todos los hombres, Sal. 107:8; 145:21.

de toda la creación, Sal 148:1-10 150:6.

es buena y bella, Sal. 33:1; 147:1.

SE DEBE TRIBUTAR:

con el entendimiento, Sal. 47:7,

con el alma, Sal. 103:1; 104:1, 35.

con todo el corazón, Sal. 9:1; 111:1; 138:1.

con rectitud de corazón, Sal. 119:7.

con gozo, Sal. 63:5; 98:4.

con alegría, 2 Cr. 29:30; Jer. 33:11.

con gratitud, 1 Cr. 16:4; Neh. 12:24.

continuamente, Sal. 35:28; 71:6.

mientras vivamos, Sal. 104:33.

añadiendo más y más, sobre toda su alabanza, Sal. 71:14.

día y noche, Ap. 4:8.

día tras día con instrumentos resonantes, 2 Cr. 30:21, 23.

por los siglos de los siglos, Sal. 145:1-2.

por todo el mundo, Sal. 113:3.

en salmos e himnos, &c, Sal. 105:2; Efe. 5:19; Col. 3:16.

con acompañamiento de

instrumentos de la música, 1 Cr. 16:41, 42; Sal. 150:3-5.

es parte del culto público, Sal. 9:14; 100:4; 118:19-20; Heb. 2:12.

LOS SANTOS DEBEN:

anunciar, Isa. 43:21; 1 Ped. 2:9.

tributar alabanza en medio de los problemas, Hch. 16:24-25.

dar suprema alabanza, 1 Cr. 16:24-25.

expresar su gozo con alabanza, Stg. 5:13.

proclamar alabanza a Dios, Isa. 42:12.

invitar a los demás a tomar parte en, Sal. 34:3; 95:1.

pedir a Dios aptitud para tributar, Sal. 51:15; 119:17.

actitud propia en, 1 Cr. 23:30; Neh. 9:5.

ALABASTRO,

vaso de, Mat. 26:7; Mar. 14:3; Luc. 7:37.

losado de alabastro, Est. 1:6.

ÁLAMO Gén. 30:37; Ose. 4:13.

ALARMA (la), como debe tocarse y que hacer, Núm. 10:5-9; 1 Sam. 17:20.

ALBA, párpados del, Job 41:18.

alas del, Sal. 139:9.

ALBAÑIL, 1 Rey. 5:18; 2 Rey. 12:12; 22:6; 1 Cr. 14:1; Esd. 3:7.

ALCOHOL (vino) provoca la desinhibición del hombre, Gén. 9:18-27.

necesario evitarlo para poder discernir entre lo bueno y lo malo, lo santo y lo profano, Lev. 10:8-10.

vino para la libación, Núm. 15:5-7.

debe evitarse sobre todo en el embarazo, Jue. 13:2-5.

escarnecedor y alborotador, Pro. 20:1.

el abuso provoca miseria, Pro. 23:20-21.

problemas que experimenta el que se detiene en el vino, Pro. 23:29-33.

usado por razones medicinales, Pro. 31:4-7; Mar. 15:23; Luc. 10:34; 1 Tim. 5:23.

trastorna todo en el hombre, Isa. 28:7.

tinajas de vino, juicio divino, Jer. 13:12-14.

alegría falsa, Jer. 51:39.

prohibido ingerirlo al entrar en el templo, Eze. 44:21.

forzados a romper un voto, Am. 2:12.

ay del que da a beber a sus prójimo, Hab. 2:15.

almacén de vino, Mat. 9:17 Mar. 2:22.

transformación del agua en vino, Jn. 2:1-11.

no es piedra de tropiezo ante los débiles en la fe, Rom. 14:20-23.

no embriagarse con vino, sino ser llenos del Espíritu Santo, Efe. 5:18.

a pesar de lo que le causa el alcohol, el alcohólico lo vuelve a buscar, Pro. 23:35.

ALCORNOQUE (roble o encina).

árbol fuerte, Am. 2:9.

la loma de Basán celebre por, Isa. 2:13.

Jacob oculta los dioses de su familia debajo de una, Gén. 35:4.

Débora fue sepultada debajo de un, Gén. 35:8.

su tronco, símbolo de la simiente santa, Isa. 6:13.

debajo de ella se ofrecía ofrenda a los ídolos, Eze. 6:13.

un ángel se aparece a Gedeón debajo de, Jue. 6:11, 19.

Absalón enredado en un 2 Sam 18:9-10, 14

muerte de Absalón a manos de Joab que colgaba de un, 2 Sam. 18:14.

Saúl y sus hijos sepultados en Jabes debajo del, 1 Cr. 10:12.

idolatría practicada debajo de, Ose. 4:13.

ALEJANDRO, las conquistas de Alejandro el Grande fueron predichas, Dan. 8:5, 21; 10:20; 11:3.

—— e Himeneo, entregados por Pablo a Satanás, 1 Tim. 1:20.

—— el calderero le causó muchos males a Pablo, 2 Tim. 4:14.

ALELUYA, alabad al Señor, o sea dada alabanza al Señor, Sal. 106; 111; 112; 113; 135; 146:10; 147:20; 148; 149 150; Ap. 19:1, 4.

ALFA y OMEGA, Ap. 1:8, 11; 21:6; 22:13.

ALFARERO, símbolo del poder de Dios, Isa. 64:8; Jer. 18:2-6; Rom. 9:21.

alfareros antiguos, 1 Cr. 4:22-23.

ALFORJA. Véase BOLSA.

ALFOLÍ (granero), 2 Rey. 6:27; Job 39:12; Pro. 3:10; Jl. 1:17; Mat. 3:12; 6:26; 13:30; Luc. 3:17; 12:18, 24.

ALGUACIL, Mat. 5:25; Luc. 12:58; Hch. 16:38.

ALIENTO, soplo o espíritu de vida, depende de Dios, Gén. 2:7; 6:17; Job 12:10; Sal. 104:29; Eze. 37:5; Dan. 5:23; Hch. 17:25.

——, de Dios, su poder, 2 Sam. 22:16; Job 4:9; 33:4; Sal. 33:6; Isa. 11:4; 30:28.

ALMA (el), procede de Dios, Gén. 2:7.

el hombre tiene espíritu, Job 32:8.

Dios forma el espíritu del hombre en él, Zac:12:1.

es de un valor inestimable, Mat. 16:26; Mar. 8:37, &c.

existencia de, después de la muerte, Ecl. 12:7; Mat. 10:28; 22:32; Luc. 16:22; 23:43; 2 Cor. 5:6, 8; Ap:20:4.

la condenación del, Sal. 49:8; Pro. 13:2; Mat. 25; Luc. 12:4; 16:23; Ap. 20:13, &c.

la redención del, Lev. 17:11; Sal. 33:19; 34:22; 49:15.

Véase REDENCIÓN.

ALMAS, (el ganador de), Sal. 51:13.

debe anunciar la salvación día a día, Sal. 96:2.

el costo y la recompensa del ganador de almas, Sal. 126:5-6.

el que gana almas es sabio, Pro. 11:30.

castigo por negligencia de, Eze. 3:18-19; 34:1-31.

resplandecerán como estrellas por toda la eternidad, Dan. 12:3.

pescadores de hombres, Mat. 4:19; Luc. 5:10.

mucha mies y pocos obreros, Mat. 9:37-38.

ALMENA, de las paredes, Jer. 5:10.

——, del templo, Mat. 4:5; Luc:4:9.

ALMENDRAS, producidas por la vara de Aarón, Núm. 17:8. Véase Ecl. 12:5.

consideradas como una parte de lo mejor de la tierra, Gén. 43:11.

ALMENDRO, Éxo. 25:33-34; 37:19-20; Ecl. 12:5; Jer. 1:11.

ALMETE, Jer. 46:4; Eze. 23:24; 1 Sam. 17:5; 2 Cr. 26:14.

de salvación, Isa. 59:17; Efe. 6:17; 1 Tes. 5:8.

ALMORRANAS. Deu. 28:27.
Véase **HEMORROIDES**.

ÁLOE, mencionada, Nu 24:6 Sal. 45:8; Cnt. 4:14; Jn. 19:39.

ALTIVEZ (la) (orgullo, soberbia).
censurada, 2 Sam. 22:28; Pro. 6:17; 16:18; 21:4, 24; Isa:2:11; 3:16; 13:11; 16:6; Jer. 48:29.
el que hacía algo con altivez a Jehová, debía morir, Núm. 15:30.
los malos, por la altivez de su rostro, no buscan a Dios, Sal. 10:4.
precede al quebrantamiento y la caída, Pro. 16:18; Isa. 2:11, 17.
altivez de Nabucodonosor, Dan. 5:20.
las armas espirituales del cristiano son poderosas para derribar toda, 2 Cor. 10:4, 5.
los ojos de Dios están sobre los altivos para abatirlos, 2 Sam. 22:28; Sal. 18:27.
Jehová aborrece los ojos altivos, Pro. 6:16, 17.
Jehová al altivo mira de lejos, Sal. 138:6.

ALTOS, o lugares altos, construidos por Salomón para el culto idólatra, 1 Rey. 11:7; 12:31; 13; Sal. 78:58; Eze. 16:24.
la amenaza de la destrucción de, Lev. 26:30; Eze. 6:3.
se cumplen las amenazas, 2 Rey. 18:4; 23; 2 Cr. 14:3; 17:6; 34:3.
el culto en los, prohibido, Deu. 12:2; Jer. 3:6; 1 Rey. 3:2; 12:31; 13:2; 14:23.

AMALEC, un hombre, Gén. 36:12.

AMALECITA, pasado por las armas por haber matado a Saúl, 2 Sam. 1.

AMÁN, su engrandecimiento, Est. 3.
su odio hacia Mardoqueo, Est. 3:5.
su caída, Est. 7, &c.

AMARGAS yerbas, con la pascua, Éxo. 12:8
aguas, dulcificadas, Éxo. 15:25.

AMARGURA (la).
reprobada, Sal. 64:3; Rom. 3:14; Efe. 4:31; Col. 3:19; Heb. 12:15; Stg. 3:14.
los maridos no deben ser amargos con las esposas, Col. 3:19.

AMASA, general de Absalón, 2 Sam. 17:25.
se somete a David, 2 Sam. 20:4.
alevosamente muerto por Joab, 2 Sam. 20:9; 1 Rey. 2:5. Véase 1 Cr. 12:18.

AMASAI, 1 Cr. 6:25, 35.
capitán de David, 1 Cr. 12:18.
sacerdote, 1 Cr. 15:24.
levita, 2 Cr. 29:12.

AMASÍAS, rey de Judá, bien inicio, 2 Rey. 14:1.
subyuga a Edom, 2 Rey. 14:1, 7.
su arrogancia castigada por Joás, 2 Rey. 14:12-14.
le matan, 2 Rey. 14:19. Véase 2 Cr. 25.
——, sacerdote de Betel, su castigo por acusar a Amós, Am. 7:10-17.

AMÉN, expresión de asentimiento, Núm. 5:22; Deu. 27:15; 1 Rey. 1:36; 1 Cr. 16:36;
Neh. 5:13; Sal. 72:19; 89:52; Mat. 6:13; Ap. 22:20.
nombre de Cristo, Ap. 3:14.
significando "ciertamente", 2 Cor. 1:20.

AMINADAB, Éxo. 6:23; Núm. 1:7; 2:3; 7:12, 17; Rut. 4:20; 1 Cr. 2:10.
——, uno de los progenitores de Cristo, Mat. 1:4.
——, otros, 1 Cr. 6:22; 15:10-11; Cnt. 6:12.

AMONITAS, su origen, Gén:19:35-38, Deu. 2:19.
carácter de, Jue. 10:6; 2 Rey. 23:13; Eze. 25:3,
sus bienes quedan íntegros, Deu. 2:19.
fue tenida por tierra de gigantes, Deu. 2:20.
no debían entrar en la congregación, Deu. 23:3; Neh. 13:1-2.
conquistados por Saúl, 1 Sam. 11.
afrentan a David, 2 Sam. 10.
son castigados, 2 Sam. 12:26-31; 2 Cr. 26:8.
derrotados milagrosamente, 2 Cr. 20:5-24.
molestaron a los Judíos después de la cautividad, Neh. 4:3, 7, 8.
profecías relativas a, Jer. 25:21; 49:1; Eze. 21:28; 25; Am. 1:13; Sof. 2:8.

AMNÓN, hijo de David, 2 Sam. 3:2.
su maldad y su muerte, 2 Sam. 13.

AMÓN, rey de Judá, su mal reinado, 2 Rey. 21:19; 2 Cr. 33:20.
muerto por sus siervos, 2 Rey. 21:23.

AMONESTACIÓN, instrucciones con respecto a, Ecl. 4:13; Mat. 18:15; Luc. 17:3; Rom. 15:14; 1 Cor. 10:11;
Efe. 5:11; 6:4; Col. 3:16; 1 Tes. 5:12; 2 Tes. 3:15; Tit. 3:10; Heb. 3:13. Véase **EXHORTACIÓN**.
se ha de dar, 2 Cr. 19:10; Eze. 3:17; 33:3; 1 Tes. 5:14.
el ejemplo de Pablo, Hch:20:31; 1 Cor. 4:14; Col. 1:28.

AMOR (el) de Dios (ÁGAPE).
uno de sus atributos 2 Cor. 13:11; 1Jn. 4:8
Cristo es el objeto principal de, Jn. 15:9; 17:26.
Cristo permanece en, Jn. 15:10.
SE DESCRIBE COMO:
para con los hombres, soberano, Deu. 7:8.
grande, Jn 3:16 Efe. 2:4.
constante, Sof. 3:17.
infalible, Isa. 49:15, 16.
inalienable, Rom. 8:39.
obligante, Ose. 11:4.
eterno, Jer. 31:3.
que prescinde del mérito, Deu. 7:7; Job 7:17.

AMOR (el) a Cristo
manifestado por Dios, Mat. 17:5; Jn. 5:20.
manifestado por los santos, 1 Ped. 1:8.
la excelencia de su persona es digna de, Cnt. 5:9-16.
su amor para con nosotros nos mueve a, 2 Cor. 5:14.

AMOR (el) al hombre, (CARIDAD)
Virtud que consiste en amar a Dios sobre todas las cosas, y al prójimo como a nosotros mismos).

CONCORDANCIA TEMÁTICA

es de Dios, 1 Jn. 4:7.

Dios manda amar a nuestros hermanos, 1 Jn. 4:21.

Cristo manda, Jn. 13:34; 15:12; 1 Jn. 3:23.

conforme al ejemplo de Cristo, Jn. 13:54; 15:12; Efe. 5:2.

enseñado por Dios, 1 Tes. 4:9.

la fe obra por, Gál. 5:6.

es uno de los frutos del Espíritu, Gál. 5:22; Col. 1:8.

es el cumplimiento de la ley, Rom. 13:8-10; Gál. 5:14; Stg. 2:8.

el amor a nosotros mismos es la medida de, y mejor que todos los holocaustos y sacrificios, Mar. 12:33.

la pureza del corazón conduce a, 1 Ped. 1:22.

explicado, 1 Cor. 13:4-7.

es un principio activo, 1 Tes. 1:3; Heb. 6:10.

es un principio permanente, 1 Cor. 13:8, 13.

es el segundo mandamiento, Mat. 22:37-39.

es el fin del mandamiento, 1 Tim. 1:5.

los dones sobrenaturales y los grandes sacrificios nada son sin, 1 Cor. 13:1-3.

es un vínculo de unión, Col. 2:2.

es el vínculo de perfección, Col. 3:14.

ES PRUEBA: de que estamos en luz; 1 Jn. 2:10. de que somos discípulos de Cristo, Jn. 13:35; 1 Jn. 4:20.

de que hemos pasado de muerte a vida, 1 Jn. 3:14.

de que somos hijos de Dios, 1 Jn. 3:10.

AMOS, o señores:

autoridad de, Col. 3:22; 1 Ped. 2:18.

Cristo dio ejemplo de espíritu de humildad y auto-sacrificio a, Jn. 13:14.

DEBEN, CON SUS FAMILIAS Y SUS CRIADOS:

rendir culto a Dios, Gén. 35:2-3.

temer a Dios, Hch. 10:1-2.

servir a Dios, Jos. 24:15.

santificar el día de descanso, Éxo. 20:10; Deu. 5:12.

escoger criados fieles, Gén. 24:2; Sal. 101:6, 7.

seguir los buenos consejos de sus criados, 2 Rey. 5:13, 14.

obrar con justicia, Job 31:13, 15; Col. 4:1.

tratarlos en el temor de Dios, Efe. 6:9; Col. 4:1.

tenerlos en más alta estima si son cristianos, Flm. 16.

cuidar de ellos cuando estén enfermos, Luc. 7:2-10.

guardarse de amenazarlos, Efe. 6:9.

no defraudarles en nada, Gén. 31:7.

no demorarles su paga, Lev. 19:13; Deu. 24:15; Mal. 3:5; Stg. 5:4.

no gobernarlos con rigor, Lev. 19:13; Deu. 24:14.

caritativos, bendecidos, Deu. 15:18.

injustos, reprobados, Jer. 22:13; Stg. 5:4.

AMÓS, profeta, anuncia el juicio de Dios sobre las naciones, Am. 1:2, y sobre Israel, Am. 3:4,

su llamamiento, Am. 1:1; 7:14, 15.

predice la restauración de Israel, Am. 9:11.

hijo de Nahum y padre de Matatías en la genealogía del Mesías, Luc. 3:25.

AMOZ, padre del profeta Isaías, 2 Rey. 19:2, 20; 20:1; 2 Cr. 26:22; 32:20; 32:32; Isa. 1:1; 2:1; 13:1; 20:2; 37:2; 37:21; 38:1.

ANA, suegra de Esaú, e hija de Zibeón heveo, Gén. 36:2.

——, profetisa, hija Fanuel, de gran edad, profetiza acerca de Cristo, Luc. 2:36-38.

——, esposa de Elcana, 1 Sam. 1:2

era estéril, 1 Sam. 1:2, 5.

era amada por Elcana su marido, 1 Sam. 2:5.

su esposo Elcana se preciaba de ser mejor que diez hijos, 1 Sam. 1:8.

su voto y su oración, 1 Sam. 1.

Jehová se acordó de ella y concedió su petición, 1 Sam. 1:19.

su cántico, 1 Sam. 2.

ANANÍAS y Safira, Hch. 5.

——, hijo de un perfumista, Neh. 3:8.

——, conocido también por Sadrac, Dan. 1:6-7.

——, discípulo enviado por el Señor a Pablo, Hch. 9:10-17; 22:12.

——, sumo sacerdote, Pablo comparece ante él, Hch. 23:2-3.

ANÁS, sumo sacerdote, Luc. 3:2.

Cristo, examinado por, Jn. 18:13, 24.

los apóstoles, examinados por, Hch. 4:16.

ANATEMA (maldito) Jos. 6:17; 7:1: 1 Cr. 2:7; Rm. 9:3; 1Cor. 12:3 Véase **MALDITO**

ANCIANO de días (Dios), Daniel lo ve en visión, Dan. 7:13, 22.

ANCIANOS, setenta, nombrados, Éxo. 24:1; Núm. 11:16. deberes de, Deu. 29:9-10; Stg. 5:14. se les debe honrar, respetar y tener en gran estima, Lev. 19:32; 1 Rey. 2:19; Job 32:4, 6; Rom. 13:7; 1 Tim. 5:1, 19.

funcionarios llamados así, Gén:50:7; Lev. 4:15; Deu. 21:19; 1 Sam. 16:4; Esd. 5:5; Sal. 107:32; Eze. 8:1.

en la iglesia, sus requisitos, &c., Tit. 1:5; 1 Tim. 5:19; Stg. 5:14; 1 Ped. 5:1. Véase Hch. 11:30; 14:23; 15:4, 23; 16:4; 20:17.

ordenados por el pastor, Tit. 1:5.

la falta de, se considera una calamidad, Isa. 3:1, 2; 1 Sam. 2:31-33.

la presencia de una bendición, Gén. 43:27, 28; Zac. 8:4; 1 Tim. 5:17.

el apóstol Pedro era considerado entre ellos, 1 Ped. 5:1.

sus privilegios, 1 Tim. 5:17, 19.

encargo de Pablo a, Hch. 20:17-38.

encargo de Pedro a, l Ped. 5.

ANCLA, Hch. 27:29, 30, 40.

el ancla del alma, la esperanza (fe) dada por Dios, Heb. 6:19.

en las tormentas, debemos afianzarnos de las promesas de Dios (esperanza, fe), y esperar a que se haga de día, Hch. 27:29.

ANDRÉS, apóstol, era pescador, Mat. 4:18, Mar. 1:16; Jn. l:40; Hch. 1:13.

hermano de Simón Pedro, Jn. 1:40.

nacido en Betsaida de Galilea, al igual que Pedro y Felipe, Jn. 1:44.

sus preguntas, Mar. 13:3, 4; Jn. 6:8, 9.

ÁNGELES (espíritus celestes creados por Dios para su ministerio):

creados por Dios y por Cristo, Neh. 9:6; Col. 1:16.

adoran a Dios y a Cristo, Neh. 9:6; Flp. 2:9-11; Heb. 1:6.

son espíritus ministrantes, 1 Rey. 19:5; Sal. 68:17; 104:4; Luc. 16:22; Hch. 12:7-11; 27:23; Heb. 1:7, 14.

comunican la voluntad de Dios y de Cristo, Dan. 8:16, 17; 9:21-23; 10:11; 12:6-7; Mat. 2:13, 30; Luc. 1:19, 28; Hch. 5:20; 8:26; 10:5; 27:23; Ap. 1:1.

obedecen la voluntad de Dios, Sal. 103:20; Mat. 6:10.

ejecutan los designios de Dios, Núm. 22:22; Sal. 103:21; Mat. 13:39-42; 28:2; Jn. 5:4; Ap. 5:2.

ejecutan los juicios de Dios, 2 Sam. 24:16; 2 Rey. 19:35; Sal. 35:5,6; Hch. 12:28; Ap. 16:1.

dan loor a Dios, Job 38:7; Sal. 148:2; Isa. 6:3; Luc. 2:13, 14; Ap. 5:11, 12; 7:11, 12.

la Ley, dada por medio del servicio de, Sal. 68:17; Hch. 7:53; Heb. 2:2.

le sirven a Cristo, Mat. 4:11 Luc. 22:43 Jn 1:51

están sujetos a Cristo, Efe. 1:21; Col. 1:16; 2:10; 1 Ped. 3:22.

ejecutarán los designios de Cristo, Mat. 13:41; 24:31.

acompañarán a Cristo en su segunda venida, Mat. 16:27; 25:31; Mar. 8:38; 2 Tes. 1:7.

se regocijan por el pecador que se arrepiente, Luc. 15:7, 10.

tienen cuidado de los hijos de Dios, Sal. 34:7; 91:11, 12; Dan. 6:22; Mat. 18:10.

son de varias jerarquías, Isa. 5:2; 1 Tes. 4:16; 1 Ped. 3:22; Jud. 9; Ap. 12:7.

no se les debe rendir culto, Col. 2:18; Ap. 19:10; 22:9.

son poderosos, Sal. 103:20.

son escogidos o elegidos, 1 Tim. 5:21.

son innumerables, Job 25:3; Heb. 12:22.

ANUNCIARON:

la concepción de Cristo, Mat. 1:20, 21; Luc. 1:31.

el nacimiento de Cristo, Luc. 2:10-12.

la resurrección de Cristo, Mat. 28:5-7; Luc. 24:23.

la ascensión y segunda venida de Cristo, Hch. 1:11.

la concepción de Juan el Bautista, Luc. 1:13, 36.

ENVIADOS A:

Daniel, Dan. 8:16; 9:21; 10:11; 12:6.

Zacarías, Luc. 1:11.

María, Luc. 1:26.

los pastores, Luc. 2:13.

anunciar la resurrección de Cristo, Mat. 28; Mar. 16.

Pedro, Hch. 12:7.

Juan, Ap. 19:10; 22:8.

——, caídos, 2 Ped. 2:4; Jud. 6.

ÁNGEL (el) DEL SEÑOR, se aparece a:

Abraham, Gén. 18. Lot, Gén. 19; Agar, Gén. 16:7; Balaam, Núm. 22:33; los israelitas, Jue. 2; Gedeón, Jue. 6:11; la

esposa de Manoa, Jue. 13:3; David, 2 Sam. 24:16; 1 Cr. 21:16; Elías, 1 Rey. 19:7; Daniel, Dan. 8:16; 9:21; 10:11, 12; José, Mat. 1:20; María Magdalena, Mat. 28:2, 7; Zacarías, padre de Juan el Bautista, Luc. 1:11; María, Luc. 1:26; los pastores, Luc. 2:8-12; los apóstoles, Hch. 5:19; Pedro, Hch. 12:7; Felipe, Hch. 8:26; Cornelio, Hch. 10:3; Pablo, Hch. 27:23. Véase Sal. 34:7; 35:5; Zac. 1:11.

ÁNGELES de las iglesias, Ap. 1:20; 2:1, 8 &c.

ANGUSTIA, Gén. 42:21; 2 Sam. 1:9; Sal. 119:143; Jn. 16:21; Rom. 2:9; 2 Cor. 2:4.

ANILLO, se daba en prueba de deferencia, Gén. 41:42; Est. 3:10; Luc. 15:22.

hecho de oro y engastado de piedras preciosas, Núm. 31:50, 51; Cnt. 5:14.

usado para sellar decretos, Est. 3:12; 8:8-10.

Pendiente en la nariz, Gén. 24:47

Anillo de gobernante, Gén. 41:42 Est. 3:10

Anillos como ofrenda, Éxo. 35:22

Sello real, Est. 8:8

Artículo suntuoso, Isa. 3:18-23

Anillo para hijo arrepentido, Luc. 15:22

ANTICRISTO (el), niega al Padre y al Hijo, 1 Jn. 2:22.

niega la encarnación de Cristo, 1 Jn. 4:3; 2 Jn. 7.

el espíritu de, prevalecía en los tiempos apostólicos, 1 Jn. 2:18.

el engaño es uno de los distintivos de, 2 Jn. 7.

predicción de su venida, 2 Tes. 2:3; 1 Tim. 4:1.

ANTIOQUÍA, los discípulos fueron llamados cristianos por primera vez allí, Hch. 11:26.

Pablo predicó allí, Hch. 13:1, 14; 14:26; 15:30.

penalidades del apóstol allí, Gál. 2:11; 2 Tim. 3:11.

ANTIPAS, mártir de la iglesia de Pérgamo (situada en la Silla de Satanás), Ap. 2:13.

AÑOS, el sol y la luna creados para señalar los, Gén. 1:14.

desde la época más antigua se computaba el tiempo por, Gén. 1:14; 5:5.

duración de, en la época patriarcal, Gén. 7:11, y Gén. 8:13, con Gén. 8:24, y Gén. 8:3.

DIVIDIDOS EN: estaciones, Gén. 8:22.

meses, Gén. 7:11; 1 Cr. 27:1.

semanas, Dan. 9:27; Luc. 18:12.

en días, Gén. 25:7; Est. 9:27.

el principio de los meses, cambiado después del Éxo., Éxo. 12:2.

mil años con un día para Dios, Sal. 90:4.

NOTABLES:

el sabático, Lev. 25:4.

el del jubileo, Lev. 25:11;

el de remisión, Deu. 15:1-6.

AOD. Libertador levantado por Jehová, hijo de Gera, benjamita, tenía cerrada la mano derecha, Jue. 3:15.

Asesina con un puñal a Eglón, rey de Moab, y escapa, Jue. 3:21-26.

libra a Israel de Moab, Israel tiene reposo por ochenta años, Jue. 3:27-30.

APOLYÓN (*el destructor*), Ap. 9:11.

APOLOS, judío de Alejandría, muy elocuente, poderoso en las escrituras, Hch. 18:24.

algunos tomaban partido por él, 1 Cor. 1:12; 3:4.

Pablo lo sitúa ante los corintios como un simple ministro, por medio del cual creyeron, 1 Cor. 3:5.

Pablo le rogó que fuera con los corintios, pero no mostró voluntad, 1 Cor. 16:12.

Pablo le pide a Tito que encamine a Apolos con solicitud, para que nada le falte, Tit. 3:13.

APOSTASÍA.

Causas de apostasía:

tentar a Dios, dudar de Él, Éxo. 17:7.

olvidar lo que Él ha hecho, y no esperar su consejo, Sal. 106:13-14; Deu. 8:11-17.

la aflicción o la persecución de los que no tienen raíz (profesantes), Mar. 4:16-1.

el amor al dinero, 1 Tim. 6:10.

el día de Cristo no vendrá sin que antes venga la, 2 Tes. 2:1-3.

condena, Jer. 2:19.

en los postreros tiempos, algunos apostatarán de la fe, 1 Tim. 4:1.

los ministros no deben permitir o pasar por alto la, Éxo. 32:1-6; 1 Sam. 3:13.

APÓSTATAS, la persecución tiende a volver a los hombres, Mat. 24:9, 10; Luc. 8:13.

tienen apariencia de cristianos, pero no lo son, Ap. 3:1.

el amor al mundo tiende a volver a los hombres, 2 Tim. 4:10.

son rebeldes y no perseveran en la doctrina de Cristo, no tienen a Dios, 2 Jn. 9.

prohibido recibirlos y darles la bienvenida, 2 Jn. 10

jamás fueron de Cristo, 1 Jn. 2:18-19.

los santos no se vuelven, Job 23:10-14; Sal. 44:18-19; 119:51; Heb. 6:9; 10:38-39.

es imposible restaurar a los, Heb. 6:4-6.

culpabilidad y castigo de los, Sof. 1:4-6; Heb. 10:25-31, 39; 2 Ped. 2:15-17; 20-22.

advertencias para no convertirse en, Heb. 3:12-19; 2 Ped. 3:17.

abundarán en los postreros días, Mat. 24:10-12; 1 Tim. 4:1-3.

los apóstatas debían morir, Deu. 13:5-11.

EJEMPLOS DE: Saúl, 1 Sam. 15:11.Himeneo y Alejandro, 1 Tim. 1:19-20. Amasías, 2 Cr. 25:14, 27. Pretendidos discípulos, Jn. 6:65-66.

APÓSTOLES (los) sus nombres Mat. 10:2-4

Cristo, Apóstol y Sumo Sacerdote de nuestra profesión, Heb. 3:1.

elegidos y ordenados por Cristo, Mar. 3:13-14; Jn. 15:16.

recibieron su título de Cristo, Luc. 6:13.

FUERON LLAMADOS POR:

Dios, 1 Cor. 1:1; 12:28; Gál. 1:1, 15-16.

Cristo, Mat. 10:1; Mar. 3:13; Hch. 20:24; Rom. 1:5.

el Espíritu Santo, Hch. 13:2, 4.

Pedro y Juan eran hombres iletrados e ignorantes, Hch. 4:13.

escogidos por Dios de lo necio del mundo, para avergonzar a los sabios, 1 Cor. 1:27.

apartados para el evangelio de Dios, Rom. 1:1.

Pablo, apóstol a los gentiles, Rom. 11:13

los milagros que realizaban no podían ser negados por el concilio, Hch. 4:14-16.

Cristo, Apóstol (Heb. 3:1), sus milagros y señales no podían ser negados, Jn. 11:47; Hch. 3:9-10.

vieron a Cristo en la carne, Luc. 1:2; Hch. 1:22; 1 Cor. 9:1; 1 Jn. 1:1.

testigos de la resurrección y ascensión de Cristo, Luc. 24:33-41, 51; Hch. 1:2-9; 10:40-41; 1 Cor. 15:8.

se les da poder para obrar milagros, Mat. 10:1, 8; Mar. 16:20; Luc. 9:1; Hch. 2:43.

falsos, reprobados, 2 Cor. 11:13.

AQUILA y Priscila van con Pablo, Hch. 18:2.

instruyen a Apolos, Hch. 18:26.

su constancia, Rom. 16:3; 1 Cor. 16:19.

ÁRABES (los), tributarios del rey Salomón, 2 Cr. 9:14.

tributarios de Josafat, 2 Cr. 17:11.

tributarios de Uzías, 2 Cr. 26:7.

profecías acerca de, Isa. 13:20; 21:13; Jer. 25:24; Hch. 2:11.

ARAR, leyes acerca del, Deu. 22:10. Véase 2 Cor. 6:14.

en sentido figurado, Job 4:8; Ose. 10:13; Luc. 9:62; 1 Cor. 9:10.

ARARAT, montaña en que reposó el arca, Gén. 8:4. Véase: Jer. 51:27.

ARAUNA (Ornán), jebuseo, vende a David terreno para edificar altar y templo a Jehová, 2 Sam. 24:16; 1 Cr. 21:15, 18; 22:1.

ÁRBITRO (o atalaya), disputa por propiedad, Gén. 26:19-32.

Divino atalaya, Gén. 31:48-50; Job 9:33.

mediación entre dos madres, 1 Rey. 3:16-28

ÁRBOL de la vida, Gén. 2:9; 3:22; Pro. 3:18; 11:30; Eze. 47:7, 12; Ap. 2:7; 22:2, 14.

de la ciencia del bien y del mal, el comer de, prohibido, Gén. 2:17.

el precepto es desobedecido, Gén. 3.

ÁRBOLES, leyes con respecto a, Lev. 19:28; 27:30; Deu. 16:21; 20:19.

la parábola de los, de Jotam, Jue. 9:8.

la visión de Nabucodonosor, Dan. 4:10.

alabarán a Dios, 1 Cr. 16:33.

la fecundidad de, en manos de Dios, Lev. 26:4, 20; Eze. 34:27; Jl. 2:22.

MENCIONADOS EN LAS ESCRITURAS

álamo, Gén. 30:37.

almendro, Éxo. 25:33-34; 37:19-20; Ecl. 12:5; Jer. 1:11.

arrayán, Neh. 8:15; Isa. 55:13.

castaño, Gén. 30:37.

cedro, Lev. 14:4; Núm. 19:6; 2 Sam. 5:11; Jer. 22:15; Eze. 31:3.

enebro, 1 Rey. 19:4, 5; Job 30:4; Sal. 120:4.

granado, 1 Sam. 14:2; Jl. 1:12; Hag. 2:19.

higuera, Gén. 3:7; Deu. 8:6.

laurel, Sal. 37:35.

manzano, Cnt. 2:3; 8:5; Jl. 1:12.

mostazo, Mat. 13:31; 17:20; Mar. 4:31; 24; Sal. 52:8.

olivo, Gén. 8:11; Jue. 9:8-9; Rom. 11:17, 24; Sal. 52:8.

olmo, Isa. 1:30.

palma, Éxo. 15:27; Lev. 23:40; Jn. 12:13; Ap. 7:9.

pino, 2 Cr. 2:8; Neh. 8:15; Isa. 44:14.

sándalo, 1 Rey. 10:11-12; 2 Cr. 9:10-11.

sauce, Lev. 23:40; Job 40:22; Sal. 137:2; Isa. 15:7; 44:4; Eze. 17:5.

sicómoro (s) 1 Rey. 10:27; 1Cr. 27:28, 2Cr. 1:15, 9:27 Is 9:10 Luc. 17:6; 19:4.

vid, Núm. 6:4; Eze. 15:2; Jn. 15:1, 4-5.

ARCA (de Noé), descrita, Gén. 6:14-15; Heb. 11:7; 1 Ped. 3:20.

ARCA DEL PACTO:

su estructura, Éxo. 25:10; 37:1.

su contenido, Éxo. 25:16, 21; 40:20; 2 Cr. 6:11; Heb. 9:4.

su uso, Éxo. 25:22; 30:6; 1 Cr. 13:3.

guía y salvaguarda de los judíos, Núm. 10:33; 14:44; Jos. 3:4; 6:12; 1 Sam. 4:3.

muy querida, 1 Sam. 4:13-22; 6:13; 1 Cr. 15:28.

profanación de ella castigada, Núm. 4:5, 15; 1 Sam. 6:19; 1 Cr. 15:13.

tomada por los filisteos, 1 Sam. 4:11.

plagas a consecuencia de ello, 1 Sam. 5.

retorno del arca, 1 Sam. 6.

llevada a Jerusalén, 2 Sam. 6:15; 1 Cr. 13; 15; 16; 2 Cr. 1:4.

llevada al templo, 1 Rey. 8:3; 2 Cr. 5; Sal. 132.

arca en el cielo, Ap. 11:19.

ARCÁNGEL, 1 Tes. 4:16; Jud. 9.

ARCO, de la flecha, en la guerra, Gén. 48:22; 1 Cr. 12:2; Isa. 7:24; Zac. 9:10; 10:4.

en la caza, Gén. 27:3.

de acero, 2 Sam. 22:35; Job 20:24.

cómo lo usaban, 2 Sam. 1:18; 2 Rey. 9:24; quiénes lo usaban, 1 Sam. 31:3; 1 Cr. 5:18; 12:2; 2 Cr. 14:8; Jer. 46:9; 49:35.

en sentido figurado, 1 Sam. 2:4; Job 29:20; Sal. 11:2; 78:57; Jer. 9:3; Ose. 1:5; 2:18;

——, tiradores de, mencionados, Gén. 21:20; 49:23; 1 Sam. 31:3; 1 Cr. 10:3; Job 16:13; Isa. 22:3; Jer. 51:3.

Acab y Josías muertos por, 1 Rey. 22:34; 2 Cr. 35:22.

ARCO IRIS, en las nubes, señal de la misericordia de Dios, Gén. 9:13; Eze. 1:28. visto en el cielo, Ap. 4:3; 10:1.

ARMADURA, casco, almete o yelmo, 1 Sam. 17:5; 38; 2 Cr. 26:14; Efe. 6:17; 1 Tes. 5:8.

coraza, coselete, 1 Sam. 17:5, 38; Éxo. 28:32; Jer. 46:4; Ap. 9:9.

talabarte, 1 Sam. 18:4; 2 Sam. 18:11.

escudo, 1 Sam. 17:6; 1 Rey. 10:17; 14:26-27; 1 Cr. 5:18; Eze. 26:8.

la de Goliat, descrita, 1 Sam. 17:5-7.

de Dios, Efe. 6:13; Rom. 13:12; 2 Cor. 6:7; 10:3; 1 Tes. 5:8.

ARMAGEDÓN, Ap. 16:16.

ARMAS, espada, Gén. 27:40; Jue. 20:17.

daga, 2 Sam. 20:8.

lanza, Núm. 25:7; Jos. 8:18; 1 Sam. 18:10;

Jer. 50:42.

arco y flecha (saetas), Gén. 27:3; 48:22; 1 Sam. 20:36; Job 6:4; Sal 18:34; 38:2; 91:5; 120:4; Eze. 21:21.

honda, Jue. 20:16; 1 Sam. 17:40; 1 Cr. 12:2.

ARPA, inventada por Jubal, Gén. 4:21.

tocada por el rey David 1 Sam. 16:16, 23; 2 Sam. 6:5.

usada en el culto público, 1 Cr. 25:3; Sal. 33:2; 81:2; 150:3.

en el cielo, Ap. 14:2. Véase Job 30:31; Isa. 16:11; 30:32; Eze. 26:13; Ap. 10:22.

ARRAS (o prenda), del Espíritu, 2 Cor. 1:22; 5:5; Efe. 1:14.

ARREPENTIMIENTO (el):

prescrito a todos por Dios, Hch. 17:30.

prescrito por Cristo, Ap. 2:5, 16; 3:3.

concedido por Dios, Hch. 11:18; 2 Tim. 2:25.

Cristo vino a llamar a los pecadores a, Mat. 9:13.

Cristo fue enaltecido para dar, Hch. 5:31.

por obra del Espíritu Santo, Zac. 12:10.

llamado arrepentimiento para vida, Hch. 11:18.

llamado arrepentimiento para la salvación, 2 Cor. 7:10.

DEBEMOS SER MOVIDOS A,

por la longanimidad de Dios, Gén. 6:3, con 1 Ped. 3:20; 2 Ped. 3:9.

por la bondad de Dios, Rom. 2:4.

por los castigos de Dios, 1 Rey. 8:47; Ap. 3:19.

la tristeza que es según Dios obra, 2 Cor. 7:10.

necesario para el perdón del pecado, Hch. 2:38; 3:19; 8:22.

el reconocimiento del pecado es necesario para, 1 Rey. 8:38; Hch. 2:37, 38.

PREDICADO:

por Cristo, Mat. 4:17; Mar. 1:15.

por Juan el Bautista, Mat. 3:2.

por los apóstoles, Mat. 6:12; Hch. 20:21.

en el nombre de Cristo, Luc. 24:47.

del cual nadie ha de arrepentirse, 2 Cor. 7:10.

el presente es el tiempo para, Sal. 95:7-8, con Heb. 3:7-8; 4:7.

hay gozo en el cielo por un pecador que es movido a, Luc. 15:7, 10.

los ministros deben regocijarse cuando el pueblo experimenta, 2 Cor. 7:9.

debe darse a conocer por sus frutos, Dan. 4:27; Mat. 3:8; Hch. 26:20.

VERDADERO, EJEMPLOS DE: Pedro, Mat. 26:75. Los israelitas, Jue. 10:15, 16. El ladrón en la cruz, Luc. 23:40-41. Job, Job 42:6. David, 2 Sam. 12:13. Manasés, 2 Cr. 33:12-13. Nínive, Jon. 3:5-8; Mat. 12:41. Zaqueo, Luc. 19:8. Los corintios, 2 Cor. 7:9.

FALSO, EJEMPLOS DE: Saúl, 1 Sam. 15:24-30. Acab, 1 Rey. 21:27-29. Judas, Mat. 27:3-5.

ARRODILLARSE. acto de, durante la oración, 2 Cr. 6:13; Esd. 9:5; Sal. 95:6; Dan. 6:10; Hch. 7:60; 9:40; 21:5; Efe. 3:14.

en la presencia del Señor, Sal. 95:6.

ARROYOS, mencionados, Núm. 13:23; 21:14; Deu. 2:13; 1 Sam. 30:9; 2 Sam. 15:23; 23:30; 1 Rey. 15:13; 17:3; 18:40; 1 Cr. 11:32; Sal. 83:9; Jn. 18:1.

en sentido figurado, Job 6:15; 20:17; Sal. 110:7; Pro. 18:4.

ARTAJERJES (Asuero), su decreto acerca de los judíos, 4:6,17.

ARTEMAS, ayudante de Pablo, Tit. 3:12.

ASAF, se le atribuyen los salmos 50, 73 a 83.
vidente, 2 Cr. 29:30.
guardabosque, Neh. 2:8.
cronista, 2 Cr. 29:30.
levita, arregla el servicio en el templo, 1 Cr. 6:39; 16:7; 25:1; 2 Cr. 5:12; 20:14; 29:30; 35:55; Esd. 2:41; 3:10.
se le atribuyen los salmos 50, 73-83.

ASALARIADO, falso ministro, Jn. 10:12, 13.

ASCENSIÓN (la) de Cristo, profecías acerca de, Sal. 24:7; 68:18, con Efe. 4:7-8.
predicha por Él mismo, Jn. 6:62; 7:33; 14:28; 16:5; 20:17.
cuarenta días después de su resurrección, Hch. 1:3.
descrita, Hch. 1:9.
desde el Monte de los Olivos, Luc. 24:50; Mar. 11:1; Hch. 1:12.
en tanto que bendecía a sus discípulos, Luc. 24:50.
cuando había hecho expiación por el pecado, Heb. 9:12; 10:12.
fue triunfante, Sal. 68:18.
fue para asumir la dignidad y el poder supremos, Luc. 24:26; Efe. 1:20-21; 1 Ped. 3:22.
como precursor de su pueblo, Heb. 6:20.
para interceder, Rom. 8:34; Heb. 9:21.
para enviar el Espíritu Santo, Jn. 16:7; Hch. 2:33.
para recibir dones para los hombres y también para los rebeldes, Sal. 68:18, con Efe. 4:8, 11.
para preparar un lugar para su pueblo, Jn. 14:2.
su segunda venida, semejante a, Hch.1:10-11.
simbolizada, Lev. 16:15; Heb. 6:20; 9:7-12.

ASIRIA, origen de, Gén. 10:8-11.
denominada tierra de: Nimrod, Miq. 5:6; Sinar, Gén. 11:2.
idólatra, 2 Rey. 19:37.
REYES DE: Pul, 2 Rey. 15:19, 20.
Tiglat-pileser, 2 Rey. 15:29; 16:7.
Salmanasar, 2 Rey. 17:3-6, 24.
su ejército herido por Dios, 2 Rey. 19:35.
Senaquerib, 2 Rey. 18:13.
Esar-hadón, Esd. 4:2.
Sargón, Isa. 20:1.
Jareb, Ose. 10:6.
la caída de, descrita, Eze. 31:3-17.
profecías acerca de, Núm. 24:22; Isa. 8; 10:12-19; 14:24; 30:31; 31:8; Ose. 11:11; Zac. 10:10, 11.
participación en las bendiciones del evangelio, Isa. 19:23-25; Miq. 7:12.

ASNA(O), reprende a Balaam, refrenando su locura, Núm. 22:28; 2 Ped. 2:16.
usada por Abraham, Gén. 22:3.

perdidas por Saúl, 1 Sam. 9:3.
usada en las ceremonias, Zac. 9:9 Jue. 5:10.
alusiones a, Gén. 49:14; Job 24:3, 5; Pro. 26:3; Isa. 1:3; 32:20; Jer. 22:19; Luc. 13:15; 14:5.
leyes con respecto a, Éxo. 13:13; 23:4; Deu. 22:10.
Cristo monta en un asno, Mat. 21, Mar. 11:2-7; Luc. 19:30-35; Jn. 2:14-15,
montés, descripción, Job 6:5; 11:12; 24:5; 39:5; Ose. 8:9; Sal. 104:11; Isa. 32:14; Jer. 2:24; 14:6; Dan. 5:21.
joven, o pollino, Gén. 49:11; Job 11:12.
asnas blancas, Jue. 5:10.

ÁSPID, culebra venenosa, Sal. 58:4; Job 20:14, 16; Deu. 32:33.
no se puede encantar, Sal. 58:4, 5.
el habla de los malos, Sal. 140:3; Rom. 3:13.
los efectos nocivos del vino, Deu. 32:33; Pro. 23:30-35.
despojado del veneno, representa la conversión, Isa. 11:8, 9.

ASUERO, rey de Persia repudia a Vasti Est. 1. hace reina a Esther, Est. 2:17.
engrandece a Amán, Est. 3.
su decreto contra los judíos, Est. 3:12.
premia la lealtad de Mardoqueo, Est. 6.
manda ahorcar a Amán, Est. 7:9; 8:7.
engrandece a Mardoqueo, Est. 9:4; 10:1-3. Véase Esd. 4:6.

ASTAROT, diosa de Sidón, Salomón le edifica lugares altos, 2 Rey. 23:13.
ADORADA POR: los filisteos, 1 Sam. 31:10; los israelitas, Jue. 2:13; 10:6; 1 Sam. 7:3; 12:10; 1 Rey. 11:33; 2 Rey. 23:13.

ASTRÓLOGOS, su incapacidad. Isa. 47:13; Dan. 1:20; 2; 4:7; 5:7-15.

ASTUCIA, Satanás, serpiente astuta, Gén. 3:1.
Dios frustra los pensamientos de los astutos para que sus manos no hagan nada, Job 5:12.
Nehemías contrarresta la astucia de sus enemigos, Neh. 6:1-19.
los impíos usan de, Sal. 83:3; Pro. 7:10; 26:28; Sal. 52:1-7.
MUJERES ASTUTAS: Rebeca, Gén. 27:5-17. La mujer de Tecoa, 2 Sam. 14:2. La madre de Moisés, Éxo. 2:1-10. Esther, Est. 4:16-17; 5:1-9; 7:1-10.

ATALAYADORES, Divino atalaya, si Jehová no guarda la ciudad, en vano vela la guarda, Sal. 127:1.
deberes de, 2 Sam. 18:24; 2 Rey. 9:17; Sal. 127:1; Cnt. 3:3; 5:7; Isa. 21:5, 11; 52:8; Jer. 6:17; 31:6; Eze. 3:17-21; 33:2-19; Hab. 2:1.
malos, descritos, Isa. 56:10-12.

ATALAYAS, 2 Cr. 20:24; Isa. 21:5-10.

ATALÍA, reina, 2 Rey. 8:26; se apodera del reino de Judá y destruye la familia real, 2 Rey. 11:1; 2 Cr. 22:10.
muerta por Joiada, 2 rey. 11:16; 2 Cr. 22:10.

ATAVÍO, exhortaciones acerca del, Deu. 22:5; 1 Tim. 2:9; 1 Ped. 3:3.

ATEO. NIEGAN: la existencia de Dios, Job 18:19-21; Sal. 14:1; 36:1; 53:1; Pro. 30:9.
la providencia de Dios, Job 21:15; 22:13; 34:9; Sal. 10:11; 73:11; 78:19; 94:7.

AUGUSTO CÉSAR, Luc. 2:1; Hch. 25:21

AUXILIO (el) divino: necesario, Jn. 15:5; Flp. 2:13; 1Cor. 15:10; 2Cor. 3:5; 1Tim 1:12

prometido, Sal. 37:4; Isa. 58:9; Jer. 29:12; Mat. 7:11; 21:22; Luc. 11:9; 1 Jn. 5:14; Stg. 1:5.

ejemplos de, Eliezer, el criado de Abraham, Gén. 24:12; Ana, 1 Sam. 1; Job, Job 42:10; Ezequías, 2 Rey. 19; Manasés, 2 Cr. 33:13-15; David, Sal. 3:4; 118:5; 120:1.

AVARICIA (la):

dimana del corazón, mar. 7:22, 23.

se apodera del corazón, Eze. 33.31; 2 Ped. 2:14.

es idolatría, Efe. 5:5; Col. 3:5.

es raíz de todo mal, 1 Tim. 6:10.

jamás se sacia, Ecl. 5:10; hab. 2:5.

es vanidad, Sal. 39:6; Ecl. 4:8.

AVES (las), creadas y preservadas, Gén. 1:20; 7:3; Sal. 148:10; Mat. 6:26; 8:20; Luc. 12:24.

reciben sus nombres, Gén. 2:19.

sujetas al hombre, Gén. 9:2; Sal. 8:8.

instinto de, Job 12:7; 35:11.

canto de, Sal. 104:12; Ecl. 12:4; Cnt. 2:12; Isa. 59:11.

moradas de, Sal. 50:11; 102:6, 7; 104:12, 17; Eze. 17:23; 31:6, 13; Isa. 34:11; 60:8.

nidos de, Deu. 22:6; Núm. 24:21; Sal. 84:3; 104:17; Isa. 34:15; Jer. 48:28; Eze. 31:6.

LIMPIAS:

la paloma, Gén. 8:8.

la tórtola, Lev. 14:22; Cnt. 2:12.

el palomino, Lev. 1:14; 12:6.

la codorniz, Éxo. 16:12, 13; Núm. 11:31, 32

el gorrión, Sal. 84:3; Pro. 26:2.

la golondrina, Isa. 38:14; Jer. 8:7; Sal. 84:3; Pro. 26:3.

el gallo y la gallina, Mat. 23:37; 26;34, 74.

la perdiz, 1 Sam. 26:20; Jer. 17:11.

la grulla, Isa. 38:14; Jer. 8:7.

INMUNDAS:

el águila, Lev. 11:13; Job 39:27.

el azor, Deu. 14:12.

el esmerejón, Deu. 14:12.

el buitre, Lev. 11:14.

el falcón, Deu. 14:13.

el milano, Lev. 11:14.

el cuervo, Lev. 11:15; Job 38:41.

el avestruz, Job 39:13. Lam 4:3

la gaviota, Lev. 11:16.

el gavilán, Lev. 11:16.

el búho, Lev. 11:17.

el halcón, Deu. 14:15; Job 39:26.

el cisne, Deu. 14:16.

el pelícano, Lev. 11:18; Sal. 102:6.

el calamón, Lev. 11:18.

la cigüeña, Lev. 11:19; Sal. 104:17.

el murciélago, Lev. 11:19; Isa. 2:20.

el erizo, Isa. 14:23; 34:11.

el pavo real, 1 Rey. 10:22.

aves usadas en los sacrificios, Gén. 15:9; Lev. 14:4; Luc. 2:24.

mencionadas metafóricamente, Job 41:5; Sal. 11:1; Pro. 1:17; 6:5; 27:8; Ecl. 9:12; 10:20; Isa. 16:2; 46:11; Jer. 12:9; Am. 3:5; Mat. 13:4, 32; Ap. 18:2.

AVESTRUZ, Job 39:13-18; Lam. 4:3.

AVISPA, Deu. 1:44, empleada por Dios para castigo, Éxo. 23:28; Deu. 1:44; 7:20. Jo 24:12

AYO, la ley, comparada con un, Gál. 3:24, 25.

AYUDA. Véase **AUXILIO.**

AYUNO la esencia de explicada Isa. 58: 6, 7 abstinencia sexual durante, 1 Cor. 7:5.

se practicaba en el décimo día del mes séptimo, para reconciliarse delante de Dios, Lev. 16:29; 23:27-29; Núm. 29:7.

no debe hacerse con ostentación, Mat. 6:16-18.

debe ser ante Dios, Zac. 7:5; Mat. 6:18.

para disciplina del alma, Sal. 35:13; 69:10.

para abogar por los enemigos, Sal. 35:13-15

en tiempo oportuno, Mat. 9:14; Mar. 2:18; Luc. 5:33.

para pedir a Dios camino derecho para nosotros, nuestros hijos y nuestra hacienda, Esd. 8:21. Véase Sal. 143:8-10

las promesas a los que practican la verdadera esencia de, Isa. 58:8-12; Mat. 6:18.

la expulsión de cierto género de demonios, solo sale con oración y la práctica de, Mat. 17:21; Mar. 9:29.

se ponía en ayuno a los animales, Jon. 3:7.

DE LOS HIPÓCRITAS:

descrito, Isa. 58:4, 5.

con ostentación, Mat. 6:16.

era con alarde, ante Dios, Luc. 18:12.

desechado por Dios, Isa. 58:3; Jer. 14:12.

EXTRAORDINARIO, ejemplos de: Nuestro Señor Jesucristo, Mat. 4:2; Luc. 4:2. Moisés, Éxo. 34:28; Deu. 9:9, 18. Elías, 1 Rey. 19:7-8.

NACIONALES, ejemplos de: Israel, Jue. 20.26; 2 Cr. 20:3; Esd. 8:21; Est. 4:3, 16; Jer. 36:9. La gente de Jabes de Galaad, 1 Sam. 31:13. Los ninivitas, Jon. 3:5-8.

DE LOS SANTOS, ejemplos de: El rey David, 2 Sam. 12:16; Sal. 109:24. Nehemías, Neh. 1:4. Ester, Est. 4:16. Daniel, Dan. 9:3. Los discípulos de Juan, Mat. 9:14; Luc. 2:37. Cornelio, Hch. 10:30. Los cristianos primitivos, Hch. 13:2. Los apóstoles, 2 Cor. 6:5. Pablo, 2 Cor. 11:27.

AZADONES, convertidos en espadas, Jl. 3:10.

espadas convertidas en azadones, Miq. 4:3.

AZARÍAS (también conocido como Uzías), rey de Judá, su buen gobierno, 2 Rey. 14:21; 2 Cr. 26.

usurpa el sacerdocio, y es enfrentado por el sumo sacerdote del mismo nombre, 2 Cr. 26:16-17;

Dios lo hiere con lepra, y la lleva hasta su muerte, 2 Rey. 15:1-5; 2 Cr. 26:20.

—, hijo de Obed, exhorta a Asa, 2 Cr. 15:1-2.

——, sumo sacerdote, 2 Cr. 26:17; 31:10.

——, acusa a Jeremías de falso profeta, Jer. 43:2.

——, conocido como Abed-nego, Dan. 1:6.

AZAZEL (chivo expiatorio), Lev. 16:8, 10, 26. Véase **EXPIACIÓN.**

AZOTES, limitados, Deu. 25:3; 2 Cor. 11:24.

Dios castiga a sus hijos con, 2 Sam. 7:14; Sal. 89:32.

al necio no le aprovechan los, Pro. 17:10.

la boca del necio llama los, Pro. 18:6; 19:29.

van de acuerdo a la conciencia de su falta, Luc. 12:48.

el carcelero lava los azotes de Pablo y Silas, Hch. 16:23, 33.

se usaban en interrogatorios, Hch. 22:24.

no era lícito azotar a un romano sin ser condenado, Hch. 22:25.

los de Cristo, Mat. 27:26; Luc. 23:16. Véase **CASTIGOS.**

B

BAAL, le rinden culto, Núm. 22:41; Jue. 2:13; 8:33; 1 Rey. 16:32; 18:26; 2 Rey. 17:16; 21:3; Jer. 2:8; 7:9; 12:16; 19:5; 23:13; Ose. 2:8; 13:1.

su altar es arrasado y sus sacerdotes muertos por: Gedeón, Jue. 6:25; Elías, 1 Rey. 18:40; Jehú, 2 Rey. 10:18. Joiada, 2 Rey. 11:18; Josías, 2 Rey. 23:4; 2 Cr. 34:4.

BAAL-PERAZIM (Dios rompió mis enemigos por mi mano, como se rompen las aguas), la victoria de David en, 2 Sam. 5:20; 1 Cr. 14:11.

BAAL-ZEBUB, Ocozías reconvenido por acudir a, 2 Rey. 1:2-16.

BABEL (confusión, Babilonia), torre de, y confusión de lenguas en, Gén. 11.

Nimrod rey de, Gén. 10:9-10.

BABILONIA (Babel), ciudad de, edificada por Nimrod, Gén. 10:9-10.

el orgullo de Nabucodonosor, Dan. 4:30.

fortificada, con anchos muros y altas puertas, Jer. 51:58.

esplendor de, ciudad de oro, Isa. 14:4.

embajadores de, van a ver a Ezequías, 2 Rey. 20:12; 2 Cr. 32:31; Isa. 39.

los judíos llevados cautivos a, 2 Rey. 25; 2 Cr. 36.

su dolor en la ciudad de, Sal. 137:1-6.

su regreso de, Esd. 1.; Neh. 2.

tomada por los medos, Dan. 5:30-31.

su caída, Isa. 13:14; 21:2; 47; 48; Jer. 25:12; 50; 51.

se predice la predicación del Evangelio en, Sal. 87:4.

——, La Grande; predicciones contra, Ap. 14:8; 16:19; 17; 18.

BABILONIA, o CALDEA, nación:

división y límites de, 2 Rey. 17:24; Isa. 23:12, 13; Dan. 3:1; Hch. 7:4.

poder de, Isa. 47:5; Jer. 5:15.

riqueza de, Jer. 51:13.

comercio de, Jos. 7:21; Isa. 43:14; Eze. 17:4.

ciudades de, Gén. 10:10.

en el campo de Dura, Dan. 3:1.

representada con: una gran águila, Eze. 17:3; una cabeza de oro, Dan. 2:32, 37-38; un león con alas de águila, Dan. 7:4.

BAGAJE (Equipaje militar de un ejército o tropa en marcha), Jue. 18:21; 1 Sam. 10:22; 17:22; 25:13; 30:24.

BALAAM, Balac le ruega que maldiga a Israel, pero Dios se lo prohíbe, Núm. 22:13.

bendice a Israel, Núm. 23:19; 24:1.

su profecía, Núm. 23:7,18; 24.

da un mal consejo, Núm. 31:16; Deu. 23:4. Véase Jos. 24:9; Jue. 11:25; Miq. 6:5; 2 Ped. 2:15; Jud. 11; Ap. 2:14.

es muerto, Núm. 31:8.

BALAC, hijo de Zipor. Rey de Moab, Núm. 22:4, 10. Véase **BALAAM.**

BALANZAS y pesas deben ser justas, Lev. 19:35, 36; Pro. 16:11.

las falsas, desaprobadas, Pro. 11:1; Ose. 12:7; Am. 8:5; Miq. 6:11.

en sentido figurado, Dan. 5:27; Isa. 40:12; Job 31:6; Sal. 62:9; Ap. 6:5.

BALLENA (o gran pez), mencionadas, Gén. 1:21; Job 7:12; Eze. 32:2.

Jonás es tragado por una, Jon. 1:17; Mat. 12:40.

BÁLSAMO, de Galaad, Gen. 37:25; 43:11; Jer. 51:8.

la represión del justo es un excelente, que no hiere la cabeza, Sal. 141:5.

en sentido figurado, Jer. 8:22; 46:11; 51:8. Galaad, conocida por su, Jer. 8:22; 46:11.

recomendado para el dolor, Jer. 51:8.

BALUARTE (defensa), Deu. 20:20; 2 Sam. 20:15; 2 Rey. 19:32; Isa. 37:33; Jer. 6:6; Eze. 4:2; Eze. 17:17; Eze. 21:22; Eze. 26:8; Nah. 3:8; 2 Cr. 26:15; Ecl. 9:14; Isa. 29:3; Jer. 52:4; Dan. 11:15; 11:39.

BANDERA, mencionada en sentido figurado, Sal. 60:4; Cnt. 2:4; 6:4, 10; Isa. 13:2; Sal. 20:5. Véase **ESTANDARTE.**

BANQUETE, real, Est. 5:8; Dan. 5. Véase **CONVITES.**

BARAC, libra a Israel de Sísara, Jue. 4:5-9; Heb. 11:32.

BARBA (la), leyes sobre, Lev. 19:27; 21:5.

se tomaba con la diestra para besar, en señal de amistad, 2 Sam. 20:9.

los judíos la usaban larga, Lev. 21:5; Sal. 133:2; 1 Sam. 21:13; 2 Sam. 20:9; 1 Cr. 19:5.

era deshonroso raparla, 2 Sam. 10:4-5; 1 Cr. 19:5.

afeitada por los egipcios, Gen. 41:14.

EN TIEMPO DE DUELO:

la descuidaban y se dejaban sin cortar, 2 Sam. 19:24.

se la trasquilaban, Jer. 48:37.

se la cortaban a ras, Jer. 41:5.

se la arrancaban, Esd. 9:3.

el rapar, simboliza juicios severos, Isa. 7:20; 15:2; Eze. 5:1.

BARBECHO, Jer. 4:3-4; Ose. 10:12.

BARCA, BARCA, Mt 4:21-22; 8:23-24; 9:1; 13:2; 14:13,22,24,29,23,33; 15:39; Mr 1:19-20; 3:9; 4:1,36,37; 5:2,18,21; 6:32,45,47,51,54 8:10,13,14 Luc 5:3,7; 8:22,37; Jn 6:17,19,21; 21:3,6,8.

Véase **NAVÍO.**

BARJESÚS (Elimas), falso profeta de origen judío, que resistía a Pablo al evangelizar; herido de ceguera Hch. 13:6-12.

BARRABÁS, ladrón libertado en lugar de

Jesús, Mat. 27:16-26; Mar. 15:6-15; Luc. 23:18-25; Jn. 18:39-40.

había sido echado en la cárcel por sedición y homicidio, Mar. 15:7; Luc. 23:18-19.

BARSÁBAS, nombrado con Matías, Hch. 1:23.

——, enviado con cartas, Hch. 15:22.

BARTIMEO, su ceguera curada, Mar. 10:46; Mat. 20:29-30; Luc. 18:35-39.

BARTOLOMÉ, apóstol, Mat. 10:3; Mar. 3:18; Luc. 6:14; Hch. 1:13.

BARUC, hijo de Nerías. Escribe la profecía de Jeremías, Jer. 32:13; 36.

llevado a Egipto, Jer. 43:6-7.

consuelo de, Jer. 45.

BARZILAI, su bondad para con David, 2 Sam. 17:27.

la gratitud de David para con él, 2 Sam. 19:31; 1 Rey. 2:7.

BASÁN, conquistado, Núm. 21:33-35; Deu. 3:1-3; Sal. 68:15, 22; 135:10; 136:20.

ganado de, Deu. 32:14; Sal. 22:12; Eze. 39:18; Am. 4:1.

encinas (alcornoques) de, Isa. 2:13; Eze. 27:6;

alusiones a, Isa. 33:9; Jer. 22:20; 50:19; Miq. 7:14; Nah. 1:4.

BASTARDOS (los), no habían de entrar en la congregación, Deu. 23:2. Véase Heb. 12:8.

no tenían derecho a heredar, Jue. 11:2.

al bastardo no se le hacía partícipe del castigo o corrección que se daba solo a los hijos legítimos, Heb. 12:8.

BATALLA, leyes acerca de la, Deu. 20.

exenciones acerca de ir a, Deu. 20:5-8.

descripciones de varias batallas, Gén. 14; Éxo. 17; Núm. 31; Jos. 8:10-29; Jue. 4; 7; 8; 11; 20; 1 Sam. 4; 11; 14; 17; 31; 2 Sam. 2; 10; 18; 21:15-22; 1 Rey. 20; 22; 2 Rey. 3; 1 Cr. 18; 19; 20; 2 Cr. 13; 14:9-15; 20; 25.

——, del grande día de Dios, Ap. 16:14.

BAUTISMO (el) según fue administrado por Juan, Mat. 3:5-13; Jn. 3:23; Hch. 13:24; 19:4.

Cristo es bautizado, Mat. 3:13-15; Luc. 3:21.

adoptado por Cristo, Juan 3:22; 4:1, 2.

ordenanza de, Mat. 28:19, 20; Mar. 16:15, 16.

debe administrarse en el nombre del Padre, del Hijo y del Espíritu Santo, Mat. 28:19.

el agua es el signo externo y visible en, Hch. 8:36;

la regeneración es un bautismo interno, Jn. 3:3, 5, Rom. 6:3, 4, 11.

la remisión de pecados representada por, Hch. 2:38; 22:16.

la unión de la iglesia efectuada por medio de, 1 Cor. 12:13 Gál. 3:27, 28.

la confesión de los pecados precede a, Mat. 3:6.

el arrepentimiento debe preceder a, Hch. 2:38.

la fe es necesaria para, Hch. 8:37; 18:8.

no hay sino uno, Efe. 4:5.

emblema del influjo del Espíritu Santo, Mat. 3:11;

simbolizado, 1 Cor. 10:2; 1 Ped. 3:20, 21.

SE HA ADMINISTRADO:

a los individuos, Hch. 8:38; 9:18.

a las familias, Hch. 16:15; 1 Cor. 1:16.

BAUTISMO (el) del Espíritu Santo:

predicho, Eze. 36:25.

es por medio de Cristo, Tit. 3:5, 6.

Cristo lo administró, Mat. 3:11; Juan 1:33.

prometido a los santos, Hch. 1:5; 2:38, 39; 11:16.

todos los santos participan de, 1 Cor. 12:13.

necesidad de, Jn. 3:5; Hch. 19:2-6.

renueva y limpia el alma, Tit. 3:5; 1 Ped. 3:20, 21.

la Palabra de Dios sirve de instrumento para, Hch. 10:44-48; Efes. 5:26.

simbolizado, Hch. 2:1-4.

BECERRA, empleada en los sacrificios, Gén. 15:9; Núm. 19:2; Deu. 21:3; Heb. 9:13.

BECERRO, de oro, la trasgresión de Aarón al hacerlo, Éxo. 32: Hch. 7:40-41.

becerros hechos por Jeroboam, 1 Rey. 12:28; Ose. 8:5.

para el sacrificio, Lev. 9:2; Núm. 18:17; Miq. 6:6; Heb. 9:12, 19.

comidos, Gén. 18:7; 1 Sam. 28:24; Am. 6:4; Luc. 15:23.

en sentido figurado. Isa. 11:6; Eze. 1:7; Ose. 14:2; Mal. 4:2; Ap. 4:7.

BEERSEBA, Abraham habita allí, Gén. 21:31; 22:19; 28:10.

Agar fue socorrida allí, Gén. 21:14.

Jacob fue consolado allí, Gén. 46:1.

los hijos de Samuel fueron jueces en, 1 Sam. 8:2.

culto idólatra en, Am. 5:5.

Elías huye a, 1 Rey. 19:3.

BELCEBÚ, Mat. 10:25; 12:24; 12:27; Mar. 3:22; Luc. 11:15, 18-19.

los milagros de Cristo atribuidos al poder de, Mat. 9:34; 12:24; Mar. 3:22; Luc. 11:15.

BELÉN (significa CASA DE PAN), el regreso de Noemí a, Rut. 1:19.

David es ungido en, 1 Sam. 16:1-13; 20:6.

pozo de, mencionado, 2 Sam. 23:15; 1 Cr. 11:17.

Jesús nacido en (Miq. 5:2; Sal. 132:5, 6), Mat. 2:1; Luc. 2:4; Jn. 7:42.

los niños de, son muertos, Mat. 2:16.

BELIAL, hijos de, denominación dada a los hombres malos, Jue. 19:22, &c.

uno de los nombres de Satanás, 2 Cor. 6:15.

BELLEZA, vanidad de la, Pro. 6:25; 31:30; Isa. 3:24; Eze. 16:14; 28:17.

ejemplos de: Sara, Gén. 12:11; Rebeca, Gén. 24:16; Raquel, Gén. 29:17; José, Gén. 39:6; Moisés, Éxo. 2:2; Heb. 11:23; David, 1 Sam. 16:12, 18; Betsabé, 2 Sam. 11:2; Tamar, 2 Sam. 13:1; Absalón, 2 Sam. 14:25; Abisag, 1 Rey. 1:3-4; Vasti, Est. 1:11; Ester, Est. 2:7.

es pasajera, Sal. 49:14, Job 4:21; 15:29; 21:23; Pro. 31:30; Isa. 3:24; 13:19; Lam. 1:6; 2:1, 15; Eze. 16:14-59; 27:3-19.

BELSASAR, su sacrilegio, y juicio, Dan. 5:1-31.

BENADAD, rey de Siria, su alianza con Asa, 1 Rey. 15:18.

guerra con Acab, 1 Rey. 20.

desconcertado por Elías, 2 Rey. 6:8.

sitia a Samaria, 2 Rey. 6:24; 7.

muerto por Hazael, 2 Rey. 8:7-15.

——, hijo de Hazael, guerrea con Israel, 2 Rey. 13:3, 24. Véase Jer. 49:27; Am. 1:4.

BENAÍA, hazañas de, 2 Sam. 23:20; 1 Cr. 11:22-24; 27:5.

instala a Salomón por rey, 1 Rey. 1:32-40.

mata a Adonías, Joab y Simeí, 1 Rey. 2:29-46, levita, 1 Cr. 15:18; 16:6.

BENDICIÓN, la de Isaac obtenida por Jacob, Gén. 27:27.

dada por Jacob a sus hijos, Gén. 48:15; 49.

PRONUNCIADA POR:

Melquisedec, Heb. 7:1-7.

Isaac, Gén. 27:23-29; 28:1-4.

Jacob, Gén. 47:7-10; 48:15-22; 49.

Moisés, Núm. 10:35, 36; Deu. 33.

Aarón, Lev. 9:22, 23; Núm. 6:23-27.

Balaam, Núm. 23 y 24; Jos. 24:10.

Josué, Jos. 14:13; 22:6, 7.

Elí, 1 Sam. 2:20.

David, 2 Sam. 6:18, 20; 13:25; 19:39.

Salomón, 1 Rey. 8:14, 55; 2 Cr. 6:3.

Simeón, Luc. 2:34.

la de las doce tribus, por Moisés, Deu. 33.

y maldición ante Israel, Deu. 11:26.

forma de bendecir al pueblo, Núm. 6:22-26.

al trasladar el arca, Núm. 10:35.

en el nombre de Dios, 2 Sam. 6:18; Sal. 134:3; Rom. 15:33; Heb. 13:20-21.

en el nombre de la Trinidad, 2 Cor. 13:14.

en el nombre de Dios y de Cristo, 1 Cor. 1:3; Efe. 6:23; 2 Ped. 1:2.

en el nombre de Cristo, Rom. 16:24; 2 Tim. 4:22; Ap. 22:21.

BENEVOLENCIA, Pro. 18:22; 1 Cor. 7:3.

BENJAMÍN, hijo de Jacob, Gén. 35:16-18.

era el menor de los doce hermanos, Gén. 42:13.

enviado a Egipto, Gén. 43:13-14.

la treta de José para detenerlo, Gén. 44.

la profecía de Jacob con respecto a, Gén. 49:27.

BEREQUÍAS, 1 Cr. 6:39; 9:16; 2 Cr. 28:12; Neh. 3:4, 30; Zac. 1:7.

BERMEJO. Véase **CABALLO, DRAGÓN, MAR, VACA.**

BERNABÉ (hijo de consolación), levita, natural de Chipre, vende su heredad y la trae a los pies de los apóstoles, su nombre era José, Hch. 4:36-37.

da buen testimonio de Pablo, Hch. 9:27.

varón bueno y lleno del Espíritu Santo, predica en Antioquía, Hch. 11:22-24.

acompaña a Pablo, Hch. 11:30; 12:25; 13:1-14; 1 Cor. 9:6.

su altercado con Pablo, Hch. 15:36-41.

su error, Gál. 2:11-13.

BETANIA, visitada por Jesús, Mat. 21:17; 26:6; Mar. 11:1; Luc. 19:29; Jn. 12:1.

Lázaro fue resucitado en, Jn. 11:18.

Cristo ascendió desde, Luc. 24:50.

BETAVEN, Jos. 7:2; 18:12; 1 Sam. 13:5; 14:23; Ose. 4:15; 5:8; 10:5.

BETEL (significa CASA DE DIOS), el altar de Abraham en, Gén. 12:8; 13:3, 4.

la visión de Jacob en, Gén. 28:19; 31:13.

éste construye un altar en, Gén. 35:1.

tomado por la tribu de José, Jue. 1:22.

Samuel juzga allí a turno, 1 Sam. 7:16.

dos osos despedazan a unos muchachos en, 2 Rey. 2:23, 24.

Jeroboam establece la idolatría en, 1 Rey. 12:28; 13:1.

purificado por Josías, 2 Rey. 23:15.

unos profetas habitan en, 2 Rey. 2:3; 17:28. Véase Jer. 48:13; Ose. 10:15; 12:4; Am. 3:14; 4:4; 5:5; 7:10.

BETESDA, estanque de milagros, Jn. 5:2.

BETFAGÉ, Mat. 21:1; Mar. 11:1; Luc. 19:29.

BET-PEOR, Deu. 3:29; 4:46; 34:6; Jos. 13:20.

BETSABÉ, el pecado que cometió con David, 2 Sam. 11; 12.

su súplica ante David a favor de su hijo Salomón, 1 Rey. 1:15-30.

su súplica ante Salomón a favor de su hijo Adonías, 1 Rey. 2:19-22.

BETSAIDA, de Galilea, Felipe, Pedro y Andrés vivían en, Jn. 1:44; 12:21.

un ciego curado en, Mar. 8:22.

reprobada a causa de su incredulidad, Mat. 11:21; Luc. 10:13.

Cristo da de comer a los cinco mil en, Luc. 9:10.

BET-SEMES, nombre de varios pueblos, Jos. 15:10; 19:22, 38;21:16; Jue. 1:33; 2 Cr. 28:18.

los hombres de, castigados por una profanación, 1 Sam. 6:19.

guerra entre Judá e Israel en, 2 Rey. 14:11-13.

BETUEL, sobrino de Abraham, Gén. 22:22.

padre de Rebeca, Gén. 25:20.

abuelo de Lea y de Raquel, Gén. 28:2.

BETÚN, empleado en la torre de Babel, Gén. 11:3.

la arquilla de Moisés calafeteada con asfalto y, Éxo. 2:3.

el valle de Sidim estaba lleno de pozos de, Gén. 14:10.

BEULA (significa DESPOSADA), Isa. 62:4.

BIBLIA (la), Véase **PALABRA DE DIOS.**

BEZALEEL, nombrado e inspirado para construir el tabernáculo, Éxo. 31:2; 35:30.

su obra, Éxo. 36-38.

BIENAVENTURADOS:

aquellos a quienes Dios elige Sal. 65:4; Efe. 1:3, 4

los que Dios llama a la cena del Cordero, Ap. 19:9.

los que conocen a Cristo, Mat. 16:16, 17.

los que conocen el Evangelio, Sal. 89:15.

los quo no son escandalizados en Cristo, Mat. 11:6.

los que creen, Luc. 1:45; Gál. 3:9.

aquellos a quienes sus pecados les son perdonados, Sal. 32:1, 5; Rom. 4:7.

aquellos a quienes Dios imputa justicia sin obras, Rom. 4:6-9.

a quienes Dios castiga, Job 5:17; Sal. 94:12.

los quo sufren por Cristo, Luc. 6:22.

los que confían en Dios, Sal. 2:12; 34:8; 40:4; 84:12; Jer. 17:7.

los que guardan los mandamientos de Dios, Ap. 22:14.

los quo oyen la palabra de Dios y la cumplen, Sal. 119:2; Stg. 1:25; Mat. 13:16; Luc. 11:28; Ap. 1:3; 22:7.

los que disfrutan los mandatos de Dios, Sal. 112:1.

los que le temen a Dios, Sal. 112:1; 128:1, 4.

los que esperan a Dios, Isa. 30:18.

aquellos cuya fuerza es en el Señor, Sal. 84:5.

los que tienen hambre de justicia, Mat. 5:6.

los que frecuentan la casa de Dios, Sal. 65:4; 84:4.

los que esquivan a los malos, Sal. 1:1.

los que sufren tentación, Stg. 1:12.

los que velan contra el pecado, Ap. 16:15.

los que reprenden a los pecadores, Pro. 24:25.

los que velan hasta la venida del Señor, Luc. 12:37.

los que mueren en el Señor, Ap. 14:13.

los que tienen parte en la primera resurrección, Ap. 20:6.

los que favorecen a los santos, Gén. 12:3; Rut 2:19.

los que están sin mancilla, Sal. 119:1.

los de limpio corazón, Mat. 5:8.

los justos, Sal. 106:3; Pro. 10:6.

los hijos de los justos, Pro. 20:7.

los rectos, Sal. 5:12.

los fieles, Pro. 28:20.

los pobres de espíritu, Mat. 5:3.

los mansos, Mat. 5:5.

los misericordiosos, Mat. 5:7.

los caritativos, Deu. 15:10; Sal. 41:1; Pro. 22:9; Luc. 14:13, 14.

los pacificadores, Mat. 5:9.

los tristes, Mat. 5:4; Luc. 6:21.

los santos en el día del juicio, Mat. 25:34.

los que comieren pan en el reino de Dios, Luc. 14:15; Ap. 19:9.

BIGTÁN y Teres, su conspiración descubierta por Mardoqueo, Est. 2:21.

BILHA, sierva que Raquel dio a Jacob por esposa, para darle hijos a él por medio de ella, Gen. 29:29; 30:3-4; 37:2.

los hijos de Jacob y de, Gén. 30:5-8.

el pecado y castigo de Rubén el primogénito de Jacob, por entrar a la esposa de su padre, Gén. 35:22; 49:4.

BITINIA, Hch. 16:7; 1 Ped. 1:1.

BLANCA. Gr. ASSARION, centavo y medio, la décima parte de un denario romano, que vale como quince centavos, Mat. 10:29; Luc. 12:6.

——, **Gr. CUADRANTE (dos blancas),** o cornado, la cuarta de un asarión, Mat. 5:26; Mar. 12:42.

——, **Gr. LEPTON,** la moneda más pequeña de los judíos, igual a medio cuadrante (**Gr. KOGRANTES**), o a dos milésimos, la de la viuda, Mar. 12:42; Luc. 21:2.

BLANCO(A), vestidura de los ángeles, Mat. 28:3; Mar. 16.5.

de Cristo en La Transfiguración, Mat.

17:2; Mar. 9:3; Luc. 9:29.

de los redimidos, Ap. 3:5; 4:4; 7:9; 19:8, 14.

caballo, Ap. 6:2; 19:11.

trono, Ap. 20:11.

BLASFEMIA, Cristo atacado con, Mat. 10:25; Luc. 22:64, 65: 1 Ped. 4:14.

acusan a Cristo de, Mat. 9:2, 3; 26:64, 65; Jn. 10:33, 36.

acusan a los santos de, Hch. 6:11, 13; 7:54.

no debemos dar ocasión a que alguno profiera, 2 Sam. 12:14; 1 Tim. 6:1.

contra el Espíritu Santo, Mar. 3:28; Luc. 12:10; 1 Jn. 5:16.

es imperdonable, Mat. 12:31, 32.

unida a la insensatez y el orgullo, 2 Rey. 19:22; Sal. 74:18.

castigo de la, Lev. 24:16; Isa. 65:7; Eze. 20:27- 33; 35:11, 12.

señal de los postreros días, 2 Tim. 3:2; Ap. 17:3.

ejemplos de: un israelita, Lev. 24:11-16. Simeí, 2 Sam. 16:5. Joram, 2 Rey. 6:31. Rabsaces, 2 Rey. 18:27-30; 19. La esposa de Job, Job 2:9. Pedro, Mat. 26:72, 74; Mar. 14:71.

ejemplos de: Los Judíos y los soldados de Herodes, Mat. 27:26, 29-44; Mar. 3:30; Luc. 22:64, 65; 23:35-39. Los cortesanos de Herodes, Hch. 12:22, 23. Los judíos, Hch. 13:45; 18:6; 26:11; Ap. 2:9. Saulo de Tarso, 1 Tim. 1:13. Himeneo y Alejandro, 1 Tim. 1:20.

BOANERGES, Jacobo hijo de Zebedeo y Juan hermano de Jacobo fueron llamados así, por Cristo Mar. 3:17.

BOAZ, su bondad para con Ruth, Rut. 2.

pariente de Noemí, rico y poderoso, Rut. 2:1-3;

hijo de Salmón, 1 Cr. 2:11.

su madre fue Rahab, Jos. 6.22-25; Mat. 1:5; Heb. 11:31; Stg. 2:25.

padre de Obed, el cual engendró a Isaí, padre del rey David, 1 Cr. 2:12-15; Rut 4:21, 22.

——, nombre de la columna izquierda del pórtico de Salomón, 1 Rey. 7:21; 2 Cr. 3:17.

BODAS, parábola de las, Mat. 22. Véase Luc. 12:36; 14:8.

BOLSA, o talega, para el dinero, Pro. 1:14; 7:20; Isa. 46:6; Luc. 10:4; 12:33; 22:35-36.

cuando estaba sellada, contenía una suma fija, 2 Rey. 5:23; 12:10, con Job 14:17.

usada para guardar pesas, Deu. 25:13; Pro. 16:11; Miq. 6:11.

llamada saco en 1 Sam. 17:40; y alforja en Mat. 10:10.

era en algunos casos un doblez del cinturón, Mat. 10:9; Mar. 6:8.

BOQUIM (lloradores) el pueblo reconvenido por el Ángel de Jehová en, Jue. 2.

BORDE, extender el borde de la capa, es un emblema de protección, el cual perdura aun en nuestros días entre los judíos al tomar a alguien bajo su cuidado, Rut. 3:9; Eze. 16:8.

cuando es rasgado, significaba juicio

severo, 1 Sam. 15:27.

BOTIJA, para el agua, 1 Sam. 26:11, 12, 16; para la miel, 1 Rey. 14:3; y el aceite, 1 Rey. 17:12, 14, 16.

BRAZALETES, Gén. 24:22, 30, 47; Éxo. 35:22; Núm. 31:50; 2 Sam. 1:10; Isa. 3:19; Eze. 16:11.

BRASERO, Jer. 36:22, 23.

BÚHO (s) Lev 11:7 Deu 14:16 Sal. 102:6 Is 34:11, 13,15 43:20 Mi 1:8

BUEY, leyes con referencia al, Éxo. 21:27-28; 22:1; 23:4; Lev. 17:3; Deu. 5:14; 22:1; Luc. 13:15.

no se le debe poner bozal al buey que trilla, Deu. 25:4; 1 Cor. 9:9; 1 Tim. 5:18.

BUL, el octavo mes sagrado judío (noviembre) 1 Rey. 6:38; 12:32, 33; 1 Cr. 27:11.

C

CABALLO (el), se le describe como:
fuerte, Job 39:19; Sal. 33:17; 147:10.
ligero, Isa. 30:16; Jer. 4:13; Hab. 1:8.
sin temor, Job 39:20, 22.
feroz e impetuoso, Job 30:21, 24.
belicoso, Jer. 8:6.
firme de andar, Isa. 63:13.
falto de entendimiento, Sal. 32:9.
COLORES DE:
blanco, Zac. 1:8; 6:3; Ap. 6:2.
negro, Zac. 6:2, 6; Ap. 6:5.
bermejo, Zac. 1:8; 6:2; Ap. 6:4.
overo, Zac. 1:8.
rucio rodado, Zac. 6:3,7.
pálido o ceniciento, Ap. 6:8.

CABALLO BERMEJO, visión del, Zac. 1:8; 6:2; Ap. 6:4.

CABELLO, Job 4:15; Mat. 5:36; 10:30; Jn. 11:2; 1Cor. 11:14, 15; 1Tim. 2:9; 1Ped. 3.3
del leproso, Lev. 13:3, &c.
Absalón lo usaba largo, 2 Sam. 14:26.
se censura a los hombres por llevar el cabello largo, 1 Cor. 11:14.

CABEZA (la), cubierta en señal de duelo, Est. 6:12; 2 Sam. 15:30.
en la oración, 1 Cor. 11:4-16.
cubierta, símil de defensa, Sal. 140:7.
calva, de, juicios severos, Isa. 3:24; 15:2; 22:12; Miq. 1:16.
levantada, símil de gozo y confianza, Sal. 3:3; Luc. 21:28; de orgullo, Sal. 83:2;
ungida, símil de gozo y prosperidad, Sal. 23:5; 92:10.

———, de la iglesia. Véase **CRISTo.**

CABEZAS del pueblo, gobernantes, Ex. 18:25; Sal. 110:6; Miq. 3:1, 9, 11.

CABRÁS, Gén. 27:9, 16; 30:32: 32:14; 37:31; Deu. 32:14; 1 Sam. 25:2; 2 Cr. 17:11;
ofrecidas en sacrificio, Lev. 1:10; 3:12; 16:5, 7; 22:19; Núm. 7:17; Esd. 6:17; Sal. 50:9; Eze. 45:23; Heb. 9:12-19; 10:4.
monteses, Deu. 14:5; 1 Sam. 24:2; Job 89:1; Sal. 104:18.
en sentido figurado, Mat. 25:32.
pelos de, Éxo. 25:4; 26:7; 35:6, &c.; 36:14; Núm. 31:20; 1 Sam. 19:13, 16.
pieles de, Heb. 11:37.

CABRÍO, macho de, emisario (Azazel), Lev. 16:20; Isa. 53:6.

CABRITO, ley con respecto a, Ex. 23:19; Deu. 14:21.
empleado en las ofrendas, &c. Lev. 4:23; 16:5; 23:19,
por vía de comparación, Mat. 25:32.

CACHORROS (de león), parábolas de los, Eze. 19; Nah. 2:12.

CADENA, ADORNO COLLAR:
un adorno, Núm. 31:50; Cnt. 1:10; Isa. 3:19.
signo de dignidad, Gén. 41:42; Eze. 16:11; Dan. 5:7, 16, 29.
del sumo sacerdote, Éxo. 28:14; 39:15.
PARA ATAR, ESCLAVIZAR:
grilletes, Jue. 16:21; 2 Cr. 36:6; 2 Rey. 25:7; Jer. 39:7; 40:1-4; 52:11; Mar. 5:3; Hch. 12:6; 2 Tim. 1:16; 2 Ped. 2:4.
por vía de comparación, Lam. 3:7; Eze. 7:23; Ap. 20:1.

CAÍDA (la) DEL HOMBRE:
propiciada por la desobediencia de Adán, Gén. 3:6, 11, 12, con Rom. 5:12, 15, 19.
propiciada por Satanás, que engañó a Eva, Gén. 3:1- 5; 2 Cor. 11:3; 1 Tim. 2:14.
todos los hombres participan de los efectos de, 1 Rey. 8:46; Gál. 3:22; 1 Jn. 1:8; 5:19.
EL HOMBRE A CONSECUENCIA DE:
es hecho a la imagen de Adán, Gén. 5:3, con 1 Cor. 15:48-49.
es nacido en el pecado, Job 15:14; 25:4-6; Sal. 51:5; Isa. 48:8; Jn. 3:6.
es hijo del diablo, Mat. 13:38; Jn. 8:44; 1 Jn. 3:8-10, e hijo de ira, Efe. 2:3.
EL CASTIGO COMO CONSECUENCIA
DE: el destierro del paraíso, Gén. 3:24.
dolor multiplicado en la mujer al dar a luz, Gén. 3:16.
la maldición de la tierra, pocos frutos, Gén. 3:17-19; 4:12.
la muerte física, Gén. 3:19; Rom. 5:12-14; 1 Cor. 15:22.
la muerte eterna, Job 21:30; Rom. 5:18, 21; 6:23.
el hombre no puede limpiarse a sí mismo de su pecado, Pro. 20:9; Jer. 2:22; 13:23.
el remedio provisto por Dios, Gén. 3:15; Jn. 3:16.

CAIFÁS, sumo sacerdote, profetiza con respecto a Cristo, Jn. 11:49.
su consejo, Mat. 26:3.
condena a Jesús, Mat. 26:57; Mar. 14:53; Luc. 22:54, 66; Jn. 18:12, 19. Véase Hch. 4:6.

CAÍN, su oficio, Gén. 4:2, y ofrenda, Gén. 4:3.
mata a su hermano Abel, Gén. 4:8.
su castigo, Gén. 4:11-12.
su motivo para matarlo, Gén. 4:4-6; Heb. 11:4; 1 Jn. 3:12; Ecl. 4:4.

CALABACERA, una planta trepadora que dio abrigo a Jonás, Jon. 4:6-10.

CALCAÑAR, en sentido figurado, Gén. 3:15; Sal. 49:5; Jn. 13:18.
Jacob toma a Esaú del, Gén. 25:26; Ose. 12:3.

CALDEA, país natal de Abram, Gén. 11:28-

31. Dan. 9:1. Véase **BABILONIA**.

CALDEOS (los), perjudican a Job, Job 1:17.

no existía como pueblo, fundada por Asiria para los moradores del desierto, Isa. 23:13.

gente amarga y presurosa, Hab. 1:6.

ponen sitio a Jerusalén, 2 Rey. 24:2; 25:4, &c; Jer. capítulos 37-39.

profecías con respecto a, Isa. 23:13; 43:14; 47:1; 48:14; Hab. 1:5.

CALEB, su fe, Núm. 13:30: 14:6.

se le permite entrar en Canaán, Núm. 26:65; 32:12; Deu. 1:36.

le recuerda a Josué la promesa que le hizo Jehová, Jos. 14:6-14; Núm. 14:22-24.

sus posesiones, Jos. 15:13; Jue. 1:12.

su descendencia, 1 Cr. 2:18; 4:15.

CÁLIZ, 1 Rey. 7:26. En sentido figurado, Ap. 17:4. Véase **COPA, TAZÓN, VASO**.

CALUMNIA (e injuria): es una abominación ante Dios, Pro. 6:16, 19.

prohibida, Éxo. 23:1; Stg. 4:11.

INCLUYE:

CALVARIO. Véase **GÓLGOTA**.

CAM, hijo de Noé, maldecido, Gén. 9:22.

sus descendientes, Gén. 10:6; 1 Cr. 1:8; Sal. 105;23, 27; 106:22.

Egipto, la tierra de Cam, Sal. 105:23, 27; 106:22

CAMELLOS, mencionados, Gén. 12:16; 24:19; Éxo. 9:3; 1 Cr. 5:21; Job 1:3.

la carne de, inmunda, Lev. 11:4; Deu. 14:7.

como parte de la hacienda, Gén. 30:43; 2 Cr. 14:15; Jer. 49:29.

usos, Gén. 24:61; 37:25; Jue. 7:12; 1 Sam. 30:17; 1 Rey. 10:2; 2 Rey. 8:9; Est. 8:10; Isa. 21:7.

en sentido figurado, Mat. 19:24; 23:24.

vestidura de pelo de camello, Mat. 3:4.

CAMINO (el), Cristo es, Jn. 14:6; Heb. 10:20.

CAMINO para el tránsito público, Lev. 26:22; Jue. 20:31; Núm. 20:17.

preparados para los reyes, Isa. 40:3-4; 62:10; Mal. 3:1.

construidos para conducir a las ciudades de refugio, Deu. 19:2-3.

los de Dios, son inescrutables, Rom. 11:33.

algunos parecen derechos al hombre, Pro. 14:12; 16:25.

de vida y de muerte, Jer. 21:8.

Dios desea que el impío se vuelva de su, Eze. 33:11.

el ganador de almas busca hacer volver al pecador del error de su, Stg. 5:20.

CAMPAMENTO (el) de los israelitas, su orden, Núm. 1:52; 2. Véase Éxo. 14:19; Núm. 24:5.

debía conservarse santo, Éxo. 29:14; Lev. 6:11; 13:4-6; Núm. 5:2; Deu. 23:10; Heb. 13:11.

fuera de, lugar de inmundicia y de separación, Éxo. 29:14; 33:7; Lev. 4:12, 21; 6:11; 13:46; Núm. 5:3; 12:14; 15:35; 19:3, 9; Deu. 23:12; Heb. 13:11-13.

CAMPAMENTOS, o campos, Éxo. 13:20; 14:2; 18:5; Núm. 1:50; 2:17; 10:31; 33:10; Jos. 4:19; 10:5; Jue. 6:4; 9:50; 10:17; 1 Sam. 11:1; 13:16; 2 Sam. 11:11; 12:28; 1 Rey. 16:15; l Cr. 11:15; 2 Cr. 32:1.

CANÁ, de Galilea, el primer milagro de Cristo en las bodas de, Jn. 2.

el cortesano se ve con Cristo en, Jn. 4:46-54. patria de Natanael, Jn. 21:2.

CANAÁN, hijo de Cam, maldecido por el desacato cometido con Noé, Gén. 9:25.

——, tierra de, prometida a Abraham, Gén. 12:7; 13:14-17; 17:8.

los patriarcas habitan en, Gén. 12. 26. 37.

sus límites, Éxo. 23:31; Jos. 1:4.

espías enviados a, Núm. 13.

los murmuradores no entran en, Núm. 14:22-23.

también a Moisés y Aarón, Núm. 20:12; 27:12; Deu. 1:37; 3:23; 31:1; 32:48.

divisada por Moisés, Deu. 3:27; 34:1.

subyugada por Josué, Jos. 3, &c.

reparto de, Núm. 26:52; Jos. 14, &c.

hijas de, Gén. 28:1, 6, 8.

idioma de, Isa. 19:18.

rey de, Jue. 4:2, 23, 24; 5:19.

guerras de, Jue. 3:1.

CANDACE, reina de los etíopes, Hch. 8:27.

CANDELERO, en el tabernáculo, Éxo. 25:31-35; 30:27; 31:8; 35:14; 37:17-20; Lev. 24:4; Núm. 4:9; 8:1-4; Heb. 9:2.

en el templo, 1 Rey. 7:49; 1 Cr. 28:15; 2 Cr. 4:7, 20; 13:11; Jer. 52:19.

en el cielo, Zac. 4:2; Ap. 1:12.

debían arder cada tarde, 2 Cr. 13:11.

debía hacerse de oro o plata por peso, conforme al servicio al que estaba destinado, 1 Cr. 28:15.

utensilio básico en una habitación, 2 Rey. 4:10.

CANDIL, debe ponerse en el candelero para que los que entren vean la luz, Mat. 5:15; Mar. 4:21; Luc. 8:16; 11:33; 15:8.

CÁNTARO, medida de capacidad (equivalente a 40 litros), Jn. 2:6.

usado comúnmente para almacenar el agua, Gén. 24; Mar. 14:13; Luc. 22:10; Jn. 4:28.

usados por Gedeón, Jue. 7.

usados por Elías, 1 Rey. 18:34.

los del templo, de oro puro, 1 Rey. 7:50.

CÁNTICOS, espirituales, Efe. 5:19; Col. 3:16.

de noche, Job 35:10; Sal. 77:6

de Moisés, Éxo. 15; Núm. 21:17; Deu. 32; Ap. 15:3.

de Débora, Jue. 5.

de Ana, 1 Sam. 2.

de David, 2 Sam. 22; Salmos.

de María, Luc. 1:46.

de Zacarías, Luc. 1:68.

de los ángeles, Luc. 2:13.

de Simeón, Luc. 2:29.

de los redimidos, Ap. 5:9; 19.

CANTO usado en el culto divino, Éxo. 15; 1 Cr. 6:31; 13:8; 2Cr. 20:22; 26:30; Neh.12:27; Mat. 26:30, &c.

exhortaciones a entonar el, 1 Cr. 16:9; Sal. 33; 66; 67; 95; 96; 98; 100; 105, &c.; 1 Cor. 14:15; Efe. 5:19; Col. 3:16; Stg. 5:13.

hay que hacerlo bien, Sal. 33:3.

CANTO DEL GALLO, la tercera velada, como las de la mañana, Mat. 26:34, 75; Mar. 13:35;14:30, 68, 72; Luc. 22:61.

CAÑA, empleada en el juicio y crucifixión

de Cristo, Mat. 27:29, 30, 48; Mar. 15:19, 36.

símil de la debilidad, Isa. 42:3; Mat. 11:7; 12:20.

——, cascada, epíteto dado a Egipto, 2 Rey. 18:21; Eze. 29:6-7; Isa. 36:6.

——, una medida de seis codos o cerca de once pies (cerca de 3 metros), Eze. 40:3-8; 41:8; 42:15-19; Zac.2:1; Ap. 11:1; 21:15.

CAÑA AROMÁTICA, o CÁLAMO Cnt. 4:14.

comercio de la, Jer. 6:20; Eze. 27:19.

empleada en el ungüento santo, Éxo. 30:23-25.

como ofrenda agradable a Dios, Isa. 43:24.

CAPA, extenderla a alguien, era emblema de protección, Rut. 3:9; Eze. 16:18.

Ahías profetiza el rompimiento del reino de Salomón rompiendo su, 1 Rey. 11:29-40.

era una pertenencia muy preciada, Mar. 10:50, Véase Flp. 3:7-9, Heb. 12:1; Mar. 13:16; Luc. 6:29; 22:36.

CAPADOCIA, el evangelio es escuchado por gente de, Hch. 2:9; 1 Ped. 1:1.

CAPATAZ, crueldad de los capataces egipcios, Éxo. 1:11-14; 5:14-20; 6:6.

CAPERNAÚM, ciudad marítima, Cristo predica y obra milagros en, Mat. 4:13-17; 8:5-34; 17:24-27; Mar. 1:21-42; 2:1-12; 4:46-54; 6:17-27; Luc. 4:23, 31; 7:1-24; Jn. 4:46-54.

reprobada por su incredulidad, Mat. 11:23-24; Luc. 10:15-16.

CAPITÁN, del ejército, o general, Deu. 20:9; Jue. 4:2; 1 Sam. 14:50; 1 Rey. 2:35; 16:16; 1 Cr. 27:34.

de la guardia, Gén. 37:36; 2 Rey. 25:8.

de millares, Núm. 31:48; 1 Sam. 17:18; 1 Cr. 28:1.

de centenares, 2 Rey. 11:15.

de cincuenta, 2 Rey. 1:9; Isa. 3:3.

SIGNIFICANDO jefe o caudillo, 1 Sam. 22:2.

los capitanes de David, 2 Sam. 23; 1 Cr. 11; 12.

de Josafat, 2 Cr. 17:14-19.

CARBÓN, Job 41:21; Sal 18:8, 12-13, 140:10; Pro. 26:21; Isa. 6:6; Eze. 1:13; 10:2; Hab. 3:5.

CÁRCEL (la), José puesto en, Gén. 39; 40:3, 15; Sansón, Jue. 16:21, 25; Micaías, 1 Rey. 22:27; Jeremías puesto en, 37:16; 38:6; Juan, Mar. 6:17; Luc. 3:20; Barrabás, Luc. 23:18-25; Pedro, Hch. 4:3; 12:3; los apóstoles, Hch. 5:18; la iglesia, Hch. 8:3; 12:1; Pablo, Hch. 16:37.

CARCELERO (el) de Filipos, Hch. 16:23-36.

CARIDAD, (Virtud que consiste en amar a Dios sobre todas las cosas, y al prójimo como a nosotros mismos). 1 Cor. 13:1-13; 1 Tim. 4:12; 2 Tim. 2:22; 3:10; Tit. 2:2;

2 Ped. 1:7; Ap. 2:19. Véase AMOR.

CARGA, la profecía, Isa. 13:1; Nah. 1:1.

la aflicción, Sal. 55:22; Isa. 58:6.

el pecado, Sal. 38:4.

de responsabilidad, Núm. 11:11; Hch. 15:28; Ap. 2:24.

la de Cristo, ligera, Mat. 11:30; Hch. 15:28; Ap. 2:24.

llevada por otros, Gál. 6:2.

CARMELO, patria de Nabal, 1 Sam. 25.

——, monte, Elías sacrifica en el,1 Rey. 18:19-30. Elías habita en el, 2 Rey. 4:25. Véase Cnt. 7:5; Jer. 46:18; Am. l:2; 9:3; Miq. 7:14.

CARNAL, el ánimo, reprobado, Rom. 8:7; 1 Cor. 3:1; Col. 2:18.

CARNE (la), la de los animales dada para alimento, Gén. 9:3.

Dios manifestado en, 1 Tim. 3:16; Jn. 1:14; 1 Ped. 3:18; 4:1.

confesión de esta verdad, 1 Jn. 4:2; 2 Jn. 7.

——, en sentido figurado:

está en oposición al Espíritu, Jn. 3:6; Rom. 8:1; Gál. 5:17.

los que están en, son pecadores por entero, Rom. 7:18, 25; 1 Jn. 2:16.

e hijos de ira, Efe. 2:3.

obras de, Gál. 5:19.

conducen a la muerte, Rom. 7:5; 8:6-13; 2 Ped. 2:20.

LA CONCUPISCENCIA DE:

no so deben cumplir los deseos de, Rom.

13:14; Gál. 6:16.

no debemos ajustar nuestra conducta a, 1 Ped. 1:16.

se debe crucificar, Gál. 5:24.

——, en sentido de pariente, Gén. 37:27; Mat. 19:5-6; Rom. 9:3; Efe. 5:31.

CARNERO, se empleaba en los sacrificios, Gén. 15:9; 22:13; Éxo. 29:15; Lev. 9. Núm. 5:8.

símbolo de Media y de Persia, Dan. 8:20.

CARNES, limpias e inmundas, Lev. 11; Deu. 14; Hch. 15:29; Rom. 14; 1 Cor. 8:4; 10:25; Col. 2:16; 1 Tim. 4:3.

CARPINTERO(S), 2 Rey. 12:11; Isa. 41:7; 44:13, Jer. 24:1.

David consigue, de Hiram, 2 Sam. 5:11.

José era, Mat. 13:55.

Cristo conocido como, Mat. 13:55; Mar. 6:3.

simbólico, Zac. 1:20.

CARRERA mencionada metafóricamente Sal. 19:5; Esd. 9:11; 1 Cor. 9:24; Heb. 12:1.

CARTA DE DIVORCO, Deu. 24:1-4; Mat. 5:31.

CARTAS: de David, 2 Sam. 11:14; de Elías, 2 Cr. 21:12; de Jezabel, 1 Rey. 21:9; del rey de Siria, 2 Rey. 5:5; de Jehú, 2 Rey. 10:1. de Ezequías, 2 Cr. 30:1; de Senaquerib, Isa. 37:10, 14; de Artajerjes, Esd. 4:17; 7:11; de Mardoqueo, Est. 9:20; de Jeremías, Jer. 29:1; de los apóstoles, Hch. 15:23.

CASA DE INVIERNO, Jer. 36:22; Am. 3:15.

CASAS, muy antiguas, Gén. 12:1; 19:3.

edificadas con cimientos profundos, Mat. 7:24; Luc. 6:48.

edificadas sin cimientos, Mat. 7:26; Luc. 6:49; de barro, Job 4:19; de ladrillos, Éxo. 1:11-14; Isa. 9:10; de piedra y madera, Lev. 14:40- 42; Hab. 2:11; de piedra labrada, Isa. 9:10; Am. 5:11; en las calles, Gén. 19:2; Jos. 2:19; en los muros de las ciudades, Jos. 2:15; 2 Cor. 11:33;

de azotea, Deu. 22:8; con patios grandes usados como aposentos, Est. 1:5; Luc. 5:10; con puertas, Gén. 43:19; Éxo. 12:22; Luc. 16:20; Hch. 10:17; con las paredes embarradas o revocadas, Lev. 14:42-43; con varios pisos, Eze. 41:16; Hch. 20:9; con muchos aposentos, Gén. 43:30; Isa. 26:20; con ventanas para que penetrase la luz, 1 Rey. 7:4; en siendo acabadas de construir las dedicaban, Deu. 20:5;

CASTIGO: azotes, Lev. 19:20; Deu. 25:1; Mat. 27:26, &c.; Hch. 22:25, &c.

lapidación, Lev. 20:2; 24:14; 1 Rey. 21:10, &c.

horca, Gén. 40:22; Deu. 21:23; Esd. 6:11; Est. 2:23, &c.

fuego, Gén. 38:24; Lev. 20:14; 21:9; Dan. 3:6.

crucifixión Mat. 20:19; 27:31, &c.

ser arrojado entre las fieras, Dan. 6:16, 24; 1 Cor. 15:32.

ser precipitado desde una roca, 2 Cr. 25:12.

mutilación y tormento, Jue. 1:5-7; 16:21; 1 Sam. 31:10; Isa. 50:6; Eze. 23:25; Hch. 23:2.

multas, Éxo. 21:22, 30, 32, 36; Deu. 22:18, 19, 29.

pena del talión, Éxo. 21:22-25; Lev. 24:17-22; Deu. 19:19-21.

destierro, Esd. 7:26; Ap. 1:9.

confiscación, Esd. 7:26.

degollación, 2 Rey. 6:31; 10:7; Mat. 14:10, &c. Véase Heb. 11:36, &c.

algunas veces se aplazaba, hasta que se consultaba a Dios, Núm. 15:32-35.

algunas veces se aplazaba por mucho tiempo, 1 Rey. 2:5-9.

INFLIGIDO: por los testigos, Deu. 13:9; Hch. 7:58.

por los soldados, 2 Sam. 1:15; Mat. 27:27-35.

CASTIGO de los malos:

es de Dios, Lev. 26:18; Isa. 13:11.

A CAUSA de su pecado, Lam. 3:39.

de su iniquidad, Jer. 36:31; Am. 3:2.

de su idolatría, Lev. 26:30; Isa. 10:10-11.

de olvidarse de la ley de Dios, Ose. 4:6-9.

de sus malos caminos y de sus malas acciones, Jer. 21:14; Ose. 4:9; 12:2.

de su orgullo, Isa. 10:12; 24:21.

de su incredulidad, Rom. 11:20; Heb. 3:18,19.

de su codicia, Isa. 57:17; Jer. 51:13.

de que persiguen, Isa. 49:26; Jer. 30:16, 20.

de que desobedecen a Dios, Neh. 9:26, 27; Efe. 5:6.

de que desobedecen al evangelio, 2 Tes. 1:8.

es el fruto de su pecado, Job 4:8; Pro. 22:8; Rom. 6:21; Gál. 6:8.

a menudo se lo atraen con sus malos designios, Est. 7:10; Sal. 37:15; 57:6.

aprobado por los santos, Éxo. 15:1; Sal. 94:2; Ap. 6:9; 15:3; 19:1.

muchas veces acontece que empieza en

esta vida, Pro. 11:31.

no los reforma, Ap. 16:9.

CASTIGO FUTURO, descrito como,

infierno, Mat. 5:29; Luc. 12:5.

oscuridad, Mat. 8:12; 2 Ped. 2:17.

resurrección de condenación, Jn. 5:29.

el despertar para vergüenza y confusión perpetua, Dan. 12:2.

destrucción eterna, Sal. 52:5: 92:7; 2 Tes. 1:9.

fuego eterno, Mat. 25:41; Jud. 7.

muerte eterna, Rom. 6:23: Ap. 21:8.

juicio del infierno, Mat. 23:33.

juicio eterno, Mar. 3:29.

oscuridad de las tinieblas, 2 Ped. 2:17; Jud. 13.

llamas eternas, Isa. 33:14.

vino de la ira de Dios, Ap. 14:10.

tormento con fuego, Ap. 14:10.

tormento para siempre jamás, Ap. 14:11.

la justicia de Dios requiere, 2 Tes. 1:6.

SERÁ: según las obras de ellos, Mat. 16:27; Rom. 2:6, 9; 2 Cor. 5:10.

según el grado de conciencia que ellos posean, Luc. 12:47, 48.

aumentado por haber descuidado los privilegios, Pro. 5:11; Mat. 11:21-24; Luc. 10:13-15.

sin mitigación. Luc. 16:23-26.

debe escarmentar a los demás, Núm. 26:10; Jud. 7.

consumado el día del juicio, Mat. 25:31, 46; Rom. 2:5, 16; 2 Ped. 2:9.

CAUTIVERIO (o cautividad),

el de los israelitas, predicho, Deu. 26:36; Lev. 26:33.

el de las diez tribus, Am. 3; 4; 7:11.

su cumplimiento, 2 Rey. 17; 1 Cr. 5:23.

el de Judá, predicho, Isa. 39:6; Jer. 13:19; 20:4; 25:11; 32:28, &c.

su cumplimiento, 2 Rey. 25; 2 Cr. 36; Sal. 137; Jer. 39; 52; Est. 2; Dan. 1.

regreso del, Esd. 1; Neh. 2, &c; Sal. 126.

regreso en lo sucesivo, Sal. 14:7; 53:6; Jer. 29:14; 30:3; 31:23; 33:7; 46:27; Eze. 16:53; 39:25; Jl. 3:1; Am. 9:14; Sof.2:7; Luc. 21:24; Rom. 11:25.

CAUTIVOS, en la guerra, Gén. 14:12; 1 Sam. 30:1, 2. leyes y prácticas con respecto a, Núm. 31:9-17; Deu. 20:13, 14; Jos. 8:29; 10:15-43; 11:11; Jue. 7:25; 8:18-21; 21:11, 12; 1 Sam. 15:3, 33; 2 Sam. 8:2.

crueldad para con los, Jue. 1:6-7; 2 Rey. 8:12; 15:16; 2 Cr. 25:12; Lam. 5:11-13; Am. 1:13; Zac. 14:2.

los ponen en prisión y les sacan los ojos, Jue. 16:21; 2 Rey. 25:7; Jer. 52:11.

los hacen esclavos, Éxo. 12:29; 2 Sam. 12:31; 2 Rey. 5:2.

se casan con sus aprehensores, Deu. 21:12, 13; Est. 2:17.

los tratan con bondad, 2 Rey. 6:22; 25:27-30; 2 Cr. 28:15; Sal. 106:46.

los promueven a puestos de honor, Neh. 1:11; Est. 2; Dan. 1.

CAZA, Lev. 17:13; Job 38:39; Pro. 12:27.

de venado, Gén. 27:3, 5, 33.

de león, Job 10:16.

CAZADOR, Nimrod fue gran, Gén. 10:9; Esaú, Gén. 27:3. Véase Jer. 16:16.
de aves, Sal. 91:3; Pro. 6:5; Ose. 9:8.

CEBADA, monada, Éxo. 9:31; Rut. 1:22, &c; Jn. 6:9; Ap. 6:6.
dada a los caballos, 1 Rey. 4:28.
harina de, usada en las ofrendas, Núm. 5:15.
artículo de comercio, 2 Cr. 2:10; Ose. 3:2; y de tributo, 2 Cr. 27:5.
el campo de Joab fue quemado, 2 Sam. 17:30. Véase **PAN, SIEGA,** &c.

CEDRO, empleado en los sacrificios, Lev. 14:4-7; Núm. 19:6.
empleado para edificar, &c, 2 Sam. 5:11; 1 Rey. 7:2; Cnt. 1:17; 3:9; Isa. 44:14; Eze. 27:5.
el templo construido con, 1 Rey. 5:6; 6:15. Véase Jue. 9:15; Job 40:17; Sal. 92:12; 104:16; 148:9; Cnt. 5:15; Isa. 2:13; 41:19; Eze. 17:3. Véase también Isa. 4:14; 1 Rey. 5:8.
el arca hecha de, Gén. 6:14.

CEFAS (Pedro), piedra, Jn. 1:42; 1 Cor. 1:2; 3:22; 9:5; 15:5; Gál. 2:9. Véase **PEDRO.**

CEGUERA, infligida a los hombres de Sodoma, Gén. 19:11.
a Sansón, Jue. 16:21.
a los sirios, 2 Rey. 6:18.
a Pablo, Hch. 9:1-8.
a Elimas, Hch. 13:8-11.
curada por Cristo, Mat. 9:27-31; 12:22; 20:30-34; Mar. 8:22-26; 10:46-52; Luc. 4:18-21; 7:19-22; Jn. 9. Véase Sal. 146:8; Isa. 29:18; 42:7.

CEGUERA espiritual:
explicada, Jn 1:5; 1 Cor. 2:14.
efecto del pecado, Mat. 6:23; Jn. 3:19-20.
la incredulidad, efecto de, 2 Cor. 4:3-4.
obra del demonio, 2 Cor. 4:4; 1 Rey. 22:22.
conduce a todo mal, Efe. 4:17-19.
está en desacuerdo con la comunión con Dios, I Jn. 1:6-7.
de los ministros, peligrosa para ellos y para sus rebaños, Mat. 15:14; 23:16-24.
los malos están en, Sal. 82:5; Jer. 5:21.
los que se glorifican a sí mismos están en, Mat. 23:16-28; Rom. 1:22; Ap. 3:17.
los malos se hacen voluntariamente culpables de, Isa. 26:10-11; Rom. 1:19-21; Jn. 9:41 (con Heb. 10:16).
infligida judicialmente, Sal. 69:23; Isa. 29:10; 44:14-20; Mat. 13:13-15; Jn. 12:40.
orad para ser librados de, Sal. 13:3; 119:18.
Cristo fue nombrado para quitarla, Isa. 42:7; Luc. 4:18; Jn. 8:12; 9:39; 2 Cor. 3:14; 4:6.
Cristo pone a sus cristianos para quitarla, Mat. 5:14-16; Hch. 26:16-18.
los santos son librados de, Jn. 8:12; Efe. 5:8; Col. 1:13; 1 Tes. 5:4-5; 1 Ped. 2:9.
casos que sirven de comparación a la curación de, Mat. 11:5; Jn. 9:7, 11, 25; Hch. 9:18; Ap. 3:18.
ejemplos de: Israel. Deu 28:28 Rom. 11:25; 2 Cor. 3:12-16. Los escribas y fariseos, Mat. 23:16-24. La iglesia de Laodicea, Ap. 3:17-18.

CELO:

Cristo, ejemplo de, Sal. 69:9; 119:139; Jn. 2:17.
de los santos, es ardiente, Sal. 119:139.
estimula a otros a hacer el bien, 2 Cor. 9:2.

CELOS, juicio o demanda de, Núm. 5:11-31; Pro. 6:34-35; Cnt. 8:6.
——, de Dios, Éxo. 20:5, &c.; Deu. 29:20; Sal. 78:58; Eze. 8:3; 16:38; Sof. 1:18; Zac. 1:14; 1 Cor. 10:22.

CENA, parábola de la, Luc. 14:16-24.
de las bodas del Cordero, Ap. 19:9.
del Señor, Mt. 26:20.30 Mr. 14:17-21 Lc 22:14-20 1 Co 11:23-30 Véase comunión:

CENTURIÓN, oficial romano a la cabeza de cien hombres, Mar. 15:44; Hch. 21:32; 24:23.
——, su fe es elogiada, Mat. 8; Luc. 7.
——, confiesa a Cristo en la hora de su muerte, Mat. 27:54: Mar. 15:39; Luc. 23:47.
——, Cornelio, convertido, Hch. 10.
——, con Pablo a su cargo, Hch. 27:43.

CERCADO, o vallado, 1 Cr. 4:23; Mat. 21:33.
en sentido figurado, Job 1:10; Ecl. 10:8; Isa. 5:5; Eze. 13:5; Ose. 2:6; Luc. 14:23.

CERRADURA, 1 Sam. 23:7; 1 Rey. 4:13; Jon. 2:6; Neh. 3:3-15; Cnt. 5:5.

CERTEZA.
por la fe, Efe. 3:12; 2 Tim. 1:12; Heb. 10:22.
por medio de la esperanza, Heb. 6:11, 19.
por medio del amor, 1 Jn. 3:14-19; 4:18.
es efecto de la justicia, Isa. 32:17.
abunda al entender el Evangelio, Col. 2:2; 1 Tes. 1:5.

LOS SANTOS TIENEN LA:
de su elección, Sal. 4:3; 1 Tes. 1:4-5.
de su redención, Job 19:25.
de su salvación, Isa. 12:2.
de la vida eterna, 1 Jn 5:13.
del amor inalienable de Dios, Rom. 8:38-39.
de la unión con Dios y con Cristo, 1 Cor. 6:15; 2 Cor. 13:5; Efe. 5:30; 1 Jn. 2:5; 4:13.
de la preservación, Sal. 27:3-5; 46:1-3; 2 Tim. 4:18.
de obtener respuestas a sus oraciones, 1 Jn. 3:22; 5:14-15.
de consuelo en la aflicción, Sal. 73:26; Luc. 4:18-19; 2 Cor. 4:8-10, 16-18.
del sostén en la hora de la muerte, Sal. 23:4.
de una resurrección gloriosa, Job 19:26; Sal. 17:15; Flp. 3:21; 1 Jn. 3:2.
de una corona, 2 Tim. 4:7-8; Stg. 1:12.
ejemplificada: David, Sal. 23:4; 73:24-26. Pablo, 2 Tim. 1:12; 4:18.

CÉSAR, Augusto, Luc. 2:1; Tiberio. Luc. 3:1; Claudio, Hch. 11:28; Nerón, 2 Tim. 4:22; Pablo apela a, Hch. 25:11-21; 26:32.
nombre dado en común a los emperadores romanos, Mat. 22:17, 21; Mar. 12:14-17; Luc. 20:22-25; 23:2; Jn. 19:12, 15; Hch. 17:7;

CESAREA, Pedro enviado a, Hch. 10:1-20. Pablo va a, Hch. 21:8. Pablo llevado preso a, Hch. 23:23. —, Filipos, visitada por Cristo, Mat. 16:13; Mar. 8:27.

1151

CETRO, símbolo de poder, Gén. 49:10; Núm 24:17; Est. 5:2; Sal. 45:6; Heb. 1:8.

CHIPRE, los discípulos de, Hch. 11:19.
Pablo y Bernabé, Hch. 13:4; 21:3.
Mnasón, un discípulo antiguo de, Hch. 21:16.

CHISME, prohibido, Lev. 19:16; Pro. 11:13; 16:28; 18:8; 20:19; 26:20-22; Eze. 22:9; Rom. 1:29; 2 Cor. 12:20; 1 Tim. 5:13; 1 Ped. 4:15. Véase **CALUMNIA**.

CIEGOS, Sal 146:8, Is 29:18, Is 35:5, Is 42:7, Is 42:16-18, Is 52:10, Is 59:10, Lam 4:14, Sof 1:17, Mt 9:7, Mt 11:5, Mt 15:14, Mt 15:31, Mt 20:30, Mt 23:34, Luc 4:8, Jn 9:40 Rom 2:19
leyes con respecto a los, Lev. 19:14; Deu. 27:18.
desterrados de Jerusalén, 2 Sam. 5:6-8.

CIELO(el): creado por Dios, Gén. 1:1; Sal. 8:3; 19:1; Isa. 40:22; Ap. 10:6.
eterno, Sal. 89:29; 2 Cor. 5:1.
inmensurable (no se puede medir), Jer. 31:37.
alto, Sal. 103:11; Isa. 57:15.
santo, Deu. 26:15; Sal. 20:6; Isa. 57:15.
la morada de Dios, 1 Rey. 8:30; Mat. 6:9.
el trono de Dios, Isa. 66:1, con Hch. 7:49.
DIOS es Señor de, Dan. 5:23; Mat. 11:25.
reina en, Sal. 11:4; 135:6; Dan. 4:35.
llena, I Rey. 8:27; Jer. 23:24.
CRISTO, como mediador, entra en, Hch. 3:21; Heb. 6:20; 9:12, 24.
prepara un lugar en, Jn. 14:2.
es todopoderoso en la tierra y en, Mat. 28:18; l Ped. 3:22.
los ángeles están en, Mat. 18:10; 24:36.
los nombres de los santos están escritos en, Luc. 10:20; Heb. 12:23.
los santos, premiados en, Mat. 5:12; 1 Ped. 1:4.
el arrepentimiento de un pecador, causa gozo en, Luc. 15:7.
acumulad tesoros en, Mat. 6:20; Luc. 12:33.
la felicidad de, descrita, Ap. 7:16-17.
SE LE LLAMA: casa del Padre, Jn. 16:2.
patria celestial, Heb. 11:16.
descanso, Heb. 4:9; Ap. 14:13.
paraíso, 2 Cor. 12:2-4.
los malos rechazados de Gál. 5:21; Efe. 5:5; Ap. 22:15.
Enoc y Elías fueron transportados a, Gén. 5:24, con Heb. 11:5; 2 Reyes 2:11.
el nuevo, Ap. 21:1.

CIENCIA, falsamente llamada así, 1 Tim. 6:20. Véase **CONOCIMIENTO**.

CIERVA, Gén. 49:21; 2 Sam. 22:34; Pro. 5:19; Cnt. 2:7; Hab. 3:19.

CIERVO, Deu. 12:15; 14:5; 1 Rey. 4:23; Sal. 42:1; Pro. 5:19; Cnt. 8:14; Isa. 35:6; Jer. 14:5.
corzo, Pro. 6:5.

CIGÜEÑA (la), mencionada, Sal. 104:17; Jer. 8:7; Zac. 5:9.
inmunda, Lev. 11:19; Deu. 14:18.

CÍMBALOS de metal, 1 Cr. 15:19, 28; 1 Cor. 13:1.
usados en el culto, 2 Sam. 6:5; 1 Cr. 15:16, 19; 2 Cr. 5:12, 13; Sal. 150:5; Esd. 3:10-11; Neh. 12:27, 36.

CINCEL, de escribir, Jue. 5:14; Jer. 17:1; Job 19:24.

CINERET, Núm. 34:11; Deu. 3:17; Jos. 11:2; 12:3; 13:27; 19:35; 1 Rey. 15:20.
——, mar de, Véase **GALILEA**.

CINTO, o cinturón, del sumo sacerdote, Éxo. 28:4; 39:29 (Isa. 11:5; Efe. 6:14; Ap. 1:13; 15:6.)
simbólico, Jer. 13:1.
en sentido figurado, Sal. 30:11; Isa. 11:5; 22:21; Efe. 6:14. Véase **VESTIDOS**.

CIRCUNCISIÓN, instituida, Gén. 17:10.
practicada, Gén. 21:4; 34:24; Éxo. 4:25; 12:48.
antes de entrar a Canaán, Jos. 5:2.
su significado, Deu. 10:16; 30:6; Rom. 2:25; 3:30; 4:9; 1 Cor. 7:18; Gál. 5:6; 6:15; Flp. 3:3; Col. 2:11; 3:11.
abolida, Hch. 15; Gál. 5:2, 6, 11.
designación dada a los judíos, Hch. 10:45; 11:2; Gál. 2:9; Col. 4:11; Tit. 1:10.
a los cristianos, Flp. 3:3.

CIRO, sus profecías acerca de, Isa 44:28; 45:1. Véase Dan. 1:21; 6:28; 10:1.
su proclamación para la reedificación del templo, 2 Cr. 36:22-23; Esd. 1.

CIS, padre del rey Saúl, 1 Sam. 9:1.

CISTERNA, Gén. 37:24-29; Éxo. 21:33-34; Lev. 11:36, como término de comparación, Pro. 5:15. Véase **POZO**.

CIUDADES, fortificadas, Deu. 1:28; 3:5; Jos. 10:20; Jue. 9:51: 2 Cr. 11:5-10, 23; 17:2, 19; Sal. 48:12 Isa. 36:1 Jer. 4:5 Dan. 11:15
de los carros, 2 Cr. 1:14; 9:25.
de los bastimentos, Éxo. 1:11.
de las municiones, 2 Cr. 8:4, 6.
del comercio, Isa. 23:11; Eze. 27:3.
reales, Núm. 21:26; Jos. 10:2; 2 Sam. 12:28.
levíticas, Núm. 35:2; Núm. 35:7.
de refugio (asilo, acogimiento), Éxo. 21:13; Núm. 35:6; Deu. 4:41-43; 19:2, 3; Jos. 20.
de depósito, de Salomón, 1 Rey. 9:19; 2 Cr. 8:4. De Josafat. 2 Cr. 17:12.

CLAUDIO CÉSAR, Hch. 11:28; 18:2.

CLAUDIO LISIAS, libra a Pablo de manos de los judíos, Hch. 21:31; 23:26; 24:7, 22.
le envía con una carta para Félix, Hch. 23:26.

CLAVOS de hierro, 1 Cr. 22:3; de oro, 2 Cr. 3:9.
en sentido metafórico, Esd. 12:11; Isa. 22:23.

CLEMENTE, Jehová, misericordioso y, Sal. 86:5; 103:8; 111:4; 112:4; Isa. 19:22; Jl. 2:13; Jon. 4:2; Éxo. 33:19; 2 Cr. 30:9; Neh. 9:17,
——, un discípulo, Flp. 4:3.

CLEOFAS, Jn. 19:25, su conversación con Cristo, Luc. 24:15-31.
——, Véase **ALFEO**.

COAT, hijo de Leví, Gén. 46:11.
descendientes de, Éxo. 6:18; 1 Cr. 6:2.
sus deberes, Núm. 4:15; 7:9; 10:21; 2 Cr. 29:12; 34:12.

COBARDÍA. Lev 26:36. 2 Tim 1:7.

CODO, Gén. 6:16; Deu. 3:11; Mat. 6:27. Véase **MEDIDAS**.

CODORNICES, los israelitas alimentados con, Éxo. 16:13.
enviados en castigo, Núm. 11:31-35; Sal. 78:27; 105:40.

COHECHO (el), prohibido, Éxo. 23:2, 8; Deu. 16:19; Job 15:34; Pro. 17:23; 29:4; Ecl. 7:7; Isa. 5:23; 33:15; Eze. 13:19; Am. 2:6.
de Dalila, Jue. 16:5.
de los hijos de Samuel, 1 Sam. 8:3.
de Benadad, 1Rey. 15:18-20.
de Judas, Mat. 26:14.
de los soldados, Mat. 28:12.

COJOS, (a los) les era prohibido ejercer las funciones del sacerdocio, Lev. 21:18.
desterrados de Jerusalén, 2 Sam. 5:8.
curados por Cristo, Mat. 11:5; Luc. 7:22; y los apóstoles, Hch. 3; 8:7.
bondad para con los, Job 29:15; Luc. 14:21.
los animales cojos no debían ofrecerse para los sacrificios, Deu. 15:21; Mal. 1:8, 13.

COMPASIÓN,
Cristo dio ejemplo de, Luc. 19:41-42.
exhortación a ejercerla, Rom. 12:15; 1 Ped. 3:8.
INCENTIVOS PARA EJERCERLA:
la compasión de Dios, Mat. 18:27, 33.
la conciencia de nuestra propia flaqueza, Heb. 5:2.
promesa a los que manifiestan, Pro. 19:17.
explicada con ejemplos, Luc. 10:33; 15:20.
ejemplificada: La hija de Faraón, Éxo. 2:6. Sobi, 2 Sam. 17:27-29. Elías, 1 Rey. 17:18-19. Nehemías, Neh. 1:4. Los amigos de Job, Job 2:11. Job, Job 30:25. David, Sal. 35:13-14. Los judíos, Jn. 11:19. Pablo, 1 Cor. 9:22.

COMUNIÓN, comunicación o compañía de los santos, Hch. 2:42; 2 Cor. 8:4; Gál. 2:9; Flp. 1:5; 1 Jn. 1:3, Véase Rom. 12:13; 15:26.
con los malos, prohibida, 1 Cor. 10:20; 2 Cor. 6:14; Efe. 5:11.

COMUNIÓN (la) con DIoS:
es comunión con el Padre, 1 Jn. 1:3.
con el Hijo, 1 Cor.1:9; l Jn. l:3; Ap. 3:20.
con el Espíritu Santo, 1 Cor. 12:13; 2 Cor. 13:14; Flp. 2:1.
precedida de la reconciliación, Am. 3:3.
la santidad es necesaria para, 2 Cor. 6:14-16
prometida a los obedientes, Jn. 14:23.

COMUNIÓN (la) de la Cena del Señor:
prefigurada, Éxo. 12:21-28; 1 Cor. 5:7-8.
instituida, Mat. 26:26; 1 Cor. 11:23.
objeto de, Luc. 22:19; 1 Cor. 11:24, 26.
es la comunión del cuerpo y de la sangre de Cristo, 1 Cor. 10:16.
debe tomarse tanto el vino como el pan en, Mat. 26:27; 1 Cor. 11:26.
el examen de conciencia ha de preceder a, 1 Cor. 11:28, 31.
el cambio del corazón y la enmienda de vida son necesarios, 1 Cor. 5:7-8.
los comulgantes deben consagrarse completamente a Dios, 1 Cor. 10:21.
era celebrada constantemente por la iglesia primitiva, Hch. 2:42; 20:7.

CONCIENCIA, sin la luz del Espíritu Santo es mala guía, Hch. 23:1 y Hch. 26:9; Rom. 9:1; 10:2; 2 Cor. 1:12.
DE LOS MALOS,

cauterizada, Jer. 6:15; 1 Tim. 4:1-2.
contaminada, Heb. 9:14; Tit. 1:15.
no siempre se acalla, Gén. 42:21; Éxo. 9:27.
impone silencio a los pecadores, Mat. 22:11-12; Rom. 3:19.

CONCILIO, el de los judíos conspira contra Jesús, Mat. 26:3, 59; Mar. 16:1; Hch. 4:28.
la defensa de los apóstoles ante, Hch. 4; 5:29.
la réplica de Pablo a, Hch. 23.

CONCUBINATO, (relación marital de un hombre con una mujer sin estar casados) Gén. 22:24; 25:6; 35:22; Jue. 8:31;19:1-29; 20:4-6; 2 Sam. 3:2-7; 5:13; 15:16; 16:21; 19:5; 20:3; 21:11; 1 Rey. 11:3; 2 Cr. 11:21; Est. 2:14; Dan. 5:2, 23.

CONCUPISCENCIA, debemos dominarla, Col. 3:5; 1 Tes. 4:5; Rom. 7:7.
prohibida, 1 Cor. 10:6-8.
de la belleza, Pro. 6:25.
respecto de las mujeres, Job 31:1; Mat. 5:28.
de carnes, Núm. 11:4, 34; Sal. 78:18-31; 106:14

CONFESIÓN (la) del pecado:
Dios la exige, Lev. 5:5; Ose. 5:15.
Dios la acata, Job 33:27, 28; Dan. 9:20, &c.
exhortaciones para practicarla, Jos. 7:19; Jer. 3:13.
promesas con respecto a, Lev. 26:40-42; Pro. 28:13.
DEBE IR ACOMPAÑADA DE:
resignación al castigo, Lev. 26:41; Neh. 9:33.
petición del perdón, 2 Sam. 24:10; Sal. 25:11; 51:1; Jer. 14:7-9, 21.
humillación, Isa. 64:5, 6; Jer. 3:25.
contrición, Sal. 38:18; Lam. 1:20.
enmienda, Pro. 28:13.
remedio del daño causado Nm. 6:6, 7.
ha de ser sin reserva, Sal. 32:5; 51:3; 106:6.
los juicios de Dios conducen a, Ose. 5:14, 15.
seguida del perdón, Sal. 32:5; 1 Jn. 1:9.
explicada con ejemplos, Luc. 15:21; 18:13.
ejemplificada: Aarón, Núm. 12:11. Los israelitas, Núm. 21:6, 7; 1 Sam. 7:6; 12:19. Saúl, 1 Sam. 16:24. David, 2 Sam. 24:10. Esdras, Esd. 9:6. Nehemías, Neh. 1:6, 7. Los Levitas, Neh. 9:4, 33, 34. Job, Job 7:20. Daniel, Dan. 9:4. Pedro, Luc. 5:8. El ladrón en la cruz, Luc. 23:41.

CONSAGRACIÓN.
del primogénito, Éxo. 13:2; 22:29; Núm. 3:13; Luc. 2:22, 23.
de la nación judía, Éxo. 19:6.
de Aarón, &c., Éxo. 29; Lev. 8.
de los levitas, Núm. 8:5.
de los creyentes, 1 Ped. 2:9; Ap. 1:6. Véase Heb. 7:8; 10:20.

CONSEJO, ventajas del buen, Pro. 11:14; 12:15; 13:10; 15:22; 20:18; 24:6; 27:9.
DE DIOS, IMPLORADO:
por Israel, Jue. 20:28.
por Saúl, 1 Sam. 14:37.
por David, 1 Sam. 23:2, 10; 30:8; 1 Cr. 14. Véase Sal. 16:7; 33:11; 73:24; Pro. 8:14; Isa. 40:13; Ecl. 8:2; Ap. 3:18.

peligro de rechazar el, 2 Cr. 25:16: Pro.
1:25; Luc. 7:30; Isa. 30:1; Jer. 23:22.

el de los malos improbado, Job 5:13; 10:3;
21:16; Sal. 1:1; 5:10; 33:10: 64:2; 81:12;
106:43; Isa. 7:5; Ose. 11:6: Miq. 6:16; 7:3.

CONSOLADOR (el), prometido, Jn. 14:26;
15:26; 16:7. Véase **ESPÍRITU SANTO**.

CONSOLARSE mutuamente, 1 Tes. 4:18;
5:11; Flp. 2:1.

**CONSPIRACIÓN DE CORÉ, ABSALÓN,
BIGTÁN, ADONÍAS**, etc.

contra Cristo, Mat. 26:3; Mar. 14:1; Luc.
22:1; Jn. 11:55; 13:18.

contra Pablo, Hch. 23:12.

CONTAMINACIÓN (la) del pecado,
procede del corazón, Mat. 15:11, 18-20.

se extiende al entendimiento y a la
conciencia, Tit. 1:15.

acarrea desgracias a las naciones, Lev.
18:25; Isa. 24:5; Eze. 36:17; 43:7, 8.

CONTAMINACIONES bajo la ley, Lev. 5; 11;
13; 15; 21; 22; Núm. 5; 9:6; Deu 21:23; Eze. 22

de los paganos, Lev. 18:24; 19:31; 20:3;
Hch. 15:20.

del sábado, Neh. 13:15; Isa. 56:2; Eze. 20:13.

del altar de Dios, &c., Ex. 20:25; 2 Cr. 33:7;
36:14; Eze. 8:6; 44:7; Dan. 8:11; Sof. 3:4;
Mal. 1:7.

del pecado, Eze. 16:6; 22; Sof. 3:1.

del mundo, 2 Ped. 2:20.

CONTENCIÓN: Cristo nos puso el
ejemplo de evitar, Isa. 42:2, con Mat.
12:15-19; prohibida, Pro. 3:30; 25:8; obra
de la carne, Gál. 5:20; prueba del ánimo
carnal, 1 Cor. 3:3; existía en la iglesia
primitiva, 1 Cor. 1:11.

SE SUSCITA POR: el odio, Pro. 10:12; el
orgullo, Pro. 13:10; 28:25; la ira, Pro.
15:18; 30:33; la perversidad, Pro. 16:28;
el natural rencilloso, Pro. 26:21; los
chismes, Pro. 26:20; el beber vino, Pro.
23:29, 30; la concupiscencia, Stg. 4:1;
las cuestiones de palabras, 1 Tim. 6:4;
2 Tim. 2:23; la burla, Pro. 22:10.

lo difícil de reprimirla es razón suficiente
para evitarla, Pro. 17:14.

de parte de los santos es una gran
vergüenza, 2 Cor. 12:20; Stg. 3:14.

LOS SANTOS DEBEN evitarla, Gén.
13:8; evitar las cuestiones que
conducen a la, 2 Tim. 2:14; no andar
en, Rom. 13:13; no obrar por, Flp. 2:3;
hacer todo sin, Flp. 2:14; someterse
a la injusticia antes que tomar parte
en, Mat. 5:39, 40; 1 Cor. 6:7; implorar
a Dios que los libre de, Sal. 35:1; Jer.
18:19; alabar a Dios cuando los haya
librado de, 2 Sam. 22:44; Sal. 18:43.

**CONTRICIÓN (dolor y pesar provocado
por ofender a Dios mediante el
pecado)**, ejemplos de: David, 2 Sam.
12:13; Sal. 51. Pedro, Mat. 26:75.

Dios no desprecia al corazón contrito,
Sal. 34:18; 51:17; Isa. 57:15; 66:2.

CONVERSIÓN (la): efectuada por Dios,
1 Rey. 18:37; Jn. 6:44; Hch. 21:19.

efectuada por Cristo, Hch. 3:26; Rom.
15:18.

efectuada por el Espíritu Santo, Tit. 3:5.

es de gracia, Hch. 11:21, con versículo 23.

se sigue al arrepentimiento, Hch. 3:19;
26:20.

es el resultado de la fe, Hch. 11:21.

COPA, Jer. 52:19; de plata, Gén. 44:2; de la
Cena del Señor, Luc. 22:20; de los
demonios,

1 Cor. 10:21; en sentido figurado, Sal.
23:5; Mat. 20:22; 26:39; de la ira de Dios,
Ap. 15:7; 16:1-17; 17:1.

COPIA, ejemplar o traslado de la ley que el
rey debía escribir para sí, Deu. 17:18.

——, de cartas o escritos reales, Esd. 4:11;
Est. 3:14; 4:8; 8:13.

CORAL, Job 28:18; Eze. 27:16.

CORAZA, 1 Sam. 17:5, 38.

de justicia, Isa. 59:17; Efe. 6:14.

de fe y amor, 1 Tes. 5:8.

CORAZÓN, grandes milagros y maravillas
hechas en, Mat. 11:21; Luc. 10:13.

CORAZÓN (el):

se afirma con la gracia, Heb. 13:9.

la vida y lo que contamina al hombre,
mana de, Pro. 4:23, Mat. 15:18.

DIOS: puede ser hallado si se le busca
con todo, Deu. 4:29.

somete a prueba, Sal. 7:9; 17:3; Jer.
12:3; 1 Tes. 2:4.

conoce los secretos de, Sal. 44:21.

conoce el, Hch. 1:24; 15:8.

ve los pensamientos y, Jer. 20:12.

escudriña, 1 Cr. 28:9; 29:17; Jer. 17:10;
11:20; Rom. 8:27; Ap. 2:23.

entiende, 1 Cr. 28:9; Sal. 139:2.

pesa, Pro. 21:2; 24:12.

ejerce influencia sobre, 1 Sam. 10:26;
2 Cr. 36:22; Esd. 1:1, 5; 6:22; 7:27;
Neh. 1:11; 2:12; Sal. 119:36; Pro. 16:1;
21:1; Jer. 20:9; 32:40; Hch. 7:10;
16:14; 2 Cor. 8:16; Flp. 2:13.

crea un nuevo, Deu. 30:6; Sal. 51:10; Eze.
11:19; 36:26; Jer. 32:39.

prepara, 1 Cr. 29:18; Pro. 16:1; Sal. 10:17.

abre, Hch. 16:14.

pone velo en, 2 Cor. 13:14-16.

esperar en Dios esfuerza y alienta, Sal.
27:14; 31:24.

afianza, 86:11; Sal. 112:7, 8; 1 Tes. 3:13.

DEBEMOS:

creer en Dios con todo, Hch. 8:37; Rom.
10:10.

ofrecer a Jehová de todo 1 Cr. 29:9, 17

todo lo que hagamos, hagámoslo con,
Col 3:23.

derramarlo delante de Él, Sal. 62:8

ponerlo en tu rebaño, Pr. 27:23

servir a Dios con todo, Deu. 11:13.

guardar los estatutos de Dios con
todo, Deu. 26:16; Sal. 37:5.

caminar delante de Dios con todo, 1
Rey. 2:4.

confiar en Dios con todo, Pro. 3:5; Job
13:15.

amar a Dios con todo, Deu. 6:5; 10:12;
30:6; Mat. 22:37; Mar. 12:30, 33; Luc.
10:27.

tornar a Dios de todo Deu. 4:28-31;
30:2; Jl. 2:12, 13.

hacer la voluntad de Dios con, Efe.

6:6; Jer. 3:10.

santificar a Dios en, 1 Ped. 3:15.

ningún hombre puede limpiar, Pro. 20:9, Véase Job 14:4; 15:14; 25:4.

la fe es el medio de purificar, Hch. 15:9.

la renovación, prometida bajo el Evangelio Eze. 11:19; 36:26.

Dios no lo deprecia cuando está contrito y humillado, 2 Cr. 33:12-13: Sal. 22:24; 51:17; 34:18; 2 Rey. 22:19; Isa. 66:2; Luc. 15:21-32; 18:11-14.

El NO RENOVADO

lleno de malas intenciones, Jer, 4:14.

resuelto a hacer el mal, Ecl. 8:11.

perverso más que todas las cosas, Jer. 17:9.

lejos de Dios, Isa. 29:13, y Mat. 15:8.

no es perfecto para con Dios, 1 Rey. 15:3; Hch. 8:21; Pro. 6:18.

no está preparado para buscar a Dios, 2 Cr. 12:14.

un tesoro de maldad, Mat. 12:35; Mar. 7:21.

entenebrecido, Rom. 1:21.

pronto a errar, Sal. 95:10.

pronto a alejarse de Dios, Deu. 29:18; Jer. 17:5.

impenitente, Rom. 2:5.

incrédulo, Heb. 3:12.

ciego, Efe. 4:18.

no circuncidado, Lev. 26:41; Hch. 7:51.

de poco valor, Pro. 10:20.

engañoso, Jer. 17:9.

engañado, Isa. 44:20; Stg. 1:26.

apartado, Ose. 10:2.

doble, 1 Cr. 12:33; Sal. 12:2.

duro, Eze. 3:7; Mar. 10:5; Rom. 2.

altivo, Pro. 18:12; Jer. 48:29.

bajo el influjo del diablo, Jn. 13:2.

codicioso, Jer. 22:17; 2 Ped. 2:14.

menospreciador, Eze. 25:15.

enredador, Ecl. 7:26.

insensato, Pro. 12:23; 22:15.

idólatra, Eze. 14:3, 4.

enloquecido, Ecl. 9:3.

maligno, Sal. 28:3; 140:2.

orgulloso Sal. 101:5; Jer. 49:16.

rebelde, Jer. 5:23.

perverso, Pro. 12:8.

contumaz, Eze. 2:4.

de piedra, Eze. 11:19; 36:26.

duro, Isa. 46:12.

engreído por la prosperidad, 2 Cr. 26:16; Dan. 5:20

busca la destrucción, Pro. 24:2.

a menudo entorpecido judicialmente, Isa. 6:10; Hch. 28:26, 27.

a menudo endurecido judicialmente, Éxo. 4:21; Jos. 11:20.

CORBÁN, don u ofrenda consagrada a Dios, Mar. 7:11. Véase Mat. 15:5, 6; 1 Tim. 5:4-8.

CORDERO.

OFRECIDOS EN SACRIFICIO, Lev. 3:7.

desde los tiempos antiguos, Gén. 4:4; 22:7.

en la Pascua, Éxo. 12:3, 6.

sin defecto, de un año, Éxo. 12:5.

todas las mañanas y todas las tardes,

Éxo. 29:38, 39; Núm. 28:3, 4.

en grandes números, 2 Cr. 35:7.

por los malos, Isa. 1:11; 66:3.

el cuidado del pastor por el rebaño, Isa. 40:11.

un comercio considerable en, Esd. 7:17; Eze. 27:21.

SÍMIL DE:

la pureza de Cristo, 1 Ped. 1:19.

el sacrificio de Cristo, Jn. 1:29; Ap. 5:6.

el pueblo de Dios, Isa. 5:17; 11:6.

cualquier objeto querido, 2 Sam. 12:3, 9.

los creyentes débiles, Isa. 40:11; Jn. 21:15.

la paciencia de Cristo, Isa. 53:7; Hch. 8:32.

los hombres malos, Sal. 37:20; Jer. 51:40.

Véase **JESUCRISTO.**

CORDÓN, Éxo. 28:28; Núm. 15:38; Jos. 2:18, 21.

CORÉ, y DATÁN, &c., su sedición y castigo, Núm. 16; 26:9; 27:3; Jud. 11.

CORINTO, Pablo y Apolos predican allí, Hch. 18; 19:1; 1 Cor. 1:12; 3:4, &c.

CORINTIOS, sus desavenencias censuradas, 1 Cor. 1 &c.; 5; 11:18; 2 Cor. 3:11-13.

SE LES INSTRUYE ACERCA DE:

los dones espirituales, 1 Cor. 14.

y la resurrección, 1 Cor. 15.

sus falsos maestros descubiertos, 2 Cor. 11.

exhortados a practicar la caridad, &c., 1 Cor. 13; 14:1; 2 Cor. 8; 9.

CORNELIO, la visión de, Hch. 10:3.

envía por Pedro, Hch. 10:7-24.

es bautizado, Act. 10:47-48.

CORO, medida de capacidad para los áridos, equivale a 330 litros, 1 Rey. 4:22; 5:11; 2 Cr. 2:10; 27:5; Eze. 45:14; Esd. 7:22. Véase **HOMER.**

——, Neh. 12:31, 38, 40.

CORONA, del rey, 2 Sam. 1:10; 12:30; 2 Rey. 11:12; 1 Cr. 20:2; 2 Cr. 23:11; Est. 1:11; 2:17; 6:8; 8:15; Sal. 132:18; Pro. 27:24.

santa del sumo sacerdote, Éxo. 29:6; 39:30; Lev. 8:9.

la mujer virtuosa, Pro. 12:4.

las riquezas de los sabios son su, Pro. 14:24.

de soberbia, Isa. 28:1, 3.

de espinas, Mat. 27:29; Mar. 15:17; Jn. 19:2, 5.

de justicia, 2 Tim. 4:8.

de vida, Stg. 1:12; Ap. 2:10.

de gloria, 1 Tes. 2:19; 1 Ped. 5:4; Isa. 28:5; 62:3; Jer. 13:18.

incorruptible, 1 Cor. 9:25; 1 Ped. 5:4.

Véase Ap. 4:4; 9:7; 12:3; 13:1; 19:12.

CORRECCIÓN (la) de Dios, Job 5:17; 36:10; Sal. 2:10; Pro. 3:11, 12; 5:23; Heb. 12:5.

CORREOS, 2 Cr. 30:6, 10; Est. 3:13, 15; 8:10, 14; Job 9:25; Jer. 51:31.

CORZO, Deu. 12:15, 22; 14:5, 22; Pro. 6:5; Cnt. 2:9, 17; 8:14.

COSELETE, Éxo. 28:32; 39:23; 2 Cr. 18:33; Job 41:26. Véase **ARMADURA.**

COYUNDAS, y yugos enviados por el Señor a varios reyes, Jer. 27.

COZBI, madianita muerta por Finees, Núm. 25:16.

CREACIÓN, descrita, Gén. 1; 2.

Dios es autor de, Neh. 9:6; Sal. 33:6; Isa. 42:5; Heb. 3:4.

Cristo, autor de, Jn. 1:3; Efe. 2:9; Col. 1:16.

el Espíritu Santo, agente de, Gén. 1:2; Job 26:13; 33:4; Sal. 104:30.

por el placer de Dios, Ap. 4:11.

los ángeles se regocijaron en, Job 38:4, 7.

pone de manifiesto la sabiduría de Dios, Sal. 19:1; 104:24; Pro. 3:19; Jer. 10:12.

pone de manifiesto el poder y la divinidad de Dios, Rom. 1:20.

entendida por fe, Heb. 11:3.

los cielos cuentan la gloria de Dios, Sal. 19:1. Véase Sal. 8:3; 33:6; 115:16; 148:3-4; Isa. 40:22-26; Jer. 10:12; Rom. 1:19, 20.

manifestada por Dios claramente al hombre, Rom. 1:19, 20; Jn. 1:9.

negada voluntariamente por el hombre necio, 2 Ped. 3:5. Véase Pro. 17:16; Jn. 3:19, 20; Rom. 1:19-28; 2 Tim. 2:10-12.

gime, Rom. 8:22.

CREACIÓN, la nueva, Ap. 22.

CREDULIDAD, Sal. 14:15; Jer. 29:8; Mat. 24:4, 23; 1 Jn. 4:1.

CRESCENTE, va a Galacia, 2 Tim. 4:10.

CRETA, Pablo va a, Hch. 27:7; Tit. 1:5.

CRETENSES, el carácter de los, Tit. 1:12.

CRIADAS (las), leyes acerca de, Éxo. 20:10; 21:7; Deu. 15:17.

CRIADOS. Véase **SIERVOS.**

CRIATURA, nueva, 2 Cor. 5:17; Gál. 6:15; Efe. 2:10; 4:24. Véase Rom. 8:19.

CRIATURAS, vivientes, la visión de las, Eze. 1:5. Véase Ap. 5:6; 19:4.

CRISPO, el principal de la sinagoga, bautizado por Pablo, Hch. 18:8; 1 Cor. 1:14.

CRISTAL, una piedra transparente, Eze. 1:22; Ap. 4:6; 21:11; 22:1.

CRISTO:

ES DIOS; como Jehová, Isa. 40:3, con Mat. 3:3.

Jehová de gloria, Sal. 24:7, 10, con 1 Cor. 2:8; Stg. 2:1.

Jehová JUSTICIA NUESTRA, Jer. 23:5, 6, con 1 Cor. 1:30.

Jehová, sobre todas las cosas, Sal. 97:9, con Jn. 3:31.

Jehová, Primero y Postrero, Isa. 44:6, Ap. 1:7; Isa. 48:12-16, con Ap. 22:13.

Jehová, compañero de, e igual a Dios, Zac. 13:7; Flp. 2:6.

Jehová de los ejércitos, Isa. 6:1-3, con Jn. 12:41; Isa. 8:13, 14, con 1 Ped. 2:8.

el Jehová de David, Sal. 110:1, con Mat. 22:42-45.

Jehová el Pastor, Isa. 40:10, 11; Heb. 13:20.

Jehová para cuya gloria fueron creadas todas las cosas, Pro. 16:4, Col. 1:16.

Jehová, el mensajero del pacto, Mal. 3:1, con Luc. 2:27.

invocado como Jehová, Jl. 2:32, y 1 Cor. 1:2.

Dios y Creador eterno, Sal. 102:24-27, con Heb. 1:8, 10-12.

el Dios poderoso, Isa. 9:6.

el gran Dios y Salvador, Ose. 1:7, con Tit. 2:13.

como Dios sobre todas las cosas, Rom. 9:5.

el Dios verdadero, Jer.. 10:10, con 1 Jn. 5:20.

Dios el Verbo, Jn. 1:1.

Dios el Juez, Ecl. 12:14, con 1 Cor. 4:5; 2 Cor. 5:10; 2 Tim. 4:1.

Emmanuel, Isa. 7:14; con Mat. 1:23.

Rey de reyes y Señor de señores, Dan. 10:17, con Ap. 1:5; 17:14.

el Santo, 1 Sam. 2:2, con Hch. 3:14.

el Señor venido del cielo, 1 Cor. 15:47.

Señor del sábado, Gén. 2:3, con Mat. 12:8.

Señor de todos, Hch. 10:36; Rom. 10:11-13.

Hijo de Dios, Mat. 26:63-67.

el Unigénito del Padre, Jn. 7:14, 18; 3:16, 18; 1 Jn. 4:9.

su sangre la sangre de Dios, Hch. 20:28.

uno con el Padre, Jn. 10:30, 38; 12:45; 14:7-10; 17:10.

quien envía el Espíritu en igualdad con el Padre, Jn. 14:16, con Jn. 15:26.

quien merece igual honor al del Padre, Jn. 5:23.

dueño de todas las cosas en igualdad con el Padre, Jn. 16:15.

quien, en igualdad con el Padre, no está circunscrito por la ley del sábado, Jn. 5:17.

fuente de gracia, en igualdad con el Padre, 1 Tes. 3:11; 2 Tes. 2:16, 17.

inescrutable, en igualdad con el Padre, Pro. 30:4; Mat. 11:27.

Creador de todas las cosas, Isa. 40:28; Jn. 1:3; Col. 1:16.

sostenedor y preservador de todas las cosas, Neh. 9:6, con Col. 1:17; Heb. 1:3.

poseedor de la plenitud de la Divinidad, Col.2:9.

quien resucita a los muertos, Jn. 5:21; 6:40, 54.

quien se resucitó a sí mismo de entre los muertos, Jn. 2:19, 21; 10:18.

eterno que es, Isa. 9:6; Miq. 5:2; Jn. 1:1; Col. 1:17; Heb. 1:8-10; Ap. 1:8.

omnipresente, Mat. 18:20; 28:20; Jn. 3:13.

omnipotente, Sal. 45:3; Flp. 3:21; Ap. 1:8.

omnisciente, Jn. 16:30; 21:17.

quien penetra los pensamientos más íntimos, 1 Rey. 8:39, con Luc. 6:22; Eze. 11:5, con Jn. 2:24, 25; Hch. 1:24; Ap. 2:23.

inmutable, Mal. 3:6, con Heb. 1:12; 13:8.

quien tiene poder para perdonar los pecados, Col. 3:13, con Mar. 2:7, 10.

dador de pastores a la iglesia, Jer. 3:15, con Efe. 4:11-13.

el Esposo de la iglesia, Isa. 54:5, con

Efe 5:25-32; Isa 62:5, con Ap. 21:2, 9
objeto del culto divino, Hch. 7:59;
2 Cor. 12:8, 9; Heb. 1:6; Ap. 5:12.
objeto de la fe, Sal. 2:12, con 1 Ped.
2:6; Jer. 17:5, 7, con Jn. 14:1.
Dios, redime y purifica la iglesia para
sí, Ap. 5:9, con Tit. 2:14.
Dios, se presenta la iglesia a sí
mismo, Efe. 5:27, con Jud. 24, 25.
los santos viven para Él, como para
Dios, Rom. 6:11, con 2 Cor. 5:15.
reconocido por sus apóstoles, Jn. 20:28.
reconocido por los santos del Antiguo
Testamento, Gén. 17:1, con Gén. 48:15,
16; 32:24-30, con Ose. 12:3-5; Jue. 6:22-
24; 13:21, 22; Job 19:25-27.

——, EL MESÍAS:
Dan. 9:25; Jn. 1:41: 4:25, 26.

——, EL MEDıADOR:
en virtud de su expiación, Efe. 2:13-18; Heb.
9:15; 12:24.
el único entre Dios y los hombres, 1 Tim.
2:5.
del pacto del Evangelio, Heb. 8:6; 12:24.
simbolizado: Moisés, Deu. 5:5; Gál. 3:19.
Aarón. Núm. 16:48.

——, EL PROFETA:
predicho, Deu. 18:15-18 Isa. 52:7 Nah. 1:15
ungido del Espíritu Santo, Isa. 42:1; 61:1,
con Luc. 4:18; Jn. 3:34.
Él solo conoce y revela a Dios, Mat.
11:27; Jn. 3:2, 13, 34; 17:6, 14, 26; Heb,
1:1, 2.
declara que su doctrina era la del Padre,
Jn. 8:26, 28; 12:49, 50; 14:10, 24; 15:15;
17:8, 26.
predicó el Evangelio y obró milagros,
Mat. 4:23; 11:5; Luc. 4:43.
predijo lo que había de suceder, Mat.
24:3-35; Luc. 19:41-44.
fiel a su cometido, Luc. 4:43; Jn. 17:8; Heb.
3:2; Ap. 1:5; 3:14.
abundó en sabiduría, Luc. 2:40, 47, 52;
Col. 2:3.
poderoso en obras y en palabras, Mat.
13:54; Mar. 1:27; Luc. 4:32; Jn. 7:46.
Dios nos manda oír a, Deu. 18:15; Hch.
3:22.
manso y modesto en sus enseñanzas, Isa.
42:2; Mat. 12:17-20.
Dios nos castigará severamente si
desacatamos a, Deu. 18:10; Hch. 3:23;
Heb. 2:3.

——, EL SUMO SACERDOTE:
llamado por Dios, Heb. 3:1, 2; 5:4, 5.
según el orden de Melquisedec, Sal. 110:4,
con Heb. 5:6; 6:20; 7:15, 17.
superior a Aarón y a los sacerdotes
levíticos, Heb. 7:11, 16, 22; 8:1, 2, 6.
consagrado con juramento, Heb. 7:20, 21.
tiene un sacerdocio inmutable, Heb. 7:23,
28.
es de pureza inmaculada, Heb. 7:26, 28.
fiel, Heb. 3:2.
no necesitaba de sacrificio, Heb. 7:27.
se ofreció a sí mismo, Heb. 9:14, 26.
su sacrificio fue superior a todos los
demás, Heb. 9:13, 14, 23.
ofreció sacrificio una sola vez, Heb. 7:27.

hizo reconciliación, Heb. 2:17.
obtuvo redención para nosotros, Heb.
9:12.
entró al cielo, Heb. 4:14; 10:12.
se compadece de los santos, Heb. 2:18;
4:15.
intercede, Heb. 7:25; 9:24.
bendice, Núm. 6:23-26, con Hch. 3:26.
en su trono, Zac. 6:13.
este hecho debe alentarnos a permanecer
firmes, Heb. 4:14.
simbolizado: Melquisedec, Gén. 14:18-20.

EL PASTOR:
predicho, Gén. 49:24; Isa. 40:11; Eze.
34:23; 37:24.
el principal, 1 Ped. 5:4.
el buen, Jn. 10:11-14.
el gran, Miq. 5:4; Heb. 13:20.

SU REBAÑO:
Él lo conoce, Jn. 10:14, 27.
Él lo llama, Jn. 10:3.
Él lo reúne, Isa. 40:11; Jn. 10:16.
Él lo guía, Sal. 23:3; Jn. 10:3, 4.
Él lo pastorea, Sal. 23:1, 2; Juan 10:9.
Él le tiene un cariño entrañable, Isa.
40:11.
Él lo protege y preserva, Jer. 31:10; Eze.
34:10; Zac. 9:16; Jn. 10:28.
Él rindió su vida por, Zac. 13:7; Mat.
26:31; Jn. 10:11, 15; Hch. 20:28.
Él da vida eterna a, Jn. 10:28.
simbolizado: David, 1 Sam. 16:11.

——, CABEZA DE LA IGLESIA:
predicho, Sal. 118:22, con Mat. 21:42.
puesto por Dios, Efe. 1:22.
proclamado por Él mismo, Mat. 21:42.
como su cuerpo místico, Efe. 4:12, 15; 5:23.
tiene la preeminencia en todas las cosas,
1 Cor. 11:3; Efe. 1:22, Col. 1:18.
comisionó a sus apóstoles, Mat. 10:1, 7;
28:19.
otorga dones, Sal. 68:18, con Efe. 4:8.
los santos están completos en, Col. 2:10.

CRISTOS, falsos, advertencias con respecto
a, Mat. 24:5, 24; Mar. 13:22.

CRISTIANOS, los discípulos llamados así
primeramente en Antioquía, Hch. 11:26;
26:28.
como habían de sufrir, 1 Ped. 4:16.

CRUCIFIXIÓN, pena usada entre los
romanos, Mat. 20:19, con Jn. 18:31, 32. De
los ladrones, Mat. 27:38. De los
discípulos, Mat. 23:3. Maldita, Gál. 3:13.
Una ofensa, Gál. 5:11. Por vía de
comparación, Gál. 5:24.

CRUZ, Cristo muere sobre la, Mat. 27:32,
&c.; Efe. 2:16; Flp. 2:8; Col. 1:20; 2:14; Heb.
12:2.
la predicación de la, 1 Cor. 1:17; Gál. 6:12.
——, en el significado de abnegación, Mat.
10:38; 16:24; Gál. 5:11; 6:12.

CUARENTA AÑOS,
Aarón, después de la salida de Egipto,
muere en el primer día del mes quinto
a los, Núm. 33:38.
Caleb fue enviado por Moisés a reconocer
la tierra prometida cuando tenía, Jos.
14:7. Véase Núm. 13:6; 16-20; 26-33;
14:6-10.

Isaac toma por esposas a Rebeca a los, Gén. 25:20.

Esaú toma por esposas a Judit y a Basemat a los, las cuales fueron amargura a Isaac y Rebeca, Gén. 26:34.

Jehová entrega a Israel en mano de los filisteos por, Jue. 13:1.

Elí juzgó a Israel por, 1 Sam. 4:18.

Isboset, hijo de Saúl, comenzó a reinar sobre Israel a los, 2 Sam. 2:10.

Saúl reino, Hch. 13:21.

David reinó, 2 Sam. 5:4.

siete en Hebrón y treinta y tres en Jerusalén, 1 Rey. 2:11; 1 Cr. 29:27.

Salomón reinó sobre todo Israel, 1 Rey. 11:42; 2 Cr. 9:30.

Joás reinó en Jerusalén, 2 Rey. 12:1; 2 Cr. 24:1.

Ezequiel profetiza que Egipto no será habitada por, Eze. 29:11-13.

Israel jamás ofreció sacrificios a Jehová en el desierto en, Am. 5:25; Hch. 7:42.

Moisés visitó a los israelitas a los, Hch. 7:23.

después de huir a Madián, el Ángel del Señor aparece a Moisés pasados, Hch. 7:30.

A LOS ISRAELITAS:

Dios les soportó sus costumbres por, Hch. 13:18.

Dios les mostró sus obras por, Heb. 3:9.

Dios les guardó enojo por, Heb. 3:18.

Dios les proveyó el maná, hasta que llegaron a los confines de Canaán por, Éxo. 16:35; Deu. 2:7; Neh. 9:21; Sal. 95:10.

Dios los hizo andar en el desierto para humillarlo, probarlo y saber lo que había en su corazón por, Deu. 8:2; Am. 2:10.

el vestido y las sandalias que llevaban no se le gastaron, ni se hincharon sus pies en esos, Deu. 8:4; 29:5; Neh. 9:21.

los hijos de los israelitas fueron nómadas en el desierto hasta que murieron sus padres Núm. 14:33, 34; 32:13; Jos. 5:6

CUARENTA AZOTES, Deu. 25:3.

menos uno, 2 Cor. 11:24.

CUARENTA DÍAS,

duración del diluvio , Gén. 7:4, 12, 17; 8:6.

el cumplimiento de los días de los embalsamados, Gén. 50:3.

la permanencia de Moisés en el monte, Éxo. 24:18.

la promulgación de la ley, Éxo. 34:28; Deu. 9:9-18.

la tarea de reconocer la tierra de Canaán, Núm. 13:25.

condena de vagar por el desierto, un año por cada día de reconocimiento, Núm. 14:34.

el desafío de Goliat, 1 Sam. 17:16.

el viaje de Elías a Horeb, 1 Rey. 19:8.

el anuncio de Jonás a Nínive, Jon. 3:4.

el ayuno de nuestro Señor, Mat. 4:2; Mar. 1:13; Luc. 4:2.

las apariciones de Cristo, Hch. 1:3.

CUATRO seres vivientes, visión de, Eze. 1:5; 10:10; Ap. 4:6; 5:14; 6:6.

reinos, el sueño de Nabucodonosor con respecto a los, Dan. 2:34.

la visión de Daniel de, Dan. 7:3, 16.

CUERNO, usado como vasija, 1 Sam. 16:1, 13; 1 Rey. 1:39.

símil de poder y prosperidad, 1 Rey. 22:11; Sal. 92:10; 132:17.

simbólico, Dan. 7:7-24; 8:3-9, 20; Hab. 3:4; Zac. 1:18-21; Ap. 5:6; 12:3; 13:1; 17:3-16. Véase **TROMPETA.**

CUERNOS, mencionados en sentido figurado, 1 Sam. 2:1; 2 Sam. 22:3; Sal. 75:4, 10; 89:17, 24; 92:10; 112:9; Jer. 48:25; Lam. 2:3; Miq. 4:13.

vistos en una visión, Dan. 7:7; 8:3; Hab. 3:4; Ap. 5:6; 12:3; 13:1; 17:3.

——, del altar, lugar de refugio, 1 Rey. 1:50; 2:23.

CUERNOS DE CARNERO, empleados como bocinas, Jos. 6:4.

CUERO, bota, odre, o cántaro de cuero, Jos. 9:4; 13; Mat. 9:17; Mar. 2:22.

para el agua, Gén. 21:14.

para la leche, Jue. 4:19.

para el vino, 1 Sam. 25:18; 2 Sam. 16:1.

——, para ceñirse, 2 Rey. 1:8; Mat. 3:4. Véase también Lev. 8:17; Mar. 1:6.

traducido piel en Gén. 3:21.

CUERVO, ave inmunda, Lev. 11:13-15; Deu. 14:12-14; Pro. 3:7.

Noé envía uno, Gén. 8:7.

Elías fue alimentado por, 1 Rey. 17:4-6.

su color, Cnt. 5:11.

alimentados por Dios, Job 38:41; Sal. 147:9; Luc. 12:24.

CUEVA, para habitación, Gén. 19:30, Jue. 15:8.

para escondrijo, Jos 10:16; Jue. 6:2; 1 Sam. 13:6; 22:1; 2 Sam. 23:13; 1 Rey. 18:4; Isa. 2:19; Eze. 33:27; Heb. 11:38; Ap. 6:15.

madriguera de fieras y otros animales, Job 38:39-40; Sal. 104:21-22; Isa. 32:14.

para entierro, Gén. 23:9, 19; 25:9; Jn. 11:38.

guaridas de ladrones, Jer. 7:11; Mat. 21:13; Mar. 11:17; Luc. 19:46.

de Adulam, donde se escondió David, 1 Sam. 22:1; 2 Sam. 23:13; 1 Cr. 11:15.

de Engadi, 1 Sam. 23:29, con 24:1-3.

de Macpela, Gén. 23:9; 25:9.

de la peña de Etam, Jue. 15:8, 11.

de Maceda, Jos. 10:16, 17.

CURTIDOR, Hch. 9:43; 10:6,32.

CUS, Gén. 10:6-8; Jer. 46:9. Véase **ETIOPÍA.**

hijo de Cam, Gén. 10:6; 1 Cr. 1:8.

sus hijos, Gén. 10:7; 1 Cr. 1:9

padre de Nimrod, Gén. 10:8.

——, hijo de Benjamín, Sal. 7:1.

CUSI (traducido etíope), trae noticia de la muerte de Absalón, 2 Sam. 18:21.

——, padre de Sofonías, Sof. 1:1.

D

DABIR, Jos 11:21 15:15-17, 49

una ciudad de refugio Jos 15:25

DAGÓN, ídolo de los filisteos Jue 16:23

demolido en el templo de azoto 1 Sam 5:3, 4.

la cabeza de Saúl es colgada en el templo de 1 Cr 10:10

DALILA, traiciona a Sansón Jue 16.

DALMACIA, 2 Tim 4:10

DAMARIS, se convierte bajo la predicación de Pablo Hech 17:34.

DAMASCO, en Siria. Antigüedad de, Gé 14:15

David pone allí una guarnición 2 Sam 8:6 1 Cr 18:6.

DAN, hijo de Jacob Gé 30:6

sus descendientes, Gé 43:26.

contados Nú 1:38; 26:42.

su herencia Jos 19:40

bendecidos por Jacob Gé 49:16

capturados por Benadad 1Re 15:20; 2 Cr 16:4

DANIEL, cautivo en Babilonia Dan 1.

su obediencia a la ley Dan 1:8

interpreta los sueños de Nabucodonosor Dan 2; Dan 4.

interpreta el letrero en la pared Dan 5:17.

promovido por Dario, Dan 6.

en el foso de los leones Dan 6

DAVID, hijo de Isaí, su genealogía, Rut 4:22; 1 Cr. 2; Mt 1.

ungido por Samuel 1 Sam 16; 1 Cr. 11:3.

toca delante de Saúl 1 Sam 16:19

su celo y su fe 1 Sam 17:26-34

mata a Goliat 1 Sam 17:49

honrado por Saúl 1 Sam 18

perseguido por Saúl 1 Sam 18:8, 28 19;20

amado de Jonatán 1 Sam 18:1 1 Sam 19:2, 20; 23;16

vence otra vez a los filisteos 1 Sam 18:27

19:8. come del pan sagrado 1 Sam 21; Sal 52 Mt 12:4

huye a Get y se finge loco 1 Sam 21:10 Sal 34; Sal 56.

mora en la cueva de Adulam, 1 Sam 22; Sal 63; 142.

escapa de Saúl 1 Sam 24:4; 26:5.

habita en Siclag 1Sam 27.

despedido del ejército de Aquís 1 Sam 29:9

castiga a los amalecitas 1 Sam 30 2 Sam 1.

lamenta a Saúl y a Jonatán 2 Sam 1:17

llega a ser rey de Judá 2 Sam 2:4

forma alianza con Abner, 2 Sam 3:13

lamenta su muerte 2 Sam 3:31

llega a ser rey de todo Israel 2Sam 5:3 1Cr 11

sus victorias 2 Sam 5; 2 Sam 8; 2 Sam 10; 2 Sam 12:29 2 Sam 21:15 2 Cr 18-20; Sal 60

lleva el arca a Sión 2 Sam 6: 1 Cr 13; 15.

Sus salmos en acción de gracias 2 Sam 22 1 Cr 16:7 Sal 18; 103; 105 Véase SALMOS

reprende a Mical por menospreciar su júbilo, 2 Sam 6:21; 1 Cr 15:29

se le prohibe edificar el templo 2 Sam 7:4 1 Cr 17:4

las promesas de Dios a David 2 Sam 7:11 1 Cr 17:10.

su oración y acción de gracias 2 Sam 7:18

su bndad hacia Mefiboset 2 Sam 9.

su pecado para con Betsabé y Urías 2 Sam 11:

2 Sam 12.

su arrepentimiento 2 Sam 12 Sal 51

problemas de familia 2 Sam 13; 14.

la conspiraciónde

Absalón contra D. 2 Sam 15 Sal 3

abandonado por Ahitofel 2 Sam 15:31; 16:17;

Sal 41:9; 55:12; 109.

maldecido por Simeí 2 Sam 16:5 Sal 7.

Abastecido por Barzilai y otros 2 Sam 17:27

lamenta la muerte de Absalón 2 Sam 18:33 2 Sam 19:1.

vuelve a Jerusalén 2 Sam 19:15

perdona a Simeí 2 Sam 19:16.

hace justicia a los gabaonitas 2 Sam 21.

los valientes de David 2 Sam 23:8 1 Cr 11:10

su pecado en censar al pueblo 2 Sam 24; 1 Cr 21.

provee para el templo 1 Cr 22:14; 28; 29

sus postreras palabras 2 Sam 23

regula el servicio del tabernáculo 1 Cr 23-26

nombra a Salomón para que le suceda en el trono, 1 Re 1; Sal 72.

mandatos a Salomón 1 Re 2; 1 Cr 22:6

su muerte 1 Re 2; 1 Cr 29:28.

progenitor de Cristo Mt 1:1 9:27 21:9; Sal 110 con Mt 22:41 Lu 1:32; Jn 7:42; Hech 2:25; 13:22; 15:15; Rom 1:3; 2Tim 2:8; Ap 5:5; 22:16.

reprende a su esposa Mical por haber mirado con menosprecio su júbilo ante Jehová,

2 Sam. 6:21; 1 Cr. 15:29.

se le impide edificar el templo, 2 Sam. 7:4; 1 Cr. 17:4.

las promesas de Dios a, 2 Sam. 7:11; 1 Cr. 17:10.

su oración y acción de gracias, 2 Sam. 7:18; 1 Cr. 17:16.

su bondad hacia Mefiboset, 2 Sam. 9.

su pecado para con Betsabé y Urías, 2 Sam. 11; 12.

su arrepentimiento al reconvenirle el profeta Natán, 2 Sam. 12; Sal. 51.

los conflictos en su familia, 2 Sam. 13; 14.

la conspiración de Absalón contra él, 2 Sam. 15; Sal. 3.

abandonado por Ahitofel, 2 Sam. 15:31; 16:17; Sal. 41:9; 55:12; 109.

maldecido por Simeí, 2 Sam. 16:5; Sal. 7.

abastecido por Barzilai &, 2 Sam. 17:27.

lamenta la muerte de Absalón, 2 Sam. 18:33; 19:1.

vuelve a Jerusalén, 2 Sam. 19:15.

perdona a Simeí, 2 Sam. 13:16-23.

la conspiración de Seba sofocada, 2 Sam. 20.

hace justicia a los gabaonitas, 2 Sam. 21.

sus hombres valientes, 2 Sam. 23:8; 1 Cr. 11:10.

su pecado al contar el pueblo, 2 Sam. 24; 1 Cr. 21

provee para el templo, 1 Cr. 22:14; 28; 29.

sus postreras palabras, 2 Sam. 23.

regula el servicio del tabernáculo, 1 Cr. 23-26.

su exhortación, 1 Cr. 28.

nombra a Salomón para que le suceda en el trono, 1 Rey. 1; Sal. 72.

mandatos a Salomón, 1 Rey. 2; 1 Cr. 22:6.

su muerte, 1 Rey. 2; 1 Cr. 29:28.

DEDÁN, Gén. 10:7; 1 Cr. 1:9; Isa. 21:13.

nieto de Abraham, Gén. 25:1-3; 1 Cr. 1:32.

Dedanim, mercaderes, Isa. 21:13; Eze. 27:20.

profecías acerca de, Jer. 25:23; 49:8

DAGA, puñal o cuchillo, 2 Sam. 20:8-10; Jue. 3:16-22.

DAGÓN, ídolo de los filisteos, Jue. 16:23.

mutilado en su templo en Asdod, 1 Sam. 5:3-7.

la cabeza de Saúl colgada en el templo de, 1 Cr. 10:10.

DALILA, traiciona a Sansón, Jue. 16.

DALMACIA, 2 Tim. 4:10.

DÁMARIS, una mujer que se convierte bajo la predicación de Pablo, Hch. 17:34.

DAMASCO, en Siria, antigüedad de, Gén. 14:15; 2 Sam. 8:5-6.

David pone allí una guarnición, 2 Sam. 8:6; 1 Cr. 18:6.

David reina allí, 1 Rey. 11:24.

la profecía de Eliseo allí, 2 Rey. 8:7.

reconquistada, 2 Rey. 14:28; 16:9.

un altar erigido allí, 2 Rey. 16:10.

el viaje de Pablo a, Hch. 9; 22:6; 26:12.

profecías relativas a, Isa. 7:8; 8:4; 17:1; Jer. 49:23; Eze. 27:18; Am. 1:3.

DAN, hijo de Jacob, Gén. 30:6.

antes se llamaba Lais, Jue. 18:29.

sus descendientes, Gén. 46:23.

contados, Núm. 1:38; 26:42.

su herencia, Jos. 19:40.

bendecidos por Jacob, Gén. 49:16.

bendecidos por Moisés, Deu. 33:22.

un becerro de oro en, 1 Rey. 12:28, 29.

ciudad capturada por Benadad, 1 Rey. 15:20; 2 Cr. 16:4.

DANIEL, cautivo en Babilonia. Dan. 1.

su obediencia a la ley, Dan. 1:8.

interpreta los sueños del rey Nabucodonosor, Dan. 2; 4.

interpreta a Belsasar la escritura en la pared, Dan. 5:17.

promovido por Darío, Dan. 6.

desacata el decreto idólatra, Dan. 6:10.

librado de las garras de los leones, Dan. 6:21.

sus visiones, Dan. 7-12.

su oración, Dan. 9:3.

es reanimado, promesa de regreso, Dan. 9:20; 10:10; 12:13.

su nombre recibe honores, Eze. 14:14, 20; 28:3.

abogado de sí mismo, Eze, 14:14, 20.

el príncipe de Tiro, más sabio que Eze. 28:2-3

——, hijo de David y Abigail la carmelita, 1 Cr. 3:1.

——, hijo de Itamar, Esd. 8:1-2.

DANZA (la), en señal de regocijo, Éxo. 15:20; Jue. 11:34; 1 Sam. 21:11; 2 Sam. 6:14; Ecl. 3:4. Véase Sal. 30:11; 149:3; 150:4; Jer. 31:4.

de la hija de Herodías agrada a Herodes, Mat. 14:6, Mar. 6:22.

idólatra e impúdica, Éxo. 32:19, 25.

DARDO, 2 Sam. 18:14; Efe. 6:16.

DARÍO, el Medo, toma a Babilonia, Dan. 5:31.

su decreto precipitado, Dan. 6:4.

su dolor por Daniel, Dan. 6:14.

su decreto después del libramiento de Daniel, Dan. 6:25.

su decreto con respecto a la reedificación del templo, Esd. 6; Véase Hag. 1:1; Zac. 1:1.

DEBER del hombre en general, Deu. 10:12; Jos. 22:5; Sal. 1:1; Ecl. 12:13; Ose. 12:6; Miq. 6:8; Zac. 7:9; 8:16; Mat. 19:18, 19;

1 Tim. 6:11, 12; 2 Tim. 2:22; Tit. 2:12;

el primero o más importante, 1 Sam. 15:22; Ose. 6:6; Mat. 9:13; 12:7; 22:37, 38; 23:23; Luc. 11:42; 17:10.

DEBIR, Jos. 10:3, 38-39; 11:21; 12:13; 13:26; 15:7, 15, 49.

su nombre era Quiriat-sefer, Jos. 15:15; Jue. 1:11.

una ciudad de refugio, Jos. 21:13-15.

DÉBORA, ama de Rebeca, Gén. 35:8.

——, la profetisa, juzga a Israel, Jue. 4.

su cántico, Jue. 5.

DECACORDIO, instrumento de diez cuerdas, Sal. 33:2; 92:3; 144:9.

DECÁPOLIS, Mat. 4:25; Mar. 3:20; 7:31.

DEDICACIÓN del tabernáculo, Éxo. 40; Lev. 8; 9; Núm. 7.

del templo, 1 Rey. 8; 2 Cr. 5; 6.

del muro de Jerusalén, Neh. 12:27.

de la propiedad, 2 Sam. 8:11; 2 Rey. 12:18; Jue. 17:3; 1 Cr. 18:11; 26:26-28. Véase **PRIMOGÉNITO**.

DEDO DE DIOS, Éxo. 8:19; 31:18; Deu. 9:10; Jn. 8:6; Luc. 11:20.

DEFENSA, Dios es para su pueblo, Job 22:25; Sal. 5:11; 7:10; 31:2; 59:9; 89:18.

——, de Pablo ante los judíos: el concilio; Félix, Festo y Agripa, Hch. 22-26.

DEGÜELLO, de Juan, Mat. 14:10. De Santiago, Hch. 12:2. De los mártires, Ap. 20:4.

DEMAS, colaborador de Pablo, Col. 4:14; Flm. 24; 2 Tim. 4:10.

DEMETRIO, un discípulo, 3 Jn. 12.

——, el platero, Hch. 19:24.

DEMONIOS, sacrificios ofrecidos a, Lev. 17:7; Deu. 32:17; 2 Cr. 11:15; Sal. 106:37; 1 Cor. 10:20; Ap. 9:20.

arrojados fuera por Cristo, Mat. 4:24; 8:31; Mar. 1:13; 5:2; 9:42.

arrojados fuera por los apóstoles, Luc. 9:1, &c.; Hch. 16:16; 19:12.

confiesan que Jesús es el Cristo, Mat. 8:29; Mar. 3:11; 5:7; Luc. 4:34; Stg. 2:19.

SE LES LLAMA:

espíritus malos, 1 Sam. 16:14.

ángeles malos, Sal. 78:49.

espíritus inmundos, Mat. 12:43 Ap. 18:2.

ángeles del diablo, Mat. 25:41; Mar. 9:25.

espíritu pitónico, Hch. 16:16.

principados y potestades, Efe. 6:12.

culto de, prohibido, Lev. 17:7; Deu. 32:17; Sal. 106:37; Ap. 9:20.

ejemplos: 1 Sam. 16:14-23; 18:10, 11; 19:9,

10; Jue. 9:23; 1 Rey. 22:21-23. Arrojados por Cristo, Mat. 4:24; 8:16, 28-34; 9:32, 33; 12:22-29; 15:22, 28; 17:14-21.

poder sobre, otorgado a los apóstoles, Mat. 10:1; Mar. 16:17.

expulsados: por un discípulo, Mar. 9:38; por los Setenta, Luc. 10:17; por Pedro, Hch. 5:16; por Pablo, Hch. 16:16-18; 19:12; por Feiipe, Hch. 8:7.

castigo de, Mat. 8:28; 25:41; 2 Ped. 2:4; Jud. 6; Ap. 12:7-9. Véase **DIABLOS.**

DENARIO, Mat. 20:2, 9-13; 22:19; Mat. 18:28; 22:19; Mar. 6:37; 14:15; Luc. 7:41; 10:35; Jn. 6:7; 12:5; Mar. 6:6.

DERBE, Hch. 14:6, 20; 16:1; 20:4.

DESIERTO, el viaje de los israelitas en el, Éxo. 14; Núm. 10:12, &c.; 13:3; 20; 33; Deu. 1:19; 8:2; 32:10; Neh. 9:19; Sal. 78:40; 107:4.

la ida de Agar al, Gén. 16:7.

de Elías, 1 Rey. 19:4.

de Judea, Juan predica en, Mat. 3, &c.

DESIERTOS, llanuras estériles, Éxo. 5:3.

inhabitados y solitarios, Jer. 2:6; incultos, Núm. 20:5; desolados, Eze. 6:14; sin agua, Éxo. 17:1; sin caminos, Isa. 43:19; grandes y terribles, Deu. 1:19; yermos y horribles, Deu. 32:10.

plagados de fieras, Isa. 13:21; Mar. 1:13; de serpientes, Deu. 2:15; y ladrones, Jer. 3:2.

fenómenos de, que se mencionan: viento seco, Jer. 4:11; torbellinos, Isa. 21:1; remolinos de polvo y ceniza, Deu. 28:24; Jer. 4:12, 13

mencionados en las Escrituras: de Arabia o gran desierto, Éxo. 23:31. Betaven, Jos. 18:12. Beerseba, Gén. 21:14; 1 Rey. 19:3, 4. Cademot, Deu. 2:26. Cades, Sal. 29:8. Damasco, 1 Rey. 19:15. Engadi, 1 Sam. 24:1. Gabaón, 2 Sam. 2:24. Idumea, 2 Rey. 2:38; 3:8. Judea, Mat. 3:1. Jeruel, 2 Cr. 20:16. Maón, 1 Sam. 23:24. Parán, Gén. 21:21; Núm. 10:12. Shur, Gén. 16:7; Éxo. 15:22. Sin, Éxo. 16:1. Sinaí. Éxo. 19:1, 2; Núm. 33:16. Zif, 1 Sam. 23:14, 15. Zin, Núm. 20:1; 27:14. Del Mar Rojo, Éxo. 13:18. Cerca de Gaza, Hch. 8:26.

como símil de la esterilidad, Sal. 106:9; 107:33, 35; de los que están privados de toda bendición, Ose. 2:3; del mundo, Cnt. 3:6; 8:5; del estado de los Gentiles, Isa. 35:1, 6; 41:19; de lo que no da apoyo, Jer. 2:35.

DESJARRETAR, Jos. 11:6:9; 2 Sam. 8:4

DESPOSORIO, leyes con respecto al, Éxo. 21:8; Lev. 19:20; Deu. 20:7; Mat. 1:18, 19. ———, espiritual, Ose. 2:19; 2 Cor. 11:2.

DESTIERRO, Esd. 7:26.

de Absalón, 2 Sam. 14:13, 14, 24.

de los judíos, Hch. 18:2.

de Juan, Ap. 1:9.

DEUDA, censurada el no pagarla, Sal. 37:21; Pro. 3:27; Luc. 16:5; Rom. 13:7-8; Stg. 5:4.

DEUDORES, parábolas de los, Mat. 18:21; Luc. 7:41; 16. Véase Mal. 6:12.

DIABLO (el):

pecó contra Dios, 2 Ped. 2:4; 1 Jn. 3:8.

fue arrojado del cielo, Luc. 10:18.

arrojado en el infierno, 2 Ped. 2:4; Jud. 6.

el autor de la caída, Gén. 3:1, 6, 14, 24.

tentó a Cristo, Mat. 4:3-10.

es homicida, Jn. 8:44.

conoce y tuerce las Escrituras, Mat. 4:6, con Sal. 91:11, 12.

hace oposición a la obra de Dios, Zac. 3:1; 1 Tes. 2:18.

sirve de rémora al Evangelio, Mat. 13:10; 2 Cor. 4:4.

obra prodigios mentirosos, 2 Tes. 2:9; Ap. 16:14.

aparece como ángel de luz, 2 Cor. 11:14.

incita con engaños, Gén. 3:13; 2 Cor. 11:3.

DERROTADO POR CRISTO: Mat.4:4-11 Gén. 3:15

DIÁCONOS, Hch. 6; Flp. 1:1.

cualidades de los, 1 Tim. 3:8.

se les llama siervos, servidores o ministros, Mat. 23:12 Jn. 12:36; 1 Cor. 3:5; 1 Tes. 3:2

a Febe también se le llamó servidora de la iglesia, Rom. 16:1.

DIAMANTE, Éxo. 28:18; 39:11; Job 28:17; Jer. 17:1; Eze. 3:9; 28:13; Zac. 7:12.

DIANA, el tumulto acerca de, Hch. 19:24.

DÍAS de nacimiento celebrados:

de Faraón, Gén. 40:20.

de Herodes, Mat. 14:6; Mar. 6:21.

DÍDIMO, Jn. 11:16; 20:24; 21:2. Véase **ToMÁS.**

DIEZMOS

pagados por Abraham a Melquisedec, Gén. 14:20; Heb. 7:6.

Cristo declara que apartar el diezmo sigue vigente, Mat. 23:23; Luc. 11:42.

Cristo manda cumplir con los, Mat. 23:2-3.

para la fiesta, Deu. 14:23.

la décima parte, 1 Sam. 8:15, 17.

prometidos por Jacob, Gén. 28:22.

exigidos por el Señor, Lev. 27:30; Mal. 3:8-10.

debemos honrar a Dios con nuestra sustancia y las primicias de todo, Pro. 3:9.

cedidos por Dios a los levitas para su sustento, Núm. 18:21; 2 Cr. 31:4-6; Neh. 10:37; Heb. 7:5.

los judíos, morosos en cuanto a dar, Neh. 13:10.

censurados porque no daban, Mal. 3:8.

para los pobres (cada tres años), Deu. 14:28.

DILIGENCIA (la) (prontitud y cuidado al ejecutar algo): Cristo nos dio ejemplo de, Mar. 1:35; Luc. 2:49.

un haber precioso del hombre, Pro. 12:27.

obligada para los que presiden, Rom 12:8-11.

el hombre debe procurar el no tener en poco la salvación que se le ofrece, Heb. 2:1-3.

debemos poner diligencia en añadir otros dones a los que ya tenemos, 2 Ped. 1:5.

debe hacerse según nuestras fuerzas, Ecl. 9:10.

en estudiar las Escrituras 2 Tim 2:15

tiene recompensa, Mat. 25:21, 23.

no debemos ser perezosos para los asuntos que requieren, Rom. 12:11.

la hormiga, ejemplo de, Pro. 6:6-8.

los santos deben abundar en, 2 Cor. 8:7; Job 29:16.

Estudiar con, 2Tim 2:15

DILUVIO (el), Gén. 6-8. Véase también Job 22:15-17; Sal. 32:6; Isa. 28:2; Mat. 24:37-39; Luc. 17:26, 27; Heb. 11:7; 1 Ped. 3:19, 20; 2 Ped. 2:5; 3:5, 8.

DINA, hija de Jacob, Gén. 30:21.

forzada por Siquem. Gén. 34:2.

vengada, Gén. 34:25.

DINERO, uso del, Gén. 23:9; 42:25; Jer. 32:9; Ecl. 10:19.

de los Romanos, acuñado con la figura del César, Mat. 22:20, 21.

generalmente tomado por peso, Gén. 23:13-16; Jer. 32:10.

PIEZAS mencionadas en las Escrituras:
talento de oro, 1 Rey. 9:14; 2 Rey. 23:33.
talento de plata, 1 Rey. 16:24; 2 Rey. 5:22.
siclo de plata, Jue. 17:10; 2 Rey. 15:20.
medio siclo, Éxo. 30:15.
un cuarto de siclo, 1 Sam. 9:8.
gera u óbolo, un veinteavo de siclo, Núm. 3:47.
mina, Luc. 19:13.
denario, Mat. 20:2.
cuadrante, Mat. 5:26; Luc. 12:6 (traducido también como **BLANCA**)
blanca, Mar. 12:42; Luc. 21:2.

el amor al, censurado, Ecl. 5:10; 1 Tim. 6:10.

es bueno si se tiene sabiduría, Ecl. 7:11, 12.

provisto milagrosamente, Mat. 17:27.

el pueblo de Dios rescatado sin, Isa. 52:1-3.

DIONISIO, el areopagita, convertido al evangelio, Hch. 17:34.

DIOS: Creador, Gén. 1:1; Éxo. 20:11; 31:17; Job 32:2; 35:10; Sal. 95:4-7.

es Espíritu, Jn. 4:24; 2 Cor. 3:17.

no hay otro fuera de Él, Deu. 4:35; Isa. 44.6.

no ha habido nadie antes de Él, Isa. 43:10.

no existe nadie semejante a Él, Éxo. 9:74; Deu. 33:26; 2 Sam. 7:22; Isa. 46:5, 9; Jer. 10:6.

ninguno es bueno sino Él, Mat. 19:17.

llena el cielo y la tierra, 1 Rey. 8:27; Jer. 23:24.

ha de ser adorado en espíritu y en verdad, Jn. 4:24.

LAS ESCRITURAS AFıRMAN QUE ES:
luz, Isa. 60:19; Stg. 1:17; 1 Jn. 1:5.
amor, 1 Jn. 4:8, 16.
invisible, Job 23:8, 9; Jn. 1:18; 5:37; Col. 1:15; 1 Tim. 1:17; 6:16.
inescrutable, Job 11:7; 26:14; 37:23; Sal. 145:3; Isa. 40:28; Rom. 11:33.
incorruptible, Rom. 1:23.
eterno, Deu. 33:27; Sal 90:2; Ap. 4:8-10.
inmortal, 1 Tim. 1:17; 6:17.
omnipotente, Gén. 17:1; Éxo. 6:3.

omnisciente, Sal. 139:1-6; Pro. 5:21.

escudriñador del corazón, 1 Cr. 28:9; Sal. 7:9; 44:21; 139:23; Pro. 17:3; Jer. 17:10; Rom. 8:27.

omnipresente, Sal. 139:7; Jer. 23:23.

inmutable, Sal. 102:26, 27; Stg. 1:17.

el solo sabio, Rom. 16:27; 1 Tim. 1:17.

glorioso, Éxo. 15:11; Sal. 145:5.

incomprensible, Job 36:26; 37:5; Sal. 40:5; 139:6; Ecl. 3:11; 11:5; Isa. 40:18; Miq. 4:12.

altísimo, Sal. 83:18; Hch. 7:48.

perfecto, Mat. 5:48.

santo, Sal. 99:9; Isa. 5:16.

verdadero, Jer. 10:10; Jn. 17:8.

recto, Sal. 25:8; 92:15.

justo, Esd. 9:15; Sal. 145:17.

bueno, Sal. 25:8; 119:68.

grande, 2 Cr. 2:5; Sal. 86:10.

clemente, Sal. 116:5.

piadoso, Éxo. 34:6.

fiel, 1 Cor. 10:13; 1 Ped. 4:19.

misericordioso, Éxo. 34:6, 7; Sal. 86:5.

tardo para la ira, Núm. 14:18; Miq. 7:18.

un fuego consumidor, Heb. 12:29.

DIOS NO CONOCIDO, altar erigido en Roma al, Hch. 17:23.

DIOSES, a los jueces se les llamó así, Éxo. 22:28; Sal. 82:1, 6; 138:1; Jn. 10:34; 1 Cor. 8:5.

Moisés, constituido dios para Aarón y Faraón, Éxo. 4:16; 7:1.

paganos, culto de, prohibido, Éxo. 20:3; 34:17; Deu. 5:7; 8:19; 18:20,

DIÓTREFES, censurado, 3 Jn. 9.

DISCERNIR, Gén. 3:22; Lev. 10:10; 1 Rey. 3:9; Neh. 10:28; Job 6:30; Eze. 44:23; Mat. 16:3; Luc. 12:56; Heb. 5:14.

DISCERNIMIENTO de espíritus, 1 Cor. 12:10; 1 Jn. 4:1.

DISCÍPULO, setenta son enviados, Luc. 10.

número de añadidos a la iglesia Hch. 2:41; 4:4.

llamados primeramente cristianos, Hch. 11:26.

de JUAN, vienen a Cristo, Mat. 9:14; 11:2.

DISCIPLINA de la iglesia:
CONSISTE EN:
mantener la sana doctrina, 1 Tim. 1:3; Tit. 1:13.
arreglar todos los asuntos a ella relacionados, 1 Cor. 11:34; Tit. 1:5.
amonestar a los ofensores, 1 Tim. 5:20; 2 Tim. 4:2.
restaurarlos en mansedumbre, Gál. 6:1.
separar a los ofensores contumaces, 1 Cor. 5:3-5, 13; 1 Tim. 1:20; Tit. 3:10

debemos someternos a, Heb. 13:17.

es para edificación, 2 Cor. 10:8; 13:10.

se debe ejercer con un espíritu de caridad, 2 Cor. 2:6-8.

DISCORDIA, se prohíbe el causarla, Pro. 6:14, 19; 16:28; 17:9; 18:8; 26:20; Rom. 1:29; 2 Cor. 12:20.

sembrada por los perversos, Pro. 16:28.

aparta a los mejores amigos, Pro. 17:9.

DISEÑO del tabernáculo, Éxo. 25:9, 40; del templo, Eze. 43:10. Véase Heb. 8:5; 9:23.

DISENSIÓN con respecto a la circuncisión, Hch. 15:2, 39. Véase **DIVISIONES**, debe evitarse, 1 Cor. 1:10; 3:3; 11:17, 18.

DISFRACES:
el de Saúl, 1 Sam. 28:8.
el de la esposa de Jeroboam, 1 Rey. 14:2.
el de un profeta, 1 Rey. 20:38.
el de Acab, 1 Rey. 22:30; 2 Cr. 18:29.
el de Josías, 2 Cr. 35:22.
el de Satanás, 2 Cor. 11:14.

DISOLUCIÓN (la), prohibida, Pro. 23:20; 28:7; Luc. 15:13; Rom. 13:13; 1 Ped. 4:4; 2 Ped. 2:13.

DISPENSACIÓN (la) del evangelio, 1 Cor. 9:17, Efe. 1:10; 3:2; Col. 1:25.

DISPERSIÓN de las naciones, Gén. 10.
en Babel, Gén. 11:1-9; Deu. 32:8.

DISPUTAS y quejas, Pro. 23:29; 1 Tim. 6:20; 2 Tim. 2:16.

DISPUTAR (el), prohibido, con Dios, Rom. 9:20; 1 Cor. 1:20.
con los hombres, Mar. 9:33; Rom. 14:1; Flp. 2:14; 1 Tim. 1:4; 4:7; 6:20; 2 Tim. 2:14; Tit. 3:9.

DIVERSIONES y deleites, mundanos:
pertenecen a las obras de la carne, Gál. 5:19.
son transitorias, Job 21:12, 13; Heb. 11:25.
todas son vanidad, Ecl. 2:10, 11.
ahogan en el corazón la palabra de Dios, Luc. 8:14.
formaban parte del culto idólatra, Éxo. 32:4, 6, 19, con 1 Cor. 10:7; Jue. 16:23-25
el hombre busca la felicidad en, Ecl. 2:1, 8.

DIVISIÓN (la) de la tierra de Canaán, Núm. 34:16; Jos. 13. &c.

DIVISIONES, disidencias o contiendas:
prohibidas en el seno de la iglesia, 1 Cor. 1:10.
reprobadas en la iglesia, 1 Cor. 1:11-13.
impropias en la iglesia, 1 Cor. 12:24, 25.

DIVORCIO, permitido en la ley mosaica en caso de adulterio, y otorgado por escrito, Deu. 24:1; Jer. 3:1; Mat. 5:31, 32; 19:7.
Dios aborrece el divorcio: Mal. 2:13-16.
la ley de Dios contra divorcio: Gen. 2:24; Mat. 19:6; Mar. 5:32.
la incredulidad no da derecho a divorciarse, 1 Cor. 7:12-16.
los sacerdotes, prohibido casarse con una divorciada, Lev. 21:14; Eze. 44:22, 23.
caso en que la ley no permitía al hombre divorciarse, Dt. 22:13-30.
casarse después de divorciarse es adulterio, Mar. 10:11, 12.
practicado ilícitamente por los judíos, Miq. 2:9; Mal. 2:14; Mat. 19:3, 9.
cuando podía casarse una mujer divorciada, Deu. 24:1, 2.
cuando no podía, Deu. 24:3, 4; Mat. 5:32; 19:9; Luc. 16:18; 1 Cor. 1:11.
como término de comparación, Isa. 50:1; Jer. 3:8.

DOCTRINAS (las) del evangelio:
son de Dios, Jn. 7:16; Hch. 13:12.
son enseñadas por medio de la Escritura, 2 Tim. 3:16.

son según la piedad, 1 Tim. 6:3; Tit. 1:1.
la inmoralidad condenada por, 1 Tim. 1:9-11.
conducen a la comunión con el Padre y con el Hijo, 1 Jn. 1:3; 2 Jn. 9.
conducen a la santidad, Rom. 6:17-22; Tit. 2:12.
no desacreditéis, 1 Tim. 6:1; Tit. 2:5.

DOCTRINAS FALSAS:
impiden el crecimiento en la gracia, Efe. 4:14.
destruyen la fe, 2 Tim. 2:18.

DOEG, por mandato de Saúl da muerte a los sacerdotes, 1 Sam. 21:7; 22:9. Véase Sal. 52; 120.

DOLO, prohibido, Sal. 34:13; 1 Ped. 2:1; 3:10; Ap. 14:5. Véase **ENGAÑO**.

DOMINGO, día del Señor, observado como sábado por la iglesia primitiva, Jn. 20:26; Hch. 20:7; 1 Cor. 16:2; Ap. 1:10. Véase **SÁBADO**.

DOMINIO (el) de Dios, universal, Sal. 103:22; 113; 145; Dan. 4:3, 22, 34; 7:27; Col. 1:16; 1 Ped. 4:11; Jud. 25.
concedido a Adán sobre la creación, Gén. 1:26; Sal. 8:6.

DON, es algo precioso Pr 17:8
ensancha el camino Pr 18:16
la salvación es un don de Dios Ef 2:8-9

DON DE DIOS, Cristo es denominado así, Jn. 3:16; 4:10; 6:32; 2 Cor. 9:15.
——, del **ESPÍRITU SANTO**.
por el Padre, Neh. 9:20; Luc. 11:13.
por el Hijo, Jn. 20:22.
a Cristo, sin medida, Jn. 3:34.
CONCEDIDO:
conforme a la promesa, Hch. 2:38, 39.
al ser exaltado Cristo, Sal. 68:18; Jn. 7:39.
a la intercesión de Cristo, Jn. 14:16.
para instruir, Neh. 9:20.
a los que se arrepienten y creen, Hch. 2:38.
a los que obedecen a Dios, Hch. 5:32.
a los gentiles, Hch. 10:44, 45; 11:17; 15:8.
es abundante, Sal. 68:9; Jn. 7:38, 39.
es permanente, Isa. 59:21; Hag. 2:5; 1 Ped. 4:14.
se recibe por medio de la fe, Gál. 3:14.
es prueba evidente de unión con Cristo, 1 Jn. 3:24; 4:13.
es prenda de seguridad de la herencia de los santos, 2 Cor. 1:22; 5:5; Efe. 1:14.
es una seguridad de la continuación de la bondad divina hacia los hombres, Eze. 39:29.

DONES de Dios:
todas las bendiciones, Stg. 1:17; 2 Ped. 1:3.
otorgados según su voluntad, Ecl. 2:26; Dan. 2:21; Rom. 12:6; 1 Cor. 7:7.
gratuitos y abundantes, Núm. 14:8; Rom. 8:32.

ESPIRITUALES. Cristo es el mayor de todos Isa 42:6; 55:4 Jn. 3:16; 4:10 6:32, son por medio de Cristo, Sal. 68.18, con Efe. 4:7, 8; Jn. 6:27.
el Espíritu Santo, Luc. 11:3; Hch. 8.20.
la gracia, Sal. 84:11; Stg. 4:6.
la sabiduría, Pro. 2:6; Stg. 1:5.

el arrepentimiento, Hch. 11:18.
la fe, Efe. 2:8; Flp. 1:29.
la justicia, Rom. 5:16, 17.
la fuerza y el poder, Sal. 68:35.
un corazón nuevo, Eze. 11:19.
la paz, Sal. 29:11.
la salvación Ef 2:8-9
la vida eterna, Rom. 6:23.
son sin arrepentimiento de Dios, Rom. 11:29.
NO SE HABÍAN de descuidar, 1 Tim. 4:14; 2 Tim. 1:6.
de despreciar, 1 Tes. 5:20.
de comprar, Hch. 8:20.
se podían poseer *sin* la gracia que salva, Mat. 7:22, 23; 1 Cor. 13:1, 2.
imitados por el anticristo, Mat. 24:24; 2 Tes. 2:9; Ap. 13:13, 14.
DORCAS, discípula de la ciudad de Jope, conocida también como Tabita, significa gacela, es resucitada, Hch. 9:36-43.
DOTE, hijos, considerados dote de Dios, Gén. 30:20.
patrimonio entregado a las hijas, Gén. 34:12.
para resarcir pérdidas o agravios, Éxo. 22:16, 17.
DRACMA, moneda con valor aproximadamente igual al denario, Esd. 2:69; Luc. 15:8, 9.
DRAGÓN,
venenoso, Deu. 32:33.
simple dragón, Job 30:29 Sal 44:19 74:13. 91:13; 148:8 Isa. 13:22, 27:1, 34:13; 35:7, 33:20, 51:9, Jer. 9:11, 10:22, 14:6, 49:33, 51:34,37. Mi 1:8, Mal 1:3
el gran dragón, Ez 29:3 Ap 12:3
un dragón del mar, Sal. 74:13; Isa. 27:1; Mal. 1:3.
un dragón de río (simbólico de Egipto), Eze. 29:3.
simbólico, Ap. 12:13-17.
Faraón fue llamado así, Eze. 29:3.
la fuente del, Neh. 2:13.
el bermejo, Ap. 12:3.
DUDA, el dudar de Dios, prohibido, Mat. 8:26; 14:31; 16:8; 17:20; 21:21; Mar. 11:28-33; Luc. 12:29; Hch. 10:20; Rom. 14:23; Jud. 1:22.
ejemplos de: Abraham, Gén. 12:12, 13; 17:17; 20:11. Sara, Gén. 18:12-14. Isaac, Gén. 26:6, 7. Lot, Gén. 19:30. Moisés, Éxo. 3:11; 4:10-16; 5:22, 23; 6:12, 30; Num. 11:21-23. Los Israelitas, Éxo. 6:9; 14:10; 1 Sam. 17:11, 24. Gedeón, Jue. 6:13, 15. Samuel, 1 Sam. 16:1, 2. David, 1 Sam. 21:12, 13; 27:1. La gente de David, 1 Sam. 23:3. Abdías, 1 Rey. 18:9-44. Elías, 1 Rey. 19:13, 14, 18. Joás, 2 Rey. 13:18, 19. Jeremías, Jer. 1:6; 32:24, 25. Los discípulos, Mat. 8:25, 26; 17:16-20; Mar. 4:38-41; 16:10-14; Luc. 8:24-25; 9:40. Juan el Bautista, Mat. 11:2, 3. Pedro, Mat. 14:29, 31. Tomás, Jn. 20:25. Ananías, Hch. 9:13, 14.
el Señor ayuda nuestra incredulidad, Mar. 9:24.
DULZURA de Cristo, Isa. 40:11; Mat. 11:29; 2 Cor. 10:1.

exhortaciones con respecto a la, Gál. 5:22; 1 Tes. 2:7; 2 Tim. 2:24; Tit. 3:2; Stg. 3:17.
DUREZA, de Nabal, 1 Sam. 25:3.
DURO DE CERVIZ, Éxo. 32:9; 33:3; Deu. 10:16; Hch. 7:51.

E

EBEDMELEC, eunuco etíope, brinda socorro a Jeremías, Jer. 38:7-13.
EBENEZER (piedra de socorro), los israelitas son vencidos por los filisteos en, 1 Sam. 4:1; 5:1.
levantada por Samuel, 1 Sam. 7:12.
EDÉN, descrito, Gén. 2:8.
Adán, echado de, Gén. 3:23.
mencionado figurativamente, Isa. 51:3; Eze. 28:13; 31:9; 36:35; Jl. 2:3.
EDIFICADORES: Jesucristo es la piedra que desecharon los, Mat. 21:42; Mar. 12:10; Luc. 20:17; Hch. 4:11; Rom. 9:33; Efe. 2:20; 1 Ped. 2:4-8; Sal. 118:22, 23; Isa. 28:16.
albañiles, 1 Rey. 5:18; Neh. 4:5; Eze. 27:4.
EDIFICIO, la iglesia comparada con un, 1 Cor. 3:9; Efe. 2:21; Col. 2:7.
el cristiano tiene uno en el cielo 2 Cor. 5:1.
EFA, una medida básica de capacidad (equivalente a 37 litros), Éxo. 16:36; Lev. 19:36; Jue. 6:19; Rut. 2:17; 1 Sam. 1:24; 17:17; Eze. 45:10; Zac. 5:6.
EFESIOS (los), instruidos por Pablo en cuanto a la salvación del hombre, Efe. 1; la adopción de los gentiles, &c. Efe. 2; 3; exhortados a la unión y a las buenas obras, Efe. 4; 5; 6.
ÉFESO, Pablo va a, Hch. 18:19.
milagros hechos en, Hch. 19:11.
tumulto en, Hch. 19:24-30 Véase 1 Cor. 15:32
el discurso de Pablo a los ancianos de, Hch. 20:17; 1 Cor. 16:8.
el mensaje de Cristo a, Ap. 1:11; 2:1, &c.
EFOD del sacerdote, Éxo. 28:4; 39:2. Véase 1 Sam. 23:6; Ose. 3:4.
usado por el rey David, 2 Sam. 6:14; 1 Cr. 15:27.
usado también por idólatras, Jue. 8:27; 17:5.
EFRAÍN, hijo de José, Gén. 41:52.
recibe la bendición como primogénito, Gén. 48:14-20.
algunos de sus hijos son asesinados, 1 Cr. 7:21.
sus descendientes son contados, Núm. 1:10, 32-33; 2:18; 26:35; 1 Cr. 7:20.
sus bienes, Jos. 16:5; 17:14; Jue. 1:29.
castigan a los madianitas, Jue. 7:24.
su desavenencia con Gedeón, Jue. 8:1, y con Jefté, Jue. 12.
su rebelión contra la casa de David, 1 Rey. 12:25; 2 Cr. 10:16.
las profecías acerca de, Isa. 7; 9:9; 11:13; 28:1; Jer. 31; Ose. 5-14; Zac. 9:10; 10:7.
su iniquidad, Ose. 7:1; 8:11; 13:12.
——, nombre dado a las diez tribus, 2 Cr. 17:2; 25:6, 7.
——, un pueblo al norte de Jerusalén, 2 Sam. 13:23; 2 Cr. 13:19; Jn. 11:54.

——, monte, una cadena de collados en la Palestina Central, Jos. 17:15-18; Jue. 2:9; 1 Sam. 14:22-27; 2 Sam. 20:21.

EFRATA (fructífera), Sal. 132:6.

EFRÓN, el heteo, vende la cueva de Macpela a Abraham, Gén. 23:10; Gen. 49:29, 30.

EGIPTO, sus límites, Eze. 29:10.

regado por el Nilo, Gén. 41:1-3; Éxo. 1:22; Am. 8:8.

sus plagas y males, Deu. 7:15; 28:27, 60.

llamado: tierra de Cam, Sal. 105:23; 106:12; Rahab, Sal. 87:4; 89:10; Isa. 51:9; casa de servidumbre, Éxo. 13:3, 14; Deu. 7:8.

celebrado por su fertilidad, Gén. 13:10; 45:18; riqueza, Heb. 11:26; literatura, 1 Rey. 4:30; Hch. 7:22; sus buenos caballos, 1 Rey. 10:28, 29; su fino lino, Pro. 7:16; Isa. 19:9; su comercio, Gén. 41:57; Eze. 27:7.

idólatra, Éxo. 12:12; Núm. 33:4; Isa. 19:1; Eze. 29:7.

su abominación por los judíos, Gén. 43:32-34.

su costumbre de hacer duelo, Gén. 50:3.

Abram viaja allí, Gén. 12:10.

José es llevado a, Gén. 37:36.

su permanencia en, Gén. 39-50; Sal. 105:17; Hch. 7:9.

la servidumbre de los israelitas en, Éxo. 1:12; 5, &c. Sal. 105.

partida de, Éxo. 13:17; Sal. 78:12; 105:37; 106:7; Hch. 7:9; Heb. 11:22.

los reyes de, castigan a Judá, 1 Rey. 14:2; 2 Rey. 23:29; 2 Cr. 12:2; 35:20; 36:6; Jer. 37:5.

conquistado por Nabucodonosor, 2 Rey. 24:7; Jer. 46; Eze. 29:18.

Jeremías es llevado a, Jer. 43.

Jesucristo es llevado a, Mat. 2:13-15; Ose. 11:1.

profecías respecto de, Gén. 15:13; Isa. 11:11; 27:12; 30:1; Jer. 9:26; 25:19; 43:8; 44:28; 46; Dan. 11:8; Ose. 9:3; 11; Jl. 3:19; Zac. 10:10.

se censura la confianza en, Isa. 30; 31; Jer. 42:14;

los israelitas hijos de los egipcios, entraban en la congregación hasta la tercera generación.

EGLÓN, rey de Moab, oprime a Israel y es asesinado por Aod, Jue. 3:12-30.

——, ciudad, Jos. 10:3, 5, 23, 34-37.

EGO, del hombre, Gén. 11:4; Núm. 32:42; Esd. 4:14; Dan. 3:8-20; Pro. 26.16.

auto-deificación del, Eze. 16:23-26.

EGOISMO, Stg. 2:8.

el ejemplo de Cristo condena, Jn. 4:34; Rom. 15:3; 2 Cor. 8:9.

Dios aborrece, Mal. 1:10.

ELA, hijo de Baasa, rey de Israel, su mal reinado, 1 Rey. 16:8.

muerto por Zimri, 1 Rey. 16:10.

——, valle de, 1 Sam.17:2, 19.

David mata a Goliat en el valle de, 1 Sam. 17:49.

—, padre de Oseas, rey de Israel, 2 Rey. 15:30.

ELCANA, padre de Samuel, 1 Sam. 1.

su bondad para con Ana, 1 Sam. 1:5, 23.

ELEAZAR, hijo de Aarón, Éxo. 6:23.

consagrado como sacerdote, Éxo. 28; 29; Lev. 8.

instrucciones dadas a, Num. 3:32; 4:16; 16:36.

sucede a Aarón, Núm. 20:26, 28; 27:22; 31:13; 34:17; Jos. 17:4.

su muerte, Jos. 24:33.

hijo de Abinadab, guarda el arca, 1 Sam. 7:1.

capitán de David, 2 Sam. 23:9; 1 Cr. 11:12.

ELECCIÓN (la):

de Jesús como Mesías, Isa. 42:1; 1 Ped. 2:6.

de los ángeles buenos, 1 Tim. 5:21.

de Israel, Deu. 7:6; 19:15; Isa. 45:4.

de los ministros, Luc. 6:13; Hch. 9:15.

de las iglesias, 1 Ped. 5:13.

ELEGIDOS DE DIOS: Cristo, Isa. 43:10; Mat. 12:18; Luc. 23:35; 1 Ped. 2:4.

Israel, Deu. 7:6; 14:2; Sal. 132:13; 135:4; Isa. 14:1; 41:8; 44:1.

los creyentes, Jn. 15:16; Hch. 22:14; 1 Cor. 1:27; Efe. 1:4; 2 Tes. 2:13; Stg. 2:5.

ELHANÁN, uno de los guerreros de David, mató al hermano de Goliat geteo, 2 Sam. 21:19; 23:24; 1 Cr. 11:26; 20:5.

ELÍ, sumo sacerdote bendice a Ana, 1Sam. 1:17.

recibe a Samuel desde pequeño, para dedicarlo a Jehová toda su vida, 1 Sam. 1:25.

la maldad de sus hijos, 1 Sam. 2:22.

es reconvenido y se predice la destrucción de su casa por medio de Samuel, 1 Sam. 2:27; 3:11.

la profecía se cumple, 1 Sam. 4:10; 22:9; 1 Rey. 2:26.

su muerte, 1 Sam. 4:18.

ELÍ, Elí ¿Lama Sabactani?, (de origen hebreo, Véase **ELOÍ**, de origen caldeo). Mat. 27:46; Mar. 15:34. Véase Sal. 22:1; 71:11; Isa. 53:10.

ELIAB, hijo mayor de Isaí, 1 Sam. 16:6, 7.

su enojo con David, 1 Sam. 17:28, 29.

ELÍAS, predijo que sobrevendría una sequía muy grande, 1 Rey. 17:1; Stg. 5:17.

alimentado milagrosamente, 1 Rey. 17:4, 16 (Luc. 4:26), 19:5.

resucita al hijo de la viuda, 1 Rey. 17:21.

da muerte a los 400 sacerdotes de Baal, &c., 1 Rey. 18:18, 40.

huye al desierto, 1 Rey. 19; Rom. 11:2.

llama a Eliseo, 1 Rey. 19:19.

vitupera la conducta de Acab, 1 Rey. 21:17. Véase 1 Rey. 22:38; 2 Rey. 9:36; 10:19.

reconviene a Ocozías, 2 Rey. 1:3, 16.

pide que descienda fuego del cielo, 2 Rey. 1:10; Luc. 9:54.

aparece en la transfiguración de Cristo, Mat. 17.3; Mar. 9:4; Luc. 9:30.

tipo de Juan el Bautista, 2 Rey. 1:8; Mat. 3:4. Véase Mal. 4:5; Mat. 11:14; 16:14; Luc. 1:17; 9:8, 19; Jn. 1:21.

su carta a Joram, 2 Cr. 21.12.

es llevado al cielo, 2 Rey. 2:11.

ELIASIB, sumo sacerdote, Neh. 3:1.

censurado por quebrantar la ley, Neh. 13:4.

ELIEZER, mayordomo de Abram, Gén. 15:2.
Dios escucha su oración, Gén. 24:12-27.
——, hijo de Moisés, Éxo. 13:4; 1 Cr. 23:15.
——, hijo de Zicri, de la tribu de Rubén, 1 Cr. 27:16.
——, profeta, reconviene a Josafat, 2 Cr. 20:37.
——, otros, 1 Cr. 7:8; 15:24; Esd. 8:16; 10:18, 23, 31.
ELIFAZ, reconviene a Job y declara los juicios de Dios contra los pecadores, Job 4; 5; 15; 22.
su terrible visión, Job 4:12-21.
reconvenido por Eliú, Job 32:3.
la ira de Dios contra, aplacada por la oración de Job, Job 42:7.
ELIMAS. Véase **BARJESÚS.**
ELIMELEC, Rut. 1:1-3; 2:1, 3; 4:3, 9.
ELISABET, madre de Juan, Luc. 1:5.
la salutación que le dirigió a María, Luc. 1:42.
——, esposa de Aarón, Éxo. 6:23.
ELISEO, nombrado sucesor de Elías, 1 Rey. 19:16.
recibe su manto, 2 Rey. 2:24.
ELISEO,
predice la destrucción de los moabitas, 2 Rey. 3:13.
varios milagros hechos por él, 2 rey. 2:14, 20; 4; 6.
resucita al hijo de la sunamita, 2 Rey. 4:32.
cuida de ella, 2 Rey. 8:1.
la lepra de Naamán curada por, 2 Rey. 5; Luc. 4:27.
Giezi es castigado con la lepra de Naamán, 2 Rey. 5:27.
los sirios atacados de ceguera, 2 Rey. 6:18.
profetiza la abundancia en Samaria, 2 Rey. 7:1.
profetiza el reinado de Hazael, 2 Rey. 8:11.
su muerte, 2 Rey. 13:19, 20.
milagro obrado con sus huesos, 2 Rey. 13:21.
ELIÚ, reconviene a los amigos de Job, Job 32; y vitupera la impaciencia de Job, Job 33:8; 34:2.
declara la justicia de Dios, Job 33:12; 34:10; 35:13; 36; su poder, Job 33-37; y su misericordia, Job 33:23; 34:28.
ELOÍ (Dios mío) Mat. 27:46; Mar. 15:34.
ELUL, mes de, sexto mes (septiembre). El muro de Jerusalén acabada en el mes de, Neh. 6:15.
el templo edificado en el mes Hag. 1:14, 15
EMBAJADORES: a Edom, Núm. 20:14. A los amorreos, Núm. 21:21. De los gabaonitas, Jos. 9:4. A los amonitas, Jue. 11:12. De Hiram, 2 Sam. 5:11. De Benadad, 1 Rey. 20:2. De Amasías, 2 Rey. 14:8. A Tiglat-pileser, 2 Rey. 16:7. De Senaquerib, 2 Rey. 19:9. De Berodac-baladán, 2 Rey. 20:12; 2 Cr. 32:31. A Egipto, Eze. 17.15. Véase Pro. 13:17; Isa. 18:2; 30:4; 33:7; Jer. 49:14; Luc. 14:32.
los apóstoles son llamados así, 2 Cor. 5:20.
EMBALSAMAMIENTO:
de Jacob, Gén. 50:2.
de José, Gén. 50:26.
de Cristo, Jn. 19:39.

aprendido por los judíos en Egipto, Gén. 50.2, 26.
tiempo de los embalsamados, Gén. 50:3.
EMBLEMAS DEL ESPÍRITU SANTO:
AGUA, Jn. 3:5; 7:38, 39.
que limpia, Eze. 16:9; 36:25; Efe. 5:26; Heb. 10:22.
que fertiliza, Sal. 1:3; Isa. 27:3, 6; 44:3, 4; 58:11.
que refresca, Sal. 46:4; Isa. 41:17, 18.
que abunda, Jn. 7:37, 38.
que es gratuita, Isa. 55:1; Jn. 4:14; Ap. 22:17.
FUEGO, Mat. 3:11.
que purifica, Isa. 4:4; Mal. 3:2, 3.
que ilumina, Éxo. 13:21; Sal. 78:14.
que penetra, Sof. 1:12, con 1 Cor. 2:10.
VIENTO, Cnt. 4:16.
que es libre, Jn. 3:8; 1 Cor. 12:11.
que es poderoso, 1 Rey. 19:11, con Hch. 2:2.
que se deja ver en sus efectos, Jn. 3:8.
que revive, Eze. 37:9, 10, 14.
ACEITE, Sal. 45:7.
que sana, Isa. 1:6; Luc. 10:34; Ap. 3:18.
que conforta, Isa. 61:3; Heb. 1:9.
que ilumina, Zac. 4:2, 3, 11-14; Mat. 25:3, 4; 1 Jn. 2:20, 27.
que consagra, Éxo. 29:7; 30:30; Isa. 61:1.
LLUVIA Y ROCÍO, Sal. 72:6.
que fertilizan, Eze. 34:26, 27; Ose. 6:3; 10:12; 14:5.
que refrescan, Sal. 68:9; Isa. 18:4.
que son abundantes, Sal. 133:3.
que son imperceptibles, 2 Sam. 17:12, con Mar. 4:26-28.
UNA PALOMA, Mat. 3:16.
que es sencilla, Mat. 10:16, con Gál. 5:22.
UNA VOZ, Isa. 6:8.
que habla, Mat. 10:20.
que guía, Isa. 30:21, con Jn. 16:13.
que avisa, Heb. 3:7-11.
UN SELLO, Ap. 7:2.
que se imprime, Job 38:14, con 2 Cor. 3:18.
que asegura, Efe. 1:13, 14; 4:30.
que autentiza, Jn. 6:27; 2 Cor. 1:22.
LENGUAS REPARTIDAS, Hch. 2:3; 6:11.
EMBOSCADAS, ejemplos de: en Hai, Jos. 8:2-22; contra Madián, Jue. 7:16-22; en Siquem, Jue. 9:34; en Gabaa, Jue. 20:29-41; por Jonatán, 1 Sam. 14:8-14; por David, 2 Sam. 5:23; por Jeroboam, 2 Cr. 13:13; por Josafat, 2 Cr. 20:22. Alusión a, Jer. 51:12.
EMBOZALAR el buey, Deu. 25:4. en sentido metafórico, 1 Cor. 9:9; 1 Tim. 5:18.
EMBRIAGUEZ (la):
prohibida, Efe. 5:8.
amonestación con respecto a, Luc. 21:34.
evitad las tentaciones a caer en, Pro. 6:27; 23:20, 31; Dan. 1:8; Luc. 1:15.
no debemos dar ocasión a otros a, Rom. 14:21.
es obra de la carne, Gál. 5:21.
es degradante, Isa. 28:8.
carga el corazón, Luc. 21:34.
quita el corazón, Ose. 4:11.

CONDUCE AL HOMBRE A:
la pobreza, Pro. 21:17; 23:21.
las riñas, Pro. 23:29, 30.
el dolor y la tristeza, Pro. 23:29, 30.
el error, Isa. 28:7.
los pendencias y disoluciones, Rom. 13:13.
amenazas dirigidas a los que se entregan a, Isa. 5:11, 12; 28:1-3; y a los que los apoyan, Hab. 2:15.
castigo de, Noé, Gén. 9:21. Lot, Gén. 19:33. Nabal, 1 Sam. 25:36. Urías, 2 Sam. 11:13. Ela, 1 Rey. 16:9, 10. Benadad, 1 Rey. 20:16. Belsasar Dan. 5:4. Los corintios 1 Cor. 11:21

EMIM, los hijos de, gigantes, como los anaceos, Gén. 14:5; Deu. 2:10, 11.

EMMANUEL (Dios con nosotros), Isa. 7:14; 8:8; Mat. 1:23.

EMAÚS, aldea a sesenta estadios de Jerusalén (aprox. 12 Km.), Jesús camina con dos hombres rumbo a, Luc. 24:13.

ENDOR, Saúl consulta a la pitonisa de, 1 Sam. 28:7.

ENDURECIMIENTO del corazón, &c.,
exhortaciones en contra del, Deu. 15:7; 1 Sam. 6:6; 2 Cr. 30:8; Sal. 95:8; Heb. 3:8.
malas consecuencias del, Éxo. 7:13; 8:15; Pro. 28:14; 29:1; Dan. 5:20; Jn. 12:40.

ENEAS, hombre paralítico durante ocho años, es sanado por Pedro, Hch. 9:33, 34.

ENEBRO, arbusto que dio cobijo a Elías, 1 Rey. 19:4. usado como combustible, Sal. 120:4; Job 30:4.

ENELDO, Isa. 28:25, 27; Mat. 23:23.

ENEMIGO, Dios como formidable, Éxo. 23:22.

ENEMIGOS:
Cristo oró por sus, Luc. 23:34.
debe perdonarse la vida a los, 1 Sam. 24:10; 2 Sam. 16:10, 11; 2 Sam 26:21.
debemos cuidar de los bienes de nuestros, Éxo. 23:4, 5.
DEBEMOS:
amarlos, Mat. 5:43-48; Luc. 6:27-36.
orar por ellos, Mat. 5:4; Hch. 7:60.
socorrerlos, Pro. 25:21, con Rom. 12:20.
vencerlos con actos de amor, 1 Sam. 26:21; 2 Sam. 8:2; Pro. 25:22, con Rom. 12:20.
no debemos alegrarnos de las desgracias de nuestros, Job 31:29; Pro. 24:17, 18.
ni de sus flaquezas, Sal. 35:13, 14.
no debemos desear la muerte de nuestros, 1 Rey. 3:11.
debemos interesarnos por su bien, Sal. 35:13.
la amistad de los, engañosa, 2 Sam. 20:9, 10; Pro. 26:26; 27:6; Mat. 26:48, 49.
Dios libra de los, 1 Sam. 12:11; Esd. 8:31; Sal. 18:48.
Dios aplaca los enemigos de sus santos, Pro. 16:7.
debemos rogad ser librados de los, 1 Sam. 12:10; Sal. 17:9; 59:1; 64:1.
Dios destruirá los enemigos de los santos, Sal. 60:12.
debemos alabar a Dios al ser librados

de los, Sal. 136:24.

ENEMISTAD, Gén. 3:15; Núm. 35:21; Luc. 23:12.
ente Dios y el hombre (Rom. 8:7; Stg. 4:4), abolida, Efe. 2:14-16; Col. 1:20, 21.

ENFERMEDADES, enviadas por Dios, Éxo. 9; 15:26; Núm. 12:10; Deu. 28:60; 2 Rey. 1:4; 5:27; 2 Cr. 21:18; 26:21; Job 2:6, 7.
atribuidas a los demonios, Mar. 9:17; Luc. 11:14; 13:16.
enviadas a menudo en castigo, Deu.

MENCIONADAS EN LAS ESCRITURAS:
almorranas o hemorroides, Deu. 28:27; 1 Sam. 5:6-12.
atrofia, Job 16:8; 19:20.
calentura, Lev. 26:16.
ceguera, Job 29:15; Mat. 9:27.
cojera, 2 Sam. 4:4; 2 Cr. 16:12.
comezón, Deu. 28:27.
debilidad, Sal. 102:23; Eze. 7:17.
falta de apetito, Job 32:20; Sal. 107:18.
disentería, 2 Cr. 21:12-19; Hch. 28:8.
fiebre, Deu. 28:22; Mat. 8:14.
flujo de sangre, Mat. 9:20.
gusanos, Hch. 12:23.
hidropesía, Luc. 14:2.
inflamación, Deu. 28:22.
insolación o golpe de sol, 2 Rey. 4:18-20; Isa. 49:10.
lepra, Lev. 13:2; 2 Rey. 5:l.
locura, Mat. 4:24; 17:15.
llagas, 2 Rey. 20:7.
mudez, Pro. 31:8; Mat. 9:32.
parálisis, Mat. 8:6; 9:2.
plaga, Núm. 11:33; 2 Sam. 24:15, 21, 25.
posesión de demonios, Mat. 15:22; Mar. 5:15.
sarna, Deu. 28:27.
sordera, Sal. 38:13; Mar. 7:32.
tartamudez, Mar. 7:32.
tisis, Lev. 26:16; Deu. 28:22.
úlceras, Isa 1:6; Luc. 16:29.
se empleaban médicos, 2 Cr. 16:12; Jer. 8:22; Mat. 9:12; Mar. 5:26; Luc. 4:23.
usaban medicinas, Pro. 17:22; Jer. 30:13; 46:11
bálsamos y emplastos, 2 Rey. 20:7; Isa. 1:6; Jer. 8:22.
unción de aceite, Mar. 6:13; Stg. 5:14.
han sido curadas por el poder divino, 2 Rey. 20:5; Sal. 103:3; Stg. 5:15.
simbolizan el pecado Isa. 1:5.
sanadas por Cristo, Mat. 4:23; 9:20; Jn. 5:8.
sanadas por sus discípulos, Luc. 9:1; Hch. 3:1; 9:32; 28:8, &c.

ENGAÑO (el): es falsedad, Sal. 119:118; Dan. 8:25; Mar. 14:1.
la lengua es un instrumento de, Rom. 3:13.
procede del corazón, Mar. 7:22.
es un rasgo distintivo del corazón, Jer. 17:9.
prohibido, Pro. 24:28; 1 Ped. 3:10.
Cristo estaba completamente exento de, Isa. 53:9, con 1 Ped. 2:22.

LOS MALOS:
están llenos de, Rom. 1:29.

idean, Sal. 35:20; 38:12; Pro. 12:5.
profieren, Sal. 10:7; 36:3.
obran, Pro. 11:18.
se deleitan en, Pro. 20:17.

ENIGMA, propuesto por Sansón, Jue. 14:12.
de Ezequiel, Eze. 17:2.
de la reina de Seba, 1 Rey. 10:1; 2 Cr. 9:1.
Véase también Sal. 49:4; 78:2.
traducido dicho oscuro, Pro. 1:6; duda, Dan. 8:23; adivinanza, Hab. 2:6.

ENOC, su religiosidad y su traslado al cielo, Gén. 5:24; su fe, Heb. 11:5; su profecía, Jud. 14.

ENOJO. Véase IRA.

ENÓN, Juan bautizaba en, Jn. 3:23.

ENOS, Gén. 4:26; 5:6-11; 1 Cr. 1:1; Luc. 3:38.

ENTALLADURA Y ESCULTURA. 1 Rey. 6:18, 35; Sal. 74:6.
de las camas, Pro. 7:16.
de las imágenes, Deu. 7:5; Isa. 44:9-17; 45:20; Hab. 2:18, 19.
destreza de Bezaleel en, Éxo. 31:5; y de Hiram, 2 Cr. 2:14.

ENTRAÑAS DE MISERICORDIA, Gén. 43:30; Sal. 25:6; Isa. 63:15; Luc. 1:78; Flp. 1:8; 2:1; Col. 3:12, &c.

ENTIERRO, preparativos para el, Gén. 50:26; Mat. 26:12; Jn. 11:44; 19:39, 40; Hch. 9:37.
concurrentes Gén 50:5-9 Jer. 9:17 Luc. 7:12
ceremonias, Gén. 50:10, 11; 2 Sam. 3:33; Jer. 34:5.
privación de, una calamidad, Deu. 28:26; Sal. 79:2; Ecl. 6:3; Isa. 14:19; Jer. 7:33; 16:4; 25:33; 34:20.
de Sara, Gén. 23:19; de Abraham, Gén. 25:9; de Isaac, Gén. 35:29; de Jacob, Gén. 50; de Aarón, Deu. 10:6; de José, Gén. 50.26; de Sansón, Jue. 16:31; de Saúl y sus hijos, 1 Sam. 31:13; 2 Sam. 4:12; de Abner, 2 Sam. 3:31; de Asa, 2 Cr. 16:14; de Cristo, Mat. 27:57; Luc. 23:50; de Esteban, Hch. 8:2.

ENVIDIA (la) (tristeza o pesar por el bien ajeno):
prohibida, Pro. 3:31; Rom. 13:13.
proviene de contiendas necias, 1 Tim. 6:4.
incitada por la excelencia de las buenas obras de los demás, Ecl. 4:4.
es obra de la carne, Gál. 5:21; Stg. 4:5.
es perjudicial abrigar, Job 5:2; Pro. 14:30.
impide el crecimiento en la gracia, 1 Ped. 2:1-2
los malos están llenos de, Rom. 1:29.
los malos viven en, Tit. 3:3.
la prosperidad de los malos no debe despertar, Sal. 37:1, 35; 73:3, 17-20.
castigo de, Sal. 106:16, 17; Isa. 26:11.
ejemplos de: Caín, Gén. 4:5. Los filisteos, Gén. 26:14. Los hijos de Labán, Gén. 31:1. Los hermanos de José, Gén. 37:11. Josué, Núm. 11:28, 29. Aarón, &c., Núm. 12:2. Coré, Núm. 16:3, con Sal. 106:16. Saúl, 1 Sam. 18:8. Sanbalat, &c, Neh. 2:10. Amán, Est. 5:13. Los edomitas, Eze. 35:11. Los príncipes de Babilonia, Dan. 6:3, 4. Los príncipes de los sacerdotes, Mar. 15:10. Los judíos Hch. 13:45; 17:5.

EPAFRAS, consiervo de Pablo, y compañero de prisiones, Col. 1:7; 4:12; Flm. 1:23.

EPAFRODITO, compañero de milicia de Pablo; sanado de su enfermedad, Flp. 2:25-27;
entrega a Pablo la ofrenda misionera de los filipenses y lleva la carta de Pablo a éstos, Flp. 4:18, 23.

ESAÚ, hijo de Isaac, Gén. 25:35 (Mal. 1:2; Rom. 9:10).
vende su primogenitura, Gén. 25:29 (Heb. 12:16).
privado de la bendición, Gén. 27:26.
su bondad para con Jacob, Gén. 33.
sus descendientes. Gén. 33; 1 Cr. 1:35.
Véase EDOM. Véase también Jer. 49:8-10; Abd. 6, 18, 22; Heb. 11:20.

ESCALERA de Jacob Gén 28:12. Véase Jn. 1:51

ESCAMAS, de los pescados, Lev. 11:9; Deu. 14:9.
de los ojos, Hch. 9:18.

ESCÁNDALO OFENSA, piedra de tropiezo:
necesario es que ocurran, Mat. 18:7.
el ocasionar, prohibido, 1 Cor. 10:32.
la persecución es causa de, Mat. 13:21; 24:10.
bienaventuranza que resulta de no escandalizarse, en Cristo, Mat. 11:6.
LOS MINISTROS DEBEN tener cuidado de no causar, 2 Cor. 6:3.
todo lo que cause, será quitado del reino de Cristo, Mat. 13:41.
imprecaciones contra los que causen, Mat. 18:7; Mar. 9:42.
castigo al que ocasione, Eze. 44:12; Mal. 2:8,9
ejemplos de: Aarón, Éxo. 32:2-6. Balaam, &c., Núm. 31:16, con Ap. 2:14. Gedeón, Jue. 8:27. Los hijos de Elí, 1 Sam. 2:12-17. Jeroboam, 1 Rey. 12:26-30. Un anciano profeta, 1 Rey. 13:18-26. Unos sacerdotes, Mal. 2:8. Pedro, Mat. 16:23.

ESCARAMUJO (el), elegido para reinar, Jue. 9:14.

ESCARNIO Y MOFA:
el que Cristo había de sufrir, predicho, Sal. 22:6-8; Isa. 53:3; Luc. 18:32.
Cristo sufrió, Mat. 9:24; 27:29.
LOS SANTOS SUFREN, A CAUSA de ser hijos de Dios, Gén 21:9, con Gál. 4:29.
de su rectitud, Job 12:4.
de su fe, Heb. 11:36.
de su fidelidad en proclamar la palabra de Dios, Jer. 20:7, 8.

ESCOBA de destrucción, Isa. 14:23.

ESCOGIDO(A), Cristo es llamado así, 1 Ped. 2:6, (Isa. 42:1).
la iglesia, Isa. 45:4; 65:9; Mat. 24:22; 2 Tim. 2:10.
una señora pía, 2 Jn. 1:1.

ESCOL, fertilidad del valle de, Núm. 13:23, 24.

ESCORIA, los malos son, Sal. 119:119; Isa. 1:25.

ESCORPIONES, Deu. 8:15; 1 Rey. 12:11; Luc. 10:19; 11:12.
instrumentos simbólicos de la ira divina, Ap. 9:3, 5, 10.

ESCRIBAS, empleados de David, &c., 2 Sam. 8:17; 20:25; 1 Cr. 37:32; 1 Rey. 4:3; 2 Rey. 19.2; 22:8; Esd. 7:6; Jer. 36:26.

——, doctores de la ley, censurados y reducidos al silencio por Cristo, Mal. 15:2; 23:2; Mar. 2:16; Luc. 20:1; 11:53.

convictos de blasfemia, Mar. 3:22; Luc. 11:15.

conspiran contra Él, Mar. 11:18; Luc. 20:19; 22:2, &c.

le acusan, Luc. 23:10.

persiguen a Esteban, Hch. 6:12.

Véase FARISEOS.

ESCRITO, o letrero, de Dios, Éxo. 31:18; 32:16; Dan. 5:5.

Véase ESCRITURAS.

——, en la pared en contra de Belsasar, interpretado, Dan. 5.

en el corazón, Pro. 3:3; 7:3; Jer. 31:33; Heb. 8:10.

ESCRITURAS (las):

fueron dadas por inspiración de Dios, 2 Tim. 3:16.

del Espíritu Santo, Hch. 1:6; Heb. 3:7; 2 Ped. 1:21.

Cristo las aprobó apelando a ellas, Mat. 4:4; Mar. 12:10; Jn. 7:42.

Cristo enseñó con, Luc. 24:27.

fueron entregadas a los judíos por Moisés, &c., Luc. 16:31; Rom. 3:2; 9:4.

después por Cristo, Heb. 1:2.

cumplidas por Cristo, Mat. 5:17; Luc. 24:27; Jn. 19:24.

enseñadas por los apóstoles, Hch. 2; 3; 8:32; 17:2; 18:24; 28:23.

SE LES LLAMA la palabra, Rom. 3:2; Stg. 1:21-23; 1 Ped. 2:2; 4:11.

la palabra de Dios, Luc. 11:28; Heb. 4:12.

de Cristo, Col. 3:16.

de verdad, Stg. 1:18.

las Santas Escrituras, Rom. 1:2; 2 Tim. 3:15.

la Escritura de verdad, Dan. 10:21.

el libro, Sal. 40:7; Ap. 22:19.

el libro del Señor, Isa. 34:16.

de la ley, Neh. 8:3; Gál. 3:10.

la ley del Señor, Sal. 1:2; Isa. 30:9.

la espada del Espíritu, Efe. 6:17.

revelan las leyes, estatutos y juicios de Dios, Deu. 4:5, 14, con Éxo. 24:3, 4.

registran profecías divinas, 2 Ped. 1:19-23.

dan testimonio con respecto a Cristo, Jn. 5:39; Hch. 10:43; 18:28; 1 Cor. 15:3.

son completas y suficientes, Luc. 16:29-31.

son guía infalible, Pro. 6:23; 2 Ped 1:19.

pueden hacernos salvos por la fe en Cristo Jesús, 2 Tim. 3:15.

son útiles para enseñar y para forjar la perfección del varón de Dios, 2 Tim. 3:16, 17

serán cumplidas, Isa. 40:8; Mat. 5:17; Luc. 16:17; 24:44; Jn. 10:35.

SE LES DESCRIBE COMO: puras, Sal. 12:6; 119:140; Pro. 30:5.

verdaderas, Sal. 119:160; Jn. 17:17.

perfectas, Sal. 19:7.

firmes, Sal. 93:5.

preciosas, Sal. 19:10.

vivas y eficaces, Heb. 4:12.

escritas para instrucción nuestra, Rom. 15:4.

para el uso de todos los hombres, Rom. 16:26.

no ha de quitarse, ni de añadirse nada a ellas, Deu. 4:2; 12:32.

la regla para el juicio final, Jn. 12:48; Rom. 2:16.

deben compararse pasaje con pasaje, 1 Cor. 2:13.

LOS SANTOS aman sobre manera, Sal. 119:97, 113, 159, 167.

se complacen en, Sal. 1:2.

consideran, como dulces, Sal. 119:103.

estiman, sobre todas las cosas, Job 23:12.

suspiran por, Sal. 119:82.

tienen temor de, Sal. 119:161; Isa. 66:2.

tienen presentes, Sal. 119:16.

sienten dolor cuando los hombres desobedecen, Sal. 119:158.

guardan en el corazón, Sal. 119:11.

tienen esperanza en, Sal. 119:74, 81, 147.

meditan en, Sal. 1:2; 119:99, 148.

se regocijan en, Sal. 119:62; Jer. 15:16.

confían en, Sal. 119:42.

obedecen, Sal. 119:67; Luc. 8:21; Jn. 17:6.

hablan de, Sal. 119:172.

les es luz a sus pies, Sal. 119:105.

piden a Dios les enseñe, Sal. 119:12, 18, 33, 66.

piden a Dios ordene sus pasos a, Sal. 119:133.

abrazan las promesas de, en la oración, Sal. 119:25, 28, 41, 76, 169.

los que escudriñan, son nobles, Hch. 17:11.

dicha de oír y obedecer, Luc. 11:28; Stg. 1:25.

habiten abundantemente en vosotros, Col. 3:16.

LOS MALOS adulteran, 2 Cor. 2:17.

invalidan, con sus tradiciones, Mar. 7:9-13.

rechazan, Jer, 8:9.

tropiezan en, 1 Ped, 2:8.

no obedecen, Sal. 119:158.

frecuentemente tuercen, 2 Ped. 3:16.

males que sobrevendrán a los que les añaden o les quitan a, Ap. 22:18, 19.

la destrucción de, castigada, Jer. 36:29-31.

ESCUDERO, Jue. 9:54; 1 Sam. 16:21; 17:7, 41; 31:4-6; 2 Sam. 23:37; 1 Cr. 10:4, 5; 11:39.

ESCUDO, Dios es para con su pueblo, Gen. 15:1; Deu. 33:29; 2 Sam. 22:31, 36; Sal. 18:2, 30; 28:7; 33:20; 59:11; 84:9, 11; 89:18; 91:4; 115:9-11; 119:114; 144:2; Pro. 2:7; 30:5.

de Goliat, 1 Sam. 17:6, 45.

de Saúl, desechado, 2 Sam. 1:21.

de la fe, Efe. 6:16.

ESCUDOS, mandados hacer por Salomón, &c., 1 Rey. 10:16, 17.

ESCUDRIÑADOR de los corazones, 1 Cr. 28:9; 29:17; Sal. 7:9; Jue. 17:10.

ESCUELAS, de los profetas, 1 Sam. 19:18-24; 2 Rey. 2:3, 5.

de Tyrano, Hch. 19:9.

ESCULTURA. Véase **ENTALLADURA.**

ESCUPIR, en la cara era una afrenta, Núm. 12:14; Deu.25:9; Job 30:10.
  afrenta soportada por Cristo, (Isa. 50:6), Mat. 26:67; 27:30; Mar. 10:34; 14:65; 15:19.

ESDRAS, vuelve a Jerusalén, Esd. 7:8.
  manda observar un ayuno, Esd. 8:21.
  sus órdenes a los sacerdotes, Esd. 8:24.
  sus oraciones, Esd. 9:5.
  lee la ley, Neh. 8.
  refrena los abusos, Esd. 10; Neh. 13.

ESMERALDAS, Éxo. 28:18; 39:11; Eze. 27:16; 28:13; Ap. 4:3; 21:19.

ESMEREJÓN, Lev. 11:13; Deu. 14:12.

ESPADA, como guardia del Edén, Gén. 3:24.
  uso muy antiguo de, Gén. 34:25; 1 Sam. 13:19.
  convertida en azadón, Isa. 2:4; Miq. 4:3.
  hechas de los azadones, Jl. 3:10.
  enviada como castigo, Lev. 26:25; Deu. 32:25; Esd. 9:7; Sal. 78:62.
  juicio severo de Dios, Eze. 14:21.
  del Señor, Jue. 7:20; 1 Cr. 21:12; Isa.66:16; Jer. 47:6.
  de Cristo el Rey, Sal. 45:3.
  del evangelio, Isa. 49:2; Ap. 1:16.
  de la justa ejecución, Rom. 13:4.
  de la justicia divina, Deu. 32:41; Zac. 13:7.
  de la protección divina, Deu. 33:29.
  del infortunio perpetuo, 2 Sam. 12:10.

ESPAÑA, Rom. 15:24, 28.

ESPARCIDOS de Israel, profecías acerca de los, Isa. 11:12; 16:3; 27:13; Jer. 30:16-18, Rom. 11.

ESPECIAS, para el aceite de la unción, &c., Éxo. 25:6; 30:23, 34; 37:29.
  para la purificación, Est. 2:12; Sal. 45:8.
  para embalsamar, &c., 2 Cr. 16:14; Mar. 16:1; Luc. 23:56; Jn. 19:40.

ESPEJO, de metal, Éxo. 38:8; Job 37:18; Isa. 3:23 vemos por él, oscuramente, 1 Cor. 13:12; 2 Cor. 3:18; Stg. 1:23.
  los cielos, firmes como un, Job 37:18.

ESPERANZA:
  en Dios, Sal. 39:7; 1 Ped. 1:21.
  en Cristo, 1 Cor. 15:19; 1 Tim. 1:1.
  en las promesas de Dios, Hch. 26:6, 7; Tit. 1:2.
  en la misericordia de Dios. Sal. 33:18.
  en la obra del Espíritu Santo, Rom. 15:13; Gál. 5:5.
  SE DESCRIBE COMO:
    buena, 2 Tes. 2:16.
    viva, 1 Ped. 1:3.
    segura y firme, Heb. 6:19.
    bienaventurada, Tit. 2:13.
  no avergüenza, Rom. 5:5.
  anima a predicar con confianza, 2 Cor. 3:12.
  LOS SANTOS:
    son llamados a la, Efe. 4:4.
    se regocijan en, Rom. 5:2 ;12:12.
    con la fe y la caridad, 1 Cor. 13:13.
  OBJETOS DE LA:
    la venida gloriosa de Cristo, Tit. 2:13.
    una resurrección, Hch. 23:6; 24:15.
    vida eterna, Tit. 1:2; 3:7.
    gloria, Rom. 5:2; Col. 1:27.
  conduce a la pureza, 1 Jn. 3:3.

conduce a la paciencia, Rom. 8:25; 1 Tes. 1:3.

ESPÍAS, enviados a Canaán, Núm. 13:3.
  sus instrucciones, Núm. 13:17.
  el informe de diez de ellos, Núm. 13:26.
  su castigo, Núm. 14:35; Deu. 1:22; Heb. 8:17.
  dos, enviados a Jericó, Jos. 2:1.
  preservados por Rahab, Jos. 2:4-7.
  su pacto con ella, Jos. 2:12-21.
  su informe ante Josué, Jos. 2:23.
  cumplen su juramento, Jos. 6:17, 22, 23, 25. Véase Heb. 11:31; Stg. 2:25.
  enviados por los hijos de Dan, Jue. 18:2.
  por Absalón, 2 Sam. 15:10.

ESPIGAR, la ley con respecto al acto de, Lev. 19:9; 23:22; Deu. 24:19.
  la generosidad de Boaz con respecto al, Rut. 2:15.
  Véase Isa. 17:6; 24:13; Jer. 49:9; Miq. 7:1.

ESPINAS usadas para castigo, Jue. 8:7, 16.
  en sentido figurado, Núm. 33:65; 1 Cor. 12:7.
  una corona de, le ponen a Cristo, Mat. 27:29; Mar. 15:17; Jn. 19:2.

ESPÍRITU del Anticristo, 1 Jn. 4:3.
  de servidumbre, Rom. 8:15.
  pitónico, Hch. 16:16.
  mudo,&c., Mar. 9:17.
  de temor, 2 Tim. 1:7.
  de celo, Núm. 5:14.
  de somnolencia, Rom. 11:8.

ESPÍRITU SANTO (el), es Dios:
  como Jehová, Éxo. 17:7, con Heb. 3:7-9; Núm. 12:6, con 2 Ped. 1:21.
  como Jehová de los ejércitos, Isa. 6:3, 8-10, con Hch. 28:25.
  como el Altísimo, Sal. 78:17, 21; Hch. 7:51.
  puesto que se le invoca como Jehová, Luc. 2:26-29; Hch. 1:16, 20; 4:23-25; 2 Tes. 3:5.
  puesto que se le llama Dios, Hch. 5:3, 4.
  como eterno, Heb. 9:14.
  omnipresente, Sal. 119:7-13.
  omnisciente, 1 Cor. 2:10.
  omnipotente, Rom. 15:19.
  el Espíritu de gloria y de Dios, 1 Ped. 4:14.
  creador, Gén. 1:26, 27, con Job 33:4.
  igual al Padre y uno con Él, Mat. 28:19; 2 Cor. 13:14.
  el ordenador soberano de todas las cosas, Dan. 4:35, con 1 Cor. 12:6, 11.
  autor del nuevo nacimiento, Jn. 3:5, 6, con 1 Jn. 5:4; Tit. 3:5.
  inspirador de las Escrituras, 2 Tim. 3:16, con 2 Ped. 1:21.
  origen de la sabiduría, 1 Cor. 12:8.
  de la virtud de hacer milagros, Mat. 12:28, con Luc. 11:20; Hch. 19:11, con Rom.15:19.
  que nombra y envía a los ministros, Hch. 13:2, 4, con Mat. 9:38; Hch. 20:28.
  que dirige en cuándo y en dónde debe predicarse el evangelio, Hch. 16:6, 7, 10.
  que mora en los santos, Jn. 14:17, con 1 Cor. 14:25; 1 Cor. 3:16, con 6:19.

que tiene comunión con los Santos, 2
Cor. 13:14.

consolador de la iglesia, Hch. 9:31, con
2 Cor. 1:3.

santificador de la iglesia, Eze. 37:28,
con Rom. 15:16.

testigo, Heb. 10:65, con 1 Jn. 5:9.

la parte que toma en la formación del
cuerpo de Jesús, Mat. 1:18, 20; Luc. 1:35.

desciende sobre Cristo, Mat. 3:16; Mar.
1:10; Luc. 3:22; Jn. 1:32.

permanece en Cristo, Isa. 11:2, 3; 42:1; 61:1;
Luc. 4:18; Jn. 3:34.

coopera con Cristo, Mat. 4:1; 12:28; Luc.
4:14; Heb. 9:14; 1 Ped. 3:18.

da testimonio de Cristo, Jn. 15:26; Hch.
5:32; Rom. 1:4; Ap. 19:10.

resucita a Cristo de entre los muertos,
Hch. 2:24, 1 Ped. 3:18; Heb. 13:20, Rom.
1:4.

es derramado de lo alto, Isa. 32:15;
44:3; Zac. 12:10.

Dios bautiza con, Mat. 3:11.

debemos pedirlo en la oración, Sal. 51:11,
12; Cnt. 4:16; Eze. 37:9; Hch. 1:14; 2:1.

dado a los que lo piden, Luc. 11:13; Hch.
2:4; 4:31.

OTORGADO A: José, Gén. 41:38.
Bezaleel, Éxo. 31:3; 35:31. Los
setenta ancianos, Núm. 11:17.
Balaam, Núm. 24:2. Josué, Núm.
27:18. Saúl, 1 Sam. 10:10; 11:6; 19:23.
Mensajeros, 1 Sam. 19:20. Eliseo, 2 Rey.
2:9. Amasai, 1 Cr. 12:18. Azarías, 2 Cr.
15:1. Los profetas, Neh. 9:30. Véase Isa.
1:6; 48:16; Jer. 1; Eze. 1; 11; Dan. 4:8.
Zacarías, Elisabet y María, Luc. 1:41,
67. Simeón y Ana, Luc. 2:25, 38. Los
discípulos, Hch. 6:3; 7:55; 8:29; 9:17;
10:45. Véase EMBLEMAS.

**ESPÍRITU SANTO (el), EN LA
CONVERSIÓN Y SANTIFICACIÓN:**

reprende, Jn. 16:8.

convence, Miq. 3:8; Hch. 13:9.

lucha, Gén. 6:3; Heb. 3:7.

instruye, Neh. 9:20.

acompaña con su auxilio la palabra
predicada, 1 Tes. 1:5; 1 Ped. 1:12; 4:11.

invita al pecador a venir a Cristo, Ap.
22:17.

da vida, Jn. 6:63; Rom. 8:11.

renueva, Tit. 3:5.

comunica amor para con Dios, Rom. 5:5.

guía, Sal. 143:10.

sostiene, Sal. 51:12.

prevalece, Zac. 4:6.

santifica las ofrendas, Rom. 15:16.

lava y justifica, 1 Cor. 6:11.

da libertad, 2 Cor. 3:17.

ayuda a mortificar el pecado, Rom. 8:13.

se opone a la carne, Rom. 8; Gál. 3; 5.

fortifica al hombre interior, Efe. 3:16.

ayuda a obedecer, 1 Ped. 1:2, 22.

a conservar la gracia de Dios, 2 Tim. 1:14.

a vivir para Dios, 1 Ped. 4:6.

——, **EL CONSOLADOR:**

procede del Padre, Jn. 15:26.

DADO:

por el Padre, Jn. 14:16; Gál. 4:6.

por Cristo, Isa. 61:1-3.

mediante la intercesión de Cristo, Jn.
14:16.

enviado en el nombre de Cristo, Jn. 14:26.

enviado por Cristo de parte del Padre, Jn.
15:26; 16:7.

el hombre en su estado natural no
percibe las cosas de, 1 Cor. 2:14. Véase
Rom. 8.

frutos de, Gál. 5:22, 23; Efe. 5:9.

ES NECESARIO NO:

contristarle, Efe. 4:30.

resistirle, Hch. 7:51.

provocarle a ira, Isa. 63:10.

tentarle, Hch. 5:9.

apagarle, 1 Tes. 5:19.

no contenderá para siempre, Gén. 6:3; Mat.
12:31; Mar. 3:19; Luc. 12:10.

su invitación final, Ap. 22:17.

ESPIRITUAL (lo) ha de acomodarse a lo
espiritual, 1 Cor. 2:13.

ESPÍRITUS, deben someterse a prueba,1 Jn.
4:1. inmundos, echados fuera. Véase
DEMONIOS.

ESPÍRITUS INMUNDOS. Véase
DIABLOS.

**ESPÍRITUS PITÓNICOS o familiares
(los),** trato con, prohibido, Lev. 20:27;
Isa. 8:19.

los que tenían, desterrados por Saúl, 1
Sam. 28:3; por Josías, 2 Rey. 23:24.

CONSULTADOS POR:

Saúl, 1 Sam. 28:7; 1 Cr. 10:13.

por Manasés, 2 Rey. 21:6.

por los egipcios, Isa. 29:4.

Pablo echa fuera, Hch. 17.

ESPOSA, la iglesia, Jn. 3:29; Ap. 21:2; 22:17.

ESPOSAS: no se deben elegir de entre los
impíos, Gén. 24:3; 26:34, 35; 28:1.

DEBERES DE, para con sus maridos:

amarlos, Tit. 2:4.

tenerlos en reverencia, Efe. 5:33.

serles fieles, 1 Cor. 7:3-5, 10.

estar sujetas a ellos, Gén. 3:16; Efe.
5:22, 24; 1 Ped. 3:1.

obedecerles, 1 Cor. 14:34; Tit. 2:5.

estar con ellos toda su vida, Rom. 7:2-3.

DEBEN ADORNARSE, no con adornos
exteriores, 1 Tim. 2:9; 1 Ped. 3:3, sino
con modestia y sobriedad, 1 Tim. 2:9.

de buenas obras, 1 Tim. 2:10; 5:10.

BUENAS, proceden del Señor, Pro. 19:14.

son prenda del favor de Dios, Pro.
18:22.

son para sus maridos una bendición,
Pro. 12:4; 31:10, 12.

acarrean honra a sus maridos, Pro.
31:23.

se granjean su confianza, Pro. 31:11.

son encomiadas por sus maridos, Pro.
31:28.

son diligentes y prudentes, Pro. 31:13-
27.

son caritativas con los pobres, Pro.
31:20.

deber de, respecto de los maridos
incrédulos 1 Cor. 7:3,14,16 1Ped 3:1-2

deben guardar silencio en las iglesias, 1 Cor.
14:34.

deben acudir a sus maridos para que les den instrucción doctrinal, 1 Cor. 14:35.

de los ministros, deben observar una conducta ejemplar, 1 Tim. 3:11.

buenas, ejemplos de: La esposa de Manoa, Jue. 13:20. Orfa y Ruth, Rut. 1:4, 8. Abigail, 1 Sam. 25:3. Esther, Est. 2:15-17. Elisabet, Luc. 1:6. Priscila, Hch. 18:2, 26. Sara, 1 Ped. 3:9.

malos, ejemplos de: Sansón, Jue. 14:15-17. Mical, 2 Sam. 6:20. Jezabel, 1 Rey. 21:7-10. Zeres, la esposa de Amán, Est. 5:14. La esposa de Job, Job 2:9. Herodías, Mar. 6:17. Safira, Hch. 5:1, 2.

las leyes levíticas con respecto a, Éxo. 21:3, 22; 22:16; Núm. 5:12; 30; Deu. 21:10, 15; 24:1; Jer. 3:1; Mat. 19:3.

la esposa es emblema de la iglesia, Efe. 5:23; Ap. 19:7; 21:9.

obtenidas por los de Benjamín, Jue. 21.

ESPOSO, nombre dado a Cristo, Mat. 9:15; 25:1; Jn. 3:29. Véase Sal. 19:5; Isa. 61:10; 62:5.

Dios es el, de su iglesia, Isa. 54:5; Os. 2; Ap. 21:2.

ESTACA Jue, 4:21-22, Jue. 16-13-14 Esd. 9:8 Ez 15:3

ESTACAS, Éxo. 27:19; Isa. 33:20; 54:2.

en sentido metafórico, Esd. 9:8.

ESTACTE, usado en la preparación del aceite santo, Éxo. 30:34.

ESTADIO, Luc. 24:13; Jn. 6:19; 11:18; Ap. 14:20; 21:16.

ESTANDARTES, o banderas, de las doce tribus, Núm. 2; Sal. 20:5; Cnt. 6:4, 10; Jer. 4:21.

ESTAÑO, Núm. 31:22; Isa. 1:25; Eze. 22:18; 20; 27:12.

ESTAOL, Jos. 15:33; Jue. 13:25; 16:31.

ESTATUA de sal, la esposa de Lot, Gén. 19:26; Luc. 17:32.

ESTATURA, ejemplos de grande, Núm. 13:32; 2 Sam. 21:20.

no es dado al hombre el aumentarla, Mat. 6:27.

espiritual, Efe. 4:13.

ESTATUTOS, Éxo. 15:24; 29:28; Lev. 3:17.

——, de Dios. Véase LEY.

ESTEBAN, uno de los siete diáconos, varón lleno de fe y del Espíritu Santo, Hch. 6:3-9.

su aprehensión, su defensa y su martirio, Hch. 6:8-15; 7; 8:2.

Pablo, presencia y consiente en la muerte de, Hch. 7:58; 8:1; 22:20.

ESTÉFANAS, ejemplo de apoyo a misiones; bautizado por Pablo junto con su familia, adictos al ministerio de los santos, 1 Cor. 1:16; 16:15, 17.

ESTERILIDAD (la) de Sara desaparece, Gén. 11:30; 16:1; 18:1; 21; de Rebeca, Gén. 25:21; de Raquel, Gén. 29:31; 30:1; de la esposa de Manoa, Jue. 13; de Ana, 1 Sam. 1; de la sunamita, 2 Rey. 4:14; de Elisabet, Luc. 1. Véase Sal. 113:9; Isa. 54:1; Gál. 4:27.

ESTHER, es elegida reina, Est. 2:17.

ayuna a causa del decreto, Est. 4:15.

intercede por su pueblo, Est. 7-9.

ESTOICOS (los), filósofos, hacen escarnio de Pablo, Hch. 17:18.

ESTOPA, Jue. 16:9; Isa. 1:31; Abd. 1:18; los malos serán como, Mal. 4:1. Véase LINO.

ESTRADO, de Dios, el templo fue llamado así, 1 Cr. 28:2; Sal. 99:5; 132:7.

la tierra, Isa. 66:1; Mat. 5:35; Hch. 7:49.

sus enemigos, Sal. 110:1; Mat. 22:44, &c., Heb. 10:13. Véase también 2 Cr. 9:18; Stg. 2:3.

ESTRELLA Balaam anuncia la Núm 24:15-17 vista por los magos, Mat. 2:2.

una cae del cielo, Ap. 8:10; 9:1.

de la mañana, Cristo, Ap. 2:28; 22:16.

ESTRELLAS, son creadas, Gén. 1:16; Job 38:7.

manifiestan el poder de Dios, Sal. 8:3; Isa. 40:26.

hechas para alabar a Dios, Sal. 148:3.

se diferencian en gloria, 1 Cor. 15:41.

el culto de, prohibido, Deu. 4:19.

mencionadas en un sentido simbólico, Gén. 15:5; Heb. 11:12; Jud. 13; Ap. 8:12; 12:1.

ETAM, cueva de la peña de, Éxo. 13:20; Núm. 33:6, 8 Jue. 15:8-13.

ETÁN, un hombre sabio, se le atribuye el Salmo 89, Véase 1 Rey. 4:31; 1 Cr. 15:17.

ETANIM (el perenne), el séptimo mes (Octubre). La fiesta de la expiación y la de los tabernáculos (cabañas) tenía lugar en, 1 Rey. 8:2; Lev. 23:24, 27.

se proclamaba jubileo en, Lev. 25:9.

la dedicación del templo en, 1 Rey. 8:2.

ETÍOPES (los), invaden a Judá y son vencidos por Asa, 2 Cr. 14:9. Véase Núm. 12:1; 2 Rey. 19:9; Est. 1:1; Job 28:19.

profecías acerca de, Sal. 68:31; 87:4; Isa. 18:20; 43:3; 45:14; Jer. 46:9; Eze. 30:4; 38:5; Nah. 3:9; Sof. 3:10.

eunuco bautizado, Hch. 8:27.

ÉUFRATES, cuarto río del edén, Gén. 2:10-14; conocido como el río grande y uno de los límites de la tierra prometida, Gén. 15:18; Deu. 1:7; 11:24; Jos. 1:4; Josías muerto por arqueros de Necao, rey de Egipto junto al río, 2 Rey. 23:29; 2 Cr. 35:20; David hiere a Hadad-ezer y recupera su término hasta el río, 2 Sam. 8:3; profecías de Jeremías en contra de Judá y Jerusalén junto al, Jer. 13:1-10; y en contra de Egipto, Jer. 46:2; y Babilonia, Jer. 51:63; cuatro ángeles desatados en el gran río, para matar la tercera parte de los hombres, Ap. 9:14; secado por la sexta copa de ira, Ap. 16:12.

EUNICE, madre de Timoteo, encomiada (Hch. 16:1), 2 Tim. 1:5.

EUNUCOS (los) consolados, Isa. 56:3-6.

la manifestación de nuestro Señor con respecto a, Mat. 19:12.

un etiope bautizado por Felipe, Hch. 8:27-39.

Véase Dan. 1:3.

EUODIAS, y Sintique, Pablo les insta a ser de un mismo sentir, Flp. 4:2.

EUROCLIDÓN, un viento tempestuoso llamado, Hch. 27:14.

EUTICO, se duerme en la predicación de Pablo sentado en una ventana; su caída y muerte, Hch. 20:9.

EVA, su creación, Gén. 1:27; 2:18.

llamada por Adán Varona, Gén. 2:23; y también Eva (dadora de vida), Gén. 3:20.

engañada por la serpiente, Gén. 3; 2 Cor. 11:13; 1 Tim. 2:13.

promesa del Mesías hecha a, Gén. 3:15.

sus palabras acerca de Caín, Gén. 4:1, y Set, Gén. 4:25.

hijos de, Gén. 5:4.

EVANGELIO (el) (buenas nuevas):

definido, Luc. 2:10, 11.

predicado bajo el régimen del antiguo testamento, Heb. 4:2.

la vida y la inmortalidad son sacadas a luz por, 2 Tim. 1:10.

es el poder de Dios para la salvación a todo aquel que cree, Rom. 1:16; 1 Cor. 1:18; 1 Tes. 1:5.

es la verdad, Col. 1:5.

es glorioso 2 Cor. 4:4.

es eterno, 1 Ped. 1:25; Ap. 14:6.

predicado por Cristo, Mat. 4:23; 11:28; Mar. 1:14; Jn. 7:37.

a los ministros les ha sido encargada la dispensación de 1 Cor. 9:17; Efe. 3:2; Col. 1:25.

predicado de antemano a Abraham, Gén. 22:18, con Gál. 3:8.

PREDICADO A los judíos primeramente, Luc. 24:47; Hch. 13:46.

los gentiles, Mar. 13:10; Gál. 2:2.

los pobres, Mat. 11:5; Luc. 4:18.

toda criatura, Mar. 16:15; Col. 1:23.

ha de ser creído, Mar. 1:15; Heb. 4:2.

trae paz, Luc. 2:10, 14; Efe. 6:15.

EVANGELISTAS, deber de los, Hch. 21:8; Efe. 4:11; 2 Tim. 4:5.

EVIL-MERODAC, rey de Babilonia, su bondad para con Joaquín, 2 Rey. 25:27-29; Jer. 52:31-34.

EXCUSAS, o disculpas, la necedad en que incurren los que las hacen, 2 Rey. 5:13; Mat. 22:5; Luc. 14:18; Rom. 1:20.

¿Y quién es mi prójimo?, Luc. 10:29.

justificación delante de los hombres, Luc. 16:15; 18:9-11; Rom. 4:2; 10:3.

los fariseos pecaron voluntariamente (Heb. 10:26) excusándose de no reconocer a Jesús como el Mesías (Jn. 11:46-48; Hch. 4:16; 7:51); sin embargo su pecado permanece ante la evidencia, Jn. 9:41; 15:22-24; Jer. 2:35; Luc. 12:47.

por el hombre inconverso para rechazar el evangelio, Mat. 22:1-5; Luc. 14:16-24; 1 Jn. 1:8-10.

usada por Naamán, al no querer obedecer el mandato del profeta, 2 Rey. 5:13.

el hombre es inexcusable ante las pruebas de la existencia de Dios, Rom. 1:19-32.

el hombre no tiene excusa de su pecado, Jn. 15:22.

EXORCISMO, expulsados por el Espíritu de Dios, Mat. 12:28; Mar. 16:17; Hch. 10:38; por el dedo de Dios; Luc. 11:20.

señal que seguirán a los que creen, Mar. 16:17. Véase Jn. 14:12.

PRACTICADO POR:

Jesús y sus discípulos, Mat. 10:8; 12:27; Mar. 1:34, 39; 3:15; 6:19; Luc. 11:19

judíos vagabundos que practicaban exorcismos, Hch. 19:13.

los hijos de los fariseos practicaban el exorcismo, Mat. 12:27; Luc. 11:19.

EXPERIENCIA, Gén. 30:27; Ecl. 1:16; 2:1.

añadida a la fe, Rom. 5:4; Stg. 1:3, 12.

EXPIACIÓN (la), (acto de borrar las culpas; purificarse de ellas mediante algún sacrificio) explicada, Rom. 5:8-11; 2 Cor. 5:18, 19; Gál. 1:4; 1 Jn. 2:2; 4:10.

predeterminada, Rom. 3:25; 1 Ped. 1:11, 20; Ap. 13:8.

predicha, Isa. 53:4-6, 8-12; Dan. 9:24-27; Zac 13:1, 7; Jn.11:50, 51.

efectuada por Cristo solo, Jn. 1:29, 36: Hch. 4:10, 12; 1 Tes. 1:10; 1 Tim. 2:5, 6; Heb. 2:9; 1 Ped. 2:21.

fue voluntaria, Sal. 40:6-8, con Heb. 10:5-9; Jn. 10:11, 15, 17, 18.

hecha una sola vez, Heb. 7:27; 9:24-28; 10:10, 12, 14; 1 Ped. 3:18.

la reconciliación con Dios efectuada por, Rom. 5:10; 2 Cor. 5:18-20; Efe. 2:13-16; Col. 1:20-22; Heb. 2:17; 1 Ped. 3:18.

la remisión de los pecados por, Jn. 1:29; Rom. 2:25; Efe. 1:7; 1 Jn. 1:7; Ap. 1:5.

la justificación por, Rom. 5:9; 2 Cor. 5:21.

la santificación por medio de, 2 Cor. 5:15; Efe. 5:26, 27; Tit. 2:14; Heb. 10:10; 13:12.

la redención por medio de, Mat. 20:28; Hch. 20:28; 1 Tim. 2:6; Heb. 9:12; Ap. 5:9.

ÉXTASIS, de Balaam, Núm. 24:4, 16.

de Isaías, Isa. 6:1-3; Jn. 12:41.

de Esteban, Hch. 7:55, 56.

de Pedro, Hch. 10:10; 11:5.

de Pablo, Hch. 22:17; 2 Cor. 12:1-4.

de Juan, Ap. 1:10; Ap. 4:2; 17:3; 21:10.

EXTRANJEROS, Éxo. 12:45; Deu. 15:3; Abd. 2:19.

——, (los que habitaban entre los Israelitas), se manda que no se les oprima, Éxo. 22:21; 23:9; Lev. 19:33; Deu. 1:16; 10:18; 23:7; 24:14; Mal. 3:5.

no habían de comer la pascua, &c, hasta que fueran circuncidados, Éxo. 12:43; Lev. 22:10; Núm. 1:51, &c.; Eze. 44:9.

no podían ser elevados al sacerdocio o al trono real, Núm. 18:7; Deu. 17:15.

el matrimonio con, era prohibido, Éxo. 34:16; Deu. 7:3; 25:5; Esd. 10:2; Neh. 13:27.

sujetos a las leyes, Lev. 17:10; 24:16; Núm. 19:10; 35:15; Deu. 31:12; Jos. 8:33.

EZEQUÍAS, rey de Judá, 2 Rey. 16:19 (2 Cr. 28:27).

hace abolir la idolatría, 2 Rey. 18.

restablece el servicio del templo, 2 Cr. 29.

celebra la pascua, 2 Cr. 30.

su mensaje a Isaías, 2 Rey. 19:1.

su oración, 2 Rey. 19:14.

su libertad, 2 Rey. 19:35.

su vida prolongada, 2 Rey. 20:1.

su acción de gracias, Isa. 38:9.

censurado por haber ostentado sus tesoros, 2 Rey. 20:16 (Isa. 39).

se arrepiente, Jer. 26:18.

su muerte, 2 Rey. 20:20. Véase 2 Cr. 29:32; Isa. 36-39; Pro. 25:1.

EZEQUIEL, el cometido de, Eze. 2; 3; 33:7.

SUS VISIONES:

de la gloria de Dios, Eze. 1; 8; 10; 11; 22.

de las abominaciones de los judíos, Eze. 8:5.

de su castigo, Eze. 9:11.

de los huesos secos, Eze. 37.

de la casa de Dios, Eze. 40, &c.

intercede por su pueblo, .Eze. 9:8; 11:13.

señal dada a los judíos, Eze. 4; 5; 12; 24:15.

parábolas, Eze. 15; 16; 17; 19; 23; 24.

mudez, Eze. 3:26; 24:26: 33:22.

F

FÁBULAS, judaicas, &c., deben evitarse, 1 Tim. 1:4; 4:7; 2 Tim. 4:4; Tit. 1:14; 2 Ped. 1:16.

FALTA, sin, las ofrendas deben ser, Éxo. 12:5, Lev. 1:3.; Deu. 17:1; tipo de Cristo, 1 Ped. 1:19; y de la iglesia, Efe. 5:27.

FALTAS (las) como debe procederse con respecto a, Mat. 18:15; Gál. 6:1.

exhortación a confesarlas, Stg. 5:16.

FAMA (la), lo vano de, Sal. 49:11, &c.; Ecl. 1:11; 2:16; Luc. 6:26; Jn. 5:44; 12:43; 1 Tes. 2:6.

FAMILIAS (las): de los santos son bendecidas, Sal. 128:3, 6

DEBEN:

aprender la palabra de Dios, Deu. 4:9, 10.

adorar a Dios colectivamente, 1 Cor. 16:19.

buenas, ejemplos de: La de Abraham, Gén. 18:19. La de Jacob, Gén. 35:2. Josué, Jos. 24:15. La de David, 2 Sam. 6:20. La de Job, Job 1:5. La de Lázaro de Betania, Jn. 13:1-5. La de Cornelio, Hch. 10:2, 33. La de Lidia, Hch. 16:15. La del carcelero de Filipos, Hch. 16:31-34. La de Crispo, Hch. 18:8. La de Loida, 2 Tim. 1:5.

FARAÓN, reconviene a Abram, Gén. 12:18.

——, sus sueños interpretados por José, &c., Gén. 40, &c.

su bondad para con Jacob, Gén. 47.

——, oprime a los israelitas, Éxo. 1:8; Hch. 7:21.

——, el mensaje de Dios a, Éxo. 4:21, &c.

los milagros mostrados , Éxo. 7, &c.

persigue a los israelitas y se ahoga en el Mar Rojo, Éxo. 14:8. Véase Rom. 9:17; Neh. 9:10; Sal. 135:9; 136:15.

——, las relaciones de Salomón con, 1 Rey. 3:1.

recibe a Hadad, 1 Rey. 11:19.

——, **NECAO**, Josías lo hace entrar en guerra con él, 2 Rey. 23:29; 2 Cr. 35:20.

su ruina es predicha, Jer. 46.

destrona a Joacaz, 2 Rey. 23:33; 2 Cr. 36:3.

—, Hofra, profecía acerca de, Jer. 44:30; Eze. 29; 30:20; 31; 32 (Isa. 19:11; 30:2).

FARES, hijo de Judá, Gén. 38:29; Rut. 4:18.

ascendiente de Cristo, Mat. 1:3; Luc. 3:33.

FARISEO y publicano, Luc. 18:10.

FARISEOS censurados por Cristo, Mat. 5:20; 16:6; 23; Mar. 8:15; Luc. 11:37; 12:1; 14; 15; 18:9.

las controversias de Cristo con, Mat. 9:34; 19:3; Mar. 2:18; Luc. 5:30; 11:39; 16:14; Jn. 5; 6; 7.

riñen a Nicodemo, Jn. 7:52.

excomulgan al hombre curado de ceguedad, Jn. 9:13.

conspiran contra Cristo, Jn. 11:47,

se desavienen con los saduceos, Hch. 23:7.

FE (la): es la sustancia de las cosas que se esperan, Heb. 11:1.

es la demostración de lo que no se ve Heb. 11:1.

se manda tenerla, Mar. 11:22; 1 Jn. 3:23.

LOS OBJETOS DE, SON:

Dios, Mar. 11:22; Jn. 14:1.

Cristo, Jn. 6:29; 14:1; Hch. 20:21.

los escritos de Moisés, Jn. 5:46; Hch. 24:14.

de los profetas, 2 Cr. 20:20; Hch. 26:27.

el evangelio, Mar. 1:15.

las promesas de Dios, Rom. 4:21; Heb. 11:13.

EN CRISTO:

es el don de Dios, Rom. 12:3; Efe. 2:8; 6:23; Flp. 1:29.

es la obra de Dios, Hch. 11:21; 1 Cor. 2:5.

es preciosa, 2 Ped. 1:1.

es santísima, Jud. 20.

es fecunda, 1 Tes. 1:3.

la acompaña el arrepentimiento, Mar. 1:15; Luc. 24:47.

y la sigue la conversión, Hch. 11:21.

Cristo es el Autor y Consumador de, Heb. 12:2.

es el don del Espíritu Santo, 1 Cor. 12:9.

las Escrituras fueron escritas para producir, Jn. 20:31; 2 Tim. 3:15.

la predicación debe producir, Jn. 17:20; Hch. 8:12; Rom. 10:14, 15, 17; 1 Cor. 3:5.

POR MEDIO DE ELLA SON:

la remisión de los pecados, Hch. 10:43; Rom. 3:25.

la justificación, Hch. 13:39; Rom. 3:21, 22, 28, 30; Rom. 5:1; Gál. 2:16.

la salvación, Mar. 16:16; Hch. 16:31.

la santificación, Hch. 15:9; 26:18.

la luz espiritual, Jn. 12:36, 46.

la vida espiritual, Jn. 20:31; Gál. 2:20.

eterna, Jn. 3:15, 16; 6:40, 47.

la edificación, 1 Tim. 1:4; Jud. 20.

la preservación, 1 Ped. 1:5.

la adopción, Jn. 1:12; Gál. 3:26.

acceso a Dios, Rom. 5:2; Efe. 3:12.

herencia de las promesas, Gál. 3:22; Heb. 6:12.

el don del Espíritu Santo, Hch. 11:15-17; Gál. 3:14; Efe. 1:13.

es imposible agradar a Dios sin, Heb. 11:6.

la justificación es por, de gracia, Rom. 4:16.

es esencial para recibir con provecho el evangelio, Heb. 4:2.

LOS SANTOS DEBEN:
estar llenos de, Hch. 6:5; 11:24.
ser sinceros en 1 Tim. 1:5, 2 Tim. 1:5.
abundar en, 2 Cor. 8:7.
continuar en, Hch. 14:12; Col. 1:23.
permanecer firmes en, 1 Cor. 16:13.
retenerla con una buena conciencia, 1 Tim. 1:19.
orar por el aumento de, Luc. 17:5.
tener plena certidumbre de, 2 Tim. 1:12; Heb. 10:22.
verdadera, se da a conocer por sus frutos, Stg. 2:21, 25.
sin frutos, es muerta, Stg. 2:17, 20, 26.
examinaos a vosotros mismos para determinar si sois de, 2 Cor. 13:5.
todas las dificultades son vencidas por, Mat. 17:20; 21:21; Mar. 9:23.
todo debe hacerse en, Rom. 14:22.
todo lo que no es de, es pecado, Rom. 14:23.
a menudo sometida a prueba por la aflicción, 1 Ped. 1:6, 7.
los malos muchas veces profesan, Hch. 8:13, 21.
están destituidos de, Jn. 10:25; 12:37; Hch. 19:9; 2 Tes. 3:2.
la protección de, explicada con símiles: Escudo Efe. 6:16. Una coraza, 1 Tes. 5:8.
ejemplos de : Caleb, Núm. 13:30. Job, Job 19:25. Sadrac &c., Dan. 3:17; 6:10, 23. Pedro, Mat. 16:16. La mujer pecadora. Luc. 7:50. Natanael, Jn. 1:49. Los samaritanos, Jn. 4:39. Marta, Jn. 11:27. Los discípulos, Jn. 15:30. Tomás, Jn. 20:28. Esteban, Hch. 6:5. Los sacerdotes, Hch. 6:7. El etíope, Hch. 8:37. Bernabé, Hch. 11:24. Sergio Paulo, Hch. 13:7-12. El carcelero de Filipos, Hch. 16:31, 34. Los romanos, Rom. 1:8. Los colosenses, Col. 1:4. Los tesalonicenses, 1 Tes. 1:3. Loida, 2 Tim. 1:5. Pablo, 2 Tim. 4:7. Abel, Heb. 11:4. Enoc, Heb. 11:5. Noé, Heb. 11:7. Abraham, Heb. 11:8, 17. Isaac, Heb. 11:20. Jacob, Heb. 11:21. José, Heb. 11:22. Moisés, Heb. 11:24, 27. Rahab, Heb. 11:31. Gedeón, Heb. 11:32, 33.

FEBE, es recomendada, Rom. 16:1.

FELICIDAD (la) de los santos:
es en Dios, Sal. 73:25.

FELIPE. su llamamiento, Jn. 1:43; es ordenado, Mat. 10:3; Mar. 3:18; Luc. 6:14; Jn. 12:22; Hch. 1:13; es reconvenido, Jn. 14:8.

——, diácono y evangelista, Hch. 6:5; bautiza al eunuco, Hch. 8:26; sus hijas profetizan, Hch. 21:8.

——, hermano de Herodes, Mat. 14:3; Mar. 6:17; Luc. 3:1, 19.

FÉLIX, gobernador de Judea, Pablo enviado a, Hch. 23:23; la defensa de Pablo ante, Hch. 24:10; tiembla al oír la predicación de Pablo, pero lo deja aprisionado, Hch. 24:25.

FENICE, puerto de la ciudad de Creta, Hch. 27:12.

FENICIA, una provincia por la cual pasaron Pablo y Bernabé, Hch. 11:19; 15:3; 21:2-4.

FERIAS. Véase **MERCADOS.**

FERVOR. Rom. 12:11; Stg. 5:16; 1 Ped. 4:8.

FESTIVIDADES. Véase **FIESTAS.**

FESTO, gobernador de Judea, Hch. 24:27.
Pablo conducido ante, Hch. 25.
la defensa de Pablo ante, Hch. 25:8; 26.
absuelve a Pablo, Hch. 25:14; 26:31.

FIANZA, males de la, Pro. 6:1; 11:15; 17:18; 20:16; 22:26; 27:13.

FIDELIDAD: característica de los santos Efe. 1:1; Col. 1:2: 1 Tim. 6:2; Ap. 17:14.

SE MANIFIESTA: en el servicio de Dios, Mat. 24:45. declarando la palabra de Dios, Jer. 22:28; 2 Cor. 2:17; 4:2.
cuidando de las cosas consagradas, 2 Cr. 31:12.
auxiliando a los hermanos, 3 Jn. 5.
administrando la justicia, Deu. 1:16.
dando testimonio verdadero, Pro. 14:5.
reconviniendo a los demás, Pro. 27:6; Sal. 141:5.
desempeñando empleos de importancia, 2 Rey. 12:15; Neh. 13:13; Hch. 6:1-3.
ejecutando alguna obra, 2 Cr. 34:12.
guardando secretos, Pro. 11:13.
llevando mensajes, Pro. 13:17; 25:13.
en la adversidad, Job 19:21; Pro. 17:17; 27:10.
en todas las cosas, 1 Tim. 3:11.
en lo más pequeño Luc 16:10-12
debe ser hasta la muerte, Ap. 2:10.
la misericordia de Dios para con nosotros tiene por objeto conducirnos a, 1 Cor. 7:25.

SE EXIGE ESPECIALMENTE DE:
los ministros, 1 Cor. 4:2; 2 Tim. 2:2.
las esposas de los ministros, 1 Tim. 3:11.
los hijos de los ministros, Tit. 1:6.
es difícil encontrarla, Pro. 20:6.
los malos están destituidos de, Sal. 5:9.
asociaos con los que manifiestan, Sal. 111:6.
bienaventuranza de los que la practican, 1 Sam. 26:23; Pro. 28:20.
ejemplos, Mat. 24:45-46; 25:21-23.
ejemplos de: José, Gén. 39:22, 23. Moisés, Núm. 12:7 (Heb. 3:2, 5). David, 1 Sam. 22:14. Ananías, Neh. 7:2. Abraham, Neh. 9:8; Gál. 3:9. Daniel, Dan. 6:4. Pablo, Hch. 20:20, 27. Timoteo, 1 Cor. 4:17. Tíquico, Efe. 6:21. Epafras, Col. 1:7. Onésimo, Col. 4:9. Silvano, 1 Ped. 5:12. Antipas, Ap. 2:13.

FIDELIDAD (la) de Dios:
es uno de sus atributos, Isa. 49:7; 1 Cor. 1:9; 1 Tes. 5:24.

SE DECLARA QUE:
es grande, Lam. 3:23.
está establecida. Sal. 89:2.
es incomparable, Sal. 89:8.
es infalible, Sal. 89:33; 2 Tim. 2:13.
es eterna, Sal. 119:90; 146:6.
debe presentarse como razón en las plegarias, Sal. 143:1.
debe proclamarse, Sal. 40:10; 89:1.

FIEBRE, se amenaza con, Deu. 28:22. se cura, Mat. 8:14, &c.; Jn. 4:52.

FIESTAS, tres anuales, Éxo. 23:14; 34:23; Lev. 23; Núm. 28; 29; Deu. 16.
celebraciones notables de la pascua, Éxo. 12:28-50; Núm. 9:5; Jos. 5:10, 11; 2 Rey. 23:21-23; 2 Cr. 30:1; 35:1-18; Esd. 6:19, 20; Mat. 26:17-29.
de Pentecostés, 2 Cr. 8:13; Hch. 2:1; 20:16; 1 Cor. 16:8.
de los tabernáculos (o cabañas), Núm. 29:12-39; 2 Cr. 7:8; Neh. 8:14-18; Esd. 3:4; Jn. 7:2, 37.
de los principios de los meses (o la luna nueva), Núm. 10:10; 28:11-15; Sal. 81:3-5. Véase también Isa. 66:23; Eze. 46:1; Ose. 2:11; Col. 2:16.
de las trompetas o jubilación, Lev. 23:24, 25; Núm. 29:1-6; Sal. 81:3.
de Purim, o las suertes, Est. 9:17-32.
de la dedicación, Jn. 10:22.
del año sabático, Éxo. 21:2; 23:11; Lev. 25:2-7, 20, 22; 26:34, 43; Deu. 15:1-3, 9-12; 2 Cr. 36:20, 21; Neh. 10:31; Jer. 34:13, 14.
de jubileo, Lev. 25:8, &c.; 27:17-24; Núm. 36:4; Sal. 89:15; Isa. 61:1; 63:4; Eze. 46:17; Luc. 4:18, 19.
de Belsasar, Dan. 5.
de Asuero, Est. 1.
de Herodes, Mar. 6:21, &c.
privadas, Gén. 19:3; 21:8; 26:30; 29:22; 40:20; Jue. 14:10-17; 1 Sam. 25:36; 1 Rey. 3:15; Est. 1:3, 9; Isa. 5:12; Dan. 5:1; Zac. 8:19; Mar. 6:21; Luc. 5:29; Jn. 2:8.
de caridad, Jud. 12; 2 Ped. 2:13; 1 Cor. 11:22.

FIGELO y Hermógenes, 2 Tim. 1:15.

FIGURA, Deu. 4:12, 15; 2 Cr. 4:3; Ose. 12:10.
——, (o tipo), Rom. 5:14; 1 Cor. 4:6; Heb, 9:9, 24; 1 Ped. 3:21.

FILACTERIAS, Mat. 23:5. Véase Éxo. 13:9, 16; Núm. 15:38.

FILADELFIA, iglesia de, Ap. 1:11; 3:7.

FILEMÓN, la carta de Pablo a, Flm. 1-25.

FILETO e Himeneo, censurados por su palabra profana y vana, 2 Tim. 2:17.

FILIPOS, Pablo perseguido en, Hch. 16:12.
la iglesia de, encomiada, Flp. 1; 4:10.
exhortada, Flp. 2:3.

FILISTEOS (los), Gén. 10:14; Deu. 2:23; 1 Cr. 1:12; Jer. 47:4.
molestan a Isaac, Gén. 26:14.
no son subyugados por Josué, Jos. 13:2; Jue. 3:3; Sal. 83:7.
habiendo oprimido a Israel, son subyugados por Samgar con una aguijada de bueyes, Jue. 3:31; por Sansón, Jue. 14, &c.; por Samuel, 1 Sam. 4; 7; por Jonatán, 1 Sam. 14; por David, 1 Sam. 17; 18; 19:8.
la permanencia de David con, 1 Sam. 27; 28; 29
guerra con Israel, 1 Sam. 28; 29.
Saúl, muerto por, 1 Sam. 31; 2 Cr. 21:16.
la tierra de, Gén. 21:34; Éxo. 13:17; Jos. 13:2; 2 Rey. 8:2.
profecías acerca de, Isa. 2:6; 9:12; 11:14; Jer. 25:20; 47; Eze. 25:15; Am. 1:6; Abd. 19; Sof. 2:7; Zac. 9:5. Véase Sal. 60:8; 83:7; 87:4; 108:9.

FILOSOFÍA, vanidad de la humana, Hch. 17:18; 1 Cor. 1:19; 2:6; Col. 2:8.

FINEES, hijo de Eleazar, Éxo. 6:25.
su celo encomiado, Núm. 25:7, 11; Sal. 96:30.
enviado a la guerra, Núm. 31:6.
enviado a los Rubenitas, &c., Jos. 22:13.
pregunta al Señor, Jue. 20:28.
——, y Ofni, hijos de Elí, su extremada maldad, 1 Sam. 1:3; 2:22.
mueren a manos de los Filisteos, 1 Sam. 4:10, 11.

FINGIMIENTO, Sal, 26:4; Pro. 10:18; 26:24; Rom. 12:9; Gál. 2:11-15.

FIRMAMENTO, creado, Gén. 1:6,7,8, 14,15,17, 20; Sal. 19:1; Dan. 12:3.

FLACOS, en la fe, exhortaciones con respecto a Rom. 14; 15; 1 Cor. 8; 1 Tes. 5:14; Heb. 12:12.
el ejemplo de Pablo, 1 Cor. 9:22.

FLAQUEZAS, las inevitables se deben tratar con consideración, Job 14:1-4; Sal. 103:14; Rom. 14:1-3; 15:1; Gál. 5:17; 16:1.
humanas, sobrellevadas por Cristo, Isa. 53:4; Heb. 4:15.

FLAUTA, Jer. 48:36; Mat. 11:17; 1 Cor. 14:7.

FLECO (el), franja, leyes con respecto a, Núm. 15:37; Deu. 22:12; Mat. 23:5.

FLORECIMIENTO, de la vara de Aarón, Núm. 17.

FLORES. Cnt. 2:1, 12; 6:2, 3; Isa. 35:1; Ose. 14:5; Mat. 6:28; Hch. 14:13.
en sentido figurado, Job 14:2; Sal. 103:15; Cnt. 5:13; Isa. 28:1; 40:6, 7; Stg. 1:10; 1 Ped. 1:24.

FLUJO De sangre Mat 9:20, Mr 5:25, Lu 8:43,44
Lev 12:7, Lev 15:3-33 Lev 22:4
Flujo de semen Num 5:2, 2 Sam 3:29, Ez 23 20

FORNICACIÓN, prohibida, Éxo. 22:16; Lev. 19:20; Núm. 25; Deu. 22:21; 23:17; 1 Tim. 1:10; Heb. 13:4; Jud. 7; Ap. 21:8; 22:15. Causa la ruina del alma, Pro. 2:16; 5:5; 7:23; 9:18; 22:14; Ecl. 7:26.
procede del corazón, Mat. 15:19; Mar. 7:21.
un pecado de Sodoma, Gén. 17; Jud. 7
uno de los pecados de los paganos, Lev. 18:3; Rom. 1:29; 1 Mac. 4:3; Ap. 2:14.
absteneos de, Col. 3:5; 1 Tes. 4:3.
el hombre debe arrepentirse de, 2 Cor. 12:21.
hemos de apartarnos de los que se hacen culpables de, 1 Cor. 5:9.
excluye del cielo, 1 Cor. 6:9; Efe. 5:5; Ap. 21:8; 22:15.
Dios juzgará, 1 Tes. 4:3.
ESPIRITUAL, la idolatría, &c., Eze. 16:29; Ose. 1; 2; 3; Ap. 14:8; 17:2; 18:3; 19:2.

FORNICARIOS, condenados, Efe. 5:5; 1 Tim. 1:10; Heb. 13:4; Ap. 21:8; 22:15.

FORTALEZA, o fuerza, de Israel, el Señor, Éxo. 15:2; 1 Sam. 15:29; Sal. 27:1; 28:8; 29:11; 46:1; 81:1, &c.; Isa. 26:4; Jl. 3:16; Zac. 12:5.
——, se perfecciona en la flaqueza, Sal. 8:2; 2 Cor. 12:9; Heb. 11:34.
——, del pecado, la ley, Rom. 7; 1 Cor. 15:46.

FORTALEZAS, fuertes, castillos y torres en las ciudades, Jue. 8:17; 1 Cr. 11:5, 7; 2 Cr. 26:15; Isa. 25:12; atalayas, 2 Rey. 9:17; Isa. 21:5; 32:14; en el desierto, 2 Cr. 26:12; edificada para sitiar una ciudad, 2 Rey. 25:1; Eze. 17:17; 26:8; de madera, Deu. 20:19, 20; cuevas y cavernas, Jue. 6:2; 1 Sam. 23:29; Isa. 33:16. Véase también Pro. 18:19; Hch. 21:34.

por vía de comparación, 2 Sam. 22:2; Sal. 18:2; 71:3; 144:2; Jer. 16:19; Nah. 1:7.

FOSO, ESCONDRIJO, CUEVA, Job 37:8; 38:40; Dan. 6:19.

FRENO, Sal. 32:9; Pro. 26:3; Ap. 14:20.

en sentido figurado, 2 Rey. 19:28; Sal. 39:1; Isa. 30:28; Stg. 1:26; 3:2, 3.

FRIGIA, el Espíritu Santo prohíbe a Pablo predicar el evangelio en Asia, Hch. 16:6; 18:23.

FRUTOS, Gén. 4:3; Sal. 85:12; Isa. 4:2.

dados por Dios, Hch. 14:17.

nos han sido preservados por Dios, Mal. 3:11.

producidos a su tiempo, Mat. 21:41.

de los tres primeros años no se deben usar, Lev. 19:23.

bendecidos a los obedientes, Deu. 7:13; 28:4.

——, dignos de arrepentimiento, Mat. 3:8.

los hombres son conocidos por sus, Mat. 7:16; Mar. 4:8.

el que siembra, cosecha, Jn. 4:36; Rom. 1:13; 2 Cor. 9:10.

del Espíritu, Gál. 6:22; Efe. 5:9.

producidos por medio de Cristo, Jn. 15:4; Rom. 7:4; Flp. 1:11.

por el evangelio, Col. 1:6; Flp. 4:17; Stg. 3:17.

FUEGO (el), Dios aparece en, Éxo. 3:2; 13:21; 19:18; Eze. 1:4; Dan. 7:10; Ap. 1:14; 4:5.

los sacrificios consumidos, Gén. 15:17; Lev 9:24; Jue. 13:19 1 Rey. 18:38 2 Cr. 7:1

en el altar, perpetuo, Lev. 6:13.

no debe encenderse en día sábado, Éxo. 16:23; 35:3.

casual, ley con respecto a, Éxo. 22:6.

encendido para los tres jóvenes hebreos, Dan. 3:23, &c.

la palabra de Dios comparada a, Jer. 23:29; Mat. 3:11. Véase Hch. 2:3.

destrucción causada por, Gén. 19:24; Éxo. 9:23; Lev. 10; Núm. 11:1; 16:35; 2 Rey. 1:10; Am. 7:4; 2 Tes. 1:8; Ap. 8:7.

la destrucción del mundo, 2 Ped. 3:7, 10.

FUEGO del infierno, Deu. 32:22; Isa. 33:14; 66:24; Mat. 13:42; 18:8; 25:4; Mar. 9:44; Jud. 7; Ap. 20:10.

por vía de comparación, Deu. 4:24; 2 Sam. 22:13; Job 18:5; Sal. 39:3; 104:4; 118:12; Pro. 6:27, 28; 16:27; Isa. 4:4; 9:18; 10:17; 50:11; 65:5; Jer. 5:14; 48:45 Lam. 1:13; Eze. 39:6; Zac. 2:5; 13:9; Mal. 3:2; Mat. 3:10; Luc. 12:49;

1 Cor. 3:13, 15; Heb. 12:29; Stg. 3:6; 5:3; 1 Ped. 1:7.

FUENTE de agua viva, Sal. 36:9; Jer. 2:13; Jl. 3:18; Zac. 13:1; 14:8. Véase Isa. 12:3; 44:3; 55:1; Jn. 4:10; Ap. 7:17; 21:6.

FUENTE, de metal, Éxo. 30:18; 38:8; 40:7.

santificado, Lev. 8:11.

diez fuentes, en el templo, 1 Rey. 7:38.

simboliza a Cristo, Zac. 13:1; Ap. 1:5 y la regeneración, Efe. 5:26; Tit. 3:5.

FUGITIVO, siervo, Deu. 23:15.

FUNDAMENTO, cimiento, Jesucristo es el único, Mat. 16:18 (Isa. 28:16); 1 Cor. 3:11; 1 Ped. 2:6; Efe. 2:20; Heb. 11:10.

FUNDICIÓN DE METALES, Jue. 17:4; Isa. 41:7; Jer. 6:29; 10:9, 14.

FUROR, censurado, 2 Rey. 19:27; Sal. 2:1; Pro. 14:16. Véase **IRA.**

G

GAAL, conspira, Jue. 9:26-41.

GAAS, Josué es sepultado al norte del monte de, Jos. 24:30; en el monte de Efraín, Jue. 2:9; arroyos de, 2 Sam. 23:30; río, 1 Cr. 11:32.

GABAA, su maldad, Jue. 19; su castigo, Jue. 20; la ciudad de Saúl, 1 Sam. 10:26; 11:4; 14:2; 15:34; 2 Sam. 21:6.

GABAÓN, astucia de sus habitantes, Jos. 9. librado por Josué, Jos. 10.

la persecución de Saúl; venganza, 2 Sam. 21.

Dios aparece ahí a Salomón, 1 Rey. 3:5; 1 Cr. 21:29; Isa. 28:21.

GABATA (lugar en el que Pilato se sentó en el tribunal), o Enlosado, Jn. 19:13.

GABRIEL, enviado a Daniel, Dan. 8:16; 9:21; a Zacarías, Luc. 1:19; a María, Luc. 1:26.

GAD, (vino la ventura) hijo de Jacob, Gén. 30:11. bendecido por Jacob, Gén. 49:19; por Moisés. Deu. 33:20; sus descendientes, Gén. 46:16; sus posesiones y las de los rubenitas, &c., Núm. 32; 34:14; Deu. 27:13; Jos. 4:12; encomiados por Josué, Jos. 22:1; acusados de idolatría, Jos. 22:11; su disculpa, Jos. 22:21; su carácter belicoso, 1 Cr. 12:8.

——, vidente de David, anuncia a David los juicios de Dios, 2 Sam. 24:11; 1 Cr. 21:9; 2 Cr. 29:25.

GADARENOS, gergesenos, milagro en medio de, Mat. 8:28; Mar. 5:1; Luc. 3:26.

GALAAD, cedida a los rubenitas, &c., Núm. 32.

invadida por los amonitas, Jue. 10:17.

llamada Jabes-Galaad, Jue. 21:8, 9; 1 Sam. 11:1, 9; 31:11; 2 Sam. 2:4; 21:12.

pacto de los ancianos de, con Jefté, Jue. 11.

Véase 1 Rey. 17:1; Sal. 60:7; Cnt. 4:1; Jer. 8:22; 22:6; 50:19; Ose. 6:8; 12:11; Am. 1:3; Abd. 10; Miq. 7:14; Zac. 10:10.

el nieto de Manasés, Núm. 26:29; el padre de Jefté, Jue. 1:l, 2.

GALARDÓN, DE LOS SANTOS: procede de Dios, Col. 3:24; Heb. 11:6; es de gracia, solo por la fe, Rom. 4:4, 5, 16; 11:6; es por la voluntad de Dios, Luc. 12:32; preparado por Dios Padre, Heb. 11:16; preparado por Cristo, Jn. 14:2; como siervos de Cristo, Col. 3:24; no por razón de sus méritos, Rom. 4:4, 5.

SE LE DESCRIBE COMO QUE ES estar con Cristo, Jn. 12:26; 14:3; Flp. 1:23; 1

Tes. 4:17; contemplar el rostro de Dios, Sal. 17:15; Mat. 5:8; Ap. 22:4; la gloria de Cristo, Jn. 17:24.

ser glorificados con Cristo, Rom. 8:17, 18; Col. 3:4.

sentarse para el juicio con Cristo, Luc. 22:30, con 1 Cor. 6:2.

reinar con Cristo, 2 Tim. 2:12; Ap. 5:10; 20:4; para siempre jamás, Ap. 22:5.

UNA CORONA: de justicia, 2 Tim. 4:8; de gloria, 1 Ped. 5:4; de vida, Stg. 1:12; Ap. 2:10; incorruptible. 1 Cor. 9:25.

ser coherederos de Cristo, Rom. 6:17.

HERENCIA: de todas las cosas, Ap. 21:7; con todos los santos en luz, Hch. 20:32; 26:18; Col. 1:12; eterna. Heb. 9:15; incorruptible, &c., 1 Ped. 1:4.

un reino, Mat. 25:34; Luc. 22:29. inconmovible, Heb. 12:28.

brillar como las estrellas, Dan. 12:3.
luz eterna, Isa. 60:19.
vida eterna, Luc. 18:30; Rom. 6:23.
una sustancia perdurable, Heb. 10:34.
casa eterna en los cielos, 2 Cor. 5:1.
una ciudad que tiene cimientos, Heb. 11:10.
entrar en el gozo del Señor, Mat. 25:21, con Heb. 12:2.
plenitud de gozo, Sal. 16:11.
tesoro en el cielo, Mat. 19:21; Luc. 12:33.
un peso eterno de gloria, 2 Cor. 4:17.

es grande, Mat. 5:12; Luc. 6:35; Heb. 10:35.
es inestimable, Isa. 64:4, con 1 Cor. 2:9.
los santos pueden estar ciertos de, Sal. 73:24; 2 Cor. 5:1; 2 Tim. 4:8.
la esperanza de, es causa de júbilo, Rom. 5:2;
cuidad de no perder, 2 Jn. 8.

GÁLATAS (los), Pablo predica a, Hch. 16:6; reconvenidos, Gál. 1:6; 6, &c.; y exhortados, Gál. 5:6; su amor hacia Pablo, Gál. 4:14.

GALILEA, ciudad de refugio en, Jos. 21:32. ciudades de, dadas a Hiram, 1 Rey. 9:11, 12.

tomada por el rey de Asiria, 2 Rey. 15:29.
la profecía acerca de, Isa. 9:1; Mat. 4:15.
Cristo habita y predica en, Mat. 3:22; 15:29; 26:32; 27:55; 28:7; Mar. 1:9; Luc. 4:14; 23:5; 24:6; Hch. 10:37; 13:31.

GALILEOS muertos por Pilato, Luc. 13:1.
de habla peculiar, Mat. 26:69, 78.
los discípulos llamados así, Hch. 1:11; 8:7.

GALIÓN, procónsul de Acaya, despide a Pablo, Hch. 18:12-17.

GALLINA, el cuidado que tiene de sus polluelos, Mat. 23:37; Luc. 13:34.

GAMALIEL, el consejo de, Hch. 5:34.
Pablo fue discípulo de, Hch. 23:3.
——, hijo de Pedasur, Núm. 1:10; 2:20; 7:54, 59; 10:23.

GANADO (el) de los israelitas, preservado, Éxo. 9:3, 26.
leyes concernientes a, Éxo. 20:10; 21:28: 22:11; 23:4; Lev. 1:2; Deu. 5:14; 22:1; 25:4 (1 Cor. 9:9; 1 Tim. 5:18).

GANANCIA torpe, prohibida, 1 Tim. 33:3; Tit. 1:7; 1 Ped. 5:2.

GARFIOS, Éxo. 27:3; 38:3; Núm. 4:14:1 Sam. 2:13,

14; de oro, 1 Cr. 28:17; de bronce, 2 Cr. 4:16.

GAT, de los filisteos, los hombres de, heridos de hemorroides, 1 Sam. 5:8; Goliat de, 1 Sam. 17:4; David huye a, 1 Sam. 27:4; tomada por David, 1 Cr. 18:1; por Hazael, 2 Rey. 12:17; por Uzías, 2 Cr. 26:6.

GAVILÁN (el), inmundo, Lev. 11:16.

GAVILLAS (manojos), en el sueño de José, Gén. 37:7; de las primicias, Lev. 23:10; dejadas al segar, Deu. 24:19: Job 24:10; símil del juicio final, Sal. 126:6; Miq. 4:12; Mat. 13:30.

GAVIOTA (la), Lev. 11:17; Deu. 14:17.

GAYO, Hch. 19:29; 20:4; Rom. 16:23; 1 Cor. 1:14; 3 Jn. 1:1.

GAZA, en la frontera de Canaán, Gén. 10:19; Hch. 8:26; Sansón va allá, Jue. 16; profecías acerca de, Jer. 47; Am. 1:6; Sof. 2:24; Zac. 9:5.

GEDEÓN, Jerobaal, Jue. 6:32; 7:1; 8:29, 35; el Ángel del Señor aparece a, Jue. 6:11; derriba el altar de Baal, Jue. 6:27; sus señales pedidas a Jehová, Jue. 6:36-40; su ejército es disminuido, Jue. 7:1-7; su estratagema. Jue. 7:16; subyuga a los madianitas, Jue. 7:22; su efod, un tropezadero, Jue. 8:27; su muerte. Jue. 3:32. Véase Heb. 11:32.

GENEALOGÍAS:
generaciones de Adán Gén. 5; 1 Cr. 1; Luc. 3.
de Noé, Gén. 10; 11; 1 Cr. 1:4; de Nacor, Gén. 22:20, 23; de Abraham, Gén. 25; 1Cr. 1:28; de Jacob, Gén. 29:31; 30; 46:8; Éxo. 1:2; Núm. 26; 1 Cr. 2. &c.; de Esaú, Gén. 30; 1 Cr. 1:35; de Leví, Éxo. 6:16; Núm. 3:17: 1 Cr. 6; 23; 24; de Judá, Rut. 4:18; 1 Cr. 2:3; 3:4; de Simeón, Éxo. 6:15; 1 Cr. 7:24; de Rubén, Éxo. 6:14; l Cr. 5:1; de Gad, 1 Cr. 5:11; de Isacar, 1 Cr. 7:1; de Benjamín, 1 Cr. 7:6, 8; de Manasés, 1 Cr. 7:14; de Neftalí. 1 Cr. 7:13; de Efraín, 2 Cr. 7:20.
de las generaciones de Aser, 1 Cr. 7:30.
de Saúl, 1 Cr. 3:29; 9:35; de David, 1 Cr. 3; de Cristo, Mat. 1; Luc. 3:23.
registros públicos de, se guardaban. 2 Cr. 12:15; Neh. 7:5.
tablas de, perdidas, Neh. 7:64.

GENEROSIDAD: agradable a Dios, 2. Cor. 9:7; Heb. 13:16; Dios nunca olvida, Heb. 6:10; Cristo nos ha dado ejemplo de, 2 Cor. 8:9; es una cualidad de los santos, Sal. 112:9; Isa. 32:8; inútil sin la caridad, 1 Cor. 13:13.

DEBE EJERCERSE en el servicio de Dios, Éxo. 35:21-29; para con los santos, Rom. 12:13; Gál. 6:10; con los criados, Deu. 15:12-14; con los pobres, Deu. 15:11; Isa. 58:7; con los forasteros, Lev. 35:35; con los enemigos, Ap. 25:21; con todos los hombres, Gál. 6:10; prestando a los menesterosos, Mat. 5:42; dando limosnas, Luc. 12:33; socorriendo a los desvalidos, Isa. 58:7; promoviendo las misiones, Flm. 4:14-16; haciendo servicios personales, Flm. 2:30; sin ostentación, Mat. 6:1-3; con sencillez, Rom. 12:8; de acuerdo con las facultades de cada uno, Deu. 16:10, 17; 1 Cor. 16:2; voluntariamente, Éxo. 25:2; 2 Cor. 8:12; abundantemente, 2 Cor. 8:7: 9:11-13; debemos trabajar a fin de poder ejercer, Hch. 20:36; Efe. 4:28.

Ejemplos de: los príncipes de Israel, Núm. 7:2; Boaz, Rut. 4:18; David, 2 Sam. 9:7, 10; Barzilai, 2 Sam. 17:27; Arauna, 2 Sam. 24:22; la sunamita, 2 Rey. 4:8, 10; Judá, 2 Cr. 24:10, 11; Nehemías, Neh. 7:70; los judíos, Neh. 7:71, 72; Job, Job 29:15, 16; Nabuzaradán, Jer. 40:4, 5; Juana, &c., Luc. 8:3; Zaqueo, Luc. 19:8; los cristianos primitivos, Hch. 2:42; Bernabé, Hch. 4:36, 37; Dorcas, Hch. 9:36; Cornelio, Hch. 10:2; la iglesia de Antioquia, Hch. 11:29, 30; Lidia, Hch. 10:12; Pablo, Hch. 20:34; Estéfanas, &c., 1 Cor. 16:15-17.

extraordinaria, ejemplos de: israelitas, Éxo. 36:5; la viuda pobre, Mar. 12:42-44; las iglesias de Macedonia, 2 Cor. 8:1-5.

GENESARET, otro nombre dado al mar de Galilea, milagros obrados allí, Mat. 4:18; 8:23: Luc. 5:1.

GENTILES (los), origen de, Gén. 10:5.

su estado de corrupción, Rom. 1:21; 1 Cor. 12:2; Efe. 2; 4:17; 1 Tes. 4:5.

profecías acerca de la conversión de, Isa. 11:10; 42:1; 49:6 (Mat. 12:18; Luc. 2:32; Hch. 13:47); Isa. 62:2; Jer. 16:19; Ose. 2:23; Jl. 3:9; Miq. 5:8; Mal. 7:11; Mat. 8:11.

cumplidas, Jn. 10:16; Hch. 8:37; 10:14, 15; Rom 9. &c.; Efe. 2; 1 Tes. 1:1.

GERAR, el altercado de Isaac allí, Gén.26.

los etíopes perseguidos por Asa hasta, 2 Cr. 14:13, 14.

GERGESENOS, Véase **GADARENOS**.

GERIZIM. monte señalado para la bendición, Deu. 11:29; 27:12; Jos. 8:33.

GERSÓN, hijo de Leví, Gén. 46:11, &c.

el cargo de sus descendientes, Núm. 2:17; 4:7; 10:17.

——, hijo de Moisés, Éxo. 2:22.

GESEM, el árabe, hace escarnio de Nehemías, Neh. 2:19; 6:1-6.

GESUR, Absalón habita allí, 2 Sam. 13:37; 14:23 (Jos. 13:13).

GETSEMANÍ, el jardín de, la agonía del Señor en, Mat. 26:36; Mar. 14:32; Luc. 22:39.

GIEZI, sirve a Eliseo, 2 Rey. 4:12.

su codicia y falsedad son castigadas, 2 Rey. 5:20. Véase 2 Rey. 8:4.

GIGANTES antes del diluvio, Gén. 6:4; en Canaán asustan a los espías, Núm. 13:33; Deu. 2:10; 3:11; muertos por David y sus siervos, 1 Sam. 17; 2 Sam. 21:16; 1 Cr. 20:4.

GIHÓN, río del Edén, rodea toda Etiopía, Gén. 2:13; ciudad y fuente, 1 Rey. 1:33, 38, 45; 2 Cr. 32:30; 33:14.

GILBOA, monte, Saúl recibe allí la muerte, 1 Sam. 28:4; 31:1-8; 2 Sam. 1:6, 21; 21:12; 1 Cr. 10:1-8.

GILGAL, Josué se asienta, Jos. 4:19, 20; 9:6; Saúl es proclamado rey en, 1 Sam. 10:8; 11:14; la desobediencia de Saúl en, 1 Sam. 13:7; 15:12; Véase Ose. 4:15; 9:15; 12:11; Amós 4:4; 5:5.

GLORIA: Dios es, para su pueblo, Sal. 3:3; Zac. 2:5; Cristo es, para su pueblo, Isa. 60:1; Luc. 2:32; el evangelio es, para los santos, 1 Cor. 2:7; del evangelio excede a la de la ley, 2 Cor. 3:9, 10; el gozo de los santos esta lleno de, 1 Ped. 1:8.

ESPIRITUAL, es dada por Dios, Sal. 84:11; es dada por Cristo, Jn. 17:22; es la obra del Espíritu Santo, 2 Cor. 3:18.

ETERNA, gracias a la muerte de Cristo, Heb. 2:10; acompaña la salvación, 2 Tim. 2:10.

heredada por los santos, 1 Sam. 2:8; Sal. 73:24; Pro. 3:35; Col. 3:4; 1 Ped. 5:10.

los santos son llamados a la, 2 Tes. 2:14; 1 Ped. 5:10.

preparados de antemano para, Rom. 9:23.

realzada por las aflicciones, 2 Cor. 4:17.

las aflicciones de la vida presente no merecen compararse a, Rom. 8:18.

de la iglesia, será espléndida y abundante, Isa. 60:11-13.

los cuerpos de los santos serán resucitados en, 1 Cor. 15:43; Flp. 3:21.

TEMPORAL, es dada por Dios, Dan. 2:37, pasa, 1 Ped. 1:24; el diablo procura seducir con, Mat. 4:8; de los hipócritas se convierte en deshonra, Ose. 4:7; no solicitéis, del hombre, Mat. 6:2; 1 Tes. 2:6; de los malos es en su vileza, Flp. 3:19; termina en ruina, Isa. 5:14.

——, **de Dios: MANIFESTADA EN**: Cristo, Jn. 1:14; 2 Cor. 4:6; Heb. 1:3; su nombre, Deu. 28:58; Neh. 9:5; su majestad, Job 37:22; Sal. 93:1; 104:1; 145:5, 12; Isa. 2:10; su poder, Éxo. 15:1, 6; Rom. 6:4; sus obras, Sal. 19:1; 111:3; su santidad, Éxo. 15:11.

GLOTONERÍA:

Cristo es falsamente acusado de, Mat. 11:19.

los malos se entregan a Flp. 3:19; Jud. 12.

conduce a una seguridad ficticia, Isa. 22:13, con 1 Cor. 15:32; Luc. 12:19.

conduce a la pobreza, Pro. 23:21.

de los príncipes causa la ruina Ecl. 10:16, 17

parte de los santos es inconsecuente, 1 Ped. 4:3.

advertencia respecto a la, Pro. 23:2, 3; Luc. 21:34; Rom. 13:13, 14.

orad para ser librados de las tentaciones de la, Sal. 141:4.

castigo de la, Núm. 11:33, 34, con Sal. 78:31; Deu. 21:21; Am. 6:4, 7.

el peligro de, ilustrado, Luc. 12:45, 46.

ejemplos de: Esaú, Gén. 25:30-34, con Heb. 12:16, 17. Israel Núm. 11:4, con Sal. 78:18. Los hijos de Elí, 1 Sam. 9:12-17. Belsasar, Dan. 5:1.

GOBIERNO (el), establecido por Dios, Éxo. 18:21; Deu. 16:18; 17:5; Núm. 11:16; Pro. 8:15; Rom. 13:1-4. Véase **JUECES, REYES**, &c.

GOG Y MAGOG, profecía acerca de, Eze. 38; 39: Ap. 20:4.

GÓLGOTA (Calvario), Cristo es crucificado allí, Mat. 27:33; Mar. 15:22; Luc. 23:33; Jn. 19:17.

GOLIAT, un gigante, 1 Sam. 17; 21:9; 22:10 sus hijos, &c., 2 Sam. 21:15; 1 Cr. 20:4.

GOLONDRINA, referencias a sus hábitos, Sal. 84:3; Pro. 26:2; Isa. 38:14; Jer. 8:7.

GOMER (cerca de nueve litros), Éxo. 16:16-18, 32-36.

GOMER, hijo de Jafet, Gén. 10:2,3; 1 Cr. 1:5, 6; sus descendientes, Eze. 38:6.

GOMORRA. Véase **SODOMA**.

GORRIÓN, Sal. 84:3; traducido pájaro en Sal. 102:7; avecilla en Lev. 14:4-53; pajarillo (dos por una blanca), Mat. 10:29.

GOSÉN, tierra de, en Egipto, los israelitas son establecidos allí, Gén. 45:10; 46:34; 47:4.
libre de las plagas, Éxo. 8:22; 9:26.
——, en Canaán, Jos. 10:41; 11:16.

GOZO: Dios da, Ecl. 2:26; Sal. 4:7; Cristo nombrado para dar, Isa. 61:3; es fruto del Espíritu, Gál. 5:22; el evangelio es nuevas de gran, Luc. 2:10; la palabra de Dios brinda, Neh. 8:12; Jer. 15:16; el evangelio ha de recibirse con, 1 Tes. 1:6; prometido a los santos, Sal. 132:16; Isa. 35:10; 55:12; 55:7; preparado para los santos, Sal. 97:11; prescrito a los santos, Sal. 32:11; Flp. 3:1; plenitud de, en la presencia de Dios, Sal. 16:11;
por el favor de Dios, Hch. 2:28; por la fe en Cristo, Rom. 15:13; morando en Cristo, Jn. 15:10, 11; por la palabra de Cristo, Jn. 17:13; por las plegarias otorgadas, Jn. 16:24; por la comunión de los santos, 2 Tim. 1:4; 1 Jn. 1:3, 4; 2 Jn. 12; los santos deben dar a sus ministros, Flp. 2:2; Flm. 20

LOS MINISTROS DEBEN: considerar a su grey como su, Flp. 4:1; 1 Tes. 2:20; promover, en medio de su grey 2 Cor. 1:24; Flp. 1:25; pedir a Dios, para su grey, Rom. 18:13; tener, en la fe y la santidad de su grey, 2 Cor. 7:4; 1 Tes. 3:9; 3 Jn. 4; acabar su carrera con, Hch. 20:24; anhelan rendir cuenta con, Flp. 2:16; Heb. 13:17.
servid a Dios con, Sal. 100:2.
la generosidad en el servicio de Dios debiera causar, 1 Cr. 29:9, 17.
comunica vigor a los santos, Neh. 8:10.
los santos deben tomar parte en el culto con, Esd. 6:22; Sal. 42:4.
debthen tener, en todas sus empresas, Deu. 12:18.
deben presentarse ante Dios con gran, 1 Ped. 4:13, con Jud. 24.
la venida de Cristo causará a los santos grande, 1 Ped. 4:13.
será el premio final de los santos el día del juicio, Mat. 25:21.

GOZO en el cielo por los pecadores arrepentidos, Luc. 15:7, 10.
de Cristo por sus discípulos, Jn. 3:29; 17:13; Heb. 12:2.
de Pablo en la fe y la obediencia de las iglesias, 2 Cor. 1:24; 2:3; 7:13; Flp. 1:4; 2:2; 4:1; 1 Tes. 2:19; 3:9; 2 Tim. 1:4; Flm. 7.
también de Juan, 3 Jn. 4.
——, de Dios por su pueblo: grandeza de, descrita, Sof. 3:17.

GRACIA, Dios es el Dios de toda, 1 Ped. 5:10.
el Dador de la, Sal. 84:11.
el trono de Dios es el trono de, Heb. 4:16.
el Espíritu Santo es el Espíritu de, Zac. 12:10; Heb. 10:29.
fue sobre Cristo, Luc. 2:40.
Cristo habló con, Sal. 45:2, con Luc. 4:22.
estaba lleno de, Jn. 1:14.
vino por Cristo, Jn. 1:17; Rom. 5:15.
dada por Cristo, 1 Cor. 1:4.
la riqueza de la, manifestada en la bondad de Dios por medio de Cristo, Efe. 2:7.
gloria de la, manifestada en nuestra aceptación en Cristo, Efe. 1:6.

SE DESCRIBE COMO: grande, Hch. 4:33; soberana, Rom. 5:21; rica, Efe. 1:7; 2:7; eminente, 2 Cor. 9:14; variada, 1 Ped. 4:10; suficiente para todo, 2 Cor. 12:9; abundante para todo, Rom. 5:15, 17, 20; verdadera, 1 Ped. 5:12; gloriosa, Efe. 1:6; que no es vana, 1 Cor. 15:10.
el evangelio declara la, Hch. 20:24, 32.

ES EL ORIGEN DE: la elección, Rom. 11:5; el llamamiento de Dios, Gál. 1:15; la justificación, Rom. 3:24; Tit. 3:7; la fe, Hch. 18:27; el perdón de los pecados, Efe. 1:7; la salvación, Hch. 15:11; Efe. 2:5, 8; el consuelo, 2 Tes. 2:16; la esperanza, 2 Tes. 2:16.
es necesaria para el servicio de Dios, Heb. 12:28.
la obra de Dios se perfecciona en los santos por medio de la, 2 Tes. 1:11, 12.
el buen éxito y la perfección de la obra de Dios han de atribuirse a la, Zac. 4:7.
la herencia de las promesas es por la, Rom. 4:16.
la justificación por la, contrastada con la justificación por las obras, Rom. 4:4, 5; 11:6; Gál. 5:4.

LOS SANTOS: son herederos de la, 1 Ped. 3:7; están bajo la, Rom. 6:14; reciben, de Cristo, Jn. 1:16; son lo que son por la, 1 Cor. 15:10; 2 Cor.1:12; abundan en dones de la, Hch. 4:33; 2 Cor. 8:1; 9:8, 14; deben ser fuertes en, 2 Tim. 2:1; crecer en, 2 Ped. 3:18; hablar con, Efe. 4:29; Col. 4:6.

OTORGADA CON ESPECIALIDAD A: los ministros, Rom. 12:3, 6; 15:15; 1 Cor. 3:10; Gál. 2:9; Efe. 3:7; a los humildes, Pro. 3:34, con Stg. 4:6; a los que caminan con rectitud, Sal. 84:11.
el evangelio de, no se ha de recibir en vano, 2 Cor. 6:1.
orad por la, para vosotros mismos, Heb. 4:16; y para los demás, 2 Cor. 13:14; Efe. 6:24.
mirad bien que ninguno caiga de la, Heb. 12:15.
la manifestación de la, en otros, motivo de alegría, Hch. 11:23.

la manifestación especial de la, en el segundo advenimiento de Cristo, 1 Ped. 1:13.

no se ha de abusar de la, Rom. 6:1, 15.

los que niegan la obligación de la ley sagrada abusan de la, Jud. 4.

en el sentido de hermosura, Stg. 1:11.

en el sentido de favor, Gén. 6:8; Rut. 2:2; Luc. 2:40; Jn. 1:16; Hch. 4:33.

GRACIAS, acción de, o tributo de:

Cristo nos dio ejemplo de rendir, Mat. 11:25; 26:27; Jn. 11:41.

las huestes celestiales se ocupan de, Ap. 4:9; 7:11, 12; 11:16, 17.

se prescribe, Sal. 50:14.

es bueno rendir, Sal. 92:1.

SE DEBE RENDIR a Dios, Sal. 50:14.

a Cristo, 1 Tim. 1:12.

por medio de Cristo, Rom. 1:8; Col. 3:17; Heb. 13:15.

en el nombre de Cristo, Efe. 5:20.

a favor de los ministros, 2 Cor. 1:11.

en el culto privado, Dan. 6:10.

en el culto público, Sal. 35:18.

en todo, 1 Tes. 5:18.

antes de tomar los alimentos, Jn. 6:11; Hch. 27:35.

siempre, Efe. 1:16; 5:20; 1 Tes. 1:2.

por la bondad y misericordia de Dios, Sal. 106:1; 107:1; 136:1-3.

por el don de Cristo, 2 Cor. 9:15.

por el poder y el reinado de Cristo, Ap. 11:17.

por la acogida de la palabra de Dios por los demás, y por su operación, 1 Tes. 2:13

por la victoria contra la muerte y contra el sepulcro, 1 Cor. 15:57.

por la sabiduría y el poder, Dan. 2:23.

por el triunfo del evangelio, 2 Cor. 2:14

por la conversión de los demás, Rom. 6:17.

por la designación para el ministerio sagrado, l Tim. 1:12.

por la provisión a todas nuestras necesidades corporales, Rom. 14:6, 7; 1 Tim. 4:3, 4.

por todas las cosas, 1 Cor. 9:11; Efe. 5:20.

GRANA (escarlata, carmesí, púrpura), color de los ropajes de honor, Dan. 5:7; Mat. 27:28; Ap. 18:12, 16; simbólica, Ap. 17:3, 4.

GRANADA, fruta, Cnt. 4:3; 6:7; mosto de, Cnt. 8:2; cultivada en Palestina, Cnt. 4:13; Jl. 1:12.

con campanillas en la vestidura del sacerdote, Éxo. 28:33; 39:24.

en las columnas del templo, 1 Rey. 7:18; 2 Rey. 25:17; 2 Cr. 3:16.

GRANIZO, plaga de, Éxo. 9:23; Jos. 10:11; Sal. 18:12; 78:47; Isa. 28:2; Eze. 13:11; Hag. 2:17; Ap. 8:7; 11:19; 16:21.

GRANO DE MOSTAZA, parábola de, Mat. 13:31; Mar. 4:31; Luc. 13:18.

GRECIA, profecías acerca de, Dan. 8:21; 10:20; 11:2; Zac. 9:13; Pablo predica en, Hch. 16.

GRIEGO, algunos subían a adorar en las fiestas, Jn. 12:20; el padre de Timoteo, Hch. 16:1; en igualdad de circunstancias

ante Dios, Rom. 2:9, 10; y ante los cristianos, 1 Cor. 10:32; 12:13; Gál. 3:28; Col. 3:11; traducido gentil, Rom. 3:9.

GRIEGOS, o helenistas, prosélitos que hablan griego, Hch. 6:1; 11:20; opuestos al evangelio, Hch. 6:9-14; 9:29.

GRILLOS, 2 Sam. 3:34; Sal. 105:18; 149:8; Mar. 5:4. Véase **CADENAS**.

GRITA, dar, en la guerra, Jos. 6:5; 1 Sam. 4:5; 2 Cr. 13:15; en el culto, 2 Sam. 6:15; Esd. 3:11; Sal. 47:1; Sof. 3:14.

GRULLA, Isa. 38:14; Jer. 8:7.

GUARNICIÓN, 1 Sam. 13:3; 14:1; 2 Sam. 8:6; 23:14.

GUERRA:

leyes con respecto a, Deu. 20; 23:9; 24:5.

procede de las concupiscencias, Stg. 4:1.

el prurito o comezón de la, condenado por el evangelio, Lev. 19:18; Mat. 26:52; 1 Jn. 3:15.

no es agradable a Dios, 1 Cr. 22:8.

GUÍA, Dios es de su pueblo, Sal. 25:9; 31:3; 32:3; 48:14; 73:24; Isa. 58:11; Luc. 1:79; 1 Tes. 3:11.

GUSANO, el hombre comparado a un, Job 17:14; 25:6; Miq. 7:17. Véase Mar. 9:44, 46.

H

HABACUC, la queja de, Hab. 1; la respuesta, Hab. 1:5; 2:2; su oración, Hab. 3.

HABITACIONES: moradas o tiendas, Gén. 12:8; 18:1; Jue. 4:17, &c.; 1 Rey. 20:12; Cnt. 1:5; Isa. 38:12; 40:22; Jer. 35:7; Hch. 18:3.

chozas o cabañas, Job 27:18; Isa. 1:8; 24:20; Jon. 4:5; Sof. 2:6.

casas, Gén. 19:3; Lev. 14:45; 1 Sam. 9:26; 2 Sam. 11:2; Job 24:16; Pro. 9:1; 21:9; Isa. 22:1; Jer. 22:14; 36:22; Eze. 13:10;

HACHA, Deu. 19:5; 20:19; Jue. 9:48; 1 Sam. 13:20; 1 Rey. 6:5-7; Sal. 74:5; Isa. 10:15; Jer. 10:3; Mat. 3:10; Luc. 3:9.

HAMBRE: CARESTÍA DE VÍVERES:

en Canaán, Gén. 12:10.

en los días de Isaac. Gén. 26:1.

el rey de Egipto recibe aviso respecto de que había de sobrevenir, Gén. 41.

en Egipto, Gén. 41:56.

en Israel, Ruth 1:1; 2 Sam. 21:1; 1 Rey. 18:2; 2 Rey. 6:25; 7; Luc. 4:25.

la sunamita recibe aviso acerca de una, 2 Rey. 8:1.

se amenaza una, Jer. 14:15; 15:2, &c.; Eze. 5:12; 6:11, ; Mat. 24:7; Ap. 6:8; 18:8.

——, **GANAS VEHEMENTES DE COMER**:

producida por la carencia del alimento, Pro. 27:7; Isa. 29:8; Lam. 2:19; 4:9.

de Israel en el desierto, Éxo. 16:3.

de la gente de David, 2 Sam. 17:29.

de Cristo, Mat. 4:2; 12:1, 3; 21:18.

del pródigo, Luc. 15:17.

de Pedro, Hch. 10:10.

de Pablo, 2 Cor. 11:27; Flp. 4:2.

——, en el sentido **FIGURADO**:

de la palabra de Dios, Am. 8:11.

de la justicia, Mat. 5:6; Luc. 6:21.

Véase también Sal. 107:5; Isa. 49:10; 55; Mat. 5:6; Jn. 6:35; Ap. 7:16.

HARÁN, Abram se asienta en, Gén. 11:31; 12:4,

Jacob huye a, Gén. 27:43; 28:10; 29.

conquistada por los asirios, 2 Rey. 10:12.

su idolatría, Jos. 24:14; Isa. 37: 12.

HARINA de trigo, usada en los sacrificios, Éxo. 29:2; Lev. 2:2. Véase 2 Sam. 17:28.

HAZAEL, rey de Siria, 1 Rey. 19:15-17.

Eliseo predice su cruel reinado, 2 Rey. 8:11-15

aflige a Israel 2 Rey. 9:14; 10:32; 12:17; 13:22

HEBREOS (los), Abraham y sus descendientes, Gén. 14:13; 40:15; 43:32; Éxo. 2:6; 2 Cor. 11:22; Flp. 3:5.

se les instruye con respecto a la divinidad de Cristo, Heb. 1; la humanidad (naturaleza humana), Heb. 2; el sacerdocio, Heb. 3-8; y el sacrificio, Heb. 9; 10; y son exhortados a ejercer la fe y practicar las buenas obras, Heb. 4; 6; 10:19; 12; 13; ejemplo de le patriarcas, Heb. 11.

HEBRÓN, Abraham mora allí, Gén. 13:18; 23:2; los espías van a, Núm. 13:22; tomada, Jos. 10:36; dada a Caleb, Jos. 14:13; 15:13; David reina allí, 2 Sam. 2:1; 3:2; 6:1; 1 Cr. 11; 12:38; 29:27.

HECHICERAS, o brujas, Éxo. 22:18; Lev. 20:27; Deu. 18:10, 11; de Endor, 1 Sam. 28:7-25.

HECHICERÍA, consistía en consultar copas, Gén. 44:5; sueños, Jer. 29:8; Zac. 10:2; entrañas de animales y flechas, Eze. 21:21, 22; pitones o espíritus familiares, Isa. 8:19; 19:3; imágenes, 2 Rey. 23:24; los muertos, Deu. 18:11.

libros de, Hch. 19:19; con murmuración, Isa. 29:4; por dinero. Hch. 16:16.

toda clase de, prohibida y amenazada con castigo, Lev. 19:26, 31; 20:6; Deu. 18:9-14

castigada con pena de muerte por la ley de Moisés, Éxo. 22:18; Lev. 20:27; Deu. 13:5.

ejemplos: José, Gén. 44:4, 15. Los magos de Faraón, Éxo. 7:11, 12. Balaam, Núm. 23. Los filisteos, 1 Sam. 6:2-9. Saúl, 1 Sam. 28. Jezabel, 2 Rey. 9:22. Israel, 2 Rey. 17:17. Manasés, 2 Rey. 21:6. Nabucodonosor, Dan. 2; 4:7. Belsasar, Dan. 5:7, 15. Los ninivitas, Nah. 3:4, 5. Simón el mago, Hch. 8:9-11. Elimas, Hch. 13:8. La muchacha de Filipos, Hch. 16:16. Los exorcistas hijos de Sceva y los efesios, Hch. 19:13, 14, 18.

——, **BRUJERÍA**, prohibida, Éxo. 22:18; Lev. 19:26, 31; 20:6, 27; Deu. 18:10; Miq. 5:12; Mal. 3:5; Gál. 5:20; Ap. 21:8; 22:15.

abolida por Josías, 2 Rey. 23:24.

SE VALIERON DE ELLA: Saúl, 1 Sam. 28; Manasés, 2 Rey. 21:6; 2 Cr. 33:6; Israel, 2 Rey. 17:17, &c.; Simón, Hch. 8:9; los filipenses, Hch. 16:16; los efesios, Hch. 19:19.

HEMÁN, Salomón fue más sabio que, 1 Rey. 4:31; Sal. 88.

HEMORROIDES (almorranas), los israelitas amenazados con, Deu. 28:27.

los filisteos atacados de, 1 Sam. 5:6.

HEREDERO Gén. 15:3, 4; Pro. 30:23; Jer. 49:1-2

Cristo comparado a un, Mat. 21:38; Heb. 1:2.

HEREDEROS de Dios, Rom. 8:17; Gál. 3:29; 4; Efe. 3:6; Tit. 3:7; Heb. 1:14; 6:17; 11:7, 9; Stg. 2:5; 1 Ped. 3:7.

HEREJÍAS, censuradas, 1 Cor. 11:19; Gál. 5:20; 2 Ped. 2:1. Véase Rom. 16:17; 1 Cor. 1:10; 3:3; 14:33; Flp. 2:3; 4:2; Tit. 3:10; Jud. 19.

HERENCIA O HEREDAD (la) de cada una de las tribus debía mantenerse separada de las demás, Núm. 36:7-9; 1 Rey. 21:3.

del hijo mayor debía ser de dos tantos, Deu. 21:17; Luc. 15:31.

no puede desconocerse, Deu. 21:15, 16.

vendida por Esaú, Gén. 27:37, 40; la de Rubén traspasada a José, 1 Cr. 5:1.

cuando un hombre moría sin hijos, el hijo que la viuda tenía del hermano de aquel, heredaba, Gén. 38:7-11; Deu. 25:5-10; Rut. 4:1-17; Mat. 22:24-26.

de los hijos menores, 2 Cr. 21:3; Luc. 15:12.

de las hijas, Job 42:15.

cuando no había hijos, Núm. 27:4-8.

las herederas no podían casarse fuera de sus tribus respectivas, Núm. 36:6-8; 1 Cr. 23:22.

HERENCIA de los hijos de Dios, Efe. 1:11; Col. 1:12; 3:24; 1 Ped. 1:4.

HERMÓGENES y Figelo, dan la espalda a Pablo, 2 Tim. 1:15.

HERMÓN, monte, Deu. 4:48; Jos. 12:5; 13:5; Sal. 89:12; 133:3.

HERODES (el Grande) turbado a causa del nacimiento de Cristo, Mat. 2:3.

hace matar a los niños de Belén, Mat. 2:16.

——, **(Antipas)** hace degollar a Juan, Mat. 14; Mar. 6:14; Luc. 3:19.

desea ver a Cristo, Luc. 9:9.

le escarnece, le hace azotar y se reconcilia con Pilato, Luc. 23:7; Hch. 4:27.

——,**(Agripa)** persigue, Hch. 12:1.

su orgullo y muerte. Hch. 12:23.

HERODIANOS, secta de los, Cristo les replica, Mat. 22:16; Mar. 12:13.

conspiran contra Él, Mar. 3:6; 8:15; 12:13.

HERODÍAS, su venganza contra Juan el Bautista, Mat. 14; Mar. 6:14; Luc. 3:19.

HERRERO, 1 Sam. 13:19; 2 Rey. 24:14; Isa. 54:16; Jer. 24:1.

HET, hijos de, Gén. 10:15.

su bondad para con Abraham, Gén. 23:7.

HETEOS, Jue. 1:26; 3:5, &c. Véase **HET**.

HEVEOS (los), Gén. 10:17; Éxo. 3:17, &c.

HIDEKEL, tercer río del Edén, Gén. 2:14; el gran río, Dan. 10:4.

HIEL, de Betel, reedifica Jericó, 1 Rey. 16:34.

la maldición de Josué se cumple, Jos. 6:26.

——, dada a beber a Cristo, Mat. 27:34.

en sentido figurado, Lam. 3:19; Hch. 8:23.

HIELO, Job 6:16; 37:10; 38:29; Sal. 147:17.

HÍGADO, Éxo. 29:13, 22.

herida de, mortal, Pro. 7:23; Lam. 2:11.

superticiones respecto de, Eze. 21:21.

HIGOS, en Edén, Gén. 3:7.

fruta de Canaán, Núm. 13:23.

secos, usados como alimento, 1 Sam.

25:18; 30:12; 2 Sam. 16:1; 1 Cr. 12:40.

la visión de Jeremías, Jer. 24:1.

empleados por Isaías para curar a Ezequías, 2 Rey. 20:7; Isa. 38:21.

en sentido figurado, Isa. 34:4; Ose. 9:10; Nah. 3:12; Mat. 7:16; Ap. 6:13.

HIGUERA (la), Deu. 8:8; Sal. 105:33; Ose. 2:12; Am. 4:9; Jn. 1:48.

maldecida, Mat. 21:19; Mar. 11:13.

parábolas de, Mat. 24:32, &c.; Luc. 13:6; 21:29.

en sentido figurado, Jue. 9:10; 1 Rey. 4:25; Pro. 27:18; Jl. 1:7; 2:22; Miq. 4:4.

HIJAS, su herencia determinada, Núm. 27:6; 36.

HIJO, EN EL SENTIDO de nieto, 2 Sam. 19:24.

de descendiente, Mat. 1:1, 20.

como epíteto de cariño, 1 Sam. 3:6; l Tim. 1:2; y de humildad, 2 Rey. 8:9.

——, hijo de la mañana, Isa. 14:12.

——, hijo de Belial, 1 Sam. 2:12.

HIJO DEL HOMBRE, epíteto que se dio Cristo a sí mismo, Mat. 8:20; 9:6; 10:23; 11:19; 12:8.

epíteto dado a Cristo en visiones, Dan. 7:13; Ap. 1:13; 14:14.

HIJOS: un bien, Pro. 10:1; 15:20; 17:6; 23:24; 27:11; 29:3.

un don de Dios, Gén. 30:17; 33:5; Sal. 127:3.

pedidos a Dios, Gén. 25:21; 28:1, 3; 1 Sam. 1:9.

prometidos, Gén. 17:19; 18:10; 2 Rey. 4:16; Luc. 1:13.

favorecidos de Dios, Gén. 21:17; Sal. 147:13.

DEBEMOS

conducirlos a Cristo, Mar. 10:13-16.

a la casa de Dios, 1 Sam. 1:24.

instruirlos en las cosas de Dios, Deu. 31:12, 13; Pro. 22:6.

corregirlos juiciosamente, Pro. 22:15; 29:17.

interceder y pedir a Dios por ellos, Gén. 17:18, 20; 2 Sam. 12:16, 21; Job 1:5.

obedecer a Dios, Deu. 30:2.

temer a Dios, Pro. 24:21; Ecl. 12:1.

dar atento oído a las enseñanzas paternas, Pro. 1:8, 9.

honrar a sus padres, Éxo. 20:12; Heb. 12:9.

temer a sus padres, Lev. 19:3.

obedecer a sus padres, Pro. 6:20; Efe. 6:1.

cuidar de sus padres, 1 Tim. 5:4.

no imitar a los padres malos Eze. 20:18.

HIJOS DE DIOS, los ángeles Job 1:6; 38:7.

los cristianos, Jn. 1:12; Rom. 8:14; 2 Cor. 6:18; Heb. 2:10; 12:5; Stg. 1:18; l Jn. 3:1.

obligaciones de, Efe. 5:1; Flp. 2:15; 1 Ped. 1:13; 2:9.

HILAR, de parte de las mujeres, Éxo. 35:25, 26; Pro. 31:19.

HILCÍAS, sumo sacerdote, encuentra el libro de la ley, 2 Rey. 22:8.

extermina la idolatría, 2 Rey. 23:4.

HIMENEO, falso maestro, 1 Tim. 1:20; 2 Tim. 2:17.

HIMNOS, salmos, cantados en la pascua, Mat. 26:30; Mar. 14:26.

exhortaciones relativas a, Efe. 5:19; Col. 3:16.

HIRAM, rey de Tiro, bondadoso para con David y para con Salomón, 2 Sam. 5:11; 1 Rey. 5; 9:11; 10:11; 1 Cr. 14:1; 2 Cr. 2:11

——, obrero de Salomón, 1 Rey. 7:13.

HIPÓCRITAS (en Valera, **IMPÍOS**):

Dios los conoce y los descubre, Isa. 29:15, 16; Cristo también, Mat. 22:18.

Dios no se complace en, Isa. 9:17.

no irán a la presencia de Dios, Job 13:16.

el gozo de los, es sólo por un momento, Job 20:5.

la esperanza de los, perece, Job 8:13; 27:8-9

acumulan ira, Job 36:13.

cuando están en el poder sirven de escándalo, Job 34:30.

en la apostasía abundarán, 1 Tim. 4:2.

el espíritu de, impide el crecimiento en la gracia, 1 Ped. 2:1.

ay! de los, Isa. 29:15; Mat. 23:13.

castigo de los, Job 15:34; Isa. 10:6; Jer. 42:20, 22; Mat. 24:51.

qué son, explicado, Mat. 23:27, 28; Luc. 11:44.

HISOPO, uso de, Éxo. 12:22; Lev. 14:4; Núm. 19:6; Sal. 51:7; Heb. 9:19.

HOGAR, fuego de, Isa. 30:14.

lugar donde se está bien, Rut. 3:1.

el del justo, bendecido por Dios, Pro. 3:33.

el impío procura su pan lejos de su, Sal. 109:10.

HOLGANZA, es peligrosa, Pro. 1:32; Isa. 32:9; Am. 6:3-7; Luc. 12:19.

HOLOCAUSTOS, la ley de los, Lev. 1:1; 6:8.

de Noé, Gén. 8:20; 22:13; Éxo. 18:12; 1 Sam. 7:9; Esd. 3:4; Job. 1:5. Véase Sal. 40:6; 51:16; Isa. 40:16; Heb. 10:6, los continuos, Éxo. 29:38; Núm. 28:3; 1 Cr. 16:40; 2 Cr. 13:11.

HOMBRE (el), creado, Gén. 1:26; 2:7; Mal. 2:10.

todos de una misma sangre, Hch. 17:26.

estado original de, Gén. 1:27; 2:25; Ecl. 7:29.

caída de, Gén. 3.

la mortalidad de, Job 14; Sal. 39; 49; 62:9; 78:39; 89:48; 103:14; 144:4; 146:3; Ecl. 1-4; 12:7; Rom 5:12 1Cor. 15:22; Heb 9:27

inmortalidad de, Ecl. 3:21; 12:7; Mat. 10:28; 22:39; Luc. 20:37; Jn. 10:27; 1 Cor. 15:53; 2 Tim. 1:10.

maldad de, Gén. 6:5, 12; 1 Rey. 8:46; Job 14:4; 15:14; Sal. 14; 51; Ecl. 9:3; Isa. 43:27; 53:6; Jer. 3:25; 17:9; Jn. 3:19; Rom. 3:9; 5:12; 7:18; Gál. 3:10; 5:17; Stg. 1:13; 1 Jn. 1:8.

ignorancia de, Job 8:9; 11:12; 28:12; Ap. 16:25; 27:1; Ecl. 8:17; Isa. 59:10; Jer. 10:3; 1 Cor. 1:20; 8:2; Stg. 4:14.

debilidad e insuficiencia, 2 Cr. 20:12; Mat. 6:27; Rom. 9:16; 1 Cor. 3:7; 2 Cor. 3:5.

ha sido sometido al dolor, Job. 5:7; 14:1; Sal. 39:4; Ecl. 1:8; 3:2; Hch. 14:22; Rom. 8:22; Ap. 7:14.

la redención de, Rom. 5; 1 Cor. 15:49; Gál. 3; 4; Efe. 3; 5:25; Flp. 3:21; Col. 1; Heb. 1; 2; Ap. 5.

HOMBRE VIEJO, exhortaciones a que nos despojemos del, Efe. 4:22; Col. 3:9; Rom. 6:6.

HOMER, o coro, la más grande de las medidas áridas, igual a diez batos, o sea cerca de cuatro hectolitros, Lev. 27:16; Isa. 5:10; Eze. 45:14; Ose. 3:2.

HOMICIDA sin intención, Núm. 35:11; Deu. 4:42; 19:3; Jos. 20:3.

HOMICIDIO, leyes relativas al, Gén. 9:6; Éxo. 21:12; Núm. 35:6, 22; Deu. 19:4; Jos. 20:1; 1 Tim. 1:9. Véase **ASESINATO**.

HONDA, destreza en el uso de la, Jue. 20:16. Goliat es muerto con una, 1 Sam. 17:49. Véase 2 Rey. 3:25; 2 Cr. 26:14.

en sentido figurado, 1 Sam. 25:29; Pro. 26:8.

HONRA, debe adscribirse a Dios, Sal. 29:2; 71:8; 145:5; Mal. 1:6; 1 Tim. 1:17; Ap. 4:11; 5:13, dada por Él, 1 Rey. 3:13; Est. 8:16; Pro. 3:16; 4:8; 8:18; 22:4; 29:23; Dan. 5:18; Jn. l2:26.

debe tributarse a los padres, Éxo. 20:12; Deu. 5:16; Mat. 15:4; Efe. 6:2, &c.

a los ancianos (personas de edad), Lev. 19:32, 1 Tim. 5:1.

al rey, 1 Ped. 2:17.

HORADAR la oreja, Éxo. 21:6. Véase Sal. 40:6.

HORAS, del día, contadas desde la salida del sol hasta la puesta, eran doce, Jn. 11:9; hora tercera, Mat. 20:3; Mar. 15:25; Hch. 2:15; 23:23; la sexta, Mat. 27:45; Mar. 15:33; Luc. 23:44; Jn. 4:6; 19:14; Hch. 10:9; la nona o novena, Hch. 3:1; 10:3; de tentación, Ap. 3:10; de juicio Ap. 14:7; 18:10; en sentido figurado, Ap. 8:1; 9:15.

HORCA, Amán colgado de la, Est. 7.

HOREB (Sinaí) Dios aparece allí, Éxo. 3:1; 17:6; 33:6; Deu. 1:6; 4:10.

la ley promulgada y el pacto hecho en, Éxo. 19:20; Deu. 4:10; 5:2; 18:16; 1 Rey. 8:9; Mal. 4:4.

la idolatría de Israel cerca de, Éxo. 32; Deu. 9:8; Sal. 106:19.

Moisés permanece allí cuarenta días dos veces, Éxo. 24:18; 34:28; Deu. 9:9.

también Elías, 1 Rey. 19:8. Véase Mat. 4:1.

HORMIGAS, Pro. 6:6; 30:25.

HORNO, Gén. 15:17; Neh. 3:11; de hierro, 1 Rey. 8:51; de tierra, Sal. 12:6.

para cocer, Éxo. 8:3; Lev. 2:4; 7:9; 11:35; 26:26; Ose. 7:4.

para fundir plata, Eze. 22:22; Mal. 3:3; y oro, Pro. 17:3; y plomo y estaño, Eze. 22:20.

Sadrac &c., arrojados en un, Dan. 3:6-26.

por vía de comparación, Deu. 4:20; Sal. 21:9; Isa. 31:9; Lam. 5:10; Ose. 7:6, 7; Mal. 4:1; Mat. 6:30; 13:42.

HOSANNA (del hebreo, salve), salutación dirigida a Cristo, Mat. 21:9; Mar. 11:9; Jn. 12:13 (Sal. 118:25, 26).

HOSPITALIDAD: prescrita, Rom. 12:13; 1 Ped. 4:9; se exige de los ministros, 1 Tim. 3:2; Tit. 1:8; prueba del carácter cristiano, 1 Tim. 5:10.

para con los forasteros, Heb. 13:2.

los pobres, Isa. 58:7; Luc. 14:13.

los enemigos, 1 Rey. 6:22, 23; Rom. 12:20.

incentivos a, Luc. 14:14; Heb. 13:2.

ejemplos de: Melquisedec, Gén. 14:18. Abraham, Gén. 18:3-8. Lot, Gén. 19:2, 3. Rebeca, Gén. 24:18. Labán, Gén. 24:31. Jetro, Éxo. 2:20. Manoa, Jue. 13:15. Samuel, 1 Sam. 9:22. David, 2 Sam. 6:19. Barzilai, 2 Sam. 19:32. La sunamita, 2 Rey. 4:8. Nehemías, Neh. 5:17. Job, Job 31:17, 32. Zaqueo, Luc. 19:6. Los samaritanos, Jn. 4:40. Lidia, Hch. 16:15. Jasón, Hch. 17:7. Mnasón, Hch. 21:16. La gente de Melita, Hch. 28:2. Publio, Hch. 28:7. Cayo, 3 Jn. 5:6

HOZ, leyes acerca del uso de la, Deu. 16:9; 23:25.

emblema del juicio, Jl. 3:13; Mar. 4:29; Ap. 14:14.

HUÉRFANOS (los):

hallan misericordia en Dios, Ose. 4:3.

DIOS será padre de, Sal. 68:5; será ayudador de, Sal. 10:14; oirá el grito de, Éxo. 22:23; ejecutará el juicio de, Deu. 10:18; Sal. 10:18; castigará a los que oprimen a, Éxo. 22:24; Isa. 10:1-3; Mal. 3:5; castigará a los que no juzgan la causa de, Jer. 5:28, 29.

visitadlos en su dolor, Stg. 1:27.

dejadlos participar de las bendiciones de que gozáis, Deu. 14:29.

defendedlos, Sal. 82:3; Isa. 1:17.

no les hagáis injusticia, Deu. 24:17.

no los oprimáis, Zac. 7:10.

no cometáis ningún atentado contra, Jer. 22:3.

dicha de cuidar de, Deu. 14:29; Job 29:12, 13; Jer. 7:6, 7.

ejemplos de: Lot, Gén. 11:27, 28. Las hijas de Zelofehad, Núm. 27:1-5. Jotam, Jue. 9:16-21. Mefiboset, 2 Sam. 9:3-6. Joás, 2 Rey. 11:1-12.

Esther, Est. 2:7.

HUESOS, Eva hecha de las costillas de Adán, Gén. 2:23.

el encargo de José con respecto a sus, Gén. 50:25.

cumplido, Éxo. 13:19; Heb. 11:22.

esparcidos por juicio de Dios, 2 Rey. 23:14; Sal. 53:5; 141:7; Jer. 8:1; Eze. 6:5.

visión de los huesos secos, Eze. 37.

los del cordero pascual no eran quebrantados, Éxo. 12:46; tampoco los de Cristo, Jn. 19:36.

HULDA, profetisa, 2 Rey. 22:14; 2 Cr. 34:22.

HUMILDAD, necesaria para el servicio de Dios, Miq. 6:8.

Cristo es un ejemplo de, Mat. 11:29; Jn. 13:14, 15; Flp. 2:5-8.

distintivo de los santos, Sal. 34:2.

LOS SANTOS DEBEN: revestirse de, Col. 3:12; 1 Ped. 5:5; andar con, Efe. 4:1, 2; guardarse de la falsa, Col. 2:18, 23.

las aflicciones tienen por objeto producir, Lev. 26:41; Deu. 8:3; Lam. 3:20.

la falta de, reprobada, 2 Cr. 33:23; 36:12; Jer. 44:10; Dan. 5:22.

juicios temporales evitados por

medio de la, 2 Cr. 7:14; 12:6, 7.
excelencia de, Pro. 16:19.
bienaventuranza de, Mat. 5:3.
ejemplos de: Abraham, Gén. 18:27.
Jacob, Gén. 32:10. Moisés, Éxo. 3:11;
4:10. Josué, Jos. 7:6. Gedeón, Jue. 6:15.
David, 1 Cr. 29:14. Ezequías, 2 Cr. 32:26.
Manasés, 2 Cr. 33:12. Josías, 2 Cr. 34:27.
Job, Job 40:4; 42:6. Isaías, Isa. 6:5.
Jeremías, Jer. 1:6. Juan el Bautista, Mat.
3:14. El centurión, Mat. 8:8. La mujer
de Canaán, Mat. 15:27. Elisabet, Luc.
1:43. Pedro, Luc. 5:8. Pablo, Hch. 20:19.
——, de Cristo:
declarada por Él mismo, Mat. 11:29.
HUMILLAR, Job 40:11; Dan. 4:37; Flp. 4:12.
HURTO, es una abominación, Jer. 7:9, 10.
prohibido, Éxo. 20:15, con Mar. 10:19;
21:16; Lev. 19:11; Deu. 5:19; 24:7; Sal.
50:18; Zac. 5:4; Mat. 19:18; Rom. 13:9;
Efe. 4:28; 1 Tes. 4:6; 1 Ped. 4:15.
de lo que es de los pobres, Pro. 22:22.
incluye el fraude en general, Lev. 19:13.
con respecto al salario, Lev. 19:13; Mal.
3:5; Stg. 5:4.
procede del corazón, Mat. 15:19.
corrompe al hombre, Mat. 15:20.
se había de hacer restitución, Éxo. 22:1;
Lev. 6:4; Pro. 6:30, 31.
HURTO DE HOMBRES, prohibido, Éxo.
21:16; Deu. 24:7; 1 Tim. 1:10.
HUS, país en que moró Job, Job 1:1; Jer. 25:20;
Lam. 4:21. Véase Gén. 10:23; 22:21; 36:28;
1 Cr. 1:17, 42.
HUSO, Pro. 31:19.

I

ICABOD, (traspasada es la gloria de Israel),
1 Sam. 4:19-21; 14:3.
ICONIO, el evangelio es predicado allí, Hch.
13:51; 14:1; 16:2; 2 Tim. 3:11.
IDIOMAS confundidos. Gén. 11.
don de, por el Espíritu Santo, Mar. 16:17;
Hch. 2:7, 8; 10:46; 19:6; 1 Cor. 12:10; 14.
mencionados en las Escrituras: de Asdod,
Neh. 13:24; Caldea, Dan. 1:4; Egipcio,
Hch. 2:10; Sal. 114:1; Griego, Luc. 23:38;
Hch. 21:37; Latín, Luc. 23:38; Jn.. 19:20;
Licaonio, Hch. 14:11; Parto, &c., Hch.
2:9-11; Siriaco, 2 Rey. 18:26; Esd. 4:7;
Dan. 2:4.
dialectos, Jue. 12:5, 6; Mar. 14:70.
IDOLATRÍA, prohibida, Éxo. 20:2, 3; Deu.
5:7.
CONSISTE EN:
hacer imágenes, Éxo. 20:4; Deu. 5:8.
inclinarse ante imágenes, Éxo. 20:5;
Deu. 5:7.
adorar imágenes, Isa. 44:17; Dan. 3:5,
10, 15.
ofrecerles sacrificios, Sal. 106:38; Hch.
7:41.
adorar a dioses ajenos, Deu. 30:17; Sal.
81:9.
mencionar a dioses ajenos, Éxo. 23:13.
andar en pos de, Deu. 8:19.
hablar en nombre de, Deu. 18:20.
mirar a, Ose. 3:1.

servirles, Deu. 7:4; Jer. 5:19.
temerles, 2 Rey. 37:35.
ofrecer sacrificios a, Éxo. 22:20.
rendirle culto al Dios verdadero por
medio de imágenes, &c., Éxo. 32:4-
6, con Sal. 106:19 20.
ADORAR: a los ángeles, Col. 2:18; a las
huestes celestiales, Deu. 4:19; 17:3;
a los diablos, Mat. 4:9, 10; Ap. 9:20;
a los difuntos, Sal. 106:28; entronizar
ídolos en el corazón, Eze. 14:3,4; la
codicia, Efe. 5:5; Col. 3:5; la
sensualidad, Flp. 3:19.
es cambiar la gloria de Dios en
semejanza de imagen, Rom. 1:23,
con Hch. 17:29.
es cambiar la verdad de Dios en una
mentira, Rom. 1:25, con Isa. 44:20.
es una obra de la carne, Gál. 5:19, 20.
es incompatible con el servicio de
Dios, Gén. 35:2, 3; Jos. 24:23; 1 Sam.
7:3; 1 Rey. 18:21; 2 Cor. 6:15, 16.
ÍDOLOS. mencionados en las Escrituras:
Adramelec, 2 Rey. 17:31; Anamelec, 2 Rey.
17:31; Asima, 2 Rey. 17:30; Astarot, Jue.
2:13; 1 Rey. 11:33; Baal, Jue. 2:11-13; 6:25;
Baal-berit, Jue. 8:33; 9:4, 46; Baal-peor,
Núm. 25:1-3; Baal-zebub, 2 Rey. 1:2, 16;
Baal-zefón, Éxo. 14:2; Bel, Jer. 50:2; 51:44;
Quemos, Núm. 21:29; 1 Rey. 11:33; Dagón,
Jue. 16:23; 1 Sam. 5:1-3; Diana, Hch. 19:24,
27; Júpiter, Hch. 14:12; Mercurio, Hch.
14:12; Merodac, Jer. 50:2; Moloc o Milcom,
Lev. 18:21; 1 Rey. 11:5, 33; Nibhaz y Tartac,
2 Rey. 17:31; Nebo, Isa. 46:1; Nergal, 2 Rey.
17:30; Nisroc, 2 Rey. 19:37; Quiún, Am.
5:26; Reina del cielo, Jer. 44:17, 25;
Remfan, Hch. 7:43; Rimón, 2 Rey. 5:18;
Sucot-benot, 2 Rey. 17:30; Tamuz, Eze.
8:14.
la fabricación de, prohibida, Éxo. 20:23;
34:17; Lev. 19:4; 26:1; Deu. 5:8-10; 16:22.
IGLESIA (la):
pertenece a Dios, 1 Tim. 3:15.
es el cuerpo de Cristo, Efe. 1:23; Col. 1:24.
Cristo es la piedra fundamental de. Mat,
21:42; 1 Cor. 3:11; Efe. 2:20; 1 Ped. 2:4, 6.
Cristo es la cabeza de, Efe. 1:22; 5:23.
es amada de Cristo, Cnt. 7:10; Jn. 13:1; Efe.
5:2, 25; Ap. 1:5.
comprada con la sangre de Cristo, Hch.
20:28; Efe. 5:25; Heb. 9:12; 1 Jn. 3:16.
santificada y depurada por Cristo, 1 Cor.
6:11; Efe. 5:26, 27.
sujeta a Cristo, Rom. 7:4; Efe. 5:24.
objeto de la gracia divina, Isa. 27:3; 2 Cor.
8:1.
despliega la sabiduría de Dios, Efe. 3:10.
manifestará la gloria de Dios, Isa. 60:6.
es la sal y la luz de los hombres, Mat. 5:13.
es columna y apoyo de la verdad, 1 Tim.
3:15.
es amada de los creyentes, Sal. 87:7; 137:5;
1 Cor. 12:25; 1 Tes. 4:9.
objeto de plegarias, Sal. 51:18; 122:6; Isa.
62:6.
esta segura bajo su cuidado, Sal. 46; 125.
militante, Cnt. 6:10; Flp. 2:25; 2 Tim. 2:3;
4:7;

Dios defiende, Sal. 89:18; Isa. 4:5; 49:25; Mat. 16:18.

Dios le provee ministros, Jer. 3:15; Efe. 4:11, 12.

debe tributar gloria a Dios, Efe. 3:21.

electa, 1 Ped. 5:13.

gloriosa, Sal. 45:13; Efe. 5:27.

revestida de justicia, Ap. 19:8.

creyentes continuamente agregados a, por el Señor, Hch. 2:47; 5:14; 11:24.

unión de, Rom. 12:5; 1 Cor. 10:17; 12:12; Gál. 3:28; Efe. 4:4.

privilegios de, Sal. 36:8; 87:5.

el culto de, debe concurrirse a, Heb. 10:25.

fraternidad de, Sal. 133; Jn. 13:34; Hch. 4:32; Flp. 1:4; 2:1; 1 Jn. 3; 4.

las disensiones de, deben evitarse, Rom. 16:17; 1 Cor. 1:10; 3:3.

los santos bautizados por el Espíritu para entrar en, 1 Cor. 12:13.

se manda a los ministros que apacienten, Hch. 20:28.

es edificada por medio de la palabra, Rom. 12:6; 1 Cor. 14:4, 13; Efe. 4:15, 16; Col. 3:16

los malos persiguen, Hch. 8:1-3; 1 Tes. 2:14, 15.

no se debe menospreciar, 1 Cor. 11:22.

el corromper de, será castigado, 1 Cor. 3:17.

difusión de, predicha, Isa. 2:2; Eze. 17:22-24; Dan. 2:34, 35.

IGLESIAS, las siete, en Asia, Ap. 1:4, 11, 20; 2:7, 11, 17, 29; 3:6, 13, 22.

IGNORANCIA, ofrendas por los pecados de, Lev. 4; Núm. 15:22.

censurada, Rom. 10:3; 2 Ped. 3:5.

el afán de Pablo para impedir, 1 Cor. 10:1; 12; 2 Cor. 1:8; 1 Tes. 4:13; Heb. 5:11.

——, acerca de Dios:

la ignorancia acerca de Cristo es, Jn. 8:19.

IMÁGENES. Véase **ÍDOLOS, IDOLATRÍA**.

IMAGINACIONES Véase **PENSAMIENTOS**

IMPERIO ROMANO:

visiones proféticas del, Dan. 2:33; 7.

Roma, capital del, Hch. 18:2; 19:21.

llamado toda la tierra, Luc. 2:1.

la Judea era provincia de, Luc. 3:1; Hch. 23:24; 25:1.

sus gobernadores disponían de las vidas de sus súbditos, Jn. 18:31, 39; 19:10.

ciudadanía de, Hch. 16:37; 22:25-28.

procedimientos judiciales de, Hch. 22:24; 23; 25:11, 16; 26:32.

emperadores del, mencionados: Augusto, Luc. 2:1. Tiberio, Luc. 3:1. Claudio, Hch. 11:28. Nerón, Flp. 4:22; 2 Tim. 4:23.

IMPRECACIONES, notables, 2 Rey. 1:10; Job 3:3; Sal. 69:22-28; Jer. 20:14-18; Lam. 3:64.

IMPUESTOS o contribuciones, en el reinado de Joacim, 2 Rey. 23:35.

en el de Augusto, Luc. 2:1.

IMPUTACIÓN, de los pecados a Cristo, Isa. 53:6; Heb. 9:28; 1 Ped. 2:24; 1 Jn. 3:5.

de la justicia, Rom. 4:6-22; 5; Sal. 32:2; 2 Cor. 5:19.

INCENSARIOS, de cobre, Lev. 10:1; 16:12.

de oro, 1 Rey. 7:50; Heb. 9:4; Ap. 8:3.

de Coré guardados, Núm. 16:36.

INCESTO, prohibido, Lev. 18; 20:17; Deu. 22:30; 27:20; Eze. 22:11; Am. 2:7.

ejemplos de, Gén. 19:33; 35:22; 38:18; 2 Sam. 13; 16:21; Mar. 6:17; 1 Cor. 6:1.

INCIENSO, Éxo. 30:22,34; 37:29; Lev. 2:1; Cnt. 3:6; Mat. 2:1.

sagrado para Dios, Éxo. 30:37.

ofrecido, Lev. 10:1; 16:12; Núm. 16:46; Luc. 1:9; Ap. 8:3. Véase Isa. 1:13.

en el cielo, Ap. 8:3.

INCIRCUNCISIÓN, nombre dado a los gentiles, Efe. 2:11.

INCLINARSE (el acto de), en adoración, Gén. 24:26; Éxo. 4:31; 20:5; Lev. 26:1; Núm. 22:31; 25:2; Jos. 23:7; 1 Rey. 19:18; 2 Rey. 5:18; 17:35; 2 Cr. 20:18; 29:29; Sal. 95:6; Isa. 45:23; Miq. 6:6; Efe. 3:14; Flp. 2:10.

en señal de cortesía, Gén. 33:3, 7; 43:26; Jue. 5:27; Rut. 2:10; 1 Sam. 24:8; 28:14; 2 Sam. 9:8; 1 Rey. 1:16; 2:19; 2 Rey. 2:15; Est. 3:2, 5.

en señal de sumisión, Gén. 37:10; 49:8; Sal. 72:9; Isa. 49:23; 51:23.

INCONSTANCIA (la), censurada, Gén. 49:4; Pro. 24:21; Efe. 4:14; Heb. 13:9.

INCORRUPTIBLE, Dios, Rom. 1:23; lo santos, 1 Cor. 15:52, 53; 1 Ped. 1:23; su herencia, 1 Ped. 1:4.

INCREDULIDAD (la): es pecado, Jn. 16:9; la contaminación es inseparable de, Tít. 1:15; todos por naturaleza encerrados en, Rom. 11:32.

PROCEDE: de un mal corazón, Heb. 3:12; de la morosidad de corazón, Luc. 24:25; de la dureza, Mar. 16:14; Hch. 19:9; de aversión a la verdad, Jn. 8:45, 46; de la ceguera espiritual, Jn. 12:39, 40; de no ser de las ovejas de Cristo, Jn. 10:26; de que el diablo ciega la mente, 2 Cor. 4:4; saca la palabra del corazón, Luc. 8:12; de andar en busca de los honores del mundo, Jn. 5:44.

niega la veracidad de Dios, 1 Jn. 5:10.

morirán en sus pecados, Jn. 8:24.

no entrarán al descanso, Heb. 3:19; 4:11.

serán condenados, Mar. 16:16; 2 Tes. 2:12.

arrojados en el lago de fuego, Ap. 21:8.

admoniciones con respecto a, Heb. 3:12; 4:11.

ejemplos de: Eva, Gén. 3:4-6. Moisés y Aarón, Núm. 20:12. Los israelitas, Deu. 9:23. Naamán, 2 Rey. 5:12. El príncipe samaritano, 2 Rey. 7:2. Los discípulos, Mat. 17:17; Luc. 24:11, 25. Zacarías, Luc. 1:20. Los príncipes de los sacerdotes, Luc. 22:67. Los judíos, Jn. 5:38. Los hermanos de Cristo, Jn. 7:5. Tomás, Jn. 20:25. Los judíos de Iconio, Hch. 4:2. Los judíos de Tesalónica, Hch. 17:5. Los efesios, Hch. 19:9. Saulo, 1 Tim. 1:13.

INFECUNDIDAD (la), condenada y castigada, Mat. 3:10; 13:12; Jn. 15:2.

parábola de la viña, Isa. 5:1-7.

de los talentos, Mat. 25:14-30.

la higuera estéril, Luc. 13:6-9.

INFIERNO (el):

lugar de tormento, Luc. 16:23; Ap. 14:10.

DESCRITO COMO: pena eterna, Mat. 25:46; fuego eterno, Mat. 25:41; llamas eternas, Isa. 33:14; horno de fuego, Mat. 13:42, 50; lago de fuego, Ap. 20:15; fuego y azufre, Ap. 14:10; fuego que nunca se apagará, Mat. 3:12; fuego consumidor, Isa. 33:14.

preparado para el diablo, &c., Mat. 25:41.

los demonios están confinados en, hasta el día del juicio, 2 Ped. 2:4; Jud. 6.

el castigo de, es eterno, Isa. 33:14; Ap. 20:10.

los malos serán puestos en, Sal. 9:17.

ningún poder humano puede preservar al hombre de, Eze. 32:27.

el cuerpo sufre en, Mat. 5:29; 10:28.

el alma sufre en, Mat. 10:28.

los prudentes evitan, Pro. 15:24.

esforzados por preservar a otros de, Pro. 23:14; Jud. 23.

la sociedad de los malos conduce a, Pro. 5:5; 9:18.

la bestia, los falsos profetas y el diablo serán arrojados en, Ap. 19:20; 20:10.

las potestades de, no pueden prevalecer contra la iglesia, Mat. 16:18.

explicado con una comparación, Isa. 30:33.

INJERTO, Rom. 11:17-24; Stg. 1:21.

INMORTALIDAD de Dios, 1 Tim. 1:17; 6:16.

de los hombres, Rom. 2:7; 1 Cor. 15:53.

INMUNDICIAS, leyes con referencia a las, Lev. 5; 7; 11; 12; 15; 22; Núm. 5; 19; Deu. 23:10; 24:1.

simbolizan el pecado, Zac. 13:1; Mat. 23:27.

INMUTABILIDAD del consejo de Dios, Heb. 6:17; Rom. 11:29.

INOCENCIA (estado del alma limpia de culpa), David declara su, Sal. 26:6; la de Daniel, Dan. 6:22; la de Pilato, Mat. 27:24.

INOCENTES, sacrificados a los ídolos, 2 Rey. 21:16; 24:4; Sal. 106:38; Jer. 2:34; 19:4.

inmolados por Herodes, Mat. 2:16.

INSPIRACIÓN del Espíritu Santo:

predicha, Jl. 2:28, con Hch. 2:16-18.

toda Escritura fue dada por, 2 Tim. 3:16; 2 Ped. 1:21.

OBJETO DE:

revelar los acontecimientos futuros, Hch. 1:16; 28:25.

los misterios de Dios, Am. 3:7 1 Cor. 2:10

comunicar poder a los ministros, Miq. 3:8; Hch. 1:8.

dirigir a los ministros, Eze. 3:24-27; Hch. 11:12; 13:2; 16:6.

dar testimonio contra el pecado, 2 Rey. 17:13; Neh. 9:30; Miq. 3:8; Jn. 16:8, 9.

INTEGRIDAD, ejemplos de, 1 Sam. 12:3; 2 Rey. 12:15; 22:7; Job 2:3; Sal. 7:8; 26:1; 41:12; Pro. 11:3; 19:1; 20:7.

INTEMPERANCIA, en el comer y en el beber, prohibida, Deu. 21:21; Pro. 21:17; 23:1; Luc. 21:34; 1 Cor. 9:25, 27; Flp. 3:19.

INTERCESIÓN, de Cristo, Isa. 53:12; Heb. 7:25; Rom. 8:34; 1 Jn. 2:1. Véase Luc. 23:34.

del Espíritu Santo, Rom. 8:26.

ha de hacerse por los reyes. &c., 1 Tim. 2:1; Rom. 15:30; 2 Cor. 1:11; Efe. 1:16; 6:18;

Col. 4:3; 1Tes. 5:25; 2Tes 3:1; Heb. 13:18

de Abraham por Sodoma, Gén. 18:23.

de Lot, Gén. 19:18.

de Judá por Benjamín, Gén. 44:18.

de Moisés, Éxo. 32:11; 33:12; Núm. 11:2; 12:13; 14:13; Deu. 9:18.

de Samuel, 1 Sam. 12:23.

de David, 2 Sam. 24:17.

de Esteban, Hch. 7:60.

de Pablo, Rom. 10:1; 2 Tim. 1:18; 4:16.

INTERPRETACIÓN (la) de los sueños, Gén. 40:8; Pro. 1:6; Dan. 2:27. Véase **SUEÑOS.**

INTÉRPRETES de idiomas, Gén. 42:23; 2 Cr. 32:21 (Valera, EMBAJADORES) Neh. 8:8.

en la iglesia cristiana, 1 Cor. 12:10, 30; 14:5, 13, 26-28.

por vía de comparación, Job 33:23.

INVALIDAR, Job 40:8; Isa. 14:27; 28:18; Gál. 3:17.

INVIERNO, Gén. 8:22; Sal. 74:17; Rom. 20:4; Cnt. 2:11; Hch. 27:12; 28:11; Tit. 3:12

INVISIBLE (DIOS), Col. 1:15; 1 Tim. 1:17; Heb. 11:27.

IRA: prohibida, Ecl. 7:9; Mat. 5:22; Rom. 12:19.

obra de la carne, Gál. 5:20.

distintivo de los tontos, Pro. 12:16; 14:29; 27:3; Ecl. 7:9.

justificable, ejemplos de: nuestro Señor, Mar. 3:5. Jacob, Gén. 31:36. Moisés, Éxo. 11:8; 32:19; Lev. 10:16; Núm. 16:15. Nehemías, Neh. 5:6; 13:17, 25.

culpable, ejemplos de: Caín, Gén. 4:5, 6. Esaú, Gén. 27:45. Simeón y Leví, Gén. 49:5-7. Moisés, Núm. 20:10, 11. Balaam, Núm. 22:27. Saúl, 1 Sam. 20:30. Acab, 1 Rey. 22:4. Naamán, 2 Rey. 5:11. Asa, 2 Cr. 16:10. Uzías, 2 Cr. 26:19. Amán, Est. 3:5. Nabucodonosor, Dan. 3:13. Jonás, Jon. 4:4. Herodes, Mat. 2:16. Los judíos, Luc. 4:28. El sumo sacerdote, &c., Hch. 5:17; 7:54.

IRA de Dios:

apartada del hombre por Cristo, Luc. 2:11, 14; Rom. 5:9; 2 Cor. 5:18, 19; Efe. 2:14, 17; Col. 1:20; 1 Tes. 1:10.

se aparta de los que creen, Jn. 3:14-18; Rom. 3:25; 5:1.

se aparta cuando confesamos a Dios nuestros pecados y nos arrepentimos, Job .33:27, 28; Sal. 106:43-45; Jer. 3:12, 13; 18:7,8;

es tarda, Sal. 103:8; Isa. 48:9; Jonás 4:2; Nah. 1:3.

es justa, Sal. 58:10, 11; Lam. 1:18; Rom. 2:6, 8; 3:5, 6; Ap. 16:6, 7.

la justicia de, no debe ponerse en duda, Rom. 9 :18-22.

manifestada con terror, Éxo. 14:24; Sal. 76:6-8; Jer. 10:10; Lam. 2:1-22.

manifestada en juicios y aflicciones, Job 21:17; Sal. 78:49-51; 90:7; Isa. 9:19; Jer. 7:20; Eze. 7:19; Heb. 3:17.

no hay quien pueda oponérsele, Job 9:13; 14:13; Sal. 76:7; Nah. 1:6.

se agrava por medio de continuas

incitaciones, Núm. 32:14.

reservada especialmente para el día de la ira, Sof.1:14-18; Mat. 25:41; Rom. 2:5, 8; 2 Tes. 1:8; Rev. 6:17; 11:18; 19:15.

ISAAC, prometido, Gén. 15:4; 17:16; 18:10.

nace Gén. 21:2.

se casa con Rebeca, Gén. 24:67. niega a su esposa, Gén. 26:7. su alianza con Abimelec, Gén. 28:26.

bendice a Jacob, Gén. 27:27; 28:1; y a Esaú, Gén. 27:39.

su muerte, Gén. 35:29. Véase Rom. 9:10; Heb. 11:20.

su piedad y afición a la oración, Gén. 24:63; 25:21; 26:25; Mat. 8:11; Luc. 13:28.

ISACAR, hijo de Jacob, Gén. 30:18; 35:23.

bendecido por Jacob, Gén. 49:14; y por Moisés, Deu. 33:18.

sus descendientes, Gén. 46:13; 1 Cr. 7:1; Jue. 6:15.

contados, Núm. 1:28; 26:23.

su herencia, Jos. 19:17; Eze. 48:33; Ap. 7:7.

ISAÍAS, profeta. Isa. 1:1.

su visión de la gloria de Dios, Isa. 6. enviado a Acaz, Isa. 7.

y a Ezequías, Isa. 37:6; 38:4; 39:3 (2 Rey. 19:2; 20).

se convierte en señal ó símbolo, Isa. 20.

profetiza acerca de varias naciones, Isa. 7; 8; 10; 13-23; 45-47.

escribe las historias de Uzías y de Ezequías, 2 Cr. 26:22; 32:32.

sus escritos están citados en Mat. 3:3; 4:14; 8:17; 12:17; 13:14; 15:7; Mar. 1:2; Luc. 3:4; 4:17; Jn. 1:23; 12:38; Hch. 8:32; 28:25; Rom. 9:27; 10:16; 15:12.

ISBOSET, hijo de Saúl, hecho rey, 2 Sam. 2:8; 3:1 muerto alevosamente, 2 Sam. 4.

ISLAS, Isa. 20:6; 42:15; Jer. 25:22.

mencionadas en las Escrituras: Cetim, Jer. 2:10; Clauda, Hch. 27:16; Coos Hch. 21:1; Creta, Hch. 27:7, 12, 13, 21; Quíos, Hch. 20:15; Chipre, Hch. 21:3; 27:4; Elisa, Gén. 10:4, 5; Eze. 27:7; Melita (hoy Malta), Hch. 28:1-10; Patmos, Ap. 1:9; Rodas, Hch. 21:1; Samos, Hch. 20:15; Samotracia, Hch. 16:11.

ISLAS, de los gentiles, las Islas del Mediterráneo arriba mencionadas, Gén. 10:5; Sof. 2:11.

ISMAEL, hijo de Abram, Gén. 16.

bendecido y circuncidado, Gén. 17:20, 23.

despedido, pero protegido, Gén. 21:17.

muerte, Gén. 25:17.

ISRAEL, Jacob, Gén. 32:28; 35:10.

ISRAELITAS (los):

su servidumbre en Egipto, Éxo. 1-12.

observan la primera pascua, Éxo. 12.

parten de Egipto, Éxo. 12:31. pasan el mar Rojo, Éxo. 14.

son alimentados milagrosamente, Éxo. 15:23; 16; 17:1 Núm. 11:20.

contados dos veces, Núm. 1; 26.

el pacto de Dios con, Éxo. 19; 20; Deu. 29:10.

viajan bajo la dirección de Dios, Éxo. 14:1, 19; Núm. 9:15; Sal. 78:14.

sus murmuraciones en el desierto, Éxo. 16; 17; Núm. 11; 14; 16:14; 20.

sus diversas rebeliones, Deu. 1; 2; 9; 2

Rey. 17; Sal. 78; 105; 106; Esd. 9; Neh. 9; Eze. 16; 20; 22; 23; Hch. 7:39; 1 Cor. 10:5.

se internan en Canaán y lo subyugan, (libro de Josué).

gobernados por jueces, Jue. 2,

regidos por reyes, 1 Sam. 10, &c.; 2 Sam.; 1 y 2 Rey.; 1 y 2 Cr.

llevados cautivos a Asiria, 2 Rey. 17.

llevados a Babilonia, 2 Rey. 25; 2 Cr. 36; Jer. 39; 52.

su situación allí, Est.; Dan.; Eze.

su regreso, Esd.; Neh.; Hag.; Zac.

su historia es un ejemplo, 1 Cor. 10:6.

ITALIA. Hch. 18:2; 27:1; Heb. 13:24.

ITALIANA (la), compañía llamada así, Hch. 10:1.

J

JABES, oración de, concedida, 1 Cr. 4:10.

JABES-GALAAD, los de, son muertos, Jue. 21; librados de los amonitas por Saúl, 1 Sam. 11; su gratitud, 1 Sam. 31:11; 2 Sam. 21:12, 1Cr. 10:11; bendecidos por David, 2Sam. 2:5

JABÓN, Sal. 25:20; Jer. 2:22; Mal. 3:2.

JACINTO, Ap. 9:17; 21:20.

JACOB (Israel): nace, Gén. 25:26; obtiene la primogenitura, Gén. 25:33; y la primera bendición, Gén. 27:27; enviado a Labán, Gén. 27:43; 28:1; su visión y su voto, 28:10; sus matrimonios, Gén. 29; sus hijos, Gén. 29:31; 30; sus negocios con Labán su suegro, Gén. 31; su visión en Mahanaim, Gén. 32:1; su oración, Gén. 32:9; lucha con el Ángel, Gén. 32:24; Ose. 12:3; su encuentro con Esaú, Gén. 33; erige un altar, Gén. 35:1; su amor hacia José y Benjamín, Gén. 37; 42:38; 43; va a Egipto, Gén. 48; es presentado a Faraón, Gén. 47:7; bendice a sus hijos, Gén. 48; 49; su muerte y su entierro, Gén. 49:33; 50; Véase Sal. 105:23; Mat. 1:2; Rom. 9:10; Heb. 11:21.

JAFET, es bendecido, Gén. 9:27.

sus descendientes, Gén. 10:1, 2; 1 Cr. 1:4, 5.

JAHAZIEL, conforta a Josafat, 2 Cr. 20:14.

JAEL, mata a Sísara, Jue. 4:17-22; 5:24.

JAIRO, Cristo resucita a su hija, Mat. 9:18; Mar. 5:22; Luc. 8:41.

JAQUÍN (El establecerá), columna del templo, 1 Rey. 7:21; 2 Cr. 3:17.

——, hijo de Simeón, Gén. 46:10; Éxo. 6:15; Núm. 26.12.

JASPE, Éxo. 28:20; 39:13; Ap. 4:3; 21:11, 18, 19.

JAVÁN, Gén. 10:2, 4; 1 Cr. 1:5-7

país de, Isa. 66:19; Eze. 27:13-19.

JEBUSEOS, Gén. 15:21; Núm. 13:29; se establecen en Jerusalén, Jos. 15:63; Jue. 1:21; 19:11; expulsados por David, 2 Sam. 5:6.

JEFTÉ, su alianza con los galaaditas, Jue. 11:4; mensaje a los amonitas, Jue. 11:14; su voto, Jue. 11:30, 34; su victoria, Jue. 11:32; castiga a los de Efraín, Jue. 12.

JEHOVÁ, Gén. 2:4, 5, 15; 3:1, &c.; 4:1, &c.; Éxo. 6:3, &c.; Sal. 83:18; Isa. 12:2, &c.

JEHOVÁ-JIRÉ, (es decir, el Señor proveerá), Gén. 22:14.

JEHOVÁ-NISI (el Señor es mi estandarte), Éxo. 17:15.

JEHOVÁ-SALOM (el Señor envíe paz), Jue. 6:24.

JEHOVÁ-SAMA (el Señor esta allí), Eze. 48:35.

JEHOVÁ-TSEHDEK (Jehová justicia nuestra), Jer. 23:6; 33:16.

JEHÚ, hijo de Hanani, profetiza contra Baasa, 1 Rey. 16:1.

reconviene a Josafat, 2 Cr. 19:2; 30:34.

——, hijo de Nimsi, ungido rey de Israel, 1 Rey. 19:16; 2 Rey. 9:1, &c.

mata a Joram y Ocozías, 2 Rey. 9:24; hace matar la familia de Acab y a los adoradores de Baal, 2 Rey. 10; su idolatría, 2 Rey. 10:29; su muerte, 2 Rey. 10:34.

JEREMÍAS, su llamamiento y sus visiones Jer. 1

lamenta la muerte de Josías, 2 Cr. 35:25; Lam. 1.

su misión, Jer. 1:17; 7, &c.

herido por Pasur, Jer. 20.

mensaje a Sedequías, Jer. 21:3; 34:1.

predice la cautividad de setenta años, Jer. 25:8.

aprehendido y librado, Jer. 26.

reconviene a Hananías, Jer. 28:5.

su carta a los cautivos, Jer. 29.

durante su prisión compra una heredad, Jer. 32.

ora y es consolado, Jer. 32:16; 33.

su rollo es leído, Jer. 36.

aprisionado, Jer. 37:13; 38.

puesto en libertad por Ebedmelec, Jer. 38:7.

sus palabras a Sedequías, Jer. 38:17.

tratado con bondad por los caldeos, Jer. 39:11; 40.

suplica a Johanán, que se queden en Judá, Jer. 42

censura la hipocresía de ellos, Jer. 43; 44.

llevado a Egipto, Jer. 43:4.

consuela a Baruc, Jer. 45.

profetiza contra varias naciones Jer. 46-51

entrega su profecía a Seraías, Jer. 51:59.

JERICÓ, espías enviados allí, Jos. 2:1; sus paredes caen, Jos. 6:20 (Heb. 11:30); reedificada por Hiel, 1 Rey. 16:34. Véase Jos. 6:26; una escuela de los profetas en, 2 Rey. 2:5; Cristo cura a dos ciegos cerca de, Mat. 20:29, 34; Mar. 10:46; Luc. 18:35; visita a Zaqueo en, Luc. 19:1-10.

JEROBOAM I., promovido por Salomón, 1 Rey. 11:28; la profecía de Ahías a, 1 Rey. 11:29; hecho rey, 1 Rey. 11:20; 2 Cr. 10; establece la idolatría, 1 Rey. 12:28; su mano se seca, &c., 1 Rey. 13; su casa reprobada, 1 Rey. 14:7; vencido por Abías, 2 Cr. 13; su muerte, 1 Rey. 14:19.

JEROBOAM II., reina con maldad, y sin embargo reina 41 años, 2 Rey. 14:23, 24.

JEROBAAL. Véase GEDEÓN.

JERUSALÉN, llamada Jebús, Jos. 18:28; Jue. 19:10; Sión, 1 Rey. 8:1; Ciudad de David, 2 Sam. 5:7; Salem, Gén. 14:18; Sal. 76:2;

Ariel, Isa. 29:1; Ciudad de Dios, Sal. 46:4; Ciudad del Gran Rey, Sal. 48:2; Ciudad de Judá, 2 Cr. 25:28; Ciudad Santa, Neh. 11:1-18; Ciudad de Solemnidades, Isa. 33:20.

su posición, Jos. 15:18; 18:28.

expulsados de, por David, 2 Sam. 5:6.

el arca llevada a, 2 Sam. 6.

librada de la peste, 2 Sam. 24:16.

el templo es edificado, 1 Rey. 5-8; 2 Cr. 1-7

su riqueza en tiempo de Salomón, 1 Rey. 10:26.

escogida y amada por Dios, 1 Rey. 15:4; 2 Rey. 19:34; 2 Cr. 6:6.

los príncipes de los sacerdotes viven en, 1 Cr. 9:34; Jn. 18:15.

las fiestas se observaban en, Deu. 16:18; Eze. 36:38; Luc. 2:41; Jn. 12:20; Hch. 18:21.

oración hecha con la cara vuelta hacia, 1 Rey. 8:38; Dan. 6:10.

amada por los judíos, Sal. 122:6; 137:6; Isa. 62:1, 7.

fortificada por Salomón, 1 Rey. 9:15.

provista de agua por Ezequías, 2 Rey. 20:20.

saqueada por Sisac rey de Egipto, 1 Rey. 14:25; 2 Cr. 12; y por Joás, 2 Rey. 14:14; 2 Cr. 25:24.

librada del poder de Senaquerib, 2 Rey. 18; 19; 2 Cr. 32; Isa. 36; 37.

tomada por Nabucodonosor, 2 Rey. 25; 2 Cr. 36; Jer. 39; 52.

reedificada, Esd. 2, &c.; Neh. 2, &c.

puertas de: la puerta de Efraín, la puerta vieja, la puerta de los peces, la puerta de las ovejas, y la puerta de la cárcel, Neh. 12:39; la puerta de Benjamín, Jer. 37:13; de Josué, 2 Rey. 23:8; la puerta de la esquina, 2 Rey. 14:15; la puerta del muladar, Neh. 3:13; la puerta de la fuente, Neh. 3:15; la puerta de las aguas, Neh. 3:26; la puerta de los caballos, Neh. 3:28; la puerta del rey, 1 Cr. 9:18; Salequet, 1 Cr. 26:16; la puerta mayor. 2 Cr. 23:20; la puerta oriental, Neh. 3:29; la puerta de Mifcad (del Juicio), Neh. 3:31; la puerta del medio, Jer. 39:3; la puerta primera, Zac. 14:10.

plazas de: plaza oriental, 2 Cr. 29:4: plaza de la casa de Dios, Esd. 10:9; plaza de la puerta de las aguas, Neh. 8:1; plaza de la puerta de Efraín, Neh. 8:16; (calle) de los panaderos, Jer. 37:21.

su entrada pública en, Mat. 21:1; Mar. 11:1; Luc. 19:29; Jn. 12:12.

Cristo se lamenta por, Mat. 23:37; Luc. 13:34; 19:41.

Cristo predice la destrucción de, Mat. 24; Mar. 13; Luc. 13:34; 17:23; 19:41; 21.

el evangelio es predicado primeramente en, Hch. 2:3. Véase Eze. 16:23; y también los Salmos y los profetas en diferentes lugares.

la persecución de la iglesia cristiana comienza en, Hch. 4:1; 8:1.

el primer concilio cristiano tiene lugar en, Hch. 15:4, 6.

——, la nueva (Gál. 4:26), Ap. 21.

1189

JESUCRISTO, SU VIDA:

el Hijo de Dios y el Hijo del hombre, Jn. 1, Mat. 1; Luc. 1; Heb. 1; 2, &c.

genealogías de, Mat. 1; Luc. 3:23.

es concebido, y nace en Belén, Mat. 1:18; 2:1; Luc. 1:30; 2:6 predicho, Isa. 7:14; Miq. 5:2

proclamado por los ángeles, Luc. 2:9.

visto por los pastores, Luc. 2:16. adorado por los magos del oriente, Mat. 2:1 (Sal. 72:10).

circuncidado, Luc. 2:21.

huida a Egipto Mat. 2:13 (Ose. 11:1).

bendecido por Simeón. Luc. 2:25.

hace preguntas a los doctores, Luc. 2:46. está sujeto a sus padres, Luc. 2:51.

trabaja de carpintero, Mat. 6:3.

es bautizado por Juan, y recibe el Espíritu Santo, Mat. 3:13; Mar. 1:9; Luc. 3:21; Jn. 1:32; 3:34; Hch. 10:38, &c. (Isa. 11:2; 61:1).

su tentación, Mat. 4; Mar. 1:12; Luc. 4; Heb. 2:14, 18.

empieza a predicar el evangelio y a sanar a los enfermos, Mat. 4:12; Mar. 1:14; Luc. 4:16 (Isa. 9:1; 35:5; 61:1).

llama a los apóstoles, Mat. 4:18; Mar. 1:16; Luc. 5:10; Jn. 1:38.

sermón en el monte, Mat. 5; 6; 7.

conversación con Nicodemo, Jn. 3.

y con una mujer de Samaria, Jn. 4.

sana al hijo de un principal, Jn. 4:46.

cura a varios poseídos del demonio, Mar. 1:21; Luc. 4:31; Mat. 8:28; Mar. 5:1; Luc. 8:27; Mat. 9:32; 12:22; Luc. 11:14; Mat. 17:14; Mar. 9:17; Luc. 9:37.

sana a la madre de la esposa de Pedro, Mat. 8:14; Mar. 1:30; Luc. 4:38.

limpia a unos leprosos, Mat. 8:1; Mar. 1:39. Luc. 3:12; 17:12.

sana al criado de un centurión, Mat. 8:5; Luc. 7.

resucita al hijo de una viuda de Naín, Luc. 7:11.

calma la borrasca, Mat. 8:24; Mar. 4:35; Luc. 8:22; Jn. 6:18.

sana a un paralítico, Mat. 9:1; Mar. 2; Luc. 3:18.

cura un flujo de sangre, Mat. 9:20; Mar. 5:25; Luc. 8:43.

resucita a la hija de Jairo, Mat. 9:18; Mar. 5:22; Luc. 8:41.

cura la mano seca, Mat. 12:10; Mar. 3:1; Luc. 6:6.

cura a un cojo, Jn. 5:2.

y a una mujer enferma, Luc. 13:11.

sana a la hija de la mujer cananea, Mat. 15:21; Mar. 7:24.

cura al sordo-mudo, Mat. 9:32; Mar. 9:17. y al niego, Mat. 9:27; 20:30; Mar. 10:46; Luc. 18:35; Jn. 9.

cura la hidropesía, Luc. 14:1.

comunica a sus apóstoles la virtud de hacer milagros, y los envía, Mat. 10; Mar. 3:14; 6:7; Luc. 6:13; 9:1.

envía setenta discípulos, Luc. 10.

bendícelos a su vuelta, Luc. 10:17.

da de comer a cuatro mil hombres, y en otra ocasión a cinco mil, Mat. 14:15;

Mar. 6:34; Luc. 9:12; Mar. 8:1.

rehúsa que lo hagan rey, Jn. 6:15.

camina sobre las aguas del mar, Mat. 14:22; Mar. 6:45; Jn. 6:19.

reconviene a sus mismos parientes, Jn. 7:3. su transfiguración, Mat. 17; Mar. 9; Luc. 9:28; Jn. 1:14; 2 Ped. 1:16.

la opinión de la gente acerca de Él, Mat. 16:13; Mar. 8:27; Luc. 9:18; Jn. 7:12.

predice sus sufrimientos (véase Sal. 22:69; Isa. 49:7; 50:6; 52:14; 53; Dan. 9:26), Mat. 16:21; 17:22; 20:17; Mar. 8:31; 9:31; 10:32; Luc. 9:22, 44; 18:31.

reprende a Simón el Fariseo, Luc. 7:36.

paga tributo, Mat. 17:24.

censura la ambición de los apóstoles, Mat. .18; Mar. 9:33; Luc. 9:49; 22:24.

va a Judea, Mat. 19; Jn. 7:10.

su mensaje a Herodes, Luc. 13:31.

despide en paz a la mujer adúltera, Jn. 8.

reprende a Marta y alaba a María, Luc. 10:38.

bendice a unos niñitos, Mat. 19:13; Mar. 10:13; Luc. 18:15.

llama a Zaqueo, Luc. 19.

resucita a Lázaro, Jn. 11.

es ungido por María, Jn. 12:3; 7lat. 26:6; Mar. 14:3.

entra a Jerusalén montado en un pollino (Zac. 9:9), Mat. 21; Mar. 11; Luc. 19:29; Jn. 12:12.

maldice la higuera estéril, Mat. 21:19 : Mar. 11:12.

echa del templo a los mercaderes (Sal. 69:9; Hag. 2:7; Mat. 3), Mat. 21:12; Mar. 11:15; Luc. 19:45; Jn. 2:24.

unos griegos desean verle, Jn. 12:20.

enseña en el templo, Jn. 12:23; Luc. 20; Mat. 22; Mar. 12.

le responde una voz desde el cielo, Jn. 12:28.

los príncipes de los sacerdotes sobornan a Judas para que le traicione (Zac. 11:12; Sal. 41:9; 55:12), Mat. 27:14; Mar. 14:10; Luc. 22:3; Jn. 13:18.

manda preparar la pascua, Mat. 26:17; Mar. 14:12; Luc. 22:7.

lava los pies a los discípulos, Jn. 13.

instituye la cena del Señor, Mat. 26:20; Mar. 14:18; Luc. 22:14; 1 Cor. 11:23.

amonesta a Pedro, Mat. 26:33; Mar. 14:29; Luc. 22:31; Jn. 13:36.

consuela a sus discípulos y los exhorta, Jn. 14:15.

su oración por sus discípulos y por todos los creyentes, Jn. 17.

su agonía en el jardín, Mat. 26:36; 14:32; Luc. 22:39.

traicionado por Judas, Mat. 26:47; Mar. [4:43; Luc. 22:47; Jn. 18:3; Hch. 1:16 (Sal. 109).

sana la oreja de Malco, Luc. 22:51; Jn. 18:10; Mat. 26:51; Mar. 14:47.

abandonado por sus discípulos (Zac. 13:7), Mat. 26:31, 56; Jn. 18:15.

conducido ante Anás y Caifás, Mat. 26:57; Mar. 14:53; Luc. 22:54; Jn. 18:13.

negado por Pedro, Mat. 26:69; Mar. 14:66; Luc. 22:54; Jn. 18:17.

conducido ante Pilatos, azotado, y coronado de espinas, Mat. 27; Mar. 15; Luc. 23; Jn. 18:28; 19.

enviado ante Herodes, quien le escarnece y le hace azotar, Luc. 26:3.

absuelto por Pilato, Mat. 27:23; Mar. 15:14; Luc. 23:14; Jn. 18:38; 10.

recusado por los Judíos (Sal. 118:22), Mat. (21:42) 27; Jn. 19:15, &c.

entregado por Pilatos para ser crucificado, Mat. 27:26; Mar. 15:15; Luc. 23:24; Jn. 19.

su crucifixión (Sal. 22; 69; Isa. 50:6; 52:14: 53; Dan. 9:26); Mat. 27:33; Mar. 15:21; Luc. 23:33; Jn. 19:17.

sus vestiduras son repartidas a la suerte (Sal. 22: 15), Mat. 27:35; Mar. 15:24; Luc. 23::4; Jn. 19:24.

encomienda a su madre al cuidado de Juan, Jn. 19:25.

uno de los ladrones le vilipendia, y el otro confiesa su fe en él, Mat. 27:44; Mar. 15:32; Luc. 23:39.

muere después de gustar el vinagre (Sal. 69:21), Mat. 27:48; Mar. 15:36; Jn. 19:30.

no le quebrantan los huesos (Éxo. 12:46; Sal. 34:20), Jn. 19:33.

le hieren el costado (Zac. 12:10), Jn. 19:34; Ap. 1:7.

acontecimientos durante su muerte, Mat. 27:51.

el centurión confiesa su fe en Él, Mat. 27:54; Mar. 15:39; Luc. 23:47.

sepultado por José y Nicodemo, Mat. 27:57; Mar. 15:42; Luc. 23:50; Jn. 19:38.

su sepulcro sellado y vigilado por una guardia, Mat. 27:66.

su resurrección (Sal. 16:10; Isa. 26:19), Mat. 28; Mar. 16; Luc. 24; Jn. 20; 1 Cor. 15.

se aparece primero a María Magdalena, Mat. 28:1; Mar. 16:1; Luc. 24:1; Jn. 20:1.

se aparece a sus discípulos varias veces, Mat.. 28:16; Mar. 16:12; Luc. 24:13, 36; Jn. 20; 21; 1 Cor. 15.

come con ellos, Luc. 24:42; Jn. 21:12.

la misión que le encomienda a Pedro, Jn. 21:15.

y a todos los discípulos, Mat. 28:16; Mar. 16:15; Luc. 24:45; Hch. 1:3.

su ascensión (Sal. 2:6; 68:18; 110:1), Mar. 16:10; Luc. 24:51; Hch. 1:9.

se aparece a Esteban, Hch. 7:55; a Pablo, Hch 9:4 18:9 22:6; 27:23; a Juan Ap. 1:13

sus epístolas a las siete iglesias, Ap. 2; 3.

CORDERO de Dios, Jn. 1:29; Hch. 8:32; 1 Ped. 1:19; adorado en el cielo, Ap. 5:6; 7:9; 13:8; 14:1; abre los sellos, Ap. 6:1; vence la bestia, Ap. 17:14; cántico de Moisés y del Cordero, Ap. 15:3; las bodas del, Ap. 19:7; 21:9.

JETRO, suegro de Moisés, Éxo. 2:16-21; 3:1; 4:18; llamado también Reuel, Éxo. 2:18; Núm. 10:29; el consejo que le dio a Moisés, Éxo. 18.

JEZABEL, esposa de Acab, 1 Rey. 16:31; mata a los profetas, 1 Rey. 18:4; 19:2; hace matar a Nabot, 1 Rey. 21; su muerte violenta, 2 Rey. 9:30; su nombre simbólico, Ap. 2:20.

JEZREEL, la viña de Nabot allí, 1 Rey. 21.

la muerte de Joram; Jezabel comida de los perros,2 Rey. 9:21, &c. Véase Ose. 1:4; 2:22

——, valle de, Jos. 17:16; Gedeón derrota a los madianitas en, Jue. 6:33; batalla de los filisteos, cerca de una fuente, 1 Sam. 29:1, 11; 2 Sam. 4:4

JOAB, capitán del ejército, 2 Sam. 8:16; se bate con Abner, 2 Sam. 2:13; lo mata a traición, 2 Sam. 7:23; causa la muerte de Urías, 2 Sam. 11:14; subyuga a los amonitas, 2 Sam. 12:26; intercede por Absalón, 2 Sam. 14; lo mata, 2 Sam. 18:14; censura a David por su tristeza, 2 Sam. 19:5; mata alevosamente a Amasa, 2 Sam. 20:9; vence a Seba, 2 Sam. 20:14-21; de mal agrado cuenta el pueblo, 2 Sam. 24:3 (1 Cr. 21:3); apoya a Adonías, 1 Rey. 1:7; le dan muerte por orden de Salomón, 1 Rey. 2:5, 28.

JOACÁZ, rey de Judá, su mal gobierno de, 2 Rey. 23:31; 2 Cr. 36:1.

profecía acerca de, Jer. 22:10.

——, rey de Israel, su mal gobierno, 2 Rey. 10:35; su súplica es oída, 2 Rey. 13:4.

JOÁS, rey de Israel, su mal gobierno, 2 Rey. 13:10; derrota a los sirios tres veces, 2 Rey. 13:10-25; su parábola, 2 Rey. 14:8-14; derrota a Amasías, 2 Cr. 25:17-24; su muerte.

——, rey de Judá, escondido por Josaba, 2 Rey. 11; 2 Cr. 22:10; lo hacen rey, 2 Rey. 11:4; 2 Cr. 23; hace restaurar el templo, 2 Rey. 12; 2 Cr. 24; mata a Zacarías, 2 Cr. 24:17-31; castigado por los sirios y muerto por sus siervos, 2 Rey. 12:19; 2 Cr. 24:23.

JOB, su carácter, Job 1:1,8; 2:3; Eze. 14:14-20

sus grandes aflicciones, Job 1:13; 2:7.

su paciente resignación, Job 1:20; 2:10; Stg. 5:11.

su queja, Job 3.

las respuestas dadas a sus amigos, Job 6; 7; 9; 10; 12-14; 16; 17; 19; 21; 23; 24; 26-30.

declara su integridad, Job 31.

su confesión, Job 40:3; 42:1.

su prosperidad, Job 42:10.

JOCABED, madre de Moisés, Éxo. 2:1; 6:20; Núm. 26:59.

JOEL, anuncia los juicios de Dios, Joel 1-3; proclama un ayuno, Joel 1:14; 2; declara la misericordia de Dios para con el penitente, Joel 2:12; 3.

JOIADA, sumo sacerdote, mata a Atalía y hace rey a Joás, 2 Rey. 11:4; 2 Cr. 23.

restablece el culto de Dios, 2 Cr. 23.

restaura el templo, 2 Rey. 12:7; 2 Cr. 24:6.

JONÁS, hijo de Amitai, su desobediencia y su castigo, Jon. 1; su oración, Jon. 2; predica en Nínive, Jon. 3; reconvenido por murmurar contra la misericordia de Dios, Jon. 4; tipo o símbolo de Cristo, Mat. 12:39; Luc. 11:29.

——, profeta, hijo de Hamat, 2 Rey. 14:25.

JONATÁN, hijo de Saúl, ataca a los Filisteos, 1 Sam. 13:2; 14; desacata el voto de Saúl, 1 Sam. 14:27; su amor hacia David, 1 Sam. 18:1; 19; 20; 23:16; recibe la muerte a manos de los filisteos, 1 Sam. 31:2; el lamento de David por, 2 Sam. 1:17.

JORAM, rey de Judá, su mal reinado, 1 Rey. 22:50; 2 Rey. 8:16; mata a sus hermanos 2 Cr. 21:4; la profecía de Elías dirigida a, 2 Cr. 21:12; su muerte miserable, 2 Cr. 21:18.

JORNAL (el), del obrero no debe ser detenido, Lev. 19:13; Deu. 24:14; Stg. 5:4.

JORDÁN, las aguas del, divididas por Josué, Jos. 3; 4 Sal. 114:3; divididas por Elías y Eliseo, 2 Rey. 2:8, 13; la lepra de Naamán curada en, 2 Rey. 5; el hierro flota en, 2 Rey. 6:4; Juan bautiza allí, Mat. 3; Mar. 1:5; Luc, 3:3; Cristo bautiza en, Mat. 3:13; Mar. 1:9. Véase Job 40:23; Sal. 42:6; Jer. 12:5; 49:19; Zac. 11:3.

JOSAFAT, rey de Judá, su buen gobierno 1 Rey. 15:24; 2 Cr. 17; se asocia con Acab, 1 Rey. 22; 2 Cr. 18; y Joram, 2 Rey. 3:7; reconvenido por Jehú el vidente, 2 Cr. 19; proclama un ayuno, 2 Cr. 20; consolado por Jahaziel, 2 Cr. 20:14; librado de manos de los amonitas, &c., 2 Cr. 20:22; reconvenido por Eliezer, 2 Cr. 20:37; su muerte, 1 Rey. 22:50; 2 Cr. 21:1.

JOSÉ, hijo de Jacob, Gén. 30:24. Véase Sal. 105:17; Hch. 7:9; Heb. 11:22; sus sueños, Gén. 37:5; vendido a los ismaelitas, Gén. 37:28; sujeto a Potifar, Gén. 39; resiste una tentación, Gén. 39:7; interpreta los sueños de los criados de Faraón, Gén. 40; y de Faraón mismo, Gén. 41:25; promovido, Gén. 41:39; se prepara para los años de escasez, Gén. 41:43; trata con sus hermanos, Gén. 42-45; y con los Egipcios, Gén. 47:11; es bendecido por Jacob, Gén. 46:30-48; 49:22; entierra a Jacob, Gén. 50; recomendación acerca de su cadáver Gén. 50:25.

——, **esposo de María**, un ángel se le aparece, Mat. 1:19; 2:13, 19; Luc. 1:27; Cristo estaba sujeto a, Luc. 2:4;

——, **de Arimatea**, entierra a Jesús en su propio sepulcro, Mat. 27:57; Mar. 15:42; Luc. 23:50; Jn. 19:38.

JOSÍAS, profecía acerca de, 1 Rey. 13:2; cumplida, 2 Rey. 23:15; su buen gobierno, 2 Rey. 22; restaura el templo, 2 Rey. 22:3; encuentran el libro de la ley, 2 Rey. 22:8; hace leer y observar la ley, 2 Rey. 23; su pascua solemne, 2 Cr. 35; Faraón Necao le da muerte, 2 Rey. 23:29. 2 Cr. 34; 35.

JOSUÉ, ayudante de Moisés, Éxo. 24:13; 32:17: 33:11.

enviado como espía a Canaán, Núm. 13:16.
se opone a los murmuradores, Núm. 14:6.
nombrado de sucesor de Moisés, Núm. 27:18; 34;17; Deu. 1:38; 3:28; 34:9.
alentado por el Señor, Jos. 1.
pasa el Jordán, Jos. 3.
erige un monumento conmemorativo, Jos. 4.
renueva la circuncisión, Jos. 5.
toma a Jericó, Jos. 6.
castiga a Acán, Jos. 7.
subyuga a Hai, Jos. 8.
engañado por los gabaonitas, Jos. 9.
divide la tierra, Jos. 14-21; Heb. 4:8.
sus órdenes a los rubenitas, &c., Jos. 22.
hace una reseña de los beneficios de Dios, Jos. 24.

renueva el pacto, Jos. 24:14.
su muerte Jos. 24:29; Jue. 2:8.
su maldición cumplida, Jos. 6:26; 1 Rey. 16:34.

JUAN el Bautista, se predice su venida, Isa. 40:3; Mat. 4:5; Mat. 11:14; 17:12; Mar. 9:11; Luc. 1:17; su nacimiento y circuncisión, Luc. 1:57; su misión, predicación y bautismo, Mat. 3; Mar. 1; Luc. 3; Jn. 1:6; 3:26; Hch. 1:5; 13:24; bautiza a Cristo, Mat. 3:16, 17; Mar. 1; Luc. 3; envía sus discípulos a Cristo, Mat. 11:1; Luc. 7:18; el testimonio de Cristo con respecto a, Mat. 11:1; Luc. 7:27; aprisionado por haber reconvenido a Herodes, Mat. 4:12; Mar. 1:14; 6:14; Luc. 6:20; sus discípulos reciben el Espíritu Santo, Hch. 18:24; 19:1.

JUAN, el apóstol, su llamamiento, Mat. 4:21; Mar. 1:29; Luc. 5:10; ordenado, Mat. 10:2; Mar. 3:17; 13:3; Luc. 22:8; Hch. 1:13; reconvenido, Mat. 20:20; Mar. 10:35; Luc. 9:54; el amor de Cristo para con, Jn. 13:23; 19:26; 21:7, 20, 24; se hace cargo de la madre del Señor, Jn. 19:27; acompaña a Pedro ante el concilio, Hch. 3; 4; su visión de la gloria de Cristo, Ap. 1:10; le mandan que se coma el libro, Ap. 10:9; se le prohíbe adorar al ángel, Ap. 19:10; 22:8; declara la divinidad y la humanidad de Jesucristo, Jn. 1; 1 Jn. 1; 4; 5; exhorta a la obediencia de sus preceptos, 1 Jn. 2; 3;

JUDÁ, hijo de Jacob, Gén. 29:35; su súplica dirigida a Jacob, Gén. 43:3; y a José, Gén. 44:18; 46:28; bendecido por Jacob, Gén. 40:8; por Moisés, Deu. 33:7; sus descendientes, Gén. 38; 46:12; Jue. 1:1-20; l Cr. 2:4; su herencia, Jos. 15; hacen rey a David, 2 Sam. 2:4; y se adhieren a su casa, 1 Rey. 12; 2 Cr. 10; 11. Véase **JUDÍOS**.

JUDAS (Lebeo, Tadeo), apóstol, Mat. 10:3; Mar. 3:18; 6:3 Luc. 6:16; Hch. 1:13; la pregunta que dirigió al Señor, Jn. 14:22; exhorta a la constancia en la fe, Jud. 3, 20; describe a los malos discípulos y previene contra ellos, Judas 4, &c.

——, **ISCARIOTE**, Mat. 10:4; Mar. 3:19; Luc. 6:16; Jn. 6:70; traiciona a su Maestro, Mat. 26:14, 47; Mar. 14:10, 43; Luc. 22:3, 47; Jn. 13:26; 18:2; su remordimiento y muerte, Mat. 27:3; Hch. 1:18; profetizado, Sal. 109.

——, que tenía por sobrenombre Barsabás, enviado por los apóstoles a Antioquía con Pablo; su exhortación, Hch. 15:22-32.

——, de Damasco, un judío en cuya casa se alojó Pablo, Hch. 9:11.

——, el Galileo, su insurrección y muerte, Hch. 5:37. Véase Luc. 13:1.

JUDEA, la región montuosa de, al sur de Jerusalén, Jos. 20:7; 21:11; Deu. 1:20; Luc. 1:39,65; desierto de, al oeste del Mar Muerto, Mat. 3:1; 4:1; Luc. 3:3; Jos. 15:61.

——, una de las divisiones de la tierra santa bajo la dominación del imperio romano, Luc. 3:1; Jn. 7:1; comprendía todo el antiguo reino de Judá, 1 Rey. 12:21-24; Juan el Bautista predica en, Mat. 3:1; Cristo nace en, Mat. 2:1, 5, 6; es tentado en el desierto de, Mat. 4:1; visita frecuentemente, Jn. 11:17; a menudo sale de, para librarse de la persecución, Jn. 4:1-3.

sus pueblos: Arimatea, Mat. 27:57; Jn. 19:38; Azoto, Hch. 8:40; Betania, Jn. 11:1, 18; Belén, Mat. 2:1, 6, 16; Betfagé, Mat. 21:1; Emaús, Luc. 24:13; Efraín, Jn. 11:54; Gaza, Hch. 8:26; Jericó, Luc. 10:30; 19:1; Jope, Hch. 9:36; 10:5, 8; Lyda, Hch. 9:32, 35, 38.

JUDÍOS (los): descendientes de Abraham, Sal. 105:6; Jn. 8:33; Rom. 9:7; el pueblo de Dios, Deu. 32:9; 2 Sam. 7:24; Isa. 51:16; separados para Dios, Éxo. 33:16; Núm. 23:9; Deu. 4:34; amados por amor de sus padres, Deu. 4:37; 10:15, con Rom. 11:28; Cristo descendió de, Jn. 4:22; Rom. 9:5.

AMENAZAS DIRIGIDAS A LOS QUE: maldijesen a, Gén. 27:29; Núm. 24:29; riñesen con, Isa. 41:11; 49:21; oprimiesen a, Isa. 49:26; 51:21-23; aborreciesen a, Sal. 129:5; Eze. 35:5, 6; agravasen las aflicciones de, Zac. 1:14; matasen, Sal. 79:1-7; Eze. 35:5, 6

Dios no se olvida de, Sal. 98:3; Isa. 49:15, 16. Cristo fue enviado a, Mat. 5:24; 21:37; Hch. 3:20, 22, 26.

el evangelio predicado a, primero, Mat. 10:6; Luc. 24:47; Hch. 1:8.

la bienaventuranza de los que bendicen a, Gén. 27:29.

la bienaventuranza de los que hacen favores a, Gén. 12:3; Sal. 122:6. Orad a porfía por, Sal. 122:6; Isa. 62:1, 6, 7; Jer. 31:7; Rom. 10:1.

JUECES (los) que se debían nombrar, Deu. 16:18; Esd. 7:25; sus deberes, Éxo. 18:21-22; 23:1-3; Lev. 19:15; Deu. 1:16; 17:8; 2 Cr. 19:6; Sal. 82; Pro. 18:5; 24:23; 31:8; las órdenes que Josafat dio a, 2 Cr. 19:6; levantados para librar a Israel, Jue. 2:16; durante 450 años, Hch. 13:20; sostenidos por Dios, Jue. 2:18; notables por su fe, Heb. 11:32; ejemplos, Jue. 3-16; 1 Sam. 3:19; fin de sus trabajos, Jue. 2:17-19.

INJUSTOS: 1 Sam. 8:3; Isa. 1:23; Miq. 7:3; Luc. 18:2; aborrecibles para con Dios, Pro. 17:15; 24:24; Isa. 5:20; 10:1.

SUS NOMBRES: Otoniel, Jue. 3:9, 10; Aod, Jue. 3:15; Samgar, Jue. 3:31; Débora, Jue. 4:4; Gedeón, Jue. 6:11; Abimelec, Jue. 9:6; Tola, Jue. 10:1; Jair, Jue. 10:3; Jefté, Jue. 11:1; Ibzan, Jue. 12:8; Elón, Jue. 12:11; Abdón, Jue. 12:13; Sansón, Jue. 12:24, 25; 16:31; Elí, 1 Sam. 4:18; Samuel, 1 Sam. 7:6, 15-17.

JUEZ de todas las cosas, Dios, Gén. 18:25; Jue. 11:27; Sal. 9:7; 50; 58:11; 68:5; 75:7; 94:2; Ecl. 3:17; 11:9; 12:14; Heb. 12:23; Ap. 11:18; 18:8; 19:11.

JUICIO, precipitado, prohibido, Mat. 7:1; Luc. 6:37; 12:57; Jn. 7:24; 8:7; Rom. 2:1; 14; Stg. 4:11

JUICIO final (el): predicho en el A.T., 1 Cr. 16:33; Sal. 9:7; 96:13; Ecl. 3:17; principio fundamental del evangelio, Heb. 6:2; un día señalado, Hch. 17:31; Rom. 2:16.

LLAMADO: el día de la ira, Rom. 2:5; Ap. 6:17; la manifestación del justo juicio de Dios, Rom. 2:5; día del juicio y la

perdición de los hombres impíos, 2 Ped. 3:7; día de la destrucción, Job 21:30; juicio del gran día, Jud. 6.

será celebrado por Cristo, Jn. 5:22, 27; Hch. 10:42; Rom. 14:10; 2 Cor. 5:10.

los santos se sentarán con Cristo en, 1 Cor. 6:2; Ap. 20:4.

tendrá lugar a la venida de Cristo, Mat. 25:31; 2 Tim. 4:1.

de los paganos, según la ley de la conciencia, Rom. 21:12, 14, 15.

de los judíos, según la ley de Moisés, Rom. 2:12.

SE CELEBRARÁ: para todas las naciones, Mat. 25:32; para todos los hombres, Heb. 9:27; 12:23; para los pequeños y los grandes, Ap. 20:12; para los buenos y los malos, Ecl. 3:17; para los vivos y los muertos, 2 Tim. 4:1; 1

será con justicia, Sal. 98:9; Hch. 17:31; los libros serán abiertos, Dan. 7:10.

SERÁ DE TODAS las acciones, Ecl. 11:9; 12:14; Ap. 20:13; las palabras, Mat. 12:36, 37; Jud. 15; los pensamientos, Ecl. 12:14; 1 Cor. 4:5.

Cristo reconocerá a los santos en, Mat. 25:34-40; Ap. 3:5.

el amor perfecto nos dará confianza en, 1 Jn. 4:17.

los santos serán premiados en, 2 Tim. 4:8; Ap. 11:18.

los malos serán condenados en, Mat. 7:22, 23; 25:41.

el castigo final de los malos seguirá a, Mat. 13:40-42; 25:46.

la palabra de Cristo servirá de testigo contra los malos en, Jn. 12:48.

JÚPITER, Bernabé llamado así, Hch. 14:12; 19:35.

JURAMENTO, el pacto y los designios de Dios confirmados con, Luc. 1:73; Hch. 2:30; Heb. 6:17. Véase Gén. 22:16; Éxo. 17:16; Deu. 4:21; 1 Sam. 3:14; Sal. 89:35; 95:11; 110:4; Isa. 14:24; 54:9; 62:8; Jer. 44:26.

JURAMENTOS, leyes con respecto a los, Lev. 6:3; 19:12; Núm. 30:2; Sal. 15:4. Véase Mat. 5:33; Stg. 5:12; prescritos, Éxo. 22:11; Núm. 5:21; 1 Rey. 8:31; Esd. 10:5.

ejemplos de, Gén. 14:22; 21:31; 24:2; Jos. 6:26; 14:9; 1 Sam. 20:42; 28:10; Sal. 132:2.

a la ligera: de Esaú, Gén. 25:33; de Israel, Jos. 9:19; de Jefté, Jue. 11:30; de Saúl, 1 Sam. 14:24; de Herodes, Mat. 14:7; de los judíos, Hch. 23:21.

JURAR (el) EN FALSO: prohibido, Lev. 19:12; Núm. 30:2; Mat. 5:33; aborrecible ante Dios, Zac. 8:17; debemos no amar, Zac. 8:17; el fraude conduce muchas veces a, Lev. 6:2, 3; los santos se abstienen de, Jos. 15:4;

LOS MALOS: son adictos a, Jer. 5:2; Ose. 10:4; aducen excusas para, Jer. 7:9, 10; serán juzgados a causa de, Mat. 3:5; destruidos por, Zac. 5:3; atraerán maldición sobre sus casas por, Zac. 5:4; los testigos falsos se hacen culpables de, Deu. 19:16, 18 ejemplos de: Saúl, 1 Sam. 19:6, 10; Simeí, 1 Rey. 2:41-43; los judíos, Eze. 16:39; Pedro, Mat. 26:72-74.

JURAR PROFANAR o MALDECIR: de toda especie es profanar el nombre de Dios, Mat. 5:34, 35; 23:21 22; prohibido, Éxo. 20:7; Mat. 5:34-36; Stg. 5:12; los santos piden a Dios los guarde de, Pro. 30:9.

JUSTICIA (equidad): prescrita, Deu. 16:20; Isa. 56:1; Cristo, ejemplo de, Sal. 98:9; Isa. 11:4; Jer. 23:5; se exige particularmente a los gobernantes, Deu. 1:16; 2 Sam. 23:3; Pro. 29:14; Eze. 45:9.

DIOS la exige, Miq. 6:8; le da mucho valor a la, Pro. 21:3; se complace en la, Pro. 11:1; da sabiduría para ejecutar, 1 Rey. 3:11, 12; Pro. 2:6,9;

JUSTICIA DE DIOS: es uno de sus atributos, Deu. 32:4; Isa. 45:21; Sal. 7:9; 116:5; 119:137; no se debe pecar contra la, Jer. 50:7; negada por los impíos, Eze. 33:17, 20; reconoced, Sal. 51:4, con Rom. 34; ensalzad, Sal. 98:9; 99:3, 4; Cristo la reconoció, Jn. 17:25; Cristo encomendó su causa a, 1 Ped. 2:23;.

JUSTICIA imputada: predicciones acerca de, Isa 46:13; 51:5; 56:1 revelada en el evangelio Rom. 1:17; es del Señor, Isa. 54:17.

SE DESCRIBE COMO: la justicia de la fe, Rom. 4:13; 9:50; 10:6; de Dios, sin la ley, Rom. 3:21; de Dios por la fe en Cristo, Rom. 3:22.

Cristo hecho justicia para nosotros, 1 Cor. 1:30.

el ser hechos nosotros justicia de Dios en Cristo, 2 Cor. 5:21.

Cristo es el fin de la ley para, Rom. 10:4.

JUSTIFICACIÓN DE SÍ MISMO: el hombre es inclinado a, Pro. 20:6; 30:12.

aborrecible a Dios, Luc. 16:15.

ES VANA PORQUE LA JUSTICIA DEL HOMBRE: es sólo externa, Mat. 23:25-28; Luc. 11:39-44; es sólo en parte, Mat. 23:25; Luc. 11:42; es como trapo de inmundicia, Isa. 64:6; es ineficaz para alcanzar la salvación, Job 32:1; 42:5; Mat. 5:20, con Rom. 3:20; no es de ningún provecho, Isa. 57:12.

JUSTIFICACIÓN ante Dios:

prometida en Cristo, Isa. 45:25; 53:11.

es un acto de Dios, Isa. 50:8; Rom. 8:33.

BAJO LA LEY: exige obediencia perfecta, Lev. 18:5, con Rom. 2:13; 10:5; Stg. 2:10; el hombre no puede alcanzarla, Job 9:2, 3, 20; 15:4; Sal. 130:3; 143:2, con Rom. 3:20; 9:31, 32.

BAJO EL EVANGELIO: no es por las obras, Hch. 13:39; Rom. 8:3; Gál. 2:16; 3:11; no es tampoco por la fe ni por las obras juntas, Hch. 15:1-29; Rom. 3:28; 11:6; Gál. 2:14-21; 5:4; es por la fe sola, Jn. 5:24; Hch. 13:39; Rom. 3:20; 5:1; Gál. 2:16; es de la gracia, Rom. 3:24; 4:16; 5:17-21; es en el nombre de Cristo, 1 Cor. 6:11; es por medio de la imputación de la justicia de Cristo, Isa. 61:10; Jer. 23:6; Rom. 3:22; 5:18; 1 Cor. 1:30: 2 Cor. 5:21; por la sangre de Cristo, Rom. 5:9; por

la resurrección de Cristo, Rom. 4:25; 1 Cor. 15:17 bienaventuranza de Sal 32:1, 2 con Rom. 4:6-8; libra de la condenación, Isa. 50:8, 9; 54:17, Rom. 8:33, 34

POR LA FE: revelada bajo el régimen del A.T., Hab. 2:4, Con Rom. 1:17; excluye la jactancia, Rom. 3:27; 4:2; 1 Cor. 1:29, 31; no anula la ley, Rom. 3:30, 31; 1 Cor. 9:21.

simbolizada, Zac. 3:4, 5; y comparada, Luc. 18:14.

ejemplos de: Abram, Gén. 15:6; Pablo, Flp. 3:8, 9.

JUSTO, Hch. 18:7; Barsabás, Hch. 1:23; Jesús, Col. 4:11.

L

LABÁN, hospitalidad de, Gén. 24:29; le da a Jacob sus dos hijas, Gén. 29; obra de mala fe con él, Gén. 30:27; 31:1; su pacto con él, Gén. 31:43.

LABRADOR mencionado figurativamente, Jn. 15:1; 2 Tim. 2:6; Stg. 5:7; parábola de los labradores, Mat. 21:33; Mar. 12:1; Luc. 20:9.

LABRANZA. Véase **AGRICULTURA.**

LADRÓN, castigo del, Éxo. 22:2; Deu. 24:7; Zac. 5:4; 1 Cor. 6:10; 1 Ped. 4:15; descripción de su conducta, Job 24:14; Jer. 2:26; 49:9; Luc. 10:30; Jn. 10:1; la segunda venida de Cristo simbolizada por, Mat. 24:43; Luc. 12:39; 1 Tes. 5:2; 2 Ped. 3:10; Ap. 3:3; 16:15.

LADRONES, Cristo crucificado entre dos, Mat. 27:38; Mar. 15:27; uno de ellos le reconoce como su Señor y Salvador, Luc. 23:40.

LAGAR, de la ira de Dios, Ap. 14:19; 19:15. Véase Isa. 5:2; 63:3; Lam. 1:15; Mat. 21:32.

LAGO, de fuego, quienes han de ser arrojados ahí, Ap. 19:20; 20:10; 21:8.

de Genesaret (Galilea), Luc. 5:1.

LAMA SABACTANI, Mat. 27:46; Mar. 15:34. Véase Sal. 22:1.

LÁMPARA (antorcha, candil, etc.), usada para alumbrar: el tabernáculo, Éxo. 25:37; las habitaciones, Hch. 20:8; los carros de guerra por la noche, Nah. 2:3, 4; los cortejos de bodas, Mat. 25:1; a las personas que salían de noche, Sal. 119:105. se mantenía encendida toda la noche, Pro. 31:18.

se ponía sobre un candelero para que alumbrara toda la casa, Mat. 5:15.

para arder perpetuamente, Éxo. 27:20; 25:37; 30:7; Lev. 24:2, &c.; Núm. 8.

LANA hilada para hacer ropa. Lev. 13:47-52 Eze. 34:3; Ose. 2:5, 9; no se había de mezclar con el lino, Deu. 22:11; exportada de Damasco, Eze. 27:18; el primer vellón se había de dar al sacerdote, Deu. 18:4.

LANGOSTAS, plaga de, Éxo. 10:4; Deu. 28:38; Sal. 105:34; Ap. 9:3; descritas, Pro. 30:27; Isa. 33:4; Jl. 1:2-7; 2:13; Nah. 3:17; Ap. 9:7; usadas como alimento, Lev. 11:22; Mat. 3:4; enviadas, Am. 7:1.

LANZA, Jos. 8:18; 2 Sam. 2:3:8, 18; la de Goliat, 1 Sam. 17:7; Cristo fue traspasado con

Jn. 19:34;

——, media lanza, Núm. 25:7; 1 Sam. 18:10; 19:10. Véase **DARDO**.

LAODICENSES, epístola dirigida a, Ap. 1:11; 3:14. Véase Col. 2:1; 4:13, 16.

LAPIDACION (la), (matar a pedradas), como castigo, Lev. 20:2; 24:14; Deu. 13:10; 17:5; 22:21; de Acán Jos. 7:25; de Nabot, 1 Rey. 21; de Esteban, Hch. 7:58; de Pablo, Hch. 14:19; 2 Cor. 11:25.

LASCIVIA (la) (propensión a los deleites carnales), de dónde dimana, Mar. 7:21, 22; Gál. 5:19; censurada, 2 Cor. 12:21; Efe. 4:19; 1 Ped. 4:8; Jud. 4.

LÁZARO y el rico, Luc. 16:19.

——, hermano de María y de Marta, resucitado de entre los muertos, Jn. 11; 12:1.

LEA, los hijos que Jacob tuvo de, Gén. 29:31; 30:17; 31:4; 33:2; 49:31. Véase Rut 4:11.

LEALTAD, haciendo lo bueno, 1 Sam. 26:23; Jer. 2:2; 42:5; Tit. 2:10. Véase **FIDELIDAD**, **HONRADEZ**, **SIERVOS**.

LECHE, como alimento, Gén. 18:8; Jue. 5:25; de vaca, Deu. 32:14; 1 Sam. 6:7; de camello, Gén. 32:15; de cabra, Pro. 27:27; de oveja, Deu. 35:14; convertida en mantequilla, Pro. 30:33, y en queso, Job 10:10.

metáfora de la fertilidad, Jos. 5:6; de la instrucción, Isa. 55:1; 1 Cor. 3:2; Heb. 5:12; 1 Ped. 2:2, Véase Cnt. 4:11; Isa. 7:22; 60:16.

LEGIÓN, de demonios, Mar. 5:9; Luc. 8:30; de ángeles, Mat. 26:53.

LEGISLADOR, Dios, Isa. 33:22; Stg. 4:12.

LEGUMBRES, Dan. 1:12, 16.

LEMUEL, rey, sus palabras, Pro. 31.

LENGUA (la): índice del corazón, Isa 32:6; Mat. 12:35; Luc. 6:45; la muerte y la vida en poder de, Pro. 18:21; la felicidad depende de, Pro. 21:23; Am. 5:13; beneficios que resultan de gobernar, 2 Cr. 10:7; Pro. 12:14: 15:23; 18:20; males de, sin gobernar, Pro. 12:13; mala y buena, contraste de, Pro. 10; 14:3; 15; Ecl. 9:17; 10:12; Stg. 3; el prudente refrenamiento de, Pro. 30:32; Ecl. 10:20; Miq. 7:5; Stg. 1:19.

MALA, ES engañosa, Sal. 55:21; Jer. 9:8; molesta, Sal. 10:7; 52:2; indomable, Stg. 3:7, 8; hipócrita, Sal. 57:4; Pro. 11:9; llena de ponzoña, Rom. 3:13; Stg. 3:8; blasfema, Luc. 22:65; aduladora, Job 17:5; Sal. 12:2; perversa, Pro. 4:24: 6:12; 10:31; un mundo de maldad, Stg. 3:6; inflamada del infierno, Stg. 3:6; espada aguda, Sal. 57:4; llama de fuego, Pro. 16:27.

BUENA, ES gracia, Ecl. 10:12; Luc. 4:22; fuerte y recta, Job 6:25; sabia y justa, Sal., 37:30; sana, Tit. 2:8; pacificadora, Pro. 15:1; conveniente y oportuna, Pro. 15:23; 25:11; clemente, Pro. 31:25; medicina, Pro. 12:18; sin engaño, **COMO:** un árbol de vida, Pro. 15:4; una vena de vida, Pro. 10:11; un arroyo rebosante, Pro. 18:4; plata escogida, Pro. 10:20; panal de miel, Pro. 16:24; vaso precioso, Pro. 20:15.

LENGUAS, confusión de, Gén. 11. don de,

Hch. 2:3-18; 10:46; 19:6; reglas con respecto al uso de ese don, 1 Cor. 12:10; 13:1; 14:2-40

LENTEJAS, legumbre, Gén. 25:34; 2 Sam. 17:28; 23:11; Eze.4:9.

LEÓN: sus cualidades: fuerte, Jue. 14:18; Pro. 30:30; activo, Deu. 33:32; valiente, 2 Sam. 17:10; impávido, Isa. 31:4; Nah. 2:11; fiero, Job 10:16; 28:8; voraz y astuto, Sal. 17:12.

muerto por Sansón, Jue. 14:5; y por David, 1 Sam. 17:34.

el profeta desobediente muerto por un, 1 Rey. 13:24; 20:36.

Daniel salvado de las garras de los, Dan. 6:18.

enigma de, Jue. 14:14, 18.

proverbio de, Ecl. 9:4.

imagen de, en visiones, Eze. 1:10; 10:14; Dan. 7:4; Ap. 4:7.

parábola de, Eze. 19.

mencionado en sentido figurado, Gén. 49:9 (Ap. 5:5); 2 Sam. 17:10; Job 4:10.

Satanás comparado a un, 1 Ped. 5:8.

LEOPARDO, en visiones, Dan. 7:6; Ap. 13:2.

en sentido metafórico, Isa. 11:6; Jer. 5:6; 13:23; Ose. 13:7.

LEPRA (la), señales para distinguir, Lev. 13.

ritos que se observaban para limpiar, Lev. 14; 22:4; Deu. 24:8.

de María, Núm. 12:10; de Naamán, 2 Rey. 5; de Uzías, 2 Cr. 26:19; curada por Cristo, Mat. 8:3; Mar. 1:41; Luc. 5:12; 17:12.

LEPROSOS, expulsados del campamento, Lev. 13:46; Núm. 5:2; 12:14.

cuatro de Samaria, 2 Rey. 7:3.

LETRA (la), y el espíritu, 2 Cor. 3:6; Rom. 2:27; 7:6.

LEVADURA, no debía usarse en la Pascua, Éxo. 12:15; 13:7; ni en las ofrendas, Lev. 2:11; 6:17; 10:12; mencionada en sentido metafórico, Mat. 13:33; 16:6; Luc. 13:20; l Cor. 5:6.

LEVÍ, hijo de Jacob, Gén. 29:34; su venganza, Gén. 84:25; 49:5; sus descendientes, Gén. 46:11.

——, apóstol. Véase **MATEO**.

LEVIATÁN, Job 41:1; Sal. 74:14; 104:26; Isa. 27:1.

LEVITAS (los), matan a los idólatras, Éxo. 32:28.

separados para el servicio de Dios, Num. 1:47; dados en lugar de los primogénitos, Núm. 3:12; 8:16; consagrados, Núm. 8:5-16; empezaban a servir a los veinticinco años de edad, Núm. 8:24; a los treinta se les reputaba como ministros, Núm. 4:3, 23; retirados a los cincuenta, Núm. 4:25; se les imponían deberes menos arduos, Núm. 8:26; sus funciones, Núm. 3:23; 4; 8:23: 18; su herencia, Núm. 35; Deu. 18; Jos. 21; deber para con, Deu. 12:19; 14:27; genealogías de, 1 Cr. 6; 9; servicios prescritos por David 1 Cr. 23-27; debían ser se les dieron cuarenta y ocho ciudades, Núm. 35:2-8; censurados, Mal. 1; 2.

LEY, de la conciencia, Rom. 1:19; 2:15.

LEY (la) de Dios:

es absoluta y perpetua. Mat. 5:18.

el amor es cumplimiento de, Rom. 13:8, 10; Gál. 5:14; Stg. 2:8.

es deber del hombre guardar, Ecl. 12:13.

el hombre por naturaleza no se sujeta a, Rom. 7:5; 8:7.

el hombre no puede rendir una obediencia perfecta a, 1 Rey. 8:46; Ecl. 7:20; Rom. 3:10

el pecado es una trasgresión de, 1 Jn. 3:4.

todos los hombres han quebrantado, Rom. 3:9, 19.

el hombre no puede ser justificado por, Hch. 13:39; Rom. 3:20, 28; Gál. 2:16; 3:11.

da a conocer el pecado, Rom. 3:20; 7:7.

la conciencia da testimonio de, Rom. 2:15.

tiene por objeto encaminarnos hacia Cristo, Gál. 3:24.

es la regla de vida para los santos, 1 Cor. 9:21; Gál. 3:13, 14.

debe usarse de ella lícitamente, 1 Tim. 1:8.

castigo por la desobediencia a, Neh. 9:26, 27; Isa. 65:11-13; Jer. 9:13-16.

bienaventurados los que guardan, Sal. 119:1 Mat. 5:19; 1 Jn. 3:22, 24; Ap. 22:14

DADA: a Adán, Gén. 2.:16, 17, con Rom. 5:12- 14; a Noé, Gén. 9:6; a los israelitas, Éxo. 20; Sal. 78:5; por medio de Moisés, Éxo. 31:18; Jn. 7:19; por medio del ministerio de los ángeles, Hch. 7:53; Gál. 3:19; Heb.2:2.

DESCRITA como: pura, Sal. 19:8; espiritual, Rom. 7:14; santa, justa y buena, Rom. 7:12; ancha en gran manera, Sal. 119:96; perfecta, Sal. 19:7; Rom. 12:2; verdad, Sal. 119:142; que no es grave, 1 Jn. 5:3.

CRISTO vino a cumplir, Mat. 5:17; enalteció, Isa. 42:21; explicó, Mat. 7:12; 22:37-40.

LIBACIONES, u ofrendas de derramamiento, Éxo. 29:40; Lev. 23:13; Núm. 6:17; 15:5 (Gén. 35:14); idólatras, Isa. 57:6; Jer. 7:18; 44:17; Éze. 20:28.

LIBERTAD , natural, Éxo. 21:2-11, 26, 27; Deu. 15:12-18: Jer. 34:9, &c.; Mar. 17:26; Hch. 22:28; 1 Cor. 7:21-23.

——, **cristiana:** predicha, Isa. 42:7; 61:1; llamada la libertad gloriosa de los hijos de Dios, Rom. 8:21; los santos son llamados a, Gál. 5:13; confirmada por Cristo, Jn. 8:36; proclamada por Cristo, Isa. 61:1; Luc, 4:18; el servicio de Cristo es, 1 Cor. 7:23; Efe. 3:12; Heb. 10:19.

CONFERIDA: por Dios, Col. 1:13; por Cristo, Gál. 4:3-5; 5:1; por el Espíritu, Rom. 8:15; 2 Cor. 3:17; por medio del evangelio, Jn. 8:32.

ES EMANCIPACIÓN DE: la ley, Rom. 7:6; 8:2; la maldición de la ley, Gál. 3:13; el temor de la muerte, Heb. 2:15; el pecado, Heb. 2:15; la corrupción, Rom. 8:21; la servidumbre del hombre, 1 Cor. 6:19; los ritos judaicos, Gál. 4:3; Col. 2:20.

LIBERTINAJE, Jud. 1:4.

LIBERTINOS, sinagoga de los, Hch. 6:9.

LIBRAMIENTO de Lot, Gén. 14:19; de Moisés, Éxo. 2; de Israel, Éxo. 14; Jue. 4;

7; 15; 1 Sam. 7; 14; 17; 2 Rey. 19; 2 Cr. 14:20, &c.; de Daniel. &c., Dan. 2; 6; de Sadrac, &c., Dan. 3; de los apóstoles, Hch. 5:19; 12:7; 16:26; 28:1; 2 Tim. 4:17; de las enfermedades es por el poder de Dios, Deu.7:15; Job 33:25; Sal. 91:3-6; 103:3; del pecado, Sal. 39:8; 51:14; 79:9; de manos de los enemigos, Deu. 23:14; 2 Rey. 17:39; 20:6; Sal. 108:43; del castigo, Esd. 9:13; de seis tribulaciones, Job 5:19; Sal. 54:7; de la muerte, Sal. 56:13; 88:13; de la opresión, Eze. 3:8; 12:27.

POR MEDIO DE CRISTO: Isa. 59:20; Rom. 11:26; de este mundo malvado, Gál. 1:4; de la ira que ha de venir, 1 Tes. 1:10; del temor de la muerte, Heb. 2:15; de la ley, Rom. 7:6; del cuerpo de la muerte, Rom. 7:24; de la servidumbre de la corrupción, Rom. 8:21.

oraciones acerca de, Gén. 32:11; Sal. 6:4; 40:13; 107:8; Mat. 6:13.

LIBRE (la) y la sierva, alegoría de, Gál. 4:22.

LIBRO. Véase **ROLLO.**

LIBROS (los), origen probable de, Job 19:23, 24; materiales de, Isa. 19:7; 2 Tim. 4:13; forma de, Isa. 34:4; Jer. 32:2; Eze. 2:9; Ap. 6:14; de hojas o pliegos, Jer. 36:23; Ap. 5:1-3; escritos con pluma y tinta, Jer. 36:18; 3 Jn. 13; escritos en ambos lados, Eze. 2:9, 10; Ap. 5:1; sellados, Isa. 29:11; Dan. 12:4; Ap. 5:1; antigüedad de, Gén. 5:1; Job 19:23; 31:35; numerosos, Ecl. 12:12; de hechicería, costosos, Hch. 19:19.

LISTA DE: de Dios, Éxo. 32:32; de las generaciones de Adán, Gén. 5:1; ley de Moisés, Deu. 31:9, 19, 24, 26; batallas de Jehová, Éxo. 17:14; Núm. 21:14; del Jaser (derecho), Jos. 10:13; 2 Sam. 1:18; describiendo la tierra de Palestina, Jos. 18:9; de Samuel, 1 Sam. 10:15; de Samuel, Natán y Gad, 1 Cr. 29:29; de los reyes, 1 Cr. 9:1; 2 Cr. 24:27; de las crónicas de David, 1 Cr. 27:24; de los hechos de Salomón, 1 Rey. 11:41; de los reyes de Judá y de Israel, 2 Cr. 16:11; 25:26; 27:7; 28:26; 35:27; 36:8; de los reyes de Israel, 1 Rey. 14:19; 2 Cr. 20:34; 33:18; de Jehú, 2 Cr. 20:34; de Isaías, 2 Cr. 26:22; 32:32; Isa. 8:1; de Jeremías, Jer. 30:2-8; 38; de Lamentaciones, 2 Cr. 35:25; de las palabras de los videntes, 2 Cr. 33:19; de las historias (de los padres de los judíos), Esd. 4:15; 6:1, 2; de las memorias, Est. 6:1; 9:32; de hechicería., Hch. 19:19; del juicio, Dan. 7:10; Ap. 20:12.

hallado y leído, 2 Rey. 22:8; Neh. 8:8.

destruido por Joacim, Jer. 36:20-25, 29.

malos, quemados por los conversos, Hch. 19:18, 19.

en sentido figurado: el Libro de Dios, Éxo. 32:32, 33; Sal. 58:8; 139:16; Ap. 20:12; de memoria, Mal. 3:16; de la vida o de los vivientes, Sal. 89:28; Dan. 12:1; Flp. 4:3; Ap. 8:5; 13:8; 17:8; 20:12, 15; 21:27; 22:19.

simbólicos, Zac. 5:1; Ap. 5:1.

el comérselos, significa estudiarlos con cuidado, Jer. 15:16; Eze. 2:8; 3:1-3; Ap. 10:2-10.

LIDIA, su fe y su caridad, Hch. 16:14, 40.

LIEBRE, inmunda, Lev. 11:6; Deu. 14:7.

LIMOSNA, instrucciones respecto al modo de dar, Mat. 6:1-4; Luc. 11:41; 12:33.
dadas por: Tabita, Hch. 9:36; Cornelio, Hch. 10:1-4, 31; Pablo, Hch. 24:17.
ejemplos de, Hch. 3:2; 10:2; 24:17.

LIMPIAMENTO. Véase **ABLUCIÓN.**

LIMPIOS, animales, &c., Lev. 11; Deu. 14:4; Hch. 10:12.

LINDEROS, no los habían de quitar, Deu. 19:14; 27:17; Pro. 22:28: 23:10; Job 24:2.

LINO, planta del, Éxo. 9:31; Jos. 2:6; Pro. 31:13; Isa. 19:9; Ose. 2:5, 9; fábrica de, 1 Cr. 4:21; hecha por las mujeres, Pro. 31:22-24; traído de Egipto, Eze. 27:7; y de Siria, Eze. 27:16; ropa hecha de, para hombre, Gén. 41:42; Est. 8:15; para mujer, Eze. 16:10, 13; cintos hechos de, Jer. 13:1; no había de tejerse con lana, Lev. 19:19; Deu. 22:11; el cuerpo de Cristo envuelto en, Mar. 15:46; Jn. 20:5; empleado en las vestiduras sacerdotales, Éxo. 28:42; Lev. 6:10; 1 Sam. 2:18; 22:18. Véase Ap. 15:6; 19:8, 14.

LIRIO, Cnt. 2:1-2; Ose. 14:5; Mat. 6:28; Luc. 12:27.

LISONJA (alabanza afectada, para ganar la voluntad de alguien). Véase **ADULACIÓN.**

LISTRA, un cojo curado en, Hch. 14:8; Pablo, &c., considerados como dioses en, Hch. 14:11; Pablo lapidado en, Hch. 14:9.

LO-AMMI y **LO-RUHAMA,** Ose. 1; 2.

LOBO, (el): es rapaz por naturaleza, Gén. 49:27; Jer. 5:6; Jn. 10:12; pacerá junto con el cordero, Isa. 11:6.
SÍMIL: de los malos, Mat. 10:16; Luc. 10:3; de los malos gobernantes, Eze. 22:27; Sof. 3:3; de los falsos maestros, Mat. 7:15; Hch. 20:29; del diablo, Jn. 10:12; de la tribu de Benjamín, Gén. 49:27; de los enemigos feroces, Jer. 5:6; Hab. 1:8; (el domar el) del cambio efectuado por la conversión, Isa. 11:6; 65:25.

LOCURA, fingida por David, 1 Sam. 21:13; la de Balaam, refrenada, 2 Ped. 2:16; para el hombre natural las cosas del Espíritu son, 1 Cor. 2:14; la de la predicación, 1 Cor. 1:21; hace errar, Pro. 5:23; amagos de, Deu. 28:28. Véase Ecl. 1:17; 2:12, &c.; Pablo acusado de, Hch. 26:24; el pueblo que padece, Deu. 32:6.

LODO (o barro), empleado para sellos, Job 38:14; por el alfarero, Isa. 29:16; Cristo unta, Jn. 9:6-15; en sentido figurado, Job 4:19; 13:12; 33:6; Isa. 64:8; Jer. 18:6; Hab. 2:6.

LOIDA, abuela de Timoteo, 2 Tim. 1:5.

LONGANIMIDAD (la) de Dios: es uno de sus atributos, Éxo. 34:6; Núm. 14:18; Sal. 86:15; la salvación es el objeto de, 2 Ped. 3:15; por medio de la intercesión de Cristo, Luc. 13:8; debe encaminarnos al arrepentimiento, Rom. 2:4; 2 Ped. 3:9; un incentivo para arrepentirnos, Jl. 2:13; se manifiesta en el perdón de los pecados, Rom. 3:25;

LOS MALOS: abusan de, Ecl. 8:11; Mat. 24:48, 49; desprecian, Rom. 2:4; son

castigados por despreciar, Neh. 9:30; Mat. 24:48-51; Rom. 2:5; explicada con un ejemplo, Luc. 13:6-9.
ejemplificada: Manasés, 2 Cr. 33:10-13; Israel, Sal. 78:38; Isa. 48:9; Jerusalén, Mat. 23:37, Pablo, 1 Tim. 1:16.

LOT, su elección, Gén. 13:10; libertado por Abram, Gén. 14; hospeda ángeles, Gén. 19:1; librado de Sodoma, Gén. 19:16; el castigo de su esposa, Gén. 19:26. Véase Luc. 17:28, 32; 2 Ped. 2:7.

LUCAS, compañero de Pablo, 2 Tim. 4:11; Flm. 24; Col. 4:14 (Hch. 16:12; 20:5, &c.).

LUCERO DE LA MAÑANA que sale en el corazón, 2 Ped. 1:19.

LUCHA, de Jacob, Gén. 32:24; del cristiano, 1 Cor. 9:25; Efe. 6:12; Col. 2:1; 2 Tim. 2:5.

LUJURIA, de Jerusalén (Aholiba) y Samaria (Ahola), Eze. 23:1-3, 21, 29, 35. Véase **CONCUPISCENCIA.**

LUNA (la), creada, Gén. 1:16; su orden, Gén. 1:14; Sal. 8:3; 89:37; 104:19; 148:3; fiesta de la luna nueva (Núm. 10:10; 28:11), 1 Sam. 20:5; Sal. 81:3; 1 Cr. 23:31; Isa. 1:13; Ose. 2:11; adorada, Deu. 17:3; 2 Rey. 23:5; Job 31:26; Jer. 8:2; 44:17.

LUNÁTICOS, Mat. 4:24; 17:15.

LUZ, creada, Gén. 1:3; Jer. 31:35; símil del favor de Dios, Éxo. 10:23; Sal. 4:6; 27:1; 97:11; Isa. 9:2; 60:19; Dios es Luz, 1 Jn. 1:5; 1 Tim. 6:16; Cristo es la luz del mundo, Mat. 4:16; Luc. 2:32; Jn. 1:4; 3:19; 8:12; 12:35; Ap. 21:23; la palabra de Dios es, Sal. 19:8; 119:105, 130; Pro. 6:23; los discípulos llamados hijos de, Efe. 5:8; 1 Tes. 5:5; 1 Ped. 2:9; la vestidura de Cristo, Mat. 17:2; la que vio resplandecer Pablo, Hch. 9:3.

LUZ (primer nombre de Betel), Gén. 28:19, Jue. 1:23.

LL.

LLAMAMIENTO (el) (inspiración con que Dios llama a ejercer un ministerio): de Noé, Gén. 6:13; de Abraham, Gén. 12; de Jacob, Gén. 28:2, 12; de Moisés, Éxo. 3; de Gedeón, Jue. 6:11; de Samuel, 1 Sam. 3; de Elías, 1 Rey. 17; de Eliseo, 1 Rey. 19:16, 19; de Jonás, Jon. 1; de Isaías, Isa. 6; de Jeremías, Jer. 1; de Ezequiel, Eze. 1; de Oseas, Ose. 1; de Amós, Am. 1; 7:14. Véase Miq. 1:1; Sof. 1:1; Hag. 1:1; Zac. 1:1; de Pedro, Mat. 4:18; Mar. 1:16; Luc. 5; Jn. 1:39; de Pablo, Hch. 5; Rom. 1:1; Gál. 1:1, 11; 1 Tim. 1.

LLAMAMIENTO (el) DE DIOS: para que salgamos de las tinieblas, 1 Ped. 2:9; dirigido a todos, Isa. 45:22; Mat. 20:16; la mayor parte lo desoyen, Pro. 1:24; Mat. 20:16; eficaz por lo que respecta a los santos, Sal. 110:3; Hch. 13:48; 1 Cor. 1:24; no es a muchos sabios, 1 Cor. 1:26, 27; los que reciben, son justificados, Rom. 8:30; debemos caminar de una manera digna de, Efe. 4:1; 2 Tes. 1:11; dicha de recibir, Ap. 10:9; será seguro, 2 Ped. 1:10.

LLANTO de Agar, Gén. 21:16; de Esaú, Gén. 27:38; de Jacob y Esaú, Gén. 33:4; de Jacob, Gén. 37:35; de José, Gén. 42:24; 43:30; 45:2, 14; 46:29; 80:1, 17; de los israelitas,

Núm. 11:4; 14:1; Deu. 34:8; Jue. 2:4; 20:23; 21:2; de Ana, 1 Sam. 1:7; de Jonatán y de David, 1 Sam. 20:41; de David, 2 Sam. 1:17; 3:22; 13:36; 15:23, 30; 18:33; de Ezequías, 2 Rey. 20:3; Isa. 38:3; de Jesús, Luc. 19:41; Jn. 11:33-35; de Pedro, Mat. 26:75; Mar. 14:72; Luc. 22:62; de María, Luc. 7:38; Jn. 11:2, 33; 20:11; de Pablo, Hch. 20:19; Flp. 3:18; por el pecado, Jer. 50:4; Jl. 2:12; en la siembra, Sal. 126:5, 6; por los pecados de los demás, Jer. 9:1; por Sara, Gén. 23:2; por Saúl, 2 Sam. 1:24; de endechadores asalariados, Ecl. 12:5; Jer. 9:17; por la cautividad, Jer. 22:10; por diversos juicios, Am. 5:16; prohibido a Ezequiel, Eze. 24:16; por una joven muerta, Mar. 5:39; por Lázaro, Jn. 11:33-35; por Cristo, Jn. 20:13; no habrá en el cielo, Ap. 7:17; 21:4. exhortaciones con respecto a, Rom. 12:15; 1 Cor. 7:30; 1 Tes. 4:13, Véase Luc. 6:21; Jl. 2:17.

LLAVE de David, Isa. 22:22; Ap. 3:7; de la ciencia, Luc. 11:52; del pozo del abismo, Ap. 9:1; 20:1.

LLAVES del cielo, Mat. 16:19; de la muerte y del infierno, Ap. 1:18.

LLUVIA, enviada en castigo, Gén. 7; Éxo. 9:34; 1 Sam. 12:17; Sal. 105:32; retardada en castigo, 1 Rey. 17; Stg. 5:17; Zac. 14:17; desolación a consecuencia de, Jer. 14; símbolo de la bendición de Dios, Lev. 26:4; Deu. 32:2; 2 Sam. 23:4; Sal. 68:9; Ose. 10:12.

M

MACPELA, campo de, comprado por Abraham, Gén. 23; los patriarcas son sepultados allí, Gén. 23:19; 25:9; 35:29; 49:30; 50:12.

MADIÁN, hijo de Abraham y Cetura, Gén. 25:2.

    SUS DESCENDIENTES, Gén. 25:4; sus habitaciones, Éxo. 2:15; 3:1; Núm. 22:1, 4; Hab. 3:7; ponen lazo a los israelitas, Núm. 25:6; despojados, Núm. 31:1; oprimen a Israel y son subyugados por Gedeón, Jue. 6ª8. Véase Sal. 83:9; Isa. 9:4; 10:26; 60:6.

——, tierra de, Moisés se refugia allí, Éxo. 2:15.

MADRE de todos, **EVA**, Gén. 3:20.

MADRE de los animales, cuándo se han de separar a los hijos de la, Éxo. 22:30; Lev. 22:27.

MADRES, amor de, Isa. 49:19; 66:13.

    ejemplos de, Gén. 21:10, 16; Éxo. 2; 1 Sam. 1:22; 1 Rey. 3:26; 2 Tim.1:5; 2 Jn.

    deberes para con, Éxo. 20:12; Pro. 1:8; 19:26; 23:22; Efe. 6:1.

    Dios cuida de las, Gén. 49:25; Éxo. 21:22; Deu. 7:13; 1 Tim. 2:15.

MADRUGAR (el):

    Cristo nos puso un ejemplo de, Mar. 1:35; Luc. 21:38; Jn. 8:2.

    ES NECESARIO PARA: redimir el tiempo, Efe. 5:16; la devoción, Sal. 5:3; 59:16; 63:1; 88:13; Isa. 26:9; ejecutar los mandamientos de Dios, Gén. 22:3; el cumplimiento de los deberes de cada

día, Pro. 31:11; el dejar de, conduce a la pobreza, Pro. 6:9-11.

    PRACTICADO POR LOS MALOS PARA: el engaño, Pro. 27:14; la embriaguez, Isa. 5:11; corromper sus obras, Sof. 3:7; ejecutar sus malvados proyectos, Miq. 2:1.

    sirve de ejemplo para explicar la diligencia espiritual, Rom. 13:11, 12.

    ejemplos de: Abraham, Gén. 19:27; Isaac, Gén. 26:31; Jacob, Gén. 28:18; Josué, Jos.3:1; Gedeón, Jue. 6:38; Samuel, 1 Sam. 15:12; David, 1 Sam. 17:20; el criado de Eliseo, 2 Rey. 6:15; María, Mar. 16:2.

MAESTROS, nombrados en Israel, Núm. 11:25; 2 Cr. 17:7; Esd. 7:10.

    en la iglesia cristiana, Hch. 13:1; Rom. 12:7; 1 Cor. 12:28; Efe. 4:11; Col. 1:28; 3:16; 1 Tim. 3; Tit. 1:5.

    deberes para con los, 1 Cor. 9:1-14; Gál. 6:6; 1 Tim. 5:17.

MAGISTRADOS (los): son ordenados de Dios, Rom. 13:1; son ministros de Dios, Rom. 13:4-6; para qué son ordenados, Rom. 13:4; 1 Ped. 2:14; causan terror a los malos, Rom. 13:3; han de elegirse por su habilidad, integridad y cordura, Éxo. 18:21; Deu. 1:13; 2 Sam. 23:3; Esd. 7:25; debemos rogar a Dios por ellos, 1 Tim. 2:1, 2.

MAGOG, hijo de Jafet, Gén. 10:2; 1 Cr. 1:5; profecía con respecto a, Eze. 38:2; 39:6; como símbolo, Ap. 20:8.

MAGOS, o SABIOS, Gén. 41:8; los de Egipto, imitan milagros, Éxo. 7:11; desconcertados, Éxo. 8:19; de Caldea, son preservados, Dan. 2; 4:7; del Oriente adoran al niño Jesús, Mat. 2:1-12.

MAHALÓN y Quilión, hijos de Elimelec y Noemí, Rut 1.

MAHANAIM, la visión de Jacob en, Gén. 32.

MAJESTAD (la) (grandeza, superioridad y autoridad sobre otros), de Dios, 1 Cr. 29:11; Job 37:22; Sal. 93; 96; Isa. 24:14; Nah. 1; Hab. 1; de Cristo, 2 Ped. 1:16. Véase **JESUCRISTO**.

MALAQUÍAS, se queja de la ingratitud y profanidad de Israel, Mal. 1; reprende a los sacerdotes y al pueblo, Mal. 2; predice la venida de Cristo y de Juan el Bautista, Mal. 3; 4.

MALAS COMPAÑÍAS, perjuicios que resultan de las: los sodomitas, Gén. 13:13; 19:9, 15; los de Siquem, Gén. 34:1; moabitas, Núm. 25; Sal. 106:28; Dalila, Jue. 16:1-21; los consejeros de Roboam, 1 Rey. 12:8; Manasés, 2 Rey. 21:9; Ocozías, 2 Cr. 20:37; 22:3-5; las esposas de Salomón, Neh. 13:26; Amasías, 2 Cr. 25:7-9.

MALDAD, castigo de la, Sal. 7:14; 9:15; Pro. 11:27; Isa. 33:1; Mal. 4:1; Hch. 13:10; al abundar, enfría el amor de muchos, Mat. 24:12; Jesús enviado para que el hombre se convirtiese de su, Hch. 3:26; debemos arrepentirnos de nuestra, Hch. 8:22-23; la lengua es un mundo de, Stg. 3:6; Dios nos limpia de toda, 1 Jn. 1:9; toda, es pecado, 1 Jn. 5:7; el mundo entero yace en, 1 Jn. 5:19.

MALDECIR (el), prohibido, Éxo. 21:17; Lev. 24:15; Pro. 30:11; Sal. 109:17; Mat. 5:44; Rom. 12:14; 1 Cor. 5:11; 1 Tim. 6:4; 1 Ped. 3:9; 2 Ped. 2:11; Jud. 9; Stg. 3:10.
ejemplos de, 1 Sam. 25:14; 2 Sam. 16:7; Mar. 15:29.

MALDICIÓN sobre la tierra a causa de la caída, Gén. 3:17; sobre Caín, Gén. 4:1; sobre los que quebrantan la ley, Lev. 26:14; Deu. 11:26; 27:13; 28:15; 29:19; Jos. 8:34; Pro. 3:33; Mal. 2:2.
Cristo nos redime de, Deu. 21:23; 2 Cor. 5:21; Gál. 3:10, 11; Ap. 22.

MALDICIONES pronunciadas por: Noé, Gén. 9:25; seis tribus sobre el monte Ebal, Deu. 27:13-26; Jotam, Jue. 9:29, 57; Simeí, 2 Sam. 16:5-8; Eliseo sobre los muchachos, 2 Rey. 2:24. Job, Job 3:1; David en una profecía, Sal. 109:6, &c; Jeremías, Jer. 20:14.

MALDITOS, a quiénes se les llama así: a la mujer adúltera, Núm. 5:21; diversas clases de pecadores, Deu. 27:15; los avaros, Pro. 11:26; los hipócritas, Pro. 27:14; Isa. 65; los desobedientes, Jer. 11:3; los que confían en el hombre, Jer. 17:5; los perseguidores, Lam. 3:65; los ladrones y los que juran en falso, Zac. 5:3; los engañadores, Mal. 1:14; los malos el día del juicio, Mat. 25:41; Sal. 37:22; Gál. 1:8, 9. Véase **ANATEMA**.

MALHECHORES (los), no habían de permanecer colgados durante la noche, Deu. 21:22; Cristo fue crucificado entre dos, Luc. 23:32.

MALICIA (la): prohibida, 1 Cor. 14:20; Col. 3:8; impide el crecimiento en la gracia, 1 Ped. 2:1, 2; incompatible con el culto de Dios, 1 Cor. 5:7, 8; la libertad cristiana no ha de usarse para cubrir, 1 Ped. 2:16; los santos evitan, Job 31:29, 30; Sal. 35:12-14; orad por los que os hacen perjuicios por, Mat. 5:44; lleva en su seno su propio castigo, Sal. 7:15, 16; Dios venga, Sal. 10:14; Eze. 36:5;

MANÁ, prometido, Éxo. 16:4; enviado, Éxo. 16:14; Deu. 8:3; Neh. 9:20; Sal. 78:24; Jn. 6:31; guardado como testimonio, Éxo. 16:32; Heb. 9:4; los israelitas murmuran a causa del, Núm. 11:6; cesa, Jos. 5:12; el maná escondido, Ap. 3:17; Cristo, el maná que descendió del cielo, Jn. 6:57-58.

MANAHEM, rey de Israel, su crueldad y mal gobierno, 2 Rey. 15:14-18.

MANANTIAL, de vida, Pro. 13:14; 14:27; 16:22; Sal. 36:9; Jer. 17:13; de sabiduría, Pro. 18:4. Véase **POZOS**.

MANASÉS, hijo de José, Gén. 41:51; bendecido, Gén. 48; sus descendientes son contados, &c., Núm. 1:34; 26:29; Jos. 22:1; 1 Cr. 5:23; 7:14; su herencia, Núm. 32:33; 34:14; .105. 13:29; 17; algunos se adhieren a la casa de David, 1 Cr. 9:3; 12:19; 2 Cr.15:9; 30:11.

——, rey de Judá, su mal gobierno, 2 Rey. 21; 2 Cr. 33; su arrepentimiento, 2 Cr. 33:12, 18.

MANDAMIENTOS (los diez) pronunciados por Dios, Éxo. 20:1; Deu. 5:4-22; escritos por Dios, Éxo. 32:16; 34:1, 28; Deu. 4:13; 5:22; 10:4; registrados, Éxo. 20:3-17; resumidos por Cristo, Mat. 22:35-40; cumplidos no abolidos, por Cristo, Mat. 5:17; 19:17; 2:25; Mar. 10:17-25; Luc. 10:25; 18:18; la ley de, es espiritual, Mat. 5:28; Rom. 7:14. Véase **LEY DE DIOS**.

MANDRÁGORAS, Gén. 30:14-16; Cnt. 7:13.

MANO (la) de DIOS, para bendición, 2 Cr. 30:12; Esd. 7:9; 8:18; Neh. 2:18; Sal. 37:24; 104:28; Jn. 10:28, 29; para castigo, Deu. 2:15; Rut 1:13; Job 2:10; 19:21; 1 Ped. 5:6; es gloriosa en poder, Éxo. 15:6; Isa. 59:1; Luc. 1:66.

MANO SECA, de Jeroboam, es sanada, 1 Rey. 13; sanada por Cristo, Mat. 12:10; Mar. 3; Luc. 6:6.

MANOA, padre de Sansón, Jue. 13; 16:31.

MANOS (las): el lavamiento de, en señal de inocencia, Deu. 21:6; Sal. 26:6; Mat. 27:24; levantadas al orar, Éxo. 17:11; Sal. 28:2; 63:4; 141:2; 143:6; 1 Tim. 2:8; levantadas al jurar, Gén. 14:22.
IMPOSICIÓN DE: al bendecir, Gén. 48:14; Mat. 19:13; Ap. 1:17; al obrar milagros, Mar. 6:5; 16:18; Luc. 4:40; Hch. 8:17; 28:8; al separar para el desempeño de funciones especiales, Núm. 27:22; Hch. 6:6; 13:3, 1 Tim. 4:14; al comunicar el don del Espíritu Santo, Hch. 9:17; 2 Tim. 1:6.

MANSEDUMBRE: Cristo nos dio ejemplo de, Sal. 45:4; Mat. 11:29; 21:5; 2 Cor. 10:1; fruto del Espíritu, Gál. 5:22, 23; es preciosa a los ojos de Dios, 1 Ped. 3:4; es un distintivo de la verdadera sabiduría, Stg. 3:17; virtud indispensable del cristiano, Efe. 4:1, 2; el evangelio ha de ser predicado a los que poseen, Isa. 61:1; bienaventuranza de la, Mat. 5:5.

MANTECA (de vaca), 2 Sam. 17:29.

MANTEQUILLA (de vaca), Gén. 18:8; por vía de comparación, Sal. 55:21; producto de batir la leche, Pro. 30:33; comida por Jesucristo, Isa. 7:15;

MANTO, de Samuel, rasgado, 1 Sam. 15:27; 28:14; de Saúl, cortado por David, 1 Sam. 24:4-11; de Elías, usado por Eliseo, 2 Rey. 2:8, 13; de Judá, entregado a su nuera, Gén. 38:15-25; parte de la vestidura sacerdotal, Éxo. 28:4; de Aarón y los sacerdotes, Éxo. 39:22-26; Lev. 8:7; babilónico, tomado por Acán, Jos. 7:21-24; rasgado en señal de duelo, Esd. 9:3-5; Job 1:20; 2:12; manto de alegría, Isa. 61:3; y de justicia; Isa. 61:10; señal de protección, Eze. 16:8; de Cristo, salía de él virtud sanadora, Mat. 9:20-21; Mat. 14:16; Mar. 5:27-30; 6:56; Luc. 8:44; usado en su juicio, Mat. 27:28-31;

MANZANO, Cnt. 2:3, 8:5; Jl. 1:12.

MÁQUINAS de guerra, 2 Cr. 26:15; Jer. 6:6; Eze. 26:9.

MAR, el poder de Dios sobre el, Éxo. 14:16; 15; Neh. 9:11; Job 38:11; Sal. 65:7; 66:6; 89:9; 93:4; 107:23; 114; Pro. 8:29; Isa. 50:2; 51:10; Nah. 1:4; dará en el último día los muertos que encierra en su seno, Ap. 20:13; la tierra renovada será sin, Ap. 21:1; aquietado por Jesús, Mat. 8:26; Mar. 4; de fundición, en el templo, 1 Rey. 7:23; 2 Cr. 4:2; de vidrio, en el cielo, Ap. 4:6; 15:2; por vía de comparación, Isa. 11:9; 48:18; 57:20; Jer. 6:23; Hab. 2:14; Stg. 1:6.

MAR ROJO, la salvación de Israel allí, Éxo. 14; 15; llamado Mar de Egipto, Isa. 11:15; las naves de Salomón en, 1 Rey. 9:26; 10:22; 2 Cr. 8:17, 18; el desierto del, Éxo. 13:18; las langostas arrojadas por Jehová en el, Éxo. 10:19.

MAR SALADO (el) (Mar Muerto), Gén. 14:3; Núm. 34:3, 12; Deu. 3:17; Jos. 3:16; 12:3; 15:2-5; 18:19.

MARA, Rut. 1:20.

MARA, las aguas amargas de, endulzadas; Éxo. 15:23.

MARANATA (el Señor viene), 1 Cor. 16:22.

MARDOQUEO, denuncia la traición de Bigtán y Teres, Est. 2:21; Amán se enemista con él, Est. 3:2; su apelación a Ester, Est. 4; honrado por el rey, Est. 6; su promoción después de la caída de Amán, Est. 8; 9; 10 (Esd. 2:2; Neh. 7:7).

MARES mencionados, en las Escrituras: Adriático, Hch. 27:27; Mediterráneo, o Gran Mar, Núm. 34:2; Zac. 14:8; Mar Rojo, Éxo. 10:19; 13:18; 23:31; Mar de Jope, o de los Filisteos, Esd. 3:7; Éxo. 23:31; Sof. 2:5; Mar Salado (Mar Muerto), Gén. 14:3; Núm. 34:12; Mar de Galilea (de Tiberias), Mat. 4:18; 8:32; Jn. 6:1; 21:1; Mar de Jazer, Jer. 48:32; de Cineret, Núm. 34:11; Jos. 12:3; 13:27; de la llanura, 2 Rey. 14:25; de Hazarenán, Eze. 47:17; de Cilicia y Panfilia, Hch. 27:5; de vidrio, Ap. 4:6; 15:22.

MARFIL (colmillo de los elefantes), llevado de Tarsis, 1 Rey. 10:22; 2 Cr. 9:21; y Quitim, Eze. 27:6, 15; el trono de Salomón hecho de, 1 Rey. 10:18; 2 Cr. 9:17; casas y estancias de, Sal. 45:8; Am. 3:15; bancos de, Eze. 27:6; camas de, Am. 6:4; de color claro, Cnt. 5:14; por vía de comparación, Cnt. 7:4.

MARÍA, madre de Jesús, Gabriel enviado a, Luc. 1:26; su fe, Luc. 1:38, 45; 2:19; Jn. 2:5; su acción de gracias, Luc. 1:46; Cristo nacido de, Mat. 1:18; Luc. 2; en las bodas de Caná, Jn. 2:1; pregunta por Cristo, Mat. 12:46; Mar. 3:31; Luc. 8:19; durante la crucifixión, Mat. 27:56; Jn. 19:25; el cuidado de Cristo por, Jn. 19:26; Hch. 1:14.

——, **MAGDALENA**, Luc. 8:2; en la crucifixión, Mat. 27:56; Mar. 15:40; Jn. 19:25; Cristo se aparece primeramente a, Mat. 28:1; Mar. 16:1; Luc. 24:10; Jn. 20:1.

——, hermana de Lázaro, encomiada, Luc. 10:42; el afecto de Cristo hacia, Jn. 11:5,33; unge los pies de Jesús, Jn. 12:3; y la cabeza, Mat. 26:6; Mar. 14:3.

——, madre de Santiago (Jacobo) el menor, José, Simón y Judas y la esposa de Cleofas, Mat. 13:55; 27:56; Jn. 19:25; vigila el sepulcro, Mat. 27:61; Mar. 15:47; va al sepulcro con especias, Mat. 28:1.

——, madre de Juan (Marcos), Hch. 12:12.

——, una discípula romana, Rom. 16:6.

MÁRMOL, 1 Cr. 29:2; Est. 1:6; Cnt. 5:15; Ap. 18:12.

MARTA, reconvenida por Cristo, Luc. 10:38-42.

MARTILLO, 1 Rey. 6:7; Isa. 41:7; por vía de comparación Pro. 25:18; Jer. 23:29; 50:23.

MARTIRIO (el): es la muerte sufrida por la palabra de Dios y en testimonio de Cristo, Ap. 6:9; 20:4; premio de, Ap. 2:10; 6:11; a instigación del demonio, Ap. 2:10, 13; la iglesia apóstata se hace culpable de infligir, Ap. 17:6; 18:24; de los santos será vengado, Luc. 11:50, 51; Ap. 18:20-24.

LOS SANTOS están sobre aviso con respecto a, Mat. 10:21; 24:9; Jn. 16:2; no deben temer, Mat. 10:28; Ap. 2:10; deben estar listos para, Mat. 16:24, 25; Hch. 21:13; deben resistir el pecado hasta la sangre, Heb. 12:4.

ejemplos de mártires: Abel, Gén. 4:8, con 1 Jn. 3:12; los profetas y los santos de la antigüedad, 1 Rey. 18:4; 19:10; Luc. 11:50, 51; Heb. 11:37; Urías profeta, Jer. 26:20-23; Juan el Bautista, Mat. 6:27; Pedro, Jn. 21:18, 19; Esteban, Hch. 7:50; los cristianos primitivos, Hch. 9:1, con Hch. 22:4; 26:10; Santiago, Hch. 12:2. Antipas, mártir fiel de Cristo, Ap. 2:13.

MASAH y MERIBA, la rebelión de Israel en, Éxo. 17:7; Deu. 9:22; 33:8.

MASQUIL, título de los Salmos 32, 42, 44, 45, 52, 54, 74, 88, 89, 142.

MATÁN, sacerdote de Baal, recibe la muerte, 2 Rey. 11:18; 2 Cr. 23:17.

MATEO (Leví), apóstol, su llamamiento, Mar. 9:9; Mar. 2:14; Luc. 5:27; ordenado, Mat. 10:3; Mar. 3:18; Luc. 6:15; Hch. 1:13.

MATÍAS, es elegido apóstol, Hch. 1:15-26.

MATRIMONIO (el), establecido, Gén. 2:18, 24; recomendado, Gén. 2:18; Pro. 18:22; sus obligaciones, Mat. 19:4; Rom. 7:2; 1 Cor. 6:16; 7:10; Efe. 5:31; honorable, Heb. 13:4; Pro. 31:10; Sal. 128; el discurso de Cristo sobre, Mat. 19; Mar. 10; el consejo de Pablo acerca de, 1 Cor. 7; 1 Tim. 5:14; de Isaac, Gén. 24; de Jacob, Gén. 29; del Cordero, Ap. 19:7; mencionado en parábola, Mat. 22:25; no lo hay en el cielo, Mat. 22:30; Mar. 12:23; matrimonios ilícitos, Lev. 18; con los incrédulos, prohibido, 2 Cor. 6:14-17.

CON LOS PAGANOS, les era prohibido a los judíos, Éxo. 34:16; Deu. 7:3; Jos. 23:12; ejemplos: Jue. 3:5-8; 1 Rey. 11:1-12; Esd. 9:2, 12; reformas, Neh. 13; Esd. 10.

el milagro de Cristo para un matrimonio en Caná, Jn. 2:1; prohibido por los apóstatas, 1 Tim. 4:1; ha de ser "en el Señor", 1 Cor. 7:39.

MATUSALÉN. Hijo de Enoc, vivió 969 años, Gén. 5:21-27; ascendiente del Mesías, Luc. 3:23-37.

MAYORDOMO, parábola del, Luc. 16:1. el obispo comparado a, Tito 1:7. Véase 1 Cor. 4:1; 1 Ped. 4:10.

MEDIA, diez tribus llevadas allí, 2 Rey. 17:6; 18:11; Est. 1; los medos subyugan a Babilonia (Isa. 21:2), Dan. 5:28, 31; profecía acerca de la, Dan. 8:20.

MEDIADOR, Cristo es, Efe. 2:13; 1 Tim. 2:5; Heb. 8:6; 9:15; 12:24. Véase Job 9:33.

MEDIANOCHE, oración ofrecida a, Sal. 119:62; Luc. 6:12; Hch. 16:25; 20:7.

MEDICINA, en sentido figurado, Pro. 17:22; Jer. 8:22; 30:13; 46:11; Eze. 47:12.

MÉDICO, Mat. 9:12; Mar. 2:17; Luc. 4:23; 5:31. Véase Jer. 8:22; Lucas, el amado, Col. 4:14.

MEDIDAS, de capacidad: log, Lev. 14:10, 15; cabo, 2 Rey. 6:25; gomer, o décima parte (1-10 de un efa), Éxo. 16:36; Lev. 5:11; 14:10; hin, Éxo. 29:40; bato o efa, Isa. 5:10; Eze. 45:11; homer o coro, Eze. 45:14; cántaro, Jn. 2:6.

——, de longitud: palmo Éxo. 28:16; 1 Sam. 17:4; codo, Gén. 6:15, 16; Deu. 3:11; braza, Hch. 27:28; milla, Mat. 5:41.

INJUSTAS, son abominación para con Dios, Pro. 20:10; los judíos no habían de servirse de, Lev. 19:35; Deu. 25:14, 15; a menudo se sirvieron de, Miq. 6:10.

por vía de comparación, Job 28:23, 25; Sal. 39:4; 80:5; Isa. 5:14; 40:12; Jer. 30:11; Eze. 4:11, 16; Efe. 4:13.

MEDIODÍA, rey del, la visión de Daniel, Dan. 11.

MEDO-PERSA, REINO, se extendía desde India hasta Etiopia, Est. 1:1; ciudades principales: Susán, Est. 1:2; 8:15; Acmeta, Esd. 6:2; sus leyes eran inalterables, Dan. 6:12, 15.

reyes de, mencionados en las Escrituras: Ciro, Esd. 1:1; Asuero, Esd. 4:6; Artajerjes, Esd. 4:7; Darío, Esd. 6:1; Dan. 5:31;

célebre a causa de sus hombres sabios, Est. 1:13; Mat. 2:1.

la gente de, era belicosa, Eze. 27:10; 38:5.

costumbres peculiares de, Est. 1:8: 2:12, 13.

predicciones con respecto a, Isa. 21:1, 2; 44:28; 45:1-4; Dan. 5:28; 8:4, 6, 7; 11:2, 3.

MEFIBOSET, hijo de Jonatán, su cojera, 2 Sam. 4:4; la bondad de David para con, 2 Sam. 9; la traición de Siba, 2 Sam. 16:1; 19:24; preservado por David, 2 Sam. 21:7.

MEJILLA, Job 16:10; Lam. 3:30; Miq. 5:1; Mat. 5:39; Luc. 6:29.

MELQUISEDEC, Rey de Salem, sacerdote del Dios Altísimo, bendice a Abraham, Gén. 14:18-20; su sacerdocio superior al de Aarón, Sal. 110:4; Heb. 5:6, 10; 6:20; 7:1-21.

MENDIGOS y MENDIGAR, 1 Sam. 2:8; Sal. 87:25; 109:10; Pro. 20:4; Luc.16:3; Bartimeo, Mar. 10:46; Lázaro, Luc. 16:20-22; el ciego, Jn. 9:8; el cojo, Hch. 3:2-5.

MENE (contar), Dan. 5:25, 26.

MENSAJERO del pacto, Mal. 3:1. Véase Isa. 42:19.

MENTA, Mat. 23:23; Luc. 11:42.

MENTE (la), se ha de servir a Dios con, Mat. 22:37; Mar. 12:30; Rom. 7:25; iluminada, Heb. 8:10; unidad de, 1 Cor. 1:10; 2 Cor. 13:11; Flp. 2:2; 1 Ped. 3:8; espontaneidad de, 1 Cr. 28:9; Neh. 4:6; 2 Cor. 8:12.

——, del Señor, Rom. 11:34; de Cristo, 1 Cor. 2:16; del Espíritu, Rom. 8:27.

MENTIRA (la): prohibida, Lev. 19:11; Col. 3:9; aborrecible a Dios, Pro. 6:16-19; es para con Dios una abominación, Pro. 12:22; sirve de traba a la oración, Isa. 59:2, 3; el diablo es el padre de, Jn. 8:44; Satanás nos incita a, 1 Rey. 22:22; Hch. 5:3.

LOS MALOS: aman, Sal. 4:2; 52:3; son aficionados a, desde su infancia, Sal. 58:3; se complacen en, Sal. 62:4; buscan, Sal. 4:2; preparan sus lenguas para, Jer. 9:3, 5; producen, Sal. 7:14; están atentos a, Pro. 17:4.

señal de apostasía, 2 Tes. 2:9; 1 Tim. 4:2.

conduce al odio, Pro. 26:28.

la afición a las malas conversaciones, Pro. 17:4.

la pobreza es preferible a, Pro. 19:22.

excluye del cielo, Ap. 21:27; 22:15.

los que se hacen culpables de, serán echados en el infierno, Ap. 21:8.

castigo de, Sal. 5:6; 120:3,4; Pro. 19:5; Jer. 50:36.

ejemplos de: el demonio, Gén. 3:4; Caín, Gén. 4:9; Sara, Gén. 18:15; Jacob, Gén. 27:19; los hermanos de José, Gén. 37:31, 32; los gabaonitas, Jos. 9:9-13; Sansón, Jue. 16:10; Saúl, 1 Sam. 15:13; Mical, 1 Sam. 19:14; David, 1 Sam. 21:2; el profeta de Betel, 1 Rey. 13:18; Giezi, 2 Rey. 5:22; los amigos de Job, Job 13:4; los ninivitas, Nah. 3:1; Pedro, Mat. 26:72; Ananías y Safira, Hch. 5:5-11; los cretenses, Tit. 1:12.

MERCADERES, mencionados, Gén. 37:25; 1 Rey. 10:15; Neh. 13:20; Isa. 23:8; Eze. 27. Véase Rey. 18:11.

MERCADO, o feria, Eze. 27:13-25; Mat. 21:12; Luc. 19:45; Jn. 2:14, 15.

MERCANCÍAS, Deu. 24:7; Sal. 3:14; 31:18; Isa. 23:18; Eze. 27:9; 28:16; Mat. 22:5; Jn. 2:16; Ap. 18:11, 12.

MERCURIO, Pablo llamado, Hch. 14:12.

MESES de los Hebreos, Éxo. 12:2; 13:4; Deu. 16:1; 1 Rey. 6:1; 8:2.

nombres de los doce:

primero, Nisán o Abib, Éxo. 13:4; 23:15; 34:18; Deu. 16:1; Neh. 2:1; Est. 3:7.

segundo, Zif, 1 Rey. 6:1, 37.

tercero, Siván, Est. 8:9.

cuarto, Tammuz, Zac. 8:19.

quinto, Ab, Zac. 7:3.

sexto, Elul, Neh. 6:15.

séptimo, Etanim, 1 Rey. 8:2.

octavo, Bul, 1 Rey. 6:38.

noveno, Quisleu, Neh. 1:1; Zac. 7:1.

décimo, Tebet, Est. 2:16.

decimoprimero, Sebat, Zac. 1:7.

decimosegundo, Adar, Esd. 6:15; Est. 3:7, 13; 8:12; 9:1, 15, 17,19, 21.

MESOPOTAMIA, Abraham parte de, Gén.11:31; 12:1; 24:4, 10; Hch. 7:2.

el rey de, opresor de Israel, es muerto, Jue. 3:8; Hch. 2:9.

MICAL, hija de Saúl, 1 Sam. 14:49; viene a ser esposa de David, 1 Sam. 18:20; se la quitan, 1 Sam. 25:44; se la devuelven, 2 Sam. 3:13; reconvenida por mirar con desprecio su júbilo a Dios, 2 Sam. 6:16, 20; 1 Cr. 15:29.

MICTAM, título del Salmo 16; 56á6o.

MIEL de abejas, usada como alimento, Éxo. 16:31; 2 Sam. 17:29; Pro. 25:27; Cnt. 4:11; Isa. 7:15; Mat. 3:4; Luc. 24:42; no debía emplearse en los sacrificios, Lev. 2:11; se encontraba en las rocas, Deu. 32:13; Sal. 81:6; y en los bosques 1 Sam. 14:25.

   ABUNDABA: en Canaán, Gén. 43:11; Éxo. 3:8; Lev. 20:24; Deu. 8:8; en Egipto, Núm. 16:13; en Asiria, 2 Rey. 18:32.

   exportada de Canaán, Eze. 27:17.

   proverbio relacionado con Jue. 14:18.

   SÍMIL: de la fecundidad, Deu. 8:8; Isa. 7:15, 22; de la sabiduría, Pro. 24:13, 14; de las sagradas palabras de los santos, Cnt. 4:11; de las palabras halagüeñas, Pro. 16:24; de los labios de una mujer extraña, Pro. 5:3.

MIEMBROS del cuerpo como símil de la iglesia, Rom. 12:4; 1 Cor. 12:12 (Sal. 139:16); Efe. 4:25.

MIGUEL, el arcángel, protege a Israel, Dan. 10:13, 21; 12:1; Jud. 9; vence el dragón, Ap. 12:7.

MILAGROS: el poder de Dios necesario para hacer, Jn. 3:2; eran prueba evidente de que el que los hacía habla sido comisionado por Dios, Éxo. 4:1-5; Mar. 16:20; se esperaba que el Mesías hiciese, Mat. 11:2, 3; Jn. 7:31; Jesús probó ser el Mesías por sus, Mat. 11:4-6; Jn. 5:36; Hch. 2:22; Jesús fue seguido a causa de, Mat. 4:23-25; Jn. 6:2, 26; don del Espíritu Santo, 1 Cor. 12:10; deben producir fe, Jn. 2:23; 20:30; deben producir obediencia, Deu. 11:1-3; 29:2, 3, 9.

   SE LES LLAMA maravillas, Sal. 78:12; 105:5; hechos grandes y asombrosos, Isa. 29:14; señales y portentos, Jer. 32:21; Jn. 4:48; 2 Cor. 12:12.

   FUERON HECHOS: mediante el poder de Dios, Hch. 14:3; 15:12; 19:11; mediante el poder de Cristo, Mat. 10:1; mediante el poder del Espíritu Santo, Mat. 12:28; Rom. 15:19; en el nombre de Cristo, Mar. 16:17; Hch. 3:16; 4:30.

   la primera predicación del evangelio fue corroborada por medio de, Mar. 16:20; Heb. 2:4.

   los que los hacían negaban que era por su propia virtud, Hch. 3:12.

   sirvieron de medio, al principio de la era cristiana, para la propagación del evangelio, Hch. 8:6; Rom. 15:18, 19.

   se requería fe de parte de los que los hacían, Mat. 17:20; 21:21; Jn. 14:12; Hch. 3:16; 6:8.

   se requería fe de parte de aquellos a quienes se hacían los, Mat. 9:28; Mar. 9:22-24; Hch. 14:9.

   deben ser recordados, 1 Cr. 16:12; Sal. 105:5.

   deben contarse a las generaciones venideras, Éxo. 10:2; Jue. 6:13.

   por sí mismos no son suficientes para producir la conversión, Luc. 16:31.

MILAGROS de Cristo: convierte el agua en vino, Jn. 2:6-10; cura al hijo del cortesano, Jn. 4:46-53; cura al criado del centurión,

Mat. 8:5-13; la redada de peces, Luc. 5:4-6; Jn. 21:6; echa fuera unos demonios, Mat. 8:27-32; 9:32, 33; 15:22-28; 17:14-18; cura a la madre de la esposa de Pedro, Mat. 8:14; limpia a unos leprosos, Mat. 8:3; Luc. 17:14; cura a un paralítico, Mar. 2:3-12; sana una mano seca, Mat. 12:10-13; cura al enfermo del estanque, Jn. 5:5-9; resucita los muertos, Mat. 9:18, 19, 23-25; Luc. 7:12-15; Jn. 11:11-44; hace cesar un flujo de sangre, Mat. 9:20-22; da la vista a los ciegos, Mat. 9:27-30; Mar. 8:22-25; Jn. 9:1-7; da el oído a los sordos y el habla a los mudos, Mar. 7:32-35; da de comer a la muchedumbre, Mat. 14:15; 15:32; camina sobre las aguas del mar, Mat. 14:25-27; hace caminar a Pedro, Mat. 14:29; calma la tempestad, Mat. 8:23-26; 14:32; llegada repentina de la nave, Jn. 6:21; dinero para pagar el tributo, Mat. 17:27; cura a una mujer de una enfermedad, Luc. 13:11-13; cura la hidropesía, Luc. 14:2-4; hace secar una higuera, Mat. 21:19; sana a Malco, Jn. 18:10-11; hace varios en presencia de los mensajeros de Juan, Luc. 7:21, 22; cura muchas enfermedades de diferentes clases, Mat. 4:23, 24; 14:14; 15:30; Mar. 1:34; Luc. 6: 17-19; su resurrección, Luc. 24:6, con Jn. 10:18; se aparece a sus discípulos cuando las puertas estaban cerradas, Jn. 20:19.

MILAGROS por medio de los siervos de Dios: Moisés Y Aarón: la vara se convierte en serpiente, Éxo. 4:3; 7:10; la vara es restaurada, Éxo. 4:4; la mano se cubre de lepra y es curada, Éxo. 4:6, 7; el agua se convierte en sangre, Éxo. 4:9, 30; el río se convierte en sangre, Éxo. 7:20; se hacen subir ranas, Éxo. 8:6; desaparecen las ranas, Éxo. 8:13; tornar el polvo en piojos, Éxo. 8:17; aparecer una multitud de moscas, Éxo. 8:21-24; desaparecen las moscas, Éxo. 8:31; se produce peste entre el ganado, Éxo. 9:3-6; se hace sobrevenir sarna, Éxo. 9:10, 11; una granizada, Éxo. 9:23; desaparecer el granizo, Éxo. 9:33; sobrevenir langosta, Éxo. 10:13. desaparecer la langosta, Éxo. 10:19. sobrevenir tinieblas, Éxo. 10:22; se hiere de muerte a los primogénitos, Éxo. 12:29; se divide el Mar Rojo, Éxo. 14:21, 22; los egipcios son ahogados, Éxo. 14:26-28; se dulcifica el agua, Éxo. 13:25; se hace brotar agua de la roca de Horeb, Éxo. 17:6; Amalec es vencido, Éxo. 17:11-13; destrucción de Coré, Núm. 16:28-32; se hace brotar agua de la peña de Cades, Núm. 20:11; curación por medio de la serpiente de bronce, Núm. 21:8, 9.

JOSUÉ: se dividen las aguas del Jordán, Jos.3:10-17; se vuelve el Jordán a su curso, Jos. 4:18; se toma a Jericó, Jos. 6:6-20; se hace detener en su curso el sol y la luna, Jos. 10:1-14.

GEDEÓN: los Madianitas son aniquilados, Jue. 7:16-22.

SAMSÓN: mata un león, Jue. 14:6; mata a los filisteos, Jue. 14:19; 15:15; se lleva las puertas de Gaza, Jue. 16:3; derriba el templo de Dagón, Jue. 16:30.

SAMUEL: sobrevienen truenos y lluvia, 1 Sam. 12:18.

EL PROFETA DE JUDÁ: se seca la mano de Jeroboam, 1 Rey. 13:4; se rompe el altar, 1 Rey. 13:5; se le restablece la mano a Jeroboam, 1 Rey. 13:6.

ELÍAS: sobreviene una sequía, 1 Rey. 17:1; Stg. 5:17; la harina y el aceite se aumentan, 1 Rey. 17:14, 16; se restaura la vida a un niño, 1 Rey. 17:22, 23; el sacrificio es consumido por el fuego, 1 Rey. 18:36, 38; unos hombres son destruidos a fuego, 2 Rey. 1:10-12; sobreviene lluvia, 1 Rey. 18:41-45; Stg. 5:18; se dividen las aguas del Jordán, 2 Rey. 2:8.

ELISEO: se parte el Jordán, 2 Rey. 2:14; se convierten unas aguas de malsanas en saludables, 2 Rey. 2:21, 22; unos muchachos son despedazados por osos, 2 Rey. 2:24; se aumenta el aceite, 2 Rey. 4:1-7; resucita a un niño, 2 Rey. 4:32-35; cura a Naamán, 2 Rey. 5:10, 14; Giezi es atacado de lepra, 2 Rey. 5:27; hace flotar el hierro, 2 Rey. 6:6; los sirios atacados con ceguera, 2 Rey. 6:18; reciben la vista otra vez, 2 Rey. 6:20; un hombre es resucitado, 2 Rey. 13:21.

ISAÍAS: Ezequías es curado, 2 Rey. 20:7; la sombra vuelve atrás, 2 Rey. 20:11.

LOS SETENTA DISCÍPULOS: varios milagros, Luc. 10:9, 17.

LOS APÓSTOLES, &c.: muchos milagros, Hch. 2:43; 5:12.

PEDRO: cura a un cojo, Hch. 3:7; muerte de Ananías, Hch. 5:5; muerte de Safira, Hch. 5:10; sana a unos enfermos, Hch. 5:15, 16; cura a Eneas, Hch. 9:34; resucita a Dorcas, Hch. 9:40.

ESTEBAN: grandes milagros, Hch. 6:8.

FELIPE: varios milagros, Hch. 8:6, 7, 13.

PABLO: Elimas se vuelve ciego, Hch. 13:11; cura a un cojo, Hch. 14:10; echa afuera un espíritu inmundo, Hch. 16:18; milagros particulares, Hch. 19:11, 12; resucita a Eutico, Hch. 20:9-12; la mordedura de una víbora no lo mata, Hch. 28:5; cura al padre de Publio, Hch. 28:8.

PABLO Y BERNABÉ: hacen varios milagros, Hch. 14:3.

MILAGROS, empleando malos medios: hechos mediante el poder del diablo, 2 Tes. 2:9; Ap. 16:14; señal de la apostasía, 2 Tes. 2:3, 9; Ap. 13:13; no deben acatarse, Deu. 13:3; engañan a los impíos, 2 Tes. 2:10-12; Ap. 13:14; 19:20.

HECHOS en apoyo de religiones falsas, Deu. 13:1, 2; por falsos Cristos, Mat. 24:24; por falsos profetas, Mat. 24:24; Ap. 19:20.

ejemplos de: los encantadores de Egipto, Éxo. 7:11, 22; 8:7; la pitonisa de Endor, 1 Sam. 28:7-14; Simón el mago, Hch. 8:9-11.

MILENIO, profetizado, Ap. 20:2.

ÉPOCA de santidad general, Jer. 31:33; Zac. 14:20; Rom. 11:26, 27; de paz, Sal. 72:3, 7; Miq. 4:3; de conocimiento, Isa. 11:9; 29:18; 33:6; Heb. 8:11; abundancia, Sal. 72:7; Isa. 60:5; de felicidad, Isa. 25:8; 35:10; de la renovación de todas las cosas, Isa. 11:6; 40:4; 41:18; 55:13; 65:25.

MILICIA, de los santos, no según la carne, 2 Cor. 10:3; es buena, 1 Tim. 1:18, 19; llamada la buena batalla de la fe, 1 Tim. 6:12.

ES CONTRA: el diablo, Gén. 3:15; 2 Cor. 2:11; Efe. 6:12; Stg. 4:7; 1 Ped. 5:8; Ap. 12:17; la carne, Rom. 7:23; 1 Cor. 9:25-27; 2 Cor. 12:7; Gál. 5:17; 1 Ped. 2:11; los enemigos, Sal. 38:19; 56:2; 59:3; el mundo, Jn. 16:33; 1 Jn. 5:4, 5; la muerte, 1 Cor. 15:26, con Heb. 2:14, 15.

a menudo surge de la oposición de los amigos o de los parientes, Miq. 7:6; Mat. 10:35.

SE DEBE EMPRENDER: a las órdenes de Cristo quien es nuestro Capitán, Heb. 2:10; bajo el estandarte del Señor, Sal. 60:4; con fe, 1 Tim. 1:18, 19; con buena conciencia, 1 Tim. 1:18, 19; con firmeza en la fe, 1 Cor. 16:13; 1 Ped. 5:9, con Heb. 10:23; con perseverancia, Jud. 1:3; con vigilancia., 1 Cor. 16:13; 1 Ped. 5:8; con sobriedad, 1 Tes. 6:6; 1 Ped. 5:8; con paciencia en medio de los trabajos, 2 Tim. 2:3, 10; con abnegación, 1 Cor. 9:25-27; con confianza en Dios, Sal. 27:14; con la oración, Sal. 35:1-3; Efe. 6:18; sin compromisos terrenales, 2 Tim. 2:4.

LOS SANTOS todos toman parte en, Flp. 1:30; deben permanecer firmes en, Efe. 6:13, 14; son exhortados a ser diligentes en, 1 Tim. 6:12; Jud. 1:3; son alentados en, Isa. 41:11, 12; 61:12; Miq. 7:8; 1 Jn. 4:4; son auxiliados por Dios en, Sal. 118:13; Isa. 41:13, 14; son protegidos por Dios en, Sal. 140:7; son consolados por Dios en, 2 Cor. 7:5, 6; reciben fuerza de Dios en, Sal. 20:2; 27:14; Isa. 41:10; reciben fuerza de Cristo, 2 Cor. 12:9; 2 Tim. 4:17; son librados por Cristo en, 2 Tim. 4:18; son agradecidos a Dios por la victoria en, Rom. 7:25; 1 Cor. 15:57.

ARMADURA PARA, el cinto de la verdad, Efe. 6:14; la coraza de la justicia, Efe. 6:14; la preparación del evangelio (para los pies), Efe. 6:15; el escudo de la fe, Efe. 6:16; el yelmo de la salvación, Efe. 6:17; 1 Tes. 5:8; la espada del Espíritu, Efe. 6:17; no es carnal, 2 Cor. 10:4; poderosa ante Dios, 2 Cor. 10:4, 5; toda se necesita, Efe. 6:13; es necesario que nos la pongamos, Rom. 13:12; Efe. 8:11; debe estar a diestra y a siniestra, 2 Cor. 6:7.

LLAMADA: la armadura de Dios, Efe. 6:11; de la justicia, 2 Cor. 6:7; de la luz, Rom. 13:12.

MINISTROS: llamados por Dios, Éxo. 28:1, Con Heb. 5:4; hechos idóneos por Dios, 2 Cor. 3:5, 6; comisionados por Cristo,

Mat. 28:19; enviados por el Espíritu Santo, Hch. 13:2, 4; reciben su autoridad de Dios, 2 Cor. 10:8; 13:10; la autoridad de, es para edificación, 2 Cor. 10:8; 13:10; separados para el evangelio, Rom. 1:1; se les ha confiado el evangelio, 1 Tes. 2:4; protegidos señaladamente por Dios, 2 Cor. 1:10. lo necesario que son, Rom. 10:14; excelencia de, Rom. 10:15; los trabajos de, son vanos sin la bendición de Dios, 1 Cor. 3:7; 15:10; comparados a vasijas de barro, 2 Cor. 4:7;

SUS FELIGRESES ESTÁN OBLIGADOS a considerarlos como mensajeros de Dios, 1 Cor. 4:1; Gál. 4:14; a acatar sus enseñanzas, Mal. 2:7; Mat. 23:3; a seguir su santo ejemplo, 1 Cor. 11:1; Flm. 3:17; a seguir el ejemplo de su fe, Heb. 13:7; a tenerlos en estima, Flm. 2:29; 1 Tes. 5:13; 1 Tim. 5:17; a amarlos, 2 Cor. 8:7; 1 Tes. 3:6; a orar por ellos, Rom. 15:30; 2 Cor. 1:11; Efe. 6:19; Heb. 13:18; a obedecerles, 1 Cor. 16:16; Heb. 13:17; a darles gozo, 2 Cor. 1:14 2:3; a ayudarles, Rom. 16:9; 1 Cor. 9:7-11; Gál. 6:8.

HAN DE SER: humildes, Hch. 20:19; puros, Isa. 52:11; 1 Tim. 3:9; santos, Lev. 21:6; Tit. 1:8; pacientes, 2 Cor. 6:4; 2 Tim. 2:24; irreprensibles, 1 Tim. 3:2; Tit. 1:7; de buena voluntad, 1 Ped. 5:2; desinteresados, 2 Cor. 12:14; 1 Tes. 2:6; imparciales, 1 Tim. 5:21; benignos, 1 Tes. 2:7; 2 Tim. 2:24; consagrados, Hch. 24:24; Flp. 1:20, 21; fuertes en la gracia, 2 Tim. 2:1; abnegados, 1 Cor. 9:27; sobrios, justos y templados, Tit. 1:8; hospitalarios, 1 Tim. 3:2; Tit. 1:8; aptos para enseñar, 1 Tim. 3:2; 2 Tim. 2:24; estudiosos y reflexivos, 1 Tim. 4:13; vigilantes, 2 Tim. 4:5; aficionados a la oración, Efe. 3:14; Flp. 1:4; estrictos en el gobierno de sus familias, 1 Tim. 3:4, 12;

MIQUEAS, el profeta (Jer. 26:18) anuncia la ira de Dios contra el pecado de Israel, Miq. 1à3; 6; 7; profetiza la venida del Mesías, Miq. 4; 5; 7.

MIRAR (el), a Dios, atrae la luz, Sal. 5:3; 34:5; 123:2; señala una época de gracia, Isa. 8:17; 17:7; es un medio de obtener la salvación, Isa. 38:14; 45:22; Miq. 7:7.

MIRÍAM, hermana de Moisés, Núm. 26:59; su cántico, Éxo. 15:20; su sedición contra Moisés, Núm. 12; su muerte, Núm. 20:1.

MIRRA, usada en el aceite de ungir, Éxo. 30:23; para embalsamar, Jn. 19:39; como perfume, Est. 2:12; Sal. 45:8; Cnt. 1:13, &c; presentada a Cristo, Mat. 2:11; vino mezclado con, rechazado por Cristo, Mar. 15:23.

MISERICORDIA.
SE DESCRIBE COMO: rica, Efe. 2:4; grande, Núm. 14:18; Isa. 54:7; Neh. 9:17, 27; excelente, Sal. 36:7; benigna, Sal. 69:16; maravillosa, Sal. 17:7; 31:21; repetida, Neh. 9:27; Lam. 3:32; Isa. 63:7; abundante, Sal. 8:5, 15; 103:8; 1

Ped. 1:3; segura, Isa 55:3; Miq. 7:20; eterna, 1 Cr. 16:34; Sal. 89:28; Isa. 54:8.; tierna, Sal. 25:6; Luc. 1:78; nueva todas las mañanas, Lam. 3:23; tan alta como el cielo, Sal. 36:5; 103:11; soberana, Éxo. 33:19; Rom. 9:15, 16; que llena la tierra, Sal. 119:64; sobre todas sus obras, Sal. 145:9; mejor que la vida, Sal. 63:3.
es su delicia, Miq. 7:18.
la consideración de las obras de Dios da conocimiento de, Sal. 117:43.

SE MANIFIESTA: en la salvación, Tit. 3:5; en haber enviado a Cristo, Luc. 1:78; en la longanimidad, Lam. 3:22; Dan. 9:9; a su pueblo, Deu. 32:43; 1 Rey. 8:23; a los que le temen, Éxo. 20:6; Sal. 103:17; Luc. 1:50; a los reincidentes que vuelven al buen camino, Jer. 3:12; Jl. 2:13; a los pecadores arrepentidos, Pro. 28:13; Isa. 55:7; a los afligidos, Isa. 49:13; 54:7; a los huérfanos, Ose. 14:3; a quienes Él quiere mostrar, Ose. 2:23, con Rom. 9:15, 18; con misericordia eterna, Isa. 54:8.

MISERICORDIOSOS, bienaventurados los, Pro. 11:17; Mat. 5:7.

MISIONEROS, todos los cristianos deben ser: conforme al ejemplo que nos dio Cristo, Hch. 18:38.
las mujeres y los niños, así como los hombres, Sal. 8:2; Pro. 31; 26; Mat. 21:15, 16; Flp. 4:3; 1 Tim. 5:10; Tit. 2:3-5; 1 Ped. 3:1.
el celo de los hipócritas debe incitarnos a, Mat. 23:15.
un deber imprescindible, Jue. 5:23; Luc. 19:40.
por muy débiles que sean, 1 Cor. 1:27.
por razón de su llamamiento como santos, Éxo. 19:6; 1 Ped. 2:9.
como buenos dispensadores, 1 Ped. 4:10,11
en la juventud, Sal. 71:17; 148:12, 13.
en la ancianidad, Deu. 32:7; Sal. 71:18.
en la familia, Deu. 6:7; Sal. 78:5-8; Isa. 38:19; 1 Cor. 7:16.
en su trato con el mundo, Mat. 5:16; Flp. 2:15, 16; 1 Ped. 2:12.
en la entrega, primeramente, de sí mismos al Señor, 2 Cor. 8:5.
declarando lo que Dios ha hecho por ellos, Sal. 66:16; 116:16-19.
aborreciendo la vida por amor de Cristo, Luc. 14:26.
confesando a Cristo abiertamente, Mat. 10:32.
siguiendo a Cristo, Luc. 14:27; 18:22.
prefiriendo a Cristo a todos los parientes de ellos, Luc. 14:26.
sufriendo con gusto por Cristo, Heb. 10:34.
abandonándolo todo por Cristo, Luc. 5:11.
dando un santo ejemplo, Mat. 5:16; Flp. 2:15; 1 Tes. 1:7.
por medio de una conducta santa, 1 Ped. 2:12.
dedicándose al servicio de Dios, Jos. 24:15; Sal. 27:4.
consagrando a Dios todos sus bienes, 1 Cr. 29:2, 3, 14, 16; Ecl. 11:1; Mat. 6:19,

20; Mar. 12:44; Luc. 12:33; 18:22, 28; Hch. 2:45; 4:32-34.

por medio de la conversación santa, Sal. 37:30, con Pro. 10:31; 15:7; Efe. 4:29; Col. 4:6.

hablando de Dios y de sus obras, Sal. 71:24; 77:12; 119:27; 145:11, 12.

invitando a los demás a recibir el evangelio, Sal. 34:8; Isa. 2:3; Jn. 1:46; 4:29.

trabajando por la edificación de los demás, Rom. 14:9; 15:2; 1 Tes. 5:11.

amonestando, 1 Tes. 5:14; 2 Tos. 3:15.

reconviniendo, Lev. 19:17; Efe. 5:11.

enseñando y exhortando, Sal. 34:11; 51:13; Col 3:16; Heb. 3:13; 10:25.

intercediendo por los demás, Col. 4:3; 13:18; Stg. 5:16.

ayudando a los ministros, Rom. 16:3, 9; 2 Cor. 11:9; Flp. 4:14-16; 3 Jn. 6.

dando razón de su fe, Éxo. 12:26, 27; Deu. 8:20, 21; 1 Ped. 3:15.

alentando a los débiles, Isa. 35:3,4; Rom. 14:1; 15:1; 1 Tes. 5:14.

de todo corazón Éxo. 35:29; 1 Cr. 20:9, 14.

con muchísima liberalidad, Éxo. 36:5-7; 2 Cor. 8:3.

MISIONES o TRABAJOS MISIONARIOS de parte de los ministros:

prescritas, Mat. 28:19; Mar. 16:15.

autorizadas por las predicciones hechas con respecto a los paganos, &c., Isa. 42:10-12; 66:19.

están en conformidad con los designios de Dios, Luc. 24:46, 47; Gál. 1:15, 16; Col. 1:25-27.

dirigidas por el Espíritu Santo, Hch. 13:2.

se requieren, Luc. 10:2; Rom. 10:14, 15.

el Espíritu Santo llama a los hombres para, Hch. 13:2.

Cristo se ocupó de, Mat. 4:17, 23; 11:1; Mar. 1:38, 39; Luc. 8:1.

Cristo envió a sus discípulos a trabajar en, Mar. 3:14; 6:7.

obligaciones de ocuparnos de, Hch. 4:19, 20; Rom. 1:13-15; 1 Cor. 9:16.

excelencia de, Isa. 52:7, con Rom. 10:15.

es menester que los afanes de este mundo no retarden, Luc. 9:59-62.

Dios nos hace idóneos para, Éxo. 3:11, 18; 4:11, 12, 15.

Dios da fuerza para, Jer. 1:7-9.

la falta y el peligro de evitar, Jon. 1:3.

requieren juicio y mansedumbre, Mat. 10:16.

estad listos a emprender, Isa. 6:8.

ayudad a los que han emprendido, 2 Cor. 11:9; 3 Jn. 5-8.

MISTERIO (el), del reino del cielo, &c., revelado por Cristo a sus discípulos, Mar. 4:11; Efe. 1:9; 3:3; 1 Tim. 3:16; por ellos al mundo, 1 Cor. 4:1; 13:2; 15:51; Efe. 6:19; Col. 2:2, &c; de la iniquidad, profetizado, 2 Tes. 2:7; Ap. 17:5.

MNASÓN, de Chipre, un discípulo antiguo, Hch. 21:16.

MOAB, hijo de Lot Gén. 19:37 sus descendientes y su territorio, Deu. 2:9,18; 34:5; no habían de ser molestados, Deu.

2:9; su temor a Israel, Núm. 22:3; por qué eran excluidos de la congregación, Deu. 23:3; Neh. 13:1; subyugados por Aod, Jue. 3:12-30; por David, 2 Sam. 8:2; por Josafat y Joram, 2 Rey. 1:1; 3; unos Israelitas residen en su tierra, Rut 1; los valientes de, son muertos, 2 Sam. 23:20; su ruina milagrosa, 2 Cr. 20:23; molestan otra vez a Israel, 2 Rey. 13:20; 24:2.

profecías acerca de, Éxo. 15:15; Núm. 21:29; 24:17; Sal. 60:8; 83:6; Isa. 11:14, 15; 16; 25:10; Jer. 9:26; 25:21; 48; Esd. 25:8; Am. 2:1; Sof. 2:8.

MODESTIA, atavío de, exhortación al uso de, Flp. 4:5; 1 Tim. 2:9; 1 Ped. 3:3; debemos estimar nuestro carácter y nuestros talentos con, Rom. 12:3.

MOFA (la), censurada, Pro. 17:5; 30:17; Jer. 15:17; Jud. 18; castigada, Gén. 21:9; 2 Rey. 2:23. Véase 2 Cr. 30:10; 36:16; de Cristo, Mat. 27:29; Luc. 23:11. Véase **ESCARNIO**.

MOISES, su nacimiento y preservación, Éxo. 2 (Hch. 7:20; Heb. 11:23).

huye a Madián, Éxo. 2:15.

llamado por el Señor, Éxo. 3.

señales dadas a, Éxo. 4. vuelve a Egipto, Éxo. 4:20.

declara a Faraón la voluntad de Dios y obra milagros, Éxo. 5à12.

saca a Israel de Egipto, Éxo. 14.

es llamado al monte, Éxo. 19:3 (24:18).

promulga la ley, Éxo. 19:25; 20-23 (Heb. 12:24; Jn. 1:17); Éxo. 34:10; 35:1; Lev. 1, &c.; Núm. 5; 6; 15; 27-30; 36; Deu. 13:26; 1 Rey. 8:9,

recibe instrucciones en relación al tabernáculo, Éxo. 25à31; 35; 40; Núm 4; 8; 18; 19.

desciende del monte, Éxo. 32:7, 15.

su intercesión, Éxo. 32:11 (33).

ve la gloria de Dios, Éxo. 33:18; 34:5.

sube otra vez al monte, Éxo. 34:2.

su rostro resplandece, Éxo. 34:29; Deu. 9:9, 18, (2 Cor. 3:7, 13).

consagra a Aarón, Lev. 8; 9.

cuenta el pueblo dos veces, Núm. 1; 26.

su queja, Núm. 11:11.

intercede por María, Num. 12:13.

envía a las espías, Núm. 13.

intercede por el pueblo, Núm. 14:13.

hace resistencia a Coré, &c., Núm. 16.

a causa de su trasgresión, Núm. 20:10, se le prohíbe entrar en la tierra de Canaán Núm. 20:12; 27:12; Deu. 1:35; 3:23.

guía a Israel en el desierto, Núm. 20:14; 21:31.

levanta la serpiente de bronce, Núm. 21:9, (Jn. 3:14).

da órdenes a los hijos de Rubén, Núm. 32:29.

señala los límites de la tierra de promisión, Núm. 34; 35.

hace una reseña de la historia de Israel, Deu. 1à3; 5; 9; 10.

exhorta a los israelitas a la obediencia, Deu. 4; 6; 7; 8; 10à12; 27à31.

da órdenes a Josué, Deu. 3:28; 31:7, 23.

bendice a las tribus, Deu. 33.

su muerte, Deu. 34:5; Jud. 9.

aparece durante la transfiguración de Cristo, Mat.17:3; Mar. 9:4; Luc. 9:30.

sus cánticos, Éxo. 15; Deu. 32; Sal. 90; Ap. 15:3.

su mansedumbre, Núm. 12:3,

su fidelidad, Núm. 12:7; Heb. 3:2.

Véase Sal. 103:7; 105:26; 106:16; Isa. 63:12; Jer. 15:1; Luc. 16:29; Hch. 7:20; Rom. 10:5; Heb. 11:24,

MOLINO (el), Jer. 25:10; Mat. 18:6; formado de dos piedras, Deu. 24:6; Job 41:24; mujeres empleadas en, Éxo. 11:5; Mat. 24:41; las piedras del, no se deben tomar en prenda, Deu. 24:6; maná molido en, Núm. 11:8; Abimelec es muerto con un pedazo de piedra de, Jue. 9:53.

símil: el moler de de degradación Isa. 47:1, 2 la suspensión del de desolación, Ap. 18:22.

MOLOC, el culto de, prohibido Lev. 18:21; 20:2; fomentado por Salomón, 1 Rey. 11:7; 2 Rey. 23:10; Jer. 32:35; Am. 5:26; Hch. 7:43.

MONTAÑAS (MONTES, COLLADOS), Gén. 7:19, 20; Isa. 40:12; 64:1, 3; Hab. 3:6; se les hace glorificar a Dios. Sal. 148:9; en ellas tienen su origen los manantiales y los ríos, Deu. 8:7; Sal. 104:8-10; Canaán era tierra de, Deu. 11:11.

mencionadas en las Escrituras: Ararat, Gén. 8:4; Abarim, Núm. 33:47, 48; Amalec, Jue. 12:16; Basán, Sal. 68:15; Betel, 1 Sam. 13:2; Carmelo, Jos. 15:55; 19:26; 2 Rey. 19:23; Ebal, Deu. 11:29; 27:13; Efraín, Jos. 17:15; Jue. 2:9; Gerizim, Deu. 11:29; Jue. 9:7; Gilboa, 1 Sam. 31:1; 2 Sam. 1:6, 21; Galaad, Gén. 31:21, 25; Cnt. 4:1; Haquila, 1 Sam. 23:19; Hermón, Jos. 13:11; Sal. 133:3; Hor, Núm. 20:22; 34:7, 8; Horeb, Éxo. 3:1; Líbano, Deu. 3:25; Mizar, Sal. 42:6; Moreh, Jue. 7:1; Moriah, Gén. 22:2; 2 Cr. 3:1; Nebo, Núm. 32:3; Deu. 34:1; de los Olivos, Luc. 21:37; Pisga, Núm. 21:20; Deu. 34:1; Seir, Gén. 14:6; 36:8; Sinaí, Éxo. 19:2, 18, 20, 22; 31:18; Sión, Deu. 4:48; 2 Sam. 5:7; Tabor, Jue. 4:6, 12, 14.

MONUMENTOS, sagrados: de Jacob, Gén. 28:18; 31:45; 35:14; de Moisés, en el monte Sinaí, Éxo. 24:4; de Eleazar, en el desierto, Núm. 18:39; en el monte Ebal, Deu. 27:4; en el paso del Jordán, Jos. 4:4, 20; de Josué, en Siquem, Jos. 24:26; de Samuel, cerca de Mizpa 1 Sam. 7:12; de Absalón, 2 Sam. 18:18.

MUDEZ, curada por Cristo, (Isa. 35:6) Mat. 9:32; 12:22; impuesta, Luc. 1:20; no se ha de maltratar a los mudos, Pro. 31:8.

MUDO, Éxo. 4:11; Pro. 31:8; Isa. 56:10.

MUERTE (la) natural, o del cuerpo:
por Adán, Gén. 3:19; 1 Cor. 15:21, 22.
consecuencia del pecado, Gén. 2:17; Rom. 5:12.
ocurre a todos, Ecl. 8:8; Heb. 9:27.
ordenada por Dios, Deu. 32:39; Job 14:5.
pone fin a los proyectos terrenales, Ecl. 9:10.

nos despoja de toda nuestra hacienda, Job 1:21; 1 Tim. 6:7.
iguala a todos los rangos sociales, Job 1:21; 3:17-19.
vencida por Cristo, Rom. 6:9; Ap. 1:18.
abolida por Cristo, 2 Tim. 1:10.
será al fin completamente destruida por Cristo, Ose. 13:14; 1 Cor. 15:26.
Cristo nos libra del temor de, Heb. 2:15.
consideradla cerca, Job 14:1, 2; Sal. 39:4, 5; 90:9; 1 Ped. 1:24.
preparaos para, 2 Rey. 20:1.
orad que estéis listos para, Sal. 39:4; 13; 90:12.
Enoc y Elías fueron eximidos de, Gén. 5:24, con Heb. 11:5; 2 Rey. 2:11.
en el cielo nadie está expuesto a, Luc. 20:36; Ap. 21:4.
es un símil del cambio producido en la conversión, Rom. 6:2; Col. 2:20.

SE DESCRIBE COMO: un sueño, Deu. 31:16; Jn. 11:11; el deshacerse de la casa terrestre de este tabernáculo, 2 Cor. 5:1; 2 Ped. 1:14; el exigir el alma por Dios, Luc. 12:20; ir para una región de donde no hay regreso, Job 16:22; ser congregados con nuestros padres, Gén. 49:33. bajar al silencio, Sal. 115:17; entregar el espíritu, Hch. 5:10; volver al polvo, Gén. 3:19; Sal. 104:29; ser cortado, Job 14:2; huir como sombra, Job 14:2; partir, Flp. 1:23.

MUERTE (la) espiritual:
alejamiento de Dios, Efe. 4:18.
el ánimo carnal es, Rom. 8:6.
seguir en las culpas y pecados es, Efe. 2:1; Col. 2:13.
la ignorancia espiritual es, Isa. 9:2; Mat. 4:16; Luc. 1:79; Efe. 4:18.
la incredulidad es, Jn. 6:53; 1 Jn. 5:12.
vivir en el deleite es, 1 Tim. 5:6.
es una consecuencia de la caída, Rom. 5:15.
es por naturaleza el estado de todos los hombres, Mat. 8:22; Jn. 5:25; Rom. 6:13.
los frutos de, son las obras muertas, Heb. 6:1; 9:14.
una exhortación al hombre para que salga de, Efe. 5:14.
libramiento de, es por medio de Cristo, Jn. 5:24,25; Efe.2:5; 1 Jn. 5:12.
los santos son levantados de, Rom. 6:13.
amor por los hermanos, es prueba de que hemos sido levantados de, 1 Jn. 3:14.
explicada por medio de símiles, Eze. 37:2, 3; Luc. 15:24.
explicada con un ejemplo, Luc. 16:23-26.

MUERTE (la) de Cristo:
predicha, Isa. 53:8; Dan. 9:26; Zac. 13:7.
ordenada por Dios, Isa. 53:6, 10; Hch. 2:23.
necesaria para la redención del hombre, Luc. 24:46; Jn. 12:24; Hch. 17:3.
aceptable como sacrificio a Dios, Mat. 20:28; Efe. 5:2; 1 Tes. 5:10.
fue voluntaria, Isa. 63:12; Mat. 26:53; Jn. 10:17, 18.
fue inmerecida, Isa. 53:9.

EL MODO DE: predicho por Cristo mismo, Mat. 20:18, 19; Jn. 12:32, 33; prefigurado, Núm. 21:8; Jn. 3:14; ignominioso, Heb. 12:2; maldito, Gál. 3:13; manifestó su humildad, Flp. 2:8; tropezadero para los judíos, 1 Cor. 1:23; insensatez para los gentiles, 1 Cor. 1:18, exigida por los judíos, Mat. 27:22, 23. infligida por los gentiles, Mat. 27:26-33. con malhechores, Isa. 53:12, con Mat. 27:38.
con señales sobrenaturales, Mat. 27:45, 51-53.
emblema de la muerte en cuanto al pecado Rom. 6:3-8; Gál. 2:20.
conmemorada en el sacramento de la cena del Señor, Luc. 22:19, 20.

MUERTE (la) de los santos:
un sueño en Cristo, 1 Cor. 16:18; 1 Tes. 4:14.
es bendita, Ap. 14:13.
es ganancia, Flp. 1:21.
ES LLENA: de fe, Heb. 11:13.
de paz, Isa. 57:2.
de esperanza, Pro. 14:32.
algunas veces es deseada Luc. 2:29.
aguardada, Job 14:14.
arrostrada con resignación, Gén. 50:24; Jos. 23:14; 1 Rey. 2:2.
arrostrada sin temor, Sal. 23:4.
preciosa a los ojos de Dios, Sal. 116:15.
Dios los preserva hasta, Sal. 48:14.
Dios esta con ellos en, Sal. 23:4.
libra de los males que están por suceder, 2 Rey. 22:20; Isa. 57:1.

MUERTE (la) de los malos:
les acaece en sus pecados, Eze. 3:19; Jn. 8:21.
es sin esperanza, Pro. 11:7.
algunas veces sin temor, Jer. 34:5, con 2 Cor. 36:11-13.
es frecuentemente repentina e inesperada, Job 21:13, 23; 27:21; Pro. 29:1.
es frecuentemente distinguida por el terror, Job 18:11-15; 27:19, 21; Sal. 73:19.
el castigo sigue a, Isa. 14:9; Hch. 1:25.
la memoria que los vivos tienen de ellos perece con, Job 18:17; Sal. 34:16; Pro. 10:7.
Dios no tiene placer en, Eze. 18:23, 32.
es como la muerte de los bestias, Sal. 49:12-14
explicada con ejemplos, Luc. 12:20; 16:23, 23.

MUJER (la): origen y motivo del nombre, Gén. 2:23.
HECHA ORIGINARIAMENTE: por Dios a su propia imagen, Gén. 1:27; de una de las costillas de Adán, Gén. 2:21, 22; para el hombre, 1 Cor. 11:9; para serle ayuda al hombre, Gén. 2:18, 20; en sujeción al hombre, 1 Cor. 11:3; para ser gloria del hombre, 1 Cor. 11:7.
engañada por Satanás, Gén. 3:1-6; 2 Cor. 11:3; 1 Tim. 2:14.
condujo al hombre a desobedecer a Dios, Gén. 3:6, 11,12.
se promete la salvación por medio de la simiente de, Gén. 3:15. Véase Isa. 7:14.

MUJERES EXTRANJERAS, el pecado de Salomón respecto de, 1 Rey. 11:1.
admoniciones en cuanto a, Pro. 2:16; 5:3, 20; 6:24; 23:27.

MULA, o **MULO,** empleado para montar, 2 Sam. 13:29; 18:9; 1 Rey. 1:33; para llevar cargas, 2 Rey. 5:17; 1 Cr. 12:40; para llevar correos y mensajeros, Est. 8:10, 14; en la guerra, Zac. 14:15; para tributo, 1 Rey. 10:25.

MUNDO (el), creado, Gén. 1; 2. Véase Jn. 1:10; Col. 1:16; Heb. 1:2, &c.; corrompido por la caída, Rom. 5:12; 8:22; exhortaciones a que se evite la conformidad con, Rom. 12:2; Gál. 6:14; Stg. 1:27 4:4; 1 Jn. 2:15.

MURMURACIÓN: prohibida, Sal. 15:3; Rom. 1:30; Pro. 25:23; 1 Con 10:10; 2 Cor. 12:20; Flp. 2:14; lo irracional de, Lam. 3:39; tienta a Dios, Éxo. 17:2; desagrada a Dios, Núm. 14:2, 11; Deu. 9:8, 22; los santos se dejan de, Isa. 29:23, 24; es un distintivo de los malos, Jud. 16; maldad de apoyar a los demás en, Núm. 13:31-33, con Núm. 14:36, 37; el castigo de, Núm. 11:1; 14:27-29; 16:45, 46; Sal. 106:25, 26; aclarada con ejemplos, Mat. 20:11; Luc. 15:29.
CONTRA: Dios, Pro. 19:3; la supremacía de Dios, Rom. 9:19, 20; el servicio de Dios, Mal. 3:14; Cristo, Jn. 6:41-43, 52; los ministros de Dios, Éxo. 17:3; Núm. 16:41; los discípulos de Cristo, Mar. 7:2; Luc. 5:30.
ejemplos de: Caín, Gén. 4:13, 14; Moisés, Éxo. 5:22 23; los israelitas, Éxo. 14:11; Núm. 21:5; Aarón, &c., Núm. 12:1, 2, 8; Coré, Núm. 16:3; Elías, 1 Rey. 19:4; Job, Job 3:1, &c; Jeremías, Jer. 20:14-18; Jonás, Jon. 4:8, 9; los discípulos, Mar. 14:4, 5; Jn. 6:61; los fariseos, Luc. 15:2; 19:7; los judíos, Jn. 6:41-43; unos griegos, Hch. 6:1.

MUROS, para defensa, 1 Sam. 25:16.
DE LAS CIUDADES: altos, Deu. 1:28; grandemente fortificados, Isa. 25:12; con torres, Sal. 48:12; Cnt. 8:10; tenían casas encima, Jos. 2:15; anchos para paseos y como lugares de concurrencia, 2 Rey. 6:26, 30; Sal. 55:10; fuertemente guarnecidos de gente en tiempo de guerra, 2 Rey. 18:26; vigilados por guardas o celadores de noche y de día, Cnt. 5:7; Isa. 62:6; eran demolidos por el enemigo, 2 Sam. 20:15; Eze. 4:2, 3; en algunos casos eran quemados, Jer. 49:27; Am. 1:7;
espías descolgados desde, Jos. 2:15.
Pablo descolgado desde, Hch. 9:24, 25.
por vía de comparación, Sal. 62:3; Pro. 18:11; Cnt. 2:9; 8:9, 10; Isa. 5:5; 26:1; 60:18; Jer. 15:20; Eze. 13:10-15; Hch. 23:3; Efe. 2:14.

MÚSICA, instrumentos de, inventados, Gén. 4:21.
empleada en las solemnidades religiosas, 2 Sam. 6:5, &c.; 1 Cr. 15:28; 16:42; 2 Cr. 7:6; 29:25; Sal. 33; 81; 92; 108; 150; Dan. 3:5.

para regocijos, Isa. 5:12; 14:11; Amós 6:5; Luc. 15:25; 1 Cor. 14:7.

alivia a Saúl, 1 Sam. 16:14.

en el cielo, Ap. 5:8; 14:2, &c.

INSTRUMENTOS DE: pandero, Éxo. 15:20; 1 Sam. 10:5; Sal. 68:25; Isa. 24:8; arpa, Sal. 137:2; Eze. 26:13; bocina o corneta, Sal. 98:6; Ose. 5:8; címbalos, 1 Cr. 16:5; Sal. 150:5; 1 Cor. 13:1; flauta, 1 Rey. 1:40; Isa. 5:12; Jer. 48:36; órgano, Gén. 4:21; Job 21:12; Sal. 150:4; zampoña, Dan. 3:5; salterio, Sal. 33:2; 71:22; trompeta, 2 Rey. 11:14; 2 Cr. 29:27.

construidos de madera de abeto, 2 Sam. 6:5; de sándalo, 1 Rey. 10:12; de plata, Núm. 10:2; de los cuernos de los animales, Jos. 6:8.

N

NAAMÁN, el sirio, le curan de la lepra, 2 Rey. 5. Véase Luc. 4:27.

NABAL, su carácter, 1 Sam. 25:10; la intercesión de Abigail por, 1 Sam. 25:18; su muerte, 1 Sam. 25:38.

NABOT, rehúsa vender su viña, y es muerto por Jezabel, 1 Rey. 21; su muerte es vengada, 2 Rey. 9:21.

NABUCODONOSOR, rey de Babilonia, profecías relativamente a, Jer. 20; 21; 25; 27; 28; 32; 34; Eze. 26:7; 29:19.

subyuga a Judea, y toma a Jerusalén, 2 Rey. 24; 25; 2 Cr. 36; Jer. 37à39; 52; Dan. 1:1. su bondad hacia Jeremías, Jer. 39:11.

sus sueños son interpretados, Dan. 2:4.

su idolatría y su tiranía, Dan. 3.

su orgullo, su degradación y su restauración, Dan. 4:28. su confesión, Dan. 4:34.

NABUZARADÁN, capitán de los Caldeos, 2 Rey. 25, &c.

su bondad hacia Jeremías, Jer. 39:11; 40:1.

NACIDO DE DIOS, Jn. 1:13; 3:3; 1 Ped. 1:23; 1 Jn. 3:9; 6:1. Véase REGENERACIÓN.

NACIMIENTOS profetizados: de Ismael, Gén. 16:11; de Isaac, Gén. 18:10; de Sansón, Jue. 13:3; de Samuel, 1 Sam. 1:11, 27; de Josías, 1 Rey. 13:2; del hijo de la sunamita, 2 Rey. 4:16; de Juan el Bautista, Luc. 1:13; de Cristo, Gén. 3:15; Isa. 7:14; Miq. 6; Luc. 1:31.

NACIONES (las), origen de, Gén. 10.

NACOR, hermano de Abraham, Gén. 11:26; 24:10.

descendientes de, Gén. 22:20.

NADAB, hijo de Aarón, su trasgresión y su muerte, Lev. 10.

——, rey de Israel, su mal gobierno; matado por Baasa, 1 Rey. 14:20; 16:25.

NAHUM, declara la bondad y majestad de Dios, Nah. 1.

predice la caída de Nínive, Nah. 2:3.

NATÁN, el profeta, prohíbe a David que edifique el templo, 2 Sam. 7.

parábola con que confronta a David con su pecado, 2 Sam. 12:1.

proclama rey a Salomón, 1 Rey. 1:8,

——, hijo de David, 2 Sam. 5:14; Zac. 12:12.

NATANAEL, Jn. 1:45-49; 21:2.

NATURALEZA HUMANA de Cristo:

era necesaria para fungir como Mediador, 1 Tim. 2:5; Heb. 2:17.

EXISTEN DE ELLA LAS SIGUIENTES PRUEBAS:

el haber sido concebido en el vientre de María, Mat. 1:18; Luc. 1:31.

su nacimiento, Mat. 1:16, 25; 2:2; Luc. 2:7.

el haber participado de la carne y de la sangre, Jn. 1:14; Heb. 2:14.

el tener un alma humana, Mat. 26:38; Luc. 23:46; Hch. 2:31.

su circuncisión, Luc. 2:21.

su crecimiento en sabiduría y en estatura, Luc. 2:52.

su llanto, Luc. 19:41; Jn. 11:35.

su hambre, Mat. 4:2; 21:18.

su sed, Jn. 4:7; 19:28.

su sueño, Mat. 8:24; Mar. 4:38.

su propensión al cansancio, Jn. 4:6.

el ser varón de dolores, Isa. 53:3, 4; Luc. 22:44; Jn. 11:33; 12:27.

el haber sido abofeteado, Mat. 26:67; Luc. 22:64.

escarnecido, Luc. 23:11.

azotado, Mat. 27:26; Jn. 19:1.

clavado en la cruz, Sal. 22:16, con Luc. 23:33.

su muerte, Jn. 19:30.

el haberle herido el costado, Jn. 19:34.

su entierro, Mat. 27:59, 60; Mar. 15:46.

su resurrección, Hch. 3:15; 2 Tim. 2:8.

fue como nosotros en todo, menos en el pecado, Hch. 3:22; Flp. 2:7, 8; Heb. 2:17.

fue sin pecado, Heb. 7:26, 28; 1 Jn. 3:5.

fue visto y tocado, Luc. 24:39; Jn. 20:27; 1 Jn. 1:1, 2.

fue de la simiente de la mujer, Gén. 3:15; Isa. 7:14; Jer. 31:22; Luc. 1:31; Gál. 4:4

fue de la simiente de Abraham, Gén. 22:18, con Gál. 3:16; Heb. 2:16.

fue de la simiente de David, 2 Sam. 7:12, 16; Sal. 89:35, 36; Jer. 23:5; Mat. 22:42; Mar. 10:47; Hch. 2:30; 13:23; Rom. 1:3.

genealogía de, Mat. 1; Luc. 3.

Cristo mismo da testimonio de ella, Mat. 8:20; 16:13.

reconocida por los hombres, Mar. 6:3; Jn. 7:27; 19:5; Hch. 2:22.

negada por el anticristo, 1 Jn. 4:3; 2 Jn. 7.

NAUFRAGIO, el de Pablo, Hch. 27. Véase 2 Cor. 11:25.

NAVAJA, Núm. 6:5; 8:7; Jue. 13:5; 16:17; 1 Sam. 1:11; Sal. 52:2; Isa. 7:20; Eze. 6:1.

NAZARENO, gentilicio aplicado a Cristo, Mat. 2:23; a los cristianos, Hch. 24:5.

NAZAREOS (separado, consagrado), ley respecto de los, Núm. 6; Sansón era uno de ellos, Jue. 13:7; Samuel, 1 Sam. 1:11.

símil de Cristo, Heb. 7:26; y de los santos, 2 Cor. 6:17; Stg. 1:27.

NEFTALÍ, hijo de Jacob, Gén. 30:8; 35:25; bendecido por Jacob, Gén. 49:21; y por Moisés, Deu. 33:23.

NEGAR a CRISTO: en doctrina, Mar. 8:38; 2 Tim. 1:8.

en práctica, Flp. 3:18, 19; Tit. 1:16.

los falsos maestros n. 2 Ped. 2:1; Jud. 4.

el espíritu del anticristo, 1 Jn. 2:22, 23; 4:3.

Cristo negará a los que se hagan culpables de, Mat. 10:33; 2 Tim. 2:12.

conduce a la ruina, 2 Ped. 2:1; Jud. 4, 15.

ejemplos de: Pedro, Mat. 26:69-75; los judíos, Jn. 18:40; 19:15; Hch. 3:13, 14.

NEHEMÍAS, su tristeza y su oración por Jerusalén, Neh. 1.

su súplica al rey Artajerjes, Neh. 2:5.

llega a Jerusalén, Neh. 2:9.

su exhortación, Neh. 2:17.

resiste a los enemigos, Neh. 4.

reconviene a los usureros, Neh. 5:6.

su fe y su valor, Neh. 6.

consuela a la gente, Neh. 8:9.

purifica el templo, Neh. 13:1.

castiga a los profanadores del Sábado, Neh. 13:15.

anula matrimonios ilícitos, Neh. 13:23.

NEHUSTÁN (la serpiente de bronce hecha por Moisés), destruida por Ezequías, 2 Rey. 18:4.

NEÓFITO (recién convertido), 1 Tim. 3:6.

NISROC, dios de Asiria, 2 Rey. 19:37; Isa. 37:38.

NICODEMO, visita a Jesús, Jn. 3:1-21; le defiende ante los Fariseos, Jn. 7:50; en el entierro de Cristo, Jn. 19:39.

NICOLAITAS (los), sus doctrinas reprobadas, Ap. 2:6, 15.

NILO, río de Egipto, Isa. 23:3; Jer. 2:18.

llamado El Río, Isa. 11:16; 19:5-10; Am. 8:8; Los Ríos, Eze. 29:3.

NIMROD, vigoroso cazador, Gén. 10:8-10; 1 Cr. 1:10; Miq. 5:6.

NÍNIVE, la profecía de Jonás con respecto a, Jon. 1:1; 3:2.

su arrepentimiento, Jon. 3:5 (Mat. 12:41; Luc. 11:32).

su destrucción predicha, Nah. 1:1; 2; 3.

NIÑA del ojo, Deu. 32:10; Sal. 17:8; Pro. 7:2; Lam. 2:18; Zac. 2:8.

NIÑEZ (la), una edad importante, Pro. 8:17; 22:6; Ecl. 12:1.

NIÑOS: infantes o párvulos, Éxo. 2:6; Luc. 2:12.

los creyentes débiles, Rom. 2:20; 1 Cor. 3:1; Heb. 5:13.

creyentes humildes y dóciles, Sal. 8:2; Mat. 11:25; Luc. 10:21; 1 Ped. 2:2.

bendecidos por Cristo, Mat. 19:14; Mar. 9:36; 10:14; Luc. 18:15.

Cristo sirvió de ejemplo a, Luc. 2:61; Jn. 19:26, 27.

pueden glorificar a Dios, Sal. 148:12, 13; Mat. 21:15, 16.

NISÁN, primer mes del calendario hebreo, Neh. 2:1; Est. 3:7.

NOCHE, establecida por Dios, Gén. 1:5; Sal. 19:2; dividida por los romanos en cuatro velas, Mat. 14:25; Mar. 13:35; en horas, Hch. 23:23.

en sentido metafórico, Jn. 9:4; Rom. 13:12; 1 Tes. 5:5.

ninguna en el cielo, Ap. 21:25 (Isa. 60:20).

NOÉ, la profecía de Lamec con respecto a, Gén. 5:29; su carácter, Gén. 6:8; construye

el arca, Gén. 6:14, &c.; entra en ella, Gén. 7:7; sale de ella, Gén. 8:18; el pacto de Dios con, Gén. 9:1; su pecado Gén. 9:20-24; maldice a Canaán, y bendice a Sem y Jafet, Gén. 9:25-27; su muerte, Gén. 9:29; su posteridad, Gén. 10 11; 1 Cr. 1:4, &c. Véase Eze. 14:14, 20; Mat. 24:37; Luc. 17:26; Heb.11:7; 1 Ped. 3:20; 2 Ped. 2:5.

NOEMÍ, sus adversidades y su regreso a Belén, Rut. 1; el consejo que le dio a Ruth, Rut. 3; su buen éxito, Rut. 4.

NOMBRE, de Dios proclamado, Éxo. 34:6, 14. Véase Éxo. 6:3; 15:3; Sal. 83:18.

ha de ser reverenciado, Éxo. 20:7; Deu. 5:11; 28:58; Sal. 111:9; Miq. 4:5; 1 Tim. 6:1, &c.

y alabado, Sal. 34:3; 72:17.

——, de **JESUCRISTO** (Isa. 7:14; 9:6); Mat. 1:21; Luc. 1:31; 2:21; 1 Cor. 5:4; 6:11; Flp. 2:9; Col. 3:17; Ap.19:16.

ha de ser confesado, 2 Tim. 2:19.

oración en el, Jn. 14:13; 16:23; Rom. 1:8; Efe. 5:20; Col. 3:17; Heb. 13:15.

milagros hechos en el, Hch. 3:6; 4:10; 19:13.

el bautismo en el, Mat. 28:19; Hch. 2:38.

——, dado a los niños cuando eran circuncidados, Luc. 1:59; 2:21.

——, muchos tenían una significación profética, como Set (reemplazo), Gén. 4:25; Noé (descanso), Gén. 5:29; Jesús (Salvador), Mat. 1:21.

——, dado con referencia a circunstancias del nacimiento, &c.; como Eva (vida), Gén. 3:20; Isaac (risa), Gén. 21:3, 6; Moisés (sacado), Éxo. 2:10; Salomón (paz), 1 Cr. 22:9; Jabes (dolor), 1 Cr. 4:9.

el valer de un buen, Pro. 22:1; Ecl. 7:1.

NOMBRES, dados por Adán, Gén. 2:20; cambiados por Dios, Gén. 17:5, 15; 32:27; 2 Sam. 12:25; cambiados por el hombre, Dan. 1:7.

NORTE y **SUR,** profecía acerca de los reyes de, Dan. 11.

creados, Job 26:7; Sal. 89:12.

NUBE, columna de, Israel guiado por una, Éxo. 13:21; 14:19; 40:34; Núm. 9:17; Neh. 9:19; Sal. 78:14; 105:39; Isa. 4:5; 1 Cor. 10:1.

aparición del Señor en una, 2 Sam. 22:12; Ap. 14:14; en el monte Sinaí, Éxo. 24:15; 34:5; en el tabernáculo, Núm. 11:25; 12:5; en el propiciatorio, Lev. 16:2; en el templo, 1 Rey. 8:10; Eze. 10:4; de la parte del norte, Eze. 1:4; en el monte de la transfiguración, Mat. 17:5; en el último día, Luc. 21:27.

NUBES, multitud, Isa. 60:8; Jer. 4:13; Heb. 12:1.

NÚMERO, de la Bestia, 666, Ap. 18:18.

O

OBED-EDOM, bendecido en tanto que guardaba el arca, 2 Sam. 6:10; 1 Cr. 13:14; 15:18, 24; 16:5.

OBEDIENCIA, de los recabitas Jer. 35; de Cristo, Rom. 5:19; Flp. 2:8; Heb. 5:8; de la fe, Rom. 1:5; 16:26, &c.; 2 Cor. 7:15; 1 Ped. 1:2; que se debe a los padres, Efe. 6:1; Col.

3:20; a los maridos, Tit. 2:5; a los amos, Efe. 6:5; Col. 3:22; Tit. 2:9; a los magistrados, &c., Tit. 3:1; Heb. 13:17.

OBEDIENCIA a Dios:
prescrita, Deu. 13:4.
sin la fe es imposible, Heb. 11:6.
  INCLUYE EL OBEDECER: su voz, Éxo. 19:5; Jer. 7:23; su ley, Deu. 1:27; Isa. 42:24; a Cristo, Éxo. 23:21; 2 Cor. 10:5; el evangelio, Rom. 1:5; 6:17; 10:16, 17.
  INCLUYE EL GUARDAR: sus mandamientos, Ecl. 12:13; la sujeción a las potestades superiores, Rom. 13:1.
es mejor que el sacrificio, 1 Sam. 15:22.
justificación por medio de la de Cristo, Rom. 5:19.
Cristo, ejemplo de, Jn. 15:10; Flp. 2:5-8; Heb. 5:8.
los ángeles se ocupan de, Sal. 103:20.
un distintivo de los santos, 1 Ped. 1:14.
los santos elegidos para, 1 Ped. 1:2.
obligaciones de practicar, Hch. 4:19, 20; 5:29.
exhortaciones A, Jer. 26:13; 38:20.
OBISPO, requisitos del, 1 Tim. 3; Tit. 1:7-9.
Véase Flp. 1:1.
——, de las almas (Cristo), 1 Ped. 2:25.
OBRAS de Dios, su grandeza y majestad, Job 9:37-41; Sal. 8; 19; 89; 104; 111; 145; 147; 148; Ecl. 8:17; Jer. 10:12; Ap. 15:3.
——, **de la ley,** insuficiencia de, Rom. 3:20; 4:2; Gál. 3.
——, **BUENAS:**
Cristo ejemplo de, Jn. 10:32; Hch. 10:38.
  LLAMADAS: buenos frutos, Stg. 3:17; frutos dignos para arrepentimiento, Mat. 3:8; frutos de justicia, Flp. 1:11; obras y trabajos de amor, Heb. 6:10.
son por Jesucristo, para gloria y loor de Dios, Flp. 1:11.
sólo los que permanecen en Jesucristo pueden ejecutar, Jn. 15:4, 5.
obradas por Dios en nosotros, Isa. 26:12; Flp. 2:13.
las Escrituras tienen por objeto el conducirnos a, 2 Tim. 3:16, 17; Stg. 1:25.
se deben hacer en el nombre de Cristo, Col. 3:17.
la sabiduría a celestial está llena de, Stg. 3:17.
la justificación no se puede alcanzar por medio de, Rom. 3:20; Gál. 2:16.
la salvación no se puede alcanzar por medio de, Efe. 2:8-9; 2 Tim. 1:9; Tit. 3:5.
  LOS SANTOS: son creados en Cristo para, Efe. 2:10; son predestinados para caminar en, Efe. 2:10; son exhortados a revestirse de, Col. 3:12-14; están llenos de, Hch. 9:36; son seguidores de, Tit. 2:14; deben ser perfectamente instruidos para, 2 Tim. 3:17.
  DEBEN SER RICOS EN: deben ser ricos en, 1 Tim. 6:18; procurar el sobresalir en, Tit. 3:8, 14; ser confirmados en, 2 Tes. 2:17; ser fecundos en, Col. 1:10; ser perfectos en, Heb. 13:21; estar preparados para todas las, 2 Tim. 2:21; abundar para

todas las, 2 Cor. 9:8; estar listos para todas las, Tit. 3:1 estimularse mutuamente a la ejecución de, Heb. 10:24; evitar la ostentación en, Mat. 6:1-18; traer a la luz sus, Jn. 3:21; seguidos a la tumba por sus, Ap. 14:13.
las mujeres santas deben manifestar, 1 Tim. 2:10; 5:10.
Dios se acuerda de, Neh. 13:14, con Heb. 6:9, 10.
serán traídas en juicio, Ecl. 12:14, con 2 Cor. 5:10. -
en el juicio serán pruebas de la fe, Mat. 25:34- 40, con Stg. 2:14-20.
los ministros han de ser dechados de, Tit. 2:7.
los ministros deben exhortar a la ejecución de, 1 Tim. 6:17, 18; Tit. 3:1-14.
Dios es glorificado con Jn. 15:8.
conduce a los demás a glorificar a Dios, Mat. 5:16; 1 Ped. 2:12.
la bendición del cielo sigue a, Stg. 1:25.
los malos son reprobados para todas las, Tit. 1:16.
símil de, Jn. 15:5.
OCIOSIDAD, prohibida, Rom. 12:11; Heb. 6:12; produce apatía (dejadez, indolencia), Ap. 12:27; 26:15; se hermana con la prodigalidad (desperdicio), Pro. 18:9; va acompañada de la presunción, Pro. 26:16; los efectos de, sirven de aleccionamiento a otros, Pro. 24:30-32; amonestación relativamente a, Pro. 6:6-9; excusas mentirosas con respecto a, Pro. 20:4; 22:13; patentizada por medio de comparaciones, Pro. 26:14 Mat. 25:18, 26.
  CoNDUCE A: la pobreza, Pro. 10:4; 20:13; la necesidad, Pro. 20:4; 24:34; la servidumbre, Pro. 12:24; la esperanza burlada, Pro. 13:4; 21:25; la ruina, Pro. 24:30, 31; Ecl. 10:18; chismear y entremeterse, 1 Tim. 5:13.
ejemplos de: los atalayas, Isa. 56:10; los atenienses, Hch. 17:21; los tesalonicenses, 2 Tes. 3:11.
OCOZÍAS, rey de Judá, su mal gobierno, 2 Rey. 8:25; muerto por Jehú, 2 Rey. 9:21; 2 Cr. 22.
——, rey de Israel, 1 Rey. 22:40, 51-53; su enfermedad y su idolatría, 2 Rey. 1; su muerte denunciada por Elías, 2 Rey. 1.
ODIO, prohibido, Lev. 19:17; Col; 3:8; es homicidio, 1 Jn. 3:15; obra de la carne, Gál. 5:20; encubierto por el engaño, Pro. 10:18; 26:26; conduce al engaño, Pro. 26:24, 25; suscita rencillas, Pro. 10:12; amarga la vida, Pro. 15:17; incompatible con el conocimiento de Dios, 1 Jn. 2:9, 11; incompatible con el amor de Dios, 1 Jn. 4:20; los mentirosos propensos a, Pro. 26:28.
ODRE (S). Ge 21:14,15,19 Jo 9:4,13; Jue 4:19; 1Sa 1:24; 10:3; 16:20, 25:18; 2Sa 16:1 Job 32:19 38:37; Sal 119:83; Jer 13:12; Hab 2:15 Mt 9:17; Mr 9:22 Luc 5:37-38 Véase **CUERO.**
OFENSAS, contra el Espíritu Santo:

exhortaciones relativamente a, Efe. 4:30; 1 Tes. 5:19.

CONSISTEN: en tentarle, Hch. 5:9; en enojarle, Isa. 63:10; en contristarle, Efe. 4:30; en apagarle, 1 Tes. 5:19; en mentirle, Hch. 5:3, 4; en hacerle resistencia Hch. 7:51; en menospreciar sus dones, Hch. 8:19,
la blasfemia contra Él, es imperdonable, Mat. 12:31, 32; 1 Jn. 5:16.

OFNI Y FINEES, hijos de Elí, 1 Sam. 1:3; su maldad, 1 Sam. 2:12, 22; amenazados, 1 Sam. 2:27; 3:11; muertos, 1 Sam. 4:11.

OFRENDAS: leyes sobre las, Lev. 1, &c.
HAN DE PRESENTARSE: de voluntad, Lev. 22:19; sin tacha, Lev. 22:21; Deu. 15:21; Mal. 1:14; a Dios solamente, Éxo. 22:20; Jue. 13:16; en amor y fidelidad, Mat. 5:23; con gratitud, Sal. 50:8, 14; con un corazón recto, Isa. 1:13; Mal. 3:3; según los medios de cada uno, Lev. 5:7.
símbolo de Cristo, Efe. 5:2; Heb. 9:10.
DIFERENTES ESPECIES DE: holocausto, Lev. 1:3-17; Sal. 68:15; expiación, o por el pecado, Lev. 4; 6:25; 10:17; expiación de la culpa, Lev. 5:6-19; 6:6; 7:1; 12; 14; 15; Núm. 5; de las paces, Lev. 3:1-17; 7:11; elevadas o mecidas, Éxo. 29:24, 26; Lev. 7:30; 8:27; 23:11, 20; Núm. 5:25; 6:20, &c.; de presente, Lev. 2; 3; 6:14; Núm. 15:4; Neh. 10:33; Isa. 57:8; libación (o derramamiento), Gén. 35:14; Éxo. 29:40; de acción de gracias, Lev. 7:12; 22:29; Sal. 50:14; voluntarias, Lev. 22:18; 23:38; Núm. 15:3; Deu. 16:10; 23:23; Esd. 8:5; de incienso, Éxo. 30:8; Mal. 1:11; Luc. 1:9; de primicias, Éxo. 22:29; Deu. 18:4; de diezmos, Lev. 27; Núm. 18; Deu. 14; de dones, Éxo. 35:22; Núm. 7; de celos, Núm. 5:15; de redención personal, Éxo. 30:13, 15.

OÍDOS (u orejas), el que tiene para oír, Mat. 11:15; 13:16; Mar. 4:9, 23; 7:16.
tienen, pero no oyen, Sal. 115:6; Isa. 42:20; Eze. 12:2; Mat. 13:12; Mar. 8:18; Rom. 11:8.
abiertos por Dios, Job 33:16; 36:15; Sal. 40:6; Mar. 7:35.
los del Señor, abiertos para escuchar la oración, 2 Sam. 22:7; Sal. 18:6; 34:15; Stg. 5:4; 1 Ped. 3:12.

OJOS, del Señor, o de Jehová, están en todas partes, &c., Deu. 11:12; 2 Cr. 16:9; Pro. 15:3; sobre los justos, Esd. 5:5; Sal. 32:8; 33:18; 34:15; 1 Ped. 3:12.
——, del hombre, deben usarse con moderación, Job 31:3; Sal. 119:37; Pro. 4:25; 23:31; Mat. 5:29; 18:9. Véase Éxo. 29:17; Éxo. 21:26; Deu. 10:10; 20:12; Mat. 19:24; 1 Cor. 12:16.

OLIVAS, Monte de las, o Monte Olivar, monte a que subió David en su dolor, 2 Sam. 15:30; también Cristo, Mat. 21:1; 24:3; Mar. 11:1; 13:3 Luc. 21:37; Jn. 8:1; Hch. 1:12.

OLOR, Lev. 26:31; 2 Cr. 16:14; Dan. 2:46; Jn. 12:3, grato, de los sacrificios, Gén. 8:21; Éxo. 29:18, un tipo de Cristo, 2 Cor. 2:14, 15; Efe. 5:2.

OMEGA, la última letra del alfabeto griego, usada metafóricamente para denotar "el último"; epíteto dado a Cristo, Ap. 1:8, 11; 21:6; 22:13.

ONÁN, hijo de Judá, Gén. 38:4-9; 48:12; Núm. 26:19.

ONÉSIMO, Pablo intercede por, Flm.; Col. 4:9.

ORACIÓN: prescrita, Isa. 55:6; Flp. 4:6.
del justo puede mucho, Stg. 5:16.
de los rectos, es para Dios una delicia, Pro. 15:8.
SE HA DE OFRECER: a Dios Sal. 5:2; Mat. 4:10; a Cristo, Luc. 23:42; Hch. 7:59; al Espíritu Santo, 2 Tes. 3:5; por medio de Cristo, Efe. 2:18; Heb. 10:19.
Dios oye, Sal. 10:17; 65:2.
Dios concede, Sal. 99:6; Isa. 58:9.
SE DESCRIBE COMO: el hincar de las rodillas, Efe. 3:14; esperar, Sal. 5:3; elevar el alma Sal. 26:1; elevar el corazón, Stg. 3:41; derramar el corazón, Lam. 3:41; derramar el alma, 1 Sam. 1:15; invocar el nombre del Señor, Gén. 12:8; Sal. 116:4; Hch. 22:16; llamar a Dios, Sal. 73:28; Heb. 10:22; clamar al cielo, 2 Cr. 32:20; suplicarle al Señor, Éxo. 32:11; buscar a Dios, Job 8:5; buscar el rostro del Señor, Sal. 27:8; hacer súplica, Job 8:5; Jer. 36:7.
es aceptable por medio de Cristo, Jn. 14:13, 14; 15:16; 16:23, 24.
asciende al cielo, 2 Cr. 30:27; Ap. 5:8.
LAS POSTURAS DURANTE: de pie, 1 Rey. 8:22; Mar. 11:25; inclinado, Sal. 95:6; sentado, 2 Sam. 7:18; de rodillas, 2 Cr. 6:13; Sal. 95:6; Luc. 22:41; Hch. 20:36; postrado sobre el rostro, Núm. 16:22; Jos. 5:14; 1 Cr. 21:16; Mat. 26:39; con las manos extendidas, Isa. 1:15; alzando las manos, Sal. 28:2; Lam. 2:19; 1 Tim. 2:8.

ORACIÓN, de los hipócritas, reprobada, Sal 109:7; Pro. 1:28; 28:9; Mat. 6:5; Sal 66:18

ORACIÓN privada: Cristo era constante en, Mat. 14:23; 26:36, 39; Mar. 1:35; Luc. 9:18, 29; prescrita, Mat. 6:6.
SE HA DE OFRECER: por la tarde, por la mañana y al medio día, Sal. 53:11; día y noche, Sal. 88:1; sin cesar 1 Tes. 5:17.
será oída, Job 22:27.
premiada en público, Mat. 6:6.
una de las pruebas de la conversión, Hch. 9:11.
nada debe impedir, Dan. 6:10.
ejemplos de: Lot, Gén. 19:20; Eliezer, Gén. 24:12; Jacob, Gén. 32:9-12; Gedeón, Jue. 6:22, 36, 39; Ana, 1 Sam. 1:10; David, 2 Sam. 7:18-29; Ezequías, 2 Rey. 20:2; Isaías, 2 Rey. 20:11; Manasés, 2 Cr. 33:18, 19; Esdras, Esd. 9:5, 6; Nehemías, Neh. 2:4; Jeremías, Jer. 32:16-25; Daniel, Dan. 9:3, 17; Jonás, Jon. 2:1; Habacuc, Hab. 1:2; Ana, Luc. 2:37; Pablo, Hch. 9:11; Pedro, Hch. 9:40; 10:9; Cornelio, Hch. 10:30.

ORACIÓN, en reuniones y de familia: promesa de que será concedida, Mat. 18:19.

Cristo promete estar presente en, Mat. 18:20.

castigo del descuido de, Jer. 10:25.

ejemplos de: Abraham, Gén. 12:5, 8; Jacob, Gén. 35:2, 3, 7; Josué, Jos. 24:15; David, 2 Sam. 6:20; Job, Job 1:5; los discípulos, Hch. 1:13, 14; Cornelio, Hch. 10:2; Pablo y Silas, Hch. 16:25; Pablo, &c. Hch. 20:36; 21:5.

ORACIÓN pública (en el culto público):
aceptable a Dios, Isa. 56:7.

Dios promete oír, 2 Cr. 7:14, 18 y bendecir en, Éxo. 24:24.

CRISTO: santifica con su presencia, Mat. 18:20; asistió a, Mat. 12:9; Luc. 4:16; promete conceder, Mat. 18:19; dio un modelo para, Luc. 11:2.

no se debe hacer en lengua desconocida, 1 Cor. 14:14-16.

los santos se complacen en, Sal. 42:4; 122:1.

exhortación al ejercicio de, Heb. 10:25.

recomendad a los demás el ejercicio de, Sal. 95:6; Zac. 8:21.

ejemplos de: Josué, &c., Jos. 7:6-9; David, 1 Cr. 29:10-19; Salomón, 2 Cr. 6; Josafat, &c., 2 Cr. 20:5-13; Jesúa, &c., Neh. 9; los judíos, Luc. 1:10; los primeros cristianos, Hch. 2:46; 4:24; 12:5, 12; Pedro, &c., Hch. 8:1; los maestros y los profetas de Antioquía, Hch. 13:3. Pablo, &c., Hch. 16:16.

ORACIÓN intercesora:

Cristo nos dio ejemplo en cuanto a, Luc. 22:32; 23:34; Jn. 17:9-24.

prescrita, 1 Tim. 2:1; Stg. 5:14—16.

SE DEBE OFRECER POR: por los reyes, 1 Tim. 2:2. todos los que están en autoridad, 1 Tim. 2:2; por los ministros, 2 Cor. 1:11; Flp. 1:19; la iglesia, Sal. 122:6; Isa. 62:6, 7; todos los santos, Efe. 6:18; todos los hombres, 1 Tim. 2:1; los amos, Gén. 24:12-14; los criados, Luc. 7:2, 3; los hijos, Gén. 17:18; Mat. 15:22; los amigos, Job 42:8; nuestros compatriotas, Rom. 10:1; los enfermos, Stg. 5:14; los perseguidores, Mat. 5:44; nuestros enemigos, Jer. 29:7; los que nos tienen envidia, Núm. 12:10; los que nos abandonan, 2 Tim. 4:16; los que murmuran contra Dios, Núm. 11:1, 2; 14:13-19.

de los ministros por su grey, Efe. 1:16; 3:14-19; Flp. 1:4.

incentivos para el ejercicio de, Stg. 5:16; 1 Jn. 5:16.

aprovecha al que la ofrece, Job. 42:10.

es pecado descuidarla, 1 Sam. 12:23.

procurad que se haga mención de vosotros en, 1 Sam. 12:19; Heb. 13:18.

ineficaz para con los impenitentes obstinados, Jer. 7:13-16; 14:10, 11.

ejemplos de: Abraham, Gén. 18:23-32; el criado de Abraham, Gén. 24:12-14; Moisés, Éxo. 8:12; 32:11-13; Samuel, 1 Sam. 7:5; Salomón, 1 Rey. 8:30-36; Eliseo, 2 Rey. 4:33; Ezequías, 2 Cr. 30:18; Isaías, 2 Cr. 32:20; Nehemías, Neh. 1:4-11; David, Sal. 25:22; Ezequiel,

Eze. 9:8; Daniel, Dan. 9:3-19; Esteban, Hch. 7:60; Pedro y Juan, Hch. 8:15; la iglesia de Jerusalén, Hch. 12:5; Pablo, Col. 1:9-12; 2 Tes. 1:11; Epafras, Col. 4:12; Flm. 22.

CONCEDIDAS:
por la gracia de Dios, Isa. 30:19.

algunas veces inmediatamente, Isa. 65:24; Dan. 9:21, 23; 10:12.

con tardanza, Luc. 18:7.

de un modo distinto del que deseamos, 2 Cor. 12:8, 9.

más de lo que esperamos, Jer. 33:3; Efe. 3:20.

prometidas, Isa. 58:9; Jer. 29:12; Mat. 7:7.

especialmente en tiempos de angustia, Sal. 50:15; 91:15.

ORACIONES de Cristo: en una montaña, Mat. 14:23; Mar. 6:46; Luc. 6:12; 9:28; en Getsemaní, Mat. 26:36; Mar. 14:32; Luc. 22:45; la oración dominical, Mat. 6:11; Luc. 11:1; antes de amanecer, Mar. 1:35; en angustia, Jn. 12:27; Heb. 5:7; en el desierto, Luc. 5:16; por Pedro, Luc. 22:31; Jn. 14:16; después de la cena, Jn. 17.

ORDEN, ha de observarse en la iglesia, 1 Cor. 14:40; Tit. 1:5.

ORDENACIÓN de los diáconos, ancianos &c., Hch. 6:6; 14:23; 1 Tim. 2:7; 3; 4:14; 5:22; 2 Tim. 2:2; Tit. 1:5.

de los apóstoles, Mat. 10:1; Mar. 3:13; Luc. 6:13.

OREJA (la), 2 Sam. 7:22; Sal. 45:10; 78:1; 94:9; Pro. 15:31; 20:12; 22:17; Isa. 50:4; 55:3; Mat. 10:27. Véase **OÍDOS.**

ORGULLO: es pecado, Pro. 21:4.

es aborrecible ante Dios, Pro. 6:16, 17; 16:5

es aborrecible ante Cristo, Pro. 8:12, 13.

A MENUDO TIENE SU ORIGEN: en la confianza que el hombre tiene en su propia justicia, Luc. 18:11, 12; en los privilegios religiosos, Sof. 3:11; en la ciencia sin santidad, 1 Cor. 8:1; en la falta de experiencia, 1 Tim. 3:6; en la posesión del poder, Lev. 26:19; Eze. 30:6; en la posesión de las riquezas, 2 Rey. 20:13.

prohibido, 1 Sam. 2:3; Rom. 12:3, 16.

contamina al hombre Mar. 7:20, 22.

ES UN DISTINTIVO: del diablo, 1 Tim. 3:6; del mundo, 1 Jn. 2:16; de los falsos maestros, 1 Tim. 6:3, 4; de los malos, Hab. 2:4, 5; Rom. 1:30.

procede del corazón, Mat. 7:21-23.

los malos se revisten de, Sal. 73:6.

ORIENTE, tierra de, Job 1:3; sabios del, Mat. 2:1;

ORO, sacado de la tierra, Job 23:1, 6.

abundaba en Havila, Gén. 2:11; en Ofir, 1 Rey. 9:28; Sal. 45:9; en Seba, Sal. 72:15; Isa..60:6; en Parvaim, 2 Cr. 3:6; en Ufaz, Jer. 10:9.

pertenece a Dios, Jl. 3:5; Hag. 2:8.

USADO: como dinero, Mat. 10:9; Hch. 3:6; para ornato del tabernáculo, Éxo. 36:24, 38; ornato del templo, 1 Rey. 6:21, 22; los enseres sagrados, Éxo. 25:29, 38; 2 Cr. 4:19-22; coronas 2 Sam. 12:30; Sal. 21:3; cetros, Est. 4:11;

cadenas. Gén 41:42; Dan. 5:29; anillos, Cnt. 5:14; Stg. 2:2; zarcillos, Jue. 8:24, 26; otros adornos, Jer. 4:30; escudos, 2 Sam. 8:7; 1 Rey. 10:16, 17; vasijas, 1 Rey. 10:31; Est. 1:7; ídolos, Éxo. 20:23; Sal. 115:4; Dan. 5:4; lechos, Est. 1:6; estrados, 2 Cr. 9:18.

los reyes de Israel no habían de aumentarlo, Deu. 17:17; Isa. 2:7; Ecl. 2:8, 11.

por vía de comparación, Job 23:10; Dan. 2:38; 1 Cor. 3:12; 1 Ped. 1:7; Ap. 3:18.

ÓSCULO (beso de respeto o afecto), de amor (santo), 1 Ped. 5:14; Rom. 16:16; 1 Cor. 16:20; 2 Cor. 13:12: 1 Tes. 5:26.

dado en prueba de cariño, Gén. 27:27; 29:11; 45:15; 48:10; 1 Sam. 10:1; 20:41; Luc. 7:38; 15:20; Hch. 20:37.

dado para hacer traición, 2 Sam. 20:9; Mat. 26:48; Luc. 22:48.

por idolatría, 1 Rey. 19:18; Job 31:27; Ose. 13:2.

OSCURIDAD, ordenada Gén. 1:2, 5; Isa. 45:1; sobrenatural, Gén. 15:12; Éxo. 10:21; 14:20; Jos. 24:7; Ap. 8:12; 9:2; 16:10; durante la crucifixión, Luc. 23:44.

en sentido metafórico, representa el castigo, Mat. 8:12; 22:13; 2 Ped. 2:4, 17; Jud. 6.

representa también la inescrutabilidad de Dios, 2 Sam. 22:10, 12; 1 Rey. 8:12; Sal. 97:2

OSEAS, su matrimonio simbólico, Ose. 1.

declara la ira de Dios contra Israel, Ose. 4:7-10.

y su misericordia, Ose. 1:10; 2:14; 11:1-12; 13:14.

——, último rey de Israel, su conspiración, mal gobierno, y cautividad, 2 Rey. 15:30; 17.

OSO, 1 Sam. 17:34; 2 Sam. 17:8; 2 Rey. 2:24; Pro. 17:12; Isa. 59:11; Am. 5:19; en sentido metafórico, Pro. 28:15; Isa. 11:7; Lam. 3:10; Dan. 7:5; Ose. 13:8; Ap. 13 2.

OTONIEL, Jos. 15:16; Jue. 1:13; liberta y juzga a Israel, Jue. 3:9.

OVEJAS, empleadas en los sacrificios, Gén. 4:4; 8:20; 15:9; Éxo. 20:24; Lev. 1:10; 1 Rey. 8:63; 2 Cr. 30:24.

formaban gran parte de la riqueza de los patriarcas, Gén. 24:35; 26:14.

la carne y la leche de, se usaban como alimento, Deu. 32:14; 1 Rey. 1:16; 4:3.

las pieles y la lana de, se usaban para vestidos, Job 31:20; Pro. 31:13; Heb. 11:37.

los rebaños eran cuidados por miembros de la familia, Gén. 29:9; Éxo. 2:16; 1 Sam. 16:11.

eran cuidados por los siervos, 1 Sam. 17:20; Isa. 61:5.

eran guardados en apriscos, 1 Sam. 24:3; Jn. 10:1.

eran conducidos a pasturajes abundantes, Sal. 23:2.

pastaban en las montañas, Éxo. 3:1; Eze. 34:6, 13.

pastaban en los valles, Isa. 65:10.

se les abreviaba todos los días, Gén. 29:8-10; Éxo. 2:16, 17.

se les hacía descansar a medio día, Sal. 23:2; Cnt. 1:7.

seguían al pastor, Jn. 10:4, 27.

huían de los extraños, Jn. 10:5.

la iglesia ha sido comparada a, 2 Sam. 24:17; Sal. 74:1; 79:13: 95:7; 100:3; Eze. 34; 36:38; Miq. 2:12; Mat. 15:24; 25:32; Jn. 10:2; 1 Ped. 2:25.

símbolo de Cristo, Isa. 53:7; Hch. 8:32.

P

PABLO (Saulo, Hch. 13:9), nació en Tarso, era ciudadano romano libre, y fue educado por Gamaliel, Hch. 22:3, 25-29.

persigue la iglesia, Hch. 7:58; 8:1; 9:1; 22:4; 26:9; 1 Cor. 15:9; Gál. 1:13; Flp. 3:6; 1 Tim. 1:13.

su conversión milagrosa, Hch. 9:3: 22:6; 26:12.

SU DEFENSA: ante el pueblo, Hch. 22; ante el concilio, Hch. 23; ante Félix, Hch. 24; ante Festo, Hch. 25; ante Agripa, Hch. 26.

su viaje por agua y su naufragio, Hch. 27.

milagros en Melita, Hch. 28:3, 8.

arguye con los judíos, Hch. 28:17.

sus sufrimientos, 1 Cor. 4:9; 2 Cor. 11:23; 12:7; Flp. 1:12; 2 Tim. 2:11, &c.

revelaciones de Dios a., 2 Cor. 12:1.

su amor hacia las iglesias, Rom. 1:8; 1 Cor. 1:4; 4:14; 2 Cor. 1; 2; 6; 7, &c.; Flp. 1; Col. 1.

defiende los derechos de su apostolado, 1 Cor. 9; 2 Cor. 11; 12; 2 Tim. 3:10.

intercede por Onésimo, Flm. 1; encomia a Timoteo, 1 Cor. 16:10; Flp. 2:19; 1 Tes. 3:2.

encomia a Tito, 2 Cor. 7:13; 8:23.

el testimonio de Pedro con respecto a, 2 Ped. 3:15.

PACIENCIA: el Todopoderoso es el Dios de, Rom. 15:5.

Cristo es ejemplo de, Isa. 53:7, con Hch. 8:32; Mat. 27:14.

prescrita, Tit. 2:2; 2 Ped. 1:6.

debe tener su obra perfecta, Stg. 1:4.

la prueba de la fe produce, Rom. 5:3; Stg. 1:3

produce prueba, Rom. 5:4.

esperanza, Rom. 15:4.

el sufrir con, por hacer el bien, es aceptable con Dios, 1 Ped. 2:20.

SE DEBE EJERCER: corriendo la carrera que nos es propuesta, Heb. 12:1; produciendo frutos, Luc. 8:15; haciendo el bien, Rom. 2:7; Gál. 6:9; esperando en Dios, Sal. 37:7; 40:1; esperando a Cristo, 1 Cor. 1:7; 2 Tes. 3:5; aguardando la esperanza del evangelio, Rom. 8:25; Gál. 5:5; llevando el yugo, Lam. 3:27; sobrellevando la tribulación, Luc. 21:19; Rom. 12:12.

necesaria para obtener la herencia de las promesas, Heb. 6:12, 15; 10:36.

los ministros deben seguir, 1 Tim. 6:11.

los ministros se distinguen por, 2 Cor. 6:4; 12:12.

PACTO, concierto o alianza, de Dios: con Noé, Gén. 6:18; 9:8; con Abraham, Gén. 16:7; 17:2 (Luc. 1:72; Hch. 3:25; Gál. 3:16); con Isaac, Gén. 17:19; 26:3; con Jacob, Gén. 28:13 (Éxo. 2:24; 6:4; 1 Cr. 16:16); con los israelitas, Éxo. 6:4; 19:4; 24; 34:27; Lev. 26; Deu. 5:2; 9:9; 26:16; 29; Jue. 2:1; Jer. 11; 31:33; Hch. 3:25; con Finees hijo de Eleazar, Núm. 25:13; con David, 2 Sam. 23:5; Sal. 89:3. Véase Sal. 25:14.

PACTO, el Nuevo:
Cristo es la sustancia de, Isa. 42:6; 49:8.
el Mediador de, Heb. 8:6; 9:15; 12:24.
el Mensajero de, Mal. 3:1.
CELEBRADO CON: Abraham, Gén. 15:7-18; 17:2-14; Luc. 1:72-76; Hch. 3:25; Gál. 3:16; Isaac, Gén. 17:19, 21; 26:3, 4; Jacob, Gén. 28:13, 14, con 1 Cr. 16:16, 17; Israel, Éxo. 6:4; Hch. 3:25; David, 2 Sam. 23:5; Sal. 89:3, 4.
renovado bajo el régimen del evangelio, Jer. 31:31-33; Rom. 11:27; Heb. 8:8-10, 13.
cumplido en Cristo, Luc. 1:68-79.
confirmado por la sangre de Cristo, Gál. 3:17; Heb. 9:11-14, 16, 23.
es un pacto de paz, Isa. 54:9, 10; Eze. 34:25; 37:26.
es inalterable, Sal 89:34; Isa. 54:10; 59:21; Gál. 3:17.
es eterno, Sal. 111:9; Isa. 55:3; 61:18; Eze. 16:60-63; Heb. 13:20.

PALESTINA, llamada: Canaán, Gén. 11:31; Palestina, Éxo. 15:14.
TIERRA: de Israel, 1 Sam. 18:19; de los hebreos, Gén. 40:15; de Judea, Hch. 10:39; de la promesa Heb. 11:9; santa, Zac. 2:12; deseable, Dan. 8:9; 11:16; de Jehová, Ose. 9:3; de Emmanuel, Isa 8:8; de Beula y Hefziba, Isa. 62:4.
sus límites de, Jos. 16à19.
DIVIDIDA: entre las doce tribus, Jos. 14à19; en doce provincias por Salomón, 1 Rey. 4:7-19; en dos reinos, Judá e Israel, 1 Rey. 11:35, 36; 12:16-21; en provincias romanas, Luc. 3:1; Jn. 4:4.

PALMA, Éxo. 15:27; en las fiestas, Lev. 23:40; Jn. 12:13; Ap. 7:9; la ciudad de las palmas, Deu. 34:3; Jue. 1:16; 3:13 2 Cr. 28:15.
en sentido metafórico, Sal. 92:12; Cnt. 7:7, 8; Jer. 10:5; Ap. 7:9.

PALMO, medida de longitud, Éxo. 28:16.

PALOMA (la), naturaleza y hábitos, Sal. 68:13; Cnt. 1:15; 2:14 5:12; Isa. 38:14; 59:11; 60:8; Jer. 48:28; Nah. 2:7; Mat. 10:16.
enviada desde el arca, Gén. 8:8.
usadas en sacrificios, Gén. 15:9; Lev. 12:6; 14:22,
mencionada en sentido figurado, Sal. 68:13; 74-19; Cnt. 1:15; 2:14, &c.
el Espíritu Santo descendió en figura de, Mat. 3:16.

PAN, el hombre sentenciado a trabajar por el, Gén. 3:19; enviado del cielo (maná), Éxo. 16:4; de trigo, Éxo. 29:2; Sal. 81:16; de cebada, Jue. 7:13; Jn. 6:9; de avena, mijo, habas, &c., Eze. 4:9; fabricación de, Gén. 18:6; Éxo. 12:34; Lev. 23:17; Isa. 44:19;

Jer. 7:18; Ose. 7:4; Mat. 13:33; Jn. 21:9; diferentes géneros de, Éxo. 16:31; 29:23; 1 Sam. 17:17; 2 Sam. 6:19; 1 Rey. 17:13; suministrado milagrosamente, 2 Rey. 4:42; Jn. 6, &c.; emblema de Cristo, Jn. 6:31; 1 Cor. 10:16; ofrecido delante del Señor, Éxo. 25:30; Lev. 8:26; 24:5: Núm. 4:7; 1 Sam. 21:4; en los funerales, Eze. 24:17, 22; empleado en la cena del Señor, Luc. 22:19; 24:30; Hch. 2:42; 20:7; 1 Cor. 10:16; 11:23; sin levadura, Gén. 19:3; Éxo. 12:8; 1 Sam. 28:24; 2 Rey. 23:9; 1 Cor. 5:8.
en sentido figurado: Deu. 8:9; Sal. 80:5; Pro. 9:5; Eze. 16:49; Ose. 9:4; Mat. 15:26; Jn. 6:33-35; 1 Cor. 5:8; 10:17.

PAN ÁZIMO, o sin levadura, en qué casos se había de usar, Éxo. 12:39; 13:7; 23:18; Lev. 2:4; 7:12; 8:26; Núm. 6:19.
simbólico, 1 Cor. 5:7.

PAN DE LA PROPOSICIÓN: doce tortas de harina fina, Lev. 24:5; llamado pan sagrado, 1 Sam. 21:4; colocado sobre la mesa en dos hileras por los sacerdotes, Éxo. 25:30; 40:23; Lev. 24:6; lo cambiaban todos los sábados, Lev. 24:8; después de quitarlo lo daban a los sacerdotes, Lev. 24:9; solamente a los sacerdotes les era permitido el comerlo, excepto en casos de mucha necesidad, 1 Sam. 21:4-6; Mat. 12:3, 4; Mar. 2:25; Luc. 6:3; símil de Cristo, el pan de vida, Jn. 6:48, y de la iglesia, 1 Cor. 6:7; 10:17; mesa de, descripción, Éxo. 25:23-30; colocada en el Lugar Santo, Éxo. 40:22; Heb. 9:2; hecha por Salomón, 1 Rey. 7:48, 50; 2 Cr. 4:19.

PANADERO, de Faraón, Gén. 40.

PARÁBOLAS (Véase Núm. 23:7; Job 27:1; Sal. 78:2; Pro. 26:7), de Jotam, Jue. 9:7; de Natán, 2 Sam. 12:1; de la mujer de Tecoa, 2 Sam. 14:5; de un profeta, 1 Rey. 20:39; de Joás, 2 Rey. 14:9; 2 Cr. 25:18; de los profetas, Isa. 5:1 (Jer. 13:1; 18; 24; 27); Eze. 16; 17; 19; 23; 24; 31; 33; 39.

——, de CRISTO:
del edificador prudente y el insensato. Mat. 7:24-27.
los que están de bodas, Mat. 9:15; Mar. 9:18.
paño nuevo en vestido viejo, Mat. 9:16.
vino nuevo en odres viejos, Mat. 9:17.
los muchachos en las plazas, Mat. 11:16-19.
la oveja caída en una fosa, Mat. 12:11-12
el espíritu inmundo, Mat. 12:43.
el sembrador, Mat. 13:3, 18; Luc. 8:5, 11.
la cizaña, Mat. 13:24-30, 36-43.
el grano de mostaza, Mat. 13:31, 32; Luc. 13:19.
la levadura, Mat. 13:33; Luc. 13:20, 21.
el tesoro escondido en un campo, Mat. 13:44.
la perla de gran precio, Mat. 13:45, 46.
la red arrojada en el mar, Mat. 13:47-50.
el prudente padre de familia, Mat. 13:51, 52.
los alimentos que no contaminan, Mat. 15:10-15.
el siervo sin clemencia, Mat. 18:23-35.
los trabajadores empleados a diversas horas, Mat. 20:1-16.

los dos hijos, Mat. 21:28-32.

los labradores malos, Mat. 21:33-45.

las bodas del hijo del rey, Mat. 22:2-14.

la higuera echando hojas, Mat. 24:32-34.

el padre de familia en vela, Mat. 24:43.

siervos fieles y siervos malos Mat. 24:45-51

las diez vírgenes, Mat. 25:1-13.

los talentos, Mat. 25:14-30.

el reino dividido contra sí mismo, Mar. 3:24.

la casa dividida contra sí misma, Mar. 3:25.

el valiente con armas, Mar. 3:27; Luc. 11:21.

la semilla que crece en oculto, Mar. 4:26-29.

la vela encendida, Mar. 4:21; Luc. 11:33-36.

el pan de los hijos, Mar. 7:27-29.

el hombre que partió lejos, Mar. 13:34-37.

un ciego guiando a otro ciego, Luc. 6:89.

la paja y la viga en el ojo, Luc. 6:41, 42.

el árbol y su fruto, Luc. 6:43-45.

el acreedor y los deudores, Luc. 7:41-47.

el buen samaritano, Luc. 10:30-37.

el amigo importuno, Luc. 11:3-9.

el rico insensato, Luc. 12:16-21.

el mayordomo prudente, Luc. 12:41-48.

la nube y el viento Luc. 12:54-57.

la higuera estéril, Luc. 13:6-9.

los hombres invitados a un banquete, Luc. 14:7-11

la gran cena, Luc. 14:15-24.

el constructor de una torre, Luc. 14:28-30, 38.

el rey que va a la guerra, Luc., 14:31-33.

el sabor de la sal, Luc. 14:34, 36.

la oveja perdida, Luc. 15:3-7.

la moneda perdida, Luc. 15:8-10.

el hijo pródigo, Luc. 15:11-32.

el mayordomo injusto, Luc. 16:1-8.

el rico y Lázaro, Luc. 16:19-31.

los siervos inútiles, Luc. 17:7-10.

la viuda tenaz, Luc. 18:14.

el fariseo y el publicano, Luc. 18:9-14.

las minas, Luc. 19:12-27.

el buen pastor, Jn. 10:1-6.

la puerta y el asalariado, Jn. 10:7-16.

la vid y los sarmientos, Jn. 15:14.

la mujer de parto, Jn. 16:21.

PARAISO (jardín de Edén) descrito, Gén. 2:8; Ap. 2:7.

el hombre desterrado de, Gén. 8:22. Véase Luc. 23:43; 2 Cor. 12:4.

PARCIALIDAD, prohibida, al juzgar, Lev. 19:15; Deu. 1:17 16:19; Pro. 18:5; 24:23; Mal. 2:9; entre los hermanos, 1 Tim. 5:21; hacia los ricos, Stg. 2:4; .3:17; Jud. 16.

PARTERAS, en Egipto; Éxo. 1:15, 16; bendecidas por Dios, Éxo. 1:20. **PARTO,** leyes de la purificación, Lev. 12. Véase Luc. 2:22.

PASCUA el cordero pascual: tipo de Cristo, Éxo. 12:3; 1 Cor. 5:7; macho de un año, Ex, 12:6; Isa. 9:6; sin mancha, Éxo. 12; Heb. 2:14, 17; tomado del rebaño, Éxo. 12; Heb. 2:14, 17; escogido con anticipación, 1 Ped. 2:4; inmolado por el pueblo Hch. 2:23; en el templo, Deu. 16:2-7; 2 Cr. 35:1; Luc. 13:33; por la tarde, Éxo.

12:6; Mar. 15:84; se rociaba la sangre de, Éxo. 12:22; Heb. 9:13; 10; 22; 1 Ped. 1:2; ni un solo hueso fue quebrado, Jn. 19:36; no se comía crudo, 1 Cor. 11:28, 29; asado en el fuego, Sal. 22:14, 15.

COMIDO: con yerbas amargas, Zac. 12:10; con pan sin levadura, Éxo. 12:39; 1 Cor. 5:7, 8; 2 Cor. 1:12; de prisa, Éxo. 12:11; Heb. 6:18; con los lomos ceñidos, Luc. 12:35; 1 Ped. 1:13; con el báculo en la mano, Éxo. 12:11; Sal. 23:4; con los zapatos puestos Éxo. 12:11; Efe. 6:15; en la casa, Éxo. 12:46; Efe. 3:17.

las sobras eran quemadas, Mat. 7:6; Luc. 11:3.

—— la fiesta de la, Éxo. 12:13.

las leyes relativas a, Lev. 23:4; Núm. 9; 28:16;

OBSERVADA POR: Josué, Jos. 5:10; por Ezequías 2 Cr. 30; por Josías 2 Rey. 23:21; 2 Cr. 35; por Esdras, Esd. 6:19; por Cristo, Mat. 26:19, &c.; Mar. 14:12; Luc. 22:7; Jn. 13.

PASTOR (de Israel), Sal. 23:1; 77:20; 89:1; Eze. 34:11.

Cristo es el Buen Pastor, Jn. 10:14; Heb. 13:20; 1 Ped. 2:25; 6:4.

PASTORES, primeros, Gén. 4:2; los patriarcas eran, Gén. 13:5; 30:37; empleaban, Gén. 13:7, 8; 26:20; varones y mujeres, Gén. 29:6; 1 Sam. 16:11; los reyes empleaban, 1 Sam. 21:7; asalariados, 1 Sam. 17:20; Jn. 10:12; el profeta Amós fue uno de los de Tecoa, Am. 1:1; conocen sus ovejas, Jn. 10:1; buscan buen pastoraje, 1 Cr. 4:39; cuentan sus ovejas, Jer. 33:13; las cuidan, Gén. 31:40; Luc. 2:8; las defienden, 1 Sam. 17:34; Am. 3:12; protegen las débiles, Gén. 33:13; Sal. 78:71; buscan las que se han perdido, Eze. 34:12; Luc. 15:4.

PASTORES, de los judíos, censurados, Jer. 2:8; 10:21; 23.

PATMOS, Juan desterrado a la isla de, Ap. 1:9.

PATRIARCAS, Hch. 2:29; 7:8, 9; Heb. 7:4; historia de los, Gén. 5.

PAZ: Dios es el autor de, Sal. 147:14; Isa. 45:7; 1 Cor. 14:33.

es un vínculo de unión, Efe. 4:3.

el fruto de la justicia debe sembrarse en, Stg. 3:18.

la iglesia gozará de, Sal. 125:5; 128:6; Isa. 2:4; Ose. 2:18.

espiritual: el Todopoderoso es el Dios de, Rom. 15:33; 2 Cor. 13:11; 1 Tes. 5:23; Heb. 13:20; Dios ordena, Isa. 26:12; habla, a sus santos, Sal. 85:8.

CRISTO: es el Señor de, 2 Tes. 3:16; es el Príncipe de, Isa. 9:6; da, 2 Tes. 3:16; guía por el camino de, Luc. 1:79; es nuestra, Efe. 2:14.

es por medio de la expiación de Cristo, Isa. 53:5; Efe. 2:14, 15; Col. 1:20.

PREDICADA: por Cristo, Efe. 2:17; por medio de Cristo, Hch. 10:36; por los ministros, Isa. 52:7, con Rom. 10:15.

anunciada por los ángeles, Luc. 2:14.

sigue a la justificación, Rom. 5:1.

es uno de los frutos del Espíritu, Rom. 14:17; Gál. 5:22.

LOS SANTOS: tienen, en Cristo, Jn. 16:33; tienen, con Dios, Isa. 27:5; Rom. 5:1; gozan, Sal. 119:165; descansan en, Sal. 4:8; son bendecidos con, Sal. 29:11; son guardados en perfecta, Isa. 26:3; son gobernados por, Col. 3:15; son guardados por, Flp. 4:7; mueren en, Sal. 37:37; Luc. 2:29; se desean unos a otros, Gál. 6:16; Flp. 1:2; Col. 1:2; 1 Tes. 1:1.

PECADO (el): es la trasgresión de la ley de Dios, 1 Jn. 3:4; procede del diablo, 1 Jn. 3:8, con Jn. 8:44; toda iniquidad es, 1 Jn. 5:17; dejar de hacer lo que se sabe es bueno, es, Stg. 4:17; todo lo que no es de fe es, Rom. 14:23; el mal pensamiento del insensato es, Pro. 24:9; todo intento del corazón no renovado es, Gén. 6:5; 8:21.

SE DESCRIBE COMO: procedente del corazón, Mat. 15:19; el fruto de la concupiscencia, Stg. 1:15; el aguijón de la muerte, 1 Cor. 15:56; rebelión contra Dios, Deu. 9:7; Jos. 1:18; obras de las tinieblas, Efe. 5:11; obras muertas, Heb. 6:1; 9:14; la abominación que Dios aborrece, Pro. 15:9; Jer. 44:4, 11; contaminador, Pro. 30:12; Isa. 59:3; engañoso, Heb. 3:13; deshonroso, Pro. 14:34; enorme, a menudo, Éxo. 32:30; 1 Sam. 2:17; poderoso, a menudo, Am. 5:12; repetido, a menudo, Am. 5:12; presuntuoso, en muchos casos, Sal. 19:3; a veces manifiesto, 1 Tim. 5:24; a veces oculto, Sal. 90:8; 1 Tim. 5:24; que cerca o rodea, Heb. 12:1; semejante a la grana y al carmesí, Isa. 1:18; que llega hasta el cielo, Rom. 18:5.

entró en el mundo por Adán, Gén. 3:6, 7, con Rom. 5:12.

TODOS LOS HOMBRES son concebidos y nacidos en, Gén. 5:3; Job 15:14; 25:4; Sal. 51:5; son formados en, Sal. 51:5.

LAS ESCRITURAS: incluyen a todos bajo, Gál. 3:22; declaran que nadie es sin, 1 Rey. 8:46; Ecl. 7:20; declaran que sólo Cristo fue sin, 2 Cor. 5:21; Heb. 4:15; 7:26; 1 Jn. 3:5.

LA LEY: es violada con todo, Stg. 2:10, 11, con 1 Jn. 3:4; da conocimiento de, Rom. 3:20; 7:7; pone de manifiesto lo excesivamente malo de, Rom. 7:13; hecha para restringir, 1 Tim. 1:9, 10; con su severidad despierta el, Rom. 7:5, 8, 11; es la fuerza del, 1 Cor. 15:56; maldice a los que se hacen culpables de, Gál. 3:10.

NINGÚN HOMBRE PUEDE: limpiarse de, Job 9:30, 31; Pro. 20:9; Jer. 2:22; hacer expiación satisfactoria por, Miq. 6:7.

Dios ha abierto un manantial contra, Zac. 13:1.

Cristo se manifestó para quitar, Jn. 1:29; 1 Jn. 8:5.

LA SANGRE DE CRISTO: redime de, Efe. 1:7; limpia de, 1 Jn. 1:7.

LOS SANTOS: son librados de, Rom.

6:18; están muertos al, Rom. 6:2, 11; 1 Ped. 2:24; profesan haber cesado del, 1 Ped. 4:1; no pueden vivir en, 1 Jn. 3:9; 5:18; resuelven no cometer más, Job 34:32; se avergüenzan de haber cometido, Rom. 6:21; se aborrecen a sí mismos a causa del, Job 42:6; Eze. 20:43; tienen todavía en sí los restos del, Rom. 7:17, 23, con Gál. 5:17.

el temor de Dios reprime, Éxo. 20:20; Sal. 4:4; Pro. 16:6.

la Palabra de Dios guarda de, Sal. 119:11.

el Espíritu Santo convence de, Jn. 16:8, 9.

SI DECIMOS QUE NO TENEMOS PECADO: nos engañamos a nosotros mismos y no hay verdad en nosotros, 1 Jn. 1:8; hacemos a Dios mentiroso 1 Jn. 1:10.

la confusión del rostro es de los que caen en, Dan. 9:7-8.

PECES, creados, Gén. 1:20; limpios e inmundos, Lev. 11:9-12; Deu. 14:9; vendidos, 2 Cr. 33:14; Neh. 13:16; Sof. 1:10; para alimento, Gén. 9:2, 3; Núm. 11:5; Mat. 7:10; 14:17; Luc. 24:42; Jn. 21:9; cómo los pescaban, Job 41:7; Ecl. 9:2; Am. 4:2; como hombres Hab 1:14-15, de Egipto, mueren, Éxo. 7:19; Jonás es tragado por un gran, Jon. 1:17.

pescas milagrosas de, Mat. 17:27; Luc. 5:6; Jn. 21:6. Véase también Sal. 8:8; Isa. 19:10 Eze. 29:4,3; 47:9, 10; 1 Cor. 15:39.

PECTORAL, del sumo sacerdote descrito, Éxo. 28:15; 39:8; Lev. 8:8.

PEDRO, el apóstol, llamamiento de, Mat. 4:18; Mar. 1:16; Luc. 5; Jn. 1:35.

ordenado, Mat. 10:2; Mar. 3:16; Luc. 6:14.

camina sobre el agua, Mat. 14:29.

su confesión de Cristo, Mat. 16:16; Mar. 8:29; Luc. 9:20.

presente en la Transfiguración, Mat. 17; Mar. 9; Luc. 9:28; 2 Ped. 1:16.

reconvenido a causa de su confianza en sí mismo, Luc. 22:31; Jn. 13:36.

hiere al siervo del sumo sacerdote, Mat. 26:51; Mar. 14:47; Luc.22:50; Jn. 18:10.

niega a Cristo y se arrepiente, Mat. 26:69; Mar. 14:66; Luc. 22:54; Jn. 18:15.

su discurso dirigido a los discípulos, Hch. 1:15.

les predica a los judíos, Hch. 2:14; 3:12.

su intrepidez ante el Concilio Hch. 4.

censura a Ananías y Safira, Hch. 5; y a Simón el mago, Hch. 8:18.

resucita a Tabita, Hch. 9:32.

es enviado a instruir a Cornelio, Hch. 10.

es censurado por Pablo, Gál. 2:11-14.

puesto en libertad por un ángel, Hch. 12.

su muerte es predicha, Jn. 21:18; 2 Ped. 1:14.

consuela a los discípulos dispersos, y los exhorta a la caridad y las buenas obras, 1 Ped. 1; 2; 2 Ped. 1; y a obedecer a los magistrados, 1 Ped. 2:13.

da a conocer los deberes de las esposas, 1 Ped. 3

PENIEL, Jacob lucha allí con el ángel, Gén. 32:22-30; los de, castigados por Gedeón, Jue. 8:8. Véase 1 Rey. 12:25.

PENSAMIENTOS, del hombre, malos, Gén. 6:6; 8:21; Deu. 31:21; Jer. 23:14; Luc. 1:51.

PENTECOSTÉS, fiesta de las semanas, leyes relativas al, Lev. 23:15; Deu. 16:9; el Espíritu Santo desciende el día de, Hch. 2. Véase Hch. 20:16; 1 Cor. 16:8.

PERDICIÓN, lo que conduce a la, Flp. 1:28; 1 Tim. 6:9; Heb. 10:39; 2 Ped. 3:7; Ap. 17:8; el hijo de, Jn. 17:12; 2 Tes. 2:3.

PERDÓN (el) del pecado, dimana de Dios, Éxo. 34:7; Sal. 86:5; 103:3; 130:4; Isa. 43:25; Jer. 31:34; Dan. 9:9; Miq: 7:18; Mat. 9:6; Mar. 2:7; Luc. 5:21; 7:47, 48.

  ES CONCEDIDO: solo por Dios, Dan. 9:9; Mar. 2:7; por Cristo, Mar. 2:5; Luc. 7:48; por medio de Cristo, Isa. 53:5; Mat. 1:21; 26:28; Luc. 1:69, 77; 24:47; Hch. 5:31; 13:38; Rom. 3:25; 1 Cor. 15:3; Efe. 1:7; Col. 1:14; 1 Jn. 1:7; 2:1, 2; por medio de la sangre de Cristo, Mat. 26:28; Rom. 3:25; Col. 1:14; por causa del nombre de Cristo, 1 Jn. 2:12; por las riquezas de su gracia, Efe. 1:7; gratuitamente, Isa. 43:25;

PEREZA, censurada, Pro. 12:24, 27; 15:19; 21:25; 26:13-16; Mat. 25:26; Rom, 11:8.

  conduce a la miseria, Pro. 18:9; 19:15; 20:4; 24:30; Ecl. 10:18.

  a sus ojos, los obstáculos parecen mucho más grandes de lo que son en realidad, Pro. 15:19; 22:13.

  exhortaciones en contra de, Pro. 6:4; Rom. 12:11; 13:11; 1 Tes. 5:6; Heb. 6:12.

PEREZOSO (el), descrito, Pro. 6:9; 10:26; 13:4; 20:4; 26:16.

PEREZ-UZA, 2 Sam. 6:8; 1 Cr. 13:11.

PERFECCIÓN de Dios, Deu. 32:4; 2 Sam. 22:31; Job 36:4; Mat. 5:48.

  de Cristo, Heb.2:10; 5:9; 7:28.

  de las leyes de Dios, Sal. 19:7; Stg. 1:25.

  ——, de los santos: es de Dios, Sal. 18:32; 138:8.

    todos los santos poseen, en Cristo, 1 Cor. 2:6; Flp. 3:15; Col. 2:10.

    la perfección de Dios es la norma de, Mat. 5:48.

    implica una consagración completa, Mat. 19:21.

    pureza y santidad en el hablar, Stg. 3:2.

    se manda a los santos que aspiren a, Gén. 17:1; Deu. 18:13.

    los santos no se atribuyen el don de, Job 9:20 Flp. 3:12 siguen, Pro. 4:18; Flp. 3:12.

    los ministros, puestos para conducir a los santos a, Efe. 4:12; Col. 1:28.

    exhortación a, 2 Cor. 7:1; 13:11.

    lo imposible de alcanzar 2 Cr. 6:36; Job 9:20; Sal. 19:12; 119:96; Ecl. 7:20; Mat. 6:12; Jn. 1:8.

    la palabra de Dios es la regla de, Stg. 1:25; y tiene por objeto conducirnos a, 2 Tim. 3:16.

    la caridad es el vínculo de, Col. 3:14.

    la paciencia conduce a, Stg. 1:4.

    orad por, Heb. 13:20, 21; 1 Ped. 5:10.

    la iglesia alcanzará, Jn. 17:23; Efe. 4:13.

    bienaventuranza de, Sal. 37:37; Pro. 2:21.

PERFUME, sagrado, Éxo. 30:34.

PERGAMINOS, 2 Tim. 4:13.

PÉRGAMO, epístola a la iglesia de, Ap. 1:11; 2:12.

PERJURAR (Jurar en falso, prohibido, Éxo. 20:16; Lev. 6:3; 19:12; Deu. 5:20; Eze. 17:16; Zac. 8:4; 8:17; 1 Tim. 1:10.

PERLAS, mencionadas, Mat. 7:6; 13:45-46. Véase 1 Tim. 2:9; Ap. 17:4.

PERROS, su naturaleza y hábitos, 1 Rey. 14:11; 22:38; 2 Rey. 9:36; Pro. 26:17; Luc. 16:21; 2 Ped. 2:22.

  perros de ganado, Job 30:1; perros callejeros, Sal. 59:6, 14; 1 Rey. 21:19; perros caseros, Mat. 15:27.

  ley con respecto a, Deu. 23:18.

  REPRESENTACIÓN: de los enemigos, Sal. 22:16; de los falsos maestros, Isa. 56:10; Flp. 3:2.

  epíteto deshonroso, 2 Sam. 9:8; Mat. 15:27; que denota la falta de arrepentimiento, Pro. 26:11; 2 Ped. 2:22; Ap. 22:15.

PERSECUCIÓN: Cristo sufrió, Sal. 69:26; Jn. 5:16; se sometió voluntariamente a, Isa. 50:6; fue paciente en, Isa. 53:7; los santos padecen a veces, Mar. 10:30; Luc. 21:12; Jn. 15:20; todos los que viven píamente en Cristo sufren, 2 Tim. 3:12.

  LOS SANTOS QUE PADECEN, DEBEN: encomendarse a Dios. 1 Ped. 4:19; manifestar paciencia, 1 Cor. 4:12; regocijarse, Mat. 5:12; 1 Ped. 4:13; glorificar a Dios, 1 Ped. 4:16; pedir a Dios que los libre de, Sal. 7:1; 119:88; orar por los que ejercen, Mat. 5:44; bendecir a los que ejercen, Rom. 12:14.

  la esperanza de la bienaventuranza venidera nos sostiene en medio de, 1 Cor. 15:19, 32; Heb. 10:34, 38.

  la bienaventuranza que resulta de sufrir, por amor de Cristo, Mat. 5:10; Luc. 6:22

  orad por los que padecen, 2 Tes. 3:2.

  los hipócritas no pueden aguantar, Mar. 4:17.

  los falsos maestros le huyen a, Gál. 6:12.

PERSEVERANCIA, (la): prueba de la reconciliación con Dios, Col. 1: 21-23.

  prueba de que pertenecemos a Cristo, Jn. 8:31; Heb. 3:6, 14.

  cualidad de los santos, Pro. 4:18.

PERSIA, el reino de, sucede al de Babilonia, 2 Cr. 36:20; Dan.6; Est.1; Eze. 27:10; 38:8.

  profecías con respecto a, Isa. 21:2; Dan. 5:28; 8:20; 10:13; 11:2.

PERSONALIDAD del Espíritu Santo:

  crea y da vida, Job 33:4.

  nombra y comisiona a los ministros, Isa. 48:16; Hch. 13:2; 20:28.

  dirige a los ministros en cuanto a donde han de predicar; Hch. 8:29; 10:19, 20.

  y donde no han de predicar, Hch. 16:6, 7.

  los instruye en cuanto a qué han de predicar, 1 Cor. 2:13.

  habló a los profetas y por medio de ellos, Hch. 1:16; 1 Ped. 1:11, 12; 2 Ped. 1:21.

  contiende con los pecadores, Gen. 6:3.

  reprende, Jn. 16:8.

  consuela, Hch. 9:31.

  ayuda nuestra flaqueza, Rom. 8:26.

  enseña, Jn. 14:26; 1 Cor. 12:3.

guía, Jn. 16:13.

santifica, Rom. 15:16; 1 Cor. 6:11.

testifica acerca de Cristo, Jn. 15:26.

glorifica a Cristo, Jn. 16:14.

tiene poder propio, Rom. 15:13.

lo escudriña todo, Rom. 11:33, 34, con 1 Cor. 2:10, 11.

mora con los santos, Jn. 14:17.

el hombre puede contristarle, Efe. 4:30; airarle, Isa. 63:10; resistirle, Hch. 7:51; tentarle, Hch. 5:9.

PERSONAS, Dios no hace acepción de, Deu. 10:17; 2 Cr. 19:7; Job 34:19; Hch. 10:34; Rom. 7:11; Gál. 2:6; Efe. 6:9; Col. 3:21; 1 Ped. 1:17.

PERVERSIDAD (la), censurada, Deu. 32:20; 2 Sam. 22:27; Job 5:13; Pro. 2:12; 3:32; 4:24; 10:31; 11:20; 16:28; 17:20; 21:8; 22:5. Véase también Pro. 11:3; Eze. 9:9.

PESAS, justas, prescritas, Lev. 19:35; Deu. 25:13; Pro. 11:1; 16:11; 20:10, 23; Eze. 45:10; Miq. 6:10. Véase **BALANZAS.**

PESCADORES, los apóstoles, Mat. 4:18; Mar. 1:16; Luc. 5; Jn. 21:7.

PESEBRE, Jesús fue puesto en un, Luc. 2:7, 12, 16.

PESTE, amagos de, a causa de la desobediencia, Lev. 26:25; Núm. 14:12; Deu. 28:21; Jer. 14:12; 27:13; Eze. 5:12; 6:11; 7:15; &c.; Mat. 24:7; Luc. 21:11; infligida, Núm. 14:37; 16:46; 25:9; 2 Sam. 24:15; Sal. 78:50; detenida, Núm. 16:47; 2 Sam. 24:16; gravísima del ganado, Éxo. 9:3.

PIADOSOS, hombres llamados así: Simeón, Luc. 2:25; Cornelio, Hch. 10:2; Ananías, Hch. 22:12.

PIEDAD en el hogar, 1 Tim. 5:4. Véase **SANTIDAD.**

PIEDRA, o Roca (la), llamada Petra por los Griegos, 2 Rey. 14:7; Isa. 16:1.

PIEDRA ANGULAR, Job 38:6; Sal. 144:12; nombre dado a Cristo, Sal. 118:22; Isa. 28:16; Mat. 21:42; Mar. 12:10; Efe. 2:20; 1 Ped. 2:6.

PIEL, túnicas de, Gén. 3:21.

PIES (los), el lavatorio de, Gén. 18:4; 19:2; 24:32; 43:24; 1 Sam. 25:41; 2 Sam. 11:8; Cnt. 5:3; Luc. 7:44; Jn. 11:2; 13:5-14; 1 Tim. 5:10. el descubrir de, Éxo. 3:5; Jos. 5:15.

polvo de, Isa. 49:23; Nah. 1:3; Mat. 10:14; Mar. 6:11; Hch. 13:51.

de los santos, 1 Sam. 2:9; 2 Sam. 22:34, 37; Sal. 31:8; 40:2; 66:9. 116:8; 119:105; 121:3; Luc.1:79; Efe. 6:15.

de los malos, Job 18:8; Sal. 9:15; Pro. 1:16; en el sentido figurado, Gén. 49:10; Deu. 33:24; Job 12:5; Sal. 38:16; 68:23; 94:18; Isa. 18:7; Lam. 1:15; Eze. 6:11; 25:6; Rom. 10:15; 1 Cor. 12:21; Heb. 12:13.

PILATO, el gobernador romano, Luc. 3:1; castiga a los galileos, Luc. 13:1; declara inocente a Cristo, Mat. 27:24; Luc. 23:13; Jn. 18:38; la intercesión de su esposa, Mat. 27:19; entrega a Cristo para que le crucifiquen, Mat. 27:26; Mar. 15:15; Luc. 23:16, 24; Jn. 19; entrega el cuerpo de Cristo a José de Arimatea, Mat. 27:57, Mar. 15:42; Luc. 23:50; Jn. 19:38. Véase Hch. 3:13; 4:27; 13:28; 1 Tim. 6:13.

PIOJOS, plaga de, Éxo. 8:16; Sal. 105:31.

PLACERES, vanidad de los, Ecl. 2, &c.; exhortaciones en contra de, Luc. 8:14; 16:19; Flp. 3:19; 2 Tim. 3:4; Tit. 3:3; Heb. 11:25; Stg. 5; 1 Ped. 4; 2 Ped. 2:13.

PLAGAS de Egipto, Éxo. 7-12; infligidas a Israel, Núm. 11:33; 16:46; amenazas de, Lev. 26:21; Deu. 28: 59; Ap. 8; 9; 11; 16.

PLATA, empleada en el tabernáculo, Éxo. 26:19; Núm. 7:13.

como dinero, Gén. 23:15; 44:2; Deu. 22:19; 2 Rey. 5:22.

convertida en copas, Gén. 44:2; en platos y jarros, Núm. 7:13-84; en planchas delgadas, Jer. 10:9; en cadenas, Isa. 40:19; alambres, Ecl. 12:6; en candeleros y mesas, 1 Cr. 28:15, 16; en camas o lechos, Est. 1:6; en ídolos, Sal. 115:4; Isa. 2:20; 30:22; adornos del cuerpo, Éxo. 3:22;

Cristo traicionado treinta piezas de, Zac. 11:12; Am. 2:6; Mat. 26:15.

PLOMADA, de albañil, visión de, Am. 7:8; Zac. 4:10. Véase 2 Rey. 21:13; Isa. 28:17.

PLUMA, de escribir, Sal. 45:1; Isa 8:1; Jer. 8:8; 3 Jn. 13. Véase **CINCEL.**

POBRES (los): hechos por Dios, Pro. 22:2; lo son en conformidad con los designios de Dios, 1 Sam. 2:7; Job 1:21.

EL ESTADO DE, RESULTA MUCHAS VECES: de la pereza, Pro. 20:13; de las malas compañías, Ap. 28:19; de la embriaguez y la glotonería, Pro. 23:21.

DIOS: no se olvida de, Sal. 9:18; los considera igualmente que a los ricos, Job 34:19; oye a, Sal 69:33; Isa. 41:17; sostiene los derechos de, Sal. 140:12; libra a, Job. 36:15; Sal. 35:10; protege a Sal 12:5; 109:31; ensalza a, 1 Sam. 2:8 Sal. 107:41; provee a las necesidades de Sal. 68:10; 146:7; no desdeña la oración de, Sal. 102:17; es el refugio de, Sal. 14:6

no faltarán jamás en la tierra, Deu. 15:11 Sof. 3:12; Mat. 26:11.

CRISTO: vivió como uno de ellos, Mat 8:20; predicó a, Luc. 4:18; libra a, Sal 72:12.

las ofrendas de, son aceptables a Dios Mar. 12:42-44; 2 Cor. 8:2, 12.

POBRES, en espíritu, bienaventurados Mat. 5:3; Luc. 6:20; Isa. 66:2.

PODER de Dios:

es uno de sus atributos, Sal. 62:11.

EXPRESADO: con la voz de Dios, Sa 29:3, 5; 68:33; con el dedo de Dios, Éxo 8:19; Sal. 8:3; con la mano de Dios, Éxo 9:3, 15; Isa. 48:13; con el brazo de Dio Job 40:9; Isa. 52:10. con trueno de s potencia, Job 26:14.

DESCRITO COMO: grande, Sal. 79: Nah. 1:3; fuerte, Job 9:24; Sal. 89:1 136:12; glorioso, Éxo. 15:6; Isa. 63:1 eterno, Isa. 26:4; Rom. 1:20; soberan Rom. 9:21; eficaz, Isa. 43:13; Efe. 3: irresistible, Deu. 32:39; Dan. 4:3 incomparable, Éxo. 15:11, 12; Deu. 3:2 Job 40:9; Sal. 89:8; inescrutable, Jo 5:9; 9:10; incomprensible, Job 26:1 Ecl. 3:11.

todo es posible para, Mat. 19:26.

nada es demasiado difícil para, Gén. 18:14; Jer. 32:27.

puede salvar con muchos o con pocos, 1 Sam. 14:6.

PODER, que Dios da a su pueblo, Isa. 40:29; Hch. 6:8; Rom. 15:18; 1 Cor. 5:4; 2 Cor. 12:8; Efe. 1:19.

PODER de Cristo:

como Hijo de Dios, su poder es el de Dios, Jn. 5:17-19; 10:28-30.

como hombre, su poder procede del Padre, Hch. 10:38.

SE DESCRIBE COMO: supremo, Efe. 1:20, 21; 1 Ped. 3:22; sin límites, Mat. 28:18; sobre toda carne, Jn. 17:2; sobre todas las cosas, Jn. 3:25; Efe. 1:22; glorioso, 2 Tes. 1:9; eterno, 1 Tim. 6:16.

SE MANIFIESTA: en la creación, Jn. 1:3, 19; Col. 1:16; en que sostiene todas las cosas, Col 1:17; Heb. 1:3; en la salvación, Isa. 63:1; Heb. 7:25; en sus enseñanzas, Mat. 7:28, 29; Luc. 4:32; en sus milagros, Mat. 8:27; Luc. 5:17; en que dio poder a otros para hacer milagros, Mat. 10:1; Mar. 16:17, 18; Luc. 10:17; en el hecho de perdonar los pecados, Mat. 9:6; Hch. 5:31; en el hecho de dar vida espiritual, Jn. 5:21, 25, 26; en el hecho de dar vida eterna, Jn. 17:2; en que resucitó de entre los muertos, Jn. 2:19; 10:18; venciendo al mundo, Jn. 16:33; a Satanás, Col. 2:15; Heb. 2:14; destruyendo las obras de Satanás, 1 Jn. 3:8.

PODER del Espíritu Santo:

es el poder de Dios, Mat. 12:28, con Luc. 11:20.

Cristo comenzó su ministerio en, Luc. 4:14.

obró sus milagros por, Mat. 12:28.

SE MANIFIESTA: en la creación, Gén. 1:2; Job 26:13; Sal. 104:30; en la concepción de Cristo, Luc. 1:35; en la resurrección de Cristo de entre los muertos, 1 Ped. 3:18; dando vida espiritual, Eze. 37:11-14, con Rom. 8:11; obrando milagros, Rom. 15:19; haciendo eficaz el evangelio, 1 Cor. 2:4; 1 Tes. 1:5; venciendo todas las dificultades, Zac. 4:6, 7.

prometido por el Padre, Luc. 24:49.

prometido por Cristo, Hch. 1:8.

LOS SANTOS SON: sostenidos por, Sal. 51:12; son fortalecidos por, Efe. 3:16;

POETAS paganos, citas de los, Hch. 17:28 (1 Cor. 15:33; Tit. 1:12).

POLIGAMIA (pluralidad de esposas), prohibida, Deu. 17:16, 17; Mal. 2:15; Mat. 19:4, 5; Mar. 10:2-8; 1 Tim. 3:2, 12.

ejemplos de: Lamec, Gén. 4:19; Abraham, Gén. 16; Esaú, Gén. 26:34; 28:9; Jacob, Gén. 29:30. Asur, 1 Cr. 4:5; Gedeón, Jue. 8:30; Elcana, 1 Sam. 1:2; David, 2 Sam. 3:2-5; Salomón, 1 Rey. 11:1-8; Roboam, 2 Cr. 11:18-23; Abías, 2 Cr. 13:21; Joram, 2 Cr. 21:14; Joás, 2 Cr. 24:3; Acab, 2 Rey. 10:1; Joaquín 2 Rey. 24:15; Belsasar, Dan. 5:2.

ley con respecto al primogénito, Deu. 21:15-17.

POLILLA, mencionada en sentido figurado, Job 4:19; 13:28; 27:18; Sal. 39:11; Isa. 50:9; 51:8; Ose. 5:12; Mat. 6:19; Luc. 12:33; Stg. 5:2.

POLLINO. Véase **ASNO.**

POLVO, el hombre ha sido formado del, y vuelve al, Gén. 2:7; 3:19; 18:27; Job 10:9; 34:15; Sal 103:14; 104:29; Ecl. 12:7; 1 Cor. 15:47.

esparcido en la cabeza en señal de duelo, Jos. 7:6; Job 2:12; Lam. 2:10.

emblema de degradación, Gén. 3:14; 1 Sam. 2:8; Job 42:6; Sal. 72:9; Nah. 3:18

emblema de un gran número, una multitud, Gén. 13:16; Núm. 23:10; Job 22:24; Sal. 78:27.

POTAJE, de lentejas, primogenitura vendida por un, Gén. 25:29.

hecho inocuo (que no hace daño) por Eliseo, 2 Rey. 4:38.

POTIFAR un egipcio, José sujeto a, Gén. 89.

POTIFERA, padre de Asenat, esposa de José, Gén. 41:45.

POZO del abismo, Ap. 9:1; 11:7: 17:8.

Satanás será atado ahí, Ap. 20:1.

POZOS, cavados por: Abraham, Gén. 21:25-30; Isaac, Gén. 26:15-22; Jacob, Jn. 4:6.

PARA: abrevar los rebaños, Gén. 24:10-20; los peces, Cnt. 7:4; Isa. 19:10; uso público, Gén. 24:13; 2 Rey. 20:20; uso privado, Gén. 21:25, 30; 2 Sam. 17:18.

SÍMILES DE: los ritos de la iglesia, Isa. 12:3; la morada interna del Espíritu Santo, Cnt. 4:15; Jn. 4:14.

pozos sin agua, 2 Ped. 2:17.

PRECIO, la sangre de Cristo fue el precio de la redención, 1 Cor. 6:20; 7:23; 1 Ped. 1:19. Véase Zac. 11:12.

PRECURSOR, epíteto dado a Cristo, Heb. 6:20.

PREDESTINACIÓN de los santos, Rom. 8:29; 9:11; Efe. 1:5.

PREDICADOR y profeta, Cristo:

SE PREDIJO ACERCA DE ÉL QUE: sería como Moisés, Deu. 18:18; Hch. 3:22; predicaría justicia, Sal. 40:9; sería una gran luz, Isa. 9:2; 42:6; el Consejero, Isa. 9:6; proclamaría la paz, Isa. 52:7; Luc. 4:18; serviría de testigo a los pueblos, Isa. 55:4; predicaría nuevas de gran gozo, Isa. 61:1; sería el sol de justicia, Mal. 4:2.

EJERCIÓ SUS FUNCIONES PROFÉ-TICAS: inspirando a los profetas del Antiguo Testamento, 1 Ped. 1:10-12; hablando por medio de ellos, Mat. 23:37; Luc. 13:33, 34; siendo el Verbo de Dios, Jn. 1:1; la Luz del mundo, Jn. 1:5; 8:12; revelando al Padre, Mat. 11:27; predicando el evangelio, Luc. 4:43; 6:20; hablando las palabras de Dios, Jn. 3:34; enseñando la doctrina de Dios, Jn. 7:16; 12:50; 14:20; 15:14; proclamando la salvación, Heb. 2:3.

SU PREDICACIÓN FUE: con autoridad, Mat. 7:28; ambulante, Mat. 4:23; asombrosa por su sabiduría, Mat.

13:54; sin igual, Jn. 7:46; convincente, Isa. 11:3; Jn. 4; 8:9; atrayente, Luc. 4:20-22; por parábolas, Mat. 13:34; con exposición, Mar. 4:34.

debemos oír, Luc. 9:35.

PREDICACIÓN del arrepentimiento, por Jonás, Jon. 3.

por Juan el Bautista Mat. 3; Mar. 1:4; Luc. 3

——, del **EVANGELIO**, por los apóstoles, Mat. 28:19; Mar. 16:15; Luc. 9:60; 24:47; Hch. 2:14; 3:12; 4:8; 10:42; 13:16, &c. Véase Rom. 10:8; 1 Cor. 1:17; 2, &c.; 15:1; Gál. 1; Efe. 1à3.

PRENDAS, qué se prohibía tomar en, Éxo. 22:26; Deu. 24:6. Véase Job 22:6; 24:3; Eze.18:7; Am. 2:8.

PRESBITERIO, 1 Tim. 4:14.

PRESCIENCIA (la) de Dios (conocimiento de las cosas futuras), Hch. 2:23; 3:18; 4:28; Rom. 8:29; 11:2; Gál. 3:8; 1 Ped. 1:2.

PRESENCIA (la) de Dios, descrita, 1 Cr. 16:27; Sal. 16:11 18:7; 68:8; Isa. 64:1; Jer. 5:22; Eze. 1; Dan. 7:9; Nah. 1; Hab. 3; Ap.1. Adán arrojado de, Gen. 3:8, 24.

los redimidos serán conducidos a, Heb. 6:24; Jud. 24; Ap. 7; 14:1.

los ángeles están en, Luc. 1:19; Ap. 5:11.

——, **DE CRISTO** con su pueblo: donde dos o tres se reúnen, Mat. 18:20; hasta el fin del mundo, Mat. 28:20; con los que le aman, Jn. 14:21.

PARA: consolarlos, Jn. 14:18; protegerlos, Hch. 18:10; 23:11; tener comunión con ellos, 1 Jn. 1:3; cenar con ellos, Ap. 3:20; ayudarles a predicar el evangelio a todas las criaturas, Mat. 28:20; 2 Tim. 4:17.

en la muerte, Hch. 7:59; Flp. 1:23.

PRÉSTAMO, A Dios 1 Sam 2:20, Pr 19:17.

ley con respecto al, Éxo. 22:14; Deu. 15:1; Mat. 5:42; sus resultados, 2 Rey. 6:5; Pro. 22:7; de Israel en Egipto, Éxo. 3:22; 12:35.

PRÉSTAMOS, leyes acerca de los, Éxo. 22:25; Lev. 25:37; Deu. 15:2; 23:19; 24:10. Véase Luc. 6:34; Sal. 37:26.

PRETORIO (el), Mat. 27:27; Mar. 15:16; Jn. 18:28, 33; 19:9; Hch. 23:35; Flp. 1:13.

PRIMAVERA (la), promesa de, Gén. 8:22; descrita, Sal. 65:10; Pro. 27:25; Cnt. 2:11-13.

PRIMERO Y POSTRERO, Dios es, Isa. 41:4; 44:6; 48:12. Cristo es, Ap. 1:4, 8, 17; 22:13.

PRIMICIAS, o primeros frutos, ofrenda de, Éxo. 22:29; 23:16; 34:26; Lev. 23:9; Núm. 28:26.

protestación que debe hacerse en, Deu. 26:5.

entregadas a los sacerdotes, Núm. 18:12; Deu. 18:4. Véase también 2 Rey. 4:42; 2 Cr. 31:15; Neh. 10:35; 12:44; Pro. 3:9; Eze. 20:40; 48:14; Rom. 8:22; 11:16; 1 Cor. 15:20; Stg. 1:18; Ap. 14:4.

PRIMOGÉNITO, prerrogativas del, Gén. 43:33; Deu. 21:15; 2 Cr. 21:3; Col. 1:15 (Heb. 12:23).

dedicado al Señor, Éxo. 13:2, 12; 22:29; 34:19; Deu. 15:19.

rescate de, Éxo. 34:20; Núm. 3:41; 8:18.

los de Egipto son inmolados, Éxo. 11:4; 12:29.

PRIMOGENITURA, Gén. 43:33; Col. 1:18.

ley con respecto a, Deu. 21:15.

la de Manasés es trastrocada, Gén. 48:17.

Rubén pierde la suya, 1 Cr. 5:1.

despreciada por Esaú, Gén. 25:31; 27:36; Heb. 12:16.

PRINCIPADOS, Cristo es la cabeza de todos los, Efe. 1:21; Col. 1:16; 2:10.

PRÍNCIPE, de paz, Isa. 9:6; Autor de la vida, Hch. 3:15; del ejército de Jehová, Jos. 5:14.

——, de este mundo, Jn. 12:31; 14:30; 16:11; de la potestad del aire, Efe. 2:2; de los demonios, Mat. 9:34.

——, del pueblo de Israel, 1 Sam. 9:16.

PRÍNCIPES DE LOS SACERDOTES, Herodes los consulta, Mat. 2:4.

persiguen a Cristo, Mat. 16:21; Mar. 14:1; 15:31 Jn. 7:32.

PRINCIPIO (el), dictado de Cristo, Ap. 1:8; 3:14.

del tiempo, Gén. 1:1; Jn. 1:1.

de los milagros, Jn. 2.

PRISIONES, diferentes clases; cárcel del rey, Gén. 39:20; pública Hch. 6:18; de más adentro, Hch. 16:24; mazmorra (prisión subterránea) Jer. 38:6; Zac. 9:11.

USADAS PARA: los criminales, Luc. 23:19; los herejes, Hch. 4:3; 5:18; 8:3;

PRÓDIGO, el hijo, Luc. 15:11.

PROFANACIÓN (la), prohibida, Lev. 18:31; 19:12; Neh. 13:18; Eze. 22:8; Mal. 1:12.

PROFECÍA: es la predicción de los acontecimientos futuros, Gén. 49:1; Núm. 24:14; Dios es el autor de, Isa. 44:7; 45:21; Dios da, por medio de Cristo, Ap 5:1; don de Cristo, Efe. 4:11; Ap. 11:3; don del Espíritu Santo, 1 Cor. 12:10; no vino por voluntad del hombre, 2 Ped. 1:21; dada desde el principio, Luc. 1:70; es palabra segura, 2 Ped. 1:19.

PROFECÍAS CUMPLIDAS:

Israel en Egipto, Gén. 15:13; Éxo. 2:23; 6 12:40.

nacimiento de Isaac, Gén. 18:10; 21:1.

el sueño de José, Gén. 37:5; 42:6.

el constructor de Jericó, Jos. 6:26; 1 Rey 16:34.

los hijos de Elí, 1 Sam. 2:34; 4:11.

derrota y muerte de Saúl, 1 Sam. 28:19 31:2.

de un profeta en Betel, 1 Rey. 13; 2 Rey 23.

la casa de Jeroboam, 1 Rey. 14:10; 15:29.

la casa de Baasa, 1 Rey. l6:3; 11:12.

la sequía de tres años, 1 Rey. 17:1; 18:41.

regreso del rey de Siria, 1 Rey. 20:22, 26

la muerte de Acab, 1 Rey. 21:19; 22:38; Rey. 9:34; 10:11.

avenida de agua milagrosa, 2 Rey. 3:17, 2

abundancia en Samaria, 2 Rey. 7:1, 18.

la cautividad en Babilonia, 2 Rey. 20:1 24:13; 25:13.

el atamiento de Pablo, Hch. 21:11, 33.

——, **CON RESPECTO A CRISTO:**

como Hijo de Dios, Sal. 2:7; Luc. 1:32, 3 como simiente de la mujer, Gén. 3:15; Gá 4:4.

de Abraham, Gén. 17:7; 22:18; Gál. 3:16.

de Isaac, Gén. 21:12; Heb. 11:17-19.

de David, Sal. 1:32:11; Jer. 23:5; Hch.13:25; Rom. 1:3.

su venida en un tiempo determinado, Gén. 49:10; Dan. 9:24, 25; Luc. 2:1.

sería nacido de una virgen, Isa. 7:14 ; Mat. 1:18; Luc. 2:7.

llamado Emmanuel, Isa. 7:14; Mat. 1:22, 23.

nacido en Belén de Judea, Miq. 5:2; Mat. 2:1; Luc. 2:4-6.

grandes personajes habrían de venir a adorarle, Sal. 72:10; Mat. 2:1-11.

la matanza de los niños de Belén, Jer. 31:15; Mat. 2:16-18.

sería llamado de Egipto, Ose. 11:1; Mat. 2:15.

precedido de Juan el Bautista, Isa. 40:3; Mal. 3:1; Mat. 3:1, 3; Luc. 1:17.

ungido del Espíritu, Sal. 45:7; Isa. 11:2; 61:1; Mat. 3:16; Jn. 3:34; Hch. 10:38.

un profeta semejante a Moisés, Deu. 18:15-18; Hch. 3:20-22.

sacerdote según el orden de Melquisedec, Sal. 110:4; Heb. 5:5, 6.

el comienzo de su ministerio público, Isa. 61:1, 2; Luc. 4:16-21, 43.

su ministerio empezaría en Galilea, Isa. 9:1, 2; Mat. 4:12-16, 23.

su entrada pública en Jerusalén, Zac. 9:9; Mat. 21:1-5.

su entrada en el templo, Hag. 2:7, 9; Mal. 3:1; Mat. 21:12; Luc. 2:27-32; Jn. 2:13-16.

su pobreza, Isa. 53:2; Mar. 6:3; Luc. 9:58.

su mansedumbre y carencia de ostentación, Isa. 42:2; Mat. 12:15, 16, 19.

su ternura y compasión, Isa. 40:11; 42:3; Mat. 12:15, 20; Heb. 4:15.

su carencia de todo engaño, Isa. 53:9; 1 Ped. 2:22.

su celo, Sal. 69:9; Jn. 2:17.

su predicación por medio de parábolas, Sal. 78:2; Mat. 13:34, 35.

la ejecución de milagros, Isa. 35:5, 6; Mat. 11:4-6; Jn. 11:47.

sufriría vituperios, Sal. 22:6; 69:7, 9, 20; Rom. 15:3.

sería rechazado por sus hermanos, Sal. 69:8; Isa. 53:3; Jn. 1:11; 7:5.

para los judíos piedra de tropiezo, Isa. 8:14; Rom. 9:32; 1 Ped. 2:8.

aborrecido de los judíos, Sal. 69:4; Isa. 49:7; Jn. 15:24, 25.

rechazado por los gobernantes judíos, Sal. 118:22; Mat. 21:42; Jn. 7:48.

los judíos y los gentiles se ligarían contra él, Sal. 2:1, 2; Luc. 23:12; Hch. 4:27.

sería traicionado por uno de sus adeptos, Sal. 41:9; 55:12-14; Jn. 13:18, 21.

sus discípulos le abandonarían, Zac. 13:7; Mat. 26:31, 66.

sería vendido por treinta monedas de plata, Zac. 11:12; Mat. 26:15.

el precio a que sería vendido sería arrojado en el templo, Zac. 11:13; Mat. 27:7.

lo intenso de sus sufrimientos, Sal. 22:14, 15; Luc. 22:42, 44.

sus sufrimientos serían por otros, Isa. 53:4-6, 12; Dan. 9:26; Mat. 20:28.

su paciencia y silencio en sus sufrimientos, Isa. 53:7; Mat. 26:63; 27:12-14.

sería herido en la mejilla, Miq. 5:1; Mat. 27:30.

su aspecto sería desfigurado, Isa. 52:14; 53:3; Jn. 19:5.

sería escupido y azotado, Isa. 50:6; Mar. 14:85; Jn. 19:1.

le clavarían a la cruz las manos y los pies, Sal. 22:16 Jn. 19:18; 20:25.

sería abandonado de Dios, Sal. 22:1; Mat. 27:46.

sería escarnecido, Sal. 22:7, 8; Mat. 27:39-44.

le darían a beber hiel y vinagre, Sal. 69:21; Mat. 27:34.

dividirían su vestidura y echarían suertes por su túnica, Sal. 22:18; Mat. 27:35.

sería contado con los transgresores, Isa. 53:12; Mar. 15:28.

intercedería por sus victimarios, Isa. 53:12; Luc. 23:34.

su muerte, Isa. 53:12; Mat. 27:50.

no quebrarían hueso suyo, Éxo. 12:46; Sal. 34:20; Jn. 19:33-36.

sería traspasado, Zac. 12:10; Jn. 19:34-37.

sería sepultado con los ricos, Isa. 53:9; Mat. 27:57-60.

su carne no vería corrupción, Sal. 16:10; Hch. 2:31.

su resurrección, Sal. 16:10; Isa. 26:19; Luc. 24:6, 31, 34.

su ascensión, Sal. 68:18; Luc. 24:51; Hch. 1:9

se sentaría a la diestra de Dios, Sal. 110:1; Heb. 1:3.

ejercería en el cielo las funciones de sacerdote, Zac. 6:13; Rom. 8:34.

sería la principal piedra angular de la iglesia, Isa. 28:16; 1 Ped. 2:6, 7.

sería Rey de Sión Sal. 2:6; Luc. 1:32; Jn. 18:33.

la conversión de los gentiles a Él, Isa. 11:10; 42:1; Mat. 12:17, 21; Jn. 10:16; Hch. 10:45, 47.

su gobierno justo, Sal. 45:6, 7; Jn. 6:30; Ap. 19:11.

su dominio universal, Sal. 72:8; Dan. 7:14; Flp. 2:9, 11.

lo perpetuo de su reino, Isa. 9:7; Dan. 7:14; Luc. 1:32, 33.

PROFECÍAS PRONUNCIADAS POR JESUCRISTO:

el cielo sería abierto, Jn. 1:51.

su partida, Luc. 17:22; Jn. 7.33; 8:21; 13:33; 16.

se escandalizan de sus discípulos, Mar. 14:27.

abandono y dispersión de parte de sus discípulos, Jn. 16:32.

la negación de Pedro Mat. 26:34; Luc. 22:34.

el martirio de Pedro, Jn. 21:18, 19.

sus propios sufrimientos, Mat. 17:22; Luc. 9:44; 13:32; 17:25.

preparativos para la cena, Mar. 14:13.

su crucifixión, Mat. 20:17; 26:1; Jn. 12:32.

su muerte y su resurrección, Mat. 16:21; Mar. 9:31; Luc. 9:22.

sus escarnios, &c., Mar. 10:32; Luc. 18:31.

se le traicionaría, Mat. 26:21; Mar. 14:18; Luc. 22:21; Jn. 13:10.

su entierro, Mat. 12:39; Jn. 12:7.

su resurrección, Mat. 26:32; Jn. 2:19.

buen éxito del evangelio, Mar. 13:10; 16:17.

falsos Cristos, Mat. 24:4, 23; Mar. 13:5.

la destrucción de Jerusalén, Mat. 24; Mar. 13.

la estabilidad del evangelio, Mat. 24:34; 26:13; Mar. 13:31; 14:8.

el bautismo del Espíritu, Hch. 1:5.

PROFETAS:

Dios habló por medio de, Ose. 12:10; Heb. 1:1.

mensajeros de Dios, Isa. 44:26; Jer. 25:4.

movidos por el Espíritu Santo, Luc. 1:67; 1 Ped. 1:21.

fueron poderosos por la fe, Heb. 11:32.

pacientes en los sufrimientos, Stg. 5:10.

vengados por Dios, 2 Rey. 9:7; Mat. 25:35.

PROFETAS falsos:

pretendían venir de Dios, Jer. 23.

empleados para probar a Israel, Deu. 13.

guiados por espíritus malignos, 1 Rey. 22:21.

PROFETISAS. Véase **MARIA, DÉBORA, ANA, HULDA.**

falsas, reprobadas, Eze. 13:17; Jezabel, Ap. 2:20.

PRÓJIMO (individuo sobre el cual podemos ejercer la CARIDAD: Luc. 10:36. debemos amarle como a nosotros mismos, Lev. 19:18; Mar. 12:31; Rom. 13:9; Gál. 5:14; Stg. 2:8.

debemos no levantar falso testimonio contra, Éxo. 20:16.

sed misericordiosos para con él, Éxo. 22:26; Deu. 15:2.

no cambiéis los linderos de la tierra de vuestro, Deu. 27:17.

prestad al, Pro. 3:28.

no molestéis a vuestro, Pro. 25:17.

PROMESAS (las) DE DIOS:

contenidas en las Escrituras, Rom. 1:2.

hechas en Cristo, Efe. 3:6; 2 Tim. 1:1.

HECHAS A: la simiente de Abraham, que es Cristo, Gál. 3:16, 19; Adán, Gén. 3:15; Noé, Gén. 8:21; 9:9; Abraham, Gén. 12:7; 13:14; 15; 17; 18:10; 22:15 (Véase Luc. 1:55, 73; Rom. 4; Gál. 3:8, 16; Heb. 11:8, &c.); Agar, Gén. 16:10; 21:17; Isaac, Gén. 26:2-4; Jacob, Gén. 28:13; 31:3; 32:12; 35:14; 46:3; David, 2 Sam. 7:11; 1 Cr. 17:10; Sal. 89:35, 36; Salomón, 1 Rey. 9; 2 Cr. 1:7; 7:12; los padres, Hch. 13:32; 26:6, 7; todos los que son llamados de Dios, Hch. 2:39; los que le aman, Stg. 1:12; 2:5.

el pacto fue establecido sobre, Heb. 8:6.

Dios es fiel a, Tit. 1:2; Heb. 10:23.

Dios se acuerda de Sal. 105:42; Luc 1:54, 55

SON: buenas, 1 Rey. 8:56; santas, Sal.

105:42; sobremanera preciosas y grandes, 2 Ped. 1:4; confirmadas en Cristo, Rom. 15:8; sí y amén en Cristo, 2 Cor. 1:20;

INCLUYEN: a Cristo, 2 Sam. 7:12, 13, con Hch. 13:22, 23; al Espíritu Santo, Hch. 2:33; Efe. 1:13; el evangelio, Rom. 1:1, 2; la vida en Cristo, 2 Tim. 1:1; una corona de vida, Stg. 1:12; la vida eterna, Tit. 1:2; 1 Jn. 2:25; la vida presente, 1 Tim. 4:8; la adopción, 2 Cor. 6:18, con 2 Cor. 7:1; la preservación durante el dolor, Isa. 43:2; la bienaventuranza, Deu. 1:11; el perdón de los pecados, Isa. 1:18; Heb. 8:12; el grabar de Su ley en el corazón del hombre, Jer. 31:33, con Heb. 8:10; la segunda venida de Cristo, 2 Ped. 3:4; cielos nuevos y tierra nueva, 2 Ped. 3:13; la entrada al descanso, Jer. 22:4, con Heb, 4:1.

deben conducir a la santidad perfecta, 2 Cor. 7:1.

PROPICIATORIO (el), descrito, Éxo. 25:17; 26:34; 37:6; Lev. 16:13; Núm 7:89; 1 Cr. 28:11; Sal. 80:1; Heb. 9:5.

PROSÉLITOS, descritos, Est. 8:17; Isa. 56:3; se les exigía que abandonaran las prácticas del paganismo, Esd. 6:21; las compañías del paganismo, Rut 1:16; 2:11; Sal. 45:10; Luc. 14:26; habían de ser circuncidados, Gén. 17:13; Éxo. 12:48; habían de observar la ley de Moisés como judíos, Éxo. 12:49; de entre los amonitas y los moabitas, se les prohibía ejercer empleo alguno en la congregación, Deu 23:3; de entre los egipcios y los idumeos se les prohibía ejercer empleo hasta la tercera generación, Deu. 23:7, 8 disfrutaban de todos los privilegios, Éxo 12:48; muchos abrazaron el evangelio Hch. 6:5; 13:43; se les llamaba griego religiosos, Jn. 12:20, con Hch. 17:4.

PROSPERIDAD (la), Sal 35:27 Sal 122:27

no siempre es prueba de que uno goza de la bendición de Dios **PORQUE:**

los ladrones, &c., prosperan, Job 12:6 Sal. 17:10; 73; Ecl. 8:14; 9:2.

el triunfo de los malos es de cort duración, Job 20:5.

su ruina es repentina, Job 21:13; Sa 37:36; 73:19.

su destrucción es para siempre, Sa 92:7; Luc. 16:19. el que sufre no e siempre el más culpable, Luc. 13:2

PROSTITUTAS. Véase **RAMERAS.**

PROTECCIÓN:

Dios puede dar, 1 Ped. 1:5; Jud. 14,

Dios es fiel para conceder, 1 Tes. 5:23, 2 2 Tes. 3:3.

DE DIOS: es indispensable, Sal. 127 oportuna, Sal. 46:1; infalible, Deu. 31 Jos. 1:5; eficaz, Jn. 10:28-30; 2 Cor. 12 no interrumpida, Sal. 121 reanimadora, Isa. 41:10; 50:7; perpetu Sal. 121:8; a menudo se nos concede p medios que en sí mismos se inadecuados, Jue. 7:7; 1 Sam. 17:45, 5 2 Cor. 14:11.

PROVERBIOS de Salomón, Pro. 1—2

compilados por los varones de Ezequías, Pro. 25—29; uso de, Pro. 1, &c.; varios, 1 Sam. 10:12; 24:13; Luc. 4:23; 2 Ped. 2:22. Véase 1 Rey. 4:32;

PROVIDENCIA (la) DE DIOS:
es el cuidado que Él tiene de sus obras, Sal. 145:9.
LA EJERCE: preservando a sus criaturas, Neh. 9:6; Sal. 36:6; Mat. 10:29.
proveyendo a las necesidades de sus criaturas, Sal. 104:27, 28; 136:25; 147:9; Mat. 6:26.

PRUDENCIA: ejemplificada por Cristo, Isa. 52:13; Mat. 21:24, 27; 22:15-21.
se relaciona íntimamente con la sabiduría, Pro. 8:12.
los sabios se distinguen por, Pro. 16:21.

PUBLICANO, dos rangos: jefe, o comisionado, como Zaqueo, Luc. 19:2; y recaudador de las contribuciones, como Mateo, Mat. 10:3; Luc. 5:27.
su carácter, Mat. 5:46; 9:11; 11:19; 18:17; Luc. 3:12
algunos de ellos creen en Jesús, Mat. 21:32; Luc. 5:27; 7:29; 15:1; 19:2.
el publicano y el Fariseo, Luc. 18:10.

PUBLIO, hospeda a Pablo, Hch. 28:7; su padre es curado, Hch. 28:8.

PUERCO, animal inmundo, Lev. 11:7; Deu. 14:8; Isa. 65:4.
símil de los incrédulos y de los apóstatas, Mat. 7:6; 2 Ped. 2:22.
los demonios reciben mandato de entrar en unos puercos, Mat. 8:32; Mar. 5:13; Luc. 8:33.
——, montés, Sal. 80:13.

PUREZA, de carácter y de vida:
cualidad de los que son espirituales, Gál. 5:16.
conviene a los santos, Efe. 5:3; 1 Ped. 2:11.
indispensable para los ministros, 1 Tim. 5:22.
fin a que se deben encaminar nuestros esfuerzos, 1 Jn. 3:3.

PUREZA de la Palabra y de la ley de Dios, Sal. 12:6; 19:8; 119:140; Pro. 30:5.

PURIFICACIÓN (la) leyes acerca de, Lev. 13:16; Núm. 9:4; 31:19-24 (Mal. 3:3; Hch. 21:24; Heb. 9:13).
de las mujeres, Lev. 12; Est. 2; Luc. 2:22.
del corazón por la fe, Hch. 15:19; 1 Ped. 1:22; 1 Jn. 3:3. Véase Dan. 12:10.

PURIM, fiesta, instituida, Est. 9:20.

PÚRPURA, las cortinas y telas del tabernáculo eran de, Éxo. 25:4; 26:1; Núm. 4:13; usada por los ricos y por los reyes para vestiduras, Est. 8:15; Pro. 31:22; Jer. 10:9; Dan. 5:7, 16, 29; Mar. 15:17; Luc. 16:19; artículo de comercio, Hch. 16:14.

Q

QUEHACERES, diligencia en los, Pro. 22:29; Rom. 12:11; 1 Tes. 4:11.

QUERELLA. Véase CONTENCIÓN.

QUERIT, arroyo de, 1 Rey. 17:3.

QUERUBINES, hacen guardia a la entrada del Edén, Gén. 3:24.
representaciones de, colocadas en el santuario, Éxo. 25:18; 37:7; Núm. 7:89; 2 Sam. 6:2; 1 Rey. 6:25; 8:6; 2 Rey. 19:15: 2 Cr. 3:10; Véase 1 Sam. 4:4; 2 Sam. 22:11; Sal. 80:1; Eze. 41:18; Heb. 9:5.
la visión de Eze. 1; 9; 10.

QUESO, 1 Sam. 17:18; 2 Sam. 17:29: Job 10:10.

QUIETUD, prometida al pueblo de Dios, Pro. 1:33; Isa. 30:15; 32:17, 18.
exhortación a que busquemos la, 1 Tes. 4:11; 2 Tes. 3:12; 1 Tim. 2:2; 1 Ped. 3:4.

QUIJADA, de asno, Jue. 15:15.

QUIRIAT-JEARIM, 1 Sam. 7:1; 1 Cr. 13:5; 2 Cr. 1:4.

R

RAAMA, Gén. 10:7; 1 Cr. 1:9; Eze. 27:22.

RAHAB, recibe a los espías, Jos. 2; preservada por la fe, Job 6:22; Heb. 11:31; y las obras, Stg. 2:25; Cristo descendió de, Mat. 1:5.
——, Egipto, Sal. 87:4; 89:10; Isa. 51:9.

RABÁ, sitiada y tomada por Joab, 2 Sam. 11; 12:26; profecías con relación a, Jer. 49:2; Eze. 21:20; 25:5; Am. 1:14.

RABÍ, RABONÍ (Maestro), Cristo fue llamado así, Jn. 1:38; 3:2; 20:16; los discípulos no habían de recibir el título de, Mat. 23:8.

RABSACES, su arenga (discurso) blasfematoria, 2 Rey. 18:19; 19:4; Isa. 36:4.

RACA (inútil, vano, insensato, 2 Sam. 6:20), se censura el uso de esta palabra (hebrea), Mat. 5:22.

RAIZ de Isaí y David, Isa. 11:1, 10; Ap. 5:5; 22:16.

RAMÁ, de Benjamín, Jos. 18:25; Jue. 4:5; Samuel mora allí, 1 Sam. 1:19; 7:17; 8:4; 19:18; 25:1; profecías con relación a, Isa. 10:29; Jer. 31:15; Ose. 5:8.

RAMATAIM, de Sofím, residencia de Elcana, 1 Sam. 1:1.

RAMAT-LEHI (levantamiento de la quijada), Jue. 15:17.

REFAIM, o refaítas, gigantes, Gén. 14:5; Jos. 13:12; 17:15; 1 Sam. 17:4, 50; 2 Sam. 21:15.
—valle de Jos. 15:8; 2 Sam. 5:18, 22; Isa. 17:5

REFIDIM, los amalecitas vencidos en, Éxo. 17.

RAMERA, la gran, Ap. 17; 18.

RAMERAS (las), Gén. 34:31; Lev. 19:29; 21:7; Deu. 23:17; Isa. 57:3; Jer. 3:3; 1 Cor. 6:15; a los sacerdotes les era prohibido casarse con, Lev. 21:14; en el estilo figurado para denotar la idolatría, Isa. 1:21; Jer. 2:20; Eze. 16:23; Ose. 2; Ap. 17:18.
el juicio de Salomón respecto de la disputa entre dos, 1 Rey. 3:16.

RAMERÍA, o prostitución, prohibida, Lev. 19:29; Deu. 22:1; 23:17.
espiritual, Eze. 16; 23; Jer. 3; Ose. 1; 2.

RAAMSES, una comarca de Egipto habitada por los israelitas, Gén. 47:11; una ciudad de depósito edificada por ellos, Éxo. 1:11; el punto desde el cual partieron ellos en el éxodo, Éxo. 12:37; Núm. 33:3-5.

RAMOT DE GALAAD, Deu. 4:43; la guerra de Acab tocante a, 1 Rey. 22; 2 Cr. 18; la guerra de Joram, 2 Rey. 8:28; 2 Cr. 22:5; Jehú es ungido allí, 2 Rey. 9:1.

RANA, inmunda, Lev. 11:29.

RANAS, plaga de, Éxo. 8:6; Sal. 78:45; 105:30; Ap. 16:13.

RAQUEL, se ve con Jacob Gén. 29:10; viene a ser su esposa, Gén. 29:28; su envidia, Gén. 30:1; se lleva los ídolos de Labán, Gén. 31:19, 34; muerte, Gén. 35:18. Véase Rut. 4:11; Jer. 31:15; Mat. 2:18.

RASGAR (el), de los vestidos, Gén. 37:34; 2 Sam. 13:19; 2 Cr. 34:27; Esd. 9:5; Job 1:20; 2:12; Jl. 2:13, &c.

RASURAR, o rapar el cabello, casos en que se prescribía, Lev. 13:33; 14:8; Núm. 6:9; 8:7. Job 1:20; Eze. 44:20; Hch. 21:24; 1 Cor. 11:5.

la barba, Lev. 21:5.

RATÓN, inmundo, Isa. 66:17.

RATONES, de oro, ofrecidos por los filisteos, 1 Sam. 6:11.

RAZÓN, o sentido natural, Dan. 4:36; debe usarse en asuntos religiosos, Isa. 1:18; 1 Cor. 10:15; 1 Ped. 3:15; no es guía suficiente para los asuntos de este mundo, Deu. 12:8; Pro. 3:5; 14:12; los razonamientos de los fariseos, Luc. 5:21, 22; 20:5; de Pablo, Hch. 17:2; 18:4, 19; 24:25.

REBAÑO, Gén. 4:4; 29:2; 30:32; 37:2; Éxo. 2:16, 17; 3:1; 1 Sam. 16:11; Pro. 27:23; en sentido figurado, Job 21:11; Sal. 77:20; 80:1; Jer. 13:17; Sof. 2:6, 14; Zac. 10:3; Luc. 12:32; Hch. 20:28, 29; 1 Cor. 9:7; 1 Ped. 5:2, 3.

REBECA Gén. 22:23; se ve con el mayordomo de Abraham, Gén. 24:15; viene a ser esposa de Isaac, Gén. 24:67; su treta a favor de Jacob, Gén. 27:6; le despide a causa de sus temores, Gén. 27:43; su entierro, Gén. 49:31. Véase Rom. 9:10.

REBELIÓN CONTRA DIOS: prohibida, Núm. 14:9; Jos. 22:19; desagrada a Dios, Núm. 16:30; Neh. 9:26; a Cristo Éxo. 23:20, 21, con 1 Cor. 10:9; ofende al Espíritu Santo, Isa. 63:10

RECAB uno de los capitanes de Saúl 2 Sam. 4

RECABITAS, 1 Cr. 2:55; Jer. 35:6-19.

RECOMPENSA. Véase GALARDÓN.

RECONCILIACIÓN con Dios: predicha, Dan. 9:24, con Isa. 53:5; proclamada por los ángeles, Luc. 2:14; el borrar la escritura de las ordenanzas es necesario para, Efe. 2:18; Col. 2:14.

    EFECTUADA PARA LOS HOMBRES: por Dios en Cristo, 2 Cor. 5:19; por Cristo, como sumo sacerdote, Heb. 2:17; por la muerte de Cristo, Rom. 5:10; Efe. 2:16; Col. 1:21, 22; por la sangre de Cristo, Efe. 2:13; Col. 1:20; en tanto que estaban extrañados de Dios, Col. 1:21; en tanto que eran enemigos de Dios, Rom. 5:10.

    el ministerio de, encomendado a los ministros, 2 Cor. 5:18, 19.

    los ministros deben rogar a los hombres de parte de Cristo que soliciten la, 2 Cor. 5:20.

    EFECTOS DE LA: paz con Dios, Efe. 2:16, 17; entrada hasta Dios, Efe. 2:18; la unión de los judíos y de los gentiles, Efe. 2:14; la unión de las cosas en el

cielo y en la tierra, Col. 1:20, con Efe. 1:10.

promesa de la salvación final, Rom. 5:10.

necesidad de, explicada con un ejemplo, Mat. 5:24, 26.

simbolizada, Lev. 8:15; 16:20.

RECONVENIR (y reprender), Luc. 17:3; Efe. 5:11.

RECTITUD:

    DIOS: es perfecto en, Isa. 26:7; se complace en, 1 Cr. 29:17; creó al hombre en, Ecl. 7:29; el hombre ha perdido, Ecl. 7:29.

    SE DEBE TENER: en el corazón, 2 Cr. 29:34; Sal. 125:4; en las palabras, Isa. 33:15; en la conducta, Pro. 142; en juzgar, Sal. 58:1; 75:2; en gobernar, Sal. 78:72.

    el ser preservado de pecados de presunción es necesario para la, Sal. 19:13.

    con pobreza, es mejor que el pecado con las riquezas, Pro. 28:6.

    que la insensatez, Pro. 19:1.

RECTO (amado), el pueblo de Israel llamado así, Deu. 23:15; 33:5, 26; Isa. 44:2.

RECUSACIÓN (Rechazo, desechar), de los herejes, Tit. 3:10; por Dios de los impenitentes, Sal. 81:12; Pro. 1:29; Mat. 7:23; Mar.16:16; Rom.1:24; 2 Tes. 2:11; Ap. 3:16.

RED, (lazo) Job 18:8-10; 19:6; Sal. 9:15; 10:9; 25:15; 31:4; 35:7-8 140:5; Pro. 1:17; 7:23; 12:12; 29:5; Ec. 9:12; Lam 1:13. Os. 5:1; 7:12; Mi. 7:2 Rm. 11:9.

(de atrapar) Ez.12:13; 17:20; 19:8 Hab. 1:15-17

(parábola de la), Is 19:8;

(de pesca) Mat. 4:18; 13:47. Mr. 1:16; Lc. 5:5-6; Jn 21:6-11.

REDADAS, de peces, milagrosas, Luc. 5:4-6; Jn. 21:6, 11.

REDAÑO, parte del animal quemada en los sacrificios, Éxo. 29:13, &c.

REDENCIÓN: definición de, 1 Cor. 7:23; es de Dios, Isa. 44:21-23, con Luc. 1:68; es por medio de Cristo, Mat. 20:28; Gál. 3:13; es por medio de la sangre de Cristo, Hch. 20:28; Heb. 9:12; 1 Ped. 1:19; Ap. 5:9; Cristo fue enviado a efectuar, Gál. 4:4, 5; Cristo ha sido hecho para nosotros, 1 Cor. 1:30.

    ES SER REDIMIDO: de todo mal, Gén. 48:18; del cautiverio de la ley, Gál. 4:5; de la maldición de la ley, Gál. 3:13; del poder del pecado, Rom. 6:18, 22; poder del sepulcro, Sal. 49:15; de todas las angustias, Sal. 25:22; de toda iniquidad, Sal. 130:8; Tit. 2:14; del presente mundo malo, Gál. 1:4; de la vana conversación, 1 Ped. 1:18; de los enemigos, Sal. 106:10, 11; Jer. 15:21; de la muerte, Ose. 13:14; de la destrucción, Sal 103:4.

    el hombre no puede llevar a efecto ninguna, Sal. 49:7.

    no se efectúa con cosas corruptibles, 1 Ped. 1:18.

    SE DESCRIBE COMO: de gran precio,

Sal. 49:8; abundante, Sal. 130:7; eterna, Heb. 9:12.

OBJETOS DE: el alma, Sal. 49:15; 71:23;

REDENCIÓN, de la tierra. Lev. 25; Neh. 5:8.

——, del primogénito, Éxo. 13:11; Núm. 3:12.

REDENTOR, el Señor, Job 19:25; Sal. 19:14; 78:35; Pro. 23:11; Isa. 41:14; 47:4; 59:20; 63:16; Jer. 50:34, &c.

REFINADOR, el Señor es, de su pueblo, Isa. 48:10; Zac.13:9; Mal. 3:2.

REFUGIO, Dios es, para su pueblo, Deu. 32:27; 2 Sam. 22:3; Sal. 9:9; 48:3, Heb. 6:18. ciudades de, establecidas, Núm. 35; Deu. 4:41; 19; Jos. 20.

REFUNFUÑAR (el), prohibido, 2 Cor. 9:7; Stg. 5:9; 1 Ped. 4:9.

REGALOS. Véase **PRESENTES.**

REGENERACIÓN (Nuevo nacimiento), Tit. 3:5. Véase Mat. 19:28; Jn. 1:13; 3:3.

REGISTRO, de genealogías, Esd. 2:62; Neh. 7:5, 64.

REGOCIJO del pueblo de Dios: en sus fiestas, Lev. 23:40; Deu. 16:11; en la tierra de promisión, Deu. 12:10; buscando al Señor, 1 Cr. 16:10; en lo bueno, 2 Cr. 6:41; Flp. 3:1; en Dios, Sal. 32:11; Flp. 3:1; 4:4; en la protección divina, Sal. 5:11; 68:4; por medio de Cristo, Rom. 5:11.

A CAUSA: de las obras de Dios, Sal. 33; de los juicios de Dios, Sal. 48:11; Isa. 41:16; Ap. 12:12; 18:20; de la santidad de Dios, Sal. 97:12; de la misericordia, Sal. 103; Zac. 10:6, 7; de la bondad, Jl. 2:23. constantemente, Sal. 89:16; Flp. 4:4. para siempre, 1 Tes. 5:16.

a pesar de la adversidad, Hab. 3:18.

con los que se regocijan, Rom. 12:15.

REHENES, 2 Rey. 14:14; 2 Cr. 25:24.

REINA DEL CIELO, culto idólatra a la, Jer. 7:18; 44:17-19, 25.

REINAS. Véase **ATALÍA, ESTHER, SABA, JEZABEL.**

REINO, de Dios, 1 Cr. 29:11; Sal. 22:28; 45:6; 145:11; Isa. 24:23; Dan. 2:44; de Cristo. Véase **CRISTO EL REY**; de los cielos, Mal. 3:2; 8:11; 11:11; 13:11; parábolas acerca del, Mat. 13:24; quiénes entrarán en, Mat. 5:3; 7:21; Luc.9:62; Jn. 3:3; Hch. 14:22; Rom. 14:17; 1 Cor. 6:9; 15:50; 2 Tes.1:5.

RELÁMPAGO, enviado por Dios, 2 Sam. 22:15; Job 28:26; 38:25; Sal. 18:14; 144:6; Zac. 9:14; rodea el trono de Dios, Eze. 1:13; Ap. 4:5; la venida del Hijo del hombre será como, Mat. 24:27; Luc. 17:24.

RELIGIÓN, pura y sin mácula, Stg. 1:27.

RELOJ DE ACAZ, 2 Rey. 20:11; Isa. 38:8.

REMFAN, un ídolo, Hch. 7:43.

REMISIÓN (Acción de perdonar, alzar la pena, eximir o liberar de una obligación), año de, Éxo. 21:2; Deu. 15:1; 31:10. Véase Jer. 34:14.

——, de los pecados, llevada a cabo, Mat. 26:28, &c.; Heb. 2:22; 10:18; predicada, Mar. 1:4; Luc. 24:47; Hch. 2:38; 10:43, &c.

RIMÓN, dios de los sirios, 2 Rey. 5:18.

REPETICIONES vanas, en la oración, son prohibidas, Mat. 6:7.

RÉPROBOS, quienes son, Jer. 6:30; Rom. 1:28; 2 Tim. 3:8; Tit. 1:16. Véase 2 Cor. 13:5.

RENACIMIENTO (el) (Nuevo Nacimiento): la corrupción de la naturaleza humana requiere, Jn. 3:6; Rom. 8:7, 8; nadie puede entrar en el cielo sin, Jn. 3:3.

EFECTUADO: por Dios, Jn. 1:13; 1 Ped. 1:3; por Cristo, 1 Jn. 2:29; por el Espíritu Santo, Jn. 3:6; Tit. 3:5.

POR MEDIO DE: la palabra de Dios, Stg. 1:18; 1 Ped. 1:23;

DEFINIDO COMO: una creación nueva, 2 Cor. 5:17; Gál. 6:15; Efe. 2:10; novedad de vida, Rom. 6:4; una resurrección espiritual, Rom. 6:4-6; Efe. 2:1, 5; Col. 2:12; 3:1; un corazón nuevo, Eze. 6:26; un espíritu nuevo, Eze. 11:19; Rom. 7:6; revestirse del hombre nuevo, Efe. 4:24; el hombre interior, Rom. 7:22; 2 Cor. 4:18; la circuncisión del corazón, Deu. 30:6, con Rom. 2:29; Col. 2:11; participar de la naturaleza divina, 2 Ped. 1:4; el lavamiento de la regeneración, Tit. 3:5.

RENUEVO (el) de Jehová, profecías acerca de, Isa. 4:2; Jer. 23:5; Zac. 3:8; 6:12. Véase Luc. 1:78; Jn. 15:5; Rom. 11:16.

REPOSO. Véase **DESCANSO.**

REPTILES, oreados por Dios, Gén. 1:24, 25; para alabanza y gloria suya, Sal. 148:10; puestos bajo el dominio del hombre, Gén. 1:26; inmundos y no para comer, Lev. 11:40-43.

mencionados en las Escrituras: el camaleón, Lev. 11:30; el áspid, Isa. 11:8; 59:5; la iguana, Lev. 11:30; el caracol, Lev. 11:30; Sal. 58:8; la rana Éxo.8:2; Ap. 16:13; la sanguijuela, Pro. 30:15; el escorpión, Deu. 8:15; la serpiente, Job 26:13; Mat. 7:10; las serpientes ardientes, Deu. 8:15; el áspid volador, Isa. 30:6; la víbora Hch. 28:3.

los gentiles les rendían culto a, Rom. 1:25. los judíos fueron reprobados por rendirles culto a, Eze. 8:10.

REPUTACIÓN, buena, es de desearse, Pro. 22:1; Ecl. 7:1; 10:1; Luc. 6:26; 2 Cor. 8:21; 3 Jn. 12.

RESCATE, Cristo es el, por su iglesia, Mat. 20:28; 1 Tim. 2:6. Véase Job 33:24; Isa. 35:10; Jer. 31:11; Ose. 13:14.

RESCOLDO, para cocer, Gén. 18:6.

RESPLANDOR, del rostro de Dios sobre Israel, plegaria por, Núm. 6:25; Sal. 31:16; 67:1; 80:1; Dan. 9:14; de la gloria de Dios, Deu. 33:2; Sal. 50:2; Eze. 43:2; de la gloria de Cristo, Mat. 17:2; Hch. 9:3; Ap. 1:16; del rostro de Moisés, Éxo. 34:29; 2 Cor. 3; de la luz del evangelio, Isa. 9:2; 2 Cor. 4; Véase **EVANGELIO**; de los Cristianos en este mundo, Mat. 5:16; Jn. 5:35; Flp. 2:15; y en el venidero, Dan. 12:3; Mat. 13:43.

RESTITUCIÓN, prescrita, Éxo. 21:33; 22:1; Lev. 5:16; 6:4; 24:21; Núm. 5:5; forzosa, Job 20:10, 18; hecha por Zaqueo, Luc. 19:8.

RESURRECCIÓN: doctrina enseñada en el Antiguo Testamento, Job 19:26; Sal. 49:15; Isa. 26:19; Dan. 12:2; 2 Rey. 4:32; 13:21; uno de los principios fundamentales del evangelio, Heb. 6:1, 2; esperada por los judíos, Jn. 11:24; Heb. 11:35; negada por los saduceos, Mat. 22:23; Luc. 20:27; Hch. 23:8; los falsos maestros la invalidaban por medio de explicaciones artificiosas, 2 Tim. 2:18; puesta en duda por algunos en la iglesia primitiva, 1 Cor. 15:12; no es increíble, Mar. 12:24; Hch. 26:8; no es contraria a la razón, Jn. 12:24; 1 Cor. 15:35-44; dada por sentada y probada por nuestro Señor, Mat. 22:29-32; Luc. 14:14; Jn. 5:28, 29; predicada por los apóstoles, Hch. 4:2; 17:18; 24:15; lo creíble de, comprobado con la resurrección de varias personas, Mat. 9:25; 27:53; Luc. 7:14; Jn. 11:44; Heb. 11:35. Véase Hch. 9:36; 20:9; lo cierto de, probado con la resurrección de Cristo, 1 Cor. 15:12-20.

será de todos los muertos, Jn. 3:28; Ap. 20:13.

LOS SANTOS EN LA: resucitarán por Cristo, Jn. 11:25; Hch. 4:2; 1 Cor. 15:21, 22; resucitarán primero, 1 Cor. 15:23; 1 Tes. 4:16. resucitarán para vida eterna, Dan. 22:2; Jn. 5:29; serán glorificados con Cristo, Col. 3:4; serán como los ángeles, Mat. 22:30

    TENDRÁN CUERPOS: cuerpos incorruptibles, 1 Cor. 15:42; gloriosos, 1 Cor. 15:42; poderosos, 1 Cor. 15:43; espirituales, 1 Cor. 15:44; como el de Cristo, Flp. 3:21.

    serán recompensados, Luc. 14:14.

    los santos deben tener presente, Dan. 12:13; Flp. 3:11.

de los santos, será seguida por el cambio de los que estén vivos en aquel tiempo, 1 Cor. 15:51, con 1 Tes. 4:17.

la predicación de, la convertían en objeto de burla, Hch. 17:32.

atraía persecución Hch. 23:6; 24:11-15

bienaventuranza de la primera, Ap. 20:6.

de los malos, será para vergüenza y confusión perpetua, Dan. 12:2.

    será para condenación, Jn. 5:29.

símil del renacimiento, Jn. 5:25.

RESURRECCIÓN DE CRISTO: predicha por los profetas, Sal 16:10 , con Hch. 13:34, 35; Isa. 26:19; predicha por Él mismo, Mat. 20:19; Mar. 9:9; 14:28; Jn. 2:19-22.

    EFECTUADA: por el poder de Dios Padre, Hch. 2:24; 3:15; Rom. 8:11; Efe. 1:20; Col. 2:12; por su propio poder, Jn. 2:19; 10:18; por el poder del Espíritu Santo, 1 Ped. 3:18; el primer día de la semana, Mar. 16:9; al tercer día de muerto, Luc. 24:46; Hch. 10:40; 1 Cor. 15:4.

LOS APÓSTOLES: no entendieron al principio las predicciones acerca de, Mar. 9:10; Jn. 20:9; tardaban mucho en creer, Mar. 16:13; Luc. 24:9, 11, 37, 35; reprendidos por su incredulidad con respecto a, Mar. 16:14.

DESPUÉS DE, APARECIÓ: a María Magdalena, Mar. 16:9; Jn. 20:18; a las mujeres, Mat. 28:9; a Simón Pedro, Luc. 24:84; los dos discípulos, Luc. 24:13-31; a los apóstoles, con excepción de Tomás, Jn. 20:19, 24; a los apóstoles cuando Tomás estaba presente, Jn. 20:26; en el mar de Tiberias, Jn. 21:1; en Galilea, Mat. 28:16, 17; a más de quinientos hermanos, 1 Cor. 15:6; a Jacobo, 1 Cor. 15:7; a todos los apóstoles, Luc. 24:51; Hch. 1:9; 1 Cor. 15:7; a Pablo, 1 Cor. 15:8.

dio muchas pruebas infalibles de, Luc. 24:33, 39, 43; Jn. 20:20, 27; Hch. 1:3.

DIERON FE DE: los ángeles, Mat. 28:5-7; Luc. 24:4-7, 23; los apóstoles, Hch. 1:22; 2:32; 3:15; 4:33; sus enemigos, Mat. 28:11-15; fue afirmada y predicada por los apóstoles, Hch. 25:19; 26:23.

RETAMA, Jer. 17:6; 48:6.

REVUELTA, ejemplos de: ciudades de la llanura, Gén. 14:1; Coré, Datán y Abiram, Núm. 16:1; Israel de las tribus paganas, Jue. 3:5, 13, 31; 4:4; 6; 11; 15; Isboset, 2 Sam. 2:8; Abner, 2 Sam. 3; Absalón, 2 Sam. 15:10; Adonías, 1 Rey. 1:5; 2:13; Hadad y Rezón 1 Rey. 11:14, 23; las diez tribus, 1 Rey. 12:19; 2 Cr. 10:19; Moab, 2 Rey. 1; 3; 5; 7; Libna 2 Rey. 8:22; 2 Cr. 21:10; Edom, 2 Rey. 8:20; 2 Rey. 21:4; Jehú, 2 Rey. 9:11; Oseas, 2 Rey. 17:4; Ezequías, 2 Rey. 18:4; Joacim, 2 Rey. 24:1; Sedequías, 2 Rey. 24:20; 2 Cr. 36:13; Jer. 52:3; Teudas, Hch. 5:36; Judas el galileo, Hch. 5:37.

REYES: los israelitas quieren, 1 Sam. 8; los derechos de los, declarados, 1 Sam. 8:10; pecado de Israel al pedir, 1 Sam. 12:17; dado al principio en furor, Ose. 13:11; varios fueron elegidos por Dios, 1 Sam. 9:15; 16:1; 1 Cr. 28:4; 1 Rey. 11:31; 19:15, 16; Dan. 2:21; el acto de ungirlos, 1 Sam. 10:1; 16:13; 1 Rey. 1:38; 2 Rey. 9:11; 11:4; quitados por Dios, 1 Rey. 11:11; Dan. 2:21; se les prohibía aumentar el número de sus caballos y de sus esposas, y acumular tesoros, Deu. 17:16, 17; se les exigía escribir y conservar una copia de la ley divina, Deu. 17:18-20; habitaban en palacios, 2 Cr. 9:11; Sal. 45:15; se vestían de ropas reales, 1 Rey. 22:30; Mat. 6:29; se les hablaba con la mayor reverencia, 1 Sam. 24:8; 2 Sam. 9:8; 14:22; 1 Rey. 1:23; a la derecha de, era el puesto de honor, 1 Rey. 2:19; Sal. 45:9; 110:1; dependen de la tierra, Ecl. 5:9.

REY DE REYES, 1 Tim. 6:15; Ap. 17:14. Véase Sal. 2:6; 10:16; 24:7; 110, &c.; Isa. 32:1; Zac.9:9; Luc.23:2; 1 Tim. 1:17; Ap. 1:5; 15:3.

REZÍN, rey de Siria, enviado contra Judá, 2 Rey. 15:37; 16:5; Isa. 7:1; es muerto, 2 Rey. 16:9.

REZÓN, de Damasco, enemigo de Salomón, 1 Rey. 11:23.

RHODE, reconoce la voz de Pedro, Hch. 12:13-15.

RIBLÁ, en Siria, 2 Rey. 23:33; 25:6, 20-21; Jer. 39:5; 52:9-10, 26-27.

RIEGO, Deu. 11:10; Pro. 21:1; Isa. 58:11.

RIÑONES, con el significado de corazón, Job 16:13; en el sentido figurado, Sal. 7:9; 26:2; 73:21; Ap. 2:23.

——, en los sacrificios, eran quemados, Éxo. 29:13; Lev. 3:4.

RÍOS, el poder de Dios sobre, es sin límites, Isa. 50:2; Nah. 1:4; útiles, Gén. 2:10; Éxo.

2:5; Isa. 23:3; Jer. 2:18; el bautismo celebrado en, Mat. 3:6; Hch. 8:36; de Canaán, abundaban en pescado, Lev. 11:9, 10; jardines hechos a orillas de, Núm. 24:6; ciudades construidas a orillas de, Sal. 46:4; 137:1.

mencionados en las Escrituras: de Edén, Gén. 2:10; de Jotbata, Deu. 10:7; de Etiopía, Isa. 18:1; de Babilonia, Sal. 137:1; de Egipto, Gén. 15:18; de Damasco, 2 Rey. 5:12; de Ahava, Esd. 8:15; de Judá, Jl. 3:18; de Filipos, Hch. 16:13; Abana, 2 Rey. 5:12; Arnón, Deu. 2:36; Jos. 12:1; Cana, Jos. 16:8; Cisón, Jue. 5:21; Quebar, Eze. 1:1, 3; 10:15, 20; Éufrates, Gén. 2:14; Jer. 13:1; Farfar, 2 Rey. 5:12; Gihón, Gén. 2:13; Gozán, 2 Rey. 17:6; Hidekel, o Tigris, Gén. 2:14; Jaboc, Deu. 2:37; Jos. 12:2; Jordán, Jos. 3:8; 2 Rey. 5:10; Pisón, Gén. 2:11; Ulai, Dan. 8:16.

por vía de comparación, Isa. 32:2; 43:2; Eze. 47; Ap. 22.

RIQUEZAS: *Dios* da, 1 Sam. 2:7; Ecl. 5:19; *Dios* da la facultad de obtener, Deu. 8:18; la bendición del Señor acarrea, Pro. 10:22; dan poder en este mundo, Pro. 22:7.

SE LAS DESCRIBE COMO: transitorias, Pro. 27:24; inciertas, 1 Tim 6:17; que no satisfacen, Ecl. 4:8; 5:10; corruptibles, Stg. 5:2; 1 Ped. 1:1; fugaces, Pro. 23:5; Ap. 18:16, 17; engañosas, Mat. 13:22; expuestas a ser robadas, Mat. 6:19; perecederas, Jer. 48:36; *espeso lodo*, Hab. 2:6; a menudo sirven de obstáculo a la acogida del evangelio, Mar. 10:23-26; el engaño de, ahoga la palabra, Mat. 13:22; el amor de, es la raíz de *todo mal*, 1 Tim. 6:10.

MUCHAS VECES CONDUCEN AL HOMBRE: *al* orgullo, Eze. 28:5; Ose. 12:8; a *olvidarse* de Dios, Deu. 8:15, 14; a *negar* a Dios, Deu. 32:15; a rebelarse contra Dios, Neh. 9:25, 26; a rechazar a Cristo, Mat. 19:22; Mar. 10:22; a la presunción, Deu. 28:11; a la ansiedad, Ecl. 5:12; a *la* altanería, Pro. 18:23; a la violencia, Miq. 6:12; a la opresión, Stg. 2:6; al fraude, Stg. 5:4; a la sensualidad Stg. 5:5; la vida no consiste en la abundancia de, Luc. 12:15; no os afanéis por, Pro. 30:8; no trabajéis por, Pro. 23:4.

LOS QUE CODICIAN: caen en tentación y en lazo, 1 Tim. 6:9; caen en muchos apetitos dañosos, 1 Tim. 6:9; yerran de la fe, 1 Tim. 6:10; usan medios ilícitos para adquirir, Pro. 18:20; se acarrean sufrimientos a sí mismos, 1 Tim. 6:10; y a sus familias, Pro. 15:27.

no aprovechan, el día de la ira, Pro. 11:4. no pueden asegurarnos la felicidad, Stg. 1:11.

ni redimir el alma, Sal. 49:6-9; 1 Ped. 1:18 no pueden librarnos el día de la ira de Dios, Sof. 1:18; Ap. 6:15-17.

RIQUEZAS (caldeo MAMMON), el culto de, reprobado, Mat. 6:24; Luc. 16:9.

RISA, intempestiva, censurada, Gén. 18:13; Ecl. 2:2; 3:4; 7:3; Pro. 14:13.

RISPA concubina de Saúl, 2 Sam 3:7; 21:8-11

ROBO (el), prohibido, Lev. 19:13; Sal. 62:10; Pro. 21:7; 22:22; 28:24; Isa. 10:2; 61:8; Eze. 22:29; Am. 3:10; 1 Cor. 6:8; 1 Tes. 4:6. Véase HURTO.

ROBOAM, rey de Judá, 1 Rey. 11:43 (2 Cr. 9:31); las diez tribus se insurreccionan contra, 1 Rey. 12 (2 Cr. 10); se le prohíbe atacar a Jeroboam, 1 Rey. 12:21 (2 Cr. 11); castigado por Sisac, 1 Rey. 14:25 (2 Cr. 12).

ROCAS, se hizo brotar agua milagrosamente de, Éxo. 17:6; Núm. 20:10; 1 Cor. 10:4; otros milagros hechos en, Jue. 6:21; 1 Rey. 19:11; Mat. 27:51; lugares de refugio en tiempo de peligro, 1 Sam. 13:6; Isa. 2:19; Jer. 16:5; Ap. 6:16; sepulcros labrados en, Isa. 2; Mat. 27:60; acontecimientos notables grabados en, Job 19:24.

mencionadas en las Escrituras: Boses, 1 Sam. 14:4; Engadi, 1 Sam. 24:1, 2; Etam, Jue. 15:8; Horeb, Éxo. 17:1-6; Meriba (rencilla), Éxo. 17:7; Adulam, 1 Cr. 11:15; Oreb, Jue. 7:25; Rimón, Jue. 20:45; Sela-hama-lecot, 1 Sam. 23:25, 28; Sela (roca), 2 Rey. 14:7; 2 Cr. 25:11, 12; Sene, 1 Sam. 14:4.

la industria (minería) que despliega el hombre cortando las, Job 28:9, 10.

se empleaban martillos para quebrar, Jer. 23:29.

Dios es la Roca de su pueblo, Deu. 32:4. 15; 2 Sam. 22:2; 23:3; Sal. 18:2; 28:1; 31:2; 61:2, &c.; Isa. 17:10; 26:4; 32:2. Mat. 7:24

ROCIO, como señal, Jue. 6:37; una bendición, Gén. 27:28; Deu. 33:13; en sentido figurado, Deu. 32:3; Sal. 110:3; 133:3; Pro. 19:12; Isa. 26:29

RODAS, Pablo pasa por, Hch. 21:1.

ROGEL, fuente de, Jos. 15:7; 18:16; 2 Sam. 17:17; 1 Rey. 1:9.

ROLLO de la profecía, traducido unas veces volumen y otras envoltorio, Isa. 8:1 Jer. 36:2; Eze. 2:9; 3:1; Zac. 5:1. Véase LIBRO; los cielos comparados a, Isa. 34:4; Ap. 6:14.

ROMA, los judíos expulsados de, Hch. (2:10) 18:2; Pablo llega a, Hch. 28:16; y predica en, Hch. 28:17.

ROPAS, blancas, dadas a los redimidos, Ap. 6:11; 7:9; le pusieron a Cristo una ropa de grana, Mat 27:28; Luc. 23:11; Jn. 19:2.

ROSTRO (el) DE DIOS: airado contra sus enemigos, Sal. 34:16; Isa. 59:2; Eze. 39:23; Ap. 6:16; tornado hacia su pueblo, Éxo. 33:14; 2 Cr. 6:42; 7:14; Sal. 31:16; 80:30; 132:10; Dan. 9:17; Mat. 17:2; 1 Cor. 13:12; el favor de, debe anhelarse, Núm. 6:25; 1 Rey. 13:6; 1 Cr. 6:11; Sal. 27:8; 67:1; 105:4; 119:135; la ira de, debe temerse, Lev. 17:10; 20:6; 26:17; Deu. 31:17; Jer. 21:10; 44:11; Eze. 38:18; 1 Ped. 3:12. Véase Gén. 32:30; 33:10; Éxo. 33:11; Deu. 5:4.

RUBÍ, Lam. 4:7; Eze. 27:16.

RUDA, una planta, diezmada por los fariseos, Luc. 11:42.

RUECA (la), Éxo. 25:25, 26; Pro. 31:19.

RUEDAS, visión de las, Eze. 1:15; 3:13; 10:9.

RUFO, Mar. 15:21; Rom. 16:13.

RUTH, su constancia, Rut. 1:14; favorecida por Boaz, Rut. 2:8; 3:8; viene ser su esposa, Rut. 4:9; Cristo descendió de, Mat. 1:5.

RUBÉN, hijo de Jacob, Gén. 29:32; 30:14; Deu. 33:6; a causa de su transgresión, Gén. 35:22, pierde su primogenitura, Gén. 49:4; 1 Cr. 5:1; intercede por José, Gén. 37:21; 42:22; hace una súplica a Jacob, Gén. 42:37.

RUBENITAS (los), contados, &c., Núm. 1:21; 2:10; 26:5; 1 Cr. 5:18.

su súplica y sus bienes, Núm. 32; Deu. 3:12; Jos. 3:15; las órdenes de Moisés a, Núm. 32:20; bendecidos por él, Deu. 33:6; las órdenes de Josué a, Jos. 1:12; 3:1, alabados y despedidos, Jos. 22:1; erigen un altar de testimonio, Jos. 22:10; se sinceran, Jos. 22:21; subyugados por Hazael, 2 Rey. 10:32; llevados en cautiverio, 2 Rey. 15:29; 1 Cr. 5:26. Eze. 48:6; Ap. 7:5.

personas notables de: Datán, Abiram y Hon, Núm. 16:1; 26:9, 10; Adina, 1 Cr. 11:42.

S

SABA, Gén. 25:3; Job 6:19; Sal. 72:10; Jer. 6:20; Eze. 27:22; 38:13; reina de, visita a Salomón, 1 Rey. 10; 2 Cr. 9.

SÁBADO (día de descanso): instituido por Dios, Gén. 2:3; por qué fue instituido, Gén. 2:2, 3; Éxo. 20:11; se observaba el séptimo día como día de descanso, Éxo. 20:9, 10; hecho para el hombre, Mar. 2:27; señal del pacto, Éxo. 31:13, 17; símbolo del descanso celestial, Heb. 4:4, 9; a los criados y al ganado debe dejárseles descansar el, Éxo. 20:10; Deu. 5:14; ninguna clase de trabajo debe hacerse el, Éxo. 20:10; Lev. 23:3; no se deben hacer ningunas compras el, Neh. 10:31; 13:15-17; llevar cargas el, Neh. 13:19; Jer. 17:21; se debe celebrar el culto divino el, Eze. 46:3; Hch. 16:13; leer las Escrituras el, Hch. 13:27; 15:21; predicar la palabra de Dios el, Hch. 13:14, 15, 44; 17:2; 18:4; las obras relacionadas con el culto religioso son lícitas en el, Núm. 28:9; Mat. 12:6; Jn. 7:23; las obras de misericordia son lícitas, Mat. 12:12; Luc. 13:16; Jn. 9:14; se puede atender a las necesidades apremiantes el, Mat. 12:1; Luc. 13:15; 14:1.

CRISTO es Señor del, Mar. 2:28; acostumbraba observar, Luc. 4:16; enseñaba el día, Luc. 4:31; 6:6.

LLAMADO el Sábado de Jehová, Éxo. 20:10; Lev. 23:3; Deu. 5:14; Isa. 58:13.

el primer día de la semana se observó como, por la iglesia primitiva, Jn. 20:26; Hch. 20:7; 1 Cor. 16:2.

castigo de los que profanan el, Éxo. 31:14, 15; Núm. 15:32-36.

SÁBADO, camino o jornada de un, se supone que era como 2,000 codos, Hch. 1:12.

SÁBADO, año del, Éxo. 23:10; Lev. 25.

SABIDURÍA, 1 Cr. 22:12; 2 Cr. 1:10; Pro. 2:6; Esd. 7:26; Ecl. 2:26; Dan. 2:20; Hch. 6:10.

OTORGADA POR DIOS A: José, Gén. 41:33, 38; Hch. 7:10; los artífices, Éxo. 31:3; 36:1; Salomón, 1 Rey. 3:12; 4:29; Esdras, Esd. 7:25; Daniel, Dan. 1:17; 5:14; Pablo. 2 Ped. 3:15.

OBTENIDA: por Salomón en respuesta a su oración, 1 Rey. 3:9; por Daniel, Dan. 2:23; por los que la desean anhelosamente, Pro. 2:3; pidiéndola a Dios con fe, Stg. 1:5.

personificada, Pro. 1:20:8; 9.

peligro que se corre al despreciar, Pro. 1:24; 2:12; 3:21; 5:12; 8:36; 9:12; 10:21; 11:12.

SABIDURÍA DE DIOS, es uno de sus atributos, 1 Sam. 2:3; Job 9:4; nada se oculta a la, Sal. 139:12; los malos ponen en duda la, Sal. 73:11; Isa. 47:10; se debe ensalzar, Rom. 16:27; Jud. 25.

inescrutable, Isa. 40:28; Rom. 11:33; admirable, Sal. 139:6; fuera del alcance de nuestro entendimiento, Sal. 139:6; el evangelio contiene tesoros de, 1 Cor. 2:7; la sabiduría de los santos procede de, Esd. 7:25; toda la sabiduría humana procede de, Dan. 2:21; los santos la adscriben a Él, Dan. 2:20.

SE MANIFIESTA: en las obras de Dios Job 37:16; Sal. 104:24; 136:3; Pro. 3:19; Jer. 10:12; en sus consejos, Isa. 28:29; Jer. 32:19; en el anuncio anticipado que Él hace de los acontecimientos Isa. 42:9; 46:10; en la redención, 1 Cor. 1:24; Efe. 1:8; 3:10; en el escudriñamiento del corazón, 1 Cr. 28:9; en el entender los pensamientos, 1 Cr. 28:9; Sal. 139:2; Heb. 4:13.

SACERDOCIO, el de Cristo, comparado con el de Aarón y el de Melquisedec (Sal. 110) Heb. 2:17; 3; 5; 7, &c.; Rom. 8:34; 1 Jn. 2:1.

SACERDOTE, SUMO, su nombramiento y sus funciones, Éxo. 28: 39; Lev. 16: consagración, Lev. 8; regreso del homicida a la muerte del, Núm. 35:25; Jos. 20:6; condena a Cristo, Mat. 26:66; Luc. 22:71. Véase AARÓN, ELEAZAR, &c.

———, del ALTÍSIMO, Gén. 14:18; Heb. 7, &c.

SACERDOTES, se mencionan por primera vez, Gén. 4:3, 4; durante la época patriarcal los padres de familia llenaban las funciones de, Gén. 8:20; 12:8; 35:7; después del éxodo, se nombraron jóvenes (primogénitos) para que llenasen las funciones de, Éxo. 24:5, con 19:22; los hijos de Aarón fueron nombrados por medio de un estatuto perpetuo, Éxo. 20:9; 40:15; levíticos son elegidos, Éxo. 28:1; sus vestiduras, Éxo. 28; Lev. 8, &c.; sus funciones Lev. 1, &c.; Núm. 3; Deu. 31:9; Jos. 3; 4; 1 Rey. 8:3; su consagración, Éxo. 29; Lev. 8; su primera ofrenda, Lev. 9; su luto, matrimonio, &c. y su residencia, Núm. 35:1-8; 1 Cr. 6:57-60; leyes especiales relativas a, Lev. 21:1-7; 22:1-12; castigo a los que se arrogan falsamente las funciones de, Núm. 16:1-35; 18:7; 2 Cr. 26:16-21; muertos por Saúl, 1 Sam. 22:17; repartidos por David según su función, 1 Cr. 24; vuelven del cautiverio, Esd. 2:36; 6; Neh. 12; censurados por los profetas, Jer. 1:18; 6:31, &c.; Ose. 5; 6; Miq. 3:11; Mal. 2, &c.; Sof. 3:4, &c.; a los cristianos se les da el nombre de, 1 Ped. 2:5; Ap. 1:6; 5:10; 20:6.

—— de Baal, se les da muerte, 1 Rey. 18:40; 2 Rey. 10:19; 11:18.

SACO (cilicio), se empleaba en tiempo de duelo, Gén. 37:34; 2 Sam. 3:31; 1 Rey. 22:32; Neh. 9:1; Est. 4:1; Sal. 30:11; 35:13; Jon. 3:5, &c.; usado por los profetas, 2 Rey. 1:8; Isa. 20:2; Mat. 3:4; Ap. 11:3; símil de juicios severos, Isa.. 50:3; Ap. 6:12.

SACRIFICIOS (los), habían de ser sin mancha, Lev. 22:19; Deu. 17:1; tipos o símbolos de Cristo, Heb. 9:10. Véase **OFRENDAS,**

SACRILEGIO (profanación de cosa, persona o lugar sagrados), Rom. 2:22.

SADOC, sacerdote, 2 Sam. 8:17; fiel para con David, 2 Sam. 15:24; 20:25; unge de rey a Salomón, 1 Rey. 1:39; le nombran sumo sacerdote, 2 Rey. 2:35; 1 Cr. 16:39.

SADUCEOS, los que tentaron a Cristo fueron censurados, Mat. 16:1; la negación que hacían de la resurrección refutada por Cristo, Mat. 22:23; Mar. 12:18; Luc. 20:27; Hch. 23:8; 1 Cor. 15.

SAETAS, flechas, se empleaban en la batalla, 1 Sam. 20:20, 36; Job 41:28; Sal. 11:2; Isa. 5:28; Jer. 50:9, 14; 51:11; Eze. 39:3, 9; Acab fue muerto con, 1 Rey. 22:34; Joram, muerto con, Ap. 9:24; Jonás dispara por mandato de Eliseo, 2 Rey. 13:16; empleadas en la adivinación, Eze. 21:21; por vía de comparación, Núm. 24:8; Job 6:4; Lam. 3:12, 13; Eze. 5:16; Sal. 45:5; 127:4; Jer. 9:8; Heb. 3:11. Véanse **ARCO, ARMAS,**

SAFAT, padre de Eliseo, Núm. 13:5; 1 Rey. 19:16; 1 Cr. 3:22; 5:12.

SAFIRA, Hch. 5:1-11.

SAJADURA de la carne, prohibida, Lev. 19:28; Deu. 14:1 ejemplo de, 1 Rey. 18:28

SAL, empleada en los sacrificios, Lev. 2:13; Eze. 43:24; Mar. 9:49; para ratificar los pactos, Núm. 18:19; 2 Cr. 13:5; la esposa de Lot se volvió una estatua de, Gén. 19:26; la sal de la tierra, quiénes son, Mat. 5:13; Luc. 14:34. Véase Col. 4:6; ciudad de la, Jos. 15:62; valle de la, 2 Sam. 8:13; 2 Rey. 14:7; mar de, (Salado), Gén. 14:3; Núm. 34:12; Deu. 3:17; Jos. 3:16; 12:3; 15:2.

SALARIO (o paga), de los trabajadores no se había de retener, Lev. 10:13; Deu. 24:15; Stg. 5:4; del pecado es la muerte, Rom. 6:23.

SALATIEL, padre de Zorobabel, de la línea de Cristo, Hag. 1:1; 1 Cr. 3:17; Mat. 1:12.

SALEM (Paz), Gén. 14:18; Sal. 76:2; Heb. 7:1.

SALIM, tierras de muchas aguas, Juan bautiza allí, Jn. 3:23.

SALMANASAR, rey de Asiria, lleva cautivas diez tribus, 2 Rey. 17; 18:9.

SALMÓN, de la genealogía de Cristo, Rut. 4:20, 21; Mat. 1:4-6; Luc. 3:31, 32; monte de, Jue. 9:48; nevado, Sal. 68:14; junto a Creta, Hch. 27:7.

SALMOS, libro de los, Hch. 1:20.
SALMOS DE ORACIONES:
1. en que se implora el perdón del pecado, Sal. 6; 25; 32; 38; 51; 130; 143.
2. bajo el peso de dolor profundo, Sal. 6; 7; 10; 13; 17; 22; 31; 35; 39; 41—43; 54—57; 59; 64; 69—71; 77; 86; 88; 94; 102; 109; 120; 140—143.
3. de la Iglesia perseguida, Sal. 44; 60; 74; 79; 80; 83; 89; 94; 102; 123; 137.
4. con relación al culto público, Sal. 26; 27; 42; 43; 63; 65; 84; 92; 95—100; 112; 118; 122; 132; 144; 145.
5. en que se expresa confianza en Dios, Sal. 3—5; 11; 12; 16; 20; 23; 27; 28; 31; 42; 43; 52; 54; 56; 57; 59; 61—64; 71; 77; 86; 108; 115; 118; 121; 125; 131; 138; 141
6. en que se declara la integridad del Salmista, Sal. 7; 17; 26; 35; 101; 119.

SALMOS DE ACCIONES DE GRACIAS:
1. por las misericordias manifestadas al Salmista, Sal. 9; 18; 30; 32; 34; 40; 61—63; 75; 103; 108; 116; 118; 138; 144.
2. por las misericordias manifestadas a la Iglesia, Sal. 33; 46; 47; 65; 66; 68; 75; 76; 81; 85; 87; 95; 98; 105; 106; 107; 124; 126; 129; 134— 136; 149.

SALMOS DE ALABANZA:
1. en que se declara la bondad y misericordia de Dios, Sal. 3; 4; 9; 16; 18; 30—34; 36; 40; 46; 65—68; 84; 85; 91; 99; 100; 103; 107; 111; 113; 116; 117; 121; 126; 145; 146.
2. en que se declara el poder, majestad y gloria de Dios, Sal. 2; 3; 8; 18; 19; 24; 29; 33; 45—48; 50; 65—68; 76; 77; 89; 91—100; 104—108; 110; 111; 113—118; 135; 136; 139; 145—150.

SALMOS DE INSTRUCCIÓN:
1. en que se ponen de manifiesto las bendiciones del pueblo de Dios y la miseria de sus enemigos, Sal. 1; 3-5; 7; 9-15; 17; 24; 25; 32; 34; 36; 37; 41; 50; 52; 53; 58; 62; 73; 75; 82; 84; 91; 92; 94; 101; 112; 119; 121; 125; 127-129; 133; 149.
2. la excelencia de la ley de Dios, Sal. 19; 119.
3. la vanidad de la vida humana, &c., Sal. 14; 39; 49; 53; 73; 90.

SALMOS PROFÉTICOS Y SIMBÓLI-COS:
Sal. 2; 16; 22; 24; 31; 35; 40; 41; 45; 50; 55; 68; 69; 72; 87; 88; 102; 109; 110; 118; 132.

SALMOS HISTÓRICOS:
Sal. 78; 105; 106; 135; 136.
TÍTULOS DE SALMOS:
Ajelet-sahar, Alamot, Asaf, (no destruyas), De las gradas, Gitit, Higaion, Jedutún, Mahalat, Masquil, Mictam, Mutlaben, Nehilot, Neginot, Selah, Seminit, Sosanim; Sosanim-edut.

SALOME, esposa de Zebedeo, presente en la crucifixión de Cristo, &c., Mar. 15:40; 16:1.

SALOMÓN, el rey, nace, 2 Sam. 12:24; profecía acerca de, 2 Sam. 7:12; 1 Cr. 22:9; Mat. 1:6; proclamado rey, 1 Rey. 1; exhortado por David, 1 Rey. 2; 1 Cr. 28:9; 29; hace sentir el peso de la justicia a Adonías, Joab, etc., 1 Rey. 2:24; elige la sabiduría, 1 Rey. 3:5; 2 Cr. 1:7; su juicio recto, 1 Rey. 3:16; sus oficiales, 1 Rey. 4; su mensaje a Hiram, 1 Rey. 5; 2 Cr. 2; edifica el templo (2 Sam. 7:12; 1 Cr. 17:11); 1 Rey. 6; 7; 2 Cr. 3-5; su oración en la dedicación del templo, 1 Rey. 8; 2 Cr. 6; el pacto de Dios con él, 1 Rey. 9; 2 Cr. 7:12; su gran sabiduría, 1 Rey. 4:29; visitado por la reina de Seba, 1 Rey. 10; 2 Cr. 9; Mat. 6:29; 12:42; su idolatría, 1 Rey. 11:1; Neh. 13:26; es censurado por Dios, 1 Rey. 11:9; sus adversarios, 1 Rey. 11:14; la profecía de Ahías, 1 Rey. 11:31; su muerte, 1 Rey. 11:41; 2 Cr. 9:29. Véase Sal. 72; Pro. 1:1; Cnt.1:1; Ecl. 1.

SALTERIO, especie de arpa, 1 Sam. 10:5; 2 Sam. 6:5; 1 Cr. 13:8; 2 Cr. 5:12, 13; de madera de sándalo, 1 Rey. 10:12; 2 Cr. 9:11; se empleaba en el culto de los ídolos, Dan. 3:5, 7, 10, 15; se empleaba para alabar a Dios, Sal. 32:21; 57:8; 81:2; 150:3; traducido como vihuela, Isa. 5:12; como arpa, 14:11; instrumentos (musicales), Am. 5:23; Am. 6:5.

SALUD (sanidad del cuerpo), una bendición, Gén. 43:28; Deu. 34:7; Sal. 91:6; Flp. 2:27; 3 Jn. 2; en sentido figurado, Sal. 42:11; Pro. 3:8; 12:18; Isa. 58:8; Jer. 8:15: 30:17; 3:6.

SALUTACIONES, antigüedad de las, Gén. 18:2; 19:1; ocasiones en que se empleaban, Gén. 47:1; 1 Sam. 17:22; 30:31; Mat. 10:12; enviadas con un mensajero o por escrito, 1 Sam. 25:5; Rom. 16:21-23.

EXPRESIONES QUE SE USABAN: Paz sea contigo, Jue. 19:20; Paz sea a ti, y paz a tu familia, y paz a todo cuanto tienes, 1 Sam. 25:6; Paz sea a esta casa, Luc. 10:5; Jehová sea con vosotros, Rut. 2:4; Jehová te bendiga, Rut. 2:4; Bendición de Jehová sea sobre vosotros; os bendecimos en el nombre de Jehová, Sal. 129:8; Bendito seas tú de Jehová, 1 Sam. 15:13; Dios tenga misericordia de ti, Gén. 43:29; ¿Tienes paz?, 2 Sam. 20:9; Salve, Mat. 26:49; Luc. 1:28; Mat. 28:9.

IBAN EN MUCHOS CASOS ACOMPA-ÑADAS: del echarse sobre el cuello y el besar, Gén. 33:4; 45:14, 15; Luc. 15:20; del inclinarse hasta la tierra, Gén. 33:3; del postrarse en el suelo, Est. 8:3; Mal. 2:11; Luc. 8:41; del abrazar y besar las pies, Mat. 28:9; Luc. 7:38, 45; del tocar el borde del vestido Mat. 14:38; del besar el polvo, Sal. 72:9; Isa. 49:23.

SALVACIÓN (la): es de Dios, Sal. 3:8; 37:39; Jer. 3:23; es establecida por Dios, 1 Tes. 5:5; Dios tiene voluntad de conceder, 1 Tim. 2:4; es por medio de Cristo, Isa. 63:9; Efe. 5:23; de Cristo solo, Isa. 45:21, 22; 59:16; Hch. 4:12; fue anunciada después de la caída, Gén. 3:15; de Israel, fue predicha, Isa. 35:4; 45:17; Zac. 9:16; Rom. 11:26; de los gentiles, fue predicha, Isa. 45:22; 49:6; 52:10; revelada en el evangelio, Efe. 1:13; 2 Tim. 1:10; vino a los gentiles con la caída de los judíos, Rom. 11:11; **CRISTO es el capitán de, Heb. 2:10;** *es el autor de, Heb. 5:9; fue designado para llevar a cabo, Isa. 49:6; fue alzado para, Luc. 1:69; tiene, Zac. 9:9;* trae consigo, Isa. 62:11; Luc. 19:9; es poderoso para efectuar, Isa. 63:1; Heb. 7:25; vino a llevar a efecto, Mat. 18:11; 1 Tim. 1:15; murió para llevar a efecto, Jn. 3:14, 15; Gál. 1:4; fue ensalzado para dar, Hch. 5:31; por la **SANGRE** de Cristo que fue derramada en la cruz del Calvario, 1 Ped. 1:19 Heb. 9:22; Ap. 7:14, 12:11; Jn. 6:54- 56; Rom. 3:25; no es por medio de las obras, Rom. 11:6; Efe. 5:9; 2 Tim. 1:9; Tit. 3:5; es por la gracia divina, Sal. 6:4; Efe. 2:5, 8, 9; 2 Tim. 1:9; Tit. 2:11; 3:5; es por el amor divino, Rom. 5:8; 1 Jn. 4:9, 10; es por la larga paciencia de Dios, 2 Ped. 3:15; es por medio de la fe en Cristo, Mar. 16:16; Hch. 16:31; Rom. 10:9; Efe. 2:8, 9; 1 Ped. 1:5;

QUIERE DECIR QUE SE NOS LIBRA: del pecado, Mat. 1:21, con 1 Jn. 3:5; de la inmundicia, Eze. 36:29; del demonio, Col. 2:15; Heb. 2:14, 15; de la ira, Rom. 5:9; 1 Tes. 1:10; de este mundo malo, Gál. 1:4; de los enemigos, Luc. 1:71-74; de la muerte eterna, Jn. 3:16-17

el confesar a Cristo es necesario para, Rom. 10:10; Ap. 12:11.

la regeneración es necesaria para, 1 Ped. 3:21.

SE DESCRIBE COMO: grande, Heb. 2:3; gloriosa, 2 Tim. 2:10; común, Jud. 3; de generación en generación, Isa. 51:8; por completo o perpetuamente, Heb. 7:25; eterna, Isa. 45:17; 51:6; Heb. 5:9.

inquirida y buscada por los profetas, 1 Ped. 1:10.

el evangelio es el poder de Dios para, Rom. 1:16; 1 Cor. 1:18.

la predicación de la palabra es el medio establecido para, 1 Cor. 1:21.

las Escrituras pueden hacernos sabios para, 2 Tim. 3:15; Stg. 1:21.

ahora es el día de, Isa. 49:8; 2 Cor. 6:2.

del pecado, debe obrarse con temor y temblor, Flp. 2:12.

SALVADOR, Dios solo, Isa. 43:3, 11; Jer. 14:8; Ose. 13:4; Luc. 1:47. Véase **PRESERVADOR.**

Jesús es el Salvador, Luc. 2:11; Jn. 4:42; Hch. 5:31; 13:23; Efe. 5:23; 2 Ped. 1:1; 3:2; 1 Jn. 4:14, Jud. 25. Véase **JESUCRISTO.**

SAMARIA, capital de Samaria, edificada por Omri, 1 Rey, 16:24; 2 Rey. 1:3; residencia de los reyes de Israel, 1 Rey. 16:28; 2 Rey. 1:3; 3:1, 6; 13:13; sitiada por los Sirios, 1 Rey. 20:1; 2 Rey. 6:24; librada milagrosamente, 2 Rey. 6:25; 7; tomada por Salmanasar, 2 Rey. 17:5; 18:9; vuelta a poblar con gente de Asiria, 2 Rey. 17:24; visitada por Cristo, Luc. 17:11; Jn. 4; el evangelio es predicado en, Hch. 8. Véase

Isa. 7:9; 8:4; Jer. 23:13; Eze. 16; 23; Am. 4, &c.; Miq. 1, &c.

SAMARITANOS (los), se oponen a la reedificación de Jerusalén, Esd. 4:1; Neh. 4; la plática de Cristo con una samaritana, Jn. 4; parábola del buen samaritano, Luc. 10:33; Cristo fue llamado samaritano, Jn. 8:48;

SAMGAR, libra y juzga a Israel, Jue. 3:31; 5:6.

SANSÓN, se predice su nacimiento, Jue. 13; su matrimonio, Jue. 14; la ramera Dalila le destruye; Jue. 16; su venganza y muerte, Jue. 16:30.

SAMUEL, nace, 1 Sam. 1:19; dedicado al Señor, 1 Sam. 1:26; el castigo de Elí es revelado a, 1 Sam. 3:11; libra y juzga a Israel, 1 Sam. 7; unge por rey a Saúl, 1 Sam. 10:1; exhorta al pueblo y al rey, 1 Sam. 12; censura a Saúl por su desobediencia, 1 Sam. 13:13; 15:13; unge a David, 1 Sam. 16; 19:18; su muerte, 1 Sam. 25:1; 28:3; se aparece a Saúl, 1 Sam. 28:12. Véase 1 Cr. 9:22; 26:28; Sal. 99:6; Jer. 15:1; Hch. 3:24; 13:20; Heb. 11:32.

SANBALAT, se opone a Nehemías, Neh. 2:10; 4; 6:2; 13:28.

SANDALIAS, Mar. 6:9; Hch. 12:8.

SANEDRÍN, o concilio, el consejo supremo de los judíos, Núm. 11:16; Mat. 16:21; 26:3, 57; bajo el dominio romano no se le permitía imponer pena de muerte, Jn. 18:31; persiguió a Cristo, Mat. 26:59; Mar. 14:55; 15:1; Luc.22:66; Jn. 11:47; y a los apóstoles, Hch. 4:1-22; 7:54-60; 22:30; 24:20.

SANGRE, prohibido comer, Gén. 9:4; Hch. 15:20, 29; Lev. 6:30, 7:26, 27; 19:26; Deu. 12:16; Eze. 33:25; derramar sangre del hombre prohibido, Gén. 9:5, 6; Deu. 21:1-9; Sal. 106:38; Pro. 6:16, 17; Isa. 59; 3; Jer. 22:17; Eze. 22:4; Mat. 27:6

——, **de CRISTO:** 1 Cor. 10:16; Efe. 2:33; Heb. 9:14; 10:29; 13:20; 1 Ped. 1:19; 1 Jn. 1:7; salvación por, Heb. 9:12, 22; 13:12; Ap. 1:5; en la Santa Cena, Mt. 26:28; Mar. 14:24; Luc. 22:20; 1 Cor. 11:25; redención por, Efe. 1:7; Col. 1:20; Heb. 9:14, Heb. 10:19, 12:24; 1 Ped. 1:2; 1 Jn. 1:7; Ap. 1:5; 5:9; 12:11; castigo por menospreciar la Sangre de Jesús, Heb. 10:28-31; Jn. 3:36.

conquista a Satanás, Ap. 12:11.

SANIDAD DIVINA: provisto por Cristo a todos, Cristo sano toda enfermedad y toda dolencia, Mt. 10:1; Hch. 5:16; por medio de sus llagas, Isa. 53:5, 6; Sal. 103:1-3; Isa. 58:8; 1 Ped. 2:24; Mar. 16:5, 6; condiciones a cumplir para obtener la salud, Éxo.15:26, 23:25; Deu. 7:12-15; Pro.4:22; Stg. 5:14-16.

SANTIAGO (lo mismo que Jacobo o Jaime), hermano de Juan, su llamamiento, Mat. 4:21; Mar. 1:19; Luc. 5:10; **presente en la Transfiguración de Cristo, Mat. 17:1; Mar. 9:2; Luc. 9:28;** a la muerte de Cristo, Mat. 26:36; Mar. 14:33; reconvenido por su ambición, Mat. 20:20; Mar. 10:35; y por querer perseguir, Luc. 9:54; muerto por mandato de Herodes, Hch. 12:2. Véase Mar. 5:37; 13:3; Hch. 1:13.

——, hijo de Alfeo, pariente de nuestro Señor, Mat. 10:3; Mar. 3:18; 6:3; Luc. 6:15; Hch. 1:13; 12:17; su dictamen con respecto a la circuncisión, &c., Hch. 15:13. Véase Hch. 21:18; 1 Cor. 15:7; Gál. 1:19; 2:9; exhorta a los judíos creyentes a ejercer paciencia, Stg. 1; 5:7; caridad, Stg. 2; a dominar la lengua, Stg. 3; y a guardarse de la codicia, el orgullo y otras malas pasiones, Stg. 4:5.

SANTIDAD (la): prescrita, Lev. 11:45; 20:7; **CRISTO desea, para su pueblo, Jn. 17:17;** efectúa, en su pueblo, Efe. 5:25-27; un ejemplo de, Heb. 7:26; 1 Ped. 2:21, 22; **el carácter de Dios es la norma de,** Lev. 19:2 con 1 Ped. 1:15, 16; *de Cristo, Rom. 8:29; Jn. 2:6;* el evangelio es el camino de, Isa. 35:8; necesaria para el culto de Dios, Sal. 24:3, 4; nadie verá a Dios sin, Heb. 12:14.

LOS SANTOS: son llamados a, 1 Tes. 4:7; 2 Tim. 1:9; son creados de nuevo en, Efe. 4:24; poseen, 1 Cor. 3:17; Heb. 3:1; tienen por fruto, Rom. 6:22; **deben seguir, Heb. 12:14;** *servir a Dios en, Luc. 1:74, 75;* presentar sus miembros como instrumentos de, Rom. 6:13, 19; presentar sus cuerpos a Dios en, Rom. 12:1; todo su proceder debe ser en, 1 Ped. 1:15; 2 Ped. 3:11; deben continuar en, Luc. 1:75; buscar perfección en, 2 Cor. 7:1; serán presentados a Dios en, Col. 1:22; 1 Tes. 3:13;

las ancianas deben continuar en, Tit. 2:3.

prometida a las mujeres que continúan en, 1 Tim. 2:15.

a la Iglesia, Isa. 35:8; Abd. 17; Zac. 14:20,

es hermosa en la Iglesia, Sal. 93:5.

la iglesia es la hermosura de, 1 Cr. 16:29.

la palabra de Dios es el medio de producir, Jn. 17:17; 2 Tim. 3:16, 17.

ES EL RESULTADO DE: la manifestación de la gracia de Dios, Tit. 2:3, 11, 12; la sujeción a la voluntad divina, Rom. 6:22; la unión con Cristo, Jn. 15:4, 5.

se requiere en la oración, 1 Tim. 2:8.

LOS MINISTROS DEBEN: poseerla, Tit. 1:8; evitar todo lo que sea incompatible con, Lev. 21:6; Isa. 52:11; ser ejemplos de, 1 Tim. 4:12; exhortar a, Heb. 12:14; 1 Ped. 1:14-16.

SANTIDAD (la) de Dios: es incomparable, Éxo. 15:11; 1 Sam. 2:2; es prenda del cumplimiento de sus promesas, Sal. 89:35, y de sus juicios, Am. 4:2; se manda a los santos que imiten, Lev. 11:44, con 1 Ped. 1:15, 16; los santos deben alabar, Sal. 30:4; debe producir un temor reverente, Ap. 15:4; exige un servicio santo, Jos. 24:19; Sal. 93:5; las huestes celestiales adoran, Isa. 6:3; Ap. 4:8;

SANTIFICACIÓN (la): es la separación para el servicio de Dios, Sal. 4:3; 2 Cor. 6:17; en Cristo, 1 Cor. 1:2; por medio de la expiación de Cristo, Heb. 10:10; 13:12; por medio de la palabra de Dios, Jn. 17:17, 19; Efe. 5:26; Cristo es hecho, de Dios, para nosotros, 1 Cor. 1:30; los santos son elegidos a la salvación por medio de, 2 Tes. 2:13; 1 Ped. 1:2; todos los santos están en un estado de, Hch. 20:32; 26:18; 1 Cor. 6:11; se hace gloriosa la iglesia por, Efe. 5:26, 27; debe conducir a la mortificación del pecado, 1 Tes. 4:3, 4; a la santidad de vida, Rom. 6:22; Efe. 5:7-9; la ofrenda de los santos es acepta por, Rom. 15:16; se hace idóneos a los santos para el servicio de Dios por medio de, 2 Tim. 2:21; Dios quiere que los santos tengan, 1 Tes. 4:3.

EFECTUADA: por Dios, Eze. 37:28; 1 Tes. 5:23; Jud. 1; por Cristo, Heb. 2:11; 13:12; por el Espíritu Santo, Rom. 15:16; 1 Cor. 6:11.

LOS MINISTROS: deben pedir a Dios que sus feligreses gocen de completa. 1 Tes. 5:23; son separados para el servicio de Dios por, Jer. 1:5; deben exhortar a sus feligreses a que caminen en, 1 Tes. 4:1, 3; nadie puede heredar el reino de Dios sin, 1 Cor. 6:9-11.

simbolizada, Gén. 2:3; Éxo. 13:2; 19:14; 40:9-15; Lev. 27:14-16.

—— del Sábado, Gén. 2:3; del primogénito, Éxo. 13:2; del pueblo, Éxo. 19:10; Núm. 11:18; Jos. 3:5; del tabernáculo, &c., Éxo. 29; 30; Lev. 8:10; de los sacerdotes, Lev. 8:30; 9; 2 Cr. 5:11.

SANTOS, o FIELES, COMPARADOS CON: el sol, Jue. 5:31; Mat. 13:43; las estrellas, Dan. 12:3; las luces, Mat. 5:14; Flp. 2:15; el monte Sión, Sal. 125:1, 2; el Líbano, Óse. 14:5-7; un tesoro, Éxo. 19:5; Sal. 135:4; joyas, Mal. 3:17; el oro, Job 23:10; Lam. 4:2; vasos de oro y de plata, 2 Tim. 2:20; las piedras de una corona, Zac. 9:16; piedras vivas, 1 Ped. 2:5; los niños, Mat. 11:25; 18:3; 1 Cor. 14:20; 1 Ped. 2:2; los niños obedientes, 1 Ped. 1:14; los miembros del cuerpo, 1 Cor. 12:20, 27; soldados, 2 Tim. 2:3, 4; los atletas en las carreras, 1 Cor. 9:24; Heb. 12:1; los lidiadores, 2 Tim. 2:5; los criados buenos, Mat. 25:21; forasteros y peregrinos, 1 Ped. 2:11; las ovejas, Sal. 78:52; Mat. 25:33; Jn. 10; los corderos, Isa. 40:11; Jn. 21:15; becerros de cebadero, Mal. 4:2; los leones, Pro. 28:1; Miq. 5:8; las águilas, Sal. 103:5; Isa. 40:31; las palomas, Sal. 68:13; Isa. 60:8; ciervos sedientos, Sal. 42:1; buenos pescados, Mat. 13:48; el rocío y la lluvia, Miq. 5:7; huerta de riego, Isa. 58:11; manantiales perennes, Isa. 58:11; vides, Cnt. 6:11; Ose. 14:7; los sarmientos de la vid, Jn. 15:2, 4, 5; las granadas, Cnt. 4:13; buenos higos, Jer. 24:2-7; los lirios, Cnt. 2:2; Ose. 14:5; sauces en las riberas de las aguas, Isa. 44:4; árboles plantados junto a las aguas, Sal. 1:3; los cedros del Líbano, Sal. 92:12; la palma, Sal. 92:12; los olivos verdes, Sal. 52:8; Ose. 14; árboles fructíferos, Sal. 1:3; Jer. 17:8; el trigo, Ose. 14:7; Mat. 3:12; 13:29, 30; la sal, Mat. 5:13.

SANTUARIO, o lugar santo, leyes con respecto al sacerdote que entra al, Éxo. 28:29; Lev. 6:16; 16:2; 2 Cr. 29:5; Eze. 41:4.

Véase Heb. 9:12, 24; quiénes pueden entrar en el de Dios, Sal. 24:3; 46:4; 68:17, 35; Dios es el santuario de su pueblo, Isa. 8:14; Eze. 11:6. Véase Sal. 20:2; 63:2; 68:24; 73:17; 77:13; 78:54; 96:6; 134; 150; Heb. 8; 9.

SARA (Sarai), es negada por Abraham, Gén. 12:14; 20:2; despide a Agar, Gén. 16:5; Dios la bendice y le cambia el nombre, Gén. 17:15; su regocijo con motivo del nacimiento de Isaac, Gén. 21:6; hace despedir a Agar, Gén. 21:9; su muerte y su entierro, Gén. 23. Véase Isa. 51:2; Gál. 4:22; Heb. 11:11; 1 Ped. 3:6.

SATANÁS. Véase **DIABLO.**

SAÚL, su padre le manda ir a buscar unos asnos, 1 Sam. 9:1; Samuel le hospeda, 1 Sam. 9:19; es ungido, 1 Sam. 10:1; Hch. 13:21; profetiza, 1 Sam. 19:9 (19:24); reconocido como rey, 1 Sam. 10:24; libra a los de Jabes de Galaad, 1 Sam. 11; su desobediencia, 1 Sam. 13:9; 15; sus órdenes temerarias, 1 Sam. 14:24, 38; subyuga a los enemigos de Israel, 1 Sam. 14:31, 47; es rechazado por el Señor, 1 Sam. 15; es turbado por un espíritu maligno, 1 Sam. 16:14; es desalentado por Goliat, 1 Sam. 17:11; al principio honra a David, 1 Sam. 18; más tarde le persigue, 1 Sam. 18:10; 19; 20; 23; 24; 26; mata a los sacerdotes en Nob, 1 Sam. 22:9; va a ver a la bruja de Endor, 1 Sam. 28:7; su ruina es predicha, 1 Sam. 28:15; su muerte, 1 Sam. 31; 1 Cr. 10; el lamento de David por, 2 Sam. 1:17; sus descendientes, 1 Cr. 8:33.

SAULO, Hch. 7:58, Véase **PABLO.**

SELLO, de las doce tribus, Ap. 7; huella dactilar de todo hombre Job 37:7

en sentido figurado, circuncisión, Rom. 4:11.

——, **del ESPÍRITU SANTO:** Cristo recibió, Jn. 6:27; los santos reciben, 2 Cor. 1:22; Efe. 1:13; es para el día de la redención, Efe. 4:30; los malos no reciben, Ap. 9:4; el Juicio se suspenderá hasta que todos los santos reciban, Ap. 7:3.

simbolizado, Rom. 4:11.

SELLOS, se usaban, Gén. 38:18; Éxo. 28:11; 1 Rey. 21:8; Job 38:14; Cnt. 8:6; Jer. 32:10; Mat. 27:66; referencia a las inscripciones de, 2 Tim. 2:19. la visión de Daniel fue sellada, Dan. 12:4; el libro sellado en el cielo, Ap. 5:6; los siete truenos son sellados, Ap. 10:4.

SEM, bendecido, Gén. 9:26; sus descendientes, Gén. 10:21; 11:10; 1 Cr. 1:17.

SEMBRADOR, parábola del, Mat. 13:3; Mar. 4:3; Luc. 8:5; cosecha lo que siembra, Gál. 6:7; escasamente o con abundancia, conforme haya sembrado, 2 Cor. 9:6; cosechara con gozo, Sal. 126:5, 6; debe trabajar siempre, confiando en Dios, Ecl. 11:6.

SENAQUERIB, invade a Judea, 2 Rey. 18:13; su carta blasfematoria, 2 Rey. 19:9; su ejército es destruido, 2 Rey. 19:35; sus hijos le dan muerte, 2 Rey. 19:37. Véase 2 Cr. 32; Isa. 36; 37.

SERMÓN en el monte, Mat. 5-7: Luc. 6:20.

SERPIENTE, creada por Dios, Job 26:13; astuta y torcida. Gén. 3:1; Isa. 27:1; Mat. 10:16; habiendo engañado a Eva, es maldita, Gén. 3:14; 2 Cor 11:3 (Rey. 12:9); la vara de Moisés se convierte en, Éxo. 4:3; 7:9, 15; de bronce, Núm. 21:8 (Jn. 3:14). por qué fue quebrada, 2 Rey. 18:4; poder sobre, concedido a los discípulos, Mar. 16:18; Luc. 10:19; por vía de comparación, Sal. 140:3; Pro. 23:31, 32; Isa. 14:29; Jer. 8:17; Mat. 23:33; Ap. 20:2.

SERPIENTES ARDIENTES, plaga de, Núm. 21:6 (Deu. 8:15); el medio para librarse de, Núm. 21:8; símbolo de Cristo, Jn. 3:14.

SICÓMORO,S, Luc. 17:6; 19:4. 1 Re. 10:27, 1Cr. 27:28, 2 Cr. 1:15, 2 Cr. 9:27, Is. 9:10.

SIEGA (la), leyes con relación a, Lev. 19:9; 23:10, 22; 25:5, 11; Deu. 23:25.

SIERVA, ley con respecto a la, Lev. 19:20; 25:44; una, despedida, Gén. 21:10; Gál. 4:23.

SIERVAS. Véase **CRIADAS**.

SIERVOS, leyes para los, Lev. 25:39; Deu. 15:12.

DEBERES DE, PARA CON LOS AMOS: orar por ellos, Gén. 24:12; honrarlos, Mal. 1:6; 1 Tim. 6:1; respetarlos mas cuando son creyentes, 1 Tim. 6:2; estar sujetos a ellos, 1 Ped. 2:18; obedecerle, Efe. 6:5; Tit. 2:9; acatarlos, Sal. 123:1; agradarlos en todo, Tit. 2:9; tomar parte en su dolor, 2 Sam. 12:18; preferir los asuntos de ellos a su alimento necesario, Gén. 24:33; bendecir a Dios por las misericordias que les haya hecho a ellos, Gén. 24:27, 28; serles fieles, Luc. 16:10-12; 1 Cor. 42; Tit. 2:10; serles de provecho, Luc. 19:15, 16, 18; Flm. 11; afanarse por su bienestar, 1 Sam. 25:14-17; 2 Rey. 5:2, 3; tomar vivo interés en el cumplimiento de sus negocios, Gén. 25:54-56; ser prudentes en el manejo de sus negocios, Gén. Gén. 24:34-49; ser diligentes cuando trabajan para provecho de ellos, Neh. 4:16, 23; ser bondadosos y atentos para con los huéspedes de ellos, Gén. 43:23, 24; ser obedientes aun para con los altaneros, Gén. 16:6, 9; 1 Ped. 2:18; no contestarles con brusquedad, Tit. 2:9; no sirviéndoles al ojo, como los que agradan a los hombres, Efe. 6:6; Col. 3:22; no defraudarles, Tit. 2:10; deben ser contentos 1 Cor. 7:20, 21; compasivos, Mat. 18:33

SILAS, compañero de Pablo en la persecución, Hch. 15:22; 16:9; 17:4. Véase 2 Cor. 1:19; 1 Tes. 1:1; 1 Ped. 5:12.

SILOÉ, estanque de, Jn. 9:7.

SIMÓN (pariente de Jesús) Mat. 13:55 Mar. 6:3

——, (el cananita, Zelotes), apóstol, Mat. 10:4; Mar. 3:18; Luc. 6:15.

——, (un fariseo), censurado, Luc. 7:36.

——, (un leproso), Cristo es ungido en su casa, Mat. 26:7; Mar. 14:3.

——, (de Cirene), lleva la cruz de Jesús, Mat. 27:32; Mar. 15:21; Luc. 23:26.

——, (un curtidor), la visión de Pedro en su casa, Hech. (9:43) 10:6.

——, (un mágico) es bautizado, Hech. 8:9.

censurado por Pedro, Hch. 8:18.

——, PEDRO. Véase **PEDRO**.

SINAÍ, monte, Deu. 33:2; Jue. 5:5; Sal. 68:8, 17. Véase **HOREB, SINAR**.

SINAR, monte, Gén. 10:10; 11:2; Dan. 1:2.

SIÓN, monte, tomado por David y llamado ciudad de él, 2 Sam. 5:7; 1 Rey. 8:1; este se usa en sentido simbólico en muchos pasajes de Salmos, Isaías, Jeremías, Lamentaciones, Ezequiel, &c., y en Rom. 11:26; Heb. 12:22; Ap. 14:1.

SIRIOS (los), Gén. 25:20; Deu. 26:5; sometidos por David, 2 Sam. 8; 10; tributarios de Salomón, 1 Rey. 10:29; se rebelan, 1 Rey. 11:25; sitian a Samaria y son derrotados, 1 Rey. 20; Acab es muerto por, 1 Rey. 22:34; 2 Cr. 18: 33; vuelven a sitiar a Samaria, 2 Rey. 6:24; su fuga repentina, 2 Rey. 7. Véase 2 Rey. 8:13; 13:7 10:6.

SIROFENISA (la), su fe, Mar. 7:25; su hija es curada, Mar. 7:30.

SODOMA, maldad de sus habitantes, Gén. 13:13; 18:20; 19:4; Deu. 23:17; 1 Rey. 14:24, &c.; su cautividad, y luego su emancipación a manos de Abraham, Gén. 14; el juicio de Dios sobre, y la intercesión de Abraham por, Gén. 18:17; el rescate de Lot de, Gén. 19; la destrucción terrible de, Gén. 19:24.

ejemplo de la ira de Dios, Deu. 29:23; 33:32; Isa. 1:9; 13:19; Lam. 4:6, &c.; Mat. 10:15; Luc. 17:29; Jud. 7; Ap. 11:8.

SOFAR, censura a Job (Job 2:11); 11; manifiesta cual es el estado y la herencia de los malos, Job 20; censurado, Job 42:7.

SOFONÍAS, sacerdote, carta a, Jer. 29:25; enviado ante Jeremías, Jer. 37:3.

——, profeta, predijo el juicio de Dios que había de descender sobre Judit, Sof. 1; 3; sobre los filisteos, Moab, Amón, Etiopía, y Asiria, Sof. 2; y la restauración de Jerusalén, Sof. 3:9.

SOL (el), creado, Gén. 1:14; Sal 19:4; 74:16; 136:8; 1 Cor. 15:41; el culto de prohibido, Deu. 4:19; Job 31:26; Eze. 8:16; se para milagrosamente, Jos. 10:12; la sombra de, retrocede a petición de Ezequías, 2 Rey. 20:9; se oscureció a la hora de la muerte de Cristo, Luc. 23:44.

——, de justicia, Mal. 4:2.

en sentido figurado, Jue. 5:31; Sal. 84:11; Isa. 60:20; Cnt. 6:10; Dan. 12:3; Jl. 2:31; Am. 8:9; Mat. 17:2; Ap. 1:16; 10:1.

SOLDADOS, enganches de, Núm. 31:4; Jue. 20:10; algunas veces eran mercenarios, Jue. 9:4; 2 Sam. 10:6; 1 Cr. 19:7, 8; 2 Cr. 25:6; hombres de veinte años de edad habían de servir de, Núm. 1:3; 20:2; exenciones, Deu. 20:5-9; 24:5; disciplina, Mat. 8:9; 2 Tim. 2:3, 4; instruidos por Juan el Bautista, Luc. 3:14; su conducta hacia Cristo, Jn. 19; sobornado por los sacerdotes, Mat. 28:12; un soldado devoto, Hch. 10:7; hacen guardia a los prisioneros, Hch. 12:4-19; libran a Pablo, Hch. 21:32; 27:31.

SOLTEROS, la exhortación de Pablo a los, 1 Cor. 7:8, 11, 32.

SOMBRA, símil de protección, Sal. 17:8;

36:7; 63:7; de lo transitorio, 1 Cr. 29:15; Job 8:9; tipo o símbolo, la ley levítica, Heb 8:5; 10:1

SORDOS, maldición contra los, Lev. 19:14; curados por Cristo, Mar. 7:32; 9:25. Véase Éxo. 4:11; Isa. 29:18; 42:18.

SORTIJAS, usadas en la nariz, Isa. 3:21; empleadas en la construcción del tabernáculo. Véase **ANILLO.**

SUEÑOS, vanidad de los, Job 20:8; Sal. 73:20; Ecl. 5:3; Isa. 29:8; Jer. 23:28; 27:9; Zac. 10:2; Judas 8.

ENVIADOS POR DIOS A: Abimelec, Gén. 20:3; Jacob, Gén. 28:12; 31:10; Labán, Gén. 31:24; José, Gén. 37:5; los criados de Faraón, Gén. 40:5; Faraón, Gén. 41; el madianita, Jue. 7:13; Salomón, 1 Rey. 3:5; Nabucodonosor, Dan. 2:4; Daniel, Dan. 7; José, Mat. 1:20; 2:12; la esposa de Pilato, Mat. 27:19.

SUERTE (la), o azar, Dios mandó que se usara de, en algunos casos, Lev. 16:8; Pro. 16:33.

Canaán fue dividido a, Núm. 26:55; Jos. 15. Saúl elegido rey a, 1 Sam. 10:17, la vestidura de Cristo fue dividida a, Mat. 27:35; Mar. 15:24 (Sal. 22:18); Matías elegido apóstol a, Hch. 1:28.

SUMISIÓN a Dios prescrito, Lev. 26:41; Stg. 4:7; a los magistrados, etc., Efe. 5:21; Heb. 13:17; 1 Ped. 2:13; 5:5. Véase **MARIDOS, ESPOSAS, PADRES, HIJOS, AMOS, SIERVOS.**

SUPERSTICIÓN (la), censurada, Ecl. 11:4; Jer. 10:2; Gál. 4:10.

ejemplos de: Miqueas, Jue. 17:13; los israelitas, 1 Sam. 4:3; los filisteos, 1 Sam. 5:5; los sirios, 1 Rey. 20:23. los judíos, Jer. 44:18; unos marineros, Jon. 1:7; los discípulos, Mat. 14:26; Jn. 9:2; los fariseos, Mar. 7:2-5, 8, 9. los efesios, Hch, 19:18 19.

SUSÁN, ciudad y palacio de Artajerjes, Neh. 1:1; Est. 2:8; 3:15.

T

TABERA (quemazón), Núm. 11:1-3; Deu. 9:22.

TABERNÁCULO, direcciones para hacerlo, Éxo. 25—27; su construcción, Éxo. 36—38; su colocación, Éxo. 40; Núm. 10:11, 12; cubierto con la nube, Éxo. 40:34; Núm. 9:15; ungido por Moisés, Lev. 8:10; Núm. 7:1; modo de trasladarlo, Núm. 1:50; 9:18; a cargo de los levitas, Núm. 1:53; 3; 4; 18:2; 1 Cr. 6:48; puesto en Silo, Jos. 18:1; apego a, Sal. 27; 42 43; 84; 132; símbolo de Cristo, Heb. 8:2; 9:2; el cuerpo humano comparado a un, 2 Cor. 5:1; 2 Ped. 1:13.

TABERNÁCULO del testimonio, Núm. 17:7; 18:2; 2 Cr. 24:6; Hch. 7:44.

——, en el cielo, Ap. 15:5.

——, o pabellón, 2 Sam. 22:12; refugio, Sal. 27:5; 31:20.

TABERNÁCULOS, fiesta de los, Lev. 23:34; Núm. 29:12; Deu. 16:13; 2 Cr. 8:13; su observancia, Esd. 3:4; Zac. 14:16; Jn. 7:2. Véase **CABAÑAS.**

TABLA, usada para escribir, Isa. 30:8; Hab. 2:2; Luc. 1:63; en sentido figurado, Pro. 3:3; Jer. 17:1; 2 Cor. 3:3.

TABLAS, de piedra que contenían la ley, escrita por Dios, Éxo. 24:12; 31:18; rotas por Moisés en vista de la idolatría del pueblo, Éxo. 32:19; Deu. 9:15; reemplazadas, Éxo. 34; Deu. 10.

TABLAS, del tabernáculo, su construcción, Éxo. 26:15; 36:20.

TABOR, monte, los cananeos derrotados allí, Jue. 4:14. Véase Jue. 8:18; 1 Sam. 10:3; Sal. 89:12; Jer. 46:18; Ose. 5:1.

TADEO. Véase **JUDAS.**

TADMOR, ciudad fundada por Salomón, 1 Rey. 9:18.

TAHPENES, Jer. 2:16; 43:7-11; 46:14; Eze. 30:13.

——, esposa de Faraón, 1 Rey. 11:19, 20.

TALABARTE. Véase **ARMADURA.**

TALEGA. Véase **BOLSA.**

TALENTO, de oro, Éxo. 25:39; de plata, 1 Rey. 20:39; de plomo, Zac. 5:7.

TALENTOS, parábola de los, Mat. 25:14; Luc. 19:12.

TALMAI, rey de Gesur, hijo de Anac, Absalón huye a, Núm. 13:22; Jos. 15:14; Jue. 1:10; 2 Sam. 3:3; 13:37; 1 Cr. 3:2.

TAMAR, Gén. 38; 1 Cr. 2:4.

——, hija de David, 2 Sam. 13;1 Cr. 3:9.

TAMBORÍN, instrumento de música, Gén. 31:27; 1 Sam.18:6; Isa. 5:12..

TIMNA, Gén. 38:12-14; Jos. 15:10; Jue. 14; 2 Cr. 23:18.

TIMNAT-SERA, Jos. 19:50; 24:30; Jue. 2:9.

TAMO. Véase **PAJA.**

TAMUZ, llanto por, Eze. 8:14

TAANAC, Jos. 12:21; 21:25; Jer. 5:19; 1 Rey. 4:12.

TAÑEDORES, Mat. 9:23; Ap. 18:22.

TAPICEROS, Pro. 7:16; 31:22.

TAPÚA, Jos. 12:17; 16:8; 17:8.

TIRHACA, rey de Etiopía, la guerra de Senaquerib con, 2 Rey. 19:9.

TARDE (la) el día empieza con, Gén. 1:5; dividida en dos partes, la una empezaba a las tres y la otra a la caída del sol, Éxo. 12:6; Núm. 9:3.

hora de la meditación y plegaria, Gén. 24:63; Sal. 55:17; Mat. 14:15-23; de hacer ejercicio, 2 Sam. 11:2; de tomar alimento, Mar. 14:17, 18; Luc. 24:29, 30.

TARÉ, padre de Abraham, Gén. 11:24-32; adoraba ídolos, Jos. 24:2, 14.

TERÉS, y Bigtán, descubiertos por Mardoqueo, Est. 6:2.

TARSIS (Gén. 10:4), relaciones de los judíos con, 1 Rey. 10:22; 2 Cr. 9:21; 20:36; Jer. 10:9; Eze. 27:12; 38:13; Jonás huye a, Jon. 1:3; las profecías acerca de, Sal. 48:7; 72:10; Isa. 2:16; 23; 60:9; 66:19.

TARSO, la patria de Pablo, Hch. 9:11; 11:25; 21:39.

TARTAC, un ídolo, 2 Rey. 17:31.

TARTÁN, un general asirio, 2 Rey. 18:17; Isa. 20:1.

TATNAI y Setar-boznai, se oponen a la construcción del templo, Esd. 5:3; su carta a Darío, Esd. 5:6; se les obliga a ayudar a los judíos, Esd. 6:6, 13.

TAZÓN, Jue. 5:25; usado en el tabernáculo, Éxo. 25:29; Núm. 4:7. Véase **PLATO.**

TEATRO en Éfeso, el peligro de Pablo allí, Hch. 19:29.

TEBES, Jue. 9:50-56; 2 Sam. 11:21.

TEBET, el décimo mes (Enero), Est. 2:16; Eze. 29:1.

TIBNI, conspira, 1 Rey. 16:21.

TECOA, una cuerda viuda de, intercede por Absalón, 2 Sam. 14 (Jer. 6:1). Véase 1 Cr. 2:24; 4:5.

TIGLAT-PILESER (1 Cr. 5:6, 26), rey de los asirios, molesta a los judíos, 2 Rey. 15:29; 16:7; 2 Cr. 28:20.

TEJEDOR, mencionado, Éxo. 35:35; en sentido figurado, Job 7:8; Isa. 38:12.

TEJÓN, PIELES DE, empleadas en el tabernáculo, Éxo. 25:5; 26:14, &c.; zapatos hechos de, Eze. 16:10.

TELABIB, Eze. 3:15.

TELARAÑA, Job 8:14; Isa. 59:5.

TELEM, Jos. 15:24; 1 Sam. 15:4.

TEMA, Gén. 25:15; Job 6:19; Isa. 21:14; Jer. 25:23.

TEMÁN, Gén. 36:11; profecías acerca de, Jer. 49:7, 20; Eze. 25:13; Am. 1:12; Abd.9; Hab. 3:3.

TEMBLORES: las islas y las comarcas montañosas están sujetas a, Sal. 114:4-6; Ap. 6:14; 16:18-20.

    ACOMPAÑADOS DE: erupciones volcánicas, Sal. 104:32; Nah. 1:5; el retroceso del mar, 2 Sam. 22:8, 16; Sal. 18:7, 15; 46:3; abertura de la tierra, Núm. 16:31, 32; el derribo de las montañas, Sal. 46:2; Zac. 14:4; el hender las rocas, Mat. 27:51; el sacudimiento de los edificios, Hch. 16:26.

    SUCEDIDOS: en el monte Sinaí, Éxo. 19:18; en el desierto, Núm. 16:31, 32; en las fortalezas de los filisteos, 1 Sam. 14:15; cuando Elías huía de Jezabel, 1 Rey. 19:11; en el reinado de Uzías, Am. 1:1; Zac. 14:5; a la muerte de nuestro Señor, Mat. 7:51; en su resurrección, Mat. 28:2; en Filipos, Hch. 16:26; predichos que habían de acaecer antes de la destrucción de Jerusalén, Mat. 24:7; Luc. 21:11; a la segunda venida de Cristo, Zac. 14:4.

    sirven de ejemplo de los juicios de Dios, Isa. 24:19, 20; 29:6; Jer. 4:24; Ap. 8:5; del derrocamiento de los reinos, Hag. 2:6, 22; Ap. 6:12, 13; 16:18, 19.

TEMOR, santo: la divinidad es el objeto de, Isa. 8:13; Dios es el autor de, Jer. 32:39, 40; el examen de las Escrituras nos pone en capacidad de entender, Pro. 2:3-5.

    SE DESCRIBE COMO: odio al mal, Pro. 8:13; sabiduría, .Job 28:28; Sal. 111:10; un tesoro para los santos, Pro. 15:16; Isa. 33:6; una fuente de vida, Pro. 14:27; santificador, Sal. 19:9; filial y reverente, Heb. 12:9, 28; prescrito, Deu. 13:4; Sal. 22:23; Ecl. 12:13; 1 Ped. 2:17.

    LOS QUE LO TIENEN: agradan a Dios, Sal. 147:11; son compadecidos por Dios,

Sal. 103:13; son aceptados por Él, Hch. 10:35; reciben la misericordia de Dios, Sal. 103:11, 17; Luc. 1:50; son bendecidos, Sal. 112:1; 115:13; confían en Dios, Sal. 115:11; Pro. 14:26; se apartan del mal, Pro. 16:6; conversan de las cosas santas, Mal. 3:16; no deben temer al hombre, Isa. 18:12, 13; Mat. 10:28; los deseos de, se cumplen, Sal. 145:19;

TEMPESTADES, notables, Gén. 19:24; Éxo. 9:23; Jos. 10:11; Hch. 27:18, 20.

TEMPLANZA, exhortaciones a la práctica de la, Pro. 23:1; 1 Cor. 9:25; Gál. 5:23; Efe. 5:18: - 2 Tim 1:7 Tit.1:8: 2:2: 2 Ped.1:6.

TEMPLO (el), edificado por Salomón, 1 Rey. 6; 2 Cr. 3:4; el segundo templo, Esd. 3-8; descrito por Ezequiel, Eze. 40-48; en sentido figurado, Sal. 11:4; 18:6; Jn. 2:19, 21; 1 Cor. 3:16, 17; Efe. 2:21.

    simbólico, Ap. 11; 14:15, 17; 15:5-8; 16:1-17.

    idólatra: de Dagón en Azoto; 1 Sam. 5:2; de los becerros en Betel, 1 Rey. 12:31-33 de Rimón en Damasco, 2 Rey. 5:18; de Baal en Samaria, 2 Rey. 10:21, 27; en Babilonia, 2 Cr. 36:7; Dan. 1:2; de Diana en Éfeso, Hch. 19:27.

TEMPLOS. o templecillos, Hch. 19:24.

TENTACIÓN (la), Dios no está sujeto a, Stg. 1:13; no procede de Dios, Stg. 1:13; procede de la concupiscencia, Stg. 1:14; de la avaricia, Pro. 28:20; 1 Tim. 6:9; el diablo es el autor de, 1 Cr. 21:1; Mat. 4:1; 1 Tes. 3:5; las malas compañías sirven de medio para producir, Pro. 1:10; 16:29.

    EN MUCHOS CASOS NACE: de la pobreza, Pro. 30:9; Mat. 4:2, 3; de la prosperidad, Pro. 30:9; Mat. 4:8; de la gloria mundana, Núm. 22:17; Mat. 4:8.

    EN MUCHOS CASOS NOS LLEVA: a desconfiar de la providencia de Dios, Mat. 4:3; a la presunción, Mat. 4:6; a adorar al dios de este mundo, Mat. 4:9.

    se le da más fuerza adulterando la palabra de Dios, Mat. 4:6.

    se permite para probar nuestro desinterés, Job 1:9-12 y nuestra fe, 1 Ped. 1:7.

    siempre se acomoda a la naturaleza del hombre, 1 Cor. 10:13.

    en muchos casos termina en el pecado y la perdición, 1 Tim. 6:9; Stg. 1:15.

    CRISTO sufrió, de parte del diablo, Mar. 1:13; sufrió, de parte de los malos, Mat. 16:1; 22:18; Luc. 10:25; el mismo tipo de, que el hombre, Heb. 4:15; pero sin pecar, Heb. 4:15; resistió con la palabra de Dios, Mat. 4:4-10; venció, Mat. 4:11; Jn. 16:33; se compadece de los que sufren, Heb. 4:15; puede socorrer a los que están pasando por, Heb. 2:18; intercede por su pueblo en, Luc. 22:31, 32; Jn. 17:15.

    Dios no deja que los santos sufran, más de lo que puedan resistir, 1 Cor. 10:13; provee a los santos salida de, 1 Cor. 10:13; da a los santos la facultad de resistir, 1 Cor. 10:13; sabe librar a los santos de, 2 Ped. 2:9.

    Cristo guarda a los santos fieles de la hora de, Ap. 3:10.

los santos están a veces afligidos a causa de, 1 Ped. 1:6.

LOS SANTOS DEBEN: resistir, en la fe, Efe. 6:16; 1 Ped. 5:9; velar para no caer en, Mat. 26:41; 1 Ped. 5:8; orar para ser guardados de, Mat. 6:13; 26:41; no dar ocasión a los demás, Rom. 14:13; restaurar a los que han sido vencidos por, Gál. 6:1; evitar el camino de, Pro. 4:14, 15.

el diablo vuelve a insistir, Luc. 4:13.

tiene fuerza a causa de la flaqueza de la carne, Mat. 26:41.

los hipócritas caen en la hora de, Luc. 8:13.

la bienaventuranza de los que padecen y la vencen, Stg. 1:2-4, 12.

ejemplos de: Eva, Gén. 3:1, 4, 5; José, Gén. 39:7; Balaam, Núm. 22:17; Acán, Jos. 7:21; David, 2 Sam. 11:2; Jeroboam, 1 Rey. 15:30; Pedro, Mar. 14:67-71; Pablo, 2 Cor. 12:7, con Gál. 4:14.

TENTACIÓN, o prueba, de Abraham, Gén. 22; de Israel, Deu. 8:2; de David, 2 Sam. 24; 1 Cr. 21; de Ezequías, 2 Cr. 32:31; de Job, Job 1, &c.; de Daniel, Dan. 6; de todos los santos, Sal. 66:10; Dan. 12:10; Zac. 13:9; Luc. 22:31, 40; Heb. 11:17; Stg. 1:12; 1 Ped. 4:12.

TENTADOR (el), Mat. 4:3; 1 Tes. 3:5.

TEÑIR, Éxo. 25:5; 26:14; Eze. 23:15.

TEÓFILO, Luc. 1:3; Hch. 1:1.

TERAFIM, de Micaías, Jue. 17:5; 18:14-20; 1 Sam. 19:13.

TÉRMINOS, de la tierra de promisión señalados, Núm. 34; Jos. 1:4; Eze. 47:13.

TÉRTULO acusa Pablo, Hch. 24.

TESALÓNICA, Pablo en, Hch. 17.

LOS DISCÍPULOS DE: encomiados, 1 Tes. 1; 2; 3; 2 Tes. 1:3; exhortados, 1 Tes. 4; 5; 2 Tes. 3; instruidos acerca de los postreros tiempos, 1 Tes. 5; 2 Tes. 3; el amor ferviente de Pablo hacia, 1 Tes. 3.

TESORO del Señor, las cosas consagradas pertenecen al, Jos. 6:19; los levitas tienen a su cargo el, 1 Cr. 9:26; 28:11; Neh. 13:13; dones echados en el, Mar. 12:41; Luc. 21:1.

TESORO ESCONDIDO, parábola del, Mat. 13:44.

TESTADOR, Heb. 9:16, 17.

TESTAMENTO (o pacto), el nuevo, manifestada en la cena del Señor, Mat. 26:28; Mar. 14:24; Luc. 22:20; 1 Cor. 11:25; superior al antiguo, 2 Cor. 3; Heb. 7:22; 8:77; 9; 10; 12:94. Véase **PACTO.**

TESTIGO, Dios invocado como, Gén. 31:50; Jue. 11:10; 1 Sam. 12:5; Jer. 42:5; Miq. 1:2; Rom. 1:9; 1 Tes. 2:5; Cristo es el fiel y verdadero, Ap. 1:5; 3:14.

TESTIGOS, se requerían dos o tres, Núm. 35:30; Deu. 17:6; 19:15; Mat. 18:16; 2 Cor. 13:1; 1 Tim. 5:19.

——, los dos, visiones de, Ap. 11.

TESTIMONIO, las dos tablas de piedra colocadas en el arca, Éxo. 25:16, 21.

altar erigido por los rubenitas y los gaditas, Jos. 22:10.

de los apóstoles, Hch. 22:18; 2 Tes. 1:10; 2 Tim. 1:8; Ap. 1:2; 11:7; 12:17.

TESTIMONIO rendido con respecto a CRISTO, por el Padre, Mat. 3:16; Luc. 3:22; Jn. 5:37; 12:28; Heb. 2:4; 1 Jn. 5:7; por los profetas, Hch. 10:43; 1 Ped. 1:10, &c.; por los apóstoles, Hch. 1:8; 2:32; 4:33; 5:32; 10:41; 22:15; 26:16, &c.; 1 Ped. 5:1; Ap. 20:4.

——, **DEL ESPÍRITU SANTO:** es la verdad, 1 Jn. 5:6; ha de recibirse implícitamente, 1 Jn. 5:6, 9; la primera predicación del evangelio fue con firmada por, Hch. 14:3, con Heb. 2:4; la fiel predicación de los apóstoles fue acompañada por, 1 Cor. 2:4; 1 Tes. 1:5.

DADO A LOS SANTOS al creer, Hch. 15:8; 1 Jn. 5:10.

para testificarles respecto de Cristo, Jn. 15:26.

como prueba de la adopción, Rom. 8:16.

de que Cristo esta en ellos, 1 Jn. 3:24.

de que Dios esta en ellos, 1 Jn. 4:13.

TESTIMONIO de Dios, 1 Jn. 5:7, 10.

TESTIMONIO FALSO, prohibido Éxo. 20:16; 23:1; Deu. 5:20; Pro. 12:17; 25:18; Jer. 7:9; Zac. 5:4; Luc. 3:14; ha de ser castigado, Deu. 19:16; Pro. 19:5, 9; 21:28; Zac. 5:4; Dios aborrece, Pro. 6:19; contra Nabal, 1 Rey. 21:13; contra Cristo Mat. 26:60; Mar. 14:56.

TESTIMONIOS DE DIOS, la bienaventuranza que resulta de guardarlos, &c., Sal. 119:2.

TIATIRA (Hch. 16:14), epístola a, Ap. 1:11; 2:18.

TIBERIAS, ciudad de, Jn. 6:1, 23; mar de, Jn. 21:1.

TIBERIO (César), Luc. 3:1.

TIBIEZA, Ap. 3:16.

TIEMPO para todo, Ecl. 3; los astros fueron puestos para que computásemos el, Gén. 1:14; el reloj de sol fue inventado desde tiempos muy antiguos para indicar, 2 Rey. 20:9-11; en el lenguaje profético significa un año profético o sean 365 años ordinarios, Dan. 12:7; Ap. 12:14; ha de redimirse, Efe. 5:16; Col. 4:5; Sal. 39:4; 90:12; Ecl. 12:1; Isa. 55:6; Mat. 5:25; Luc. 19:42; Jn. 9:4; 12:35; Rom. 13:11; 2 Cor. 6:2; Gál. 6:9; el fin de, Ap. 10:6.

TIEMPOS, los postreros, las señales de, deben observarse, Mat. 16:3; Hch. 3:21; 1 Tes. 5:1; 2 Tes. 2; 1 Tim. 4:1; 2 Tim. 3:1.

TIENDAS, los patriarcas moraban en, Gén. 9:21; 12:8; 25:27, &c.; Heb.11:9; aparte, para las mujeres, Gén. 24:67; y para los criados, Gén. 31:33; se acostumbraba al sentarse a la entrada de, Gén. 18:1; Jue. 4:20.

TIERRA (la), creada, Gén. 1:1; hecha fructífera, Gén. 1:11; maldecida, Gén. 3:17; cubierta con el diluvio, Gén. 7:10; es del Señor, Éxo. 9:29; 1 Cor. 10:26;

TIERRAS, su rescate en el jubileo, Lev. 25:23- 33; 27:17-24; testigos presentes en la compra o la venta de, Gén. 23:10-16; Rut. 4:3-5; un convenio por escrito, firmado, sellado y debidamente

CONCORDANCIA TEMÁTICA

atestiguado, Jer. 32:9-14; el acto de quitar el zapato, Deu. 25:9; Rut. 4:7, 8; Sal. 60:8; hipotecas de las, Neh. 5:1-4.

TIMOTEO, acompaña a Pablo, Hch. 16:3; 17:14, 15; Rom. 16:21; 2 Cor. 1:1, 19; encomiado, 1 Cor. 16:10; Flp. 2:19; enviado a Tesalónica, 1 Tes. 3; soltado de la prisión, Heb. 13:23; Pablo le recuerda cuáles son sus obligaciones; le exhorta a cumplirlas, y le consuela y anima con su ejemplo, 1 Tim. 1; 5; 6; 2 Tim. 1; 2; 4.

RECIBE INSTRUCCIONES acerca del culto público, 1 Tim. 2; acerca de las prendas que han de poseer los obispos y los diáconos, 1 Tim. 3; acerca de las señales de los postreros tiempos, 1 Tim. 4; 2

TINAJA de harina, milagro de, 1 Rey. 17:12-14.

TINTA, Jer. 36:18; 2 Cor. 3:3; 2 Jn. 12.

TINTERO, Eze. 9:2, 3, 11.

TÍQUICO, compañero de Pablo, Hch. 20:4; 2 Tim. 4:12 Tit. 3:12.

encomiado, Efes. 6:21; Col. 4:7.

TIRO, Jos. 19:29; Isa. 23:7; una ciudad fuerte, 2 Sam. 24:7; Zac. 9:3; comercial, Isa. 23:2; Eze. 27:3; alianza con, 1 Rey. 5:9; 2 Cr. 2:3; Cristo alude a, Mat. 11:22; va a, Mat. 15:21; Mar. 7:24; los discípulos de, Mar. 3:8; Hch. 21:3; profecías con respecto a, Isa. 23; Eze. 26; 28.

TIRSATA (gobernador), Esd. 2:63; Neh. 7:70.

TÍTULOS, EPÍTETOS Y NOMBRES DE CRISTO: Abogado, 1 Jn. 2:1; Adán (el segundo), 1 Cor. 15:45; Admirable, Isa. 9:6; Alfa y omega, Ap. 1:8; 22:13; Alianza (o pacto), Isa. 42:6; Amado, Mat. 12:18; Efe. 1:6; Amén, Ap. 3:14; amigo de pecadores, Mat. 11:19; Ángel, Gén. 48:16; Éxo. 23:20, 21; Ángel del Señor, Éxo. 3:2; Jue. 13:15-18; Ángel de la faz (o presencia) de Dios, Isa. 63:9; Apóstol, Heb. 3:1; Aquél que es, y que era, y que ha de venir, Ap. 1:4; Autor (o Capitán) de nuestra fe, Heb. 12:2; Autor de la vida, Hch. 3:15; Bienaventurado y solo Poderoso, 1 Tim. 6:15; Brazo del Señor, Isa. 51:9; 53:1; Buen Pastor, Jn. 10:14; **Cabeza de la esquina, Mat. 21:42;** de la Iglesia, Efe. 5:23; Col. 1:18; de todo varón, 1 Cor. 11:3; Camino, Jn. 14:6; Capitán, Isa. 55:4; Carpintero, Mar. 6:3; Caudillo, Mat. 2:6; Cetro, Núm. 24:17; Cimiento cimentado, Isa. 28:16; Compañero de Dios, Zac. 13:7; Consejero, Isa. 9:6; Consolación de Israel, Luc. 2:25; Consumador de la fe, Heb. 12:2; **Cordero, Ap. 5:6; 13:8;** de Dios, Jn. 1:29, 36; que fue inmolado, Ap. 5:12; **Cristo, Jn. 6:69;** de Dios, Luc. 9:20; del Señor, Luc. 2:26; el Rey, Luc. 23:2; el Señor, Luc. 2:11; el Hijo de Dios, Hch. 9:20; el Hijo del Bendito, Mar. 14:61; Jesús, Heb. 3:1; Jesús nuestro Señor, 1 Tim. 1:12; Cuerno de Salvación, Luc. 1:69; David, Jer. 30:9; Eze. 34:23; Deseado de todas las naciones, Hag. 2:7; **Dios, Isa. 40:9; Jn. 20:28;** bendito por los siglos, Rom. 9:6; con nosotros, Mat. 1:23; de toda la tierra, Isa. 54:5; de Israel que salva, Isa. 45:15; fuerte, Isa. 9:6;

manifestado en la carne, 1 Tim. 3:16; Salvador nuestro, 1 Tim. 2:3; solo Sabio, Salvador nuestro, Jud. 25; Don de Dios, Jn. 4:10; El Hombre, Jn. 19:5; Emmanuel. Isa. 7:14, con Mat. 1:23; **Escogido entre Millares, Cnt. 5:10;** de Dios, Isa. 42:1; 1 Ped. 2:4; Esperanza nuestra, 1 Tim. 1:1; **Estrella, Núm. 24:17;** resplandeciente de la Mañana, Ap. 22:16; Fiador de mejor pacto, Heb. 7:22; Fiel y Verdadero, Ap. 19:11; **Fuerte de Israel, Isa. 39:29;** de Jacob, Isa. 60:16; Fundamento, 1 Cor. 3:11; **Gloria de Israel, Luc. 2:32;** de Jehová, Isa. 40:5; **Gran Pastor de las ovejas, Heb. 13:20;** Sumo Sacerdote, Heb. 4:14; Grande para salvar, Isa. 63:1; Heredero de todas las cosas, Heb. 1:1, 2; **Hijo amado, Mat. 5:17;** del Altísimo, Luc. 1:32; del amor de Dios, Col. 1:13; del Bendito, Mar. 14:61; del Carpintero, Mat. 13:55; de David, Mat. 9:27; de Dios, Luc. 1:35; Jn. 1:49; Ap. 2:18; del Dios Altísimo, Mar. 5:7; del Dios viviente, Mat. 16:16; del Hombre, Jn. 5:27; 6:27; de José, Luc. 3:23; de María, Mar. 6:3; del Padre, 2 Jn. 1:3; **Hombre, Mar. 15:39;** Cristo Jesús, 1 Tim. 2:5; **Imagen de Dios, 2 Cor. 4:4;** imagen expresa de la sustancia de Dios, Heb. 1:3; Inenarrable don, 2 Cor. 9:15; **Jehová, Isa. 26:4; 40:3;** de los ejércitos, Isa. 44:6; el fuerte y valiente, Sal. 24:8; Justicia nuestra, Jer. 23:6; Redentor vuestro, Isa. 43:14; Santo vuestro, Isa. 43:15; **Jesucristo, Mat. 1:1;** nuestro Salvador, Tit. 3:6; **Jesús, Mat. 1:21; 1 Tes. 1:10;** el Hijo de Dios, Heb. 4:14; el Hijo de José, Jn. 6:42; Nazareno, Mar. 1:24; Nazareno, Rey de los judíos, Jn. 19:19; el Rey de los judíos, Mat. 27:37; **Juez de Israel, Miq. 5:1;** de vivos y muertos, Hch. 10:42; Justo, 2 Tim. 4:8; Justicia, 1 Cor. 1:30; Justo, Mat. 27:24; Hch. 7:52; Legislador, Isa. 33:22; Stg. 4:12; León de la tribu de Judá, Ap. 5:6; Libertador, 11cm. 11:26; Linaje de David, Ap. 22:16; **Luz del Mundo, Jn. 8:12;** de Naciones, Isa. 42:6; perpetua, Isa. 60:20; verdadera, Jn. 1:9; **Maestro, Isa. 55:4; Jn. 3:2;** bueno, Mat. 19:16; Manadero abierto, Zac. 13:1; **Mediador, 1 Tim. 2:5;** del nuevo concierto (pacto), Heb. 12:24; Mensajero del pacto, Mal. 3:1; **Mesías, Dan. 9:25; Jn. 1:41;** el Príncipe, Dan. 9:25; el escogido de Dios, Luc. 23:35; Nazareno, Mat. 2:23; **Niño, Isa. 9:6; Mat. 2:8;** Jesús, Luc. 2:27, 43; Oriente (o alba), Luc. 1:78; Padre Eterno, Isa. 9:6; Palabra. Véase VERBO; **Pan, Jn. 6:41;** del cielo, Jn. 6:51; de Dios, Jn. 6:33; de Vida, Jn. 8:35, 48; Vivo, Jn. 6:51; Pascua Nuestra, Cor. 5:7; **Pastor de Israel, Sal. 80:1;** y Obispo de las almas, 1 Ped. 2:25; Pendón de los pueblos, Isa. 11:10; **Piedra, Mat. 21:42;** angular de precio, Isa. 28:16; de tropiezo, 1 Ped. 2:8; viva, 1 Ped. 2:4; Pimpollo de Justicia, Jer. 33:15; Planta de renombre, Eze. 34:29; Poder de DIOS, Cor. 1:24; Precursor, Heb. 6:20; Primero y Postrero, Ap. 1:17; 2:8; Primicias, 1 Cor. 15:20; **Primogénito, Heb. 1:6;** de entre los muertos, Col. 1:18; Ap. 1:5; entre muchos hermanos, Rom. 8:29; de toda la creación, Col. 1:15; Principal Piedra Angular, Efe. 2:20; 1 Ped. **PRÍNCIPE, Hch. 5:31**; de los reyes de la tierra, Ap. 1:5; de los Pastores, 1 Ped. 6:4; de paz, Isa. 9:6, 16; del ejército de Jehová, Jos. 5:14, 15; de la salvación, Heb. 2:10; **Principio de la creación de Dios; Ap. 3:14;** y fin, Ap. 22:13; Profeta, Luc. 24:19; Jn. 6:14; 7:40; Propiciación, 1 Jn. 2:2; Puerta, Jn. 10:7, 9; Rabí, Jn. 1:49; Raboni, Jn. 20:16; **Raíz de David, Ap. 22:18;** de Isaí, Isa. 11:10; Rom. 15:12; Redención, 1 Cor. 1:30; 2:6; Redentor, Job 19:25; Isa. 59:20; 60:16; Renuevo justo, Jer. 23:5; Zac. 3:8; 6:12; Rescate, 1 Tim. 2:8; Resplandor de la gloria de Dios, Heb. 1:3; Resurrección y Vida, Jn. 11:25; **Rey, Zac. 9:9, con Mat. 21:5;** de Gloria, Sal. 24:7-10; de Israel, Jn. 1:49; de los judíos, Mat. 2:2; de los Santos, Ap. 15:3; de reyes, 1 Tim. 6:15; Ap. 17:14; de Sión, Mat. 21:5; sobre toda la tierra, Zac. 14:9; Roca, 1 Cor. 10:4; Rompedor, Miq. 2:13; Rosa de los Valles, Cnt. 2:1; **Sabiduría, Pro. 8:12;** de Dios, 1 Cor. 1:24; para nosotros 1 Cor. 1:30; Sacerdote, Heb. 7:17; **Salvador, 2 Ped. 2:20; 3:18; Luc. 2:11;** del Cuerpo, Efe. 5:13; del Mundo, 1 Jn. 4:14; Santidad de Santidades, Dan. 9:24; Santificación, 1 Cor. 1:30; Santo, Sal. 16:10, con Hch. 2:27, 31; **Santo (lo), Luc. 1:35;** de Dios, Mar. 1:24; de Israel, Isa. 41:14; Hijo Jesús, Hch. 4-30; Segundo Hombre, 1 Cor. 15:47; **Señor, Mat. 22:43;** Cristo, Col. 3:24; del Cielo, 1 Cor. 15:47; de Gloria, 1 Cor. 2:8; de todos; Hch. 10:36; Rom. 10:12; Dios de los santos profetas, Ap. 22:6, 16; de Dios Todopoderoso, Ap. 15:3; de Israel, Miq. 5:2; de vivos y muertos, Rom. 14:9; del Sábado, Mar. 2:28; y Salvador Jesucristo, 2 Ped. 1:11; Jesucristo, 2 Tes. 3:6; Jesucristo, Salvador nuestro, Tit. 1:4; Jesús, Hch. 7:59; de Señores, Ap. 19:16. **Siervo, Isa. 42:1;** Justo, Isa. 53:11; de los tiranos, Isa. 49:7; Silo, Gén. 49:10; **Simiente de Abraham, Gál. 3:16;** de David, 2 Tim. 2:8; de la mujer, Gén. 3:15; Sol de Justicia, Mal. 4:2; Solo Poderoso, 1 Tim. 6:15; **Sumo Sacerdote, Heb. 3:1;** de los bienes que han de venir, Heb 9:11; **Testigo, Isa. 55:4;** ante el pueblo, Jn. 18:37; fiel, Ap. 1:5; fiel y verdadero, Ap. 3:14; Todopoderoso, Ap. 1:8; Ungido, Sal. 2:2; **Unigénito del Padre, Jn. 1:14;** Hijo, Jn. 1:18; Varón de Dolores, Isa. 53:3; Valiente, Sal. 45:3; **Verbo, Jn. 1:1; 1 Jn. 5:7;** de Dios, Ap. 19:13; de Vida, 1 Jn. 1:1; Verdad, Jn. 14:6; **Verdadera Luz, Jn. 1:9;** Vid, Jn. 15:1; Verdadero, Ap. 19:10; Verdadero Dios, 1 Jn. 5:20; **Vida, Jn. 14:6; Col. 3:4; 1 Jn. 1:2;** Eterna, 1 Jn. 1:2; 5:20; (Nuestra), Col. 3:4; **YO SOY**, Éxo. 3:14, con Jn. 8:58.

TÍTULOS DEL ESPÍRITU SANTO: Consolador, Jn. 14:16, 26; 15:26; Dios, Hch. 5:3, 4; **Espíritu (el), Mat. 4:1; Jn. 3:6; 1 Tim. 4:1;** bueno, Neh. 9:20; Sal. 143:10; eterno, Heb. 9:14; Santo, Sal. 51:11;

Luc. 11:13; Santo de la promesa, Efe. 1:13; voluntario, Sal. 51:12; del Señor Jehová, Isa. 61:1; del Señor, Isa. 11:2; Hch. 5:9; de Dios, Gén. 1:2; 1 Cor. 2:11; del Padre, Mat. 10:20; de Cristo, Rom. 8:9; 1 Ped. 1:11; del Hijo, Gál. 4:6; de vida, Rom. 8:2; Ap. 11:11; de gracia, Zac. 12:10; Heb. 10:29; de profecía, Ap. 19:10; de adopción, Rom. 8:15; de sabiduría, Isa. 11:2; Efe. 1:17; de consejo, Isa. 11:2; de fortaleza, Isa. 11:2; de inteligencia, Isa. 11:2; de conocimiento, Isa. 11:2; del temor del Señor, Isa. 11:2; de verdad, Jn. 14:17; 15:26; de santidad, Rom. 1:4; de revelación, Efe. 1:17; de juicio, Isa. 4:4; 28:6; de abrasamiento, Isa. 4:4; de gloria, 1 Ped. 4:14; Inspiración del Omnipotente, Job 33:4; Santo Espíritu de Dios, Efe. 4:30; Señor 2 Tes. 3:5; Siete espíritus de Dios, Ap. 1:4; Virtud del Altísimo, Luc. 1:35; Voz del Señor, Isa. 6:8.

TÍTULOS DE LA IGLESIA: Candelabro de oro, Ap. 1:20; **CASA de Dios, 1 Tim. 3:15; Heb. 10:21;** del Dios de Jacob, Isa. 2:3; de Cristo, Heb. 3:6; espiritual, 1 Ped. 2:5; **Ciudad buscada, no desamparada, Isa. 62:12;** del Dios vivo, Heb. 12:22; santa, Ap. 21:2; Columna y apoyo de la verdad, 1 Tim. 3:15; Compañía de los afligidos de Dios, Sal. 74:19; **Congregación de los santos, Sal. 89:7;** general de los primogénitos, Heb. 12:23; de los rectos, Sal. 111:1; de los misericordiosos, Sal. 149:1; Cordel de la herencia de Dios, Deu. 32:9; Cuerpo de Cristo, Efe. 1:22, 23; Col. 1:24; Edificio de Dios, 1 Cor. 3:9; **Esposa del Cordero, Ap. 19:7;** 21:9; de Cristo, Cnt. 4:12; 5:1; Ap. 21:9; **Familia de Dios, Efe. 2:19;** en los cielos y en la tierra, Efe. 3:15; Fortaleza y gloria de Dios, Sal. 78:61; Hermana de Cristo, Cnt. 4:12; 5:2; **Heredad, Sal. 28:9; Isa. 19:25;** preciosa, Jer. 12:10; Herencia de Dios, Jl. 3:2; 1 Ped. 5:3; Hija del Rey, Sal. 45:13; **Iglesia de Dios, Hch. 20:28;** del Dios Vivo, 1 Tim. 3:15; de los primogénitos, Heb. 12:23; Israel de Dios, Gál. 6:16; **Jerusalén Celestial, Gál. 4:26; Heb. 12:22;** Nueva, Ap. 21:2; Labranza de Dios, 1 Cor. 3:9; La parte de Jehová, Deu. 32:9; Lugar del trono de Dios, Eze. 43:7; **Monte de Santidad, Sal. 15:1; Zac. 8.3;** Sión, Sal. 2:6; Heb. 12:22; de Jehová de los ejércitos, Zac. 8:3; de la Casa de Jehová, Isa. 2:2; Morada de Dios, Efe. 2:22; Paloma, Cnt. 2:14; 5:2; Rebaño de Dios, Eze. 34:15; 1 Ped. 5:2; Redil de Cristo, Jn. 10:16; Renuevo de la plantación de Dios, Isa. 60:21; Santuario, Sal. 114:2; Tabernáculo, Sal. 15:1; **Templo de Dios, 1 Cor. 3:18, 17;** de Dios Vivo, 2 Cor. 6:16; Viña, Jer. 12:10; Mat. 21:41.

TÍTULOS DE LOS MINISTROS: Ancianos, 1 Tim. 5:17; 1 Ped. 5:1; Ángeles de la Iglesia, Ap. 1:20; 2:1; **Apóstoles, Luc. 6:13; Ap. 18:20;** de Jesucristo, Tit. 1:1; Atalayas, Isa. 62:6 Eze. 33:7; Colaboradores de Dios, 2 Cor. 6:1; **DISPENSADORES (Administradores) de Dios, Tit. 1:7;** de la gracia de Dios, 1 Ped. 4:10; de los Misterios de Dios, 1 Cor. 4:1; Embajadores de Cristo, 2 Cor. 5:20; Estrellas, Ap. 1:20; 2:1; Evangelistas, Efe. 4:11; 2 Tim. 4:5; Hombres de Dios, Deu. 33:1; 1 Tim. 6:11; Luces, Jn. 3:35; Maestros, Isa. 30:20; Efe. 4:11; **Mensajeros de Jehová de los ejércitos, Mal. 2:7;** de la Iglesia, 2 Cor. 8:23; **MINISTROS de Dios, 2 Cor. 6:4;** del Señor, Jl. 2:17; de Cristo, Rom. 15:16; 1 Cor. 4:1; del Santuario, Eze. 45:4; del Evangelio, Efe. 3:7; Col. 1:23; de la Palabra, Luc. 1:2; del Nuevo Testamento, 2 Cor. 3:6; de la Iglesia, Col. 1:24, 25; de la Justicia, 2 Cor. 11:15; **Obreros, Mat. 9:38, con Flm. 1;** en el Evangelio de Cristo, 1 Tes. 3:2; Pastores, Jer. 3:15; 23:4; Efe. 4:11; Pescadores de hombres, Mat. 4:19; Mar. 1:17; **Predicadores, Rom. 10:14;** 1 Tim. 2:7; de la justicia, 2 Ped. 2:5; **SIERVOS de Dios, Tit. 1:1; Stg. 1:1;** del Señor, 2 Tim. 2:24; de Jesucristo, Flp. 1:1; Jud. 1; de la Iglesia, 2 Cor. 4:5; Obispos, Hch. 20:28; Soldados de Cristo, Fil. 2:25; 2 Tim. 2:3, 4;

TÍTULOS DE LOS SANTOS: Amados de Dios, Rom. 1:7; **Amigos, Cnt. 5:1; Jn. 15:15;** de Dios, 2 Cr. 20:7; Stg. 2:23; Árboles de justicia, Isa. 61:3; **Benditos de Jehová, Gén. 24:31; 26:29;** del Padre, Mat. 25:34; **Coherederos, Efe. 3:6;** con Cristo, Rom. 8:17; Columnas en el templo de Dios, Ap. 3:12; Conciudadanos, Efe. 2:19; Consiervos, Ap. 6:11; Corderos, Isa. 40:11; Jn. 21:15; Creyentes, Hch. 5:14; 1 Tim. 4:12; Cristianos, Hch. 11:26; 26:28; Discípulos de Cristo, Jn. 8:31; 15:8; Epístolas de Cristo, 2 Cor. 3:3; **Escogidos, 1 Cr. 16:13;** de Dios, Col. 3:12; Tit. 1:1; Escondidos, Sal. 83:3; **Fieles, Sal. 12:1;** de la tierra, Sal. 101:6; Fuertes, Isa. 16:3; **HEREDEROS de Dios, Rom. 8:17; Gál. 4:7;** de la gracia de la vida, 1 Ped. 3:7; del reino, Stg. 2:5; de la promesa, Heb. 6:17; Gál. 3:29; de la Salvación, Heb. 1:14; **HERMANOS, Mat. 23:8; Hch. 12:17;** amados, 1 Cor. 15:58; Stg. 2:8; fieles en Cristo, Col. 1:2; de Cristo, Luc. 8:21; Jn. 20:17; Hijitos, Jn. 13:33; 1 Jn. 2:1; **HIJOS amados, Efe. 5:1;** de Jehová, Deu. 14:1; de Dios, Jn. 1:12; 11:52; Flp. 2:15; 1 Jn. 3:10; del Dios Vivo, Ose. 1:10; Rom. 9:26; del Padre, Mat. 5:45; del Altísimo, Luc. 6:35; de Abraham Gál. 3:7; de Jacob, Gál. 105:6; de la promesa, Rom. 9:8; Gál. 4:28; de la libre, Gál. 4:31; del reino, Mat. 13:38; de Sión, Sal. 149:2; Jl. 2:23; del esposo, Mat. 9:15; de la luz, Luc. 16:8; Efe. 5:8; del día, 1 Tes. 5:5; de la resurrección, Luc. 20:36; Hombres de Dios, Deu. 33:1; 1 Tim. 6:11; Justos (los), Sal. 1:6; Pro. 20:7; Hab. 2:4; Mal. 3:18; Libres (los) del Señor, 1 Cor. 7:22; Linaje escogido, 1 Ped. 2:9; Luces del mundo, Mat. 5:14; Nación santa, Éxo. 19:6; 1 Ped. 2:9; **OVEJAS de Cristo, Jn. 10:1-16; 21:16;** del rebaño, Mat. 26:31; de la mano de Dios, Sal. 95:7; del pasto de Dios, Sal. 79:13; Pensadores del bien, Pro. 12:20; Peregrinos con Dios, Lev. 25:23; Sal.

39:12; Piadosos (los), Sal. 4:3; 2 Ped. 2:9; Piedras vivas, 1 Ped. 2:5; **PUEBLO fuerte y santo, Dan. 8:24;** Santo, Deu. 26:19; Isa. 62:12; propio, Deu. 14:2; Tit. 2:14; singular, Deu. 7:6; de Jehová, 1 Sam. 2:24; 2 Rey. 11:17; de Dios, Heb. 4:9; 1 Ped. 2:10; de la dehesa (prado) de Dios, Sal. 95:7; de la herencia, Deu. 4:20; cercano a Dios, Sal. 148:14; preparado para el Señor, Luc. 1:17; **Real sacerdocio, 1 Ped. 2:9;** Redimidos de Jehová, Isa. 35:10; 51:11; Reino de sacerdotes, Éxo. 19:6; Reyes y sacerdotes para Dios, Ap. 1:6; Sacerdocio santo, 1 Ped. 2:5; Santos hermanos, 1 Tes. 5:27; Heb. 3:1; Sal de la tierra, Mat. 5:13; **SIERVOS de Cristo, 1 Cor. 7:22; Efe. 6:6;** del Señor, Deu. 34:5; Isa. 54:17; del Dios Altísimo, Dan. 3:26; de la justicia, Rom. 6:18; **SIMIENTE de Abraham, Sal. 105:6;** santa, Isa. 6:13; de los benditos de Jehová, Isa. 65:23; Tesoro propio, Éxo. 19:5; Sal. 135:4; Testigos a Dios, Isa. 43:10; 44:8; **VASOS escogidos, Hch. 9:15;** para honra, 2 Tim. 2:21; de misericordia, Rom. 9:23.

TÍTULOS DEL DIABLO: Abadón, Ap. 9:11; Acusador nuestros hermanos, Ap. 12:10; Adversario 1 Ped. 5:8; Ángel del abismo Ap. 9:11; Apolyón, Ap. 9:11; Belial, 2 Cor. 6:15; Belcebú, Mat. 12:24; Dragón, Isa. 27:1; Ap. 20:2; El dios de este siglo, 2 Cor. 4:4; El malo, Mat. 13:19, 38; Enemigo, Mat. 13:39; **ESPIRITU inmundo, Mat. 12:43;** malo, 1 Sam. 16:14; de mentira, 1 Rey. 22:22; que obran en los hijos de desobediencia, Efe. 2:2; Gobernador de las tinieblas de este mundo, Efe. 6:12; Grande dragón bermejo, Ap. 12:3; Homicida, Jn. 8:44; Leviatán, Isa. 27:1; Mentiroso, Jn. 8:44; Padre de la mentira, Jn. 8:44; Potestad de las tinieblas, Col. 1:13; **PRÍNCIPE de este mundo, Jn. 14:30;** de los demonios, Mat. 12:24; de la potestad del aire, Efe. 2:2; Satanás, 1 Cr. 21:1; Job 1:6; **SERPIENTE Gén. 3:4, 14; 2 Cor. 11:3;** antigua, Ap. 12:9; 20:2; tortuosa, Isa. 27:1; veloz, Isa. 27:1; Tentador, Mat. 4:3; 1 Tes. 3:5.

TIZÓN, o TIZONCILLO, o AÑUBLO, Deu. 28:22; 1 Rey. 8:37; Sal. 102:3; Isa. 7:4; Am. 4:11; Hag. 2:17; Zac. 3:2. escapado del fuego, una figura, Am 4:11; Zac. 3:2; Jud. 23.

TOALLA, Jn. 13:4, 5.

TOB, Jefté habita en la tierra de, Jue. 11:1-5.

TOBÍAS, amonita, molesta a los judíos, Neh. 4:3; 6:1, 12, 14; 13:4. Zac. 6:9-11.

TOCAR (el), el vestido de Cristo en la fe, muchos se curaban con, Mar. 5:28; 6:56; Luc. 6:19.

TODOPODEROSO (el), Gén. 17:1, &c.; Éxo. 6:3; Núm. 24:4; Rut. 1:20; Job 5:17, &c.; Isa. 13:6; Eze. 1:24; Cristo, Ap. 1:8, &c. Véase DIOS.

TOFET, profanado por Josías, 2 Rey. 23:10. Véase Isa. 30:33; Jer. 7:31, 32; 19:6-14.

TOLA, juez de Israel, Jue. 10:1, 2.

TOMÁS, el apóstol, ordenado, Mat. 10:3; Mar. 3:18; Luc. 6:15; Hch. 1:13; su celo, Jn.

11:16; su incredulidad y su confesión, Jn. 20:24.

TOPACIO, piedra preciosa, Éxo. 28:17; 39:10; Job 28:19; Eze. 1:16; 28:13; Ap. 21:20.

TOPO, inmundo, Lev. 11:29, 30; Isa. 2:20.

TORBELLINOS, manifiestan el poder y la gloria de Dios, Job 38:1; 40:6; Sal. 83:15; Isa. 29:6; 66:15; Nah. 1:3; manifiestan su venida anticipadamente y la acompañan, 1 Rey. 19:11; Job 38:1; Isa. 66:15; Eze. 1:4; vienen del sur, Job 37:9; Elías es arrebatado en un torbellino, 2 Rey. 2:1, 11. defienden el pueblo de Dios, Zac. 9:14; ejecutan la ira de Dios, Jer. 23:19. Jehová marcha en la tempestad y el torbellino, Nah. 1:3; sirven de comparación a lo repentino de la ruina de los pecadores, Sal. 58:9; Pro. 1:27; Isa. 17:13; 40:24.

TORMENTO, Mat. 4:24; 8:29; Mar. 5:7; Lu 16:23; Ap. 9:5; 14:11; 18:7, 10, 15; experimentado en el infierno, Luc. 16:23; la esperanza que se demora es, del corazón, Pro. 13:12.

TORRE, Dios es, de salvación de su pueblo, 2 Sam. 22:51; Sal. 61:3; las de Jerusalén, notables por su número, solidez y belleza, Sal. 48:12.

    DE: Babel, Gén. 11; Peniel, Jue. 8:17; de Siquem, Jue. 9:46; Jezreel, 2 Rey. 9:17; Meah y Hananeel, Neh. 3:1; de los Hornos, Neh. 3:11; Tebes, Jue. 9:50, 51. de David, Cnt. 4:4; de Líbano; Siloé, Luc. 13:4.

TÓRTOLA, se empleaba en las ofrendas, Gén. 15:9; Lev. 1:14, &c.; 12:6; Núm. 6:10; Luc. 2:24; su canto agradable, Cnt. 2:12; conoce el tiempo de su venida, Jer. 8:7; semejanza de Israel, Sal. 74:19.

TRABAJO (el) impuesto al hombre, Gén. 3:19; Sal. 104:23; 1 Cor. 4:12.

cuando es bendecido por Dios, Pro. 10:16; 13:11; Ecl. 2:24; 4:9; 5:12. 19.

vanidad de todo el humano, Ecl. 2:18.

de la inteligencia, &c., Jer. 51:58; Hab. 2:13; Mat. 11:28; Heb. 4:11; Col. 4:12.

TRADICIONES, de los hombres, su observancia, censurada, Mat. 15:13; Mar. 7:7; Gál. 1:14; Col. 2:8; Tit. 1:14.

TRAFICANTES, o negociantes, de Tiro, descritos, Eze. 27. Véase Ap. 18:11.

TRÁFICO, Gén. 47:17; 1 Rey. 5; 2 Cr. 2:10; Job 2:17; Ose. 3.

TRAICIÓN y perfidia de: los siquemitas, Jue. 9; Doeg, 1 Sam. 21:7; 22:9; Sal. 52; David, 2 Sam. 11:14; Siba, 2 Sam. 16; de Joab, 2 Sam. 3:27; 20:9; de Seba, 2 Sam. 20; Zimri, 1 Rey. 16:10; Jezabel, 1 Rey. 21:5-14; Jehú, 2 Rey. 10:18. de Atalía, 2 Rey. 11; 2 Cr. 22:10. de Salum, &c., 2 Rey. 15:10. de Bigtán y Teres, Est. 2:21. de Amán, Est. 3, &c. de Judas, Mat. 26:47; Mar. 14:43; Luc. 22:47; Jn. 18:3.

TRAIDOR, epíteto dado a Judas, Luc. 6:16.

TRAJE, de acuerdo al sexo, Deu. 22:5; el lujo excesivo en, censurado, Isa. 3:16, &c.; 1 Tim. 2:9; 1 Ped. 3:3. Véase **VESTIDOS.**

TRAMPA o lazo, Jos. 23:13; Job 18:10; Jer. 5:26

TRANSFIGURACIÓN, de Cristo, Mat. 17 Mar. 9:2; Luc. 9:29; Jn. 1:14; 2 Ped. 1:16

TRASQUILADURA, de las ovejas, fiesta de, 1 Sam. 25:4; 2 Sam. 13:23.

TRENZAS, Éxo. 28:14; 1 Rey. 7:17; 2 Cr. 4:12.

TRIBULACIÓN, con relación al evangelio, Mat. 13:21; 24:21; Jn. 16:33; Hch. 14:22; 1 Tes. 3:4; Ap. 7:14. Véase **AFLICCIÓN.**

TRIBUNAL, Mat. 27:19; Hch. 18:12; 25:10.

——, de Cristo, Rom. 14:10.

TRIBUS de Israel, bendecidas, Gén. 49; Núm. 23:20; 24; Deu. 33; el orden que hablan de guardar en el campamento, Núm. 2; en su marcha, Núm. 10:14; los miembros de las, contados por Moisés, Núm. 1-26; contados también por David, 2 Sam. 24; 1 Cr. 21; número de los señalados de entre las, Ap. 7:4;

TRIBUTO, se prescribe el pago de, Mat. 22:21; Mar. 12:13; Luc. 20:25; Rom. 13:6; 1 Ped. 2:13; muchas veces lo hacían pagar en trabajo, 1 Rey. 5:13, 14; 9:15, 21; en los frutos de la agricultura, 1 Sam. 3:15; 1 Rey. 4:7; en oro y en plata, 2 Rey. 23:33, 35; se les prohíbe a los reyes de Israel el imponer tributos innecesarios o exorbitantes, Deu. 17:17; se exime a los sacerdotes y a los levitas del pago de, Esd. 7:24.

el ejemplo de Cristo con respecto a, Mat. 17:24. Véase también Esd. 4:13, 20; 7:24.

TRIGO, de grano, vendido, Gén. 41:57; 42:2; tostado, Lev. 23:14; Rut. 2:14; 1 Sam. 17:17; 25:18; 2 Sam. 17:28; destruido, Jl. 1:10.

——, y vino, simbólico de la abundancia, Gén. 27:18, 37; Deu. 7:13; 33:28; 2 Rey. 18:32; Sal. 4:7; Isa. 36:17; Ose. 2:8, 22; Jl. 2:19; Zac. 9:17.

TRIGO, ofrendas hechas de, Éxo. 29:2, &c.; Tiro abastecida de, de Israel, 1 Rey. 5:11; Eze. 27:17. Véase Mat. 13:25.

TRILLA, 1 Cr. 21:20; se ejecutaba con instrumentos de madera, 2 Sam. 24:22; de hierro, Am. 1:3; con instrumentos con dientes, Isa. 41:15; con el pisar del ganado, Deu. 25:4; Ose. 10:11; moliendo con rueda de carreta, Isa. 28:27, 28; por vía de comparación, Jer. 51:53; Miq. 4:12.

TRINIDAD (la): la doctrina de, se prueba con las Escrituras Mat. 3:16, 17; Rom. 8:9; 1 Cor. 12:3-6; Efe. 4:4-6; 1 Ped. 1:2; 1 Jn. 5:7; Jud. 20, 21.

TROMPETAS, modo de usarlas, Núm. 10; Jos. 6:4; Sal. 81: Eze. 7:14; 83:3; Joel. 2:1; se empleaban en el culto, 1 Cr. 13:8; 15:24; 2 Cr. 5:12; 29:27; Sal. 98:6; fiesta al son de, Lev. 23:24; Núm. 29.

    CASOS MEMORABLES DE USO: en el monte Sinaí, Éxo. 19:16; 20:18; en Jericó, Jos. 6:20; por Gedeón, Jue. 7:16-22.

    el toque de siete, Ap. 8; 9; 11:15.

    la última, 1 Cor. 15:52; 1 Tes. 4:16.

TRONO, 1 Rey. 2:19; cerca de la puerta de la ciudad, 1 Rey. 22:10; el de Salomón era de marfil, 1 Rey. 10:18-20; el sentarse en, significa dignidad y gobierno, 1 Rey. 1:13; Zac. 6:13; Ap. 20:4; en sentido figurado, Sal. 9:4, 7; Jer. 17:12; Mat. 25:31; Ap. 3:21; simbólico, Eze. 1:26; 10:1; Ap. 4:2-10; 20:11.

TROPIEZO, o estorbo, colocado ante los ciegos, Lev. 19:14; Deu. 27:18; en sentido figurado, Rom. 14:21; 1 Cor. 8:9; Cristo fue para los judíos, 1 Cor. 1:23; esto fue predicho, Isa. 8:14; Rom. 9:32; 1 Ped. 2:8.

TRUENO, enviado como castigo, Éxo. 9:23; 1 Sam. 7:10; Sal. 78:48; enviado en tiempo de la cosecha como señal, 1 Sam. 12:18. Véase Éxo. 19:16; Ap. 4:5; 16:18.

TRUENOS, los siete, Ap. 10.

TUBAL, Gén. 10:2; Isa. 66:19; Eze. 27:13; 32:26; 38:9.

TUBAL-CAÍN, inventor del arte de trabajar los metales, Gén. 4:22.

TUMBA, Job 21:32; Mat. 23:29; 27:60; Mar. 5:2; 6:29. Véase SEPULCRO.

TUMIM. Véase URIM.

TUMULTOS, acerca de: David, 2 Sam. 20:1; Roboam, 1 Rey. 12:16; Cristo, Mat. 27:24, &c. Pablo, Hch. 14:5; 17:5; 18:12; 19:24; 21:27.

U

ÚLCERAS, la plaga de, Éxo. 9:10; Ap. 16:2. Véase 2 Rey. 20:7; Job 2:7.

UNCIÓN del Espíritu Santo: procede de Dios, 2 Cor. 1:21; Dios preserva a los que reciben, Sal. 18:50; 20:6; 89:20-23; los santos reciben, Isa. 61:3; 1 Jn. 2:20; permanece en los santos, 1 Jn. 2:27; guía hacia toda verdad, 1 Jn. 2:27; simbolizada, Éxo. 40:13-15; Lev. 8:12; 1 Sam. 16:13; 1 Rey. 19:16. Véase UNGIMIENTO.

UNGIDO, el (Cristo), Isa. 61:1; Luc. 4:18; Hch. 10:38. Véase MESÍAS.

UNCIÓN, de Aarón, &c., Lev. 8:10; 10:7; de Saúl, 1 Sam.10:1; de David, 1 Sam. 16:13; de Salomón, 1 Rey. 1:39; de Eliseo, 1 Rey. 19:16; de Jehú, 2 Rey. 9:1-13; de Joás, 2 Rey. 11:12.

señal de consagración, Gén. 28:18; 1 Rey. 1:39; 19:15; para el entierro, Mar. 14:8; 16:1; Luc. 23:66; de los enfermos, Stg. 5:14; con aceite, Sal. 92:10; con ungüento, Jn. 11:2; aplicado en la cabeza, Sal. 23:5; Ecl. 9:8; a la cara, Sal. 104:15; a los pies, Luc. 7:38; Jn. 12:3; a los ojos, Ap. 3:18.

UNICORNIO, mencionado, Núm. 23:22; 24:8; Deu. 33:17; Job 39:9, 10; Sal. 22:21; 29:6; 92:10. Isa. 34:7.

UNIDAD

—DE LA IGLESIA: Rom. 12:5; 1 Cor. 10:17; 12:3; Gál. 3:28; Efe. 1:10; 2:19; 4:4; 5:23, 30 exhortaciones con respecto a, Sal. 133; Rom. 12:16; 15:5; 1 Cor. 1:10; 2 Cor. 13:11; Efe. 4:3; Flm. 1:27; 2:2; 1 Ped. 3:8.

——, DE DIOS:
en la trinidad, 1 Jn. 5:7
es un motivo para obedecerle a él exclusivamente, Deu. 4:39, 40.
es un motivo para amarle sobre todas las cosas, Deu. 6:4, 5, con Mar. 12:29, 30.
DECLARADA por Dios mismo, Isa. 44:6, 8; 45:18, 21; por Cristo, Mar. 12:29; Jn. 17:3; por Moisés, Deu. 4:39; 6:4; por los apóstoles, 1 Cor. 3:4, 6; Efe. 4:6; 1 Tim. 2:5.
es congruente con la deidad de Cristo y del Espíritu Santo, Jn. 10:30, con 1 Jn. 5:7; Jn. 14:9-11.

SE MANIFIESTA: en la grandeza y en las obras maravillosas de Dios, 2 Sam. 7:22; Sal. 86:10; en las obras de la creación y de la providencia, Isa. 44:24; 45:5-8; en que solo Él posee la presciencia, Isa. 46:9-11; en que Él ejerce una soberanía absoluta, Deu. 32:39; en que Él es el único ser digno de adoración en los cielos y en la tierra, Neh. 9:6; Mat. 4:10; en que solo Él es bueno, Mat. 19:17; en que Él es nuestro único Salvador, Isa. 45:21;
todos los santos la reconocen por cuanto le adoran, 2 Sam. 7:22; 2 Rey. 19:15; 1 Cr. 17:20.
todos deben conocer y reconocer, Deu. 4:35; Sal. 83:18.
puede el hombre reconocerla sin poseer la fe que salva, Stg. 2:19, 20.

UNIGÉNITO, Cristo es el, de Dios, ofrecido por Él, Jn. 1:14; 3:16; 1 Jn. 4:9. Véase Zac. 12:10.

——, ofrecido por Abraham, Heb. 11:17.

UÑA hendida, o pezuña, los animales que tienen, son inmundos, Lev. 11:4; Deu. 14:7.

——, aromática, Éxo. 30:34.

UPARSIN, Dan. 5:25.

UR, tierra de los caldeos, Jehová saca a Abram de, Gén. 11:28; 15:7.

URÍAS heteo, traicionado por David a, 2 Sam. 11; 1 Rey. 15:5; Mat. 1:6.

——sacerdote, idolatría de, 2 Rey 16:10-16.

——, profeta, muerto por Joacim, Jer. 26:20.

URIM y TUMIM, parte del pectoral del sumo sacerdote, Éxo. 28:30; Lev. 8:8.
Dios había de ser consultado por medio de Núm. 27:21; 1 Sam. 28:6.
ejemplos del uso de, Jue. 1:1; 20:18; 1 Sam. 28:6.
la falta de, impedía a los sacerdotes comer de las cosas más santas, Esd. 2:63; Neh. 7:65.

USURA (Interés excesivo en un préstamo),
prohibida, Sal. 15:5; Pro. 28:8; Eze. 18:8, 13, 17; 22:12.
hacia los pobres, Éxo. 22:25; Lev. 25:36.
Hacia los hermanos, Deu. 23:19.
reprimida por Nehemías, Neh. 5.

UVAS, leyes con respecto a las, Lev. 19:10; Núm. 6:3; Deu. 23:24; 24:21. Véase Jer. 81:29; Eze.18:2.

UZA, herido por Dios al tocar el arca, 2 Sam. 6:3-8; 1 Cr. 13:7-11.

UZÍAS, rey de Judá, 2 Cr. 26:1-23; Isa. 1:1; Am. 1:1; Zac. 14:5.

V

VACA ALAZANA, Núm. 19; símbolo de Cristo, Heb. 9:12-14.

VACAS, uncidas por los filisteos para devolver el arca, 1 Sam. 6:7-12; sacrificadas, 1 Sam. 6:14; el sueño de Faraón relativamente a las, Gén. 41:2-7, 25-30; por vía de comparación, Am. 4:1.

VACILACIÓN, exhortaciones con respecto a la, Heb. 10:23; Stg. 1:6.

VADO, del Jordán, Jos. 2:7; Jue. 3:28; 12:5, 6. de Jaboc, Gén. 32:22; de Arnón, Isa. 16:2; del Éufrates, Jer. 51:32.

VAGABUNDO, Caín, Gén. 4:12. Véase Sal 109:10.

VALIENTES, varones de David, 2 Sam. 23:8; 1 Cr. 11:10.

VALLADO, Job 19:8; Ecl. 10:8; Isa. 5:5; Eze. 13:5; 22:30; Ose. 2:6; Mat. 21:33; Mar. 12:1; Luc. 19:43.

VALLE DEL REY, Gén. 14:17; 2 Sam. 18:18.

VALLES, había muchos en Canaán, Deu. 11:11.

ABUNDABAN: en fuentes y manantiales, Deu. 8:7; Isa. 41:18; en peñascos y cuevas, Job 30:6; Isa. 57:5; en árboles y flores, 1 Rey. 10:27; Cnt. 2:1; en pájaros, Pro. 30:17; Eze. 7:16.

ERAN: bien cultivados y fecundos, 1 Sam. 6:13; Sal. 65:13; a menudo escenario de cultos idólatras, Isa. 57:5; y de recios combates, Jue. 5:15; 7:8, 22; 1 Sam. 17:19.

MENCIONADOS EN LAS ESCRITURAS: Acor, Jos. 7:24; Isa. 65:10; Ose. 2:15; Ajalón, Jos. 10:12; Beraca, 1 Cr. 12:3; 2 Cr. 20:26. Boquim, Jue. 2:1, 5; Casis, Jos. 18:21; de las lágrimas, Sal. 84:6; Ela, 1 Sam. 17:2; 21:9.; Hinom, Jos. 18:16; 2 Rey. 23:10; 2 Cr. 28:3; Jer. 7:32; Escol, Núm. 32:9; Deu. 1:24; Gabaón, Isa. 28:21; Carisim, 1 Cr. 4:14; Gerar, Gén. 26:17; Hamón-Gog, Eze. 39:11; Hebrón, Gén. 37:14; Jericó, Deu. 34:3; Jezreel, Ose. 1:5; Iftael, Jos. 19:14, 27; Josafat, o decisión, Joel 3:2, 14; Líbano, Jos. 11:17; Meguido, 2 Cr. 35:22; Zac. 12:11; Moab, donde Moisés fue sepultado, Deu. 34:6; Refaim, o de los gigantes, Jos. 15:8; 18:16; 2 Sam. 5:18; Isa. 17:5; de la Sal, 2 Sam. 8:13; 2 Rey. 14:7. Save, o valle del Rey, Gén. 14:17; 2 Sam. 18:18; Zeboim, 1 Sam. 13:18; Sefata, 2 Cr. 14:10; Sidim, Gén 14:3, 8; Sitim, Jl. 3:18; Sucot, Sal. 60:6; Sorec, Jue. 16:4;

VALOR, exhortaciones para practicarlo, Núm. 13:20; Deu. 31:6; Jos. 1:6; 10:25; 2 Sam. 10:12; 2 Cr. 19:11; Sal. 27:14; 31:24; Esd. 10:4; Isa. 41:8; 1 Cor. 16:13; Efe. 6:10. Véase IMPAVIDEZ, CONFIANZA.

VANIDAD: una de las consecuencias de la caída, Rom. 8:20; todo hombre es, Sal. 39:11; el hombre en todo estado es, Sal. 62:9; el hombre es, aun en su mejor estado, Sal. 39:5; es como, Sal. 144:4; los pensamientos del hombre son, Sal. 94:11; los días del hombre son, Job 7:16; Ecl. 6:12; la niñez y la juventud son, Ecl. 11:10; la belleza del hombre es, Sal. 39:11; Pro. 31:30; la ayuda del hombre es, Sal. 60:11; Lam. 4:17; la justicia del hombre es, Isa. 57:12; la sabiduría mundana es, Ecl. 2:15, 21; 1 Cor. 8:20; el placer mundano es, Ecl. 2:1; la ansiedad mundana es, Sal. 39:6; 127:2; el trabajo mundano es, Ecl. 2:11; 4:4; los goces mundanos son, Ecl. 2:3, 10, 11; los bienes mundanos son, Ecl. 2:4-11; todas las cosas terrenas son, Ecl. 1:2; la conducta de los impíos es, 1 Ped. 1:18; la

religión de los hipócritas es, Stg. 1:26; la religión puramente externa es, 1 Tim. 4:8; Heb. 13:9; el dar limosna sin caridad es, 1 Cor. 13:3; la fe sin las obras es, Stg. 2:14

VAPOR, mencionado, Job 36:27; Sal. 135:7; 148:8; Jer 10:13.

VARA DE MEDIR. Véase **CAÑA.**

VARA (la), de Moisés fue transformada, Éxo. 4.

——, de Aarón, florece, Núm. 17; Heb. 9:4.

VARONES, los hijos, Faraón manda matara los israelitas, Éxo. 1:15.

había de presentarse tres veces al año delante del Señor, Éxo. 23:17; Deu. 16:16.

VASO, Gén. 40:11; 2 Sam. 12:3; Mal. 23:35; de consolaciones, Jer. 16:7.

en sentido figurado, Sal. 116:13.

VASOS, del templo mandados hacer por Salomón, 1 Rey. 7:40; llevados a Babilonia por Nabucodonosor, 2 Rey. 25:14; profanados por Belsasar, Dan. 5; restaurados por Ciro, Esd. 1:7.

VASTI, la reina, destituida, Est. 1.

VEJEZ. Véase **ANCIANIDAD.**

VELAS, divisiones del tiempo en, Éxo. 14:24; 1 Sam. 11:11; Mat. 14:25; Mar. 6:48.

VELLÓN, el de Gedeón, Jue. 6:37-40.

VELO, en las mujeres, señal de sujeción, Gén. 20:11-16; 24:65; Rut. 3:15; 1 Cor. 11:10; usado por Moisés, Éxo. 34:33; 2 Cor. 3:13; del tabernáculo y del templo, explicaciones respecto de su hechura, Éxo. 26:31; 36:35; 2 Cor. 3:14. Véase Heb. 6:19; 9:3; 10:20.

rasgado durante la crucifixión, Mat. 27:51; Mar. 15:38; Luc. 23:45.

VENCER, promesas a quienquiera que, 1 Jn. 2:13; Ap. 2:7, 11, 17, 26; 3:5, 12, 21; 21:7.

VENDER, reglas para, Lev. 25:14-17; Pro. 11:1; 16:11; 20:10, 23.

VENDIMIA, Jer. 6:9; época de gozo, Jue. 9:27; Isa. 16:10, Jer. 48:33.

VENENO de serpientes, Sal. 58:4; 140:3; Rom. 3:13; Stg. 3:8.

VENGADOR de la sangre, rescate de manos de, Núm. 35:12; Deu. 19:6; Jos. 20; Sal. 8:2; 44:16: Rom. 13:4; 1 Tes. 4:6.

VENGANZA: prohibida, Lev. 19:18; Pro. 24:29; Rom. 12:17, 19; 1 Tes. 5:15; 1 Ped. 3:9; Cristo era un ejemplo de tolerancia, 1 Ped. 2:23; censurada por Cristo, Luc. 9:54, 55; incompatible con el ánimo cristiano, Luc. 9:55; procede de un mal corazón, Eze. 25:15; pertenece a Dios, Deu. 32:33; Sal. 94:1; 99:8; Isa. 34:8; 35:4; Jer. 50:15; Eze. 24:25; Nah. 1:2; 2 Tes. 1:8; Heb. 10:30; Jud. 7.

VENTANAS, Gén. 6:16, 8:6; 26:8; Jos. 2:15, 21; Jue. 5:28; Eze. 40:16; en sentido figurado, Gén. 7:11; 8:2; Mal. 3:10.

VERANO, vuelta, anual de, Gén. 8:22; símil de la temporada de la gracia, Pro. 6:8; 10:5; 30:23; Jer. 8:20.

——, sala de, Jue. 3:20, 24 Am. 3:15; frutos de, Isa. 16:9; Jer. 40:12; 48:32; Am. 8:1, 2; casa de, Am. 3:15

VERDAD: Dios es un Dios de, Deu. 32:4: Sal. 31:5; Cristo es la, Jn. 14:6, con Jn. 7:18;

estaba lleno de, Jn. 1:14; habló, Jn. 8:45; el Espíritu Santo es el Espíritu de, Jn. 14:17; guía a toda, Jn. 16:13; la palabra de Dios es, Dan. 10:21; Jn. 17:17; Dios mira la, con favor, Jer. 5:3; los juicios de Dios son según la, Sal. 96:13; Rom. 2:2.

LOS SANTOS DEBEN: adorar a Dios en espíritu y en, Jn. 4:24, con Sal. 145:18; servir a Dios en, Jos. 24:14; 1 Sam. 12:24; andar ante Dios en, 1 Rey. 2:4; 2 Rey. 20:3; guardar las fiestas religiosas con, 1 Cor. 5:8; considerarla como de un valor inapreciable, Pro. 23:23; amarla, Zac. 8:19; alegrarse en, 1 Cor. 13:6; hablarse mutuamente en, Zac. 8:16; Efe. 4:25; ejecutar juicio con, Zac. 8:16; meditaren la, Flp. 4:8; atar la, a su cuello, Pro. 3:3; escribir la, en las tablas de su corazón, Pro. 3:3.

Dios desea, en el corazón, Sal. 51:6.

LOS MINISTROS DEBEN: hablar, 2 Cor. 12:6; Gál. 4:16; enseñar en, 1 Tim. 2:7; probarse en, 2 Cor. 6:7, 8.

los magistrados deben ser hombres de, Éxo. 18:21.

los reyes son preservados por la, Pro. 20:28.

LOS MALOS: carecen de, Ose. 4:1; no hablan, Jer. 9:5; no defienden la, Isa. 59:14, 15; no juzgan por la, Isa. 59:4; no son valientes a favor de, Jer. 9:3; son castigados por falta de, Jer. 9:5, 9; Ose. 4:1, 3.

EL EVANGELIO COMO LA VERDAD QUE ES: vino por me dio de Cristo, Jn. 1:17; Cristo dio testimonio de, Jn. 5:33; es en Cristo, 1 Tim. 2:7; Juan dio testimonio de, Jn. 5:33; es según la piedad, Tit. 1:1; es santificador, Jn. 17:17, 19; es purificante, 1 Ped. 1:22; es parte de la armadura del cristiano, Efe. 6:14; es revelado abundantemente a los santos, Jer. 33:6; mora continuamente con los santos, 2 Jn. 2.

DEBE SER: debe ser reconocido, 1 Tim. 2:25; creído, 2 Tes. 2:12, 13; 1 Tim. 4:3; obedecido, Rom. 2:8; Gál. 3:1; amado, 2 Tes. 2:10; manifestado, 2 Cor. 4:2; bien distribuido, 2 Tim. 2:15.

LOS MALOS: se apartan de, 2 Tim. 4:4; resisten, 2 Tim. 3:8; carecen de, 1 Tim. 6:5.

la iglesia es columna y apoyo de, 1 Tim. 3:15.

el diablo está destituido de, Jn. 8:44.

VERDAD de Dios: es uno de sus atributos, Deu. 32:4; Isa. 65:16; Tit. 1:2; va siempre delante de su rostro, Sal. 89:14; Dios la guarda para siempre, Sal. 146:6.

SE CARACTERIZA COMO: grande, Sal. 57:10; copiosa, Ex 34:6; Isa. 86:15; inviolable, Núm. 23:19; Tit. 1:2; que llega hasta las nubes, Sal. 57:10; que dura por todas las generaciones, Sal. 100:5.

va unida con la gracia en la redención, Sal.85:10.

MANIFESTADA: en sus consejos antiguos, Isa. 25:1; en sus caminos, Ap. 15:3; en sus obras, Sal. 33:4; 111:7; Dan. 4:37; en sus estatutos, Sal. 19:9; en la administración de justicia, Sal. 96:13; en su palabra, Sal. 119:160; Jn. 17:17; en el cumplimiento de sus promesas en Cristo, 2 Cor. 1:20; en el cumplimiento de su pacto, Miq. 7:20; en librar a los santos, Sal. 57:3;

es para los santos escudo y adarga, Sal. 91:4.

DEBEMOS: confiar en, Sal. 31:5; Tit. 1:2; apelar a, en nuestras oraciones, Sal. 89:49; implorar que se manifieste a nosotros mismos, 2 Cr. 6:17; y a los demás, 2 Sam. 2:6; darla a conocer a los demás, Isa 38:19; ensalzarla, Sal. 71:22; 138:2.

ES NEGADA: por el diablo, Gén. 3:4, 5; por los que se creen justos, 1 Jn. 1:10; por los incrédulos, 1 Jn. 5:10.

ejemplificada para con: Abraham, Gén. 24:27; Jacob, Gén. 32:10; Israel, Sal. 98:3.

VERDUGO, Mar. 6:27. Véase también Jer. 39:9; Dan. 2:14.

VERGÜENZA, consecuencia del pecado, Gén. 2:25; 3:10; Éxo. 32:25. Véase Pro. 3:35; 11:2; 13:5; Eze. 16:63; Rom. 6:21; la esperanza no acarrea, Rom. 5:5; vergüenza eterna de los enemigos de Dios, Sal. 40:14; 109:29; Eze. 7:18; Dan. 12:2.

VESTIDO, provisto por Dios, Gén. 3:21; Mat. 6:25-30; preservado por Dios, Deu. 8:4; Neh. 9:21.

VESTIDOS, los primeros, Gén. 3:7, 21; el acto de rasgar los, era señal de duelo, Gén. 37:29, 34; Núm. 14:6; Jue. 11:35; 2 Sam. 1:11; 13:31; Hch. 14:14; leyes respecto al lavamiento de los, Éxo. 19:10; Lev. 11:25; Núm. 19:7, &c.

VESTIDOS: el manto, Éxo. 28:4; Jue. 4:18; 1 Rey. 19:13, 19; Esd. 9:3; Job 1:20; 2:12; Mat. 21:8; capa, Luc. 6:29; 2 Tim. 4.13; ropa, 1 Sam. 18:4; túnica, Gén. 37:3; Éxo. 28:4; 1 Sam. 2:19; Dan. 3:21; Jn. 19:23; 21:7; Hch. 9:39; cinto o cinturón, Éxo. 28:8, 40; 1 Sam. 18:4; Jer. 13:1; Mat. 10:9 (bolsa); Hch. 21:11; tiaras, Éxo. 28:40; 39:28; Lev. 8:13; zapato, sandalia, Éxo. 3:5; Deu. 25:9; 33:25; Eze. 24:17; Mat. 3:11; Mar. 6:9; Hch.12:8; velo, Gén. 24:65; Éxo. 34:33; Rut. 3:15; Isa. 3:23; turbante, Eze. 23:15.

MATERIALES: telas de lino, Lev. 6:10; Est. 8:15; telas de lana, Pro. 27:26; Eze. 34:3; telas de seda, Pro. 31:22; sacos de cilicio, 2 Sam. 3:31; pieles, Heb. 11:37.

COLORES: Gén. 37:3; Jue. 8:26; 2 Sam. 1:24; 13:18; Est. 8:15; Ecl. 9:8; Eze. 23:6, 15; Dan. 5:7, 29; Luc. 16:19; Ap. 3:5; 6:11.

ATUENDO: de los sacerdotes, Éxo. 28:39; de los profetas, 2 Rey. 1:8; Zac. 13:4; Mat. 3:4.

OBSERVANCIAS: purificación de los inmundos, Lev. 13:47; no deben hacerse con mezcla de diversos hilos, Lev. 19:19; Deu. 22:11; de los sexos no deben cambiarse, Deu. 22:5.

de Cristo divididos, Sal. 22:18; Mal. 27:35; Jn. 19:23.

VESTIDURA, 2 Rey. 10:22; echaron suertes sobre las de Cristo, Mat. 27:35; Jn. 19:24. Véase Sal. 22:18; Ap. 19:13.

VÍBORA, Gén. 49:17; Job 20:16; Isa. 30:6; 59:5; se prende de la mano de Pablo, Hch. 23:3; como término de comparación, Mat. 3:7; 23:33.

VICIOS, varios, mencionados, Mat. 15:19, 20; Mar. 7:21, 22; Rom. 1:29-31; 1 Cor. 6:9; Gál. 5:19-22; 2 Tim. 3:2-4; Ap. 21:8.

VICTORIA sobre la muerte, Isa. 25:8; 1 Cor. 15:54; por la fe, 1 Jn. 5:4. Véase **TRIUNFO.**

VICTORIAS, las de Israel procedían de Dios, Éxo. 17:8; Jos. 6; 8; 10, &c.; Jue. 4; 7; 8; 11, &c.; 1 Sam. 14; 17, &c; 2 Cr. 14:8; 20:22.

VID, se encuentra muchas veces en su estado silvestre, 2 Rey. 4:39; Ose. 9:10; cultivada, Gén. 9:20; Sal. 128:3; Jer. 31:5; era necesario podarla, Lev. 25:3; Isa. 18:5; la vid baja y desparramada era particularmente apreciada, Eze. 17:6; en muchos casos degeneraba, Isa. 5:2; Jer. 2:21; probablemente producía dos cosechas al año, Núm. 13:20; perfumaba el aire con su fragancia, Cnt. 2:13; la hacía Dios fecunda en premio de la obediencia, Jl. 2:22; Zac. 8:12; o estéril en castigo, Jer. 8:13; Jl. 1:7; Hag. 2:19; a los nazareos se les prohíbía comer del fruto de ella, Núm. 6:3, 4.

lugares célebres por: Escol, Núm. 13:23, 24; Sibma, Isa. 16:8, 9; Líbano, Ose. 14:7; Egipto, Sal. 78:47; 80:8;

de Sodoma y Gomorra, no se podían comer, Deu. 32:32.

símil de Israel, Jer. 2:21; Eze. 15; 17; Ose. 10; Ap. 14:18.

símil de Cristo, Jn. 15.

VIDA (la), natural: Dios es el Autor de, Gén. 2:7; Hch. 17:28; Él preserva, Sal. 36:6; 66:9; está en la mano de Dios, Job 12:10; Dan. 5:23; enajenada a causa del pecado, Gén. 2:17; 3:17-19; de los demás, no se debe quitar, Éxo. 20:13; la misericordia de Dios es mejor que, Sal. 63:3; el valor de, Mat. 6:25; preservada por medio de la prudencia, Pro. 13:3; algunas veces es prolongada en respuesta a nuestras oraciones, Isa. 38:2-5; Stg. 5:15; la obediencia tiende a alargar, Deu. 30:20; la honra dada a nuestros padres tiende a prolongar, Éxo. 20:12; Pro. 4:10; los afanes y deleites de, peligrosos, Loc. 8:14; 21:34; 2 Tim. 2:4; los malos tienen sus bienes durante, Sal. 17:14; Luc. 6:24; 16:25.

SE DESCRIBE COMO: vana, Ecl. 6:12; limitada, Job 7:1 14:5; corta, Job 14:1; Sal. 89:47; incierta, Stg. 4:13-15; llena de trabajos, Job 14:1.

SE DEBE: tener de ella todo el cuidado debido, Mat. 10:23; Hch. 27:34; entregar por Cristo, si fuere necesario, Mat. 10:39; Luc. 14:26; Hch. 20:24; entregar por los hermanos, si fuere necesario, Rom. 16:4; 1 Jn. 3:16; sentir

gratitud por la conservación de, Sal. 103:4; Jn. 2:6; y por la satisfacción de las necesidades de, Gén. 48:15.

el verdadero goce de, no depende de la abundancia de bienes, Luc. 12:15.

AUTORES: Dios, Sal. 36:9; Col. 2:13; Cristo, Jn. 5:21, 25; 6:33, 51-53; 14:6; 1 Jn. 4:9; el Espíritu Santo, Eze. 37:14, con Rom. 8:9-13.

ES SOSTENIDA POR: Cristo, Jn. 6:57; 1 Cor. 10:3, 4; la fe, Gál. 2:20; la Palabra de Dios, Deu. 8:3, con Mat. 4:4; la oración, Sal. 69:32.

VIDA eterna: Cristo es, Jn. 11:25; 14:6; 1 Jn. 1:2; 5:20; revelada por Cristo, Jn. 6:68; 2 Tim. 1:10; conocer a Dios y a Cristo es, Jn. 17:3; los que se justifican a sí mismos la buscan por medio de las obras, Mar. 10:17; no se puede heredar por medio de las obras, Rom. 2:7, con Rom. 3:10-19; los que son ordenados para, creen en el evangelio, Hch. 13:48.

RESULTA DE: beber el agua de vida, Jn. 4:14; comer el pan de vida, Jn. 6:50-58; comer del árbol de la vida, Ap. 2:7.

LOS SANTOS: tienen promesas de, 1 Tim. 4:8; 2 Tim. 1:1; Tit. 1:2; 1 Jn. 2:25; tienen esperanza de, Tit. 1:2; 3:7; pueden tener certidumbre de obtener, 2 Cor. 5:1; 1 Jn. 5:13; segarán, por el Espíritu, Gál. 6:8; heredarán, Mat. 19:29; esperan la misericordia de nuestro Señor Jesucristo para, Jud. 21; deben echar mano de, 1 Tim. 6:12, 19; serán guardados para, Jn. 10:28; 29; resucitarán para, Dan. 12:2; Jn. 5:29; irán a, Mat. 25:46; reinarán en, Dan. 7:18; Rom. 5:17.

LOS MALOS: no obtienen, 1 Jn. 3:15; se juzgan a sí mismos indignos de, Hch. 13:46.

revelada en las Escrituras, Jn. 5:39.

VIDENTE, 1 Sam. 9:9; 2 Sam. 24:11.

VIDRIO, el mar de, Ap. 4:6; 15:2.

VIENTO, efectos milagrosos de, Gén. 8:1; Éxo. 15:10; Núm. 11:31; Eze. 37:9; Jon. 1:4; reprendido por Cristo, Mat. 8:26.

mencionados en las Escrituras: Norte, Pro. 25:23; Cnt. 4:16; Sur, Job 37:17; Luc. 12:55; Oriental, o Solano, Éxo. 10:13; Job 27:21; Eze. 17:10; Ose. 13:15; Occidental, Éxo. 10:19; Euroclidón, Hch. 27:14; s

mencionado figurativamente, Job 7:7; 8:2; Jn. 3:8; Stg. 1:6; 3:4.

VILEZA, del pecado, 1 Sam. 3:13; Job 15:16; Sal. 12:8; 14:3; 15:4; Isa. 1:6; 64:6; Eze. 24:13; Rom. 1:28; confesada, Esd. 9:6; Job 40:4; purificación de la, Isa 4:4; Eze. 22:15; 36:25; Zac. 3:4; 13:1; 1 Cor. 6:11; 2 Cor. 7:1.

VINAGRE, dado a Cristo en la cruz, Mat. 27:34, 48; Mar. 15:36; Luc. 23:36; Jn. 19:29. Sal. 69:21

mencionado en sentido figurado, Pro. 10:26; 25:20.

VÍNCULO, de la paz, Efe. 4:3.

VINO, hecho por Noé, Gén. 9:20; presentado a Abram, Gén. 14:18; empleado en las ofrendas, Éxo. 29:40; Lev. 23:13; Núm. 15:5; en la cena del Señor,

Mat. 26:29; prohibido los nazareos, Núm. 6:3; Jue. 13:14; y a los sacerdotes, Lev. 10:9; recetado como medicina, 1 Tim. 5:23; Luc. 10:34; los recabitas se abstenían de, Jer. 35; abstinencia de, para no hacer tropezar a nuestros hermanos débiles, Rom. 14:21. Véase 1 Cor. 8:13; el agua convertida en, por Cristo, Jn. 2; su uso, Jue. 9:13; 19:19; Sal. 104:15; Pro. 31:6; Luc. 10:34; el exceso de, prohibido, Efe. 5:18; malos efectos de, Gén. 9:20; 1 Sam. 25:37; Pro. 20:1: 23:29, 34; 31:4; Isa. 28:7; Ose. 4:11.

SÍMIL: de la abundancia, Jl. 2:19; de la sangre de Cristo, Mat. 26:27; de las bendiciones del evangelio, Pro. 9:3, 5; Isa. 25:6; 55:1;

VIÑA, de Noé, Gén. 9:20; de Nabot, obtenida a traición por Acab, 1 Rey. 21; Israel es viña infértil Is 5:1-7 parábolas de la viña, Mal. 20:1; 21:33; Mar. 12:1; Luc. 20:9; leyes con respecto a las viñas, Éxo. 22:5; 23:11; Lev. 19:10; 25:3; Deu. 20:6; 22:9; 23:24; 24:21

VIRGEN, Cristo nació de una, Mat. 1:18; Luc. 1:27. Véase Isa. 7:14.

VÍRGENES, las diez, Mat. 25:1. el consejo de Pablo tocante a las, 1 Cor. 7:25.

VIRTUD, exhortaciones a la práctica de la, Flp. 4:8; 2 Ped. 1:5.

VIRTUDES (las) y los vicios, opuestos, proverbios acerca de. Pro. 10—29.

Mujeres Virtuosas Rut 3:11 Pro 12:4 y 31:10

VISIÓN(ES) Sin v. el puelo perece Pro 29:18 enviadas por Dios, Gén. 12:7; Núm. 24:4; Job 7:14; Sal. 89:19; Isa. 1:1; Jl. 2:28; Hch. 2:17; 2 Cor. 12:1.

——, de Abraham, Gén. 15:12; de Jacob, Gén. 28:10; de Faraón, Gén. 41; de Miqueas, 1 Rey. 22:19; de Isaías, Isa. 6; de Ezequiel, Eze. 1; 10; 11; 37; 40; de Nabucodonosor, Dan. 2; 4; de Daniel, Dan. 7, &c.; de Zacarías, Zac. 1. de Pablo, Hch. 9:3 16:9 18:19 27:23 2 Cor. 12: de Pedro, Hch. 10:8; de Juan, Ap. 1; 4-22.

VITUPERIO: prohibido, 1 Ped. 3:9; de los gobernantes prohibido particularmente, Éxo. 22:28, con Hch. 23:4-5

LOS MALOS: profieren, contra Dios, Sal. 74:22; 79:12; contra Cristo, Mat. 27:39; Luc. 7:34; contra los santos, Sal. 102:8; Sof. 2:8; contra los gobernantes, 2 Ped. 2:10, 11; Jud. 8, 9.

de Cristo, predicho, Sal. 59:9, con Rom. 15:3; Sal. 89:51.

LOS SANTOS: soportaban, 1 Tim. 4:10; Heb. 10:33; soportan por amor de Dios, Sal. 60:7; soportan por amor de Cristo, Luc. 6:22; deben esperar, Mat. 10:25; no deben temer, Isa. 51:7; algunas veces se sienten abatidos a causa de, Sal. 42:10, 11; 44:16; 69:20; pueden regocijarse en, 2 Cor. 12:10; sostenidos cuando son víctimas de, 2 Cor. 12:10;

ejemplos de: los hermanos de José, Gén: 37:19; Goliat, 1 Sam. 17:43; Mical, 2 Sam. 6:20; Simei, 2 Sam. 16:7, 8. Senaquerib, Isa. 37:17, 23, 24; los moabitas y los amonitas, Sof.

2:8; los fariseos, Mat. 12:24; los judíos, Mat. 27:39, 40; Jn. 8:48; el malhechor, Luc. 23:39; los filósofos atenienses, Hch. 17:18.

VITUPERIOS, lanzados a la iglesia, sobrellevados por Cristo, Sal. 69:9; Rom. 15:3. Luc 6:22 2 Cor. 12:10 Heb. 10:33; 1 Ped 4:14

VIUDA, da consejo a David, 2 Sam. 14; Elías es alimentado por una, 1 Rey. 17; parábola de la viuda inoportuna, Luc. 18; la ofrenda de la, Mar. 12:42; Luc. 21:2; en sentido figurado, Isa. 47:9; 54:4; Lam. 1:1.

VIUDAS (las):
el carácter de las verdaderas, Luc. 2:37; 1 Tim. 5:5-10.

DIOS: socorre a, Sal. 146:9; sin duda oye el grito de, Éxo. 22:23; juzga por, Deu. 10:18; Sal. 68:5; afirma el término de, Pro. 15:25; testificará contra los opresores de, Mal. 3:5; cría a los huérfanos de, Jer. 49:11.

NO HAN DE SER: afligidas, Éxo. 22:22; oprimidas, Jer. 7:6; Zac. 7:10; tratadas con violencia, Jer. 22:3; privadas de su ropa en prenda, Deu. 24:17.

HAN DE SER: defendidas en juicio, Isa. 1:17; honradas, si son viudas en verdad, 1 Tim. 5:3; socorridas por sus parientes, 1 Tim. 5:4, 16; socorridas por la iglesia, Hch. 6:1; 1 Tim. 5:9; visitadas en la desgracia, Stg. 1:27; se les debe permitir el tomar parte en nuestras bendiciones Deu. 14:29; 16:11-14 24:19-21 aunque pobres, pueden ser generosas, Mar. 12:42,

cuando son jóvenes están expuestas a muchas tentaciones, 1 Tim. 5:11-14.

LOS SANTOS: socorren a, Hch. 9:39; causan gozo a, Job 29:13; no burlan las esperanzas de, Job 31:16.

VIVA, agua, dada por Cristo, Jn. 4:10; 7:38; Ap. 7:17 (Véase Cnt. 4:15; Jer. 2:13; Eze. 47; Zac. 14:8).

VIVIENTE QUE ME VE, pozo del, Gén. 16:7, 14; 24:62; 25:11.

VIVOS, y muertos, han de ser juzgados, Hch. 10:42; 2 Tim. 4:1; 1 Ped. 4:5.

VOLCÁN, Jer. 51:25; Nah. 1:5. 6; simbólico, Ap. 8:8.

VOLUNTAD, DE DIOS, irresistible, Dan. 4:17,35; Jn. 1:13; Rom. 9:19; Efe. 1:5; Stg. 1:18; cumplida por Cristo (Sal. 40:8) Mat. 26:42; Mar. 14:36; Luc. 22:42; Heb. 10:7; Jn. 4:34; 5:30; cómo se ejecuta, Jn. 7:17; Efe. 6:6: Col. 4:12; 1 Tes. 4:3; 5:18; Heb. 13:21; 1 Ped. 2:15; 4:2; 1 Jn. 2:17; 3:23.

——, del hombre, en contraste con la de Dios, Jn 1:13; Efe 2:3; Rom 9:16; 1 Ped 4:3

VOLVERSE (el) A DIOS: prescrito, 2 Rey. 17:13; Isa. 31:6; Jer. 18:11; Ose; 14:1.

VOTOS, leyes con respecto a, Lev. 27; Núm. 6:2; 30; Deu. 23:21. Véase Sal. 65:1; 66:13; 76:11; 116:18; Ecl. 5:4; Mal. 1:14.

HECHOS POR: Jacob, Gén. 28:20; los israelitas, Núm. 21:2; Jefté, Jue. 11:30; Ana, 1 Sam. 1:11; Saúl, 1 Sam. 14:24; David, Sal. 132:2.

Véase Jon. 1:16; Hch. 18:18; 21:23.

VOZ (la) DE DIOS: proclama la ley, Éxo. 19:19; 20:1; su majestad y poder, Job 37:4; 40:9; Sal. 18:13; 46:6; 68:33; Jl. 2:11.

  OIDA: por Elías, 1 Rey. 19:12; por Ezequiel, Eze. 1:24; 10:5; por Cristo en su bautismo, Mat. 3:17; Mar. 1:10; Luc. 3:22; Jn. 12:28; por los apóstoles en la Transfiguración, Mat. 17:5; Mar. 9:7; Luc. 9:35; 2 Ped. 1:18; por Pablo, Hch. 9:7; por Juan, Ap. 1:10.

Y

YELMO. (Parte de la armadura antigua que resguardaba la cabeza y el rostro. Se componía de morrión, visera y babera) De la salvación, Isa. 59:17; Efe. 6:17; 1 Tes. 5:8. Véase **ARMADURA.**

YO SOY, nombre de la Divinidad, Éxo. 3:14. Véase Isa. 44:6; Jn. 8:58; Ap. 1:17, &c.

YUGO de Cristo, fácil, Mat. 11:30; 1 Jn. 5:3.

YUGOS, enviados por Dios a varios reyes, Jer. 27:2-3.

  quebrados por Hananías, Jer. 28:10-17.

Z

ZABULÓN, nace, Gén. 30:20; 35:23; bendecido por Jacob, Gén. 49:13; bendecido por Moisés, Deu. 33:18; sus descendientes son contados, Núm. 1:30; 26:26; su herencia, Jos. 19:10; su valor, Jue. 4:6; 5:14, 18; 6:35; Cristo predica primero en la tierra de Zabulón (Isa. 9:1-2), Mat. 4:13-17; los cananeos le fueron tributarios, Jue. 1:30; la puerta de, Eze. 48:33; parte de los 144,000 siervos de Dios sellados en sus frentes, Ap. 7:8.

ZACARÍAS, hijo de Joiada, habiendo reprendido a Joás, recibe la muerte, 2 Cr. 24:20-21; Mat. 23:35.

——, profeta, exhorta al arrepentimiento, Zac. 1; 7; 8; 10, &c.

  predice la venida, sufrimientos, y el reinado de Cristo, Zac. 9:9; 11; 12; 13; 14.

  sus visiones, Zac. 1-6.

——, rey de Israel, hijo de Jeroboam, 2 Rey. 15:8-12.

—— padre de Juan el Bautista, Luc. 1:5-13. su incredulidad y su mudez, Luc. 1:18-22. su profecía respecto a Juan, Luc. 1:67-79.

——, otros personajes con el mismo nombre, 2 Cr. 24:20-22; Zac. 1:1, 7; Mat. 23:35.

ZAFIRO, Éxo. 24:10; 28:18; Eze. 1:26; 10:1; 28:13; Ap. 21:19,

ZAPATO, o sandalia, se quitaban al estar en lugar santo, Éxo. 3:5; Jos. 5:15.

  Se descalzaba al que no quería levantar descendencia a su hermano, Deu. 25:9.

  Se quitaba el zapato y se daba al prójimo, para confirmar cualquier negocio, Rut. 4:7.

Se la quitaban en señal de abatimiento, 2 Sam. 15:30.

ZAQUEO, llamamiento y confesión de, Luc. 19:1-10

ZARA, hermano de Fares, hace en sí rotura, Gén. 38:30; 1 Cr. 2:6.

  Hijos de Judas y de Tamar, Mat. 1:3.

ZARCILLOS o pendientes de oro, se daban en señal de consolación y apoyo, Job 42:11. El que reprende al sabio con oído dócil, es como zarcillo de oro, Pro. 25:12.

  Con ellos forjaban ídolos, Éxo. 32:2-3.

  Símbolo de la belleza femenina, Pro. 11:22.

  Las mujeres se adornaban con, Ose. 2:13.

  Se daban como ofrenda de oro a Jehová, Éxo. 35:22; Núm. 31:50.

  Los ismaelitas usaban zarcillos de oro, se daban como despojo, Jue. 8:24.

ZARZA o zarzal, el Señor aparece a Moisés en una zarza, Éxo. 3:2; Mar. 12:26; Luc. 20:37; Hch. 7:35

ZEEB, príncipe de los madianitas, su cabeza es llevada ante Gedeón, Jue. 7:25; 8:3; Sal. 83:11.

ZEBA, y Zalmuna, reyes de Madián, perseguidos y muertos por Gedeón, Jue. 8:5, 21; Sal. 83:11.

ZEBEDEO, padre de Jacobo y Juan. Dejado por sus hijos para seguir a Cristo, Mat. 4:21; Mar. 1:20.

ZEBUL, gobernante de Siquem, auxilia a Abimelec, Jue. 9:28-31.

ZENAS, doctor de la Ley, Tit. 3:13.

ZERA, etíope vencido por Asa, 2 Cr. 14:9; 16:8.

ZERES, esposa de Amán, Est. 5:10-14; 6:13.

ZICRI, hombre poderoso de Efraín, 2 Cr. 28:7.

ZIF, desierto de, David se oculta allí, 1 Sam. 23:14-24; 26:2

——, segundo mes, en este mes, Salomón empezó a edificar la casa de Jehová, 1 Rey. 6:1, 37.

ZILPA, sierva de Lea, Gén. 29:24; 30:10. Madre de Gad y Aser, hijos de Jacob, Gén. 30:9-13; 35:26; 37:2; 46:18.

ZIMRI, uno de los príncipes de la tribu de Simeón, Núm. 25:6-8, 14.

——, rey de Israel, comandante de la mitad de los carros del rey Baasa, al cual asesina y reina en su lugar, 1 Rey. 16:9-13; 2 Rey. 9:31 Su maldad y su muerte, 1 Rey. 16:16-20. alanceado junto con una madianita por Finees, Núm. 25:6-11, 14.

ZOMZOMEOS, gigantes que habitaron con los hijos de Amón, Deu. 2:20.

ZOROBABEL, príncipe de Judá, Esd. 4:3. Edifica el altar de Dios y restaura el culto a Jehová, Esd. 3:2; Neh. 12:47; Hag. 1:1, 14. Es animado por Dios, Hag. 2:1-4; Zac. 4:6. Véase Mat. 1:12.

ZORRAS, la estratagema de Sansón con las, Jue. 15:4; Neh. 4:3; Cnt. 2:15; Lam. 5:18; Mat. 8:20; Luc. 13:32.

ZURDOS, tiradores de honda, de la tribu de Benjamín, Jue. 20:16. Jue. 3:15